KRÖNERS TASCHENAUSGABE BAND 231

GERO VON WILPERT

SACHWÖRTERBUCH
DER LITERATUR

7., verbesserte und erweiterte Auflage

ALFRED KRÖNER VERLAG STUTTGART

Wilpert, Gero von:
Sachwörterbuch der Literatur / Gero von Wilpert. –
7., verb. u. erw. Aufl. – Stuttgart: Kröner, 1989.
    (Kröners Taschenausgabe; Bd. 231)
    ISBN 3-520-23107-7

1. Auflage 1955
erw. 2. Auflage 1959
verb. 3. Auflage 1961
erw. 4. Auflage 1964
erw. 5. Auflage 1969
erw. 6. Auflage 1979
erw. 7. Auflage 1989

VORWORT

Das vorliegende ›Sachwörterbuch der Literatur‹ umfaßt in rund 5000 Stichwörtern die wichtigsten Fachbegriffe der Literatur und dient seit rd. 35 Jahren als kurze und zuverlässige Einführung in die Begriffssprache der Literaturwissenschaft und damit dem Verständnis und der Freude an der Dichtung. Es wendet sich insbesondere an solche Benutzer, denen die größeren Nachschlagewerke nicht oder nur schwer zugänglich sind, und will ihnen Aufschluß geben über Wesen und Formen der Dichtung, soweit sie als Sprachkunst ein Eigenleben besitzt, das nicht allein von den einzelnen Autoren, sondern auch von den ihr eigenen Erscheinungsformen, Gattungen usw. aus beleuchtet werden kann. Dabei ist sich der Verfasser bewußt, daß das Wesentliche der Dichtung hinter der Fachbezeichnung liegt, daß die Begriffe immer schwebend sind und ihre Anwendung auf einzelne literarische Werke stets einseitig und problematisch bleibt und dem Ganzen nur selten gerecht wird.

Der Umfang der Taschenausgabe verlangte eine strenge Konzentration auf das Wesentliche und größtmögliche Knappheit der Darstellung. Aufgenommen wurden vornehmlich literarische Epochen- und Gattungsbezeichnungen, literarische Einrichtungen, Strömungen und Dichterkreise, Begriffe der Stilistik, Metrik, Literatursoziologie und Literaturpsychologie, ferner Fachausdrücke aus den Grenzgebieten Schrift- und Buchwesen und Theaterwissenschaft, letztere jedoch nur, soweit sie in direktem Zusammenhang mit der Literatur stehen.

Innerhalb der Artikel wurde der deutsche Sprachraum bevorzugt dargestellt, doch umspannt der Rahmen der Anlage grundsätzlich die gesamte Weltliteratur. Besonderer Wert wurde auf die Klärung und Abgrenzung der Begriffe selbst und auf die Darstellung ihrer Eigenart gelegt; ein anschließender historischer Teil gibt einen Überblick über die Entwicklung bis in die Gegenwart. Mit Sorgfalt ausgewählte und auf den neuesten Stand gebrachte Literaturangaben weisen dem Benutzer den Weg zu weiterer Orientierung. Innerhalb der Artikel wie auch am Schluß der Literaturangaben verweist ein Pfeil (→) auf solche Stichwörter, die weitere Aufklärung oder Literatur über den gesuchten Begriff geben und deren Lektüre daher empfohlen wird. Ansonsten wurde auf solche Sachbegriffe, die selbstverständlich ein eigenes Stichwort bilden, nicht speziell verwiesen. In der alphabetischen Anordnung erscheinen I und J als gesonderte Buchstaben. Unter C fehlende Stichwörter sind unter K bzw. Z zu suchen. Umlaute wurden in der alphabetischen Einordnung wie ae, oe und ue behandelt.

Es ist klar, daß ein Werk wie das vorliegende, das in seinem Umkreis den fachwissenschaftlichen Horizont eines Germanisten und Komparatisten weit übersteigt, seinen kompilatorischen Charakter weder verleugnen kann noch will. Herangezogen wurden außer einem Teil der angegebenen Literatur insbesondere die großen Nachschlagewer-

ke und Enzyklopädien sowie die Literaturlexika, die unter dem
Stichwort ›Literaturlexikon‹ aufgeführt sind, ferner die periodischen
Bibliographien und Referatenorgane. Wenn dieses kleine ›Sachwörterbuch der Literatur‹ neben ihnen seinen Rang behaupten will, so
einerseits aufgrund der Vielzahl an Stichwörtern aus der gesamten
Weltliteratur, andererseits durch den hier unternommenen Versuch,
die dichterischen Gattungen und Formen nicht nur beschreibend und
literarhistorisch darzustellen, sondern sie in erster Linie auf ihre
Wesenszüge und Eigengesetze sowie ihren dichterischen Aussagewert
zu befragen. Welche Schwierigkeiten der sachgetreuen Darstellung
der verschiedensten Begriffe aus den entferntesten Bereichen durch
einen einzigen Verfasser entgegenstanden, wird nur der Fachmann
beurteilen können. Dennoch mußte aus Gründen der Einheitlichkeit
des Werkes, die besonders bei einem kleineren Nachschlagewerk
erstes Gebot ist, an der einheitlichen Verfasserschaft festgehalten
werden. Daher war ich hier auf die bereitwillige und selbstlose Hilfe
zahlreicher Fachwissenschaftler angewiesen, die in mühevoller Kleinarbeit die einzelnen Stichwörter nachprüften, und denen an dieser
Stelle zu danken mir ein aufrichtiges Bedürfnis ist.
Die vorliegende 7. Auflage ist sowohl in der Textgestaltung als auch
in den Literaturangaben durchgesehen und auf den neuesten Stand
gebracht sowie um rund 500 Artikel insbesondere aus der modernen
Literatur und neuen Forschungsbereichen bereichert worden. Grundsätzlich jedoch hielt der Verfasser daran fest, nur feste literaturwissenschaftliche Begriffe aufzunehmen und kein bloßes Hilfswörterbuch
aller heute in der Literaturkritik geläufigen Fremdwörter, Schlag- und
Modewörter sowie sich selbst erklärender Begriffsprägungen zu bieten. Besonderer Wert konnte bei dieser Auflage wiederum auf die
Ergänzung der Literaturangaben auch aus dem fremdsprachigen
Schrifttum gelegt werden, da sich das Sachwörterbuch dank seiner
durch die häufigen Neuauflagen bedingten Aktualität in dieser Beziehung auch für den Fachkenner als erste Informationsquelle als nützlich erwiesen hat. Auch aus der Flut der Reprints wurde das Wichtigere berücksichtigt.
Für Anregungen zur Aufnahme weiterer Stichwörter oder Hinweise
auf eventuelle Lücken und die trotz größter Sorgfalt immer möglichen
kleinen Versehen sind Verfasser und Verlag jederzeit dankbar.

Sydney, Herbst 1989   *Gero von Wilpert*

I. ALLGEMEINE ABKÜRZUNGEN

Abh.	= Abhandlung
ags.	= angelsächsisch
ahd.	= althochdeutsch
AT.	= Altes Testament
Beitr.	= Beitrag, Beiträge
bes.	= besonders
Bln.	= Berlin
BR	= Bundesrepublik
Bz.	= Bezeichnung
DDR	= Deutsche Demokratische Republik
Diss.	= Dissertation
dt.	= deutsch
Dtl.	= Deutschland
Einf.	= Einführung
Einl.	= Einleitung
Ffm.	= Frankfurt/Main
franz., frz.	= französisch
Fs.	= Festschrift
gegr.	= gegründet
ges.	= gesellschaftlich
Ggs.	= Gegensatz
Hbg.	= Hamburg
Hdb.	= Handbuch
Hdwb.	= Handwörterbuch
Hdlbg.	= Heidelberg
hebr.	= hebräisch
hg.	= herausgegeben von
hist.	= historisch
Hist.	= History, Histoire
Hs(s)., hs.	= Handschrift(en), handschriftlich
idg.	= indogermanisch
Jg.	= Jahrgang
Jh(h).	= Jahrhundert(e)
Jhrb., Jb.	= Jahrbuch
Lex.	= Lexikon
lit.	= literarisch
Lit(t).	= Literatur(en)
Litgesch.	= Literaturgeschichte
lithist.	= literaturhistorisch
Litwiss.	= Literaturwissenschaft
ma.	= mittelalterlich
MA.	= Mittelalter
Mchn.	= München
mhd.	= mittelhochdeutsch
mlat.	= mittellateinisch

Mz.	=	Mehrzahl
n.	=	neugedruckt
N. F.	=	Neue Folge
NT.	=	Neues Testament
N. Y.	=	New York
Philol.	=	Philologie
Philos.	=	Philosophie
Progr.	=	Programm
sc.	=	scilicet, nämlich
Schr.	=	Schrift(en)
Slg.	=	Sammlung
Spr.	=	Sprache
Stud.	=	Studie(n)
svw.	=	soviel wie
t.t	=	terminus technicus, Fachbegriff
Tüb.	=	Tübingen
Unters.	=	Untersuchung(en)
urspr.	=	ursprünglich
vgl.	=	vergleiche
VJS	=	Vierteljahrsschrift
Wb.	=	Wörterbuch
wiss.	=	wissenschaftlich
Wiss.	=	Wissenschaft(en)
Zs(s).	=	Zeitschrift(en)

Hochgestellte Ziffern vor der Jahreszahl bezeichnen die Zahl der Auflage, römische Ziffern die Bandzahl.

II. ABKÜRZUNGEN FÜR ZEITSCHRIFTEN UND SAMMELWERKE

ADA	=	Anzeiger für deutsches Altertum und deutsche Literatur
AfB	=	Archiv für Begriffsgeschichte
AG	=	Acta Germanica
AGB	=	Archiv für Geschichte des Buchwesens
Archiv	=	Archiv für das Studium der neueren Sprachen und Literaturen
Aufriß	=	Deutsche Philologie im Aufriß
AUMLA	=	AUMLA, Journal of the Australasian Universities Language and Literature Association
CC	=	Comparative Criticism
CG	=	Colloquia Germanica
CL	=	Comparative Literature
CLS	=	Comparative Literature Studies
DaF	=	Deutsch als Fremdsprache
DD	=	Diskussion Deutsch
DLE	=	Deutsche Literatur in Entwicklungsreihen
DU	=	Deutschunterricht, Stuttgart
DVJ	=	Deutsche Vierteljahrsschrift für Literaturwissenschaft und Geistesgeschichte
EG	=	Etudes Germaniques
EdT	=	Erzählgattungen der Trivialliteratur, hg. Z. Skreb u. a. 1984
Euph	=	Euphorion
FLE	=	Formen der Literatur, hg. O. Knörrich 1981
FMLS	=	Forum for modern language studies
GL	=	Germanistische Linguistik
GLL	=	German Life and Literature
GQ	=	German Quarterly
GR	=	Germanic Review
GRM	=	Germanisch – Romanische Monatsschrift
GW	=	Germanica Wratislaviensia
JEGP	=	Journal of English and Germanic Philology
JES	=	Journal of European Studies
JFDH	=	Jahrbuch des Freien Deutschen Hochstifts
JIG	=	Jahrbuch für Internationale Germanistik
JLS	=	Journal of literary semantics
LfL	=	Literatur für Leser
LiLi	=	LiLi, Zeitschrift für Literaturwissenschaft und Linguistik
LJb	=	Literaturwissenschaftliches Jahrbuch
LK	=	Literatur und Kritik
LM	=	Les langues modernes

LuS	=	Literaturwissenschaft und Sozialwissenschaften
LWU	=	Literatur in Wissenschaft und Unterricht
MAL	=	Modern Austrian Literature
MH	=	Monatshefte für deutschen Unterricht, deutsche Sprache und Literatur
MLN	=	Modern Language Notes
MLQ	=	Modern Language Quarterly
MLR	=	Modern Language Review
MS	=	Moderna Sprak
MuK	=	Maske und Kothurn
NDH	=	Neue Deutsche Hefte
NDL	=	Neue Deutsche Literatur
Neophil	=	Neophilologus
NKL	=	Neun Kapitel Lyrik, hg. G. Köpf 1984
NLH	=	New Literary History
NM	=	Neuphilologische Mitteilungen
NR	=	Neue Rundschau
NS	=	Die Neueren Sprachen
OL	=	Orbis litterarum
PBB	=	Beiträge zur Geschichte der deutschen Sprache und Literatur
PMLA	=	PMLA, Publications of the Modern Language Association of America
PoE	=	Prosakunst ohne Erzählen, hg. K. Weissenberger 1985
PT	=	Poetics today
PTL	=	PTL, A journal for descriptive poetics and theory of literature
RA	=	Revue d'Allemagne
RE	=	Realenzyklopädie der klassischen Altertumswissenschaft
RG	=	Recherches germaniques
RL	=	Reallexikon der deutschen Literaturgeschichte
RLC	=	Revue de littérature comparée
SchillerJb	=	Jahrbuch der Deutschen Schillergesellschaft
SPIEL	=	SPIEL, Siegener Periodicum zur Internationalen Empirischen Literaturwissenschaft
SuF	=	Sinn und Form
STZ	=	Sprache im technischen Zeitalter
TeKo	=	Text und Kontext
TuK	=	Text und Kritik
WB	=	Weimarer Beiträge
WLT	=	World Literature Today
WW	=	Wirkendes Wort
YCGL	=	Yearbook of comparative and general literature
ZDA	–	Zeitschrift für deutsches Altertum und deutsche Literatur
ZDP	=	Zeitschrift für deutsche Philologie
ZfÄ	=	Zeitschrift für Ästhetik

ZfD	= Zeitschrift für Deutschkunde
ZfG	= Zeitschrift für Germanistik
ZfVk	= Zeitschrift für Volkskunde
ZGL	= Zeitschrift für germanistische Linguistik
ZRP	= Zeitschrift für romanische Philologie

Abbreviatur (lat. *abbreviare* = abkürzen), Abkürzung von häufig vorkommenden Wortverbindungen, Wörtern oder Silben zur Raum- und Zeitersparnis in ma. Hss. oder frühen Drucken nach festem Schema; daher Abbreviaturensatz = mit zahlreichen Abkürzungen gedruckter Schriftsatz, Abbreviatursprache = eingeführte Kurzformeln der Alltagssprache: ›(Hast du) gut geschlafen?‹

L. Schiaparelli, *Avviamento allo studio delle abbreviature latine nel medio evo*, 1926; P. Lehmann, Sammlung und Erörterung der lat. Abkürzungen, 1929; A. Cappelli, *Lexicon abbreviaturarum*, Mailand ⁶1961, n. 1967; P. A. Grun, Schlüssel zu alten und neuen Abkürzungen, 1966; R. de Sola, *Abbreviations Dictionary*, Amsterd. ⁷1986.

Abc →Alphabet

Abc-Buch →Fibel

Abdruck, allgemein jede Druckwiedergabe eines Werkes oder Werkteils, für urheberrechtlich geschützte Werke nur nach den Vorschriften des Abdruckrechts (für Zitate) im →Urheberrecht oder mit Genehmigung des Rechtsinhaber gestattet; insbesondere 1. anastatischer A. (griech. *anhistanai* = wiederaufrichten) Herstellung originalgetreuer Wiedergabe eines alten Druckes durch chemisches Spezialverfahren, welches das Original zur Aufnahme von Farbe präpariert und auf Stein oder Zink überträgt (heute veraltetes Verfahren). – 2. diplomatischer A.: Druckwiedergabe einer hs. Textvorlage. – 3. photomechanischer →Neudruck eines Werkes im gleichen Satzbild (→Faksimile, →Reprint). – 4. unerlaubter →Nachdruck urheberrechtlich geschützter Werke.

Abecedarium, 1. alphabetisches Register für juristische Handbücher, bes. im 14./15. Jh., so *Sachsenspiegel, Schwabenspiegel* u. a. m., dann auch ein alphabetisch geordnetes Rechtsbuch selbst, das die einschlägigen Vorschriften zusammenfaßt. – 2. alphabetisches Akrostichon, bei dem alle Wörter der 1. Zeile mit A, die der 2. mit B usw. beginnen. Nach dem bibl. Psalm 119 in jüd. wie christl. liturg. Lyrik des MA. und bis ins 17. Jh. (Q. KUHLMANN) verbreitet. – 3. alphabetisch geordnete ma. Schulbücher, ABC-Bücher als Vorläufer der →Fibel. – 4. *Abecedarium Normannicum:* altsächs. Merkgedicht der Runennamen.

Abelespelen (v. *abel* = klug, schön, kunstvoll), älteste ernste weltl. Dramen der Holländer im Ggs. zu den bei der Aufführung folgenden →Kluchten. Die vier anonymen, erhaltenen A. aus dem Raum Brabant-Limburg um 1350 behandeln in naiver Sprache, natürl. Gefühl und einfachem Aufbau ritterlich-romant. Liebeshandlungen (*Esmoreit, Gloriant, Lanseloet van Denemerken*) und jahreszeitliche Stoffe *(Van den Winter ende van den Somer).* Im 15. Jh. durch die →Sinnespelen verdrängt.

F. G. van de Riet, *Le théâtre profan sérieux en langue flamande au MA.*, 1935; A. de Maeyer, *Middeleeuws-romantisch toneel*, 1942; G. Stellinga, *De a.*, Groningen 1955.

Abenteuer →Aventiure

Abenteuerroman, Oberbegriff für volkstümlich-realist. Romane überwiegend abenteuerl. Stoffe, im Ggs. zum →Staats- und →Schäferroman ungesellschaftl. Form und Darstellung des natürl. Lebens. Vgl. einzeln: →Amadis, →Avanturierroman, →Lügendichtung, →Reiseliteratur, →Robinsonade, →Schelmenroman, →Simpliziade, →Räuberroman, →Western u. a. Der ursprüngl. A. reiht in lockerer, z.T. beliebiger Folge einzelne selbstwertige Geschichten um eine keiner Entwicklung folgende Zentralfigur, die sie verbindet und Fortsetzungen wie Einschübe gestattet. Er entstand im Anschluß an den ma. *Ruodlieb* aus abenteuerl. Zügen des →höfischen Epos (Artusroman), der →Spielmannsdichtung, der →Volksbücher des 16. Jh. (*Fortunatus* u.a.) und auch unter Einfluß des hellenist. →Romans (HELIODOROS, APULEIUS), der selbst Abenteuer und Liebesgeschichten verbunden hatte, in dem Moment, wo das Abenteuer nicht mehr ritterl. oder charakterl. Bewährungsprobe war, sondern unterhaltender Selbstzweck wurde, und erreichte weite Verbreitung seit dem Spät-MA., Höhepunkt im 16./17. Jh. als realist. Gegenströmung gegen die höfisch-galante Literatur: CERVANTES *Don Quijote*, GRIMMELSHAUSEN *Simplicissimus*, LE SAGE *Gil Blas*, DEFOE *Robinson Crusoe* und der *Lazarillo de Tormes* stehen als Werke der Weltliteratur mit tieferer Bedeutung und Verknüpfung des Abenteuerlichen zu sinnvoller Ganzheit gegen eine Flut von niederen A., denen bei Verselbständigung des bloß Abenteuerlichen ein tieferer eth. Gehalt fehlt, epigonalen Sinnverstümmelungen und Stoffhäufungen ohne lit. Wert. Im 18. Jh. tritt im Gefolge des empfindsamen engl. Familienromans das Interesse am Abenteuer gegenüber dem am Charakter des Helden zurück, das Abenteuer wird zur Fo-

lie psychologischer Motivierung (FIELDING, SMOLLETT, DEFOE) oder im Reiseroman integriert. In der Klassik Nähe zum Bildungsroman *(Wilhelm Meister)*, auch in romant. Verklärung z.B. bei EICHENDORFF *(Aus dem Leben eines Taugenichts)* als Bewährung und Entwicklung des Helden; daneben Trivialromane von K. G. CRAMER, C. A. VULPIUS u.a. Das 19. Jh. sucht neben dem pseudohistor. A. (A. DUMAS, *Die drei Musketiere, Der Graf von Monte-Christo*) psycholog. Motivierungen des Abgleitens zum Abenteurer durch Ausschluß aus der Gesellschaftsordnung oder ähnliches (H. KURZ, *Der Sonnenwirt*) und schafft den Typus des Outsiders oder Sonderlings aus Vereinsamung (C. TILLIER, *Mein Onkel Benjamin*); es spaltet den einheitl. Typ des Abenteurers in eine Vielzahl differenzierter Spielarten auf, die vom Landstreicher oder Hochstapler bis zum großen Ruhelosen, der exot. Literatur (COOPER, SEALSFIELD, GERSTÄCKER, J. CONRAD) reichen und im bürgerl. Narren (DAUDET, *Tartarin aus Tarascon*) verharmlost werden. Neben dem am. Entwicklungs-A. (STEVENSON, MELVILLE, M. TWAIN) entfalten sich in Europa eskapistische Züge als Kompensation der Erlebnisarmut (VERNE, SUE, MAY, RETCLIFFE). Im 20. Jh. vertreten den A. J. SCHAFFNER, B. TRAVEN, B. KELLERMANN, K. HAMSUN, J. STEINBECK, P. BAROJA u.a.; daneben bevorzugt man den lyrisch-naturnahen →Landstreicherroman und erneuert den sozialkrit. Schelmenroman (Th. MANN, *Felix Krull*, G. GRASS, *Die Blechtrommel*). Während der traditionelle A. Episode im Leben des Helden bleibt, der in die bürgerl. Gesellschaft zurückfindet, bleibt der moderne Abenteurer aus ihr ausgeschlossen.

H. Rausse, D. dt. A., 1912; E. Jenisch, V.

A. z. Bildungsroman, GRM 14, 1926; P. G. Neumair, D. Typus d. Abenteurers i. d. neuen dt. Dichtg., Diss. Ffm. 1933; H. Plischke, V. Cooper bis K. May, 1951; RL; A. Ayrenschmalz, Z. Begriff d. A., Diss. Tüb. 1962; ders., Stirbt der A. aus? (Welt u. Wort 18, 1963); F. Lyons, *Les éléments descriptifs dans le roman d'aventure au XIIIe siècle*, Genf 1965; W. Herrmann, Der allein ausziehende Held, DVJ 46, 1972; D. H. Green, D. Weg z. A' i. höf. Roman d. dt. MA., 1975; L. Hönninghausen, D. A. u. d. Dekadenz (Fin de siècle, hg. R. Bauer 1977); M. Nerlich, Kritik d. A'-Ideologie, II 1977; V. Klotz, A.e, 1979, ²1988; O. F. Best, Abenteuer, 1980; S. Brocher, Abenteuerl. Elemente i. mod. Roman, 1981; H. Steinbrink, A' lit. d. 19. Jh. i. Dtl., 1983; R.-P. Märtin, Wunschpotentiale, 1983; Ausbruch und A', hg. K. Carpenter u. a. 1984; V. Klotz, A.e, EdT, 1984; H. Eggebrecht, Sinnlichkeit u. Abenteuer, 1985.

Abgesang, auch ›Gebände‹, im Gegensatz zum →Aufgesang der Schlußteil der Minne- und →Meistersangstrophe, Gegengewicht gegen die →Stollen des Aufgesangs in Tonfall und Rhythmus, daher oft nach Reimfolge und Syntax von diesen abgesetzt, länger als jede einzelne von ihnen, kürzer als beide zusammen. Name aus dem Meistersang. Vgl. →Epode (1).
R. M. Meyer, Grundlagen d. mhd. Strophenbaus, 1886. →Metrik.

Abhandlung, 1. im Barock (GRYPHIUS) dt. Bezeichnung für →Akt. – 2. wiss. Untersuchung und Darstellung eines Problems bzw. Gegenstandes (→Monographie), früher →Traktat oder →Diskurs genannt.

Abhang, kurze mystische Hymnen der ind. Marâthî-Lit., die nach jeder Zeile einen Refrain aufnehmen.

Abkürzung →Abbreviatur

Abonnement (franz. =) Anrecht auf regelmäßige Leistungen bes. im Zeitungs- und Zeitschriftenwesen und im Theater durch Vorauszahlung eines (oft ermäßigten) Preises, die wiederum der Stetigkeit und Unterhaltung des Leistungsträgers dient.
W. Meyer, Gesch. d. Theater-A., 1939.

Abrégé (franz. =) →Abriß

Abriß, kurze, prägnante Darstellung eines Wissenszweiges in überschaubarer Form, vielfach zu Lernzwecken.

Abschweifung →Exkurs

Abschwörungsformel, stereotype Formel in den Einleitungssätzen ahd. →Taufgelöbnisse, in denen der Täufling den bisher verehrten heidnischen Göttern abschwor.

Absolute Dichtung, wirklichkeitsenthobene, stofffreie Dichtung aus mythisch-mag. Bewußtsein und einer in sich geschlossenen, autonomen, wertfreien Welt. Die a.D. wendet sich nach Entsinnlichung der Wortbilder zu Abstrakta in erster Linie der reinen Schönheit von Sprache, Klang und Rhythmus zu, die um ihrer selbst willen gepflegt werden. Nach Ansätzen bei E. A. POE historisch verwirklicht von BAUDELAIRE und den franz. Symbolisten (GAUTIER, MALLARMÉ, RIMBAUD, VALÉRY, HUYSMANS, GIDE) gemäß dem Prinzip des →L'art pour l'art, in dt. Lit. von C. EINSTEIN *(Bebuquin)* und G. BENN *(Roman des Phänotyp).* Vgl. →abstrakte Dichtung, →poésie pure, →konkrete Poesie.
E. Howald, D. a. D. i. 19. Jh. (Trivium 6, 1948); W. Günther, Üb. d. a. Poesie, DVJ 23, 1949 u. 24, 1950, auch in ders., Form u. Sinn, 1968; M. Landmann, D. a. D., 1963; B. Böschenstein, Stud. z. Dichtg. d. Absoluten, 1968; K. Gerth, A. D., DU 20, 1968; B. Bleinagel, A. Prosa, 1969.

Abstrakte Dichtung (v. lat. *abstractus* = abgezogen), ungegenständliche oder gegenstandslose Dichtung ohne aussagbaren gedanklich-bildl. Inhalt aus alogischer, syntaxfreier Zusammenstellung des Sprachmaterials (sinnlose Wortgruppierungen) oder des Lautmaterials (sinnfreie Buchstabenfolgen). A. D. hat ihre Wurzeln in einzelnen Versen, bes. Refrains, des Volks- und Kinderliedes, die klangmusikal. Effekte ohne Sinngehalt bieten (›Faleri falera‹ u. ä.), in vereinzelten Nachahmungen in der Kunstlyrik (Ch. MORGENSTERN, *Das große Lalulā*) sowie im →L'art pour l'art-Begriff, der →poésie pure und der →absoluten Dichtung des 19. Jh. Literarisiert in der darauf aufbauenden absoluten Wortkunst des →Dadaismus (H. ARP, K. SCHWITTERS) und des russ. →Futurismus (V. CHLEBNIKOV), in den 20er Jahren wiederum zerfallen, lebte sie als intellektuelles Experiment nach dem 2. Weltkrieg wieder auf in der Dichtung des franz. →Lettrismus und in Dtl. in den experimentellen Texten von H. HEISSENBÜTTEL, M. BENSE, F. MON, E. GOMRINGER, C. BREMER, L. HARIG, E. JANDL und der →Wiener Gruppe, mechanisiert in der sog. →Computerlyrik, als Grenzüberschreitungen zu anderen Künsten in akustischer und →visueller Poesie. Die a. D. setzt das Erlebnis des Weltzerfalls in Sprachzerfall um und wird zum künstlichen, sinnfreien, aber auch seelenlosen und daher toten Klangspiel mit entwerteten Werten; sie hebt ihren Weltbezug durch die Beziehungslosigkeit zur Sprache und ihrer Bildlichkeit von selbst auf. Die aus der Freisetzung bloßer Klangwerte und Bezüge und ihrer Konstellation im Text entstehenden ästhet. Werte, etwa als Ausdruck des sonst nicht Sagbaren, sind umstritten, da überzeugende Beispiele bisher ausblieben. Infolge ihres Aufbaus auf dem atomisierten konkreten Sprachmaterial hat sich für die a. D. auch die Bz. →konkrete Dichtung eingeführt, die gleichzeitig eine Sonderart der a. D. bezeichnet.

Movens, hg. F. Mon 1960; B. Allemann, Gibt es a. D.? (in: Definitionen, 1963); R. N. Maier, Paradies der Weltlosigkeit, 1964; R. Brinkmann, Abstrakte Lyrik im Expressionismus (Der dt. Expressionismus, hg. H. Steffen 1965).

Absurdes Drama, dem →Grotesken verwandte avantgardist. Dramenform der Gegenwart (seit 1950), die aus Protest gegen bürgerl. Scheinsicherheit, unechte Lebensführung und lebensfernen Intellektualismus in provozierender Abkehr vom konventionellen Theater das Gewohnte in Frage stellt, Raum für die absurde Logik einer sinnentleerten Welt schafft und das Sinnlose oder Sinnwidrige zur Grundlage dramat. Gestaltung nimmt. Kennzeichen sind der Verzicht auf einen log. Handlungsvorgang im Großen bei überzeugender Schlüssigkeit der Details und starker szen. Phantasie, der Verzicht auf einen vorantreibenden Dialog zugunsten eines banalen und ziellosen Redens der Figuren, deren Thesen sich im Kreise bewegen und austauschbar geworden sind, schließlich die Entmenschlichung der Figuren zu sinnlos handelnden Marionetten ohne psychologische Konsequenz: Rhythmisch variierte, steigende und verstummende, kreisende und sich selbst reduzierende Abläufe. Die Wurzeln des a. D. reichen zurück bis zur Narrenliteratur, Clownerie, Nonsensedichtung, Traumdichtung, Commedia dell' arte und Pantomime; Anregungen kamen aus Dadaismus, Surrealismus (A. JARRY, *König Ubu*, G. APOLLINAIRE) u. a. irrationalen Strömungen; als Grunderfahrung wurde die von der Absurdität menschl. Existenz aus dem Existentialismus verarbeitet. Im Ggs. zum Grotesken jedoch ist das a. D. ohne wesenhaft trag. Komponente, vielmehr aus komödiant. Humor, Ironie und Satire gespeist. Bes. in franz. (BECKETT, IONESCO, GENET, ADAMOV, TARDIEU, ARRABAL, VIAN, BILLETDOUX), engl./amerikan. (PINTER, ALBEE, SAUNDERS, CARLINO, KOPIT, N. F. SIMPSON), span. (JARDIEL PONCELA), slaw. (S. WITKIEWICZ, W. GOMBROWICZ, V. HAVEL, S. MROŻEK) und ir. Lit. (P. V. CARROLL), in Dtl. bei W. HILDESHEIMER, H. G. MICHELSEN, G. GRASS und P. HANDKE.

A. Schulze-Vellinghausen, D. absurde Theater (in: Elemente des mod. Theaters, 1961); L. C. Pronko, *Avantgarde: The Experimental Theater in France*, Berkeley 1962; D. Stephan, Zum sog. absurden Theater, DU 16, 1964; P. Fischer, Versuch üb. d. scheinbar absurde Theater (Merkur 203, 1965); W. Hildesheimer, Üb. d. absurde Theater (in: Wer war Mozart, 1966); M. Esslin, D. Theater des Absurden, ²1967; G. Büttner, Absurdes Theater u. Bewußtseinswandel, ²1969; A. P. Hinchliffe, *The Absurd*, Lond. 1969; A. Heidsieck, D. Groteske u. d. Absurde i. mod. Drama, 1969, ²1971; L. Kofler, Abstrakte Kunst u. absurde Lit., 1970; M. Esslin, Jenseits des Absurden, 1972; H. Ehrig, Paradoxe u. absurde Dichtg., 1973; M. Dietrich, D. mod. Drama, ³1974; R. Daus, D. Theater d. Absurden i. Frankr., 1977; B. Rosenthal, D. Idee d. Absurden, 1977; H. Ehrig, Probl. d. Absurden, WW 29, 1979; Ü. Quint-Wegemund, D. Theater d. A., 1983; H. Arntzen, Z. Sprache kommen, 1983; J. Palmer, *The logic of the absurd*, JlG 16, 1984.

Abundanz (lat. *abundantia* = Überfluß), in der Stilistik die Fülle der sprachl. Ausdrucksmöglichkeiten zur Wiedergabe ein und desselben Gedankens.

Abvers, der zweite Teil des →Langverses allg. oder insbes. des →Alliterationsverses oder der zweite Vers eines Reimpaars im Ggs. zum →Anvers.

Abzählreim, Abzählvers, Gattung von →Kinderliedern zum Auszählen eines Kindes, dem im Spiel eine besondere Rolle zukommt, entweder indem die Schlußsilbe des ersten A. auf das Kind fällt, oder wiederholbar, bis alle anderen Kinder ausgezählt werden und aus der Wahl ausscheiden; da es nur auf den Rhythmus des Silbenfalls ankommt, vielfach abstrakt klangvoll oder in Nähe zur Nonsensedichtung.

Académie Française, 1635 von RICHELIEU aus einer seit 1626 bei V. CONRART wöchentlich tagenden Privatgesellschaft von Schriftstellern und Schöngeistern gegründete →Akademie von stets 40 auf Lebenszeit von den anderen gewählten Mitgliedern (›Unsterblichen‹) zur Pflege franz. Sprache, Kunst und Wissenschaft sowie Reinerhaltung der Sprache, Herausgabe des *Dictionnaire de l'Académie* (seit 1694) und Verteilung von Literaturpreisen; tagte 1672–1793 unter der Protektion des Königs im Louvre und wurde meinungsbildend für konservativ-klassizist. Sprach- und Literaturkritik. 1803 mit 5 anderen Akademien zum ›Institut de France‹ zusammengefaßt.

Mesnard, *Histoire de l'A. f.*, Paris 1859; Laurens, *L'Institut de France*, 1907f.; *Trois siècles de l'A. f.*, Paris 1935; R. Peter, *L'A. f. et le 20. siècle*, Paris 1949; D. Oster, *Hist. de l'A. f.*, Vialetay 1970; J.-P. Caput, *L'A. f.*, Paris 1986.

Académie Goncourt, von E. de GONCOURT testamentarisch 1896 gestiftete literar. Gesellschaft von zehn Schriftstellern bzw. Schriftstellerinnen, die allmonatlich einmal zu einem Essen tagen und in der Novembersitzung dem besten Roman der Berichtszeit den Prix Goncourt verleihen. Ihre Mitglieder dürfen nicht zugleich der Académie Française angehören.

Accademia della crusca (ital. = Akademie der Kleie) →Akademie und →Sprachgesellschaften

Accademia dell'Arcadia →Arcadia

Achtsilber, allg. Vers von acht Silben, insbes. der stichisch gebrauchte, alternierende A. mit Paarreim, ältester regelmäßiger Vers der franz. Kurzepik u. Lyrik des 14.–16. Jh. und des frühen Dramas; später in LAFONTAINES *Contes,* bei SCARRON, GAUTIER und BANVILLE.

Achtziger →Tachtigers

Acta (lat. = Taten), im antiken Rom Bz. für: 1. Senatsprotokolle, 2. Verfügungen des Kaisers und bes. 3. A. *diurna* oder *urbana,* von Caesar 59 v.Chr. gegründete erste Tageszeitung zur Nachrichtenübermittlung an die Öffentlichkeit, enthielt u.a. Senatsbeschlüsse, -protokolle, Mitteilungen. Später für Heiligen-, Märtyrer- und Apostelakten, schließl. Zss.-Titel.

RE; A. Dresler, Üb. d. Anfänge röm. Zeitungswesens, ²1933; N. Mayer, Was wissen wir v. d. A. diurna? (Zeitungswiss. 15, 1940).

Acte gratuit (franz.), eine plötzliche, impulsive, sinnlose Handlung aus spontaner Eingebung; fester Begriff in der individualist. Morallehre und der Lit., etwa in den Romanen von A. GIDE, z.B. der Mord Lacfadios an einem Mitreisenden in *Die Verliese des Vatikan.*

M. Raether, D. a. g., 1980.

Action française, im Juni 1899 von H. VAUGEOIS, Ch. MAURRAS und L. DAUDET begründete polit. Bewegung in Frankreich um die 1899 gegründete Zeitschrift (seit 1908 Tageszeitung) *L'Action française;* rechtsextrem-präfaschistisch, nationalistisch, antidemokratisch, autoritär-monarchistisch, antideutsch, antisemitisch und militant katholisch, wurde sie zum bedeutendsten Exponenten des Royalismus und politischen Katholizismus im mod. Frankreich und erreichte teils starke nationale Wirkung durch die ihr angehörigen Schriftsteller. Die Bewegung wurde 1936, die Zeitung 1944 aufgelöst und ihre Mitglieder teils als Kollaborateure angeklagt.

W. Gurian, D. integrale Nationalismus i. Frkr., 1931; R. Havard de la Montagne, Hist. de l'A. f., Paris 1950; E. R. Tannenbaum, The A. F., N.Y. 1962; E. Weber, A. F., Stanford 1962; P. Mazgoj, A. f. and revolut. syndicalism, Chapel Hill 1979.

Activists, 1936 gegründete Gruppe amerikan. Schriftsteller in und um San Francisco, die unter der Leitung von Lawrence HART die emotionalen Werte der Sprache im Interesse größerer Effektivität zu aktivieren suchte.

Zs. Poetry, May 1951.

Adamismus →Akmeismus

Adaption, Adaptation (v. lat. *adaptare* = anpassen), im Ggs. zur bloßen, meist nicht gattungsändernden →Bearbeitung die Anpassung eines lit. Werkes an die Erfordernisse einer anderen Gattung oder eines Mediums, für das es in der authentischen Form nicht gedacht war, z.B. Hörspiel- oder →Bühnenbearbeitung von Erzählwerken oder Filmen, Fernsehbearbeitung oder Verfilmung von Dramen oder Romanen u.ä. Die A. entsteht aus dem Stoffhunger der mod. Massenkommunikationsmittel und erfolgt entweder durch den ursprüngl. Verfasser (z.B. W. HILDESHEIMER, M. FRISCH, *Biedermann*) oder durch einen Adaptor (z.B. B. BRECHT, H. PINTER). →Dramatisierung.

R. Rach, D. filmische A. lit. Werke, Diss. Köln 1964; H.-E. Schauer, Grundprobl. d. A. lit. Prosa durch d. Spielfilm, Diss. Bln. 1965; V. Canaris, Probl. d. A. v. Drr. i. Fernsehen (Hb. d. dt. Dr., hg. W. Hinck 1980).

Addendum, Mz. Addenda (lat. = Hinzuzufügendes), Beilage, Zugabe, →Appendix.

Addierende   Zusammensetzung,

Art der Wortbildung durch Zusammenfügung, bei der das 1. Glied nicht zur näheren Bestimmung des 2. dient, sondern beide gleichwertig den Begriff umreißen: dummdreist, naßkalt, wildfremd, Strichpunkt u. ä., oft antithetisch: traurigfroh (HÖLDERLIN, *Heidelberg*), →Oxymoron.

Adelsroman, vorwiegend oder ausschließlich in adligen Kreisen spielender, ihre Weltsicht spiegelnder Roman, in Dtl. nach barockem und romant. A. gipfelnd in GOETHES *Wahlverwandtschaften* und FONTANES *Stechlin*, im 20. Jh. E. PLESSEN, C. BRÜCKNER. Der vordergründige Snob Appeal des Trivialromans schafft keinen echten A.

W. Manggold, D. dt. A. i. 19. Jh., Diss. Freib./Br. 1934; L. Fertig, D. Adel i. dt. Roman d. 18. u. 19. Jh., Diss. Hdlbg. 1965; Legitimationskrisen d. dt. Adels, hg. P. U. Hohendahl 1979.

Adespota (griech. = herrenlos), Schriften Unbekannter, die nicht einem bestimmten Verfasser zuzuschreiben sind. →Anonym.

Adiyârs = →Nâyanâr

Adonius, adonischer Vers, zweitaktiger antiker Kurzvers, rhythmisch wirkungsvolle 4. Zeile (Schlußzeile) der →sapphischen Strophe, akatalekt. Dipodie aus Daktylus und Trochäus: ‒⏑⏑‒⏓, auch beim →Hexameterschluß als katalekt. daktyl. Dipodie erklärt; benannt nach Verwendung als Abschluß griech. Totenklagen um Adonis (›O ton Adonin‹). In dt. Lit. in KLOPSTOCKS *Der Frohsinn,* stichisch in G. GREFLINGERS *An seine Gesellschaft.*
Lit. →Metrik

Adresse (franz. =) an bestimmte Personen oder Institutionen gerichtete Meinungskundgebung meist polit. Inhalts zur Darlegung von Zustimmung oder Kritik an herrschenden Zuständen.

Ad spectatores (lat. = an die Zuschauer, ans Publikum) gerichtete Nebenbemerkungen e. Schauspielers auf offener Szene, oft mit Überspringen der Bühnensituation, in der antiken Komödie bei ARISTOPHANES und PLAUTUS beliebt zur Erzielung witziger Pointen, doch auch als Fehler gerügt, daher von TERENZ vermieden. Wiederaufnahme in den Ansagerkommentaren des →epischen Theaters, z. B. in BRECHTS *Der gute Mensch von Sezuan* und Lehrstücken. Vgl. →À part.

Ad usum delphini, in usum delphini (lat. = zum Gebrauch des Dauphin, des franz. Thronerben), teils verstümmelte, in moralisch oder politisch anstößigen Stellen bereinigte Ausgaben antiker Klassiker mit Kommentar, wie sie BOSSUET und HUET auf Wunsch Ludwigs XIV. 1674–1730 in 64 Bänden für den Unterricht des Kronprinzen besorgten, dann im weiteren Sinne = zurechtgemacht, für die Jugend bearbeitet, z. B. Ausgaben von DEFOES *Robinson Crusoe,* SWIFTS *Gulliver* u. ä.

C. Loehning, In usum d. (Philobiblon 14, 1970).

Adventslied, →geistliches Lied und →Kirchenlied, das auf die Feier von Christi Geburt zu Weihnachten vorbereitet und die Vorfreude auf das Fest und seinen Anlaß beschreibt. In dt. Lit. z. B. D. SUDERMANN, *Es kommt ein Schiff gefahren,* G. WEISSEL, *Macht hoch die Tür,* P. GERHARDT, *Wie soll ich dich empfangen* u. a.

H. Werthemann, Stud. z. d. A. d. 16. u. 17. Jh., 1963.

Adventspiel, jüngere, vorwiegend im protestant. Mitteldeutschland entwickelte Form des →geistlichen Dramas, volkstüml. Laienaufführungen bei Umzügen von Schülern,

Bauern, Bergleuten in der Adventszeit mit Stoffen aus der bibl. Geschichte, vor allem Dialogen von Maria und Josef mit dem unbarmherzigen Wirt bei der Herbergssuche in Bethlehem. Seit Ende 16. Jh. bezeugt und bis ins 19. Jh. im Erzgebirge gepflegt.

A. Karasek-Langer, Herkunft u. Entwicklg. d. A. (Bayer. Jhrb. f. Volkskunde 1963).

Adversaria (lat. = Entgegengesetztes, Zugekehrtes), die immer vor Augen liegende Kladde, ungeordnete Konzepte und Notizen, nicht aufgearbeitete Aufzeichnungen und Entwürfe.

Adversatives →Asyndeton (lat. = entgegengewandt), unverbundene Gegenüberstellung von Gegensätzen in einem Satzpaar zu stärkster Kontrastierung: ›Das Leichte steigt, das Schwere fällt‹.

Adynaton (griech. = Unmögliches), Sonderform der →Periphrase, die Umschreibung des Begriffs ›niemals‹ durch eine Naturunmöglichkeit, z.B. ›daß ein Kamel durch ein Nadelöhr gehe‹. Häufig in antiker und dann erst wieder in abendländ. Lit. seit dem Petrarkismus, z.B. ›Wie dieser Stab in meiner Hand / nie mehr sich schmückt mit frischem Grün‹ (R. WAGNER, Tannhäuser III, 3).

E. Dutoit, Le thème de l'a. dans la poésie antique, Paris 1936; F. R. Schröder, A. (Edda, Skalden, Saga, Genzmer-Fs., 1952).

Äolische Basis →äolische Versmaße

Äolische Versmaße, in der antiken Metrik Verse, die im äol. Dialekt silbenzählend sind, d.h. Längen und Kürzen nicht aufrechnen, also scheinbar aus daktyl. oder anapäst. und trochäischen oder jamb. Metren gemischt sind, so daß zwischen den Längen ein oder zwei Kürzen stehen wie im →Pherekrateus, →Glykoneus und den Asklepiadeen (→Asklepiadeische Strophe). Kennzeichnend sind die sog. ›äol. Basis‹, d.h. von den ersten beiden Silben kann jede entweder kurz oder lang sein (‒ ‒, ‿ ‿, ‿ ‒ oder ‿ ‿), und ein →Choriambus in der Versmitte. Zuerst von SAPPHO und ALKAIOS auf der äol. Insel Lesbos verwendet (→Sapphische und →Alkäische Strophe), dann bei CATULL, den röm. Elegikern und den Oden des HORAZ.

W. Borgeaud, Analyse de quelques mètres éoliens (L' Antiquité classique 26, 1957).

Äquivokation (v. lat. aequus = gleich, vocare = benennen), Gleichklang inhaltlich mehrdeutiger Worte, →Homonyme.

Ästhetik (v. griech. aisthetikos = die Sinne, Wahrnehmung betreffend), Teilgebiet der Philosophie: die Wissenschaft von den Gesetzen und Grundlagen des Schönen (= ästhetisch Angenehmen) in Natur und Kunst. Der auf die Dichtkunst bezogene Teil der Ä. heißt →Poetik. Die Ä. beschäftigt sich mit den Entstehungs- und Wirkungsbedingungen des Kunstwerks (Produktions- und Rezeptions-Ä.), dem Kunstgenuß und den daraus abgeleiteten Wertmaßstäben der künstler. Beurteilung. Sie fordert von den Gegenständen e. Gefühlswert, der Einstimmung und das Mitschwingen ermöglicht und das Wohlgefallen an ihnen hervorruft. Die wichtigsten Forderungen der Ä. von e. Kunstwerk sind: a) hinsichtlich des Gehalts: Bedeutsamkeit, Anschaulichkeit, Veredelung, Distanzierung, Fülle und Tiefe, innere Gesetzlichkeit und Wahrheit sowie der Ausdruck e. geschlossenen Weltanschauung; b) hinsichtlich der Gestalt: Lebendigkeit, Abwechslung in der Einheit, harmon. Gliederung. Die Entwicklung der Ä. ist aufs engste mit derjenigen der Dichtung verknüpft und zeigt c. ähnliche Abfolge von epochebedingten Methoden und Anschauungen. Als eigene Wissenschaft 1750 durch A. G. BAUMGARTEN (*Aesthetica*) begründet, erfuhr sie weitreichende Förderung namentlich auch aus Kreisen der Dichter selbst, so in Dtl. durch KLOPSTOCK, LESSING, HAMANN, HERDER, GOETHE, SCHILLER, JEAN PAUL, NOVALIS, die SCHLEGELS, HEGEL, R. WAGNER, NIETZSCHE u. a. Neuere Systeme einer philos. Ä. mit wechselnder weltanschaul. Basis schufen VISCHER (1846), FECHNER (1876), LIPPS (1903), CROCHE (1905), HARTMANN (1909), DESSOIR (1906), VOLKELT (1905), M. BENSE, F. BRENTANO (1959), F. KAUFMANN (1960) und G. LUKÁCS (1963).

ZfÄ, 1906 ff. (seit 1951 Jhrb.); E. Utitz, Kurzgefaßte Gesch. d. Ä., 1932; E. G. Wolff, Ä. d. Dichtkunst, 1944; P. Reiff, D. Ä. d. dt. Frühromantik, Urbana 1946; W. Ehrlich, Ä., 1947; E. de Bruyne, *L'esthétique au MA.*, Löwen 1947; F. Kainz, Vorlesungen üb. Ä., 1948; F. J. Billeskov Jansen, *Esthétique de l'œuvre d'art litt.*, Koph. 1948; G. Nebel, D. Ereignis d. Schönen, 1953; K. E. Gilbert, H. Kuhn, *A history of esthetics*, Bloomington ²1953; K. Huber, Ä., 1954; W. Emrich, Z. Ä. d. modern. Dichtg. (Akzente I, 1954); M. Bense, Aesthetica, 1954; H. Osborne, *Aesthetics and Criticism*, Lond. 1955; J. Rosteutscher, D. ästhet. Idol, 1956; R. Bayer, *Traité d'esthétique*, Paris 1956; E. Götlind, *De œrhörda orden*, Stockh. 1959; G. Morpurgo-Tagliabue, *L'esthétique contemporaine*, Mail. 1960; A. Nivelle, Kunst- u. Dichtgs theorien zw. Aufkl. u. Klass., 1960; F. Kaufmann, D. Reich d. Schönen, 1960; H. Kuhn, Wesen u. Wirken d. Kunstwerks, 1960; R. Bayer, *Hist. de l'esthétique*, Paris 1961; ders., *L'esthétique mondiale au XXe siècle*, Paris 1961; W. Hirsch, Substanz u. Thema i. d. Kunst, Amsterd. 1961; H. Nohl, D. ästhet. Wirklichkeit, ³1961; E. Grassi, D. Theorie d. Schönen i. d. Antike, 1962, n. 1980; R. Ingarden, Unters. z. Ontologie d. Kunst, 1962; H. H. Glunz, D. Lit.-Ä. d. europ. MA, ²1962; J.-G. Krafft, *Poésie corps et âme*, Paris 1962; J. C. Warry, *Greek ae. theory*, Lond. 1962; E. F. Carrit, *The theory of beauty*, Lond. ⁶1962; R. Assunto, D. Theorie d. Schönen im MA., 1963, ²1982; W. Sturmfels, Grundprobleme d. Ä., 1963; F. E. Sparshott, *The Structure of Ae.*, Toronto 1963; G. Lukács, Ä., 1963; M. Kesting, Vermessung des Labyrinths, 1965; H. Kuhn, Schrr. z. Ä., 1966; M. C. Beardsley, *Aesth.*, N.Y. 1966; B. Bosanquet, *A hist. of ae.*, Lond. ⁹1966; H. Glockner, D. ästhet. Sphäre, 1966; J. Walter, D. Gesch. d. Ä. i. Altert. ²1967; H. Mainusch, Romant. Ä., 1969; H. Osborne, *Ae. and art theory*, Lond. 1969; W. Perpeet, D. Sein d. Kunst, 1970; S. J. Schmidt, Ästhetizität, ²1972; Schön, hg. ders. 1976; A. Nivelle, Literar-Ä. d. europ. Aufklärg., 1977; H. Scheible, Ä. u. Litwiss. 1978; W. Floeck, D. Lit.-Ä. d. frz. Barock, 1978; Ä., hg. W. Henckmann 1979; W. Tatarkiewicz, Gesch. d. Ä., 1979 f.; H. Redeker, Abbildg. u. Wertg., 1980; J. Zimmermann, Sprachanalyt. Ä., 1980; H. R. Jauß, Ästhet. Erfahrg. u. lit. Hermeneutik, 1982; P. Bürger, Z. Kritik d. idealist. Ä., 1983; H. Paetzold, Ä. d. dt. Idealismus, 1983; F. Koppe, Grundbegriffe d. Ä., 1983; G. Schröder, Logos u. List, 1984; H. Scheible, Wahrheit u. Subjekt, 1984; J. Anderegg, Spr. u. Verwandlg. 1985; W. Schulz, Metaphysik d. Schwebens, 1985; G. Pochat, Gesch. d. Ä., 1986; F. v. Kutschera, Ä., 1988.

Ästhetizismus, eine ganz auf ästhetisches Erleben und Genießen als obersten Wert abgerichtete Lebensanschauung unabhängig von sozialen, polit., religiösen und eth. Fragen, die Lehre von der Selbstgenügsamkeit der Kunst und die entsprechende Urteilsbildung über die Außenwelt; z. T. gesteigert zu lebensfeindl. Resignation und Wirklichkeitsflucht in e. harmon. Welt schönen Scheins oder hedonist. Sensualismus, daher im Ggs. zu pragmat. und engagierten Strömungen. Die Überbewertung der ästhet. Form über Aussagewert und Wahrheitsgehalt führt zur ges. Isolierung des Künstlers (→Elfenbeinturm, Eskapismus). Im 18. Jh. als ästhet. Immoralismus bei W. HEINSE, bei einzelnen Romantikern (F. SCHLEGEL, NOVALIS, der junge TIECK, PLATEN, KEATS, CHATEAUBRIAND), ausgeprägt bei C. F. MEYER, in →Symbolismus, Impressionismus, Dekadenzdichtung und Fin de siècle (der junge HOFMANNSTHAL, HUYSMANS, PATER, RUSKIN, WILDE, D'ANNUNZIO), im →L'art pour l'art und in der →absoluten Dichtung.

A. J. Farmer, *Le mouvement esthétique et décadent en Angleterre 1873–1900*, Paris 1931; K. J. Obenauer, D. Problematik d. ästhet. Menschen i. d. dt. Lit., 1933; L. Eckhoff, *The aesth. Movement in Engl. lit.*, Oslo 1959; R. V. Johnson, *Ae.*, Lond. 1969; R. R. Wuthenow, Muse, Maske, Meduse, 1978; Naturalismus, Ä., hg. Ch. Bürger u.a. 1979; U. Horstmann, Ä. u. Dekadenz, 1983; S. Howald, Ä. u. ästhet. Ideologiekritik, 1984.

Äternisten (v. lat. *aeternus* = ewig), Bz. F. HARDEKOPFS für die engeren Mitarbeiter des →Aktionskreises, deren Werken F. PFEMFERT zeitüberdauernde Wirkung beimaß und sie in den ›Aktionsbüchern der Ä.‹ herausgab: BENN, EINSTEIN, HARDEKOPF, JUNG, KLEMM, OTTEN, RUBINER u.a.

Ätiologisch →aitiologisch

Äußerer →Reim oder Kettenreim, die Reimanordnung nach dem Schema aba bcb cdc usw., d.h. der umschlossene Reim e. Dreizeilers wird in der folgenden Strophe zur umschließenden; die Grundform der Terzette in →Sonett und →Terzine.

Âgama (ind. = Überlieferung), Sammelbz. für die heiligen Schriften und Grundtexte des Hinduismus, bes. für die philos. Lehren und Ritualvorschriften der versch. Sekten. Auch im Buddhismus bezeichnet A. die in Sanskrit verfaßten Teile des relig. Kanons. Vgl. →Tantras, →Samhitâs.

H. v. Glasenapp, D. Litt. Indiens, ²1961.

Agent, literarischer A., handlungsbevollmächtigter Makler im Verlagsbuchhandel, vertritt als mit den aktuellen Lesegewohnheiten, den Usancen des Buchmarkts und den Verlagssparten vertrauter Kommissionär auf Provisionsbasis die Interessen von Autoren gegenüber Verlagen, indem er als geschäftskundiger Zwischenhändler an deren Stelle mit den Verlegern verhandelt und Manuskripte anbietet – bes. in den USA, wo Copyright und Nebenrechte beim Autor verbleiben. Im internationalen Buchmarkt handeln Agenten die Lizenz- und Übersetzungsrechte, erteilen Optionen, fixieren Vorschüsse, schließen Lizenzverträge und gewinnen als routinierte Manager auch ohne Kenntnis der verhandelten Werke selbst und gelegentlich bei bestsellerverdächtigen Werken noch ›blind‹ vor Niederschrift der 1. Zeile Verlage und Lizenzverlage im Ausland. Sie bestimmen durch ihre Vorauswahl, ihre Aufschlüsselung und ihren Einsatz nicht unwesentlich die Buchproduktion.

J. Hepburn, *The author's empty purse*, Oxf. 1968; R. Liepmann, D. Aufgabe d. lit. A. (Jb. Dt. Akad. f. Spr. u. Dichtg. 1977); E. Heinold, D. Lit.-A. (Lit.betrieb i. d. BRD, hg. H. L. Arnold ²1981).

Agentenroman, nach 1950 aktuell gewordene Sonderform des →Kriminal- und →Detektivromans, der die zugkräftigen Ingredienzien beider Gattungen (Verbrechen, Verhinderung und Aufklärung von Verbrechen) in übersteigerter Gefahrensituation vereint. Seine stereotype Hauptfigur, der eiskalte, unschlagbare Supermann des kalten Krieges, der Spionage und der Abwehr, arbeitet meist als Privatmann außerhalb der offiziellen Geheimdienste und mit unkonventionellen, z.T. sadistischen Methoden; er unterscheidet sich vom roboterhaften Serienhelden nur durch individualisierende Vorlieben und Leidenschaften im Spiel von Crime und Sex. Werke von I. FLEMING *(James Bond)*, M. SPILLANE, P. O'DONNELL, J. LE CARRÉ, L. DEIGHTON u.a. Thematisch verwandt sind in gehobener Lit. J. CONRADS *Der Geheimagent* und G. GREENES *Unser Mann in Havanna*.

J.-P. Becker, D. engl. Spionageroman, 1973; B. Lenz, Factifiction, 1987; B. Merry, *Anatomy of the spy thriller*, Lond. 1989.

Agitprop-Lyrik, politische Agitationslyrik für Flugblätter und Sprechchöre bei Demonstrationen.

Agitprop-Stücke, Agitations- und Propagandastücke der kommunist. Gesellschaftslehre um aktuelle gesellschaftl., polit. und wirtschaftl. Probleme, die revolutionäres Bewußtsein wecken und zu gezielten Aktionen ermuntern sollen, bes. kabarettartige Kurzszenen, Revuen und Melodramen mit z.T. unkünstlerischer, typenhafter Verkündung der Lehre in Parolen, Songs und Sprechchören zur Aufführung durch Laien-Theaterbrigaden in den sozialist. Ländern: Sowjetunion seit 1917, in Dtl. 1927–33 rd. 200 Truppen, mit Texten von F. WOLF, K. LORBEER, K. GRÜNBERG; bei B. BRECHT und G. von WANGENHEIM Übergang zum differenzierenden →Lehrstück. Nachleben in polit. Tendenzstücken von P. WEISS.

B. Kalnins, Agitprop, 1966; A., hg. G. Laschen 1974; *Weimar Germany*, hg. A. F. Bance, Edinb. 1982.

Agnese, nach der Figur der Agnes in MOLIÈRES *Schule der Frauen* Bz. für die Rolle naiv-bauernschlauer Landmädchen, die nach KOTZEBUES *Die Indianer in England* später auch Gurli-Rollen genannt wurden.

Agon (griech. =) Wettkampf, 1. neben sportl. auch mus. Festspiele der Griechen (z.B. Isthmien) für Sänger, Tänzer, Redner, Rezitatoren, Dichter und Schauspieler (›Kampf der Wagen und Gesänge‹, SCHILLER). – 2. ein Hauptteil der attischen →Komödie bei ARISTOPHANES: das leb-

hafte Streitgespräch der Gegner, das das Thema des Stückes bildet. Sinngemäß auch auf ähnl. Szenen in Tragödie und Epos oder selbständige Werke übertragen,

J. Duchemin, L'a.dans la tragédie grecque, Paris 1945, ²1968; R. v. Scheliha, V. Wettkampf d. Dichter, Amsterd. 1987.

Agrarians, Gruppe von Schriftstellern aus den Südstaaten der USA, die für den amerikan. Süden neue wirtschaftl. und polit. Ziele auf der Grundlage einer neuen, eigenständigen landwirtschaftl. Kultur anstreben; amerikan. Ausformung des Regionalismus; J. G. FLETCHER, R. P. WARREN, A. TATE, J. C. RANSOM, H. AGAR, D. DAVIDSON u.a.

G. McConnell, *The Decline of Agrarian Democracy*, 1943; J. L. Stewart, *The burden of time*, Princeton 1965; A. Karanikas, *Tillers of a myth*, Madison 1966.

Aitiologisch (v. griech. *aitiologia* = Lehre von der Ursache), d.h. den Ursprung e. Wesens oder e. Sache erklärend, sind z.B. viele Ursprungssagen, -legenden, Märchen und Mythen, die aus phantastisch-mag. Weltsicht die Herkunft einer Tier- oder Pflanzenart, einer Naturerscheinung (z.B. Schnee: Frau Holle), einer ungewöhnl. Naturform oder auch eines Namens oder eines Brauchs deuten, so z.B. KALLIMACHOS' *Aitia*, die Sagen um die Roßtrappe im Harz und das Grimmsche Märchen *Strohhalm, Kohle und Bohne*.

Akademie (griech., nach dem Hain des Heros Akademos, PLATONS Lehrstätte), gelehrte Gesellschaft öffentl. Rechts mit gewählten Mitgliedern. Nach dem Vorbild der Philosophenschule PLATONS und seiner Nachfolger (385 v. bis 529 n.Chr.) entstanden die Academia Platonica griechischer Gelehrter unter den MEDICI in Florenz (1459 bis 1522) und die Accademia della crusca

1582 in Florenz, letztere Vorbild aller →Sprachgesellschaften u. der →Académie Française. – Die heutigen A.n sind Forschungsvereinigungen von Gelehrten zur Pflege von Kunst und Wissenschaft u. a. durch Preisverleihungen, gemeinschaftl. Herausgabe wiss. Standardwerke, Gesamtausgaben und Untersuchungen (z. B. *Dt.* →*Wörterbuch* und →*Thesaurus linguae latinae*). In Dtl. 7 A.n der Wissenschaften (Berlin 1700, Göttingen 1751, München 1759, Leipzig 1846, Heidelberg 1909, Mainz 1949, Düsseldorf 1970) und seit 1949 →Dt. A. für Sprache und Dichtung in Darmstadt, ferner A.n d. Künste in W.- und O.-Berlin. Vgl. →Arcadia, →Dichterakademien.

H. Tümmler, Z. Herders Plan e. dt. A., Euph. 45, 1950; RL²; R. Minder, Warum Dichterakademien? (in: Dichter in der Gesellschaft, 1966); P. Erkelenz, D. A.gedanke i. Wandel d. Zeit, 1968; F. Domay, Hb. d. dt. wiss. A.n u. Ges.n, ²1977; D. A.gedanke i. 17. u. 18 Jh., hg. F. Hartmann 1977; J. Voss, D. A. als Organisationsträger d. Wiss. i. 18. Jh. (Histor. Zs. 231, 1980); G. Kanthak, D. A.gedanke, 1987.

Akatalektisch (griech. *akatalektos* = nicht aufhörend), im Ggs. zu →katalektisch heißt ein antiker Vers mit vollständigem letztem Fuß, Ausströmen der rhythm. Reihe. →Katalexe.

Akephal (griech. *akephalos* = kopflos), 1. ein um die 1. Silbe verkürzter Anfang e. Verses bzw. Metrums; häufig in griech. Dramatik und Lyrik. – 2. e. Schrift, deren Anfang verlorenging.

Âkhyâna (ind. = Erzählform), indische Tierfabel oder Volksmärchen in Prosa mit Verseinlagen an den Gipfelpunkten des Dialogs, oft als Einleitung zu den →Jâtakas.

Akkumulation (lat. *accumulatio* = Anhäufung), Figur der →Worthäufung: Aufzählung mehrerer Unterbegriffe anstelle des zusammenfassenden Oberbegriffes zum Zwecke stärkerer Bildhaftigkeit: ›Nun ruhen alle Wälder / Vieh, Menschen, Städt und Felder / (=) Es schläft die ganze Welt‹ (P. GERHARDT).

Akmeismus (v. griech. *akme* = Vollendung) oder Adamismus, neoklassizist. Gegenströmung gegen den russ. Symbolismus und dessen mystisch verschwommene Vorstellungen um 1912–20 (Zs. *Apollon*, 1909–17), proklamierte wieder eine klassisch-apollin. Klarheit (vgl. →Klarismus), schlichte, wirklichkeitsnahe Dinghaftigkeit der Sprache und Plastizität der Bilder in der Lyrik und wirkte weniger durch die Theorie als durch ihre künstler. Leistungen auf die mod. russ. Lyrik. N. GUMILËV, S. GORODECKIJ, A. ACHMATOVA, O. MANDELSTAM, z. T. M. KUZMIN.

Akrostichon (griech. Versspitze = erster Buchstabe e. Verses), Gedicht, bei dem die Anfangsbuchstaben (-silben, -wörter) der einzelnen Verse oder Strophen aneinandergereiht ein Wort, Namen oder Satz ergeben, oft als Huldigung oder Anspielung auf den Empfänger oder Verfasser. In A. verschlüsselte Autorennamen ergaben z. B. die Verfasserschaft für den *Ackermann aus Böhmen* und *La Celestina*. Anfangs verwandt bei griech. Orakeln, zur mnemotechn. Einprägung und zur Sicherung e. Textes gegen →Interpolationen. In der Antike (z. B. →Argumenta zu PLAUTUS), byzantin., hebräischer und neulat. geistlicher Dichtung (alphabet. A.), im dt. MA (OTFRIED VON WEISSENBURG, GOTTFRIED VON STRASSBURG, RUDOLF VON EMS) und im Barock (CHR. GÜNTHER, P. FLEMING, P. GERHARDT: z. B. ›Befiehl du deine Wege…‹), aber auch in der Gegenwart (J.

Weinheber, K. Weiss) beliebtes virtuoses Formspiel; heute in Reklamesprüchen. Ein versetztes A. ergibt sich aus dem 1. Buchstaben des 1., dem 2. des 2. Verses usw. (George, *Hier schließt das tor*). Ein alphabet. A. wie z.B. Chaucers *An A.B.C.* heißt →Abecedarium. →Akroteleuton, →Mesostichon, →Telestichon.

Odebrecht, Üb. d. Bildg. v. A. in dt. Sprache (v. d. Hagen, Germania VII, 1846); E. Graf, Akrostichis (RE. I, 1200ff.); A. Kopp, D. A. als krit. Hilfsmittel, ZDP 32, 1900; F. Dornseiff, Das Alphabet i. Mystik u. Magie, 1922, ²1925, n. 1975; RL; R. Marcus, *Alphabetic Acrostics in the Helenistic and Roman Periods (Journal of Near Eastern Studies* 6, 1947); E. Kuhs, Buchstabendichtung, 1982; B. Schirok, Z. d. A. in Gottfrieds Tristan, ZdA 113, 1984.

Akroteleuton (griech. = äußerstes Ende), Verbindung von →Akrostichon und →Telestichon: Die Anfangsbuchstaben der Zeilen von oben nach unten ergeben das gleiche Wort (Satz) wie die Endbuchstaben von unten nach oben ähnlich wie beim Silbenrätsel.

Akt (lat. *actus* = Handlung), →Aufzug, in sich geschlossener, deutlich abgesetzter Hauptabschnitt im Drama zwischen zwei Vorhängen, stellt im Ggs. zur mehr bühnentechnisch bedingten Unterteilung in →Szenen ein sinnvoll-architekton. Prinzip innerer Gliederung des Handlungsablaufs dar. Die ursprünglich technisch bedingte Wahrung der →Einheiten innerhalb eines Aktes konnte seit Verwendung des Zwischenvorhangs (1770) aufgegeben werden und die räuml. einer inneren Gliederung weichen: die einzelnen Akte zeigen je eine Stufe des Geschehensablaufs. →Dreiakter wie →Fünfakter folgen – deduktivschematisch genommen und mit individuellen Abweichungen – dem Gesetz von: 1. Einleitung (→Exposition der Voraussetzungen), 2. Steigerung der Verwicklung mit →erregenden Momenten, 3. Höhepunkt des Konflikts mit entscheidendem Geschehen, 4. Umschwung (→Peripetie) und Fallen mit →Retardation und 5. Schluß, evtl. mit Lösung (→Katastrophe). Verwendungsart und Durchgestaltung der Akteinteilung geben wesentl. Aufschluß über gedankl. Struktur, Formprinzipien, Stilwillen und Schaffensweise des Werkes und Dichters. – Das klass. antike Drama kannte keine feste Zahl der Einschnitte im heutigen Sinn; die Chorlieder gliederten den Handlungsverlauf (→Epeisodion); eine Unterteilung erfolgte meist später. Gegenüber der vom Terenzkommentator Donat geforderten Dreiteilung, die in der ital., span. und portug. Dramatik und allg. in der Komödie festgehalten wurde, verlangten schon Horaz und Varro einen Aufbau in fünf Akten, wie er, bei Seneca später streng durchgeführt, das Vorbild der klass. franz. Tragödie wurde. Im dt.-sprachigen Drama erschien Akteinteilung zuerst 1527 in B. Waldis *Verlorenem Sohn* nach Muster der Humanisten, doch oft äußerlich und ohne Gefühl für Aufbau. Das Barockdrama gliederte die A.e (›Abhandlungen‹) durch Chöre (Reyhen). In der dt. Aufklärung seit Gottsched und der Klassik ist der fünfteilige Aufbau Norm, doch mit bedeutenden Ausnahmen (*Faust I.*, Kleist *Penthesilea, Der zerbrochene Krug*, zu dessen Mißerfolg Goethes aufgezwungene Akteinteilung beitrug). Das ausgehende 19. Jh. bevorzugt oft die Drei- u. Vierzahl (Ibsen, Hauptmann), Impressionismus und Neuromantik bes. →Einakter. Die Lockerung der überkommenen zur →offenen Form erreicht den Höhepunkt im Expressionismus, der in Anlehnung an Lenz, Arnim, Büchner, Grabbe und Wedekind die – teils formell vorhandenen – Akte seiner lyrisch-ep. Stücke ohne Minderung der dramat. Wirkung zu bloßen Bilder- und Szenenfolgen auflöste, Zeichen tiefen dramat. Strukturwandels, die besonders im →epischen Theater BRECHTS und dem vom Hörspiel beeinflußten mod. Drama (BORCHERT) erscheinen.

G. Freytag, D. Technik d. Dramas, 1863; C. Heine, D. Aktschluß (Lit. Echo 8, 1905); W. Hochgreve, D. Technik d. Aktschlüsse i. dt. Drama, 1914, n. 1978; L. Paalhorn, D. ästh. Bedeutg. d. A.gliederg. i. d. Trag., Diss. Halle 1929; H. Vriesen, D. Stationentechnik i. neueren dt. Drama, 1934; J. Klaiber, D. Aktform i. Drama u. auf d. Theater, Diss. Freib./Br. 1936; RL; V. Klotz, Geschlossene u. offene Form i. Drama, 1960, ¹⁰1980. →Drama.

Aktionskreis, neben →Charon und →Sturmkreis dritter Dichterkreis des dt. →Expressionismus um die von F. PFEMFERT hrsg. Zs. *Die Aktion* (1911–32), die als Sammelpunkt aller Stimmen des linksorientierten polit. und kulturellen Mißvergnügens gegen die herrschenden Zustände rebellierte. Ihre dichterischen Mitarbeiter waren u.a. HEYM, BLASS, STADLER, van HODDIS, F. JUNG, BROD, HADWIGER, HARDEKOPF, EHRENSTEIN, WOLFENSTEIN, BENN, FRIEDLÄNDER-MYNONA, HERRMANN-NEISSE, A. R. MEYER, SCHICKELE, BALL, J. R. BECHER, HASENCLEVER, KASACK, KLEMM, v. GÜTERSLOH, DÄUBLER, A. LICHTENSTEIN, WERFEL, GOLL, RUBINER, OTTEN, C. EINSTEIN und KAFKA. Vgl. →Äternisten.

L. Peter, Lit. Intelligenz u. Klassenkampf, 1972; D. Barnouw, *Lit. politics in WWI,* GQ 52, 1979.

Aktivismus, 1915 von K. HILLER begründete, um sein Jahrbuch *Das Ziel* (1916–24) gruppierte Nebenströmung des →Expressionismus aus revolutionär-pazifist. Geist, erstrebte ein neues Zeitalter durch Aktivierung des Geistigen und geistige Befreiung des Menschen, bei der dem Schriftsteller eine Führerrolle zufiele. Polit.-soz. Engagement u. optimist. Vernunftglaube stellten den Gehalt über die poet. Form. H. MANN, L. RUBINER u.a.

W. Paulsen, Expressionismus u. A., 1935; Der A., hg. W. Rothe, 1969; J. Habereder, K. Hiller u. d. lit. A., 1981.

Akustische Dichtung (v. griech. *akustikos* = Gehörs-), auch ›auditive Poesie‹, Lautgedichte, Hörtexte, Form der →konkreten oder i.w.S. →absoluten Dichtung, die das Sprachmaterial ohne Rücksicht auf seine Bedeutung als ästhet. geplante oder zufällige Abfolge von Lauten bzw. Lautgruppen verwendet und sich am besten akustisch auf Schallträgern (Platte, Band) realisiert, im Ggs. zum Sehtext der →visuellen Poesie. Nach Anfängen in den →Nonsense-Versen (LASKER-SCHÜLER, MORGENSTERN, SCHEERBART) bes. im russ. →Futurismus, →Dadaismus (BALL, HAUSMANN, SCHWITTERS), im →Sturmkreis, →Lettrismus (ISOU) und der →konkreten Poesie (KRIWET) ausgebildet.

Akyrologie (v. griech. *akyros* = uneigentlich, *logos* = Rede), die uneigentliche, verbildlichte oder verblümte Redeweise mittels Bildern, Metaphern und Topoi.

Akzent (lat. *accentus;* griech. *prosodia* = Hinzugesang), in der Sprachwissenschaft der Ton der betonten Silbe, die Tonabstufung in Wort oder Satz und deren Zeichen: ´Akut = Hochton, ` Gravis = Tiefton und ˆ Zirkumflex = Hoch- und Tiefton (Schleifton). Wortakzent für die betonte Silbe eines Wortes (im German. meist Stammsilbe), Satzakzent für den betonten Redeteil im Satz. Die Aufgliederung der gesprochenen Rede durch Hervorhebung einzelner Silben im Tonfall geschieht durch Tonhöhe (musikalischer oder Ton-A.; in den klass. Sprachen, nicht aber in der Spätantike, →quantitierende Dichtung), Tonstärke (= Nachdruck, dynamischer, exspiratorischer oder Druck A., in den german. Sprachen) oder Tonlänge (→Quantität oder temporaler A., in den antiken Sprachen) entscheidend auch nach Sievers durch die Stimmqualität. Der Versakzent fängt die natürl. Sprachbewegung in ein metr. Schema auf (→akzentuierende Dichtung, →Hebung, →Iktus, →Takt, →Metrum, →Rhythmus). – Die Besinnung über das Wesen des A.s als wesentl. Komponente des Sprachkunstwerks reicht von barocken Poetiken bis zur modernen →Schallanalyse. Die versch. Theoretiker betonen je einzelne Seiten des A.s deutlicher: Opitz ›hohen und niedrigen Ton‹, Schottel u.a. Länge und Kürze, Gottsched und Abbé Scoppa Tonstärke bzw. Energiezuschuß, Klopstock, Moritz, Voss und J. Grimm Hochton, Tiefton und Tonlosigkeit.

E. Sievers, Phonetik, ⁵1901; E. Sommer, Stimmung u. Laut, GRM 8, 1920; A. Schmitt, Unters. z. allg. A.-lehre, 1924; ders., Musikal. A. u. antike Metrik, 1953; E. Vandvik, Rhythmus u. Metrum, A. u. Iktus, Oslo 1937; RL; P. Grade, L'accent, Paris 1968; U. Pretzel, A. u. Rhythmus (in: Kl. Schrr., 1979); R. d'Alquen, Germanic Accent, 1988. →Metrik, →Phonetik.

Akzentuierende Dichtung, im Ggs. zur →quantitierenden Dichtung der Antike und der →alternierenden Dichtung der Romanen die den german. Sprachen eigentümliche Dichtart, in der metr. mit sprachl. Hebungen, Wortakzent mit Versakzent zusammenfallen (→Akzent), so daß die Tonbewegung durch Nachdruck (→Hebung und Senkung) geschieht und die Wortgipfel tontragend bleiben. – Der Übergang von der quantitierenden zur a. D. erfolgte z. T. schon in der Spätantike. Das MA. kannte akzentuierendes (›rhythmi‹) und quantitierendes (›metra‹) Prinzip nebeneinander, ebenso herrschen im 15./16. Jh. akzentuierendes Schema in geistl. Dichtung neben alternierendem in Meistersang, Schwank und Satire. In der Rückbesinnung auf antike Formen in Renaissance und Humanismus glaubte man, ein quantitierendes Verfahren anwenden zu müssen; schon Rebhuhn dagegen erkannte 1540 das a. Gefüge der german. Sprachen, Clajus begründete 1578 die Erkenntnis theoretisch, und Opitz brachte ihr mit seinem *Buch von der deutschen Poeterey* 1624 allg. verbindliche Geltung für die dt. Dichtg., wenngleich er ihr zuerst durch die Bevorzugung von Jamben und Trochäen den Charakter des Akzentuierend-Alternierenden gab. Im weiteren Verlauf der Barockpoetik erfolgte die Wiederherstellung der ursprünglich rein a. D., wie sie schon im →Alliterationsvers und ahd. Reimvers besteht. Gottsched und Klopstock bilden schließlich auch nicht-alternierende antike Versmaße nach.

A. Heusler, Dt. u. antiker Vers, 1917.

Akzession (v. lat. *accessio* = Hinzutreten), im Bibliothekswesen der ständige Zuwachs an (alten und neuen) Büchern, dann auch die Zugangsstelle, die alle Neuzugänge in a.slisten oder a.skatalogen erfaßt.

Alamode-Literatur (franz. *à la mode* = nach der Mode), in erster Linie die höfisch-gebildete Unterhaltungsliteratur des 17. Jh. in Dtl., soweit sich in ihr die Fremdsucht der Zeit in Fremdwörterprunk, ausländ. Redewendungen und Sprachmengerei auf den Stil auswirkt, zu unterscheiden vom →Schwulst, besonders verkörpert in Übersetzungen, Opern und den ›Neuen Zeitungen‹. In der kulturell unselbständigen Zeit des 30jährigen Krieges und danach sucht sie in übertriebener Nachahmung neumod. ausländ., bes. franz. und ital. Vorbilder, Bildung zu verkörpern. In zweiter Linie vornehmlich die Reaktion meist volkstüml. Kreise, welche die moral. Gefahren der Fremdtümelei und ihre Auswirkungen als Krankheit erkennen und durch polem. und satir. Gegenschriften – meist mit wenig Erfolg – zu bekämpfen suchen. Hierzu gehören vor allem die →Sprachgesellschaften, ferner OLEARIUS, ELLINGER, CHORION, ABRAHAM A SANCTA CLARA, LAUREMBERG, RACHEL, RIST, GRIMMELSHAUSEN *(Teutscher Michel)*, MOSCHEROSCH *(Alamode-Kehrauß:* ›Alamode macht mich bang, weil der Teutschen Untergang in der neuen Sucht seinen Anfang sucht‹*)* und LOGAU (›Alamode-Kleider, Alamode-Sinnen; Wie sichs wandelt außen, wandelt sichs auch innen‹), auch GRYPHIUS *(Horribilicribrifax).* Ein endgültiger Abschluß des Alamode-Kampfes erfolgte erst Mitte des 18. Jh. mit fortschreitender Selbständigkeit des dt. Schrifttums.

E. Schmidt, D. Kampf geg. d. Mode i. d. dt. Lit. d. 17. Jh. (in: Charakteristiken I, 1902); F. Schramm, Schlagworte der A.-Zt. (Zs. f. dt. Wortforschg. Beiheft z. XV), 1914; W. A. Coupe, *Broad sheets of the A'zeit,* GLL 14, 1961.

Alankârashastra (ind. = Lehre vom Schmuck), ind. Bz. für Dichtungstheorie, Rhetorik und Poetik, die in der ind. Lit. eine Fülle genauer Vorschriftenwerke hervorgebracht hat.

H. v. Glasenapp, D. Litt. Indiens, ²1961.

Alba (prov. = Morgendämmerung), das →Tagelied der Trobadorlyrik etwa bei GUIRAUT DE BORNELH, BERTRAN D'ALAMANON, entsprechend der Aubade der Trouvères.

E. W. Poe, *New light on the a.* (Viator 15, 1984).

Album (lat. = das Weiße), ursprünglich mit Gips geweißte Holztafel für öffentl. Bekanntmachungen in Rom u. a. großen Städten des Altertums, später Amtsträgerliste der Behörden, pyramidenförmig zusammengestellt (griech. Kyrbeis) oder kleine Tafeln für Aufzeichnungen. In der Renaissance Gäste- und Stammbuch; seit dem 17. Jh. geläufige Bz. für ein Buch mit leeren Blättern zum Sammeln von Zitaten, Illustrationen, Briefmarken u. ä., dann auch Dichtungen (Poesie-A.) und Kompositionen.

A. Fiedler, V. Stammbuch z. Poesie-A., 1960; G. Angermann, Stammbücher u. Poesie-A. als Spiegel ihrer Zeit, 1971; M. Naumann, Poesie u. Glanzbildengel, DD 10, 1979; K. T. Geiger, D. Poesie-A. (Ästhetik d. Kinderlit., hg. K. Doderer 1981); J. Rossin, D. Poesie-A., 1985.

Aldicht, Gedichtform der →Rederijker, bei dem jedes Wort der einen Zeile durch Binnenreim mit dem entsprechenden Wort der folgenden Zeile verbunden ist.

Aleatorische Dichtung (v. lat. *alea* = Würfel), Zufallstexte bzw. Dichtungen, bei deren Zustandekommen der Zufall bewußt als Kompositionsprinzip eingeplant wird, Assoziationen und Zusammenhänge hergestellt. Entwickelt im →Dadaismus (ARP, TZARA, HUELSENBECK), im ital. →Futurismus, den →automatischen Texten des →Surrealismus, den modernen Experimentellen (QUENEAU, *Cent mille milliards de poèmes,* 1961) und der →Computerlyrik.

Alexandriner, sechshebiger steigendalternierender (= jambischer) Reimvers mit deutlicher, stehender Zäsur nach der 3. Hebung, 12 (männlich/stumpf) oder 13 (weiblich/klingend) Silben:

◡–◡–◡–‖–◡–◡–◡ (◡), z.B.:
›Ich weiß nicht, was ich will, ich will nicht, was ich weiß‹ (OPITZ). Die durch die Mitteldiärese gegebene Neigung zum Aufspalten in 2 gleiche Halbverse bestimmt Sprache und Natur des Versmaßes als antithetisch, daher seine Verwendung für Kontraste und Vergleiche in Epigramm (→Couplet), Sonett und Stanze und seine Bevorzugung im Barock. Als vierzeiliger Paarreim männlich und weiblich wechselnd: heroischer A., im Kreuzreim: elegischer A. In den german. Sprachen ist der A. wegen festliegender Hebungen bei akzentuierendem Vortrag sehr steif und leblos, in roman. Sprachen bei nur 2 festliegenden Akzenten auf 6. und 12. Silbe dank schwebender Sprachmusikalität beweglicher und beliebter. – Zuerst verwandt im frühen 12. Jh. in der *Pèlerinage de Charlemagne à Jérusalem*, 1180 in franz. Alexanderepik (daher Name) wie LAMBERT LE TORTS *Roman d'Alexandre*, bis ins 15. Jh. beliebtester franz. Vers, dann erst Mitte 16. Jh. von der Pléjade (BAÏF, RONSARD) als klass. Vers der franz. Dichtung und bes. der Tragödie (RACINE) aufgenommen, nach Dtl. im 16. Jh. durch SCHEDE und LOBWASSER, dann folgenreicher durch OPITZ (1624) eingeführt als Ersatz des antiken Hexameters im Epos, herrschender Vers der ganzen dt. und niederländ. Barockdichtung (GRYPHIUS, LOHENSTEIN; VONDEL, HOOFT) und des frühen 18. Jh.; von GOTTSCHED empfohlen, von BODMER und BREITINGER bekämpft. Nach Vorgehen KLOPSTOCKS (*Messias*) und LESSINGS (*Nathan*) in Epos und Drama durch Hexameter bzw. Blankvers verdrängt, in der franz. Romantik durch Zäsuren nach 2. und 4. Hebung zum freien dreiteiligen A. mit Enjambement (Alexandrin ternaire) umgestaltet, seitdem fast ganz verschwunden. Ausnahmen: GOETHE (Lustspiele, *Faust II*), F. SCHLEGEL, RÜCKERT, GEIBEL, FREILIGRATH, KÖRNER, freier bei SPITTELERS *Olympischem Frühling*. In Spanien entwickelte sich aus dem A. die →Quaderna via.

H. P. Thieme, *The Technique of the French A.*, 1898; V. Horak, *Le vers a. en français*, 1911; H. Paulussen, Rhythmik u. Technik d. 6-füß. Jamb. i. Dtl. u. Engl., 1913; H. Kehl, Stilarten d. Lustspiel-A., 1931; G. Lote, *L'A. franç.*, Paris ²1931; E. Trunz, D. Entwicklung d. barocken Langverses, Euph. 39, 1938; G. Storz, Ein Versuch üb. d. A. (Fs. P. Kluckhohn, H. Schneider, 1948); T. Buck, D. Entw. d. dt. A., Diss. Tüb. 1957; K. Togeby, *Hist. de l'a. franc.*, OL suppl. 3, 1963; L. Forster, *German A. on Dutch broadsheets before Opitz* (*The German Baroque*, hg. G. Schulz-Behrend, Austin 1972); F. Kemp, Improvisation üb. d. A. (Inszenierg. u. Regie barocker Dramen, hg. M. Bircher 1976); P. Hacks, D. dt. A. (in: Essais, 1984); L. Forster, Ch. von Sichem i. Basel u. d. frühe dt. A., Amsterd. 1985. →Metrik.

Alkäische Strophe,

nach dem griech. Dichter ALKAIOS (um 600 v.Chr.) benanntes antikes Odenmaß. Die a. St. enthält die sog. alkäischen Verse, und zwar 2 a. Elfsilber (1 katalekt. jamb. und 1 katalekt. daktylisch-trochäische Tripodie), 1 a. Neunsilber (1 hyperkatalekt. jamb. Dimeter) und 1 a. Zehnsilber (akatalekt. Tetrapodie aus 2 Daktylen und 2 Trochäen). Schema (Zäsur und Enjambement verschieden):

◡–◡–◡‖–◡◡–◡◡
◡–◡–◡‖–◡◡–◡◡
◡–◡–◡–◡–◡
–◡◡–◡◡–◡–◡

Bei HORAZ neben der →sapphischen Strophe am häufigsten verwendet, in Italien von G. CHIABRERA, P. ROLLI, G. FANTONI u.a. erneuert, im Dt. nachgebildet von KLOPSTOCK (*An meine Freunde, An*

Fanny), HÖLTY, HÖLDERLIN *(An die Parzen, Der Main)*, PLATEN, R. A. SCHRÖDER, J. BOBROWSKI u.a., in England von TENNYSON, SWINBURNE u.a. Beispiel: HORAZ *Ode* II, 3 (Aequam memento ...)

K. Viëtor, Gesch. d. dt. Ode, 1923, ²1961; E. Brocks, D. Fortleben d. a. S., GRM 13, 1926; O. Francabandera, *Contribuzioni alla storia dell'alcaica,* Bari 1928. →Metrik →Ode.

Alkäische Verse →Alkäische Strophe

Alkmanischer Vers, nach dem griech. Dichter ALKMAN (7. Jh. v. Chr.) benannter antiker Vers, katalektischer daktylischer Tetrameter: —◡◡—◡◡—◡◡—◡; Verwendung gelegentlich im griech. und latein. Drama und als alkmanische Strophe in Verbindung mit vorangehendem daktyl. Hexameter bei HORAZ.

Allegorese, allegorische →Deutung, Unterstellung eines geheimen Sinns unter Schriftwerke, bes. Mythen, die nicht nach dem Wortsinn, sondern nach vorgegebener (philos., theolog., eth.) Sinngrundlage ausgelegt werden. Zuerst von der Stoa an alten Mythen und HOMER, von jüd. Gelehrten (PHILON von Alexandria) am AT. versucht, bes. geistl. Umdeutung der Liebesdichtung im *Hohelied,* christl. A. von VERGILS 4. Ekloge, die Lehre vom mehrfachen Schriftsinn der christl. Apologetik, A. von OVID und des *Physiologus,* A. der Mystiker im Barock u.ä. Vgl. →Exegese, →Allegorie.

F. Wehrli, Z. Gesch. d. all. Deutg. Homers i. Altert., Diss. Basel 1928; H. Hunger, Allegor. Mythendeutg. i. d. Antike, 1954; J. L. Seifert, Sinndeutung d. Mythos, 1954; J. Christiansen, D. Techn. d. allegor. Auslegungswiss. b. Philon, 1969; H. Meyer, D. Zahlen-A. i. MA., 1975; Natura loquax, hg. W. Harms u.a. 1981; R. R. Grimm, V. d. explikativen z. poet. A. (Text u. Applikation, hg. M. Fuhrmann 1981); H. Freytag, D. Theorie d. all. Schriftdeutg., 1982.

Allegorie (griech. = bildlicher Ausdruck, zu *allegorein* = anders, bildlich reden), in bildender Kunst und Dichtung Sinn→bild, bildhaft belebte Darstellung eines abstrakten Begriffes oder klaren Gedankenganges, indem ›der Dichter zum Allgemeinen das Besondere sucht‹ (GOETHE). Rational klar faßbare und scharf abgegrenzte Vorstellungsinhalte werden willkürlich in ein Bild eingekleidet, dessen Beziehung zum Gemeinten der Erklärung bedarf, daher oft Gefahr des Abgleitens ins bloß Rationale. Im Ggs. zum →Symbol ›bedeutet‹ die A. nicht das Gemeinte, sondern ›ist‹ es selbst, sinnlich in die Körperwelt versetzt, oft als →Personifikation: Alter als Greis, Liebe als Amor; Justitia, Fortuna, Frau Welt usw. Man unterscheidet die das Gemeinte total ersetzende, der Auflösung bedürftige reine A. von der gemischten A., bei der einzelne Wörter ihre eigentl. Bedeutung wahren und die Auflösung erleichtern (›Schlüsselwörter‹). – Neben der →Allegorese-Deutung von Mythen in der antiken Lit. bei ALKAIOS und APULEIUS *(Amor und Psyche),* bes. aber PRUDENTIUS *(Psychomachia,* der Kampf der Tugenden und Laster um die Seele); allegor. Denken im christl. MA. als gelehrtes Spiel (MARTIANUS CAPELLA, *De nuptiis Philologiae et Mercurii; Physiologus; Rosenroman;* W. LANGLAND, *Piers Plowman),* seit GOTTFRIED VON STRASSBURG in dt. Dichtung (→Minneallegorie, →Jagdallegorie, →Schachallegorie), bei MURNER grotesk, in der Renaissance bei DANTE und PETRARCA, in humanist. Lehrgedichten; ausgeprägtes Form im *Teuerdank* und *Jedermann,* ferner in den Satiren der Reformationszeit. Höhepunkt allegor. Dichtung im Barock (→Jesuitendrama) und Pietismus zur Ausschmückung und Einkleidung von Gedanken in Lyrik, Roman und Drama (→Schäferdichtung, allegor. Festspiele), z.B. SPENSERS *Faerie Queene*, BUNYANS *Pilgrim's Progress;* erst die Wandlung des Lebensgefühls um 1700 verursacht ihre Verdrängung (WINCKELMANN). Wiederaufleben in LESSINGS Fabeln und Parabeln und GOETHES Spätwerk (Festspiele, *Faust II*) aus dem Streben nach Typischem; in der Romantik für geheimnisvolle Mächte (z.B. NOVALIS' ›blaue Blume‹, EICHENDORFF *Das Marmorbild*), im 19. Jh. bei IMMERMANN *(Merlin)*, RAIMUND und dem Wiener Volksstück, R. WAGNER (weltanschauliche A.n im *Ring der Nibelungen*) und im Symbolismus (LAUTRÉAMONT, RIMBAUD, BLAKE); seit dem Naturalismus, bes. in Neuromantik und Expressionismus als poet. Verkörperung des Unwirklichen (z.B. STRINDBERG *Ein Traumspiel*, IBSEN *Peer Gynt*, WEDEKIND *Frühlings Erwachen*). Für die verknappte Zeichensprache der surrealist. und mod. Dichtung mit ihren nicht erhellenden, sondern verschlüsselnden, dunklen, z.T. archetyp. Bildern (JOYCE, KAFKA) bietet sich der Begriff →Chiffre an.

W. Bornemann, D. A., 1899; K. Borinski, D. Antike in Poetik u. Kunsttheorie I, 1914; C. R. Post, *Mediaeval Spanish A.,* Cambr./Mass. 1915; J. Burckhardt, D. A. in den Künsten (Wke. Bd. 14, 1933); A. Marni, *Allegory in the French heroic poem of the 17. century,* Princeton 1936; I. Wanner, D. A. i. bayr. Barockdrama, Diss. München 1941; E. A. Bloom, *The allegorical principle* (in· *Engl. Lit. Hist.* 18, 1951); H. J. Newiger, Metapher u. A., 1957; E. Honig, *Dark Conceit,* Evanston 1959, ²1982; H. R. Jauss, *Genèse de la poésie allég. française au MA.,* 1962; A. Fletcher, *Allegory,* Ithaca 1964, ²1970; R. Tuve, *Alleg. imagery,* Princeton 1966; R. Hahn, D. A. i. d. antiken Rhetorik, Diss. Tüb. 1967; M. Murrin, *The veil of a.,* Chic. 1969; Ch. Hayes, *Symbol and a.,* GR 44, 1969; P. de Man, A. u. Symbol i. d. europ. Frühromantik (Typologia litterarum, Fs. M. Wehrli 1969); J. MacQueen, *A.,* Lond. 1970;

M.-R. Jung, *Études sur le poème allég. en France au m.-a.,* Bern 1971; M. W. Bloomfield, *A. as interpretation (New Lit. History* 3, 1971/72); A. u. Symbol, hg. B. A. Sörensen 1972; G. Clifford, *The transformations of a.,* N.Y. 1974; G. A. Jonen, D. A. als Kunstform i. d. frz. Lit. d. SpätMA., 1975; V. Calin, Auferstehg. d. A., 1975; C. Meier, Überleggn. z. gegenw. Stand d. A.-forschg. (Früh-ma. Stud. 10, 1976); G. P. Caprettini, *Struttu re dei testi,* Turin 1977; K. L. Pfeiffer, Struktur- u. Funktionsprobl. d. A., DVJ 51, 1977; W. Erzgräber, Z. A.-Problem, LiLi 8, 1978; J. A. Mazzeo, *All. interpretation and hist.,* CL 30, 1978; Formen u. Funktionen d. A., hg. W. Haug 1979; S. A. Barney, *A.s of history, a.s of love,* Hamden 1979; G. Niklewski, Versuch üb. Symbol u. A., 1979; M. Quilligan, *The language of a.,* Cornell 1979; *Simbolo, metafora, a.,* Padua 1980; A. Pezzoli, *Per una definizione dell'a.* (*Lingua e stile* 16, 1981); P. Rollinson, *Class. theories of a. and Christian culture,* Pittsburg 1981; D. Schmidke, Stud. z. dingallegor. Erbauungslit. d. SpätMA., 1982; G. Kurz, Metapher, A., Symbol, 1982, ²1988; B. A. Sörensen, Symbol u. A., OL 37, 1982; E. Glier, A.n (Ep. Stoffe d. MA., hg. V. Mertens u.a. 1984); D. Schmidtke, Formen u. Funktionen d. A., Daphnis 15, 1986; J. Whitman, *Allegory,* Oxf. 1987. →Allegorese.

Allegorische Deutung →Allegorese

Allegorisieren, durch →Allegorie darstellen, versinnbildlichen.

Alliteration (Begriff von PONTANO im Dialog *Actius* um 1500 geprägt), ›Stabreim‹, Anreim, Hervorhebung von zwei oder mehr bedeutungsschweren Wörtern durch gleichen Anlaut ihrer Stammsilbenbetonung: ›Eines weiß ich, das ewig lebet: der Toten Tatenruhm‹ *(Edda)*. Es alliterieren nur Hebungen, also nicht: Gedicht und Gebet. Vokale alliterieren sämtlich untereinander, von den Konsonanten jeder nur mit seinesgleichen, die Verbindungen sk, sp, st weder wechselseitig noch mit s, sondern nur jeweils mit sich selbst. – In griech. und lat. Sprache oft als Schmuck- und Klangmittel benutzt (Zufalls- oder Gelegenheits-A., als rhetor. Figur →Homoiarkton), in altital. Carmina und Gebeten und älterer Dichtung: ›O Tite, tute, Tati, tibi tanta, tyranne, tulisti‹ (ENNIUS); in der geregelten Form des Stabreims ältestes Formprinzip des german. Verses (→Alliterationsvers) und älteste Art der Sprachbindung, wohl vom Zauber- und Orakelspruch herzuleiten; im MA. ohne feste Regeln; seit Einführung des Endreims durch OTFRIED VON WEISSENBURG (9. Jh.) oft als bewußte Klangfigur wiederaufgenommen zum Versschmuck und zu Lautmalerei (Troubadours; W. LANGLAND *Piers Plowman;* SACHS, KLOPSTOCK, BÜRGER, GOETHE, BRENTANO, FOUQUÉ, HÖLDERLIN, HEINE, W. JORDAN, R. WAGNER, Symbolismus, bes. RILKE, GEORGE, später P. GAN, G. BRITTING, H. M. ENZENSBERGER; in England SWINBURNE, AUDEN u.a.), als zusätzliches Klangmittel auch in roman. und slaw. Literaturen (BAUDELAIRE, MALLARMÉ, VALÉRY). Als Stilwerte neben Mnemotechnik erscheinen Klangintensität, Lautbindung koordinierter Begriffe oder von Substantiv und Epitheton. Beliebt auch in Buchtiteln. – Durch A. erklären sich überkommene und z.T. unverständliche ›Paarformeln‹ wie Kind und Kegel, Mann und Maus, Haus und Hof, Küche und Keller u.a.m.

E. v. Wölfflin, D. allit. Verbindgn. d. lat. Spr., 1881; O. Deppe, D. A. i. Sprachgebrauch d. heutigen Prosa, Progr. Hildeshm. 1912; J. Lindemann, Üb. d. A. als Kunstform i. Volks- u. Spielmannsepos, Diss. Breslau 1914; E. Norden, Antike Kunstprosa II, ²1923; M. Franke, D. Stabreim i. neudt. Dichtg., Diss. Rostock 1932; W. Stapel, Stabreim u. Endreim, WW 1953 f.; W. P. Lehmann, The A. of Old Saxon Poetry, Oslo 1959; J. Splett, D. Stabreim i. Nibelungenl., PBB 86, 1964; H. Ehrhardt, D. Stabreim i. altnord. Rechtstexten, 1977. →A.vers, →Reim.

Alliterationsvers, Stabreimvers, der ursprüngl. und eigenständig ausgebildete altgerman. Sprechvers. Seine Langzeile besteht aus 2 Kurzzeilen, die durch →Alliteration verbunden werden. Die Vorderreihe stabt meist auf 1. und 2. Haupthebung (Stollen), die Hinterreihe nur auf der 1. Hebung (Hauptstab), so daß von den 4 Haupthebungen meist 3 durch Stab verbunden sind. Beispiel: ›Welaga nû, wahltant got / wewurt skihit‹ *(Hildebrandslied).* Die Zahl der Senkungen ist frei (→Schwellvers) und ermöglicht versch. Ausdruckshaltungen vom langen, spannenden Anlauf bis zum gehetzten Nacheinander der Hebungen und somit große Beweglichkeit trotz festliegenden Stabgerüsts. Die Alliteration dient der rhythm. Gliederung in Sprechgipfel und Perioden sowie als Gedächtnisstütze. – Verwendung des A. in *Hildebrandslied, Merseburger Zaubersprüchen, Wessobrunner Gebet, Muspilli, Heliand,* altsächs. *Genesis* u.a.m.; im 14. Jh. noch engl. in W. LANGLANDS *Piers Plowman;* im 19. Jh. Erneuerungsversuche durch FOUQUÉ, W. JORDAN und R. WAGNER ohne Nachwirkung.

Lit. →Metrik, →Alliteration, ferner W. Heims, D. altgerm. A. u. seine Vorgesch., Diss. Münster 1914; H. Wiessner, D. Stabreimvers i. R. Wagners ›Ring d. Nibelungen‹, 1924; A. Heusler, Dt. Versgesch. I, 1925; M. Kommerell, Bemerkungen zum Stabvers (Nachr. d. Gießener Hochschul-Ges. 11, 1936); RL: Stabreimvers; A. Kabell, Metr. Stud. I: D.A., 1978; J. B. Kühnel, Unters. z. german. Stabreimvers, 1978.

Allonym (v. griech. *allos* = anders, *onoma* = Name) ist ein →pseudonymes Werk, dessen Verfasser sich zur Verschleierung seines eigenen Namens oder aus merkantilen Erwägungen eines anderen (meist erfolgreichen) Verfassernamens bedient. So erschien W. HAUFFS *Der Mann im Mond* unter dem Namen des Bestsellerautors H. CLAUREN.

Allotopie →Utopie

Allusion (franz. =) →Anspielung

Almanach (mlat., von griech.-ägypt. = Kalender), ursprünglich kalenderähnliche astronomische Tafeln im Orient, gelangte 1267 (R. BACON) als Synonym für Kalender nach Europa; erster gedruckter lat. A. 1457, bekanntester von REGIOMONTANUS, Nürnberg 1475–1551. Neben die Kalenderberichte, wichtigen Daten usw. traten prakt. Ratschläge, kulturelle, polit. und genealog. Tafeln; dann, nach Verweis der kalendarischen Angaben in Kalender, Jahrbücher für versch. (auch wiss.) Fachgebiete und Stände mit Erzählungen und Gedichten; in Amerika 1687–1701 humorist. A. von J. TULLEY. Erst im 18. Jh. vorwiegend belletrist. A.: →Musenalmanache der Klassik und →Taschenbücher der Romantik; im 19. Jh. außerdem Spezialisierung auf einzelne Themenkreise wie Theater (*Gothaischer Theater-A., Wiener Hoftheater-Taschenbuch*), Mode, Reisen usw., auch für einzelne Landschaften und Berufe. Im 20. Jh. Verlags-A. als Werbemittel mit Verlagsverzeichnis, Leseproben der Neuerscheinungen und Mitarbeiteraufsätzen (*Insel-A.* 1900 und seit 1906 ff. u. a. m.).

V. Champier, *Les anciens a.s illustrés,* Paris 1885; J. Grand-Carteret, *Les A.s français, Bibliographie-Iconographie,* Paris 1896; H. Köhring, Bibliographie d. A.e, Kalender u. Taschenbücher 1750–1860, 1929; M. Lanckorónska/A. Rümann, Geschichte d. dt. Taschenbücher u. A.e a. d. klass.-romant. Zt., 1954; R. Pissin, A.e u. Romantik, ²1970; F. Kadrnoska, D. A. i. ges. u. lit. Leben Österr., Diss. Wien 1973; P. Raabe, Zss. u. A.e (Buchkunst u. Lit. i. Dtl. 1750–1850, II 1977); Z. Škreb, Gattungsdominanz i. dtspr. lit. Taschenbuch, 1986.

Alpendichtung, die aus dem Erlebnis der Alpen oder des Hochgebirges allg. entstandene Natur- und Landschaftsdichtung, betrachtet meist die Erhabenheit der unberührten, gigant. Natur als Symbol des Edlen und Reinen und Ort der Gottesnähe. Seit A. v. HALLERS Lehrgedicht *Die Alpen* (1729) vorwiegend in Lyrik, Lehrdichtung und Kleinepos ausgeprägt (HÖLDERLIN, BAGGESEN, DROSTE, C. F. MEYER, BAUMBACH), da im Drama die Landschaft nicht im Vordergrund steht und der →Bergroman mehr zum trivialen Heimatroman neigt.

H. E. Jenny, D. A. d. dt. Schweiz, 1905; RL; O. v. Greyerz, D. Alpen i. d. Dichtg. (in: Sprache, Dichtg., Heimat 1933); R. Weiß, D. Alpenerlebnis i. d. dt. Lit. d. 18. Jh., 1933; A. Dreyer, Gesch. d. alpinen Lit., 1938; Ch. Hartl, D. Hochgebirge i. d. dt. Dichtg., 1961; G. Thürer, Schweizer A. (Fs. E. Thurnher 1982).

Alphabet (v. griech. *alpha* und *beta* als Anfangsbuchstaben des griech. A.), das Abc, die gesamte Buchstabenfolge eines bestimmten Schriftsystems in der ihr eigentüml. traditionellen Abfolge, etwa nach Sachgruppen der urspr. Bildwerte der Zeichen wie die europ. A. aufgrund des semit. A., nach Buchstabenformen (arab. A.) oder Lautwerten (ind. A.). →Schrift. Es findet magisch-symbol. Verwendung in →Abecedarium und →Akrostichon (→Alphabetlieder).

F. Dornseif, D. A. i. Mystik u. Magie, ²1925; V. Goldschmidt, Unser A., 1932; H. Bauer, D. Ursprung d. A., 1937; D. Diringer, *The A.,* Lond. ²1949; S. A. B. Mercer, *The origin of writing,* Lond. 1959; D. A., hg. G. Pfohl 1969.

Alphabetlieder, Strophen mit alphabetischem →Akrostichon, im 16. Jh. von W. GERNOLD so benannt.

Alpsegen, in der Schweiz auch ›Betruf‹ genannt, litaneiartiger Abendruf des Sennen auf der Alp bei Einbruch der Dämmerung.

M. Staehelin, Bemerkgn. z. sog. A. (Schweiz. Archiv f. Volkskunde 78, 1982).

Altdeutsche Strophe →Meistersangstrophe

Alternance des rimes (franz. = Wechsel der Reime), in der roman. Verskunst das Prinzip ständigen Wechsels von männl. und weibl. Versen, paarweise, gekreuzt oder verschränkt, vor allem im Alexandriner. Bestand seit dem 16. Jh.; erst der Symbolismus brach mit dieser heute weniger beachteten Konvention.

Alternativliteratur (v. lat. *alternare* = abwechseln), unscharfe Sammelbz. für alle Publikationen, die sich als ›Gegenöffentlichkeit‹ gegen die etablierte, ›offizielle‹ Literatur und deren Vertriebswege verstehen und in Lebensstil, Gesellschaftsform und polit. Zielen eine Gegenposition oder sog. Gegenkultur anbieten: →Untergrund-Literatur (4).

D. A' presse, hg. G. Emig 1980; Hdb. d. altern. dtspr. Lit., hg. P. Engel u.a. 1980; T. Daum, D. 2. Kultur, 1981.

Alternierende Dichtung (lat. *alternare* = abwechseln) ist gekennzeichnet durch Alternation, d.h. re-gelmäßigen Wechsel von einsilbiger Hebung und einsilbiger Senkung, gestattet also im Ggs. zur →akzentuierenden Dichtung keine Hebungsauflösung, Senkungsfüllung oder -ausfall. Versmaße sind nur Jambus (›steigend alternierend‹) und Trochäus (›fallend alternierend‹). Metrisches Prinzip der romanischen Dichtung, seit dem 12. Jh. unter franz. Einfluß nach Dtl. gekommen (HEINRICH VON VELDEKE, FRIEDRICH VON HAUSEN, HARTMANN VON AUE, GOTTFRIED VON STRASSBURG und nach ihm KONRAD VON WÜRZBURG u.a.m.). Beibehaltung der german. Betonung und Zusammenfall sprachl. mit metr. Hebungen ergaben z.T. eine akzentuierend-a. D. Zu Ende des MA. stehen →akzentuierende und a. D. nebeneinander. Starke Vernachlässigung des Wortakzents in streng a. D.en um 1600 (SCHEDE, WECKHERLIN, HÜBNER) führte zu OPITZ' Forderung einer a. D. mit Beachtung des Akzents, doch bedeutet schon die Einführung des Daktylus durch BUCHNER die Aufgabe des streng a. Prinzips in dt. Dichtung.

Lit. →Metrik.

Altertum →Antike

Alt→philologie, antike, insbes. lat. und griech. Sprach- und Literaturwissenschaft. Vgl. →Antike.

Âlvâr (ind. = Untergetauchte, sc. in der Liebe zu Vishnu), die 12 vishnuitischen Hymnendichter in der Tamil-Lit. des 7.–9. Jh., Schöpfer der als Höhepunkt der Tamil-Lit. geltenden kunstvollen Hymnensammlung *Nalâyiram,* die Vishnu als höchsten Gott und die Hingabe an ihn als höchstes Glück preist. Entsprechen den shivaitischen →Nâyanâr.

J. S. M. Hooper, *Hymns of the Â.,* Kalkutta u. Lond. 1929.

Amadisroman, nach dem Titelhelden (Amadeus) benannter Typus eines über ganz Europa verbreiteten Zyklus von Ritter- und Abenteuerromanen des 16. Jh., die thematisch mit den Prosaromanen aus dem Artuskreis verwandt sind. Vermutlich portugies. Urform von Vasco de LOBEIRA *Amadis de Gaula* um 1350; weitere Stufen der Verbreitung: älteste erhaltene Fassung des Spaniers García ORDOÑEZ DE MONTALVO (entstanden 1482, Druck 1508) in 4 Büchern, span. Fortsetzungen zu 12 Büchern, ins Franz. übersetzt und stark erotisch erweitert von Nicolas Herberay DES ESSARTS 1540 bis 1548 in 21, dann 24 Büchern (1595), dt. Übersetzung bei Sigmund FEYERABEND nach der franz. Vorlage seit 1569, zuerst 13 (1583), dann 24 (1594), schließlich 30 Bücher (Buch 6 von FISCHART übersetzt), dt. Erweiterungen dann 1615 wieder ins Franz. übertragen. Verschmelzung der ma. Ideale des Rittertums mit Abenteuerlichem, Erotischem, Märchenhaftem und barocker Galanterie zum aristokrat. Bildungsideal, Kompendium höf. Kultur und Ethik der Zeit. Ungeheurer Stoffreichtum in ermüdender Breite, ohne moderne ›Tiefe‹. Vorbereitung des Barockromans. Verbreitung in Bearbeitungen, Fortsetzungen, Seitenzweigen und Nachahmungen (*Palmerin de Oliva*, um 1511) später in fast alle europ. Sprachen; Nachwirkung über ARIOSTO, TASSO, CERVANTES bis WIELAND, GOETHE, GOBINEAU.

RL; H. Thomas, *The Romance of A.*, Lond., 1912; ders., *Las novelas de caballerías*, Madr. 1952; F. Costa Marques, *Amadis de Gaula*, Lissabon 1960; H. Weddige, D. Historien vom A., 1975; S. J. Barber, *A. de Gaule and the German Enlightenment*, 1984.

Amateur (franz. = Liebhaber), positivere Bz. für →Dilettant.

Amateurtheater →Liebhabertheater.

Amazonentheater, eine Bühne, deren Ensemble ausschließlich aus weiblichen Kräften besteht; im 16. Jh. in Tiroler Nonnenklöstern oder bei Weiberfastnacht üblich. Im 19. Jh. weibl. Volkstheater in Büchsenhausen bei Innsbruck.

A. Dörrer, A. i, Tirol (Komödie 4/5, 1946).

Ambiguität (lat. *ambiguitas*, von *ambigere* = nach zwei Seiten treiben), Doppelsinn, Zweideutigkeit (auch als engl. Fachbegriff *ambiguity* geläufig); die Mehrdeutigkeit und Unklarheit bezieht sich im Ggs. zur →Amphibolie auf den gemeinten Sinn eines einzelnen Wortes, dessen

syntakt. Einordnung eindeutig ist und das sich nur in konkreter Auslegung als schwebend erweist, versch. Interpretationen gestattet. Unfreiwillige A. gilt als Stilfehler, beabsichtigte dagegen ist ein wesentl. Element des Poetischen überhaupt, nicht nur der ironisch-satirischen, scherzhaften Literatur (Witz, Wortspiel, Rätsel, Obszönität, Kabarett), das die Vieldeutigkeit der Wirklichkeit ins Wort umsetzt und durch Verschleierung der Realbezüge die Spannung erhöht. – Im weiteren Sinne ist A. auch das In-der-Schwebe-lassen der Charaktere und Motive handelnder Personen, z.B. bei TACITUS als bewußtes Stilmittel zur Erreichung einer bestimmten Vorstellung beim Leser angewandt.

W. Empson, *Seven Types of A.*, London 1930 u.ö.; J. A. Richards, *The Philosophy of Rhetoric*, Lond. 1936; W. B. Stanford, *A. in Greek Lit.*, 1939; J. D. Hubert, *L'esthétique des Fleurs du mal*. *Essai sur l'a. poétique*, 1953; N. Fries, A. u. Vagheit, 1980; H. Popper, A. als kompos. Prinzip (Akten Intern. Germ.-Kongr. 3, 1980); H. J. Heringer, D. Unentscheidbarkeit d. A. (Fs. E. Coseriu 3, 1981); R. Landheer u.a., *Métaphore, a. et contexte*, Neophil. 65, 1981; T. Bahti, *A. and indeterminacy*, CL 38, 1986; Ch. Bode, Ästhetik d. A., 1988.

Ambivalenz (lat. =) Doppelwertigkeit, Widersprüchlichkeit und Schwanken der Werte je nach bewußter oder unbewußter Wertung; urspr. Ausdruck der Psychologie für Erscheinungen wie Haßliebe u.ä.; in der Lit. Bz. für die Zwiegesichtigkeit des Weltbildes innerhalb mod. Dichtungen, die e. Entscheidung offenläßt (MUSIL, *Der Mann ohne Eigenschaften*), sei es als polares Weltbild bes. im Drama oder in e. zwiespältigen Figur, sei es als durchgehende Zerstörung der Werteordnung, Wertunsicherheit und Zerrissensein (KLEIST, PROUST, BENN, KAFKA, MUSIL).

H. Pongs, Im Umbruch d. Zeit, ⁴1963; ders., A. in mod. Dichtg. (Fs. H. Seidler,

1966); H. Seidler, Beitr. z. method. Grundlegg. d. Lit.wiss., 1969; P. V. Zima, *L'a. romanesque*, Paris 1980.

Americanismo →Criollismo

Amoibaia (griech. *amoibaios* = abwechselnd), in der griech. Tragödie Bz. für alle Formen von Wechselgesängen zwischen Chor und Schauspieler oder zwei Schauspielern zur Belebung der Szene. In antiker Bukolik sind A. solche Verse, Verspaare oder Strophen, die als Wechselgesang abwechselnd von zwei Sprechern vorgetragen werden und das vom 1. Sprecher angeschlagene Thema dialektisch fortentwickeln (THEOKRIT 5 und 8, VERGIL, *Ekloge* 3 und 7).
R. Kannicht, Unters. z. Form u. Funktion d. A. i. d. att. Trag., Diss. Hdlbg. 1957.

Amoralismus, auch Immoralismus, allg. eine ethisch indifferente Welt- und Lebensauffassung, die herkömmliche Moralvorstellungen außer acht läßt oder ihnen zuwiderläuft; literar. oder ästhet. A., vielfach in Verbindung mit reinem →Ästhetizismus, kennzeichnet Werke von W. HEINSE *(Ardinghello)*, F. SCHLEGEL *(Lucinde)*, STENDHAL, O. WILDE *(Das Bildnis des Dorian Gray)*, A. GIDE *(Der Immoralist)* u. a.

Amphibolie (griech. *amphibolia* = Zweifel), Doppelsinn, stilist. Zwei- und Mehrdeutigkeit der logischen Aussage eines Satzes, entsteht im Ggs. zur →Ambiguität durch versch. Möglichkeiten der Betonung, Bedeutung oder Beziehung der Wörter innerhalb der Konstruktion des Satzganzen trotz Klarheit des einzelnen Wortsinns, z.B. bei Orakeltexten. Abgegriffene Schlagworte können mehrdeutig werden; Homonymie und konkrete Auslegung metaphor. Ausdrücke liegen den meisten sprachl. Witzen zu-

grunde (z.B. im *Till Eulenspiegel*). Die Stilistiken (schon OPITZ, *Poeterey*) verwerfen unfreiwillige Unklarheiten: a) in der Wortwahl: der beschränkte Leserkreis, der flüchtige Besucher, b) in Wortstellung: Sie ist selten freundlich, c) in Beziehung: Er entdeckt dem Freund seine (?) Fehler, d) im Satzzusammenhang: Soweit die deutsche Zunge klingt und Gott (wer? NIETZSCHE) im Himmel Lieder singt (E. M. ARNDT). Bewußte A. kann künstlerisch beabsichtigtes Stilmittel sein oder zur Erzielung humorist. Wirkungen verwendet werden, so z.B. oft bei HEINE, RAIMUND, NESTROY, K. VALENTIN u. a. als →Wortspiel. – Dagegen beruht die Dreideutigkeit des berühmten, oft als Beispiel zitierten Ausspruchs von Antonius (SHAKESPEARE, *Julius Caesar*): ›And Brutus is an honourable man‹ nicht auf stilistischer A., sondern auf reiner →Ironie, und auch der Doppelsinn in SCHILLERS *Wallenstein*: ›Ich denke einen langen Schlaf zu tun‹ gelangt erst aus der Hintergründigkeit der Situation heraus zu schillernder Bedeutung, ohne daß A. im Stil erscheint.
Lit. →Stil.

Amphibrachys (v. griech. *amphi* = herum, *brachys* = kurz), dreisilbiger antiker Versfuß: eine von 2 Kürzen umgebene Länge: ∪ – ∪, Abart des →Kretikus. Verwendung etwa in Tetrapodien: ›Wie ist es / hat Liebe / mein Leben / besessen?‹ (ZESEN).

Amphimacer (v. griech. *amphi* = herum, *makros* = lang), dreisilbiger antiker Versfuß, eine Kürze von zwei Längen umgeben: – ∪ –, = →Kretikus; Ggs.: →Amphibrachys. Verwendung z.B. in antiker Komödie (PLAUTUS).

Amphitheater (griech. = Rundtheater), im Ggs. zum modernen

Halbrundtheater oder dem Saalbau mit →Guckkastenbühne, das römische, meist für Kampfspiele (Tierhetzen und Gladiatorenkämpfe) verwendete Freilicht-Rundtheater. Ähnlich dem Zirkus steigen die Sitzreihen rings um die rund oder oval angelegte Arena stufenweise auf Bogenwölbungen an, werden durch Gänge zerteilt und von einer hohen Außenmauer begrenzt. Die unterste Sitzreihe enthält die Ehrenplätze. Zur Zeit CAESARS noch aus Holz aufgeführt und nach den Spielen wieder abgetragen, später aus Stein, davon rd. 300 erhalten, am besten in Rom (Kolosseum = A. Flavium, 80 n.Chr., 50000 Zuschauer fassend), Nîmes und Verona.
Lit. →Theater.

Amplifikation (lat. *amplificatio* =) Erweiterung einer Aussage durch wiederholte Betrachtung ' unter versch. Gesichtspunkten und ausführlicher Ausmalung der Aspekte über das zum Verständnis Nötige hinaus zwecks stärkerer Wirkung. Rhetorische Figur in pathet. Versepik und Dramatik (bes. in Monologen).

-ana, an einen Eigennamen angefügt, bezeichnet eine Sammlung von angebl. Aussprüchen, persönl. Anekdoten über den Namensträger oder schlichtweg Kollektaneen, die sich auf ihn beziehen, z.B. Goetheana.

Anachronismus (v. griech. *anachronizein* = in eine andere Zeit verlegen), unfreiwilliger oder aber auch beabsichtigt-witziger Fehler in der zeitl. Abfolge oder Überlagerung von Geschehnissen, Gebräuchen, Denkformen, Personen und Gegenständen. Die häufigste Form, der vorgreifende A., verlegt Personen oder Gegenstände in frühere Zeiten, zu denen sie noch gar nicht lebten bzw. erfunden waren, und bildet somit einen Verstoß gegen die Zeitrechnung; der rückgreifende A. erneuert längst überlebte Einrichtungen. Unbeabsichtigter A. ist häufig in ma., Renaissance- und Barocklit., die den höf. Lebensform ihrer Gegenwart naiv auch z.B. in die Antike oder ferne Länder zurückprojizierten (in SHAKESPEARES *Julius Caesar* schlägt die Uhr, bei H. SACHS schießt Ödipus mit Kanonen) und noch gelegentlich in der dt. Klassik, wenn SCHILLER Buttler im *Wallenstein* (*Piccolomini* 234) vom (1752 erfundenen) Blitzableiter sprechen läßt, bewußt dagegen, wenn GOETHE Helena (*Faust* II, 3) in das (erst 1249 gegründete) Mitra kommen läßt. Seit der Schärfung des histor. Bewußtseins im 18./19. Jh. dient der A. mehr der kom. Wirkung, etwa bei G. B. SHAW (*Die heilige Johanna, Caesar und Kleopatra*) oder Mark TWAIN (*Ein Yankee an König Arthurs Hof*), oder er ergibt sich zwangsläufig aus den Versuchen zur Aktualisierung älterer Stoffe, die zur Betonung ihrer Jederzeitlichkeit in mod. Gewand und mod. Geisteshaltung gekleidet werden (TIMMERMANS, *Das Jesuskind in Flandern*; ANOUILH, GIRAUDOUX).

Anadiplose (griech. *anadiplosis* = Verdopplung), Sonderform der →Epanalepse, wiederholt das letzte Wort eines Satzes oder Verses als erstes Wort des folgenden Satzes bzw. Verses zu verstärkter Klangwirkung, z.B. bei OVID (*Metamorphosen* 6, 376) von Fröschen: Quamvis sint sub aqua, / sub aqua maledicere temptant. (Ob sie die Flut auch bedeckt, auch bedeckt noch schimpfen sie kecklich. Übs. J. H. VOSS.)

Anagnorisis (griech. =) Wiedererkennen, in der *Poetik* des ARISTO-

TELES (Kap. 11) neben Glückswechsel und Leiden (→Peripetie und →Katastrophe) das dritte Grundelement der tragischen Fabel. Vorausgegangen ist der Irrtum (→Hamartia), in dem dem Helden das wahre Wesen der Gegenspieler, Zustände oder auch seiner selbst unerkannt bleibt. Erst das gegenseitige Wiedererkennen der Verwandten bzw. Freunde, die plötzliche Erkenntnis, das Durchschauen der wahren Situation oder verborgener Identität kann entweder eine Untat im letzten Augenblick verhüten (GOETHE, *Iphigenie*) oder eine bereits vollzogene zu erhöhter Tragik steigern, z.B. in SOPHOKLES *König Ödipus,* vielen Tragödien des EURIPIDES, SCHILLERS *Braut von Messina,* CAMUS *Das Mißverständnis;* Verstärkung des Motivs der A. im *Hildebrandslied.*

P. Hoffmann, *De anagnorismo,* Diss. Breslau 1910; A. Gmür, D. Wiedererkennungsmotiv i. d. Dramen d. Euripides, Diss. Fribourg 1920.

Anagramm (v. griech. *anagraphein* = umschreiben), ›Letterkehr‹, Umstellung der in einem Namen (Satz, Wort, Wortgruppe) enthaltenen Buchstaben zu anderer Reihenfolge und neuem Sinn. Die Umsetzung untersteht keiner Regel, doch müssen stets alle Buchstaben wieder enthalten sein, bei höchstens ganz geringen lautl. Abweichungen. Das regelmäßig rücklaufende A. heißt →Palindrom, bei Namen →Ananym; der Austausch der Silbenanlaute ergibt →Schüttelreim. Erfinder des A. ist wohl LYKOPHRON VON Chalkis (3. Jh. v. Chr.); weite Verbreitung im Orient durch jüd. Kabbalisten u. a. relig. Geheimschriften. Im 16./17. Jh. beliebtes Wort- und Buchstabenspiel, das einen verborgenen Sinn der Laute in versch. Kombinationen bloßlegen will oder die Wandelbarkeit des Irdischen

zeigt, z.B. Tobianus: obit anus, abit onus, tua nobis, sunto abi, ubi sonat, Tuba Sion, ita bonus... oder Pilatus in Joh. 18, 38: Quid est veritas? zu: Est vir qui adest. S. BUTLER prägt aus ›nowhere‹ seinen Romantitel *Erewhon.* Im Barock oft anagrammat. Anspielungen an den Empfänger. Häufigste Verwendung zur Verschleierung von Autorennamen als →Pseudonym, so bei RABELAIS, FISCHART, LOGAU, GRIMMELSHAUSEN (7 verschiedene A.e), VOLTAIRE (= Arouet l.j.), besonders klangvoll KASPAR STIELER zu Peilkarastres; im 20. Jh. wird H. DAVIDSON zu VAN HODDIS, Marek zu CERAM, Anczel zu CELAN, Crayencour zu YOURCENAR. Abweichend versteht F. de Saussure unter A. e. in e. kurzen Text verschlüsseltes Thema oder Namen, z.B. in ›Taurasia Cisauna Samnio cepit‹: Scipio.

H. B. Wheatley, *Of A.s,* Hertford 1862; J. Disraeli, *Curiosities of literature,* London 1871; W. T. Dobson, *Literary frivolities,* London 1880; P. Wunderli, A. de Saussure u. d. A.e, 1972; A. L. Johnson, *A'atism in poetry,* PTL 2, 1977; J. Starobinski, Wörter unter Wörtern, ²1980; E. Kuhs, Buchstabendichtg., 1982; F. P. Ingold, Du findest d. Sinn, Merkur 36, 1982; L. Braun u.a., D. Würfeln m. d. Wörtern, Merkur 42, 1988.

Anaklasis (griech. = Zurückbiegen), 1. in der Metrik Wechsel der Quantität zwischen zwei benachbarten Silben (z.B. ‿‿— zu —‿‿—) und damit Wechsel des Versfußes innerhalb desselben Metrums. Oft im Griech.; in dt. Lit. nur bei VOSS, sonst in germ. Rhythmik als →schwebende Betonung aufgefaßt. – 2. in der Stilistik eine →Diaphora im Dialog, Wiederholung desselben Wortes durch den zweiten Gesprächspartner in veränderter, oft emphat. Bedeutung, somit eine Art Wortspiel, z.B. ›... würd ich Eure Sache gut machen.‹ – ›Gut machen! Wenn ihr das könntet!‹ (GOETHE, *Goetz* 4).

Anakoluth (v. griech. *an-akoluthos* = ohne Folge), Folgewidrigkeit im grammat. Satzbau. Die Fortführung bzw. der Schluß des Gedankens fällt aus der syntakt. Konstruktion des Satzanfangs heraus; die Beziehung von Anfang und Ende im grammat. Sinn fehlt, z.B.: ›Es geschieht oft, daß, je freundlicher man ist, nur Undank wird einem zuteil.‹ Besonders häufige Erscheinungsformen als sog. absoluter Nominativ und in der Umwandlung entfernt abhängiger Nebensätze zu Hauptsätzen. Im allg. ein Zeichen mangelnder stilist. Durcharbeitung oder direkter Stilfehler, können A.e in dichter. Texten auch zum bewußten Stilmittel werden und die sorglose Umgangssprache oder die Zerstreutheit und Gedankenverwirrung des Sprechers, seinen Orientierungsverlust (Naturalismus, G. HAUPTMANN), doch auch die Emphase der Rede und Schwere der Gedanken charakterisieren (z.B. in PLATONS Dialogen). Abart: →Anapodoton.

A. Betten, Ellipsen, A.e u. Parenthesen (Dt. Sprache, 1976).

Anakreonteus, nach dem griech. Lyriker ANAKREON benannter Vers: ∪∪–∪–∪ – – (anaklast. ion. Dimeter, d.h. entstanden aus dem ion. Dimeter ∪∪ – – / ∪∪ – – durch Wechsel der langen Endsilbe des 1. und der kurzen Anfangssilbe des 2. Metrums), stichisch oder unter Ioniкern verwendet, bes. in Lyrik und lyr. Partien der att. Tragödie.

Anakreontik, nach dem griech. Lyriker ANAKREON (6. Jh. v. Chr.) benannte Richtung der europ. Lyrik im →Rokoko, etwa um 1740–1770. Vorbilder waren vor allem die pseudoanakreont. Sammlung von 60 griech. Liedern der alexandrin. und nachchristl. Zeit in der Ausgabe von Henri ESTIENNE 1554, dann der echte ANAKREON,

die heiteren Oden des HORAZ, CATULL, die griech. Anthologie des PLANUDES und – neben ausländ. Zeitgenossen – der sächsische Barock, doch Spannung und Pathos der Barockdichtung glätten sich zu kokett-eleganter Kleinkunst. Der Motivkreis der A. ist eng umgrenzt: Macht der Liebe, Preis der Geliebten, Lob des Weins und der Geselligkeit, heiterer Lebensgenuß im Sinne EPIKURS. Die Darstellung bedient sich oft des Schäferkostüms oder traditioneller Namen und Situationen aus antiker Mythologie (Venus, Amor, Bacchus), umgeben von der fast stereotypen ›amönen Landschaft‹ mit ihren Wiesen, Bächlein, Quellen, Lauben und Grotten. Starke Anregungen kamen aus der franz. Rokokomalerei der Watteau, Fragonard, Boucher. Der Ton dieser höchst kultivierten Gesellschaftsdichtung ist zierlich tändelnd, geschmackvoll und genußreich, schmachtend bis delikat. Graziöse Leichtigkeit und reizvolle Bewegung der Sprache schufen neue Möglichkeiten der Versbehandlung und Sprachgestaltung; ein konventionelles Spiel von schwebender Heiterkeit, artistisch auf die Pointe zugespitzt, voll erot. Anspielungen und dennoch mit klar log., fast symmetrisch formbewußtem Aufbau. Nicht Erlebnisaussprache und Gefühlsechtheit, sondern der literar. Einfall entscheidet, doch bringt e. tieferer seel. Gehalt die Verbindung zum Lied der →Empfindsamkeit. Die A. ist der überfeinerte Ausläufer der mit dem Barock beginnenden und vom Sturm und Drang abgelösten Kulturepoche. – Erstes Einsetzen in Frankreich seit der Pléiade, im 17./ 18. Jh. im Gefolge des Philosophen GASSENDI: CHAULIEU, CHAPELLE, BACHAUMONT, LAINEZ, LA FARE, VOLTAIRE u.a., bes. die →poésie fugitive der ›petits poètes‹ GRESSET,

PIRON u. a. Bei den engl. Vertretern (PRIOR, WALLER, GAY) tritt das empfindsame Element in den Vordergrund. Die deutsche (eigentlich preuß.) A. setzt ein mit HAGEDORN und findet ihre wichtigsten Vertreter im →Halleschen Freundeskreis von GLEIM, UZ und GÖTZ, daneben viele unbedeutende; auch E. v. KLEIST, KLOPSTOCK, RAMLER, ZACHARIAE, LESSING, GERSTENBERG, J. G. JACOBI, CLAUDIUS, HÖLTY, SCHILLER, selbst GOETHE (in Leipzig und nach 1781 in Weimar) huldigen auf einer gewissen Entwicklungsstufe den Idealen der A. In Schweden bezeichnet M. BELLMAN eine Spätblüte. Die Kunsttheoretiker der A. (G. F. MEIER, BAUMGARTEN, MENDELSSOHN, RIEDEL) pflegten unter engl. Einfluß (SHAFTESBURY, HOGARTH) Erörterungen über Schönheit, Anmut und Grazie (daher A. auch →Grazienpoesie). Ausklingen der A. erst mit dem Einsetzen des Sturm und Drang, doch Fortleben z. B. geadelt im Schenkenbuch des *Westöstlichen Divan,* bei MÖRIKE, W. MÜLLER, PLATEN, RÜCKERT, GEIBEL, HEYSE, SCHEFFEL und BODENSTEDT, DAUTHENDEY, BIERBAUM, LILIENCRON u. a.

G. Witkowski, D. Vorläufer d. anakr. Dichtg. i. Dtld. u. Hagedorn, 1889; F. Ausfeld, D. dt. anakr. Dichtg. d. 18. Jh., 1907; A. Pick, Z. Gesch. d. dt. A. (Stud. z. vgl. Lit.gesch. 7 u. 9, 1907 u. 1909); Th. Feigel, V. Wesen d. A.... Diss. Marbg. 1907; A. Köster, Dt. Lit. d. Aufklärungszeit, 1925; U. Wendland, D. Theoretiker u. Theorien d. sog. galanten Stilepoche d. dt. Spr. (Form u. Geist 17, 1930); H. Paustian, D. Lyrik d. Aufklärg., Diss. Kiel 1932; H. Lischner, D. A. i. d. dt. weltl. Lyrik d. 17. Jh., Diss. Bresl. 1932; RL; A. Anger, Lit. Rokoko, 1962, ²1968; ders. in: Neues Hdb. d. Lit.wiss. 11, 1974; H. Zeman, D. dt. a. Dichtg., 1972, ²1984; T. Verweyen, Emanzipation d. Sinnlichk. i. Rokoko², GRM 25, 1975. →Aufklärung und →Rokoko.

Anakrusis (griech. =) →Auftakt bei steigenden Metren (Jambus, Anapäst); von G. HERMANN für die antike Metrik eingeführte, jetzt jedoch ungebräuchliche Bz. für alle der ersten Länge vorangehenden Kürzen, nach deren Absonderung das Metrum fallend wird.

Anakyklesis (griech. = Kreislauf) oder Antapodosis (griech. = Rückerstattung), die Wiederholung eines bestimmten, festen Verssystems in gleicher Reihenfolge, die dasselbe als Strophe heraushebt und kennzeichnet.

Analekten (v. griech. *analegein* = auflesen, sammeln), Aufgelesenes; Sammlung ausgewählter Stellen oder bemerkenswerter Zitate von bekannten Dichtern und Schriftstellern bzw. von wiss. Material; Auszüge, →Lesefrüchte, →Kollektaneen, →Anthologie. Auch Reihentitel wiss. Textsammlungen, z. B. *Analecta hymnica medii aevi.*

Analyse (griech. *analysis* = Auflösung), im Ggs. zur Synthese die Zerlegung e. Ganzen in seine Faktoren. Satzanalyse in der Grammatik zergliedert die Sätze in Satzteile, Wortanalyse die Wörter in Wurzeln, Prä-, In- und Suffixe; in der Dichtungswissenschaft verhilft die analytische Methode im Detail zu genauerer Erkenntnis der Eigenart eines Textes nach seinen Formkräften (Form-A.: Gliederung, Kapitel, Akte, Strophen, Vers) Rhythmus, Metrik, Reimgebrauch, nach seiner Sprachgestalt (Stil-A.: Stilebene, Satzbau, Wortsinn, Bilder, Figuren), im großen als Struktur-A. (Stoffe, Motive, Symbole) zu genauerer Erkenntnis der Bauform e. Werkes nach ihren konstituierenden Bestandteilen, indem sie die einzelnen Komponenten für sich sowie im Zusammenwirken betrachtet und Zusammenhänge erhellt. Sie bildet die Voraussetzung und Grundlage der →Interpretation.

J. Wisdom, *Interpretation and Analysis*, 1931; R. Wellek, A. Warren, Theorie d. Lit., 1959; H. Glinz, Grundbegriffe u. Methoden inhaltsbezogener Text- u. Spracha., 1965; A. Behrmann, Einf. i. d. A. v. Prosatexten, 1967, ^{5}1982; ders., Einf. i. d. A. v. Verstexten, 1970, ^{5}1982; H. Glinz, Text-A. u. Verstehenstheorie, 1973, II 1977 f.; M. Titzmann, Strukturale Text-A., 1977; C. Bürger, Text-A. als Ideologiekritik, 1980; B. Asmuth, Einf. i. d. Dramen-A., 1980; H. Rust, Method. u. Probl. d. Inhalt-A., 1981; G. Michels, Text-A. u. Textverstehen, 1982; A. Binder, Lyrik-A., 1984; C. Kahrmann, Erzähltext-A., 1986; D. Birch, *Language, lit. and crit. practice*, Lond. 1989.

Analytische Erzählung, erzähler. Gegenstück zum →analytischen Drama, das rückwärtsschreitend vom Endzustand aus das Geschehen aufrollt oder e. vorgefundene Situation an ihre Wurzel zurückverfolgt, etwa als Lösung e. vorgegebenen Rätsels (Typ Detektivroman) oder als Nacherzählung e. Erlebnisses aus der Perspektive sich ausweitender Erfahrung des Erzählers (GRILLPARZER, *Der arme Spielmann*). Aus der Umstellung des chronolog. Handlungsablaufs ergeben sich Spannungs- und Überraschungsmomente (KLEIST, *Die Marquise von O.*).

D. Weber, Theorie der a. E., 1975.

Analytisches Drama, Enthüllungsdrama, ein Schauspiel, dessen Bühnengeschehen nicht die ganze Reihe der Ereignisse, die zum trag. Konflikt führen (→Vorgeschichte, Prämissen) umfaßt, sondern nur ihre letzten Auswirkungen, die Zuspitzung zur Katastrophe, während die eigentliche, entscheidende Handlung vor seinem Beginn liegt und sich im Laufe des Spiels aus Teilinformationen schrittweise den ahnungslos Handelnden, die nur Teilaspekte kennen oder im Verhör erfragen, wie den Zuschauern enthüllt, z.B. SOPHOKLES' *König Oidipus*, SCHILLERS *Braut von Messina* (vgl. ders. an GOETHE, 2. 10. 1797), das romant. →Schicksalsdrama, HEBBELS *Maria Magdalena*, in der Komödie KLEISTS *Der zerbrochene Krug*. Sehr beliebt im Drama des Naturalismus, da der geringere Handlungsandrang breitere Milieuschilderung und Charakterisierung der Personen erlaubt (IBSENS *Gespenster*, A. HOLZ' *Sonnenfinsternis*, M. HALBES *Der Strom* u.a.m.). Ggs.: →Zieldrama.

T. M. Campbell, *Hebbel, Ibsen and the analytic exposition*, 1922; O. Mann, Poetik d. Tragödie, 1958; M. Sträßner, A. D., 1980. →Drama.

Anantapodoton →Anapodoton

Ananym (griech. *ana* = zurück, *onoma* = Name), Form des →Pseudonyms, die aus Umkehrung der Buchstaben- bzw. Lautfolge des eigentlichen Namens besteht; Sonderform des →Anagramms, z.B. Marek – Ceram.

Anapäst (griechisch *anapaistos* = aufgestoßen), dreiteiliger antiker Versfuß von 4 Moren Länge, verbindet in der Grundform 2 kurze und 1 lange Silbe bzw. 2 unbetonte und 1 betonte: ⏑⏑–́, z.B.: ›Wie mein Glück, ist mein Lied‹ (HÖLDERLIN). Daraus können entstehen: 1. durch Zusammenziehung: ––́, anapästischer Spondeus; 2. durch Spaltung: ⏑⏑⏑́⏑, Prokeleusmatikos; 3. durch Zusammenziehung und Spaltung: –⏑́⏑, anapäst. Daktylus. Einziger griech. Versfuß, der einen reinen Takt enthält; insofern nur scheinbare Umkehrung des →Daktylus. Charakteristisch für den A. ist die andrängende Wirkung und der taktgemäße Charakter, daher im Griechischen Verwendung oft in Marsch- und Schlachtliedern als katalekt. Tetrapodie (→Parömiakos) oder als dreifüßiger →Prosodiakos in Prozessionsliedern, auch in →Parodos und →Exodos des Dramas, die Ortsveränderungen beschreiben, in langen akatalekt. Systemen gebaut, abgeschlossen und gegliedert durch Parömiakoi als Klauseln. EURIPIDES erfand die sog. lyr. A.e, die durch Diäreselosigkeit, überwiegende Spondeen und reiche Katalexen charakterisiert sind und oft in Monodien verwendet werden. Ferner als katalekt. Tetrameter oder →Septenar in den Parabasen der Komödien des ARISTOPHANES und nach dessen Vorbild beim Schluß von PLATENS Literaturkomödien. In röm. Lit. seltener wegen Mangels an Kürzen, in altröm. Komödie als →Dimeter oder akatalekt. Tetrameter (Oktonar). In Dtl. erst seit der Romantik (GOETHE, Pandora, A. W. SCHLEGEL, Ion) meist als Dimeter mit dipod. Gliederung und Mittelzäsur, doch selten verwendet, da der rhythm. Eindruck oft zu Jamben verwischt oder durch Umlagerung daktylisch empfunden wird. Lit. →Metrik.

Anapher (griech. *anaphora* = Beziehung, Zurückführung), 1. in weiterem Sinne früher die Wiederkehr derselben Folge der Satzteile in mehreren Sätzen: →Parallelismus. – 2. im engeren Sinne Wiederkehr desselben Wortes bzw. derselben Wortgruppe am Anfang mehrerer aufeinanderfolgender Verse, Strophen, Sätze oder Satzteile, z.B. ›Das Wasser rauscht', das Wasser schwoll‹ (GOETHE, *Der Fischer*); Ggs. →Epiphora. Stilmittel des rhetor. Pathos zum Zwecke stärkerer Eindringlichkeit und übersichtl. Gliederung. Oft in antiker Rhetorik und Prosa (CICERO, SENECA), und zwar sowohl bei →chiastischer wie paralleler Satzfügung; in neuerer Prosa erst unter dem Einfluß des Humanismus mit dem Wiederaufleben rhetor. Studien, besonders oft in dreifacher

Wiederholung, zumal in Ballade und Drama, so bei SHAKESPEARE, GOETHE (*Mignon:* ›Kennst du das Land, wo...‹), SCHILLER, KLEIST, GRILLPARZER u.a. Vgl. →Symploke.

E. Norden, Antike Kunstprosa, ¹1923; T. Reinhart, A. *and semantic interpretation,* Lond. 1983; E. Koller, Z. A. im Mhd. u. Nhd. (Dt. Sprache 12, 1984). →Stil.

Anaphorá →Anapher

Anapodoton, auch **Anantapodoton** (griech. = ohne Vergeltung), Spezialfall des →Anakoluth, bei dem von einer korrespondierenden Konjunktion (z.B. zwar – aber, sowohl – als auch) nur der erste Teil im längeren Vordersatz enthalten ist, während ein Nachsatz mit dem entsprechenden zweiten Teil fehlt, z.B. CICERO *Tusc.* 3, 17, 36.

Anastatischer Neudruck →Abdruck

Anastrophe (griech. =) Umkehrung der geläufigen syntakt. Wortstellung in der Dichtersprache aus Gründen des Rhythmus, Reims oder des Nachdrucks in gehobener Redeweise, auch zur Erzielung bes. Klangeffekte. Häufigster Fall der A. ist die Nachstellung der Präposition (= Postposition) hinter das Substantiv: ›quam ob rem‹, ›zweifelsohne‹. In den alten Sprachen ist A. wegen Freiheit der Wortstellung nur dort feststellbar, wo die Umgangssprache e. andersartige feste Wendung bezeugt; gegen die A. aus mangelnder Beherrschung des Verses wendet sich OPITZ, daneben erscheint sie jedoch oft bewußt volkstümlich: ›Röslein rot‹ u.ä. Vgl. →Hyperbaton, →Inversion.

Anazyklisch (griech., umdrehbar) →Palindrom

Anceps (lat. = schwankend), in antiker Metrik e. Silbe, die nach dem vorgeprägten Versschema lang oder kurz ausfallen kann (Bezeichnung ∪, in mod. Metrik ×). Von A. zu unterscheiden ist das Schwanken der Quantität am Vers- oder Periodenende, brevis in longo (kurze Silbe an Stelle einer Länge) genannt, das durch das →Fermate am Periodenende zu erklären ist.

Andachtsbuch →Gebet- und →Erbauungsbuch

Anekdote (v. griech. *an-ekdoton* = nicht herausgegeben), eigentlich etwas aus Gründen der Diskretion o. ä. noch nicht schriftlich Veröffentlichtes, also mündlich Überliefertes – die *Anekdota* des PROKOPIOS (um 500–um 562) sind bisher verschwiegene Geheimgeschichten aus dem Privatleben Justinians – heute kurze, schmucklose, oft in e. heiteren Ausspruch gipfelnde Erzählung zur scharfen Charakterisierung e. histor. Persönlichkeit, merkwürdigen Begebenheit, Zeitepoche, Geistesrichtung, Gesellschaftsschicht oder Charaktertype in ihrer besonderen Eigenart an e. episod., doch typ. Fall. Prägnante Knappheit der objektiven Geschehensdarstellung und schlagkräftiger Aufbau der Pointe, die blitzartig Zusammenhänge erleuchtet, sind Haupterfordernisse dieser Gattung. Ihre innere Wahrheit beruht weniger auf der Wirklichkeit als auf der histor. Möglichkeit. Frühere Verwendung oft als moralisierende und belehrende Exempel in Reden, Predigten und volkstüml. Schriften, zur Belebung und Unterhaltung auch zahlreich in ältester Geschichtsschreibung, Chroniken, Flugblättern und Satiren des Humanismus. Als Kunstform seit der ital. Renaissance entwickelt aus der humanist.-lat. →Fazetie (POGGIO, STEINHÖWEL, BRANT, A. TÜNGER, BEBEL), in dt.

Schwankbüchern des 16. Jh., den Predigten ABRAHAMS A ST. CLARA, volkstümlich breit in GRIMMELSHAUSENS Kalendergeschichten. Später häufiges Auftreten in Slgn. und Almanachen (CLAUDIUS *Wandsbecker Bote, Hinkender Bote*). Entwicklung zu meisterhafter Kunsthöhe von dramat. Spannung bei KLEIST und mit volkstüml. Lehrhaftigkeit bei J. P. HEBEL *(Rheinischer Hausfreund)* sowie bei GOTTHELF, im 20. Jh. bei P. ERNST und H. FRANCK, in neuer, episch breiter Gestaltung bei W. SCHÄFER und in gesellschaftskrit. Pointierung bei B. BRECHT und F. C. WEISKOPF. Anekdotisches Erzählen im Roman T. FONTANES und F. TORBERGS. Nähe zu →Schwank, →Fabel und →Kurzgeschichte. – A. (Anecdota) im Sinne von Inedita, Unveröffentlichtes, ist auch Sammeltitel für Editionen ungedruckter Handschriften berühmter Bibliotheken.

M. Dalitzsch, Stud. z. Gesch. d. dt. A., Diss. Freiburg 1923; R. Hoffmann, D. A., e. Deuterin d. Weltgesch., 1934; H. Lorenzen, Typen d. dt. A.erzählung, Diss. Hbg. 1935; C. F. W. Behl, Üb. d. Anekdotische (Die Lit., 38, 1935–36); F. Stählin, Hebel u. Kleist als Meister d. A., 1941; ders. in Zs. f. dt. Unterr. 55; G. Kopp, Gesch. d. dt. A. i. Neuzeit, Diss. Tüb. 1949; R. Petsch, Wesen u. Formen d. Erzählkunst, ²1943; H. Pongs, D. A. als Kunstform, DU 9, 1957; RL; L. Brownlow, *The Anatomy of A.*, Chicago 1960; F. Ackermann, D. Komische i. d. A., DU 18, 1966; H., Grothe, A., 1971, ²1984; H. P. Neureuter, Z. Theorie d. A., JFDH 1973; W. E. Schäfer, D. A. i. Lit. unterr., WW 23, 1973; J. Hein, Dt. A.n, 1976; W. E. Schäfer, A. – Anti-A., 1977; ders., Üb. d. Wert d. A., DU 30, 1978; ders., Didaktik d. A (Hb. Drunterr., hg. P. Braun 1983); ders., Anekdot. Erzählform u. d. Begriff A. i. Ztalter d. Aufkl., ZDP 104, 1985; W. Freund u.a., Weltgesch. a. d. Froschperspektive, LfL 1979; J. Hein, D. A., FLE 1981; R. Schäfer, D. A., 1982; K. Haberkamm, D. Aufhebg. e. Gattg., GRM 32, 1982.

Anepigraphon (griech. = ohne Aufschrift), Schrift ohne Titel, daher ›anepigraphisch‹ = unbetitelt.

Anfangsreim, im Ggs. zum →Endreim und →Binnenreim →Reim der ersten Wörter zweier Verse: ›Krieg! ist das Losungswort. / Sieg! und so klingt es fort.‹ (GOETHE, Faust II).

Angry young men →Zornige junge Männer

Anisometrisch, d.h. nicht →isometrisch sind Gedichte, Strophen und Verspaare, deren einzelne Verse eine versch. Silbenzahl aufweisen oder deren Verse im Laufe des Gedichts bzw. der Strophe das Metrum wechseln, z.B. →Freie Verse.

Anka (Kurzform von sanskrit. utsrishtikânka), Gattung des ind. Dramas: Einakter um einen bekannten Stoff unter gewöhnl. Menschen mit der Grundstimmung (Rasa) des Mitleids.

Ankunftsliteratur, sozialist. Abart des →Erziehungsromans in der DDR-Lit. bes. der sechziger Jahre, stellt den Wandel vom unpolit. zum bewußt polit. Menschen, die »Ankunft« eines neuen Menschen im Sozialismus, seine Identifikation mit der bestehenden Sozialordnung und seine Integration darin dar; B. REIMANN, Ankunft im Alltag (1961), K.-H. JAKOBS, Beschreibung eines Sommers (1961), CH. WOLF, Der geteilte Himmel (1963), J. WOHLGEMUTH, G. DE BRUYN, W. HEIDUCZEK, H. KANT u.a.
F. Meyer-Gosau, Bildlose Zukunft, Diss. Bremen 1982.

Anmerkungen, Erläuterungen, Ergänzungen, Exkurse, Quellenbelege und Literaturhinweise in Fußnoten oder im Anhang wiss. Werke. Nach ihrem Vorbild liefern die Dichter des Barock A. zu ihren Dichtwerken; Sacherklärungen, Verdeutlichungen, Quellennachweise, so ANGELUS SILESIUS zu seinen Sinnsprüchen, HALLMANN zu seinen Dramen, GRYPHIUS zu Catharina von Georgien, LOHENSTEIN, KLAJ, OPITZ u.a.m. Noch V. v. SCHEFFEL erläutert seinen kulturhistor. Roman Ekkehard durch wiss. A., ebenso mod. Dokumentarliteratur.

Anmut, als Begriff der →Ästhetik die Grundlage des Schönen in der Harmonie von Natur und Geist, äußerer Ausdruck innerer Harmonie, Grazie. Gegenstand von SCHILLERS Aufsatz Über A. und Würde (1793) und H. v. KLEISTS Aufsatz Über das Marionettentheater (1810).
R. Bayer, L'esthétique de la grâce, Paris 1933; H. Plügge, Grazie u. A., 1947.

Annalen (lat. annales libri = Jahrbücher), nach Jahren aufgeteilte Darstellung geschichtl. Abläufe, Frühform der Geschichtsschreibung im Orient (Ägypten, Assyrien, Israel, China) und Abendland. In Rom verzeichnete rd. 400 v.Chr. der Pontifex maximus die merkwürdigen sakralen u.a. Ereignisse (Sonnen- u. Mondfinsternisse, Teuerung, Seuchen, Vorzeichen) der einzelnen Jahre in zeitl. Folge auf weißen Tafeln (→Album). Um 130 v.Chr. in 80 Büchern zusammengefaßt, dienten sie den folgenden Geschichtsschreibern als Quelle, wobei das analist. Prinzip der Trennung von stofflich Zusammengehörendem zunächst beibehalten wurde. Diese oft kritiklosen und tendenziösen Werke der röm. Annalisten (Q. CLAUDIUS QUADRIGARIUS, VALERIUS ANTIAS u.a.), bis ins 2. Jh. v.Chr. in griech. Sprache verfaßt (FABIUS PICTOR), wurden erst durch LIVIUS, der die A.form zur Meisterschaft bringt, gänzlich überholt. Der Titel A. für TACITUS' Werk Ab excessu divi Augusti ist nicht authentisch. Fortleben der Gattung A. im MA. seit karoling. Zeit für jährl. Aufzeichnungen der Klöster, Bischofssitze und Residenzen, dann

auch der Reiche (zu unterscheiden
von →Chroniken). Seit 11. Jh. verschmelzen A., Chronik und Historie. In neuerer Zeit als Titel auch
nichthistor. Zeitschriften. – Das annalist. Prinzip in der Literaturgeschichte will im Ggs. zum →mono-
graphischen das zeitliche Nebeneinander der Werke versch. Autoren
und Epochen hervorheben (H. O.
BURGER, A. d. dt. Lit., 1952). Vgl.
→Zeittafeln.

K. W. Nitzsch, D. röm. Annalistik, 1873;
RE; H. Hoffmann, Unters. z. karoling.
Annalistik, 1958.

Annominatio →Paronomasie

Anonym (v. griech. = namenlos,
ungenannt) sind Schriftwerke ohne
Namensnennung des Verfassers
(Anonymus), sei er verschwiegen,
unbekannt (→Adespota) oder sei
das Werk fälschlich unter fremdem
Namen überliefert (→Pseudepi-
graph). Wesenhaft a. sind z.B. viele
Volkslieder, -bücher und -märchen
aufgrund ihrer nur mündl. Verbreitung, ebenso manche antike Dichtung *(Pervigilium Veneris, Alexanderroman)*, infolge mangelhafter
Überlieferung zahlr. Schriften des
MA. (fast alle ahd. Denkmäler) und
der Reformationszeit (satir., theolog. und polit. Streitschriften). Die
Dichter des 16./17. Jh. verbergen
sich oft durch →Pseudonym,
→Kryptonym oder →Anagramm,
doch waren z.B. *Lazarillo de Tormes, La Princesse de Clèves*, die
Epistulae obscurorum virorum,
mehrere Schwanksammlungen und
auch Ch. REUTERS *Schelmuffsky* a.
Viele epochemachende Frühwerke
späterhin berühmter Dichter des 18.
und 19. Jh. erschienen zuerst a., so
GOETHES *Werther* und *Götz,*
SCHILLERS *Räuber,* KLEISTS *Familie
Schroffenstein,* RICHARDSONS *Pa-
mela,* SMOLLETTS *Roderick Ran-
dom,* STERNES *Sentimental Journey,*
YOUNGS *Night Thoughts,* SCOTTS
Waverley, BYRONS *Don Juan* u. a.,
ferner Werke von HAGEDORN,
BODMER, LAVATER, WIELAND,
KLOPSTOCK, HERDER, F. SCHLE-
GEL, WERNER, E. T. A. HOFFMANN,
JEAN PAUL, C. F. MEYER, DROSTE-
HÜLSHOFF, bes. von polit. Schrift-
stellern um 1848 (A. GRÜN, HER-
WEGH, DINGELSTEDT, HORMAYR).
Gründe für bewußte Anonymität
sind persönliche wie Scheu vor der
Öffentlichkeit, aristokrat. Verfasser,
oder inhaltliche bes. polit. oder erot.
Literatur. Zur Feststellung a.er Au-
toren helfen für die wichtigsten Li-
teraturen A.enlexika:

M. Holzmann, H. Bohatta, Dt. A.en-Le-
xikon, 7 Bde. 1902–28, n. 1983. – Engl.:
S. Halkett, J. Laing, Diction. of A. and
Pseudon. Engl. Lit., hg. J. Kennedy, W.
A. S. Smith u. A. F. Johnson, 9 Bde.,
Lond. ²1926–62, n. J. Horton, 9 Bde.
Lond. ³1980; W. Cushing, A.s, Cam-
bridge, Mass. 1890; Ch. A. u. H. W.
Stonehill u. A. Black, A.a and Pseudony-
ma, 4 Bde., Lond. 1926–27. – Fkr.: J. M.
Quérard, Les supercheries lit. dévoilées, 3
Bde. Paris ²1869–70, n. 1965; A. A. Barbier, Dictionn. des ouvrages a. et pseud-
onymes, 4 Bde. Paris ³1872–1879, n.
1986, ergänzt durch G. Brunet 1889 u.
H. Celani 1902. – Ital.: G. Melzi, Dizionario di opere anonime e pseudonime, 3
Bde. Mail. 1848–59, ergänzt durch G. B.
Passano, Ancona 1887 u. E. Rocco, Neapel 1888; R. Frattarolo, Anonimi e Pseu-
donimi, Caltanissetta 1955. – Niederld.:
J. I. van Doorninck, Vermomde en naam-
looze schrijvers, II 1883–85; A. de Kem-
penaer, Vermomde nederlandsche en
vlaamsche schrijvers, Leiden 1928. –
Port.: M. Augosto da Fonseca, Subsidios
para un dicionario de pseudonimos, ini-
ciais e obras anónimas, Lissab. 1896. –
Skand.: L. Bygden, Svenskt A. – og Pseudonym-Lexikon, 2 Bde. Upsala
1898–1915; H Pettersen, Norsk Anonym – og Pseudonym-Lexikon, Oslo
1924; H. Ehrencron-Müller, A. og
Pseudonym-Lexikon for Danmark og Island til 1920 og Norge til 1814, Koph.
1940. – Lat. MA.: A. Franklin, Dictionnaire des noms, surnoms et pseud. latins
of l'hist. lit. du moyen-âge, Paris ²1879. –
Jesuiten: C. Sommervogel, Dictionn. des
ouvrages a.es et pseud. publiés de la
Compagnie de Jesus, 2 Bde. Paris 1884. –
Allg.: A. V. Morris, A. and Pseudonyms,
Chicago 1933; H. Gültig, Echte A.ität,

Diss. Tüb. 1950; A. Taylor, F. J. Mosher, *The bibliographical history of A. and Pseudonyma,* Chicago 1951; RL; *Evidence for authorship,* hg. D. V. Erdman, E. G. Vogel, Ithaca 1966.

Anopisthographon (griech. *an* = un-, *opisthen* = hinten, *graphein* = schreiben), im Ggs. zum →Opisthographon einseitig beschriebenes Blatt, wie im Altertum alle Hss. nur eine Seite der →Papyrusrolle einnahmen, im Buchdruck alle Reibedrucke, bei denen das Papier rückseitig auf den Druckstock angerieben wird. Vgl. →Blockbuch, →Einblattdruck.

Anreim = →Alliteration

Anruf →Anrufung der Götter, →Apostrophe, →Invokation

Anrufung der Götter oder Musen mit der Bitte um Beistand bei der Vollendung des Werkes, zuerst im klassischen Epos (z.B. HOMER, *Odyssee* I, 1; VERGIL, *Aeneis* I, 8), dann im MA. beliebter Topos, an heidn. wie christl. Gottheiten gerichtet, schließlich epische Konvention: WOLFRAMS *Willehalm*, MILTONS *Paradise Lost,* POPES *Rape of the Lock,* KLOPSTOCKS *Messias* u.a.m.

Anspielung, in Rede oder Schrift verkappter Hinweis (Andeutung) auf e. als bekannt vorausgesetzte Person, Begebenheit oder Situation; breit lit. ausgebaut im →Schlüsselroman. Die A. will entweder mit eigenem Wissen prunken (Alexandrinertum, MA.) oder durch Hinweise auf gemeinsames Wissen eine Verbindung von Autor und Publikum knüpfen oder das eigene Werk in Beziehung zur lebendigen Tradition setzen; sie setzt zu ihrer Wirkung das Verständnis und Mitwissen des Publikums voraus.

Z. Ben-Porat, *The poetics of literary allusion,* PTL I, 1976; J. H. Coombs, *A.,* Poetics 13, 1984.

Anstandsliteratur, Anstandsbücher als Form der didakt. Lit. sammeln und lehren, z.T. in Faustregeln oder einprägsamen Versen, die standes- und klassenspezifisch geprägten Umgangsformen und Verhaltensmaßregeln gesitteten gesellschaftl. Zusammenlebens vom äußerlich korrekten Benehmen (Etikette) bis zum feinsinnigen Verhalten (Takt), deren Nichteinhaltung zu soz. Diskriminierung führt. Sie reichen von ma. Klosterunterweisungen (*Ruodlieb,* PETRUS ALFONSI), provenzal. →Ensenhamens, ma. →Hofzuchten und →Tischzuchten über das negativ-satir. Gegenbild des →Grobianismus und der →Narrenlit. wie über barocke →Komplimentierbücher bis zu Lebenshilfen, prakt. Lebensphilosophie (KNIGGES *Über den Umgang mit Menschen,* 1788) und mod. Etikette-Büchern. Lit. weniger bedeutsam, sind sie sozialgesch. aufschlußreiche Quellen für Selbstbild, Lebensstil, Bildungsstand, Wertskala und Rollenfunktionen der Stände und Geschlechter.

W. Martens, D. gute Ton u. d. Lektüre (Buch u. Leser, hg. H. G. Göpfert 1977); G. Häntzschel, A. (Akten Intern. Germ.-Kongreß 1980); Bildung u. Kultur bürgerl. Frauen 1850–1918, hg. ders. 1986.

Anstandsrolle, Rollenfach in der Schauspielkunst (→Rolle) für versch. Typen aus höherem Milieu (Bonvivant, Gouvernante, Intrigant, Liebhaber u.ä.).

Antagonist (griech. *antagonistes* =) →Gegenspieler

Antanaklasis = →Anaklasis (2)

Antapodosis = →Anakyklesis

Antepirrhem (griech. = Erwiderung e. zugefügten Sentenz), regelmäßig letzter (4.) Teil der →Parodos in der att. Komödie, respondierend zum →Epirrhema; auch Teil des →Agon (2).

Anthologie (griech. = Blumen-, Blütenlese), Slg. unter bestimmten Gesichtspunkten ausgewählter lit. Stücke – Dichtungen, bes. Gedichte, kleine Prosastücke oder Ausschnitte aus größeren; auch philos. und wiss. Prosa – aus großem oder kleinem Kreis zur Charakterisierung e. Geistesepoche, Volksliteratur, Gattung, Entwicklung, Autors, Schule, Themas o. ä. (→Florilegium, →Chrestomathie). Beginn mit dem *Kranz* des MELEAGROS von Gadara um 70 v. Chr., formvollendeten Epigrammen 47 versch. griech. Dichter, dem Grundstock der sog. *Griech. Anthologie,* fortgeführt von PHILIPPOS aus Thessalonike (40 n. Chr.) mit e. A. von Epigrammen 13 griech. Dichter; weitere große Slgn. von KONSTANTINOS KEPHALAS (um 925); sog. *Anthologia Palatina;* Abschluß durch MAXIMUS PLANUDES (14. Jh.): *Anthologia Planudea.* Durch diese, die Sentenzenslg. des STOBAIOS (5. Jh.) und die *Anthologia Latina* (6. Jh.) seit Renaissance und 16. Jh. schnelle Verbreitung des Begriffs A. bes. für den Unterricht und unzählige A.n aller Literaturen, die den Geschmack e. Zeit, e. Richtung oder des Herausgebers spiegeln, in Engl. TOTTEL 1557 und PERCY 1765, in Dtl. B. NEUKIRCH 1695–1727, HERDER 1778 f., A. v. ARNIM 1806–08. Vgl. →Analekten, →Cancionero, →Diwan, →Hamâsa.

RL; R. F. Arnold, Allg. Bücherkunde, ⁴1966; D. dtspr. A., hg. J. Bark u. D. Pforte, 2 Bde. 1969 f.; J. Schönert, D. popul. Lyrik-A. n i d ʔ H d 19 Jh. (Sprachkunst 9, 1978); A. Hartmann, Lyrik-An. als Indikatoren d. lit. u. ges. Prozesses i. d. DDR, 1983.

Antibacchius, umgekehrter →Bacchius (Palimbacchius), dreisilbiger antiker Versfuß, bestehend aus 2 Längen und 1 Kürze: ‒‒◡, kein selbständiger Versfuß, sondern meist ein synkopiertes trochäisches Metrum.

Antibarbarus (griech.), im 19. Jh. beliebter Titel für Bücher zur Bekämpfung von →Barbarismen in Sprache und Stil: J. P. KREBS/J. H. SCHMALZ, *A. d. lat. Spr.,* ⁸1962; K. G. KELLER, *Dt. A.* ²1886; R. SCHERFFIG, *Franz. A.,* 1894.

Antichristspiel, Art des →geistlichen Dramas im MA. außerliturg. Herkunft, eschatolog. Spiel von Weltende, Jüngstem Gericht und Sieg Gottes über den Antichrist. Dramatische Verarbeitung der Sage vom Antichrist, der seit dem 8. Jh. in Legenden und dem *Muspilli* wiederholt erscheint (ADSO VON TOUL, *Liber de Antichristo,* 10. Jh., *Friedberger Christ und Antichrist, Linzer Antichrist,* 12. Jh.), erhalten im Tegernseer *Ludus de Antichristo* e. Geistlichen aus dem Gefolge Barbarossas um 1160, lat. hymn. Wechselgesängen von oratorienhaftem Stil. Starkes Eindringen des nationalen und polit. Elements in Gestalt des dt. Kaiserideals. Daneben zahlreiche weitere dt., engl. und franz. A.e, Reformationsdramen, Fastnachts- und rel. Volksschauspiele. →Weltgerichtsspiel.

W. Bousset, D. Antichrist, 1895; H. Preuß, D. Vorstellg. v. Antichrist a. Ausg. d. MA., Diss Lpz. 1906; B. Rigaux, L'*antéchrist,* Gembloux 1932; W. Kamlah, D. ›Ludus de Antichristo‹ (Hist. VJS 28, 1933); H. Meyer-Benfey, D. ma. A. (Preuß. Jb., 238, 1934); P. Steigleder, D. Spiel v. Antichrist, Diss. Bonn 1938; G. Jenschke, Unters. z. Stoffgesch., Form und Funktion d. ma. A., Diss. Münst. 1971, II. D. Rauh, D. Bild d. A. im MA., 1973; K. Aichele, D. Antichristdr. d. MA., der Reformation u. Gegenref., Haag 1974; R. K. Emmerson, *Antichrist in the M.A.,* Seattle 1981.

Antiheld, im Ggs. zum →Helden eine solche Hauptfigur in ep. und dramat. Werken, die alle heroischen und aktiven Charakterzüge entbehrt, keine Initiative zeigt und den

Antike   36

Ereignissen mit strikter Passivität
bzw. Resignation und Langeweile
gegenübersteht. Als Figur vorgeprägt in Büchners *Leonce und Lena* und in russ. Lit. (Gogols *Hei-
rat,* Gončarovs *Oblomov*) und
weitverbreitet in der westl. Lit. des
19. Jh. und bes. der 2. Nachkriegszeit (A. Camus, K. Amis, J. Osborne, S. Bellow, Nouveau Roman; Brecht, Kafka).

C. Brown, *The anti-hero,* MS 72, 1978;
W. Walker, *Dialectics and pass. resistan-
ce,* 1985.

Antike (v. lat. *antiquus* = alt), zusammenfassende Bz. der klass.
griech.-röm. Kulturwelt des Altertums bis zur Völkerwanderung
(Spät-A.) und damit dem christl.
MA. im Ggs. zu anderen gleichzeitigen oder späteren Kulturkreisen. In
sich räumlich und zeitlich verschiedenartig gestaltet, bildet sie als geschlossene Gesamtheit neben dem
Christentum die Grundlage aller
abendl. Kultur und wirkte fruchtbar
auf alle europ. Litt. bis in die Gegenwart hinein. Die Übernahme antiker Elemente und selbständige
Auseinandersetzung mit ihnen geschieht in den einzelnen Epochen
und Völkern verschieden nach Art
und Stärkegrad, naiv-kritiklos in In-
haltsübersetzungen oder höchst bewußt in kunstvollen Nachdichtungen, auch Anregungen zu Eigen-
schöpfungen; sie wurde angegriffen
als Verlust völk. Eigenständigkeit
und verteidigt als gemeinsame Erb-
schaft des Abendlandes, als seine
ständige Aufgabe. Der Einfluß der
antiken Lit. beginnt bes. seit der
→Karoling. Renaissance mit Glos-
sarien, Übersetzungen und Nachdichtungen (insbes. von Werken des
Vergil, Ovid, Terenz, Plautus,
Statius, des *Alexanderromans,* lat.
Darstellungen des Trojanerkrieges
und des *Apolloniusromans*) im frühen MA. und wirkt nachhaltig auf

die Abfassung eigener Heldenepen;
Cicero wurde Vorbild höf. Moral;
Gestalten antiker Legenden und
Mythen fanden Eingang in neue
Schöpfungen. →Renaissance und
→Humanismus brachten die bewußte Belebung klass. Studien und
erweitern die Zahl der Übersetzungen nun auch griech. Autoren; antike Formideale des Aristoteles und
Horaz (für das Drama Terenz, im
Barock Seneca) werden durch die
→Poetiken verbindlich für die zeitgenöss. Literatur; antike Fabeln und
→Exempla sind Allgemeingut
ebenso wie →mythologische Umschreibungen und Allegorien. Der
franz. Klassizismus orientiert sich
noch an lat. Lit., doch mit dem 18.
Jh. erst beginnt die breitere Wirkung der griech. Tragiker und Homers. In der dt. Literatur bemühen
sich bes. Winckelmann, Lessing,
Herder, später Nietzsche um echte Erfassung des antiken Geistes; in
den Dichtungen Goethes, Hölderlins und (mit breiterer Wirkung) Schillers findet er seinen
reifsten Niederschlag; in der Gegen-
wartsdichtung Erneuerung antiker
Stoffe bes. bei Hofmannsthal, R.
A. Schröder, T. S. Eliot, J. Anouilh, J. Cocteau, R. Jeffers, P.
Hacks, H. Müller, W. Jens u.a.
→Antikisierende Dichtung.

C. L. Cholevius, Gesch. d. dt. Poesie nach
ihren antiken Elementen, 1854–56; K.
Borinski, D. A. i. Poetik u. Kunsttheorie,
1914–24, n. 1966; E. Stemplinger, D.
Befruchtung d. Weltlit. durch d. A., GRM
2, 1910; K. Heinemann, D. trag. Gestalten d. Griech. i. d. Weltlit., 1920; G.
Murray, *The Classical Tradition in Poetry,* Cambr., Mass. 1927; Das Problem
des Klassischen u. d. A., hg. W. Jaeger
1931, n. 1961; RL; R. Newald, D. A. i. d.
europ. Lit., GRM 1934; ders. im ›Aufriß‹; J. A. K. Thomson, *The Classical
Background of Engl. Lit.,* Lond. 1948,
³1963; G. Highet, *The Classical Tradition,* 1949; E. Grumach, Goethe u. d. A.,
1949; R. Benz, D. Wandel d. Bildes d. A.
i. Dtl., 1948; J. A. K. Thomson, *Classical
Influences on Engl. Poetry,* Lond. 1951;

W. Rehm, Götterstille u. Göttertrauer,
1951; ders., Griechentum u. Goethezt.,
⁴1968; J. A. K. Thomson, *Classical Influences on Engl. Prose*, Lond. 1956; R. R.
Bolgar, *The Class. Heritage*, Lond.
²1958; R. Newald, Nachleben d. ant.
Geistes, 1960; *From Sophocles to Picasso*, hg. W. J. Oates, Bloomington 1962;
Das Erbe der Antike, 1963; W. Leifer,
Hellas i. dt. Geistesleben, 1963; E. R.
Curtius, Europ. Lit. u. lat. MA., ⁶1967; K.
Hamburger, Von Sophokles zu Sartre,
⁴1968; R. Pfeiffer, *Hist. of Class. Scholarship*, 2 Bde. Oxf. 1968–75; W. Scha-
dewaldt, Hellas u. Hesperien, ²1970; C.
Trilse, A. u. Theater heute, 1974, ²1979;
F. J. Worstbrock, Dt. A. rezeption
1450–1550, 1976; A. Buck, D. Rezep-
tion d. A. i. d. roman. Lit. d. Renaiss.,
1979; A. rezeption, dt. Klassik u. soz.
Ggw., hg. J. Irmscher 1979; Rezeption d.
Altert. i. mod. lit. Wken, hg. H. Gericke
II 1980; Klass. Modelle i. d. Lit., hg. Z.
Konstantinović 1981; D. Rezeption d. A.,
hg. A. Buck 1981; H. Lloyd-Jones, *Blood
for the ghosts*, Lond. 1982; R. Bernhardt,
Odysseus' Tod, 1983; V. Riedel, A. rezeption i. d. Lit. d. DDR, 1984; A. u.
europ. Welt, hg. M. Svilar 1984; A. Ebenbauer, A. Stoffe (Ep. Stoffe d. MA., hg.
Mertens 1984).

Antiker →Vers, der →quantitieren-
de im Ggs. zum german. →akzentu-
ierenden Vers, beruht auf e. geregelten Abfolge langer und kurzer Silben und nicht auf dem Akzent, so
daß e. wirklich echte Vorstellung
von seinem Klang für unser Ohr
kaum möglich ist. Erst zu Ausgang
des Altertums (ab 3. Jh. n.Chr.)
begann die Verdrängung des quantitierenden   Prinzips   (→Cursus,
→Leoninische Verse). Der grundsätzliche Unterschied zwischen a. V.
und modernem gestattet nur e. annähernde Nachbildung in neuer
Dichtung. – Die wichtigsten a. Versmaße sind: →Hexameter, →Penta-
meter, →Distichon, →Hendekasyl-
labus, →Choliambus, →Glykoneus,
→Senar,   →Septenar   und   die
→Odenmaße.

A. Heusler, Dt. u. a. V., 1917; F. Saran,
D. Quantitätsregeln d. Griech. u. Römer
(Streitberg-Festgabe, 1924); A. Kabell,
Metrische Studien Bd. 2, Uppsala 1960;
W. Bennett, *German verse in classical*

metres, Haag 1963; A. Kelletat, Z. Problem d. antiken Metren im Dt., DU 16,
1964; D. Lehre v. d. Nachahmg. d. a.
V.maße im Dt., hg. H.-H. Hellmuth
1976.

Antikisierende Dichtung, die bewußte Nachahmung antiker Literatur, reicht vom Beginn des MA. bis
in die Gegenwart und gliedert sich
nach drei versch. Gesichtspunkten:
1. Benutzung inhaltl. Motive bzw.
Stoffe in traditioneller oder selbständiger Deutung, 2. Übernahme
u. Wiederbelebung antiker Formelemente, 3. tiefgreifende Auseinandersetzung mit der geistigen Welt
der Antike (als Ggs. zum Christentum) innerhalb der Dichtung. Dank
der Vielgesichtigkeit der →Antike
erscheint ihr Bild in den versch.
Epochen sehr unterschiedlich: im
MA. als Sinnlichkeit gegenüber
christl. Askese, im →Klassizismus
als Formvorbild, in Zeiten der
→Klassik als Konflikt von ›Sinnlichem‹ und ›Sittlichem‹ (bes. Schiller) und deren wechselseitiger
Durchdringung (Goethe), im 19.
Jh. aus histor. Perspektive und Distanz, seit Nietzsche als rauschhafte Daseinsfülle; apollinisch bei Stefan George, ekstatisch-exzentrisch
im Expressionismus, abgründig im
franz. Existenzialismus.
RL. →Antike.

Antiklimax (v. griech. = Gegen-
Leiter), rhetorische Figur im Ggs.
zur →Klimax, in der die Bedeutsamkeit oder Intensität des Ausdrucks gereihter Glieder abnimmt,
z.B.: ›Doktoren, Magister, Schreiber und Pfaffen‹ (Goethe). Die absteigende Stufenfolge dient oft witzig-satir. Zwecken, wie ›Religion
gut, Kopfrechnen schwach‹, indem
statt der erwarteten Steigerung ein
Abfall (→Bathos) eintritt.

Antilabe (griech. = Widerhalt, Ein-
wendung), auf wechselnde Personen

verteilter Sprechvers im Drama,
z.B. (A:) ›Nehmt Euch in acht.‹ (B:)
›Ach geht!‹ (A:) ›Ich sag es Euch.‹
(KLEIST). Wirkungsvolles Mittel zur
Darstellung des gehetzten Dialogs,
oft in abgerissenen Sätzen. Vgl.
→Stichomythie.

Anti-Masque, im Unterschied zur
→Masque kürzeres harmloses, hei-
teres oder groteskes Maskenspiel als
Vorspiel zur ernsten Masque oder
als deren Zwischenspiel. Von B.
JONSON 1609 eingeführte Bz. und
Gattung.

Antimetabole (griech. = wechselseitige Vertauschung), rhetor. Figur
zur geistreichen Darstellung e. gedankl. →Antithese, Verbindung von
syntakt. →Parallelismus mit lexikal.
→Chiasmus bzw. umgekehrt, d.h.
Wiederholung gegensätzl. Begriffe
in zwei gleichgebauten Sätzen in
umgekehrter Reihenfolge (antithet.
Satzparallelismus), z.B. ›Nicht um
zu essen leben wir, sondern um zu
leben essen wir.‹ Auf GORGIAS zurückgehend und in der Antike oft
verwendet (CICERO), in dt. Lit. u.a.
bei ANGELUS SILESIUS, oft →tauto-
logisch.

Antiphon (griech. *antiphone* = Ge-
genstimme), Wechselgesang zwischen zwei einstimmigen Chören
oder Vorsänger und Chor, entsprechen dem →Parallelismus membrorum zuerst altjüd. Brauch, seit 4.
Jh. auch e. der ältesten Bestandteile
des altkirchl. Ritualgesangs meist
nach Psalmentexten. Später auch
andere zum geistl. Chorgesang bestimmte Melodien, Lieder usw.,
z.B. bei Prozessionen.

Antiphonar, liturgisches Gesangbuch, das →Antiphone enthält; ältestes erhaltenes A. Karls d. Kahlen
(9. Jh.); ab 11. Jh. mit Noten und
Illustrationen.

Antiphrasis (griech. = entgegengesetzte Ausdrucksweise), als rhetorische Figur die (ironisch oder sarka-
stisch gemeinte) Aussage vom Gegenteil des Gemeinten, so daß der
Wortsinn, an den gemeinten Tatsachen gemessen, ins Gegenteil ver-
dreht wird, z.B. ›ein nettes Frücht-
chen‹. Vgl. →Litotes.

Antiqua (v. lat. *antiquus* = alt),
geradestehende, ungebrochene lat.
Druckschrift im Ggs. zu →Kursiv
und →Fraktur. Anstelle der →got.
oder semigot. Schrift zuerst von
Nik. JENSON in Venedig (15. Jh.) als
Nachbildung der karoling. →Mi-
nuskel für den Druck lat. Autoren
verwendet; von Aldus MANUTIUS
verbessert (Aldine) und in 14 Grade
gestuft (Vorbild: dessen Druck:
BEMBUS, *de Aetna*, 1495), verdrängt sie die got. Schrift in den
roman. Ländern bis rd. 1550, in
England und Holland bis rd. 1600
mit Unterstützung des Humanismus. In Dtl. vor 1800 meist für lat.
Werke gebraucht, fand sie auch hier,
zuerst in wiss. Werken (Brüder
GRIMM), Eingang und hat in der
Gegenwart die Fraktur aufgrund ihres klaren und übersichtlicheren
Druckbildes fast ganz verdrängt.

Antiquar (v. lat. *antiquarius*), zuerst Anhänger, Kenner oder Nachahmer altröm. (voraugusteischer)
Sprache, Kultur und Lit.; jetzt Alt-
buchhändler. →Antiquariat.

Antiquariat (v. lat. *antiquus* = alt),
→Buchhandel mit gebrauchten Büchern (Zeitschriften, Noten, Autographen), und zwar 1. bibliophiles
A. mit Inkunabeln, alten und schönen Drucken, Erstausgaben, Rara,
illustrierten Büchern, schönen Ein-
bänden u.a. Sammelobjekten der
→Bibliophilie, 2. wiss. A. mit ver-
griffenen wiss. Büchern meist einzelner, spezieller Fachgebiete, 3.

sog. ›Modernes A.‹ (Restbuchhandel) mit Restauflagen und verramschten Büchern, d. h. mit Remittenden oder verlagsneuen Exemplaren, deren Ladenpreis aufgehoben ist. – Der A.-Buchhandel wird teils und von seinen bedeutendsten Vertretern in eigenen Firmen, teils im Anschluß an den Sortimentsbuchhandel betrieben, ist jedoch nicht wie dieser auf die Preisbindung festgelegt, sondern orientiert seine Preise nach Seltenheit, Erhaltungszustand, Nachfrage und eigenem Werturteil des Antiquars. Der Ankauf erfolgt teils durch Erwerbung ganzer Bibliotheken, teils durch Einzelkäufe aus Privatbesitz, teils durch Auktionskäufe oder Ankauf über Kollegen. Der Vertrieb erfolgt seltener durch Auktionen, meist über A.-Kataloge, die wegen ihrer genau beschreibenden bibliograph. Titelaufnahmen oft bibliograph. Wert haben und z. T. im wiss. A. auch Neuerscheinungen des Fachgebiets aufnehmen.

F. Unger, D. Praxis d. wiss. A., 1900; P. Schroers u. B. Hack, D. A., 1949; B. Wendt, D. A.s-buchhandel, ³1974; P. Otto, D. Moderne A., 1966, ²1967. →Buchhandel.

Antiquarischer Roman →histor. Roman, →Professorenroman.

Antiroman, unscharfe Bz. für alle experimentellen Formen des modernen Romans, die mit den traditionellen Erzählformen, Realitätsillusionen und Lesererwartungen (z. B. →Antiheld statt Held) brechen, insbes. den Roman, der im Erzählen das Scheitern des Erzählens darstellt (A. GIDE, C. EINSTEIN, N. SARRAUTE, W. JENS *Herr Meister*).

Antispast (griech. *antispastos* = widerstrebend), antiker Versfuß, bestehend aus 1 Jambus und 1 Trochäus: ◡−−◡.

Antistasis (v. griech. = Gegenpartei, Widerstand), Art der →Diapho-

ra: Spiel mit versch. Bedeutungen desselben Wortes, indem es neben der normalen Bedeutung emphatisch in abweichendem Sinn gebraucht wird, z. B. ›Spricht die Seele, so spricht, ach, schon die Seele nicht mehr‹ (SCHILLER). Auch mit Übergang zur →Figura etymologica: ›Ein Schlachten wars, nicht eine Schlacht zu nennen‹ (SCHILLER).

Antistrophe (griech. = Gegenwendung), 1. in der Rhetorik = →Epiphora. – 2. beim →Chor des griech. Dramas die von e. Wendung des Chores begleitete oder vom 2. Halbchor gesungene Gegenstrophe, entspricht im Bau genau der vorangehenden →Strophe, deren Gegenbewegung sie bildet, während die meist folgende →Epode metrisch abweicht. – 3. der zweite Teil der →Pindarischen Ode.

Antitheater, unscharfe Bz. für alle experimentellen Formen des mod. Dramas und Theaters im Ggs. zu den herkömmlichen illusionist., realist. oder psycholog. Traditionen, bes. für das →absurde Drama. IoNESCOS *Kahle Sängerin* heißt im Untertitel ›Anti-Stück‹, R. W. FASSBINDER nennt seine Stücke A.

R. Hayman, *Theatre and a.*, Lond. 1979.

Antithese (griech. = Gegensatz), 1. eine einer Behauptung (These) gegenübergestellte Gegenbehauptung, die sich nach der Dialektik HEGELS mit jener zur Synthese vereinen kann. – 2. in fast allen Kultursprachen übl. Stilmittel und →rhetorische Figur: stilist. Gegenüberstellung logisch entgegengesetzter, doch zu einem (meist ungenannten) Oberbegriff vereinbarer Begriffe, Urteile, Aussagen in Einzelworten, Wortgruppen oder Sätzen, z. B.: Gut und Böse, Tugend und Laster, ›Der Wahn ist kurz, die Reu' ist lang‹ (SCHILLER). Die stilistische Ausprä-

gung wird verstärkt durch →Parallelismus, →Isokolon, oft →asyndetisch und als →Homoioteleuton, ferner durch →Chiasmus oder →Hyperbaton. In Poesie erscheint die A. oft im →Alexandriner bzw. →Epigramm oder →Sonett als in sich antithet. Formen. In der Umgangssprache natürl. Sprachgeste zur Ausschreitung eines Raumes durch Bezeichnung der Endpunkte (›für jung und alt, über kurz oder lang‹), fand die A. als →rhetorische Figur seit der Sophistik weiteste Verbreitung in griech.-lat. Rhetorik (als ›Contrapositio‹ oder ›Contentio‹; die Bz. ›A.‹ erst bei SULZER, *Theorie der schönen Künste*, 1771); in altgerman. Dichtung kein bewußtes Stilmittel, dagegen im ganzen MA. nach franz. Vorbild (GOTTFRIED VON STRASSBURG) und bes. durch den Humanismus nach antikem Muster verbreitet, zumal in Stilrichtungen des →Schwulst. In dt. Dichtung bes. bei LUTHER, ANGELUS SILESIUS, LESSING, SCHILLER, HEINE, NIETZSCHE. – Hinter der sprachl. Form der A. steht in vielen Epochen und Dichtern der Ausdruck eines antithet. Lebensgefühls, innerer Zerrissenheit, Zwiespalt und Spannung, wie bei der häufigen Verwendung im →Barock. Vgl. →Oxymoron.
R. M. Meyer, Dt.Stilistik, ²1913; E. Norden, Antike Kunstprosa, ²1923; RL²; Z. Škreb, Z. Theorie d. A. als Stilfigur, STZ 25, 1968.

Anti-Utopie, im Unterschied zur →Utopie allgemein eine Sonderart derselben, der es nicht um traumhaft-ideale Zukunftsvisionen geht, sondern die aus den Erfahrungen der Vergangenheit und Gegenwart ein höhn. Zerrbild für die Zukunft der Menschheit entwirft, die nicht rosig, sondern schwarz malt: Versklavung der Menschheit durch eine dämon. Technik und einen von ihr abhängigen Wirtschaftsapparat, Vernichtung der Freiheit und des Individuums durch einen totalitären Staat und seine Machtmittel, Bevölkerungsexplosion, Verewigung des Kriegszustandes u.ä., z.B. in S. BUTLERS *Erewhon* (1872), E. ZAMJATINS *Wir* (1923), A. HUXLEYS *Brave New World* (1932) und *Ape and Essence* (1948) sowie G. ORWELLS *1984* (1948).
H. Schulte-Herbrüggen, Utopie u. A., 1960; K. Tuzinski, D. Individuum i. d. engl. devolutionist. Utopie, 1965; F. R. Scheck, Augenschein u. Zukunft, (Science fiction, hg. E. Barmeyer, 1972); W. Asholt, Sozialist. Irrlehren u. liberale Zerrbilder, GRM 35, 1985. →Staatsroman.

Antizipation (lat. *anticipatio* = Vorwegnahme), 1. rhetorische Figur = →Prokatalepsis; ähnlich im auktorialen Erzählen die Vorwegnahme und Widerlegung möglicher Lesereinwände. – 2. in der Stilistik Vorwegnahme e. Ereignisses durch e. attributives Adjektiv oder Partizip, das dieses als bereits eingetreten annehmen läßt. Aus der Antike in dt. Dichtung übernommen, bes. bei SCHILLER: ›Blindwütend schleudert selbst der Gott der Freude / Den Pechkranz in das brennende Gebäude‹ (= so daß es brennt!). ›Ihnen schloß auf ewig Hekate den stummen Mund.‹ – 3. = →Vorausdeutung als Vorwegnahme e. chronolog. späteren Ereignisses der Erzählfolge, bes. in Th. MANNS *Doktor Faustus.*

Antode (griech. = Gegengesang), 2. Teil der →Ode (1).

Antonomasie (griech. *antonomasia* = Umnennung), →Trope, Abart der →Synekdoche, Umschreibung: 1. eines bekannten Eigennamens durch charakterist. Beiwörter oder Eigenschaften zur Vermeidung wiederholter Namensnennung, doch als →Anspielung nur dem Wissenden verständlich, geschieht durch Nennung: a) des Vaternamens (Patronymikon): der Pelide = Achilles, b) der Volkszugehörigkeit (Ethnicum): der Galiläer = Jesus, c) der Berufsbezeichnung: der Dichterfürst = Homer, d) ausholende Umschreibung (→Periphrase): der Besieger Karthagos = Scipio. – 2. einer Gattung durch den Eigennamen e. hervorragenden Vertreters: ein Herkules = starker Mann, ein Demosthenes = großer Redner, ein Judas, Don Juan, Tartuffe usw. Allgemeiner Sprachgebrauch z.B. in ›Mentor‹ (eigentlich Erzieher des Telemach) oder ›Kaiser‹ (= Caesar).

Anustubh, ind. Strophenform aus vier achtsilbigen Versen der Form × × × × ‿−‿‿ in den späteren Hymnen des *Rigveda,* Erweiterung der →Gâyatri, Ausgangsform für die Entwicklung des →Śloka.

Anvers, der erste Teil e. Reimpaars oder des →Langverses allg. oder insbes. des →Alliterationsverses, dann mit 1–2 Stäben (Stollen). Ggs.: →Abvers.

Anzeps →Anceps

Aöde (griech. *aoidos* = Sänger), der griech. Sänger im heroischen Zeitalter, z.B. Demodokos und Phemios bei HOMER. →Rhapsode.

Apadânas, die metr. Heiligenlegenden des ind. Pâli-Kanons im Ggs. zu den buddhist. →Avadânas.

À part (frz. = beiseite), das Beiseitesprechen e. Schauspielers auf offener Szene, das wohl vom Publikum, scheinbar aber nicht von den übrigen Personen auf der Bühne gehört wird. Technik früherer, bes. antiker Zeit (PLAUTUS) und des volkstüml. Lustspiels als kom. Mittel zur Durchbrechung der Bühnenillusion, im Naturalismus mit Recht vermieden. Zu unterscheiden vom geziel-

ten →ad spectatores etwa im Puppenspiel oder im ep. Theater.
V. Rodenwald, D. à part i. Schausp. d. 16. Jh., 1909; G. Bell, D. Beiseitesprechen i. ält. engl. Dr., Diss. Gießen 1927; E. Schimmerling, D. Beiseite i. Dr. d. Sturm u. Drang, Diss. Wien 1934; D. Bain, *Actors and audience,* Oxf. 1977.

Aperçu (frz. = flüchtiger Blick), geistreicher Augenblickseinfall, prägnant formulierte, erhellende Bemerkung.

Aphärese (griech. *aphairesis* = Wegnahme), Weglassung e. Vokals, auch e. ganzen Silbe am Anfang e. Wortes (›heraus‹ zu ›raus‹); in antiker Metrik z.B. VERGIL *Aeneis* 6,620 (temnere statt contemnere) oder als →Synalöphe zur Vermeidung des →Hiat. →Elision, →Synizese. Vgl. →Apokope.

Aphorismus (v. griech. *aphorizein* = abgrenzen, definieren), kurzer, schlagkräftig und äußerst prägnant formulierter einzelner Prosasatz zur Einkleidung e. eigenartigen persönl. Gedankens, Werturteils, e. Augenblickserkenntnis oder Lebensweisheit, durch geistreichen Inhalt und individuellen Stil unterschieden vom Niveau des →Sprichworts, ›das Sprichwort der Gebildeten‹, stilistisch oft in rhetor. Formen gefaßt wie Antithese, Paradoxon, Emphase, Hyperbel; nach Themenkreisen geordnet (NIETZSCHE) oder ohne unmittelbaren Zusammenhang als ›Gedankensplitter‹ nebeneinandergesetzt. Bewußte und betonte Subjektivität des Urteils und überspitzte, nicht streng log., oft witzig gehaltene Begründung im Verein mit dem Anspruch auf scheinbare Gültigkeit schließen den A. nicht in sich ab, sondern fordern vom Leser eigene gedankl. Auseinandersetzung. Die Form des A. bedeutet damit ein Bezweifeln objektiver Werte und Gegebenheiten, kein Systemdenken, und setzt eine Freiheit des Geistes voraus, wie sie erst der beginnende Subjektivismus brachte. Meisterhafte Ausbildung nach Vorstufen in der Antike (HIPPOKRATES, MARC AUREL) erreichte der A. zuerst durch die französischen Moralisten des 17./18. Jh.: LA ROCHEFOUCAULD *Maximes*, PASCAL *Pensées*, ferner MONTAIGNE, LA BRUYÈRE, VAUVENARGUES, CHAMFORT, in BACONS *Essays* und dem *Handorakeln* B. GRACIÁNS, in Deutschland zuerst bei LICHTENBERG, dann W. HEINSE, F. M. KLINGER, GOETHE, SEUME, JEAN PAUL, F. SCHLEGEL, NOVALIS, HEINE, BÖRNE, NIETZSCHE, SCHOPENHAUER, M. v. EBNERESCHENBACH, A. SCHNITZLER, R. SCHAUKAL, St. GEORGE, K. KRAUS, A. KERR, H. v. HOFMANNSTHAL, P. ALTENBERG, R. MUSIL, K. TUCHOLSKY, E. FRIEDELL, F. KAFKA, E. JÜNGER, M. KESSEL, E. CANETTI, G. EICH, G. LAUB u.a.m., in Polen S. J. LEC. →Maxime, →Fragment, →Sentenz, →Apophthegma, →Aperçu.

W. A. Berendsohn, Stil u. Form d. A.n Lichtenbergs, 1912; F. H. Mautner, D. A. als lit. Gattung, ZfÄ 27, 1933; F. Schalk, D. Wesen d. frz. A. (Die neueren Sprachen 41, 1933); ders., Frz. Moralisten (Einleitg.), 1949; J. Klein, Wesen u. Bau d. dt. A., GRM 22, 1934; A. H. Fink, Maxime u. Fragment, 1934; K. Besser, D. Problematik d. a'.stischen Form b. Lichtenberg, Schlegel, Novalis u. Nietzsche, 1935; H. Roch, Üb. d. A. (Dt. Volkstum 17, 1935); W. Wehe, Geist u. Form d. dt. A., NR 50, 1939; H. U. Asemissen, Notizen üb. d. A. (Trivium 7, 1949); W. Grenzmann, Probleme d. A. (Jhrb. f. Aesth. 1951); H. Krüger, Studien üb. d. A. als philos. Form, 1957, ²1988; RL; P. Requadt, Lichtenberg, Z. Problem d. dt. Aphoristik, ²1964; S. Große, D. syntakt. Feld d. A., WW 15, 1965; J. A. Müller, Formprinzipien des Aphoristischen, 1967; R. Noltenius, Hofmannsthal, Schröder, Schnitzler, 1969; E. C. Mason, The a. (The romantic period in Germany, hg. S. Prawer, Lond. 1970); F. H. Mautner, D. A. als Lit. (ders., Wort u. Wesen, 1974); G. Baumann, Z. Aphoristik (ders., Entwürfe 1976); Der A., hg. G. Neumann 1976; ders., Ideenparadiese, 1976; G. Cantarutti, La fortuna crit. dell'a. nell' area tedesca, Abano Terme 1980; R. H. Stephenson, MLR 75, 1980; M. W. Johnston, The Vienna school of a. (The turn of the century, hg. G. Chapple 1981); D. Lamping, D. A., FLE 1981; H. Fricke, A., 1984; G. Cantarutti, A.forschg. i. dt. Sprachraum, 1984; F. H. Mautner, D. A., PoE, 1985; G. Febel, A. i. Dtl. u. Frankr., 1985; K. v. Welser, D. Spr. d. A., 1986; G. Cantarutti, hg., Neue Stud. z. Aphoristik, 1986; R. Gray, A. and Sprachkrise in turn of the century Austria, OL 41, 1986.

Aphoristischer Stil, zugespitzte und abgebrochene Ausdrucksweise, die der eigentl. Verbindung entbehrt und den Gedankengang durch einzelne Sentenzen vorwärtstreibt, so daß mit der Lektüre ohne Kenntnis des Zusammenhanges fast an jeder Stelle begonnen werden kann und man dennoch stets gleich im Zusammenhang ist; in der Antike bei SENECA, in dt. Lit. bes. bei LESSING, HAMANN und vor allem NIETZSCHE ausgebildet.

Apodosis (griech. = Nachgabe), Hintersatz der zweigliedrigen Periode, vor allem der durch einen Bedingungssatz (→Protasis) bedingte Satz.

Apographon (griech. =) Abschrift, →Kopie.

Apokalypse (griech. = Enthüllung, Offenbarung), spätjüd.-christl. Literaturform, Offenbarungsschrift, die – oft unter dem Einfluß des oriental. Synkretismus – in prophet. Bildern und traumartigen Visionen und in geheimnisvoller Sprache den nahenden Weltuntergang und das Gottesreich schildert; entstanden seit der Zeit syr. und röm. Herrschaft als Ausdruck jüd. Sehnsucht nach dem Messiasreich. Die Verfasser der A.n verhüllen sich oft hinter älteren Namen (Moses, Daniel, Henoch, Abraham, Baruch, Esra, Elias, Sophonias), lassen jedoch Zeitverhältnisse durchscheinen. In den Bibel→ka-

non sind nur die älteste jüd. (DA-
NIEL, 175 v.Chr.) und christl. *(Offenbarung Johannis)* A. aufgenommen; andere gehören den →Apo-
kryphen an *(Petrus-, Paulus ,
Maria-A.).*

A. Hilgenfeld, D. jüd. Apokalyptik, 1857,
n. 1966; W. Bousset, D. jüd. Apokalyptik, 1903; E. Hennecke, Neutestamentl.
Apokryphen, 1924, II ⁴1968–71; P. Rießler, Altjüd. Schrifttum außerhalb d. Bibel,
1928, ⁴1979; RE. I, 623 ff.; C. Schneider,
D. Erlebnisechtheit d. A., 1931; H. H.
Rowley, *The Relevance of Apocalyptic,*
Lond. ²1947; J. Bloch, *On the A. in
Judaism,* 1953; D. S. Russell, *The method
and message of Jewish Apocalyptic,* Phil.
1964; W. Schmithals, D. Apokalyptik,
1973; F. v. d. Meer, A., 1978; P.-D.
Hanson, *The dawn of Apocalyptic,* Phil.
1979; K. L. Pfeiffer, A., STZ 83, 1982.

Apokalyptik, die Literaturströ-
mung der →Apokalypsen; im weiteren Sinne literarische →Prophetie
und Endzeitverkündung überhaupt.

Apokoinu (griech. = vom Gemeinsamen), Stilfigur der Worteinsparung (vgl. →Ellipse, →Zeugma)
durch gleichmäßige Beziehung e.
Wortes oder Satzgliedes auf zwei
andere, gewöhnlich bei Mittelstellung auf vorhergehenden wie folgenden Text: ›Was sein Pfeil erreicht, das ist seine Beute, was da
kreucht und fleucht‹ (SCHILLER). In
griech., bes. alexandrin., und lat.
Dichtung häufig (CATULL, HORAZ,
LIVIUS), auch im Mhd. üblich: ›do
spranc von dem gesidele her Hagene
also sprach‹ *(Kudrun).* Die grammatische Doppelbeziehung glättet sich
bei der Reihenfolge der Aufnahme
und wird oft überhört; schwieriger
erkennbar ist die A., wenn das gemeinsame Glied im zweiten Teil
steht; A. des Verbs bildet den Übergang zu →Zeugma und →Syllepse.
C. Minis, D. Konstruktion A., PBB 74,
1952; G. Kiefner, D. Versparung, 1964.

Apokope (griech. = das Abhauen),
bewußte Weglassung e. Buchstabens (e. Silbe) am Wortschluß, im
Dt. bes. des unbetonten Endungs-e,
Dativ-e: dem Mann(e), oft = →Eli-
sion.

Apokryphen (griech. *apokryphos*
= versteckt, heimlich), die nicht in
den Bibel→kanon aufgenommenen
Bücher des AT. und NT., jüd. und
altchristl. Lit., die nach Stoff, Form
und Wert an der Grenze des Kano-
nischen steht. Die A. des AT. *(Makkabäer, Judith,* TOBIAS, JESUS SI-
RACH, *Weisheit Salomons,* BARUCH;
Zusätze zu ESRA, DANIEL, *Chronik,
Esther* u.a.m.) fehlen im jüd. Ka-
non, wurden aber in *Septuaginta*
und *Vulgata* übernommen und ge-
nießen in der kath. Kirche seit dem
Konzil von Trient (1546) kanon.
Ansehen. LUTHER fügte sie seiner
Übersetzung 1534 hinzu unter dem
Vorbehalt, daß sie ›der Heiligen
Schrift nicht gleich zu achten, doch
gut und nützlich zu lesen seien‹; die
Reformierten machen einen stren-
gen Unterschied zwischen A. und
Kanon. – Die A. des NT. (→Apoka-
lypsen, Apostelgeschichten, Briefe,
Kirchenordnungen und fragmentar.
Evangelien wie *Evangelium nach
Thomas, Evangelium nach Philip-
pus* u.a.) gehören nicht dem Kanon
an. – Wirkung der A. auf viele relig.
Dichter, u.a. DANTE, MILTON,
KLOPSTOCK.
E. Kautzsch, D. A. u. Pseudepigraphen
des AT., II 1900, ²1962; E. Hennecke,
Neutestamentl. A., 1924, II ⁴1968–71; P.
Rießler, Altjüd. Schrifttum außerhalb d.
Bibel, 1928, ⁴1979; E. J. Goodspeed, *The
Story of the A.,* Chicago 1939; W. Mi-
chaelis, D. a. Schriften z. NT., 1956; B.
M. Metzger, *An introd. to the A.,* N.Y.
1957; C. C. Torrey, *The A. Lit.,* New
Haven 1960; J. B. Bauer, D. neutesta-
mentl. A., 1968; L. Rost, Einl. i. d. alt-
test. A., 1971.

Apollinisch →Dionysisch

Apolog (griech. *apologos* =) lehr-
reiche →Fabel oder allegor. Erzählung, die in einem bewußt und be-

tont fingierten Beispiel eine moral. Lehre enthält.

Apologetik (griech. *apologeisthai* = sich rechtfertigen), lit. Verteidigung des Christentums gegen die Philosophie des gebildeten Heidentums durch die Apologeten (ARISTIDES, JUSTIN, TATIAN, CLEMENS ALEXANDRINUS, ORIGENES, ATHENAGORAS, MINUCIUS FELIX, TERTULLIAN, CYPRIAN, ARNOBIUS und LACTANTIUS). Zur Rechtfertigung der Wahrheit des Christentums griffen sie vielfach auf Lehren und Argumente antiker Philosophie zurück. Spätere A. richtet sich gegen den Rationalismus (H. GROTIUS, PASCAL) oder Materialismus.

K. Werner, Gesch. d. apol. u. polem. Lit., V 1861–65; O. Zöckler, Gesch. d. Apologie d. Christentums, 1907; E. J. Goodspeed, D. ältesten Apologeten, 1914; L. Lemme, Christl. A., 1922; A. Adam, D. Aufgabe d. A., 1931; J. Mausbach, Grundz. d. kath. A., ⁶1934; A. Richardson, *Christian Apologetics,* N.Y. 1947; K. Aland, Apologie d. A., 1948; H. Lais, Probleme e. zeitgemäßen A., 1956.

Apologie (griech. = Rechtfertigung), Rede oder Schrift zur Rechtfertigung und Verteidigung e. Person, Institution, Religion oder Weltanschauung, e. Handlung oder Meinung gegenüber Angriffen. Oft in jurist. und christl. Literatur (→Apologetik). Am bekanntesten die von PLATON und XENOPHON verfaßten *A.n des Sokrates,* Ph. SIDNEYS *Apologie for Poetrie* (1580), LESSINGS *Wolfenbüttler Fragmente* und Kardinal NEWMANS *Apologia pro vita sua* (1864).

Apopemptikon (v. griech. *apopempein* = fortschicken, entlassen), Abschiedsgedicht e. Scheidenden an den oder die Zurückbleibenden; Ggs. →Propemptikon.

Apophthegma (griech. = Ausspruch), kurzer, prägnanter Sinnspruch meist historisch belegter

Herkunft zum Ausdruck e. Lebensweisheit in e. bestimmten Lage; wird durch Loslösung aus der ursprüngl., teils anekdot. Situation zur →Sentenz; z.B. ›Erkenne dich selbst‹. Bei den Griechen beliebt; Sammlungen der berühmtesten antiken A.ta (von SOKRATES, ALEXANDER, CATO, CICERO u.a.) durch PLUTARCH, MANUTIUS, LYKOSTHENES und ERASMUS (1560), in dt. Lit. bei ZINCGREF, HARSDÖRFFER u.a. Auch die *A.ta Patrum* ägypt. Einsiedler d. 4. Jh.

W. Gemoll, D. A., 1924; T. Verweyen, A. u. Scherzrede, 1970.

Aporie (v. griech. *aporia* = Weglosigkeit), →rhetorische Sinnfigur gleich der →Dubitatio, in der der Redner eine Lösung ausweglos erscheinender Darstellungsprobleme sucht. Literar. z.B. am Schluß von B. BRECHTS *Der gute Mensch von Sezuan:* ›Der Vorhang zu und alle Fragen offen‹.

Aposiopese (v. griech. *aposiopesis* = Verstummen), →rhetorische Figur, Art der →Ellipse: überraschendes, bewußtes Abbrechen inmitten der Rede bzw. e. Gedankens vor der Hauptsache, das den Hörer bzw. Leser selbst die eindeutige Ergänzung des Wichtigsten aus dem Zusammenhang erraten läßt; meist stark affektbetont in Ergriffenheit, Staunen, Zorn oder leidenschaftl. Ausdruckssteigerung: dem Redner fehlen wirklich oder vorgeblich die Worte, er vertraut der Einbildungskraft der Hörer. Oft als der Abbruch e. Drohung, die selbst unausgesprochen bleibt: ›Euch werde ich...!‹ (›Quos ego...‹, VERGIL, *Aeneis* I, 135). Im klass. Drama (LESSING, KLEIST) wichtiges Stilmittel zur Dynamisierung des Dialogs, in Sturm und Drang und Expressionismus zur Emphase, im naturalist. Drama (G. HAUPTMANN) als Nachahmung der vielfach unvollendet abgebrochenen Sätze der Alltagssprache.

W. Wackernagel, Poetik, Rhetorik, Stilistik, ³1906. →Stil.

Apostelspiel, Sonderform des →geistlichen Dramas um Episoden aus dem Leben der Apostel, bes. des Paulus im Anschluß an die bibl. *Apostelgeschichte,* Apokryphen oder Legenden. In Westeuropa im 15.–18. Jh. verbreitet, zuerst dem ma. Mysterienspiel nahestehend, im 16. Jh. im Zeichen des Glaubensstreites, so bes. im niederländ. →Sinnespel und im Schuldrama.

G. J. Steenbergen, Het A. (Versl. en Med. v. d. Kon. Vl. Acad. v. Taal- en Lett. 1952).

Apostrophe (griech. = das Abwenden), in att. Gerichtsreden die Wendung des Redners von den Richtern weg zum Prozeßgegner hin; dann allg. als →rhetorische Gedankenfigur das Wegwenden des Redners bzw. Dichters von seinem Publikum und direkte Anrede meist abwesender Personen (lebender und toter, auch der Götter) oder lebloser Dinge in e. Weise, die ihnen Leben und Empfindung zuschreibt, z.B.: ›Sagt an, her Stoc...‹ (WALTHER VON DER VOGELWEIDE). Oft in der Form des Ausrufs, bei Totenklagen oder als →Anrufung der Götter und Musen *(Ilias, Odyssee);* auch die Selbstanrede des Dichters. Zweck der A. ist Verinnerlichung, die ein persönl. Verhältnis zu den Gegenständen einnimmt, Verlebendigung und damit Erzielung eindringlicherer Wirkung. Beliebt in antiker und ma. Dichtung *(Chanson de Roland; Wigalois, Erec),* danach antikisierend bei KLOPSTOCK, z.B. Anfang des *Messias,* emphatisch bei SCHILLER (›Freude, schöner Götterfunken...‹).

Apotheose (griech. *apotheosis* =) Vergöttlichung, Verherrlichung von Personen als überird. Wesen, Versetzung von Helden und Fürsten in himml. Sphäre; aus oriental. Herrscherkult in hellenist. und röm. Dichtung übernommen; danach in Hofdichtung und Trionfi der Renaissance; im Barock in Märtyrerdramen und bes. in Festspielen beliebt, auch wirkungsvolles Schlußbild späterer Dramen (GOETHE, *Faust II).* Satirisches Gegenstück in SENECAS *Apokolokyntosis.*

Apparat (lat. *apparatus* = Zurüstung, Ausstattung), auch krit. A., bei der →kritischen Ausgabe e. Textes: die am Fuß der Seiten, im Anhang (→Appendix), bei mehrbändigen Reihen auch zu e. Sonderband zusammengefaßten →textkrit. Anmerkungen. Der krit. A. enthält: 1. Angaben aller erhaltenen Handschriften und wichtigen Drucke oder Fassungen, 2. alle vom →Lemma abweichenden →Lesarten des Manuskripts (wenn vorhanden) und der zu Lebzeiten des Autors erschienenen Ausgaben; bei früheren Autoren die aller wichtigen Codices, Papyri und Zitatstellen, nach Zeilen beziffert und durch →Siglen mit der Herkunft gekennzeichnet, 3. Kenntlichmachung und kurze Begründung aller vom krit. Herausgeber selbst vorgenommenen Eingriffe in den überlieferten Text (→Konjekturen, →Athetesen, auch Korrekturen von Druckfehlern), 4. meist im Vorwort e. Darlegung der für die Ausgabe zugrundegelegten Grundsätze, eine Textgeschichte mit Analyse und Bewertung der Quellen und die Übersicht der Siglen (Conspectus siglorum) mit Angabe des Alters der einzelnen Ausgaben. →Editionstechnik.

R. Backmann, D. Gestaltung d. A. i. d. krit. Ausgaben neuerer dt. Dichter, Euph. 25, 1924; A. Severyn, Texte et a., Brüssel 1962; D. Germann, A.-probleme, OL 20, 1965; Texte u. Varianten, hg. G. Martens, H. Zeller 1971; H. Zeller, D. Typen d. germanist. Varianten-A., ZDP 105, 1986.

Appell (franz. = Ruf, Anruf), als publizist. Form der energische, auf Wirkung bedachte Aufruf zu einer bestimmten Handlung oder Unterlassung, dann auch dessen wirkungssteigernde formale und inhaltl. Faktoren.

Appendix (lat. = Anhang, Anhängsel, Beilage), Anhang e. Buches oder e. mehrbändigen Ausgabe, enthält Tafeln, Tabellen, Karten, Anmerkungen, Dokumente, Bibliographie, Register u. ä. Beigaben, bei Werkausgaben oft die unechten Gedichte oder Schriften (z. B. A. *Vergiliana:* die nicht von VERGIL stammenden, doch ihm zugeschriebenen Gedichte) oder auch den krit. →Apparat (A. critica).

Applaus (lat. *applausus* =) Beifall durch Klatschen, Rufe o. ä., bes. der Zuschauer im Theater. Bei den Römern geregelt und abgestuft in Wehen mit dem Togazipfel (seit AURELIAN mit Zeugstreifen, die zu diesem Zweck unter das Publikum verteilt wurden), Fingerschnellen und schließlich Klatschen mit flacher oder hohler Hand. In älterer christl. Kirche A. auch für den Prediger durch Klatschen oder Rufen. Seit dem 17. Jh. ist Händeklatschen allg. übliche Ovation für rednerische, schauspieler., musikal. und artist. Leistungen. Man unterscheidet Begrüßungsbeifall beim Auftritt e. Schauspielers oder Dirigenten, Szenen-A. auf offener Szene für bes. schauspieler. bzw. musikal. Höchstleistungen und zündende Textstellen, A. beim Abgang e. Schauspielers von der Szene, A. am Aktschluß und Schlußbeifall am Ende der Vorstellung. Erkaufter A. →Claque.

Approbation (lat. = Gutheißung), kirchl. Gutheißung, d. h. Drucker-

laubnis von seiten der kathol. Kirche als Bestätigung, daß das Buch nicht gegen Religion oder Kirchengesetz verstößt. Vgl. →Imprimatur.

Aprisûktas, ind. heilige Lieder litaneiartigen Charakters im *Rigveda* zur Beschwichtigung von Dämonen.

Aprosdokęse, die Anwendung des →Aprosdoketon.

Aprosdoketon (griech. = das Unerwartete), unvorhergesehenes, überraschend angewandtes, auffälliges Wort bzw. Ausdruck anstelle e. zu erwartenden geläufigen Wendung; e. Art stilist. Pointe.

Arabęske (ital.), die stilisierte Blattrankenornamentik der islam. Kunst; auf die Lit. übertragen zur Bz. mannigfacher Wiederholungen, Verschlingungen und Überschneidungen. F. SCHLEGEL, der den Begriff A. 1798 in die Lit. einführte, verband damit die Vorstellung märchenhafter Phantastik, iron. Leichtigkeit und überquellender Fülle; IMMERMANN nannte seinen *Münchhausen* (1838) einen ›Roman in Arabesken‹, E. A. POE verschob in seinen *Geschichten vom Grotesken und A.* (1840) den Akzent auf eine groteske Verzerrung der Welt zum Dämonischen.
E. Kühnel, D. A., 1949; W. Kayser, D. Groteske, 1957, ²1960; K. K. Polheim, D. A., 1966.

Arai (griech. *ara* = Gebet, Fluch), griech. Verwünschungslit., entspricht den lat. →Dirae.

Âranyakas (ind. = zum Walde gehörig, d. h. dort zu lesen), eine Gruppe von Geheimtexten der ind. *Veden,* die insbes. den Opferritus u. a. Riten darlegen und mystisch ausdeuten; daneben auch spekulative Texte um kosmogon. Fragen.
H. v. Glasenapp, D. Litt. Indiens, ²1961.

Arbeiterdichtung →Arbeiterliteratur

Arbeiterdrama →Arbeitertheater

Arbeiterlieder, die Lieder der Arbeiterbewegung, erstmals 1848 gesammelt.

W. Steinitz, A. u. Volkslied, 1965; I. Lammel, Bibliogr. d. dt. A.-Bücher, 1971, ²1977; dies., D. dt. A., 1962, ³1980.

Arbeiterliteratur umfaßt zwei versch. Begriffe: 1. in stofflich-themat. Hinsicht Literatur, die vom Arbeiter, seiner Welt und seinem Schicksal handelt, ohne Rücksicht auf die soziale Stellung des Autors selbst. Sie entstand nach einzelnen Vorläufern um 1850 (Th. Hood, *Das Lied vom Hemd*, 1843, Herwegh, Freiligrath, Heine) großenteils erst im Gefolge des Naturalismus (Zola, Gorkij, G. Hauptmann, Kretzer) und eines aktivistisch-agitatorist. Expressionismus (Toller) und ist meist eng mit soz. Mitleid und soz. Tendenzen verknüpft, die eine Besserung für den Arbeiterstand erstreben, daher →soziale Dichtung.

A. Höltermann, Mensch u. Arbeit i. dt. Schrifttum, 1933; R. Ahrens, D. Arbeiter im dt. Schrifttum, 1935; A. Mulot, D. Arbeiter i. d. dt. Dichtung, 1938; C. E. Roberts, Handwerk u. -er i. d. dt. Erz., Diss. Bresl. 1939; F. A. Schmitt, Beruf u. Arbeit i. dt. Erzählg., 1952; E. Röhner, Arbeiter i. d. Gegenwartslit., 1967; H. Möbius, Arbeiterdichtg. i. d. BRD., 1970; M. D. Silbermann, *Lit. of the working world*, Bern 1976; K. Nowak, Arbeiter u. Arbeit i. d. westdt. Lit. 1945–61, 1977. →soziale Dichtung.

2. in soziolog. Hinsicht die aus den Reihen der Arbeiter (bes. Fabrikarbeiter) selbst geschaffene und auf ihre Thematik beschränkte Literatur. Sie entsteht erst nach der Erweckung des Selbstbewußtseins der Arbeiter durch Lassalle (J. Audorf, *Arbeitermarseillaise*, 1864; M. Kegel, *Sozialistenmarsch*), entfaltet sich mit Beginn des 20. Jh. und empfängt starke Impulse durch A. Holz, R. Dehmel und G. Hauptmann sowie den Expressionismus, im Ausland durch E. Zola, W. Whitman, E. Verhaeren, M. Andersen Nexö u. a. Durch einzelne Stimmen vor und im 1. →Weltkrieg vertreten, erfährt sie starke Förderung durch die folgende soz. Umschichtung wie durch die Hebung des Standesbewußtseins arbeitender Klassen. Ihre Themen sind anfangs die Mythisierung der Arbeit und des Maschinenrhythmus sowie eine hymnisch-visionäre Menschheitsverbrüderung, ihre Formen pathetisch, konventionell und nachromantisch. Wichtige Vertreter sind A. Petzold und der →Nyland-Kreis: J. Winckler, J. Kneip, W. Vershofen, ferner W. Bauer, H. Lersch, K. Bröger, M. Barthel, G. Engelke, B. Schönlank, E. Mühsam, P. Zech, O. Wohlgemuth, E. Grisar, K. Kläber u.a., die nach den zwanziger Jahren entweder im Nationalsozialismus aufgingen oder von ihm als Sozialisten unterdrückt wurden. Die A. der 2. Nachkriegszeit, ideologiefern, unpathetisch-realist. →Industrieliteratur in Lyrik und Prosa, sammelt sich um die Dortmunder →Gruppe 61 (M. von der Grün, B. Gluchowski), ohne bei der gewandelten lit. Situation und den Anforderungen an Qualität und Originalität ein vergleichbares Interesse bei der Öffentlichkeit zu finden. Der politisch radikalere Flügel spaltete sich 1970 als →›Werkkreis Literatur der Arbeitswelt‹ ab (G. Wallraff, E. Schöfer). Die A. in marxist. Richtung (E. Weinert, W. Bredel und H. Marchwitza) mündet in die Bewegung schreibender Arbeiter gemäß dem →Bitterfelder Weg. Beide Richtungen erscheinen heute als Relikte einer überholten Klassenstruk-

tur, der literarisch keine Relevanz mehr zukommt, so daß A. heute nur noch stofflich als →Industrieliteratur unabhängig von der soz. Herkunft des Autors verstanden werden kann.

K. Ecks, D. A'dichtg. i. rhein.-westf. Industriegebiet, Diss. Münster 1925; W. Knewels, D. dt. Arbeiterlyrik (Zeitwende 3, 1927); A. Bab, A., ²1930; Ch. Stasser, A., 1931; M. Loeb, D. Ideengehalt d. A'dichtg., Diss. Gießen 1932; H. Mühle, D. Lied d. Arbeit, 1936; E. Jelken, D. Dichtung d. Arbeiters, 1938; E. Tinnefeld, D. soz. Kampf i. d. dt. A'dichtg., Diss. Lpz. 1939; M. L. Schröder, Dichter u. Arbeiter, 1949; H. Blech, Dt. Arbeiterdichter, 1950; RL; F. Hüser, Neue A'dichtg. in W-Dtl. (Dt. Studien 1, 1963); J. Klein, A. (Archiv f. Sozialgesch. 3, 1963; Aus d. Welt d. Arbeit, hg. F. Hüser 1966; F. Hüser, V. d. A'dichtg. z. neuen Industrielit., 1967; H. Möbius, A. i. d. BRD, 1970; C. Rülcker, Ideologie d. A'dichtg. 1914–1933, 1970; P. Kühne, A. 1960–1970, Diss. Bochum 1971, ²1977; Lit. d. Arbeiterklasse, 1918–33, hg. I. Hiebel 1971, ²1974; A. Klein, Im Auftrag ihrer Klasse, 1972; G. Stieg, B. Witte, Abriß e. Gesch. d. dt. A., 1973; R. Dithmar, Industrielit., 1973, ²1977; I. Gerlach, Bitterfeld, 1974; B. Greiner, V. d. Allegorie z. Idylle. D. Lit. d. Arbeitswelt i. d. DDR, 1974; A. i. d. BRD, hg. H.-L. Arnold 1975; N. Griesmayer, Gedanken üb. A. (Sprachkunst 6, 1975); A., hg. J.-W. Goette II 1975–77; M. H. Ludwig, A. i. Dtl., 1976; G. Wölke, A., 1977; Hb. z. dt. A., hg. H.-L. Arnold II 1977; H. Möbius, Progressive Massenlit.?, 1977; D. dt. A., hg. B. Witte 1977; H. W. Knapp, D. frz. A. i. d. Epoche d. Julimonarchie, 1978; R. Stollmann, Ästhetisierg. d. Politik, 1978; W. Deuber, Realismus d. A., 1978; G. Schütz-Güth, Typen d. brit. A'romans, 1979; P. M. Ashraf, Engl. A., 1980; A. v. Bormann, A. i. d. BR s. 1965 (Dt. Lit. i. d. BR, hg. P. M. Lützeler 1980); M. Durzak, Lit. d. Arbeitswelt i. d. BRD (Dt. Gegenw.lit., hg. ders. 1981); U. Münchow, Arbeiterbewegg. u. Lit. 1860–1914, 1981; Lit. u. proletar. Kultur, hg. D. Mühlberg 1983; U. Grossmaas, A. als Beitr. z. Ges.veränderg., 1983; P. E. Stüdemann, Schreiben u. Arbeiten, 1983; W. Eggerstorfer, Schönheit u. Adel d. Arbeit. A. i. 3. Reich, 1987. →Industrielit., →soziale Dichtung.

Arbeitertheater, Laienspielgruppen der dt. sozialist., kommunist. oder parteilosen Arbeiterschaft, die seit Ende des 19. Jh. und bes. z. Z. der Weimarer Republik 1919–33 mit lit. oft belanglosen klassenkämpferischen und polit. Bühnenstücken Agitation und Propaganda für ihre Belange und Interessen trieben und seit 1908 bis zum Verbot 1933 in versch. Verbänden zusammengeschlossen waren.

F. Knilli, U. Münchow, Frühes dt. A., 1970; P. v. Rüden, Soz.demokrat. A., 1973; K. Sporkhorst, A. als Instrument polit. Propaganda, Diss. Bochum 1976; L. Hoffmann u. D. Hoffmann-Ostwald, Dt. A., 2 Bde. 1970, ³1977; D. Trempenau, Frühe soz.demokr. u. sozialist. A'dramatik, 1979; R. Samuel u.a., Theatres of the left, Lond. 1985.

Arbeitslied, stark rhythmisch betonter Sprechgesang, der bei handwerklicher Arbeit gemeinsam oder einzeln gesungen, den Rhythmus der Körperbewegung unterstützt und reguliert; meist selbst aus dem Arbeitstakt und den ihn synchronisierenden Ausrufen (›Hau-ruck‹) heraus entstanden und äußerst primitiv (echtes A.) oder als vorhandenes Lied (→Volkslied) übernommen und dem Rhythmus der Arbeit angepaßt (unechtes A.). Selten sind individuelle, künstler. gestaltete A.er nach dem Rhythmus e. Arbeitsvorgangs (G. ENGELKE).

K. Bücher, Arbeit und Rhythmus, ⁶1924; J. Schopp, D. dt. A., 1935; RL.

Arcadia, ›Accademia dell'arcadia‹, 1690 in Rom als nationale →Akademie gegründete lit. Gesellschaft zur Bekämpfung des schlechten Geschmacks, bes. des Marinismus, förderte zumal die →Hirtendichtung in der Nachfolge von THEOKRIT, VERGIL und SANNAZARO und bestimmte damit den lit. Stil und Geschmack des ital. 18. Jh. in Richtung auf eine gehaltlose, zarte Schäferlyrik in Kanzonettenform und das Melodrama. Zu den Sitzungen unter freiem Himmel im Bosco Parrasio in Rom oder in den zahlr. Zweigstellen erschienen die Mitglieder im Schäfer-

kostüm und trugen Schäfernamen.
Hauptvertreter waren P. METASTA-
SIO, P. ROLLI und A. ZENO. Aus
der A. ging 1925 die heutige Accademia letteraria italiana hervor.

E. Portal, *L'A.*, Palermo 1923; G. Toffanin, *L'A.*, Bologna 1947, ³1958; G. L.
Moncallero, *A.*, Florenz 1953; A. Piro-
malli, *L'A.*, Palermo 1963.

Archaismus (v. griech. *archaios* =
alt, altertümlich), die bewußte
Nachahmung altertüml. Sprachformen (Worte, Redewendungen, Stil)
und deren Verwendung in mod.
Sprachgestaltung. Zu unterscheiden
ist zwischen archaistischen (=
künstlich nachgeahmten) und archaischen (= wirklich untergegangenen) Formen. Kunstmittel zur
plast. Darstellung des Zeitkolorits,
z. B. in →Chroniknovellen (STORM
Renate, W. RAABE u. a.), historischen Romanen (RIEHL, DAHN,
KOLBENHEYER, HANDEL-MAZZET-
TI; übertrieben in FREYTAGS *Ahnen*), Übersetzung älterer Schriften
(engl. Übersetzungen antiker Klassiker) oder zur Erhöhung des Feierlichen. Voraussetzung e. archaisierenden Dichtung ist e. Entwicklungsstufe der Philologie, die eine
Vorstellung des früheren Sprachzu-
standes ermöglicht. Häufige A.en
finden sich in antiker Literatur des
1./2. Jh. n. Chr. (TACITUS, SALLUST)
und dt. Dichtung um 1800 (GOE-
THE *Götz*, *Faust*, BRENTANO *Aus der
Chronika e. fahrenden Schülers*),
dann bes. im historisierenden 19.
Jh. (UHLAND, WAGNER, BALZAC,
Contes drôlatiques, W. MEINHOLD,
*Maria Schweidler, die Bernsteinhe-
xe*, W. THACKERAY, *Henry Es-
mond*), im naturalist. Geschichts-
drama bei G. HAUPTMANN (*Florian
Geyer*), ironisch gebrochen in Th.
MANNS *Doktor Faustus*. Ferner
Mittel lit. Fälschungen (MACPHER-
SON, CHATTERTON).

I. Leitner, Sprachl. Archaisierg., 1978.

Archetypus (griech. *archetypos* =
Urbild), 1. →Original, in der
→Textkritik älteste Handschrift
oder erster Druck e. Schriftwerkes,
insbes. die älteste erhaltene oder re-
konstruierbare Fassung als Ausgangspunkt der weiteren Überlieferung. Für zwei oder mehrere spätere
Überlieferungszweige e. antiken
Textes z. B. kann durch Vergleichung der →Korruptelen u. a. ein
gemeinsamer A. erschlossen werden. – 2. im Sinne der modernen
Tiefenpsychologie C. G. JUNGS:
›urtümliches Bild‹ als Ergebnis un-
zähliger innerer wie äußerer Erfahrungen der Menschheit, Gemeinbe-
sitz aufgrund e. angenommenen
›kollektiven Unbewußten‹. Der psychologische Begriff A. fand Eingang
bes. in der angelsächs. mytholog.
Literaturwissenschaft für die Urbilder in Mythos und Dichtung, die,
dem Medium Dichter oft unbewußt, aus dem ›kollektiven Unbewußten‹ in die Gestalten und Symbole selbst moderner Dichtung eindringen, immer wieder neu ausge-
schöpft und in neuer Weise gestaltet
werden (z. B. die Große Mutter, das
Göttliche Kind). Seine method. Gefahr liegt in der Reduzierung auf
Modelle anstelle der Bewertung individueller Kunstleistung.

C. G. Jung, Üb. d. Begriff d. kollektiven
Unbewußten, 1932; ders., A.en d. kollektiven Unbewußten (Eranos-Jb., 1934);
ders., Üb. d. A.en, 1937; H. Pongs, Schillers Urbilder, 1935; W. Troll, Gestalt u.
Urbild, 1944; K. Kerényi, Romandichtg.
u. Mythologie, 1945; Eranos-Jb. XII u.
XVIII, 1945 u. 1950; F. Strich, D. Symbol i. d. Dichtg. (in: D. Dichter u. d. Zt.,
1947); N. Frye, *The A. of Lit.* (Kenyon
Review 13, 1951); M. Bodkin, *Studies in
Type-Imagery*, Lond. 1951; dies., *Archetypal Patterns in Poetry*, Oxf. ²1963; P.
Wheelwright, *The a. symbol* (Yearb. of
compar. crit.* 1, 1968); T. Immoos, D.
Sonne leuchtet um Mitternacht, 1986.

Archilochische Versmaße, auf den
griech. Dichter ARCHILOCHOS (um
700 v. Chr.) zurückgeführte antike

Versmaße. Grundformen sind 1. der sog. Archilochius minor, daktylisches →Hemiepes (Trimeter mit einsilbiger Katalexe): ‿⏑⏑‿⏑⏑‿, verbunden mit folgendem jamb. Dimeter zum →Elegiambus, mit vorhergehendem jamb. Dimeter zum →Jambelegos. 2. der sog. Archilochius maior, 1 akatalekt. daktyl. Tetrameter und 1 akatalekt. trochäische Tripodie: ‿⏑⏑‿⏑⏑‿⏑⏑ ‿⏑⏑ | ‿⏑‿⏑‿⏓.

Anwendung in den A. Strophen:

1. A. Strophe: 1 katalekt. daktyl. Hexameter in distichischem Wechsel mit 1 katalekt. daktyl. Tetrameter:

‿⏑⏑‿⏑⏑‿ | ⏑⏑‿⏑⏑‿ ‿⏑⏑‿⏑⏑‿ (⏑⏑) ‿⏑

(z. B. Horaz: Laudabunt alii, *Oden* I, 7)

2. A. Strophe: 1 katalekt. daktyl. Hexameter in distichischem Wechsel mit dem Hemiepes:

‿⏑⏑‿⏑⏑‿ | ⏑⏑‿⏑⏑‿⏑ ‿⏑⏑‿⏑⏑

(z. B. Horaz: Diffugere nives, *Oden* IV, 7)

3. A. Strophe: 1 Archilochius maior in distichischem Wechsel mit 1 katalekt. jamb. Trimeter:

‿⏑⏑‿⏑⏑‿ | ⏑⏑‿⏑⏑ | ‿⏑‿⏑‿ ⏑‿⏑‿⏑ | ‿⏑‿⏑‿

(z. B. Horaz: Solvitur acris hiems, *Oden* I, 4)

Seltener erscheint auch die Verbindung von Hexameter mit Jambelegos oder jamb. Trimeter mit Elegiambus.

Lit. →Metrik.

Archilochius   →Archilochische
Versmaße

Archiv (griech. *archeion* = Regierungsgebäude, lat. *archium, archivum* = A.), Slg. und Aufbewahrungsort amtl. Schriftstücke, Urkundenoriginale, auch kirchl. und Familienpapiere zum amtl. Gebrauch und als Quellensammlung für die Geschichtsforschung. Für die Literaturforschung von Wichtigkeit sind die Dichterarchive (z. B. Goethe-Schiller-A., Rilke-A., Th. Mann-A., Dt. Lit.-A., A. für Arbeiterdichtung), Sammelstätten für Nachlässe, Dokumente, Briefe, Manuskripte, Ausgaben u. a. m. entweder einzelner bedeutender Dichter oder solcher e. Region, Epoche, Gattung, Klasse u. ä. Sie sind neben den Spezialsammlungen großer Bibliotheken, den Dichtermuseen, Instituten, Akademien und den Universitäten des Auslandes (für Exilautoren) wichtige lit. Forschungsstätten. – Neuerdings ›A.‹ auch Titel für wiss. Zss.

F. v. Löher, A.lehre, 1890; V. Löwe, D. dt. A.wesen, 1921; E. Beutler, D. lit. hist. Museen u. A.e (in: L. Bauer, Forschungsinstitute I, 1930); R. Mortier, Les A. litt. de l'Europe (*Revue de litt. comparée* 25, 1951); A. Brenneke, A.-kunde, 1953; W. Flach, Lit.-A.e (Archivmitteilgn. 5, 1955); T. R. Schellenberg, *Modern A.*, Chicago 1956; RL; *A Guide to A.s and Manuscripts in the U.S.*, hg. P. M. Hamer, N.Y. 1961; A. Elschenbroich, A.wiss. u. Lit.gesch., JFDH 1964; H. Jenkinson, *A manual of a. administration*, Lond. 1965; T. R. Schellenberg, *The management of a.s*, N.Y. 1965; P. Raabe, Einf. i. d. Quellenkde. 2. neueren dt. Lit. gesch., [2]1966, [3]1974; ders., Quellenrepertorium 2. neueren dt. Lit. gesch., [2]1966, [3]1981; H. O. Meisner, Archivalienkunde, 1970; B. Zeller, A.e f. Lit., 1974; Dt. Lit.-A., 1982.

Aretalogie (griech. = Tugendrede), in der nachklass. griech.-röm. Lit. zur relig. Erbauung zusammengestelltes Traktat, das die Macht und die Taten e. Gottheit, e. Halbgottes usw. verkündet; auch Lobpreisung in Predigt oder Gebet. A.n wurden in hellenist. Zeit von Aretalogen in den Tempeln vorgetragen.

O. Weinreich, Fabel, A., Novelle, 1930.

Argot (franz.), die unlit. Sondersprache der unteren franz. Volksschichten entsprechend dem engl. →Slang, urspr. im MA. als Geheimsprache der Asozialen, Gauner und Diebe bezeugt wie das dt. Rotwelsch, schließlich allg. jede ständisch oder beruflich abgegrenzte Sondersprache (Soldaten-, Studenten-, Künstler-, Druckersprache usw.). Ihr Wortschatz, in dem sich die Lust an gesprochenen Metaphern dokumentiert, dringt z. T. in die benachbarten Volkssprachen und von dort als lebendiges Volksgut in die gehobene Umgangssprache ein. Der A. der Pariser Vororte fand seit dem 19. Jh. auch lit. Verwendung (HUGO, BALZAC, SUE, ZOLA, QUENEAU u. a.). Als Soziolekt in die Lit. übernommen, dient er der ständ./soz. Figurencharakteristik.

R. Yve-Plessis, *Bibliogr. raisonnée de l'A.*, Paris 1901; L. Sainéan, *Les sources de l'A. ancien*, Paris 1912; A. Dauzat, *L'A. de la guerre*, Paris 1918, ders., *Les A.s*, Paris 1929; J. Lacassagne, *L'A. du milieu*, 1928; W. v. Wartburg, V. Urspr. u. Wesen d. A., GRM 18, 1930; E. Chautard, *La vie étrange de l'A.*, 1932; P. Mac Orlan, *L'A. dans la litt.*, in: *Histoire des litt.* III, hg. R. Queneau, Paris 1958; P. Guiraud, *L'A.*, Paris 1958; G. Esnault, *Dict. hist. des A.s franç.*, Paris 1965.

Argument (lat. = Veranschaulichung, bes. e. Inhalts, Stoffes, Sujets), 1. in der Rhetorik der auf einem Tatbestand beruhende Beweisgrund. – 2. einem Bühnenstück vorangesetzte, oft akrostichitisch gereimte Einleitung zur Erklärung und Begründung des folgenden Schauspiels, meist auch bloße Inhaltsangabe; bei antiken Tragödien und Komödien (z. B. bei PLAUTUS, oft von späteren Verfassern) und im Renaissance- und Barockdrama (B. JONSON, *Volpone*, A. GRYPHIUS) verwendet. In der →Commedia dell'arte bezeichnen die A.a den gesamten Inhalt des Stückes, das danach aus dem →Stegreif gespielt wurde. MILTON stellte jedem Buch seines *Paradise Lost* ein A. in Prosa voran. GRIMMELSHAUSEN (*Simpli-*

cissimus), A. DÖBLIN *(Berlin Alexanderplatz)* und B. BRECHT verwenden zusammenfassende Zwischentitel. Zu unterscheiden von dem nur schriftlich verwendeten A. ist der gesprochene →Prolog, vgl. auch →Loa, →Didaskalien.

Arie (ital. *aria,* von franz. *air* = Luft), anfangs das zur Begleitung komponierte Strophenlied (z. B. H. ALBERTS *A.n,* 1638), seit dem 17. Jh. dagegen meist das nicht strophisch gegliederte, reimlose, durch Wort- und Satzwiederholungen verbreiterte lyr. Sologesangstück mit Instrumentalbegleitung innerhalb eines größeren Werkes im Ggs. zum →Rezitativ. In älterer ital. →Oper (LEGRENZI, STEFFANI, SCARLATTI, *Theodora,* 1693) als virtuose Dacapo-A. in dreiteiliger Form: Hauptsatz a, entgegengesetzter Mittelsatz b und notengetreue (a) oder variierte (a') Wiederholung des Hauptsatzes; Höhepunkte bei MOZART und VERDI; seit WAGNER verschwindet die virtuos-effektsuchende A. zugunsten e. freieren, deklamatorisch→ariosen Form. Innerhalb der Oper bildet die A. e. Stillstand des Handlungsmäßigen auf einzelnen Höhepunkten des Geschehens zu breiterer Schilderung e. Seelenzustandes. E. kleinere A. heißt Arietta oder Kavatine. Über die A. in der Antike vgl. →Cantica.

I. Schreiber, Dichtung u. Musik d. dt. Opern-a. 1680–1700, Diss. Bresl. 1934; R. Gerber, A. (D. Musik i. Gesch. u. Gegenw., 1950); RL. →Oper.

Arioso (ital. = liedartig), kurzes, ausdrucksvoll vorgetragenes Gesangstück im Ggs. zur →Arie; wichtiger Bestandteil der früheren Oper vor der genaueren Scheidung von Arie und →Rezitativ, nach heutigen Begriffen in der Mitte zwischen beiden liegend. Heute auch kurzer, ungegliederter Gesangsteil innerhalb des Rezitativs oder in sich melodisch geschlossene Partie im Musikdrama R. WAGNERS.

Aristonym (griech. *aristeus* = Fürst, *onoma* = Name), adliges →Pseudonym e. bürgerl. Verfassers, z. B. G. DE NERVAL für G. Labrunie.

Aristophanischer Vers, nach dem griech. Komödiendichter ARISTOPHANES benannt, ist ein katalekt. anapäst. Tetrameter oder Septenar:

∪∪–⌣∪–⌣∪–⌣∪–⌣

verwendet in att. Komödie und bei PLATEN. Als Aristophaneus erscheint auch der Kurzvers – ∪∪ – ∪ – ⌣, wie er in der 2. →Sapphischen Strophe verwendet wird und oft als Strophenklausel in der Tragödie begegnet.

Aristotelisches Drama, heute im Ggs. zum nichtaristotel. Drama oder →epischen Theater Bz. für die konventionelle, herkömml., strenggebaute, geschlossene Dramenform nach den Regeln des ARISTOTELES bzw. seiner späteren Ausdeuter von der franz. Klassik bis IBSEN mit Berücksichtigung der drei →Einheiten oder zumindest der Einheit der Handlung und der →Katharsislehre, ferner mit log. Handlungskausalität und identifizierbaren Figuren. Unter Berufung auf die Widersprüche, Kurven und Sprünge in der Abfolge des geschichtl. Prozesses, der Gegenstand des Dramas ist, fordert B. BRECHT die ›antimetaphysische, materialistische, nichtaristotelische Dramatik‹, die vom Zuschauer anstelle hingebender Einfühlung in die Figuren die verfremdete krit. Haltung und den Entschluß zur Weltveränderung verlangt.

Lit. →Episches Theater.

Arkadier, die Mitglieder der →Arcadia.

Arkadische Poesie, nach der Landschaft Arkadien (Peloponnes) gebildete Bz. für →Hirten- und Schäferdichtung. ›Arcadia‹, selbst Titel zahlr. Werke (SANNAZARO 1502, SIDNEY 1590 u. a. m.), die idyll. Heimat Pans, das Land der Hirten und Jäger, der Natur und Freiheit, war ideales Wunschbild jener Richtung.

Arlecchino →Harlekin

Armenbibel (Biblia pauperum), unlit. Form der Bibelausgabe, verzichtet im Ggs. zur →Bilderbibel gänzlich auf fortlaufenden Text, wendet sich an die Analphabeten (als die ›Armen‹ im Geiste) und beschränkt sich meist auf bildl. Wiedergabe der Hauptereignisse aus dem Leben Jesu, denen meist zwei bildl. Szenen aus dem AT. als Vorausdeutung oder Antitypus gegenübergestellt werden, so daß die A. gewissermaßen als symbol. Konkordanz zwischen AT. und NT. auf die Folgerichtigkeit des göttl. Heilsplans verweist. Nach einem verlorenen Urbild aus dem oberdt. Raum (Bayern oder Österreich) um 1250 im Spät-MA. oft als Blockbücher in vielen Varianten mit bis zu 5000 Bildern (franz. *Bible moralisée*, 13. Jh.) in ganz Europa verbreitet. Gegenstand kunstgeschichtlich-ikonograph. Forschung.

H. Cornell, Biblia pauperum, Stockh. 1925; H. Zimmermann, A. (Reallex, d. dt. Kunstgesch. I, 1937); G. Schmidt, D. A.n d. 14. Jh., 1959; H. T. Musper, D. Urausg. d. holländ. Apokalypse u. d. Biblia pauperum, III 1961; M. Berve, D. A., 1969.

Arrhythmie (griech. *arrhythmia* = Mangel an Ebenmaß), Fehlen oder Unübersichtlichkeit des Rhythmus.

Arsis (griech. = Hebung, gemeint ist das Aufheben des Fußes beim Tanzen oder Taktschlagen), in griech. Metrik das schwache, leichte rhythmische Element im Ggs. zur →Thesis. Die dt. Übersetzung bedeutet genau das Gegenteil (→He-

bung). Schon lat. Grammatiker gebrauchen den Begriff A. für ›Hebung der Stimme‹ und damit den
gehobenen, betonten, schweren
Taktteil, und in diesem Sinne führte
R. BENTLEY den Begriff in neuere
Metrik ein. Zur Vermeidung von
Mißverständnissen ist die Beschränkung der Bz. ›A.‹ auf griech. und
›Hebung‹ auf neuere Metrik erforderlich.

Ars moriendi →Sterbebüchlein

Arte mayor, span. Versmaß des 15./
16. Jh. aus 9–14-Silbern (meist
Zwölfsilbern) mit je 2 Haupt- und 2
Nebenhebungen und Mittelzäsur:
ᴗᴗᴗᴗ / ᴗᴗᴗᴗ; Verwendung seit 15. Jh. (JUAN DE MENA,
Laberinto) meist strophisch als Copla de a.m. mit der Reimfolge
abbaacca oder abbaacac.

J. Saavedra Molina, *El verso de a. m.*,
Santiago 1946; R. Baehr, Span. Verslehre,
1962.

Arte menor, span. volkstüml. Versmaß des SpätMA. im Ggs. zu →Arte mayor; Achtsilber oder kürzerer
Vers, verwendet seit 11. Jh., bes. in
der Copla de a.m. mit der Reimfolge abbaacca oder abbaacac.

D. C. Clarke, *Redondilla and copla de a.
m.* (*Hispanic Review* 9, 1941); R. Baehr,
Span. Verslehre, 1962.

Artes liberales (lat. = freie Künste),
die sieben freien, d.h. eines freien
Mannes würdigen, weil brotlosen
Künste innerhalb der spätantik-ma.
Bildungsordnung. Das griech. Unterrichtswesen schied nur Leibeserziehung und mus. Erziehung.
ARISTOTELES und die Römer gliederten Grammatik und Rhetorik einerseits, Mathematik (und die von
ihr abhängige Musik) andererseits
an. Hellenismus und Frühchristentum kannten 5–7 freie Künste, die
MARTIANUS CAPELLA zuerst A.l.
nannte. Ihre Siebenzahl stand seit
AUGUSTINUS fest und wurde um

600 in den *Etymologiae* ISIDORS
VON SEVILLA zur Summe der zeitgenöss. Bildung ausgebaut: Das Trivium (Dreiweg) umfaßt die sprachl.
Künste Grammatik, Rhetorik und
Dialektik mit dem Ziel mündl. und
schriftl. Kunstfertigkeit, das Quadrivium (Vierweg) umfaßt die mathemat. Künste Arithmetik, Geometrie (mit Geographie), Astronomie
und Musik (einschließlich Physik)
mit dem Ziel allg. Geistesbildung.
Das System der A.l., von BOETHIUS,
HRABANUS MAURUS, HUGO VON
ST. VICTOR u.a. dargestellt, wurde
grundlegend für das ma. Bildungswesen und die ma. Fachliteratur
(→Artesliteratur) bis zur Spätscholastik. Seine Rolle in ma. Artistenfakultäten als Propädeutik zu Theologie, Recht und Medizin wurde erst
durch den Humanismus aufgewertet.

E. R. Curtius, Europ. Lit. u. lat. MA.,
1948, ¹⁰1984; J. Dolch, Lehrplan des
Abendlandes, 1959; A. l., hg. J. Koch,
1959, n. 1976; *The seven liberal arts in
the M.A.*, hg. D. L. Wagner, N.Y. 1983;
A. Scaglione, *The liberal arts and the
Jesuit college system*, Amsterd. 1986.

Artesliteratur, ma. Fachprosa zur
Erläuterung der Sieben Freien Künste (→Artes liberales), der Eigenkünste wie Kriegskunst, Handwerk,
Landbau, Heilkunde und der geheimen Künste wie Magie, Chiromantie, Nekromantie, als Gebrauchsschrifttum des MA. nach antiken
Quellen zuerst lat., ab 9. Jh. auch
dt. weit verbreitet, jedoch noch wenig erfaßt.

RL; J. Koch, Artes liberales, 1959; G. Eis,
Stud. z. aldt. Fachprosa, 1951; ders. in
›Aufriß‹; ders., Ma. Fachlit., ²1967; ders.,
Forschgn. z. Fachprosa, 1971; Fachprosaforschg., hg. G. Keil 1974; Fachprosastud., hg. ders. 1982; B. D. Haage, Dt. A.
d. MA., LiLi 13, 1983.

Articulus (lat. = verbindendes Gelenk, Gliederung), in der Stilistik die
→asyndetische Reihung kurzer
Satzglieder, z.B. ›Mit Tränen, Seuf

zen, Händeringen dacht ich...‹ (*Faust* 1027).

Artikel (lat. *articulus* = Glied), allg. eine formal in sich geschlossene, thematisch auf einen Gegenstand konzentrierte lit. Einheit, die an sich unabhängig ist, doch in einem größeren Zusammenhang steht, so z.B. einzelne Aufsätze und Beiträge in Zeitungen, Zeitschriften, Sammelwerken, Enzyklopädien und Lexika. Ferner die einzelnen Abschnitte jurist. und z.T. theolog. Texte (Gesetze, Verträge, Glaubens-A.).

Art nouveau = →Jugendstil

Art pour l'art →L'art pour l'art

Âryâ (ind. = Dame), ind. Versmaß aus 4 Füßen zu je 4 Moren, von denen eine kurze Silbe eine More, eine lange Silbe zwei Moren umfaßt, also z.B. ‿‿ ──, ‿‿‿‿, ‿─‿, ‿‿‿‿ oder ‿‿‿‿ . Die vierzeilige A.-Strophe umfaßt in der 1. und 3. Zeile je 3 Füße, in der 2. Zeile viereinhalb Füße und in der 4. Zeile dreieinhalb Füße mit Einschub einer kurzen Silbe nach dem 2. Fuß:

‿‿‿‿ / ‿‿‿‿ / ‿‿‿‿
‿‿‿‿ / ‿‿‿‿ / ‿‿‿‿ / ‿‿‿‿
‿‿‿‿ / ‿‿‿‿
‿‿‿‿ / ‿‿‿‿ / ‿ ‿ / ‿‿‿‿ / ‿‿‿‿

Arzamas (Name e. Provinzhauptstadt), russ. lit. Gesellschaft der Vorromantik, verband etwa 20 Dichter und Schriftsteller der Empfindsamkeit und der aufkommenden Romantik, u.a. ŽUKOVSKIJ, DAVYDOV, Fürst VJAZEMSKIJ, BATJUŠKOV und PUŠKIN. Trotz ihrer Kurzlebigkeit (1815–18) von nachhaltigem Einfluß durch ihr Eintreten für den neuen, westl. orientierten Stil KARAMZINS und gegen die slavorossischen ›Archaisten‹ um ŠIŠKOV, dessen Stil die Mitglieder heftig kritisierten und gelungen parodierten.

Arztroman, jüngere Sonderform des →Trivialromans. Sie meint weder den Roman aus der Feder e. Mediziners noch die dichter. Erzähllit. um Mediziner als Hauptfiguren (CAROSSA, *Der Arzt Gion,* S. LEWIS, *Arrowsmith,* B. PASTERNAK, *Doktor Schiwago* u.ä.), sondern einen motivisch festumrissenen trivialen Liebesroman zwischen einer zarten, schönen, natürlich an einer ›edlen‹ Krankheit leidenden Patientin und einem gutaussehenden, charakter- und verständnisvollen Arzt (Chefarzt, Assistenzarzt, Landarzt), der möglichst noch in einem Privatsanatorium stets Zeit für die Patientinnen hat. Der A. verbindet idealisierende Wirklichkeitsverfälschung mit primitiver Mythisierung der medizin. Wissenschaft.

F. Wittmann, D. Arzt i. Spiegelbild d. dt. schöngeist. Lit., 1936, n. 1977; B. Wachsmuth, D. Arzt i. d. Dichtg. uns. Zeit, 1939; M. Sera, Verurteilt z. Glück, ZDP 97, 1978; D. v. Engelhardt, Arzt u. Patient i. d. Lit. (Heidelb. Jb. 25, 1981).

Aschughen (v. arab. *âscheq* = verliebt), kaukas. Volkssänger; im 14. Jh. meist Geistliche, die in der Volkssprache Heldenlieder, Todesklagen, Heimatgesänge, Liebes- und lehrhafte Dichtungen verfassen oder dem Volksmund ablauschen; im 18. Jh. finden sie mit SAIATH NOWA weite Verbreitung in Georgien, Persien, Armenien und der Türkei und gründen ein Volkstheater.

Asianismus, ›neuer Stil‹, Strömung in der antiken Rhetorik des 3. Jh. v.Chr., begründet durch HEGESIAS VON MAGNESIA, in der Frühzeit des Hellenismus im kleinasiat. Ionien ausgebildet. Der A. löst die klass. Bindungen, die Gemessenheit und Wohlproportioniertheit, Einfachheit und sachgebundene Strenge des attischen Redestils des 5./4. Jh. v.Chr. (LYSIAS, DEMOSTHENES) auf und bringt einerseits kurze, zerhackte Sätze mit stark rhythm., fast singendem Tonfall, dabei knappen, geistreichen Witz; andererseits bombastische, schwülstige Wendungen und pathet. Wortfülle im Sinne e. barocken Manierismus. Durch kleinasiat. Rednerschulen als Modestil über die ganze griech.-röm. Welt verbreitet, herrschte er bis ins 1. Jh. v. Chr. und beeinflußte noch das Frühwerk CICEROS, bis er durch die Gegenbewegung des →Attizismus abgelöst wurde.

E. Norden, Antike Kunstprosa, II 1898, ⁹1983; U. v. Wilamowitz-Möllendorff, A. u. Atticismus (Hermes 35, 1900); H. G. Rötzer, Traditionalität u. Modernität i. d. europ. Lit., 1979.

Asklepiadeische Strophe, nach dem griech. Dichter ASKLEPIADES benannte antike Vers- und Strophenformen, deren Kern stets der →Choriambus ($- \cup \cup -$) ist. Der Asklepiadeus minor besteht aus zwei durch Zäsur getrennten katalekt. trochäisch-daktyl. Tripodien, von denen die erste den Daktylus an 2., die zweite an 1. Stelle hat (= 1 katalekt. 2. →Pherekrateus und 1 katalekt. 1. Pherekrateus):

$$- \underline{-} - \cup \cup - \mid - \cup \cup - \cup \underline{\cup}$$

›Schön ist, Mutter Natur, deiner Erfindung Pracht‹ (KLOPSTOCK). Der Asklepiadeus maior schaltet zwischen diese beiden Hälften e. Choriambus ein: $- \underline{-} - \cup \cup - \mid - \cup \cup - \mid$ $- \cup \cup - \cup \underline{\cup}$. Durch versch. Zusammensetzung mit anderen Maßen entstehen die fünf A. S.n: 1. A. S.: monostichischer Asklepiadeus minor (z.B. HORAZ: Exegi monumentum, III, 30; I, 1).

2. A. S.: Dreimal Asklepiadeus minor und ein 2. →Glykoneus strophisch zusammengefaßt:

$$- \underline{-} - \cup \cup - \mid - \cup \cup - \cup \underline{\cup}$$
$$- \underline{-} - \cup \cup - \mid - \cup \cup - \cup \underline{\cup}$$
$$- \underline{-} - \cup \cup - \mid - \cup \cup - \cup \underline{\cup}$$
$$- \underline{-} - \cup \cup - \cup \underline{\cup}$$

(z.B. HORAZ Oden I, 6)

3. A. S.: Zweimal Asklepiadeus minor, ein 2. Pherekrateus und ein 2. Glykoneus:

$$- \underline{-} - \cup \cup - \mid - \cup \cup - \cup \underline{\cup}$$
$$- \underline{-} - \cup \cup - \mid - \cup \cup - \cup \underline{\cup}$$
$$- \underline{-} - \cup \cup - \underline{\cup}$$
$$- \underline{-} - \cup \cup - \cup \underline{\cup}$$

(sehr häufig, z.B. HORAZ: O navis referent, I, 14; KLOPSTOCK Der Zürcher See, HÖLTY Die Mainacht, HÖLDERLIN Heidelberg)

4. A. S.: Ein 2. Glykoneus mit einem Asklepiadeus minor in distichischem Wechsel:

$$- \underline{-} - \cup \cup - \cup \underline{\cup}$$
$$- \underline{-} - \cup \cup - / - \cup \cup - \cup \underline{\cup}$$

(z.B. HORAZ: Donec gratus eram tibi, III, 9)

5. A. S.: monostichischer Asklepiadeus maior (z.B. HORAZ: Tu ne quaesieris, I, 11). Verwendung der A. S. in antiken →Oden, Nachbildung in dt. Dichtung bes. von KLOPSTOCK und HÖLDERLIN.

Lit. →Metrik.

Asklepiadeus →Asklepiadische Strophe

Asphaltliteratur, von der NS-Propaganda aufgegriffenes, im Prinzip von der →Heimatkunst entwickeltes abqualifizierendes Schlagwort für die als entartet, volksfremd, wurzellos und internationalistisch verpönte Großstadtliteratur der ›Zivilisationsliteraten‹ im Ggs. zur →Blut und Bodenliteratur ›völkischen Geistes‹ mit ihrer Bindung an Heimat und ›Scholle‹.

T. B. Schumann, A., 1983.

Assonanz (v. lat. assonare = anklingen), vokalischer Halbreim von klangmag. Wirkung in Prosa, im Versinneren oder als Versbindung, dann: Gleichklang nur der Vokale vom letzten Akzent der Verszeile an, bei Verschiedenheit der Konsonanten (z.B. Unterpfand – wúnderbar). Mittel der Versbindung in den vokalreichen roman. Sprachen; entstanden in Spanien, verbreitet in provenzal., altfranz. (*Chanson de Roland* u. a. chansons de geste), altportugies., altspan. *(Cantar de mío Cid)* und selbst neuerer span. Dichtung (LOPE DE VEGA, GONGORA, Romanzen, Balladen und Dramen; G. A. BÉCQUER). In dt. Dichtung zuerst bei OTFRIED als unreine Vorstufe des Reims neben dem Endsilbenreim, in der mhd. Dichtung wie engl. und dt. Volksliedern als freierer Reim; von den Romantikern in Übertragungen aus dem Span. wieder eingeführt und auch für eigene Dramen und Romanzen verwendet (TIECK, ARNIM, BRENTANO *Romanzen vom Rosenkranz:* durchgängige A. neben strophischem Endreim; HEINE, *Don Ramiro,* EICHENDORFF, RÜCKERT, PLATEN, GEORGE). Versuche, den Reim ganz durch A. zu verdrängen, scheitern an den klanglosen german. Endsilben, ähnlich in Frankreich (Ch. GUÉRIN *Le sang des crépuscules,* 1895). In ir. Dichtung ist die A. der auch in der Quantität übereinstimmenden Vokale strenge Regel. Beliebt ist A. in moderner russ. Versdichtung (MAJAKOVSKIJ, PASTERNAK, EVTUŠENKO).

W. Masing, Sprachliche Musik i. Goethes Lyrik, 1910; A. Fischli, Über Klangmittel i. Versinnern, 1920; P. G. Adams, *The hist. importance of a. to poets,* PMLA 88, 1973. →Metrik.

Assonanzspiel, Sonderart des Klangspiels: Wortspiel, das auf →Assonanz zweier Wörter beruht.

Asterisk (griech. *asteriskos* = Sternchen), das einzelnen Wörtern vorangestellte Zeichen *, bezeichnet in der →Textkritik der griech. Grammatiker →Korruptelen, d.h. Stellen, in denen die Überlieferung keinen Sinn ergibt. Daneben bezeichnet der A. Fußnoten, verschleierte Namen (→Asteronym) und un-

terdrückte, nicht salonfähige Wörter.

Asteronym (v. griech. *aster* = Stern, *onoma* = Name), ein →anonymes Werk, bei dem der Verfassername durch Sternchen (› von ***‹) ersetzt ist, ferner Personen- und Ortsnamen, die aus vorgebl. Diskretion verschleiert werden (z.B. KLEIST, *Die Marquise von O***).

Astrophische Komposition, Ggs. zur →strophischen Komposition, Komposition ohne Strophengliederung.

Asynaphisch (griech. =) ohne Fugung (→Synaphie), d.h. nicht gefugt sind Verse, bei denen auf vollen oder klingenden Schluß einer Zeile in der nächsten kein Auftakt oder auf weiblich vollen Schluß ein Auftakt folgt, so daß durch Senkungspause an der Versgrenze zwei Hebungen zusammenstoßen.

Asynarteten (v. griech. *asynarteton* = nicht zusammenhängend), in antiker Metrik Verse, die aus versch. Metren (daktyl., troch., jamb.) mit Diärese an der Nahtstelle zusammengesetzt sind, so z.B. Archilochius minor und maior (→Archilochische Versmaße).

Asyndeton (griech. = Unverbundenes), im Ggs. zum →Polysyndeton e. Reihe gleichgeordneter Wörter, Satzteile oder Sätze verbindende Konjunktionen (›und‹ u. ä.): ›Alles rennet, rettet, flüchtet‹ (SCHILLER). Je nach Art der Glieder, die durch Fehlen der ausgleichenden Bindewörter stärker für sich hervortreten, von versch. Wirkung. Wirkung; oft in sprudelnder Rede oder zum Ausdruck der Hast e. Geschehens, der inneren Spannung e. Situation; leidenschaftl., nicht rational durchgliederte Aussage. Als bewußtes Stilmittel zur Hervorhebung e.

→Klimax (Veni, vidi, vici, SUETON; abiit, excessit, evasit, erupit, CICERO, *Catilina* 2, 1), bei ganzen Sätzen auch des →Parallelismus, →Chiasmus oder der ›Antithese (vgl. →adversatives A.). Verwendung als →rhetorische Figur in der Antike, als Stilmittel schon in der german. Stabreimdichtung *(Hildebrandslied)* und der höf. Dichtung, bes. bei WALTHER VON DER VOGELWEIDE und WOLFRAM VON ESCHENBACH; oft in Schwank u. Satire des 16. Jh., in Frankreich bei RABELAIS; Blüte bei den →Worthäufungen des Barock (WECKHERLIN, OPITZ, ZESEN, P. GERHARDT, bes. GRYPHIUS), in neuerer Zeit bei KLOPSTOCK: ›Rufts, trank, dürstete, bebte, ward bleicher, blutete, rufte‹ (*Messias* 10, 1048), SCHILLER *(Das Lied von der Glocke)* u. a. →Articulus, →Diärese, →Akkumulation.

E. Dickhoff, D. 2-gliedrige Wort-A., 1906; H. Pliester, D. Worthäufg. i. Barock, 1930. →Stil.

Atektonisch, = nicht →tektonisch sind Literaturwerke von →offener Form, d. h. ohne fest geschlossenen Aufbau.

Atellane oder →fabula atellana, nach der kampan. Kleinstadt Atella benanntes altital. volkstüml. Stegreif-Lustspiel mit vier feststehenden Charaktertypen, die in Masken auftraten; Maccus = Hanswurst und Tölpel (später abgewandelt Pulcinella in der →Commedia dell' arte), Bucco = Aufschneider und Schwätzer, Fieß- und Saufheld (Brighelle), Pappus = geiziger, oft geprellter kom. Alter (Pantalone), Dossenus = bucklig-pfiffiger Beutelschneider (Dottore). Derb-drast. Verspottung der kleinbürgerl. Welt; lit. nicht überliefert. Von der osk. Bevölkerung Kampaniens zum festen Spiel ausgebildet (›oskisches Spiel‹), wurde sie sehr früh von den Römern

übernommen und seit dem 3. Jh. v.Chr. als Nachspiel (→Exodium) zu Tragödien von dilettierenden freien röm. Jünglingen aufgeführt; in ihrer Blütezeit um 90 v.Chr. durch POMPONIUS und NOVIUS in jamb. Septenaren zum lit. Kunstdrama stilisiert, wurde sie später zeitweise durch den →Mimus verdrängt, nahm aber in der Kaiserzeit neuen Aufschwung und lebte in der →Commedia dell'arte fort.

RE. 2, 1896; J. J. Hartmann, *De A. fabula* (Mnemosyne 50, 1922); H. Hiedell, D. Sprache d. Ä., Diss. Bresl. 1941; P. Frassinetti, *Fabulae A.,* Genua 1953; W. Beare, *The Roman Stage,* Lond. ²1955; E. Paratore, *Storia del teatro latino,* Mail. 1957. →Theater.

Athetese (griech. *athetesis* = Abschaffung), in der →Textkritik das Verwerfen e. überlieferten Wortes, Satzes oder Kapitels als unecht oder →Interpolation.

At home (engl. = zu Hause), in England Theatervorstellungen satir. Inhalts, zuerst Privatvorstellungen des Schauspielers FOOTE (geb. 1777), dann 1834 vom Komiker MATTHEWS und dessen Schüler YATES auch öffentlich aufgeführt.

R. Stamm, Gesch. d. engl. Theaters, 1951.

Atlas (nach dem antiken Titanen auf dem Titelblatt der Kartensammlung MERCATORS von 1595), Sammelwerk von Landkarten, Stichen u. a. Abbildungen bestimmter Wissensgebiete. →Literaturatlas.

Attizismus, ›alter Stil‹, klassizist. lit.-sprachliche Strömung in der antiken Rhetorik seit dem 2. Jh. v.Chr., fordert als Reaktion auf den →Asianismus die Rückkehr zum reinen und klaren, schlichten und sachlichen ›klassischen‹ Stil der att. Schriftsteller aus dem 5. und 4. Jh. v.Chr. (THUKYDIDES, LYSIAS, DEMOSTHENES) und übte Kritik selbst

an der Formkunst des ISOKRATES.
Ausbreitung gleichzeitig mit dem
Asianismus, angeregt durch philolog. Studien, in Alexandrien, Athen
und Pergamon. Hauptvertreter Ende des 1. Jh. v. Chr. sind die Rhetoren CAECILIUS VON KALAKTE und
DIONYSIOS VON HALIKARNASS, in
lat. Sprache CAESAR, C. LICINIUS
CALVUS, M. IUNIUS BRUTUS, der
späte CICERO. Blüte im 2. Jh.
n. Chr. mit AELIUS ARISTIDES und
HERODES ATTICUS; unter Vermeidung der Umgangssprache wird –
selbst mit Hilfe attizist. Lexika wie
des erhaltenen von PHRYNICHOS –
die att. Sprache zur Norm erhoben.

W. Schmid, D. A. in seinen Hauptvertretern, V 1887–97, ²1964; E. Norden, Antike Kunstprosa, II ⁵1958; H. G. Rötzer,
Traditionalität u. Modernität i. d. europ.
Lit., 1979.

Aubade (franz. =) →Tagelied

Audition colorée →Synästhesie

Auditive Poesie (lat. *audire* = hören) →akustische Dichtung

Aufbau, die Zusammenfügung jedes Literaturwerks zu e. einheitlichen, in sich geschlossenen Ganzen.
Gegenüber dem objektbedingten A.
einer sachl. Darstellung (Bericht,
Artikel, Untersuchung, Vortrag)
entsteht der A. e. Dichtung aus ihr
selbst heraus, da Abfolge, Zusammenhang und Gliederung der Geschehnisse nur in ihrer selbstge-
schaffenen Welt bestehen. Man unterscheidet den äußeren A. (Gliederung in Verszeilen, →Strophen,
→Zyklen, →Akte, →Szenen, →Ka-
pitel usw.), den sprachlichen A. (in
→Rhythmus, →Klanggefüge, Wortbedeutungen) und den inneren oder
inhaltl. A., die nur in der →Analyse
zerlegt, im Dichtwerk jedoch in
ständigem Zusammenwirken erscheinen. Je nach Vorhandensein e.
festen Bauwillens trennt man →tek-

tonische und →atektonische Formen. Der Überbetonung äußerer
Form insbes. in früherer Lyrik (später Minnesang, Meistersang, Barock) entsprach e. Vernachlässigung
der inneren Form, während in neuerer Zeit bloß äußerer A. gegenüber
der wechselseitigen Durchdringung
von Gehalt und Gestalt an Bedeutung verloren zu haben scheint. –
Über den A. innerhalb der einzelnen
Gattungen vgl. diese, ferner →Kom-
position, →Form, →Struktur.

G. Murray, *Unity and organic construc-
tion*, Oxf. 1927; H. Weston, *Form in lit.*,
London 1934; W. Kayser, D. sprachl.
Kunstwerk, ¹²1967.

Auferstehungsspiel = →Osterspiel

Aufführung, die Wiedergabe e.
Bühnenwerkes vor Zuschauern,
meist durch Schauspieler unter der
Leitung e. →Regisseurs nach e. Reihe von →Proben. Die A. setzt die lit.
Vorlage mit Hilfe der reproduzie-
renden Interpreten erst in die ihr
angemessene Erscheinungsform um,
kann sie zur Anschauung und
künstler. Vollendung bringen. Man
unterscheidet   →Uraufführung,
(deutsche bzw. deutschsprachige)
→Erstaufführung (Premiere) und
wiederholte A. (Serienspiel, bes. bei
großstädt. Spezialbühnen mit kost-
spieliger Einstudierung und →Aus-
stattung). Bis 70 Jahre nach dem
Tode des Autors (gesetzl. →Schutz-
frist) muß für jede einzelne A., auch
Liebhaber-A., das A.recht vom Urheber oder dessen Bühnenvertrieb
meist gegen →Tantiemen, erworben werden. Vgl. →Inszenierung,
→Theater.

W. Goldbaum, D. A.-svertrag, 1912; N.
Henzel, D. A.-srecht v. Bühnen- u. Ton-
kunstwerken, Diss. Würzb. 1920; C. Hagemann, D. Kunst d. Bühne 1922; R.
Williams, *Drama in Performance*, Lond.
²1968.

Aufgesang, Fachausdruck des Meistersangs für den 1., längeren Teil

der sog. →Meistersangstrophe im Ggs. zum kürzeren →Abgesang. Er besteht meist aus zwei gleichgebauten →Stollen (›Gesetz‹ und ›Gebäude‹), von denen jeder einzelne kürzer, die zusammen aber länger sind als der Abgesang (vgl. Sonett: 4 + 4:6).

R. M. Meyer, Grundlagen des mhd. Strophenbaus, 1886; W. Fischer, D. stollige Strophenbau im Minnegesang, Diss. Halle 1932. →Metrik.

Aufklärung, allg. jede rationalistisch-skeptische Geistesbewegung, die die Klärung unrichtiger Vorstellungen, Befreiung von Vorurteilen und Autoritätsglauben sowie e. Weltdeutung ausschließlich durch Vernunfterkenntnis und wiss.-naturwiss. Kritik erstrebt; als solche in der Geistesgeschichte wiederholbar, z.B. schon in der Sophistik.

Im engeren Sinn ist A. der schon im 16. Jh. einsetzende und bes. das 18. Jh. beherrschende gesamteurop. Umschichtungsprozeß, der die überkommenen kirchlich-theolog. u. a. Bevormundungen des Denkens aufzuheben sucht, indem er durch allseitige, selbständige Entwicklung der Vernunft (Rationalismus), der Sinne (Sensualismus) und der Erfahrung (Empirismus) diese zur alleinigen Erkenntnisquelle erhebt. Der Glaube an die Möglichkeit e. diesseitigen Welterfassung durch deutliche Begriffsbildung führt zu e. optimist. Grundhaltung und ird. Glücksstreben (Eudämonismus) durch Tugend und Bildung; Humanität als Anerkennung des mitstrebenden Individuums ist, von VOLTAIRE bis LESSINGS *Nathan,* eine der Lieblingsvorstellungen der A. und erreicht außer in den Ideen von Toleranz und Weltbürgertum starke Auswirkungen auf das soziale Leben; rückwirkend manifestiert sich der Aufstieg des Bürgertums in geistige Bereiche (und die Verlagerung der Bildungszentren von den Höfen in die Städte) im fast kleinbürgerl. Einschlag der A., bes. in Nützlichkeitsprinzip u. Morallehre. Gegenströmungen gegen die absolute Vernunftherrschaft erscheinen in →Pietismus oder →Empfindsamkeit.

Philosophie: Die A. beginnt in England, im 16. Jh. überwiegend in relig. und polit. Hinsicht. Dem Volkscharakter gemäß erscheint sie als ausgesprochener Empirismus, auf den Erkenntnissen von BACON, HOBBES und NEWTON aufbauend, bei J. LOCKE (1632–1704, *Essay concerning human understanding,* 1690), bei den Deisten COLLINS und LYONS und erreicht ihren Abschluß in dem philos. Weltbild D. HUMES (1711–1776) mit dem Übergang zum Sensualismus, während der Moralist und Ästhetiker SHAFTESBURY (1671–1713) seiner Zeit voraus die Vorbereitung der dt. Klassik bildete. – Im Ggs. zur engl. tritt die franz. A. als ausgeprägter Rationalismus auf, dessen Gesellschafts- und Moralkritik nicht zuletzt in der Französischen Revolution von 1789 weitreichende Auswirkungen zeigt; deutlichste Ausprägung erfuhr er durch DESCARTES (1596–1650), BAYLE (1647–1705) und FONTENELLE, während bei den Enzyklopädisten, bes. VOLTAIRE (1694–1778), MONTESQUIEU (1689–1755) und DIDEROT (1713–1784), engl. Beeinflussung in der materialist. Sittenlehre vorliegt; am Ende der Epoche zeigt ROUSSEAU ebenso wie im dt. Bereich HAMANN (1712–1778) die Fragwürdigkeit des Errungenen. – Weniger konsequent in ihrer Zielsetzung und weniger bedeutend in ihren philos. Vertretern ist die dt. A., in der sich franz. Rationalismus und engl. Empirismus vereinen. Sie knüpft im 18. Jh. an die Monadenlehre LEIBNIZ' (1646–1716) an, die THOMASIUS und bes. der Popularphilosoph Chr. WOLFF (1679–1754) unter einseitiger Verkennung des Leibnizschen Universalismus in e. eklektisches System für die Praxis faßten. Sie schufen die aufklärerische Terminologie und verkündeten das Ideal des gesunden Menschenverstandes und des Tugendstrebens, nicht zuletzt in den →moralischen Wochenschriften (ADDISON). Weitgehende Förderung erfuhr die Bewegung durch die Schriften von M. MENDELSSOHN, LICHTENBERG, Fr. NICOLAI, FRIEDRICH II. von Preußen u.a., während LESSING durch sein Wahrheitssuchen, HAMANN durch seinen Irrationalismus und KANT durch seinen Kritizismus über sie hinausragen und der Überschätzung von Vernunft und Nützlichkeit entgegentraten als Vollender und Überwinder der A.

Literarische Kritik: Der starke Einfluß der A. auf die Literatur bestand weniger in direkt beispielgebenden Werken als vielmehr in weiter kunsttheoretischer Betätigung (BOILEAU, BATTEUX), die zu innerlich formender, krit. Selbstbesinnung und lit. Geschmacksbildung führte. →›Prodesse et delectare‹ gilt als Zweck der Kunst; der Vergleich mit der bildenden Kunst (→Laokoon) zeigt die eigenen Mittel und Möglichkeiten der Dichtung; die Forderung nach strenger Abgrenzung der Gattungen gegeneinander führt zur Ausbildung einzelner Gattungspoetiken (f. d. Fabel: LESSING, BODMER, BREITINGER; f. d. Epos: GOTTSCHED, BREITINGER; f. d. Tragödie: GOTTSCHED, BODMER, BREITINGER, NICOLAI, MENDELSSOHN, LESSING) in Briefen, Theaterkritiken und Aufsätzen, insbes. in den zahlreichen gelehrt-lit. Zss. (NICOLAIS *Briefe, die neueste Lit. betreffend* und *Allg. dt. Bibliothek,* WIELANDS *Teutscher Merkur* und die →*Bremer Beiträge,* hg. von J. A. CRAMER, J. A. SCHLEGEL u.a.). Als System erscheinen sie bei BOILEAU *L'art poétique* 1669/74 und GOTTSCHED *Versuch e. critischen Dichtkunst* 1729 (→Poetik) mit den gleichen Forderungen: Vermeidung des Unwahrscheinlichen und Wunderbaren, Klarheit und Deutlichkeit in Stil und Aufbau, feste Gattungen, →Einheiten im →Drama: e. moralisch-zweckmäßige Verstandesdichtung. GOTTSCHEDS Anschauung beherrscht das lit. Leben bis zur Kritik durch BODMER, BREITINGER und die Bremer Beiträge 1740, die für die Verwendung des Irrational-Phantastischen in der Dichtung eintreten; in der 2. Hälfte der Epoche tritt sein Einfluß hinter dem LESSINGS gänzlich zurück.

Dichtung: Die als A.sdichtung begriffene Strömung umfaßt die Anwendung aufklärerischer Standpunkte auf die Lit., in Dtl. 1720 bis 1785. Die Zeit der großen theoret. Auseinandersetzungen und der verstandesmäßigen Nüchternheit zeigt im ganzen nur geringe künstlerische Kraft. Die ihr gemäßen Formen sind vorzüglich die der Lehrdichtung, der Kritik und Satire. Geringen Niederschlag findet die A. in der Lyrik (→Rokoko, →Anakreontik, →Pietismus, →Empfindsamkeit); sie bleibt liebenswürdige lit. Kleinkunst, während KLOPSTOCKS Oden und Hymnen (wie auch der *Messias*) in die Zukunft weisen. Bevorzugte Formen dagegen sind das oft satir. →Epigramm (LESSING), →Epos und →Lehrgedicht (POPE, BROCKES, HALLER, WIELAND), die moralisierende →Fabel (LA FONTAINE, LA MOTTE, HAGEDORN, GOTTSCHED, HALLER, GELLERT, LESSING u.a.), unter den Romanen die betont lehrhaften wie →Bildungsroman (WIELAND, PESTALOZZI, GELLERT, RICHARDSON, DEFOE,

PRÉVOST, Bernardin de SAINT-PIER-
RE, J. J. BARTHÉLEMY, ROUSSEAU)
und →Staatsroman (WIELAND,
HALLER, FÉNELON, MARMONTEL),
daneben stehen der kom. Roman
der Engländer (FIELDING, SMOL-
LETT, GOLDSMITH), die →Satire mit
didakt. Zweck (LISCOW, HAGE-
DORN, POPE, VOLTAIRE, SWIFT) und
das Lustspiel (LESSING, LESAGE,
MARIVAUX, BEAUMARCHAIS). Im
Drama, das noch →Einheiten und
→Ständeklausel verlangt, herrscht
die klassizist. franz. →Tragödie
(ALFIERI), daneben der Beginn des
→bürgerlichen Trauerspiels (LILLO,
MOORE, DIDEROT, LESSING).

H. Hatzfeld, Gesch. d. franz. A., 1922; F.
Brüggemann, D. Kampf um d. bürgerl.
Weltanschauung i. d. dt. Lit. d. 18. Jh.,
DVJ 1, 1923; C. v. Brockdorff, D. engl.
A.sphilos., 1924; ders., D. dt. A.sphilos.,
1926; O. Ewald, D. franz. A.sphilos.,
1924; A. Köster, D. dt. Lit. d. A.szeit,
1925; H. Röhl, D. Geist d. A. i. d. dt.
Dichtg., 1927; O. Walzel, D. dt. Dichtg.
v. Gottsched bis z. Gegenw. I, 1927; H.
Hettner, Lit.gesch. d. 18. Jh., ⁸1929, n.
1979; F. Brüggemann, D. Weltbild d. dt.
A., 1930; E. Cassirer, D. Philos. d. A.,
1932; H. Paustian, D. Lyrik d. A., 1933;
H. Böhm, D. rel. Grundlage d. A., 1933;
W. Werkmeister, D. Stilwandel d. dt.
Dichtg. u. Musik i. 18. Jh., 1936; M.
Wundt, D. dt. Schulphilos. i. Zeitalter d.
A., 1945, ²1964; E. Ermatinger, Dt. Dichter 1700–1900 I, 1948; F. J. Schneider,
D. dt. Dichtg. d. A.-szeit, ²1948; L. Stephen, History of Engl. thought in the 18.
century, N.Y. ³1949; P. Hazard, D. Herrschaft d. Vernunft, 1949; R. Benz, Dt.
Barock, 1949; ders., D. Zt. d. dt. Klassik,
1953; V. Klemperer, Gesch. d. franz. Lit.
i. 18. Jh., I, 1954; Grundpositionen der
franz. A., 1955; G. A. Havens, The age of
ideas, N.Y. 1955; W. Rasch, D. Lit. d.
A.szeit, DVJ 30, 1956; A. Noyer-Weid-
ner, D. A. i. Oberitalien, 1957; A. Cobban, In search of humanity, Lond. 1960;
A. P. Whitaker (hg.), Latin America and
the enlightenment, Ithaca ²1961; RL; L.
I. Bredvold, The brave new world of the
enlightenment, Ann Arbor 1961; F. Val-
javec, Gesch. d. abendld. A., 1961; W.
Krauss, Stud. z. dt. u. frz. A., 1963; L. G.
Crocker, Nature and Culture, Baltimore
1963; H. M. Wolff, D. Weltanschauung
d. dt. A., ²1963; H. Nicolson, D. Zeital-
ter d. Vernunft, 1963; R. R. Heitner,
German tragedy in the age of enlighten-
ment, Berkeley 1963; D. franz. A. im
Spiegel d. dt. Lit. d. 18. Jh., hg. W. Krauss
1963; D. J. Milburn, The age of wit,
Lond. 1963; J. Sutherland, A preface to
18th century poetry, Oxf. 1963; Neue
Beiträge z. Lit. d. A., 1964; F. Schalk,
Stud. z. franz. A., 1964, ²1977; W.
Krauss, Perspektiven u. Probleme, 1965;
W. H. Bruford, Germany in the 18th
century, Cambridge ⁵1965; G. Wicke, D.
Struktur d. dt. Lustspiels d. A., 1965; P.
Hazard, D. Krise d. europ. Geistes,
⁵1965; P. Gay, The enlightenment, 2 Bde.
N.Y. 1966–69; D. Kimpel, D. Roman d.
A., 1967, ²1977; M. Sommerfeld, Ro-
mantheorie u. -typus d. dt. A., ²1967; H.
Schöffler, Dt. Geist i. 18. Jh., ²1967; N.
Hampson, A cultural hist. of the enlight-
enment, N.Y. 1968; A. Cobban (hg.),
The 18th century, N.Y. 1969; E. Erma-
tinger, Dt. Kultur i. Zeitalter d. A.,
²1969; P. Whitmore, The enlightenment
in France, Lond. 1969; M. L. Tronskaja,
D. dt. Prosasatire d. A., 1969; U. Im Hof,
A. i. d. Schweiz, 1970; A. Nivelle, Kunst-
und Dichtungstheorien zw. A. u. Klassik,
²1971; D. A. i. Ost- u. Südosteuropa, hg.
E. Lesky 1972; W. Krauss, Lit. d. franz.
A., 1972; H. Dieckmann, Diderot u. d.
A., 1972; K. Richter, Lit. u. Naturwiss.,
1972; W. Krauss, D. A. i. Spanien, Portu-
gal u. Lateinam., 1973; L. Balet, E. Ger-
hard, D. Verbürgerlichg. d. dt. Kunst, Lit.
u. Musik i. 18. Jh., 1973; Was ist A.?, hg.
N. Hinske, 1973; P. Bürger, Stud. z.
franz. Früh-A., 1973; H. Dieckmann,
Stud. z. europ. A., 1974; W. Schneiders,
D. wahre A., 1974; Europ. A., hg. W.
Hinck, 3 Bde. 1974–83 (Neues Hdb. d.
Lit.wiss. 11–13); J. Schober, D. dt. Spät-
A., 1975; N. Haas, Spät-A., 1975; K. S.
Guthke, Lit. Leben i. 18. Jh., 1975; R.
Galle, Trag. u. A., 1976; Formen d. europ. A., hg. F. Engel-Janosi 1976; J. Jacobs, Prosa d. A., 1976, A., Absolutismus
u. Bürgertum i. Dtl., hg. F. Kopitzsch
1976; H. F. May, The enlightenment in
America, N.Y. 1976; L. Bodi, Tauwetter
i. Wien, 1977; A. Ward, Book production, fiction, and the German reading
public 1740–1800, Oxf. 1977; A. Nivelle, Literarästhetik d. europ. A., 1977; F.
Schalk, Stud. z. frz. A., 1977; H.-J. Mül-
lenbrook, Lit. d. 18. Jh., 1977; Dt. Dichter d. 18. Jh., hg. B. v. Wiese 1977; H.
Kiesel u.a., Ges. u. Lit. i. 18. Jh., 1977;
R. Meyer, D. dt. Trauersp. d. 18. Jh.,
1977; F. Radandt, From baroque to
storm and stress, Lond. 1977; P. Pütz, D.
dt. A., 1978, ²1979; H. Steinmetz, D.
Komödie d. A., ³1978; R. M. Browning,
German poetry in the age of enlightenment, Penn. 1978; D. 18. Jh. als Epoche,
hg. B. Fabian 1978; G. Kaiser, A., Empfindsamkeit, Sturm u. Drang, ³1979; The
theatre of French and German enlighten-

ment, hg. S. Taylor, Edinb. 1979; R. Siegel, A. u. Volkslektüre, 1979; H. Koopmann, Drama d. A., 1979; J. Kopper, Einf. i. d. Philos. d. A., 1979; Frz. A., hg. W. Schröder, ²1979; A. i. Dtl., hg. P. Raabe 1979; R. Anchor, *The enlightenment tradition*, Berkeley 1979; Erforschg. d. dt. A., hg. P. Pütz 1980; Zw. Absolutismus u. A., hg. R. R. Wuthenow 1980; Dt. A., hg. R. Grimminger 1980; P. Kondylis, D. A., 1981; Sozialgesch. d. A. i. Frankr., hg. H. U. Gumbrecht 1981; S. Maurer-Schmoock, Dt. Theater i. 18. Jh., 1982; N. Merker, D. A. i. Dtl., 1982; U. Im Hof, D. gesellige Jh., 1982; H.-J. Gabler, Geschmack u. Ges., 1982; R. Geißler, Romantheorie i. d. A., 1984; A., hg. H. F. Wessels 1984; R. R. Wuthenow, D. Bild u. d. Spiegel, 1984; Auftieg u. Krise d. Vernunft, hg. M. Rössner 1984; A.en, hg. G. Sander 1986; *The early enlightenment*, hg. P. J. Korshin, Lond. 1987; H. Steinmetz, D. dt. Dr. v. Gottsched bis Lessing, 1987; S. Gössl, Materialism u. Nihilism, 1987; A. als Politisierg., hg. H. E. Bödeker 1987.

Auflage, im Verlagsbuchhandel die Anzahl der vom gleichen Drucksatz in einem einheitl. Arbeitsgang hergestellten Exemplare e. Druckwerks, gemäß der vom Autor im →Verlagsvertrag erteilten Berechtigung, verschieden je nach Art des Werks (wiss. Werke mit A.-höhe 500–3000, schöne Literatur über 5000); bei fehlender Übereinkunft je 1000 Exempl. zuzügl. der üblichen Zuschußexemplare als Ersatz für evtl. beschädigte Abzüge und Freiexemplare (bis zu 20% der A.-höhe). Meist wird die Entscheidung über die Höhe der A. dem Verleger überlassen, der sie nach Absatzerwartung und Risiko kalkuliert. Vor jeder Neu-A. erhält der Verfasser Gelegenheit zu Änderungen. Rest-A. heißen unverkäufl. Bestände für das moderne →Antiquariat. Auflagendruck heißt der Reindruck einer A. im Ggs. zum Probe- oder Andruck. →Titelauflage, →Ausgabe.
B. Hack, Üb. A.bezeichg. i. Buch (Börsenbl. f. d. Dt. Buchhandel 36, 1965).

Auflösung, 1. in der Metrik die Ersetzung einer im System vorgesehenen Länge durch zwei Kürzen: ◡◡ statt –: häufig in antikem, altgerman., ahd. und mhd. Vers. In german. Metrik trägt bei der A. einer Hebung die erste Silbe den Ton. Vgl. →Verschleifung. – 2. im Drama der Schlußteil der Handlung nach der →Katastrophe, der den →Konflikt klärt und entscheidet, im griech. Drama oft durch →Deus ex machina. Vgl. →Lösungsdrama.

Aufreihlied, vermutlich gemeinidg. Liedform, die im Ggs. zur →Hymne nicht die einzelne Tat eines Gottes oder Helden preist, sondern in knapper Form eine ganze Anzahl als bekannt vorausgesetzter Taten rühmend aneinanderreiht; in ind., iran., german. und röm. Lit. (z. B. VERGIL, *Aeneis* 8, 288 ff.) belegt.
F. R. Schröder, D. A., GRM 35, 1954.

Aufriß, meist knappe, systematisch fein untergliederte Darstellung e. Wissenschaft und ihrer Hilfswissenschaften.

Aufsatz, allg. jede kürzere Behandlung eines Themas in kunstloser Form, beim Schul-A. neben sachl. Bericht, Erlebnisbericht, Nacherzählung, Beobachtung, Beschreibung, Schilderung, Charakterbild und Stimmungsbild auch die Darstellung fiktiver Inhalte (Phantasieerzählung) zur Schulung des schriftl. Ausdrucks.
O. Ludwig, D. Schul-A., 1988.

Auftakt, in antiker Metrik auch →Anakrusis genannt, der aus einer oder mehreren unbetonten Silben bestehende Teil e. Versanfangs vor der ersten Hebung, so in german. Metrik bei allen jamb. Versen, z. B. ›*Was* hör ich draußen vor dem Tor...‹ (GOETHE). Im altdt. Vers ist gemäß der Senkungsfreiheit die Zahl der Eingangssenkungen frei; der A. kann fehlen, ein- oder mehrsilbig sein.

Auftragsdichtung, jede nicht aus innerem Bedürfnis nach künstlerischer Gestaltung oder sprachartist. Spieltrieb, sondern auf Bestellung von Außenstehenden (Gönnern, Mäzenaten, Fürsten, staatl./ges. Institutionen oder allg. zahlungskräftigen Klienten) verfaßte Dichtung, so bes. die Dichtung der →Hofpoeten, →Gelegenheitsdichtung, →Gebrauchslyrik oder z. T. auch →Tendenzdichtung zum Zweck polit. Propaganda. Da der Anstoß zum Schaffen für den lit. Wert des Geschaffenen irrelevant ist – eine Reihe führender Werke der Antike und des MA. entstand als A. – ist das Kriterium der A. im weitesten Sinne wertfrei. Im engeren Sinne bezeichnet A. dann nur ein lit. Werk, das ohne eigene Überzeugung und ohne eigenes Engagement dem Gedankengut des Auftraggebers lit. Formung gibt.

Auftritt (vom Hinauftreten des Schauspielers auf die erhöhte Bühne), das Erscheinen eines Schauspielers auf der Bühne, dann im Drama auch die kleinste, durch A. oder Abtreten e. Darstellers begrenzte Handlungseinheit und seit dem 17. Jh. vielfach gleichbedeutend mit →Szene.

Auftrittslied, im Musiktheater (Oper, Operette, Singspiel, Volksstück, Posse) eine Gesangspartie beim Auftreten der Hauptfiguren, im Volkstheater bes. der kom. Person, die thematisch auf die kommende Handlung einstimmt oder auch sie eröffnet, häufig als →Couplet mit gesellschaftskrit. Tendenz, die später im →Chanson fortlebt.

Aufzug (vom Aufziehen des Vorhangs oder der Personen auf die beim Aktbeginn leere Bühne), seit dem 17. Jh. Bz. für →Akt.

Augenreim, Reim zwischen Wörtern gleicher Schreibung, aber versch. Aussprache; bes. im Engl. nicht als Fehler angesehen: wood/flood; als →historischer Reim bezeichnet, wenn in einer früheren Sprachstufe zur Zeit der Entstehung reimend.

Auktoriales Erzählen (lat. *auctor* = Autor), im Ggs. zur objektiv-unmittelbaren Erzählung und zur Ich-Erzählung (→Ich-Form) diejenige Erzählsituation, in der ein überschauender, kommentierender Erzähler in die Erzählung eingreift, Vorausdeutungen gibt, Vorgeschichte nachholt, das Gespräch mit dem Leser sucht, seine →Perspektive beeinflußt oder gar den Erzählablauf nach Belieben ordnet (SWIFT, STERNE, WIELAND, Th. MANN).

F. K. Stanzel, Typ. Formen d. Romans, 1964, ¹⁰1984; ders., Theorie d. Erzählens, 1979, ³1985.

Aulabühne, die →Bühne des →Schuldramas und →Jesuitendramas im Festsaal (Aula) der jeweiligen Schule.

Aulodie (griech. =) Gesang zum Flötenspiel, Vortragsform der griech. Lyrik.

Ausdruck, im Sinne der Stilforschung die Sichtbarmachung eines Inneren durch einen sprachl. Gegenwert (Wort, Wortfügung, Lautgestalt, Rhythmus), der durch die für seine Wahl ausschlaggebenden Eigenschaften die ihm zugrunde liegenden seel. Vorgänge oder Befindlichkeiten in möglichst adäquater Weise verlautbart und dadurch eine Vorstellung von ihnen gibt. Seine Voraussetzung ist eine soweit entwickelte Sprache, daß sie nicht nur das Gemeinte, sondern auch die emotionale Einstellung des Sprechers dazu erfassen kann. Man unterscheidet den impulsiven, spontanen A. in der Realität von dem durch ästhet. Gestaltung gewonnenen, der die Grundlage der →Erlebnisdichtung bildet. Die Sprache der Dichtung enthält, an keine äußere Gegenständlichkeit gebunden, den reinsten A., der durch seine Bedeutungstiefe sich e. eigene Welt von Vorstellungen schafft. Die unmittelbare Umsetzung einer inneren Empfindung, Erfahrung oder Seelenlage in Sprache geschieht erst aufgrund e. bewußten Ausdruckshaltung, die nicht − wie z.B. beim →sinnbildlichen Sprechen − auf eine gegebene objektive Formwelt zurückgreift, sondern mit innerer Selbstbewußtheit und Persönlichkeitsbewußtsein ›aus sich heraus‹ spricht, ›der wahre A. der Empfindung und der ganzen Seele‹ (HERDER). A. des Inneren als Erlebnisdichtung wurde erstmals gegenüber den artifiziellen Kunstprinzipien früherer Epochen im dt. Irrationalismus (→Sturm und Drang) und dann wieder im →Expressionismus (Ausdruckskunst) gefordert. Die Überbewertung des individuellen, persönlichen A. gegenüber den Erfordernissen der Ästhetik ist e. Eigenart dt. Literaturbetrachtung.

K. Schultze-Jahde, Erleben u. A., 1929; P. Böckmann, Formgesch. d. dt. Dichtung I, 1949; Th. Spoerri, D. Weg z. Form, 1954.

Ausdruckskunst = →Expressionismus

Ausdruckslyrik strebt nach →Unmittelbarkeit der Gefühlswiedergabe (→Ausdruck) durch schlichte, doch beseelte Kunstmittel und natürliche Sprachgestaltung; in dt. Lit. durch KLOPSTOCK sowie HERDERS Sprach- und Kunstanschauung zur Geltung gebracht, sucht zunächst Nähe zum Volkslied; starker Einfluß auf den jungen GOETHE. →Sturm und Drang.

Ausdruckswert, die Fähigkeit sprachl. Gebilde (Laute, Worte, Sät-

ze, ganze Sprachen), mit oder ohne Rücksicht auf ihre sachliche Bedeutung, Gefühlsgehalte in sich aufzunehmen und zu vermitteln. →Ausdruck.

W. Schneider, A.e d. dt. Sprache, 1931; K. Schultze-Jahde, A. u. Stilbegriff, 1930.

Ausgabe, lat. →*editio,* im Buchhandel kein festumgrenzter Begriff, oft = →Auflage, auch unveränderter →Neudruck e. Auflage (z.B. Lizenz-A., Buchgemeinschafts-A.), oder durch äußere bzw. herausgeberische Kennzeichen von einer vorhandenen A. abstechende Editionsform: z.B. Quart-A., Einzel-A., Jubiläums-A., gekürzte A., Schul-A. u.a.; meist jedoch die in äußerer Ausstattung, Format, Güte u.a. abweichenden Bände derselben Auflage, z.B. ein- od. mehrbändige A., gebundene oder broschierte, Leinen- oder Leder-A., Pracht-A., Taschen-A., Volks-A., →Liebhaber-A., A. auf Bütten u.a.m. →Kritische A., →Gesamt-A., →Titelauflage, →Erstausgabe, →Ausgabe letzter Hand.

Ausgabe letzter Hand, bes. seit GOETHE (Vollst. A. l. H. 1827−30) Bz. für die letzte zu Lebzeiten e. Dichters erschienene, von ihm betreute bzw. überwachte und daher →authentische →Ausgabe seiner Werke. Da sie den endgültigen Willen des Autors darstellt, bildet sie meist die Grundlage e. →kritischen Ausgabe. Hingegen brauchen die späteren →Fassungen nicht unbedingt die lit. wertvolleren im Sinne e. reifenden Entwicklung zu sein, so daß die ursprüngl. Fassung neben ihr e. eigenes oder gar infolge ihrer zeitgenöss. Wirkung histor. ein bevorzugtes Daseinsrecht genießt (z.B. GRIMMELSHAUSENS *Simplicissimus*). Vgl. →Editionstechnik.

Aushängebogen, Fachausdruck des Buchdrucks: Reindruckbogen e. Buches, die der Drucker während des laufenden Fortdrucks dem Verleger und auf Wunsch dem Verfasser oder anderen interessierten Personen, z. B. Rezensenten, liefert, um sie von Fortschritt und Güte des Reindrucks zu unterrichten. Der Name stammt aus der Zeit des alten Meßverkehrs, wo die A. angezeigter und noch nicht fertig gedruckter Werke an der Presse bzw. den Verkaufsläden öffentlich ausgehängt wurden.

Ausländerliteratur, methodisch angreifbare Sammel-Bz. für die in dt. Sprache verfaßte Lit. von Autoren nichtdt. Muttersprache, die als Emigranten, Gastarbeiter oder urspr. Studenten im dt. Sprachraum leben und bei großer sozio-kultureller Bandbreite zur Vielfalt mod. Lit beitragen, also nicht in das nur stofflich umschriebene Getto u. ›Gastarbeiterlit.‹ abzudrängen sind.

H. Schierloh, Das alles für e. Stück Brot, 1984; Gastarbeiterlit., hg. I. Ackermann, LiLi 14, 1984; Eine nicht nur dt. Lit., hg. dies. 1986; R. Dove, *Writing in the margin* (Quinquerème 9, 1986); H. Heinze, Migrantenlit. i. d. BRD, 1986; H. Hamm, Fremdgegangen freigeschrieben, 1988.

Auslassung →Ellipse

Auslegung →Deutung, →Exegese, →Hermeneutik, →Interpretation

Auspacker-Literatur, abschätzige Bz. für diejenigen Werke bes. der mod. Erzähllit., die sich nicht an die herkömmlichen Dezenz- und Tabuvorstellung der älteren Generation halten und neue Bereiche des Unbewußten oder des Erotisch-Sexuellen der lit. Darstellung erschließen.

Ausruf, Stilmittel des Affekts, der echten Gemütserregung oder der rhetor. Belebung innerhalb von Rede oder Erzählung; auch im Buchtitel (B. v. Suttner, *Die Waffen nieder!*).

Ausstattung, im Bühnenwesen über die bloße →Dekoration und →Kulissen hinaus alles, was zur illusionsfördernden Kennzeichnung und Ausschmückung des Schauplatzes dient: Mobiliar, →Requisiten, →Kostüme, Beleuchtung u.a.m. Für das Drama selbst nicht wesentlich, verstärken sie die opt. Illusion beim Zuschauer. – Das antike Theater verwendete vermutlich nur geringe A. (→Kothurn, →Soccus), MA. und 16. Jh. (Fastnachtsspiele, Meistersingerdramen, Schuldrama) nur die dekorationslose Bühne mit gesprochener (d.h. durch das Wort angedeuteter) A. In der großräumigen Perspektiv-Bühne des Barock, der →Shakespeare-Bühne und auch der maßgebl. Bühne des 18. Jh. (Mannheim), herrschte äußerste Einfachheit der A. mit Requisiten, die z. T. noch bis ins 19. Jh. auf die Kulissen gemalt wurde. Daneben entwickeln die höf. Festspiele und Opern des 17./18. Jh. einen steigenden Luxus der A. und Maschinenkünste (→Theatermaschinen), die von →Jesuitendrama, Ballett, Wiener Singspiel, Posse und Raimunds Zaubermärchen aufgenommen und zur Blüte gebracht wurden (→Ausstattungsstück).

Seit 1850 wandte sich Laube gegen die drohende Veräußerlichung der Bühne und beschränkte in Wien und Leipzig die A. auf das Notwendigste zugunsten des gesprochenen Wortes. Entgegengesetzte Bestrebungen vertrat Dingelstedts optisch betonte Ausstattungsregie und die Forderung der →Meininger (1874) nach historisch getreuer, wirklichkeitsnaher A., die der Naturalismus mit Echtheit auch des ärml. Milieus bis ins Detail (Gerüche!) verband. Der Expressionismus als Gegenschlag begnügte sich meist mit Lichtwirkungen und kubist. Formen. Die schlichte →Stilbühne

der Gegenwart strebt nach e. andeutenden, symbolhaften A.
Lit. →Theater.

Ausstattungsstück, auf opt. Effekte und Prachtentfaltung abzielendes, veräußerlichtes Bühnenwerk, bei dem prunkhafte →Ausstattung über die eigentliche Dichtung gestellt wird: Opernaufführungen und Ballett des 17./18. Jh., Prunkoper, Operette und Musical des 19. und beginnenden 20. Jh.; Märchendrama, Zauberposse u. ä., am krassesten in den nur Ausstattung bietenden mod. →Revuen.

H. Tintelnot, Barocktheater u. barocke Kunst, 1939.

Authentisch (griech. *authentikos* = zuverlässig, nach e. sicheren Gewährsmann) ist in der →Textkritik ein echter, zuverlässiger Text in der vom Autor gewollten und gegebenen Form im Ggs. zum →unechten, ungenauen oder gar unterschobenen Text. Vgl. →Ausgabe letzter Hand.

Auto (span.-portug., v. lat. *actus* = Akt, Handlung), in Spanien und Portugal e. feierl. religiöse oder gerichtl. Handlung, dann kurzes, einaktiges Versschauspiel moral.-religiösen Inhalts zur Verherrlichung kirchl. Festtage in Kirchen und auf öffentl. Plätzen der größeren Städte (Wagenbühnen) mit Gesang- und Tanzeinlagen. Aus ma. Mysterien, Mirakeln und Moralitäten entstanden, wurden sie im 12./13. Jh. Lieblingsunterhaltung des Volkes, jedoch nach Ablösung von bibl. Themen 1765 als angebl. Entweihung des Heiligen untersagt und mühevoll verdrängt. In der ältesten Form schlicht sachl. Darstellungen bibl. Stoffe aus der Liturgie zur Weihnachts- und Osterzeit und an Festtagen der Heiligen, erlebten sie e. frü-

he Blüte Ende des 15. Jh. durch die Hauptvertreter der Gattung, Juan DEL ENCINA (span.) und Gil VICENTE (port.). Unter dem Einfluß der Literatur wurden sie später zu mystisch-symbol. oder allegor. Verherrlichungen bes. des Altarsakraments: A.s sacramentales oder A.s del Corpus Christi (= Fronleichnamsspiele), die ihre Stoffe nicht nur aus der Bibel, sondern auch aus antiken, histor., literar., profanen Quellen, Phantasie oder Alltagsleben schöpften und vielfach mit Abstraktionen und Personifikationen arbeiten. Höhepunkte dieser bes. span. Gattung bilden die A.s von Lope de VEGA (angebl. 400), J. PEREZ DE MONTALVAN, TIRSO DE MOLINA, VALDIVIELSO, F. ROJAS ZORILLA u. a., bes. aber CALDERÓNS 73 erhaltene A.s brachten die Vollendung durch Auffassungstiefe, Feinheit der Gestaltung und des Ausdrucks (z. B. *Das große Welttheater, Balthasars Nachtmahl*). Erneuerungsversuche im 20. Jh. (R. ALBERTI) blieben erfolglos.

J. Mariscal de Gante, *Los a.s sacramentales,* 1911; A. E. Parker, *The Allegorical Drama of Calderón,* Oxf. 1943; B. W. Wardropper, *The Search for a Dramatic Formula for the A. Sacr.,* PMLA 65, 1950; ders., *Introducción al teatro religioso del siglo de oro,* 1953, ²1967; A. Valbuena Prat, *Hist. del teatro español,* 1956; R. B. Donovan, *The liturg. drama in medieval Spain,* Toronto 1958; N. D. Shergold, J. E. Varey, *Los a.s sacr. en Madrid en la época de Calderón,* 1961; J. L. Flecniacoskya, *La formation de l'auto religieux en Espagne avant Calderón,* Montpellier 1961; B. W. Wardropper, *Introd. al teatro relig. del Siglo de oro,* Salamanca 1967. →Theater.

Autobiographie (v. griech. *autos* = selbst, *bios* = Leben, *graphein* = schreiben), lit. Darstellung des eigenen Lebens, von der primitiven Aneinanderreihung äußerer Geschehnisse (Götz von BERLICHINGEN, *Lebensbeschreibung*) und den sachlichen Darstellungen denkwürdiger

Geschehnisse (röm. →Kommentare, griech. →Hypomnemata) bis zur →bekenntnishaften Bildungs- und Entwicklungsgeschichte der eigenen Seele (PLATONS 7. Brief, ROUSSEAU, Confessions), die den Schlüssel zum Verständnis der Persönlichkeit in den Lebensbedingungen, der psycholog. Entwicklung und bes. Erlebnissen sucht (ABÄLARD, Historia calamitatum mearum, 1133–36, DANTE, La vita nuova, 1292, CELLINI 1502, CARDANO, GOETHE, Dichtung und Wahrheit). Sie kann e. Rechtfertigung der Taten- oder Gedankenwelt vor sich und der Mitwelt enthalten (→Apologie) oder den Lebenslauf in übergreifende Zusammenhänge eingeordnet sehen und zeigt dann neben dem Wert als Persönlichkeitsdokument zeitgeschichtl. und kulturhist. Züge. Sie wird als Ganzes immer zu e. nachträgl. Sinngebung des gelebten Lebens aus einheitl. Perspektive – und sei sie negativ – neigen und das Leben als geschlossene Einheit betrachten, so daß ihre Wahrheit letztlich immer nur eine persönliche, keine objektive Wahrheit sein kann, während der autobiograph. Roman (KELLER, BRONTË, PROUST, D. H. LAWRENCE) in einer vom Ich abgerückten Figur teils größere Objektivität entfalten kann. Lebensdarstellungen unter dem Aspekt des Glaubens erscheinen insbes. in Zeiten relig. Verinnerlichung als Ergebnis tiefer Selbstergründung (z.B. AUGUSTINUS, ABÄLARD, ST. TERESA, SEUSE, J. BUTZBACH, Th. PLATTER, BUNYAN, A. H. FRANCKE, HAMANN, JUNG-STILLING). Je nach den Entstehungsbedingungen bevorzugt die A. die lockere Form des →Tagebuchs (GRILLPARZER, HEBBEL, GIDE), der mehr umweltbezogenen →Memoiren (GOETHES Tages- und Jahreshefte) oder der architektonisch geschlossenen Gesamtdarstellung (GOETHE) mit eigenem Weltbild. Die erste dt. A. bildet ULRICHS VON LICHTENSTEIN Frauendienst. Ausbildung der mod. A. mit der Hinwendung zur Lebenspraxis e, sich selbst reflektierenden Individuums seit der Renaissance. Wichtigste A.n ferner von PETRARCA, HUTTEN, S. PEPYS, A. d'AUBIGNÉ, FRANKLIN, Ph. MORITZ (Anton Reiser), U. BRÄKER (Lebensgeschichte des armen Mannes im Tockenburg), ALFIERI (Vita, 1803), GIBBON, DE QUINCEY (Confessions of an English Opium-Eater, 1821), PELLICO (Le mie prigioni, 1832), BACHOFEN, L. RICHTER, CHATEAUBRIAND, STENDHAL, H. ADAMS, DARWIN, M. GORKIJ, ANDERSEN (Das Märchen meines Lebens), AMIEL (Journal intime, 1884), E. M. ARNDT, W. v. KÜGELGEN, STRINDBERG, NEWMAN, WILDE, S. T. AKSAKOV, B. CROCE, GANDHI, M. ANDERSEN-NEXÖ, G. HAUPTMANN (Das Abenteuer meiner Jugend), M. HALBE, H. LERSCH (Hammerschläge, 1930), YEATS, H. JAMES, O'CASEY, E. TOLLER, St. ZWEIG, A. SCHNITZLER, A. KOESTLER, BINDING, CAROSSA, WIECHERT, I. EHRENBURG, J.-P. SARTRE, F. MAURIAC, E. CANETTI, C. ZUCKMAYER, P. WEISS u.a.m. – Über die dichterisch verklärte A. →Semi-A., über die fingierte A.: →Ich-Form.

W. Mahrholz, Dt. Selbstbekenntnisse, 1919; Th. Klaiber, D. dt. Selbstbiographie, 1921; H. Gruhle, D. Selbstbiogr. als Quelle histor. Erkenntnis (in: Erinnerungsgabe f. M. Weber, 1923); C. Murchison, A history of psychology in A., IV Worcester, Mass. 1932–52; A. M. Clark, A., Edinburgh 1935; G. Misch, Gesch. d. A., VII ^{3}1949ff.; ders., Stud. z. Gesch. d. A., IV 1954–60; W. Müller-Seidel, A. als Dichtg. i. d. neueren Prosa, DU 3, 1951; W. Shumaker, Engl. A., Berkeley 1954; W. Matthews, British A.s, ebda. 1955; Formen der Selbstdarstellung. Festgabe F. Neubert, 1956; N. H. Wethered, The curious Art of A., N.Y. 1956; RL; R. Pascal, A. as an art form (Stil- u. Formenpro-

bleme, hg. P. Böckmann, 1959); M.
Schütz, D. A. als Kunstwerk, Diss. Kiel
1963; R. Pascal, D. A., 1965; I. Bode, D.
A.n z. dt. Lit., Kunst u. Musik
1900–1965, 1966; J. N. Morris, *Versions
of the self*, N.Y. 1966; D. B. Shea, *Spiri-
tual A. in early America*, Princeton 1968;
P. Delany, *British a. in the 17th cent.*,
Lond. 1969; M. Beyer-Fröhlich, D. Entwicklg. d. dt. Selbstzeugnisse, ²1970; B.
Neumann, Identität u. Rollenzwang,
1971; P. Lejeune, *L'a. en France*, Paris
1971; J. Olney, *Metaphors of self*, Princeton 1972; U. Münchow, Frühe dt. Arbei-
ter-A., 1973; F. R. Hart, *Notes for an
anatomy of mod. a. (New directions in
lit. hist.*, hg. R. Cohen, Lond. 1974); R.-
R. Wuthenow, D. erinnerte Ich, 1974; K.-
D. Müller, A. u. Roman, 1976; G. Niggl,
Gesch. d. dt. A. i. 18. Jh., 1977; I. Aichinger, Künstler. Selbstdarstellg., 1977; M.
Guigelminetti, *Memoria e scrittura*, Mail.
1977; H. R. Picard, A. i. zeitgen. Frankr.,
1978; K. J. Weintraub, *The value of the
individual self*, Chic. 1978; P. Sloterdijk,
Lit. u. Organisation v. Lebenserfahrg.,
1978; G. May, *L'a*, Paris 1979; P. Fre-
richs, Bürgerl. A. u. proletar. Selbstdarstellg., 1980; H. Wenzel, D. A. d. späten
MA. u. d. frühen Neuzeit, II 1980; A., hg.
J. B. Olney, Princeton 1980; W. C. Spen-
gemann, *The forms of a.*, Yale 1980; J.
Pilling, *A. and imagination*, Lond. 1981;
S. Schwab, A'ik u. Lebenserfahrg., 1981;
D. Vincent, *Bread, knowledge and freedom*, Lond. 1982; J. V. Gunn, *A.*, Phil.
1982; A. Lehmann, Erzählstruktur u. Lebenslauf, 1983; J. Kuczynski, Probleme
d. A., 1983; Biogr. u. A. i. d. Renaiss., hg.
A. Buck 1983; Probleme dt. Identität, hg.
P. G. Klussmann 1983; S. Frieden, *A.*,
1983; J. Szávaj, *The autobiography*, Bu-
dapest 1983; R. N. Coe, *When the grass
was taller*, Yale 1984; Lit. aus d. Leben,
hg. H. Heckmann 1984; M. Vogtmeier,
D. proletar. A. 1903–1914, 1984; J.
Kronsbein, Autobiogr. Erzählen, 1984; B.
Saunders, *Contemp. German a.*, Leeds,
1985; H. Winter, D. Aussagewert v.
Selbstbiogr., 1985; P. J. Eakins, *Fictions
in a.*, Princeton 1985; R. Tarot, D. A.,
PoE 1985; H. I. Stull, *The evolution of
the a. 1770–1850*, 1985; L. H. Peterson,
Victorian a., Yale 1986; K. Goodman,
Dis-Closures, women's a, 1986; B. Fin-
ney, *The inner I*, Lond. 1986; M. Schneider, D. erkaltete Herzensschrift, 1986; H.
Pfotenhauer, Literar. Anthropologie,
1987; C. Deußen, Erinnerg. als Rechtfer-
tigg., 1987; R. Elbaz, *The changing nature of the self*, Lond. 1987; J. Jessen,
Bibl. d. A.n, 1987; I. Bernheiden, Individualität i. 17. Jh., 1987; M. Salzmann, D.
Kommunikationsstruktur d. A., 1988; J.
Lehmann, Bekennen, Erzählen, Berichten, 1988.

Autobiographischer Roman, fiktionale Gestaltung biograph. Erlebnisse des Autors, der das stoffl. Material nicht unter dem Aspekt der
Wahrheit um ihrer selbst willen,
sondern nach künstler. Struktur,
Sinn- und Symbolkraft gestaltet, stilisiert, umstrukturiert, wegläßt oder
ergänzt, entweder in Ich-Form oder
in perspektiv. Brechung der 3. Person, meist als Künstler-, Bildungs-
oder Zeitroman (K. Ph. MORITZ, A.
de MUSSET, G. KELLER, D. H.
LAWRENCE, A. KOLB, P. WEISS
u. a.).

K.-D. Müller, Autobiogr. u. Roman,
1976. →Autobiographie.

Autograph (v. griech. *autographos*
= eigenhändig geschrieben), eigenhändiges Schreiben e. bekannten
Persönlichkeit allg., bes. aus Politik,
Geschichte, Lit., Kunst oder Wissenschaft, dann auch die eigenhändige handschriftliche, authentisch
maschinengeschriebene oder handschriftlich verbesserte Form e.
Schriftwerkes, seit 16., in Dtl. 18.
Jh. gesammelt und oft je nach Bedeutung des Autors, Inhalt und Seltenheit des A. von hohem Liebha-
berwert bei Privatsammlern, Archiven und Bibliotheken, die sie der
wiss. Forschung erhalten und zugänglich machen. Vgl. →Manu-
skript.

E. Wolbe, Hdb. f. A.ensammler, 1923;
W. Frels, Dt. Dichter-Hss. v. 1400–1900
(Ges.-Katalog), 1934; A. N. L. Munby,
The Cult of the A. Letter, Lond. 1962; G.
Mecklenburg, V. A.-Sammeln, 1963; Ch.
Hamilton, *Collecting a.s and manu-
scripts*, Norman 1969; R. Notlep, *The A.
Collector*, N.Y. 1969; H. Jung, Ullsteins
A.enbuch, 1971.

Automatischer Text, ein durch au-
tomatisches Schreiben (écriture automatique), d.h. nicht vom Bewußtsein und Willen kontrollierten,
quasi unterbewußten und präästhet.
Schaffensprozeß entstandener Text.
Die frühen franz. Surrealisten schu-

fen a. T., indem sie impulsiv und ohne ästhet. Brechung alle Worte und Sätze aufschrieben, die ihnen in den Sinn kamen, ohne vorgegebenen Gegenstand, geistige Hemmungen, reflektorische Pausen und daher z. T. ohne inneren Zusammenhang. Die Ergebnisse sind vom psycholog. Standpunkt interessanter als vom ästhetischen, doch wirkte die Methode auch auf Werke wie A. BRETONS / P. SOUPAULTS *Les champs magnétiques,* A. BRETONS *Nadja* und L. ARAGONS *Les beaux quartiers* und *Le paysan de Paris* ein. Vgl. →Computerlyrik.

G. A. Miller, *Automatic writing* (in: *Language and communication,* N.Y. 1951); T. M. Scheerer, Textanalyt. Stud. z. écriture autom., Diss. Bonn 1973. →Surrealismus.

Autonome Dichtung →absolute Dichtung

Autonym (v. griech. *autos* = selbst, *onoma* = Name), im Ggs. zu →anonym oder →pseudonym e. Werk, das vom Verfasser unter seinem eigenen Namen herausgegeben wurde.

Autopsie (v. griech. *autos* = selbst, *oposis* = Sehen), 1. Selbstbeobachtung, das persönl. Erleben und Durchmachen, das in verklärter und dichterisch geweiteter Form künstlerische Gestalt gewinnen kann. →Erlebnis. – 2. eigene Einsichtnahme in e. Handschrift, e. Ausgabe usw.

Autor (lat. *auctor* = eig. Förderer; Schöpfer), Urheber, insbes. e. lit. Arbeit: →Schriftsteller, ›Dichter, →Verfasser. Während Werke aus Frühzeit und MA. oft →anonym überliefert sind, tritt schon in der Antike und dann wieder seit der Renaissance der A. als selbstbewußte Schöpferpersönlichkeit in Erscheinung und beansprucht sein geistiges Eigentum, später als →Urheberrecht. – Poetolog. Probleme bie-

tet die weitverbreitete, aber fragwürdige Gleichsetzung des A. mit dem lyr. Ich im Sinne e. Erlebnislyrik und mit der →Erzählerfigur in der Epik, die zumeist als angenommene, fiktive Rollen eine Identifikation verbieten.

Autorenexemplare, im Verlagsrecht diejenigen Freistücke eines Werkes, die der Autor gemäß Verlagsrecht vom Verlag für seinen eigenen Gebrauch oder zum Verschenken, nicht jedoch zum Weiterverkauf beanspruchen kann: 1 Stück je 100 gedruckte Exemplare, mindestens 5, höchstens 15; ferner solche Exemplare, die der Autor über die Freistücke hinaus vom Verleger zu dessen höchstem Rabattsatz zu beziehen berechtigt ist. A., die in Kollegenkreisen getauscht wurden, traten in der Frühzeit des Verlagswesens im Humanismus vielfach an die Stelle eines →Honorars.

Autorenhonorar →Honorar

Autorisation, allg. das Einverständnis des Autors mit einer Textfassung, einer Ausgabe seines Werkes (autorisierte Ausgabe) oder dessen Übersetzung. Vorliegen und Grad der A. sind grundlegend wichtig für die →Textkritik neuerer Literaturwerke hinsichtlich evtl. Varianten. Man unterscheidet autorisierte, d. h. vom Autor als gültig und mit seinem Wissen vorgenommen erklärte Änderungen von fremder Hand und nichtautorisierte Varianten, z. B. Druckfehler, hinsichtlich des Grades der A. aktive A. als bewußte eigenhändige Übernahme eines Änderungsvorschlags und passive A. als Hinnehmen einer möglicherweise unbemerkten Textentstellung.

Autorkorrektur, die vom Verfasser selbst besorgte Durchsicht des Drucksatzes im Hinblick auf

Druckfehler, zu der er ohne gesonderte Vergütung verpflichtet ist. Man unterscheidet 1. und 2. A. oder Fahnen- und Umbruchkorrektur. Soweit die A. Setzerfehler ergibt, geht deren Berichtigung zu Lasten der Druckerei; benutzt der Autor die A. zu nachträgl. Änderungen an der Satzvorlage (Manuskript), so können nach Verlagsrecht die dadurch entstandenen Kosten ihm angelastet werden, sofern sie 10% der gesamten Satzkosten überschreiten.

Auto sacramental →Auto

Autotypen (v. griech. *autos* = selbst, *typos* = Gestalt), die zu Lebzeiten e. früheren Autors erschienenen Schriften oder →Faksimiles älterer Drucke. Vgl. →Autograph.

Avadâna (ind. = große Leistung), buddhist. Heiligenlegenden, beliebte Erzählstoffe um berühmte Persönlichkeiten aus der Geschichte der buddhist. Religion, deren bedeutender relig. oder moral. Leistung und deren Lohn in späteren Wiedergeburten; mehrere Slgn. in der Ursprache erhalten.

Avantgarde (franz. = Vorhut), extrem fortschrittl. Kunstrichtung mit besonderer Neigung zum formalen und stilist. Experiment als Erweiterung der überlieferten Ausdrucks- und Darstellungsformen und Anbahnung neuer Entwicklungslinien im Sinne der autonomen Kunst. Die radikalen Neuerungen der A. beschränken sich nicht aufs Formale, sondern greifen auch auf inhaltl. und grundsätzl. Fragen über und richten sich meist gegen lit. und gesellschaftliche Konventionen, gegen eingeführte, in sich beruhigte Stilpositionen, gegen den herkömmlichen, eingegrenzten Aufgaben- und Wirkungsbereich der Lit. und gegen die bisherigen Funktionen des Schriftstellers. Fast jede neuere lit. Strö-

mung galt in ihrer Frühzeit als A., so Expressionismus, Dadaismus, Futurismus, Kubismus, Surrealismus, konkrete Lyrik, nouveau roman, absurdes Drama und Computerlyrik.

L. Kofler, Z. Theorie d. mod. Lit., 1962, ²1974; H. E. Holthusen, A.ismus, 1964; G. de Torre, *Hist. de las literaturas de vanguardia,* Madrid 1965; A., hg. Bayr. Akad. d. schönen Künste, 1966; E. Sanguinetti, *Sociologie de l'a.* (*Litt. et société,* 1967); B. Goriély, *Le avanguardie lit. in Europa,* Mail. 1967; R. Poggioli, *The Theory of the A.,* Cambr./Mass. 1968; M. Szabolsci, L'a. (*Actes du Ve Congrés de l'assoc. intern. de litt. comp.,* 1969); M. Calinescu, A., YCG 23, 1974; P. Bürger, Theorie d. A., 1974; ›Theorie d. A.‹, hg. W. M. Lüdke 1976; E. Lohner, D. Problematik d. Begriffs A. (Herkommen u. Erneuerung, Fs. O. Seidlin 1976); S. Schlenstedt, Problem A., WB 23, 1977; H. Böhringer, A., AfB 22, 1978; Künstlerische A., hg. K. Barck 1979; Faschismus u. A., hg. R. Grimm 1980; Lyrik u. Malerei d. A., hg. R. Warning 1982; K. Biermann, Lit.-polit. A. i. Frankr. 1830–70, 1982; P. Drews, D. slaw. A. u. d. Westen, 1983; K. D. Beekman, *A. lit.,* Poetics 13, 1984; *Les a.s lit. au 20. siècle,* hg. J. Weisgerber, Budapest II 1984; C. Russell, *Poets, prophets, and revolutionaries,* N.Y. 1985; Eth. contra ästh. Legitimation v. Lit., hg. W. Haug 1986; W. Ihrig, Lit. A. u. Dandysmus, 1988.

Avanturierroman (frz. *a.* = Abenteurer), Sonderart des →Abenteuerromans, letzter Ausläufer des →Schelmenromans unter starkem Einfluß der →Reiseroman und →Robinsonade. Typischer Stoff: Geschichte e. jungen Menschen aus unterster Gesellschaftsschicht mit schwerer Jugend, der, als Emporkömmling skrupellos in der Wahl seiner Mittel und kühn im Bestehen von Abenteuern (Seereisen, Schiffbruch, Krieg, Gefangenschaft, Aussetzung, Berufswechsel), sein Leben als angesehener, seßhafter Bürger beschließt. Häufiger Schauplatzwechsel, eine Vielzahl von meist typisierten Personen, Wiederkehr gleicher Motive und geschichtl. Hintergrund sind stehende Kennzeichen des A. Man unterscheidet die dem Landstörzerroman und die der Robinsonade nahestehenden Abarten des A. von den sog. Pseudo-Avanturiers, die nur den Namen als Reklame benutzen. Erster A.: *Den vermakelijken Avanturier* des Holländers Nic. HEINSIUS (1695), seit 1714 *(Der Kurtzweilige Avanturier)* auch rd. 20 dt., meist anonyme A.; bis 1760 sehr beliebt, wertvolle Quelle für Sitten und lit. Geschmack der Zeit.

B. Mildebrath, D. dt. ›Aventuriers‹ d. 18. Jh., Diss. Würzbg. 1907; RL; D. Reichardt, V. Quevedos Buscón z. dt. A., 1970.

Aventiure (mhd., v. frz. *aventure*, mlat. *adventura* = Abenteuer), in mhd. Dichtung, zumal der Artusdichtung, das Abenteuer *(Iwein* 527 ff.), das wie jeder echte Ritter auch der Held der Erzählung bestehen muß, insbes. der Zweikampf; dann der Abschnitt e. Dichtung, der e. einzelnes solches A. berichtet (zuerst im *Nibelungenlied),* auch die ganze abenteuerliche, erfundene Erzählung (zuerst bei WOLFRAM: Parzival = ›dirre aventiur herre‹) der A.-ndichter im Ggs. zu denen der Heldenepiker; schließlich als →Personifikation ›Frou A.‹ bei WOLFRAM, *Parzival* IX, u.a.m. bis zu V. v. SCHEFFEL.

J. Schwietering, Singen u. Sagen, Diss. Gött. 1908; RL; M. S. Batts, D. Form d. A.n. im Nibelungenlied, 1961; A. Meng, V. Sinn d. ritterl. Abenteuers, 1967; Ch. Cormeau, ›Wigalois‹ und ›Diu Crone‹, 1977; M. Nerlich, Z. Begriffsgesch. v. Abenteuer, WB 23, 1977.

Aventure (franz. =) →Aventiure

Aviso (ital. = kleines, schnelles Aufklärungs- und Nachrichtenschiff), alte Bz. für →Zeitung.

Axamenta (lat.), die Lieder bzw. Hymnen der altröm. Salierpriesterschaft, in Saturniern verfaßt.

Babad, javan. pseudohistor. Vers- und Prosaerzählungen in Chronikform, die Phantasieerzählungen, Mythen, Überlieferung, Geschichte und Übernahmen aus versch. Gattungen mit vorhinduist., hinduist. und islam. Zügen mischen und wegen ihrer ständigen Erweiterung durch neue Zusätze als histor. Quellenwerke gelten.

Bacchius (lat., griech. Bakcheios), nach seiner Verwendung in Liedern auf den Gott Bacchus benannter dreisilbiger antiker Versfuß, bestehend aus einer Kürze und zwei Längen: $\cup--$; in griech. Dichtung oft als synkopierter Jambus, als Abschluß jamb. oder choliamb. Reihen, bes. des katalekt. jamb. Trimeters, selten als eigene Reihe; in röm. Komödie häufig, bes. als akatalekt. Tetrameter; auch mit Ersatz der Kürze durch e. Länge und Auflösung e. Länge in zwei Kürzen. (Ähnliches Metrum in FERDAUSĪS pers. Epos *Shāh-nāmé*). Vgl. →Antibacchius.

Lit. →Metrik.

Backfischroman, Gattung der Trivial- und Jugendlit., der klischeehafte, schwärmerische, zeitferne Jungmädchenroman mit z.T. pädagog. Ambition aus dem Leben junger Mädchen im Pensionat und Heim vor der Verlobung, der den jungen Leserinnen meist die Identifikation mit den Hauptgestalten nahelegt, z.B. E. von RHODEN, *Trotzkopf* (1885), E. URY, *Nesthäkchen* (1918 ff.). Der B., bekannt nach dem Protoyp von C. HELM *Backfischchens Leiden und Freuden* (1863), erlebte seine Blütezeit im Bürgertum der Jahre um 1850–1930 und ist heute fast erloschen. Vgl. →Mädchenbuch.

R. M. Rigol, Backfischbücher, DU 38, 1986.

Badezellenbühne, Bühnenform für das Schuldrama des Humanismus: dekorations- und kulissenlose Vorderbühne, deren Hintergrund durch zwischen Säulen nebeneinander hängende Vorhänge abgegrenzt ist, die als ›Zellen‹ zwischen Pfeilern, oft mit den Namen der Figuren als Inschrift, Häuser, aufgeschlagen e. Hausinneres darstellen. Die Schauspieler treten in dieser →Simultanbühne, die keine Veränderung und nur gesprochene Dekoration erlaubte, aus ihren Häusern wie aus Badezellen. Die Abbildung der B. in TERENZ-Ausgaben des späten 15. Jh. gab Anlaß zu diesem humanist. Rekonstruktionsversuch und führte zu der fälschlich zurückprojizierenden Bz. Terenzbühne.

P. E. Schmidt, D. Bühnenverhältnisse d. dt. Schuldramas, 1903. →Bühne, →Theater.

Bänkelsang (Name nach GOTTSCHED, 1730), der Vorstoß der Triviallit. in Richtung auf ein Gesamtkunstwerk: das Lied der seit dem 17. Jh. als Nachfahren der Zeitungssänger (→Zeitungslied) umherziehenden Schausteller und Jahrmarktssänger, die die neuesten, bes. seltsame und wunderbare Nachrichten zur Zeitgeschichte und aufregende, aktuelle Schauergeschichten (Verbrechen, →Moritaten, Laster, Greuel, Familientragödien, Naturkatastrophen) verbreiten. Auf Märkten, Messen und Kirchweihfesten tragen sie zu obligatorischer Lauten- oder Drehorgelmusik nach bekannten Melodien, mit e. Stab auf primitiv-schauerl. Wachstuch-Bildtafeln weisend und auf e. Holzbank (daher Name) stehend, ihre monoton-melanchol., stets mit handfest-prakt. soz.-pädagog. und moral. Nutzanwendung pointierten Lieder oder optimistisch und gerecht endenden Prosageschichten vor, um gleichzeitig fliegende Blät-ter mit dazugehörigem Text und Bildern zu verkaufen, alles in ernster, lehrhafter Absicht und keineswegs zur Belustigung. Die Texte, selten von den Sängern selbst, meist als anonyme Auftragsarbeiten der B.-Verleger verfaßt, arbeiten mit formelhafter Sprache, typisierten Figuren und klischeehaften Situationen; sie appellieren mit grellen Effekten an Neugier, Stoffhunger, Rührung und Sensationslust der Hörer und bestätigen im Ausgang die kleinbürgerl. Morallehre. – Mitte des 18. Jh. fand der B. als vermeintliche Volksdichtung auch in gebildeten Kreisen ernsthafte Beachtung; es entstand e. lit., meist ironisierter B. (›Salon-B.‹) in den sog. →Balladen und →Romanzen von GLEIM, SCHIEBELER, LÖWEN und BÜRGER, seit 1848 ein soz.-polit. agitierender B. bei HEINE und HOFFMANN VON FALLERSLEBEN, wieder aufgegriffen und parodiert von RINGELNATZ, WEDEKIND, LILIENCRON, BIERBAUM, MEHRING, MORGENSTERN, MÜHSAM, BRECHT *(Mackie Messer),* KÄSTNER, R. WOLF, KUNERT, REINIG u. a., bes. im →Kabarett. Die Funktion des B. wird heute von der Boulevardpresse und Comics wahrgenommen; den z. T. unterschwellig polit. Akzent baut der →Protestsong aus.

H. Naumann, Studien üb. d. B. (Zs. d. Vereins f. Volkskunde 31, 1921); G. Böhme, Bänkelsängermoritaten, Diss. Mchn. 1922; G. Jacob, Z. Gesch. d. B. (*Litterae orientales* 41, 1930); O. Görner, B. (Mitteldt. Blätter f. Volkskunde 7, 1932); E. Sternitzke, D. stilisierte B., Diss. Würzburg 1933; B. u. Singspiel vor Goethe, hg. F. Brüggemann 1937; M. Kuckei, Moritat u. B. in Niederdtl., 1941; ders., Der Leierkasten, 1943; A. Lehmann, Zw. Schaubuden u. Karussells, 1952; G. Gugitz, Lieder d. Straße, 1954; RL; E. Janda, F. Nötzoldt, D. Moritat v. B., 1959; L. Shepard, *The broadside ballad,* Lond. 1962; K. V. Riedel, D. B., 1963; G. Oettich, D. B. i. d. Kunstdichtg. d. 20. Jh., Diss. Wien 1964; B. Beneš, D. B.-Ballade i. Mitteleuropa (Jb. f. Volksliedforschg. 16, 1971); Lechzand nach Tyrannenblut,

hg. H. D. Zimmermann 1972; L. Petzoldt
in Hdb. d. Volksliedes I, 1973; ders., B.,
1974; K. Riha, Moritat, B., Protestballa-
de, 1975, ²1979; L. Petzoldt, D. freudlose
Muse, 1978; W. Hirdt, Ital. B., 1979; K.
Riha, D. Moritatenbuch, 1981; B., hg.
W. Braungart 1985.

Baguenaude (frz. ›hohle Frucht‹),
Form der Nonsense-Dichtung im
franz. 15./16. Jh.: Gedicht von beliebig vielen und beliebig langen
Strophen mit durch ein Metrum gebundenen Versen oft ohne Reim,
Sinn und inneren Zusammenhang:
lockere Reihung von Einfällen zu e.
vagen Thema.

Bait (pers.), in der pers. Dichtung
das Verspaar oder Distichon als
Verbindung zweier nach ihrer pros-
odischen Silbenzahl übereinstim-
mender Verse, die durch einen Gedanken oder einen Gedanken mit
seiner Begründung oder gelegentlich
auch durch Parallelismus zu einer in
sich selbständigen inhaltlichen Einheit verknüpft sind. Vgl. arab.
→Beit.

Bakchius →Bacchius

Bakhar (ind. = Chronik), histor.
Prosachroniken der ind. Marâthî-
Lit.

Balada (provenzal. = Tanzlied),
Gattung der Trobadorlyrik, provenzal. Tanzlied zum Reihen- oder
Kettentanz ähnlich der →Dansa ohne feste metrische Form, doch mit
z.T. mehrfach innerhalb einer Strophe auftretendem Kehrreim; im 14./
15. Jh. meist drei Strophen zu je
8–10 Acht- bzw. Zehnsilben
(GUILLAUME DE MACHAUT, F. VIL-
LON). Vgl. →Ballade (2).

Baladin (v. franz. baller = tanzen),
urspr. Tänzer der Zwischenspiele,
Grotesktänzer, dann auch Hanswurst und Possenreißer im älteren
franz. Theater.

Ballade (v. ital. ballata, provenzal.
balada = Tanzlied), 1. eigtl. in den
roman. Ländern e. von den Tanzen-
den gesungenes, kurzes und strophi-
sches Tanzlied provenzal. Herkunft
mit Kehrreim; dann von den Troubadours kunstvoll weiterentwickelt.
– 2. im 14./15. Jh. in Frankreich
weitverbreitete strenge lyrische
Form: meist 3, bei der Doppel-B.
auch 6 gleichgebaute, durchgereim-
te Strophen zu 8–10 Zeilen
(8–10silber) und ein 4-zeiliges Geleit mit demselben einzeiligen Kehrreim, wobei das ganze Gedicht nur
drei Reime kennt und Strophen wie
Geleit auf denselben Kehrreim ausgehen: dreimal ababbcbC und einmal bcbC. Verwendet von GUIL-
LAUME DE MACHAUT, E. DE-
SCHAMPS, CHRISTINE DE PISAN,
CHARLES D'ORLEANS, F. VILLON
z.B. B. des dames du temps jadis, B.
des suspendus, C. MAROT, in Italien
von DANTE, G. CAVALCANTI, BOC-
CACCIO, PETRARCA, erneuert im 19.
Jh. von Th. BANVILLE (B.s joyeu-
ses), F. COPPÉE (Sept b.s de bonne
foi) und CARDUCCI, in England von
SWINBURNE, ROSSETTI, CHATTER-
TON, A. DOBSON, A. LANG, W. E.
HENLEY. – 3. In England, wo
CHAUCER und GOWER die franz. B.
nachahmten, übertrug man im 18.
Jh. den Liedbegriff B. auf volksmäßige und bes. leicht singbare Erzähllieder, die sprunghaft, unter Benutzung der dramatisch wirkenden
Dialogform e. auffallendes Ereignis,
oft e. Heldentat, episch erzählten
und zugleich in lyr. Stimmung lö-
sten (GOETHE: ›Urei‹ aller drei
Grundarten der Poesie), so z.B. die
→Chevy-Chase-B. oder Robin
Hood. Das engl. Wort ›ballad‹ wurde um 1770 in Dtl. heimisch und
bezeichnet hier ebenfalls eine zwischen den drei Grundformen stehende Gattung, die ein ungewöhnli-
ches, oft handlungsreiches, vielfach

dämonisch-spukhaftes und meist trag. Geschehen aus Geschichte, Sage oder Mythos (oft e. schicksalsschwere Begegnung, wobei der Mensch nur Umschreibung kosm. Vorgänge ist: Zusammenstoß zweier Mächte, Sitte und Natur o. ä.), durch Rede und Gegenrede vorangetrieben, in gedrängter, meist strophisch gereimter Form unmittelbar gegenwärtig darstellt und dabei durch Gefühlsinhalt des Erzählten, durch andeutende Erzählweise, Ausrufe und Kehrreim wie Melodie unterstützt, e. lyrische Stimmung hervorruft. Bietet die eigentliche Handlung nur Anlaß zu e. Stimmungsbild, so ist der Übergang zur Lyrik geschaffen; auch die Grenze zur →Romanze ist fließend, doch wird das leicht Ironische dieser Gattung ins Ernste, Edle und dunkel vom Schicksal Überschattete umgesetzt. In Prosa entspricht der B. die Novelle in Stoffwahl, knapper Form und dramat. Aufbau. Eine eigene metr. Form hat die B. nicht entwickelt; Strophenform und Versmaß wechseln, nur freie Rhythmen oder bes. gekünstelter Reim- und Strophenbau entsprechen nicht dem volkstüml. Charakter der B. Gerade die betonte und aufdringliche Volkstümlichkeit, die undifferenzierte Verherrlichung heroischen und edlen Menschentums, die oft triviale Schicksalsvorstellung und die effektbewußte Geister- und Schauerromantik sind der Wertschätzung der traditionellen B. zeitweilig abträglich gewesen und haben sie auf den Rang einer nur noch historisch verständlichen Dichtform hinabgedrückt, die weder den ästhet. Anforderungen noch der differenzierten Bewußtseinslage der Gegenwart entspricht. Doch wirken ihre Buntheit, Abenteuerhaftigkeit, Spannung und ihre Gestaltung numinoser Naturkräfte unvermindert auf das einfache Volk, und ihr volkstüml. Gemütsappell machte sie zum geeigneten Mittel polit.-soz. Beeinflussung. – Frühe B.n finden sich in der Überlieferung aller german. Länder, bes. in Dänemark (→Folkeviser) und Dtl. als Umformungen früherer Heldenlieder-Stoffe oder stellen, wie z.B. die faröischen Nibelungen-B.n, eigene Traditionen dar. Die Entwicklung der dt. B. beginnt im MA. als Weiterbildung der Heldenlieder und -epen in →historische Erzähllieder mit unterschiedlichen Graden von Gefühlsbetonung und schließlich in anonyme, typenhafte →Volksballaden des Spät-MA., die im 17./18. Jh. vom →Zeitungslied in den →Bänkelsang absanken. Neue Ansätze zur Hebung der Gattung geschahen von GLEIM und erhielten – mehr stofflich als formal – starken Antrieb durch die *Reliques of Ancient English Poetry* (1765) des engl. Bischofs PERCY, die erste Slg. volksläufiger B.n, sowie durch die *Ossian*- →Fälschung MACPHERSONS: HERDER (*Briefwechsel über Ossian*) setzte sich für Slg. der volkstümlichen Dichtung ein (*Volkslieder*, 1778/79; ARNIM/BRENTANO *Des Knaben Wunderhorn* 1806/08), und in BÜRGERS *Lenore* (1773) und den Romanzen HÖLTYS entstanden die ersten dt. Kunstballaden, weitergeführt im Sturm und Drang zunächst in GOETHES naturmagischen Jugendballaden (*Der untreue Knabe, Der König in Thule, Erlkönig*), dann von GOETHE und SCHILLER im klassischen Balladenjahr 1797. SCHILLERS ethisch begründete →Ideenballaden, eigentlich kleine epische Gedichte, ordnen sich in Form und Inhalt nur schwer der Gattung unter, auch beim späten GOETHE tritt das Ideenhafte stärker hervor (*Die Braut von Korinth, Der Schatzgrä-*

ber); die Gattung wandelt sich, doch bleibt auch in den mehr lehrhaften Verserzählungen ein Mythisch-Numinoses erhalten. Die Romantik kehrt wieder zur volkstuml., sangbaren B. zurück; BRENTANO, EICHENDORFF, später KERNER, MÖRIKE und HEINE, in England BURNS, BYRON, WORDSWORTH, COLERIDGE, KEATS, SCOTT, später TENNYSON, MORRIS, KIPLING und YEATS. Im 19. Jh. entsteht die unsangbare geschichtliche B. (UHLAND, PLATEN, DROSTE, C. F. MEYER, STRACHWITZ, FONTANE) und reicht in breiter Entwicklung bis in die Gegenwart. Bei CHAMISSO, HEINE, HERWEGH, KOPISCH und FREILIGRATH dringen humorist. und soziale Töne ein, und LILIENCRON leitet zur B. des 20. Jh. über. In stofflicher Hinsicht läßt sich e. romant. Richtung (C. F. MEYER u.a.) von e. engl.-nord. (FONTANE u.a.) abheben. Wichtigste B.-dichter des 20. Jh. sind zunächst epigonale wie B. v. MÜNCHHAUSEN, A. MIEGEL, L. v. STRAUSS und TORNEY, F. K. GINZKEY, R. A. SCHRÖDER, H. F. BLUNCK, sodann E. LASKER-SCHÜLER, G. HEYM, G. BRITTING, G. von der VRING, F. WERFEL, E. KÄSTNER, C. ZUCKMAYER, M. L. KASCHNITZ, G. KOLMAR, H. E. HOLTHUSEN, H. C. ARTMANN, P. RÜHMKORF, J. BOBROWSKI, G. GRASS, Ch. REINIG, H. PIONTEK, P. HUCHEL, P. HACKS, K. A. WOLKEN, G. KUNERT, C. MECKEL, H. M. NOVAK, H. M. ENZENSBERGER u.a., während WEDEKIND, RINGELNATZ, KLABUND, W. MEHRING, TUCHOLSKY, BRECHT (Hauspostille) und W. BIERMANN die B. wieder in die Nähe des →Bänkelsangs und der →Moritat rücken. Die moderne B. orientiert sich an den neuen Formen der Triviallit. und ersetzt das einmalige heroisch-myth. Ereignis

durch betont allgemeinmenschl., unheroische Alltagsstoffe, die menschl. Grundbefindlichkeiten aufzeigen. In ihrer Groteskform wird sie zur frech iron. Satire auf sattes Bildungsbürgertum, das sie mit volkstümlicher Unverfrorenheit konfrontiert und mit sozialem Engagement schockiert und attackiert. – Der german. B. entsprechen im slaw. Bereich auch →Dumka und →Bylinen, im span. Raum die →Romanze.

J. Goldschmidt, D. dt. B., 1891; J. A. Davidson, Üb. d. Urspr. u. d. Gesch. d. frz. B., 1900; V. Beyle, D. Begründg. d. ernsten B. durch Bürger, 1905; F. B. Gummere, The Popular B., N.Y. 1907; H. Benzmann, D. soziale B. in Dtl., 1912; T. F. Henderson, The B. in lit., Cambr. 1912; O. Ritter, Gesch. d. franz. B.-formen, 1914; H. H. Cohen, The B., 1915; K. Götz, Die dt. B. i. dt. Dichtung, 1921; L. Pound, Poetic Origins and the B., 1921; L. Bianchi, Nov. u. B. i. Dtl., ²1922; H. Lohre, Von Percy z. Wunderhorn, 1922; P. L. Kämpchen, D. numinose B., 1930; S. B. Hustvedt, B.books and b.men, Cambr., Mass. 1930; M. D. Papin, Traité de la b. franç., Paris 1930; G. Schulz, D. B.ndichtg. d. dt. Frühromantik, Diss. Bresl. 1935; W. Kayser, Gesch. d. dt. B., 1936; ders., Stilprobleme d. B. (Zs. f. dt. Bildg. 8, 1932); ders., D. Erneuerung d. B. um 1900 (D. neue Lit. 40, 1939); ders., V. Wesen d. gegenwärtigen B.ndichtg. (Klingsor 15, 1938); H. Hell, Studien z. dt. B. d. Gegenw., Diss. Bonn 1937; F. W. Neumann, Gesch. d. russ. B., 1937; W. J. Entwistle, European Balladry, Oxf. 1939, n. 1951; P. Lang, D. Balladik, 1942; C. Spitteler, Üb. d. B. (Ästhet. Schr., 1947); G. Schäfer, Stilformen alt. dt. B., Diss. 1947; A. Hruby, Z. Entstehungsgesch. d. ältest. dt. B.n, Kopenh. 1949; R. Schneider, Theorie d. B., Diss. Bonn 1950; N. di Fede, La ballata tedesca, Milano 1952; RL.: Kunstballade; L. Meierhans, D. Ballata, 1956; J. Müller, Romanze u. B. GRM 1959; S. Steffensen, Den tyske b., Koph. 1960; G. H. Gerould, The B. of Tradition, N.Y. ²1960; A. B. Friedman, B. Revival, Chicago 1961; The Critics and the b., hg. M. Leach u. T. P. Coffin, Carbondale 1961; F. Degener, Formtypen d. dt. B. i. 20. Jh., Diss. Gött. 1961; G. Rodger, A new approach to the Kunst-B., GLL 16, 1962; M. J. C. Hodgart, The B.s, Lond. ²1962; L. Shepard, The broadside b., Lond. 1962; D. dt. B., hg. K. Bräutigam 1963, ⁵1971; W. Müller-Seidel, D. dt. B. (Wege

z. Gedicht Bd. 2, 1964); K. Riha, Mori-
tat, Song, Bänkelsang, 1965; W. Hinck,
D. dt. B., 1968, ³1978; J. Steenstrup, *The
medieval popular b.*, Wash. ²1968; B. H.
Bronson, *The b. as song*, Berk. 1969; W.
Falk, D. Anfge. d. dt. Kunst-B., DVJ 44,
1970; K. Bräutigam, Mod. dt. B., ²1970;
S. Steffensen, D. Kunst-B. als ep.-lyr.
Kurzform (Probleme d. Erzählens, K.
Hamburger-Fs. 1971); H. Graefe, D. dt.
Erzählged. i. 20. Jh., 1972; A. C. Baum-
gärtner, B. u. Erzählged. i. Unterr., ²1972,
³1979; W. Hinck, Volksb., Kunstb., Bän-
kelsang (Weltlit. u. Volkslit., hg. A.
Schaefer 1972); S. M. Parrish, *The art of
the lyrical b.s*, Cambr., Mass. 1973; D.
Goltschnigg, D. Entw. d. dt. Kunst-B. v.
Gleim bis Hölty (Jb. d. Wiener Goethe-
Vereins 77, 1973); U. Trumpke, B.dichtg.
um 1770, 1975; G. Köpf, D. B., 1976; G.
Fritsch, D. dt. B., 1976; M. Katz, *The lit.
b. in early 19th cent. Russian lit.*, Oxf.
1976; *The types of the Scand. medieval
b.*, hg. B. R. Jonsson u. a., Oslo 1978; W.
Freund, D. dt. B., 1978; G. T. Gillespie,
Heroic lays (*Oxf. Germ. Stud.* 9, 1978);
The European medieval b., hg. O. Holzapfel, Odense 1978; H. Laufhütte, D. dt.
Kunstb., 1979; A. Bold, *The b.*, Lond.
1979; G. Weißert, B., 1980; W. Müller-
Seidel, B.nforschg., 1980; W. Woesler, D.
B., FLE 1981; N. Würzbach, Anfge. u.
gattgstyp. Ausformg. d. engl. Straßen-B.,
1981; A. Elschenbroich, Anfge. e. Theorie d. B. i. Sturm u. Drang, JFDH 1982;
W. G. Müller, D. engl.-schott. Volks-B.,
1983; F. G. Andersen u. a., *The b. as
narrative*, Odense 1982; W. Freund, D.
Lied v. Ungenügen, LfL 1983; N. Würzbach, *An approach to a context-oriented
genre theory... of the b.*, Poetics 12,
1983; H. Laufhütte, D. dt. Kunstb.
(Textsorten u. lit. Gattgn., 1983); G. Weißert, Zugänge z. Geschichtsb. i. 19. Jh.,
LfL 1983; G. Bauer, D. unsterbl. B., DD
15, 1984; B., hg. C. Freitag 1986.

Ballad Metre →Common metre

Ballad opera (engl. = Liederoper),
Form des engl. →Singspiels im ausgehenden 17. und frühen 18. Jh.,
Sprechdrama nach Komödienstof-
fen mit kom. Prosadialog im Bän-
kelsangstil und zahlreichen Liedeinlagen (Solo, Duett, Chor), die im
Ggs. zum bisherigen Brauch nicht
eigens für das Stück komponiert
wurden, sondern auf Volksliedme-
lodien zurückgreifen. Die B.o. entstand als Gegenstück und Konkurrenz zur durchkomponierten italien.

Barockoper HÄNDELS, erlebte jedoch nur eine kurze Blütezeit von
einigen Jahrzehnten auf Jahrmärkten und Vorstadtbühnen, wurde
von den engl. Komödianten verbreitet und ging dann in der allg. Entwicklung des →Singspiels auf. Bekanntestes und bedeutendstes Beispiel ist *Die Bettleroper* (*The Beggar's Opera*, 1728) von J. GAY mit
Musik von J. Ch. PEPUSCH, erneuert
1928 in B. BRECHTS *Dreigroschenoper*, 1948 von B. BRITTEN mit den
alten Melodien.
E. M. Gagey, *B.o.*, N. Y. 1937.

Ballad-stanza (engl. = Balladenstrophe) = →Chevy-Chase-Stro-
phe.

Ballata (ital. = Tanzlied), in ital.
Literatur. Tanzlied mit Kehrreim
entsprechend der provenzal. →Ba-
lada und der altfranz. →Ballade (2),
seit 13. Jh. bezeugt, meist als Wechselgesang von Solist und Chor. Als
Kunstlied entwickelt von DANTE
und CAVALCANTI in der B. grande
oder B. maggiore mit 8zeiliger Strophe und 4zeiligem Refrain aus 7-
oder 11-silbern mit vielen Varianten.
L. Meierhans, D. B., 1956.

Balzan-Preis, größter ital. Litera-
turpreis, von der Witwe des Verlegers E. BALZAN (1874–1953) 1956
gestiftet und in drei Gruppen von
der Balzan-Stiftung in Zürich und
Mailand jährlich verliehen: 1. für
Frieden und Humanität, 2. für Lit.,
Philosophie und Kunst, 3. für Wissenschaft. Ähnlich dem →Nobel-
preis, den der B. hinsichtlich der
Höhe des Betrages übertrifft.

Band (zu →Einband), einzeln gebundener Teil e. mehrteiligen oder
Reihen-Werkes.

Bande dessinée (franz. =) →Co-
mics

Bar, auch Par, Bz. des →Meistersangs für das regelmäßige, abgeschlossene, stets e. ungerade Anzahl von →Meistersangstrophen umfassende Meisterlied, auch bei R. WAGNER.

Barbarismus (v. griech. *barbarismos* = Gebrauch ausländischer Wörter und Redensarten), allg. ungerechtfertigter Verstoß gegen die Sprachreinheit (ursprüngl. nur der griech. und lat. Sprache): entweder die Verstümmlung und fehlerhafte Anwendung von Wörtern und Wendungen. Die Änderung des Lautkörpers kann durch Zusatz, Auslassung, Umstellung oder Ersetzung einzelner Buchstaben erfolgen. Im weiteren Sinne auch die Durchsetzung der Rede mit fremdländischen Brocken, z.B. LESSING *Minna von Barnhelm* IV, 2. Erlaubter B. = →Metaplasmus. Vgl. →Solözismus, →Antibarbarus.

Barde (ir. *bard.* = Sänger), im MA. (rd. 9.–15. Jh.) kelt. Hofdichter und Sänger bei den Galliern, Iren, Schotten, Walisern und Bretonen, der bei kultischen Feiern unter Harfenbegleitung Götter- und Heldenlieder, Kampf-, Schmäh- und Preislieder vortrug, um damit zu Tapferkeit zu begeistern oder zu rühren. Die gall. B., höf. Preisdichter, versanken mit der Romanisierung. Die Waliser B. hielten sich als angesehener eigener Stand mit ständ. Wettkämpfen (→Eisteddfod) bis ins 15. Jh. Die ir. B. bildeten bis ins 18. Jh. einen niederen Stand nach den Druiden (Priestern und Magiern) und den Filid (Sehern, Gelehrten und gelehrten Dichtern) und waren eigtl. deren Helfer und Vortragende, doch umgreift die Bz. B. auch die Filid. Die schott. B. waren bis 1748 erbliche Fürstendiener; nach ihrer Ausbildung in Irland oblag es ihnen, durch Preislieder Ruhm und Stolz des Stammes zu mehren. – Die Bz. erscheint, wohl unter Einfluß von lat. →barditus und franz. barde schon im 17. Jh. (bei D'URFÉ *Astrée*, OPITZ, LOHENSTEIN *Arminius*, ABSCHATZ und bes. SCHOTTEL 1663) irrigerweise auch für e. altgerm. Stand von Priestern und Sängern und hält sich, bes. seit dem 18. Jh. (→Bardendichtung) in der Bedeutung e. german. Dichters neben →Skalde.

Bardendichtung, um 1770 in Dtl. blühende kulturkämpferische und betont altdt. Dichtart, die in schweren, gefühlsstarken Versen von →Rokoko und →Anakreontik zum →Sturm und Drang überleitet. In ihr vereinen sich die romantisch verklärten Interessen an german. Vorzeit und Hochschätzung ihrer Dichtung mit dem entstehenden Bewußtsein völk. Eigenart. Die Einflüsse sind zahlreich: MALLET *Monuments de la mythologie et de la poésie des Celtes,* 1756; Th. GRAYS Ode *The bard;* MACPHERSONS *Ossian* 1765, PERCYS *Reliques* 1765 u.a.m. In Dtl. behandeln J. E. SCHLEGEL (*Hermann* 1740/41), J. MÖSER (*Arminius* 1749), WIELAND (*Hermann*-Epos 1752), SCHÖNAICH u.a. altdt. Stoffe. Ein ihriges tat die irrtümliche Verbindung des durch TACITUS bezeugten german. →barditus der Zeitenwende mit den hochma. kelt. →Barden zu e. vermeintlichen german. Urform der Poesie, durch deren Wiederbelebung man der klass.-roman. Überfremdung eine urtümliche, eigenständige lyr.-ep. Dichtart entgegenzusetzen suchte. Im Einzelfall erscheint die B. seltener als Produkt idealist. Überzeugung (KLOPSTOCK), häufiger aus antiquar. Interesse (GERSTENBERG) oder als Modeströmung der Rollenlyrik (DENIS). Den Anfang bilden GERSTENBERGS *Gedichte e. Skalden*

1766 in gereimten freien Rhythmen; es folgt K. F. KRETSCHMANN mit dem *Gesang Ringulphs des Barden* 1768, der *Klage Ringulphs* und der *Jägerin* 1771, oft im Ton anakreontisch, im Stoff german. Den dichterischen Höhepunkt bildet KLOPSTOCK mit seinen Oden, in denen seit 1749 Bardisches begegnet und seit 1771 die antike Mythologie älterer Oden durch die german. ersetzt wird, und mit seinen 3 →Bardiete genannten Hermannsdramen (*Hermanns Schlacht, ein Bardiet für die Schaubühne* 1769, *Hermann und die Fürsten* 1784, *Hermanns Tod* 1787). Von ihm übernimmt der Göttinger Hain die Fiktion: die Mitglieder geben sich Bardennamen und tagen unter e. alten Eiche. Auch der Wiener Jesuit DENIS, Übersetzer des *Ossian,* verfaßt *Lieder Sineds des Barden* 1772 in allegor. Einkleidung. Schließlich verebbt die Begeisterung unter Kritik und Verspottung (›Bardengebrüll‹), da die Vorbilder KLOPSTOCK und *Ossian* nicht erreicht werden und zumal GOETHE sich fernhält. Letzter Nachklang sind die Bardenchöre in KLEISTS *Hermannsschlacht.* →Ossianische Dichtung.

E. Ehrmann, D. bardische Lyrik i. 18. Jh., Diss. Hdlbg. 1892; RL; A. Pülzl, Stud. z. Entw. d. dt. B., Diss. Wien 1950; H. J. Pott, Harfe u. Hain, Diss. Bonn 1976.

Bardiet, von KLOPSTOCK gebildete Bz. für seine Oden und vaterländ. Dramen um Arminius/Hermann (→Bardendichtung) im Sinne von ›vaterländisches Gedicht‹, entstanden aus irrtüml. Vermischung von →barditus mit dem Begriff des →Barden, für dessen Nachahmung er seine Dichtart hielt. KLOPSTOCKS B.e verbinden griech. Tragödienform mit Bardenchören und altgerman. Milieu.

F. Beissner, Klopstocks vaterländ. Dramen, 1942.

Barditus (wohl v. altnord. *bort, barti,* ahd. *bart* = Schild), nach TACITUS *(Germania 3)* der Schildgesang, Kampfruf oder das Schlachtengeschrei der Germanen vor Beginn des Angriffs. Da TACITUS von Gesängen (carmina) spricht, kann es sich kaum um einen einzelnen Schlachtruf handeln, doch bezieht sich der Begriff B. offensichtlich auf die Vortragsweise hinter vorgehaltenen Schilden (relatus), nicht auf e. lit. Gattung. Der Inhalt des B. ist im einzelnen vielumstritten. Das 18. Jh. brachte den B. irrtümlich mit den →Barden in Zusammenhang, und KLOPSTOCK nannte seine vaterländ. Oden und Dramen danach fälschlich →Bardiete.

G. Neckel, B., ZDA 51, 1909; E. Norden, D. germ. Urgesch. i. Tac. Germania, 1920, ³1923; RL; H. Naumann, GRM 15, 1927; R. Meißner, B., ZDA 67, 1930.

Barkarole (ital. *barcarola,* v. *barca* = Barke), das Gondellied der venezian. Gondolieri; vielfach in der Kunstmusik nachgeahmt.

Barock (v. portug. *barroco* = unregelmäßige, schiefe Perle, dann schiefrund, übertrieben, verzerrt), zunächst abwertende Bz. für e. Stil der bildenden Kunst, der die harmon., antikisierenden Formen und Proportionen der Renaissance auflöst, verzerrt, und durch übertriebene, verselbständigte Ausschmükkung verdeckt; dann in positiver Anerkennung des Eigenwertes (WÖLFFLIN) die europ. Stilepoche des 17./18. Jh. als Einheit; (von F. STRICH) auf die Lit. übertragen, den etwas früheren Zeitraum von 1600 bis 1720, d.h. vom Ende der Renaissance und Späthumanismus bis zur →Aufklärung. Die Einheitlichkeit der Epoche wurde oft und mit Recht angezweifelt und auf die Vielfalt der Strömungen und Dichtwerke verwiesen; doch die Einheit der Epoche beruht hier auf dem Gegensatz: Polarität und innere Spannungen sind Grundformen allen Denkens, barocker Welterfahrung und Kunstübung: Universalismus steht gegen Nationalismus, bürgerl. Standesbewußtsein gegen höf. Kultur, Lebensgier neben Todesbangen und Jenseitssehnsucht gegen Weltfreude; die Dichtung bildet e. Widerstreit von heidnisch-antiken Formen und christl. Inhalten, von Pathos und Innerlichkeit, Regelzwang und gedankl. Beweglichkeit, höf. Repräsentationssucht und Vergänglichkeit, Nichtigkeit des Irdischen: Vanitas ist der Grundgedanke nicht nur der geistl. Dichtung. Die Synthese, der Mittelweg der Aufklärung fehlt. Diese Gespaltenheit des Lebensgefühls findet ihren Niederschlag in e. stark antithet. Charakter der Dichtung: →Sonett, →Alexandriner und →Epigramm als in sich gegensätzliche Formen, →Antithesen als Stilmittel werden bevorzugt. Unausgeglichene Kontraste in Stoff, Gestalten und Darstellungsweise treten hervor und geben den Eindruck des Unharmonischen. Nur in Frankreich zähmt die höf. Zucht der Klassik die Ausgestaltung der Extreme. Das eigene Selbstverständnis sucht sich in vorgeprägten Wendungen (→Topos), →Emblemen und rhetor. Figuren zu fangen; →Allegorie und →Metapher dienen nicht nur dem sehr effektbewußten Redeschmuck, sondern auch – aus dem Jenseitsglauben heraus – der wirkungsvollen Darstellung eines Überirdischen im Irdischen. Insbes. im dt. B. gelten die Bestrebungen der Ausbildung e. eigenen Dichtersprache, die den weiterentwickelten westl. Litt. an Zier, d.h. Reichtum an Schmuck, Formen und Farben, gleichkommt, daher zeigt der B.

schon zu Anbeginn im Streben nach repräsentativen Formen e. rhetor. Pathos, das die tiefere seel. Anteilnahme des modernen Lesers erschwert: gesucht wird keine Gefühlsaussprache im Sinne HERDERS, sondern Sprach- und Formkunst, und nur von der anachronist. Forderung nach Erlebnisdichtung und →Ausdruck im B. aus erscheint dies als Mangel. Erst bei den Nürnbergern und bes. der sog. 2. Schlesischen Schule (LOHENSTEIN, HOFMANNSWALDAU) tritt durch hochbarocke Aufbauschungen die Wandlung des Stiles zum →Schwulst ein, der als Kennzeichen des B. verallgemeinert wurde. – Höchste Vollendung erreicht die B.-Literatur als Kunst der Gegenreformation in den roman. Ländern. Die Werke der Spanier CALDERÓN, Lope de VEGA, QUEVEDO, GRACIÁN, GONGORA und CERVANTES gehören ebenso zum innersten Bestandteil der Weltlit. wie die strengen Formen des franz. Klassizismus unter Ludwig XIV. (CORNEILLE, RACINE, MOLIÈRE), und von den Italienern (TASSO, GUARINI, CHIABRERA) verbreitete sich der Einfluß MARINOS über Europa (→Marinismus). In England schaffen nach dem Tode SHAKESPEARES J. MILTON, J. DONNE und J. BUNYAN und nimmt der →Euphuismus seinen Ausgang; in den Niederlanden wird neben P. HOOFT bes. J. v. d. VONDEL für die dt. Dramatik von Bedeutung. Die neulat. Humanistendichtung erlebt unter J. BALDE und z.T. FLEMING und GRYPHIUS im B. eine letzte Blüte.

Die dt. B.-dichtung steht zunächst in starker Abhängigkeit von den roman. Vorbildern und antiken Traditionen (vgl. auch →Alamode-Lit.); dabei wirkt der span.-ital. Einfluß mehr auf den Süden, der franz.-holländ. mehr auf den Westen und

Norden des Sprachgebietes, so daß man von e. süddt. Bild-(Kaiser-)B. im Ggs. zum norddt. Wort-(Bürger-)B. gesprochen hat. Der B. ist höf. orientierte Bildungsdichtung der gebildeten Beamten und Akademiker (Lehrer, Juristen, Ärzte, Pastoren) meist bürgerl. Herkunft an den Höfen und in den großen Bürgerstädten.

Poetik: Die vielfältigen Bemühungen um dichter. Sprachpflege kommen in der ungeheuren Fülle von →Poetiken zum Ausdruck, die sich, im Anschluß an Renaissance und Antike, von OPITZ' *Buch von der dt. Poeterey* (1624) an bes. mit drei Fragen befassen: genaue Gattungsabgrenzung, Untersuchung der Stilmittel und Nutzanwendung der Dichtkunst (bes. für religiöse, moral. und Bildungszwecke). Von gleicher Bedeutung für die Reinerhaltung der Sprache waren die sog. →Sprachgesellschaften und →Akademien. Wegweisend für die Metrik wurde OPITZ' Forderung nach →akzentuierender Dichtung.

Dichtung: Volksnah bleibt neben dem Roman fast einzig das →Kirchenlied, das mit P. GERHARDT, P. FLEMING, F. v. SPEE und GRYPHIUS' →Sonetten sowie frühen Dichtern des →Pietismus eine starke Eigenentwicklung erreicht. Daneben steht fast überkonfessionell der innige Erlebniston der →Mystik oder Pansophie, auf kathol. Seite von SPEE, ANGELUS SILESIUS und KNORR VON ROSENROTH, unter den Protestanten von J. BÖHME, J. ARNDT, D. v. CZEPKO, ANDREÄ und VOGEL vertreten. Breitere Wirkung erreichte das geistl. Schrifttum durch die →Erbauungsbücher MARTINS VON KOCHEM. Die weltl. Lyrik ist in erster Linie →Gesellschaftslyrik bis in die →Bilderlyrik, die →versus rapportati und die von REGNART eingeführten →Villanel-

len, höfisch-adlig, oft gelehrsam und unter starkem Einfluß des →Petrarkismus: HÖCK, WECKHERLIN, OPITZ, P. FLEMING, S. DACH mit dem →Königsberger Dichterkreis, GRYPHIUS und HOFMANNSWALDAU. Häufige Form war ferner das Epigramm nach MARTIAL und dem Engländer OWEN (LOGAU, J. GROB, Chr. WERNICKE).

Als höchste poet. Leistung gilt unter dem Einfluß der Antike das Versepos. Aus der Lebenshaltung des B. heraus jedoch war es ihm – bis auf geringe Ansätze bei OPITZ – versagt. Die ep. Großform der Zeit sind die vielbändigen, überdimensionalen höf. Romane Herzog ANTON ULRICHS von Braunschweig, LOHENSTEINS, ZESENS und H. BUCHHOLTZ', die als ›toll gewordene Realenzyklopädien‹ (EICHENDORFF), ausgehend vom →Amadisroman, ein idealisiertes Weltbild höf.-exot. Zuschnitts mit Liebeshändeln und Staatsaktionen ausbreiten. Im Ggs. dazu die genügsame Beschränkung der →Schäferromane. In zeitlose Höhe ragt der volkstümliche Roman mit GRIMMELSHAUSENS *Simplicissimus,* in dem hinter dem Menschenschicksal und allen ird. Fehlern ein Jenseits sichtbar wird. Auch das übrige Werk GRIMMELSHAUSENS, J. BEERS und zahlreiche Übersetzungen span. →Schelmenromane fanden weite Verbreitung; MOSCHEROSCH (*Gesichte Philanders von Sittewald*), Chr. REUTER, RACHEL, B. SCHUPP und der Hofprediger ABRAHAM A SANCTA CLARA verwendeten mit viel Geschick die Waffe der Satire, z. T. nach dem Vorbild QUEVEDOS. In der Dramatik des B. herrscht zunächst das →Jesuitendrama, das in ungeheurer Prachtentfaltung alle Künste zu vereinen sucht und damit den Boden bereitet für die Entwicklung der →Oper, bes. am Wiener

Hof (OPITZ übersetzt RINUCCINIS Oper *Dafne*). Der großen Staatstragödie der Spanier, bei SHAKESPEARE, CORNEILLE und RACINE folgt GRYPHIUS' *Papinian,* doch bleibt das dt. Trauerspiel, beeinflußt von den →Englischen Komödianten und den holländ. →Rederijkers, in seiner Entfaltung meist an das →Schuldrama gebunden. Seine sittl. Aufgabe ist die Verbreitung e. christl. Stoizismus an Vorbildern der Tugenden. Doppelhandlungen und →Doppeltitel sowie Allegorien verweisen auf die Hintergründigkeit der Handlung und leiten aus dem weltl. Spiel in ein Jenseits: AYRER, HEINRICH JULIUS von Braunschweig, GRYPHIUS, HAUGWITZ, HALLMANN, LOHENSTEIN u. a. Der größte Dramatiker des dt. B., GRYPHIUS, ist zugleich der Schöpfer des dt. Lustspiels.

L. Cholevius, D. bedeutendsten Romane d. 17. Jh., 1866; H. Wölfflin, Kunstgesch. Grundbegriffe, 1915, ⁹1948; ders., Renaissance u. B., 1888, ⁴1926; F. Strich, D. lyr. Stil d. 17. Jh. (Festschr. f. F. Muncker, 1916); R. v. Delius, D. dt. B.lyrik, 1921; A. Hübscher, B. als Gestaltung antithetischen Lebensgefühls, Euph. 24, 1922; H. Cysarz, V. Geiste d. dt. Lit.-B., DVJ 1, 1923; ders., Dt. B.dichtg., 1924, n. 1979; ders., Z. Erforschg. d. dt. B.dichtg., DVJ 3, 1925; W. Hausenstein, V. Geist. d. B., ⁷1924; W. Weisbach, B. als Stilphänomen, DVJ 2, 1924; E. Ermatinger, B. u. Rokoko i. d. dt. Dichtg., 1926; K. Viëtor, Probleme d. B.lit., 1928; G. Bates, D. B.poetik als Dichtkunst, Reimkunst, Sprachkunst, ZDP 1928; F. Schürr, B., Klassizismus u. Rokoko i. d. frz. Lit., 1928; B. Croce, *Storia dell' età barocca in Italia,* Bari 1928; RL; P. Merker, D. Anfänge d. dt. B.lit., GR 6, 1931; H. Lützeler, D. Wandel d. B.auffassung, DVJ 11, 1933; E. d'Ors, *Du b.,* Paris 1935; H. Cysarz, D. B. i. d. Lyrik, 1936; H. Schaller, D. Welt d. B., 1936; E. Trunz, Weltbild u. Dichtg. i. dt. B., ZfD 51, 1937; H. Tintelnot, B.theater u. b.e Kunst, 1939; W. Milch, Dt. Lit.-B., GQ 1940; E. Trunz, D. Erforschg. d. dt. B.dichtg., DVJ 18, 1940; O. Funke, Probleme d. engl. B.lit. (in: Wege und Ziele, 1945); R. Wellek, *The Concept of B. (Journal of Aesthetics V,* 1946); F. Strich, D. europ. B. (in: D. Dichter u. d. Zeit, 1947); H. Hatzfeld, A

clarification of the B.problem, CL 1, 1949; A. Rettler, Niederdt. Lit. i. Zeitalter d. B., 1949; R. Benz, Dt. B., 1949; E. Lunding, *German b. Lit.,* GLL 3, 1949; ders., ÖL 8, 1950; W. Schirmer, D. geistesgesch. Grundlagen d. engl. B.-lit. (in: Kl. Schr., 1950); A. Coutinho, *Aspectos da lit. barocca,* Rio 1950; Ch. Dédéyan, *Position lit. du b.* (Forschungsprobl. d. vgl. Lit.-gesch. I, 1951); R. Alewyn, D. Geist d. B.-theaters (Festschr. f. F. Strich, 1952); K. Viëtor, Dt. B.-lit. (in: Geist und Form, 1952); J. Rousset, *La lit. de l'âge b. en France,* Paris 1953, ⁴1963; C. J. Friedrich, D. Zeitalter d. B., 1954; M. Raymond, *Baroque et Renaissance poétique,* Paris 1955; Die Kunstformen d. B.-zeitalters, hg. R. Stamm 1956; A. Hirsch, Bürgertum u. B. i. dt. Roman, ²1957, ³1979; I. Buffum, *Stud. in the B.,* New Haven 1957; C. v. Faber du Faur, *German b. Lit.,* 2. Bde., New Haven 1958–69; R. Alewyn u.a., Aus d. Welt d. B., 1959; ders. u. K. Sälzle, D. große Welttheater, 1959, ²1985; W. Flemming, Dt. Kultur i. Zeitalter d. B., ²1960; F. Strich, D. lit. B. (in: Kunst u. Leben, 1960); L. Tapie, *Le b.,* Paris 1960; L. Nelson, *Baroque lyric poetry,* New Haven 1961; J. Rousset, *La définition du terme b.* (*Actes du 3.e Congr. de l'Ass. Intern. de Lit. Comp.,* 1961); K. O. Conrady, Lat. Dichtgs.tradition u. dt. Lyrik d. 17. Jh., 1962; A. C. de Mello e Souza, *B. literário,* São Paolo 1962; L. Anceschi, *Le poetiche del b.,* Bologna 1963; H. R. Thomas, *Poetry and Song in the German B.,* Oxf. 1963; J. M. Cohen, *The b. lyric,* Lond. 1963; P. Hankamer, Dt. Gegenreformation u. dt. B., ³1964; A. Schöne, Emblematik u. Drama i. Zeitalter d. B., 1964, ²1968; R. Wellek, D. B.begriff i. d. Lit.wiss. (in ders.: Grundbegriffe der Literaturkritik, 1965); Dt. B.-forschg., hg. R. Alewyn ²1966; M. Windfuhr, D. barocke Bildlichkeit u. ihre Kritiker, 1966; J. Dyck, Ticht-Kunst, 1966, ³1987; M. Baur-Heinhold, Theater d. B., 1966; W. Friese, Nord. B.dichtg., 1968; L. Fischer, Gebundene Rede, 1968; M. Szyrocki, D. dt. Lit. d. B., 1968, ²1979; W. Barner, B.rhetorik, 1970; ders., Stilbegriffe u. ihre Grenzen, DVJ 45, 1971; R. M. Browning, *German b. poetry,* Philad. 1971, dt. 1980; G. Gillespie, *German b. poetry,* N.Y. 1971; M. Brauneck, Dt. Lit. i. 17. Jh., DVJ 45, 1971; H. G. Rötzer, D. Roman d. B., 1972; Renaissance u. B., hg. A. Buck 2 Bde. 1972 (Neues Hdb. d. Lit.wiss. 9–10); *The German B.,* hg. G. Schulz-Behrend, Austin 1972; F. J. Warnke, *Versions of b.,* New Haven 1972; Dt. B.lyrik. Interpret., hg. M. Bircher u. a. 1973; Europ. Tradition d. dt. Lit.-B., hg. G. Hoffmeister 1973; H. Wagener, *The German b.novel,* N.Y. 1973; A. G. de Capua,

German B. poetry, Albany 1973; L. For-
ster, Dt. u. europ. B.lit. (Wolfenbüttler
Beitr. 2, 1973); L.-G. Dubois, *Le b.*, Paris
1973; V. Meid, D. dt. B.roman, 1974; H.
B. Segel, *The b.poem*, N.Y. 1974; H.
Jaumann, D. Umwertg. d. dt. B.lit., 1975;
H. Geulen, Erzählkunst d. frühen Neuzeit, 1975; W. Flemming, Einblicke i. d.
dt. Lit.-B., 1975; D. lit. B.-Begriff, hg. W.
Barner 1975; Stadt, Schule, Univ., Buch-
wesen u. d. dt. Lit. i. 17. Jh., hg. A.
Schöne 1976; A. Martino, *Poesia b.*, Pisa
1976; U. Herzog, D. dt. Roman d. 17.
Jh., 1976; E. M. Szarota, Gesch., Politik
u. Ges. i. Dr. d. 17. Jh., 1976; Dt. B.lit. u.
europ. Kultur, hg. M. Bircher 1977; P. N.
Skrine, *The B.*, Lond. 1978; W. Floeck,
D. Lit.ästhetik d. frz. B., 1978; U. Her-
zog, Dt. B.lyrik, 1979; Lit. u. Ges. i. dt.
B., hg. C. Wiedemann 1979; Bibl. z. dt.
Lit.gesch. d. B.zeitalters, hg. H. Pyritz 2
Bde. 1980ff.; G. Dünnhaupt, Bibl. Hb. d.
B.lit., 3 Bde. 1980f.; R. Schmidt, Dt. Ars
poetica, 1980; Europ. Hofkultur i. 16. u.
17. Jh., hg. A. Buck 3 Bde., 1981; W.
Emrich, Dt. Lit. d. B.zeit, 1981; B. L.
Spahr, *Problems and perspectives*, 1981;
K. Reichelt, B.drama u. Absolutismus,
1981; R. Baur, Didaktik d. B.poetik,
1982; J. Scheitler, D. geistl. Lied i. dt. B.,
1982; J. P. Aikin, *German b. drama*,
Boston 1982; Stud. z. europ. Rezeption
dt. B.lit., hg. L. Forster 1983; *German b.
lit.*, hg. G. Hoffmeister N.Y. 1983; A.
Rothe, Frz. Lyrik i. Zeitalter d. B., 1984;
R. J. Alexander, D. dt. B.drama, 1984;
Dt. Dichter d. 17. Jh., hg. B. v. Wiese u.a.
1984; Lit. u. Volk i. 17. Jh., hg. W. Brückner II 1985; V. Meid, B.lyrik, 1986; G.
Hoffmeister, Dt. u. europ. B.lit., 1987.

Barsortiment →Buchhandel

Barytonese (v. griech. *barys* =
schwer, *tonos* = Stimmklang, Hebung), in griech.-äol. Metrik die
Zurückverlegung des Akzents,
meist um eine Silbe.

Barzelletta, kurzes, volkstümlich-
scherzhaftes Gedicht in der ital. Lit.
des 14./15. Jh., in Florenz auch Kar-
nevalslied, Sonderform der Ballata,
Strophen aus 8 Achtsilbern mit einleitendem Refrain, der nach jeder
Strophe wiederholt wird, später als
Tanzlied →Frottola genannt: Lorenzo DE MEDICI, PULCI, POLIZIA-
NO u.a.

Basoche (frz., Herkunft unklar),
franz. Berufsverbände von Rechts-

anwälten, Parlaments- und Justizbe-
amten, die sich seit Anfang des 14.
Jh. in Paris und den Provinzen organisierten und bei ihren alljährlichen
Treffen (seit 1424 belegt) die oft aus
Kreisen ihrer Mitglieder entstandenen Pantomimen, lebenden Bilder,
später Dialoge, Farcen, Sotties und
Moralitäten aufführten (daher deren häufige Satire der Gerichtswelt).
Ihre derbkom. Darbietungen mit
deutl. Anspielungen erregten meist
das Mißvergnügen des Hofes und
wurden seit 1532 streng zensiert,
z. T. auch unterdrückt. Teilweise arbeiteten sie mit den →Passionsbrü-
dern zusammen. Aufführungen der
B. hielten sich bis 1582, die B. selbst
bis 1790.

H. G. Harvey, *The theatre of the B.*,
Cambr./Mass. 1941.

Bathos (griech. = Höhe oder Tiefe), nach A. POPE in seinem Essay
*On B., or, Of the Art of Sinking in
Poetry* (1728) der plötzliche und oft
lächerliche Abstieg vom Erhabenen
zum Gewöhnlichen, z.B. das Ab-
gleiten des um Pathos bemühten
Autors ins Lächerliche; dann allg.
für übersteigertes Pathos oder Sentimentalität; meist unbeabsichtigt,
doch in Satire und Travestie auch
bewußtes Stilmittel.

Bauerndichtung, die in stoffl. Hinsicht vom bäuerl. Leben handelnde
Dichtung, die selten von Bauern
selbst, meist von Städtern und Bürgern geschrieben ist und dann das
Verhältnis der beiden Stände spiegelt, daher im Laufe der Zeit starken Wandlungen ausgesetzt. Ihre
häufigste Form ist die epische, bes.
in Gestalt des Bauernromans und
der →Dorfgeschichte. Nähe zum ar-
beitsamen und natürl. Leben macht
die B. zum frühesten Zweig und
Ursprung des →Realismus. Darstellung der bäuerl. Welt sind bereits
die isländ. →Sagas. Als erste B. in

dt. Lit. gilt WERNHERS DES GÄRT-
NERS Verserzählung *Meier Helmbrecht* (um 1260), doch bleibt ihre
objektive Darstellungsart lange vereinzelt. Die ritterl. und bürgerl.
Dichtung des MA. verspottet den
Bauern (Bauernschelte) als kom. Figur in hochmütiger Satire und bes.
der →Dörperlichen Dichtung
(NEIDHART VON REUENTHAL, Heinrich WITTENWEILER, *Der Ring*);
ebenso erscheint der kulturell unter-
legene ›tumbe‹ Bauer im bürgerl.
→Fastnachtsspiel des 15./16. Jh.
von den machtvollen und kultur-
schöpfenden Städtern verachtet.
Andere Werke spielen bauernschlauen Mutterwitz gegen Gelehrsamkeit und bürgerl. Konvention
aus *(Salomon und Markolf, Eulenspiegel)*. Angesichts letzter Fragen
wird der Bauer zum Vertreter des
Allgemeinmenschlichen (JOHANN
VON TEPL, *Der Ackermann und der
Tod*, W. LANGLAND, *Piers Plowman*). Der Barock (z. B. OPITZ, *Lob
des Landlebens*) formt seine Natur-
sehnsucht in e. konventionelle, fingierte →Schäferdichtung, als Staffage das Gegenteil realist. B., und nur
selten erfährt die Notlage der Landbevölkerung Anerkennung wie in
den →Bauernklagen und bezeichnenderweise in der echten Zeitsatire
(MOSCHEROSCH *Gesichte Philanders*, GRIMMELSHAUSEN *Simplicissimus*). Das 18. Jh. kennt den Bauern
als Kunstfigur in den →Idyllen
GESSNERS und Maler MÜLLERS,
doch bringt echte, schwärmerische
Naturverehrung – unter dem Einfluß ROUSSEAUS – e. neue, nüchterne Bewertung des Bauerntums und
seines Nutzens (BRÄKER, JUNG-
STILLING); gleichzeitig wenden sich
Sturm und Drang und bes. Göttinger Hain (Voss) gegen die Unterdrückung des Bauernstandes, während PESTALOZZI mit erzieher. Tendenz (*Lienhard und Gertrud* 1781)

in Schlichtheit und reinem Menschentum der Landbevölkerung einen Gesundungsfaktor des öffentl.
Lebens hervorhebt. Mit ihm gewinnt
die Schweiz e. führende Stellung in
der dt. B., die in der Romantik
(BRENTANO; auch KLEIST und DRO-
STE-HÜLSHOFF) noch idealisiert
war: seit 1836 gibt das breite Werk
J. GOTTHELFS e. Lebensbild der bäuerl. Welt in realist. Gestaltung, wenn
auch in etwas sozialpädagog. Sinn,
und K. IMMERMANN fügt seinem
zeitkrit. Roman *Münchhausen*
(1839) die wirklichkeitsnahe Erzählung *Der Oberhof* ein, in der er ein
gesundes Bauerntum als Zuflucht
und Genesung für die erkrankte und
gefährdete Zivilisationswelt preist.
Wohl am bekanntesten wurden J. P.
HEBELS Kalendergeschichten und B.
AUERBACHS *Schwarzwälder Dorfgeschichten* (1843 ff.), die sich jedoch
nicht idyll. Schönfärberei enthalten.
Von GOTTHELF führt die Weiteren-
wicklung zur psychologisch einfüh-
lenden, gestaltenreichen und num-
mehr tendenzlosen B. der H. KURZ,
O. LUDWIG, M. MEYER, J. RANK, F.
REUTER, F. M. FELDER, H. HANSJA-
KOB u. a. und findet ihre Vollendung
in G. KELLER (*Romeo und Julia auf
dem Dorfe* 1856) und L. ANZEN-
GRUBER (*Der Schandfleck* 1876, *Der
Sternsteinhof* 1885), dessen volks-
nahe Bauerndramen durch L. THO-
MA, SCHÖNHERR, RUEDERER, KRA-
NEWITTER, LIPPL, BILLINGER, HIN-
RICHS und STAVENHAGEN fortge-
führt wurden. Erst mit dem Natura-
lismus erscheinen wieder die Schat-
tenseiten des Landlebens: W. v. PO-
LENZ, C. VIEBIG, G. FRENSSEN (*Jörn
Uhl* 1901) und G. HAUPTMANN (*Vor
Sonnenaufgang* 1889); daneben
zeigt B. als Teil der →Heimatlitera-
tur bei P. ROSEGGER, L. THOMA, L.
v. STRAUSS und TORNEY, H. LÖNS,
H. STEHR, E. STRAUSS, P. DÖRFLER,
J. LINKE, L. CHRIST, A. GABELE,

E. Wiechert, K. H. Waggerl, F. Griese, H. E. Busse, J. Ober-kofler, F. Nabl, J. M. Bauer, R. Billinger, A. Huggenberger, O. M. Graf, H. Fallada und T. Kröger wie vielen anderen kraftvolle dichterische Gestaltung – wenngleich nicht die Breitenwirkung schönfärberischer Alpenromane L. Ganghofers. Ihre Spannweite reicht von der konservativen Darstellung der ›heilen Welt‹ bis zur chauvinist. →Blut und Boden-Literatur des Nationalsozialismus, die die Gattung in Verruf brachte.

In roman. Lit. findet sich B. weit seltener, z. B. bei Restif de la Bretonne, G. Sand, Balzac, Zola, J. Giono, Ch. Ramuz, G. Verga, I. Silone, J. M. Pereda, A. Ribeiro; sehr häufig dagegen in den slaw. Litt. (z. B. I. Turgenev, L. Leonov, W. Reymont *Die Bauern*, 1904/09), in Skandinavien (Lagerlöf, Undset, Hamsun, Duun, Bojer, Björnson, Sillanpää, Gulbranssen, Laxness) und den Niederlanden wie Belgien (Streuvels u. a.).

K. Schulz, Bauernromane, 1933; H. Langenbucher, Dichtg. aus Landschaft u. Bauerntum, ZfD 1933; H. Glaser, Stud. z. Entwicklg. d. franz. Bauernromans von Rétif de la Bretonne bis z. Naturalismus, Diss. Lpz. 1933; H. Schauff, D. dt. Bauer in Dichtg. u. Volkstum, 1934; E. Darge, D. neue dt. Bauernroman (Zs. f. dt. Bildg. 12, 1936); J. Sint, B. d. Sturm u. Drang, 1937; A. Mulot, D. Bauerntum i. d. dt. Dichtg., 1937; A. Gebhard, D. Bauernroman seit 1900, Diss. Danzig 1939; R. Zellweger, *Les débuts du roman rustique*, Paris 1941; F. Martini, D. Bild d. Bauerntums im dt. Schrifttum bis z. 16. Jh., 1944; A. Weth, D. franz. Bauernroman d. jgst. Zt., Diss. Ffm. 1951; RL; G. Kühn, Welt u. Gestalt d. Bauern i. d. dtspr. Lit., Diss. Lpz. 1970; P. Zimmermann, D. Bauernroman, 1975; G. Schweizer, Bauernroman u. Faschismus, 1976; M. H. Parkinson, *The rural novel*, 1984. →Dorfgeschichte.

Bauernklage, sozialkrit. Volkslied, das der sozialen Not der Bauern bes. in Kriegszeiten (Bauernkrieg, 30j. Krieg.) Ausdruck verleiht; seit dem 17. Jh. bes. aus dem Alpengebiet meist als Fliegende Blätter erhalten.

H. Strobach, B.n., 1964.

Bauernkriegsdichtung, lit. Gestaltung der Bauernkriege. Die Empörung der dt. Bauern gegen ihre Unterdrückung durch Adel und Bürgertum 1524–25 und bes. ihr trostloser Zusammenbruch fanden seit Goethes *Geschichte Gottfriedens von Berlichingen mit der eisernen Hand, dramatisiert* (1771) nach dessen →Autobiographie häufige lit. Gestaltung in Drama, Roman und Erzählung, bes. im 20. Jh. Höhepunkt: G. Hauptmanns *Florian Geyer* 1895, ferner F. Wolf, M. Walser.

R. Krebs, D. Bauernkrieg i. d. neueren Lit. (Die Welt, 13, 1911); H. Brackert, Bauernkrieg u. Lit., 1975; W. Kröger, Bauernkrieg u. Lit., Daphnis 6, 1977; W. Wunderlich, D. Spur d. Bundschuhs, 1978; E. Schäfer, D. dt. Bauernkrieg i. d. neulat. Lit., Daphnis 9, 1980; M. Huber, Reformation u. Bauernkrieg, Diss. Mchn. 1983; Kaiser, Gott u. Bauer, hg. G. Jäckel ²1984.

Bauernpraktik →Praktik

Bauernregeln, volkstüml. Merksprüche zur Wetter- und Erntevorhersage als Schlußfolgerungen aus früheren klimat. Erscheinungen oder dem Verhalten von Tier und Pflanze, langfristig als →Monatsreime, kurzfristig als Tagesregeln etwa nach der Wolkenformation. Sie sind teils meteorolog. Erfahrungstatsachen, teils Aberglaube nach Lostagen und wurden in der →Praktik gesammelt.

Bauernroman →Bauerndichtung

Bauernschelte →Bauerndichtung

Bauernspiele →Bauerntheater

Bauerntheater, bäuerliche Theatergruppen von Laienspielern. Sie bilden sich seit Ausgang des MA., bes. im 16./17. Jh., im Anschluß an die Marktspiele ma. Städte, meist auf Antrieb der Kirche, des Schuldramas und Jesuitendramas als →Passionsspiele oder →Osterspiele (vgl. *Till Eulenspiegel* XIII), bes. in Italien, Böhmen und in den bayr.-österr. Alpenländern, wo sie z. T. bis in die Gegenwart fortleben: Oberammergau und Thiersee. Ihre Texte sind nur z. T. ebenfalls bäuerl. Ursprungs und werden im Zuge der Überlieferung wie bei der extemporierenden Darstellung vielfach abgewandelt. Neben den religiösen standen früh weltl. Spiele: Hexen-, Ritter- und Räuberstücke stark moralisierenden Inhalts bei illusionslos krasser Darstellung und Bühnentechnik. Seit dem 19. Jh. bevorzugen weltl. B. (Exl-Bühne Innsbruck, Kiefersfelden, Flintsbach, Thoma-Bühne Tegernsee, Die Schlierseer, K. Dreher) für Gastspiele in den Städten bäuerl. Schwänke mit Liebes- und Prügelszenen, drastischer Komik, typisierten Figuren und Blasmusik-Umrahmung, die den Erwartungen der Zuschauer entgegenkommen. In neuester Zeit oft zur Anregung des Fremdenverkehrs mit derben Schwänken, Mundart- und Lokalpossen für die Feriengäste wiederbelebt (Berchtesgadener B., gegr. 1906) und z. T. auch auf Gastspielreisen und im Fernsehen (›Komödienstadl‹) erfolgreich. Das lit. gehobene, z. T. professionalisierte B. greift z. T. auf die Bauerndramen von L. Anzengruber, L. Thoma, K. Schönherr u. a. zurück.

F. Lechleitner, *Tiroler Bauernspiele*, 1890; A. Schlossar, *Dt. Volksschauspiele*, 1891; L. Schmidt, *D. dt. Volksschauspiel*, 1962; *B.*, hg. W. Feldhütter 1979; E. G. Nied, *Almenrausch u. Jägerblut*, 1986.

Bearbeitung, jede das Original verändernde Umgestaltung eines Werkes nicht durch den Autor selbst (→Fassung), sondern durch fremde Hand; im engeren Sinn im Ggs. zur gattungsändernden →Adaption oder →Bühnenbearbeitung vor allem die modernisierende, aktualisierende, straffende oder stilistisch, formal oder kompositorisch ändernde Umformung aus dem Bestreben heraus, dem Werk die für seine Aufnahme in einer bestimmten Zeit, einem bestimmten Land oder bei einem bestimmten Publikum (z. B. Jugend) günstigste Gestalt zu geben, z. B. durch Unterdrückung zeitgebundener oder herkunftsbedingter Züge oder Hervorhebung bzw. Einfügung anderer, aktueller Motive. Grundaufgabe jeder B. ist es, die zeitlose Gültigkeit einer Dichtung dadurch herauszuarbeiten, daß sie aller unnötigen zufälligen, zeitbedingten und störenden Züge entkleidet und dem Geschmack und den Lebensbedingungen der neuen Zeit angepaßt und für ihr Fortbestehen mit den besten Wirkungsmöglichkeiten ausgestattet wird. Jede echte, verantwortliche B. muß sich daher als Dienst am Werk fühlen und dessen lit. Kern daher nicht angreifen, sondern nur auf periphere Züge beschränken.

R. Stamm, *The Shaping Powers at Work*, 1967; R. Sudau, *Werk-B., Dichterfiguren*, 1985.

Beat generation (engl. = erschöpfte, geschlagene, konventionsmüde Generation, oder von *beat* als Rhythmus des Jazz), Sammelbz. für einen Teil der 2. nordamerikan. Nachkriegsgeneration, die den Jahrgängen 1930–40 entstammenden ›zornigen jungen Männer‹ Amerikas (›Beatniks‹), die sich in Greenwich Village, N. Y., San Francisco und Venice, Calif. um 1955–62 in bewußter Abkehr von Nützlichkeitsmoral, Zivilisationsreizen und Businessgetriebe ihren eigenen bohème-haft-anarch., apolit.-eskapist. und vorurteilslosen Lebensstil von extremem Nonkonformismus, blasierter Gleichgültigkeit und hyster. Selbstbespiegelung unter Einfluß des Zen-Buddhismus schuf, in dem freie Sexualität, Drogengenuß, Jazzmusik und Mystik eine merkwürdig ungare Verbindung eingingen. Die B. g. wurde höchst uneinheitlich in provokativ-ekstat. Lyrik und Prosa lit. vertreten durch A. GINSBERG, J. KEROUAC, L. FERLINGHETTI, W. BURROUGHS, G. CORSO, LeRoi JONES, G. SNYDER, P. WHALEN, M. McCLURE, C. HOLMES u. a.

G. Feldmann, M. Gartenberg (hg.), *The B. G.*, N.Y. 1959, n. 1971; L. Lipton, D. heiligen Barbaren, 1960; A. Aronowitz, *The beat and their generation*, N.Y. 1961; *A Casebook on Beat*, hg. T. Parkinson 1961; F. Rigney, *The Real Bohemia*, 1961, Beat, hg. K. O. Paetel 1962; B. Cook, *The b.g.*, N.Y. 1970; G. Betz, D. b.g., 1977; J. Tytell, Propheten d. Apokalypse, 1979.

Beatniks, ursprünglich Spottbezeichnung, dann von ihnen selbst aufgegriffener Name für die Vertreter der →Beat generation.

Befreiungskriege, die Erhebung Dtls. und fast ganz Europas gegen Napoleon 1813–15 gab in erster Linie den Anstoß zu stark vaterländ. polit. Lyrik. Leidenschaftl. Anteilnahme am Aufschwung der Stunde schuf manches echt gefühlte und kraftvolle Lied auch bei sonst weniger bedeutenden Dichtern (z. B. E. F. AUGUST, gen. SCHLEE: *Mit Mann und Roß und Wagen...*). Am tätigsten erscheinen neben GÖRRES, FOUQUÉ und F. SCHLEGEL bes. M. v. SCHENKENDORF *(Freiheit, die ich meine...)*, E. M. ARNDT (*Geist der Zeit, Kurzer Katechismus für dt. Soldaten* 1812), Th. KÖRNER (*Leier und Schwert* 1814), F. L. JAHN (*Dt. Volkstum* 1810), H. J. v. COLLIN (*Wehrmannslieder* 1809); auch RÜCKERT schrieb *Geharnischte Sonette* (1814), und H. v. KLEIST ver-

öffentlichte unter russ. Schutz 1809 Lieder und Gedichte sowie den *Katechismus der Dt.;* die tiefsten und ernstesten Schöpfungen aber finden ihren Niederschlag im Werk EICHENDORFFS.

M. Koch, D. dt. Lit. v. Zusammenbruch bis z. Beginn d. B., 1908; S. Stahl, D. Entwicklg. d. Affekte i. d. Lyrik d. B., Diss. Lpz. 1908; S. Engelmann, D. Einfluß d. Volksliedes auf d. Lyrik d. B., Diss. Lpz. 1909; R. F. Arnold, K. Wagner, D. polit. Lyrik d. Kriegsjahres 1809 (Schr. d. Wiener Lit. Vereins, 1909); G. Gromaire, *La lit. patriotique en Allemagne 1800–15*, 1911; A. Köhler, D. Göttinger Dichterbund u. d. Lyrik d. B., GRM 8, 1921; W. Kosch, Dt. Lit. vor u. nach 1813, 1925; K. Scheibenberger, D. Einfluß d. Bibel u. d. Kirchenliedes auf die Lyrik d. B., Diss. Ffm. 1936; G. Adam, D. vaterländ. Lyrik z. Z. d. B., Diss. Marb. 1962.

Beglaubigung, die vorgebl. Bestätigung der Wahrscheinlichkeit oder Realität des im Dichtwerk Erzählten, soll beim Leser das Vorurteil e. poetischen Illusion und Unwirklichkeit beseitigen. Sie geschieht durch bestimmte Kunstmittel wie die Berufung auf Augenzeugen oder e. fiktive Quelle in der →Chroniknovelle, in der →Rahmenerzählung, die →Ichform und die →Vorausdeutung.

E. Lämmert, Bauformen d. Erzählens, ²1967; H. Weidhase, D. lit. B., 1973.

Beichtformel, Sündenregister, das den Beichtkindern beim Sündenbekenntnis vom Priester vorgelegt und in Anpassung an die persönl. Eigenart des Beichtenden abgewandelt und zusammengestrichen wurde (älteste Form: Galater 5, 19–21); später durch Interpolationen aus der Benediktinerregel erweitert, umfaßten sie schließlich den ganzen Beichtvorgang mit Vorspruch des Priesters, Absage, Glaubensbekenntnis, Beichte (und zwar erst Wurzelsünden, dann Verstöße gegen Nächstenliebe und Kirchenpflicht), Reue und Vaterunser. Die ahd. B.n sind offenbar nach irischen Vorarbeiten entstanden und machten den Anfang zu e. Eindeutschung der gesamten Liturgie. Die älteste erhaltene ahd. B. ist die Emmeraner aus dem Anfang des 9. Jh., ferner wichtig aus dem 9./10. Jh.: Fuldaer, Mainzer, Pfälzer, Reichenauer, Lorscher und Würzburger B., aus dem 11./12. Jh.: Benediktbeurer, Wessobrunner, Bamberger, St. Galler, Alemannische und Münchner B., fast mhd. Seit dem 14. Jh. erscheinen zusammenfassende Beichtbücher. Für die meisten B.n läßt sich der Ursprung aus e. gemeinsamen rheinfränk. Grundform des karlischen Klosters Lorsch und damit aus dem Kreis um KARL d. Gr. und ALKUIN herleiten. Lit. Nachwirkungen der B.n in der gereimten Uppsalaer →Sündenklage und der hymnischen Prosa der Bamberger Beichte.

G. Baesecke, D. altdt. Beichten, PBB 49, 1925; G. Ehrismann, Gesch. d. dt. Lit. I, ³1954; RL; H. Eggers, D. altdt. B.n, PBB 77/81, 1955/59 u. Kl. Schrr., 1982.

Beifall →Applaus

Beiordnung →Parataxe

Beiseitesprechen →À part

Beispiel, Verdeutlichung e. Sachlage, e. Lehre, e. Gegenstandes oder Vorganges mit Hilfe e. konkreten, einleuchtenden Einzelfalls (der jedoch nur oft in seiner Geschlossenheit gilt und nicht als typisch verallgemeinert werden darf); häufige Verwendung in der Rhetorik (→Exemplum) und in lehrhafter, bes. moralisierender Dichtung (→Bispel, →Gleichnis, →Fabel, →Parabel).

F. Dornseiff, Lit. Verwendg. d. B. (Warburg-Vorträge, 1924–25).

Beit (arab. = Haus), das Verspaar im →Ghasel; ›Königs-B.‹ das erste Verspaar, dessen beide Zeilen den Reim tragen. Vgl. →Bait.

Beiwort →Epitheton

Bekenntnis, bes. Art der →Autobiographie, die weniger Wert auf Erinnerungen der äußeren Welt als auf innerseel. Entwicklungen und psycholog. Selbstergründungen legt. Ihr eignet oft der Charakter der ›Enthüllung‹ im religiösen Sinn der Lebensbeichte, im unreligiösen bis zur schonungslosesten Selbstentblößung. Am Anfang der B.-Literatur stehen die *Confessiones* des AUGUSTINUS (um 400) als erste Selbstaussprache e. Individuums; e. zweiten revolutionären Höhepunkt erreicht die Gattung dann mit ROUSSEAUS *Confessions* (1782) als ›Beitrag zum vergleichenden Studium des menschlichen Herzens‹; seither in zahlreichen →Autobiographien und →Tagebüchern, z. B. Th. de QUINCEYS *Confessions of an English Opium-Eater* (1821), A. de MUSSETS *Confession d'un enfant du siècle* (1836). Daneben ist die fingierte B.-Form im psycholog. Roman beliebt, der dadurch den ›inneren Monolog vermeidet (z. B. Th. MANN, *B.se des Hochstaplers Felix Krull*, 1923, 1954).

Lit. →Autobiographie.

Bekenntnisdichtung ist im Grunde – nicht nur nach dem bekannten Worte GOETHES, all seine Werke seien nur ›Bruchstücke einer großen Konfession‹ (*Dichtung und Wahrheit* II, 7) – jede Dichtung, insofern sie vor der Öffentlichkeit Zeugnis ablegt über die individuelle Persönlichkeit ihres Autors, dessen Wesen, Streben, Lebens- u. Weltanschauung; im engeren Sinne e. Werk, in dessen Rahmen die Selbstaussprache und die Spiegelung des schaffenden Ich wesensmäßig hervortritt; in dt. Dichtung zuerst in HARTMANNS Kreuzliedern, WALTHERS *Palinodie* und *Elegie*, dann seit KLOPSTOCK und bes. in Pietismus, Empfindsam-

keit und Klassik vollendet. Vgl.
→Erlebnisdichtung.

D. A. Foster, *Confession and complicity
in narrative,* Cambr. 1987.

Belegstück, Exemplar einer Druckschrift, e. Buches oder Aufsatzes,
das der Verfasser oder Verleger als
Beweis für dessen Erscheinen erhält,
bes. bei Rezensionen.

Belles-lettres (franz. = schöne Wissenschaften), im Franz. die ›schöne
Lit.‹, Dichtung und Rhetorik einschließlich der Essayistik und der
literar. und rhetor. Theorie im Ggs.
zum Fachschrifttum. Vgl. →Belletri-
stik.

Belletristik (franz. →*belles lettres*
= schöne Wissenschaften, Lit.), seit
dem 18. Jh. Bz. für den ›schöngeistigen‹ Teil der →Lit., d. h. die ›schöne
Lit.‹ oder →Dichtung bes. einschließlich der leichteren →Unter-
haltungslit. im Ggs. zur wiss. oder
Fachlit. (die Aufgliederung in
Schönlit. und Sachlit. entspricht
dem engl. fiction – nonfiction); oft
(so schon GOETHE, *Werther,* 24.
Dez. 1771) mit leicht abwertendem
Nebenklang: ›Belletristerei‹. Belletrist = Unterhaltungsschriftsteller.

Benefiz (frz. *au bénéfice d'un acteur,* lat. *beneficium* = Begünstigung), Veranstaltung, meist Aufführung e. Musik-, Bühnen- oder Ballettstücks, deren Ertrag ganz oder
z. T. e. mitwirkenden Künstler (Be-
nefiziant) bzw. dem Autor oder
wohltätigen Zwecken zugute
kommt.

Beredsamkeit →Rhetorik

Bergerette (franz. *berger* = Schäfer), in franz. Lyrik einstroph. →Vi-
relai mit Anfangs- und Schlußre-
frain.

Bergmannslieder, die geistl. und
weltl. Lieder der Bergleute, gewin-

nen ihre Bedeutung für das allg.
Volkslied vor allem dadurch, daß
der Bergbau als Schmelztiegel der
verschiedensten Elemente aus allen
Landschaften und sozialen Schichten zu einer vorindustriell-mann-
schaftl. und geselligen Arbeitsform
vereinigte und in Verbindung mit
der bergmänn. Sangespflege zum
Sammelbecken aller mod. musikal.
Strömungen wurde. Vgl. →Berg-
reihen.

W. Heinz, D. B., Diss. Greifsw. 1913; G.
Heilfurth, D. erzgebirg. B., 1936, n.
1982; ders., D. B., 1954; H. Wolf, Stud.
z. dt. Bergmannssprache i. d. dt. B. d.
16.–20. Jh., 1958; G. Heilfurth, B. (Hdb.
d. Volksliedes I, 1973).

Bergreihen, usprünglich Rundtanz-
lieder der Bergleute, dann allg.
volkstümliche →Bergmannslieder,
bes. die seit 16. Jh. in Böhmen, Thüringen und der Steiermark entstandenen Sammlungen, schon im 16.
Jh. verallgemeinert auf ›Volkslieder verschiedener Herkunft überhaupt. Erste Slg. 1531 *Etliche hüb-
sche bergkreien geistlich und weltlich...* (n. 1959).
RL.; →Bergmannslied.

Bergroman, Sonderform des →Tri-
vialromans mit Nähe zur Heimatlit., behandelt im Grunde dieselben
klischeehaften Konflikte und Motive wie der Liebes- und Frauenroman, jedoch jetzt unter ›kernigeren‹
Charakteren in einer wildromant.
Alpenlandschaft spielend, die kulis-
senhaft nach den bewährten Vorbildern GANGHOFER, HEER usw. auf-
gepfropft wird. Die vermeintlich
stärkere Natur- und Heimatverbun-
denheit des B. tritt vor allem darin
zutage, daß die guten und edlen
Charaktere bodenständig und urwüchsig, die bösen zivilisiert, verstädtert und durch die Wurzellosig-
keit verderbt sind.

Bericht, kurze, sachlich-nüchterne,
folgerichtige Darstellung e. Hand-

lungsablaufs ohne ausschmückende
Abschweifungen und deutende Reflexionen: eine Folge von Aussagen;
treibt in Zusammensetzung mit den
anderen Redeweisen (→Beschrei-
bung, Erörterung) die Handlung
vorwärts; bes. in kurzen Erzählungen und →Novellen (KLEIST) oder
zeitraffenden Teilen e. Romans verwendet, im Drama als →Boten-B.
oder →Teichoskopie. Auch modernes Ersatzwort für →Roman, im
Journalismus für →Reportage (Tat-
sachen-B., Reise-B.).

K. Obmann, D. B. i. dt. Drama, 1925; W.
Jahn, Wesen u. Form d. B. i. Drama,
1931.

Berner Konvention, auch Berner
Übereinkunft, internationales Ab-
kommen über das →Urheberrecht
an literarischen Werken, am 9. 9.
1886 in Bern abgeschlossen, am 5.
12. 1887 in Kraft getreten, am 4. 5.
1896 in Paris, 13. 11. 1908 in Berlin, 20. 3. 1914 in Bern, 2. 6. 1928
in Rom, 26. 6. 1948 in Brüssel und
14. 7. 1967 in Stockholm revidiert.
Betrifft die Bildung e. internationalen Verbandes zum Schutze von
Werken der Lit. und Kunst und gibt
den in den einzelnen Mitgliedstaaten der Berner Union gültigen Urhe-
berrechten international verbindliche Grundlage bzw. verlangt von
ihnen gesetzliche Maßnahmen zur
Durchsetzung des vorgesehenen
Schutzes im nationalen Bereich
auch für die Werke von Angehörigen anderer Mitgliedstaaten und
solche Werke (unabhängig von der
Staatsangehörigkeit des Verfassers),
die zuerst in einem der Mitgliedstaaten erschienen sind. Der Schutz
erstreckt sich auf unberechtigte
Nachdrucke und Übersetzungen u.
dergl. Nicht beigetreten sind UdSSR
und USA (→Copyright). Vgl.
→Welturheberrechtsabkommen.

Lit. →Urheberrecht.

Berner Ton, komplizierte Abart
der →Nibelungenstrophe aus 13
vierhebigen Kurzzeilen, deren 3., 6.,
8., 10. und meist auch 12. klingend,
die 13. stumpf und die übrigen voll
enden und in Langzeilen zu 3, 3, 2,
2 und wieder 3 zusammengefaßt
sind; Reimfolge aabccbdedefxf.
Verwendet in *Eckenlied, Sigenot,
Dietrichs erster Ausfahrt* und *Gol-
demar.*

Berneske Dichtung →Poesia bernesca

Bertsolari (bask. = Versemacher),
baskische Volkssänger, die noch
heute als Spielleute durch das Land
ziehen und anläßlich öffentl. Sän-
gerwettstreite nach vorgegebenen,
zunehmend schwierigeren Themen
in vorgeschriebenem herkömml.
Versmaß aus dem Stegreif dichten.

J. Ithurriague, *Un peuple qui chante,* Paris 1947; A. Zavala, *Basquejo de historia
del b.smo,* San Sebastian 1964.

Berufsschriftsteller, freier   →
Schriftsteller, der ohne Hauptberuf
aus seiner lit. Produktion seinen Le-
bensunterhalt verdient.

Beschreibstoffe →Schreibstoffe,
Buch

Beschreibung, in der Stilkunst die
Schilderung und ausmalende Wiedergabe eines Sachverhalts, Gegenstandes (Landschaft, Haus, Raum)
oder e. Person durch sprachliche
Mittel, d.h. die Umsetzung des am
ruhenden Objekt gewonnenen Eindrucks in Sprache und dessen Wei-
tervermittlung an die Leser oder
Hörer; bereits seit HOMER (Schild
des Achilleus), von dort als →Ek-
phrasis Element der Epik. Häufige
Verwendung im Roman zur Einführung von Örtlichkeiten und Zustandsschilderungen (z.B. FONTANE
Effi Briest am Anfang), seltener in
der Lyrik: →Dinggedicht, →Gemäl-
degedicht (→ut pictura poesis). In

Abgrenzung gegen die anderen Redeweisen (→Bericht, Erörterung) bildet die B. ein ruhendes Verharren in e. Zustand, das die beschriebenen Erscheinungen vor dem Auge des Lesers wachruft. LESSING fordert im *Laokoon* die Umsetzung der B. in nachschaffende Handlung oder e. Wiedergabe der Wirkung auf andere (→Perspektive); in der reinen B. erkennt er e. Aufgabe der bildenden Kunst.

H. Ch. Buch, Ut pictura poesis, 1972; R. Merz, D. B. u. d. Werk, Diss. Zür. 1981; L. Lobsien, Landschaft i. Texten, 1981; J. van Apeldoorn, *Pratiques de la description*, Amsterd. 1982.

Beschwerte Hebung, Bz. K. LACHMANNS für e. überdehnte Hebung, die im alternierenden mhd. Vers einen ganzen Takt einsilbig füllt, so daß die darauffolgende Hebung als Nebenhebung zur b.H. gelten kann. Kunstmittel zur Hervorhebung bes. bedeutsamer Wörter oder Eigennamen: ‹Dér was / Hárt/màn genánt› (HARTMANN VON AUE).

U. Pretzel, Vers u. Sinn (in: Kl. Schrr., 1979).

Beschwörungsformeln, kurze, fest überlieferte Gedichte, Sprüche (→Zaubersprüche) zur magischen Beschwörung von Naturmächten, Göttern, Dämonen usw. vermittels der Macht des angerufenen Namens und des rituell fehlerlos gesprochenen oder gesungenen Wortes, oft in Verbindung mit vorgeschriebenen Handlungen, Gesten, zu bestimmten Zeiten an festgelegten Orten, wollen entweder Unheil abwenden oder Heil anziehen. Sie finden sich als →Gebrauchslyrik in den vorlit. Anfängen fast aller Völker; selten jedoch gelangen sie bis zu schriftlicher Aufzeichnung. In christianisierter Form erhalten sie sich dann als Teile der Medizin (*Wurmsegen, Wiener Hundesegen, Lorscher Bie-*

nensegen u.a.); reicher ist die Überlieferung in angelsächs. Lit.

Beseelung, im Ggs. zur vermenschlichenden →Personifikation die Ausstattung lebloser Dinge oder Pflanzen mit Seelenkräften oder mythischen Weltkräften. Gestaltungsmittel vor allem der naturbeseelenden Volksdichtung, in der Lit. vor allem als Dämonisierung oder Vergöttlichung.

H. Pongs, D. Bild i. d. Dichtg., ²1960.

Besprechung →Rezension (2).

Besprechungsstück, das einer Zeitung, Zeitschrift oder einem Kritiker vom Verlag oder Verfasser zum Zweck der →Rezension (2) kostenlos überlassene Freistück (Rezensionsexemplar) einer Neuerscheinung. Es geht nach Erscheinen der Rezension als Teil des Honorars in den Besitz des Rezensenten über, ist bei Nichterscheinen jedoch, wenn es nicht unverlangt übersandt wurde, an den Verlag zurückzureichen. Vgl. →Waschzettel. Die Versendung von B. gehört zu den Pflichten des Verlegers, für die Verbreitung seiner Bücher zu sorgen; die B. werden gemeinhin als Zuschußexemplare über die vertragliche Auflagenhöhe hinaus hergestellt.

Besserungsstück, Sonderform des Wiener Volkstheaters mit dem Grundmotiv von der Besserung eines Lasterhaften oder eines Toren, vielfach durch Eingriff höherer Mächte, dann der Zauberposse nahestehend. Bekanntestes Beispiel ist F. RAIMUNDS *Der Alpenkönig und der Menschenfeind* (1828).

W. Dietze, Tradition u. Ursprünglichk. i. d. B. d. Wiener Volkstheaters, WB 12, 1966.

Bestiarium, Bestiaire (lat. bzw. frz.), Sonderform der didakt. →Tierdichtung des MA. im 9.–14.

Jh. bes. in franz. und engl. Lit., sammelt in Vers und Prosa allegor. Deutungen von teils legendären Tieren (z. B. Sirene, Kentaur, Phönix, Einhorn) und deren (vermeintlichen, teils phantast.) Eigenschaften und Verhaltensweisen in bezug auf die Glaubensinhalte der christl. Heilslehre zum Zweck relig. Erbauung und moral. Unterweisung. Ihre Quellen sind neben HRABANUS MAURUS, ISIDOR VON SEVILLA u. a. bes. der griech./lat. *Physiologus* (2. Jh.), ein pseudowiss. zoolog. Handbuch, das bereits die allegor. Ausdeutung im christl. Sinn anbahnt, im 5. Jh. ins Lat. und bald viele europ. Volkssprachen übersetzt wurde. Die ältesten der meist illustrierten und daher auch für die kunstgeschichtl. Ikonographie wichtigen B. stammen aus dem 9. Jh., das älteste franz. von dem anglonormann. Geistlichen PHILIPPE DE THAON (um 1125, in Versen), die am weitesten verbreiteten aus dem 13. Jh., so von GUILLAUME LE CLERC (*B. divin*, um 1210/11), PIERRE DE BEAUVAIS und GERVAISE DE FONTENAY. Nach 1240 wendet das *B. d'amour* von RICHARD DE FOURNIVAL die Gattung ins Weltliche, indem es die Deutung witzig auf die Liebe des Autors zu e. Dame bezieht, ebenso e. *B. d'amour rimet* des 13. Jh. und ähnl. e. *B. moralizzato* (ital., 13. Jh.). Im 20. Jh. erneuern G. APOLLINAIRE (*B. ou le cortège d'Orphée*, 1911) und F. BLEI (*Das große B. der modernen Lit.*, 1920) die Gattung. Die B. sind wichtige Quellen für ma. und spätere Symbolik, Allegorik und Emblematik.

J. Calvet, M. Cruppi, *Le b. de la lit. franç.*, Paris 1954; dies., *Le b. de l'antiquité class.*, Paris 1955; H. R. Jauß, Unters. z. ma. Tierdichtg., 1959; F. McCulloch, *Mediaeval Latin and French B.s*, Chapel Hill ²1962; *B. du M.A.*, hg. G. Bianciotto, Paris 1980; J. Malaxecheverria, *Le b. médiéval*, Paris 1982.

Bestseller (engl. = das am besten, d. h. meisten Verkaufte), ein Buch, das sofort oder kurz nach seinem Erscheinen einen durch Aktualität, Mode, Geschmack, Bedarf, Propaganda u. ä. bedingten bes. schnellen und hohen, wenn auch im Ggs. zum sog. →Steadyseller meist kurzlebigen Absatz findet. Als unterste Grenze gelten etwa 100 000 verkaufte Exemplare der Originalausgabe (ohne Taschenbücher und Buchgemeinschaften) in den ersten Monaten nach Erscheinen. Auf den gesamten Buchmarkt gesehen, steht unter den B. die schöne Lit. weit hinter Atlanten, techn. Tabellenwerken, Logarithmentafeln, Wörter- und Rechtschreibwörterbüchern, Gesangbüchern, Garten- und Kochbüchern u. ä. zurück, die auch in den illiteraten Haushalt vordringen. Erst danach folgen lit. B., meist populäre Unterhaltungslit. ohne hohen lit. Anspruch und Wert, die neuerdings in den USA z. T. bewußt mit bewährten Ingredienzien als B. konzipiert und im Teamwork durch ständige Kontrolle und Anreicherung zum B. getrimmt wird. Der B. ist nicht bis ins letzte im voraus kalkulierbar; sein Erfolg geht von Fall zu Fall auf verschiedene Ursachen zurück, deren Zusammentreffen erst den B. ermöglicht: 1. plötzliches aktuelles Interesse am Autor durch polit. Ereignisse oder Preisverleihungen (Nobelpreis für Th. MANNS *Buddenbrooks* 1929, für B. PASTERNAKS *Doktor Schiwago* 1957) oder die (manipulierbare) Meinung, daß gerade dieser Autor seiner Zeit über das von ihm angeschnittene Thema Wichtiges zu sagen habe, 2. aktuelles, der Zeitstimmung entsprechendes oder künstlich manipuliertes Interesse am ehrlich, wenn auch nicht gerade anspruchsvoll behandelten Thema, das ›in der Luft liegt‹, etwa durch

Aufgreifen einer der öffentl. Meinung zuwiderlaufenden, aber der verdrängten, zurückgestauten inneren Meinung vieler entsprechenden Auffassung, 3. exakt kalkulierter Erscheinungstermin auf dem Kulminationspunkt des Interesses zu optimaler Wirksamkeit. Treffen diese drei Voraussetzungen mit einem Mindestmaß an Qualität zusammen, entsteht also ein möglicherweise lohnendes, bestsellerverdächtiges Objekt, so kann eine geschickte und gewichtige Werbung den B.-Erfolg systematisch aufbauen durch 1. außergewöhnlich hohen Werbeaufwand nach genau ausgeklügeltem Werbeplan unter Einbeziehung auch unkonventioneller Werbeträger, 2. gut vorbereitete und schlagartig nach Erscheinen einsetzende (möglichst, doch nicht unbedingt positive) Rezensionen in allen führenden Blättern, 3. Aufbau einer kaufanreizenden Mundpropaganda etwa durch Skandalgerüchte oder Verbotsdrohungen, die das Buch zum Gesprächsgegenstand und damit für aktualitätssüchtige Kreise, die sich ein Urteil bilden wollen, zur Mußlektüre macht. Die künstliche Manipulation eines B. mit einem für den Buchhandel ganz unüblichen finanziellen Riesenaufwand lohnt praktisch jedoch nur und zahlt sich nur aus, wenn das Buch inhaltlich und formal dazu prädestiniert ist, zumal das Lesepublikum inzwischen durch den werbemäßigen Aufbau uninteressanter, d.h. für die Masse unverständlicher B. der Reklame gegenüber kritisch geworden ist. (Es gibt erfolgreiche nichtgelesene B.). Die B.-Listen der Zeitschriften, in den USA seit 1895, in Dtl. nach 1950, steigern dann die Nachfrage nach darin enthaltenen Titeln automatisch, da das große Publikum den B.-Erfolg bereits für einen lit. Wertmaßstab hält und B. kauft,

weil man sie kauft. (Nichts ist erfolgreicher als der Erfolg.) Die Suggestion der Massenauflagen bewirkt daher eine Lenkung des Kaufinteresses nach rein quantitativen Gesichtspunkten, so daß die ohnehin erfolgreichen Bücher durch die Akkumulation freien Interesses anderen, möglicherweise z.T. wertvolleren Werken verdienten Erfolg entziehen, individuelle Leistungen in den Schatten stellen und andere Titel auch desselben Verlags erschlagen.

Während im 18. Jh. bei der geringen Streuweite der Lit. ein Bucherfolg noch zumeist mit lit. Bedeutung zusammentrifft, lassen sich eigentliche B. mit typ. Massenauflagen erst rd. 1850 feststellen; Welt-B., deren Erfolg sich mit kurzer Phasenverschiebung auch auf anderssprachige Bereiche ausdehnt, kennt erst das 20. Jh., in dem zugleich mit der zunehmenden Intellektualisierung der Lit. und der Kommerzialisierung des Buchhandels die Diskrepanz zwischen dem B. für die Massen und der wertvollen Lit. für den Leser immer größer wird.

J. Marjasch, D. amerik. B., 1946; J. D. Hart, *The popular book*, 1950; W. Allen, *A casebook on b.*, Lond. 1959; C. Riess, B., 1960; F. L. Mott, *Golden multitudes. The story of b.*, N.Y. ²1960; R. W. Leonhardt, Leben ohne Lit., 1961; A. Hackett, *Seventy years of b.*, N.Y. ²1966, u. d. T. *Eighty years...*, ³1977; D. R. Richards, *The German B. in the 20th cent.*, 1968; C. Cockburn, B., Lond. 1972; P. U. Hohendahl, Lit. Kritik u. Öffentlichk., 1974; W. Faulstich, Thesen z. B.-Roman, 1975; Dt. B., hg. H. L. Arnold 1975; Der B., hg. H. Popp ²1978; B. R. Lauterbach, B., 1979; C. Günther, Z. Problematik d. lit. Erfolgs, WB 1982; W. Faulstich, Bestandsaufnahme B.forschg., 1983.

Betonung →Akzent

Betriebsroman, Romantyp der →Arbeiterlit., insbes. in der Lit. der DDR (H. Marchwitza u.a.), der die soz. Neuordnung am Arbeitsplatz zeigen soll.

Bewegungsdrama →Einortsdrama

Bewußtseinskunst, allg. die Verwendung von Bewußtseinsstrom (→stream of consciousness) und →innerem Monolog in der modernen Erzähltechnik.

Bewußtseinsstrom →stream of consciousness

Bhana (ind.), kom. einaktige Monodramen der klass. ind. Lit., in denen der einzige Schauspieler, meist Typ des mondänen Lebemannes, ohne weitere szen. Mittel lyr. Strophen, imaginäre Gespräche über versch. Themen bes. des gesellschaftl. Amüsements vorträgt. Bes. in Südindien weit verbreitete und beliebte, oft auch recht zweideutige Dramenform.

H. v. Glasenapp, D. Litt. Indiens, ²1961.

Bhavâîs (ind.), derbkomische Volksstücke der westind. Gujarâtî-Lit., die von einer Mimenkaste aufgeführt wurden.

Bibeldichtung →Geistliche Dichtung, →biblisches Drama

Bibelepik →Geistliche Epik

Bibelübersetzung. Da sich hebr. Hss. erst aus sehr später Zeit erhalten haben, gewinnen bes. die älteren B.en an Wert. Die wichtigsten sind: I. Übersetzungen des hebr. AT. ins Griech.: a) *Septuaginta* (= 70, d.h. die nach der Fiktion des Aristeasbriefes von 70 verschiedenen Übersetzern in 70 Tagen geschaffene B.: editio septuaginta virorum), rd. 300 v.Chr. in griech. Umgangssprache (Koiné), für die Bedürfnisse der jüd. Diaspora, bes. der hellenisierten Juden in Alexandria. Ihre weite Verbreitung und Beliebtheit bei den Juden verlor sich mit der wachsenden Benutzung durch die Christen. Als Ersatz entstanden die AT.-B. des b) AQUILA VON SYNOPE um 130 n.Chr., sehr wörtlich und daher un-

griech. im Klang, nur fragmentarisch erhalten, c) THEODOTION VON EPHESUS, Mitte des 2. Jh. n.Chr. in besserem Griech., ebenfalls nur kleine Teile erhalten, und d) SYMMACHUS, 2. Jh. n.Chr., in gutem Griech.; fragmentarisch. e.) Die synoptische Ausgabe des ORIGENES, *Hexapla* (= sechsfältig) stellt diese 4 B.en neben den hebr. Text u. dessen Umschrift in griech. Buchstaben.
II. Übersetzungen des griech. NT. und der Gesamtbibel: a) ins Syrische: *Vetus Syra* aus dem 2. Jh. n.Chr., *Codex Peschitta*, 4. Jh. Daneben frühe B.en ins Aramäische und Koptische, b) ins Lat.: *Praevulgata, Vetus latina* (auch *Itala* genannt), in Italien und Afrika entstandene vulgärlat. B. für die Christengemeinde seit dem 2. Jh.; sie wurden zusammengefaßt, verbessert und verdrängt durch die 382 begonnene *Vulgata* des HIERONYMUS, seit dem Tridentinum 1546, ab 1590/92 in der Revision der *Sixtina-Clementina* für die kath. Kirche maßgebend, c) ins Got. von Bischof WULFILA (ULFILAS) im 4. Jh., älteste german. B., fast nur NT. erhalten (*Codex argenteus* in Uppsala, 5./6. Jh.).
III. Dt. Dt. B.en: Die ma. B.en enthalten außer dem Psalter nur Teile des NT. (älteste ahd.: *Monsee-Wiener Fragment*); beliebter sind freie Nachdichtungen. Ahd.: OTFRIED, *Heliand,* Übersetzung der →Evangelienharmonie TATIANS, NOTKER der Deutsche; *Hiob, Psalmen* u.a., WILLIRAM: *Hoheliel;* mhd.: Evangelienbuch des MATTHÄUS von BEHEIM, →Interlinearversion der *Psalmen* aus dem Kloster Windberg (12. Jh.), *Psalter* des HEINRICH VON MÜGELN (14. Jh.). Der erste vollständige Bibeldruck erschien 1466 bei MENTEL in Straßburg; zusammen mit den 14 anderen hochdt.

B.en vor LUTHER geht er auf e. B. e. unbekannten bayr. Verfassers zurück; seit 1477 erschienen auch vier niederdt. B.en im Druck, alle nach der *Vulgata*. LUTHERS B. geht auf den griech. und hebr. Urtext zurück. 1522 erschien das NT. (›Septemberbibel‹, 2. Aufl. dess. Jahres: ›Dezemberbibel‹), 1523 die 5 Bücher Mosis, 1524 der *Psalter*, 1534 die vollständige B. bei Hans LUFFT in Wittenberg. Ihre dialektfreie, doch volkstümliche Sprache und die Rechtschreibung der sächs. →Kanzlei schaffte ihr weite Verbreitung und trug viel zur Schaffung e. einheitlichen dt. →Schriftsprache bei. Schon vor der Ausgabe letzter Hand (1546) zahlreiche Nachdrucke. Andere gleichzeitige B.en oder B.-teile (J. BÖSCHENSTEIN, J. LANG, N. KRUMPACH, K. AMMANN, O. NACHTIGALL, HÄTZER-DENCK 1527), bes. kath. zur Verdrängung von LUTHERS B. (Dr. J. ECK 1537) blieben teils in starker Abhängigkeit von ihr (H. EMSER NT. 1527, J. DIETENBERGER 1534) und erreichten keineswegs dieselbe Bedeutung und Wirkung, während die Luthersche B. ins Niederdt. (NT. 1523, vollständig von BUGENHAGEN 1534) in Schweizer Nachdrukke und in kombinierter B. drang. Erst 1863 beschloß die Eisenacher Kirchenkonferenz e. Revision des mit der Zeit stellenweise unverständlich gewordenen Originaltextes; ihr Ergebnis, 1892 endgültig vorgelegt, befriedigte nicht, und weitere Revisionen der Dt. Bibelgesellschaft folgten (1912, 1938, 1956–64, 1975, 1984). Nach LUTHER schufen wichtige B.en: J. PISCATOR (1602/04) für die Reformierten, T. PHILADELPHUS (= J. KAISER, NT. 1733/34) für die Theosophen und ZINZENDORF (NT. 1727) für die Pietisten. Neuere kath. B.en sind die von K. u. L. van Ess, KI-

STEMAKER, SCHLÖGL (1921 ff.), am weitesten verbreitet die von J. F. v. ALLIOLI (1830 ff.); auf ev. Seite die wissenschaftlichen B.en von REUSS (AT. 1892 ff.), F. E. SCHLACHTER (1905), C. STANGE (NT.), WIESE (NT.), ferner H. MENGE (1923–26), A. SCHLATTER (1931), W. MICHAELIS (1934/1935), F. PFÄFFLIN (1939), L. THIMME (1946), J. ZINK (1965 ff.), U. WILCKENS (1970) und bes. KAUTZSCH (AT.) – C. WEIZSÄCKER (NT.) 1904 und die *Züricher B.* Moderne B. von F. SIGGE (NT.) sowie M. BUBER u. F. ROSENZWEIG (AT.).

IV. Z. Zt. gibt es B.en in rd. 1200 Sprachen, davon vollständige in 191, NT. in 237, Einzelteile in 600 und Auswahlen in 92 Sprachen u. Mundarten.

J. J. Mezger, Gesch. d. dt. B. i. d. schweiz. ref. Kirche, 1876, ²1967; W. Walther, D. dt. B. d. MA., 3 Bde. 1889/92, ²1966; ders., D. ersten Konkurrenten d. B. Luthers, 1917; E. Brodführer, Untersuchgn. z. vorluther. B., 1922; W. Staerk, A. Leitzmann, D. jüd.-dt. B.en, 1923, n. 1977; W. Ziesemer, Stud. z. ma. B., 1928; F. Maurer, Stud. z. mdt. B. vor Luther, 1929; E. A. Nida, *Bible translating*, Philadelphia 1947; F. G. Kenyon, D. Text d. griech. B., ²1952; RL; J. Schmid, Mod. B.en, 1960; F. F. Bruce, *The Engl. Bible*, Oxf. 1961; S. L. Greenslade, *The Cambridge hist. of the Bible*, Cambr. 1963; A. Metzger, Mod. engl. B.en, 1964; D. alten Übss. d. NT., hg. K. Aland 1972; B. M. Metzger, *The early versions of the NT.*, Oxf. 1977; K.-H. Musseleck, Unters. z. Spr. kath. B.en d. Ref.zt., 1981; S. Brügger, D. dt. B. d. 20. Jh. i. sprachl. Vergl., 1983; W. Schwarz, Schrr. z. B., 1985.

Biblia pauperum →Armenbibel

Bibliographie (v. griech. *biblos* = Buch, *graphein* = beschreiben: Bücherbeschreibung), früher allg. Lehre vom Buch; heute Bücherkunde: in allen Wissenschaftszweigen unentbehrliche Hilfswissenschaft, die sich mit der Zusammenstellung, Beschreibung (voller Verfassername,

Titel, evtl. Untertitel, Erscheinungsort, Verlag, Erscheinungsjahr, Band- und Seitenzahl, Format), Aufschlüsselung durch kurze Inhaltsangabe (analytische B.) und Wertung (kritische B.) des Schrifttums (Texte und bes. →Sekundärliteratur) allg. oder in e. bestimmten Fachgebiet befaßt. Im engeren Sinn auch das gedruckte Bücherverzeichnis selbst, je nach Anlage unter verschiedenen Gesichtspunkten als Fach-B. oder allg. B., in Beschränkung auf e. Zeitraum (Jahres-B.), e. Landschaft (regionale B.), e. Volk (National-B., in Dtl. die Bücherkataloge von HEINSIUS 1700–1892, KAYSER 1750–1910, HINRICHS 1851–1912, GEORG 1883–1912, das *Dt. Bücherverzeichnis* seit 1910 und die *Dt. Bibliographie* seit 1945), e. Person (→Personal- oder Bio-B.); es kann lückenlose Vollständigkeit mit periodischen Ergänzungen (laufende B.) oder Auswahl des Wichtigsten angestrebt sein. Die Anordnung der Buchtitel erfolgt alphabetisch nach Verfassernamen und Sachbegriffen, chronologisch nach der Erscheinungszeit oder nach der Wichtigkeit in Sachgruppen. Wichtigste B.n zur dt. Lit.: K. GOEDEKE, *Grundriß z. Gesch. d. dt. Dichtg.*, 2. Aufl. v. E. GÖTZE u. a., 14 Bde. in 18, ²1884–1959 (bis 1830 reichend), N. F. (1830–1880) hg. v. G. MINDE-POUET, 1940 ff.; F. LÖWENTHAL, *Bibliogr. Hdb. z. dt. Philol.*, 1932; A. LUTHER, *Dt. Land i. dt. Erzählung*, ²1937; ders., *Dt. Gesch. i. dt. Erzählg.*, 1940; H. W. EPPELSHEIMER, *Hdb. . . . Weltlit.*, ³1960; W. KOSCH, *Dt. Lit.-Lexikon*, IV ²1949 ff., XV ³1966 ff.; J. KÖRNER, *Bibliogr. Hdb. d. dt. Schrifttums*, ⁴1966; H. OLZIEN, *B. z. dt. Litgesch.*, 1953 m. Nachtr. 1955; *B. d. dt. Lit.wiss.*, hg. H. W. EPPELSHEIMER u. C. KÖTTELWESCH, (1945 ff.), 1957 ff.; J. HANSEL, *Bücherkde. f. Germanisten*, 1959; dass., *Studienausg.* ⁸1983; ders., *Personal-B. z. dt. Lit.-gesch.*, ²1974; R. F. ARNOLD, *Allg. Bücherkunde z. neueren dt. Lit.gesch.*, ⁴1966; G. v. WILPERT, A. GÜHRING, *Erstausgaben dt. Dichtung*, 1967; *Internat. B. z. Gesch. d. dt. Lit.*, VI 1969–84; H. WIESNER u. a., *B. d. Personalbibl. z. dt. Gegenwartslit.*, 1970; *Hdb. d. dt. Lit.gesch.*, 2. Abt.: B., XII 1970 ff.; *Bibl. Hdb. d. dt. Lit.wiss.*, hg. C. KÖTTELWESCH, III 1973–78; H.-A. u. U. KOCH, *Internat. germanist. B.* (1980–82), III 1981–84; weitere bibliogr. Angaben bis in die Gegenwart bieten die →Lit.-Zss. (insbes. →Jahresberichte) u. →Literaturlexika. Vgl. →Personal-B.

R. B. McKerrow, *Introd. to b. for Lit.students*, Oxf. 1927; G. Schneider, *Hdb. d. B.*, ⁵1969; ders., *Theorie u. Gesch. d. B.* (Hdb. d. Bibliothekswiss., hg. F. Milkau, I, ²1952); ders., *Einf. i. d. B.*, 1936; G. Fumagalli, *Vocabulario Bibliographico*, Florenz 1940; M. v. Arnim, *Internat. Personal-B.*, 2 Bde. ²1952–63 + 3 Bde. 1978 ff.; C. Wendel, *D. griech.-röm. Buchbeschreibung*, 1949; F. T. Bowers, *Principles of bibl. description*, Princeton 1949; C. F. Bühler u. a., *Standards of bibl. description*, Phil. 1949; H. Bohatta, F. Hodes, *Internat. B. d. B.n*, 1950; L. N. Malclès, *Les sources du travail bibliographique*, Genf 3 Bde. 1950–58, n. 1965; W. Krabbe, B., ⁶1951; O. Pinto, *Le b. Nazionali*, Florenz ²1951; J. H. Shera, *Bibl. organization*, Chic. 1951; B. d. dt. B.n, Lpz. 1954 ff.; P. Freer, *B. and Modern Book Production*, Koph. 1955; *B. d. versteckten B.n* ₁, 1956; L. N. Malclès, *La b.*, Paris 1956, ²1977; K. Fleischhack, *Grundriß d. B.*, 1957; ders., *Leitfaden d. B.*, 1951; RL; H. Fromm, *Germanist. B.* seit 1945, 1960; R. Weitzel, *Bibl. Suchpraxis*, 1961; ders. , *D. dt. nationalen B.n*, ³1963; R. Blum, *Vor- u. Frühgesch. d. nationalen Allgemein-B.*, 1963; L. N. Malclès, *Manuel de b.*, Paris 1963, ²1976; E. Bowers, *B. and textual criticism*, Oxf. 1964; H. Baer, *B. u. bibl. Arbeitstechnik*, ²1964; T. A. Bestermann, *A world b. of b.s*, Lausanne ⁴1965 f.; R. B. Downs, F. B. Jenkins, *B.*, Urbana 1967; W. Friedrich, *Einf. i. d. B. z. dt. Lit.wiss.*, 1967; A. Esdaile, *Manual of B.*, Lond. ²1968; F. Domay, *Formenlehre d. bibliogr. Ermittlg.*, 1968; R. L. Collison,

B.s, Lond. ³1968; R. Blum, Bibliographia, 1969; E. W. Padwick, *Bibl. method,* Cambr. 1969; P. Gaskell, *A new introd. to b.,* Oxf. 1972; K. R. Simon, Bibl. Grundbegriffe, 1973; H.-J. Koppitz, Grundzüge d. B., 1977; M. S. Batts, *The b. of German Lit.,* Bern 1978; E. Bartsch, D. B., 1979; C. Paschek, D. germanist. B. heute, JIG 12, 1980; Beitrr. z. bibliogr. Lage, hg. H.-H. Krummacher 1981; W. Totok, R. Weitzel, Hdb. d. bibliogr. Nachschlagewerke, 2 Bde. ⁶1984 f.; P. Raabe, Einf. i. d. Bücherkde. z. dt. Lit.-wiss., ¹⁰1984; C. Paschek, Praxis d. Lit.-ermittlg. Germanistik, 2 Bde. 1986; H. Allischewski, B.enkunde, 1986.

Bibliographieren, allg. die bibliograph. Suchpraxis. Man unterscheidet ›aktive Bibliographie‹ als das Zusammenstellen einer →Bibliographie und ›passive Bibliographie‹ als das bloße Benutzen bibliograph. Nachschlagewerke zur Ermittlung gesuchter Titel.

Bibliomanie (v. griech. *mania* = Raserei, Wahnsinn), krankhaft übersteigerte Neigung zum Sammeln von Büchern jenseits der Gebote von Moral und Vernunft, oft nicht nach ihrem inneren Wert, sondern äußeren Gesichtspunkten (Einband, Papier, Format, Alter, Offizin, Seltenheiten). Die Grenze zu Extremformen der →Bibliophilie ist schwer zu ziehen. Berühmtester Bibliomane, Mörder aus B., war der Thüringer Pfarrer TINIUS (†1846). J. Willms, Bücherfreunde, 1978.

Bibliophilie (v. griech. *philia* = Liebe, Freundschaft), Bücherliebhaberei, Neigung zum Sammeln seltener, schön ausgestatteter oder aufgrund ihres Alters oder ihrer Schicksale (frühere Besitzer!) o. ä. bes. wertvoller Bücher, etwa Erstausgaben, illustrierte Werke, Autographen, Inkunabeln, schöne Drucke, Widmungsexemplare. Im Ggs. zur →Bibliomanie wohnt ihr e. persönl. Verhältnis zu den gesammelten Werken inne, doch überwiegt die ästhet. Freude am Gegenstandswert und der Authentizität e. Drucks als Sammelwert die am lit. Wert des Inhalts. Sammelgebiete sind etwa Illustrationswerke, Luxus- und Pressedrucke, schöne Einbände, Jagd-, Vogel-, Pflanzenbücher, alte Reiseberichte, alte Naturwissenschaften, einzelne Epochen der dt. oder fremden Lit.; spezielle Autoren, Bestseller, Militaria, Erotika u. a. m. Die B. reicht bis ins Altertum (CICERO) und MA. (RICHARD DE BURY, *Philobiblon,* 1345) zurück, entfaltet sich zuerst im Humanismus (PETRARCA, POGGIO, REUCHLIN) und dann seit dem 18. Jh. bes. in Frankreich, England und Dtl., im 19./20. Jh. auch in den USA, gefördert durch bibliophile Gesellschaften (Ges. der Bibliophilen, Maximilian-Ges., Ges. der Bücherfreunde u. a.), deren Veröffentlichungen und bibliophile Zss. (*Zs. f. Bücherfreunde,* 1897–1936, *Philobiblon,* 1928 ff., *Imprimatur,* 1930 ff.). Bibliophile Drucke sind in kleiner Auflage für den Liebhaberkreis hergestellte Pressedrucke (→Presse 1) und Prachtausgaben, oft auch älterer Literaturwerke.

O. Mühlbrecht, D. Bücherliebhaberei, ²1898; G. A. E. Bogeng, Umriß e. Fachkunde f. Büchersammler, 1911, n. 1978; ders., D. großen Bibliophilen, 1922, n. 1984; ders., Einführung i. d. B., 1931, n. 1984; E. Hölscher, Hdwb. f. Büchersammler, 1947; A. Bradley, *Gold in your Attic,* II N.Y. 1958–62; K. F. Plesner, *Bøger og bogsamlere,* Koph. 1962; J. Carter, *ABC for book-collectors,* Lond. ⁴1966; J. T. Winterich, D. A. Randall, *A primer for book collecting,* Lond. ³1967; B. Zeller, B. (Antiquariat 18, 1968); M. Vaucaire, *La b.,* Paris 1970; J. Furstenberg, *Le Grand Siècle en France et ses bibliophiles,* 1972; L. Bielschowsky, Der Büchersammler, 1972; J. Willms, Bücherfreunde, 1978.

Bibliothek (v. griech. *theke* = Behältnis), Aufbewahrungsort e. der Benutzung dienenden Büchersammlung (i. Ggs. zum Lager des Buchhändlers), dann auch diese selbst. Man unterscheidet nach dem Besitzstand private, halböffentl. (Werks-,

Vereins-, Instituts-B.) und öffentl. B.en, letztere unterteilt in wissenschaftl. B.en (→National-, Landes- und Stadt-B., die als Universal-B. das Schrifttum ihres Raumes möglichst vollständig sammeln, und Spezial-B. wie Universitäts-, Instituts-, Behörden- und Schul-B.), die nur e. begrenzten Benutzerkreis zugänglich sind, und allg. B.en oder →Volksbüchereien, die mit privaten oder städt. Mitteln neben bildenden auch unterhaltenden Zwecken dienen. Eine Zwischenform bildet die Einheits-B. Gegenüber diesen gemeinnützigen B.en sind die sog. Leih-B. auf Profit abzielende private Geschäftsunternehmungen. Nach der Verwaltungsart unterscheidet man bei großen öffentl. B.en die Ausleih-B.en, deren Bücher unter bestimmten Bedingungen befristet dem Benutzer mit nach Hause gegeben werden, von den Präsenz-B.en, deren Werke nur im anliegenden Lesesaal eingesehen werden können. Die Bestände der B. stehen im Magazin systematisch nach Sachgebieten oder (heute meist) nach Akzession (d.h. Zugang) geordnet und werden für die Benutzer durch alphabet. Namens-, systemat. Sach- und Schlagwortkataloge oder die Vereinigung aller Katalogformen im Kreuzkatalog erschlossen. Zur Verwaltung und Vermehrung der Buchbestände durch Neuerwerbungen (Neuerscheinungen, Antiquariats- und Auktionskäufe) dient ein vom Unterhaltsträger bestimmter Etat. Staats- und Landesbibliotheken erhalten darüber hinaus ein Pflichtexemplar jedes in ihrem Bereich erschienenen Werkes. Nicht am Ort vorhandene Bücher können über den auswärtigen Leihverkehr besorgt werden; der schnellen Standortermittlung dienen die Zentralkataloge der Länder. Bereits im alten Ägypten und Baby-

lonien (ASSURBANIPAL) gab es B.en, aus denen manche Papyrusrollen oder Keilschriftdenkmäler erhalten sind. Unter PEISISTRATOS entstand die erste öffentl. B. in Griechenland; berühmt war die Privat-B. des ARISTOTELES; mit der Aufgabe staatl. Selbständigkeit verlegte sich das Schwergewicht auf die hellenist. Kolonien: Die Ptolemäer scheuten keine Mühen und Kosten für die Erweiterung der Museion-B. in Alexandria; vor ihrem Brande 47 v. Chr. enthielt sie 700 000 Papyrusrollen. Mit ihr rivalisierte die B. in Pergamon (3./2. Jh. v.Chr., →Pergament). In Rom gründete ASINIUS POLLIO 39 v.Chr. die erste öffentl. B., ihm folgten AUGUSTUS mit der Octaviana und der Palatinischen B. sowie TRAJAN mit je e. griech. und lat. B. auf dem Forum, und in der späteren Kaiserzeit schlossen sich die meisten größeren Städte an; auch zu den Gepflogenheiten der Vornehmen gehörte e. Privat-B. Im MA. bewahren die B.en der Klöster (Vivarium, Bobbio, Monte Cassino, Corvey, Cluny, St. Gallen, Reichenau, Tegernsee, Fulda u.a.) e. reichen Bücherhort, den sie durch Schenkungen, Abschriften und Tausch mehren und z.T. als Kettenbücher auf Pulten auslegen, bis mit Renaissance und Humanismus e. neue B.spflege einsetzt und die Schätze der Kloster-B.en an Fürstenhöfe, Universitäten (Paris, Bologna, Prag, Wien) oder neugegründete städt. B.en (Ambrosiana in Mailand, B. von S. Marco und Laurentiana in Florenz, Marciana in Venedig) wandern bzw. im Säkularisierungsverfahren (Reichsdeputationshauptschluß 1803) den Landes-B.en zufallen. Aus den privaten fürstl. Hof-B.en werden spätestens 1918 öffentl. Regional-B.en. Die aufstrebenden Universitäten bleiben die größten Benutzer der B.en. Die füh-

rende dt. B. des 16. Jh. war die
Palatina in Heidelberg, im 17. Jh.
die Augusta in Wolffenbüttel
(1604), im 18. Jh. die Göttinger
Univ.-B. (1735). In Dtl. ist seit 1912
die →Dt. Bücherei in Leipzig die
zentrale Sammelstelle des gesamten
Schrifttums, für die Bundesrepublik
seit 1948 daneben die →Dt. B. in
Frankfurt. Mit dem Abnehmen der
Privat-B. wächst die Aufgabe der
öffentl. B.en, die z. T. im 2. Weltkrieg starke Verluste erlitten.

Th. Gottlieb, Üb. ma. B.n, 1890, n. 1955;
A. Graesel, Hdb. d. B.lehre, ²1902; A.
Hessel, Gesch. d. B., 1926; W. Krabbe,
Kurzgef. Lehrb. d. B.verwaltg., 1937; H.
Kramm, Dt. B. unter d. Einfl. v. Huma-
nism. u. Reformat., 1938; G. Leyh, D. dt.
wiss. B. nach d. Kriege, 1947; E. Wilkens,
R. Kock, D. öffentl. Büchereiwesen i. d.
Bundesrep., 1950; W. Krabbe, W. M.
Luther, Lehrb. d. B.verwaltg., 1953; J.
Kirchner, B.wiss., ²1953; R. Schmidt,
Theorie d. Leihbücherei, 1954; J. Vor-
stius, Grundzüge d. B.gesch., ⁶1969; E.
Mehl, K. Hannemann, Dt. B.gesch., in:
Aufriß, ²1956; K. Löffler, Einf. i. d. Kata-
logkunde, ²1956; G. Leyh, D. dt. B.n v. d.
Aufkl. bis z. Ggw., 1956; Hdb. d.
B.swiss., hg. v. F. Milkau, ²1957 ff.; J. W.
Thompson, The medieval library, N.Y.
²1957; F. Wormald, The Engl. library
before 1700, Lond. 1958; R. Irwin, The
Engl. library, Lond. ²1966; ders., The
heritage of the Engl. library, Lond. 1964;
K. Kunze, B.sverwaltungslehre, ²1958; L.
M. Harrod, The librarian's glossary,
Lond. ⁴1959; Nordisk Håndbog i B.s-
kundskap, Koph. 1960; R. N. Lock, Library administration, Lond. 1961; Hdb.
d. Büchereiwesens, hg. J. Langfeldt
1961–76; R. Stromeyer, Europ. B.sbau-
ten seit 1930, 1961; H. Fuchs, Kurzgef.
Verwaltgslehre f. Institutsb., 1961; H.
Fuchs, B.verwaltung, ²1968; F. Kunz, S.
Glotz, Kl. B.kunde, 1963; R. Mummendey, V. Büchern u. B.n, ²1964; J. Stumm-
voll, D. B. d. Zukunft, 1965; E. D. Johnson, A hist. of libraries in the western
world, N.Y. 1965; J. Busch, Bibliogr. z.
B.- u. Büchereiwesen, 1966; Encyclopedia of librarianship, hg. T. Landau, Lond.
³1966; H. Kunze, Grundzüge d. B.lehre,
³1967; G. v. Busse, H. Ernestus, D. B.we-
sen d. BRD., 1968; Lex. d. B.wesens, hg.
H. Kunze 1969; M. Brawne, B., 1970; R.
Kluth, Grundr. d. B.lehre, 1970; ders.,
Einf. i. d. B.benutzg., 1971; R. Hacker,
Bibliothekar. Grundwissen, 1972; A.
Hobson, Große B.n, 1972; M. Baur-
Heinhold, Schöne alte B.en, 1972, ²1974;
L. Buzás, Dt. B.gesch., III 1975–78; K.-
H. Weimann, B.-gesch., 1975; Öffentl. u.
priva. B.en i. 17. u. 18. Jh., hg. P. Raabe,
1977; W. Thauer, Gesch. d. öffentl. Bücherei i. Dtl., 1978; G. v. Busse, Struktur
u. Organisation d. wiss. B.wesens i. d.
BR., 1978; Buch u. Sammler, hg. R. Gru-
enter 1979; W. Schmitz, Dt. B.sgesch.
1984; P. Raabe, D. B. als humane Anstalt
betr., 1986.

Bibliothekszeichen →Exlibris

Biblisches Drama, im Ggs. zum
→geistlichen Drama des MA. kein
Gemeinschaftsspiel der Bürger-
schaft zur Verherrlichung kirchl. Feste und Darstellung christl. Lehre,
sondern bewußte, moderne Dramenform nach Stoffen aus der Bibel. Schon die Bevorzugung des AT.
zeigt, daß es weniger um direkte
Verkündigung der Heilsbotschaft
als um Dramatisierung bekannter
Geschehnisse und Gestalten ging:
Sündenfall, Kain und Abel, Susanna, Rebekka, Esther, Tobias, Judith,
Ruth, Joseph; aus dem NT. die
Gleichnisse vom verlorenen Sohn
und vom armen Lazarus; oft mit
starker Tendenz und Betonung des
moral. Zwecks in Prolog, Epilog
und Chorliedern. Aus e. Vorstufe im
SpätMA. unter dem Einfluß des Humanismus zum Kunstdrama für
Schultheater entwickelt, erhält das
b. D. starken Auftrieb als Mittel im
Reformationskampf. LUTHER weist
wiederholt auf seinen Wert hin. Blü-
tezeit ist daher das 16. Jh.: in der
Schweiz die Massenszenen von J.
RUF (Spiel von Josef, 1540) und S.
BIRCK (Judith, 1532), in Deutsch-
land B. WALDIS (Der verlorene
Sohn, 1527), P. REBHUHN (Susan-
na, 1535, Hochzeit zu Kana, 1538),
H. SACHS (David, Judith, Esther,
Jakob, Saul u.a.m.), N. FRISCHLIN
(Rebekka, 1576, Susanna, 1578),
Th. NAOGEORGUS (Judas Iscariotes,
1552), auch einzelne Stücke von
Herzog HEINRICH JULIUS von
Braunschweig (Susanna, 1593) und

J. AYRER (*Lazarus,* 1598). Auch die
→Englischen Komödianten und
→Jesuitendramen pflegen das b. D.,
ebenso G. PEELE (*The love of King
David and Bethsabe,* 1588), J. van
den VONDEL (*Koning David,* 1660)
und die franz. Klassik (RACINE
Esther, 1689, *Athalie,* 1691); der
dt. Barockdichtung ist es bei seiner
engen stoffl. Gebundenheit fremd
(Ausnahme: J. KLAJ), erst Chr.
WEISE (1642–1708) nahm viele
Stoffe des AT. wieder auf, blieb je-
doch ohne Nachfolge, ebenso wie
die kurze Blüte des b. D. rd.
1755–75 durch den Wetteifer von
KLOPSTOCK (*Der Tod Adams,*
1756, *Salomo,* 1763, *David,* 1763),
BODMER (Josephsdramen, 1754,
Vater der Gläubigen, 1778, *Tod des
ersten Menschen,* 1763) und LAVA-
TER (*Abraham und Isaak,* 1776).
Die bibl. Stoffe im Drama des 19.
Jh. sind oft nur noch Gefäß für
weltanschaul. Ideen und Probleme
oder psycholog. Deutung: GUTZ-
KOW, *König Saul,* 1839, O. LUD-
WIG, *Die Makkabäer,* 1852, HEB-
BEL, *Judith,* 1841, *Herodes und
Mariamne,* 1850, GRILLPARZER,
Esther-Fragment, 1877. Die letzte
Wiederaufnahme des b. D. geschah
bei einigen Dichtern des Impressio-
nismus (E. HARDT, *König Salomo,*
1915; St. ZWEIG, *Jeremias,* 1917;
R. BEER-HOFMANN, *Die Historie
von König David,* 1920–1933) und
des Expressionismus (M. BROD,
Die Arche Noah, 1913, F. KOFFKA,
Kain, 1917, F. JUNG, *Saul,* 1917, R.
SORGE, *König David,* 1918, A. NA-
DEL, *Der Sündenfall,* 1920, F. WER-
FEL, *Paulus unter den Juden,* 1926),
in Frankreich bei P. CLAUDEL (*An-
nonce faite à Marie,* 1912, *L'histoi-
re de Tobie et de Sarah,* 1938), J.
GIRAUDOUX (*Judith,* 1932, *Sodome
et Gomorrhe,* 1943) und M. PA-
GNOL (*Judas,* 1955), in England bei
O. WILDE (*Salome,* 1893), Chr. FRY

(*The Firstborn,* 1948) und P.
CHAYEFSKY (*Gideon,* 1961). Volkstüml. bibl. Motive in mod. Umwelt
gestaltet M. MELL im *Apostelspiel*
(1923) und im *Nachfolge-Christi-
Spiel* (1927).

M. Roston, *Bibl. drama in England,*
Lond. 1968.

Biedermeier. Der Name stammt
von L. E. EICHRODTS Parodie des
treuherzigen Spießbürgers der
→Vormärzzeit im ›schwäbischen
Schullehrer Gottlieb Biedermaier‹
und seinen Gedichten (*Münchener
Fliegende Blätter* 1855–57), zuerst
auf die bürgerl. Wohnkultur (B.-
stil), dann auf die beschaul. Genre-
malerei der Zeit (SCHWIND, RICH-
TER, KERSTING, SPITZWEG) übertragen, wurde es zum Schlagwort für
die philiströs-unpolit. Zeit 1815–48
und als solcher Epochenbegriff auch
für die Dichtung beansprucht: Es
bezeichnet hier die genügsame, unheroische und unpolit. bürgerl.
Dichtung zwischen der patriot. Bewegung der →Befreiungskriege und
dem Beginn des →Realismus, neben
der →Romantik und dem →Jungen
Deutschland. Begriff sowie Zugehörigkeit der einzelnen Dichter sind
noch stark umstritten (bes. Österreicher u. Schwaben: GRILLPARZER,
STIFTER, RAIMUND, LENAU, UH-
LAND, MÖRIKE; ferner DROSTE und
IMMERMANN, auch engl. und franz.
Zeitgenossen), und die lit. Größe
dieser hervorgehobenen Vertreter
scheint eher im Überragen des B. als
in den zweifellos vorhandenen Gemeinsamkeiten der Kulturepoche zu
bestehen. Das B. trägt das Vermächtnis der Klassik (in Österreich
auch des Barock) denn Epigonen-
haftigkeit weiter, gestaltet es jedoch
durch Aufnahme realist. Elemente
um (›Realidealismus‹). Aus der Neigung zum Idealismus bei Anerkennung der gegensätzl. Wirklichkeit
entsteht nur selten e. Synthese in

betonter Innerlichkeit und harmon. Klarheit; häufig bricht die Melancholie durch: Sehnsucht und Wünsche stehen neben tiefer Resignation und Versenkung in die Vergangenheit, selbst der Humor ist e. schwerelose ›Heiterkeit auf dem Grunde der Schwermut‹. Das Laute, Dämonische und Große wird als zerstörend vermieden; Bändigung der Leidenschaften und dämon. Gewalten unter ein sittl. Ideal und e. starke Naturnähe kennzeichnen die Dichtung der Zeit, die in erster Linie Kleinkunst ist und sein will. Die Epik bevorzugt – bei feinster Pflege des Stils – Formen wie Skizze, Stimmungsbild, Märchen oder geschlossene Novelle; auch in der Lyrik zeigt sich e. Neigung zum Epischen: Ballade und Verserzählung blühen; in die Breite wirken vornehmlich die unzähligen →Taschenbücher und →Musenalmanache – es ist die Zeit des Versemachens und der Stammbücher. Die Unterhaltungslit. zeigt dagegen e. Zug zum Schaurigen (SPINDLER), zum Lehrhaften in großen histor. Romanen – es ist die Zeit der einsetzenden →Konversationslexika – im Theater zum Rührstück (Ch. BIRCH-PFEIFFER, →Lokalstücke).

M. v. Boehn, B., 1911; G. Weydt, Lit. B., DVJ 9, 1931 u. 13, 1935; W. Bietak, V. Wesen d. österr. B. u. seiner Dichtung, DVJ 9, 1931; ders., D. Lebensgefühl d. B. i. d. österr. Dichtg., 1931; ders., Zw. Romantik, Jg. Dtl. u. Realismus, DVJ 14, 1936; R. Majut, D. lit. B., GRM 20, 1932; H. Pongs, Zur Bürgerkultur d. B. (Dichtung u. Volkstum 36, 1935); A. v. Grolman, B.forschung (ebda.); F. J. Schneider, B. u. Literaturwissensch. (Preuß. Jahrb. 240, 1935); F. Brie, Lit. B. i. Engl., DVJ 13, 1935; P. Kluckhohn, B. als lit. Epochenbz., DVJ 13, 1935 u. 14, 1936; A. P. Berkhout, B. u. poet. Realismus, Diss. Amsterdam 1942; P. Hacks, D. Theaterstück d. B., Diss. Mchn. 1951; G. Weydt, B. u. Jg. Dtl., DVJ 25, 1951; H. Meyer, D. lit. B., DU 2, 1952; M. Greiner, Zw. B. u. Bourgeoisie, 1953; W. Dietl, D. Lit. d. österr. B., Diss. Innsbruck 1954; RL; J. Hermand, D. lit. Formen- welt d. B., 1958; W. Flemming, D. Problematik d. Bz. B., GRM 1958; W. Höllerer, Zw. Klassik u. Moderne, 1958; F. Sengle, Voraussetzgn. u. Erscheinungsformen d. dt. Restaurationslit. (in: Arbeiten z. dt. Lit., 1965); J. Hermand, M. Windfuhr, Z. Lit. d. Restaurationsepoche, 1970; R. Schröder, Novelle u. -theorie i. d. frühen B.zeit, 1970; F. Sengle, B.zeit, III 1971–80; E. Neubuhr (hg.), Begriffsbestimmung d. lit. B., 1974; R. Krüger, B., 1979; W. Geismeier, B., 1980; R. Brandmeyer, B.roman u. Krise d. ständ. Ordng., 1982; Romane u. En. zw. Romantik u. Realismus, hg. P. M. Lützeler 1983; V. Nemoianu, *The taming of romanticism*, Cambr./Mass. 1984.

Bild, 1. Sammelbz. für alle Formen sprachl. bildl. Ausdrucks als Mittel visueller Evokation in der Dichtung, die die verblaßten bildl. Ausdrücke der Umgangssprache aktualisiert und vermehrt. Wesentl. Bestandteil jedes Sprachkunstwerkes im Ggs. zum theoret. Schrifttum ist Bildhaftigkeit: Sie gestattet e. eigene Dingwelt in lebendiger Fülle, und zwar e. Welt, die sich ohne äußere Realität erst durch sie und in ihr entfaltet. Das B., schon als sprachl. Gebilde von stärkster Gefühlseinprägsamkeit, Anschaulichkeit und Gehaltsverdichtung, ist wichtigstes Mittel dieser Eigenschöpfung. Es appelliert zugleich an die Phantasie des Rezipienten zu adäquatem Nachvollzug als Wiedergabe opt. Eindrücke, Verbildlichung abstrakter Verhältnisse, Veranschaulichung von Denken und Empfinden. Es ersetzt die nüchtern-sachl. Aussage durch e. eigene, eindringl. Gegenstandswelt, die durch ihre Gefühlshaltigkeit und Beseelung über der kalten Dingwelt steht (Beispiel: GOETHE, *Mignon*). Die Art der Bildgestaltung im einzelnen reicht von der Folge nur schwach angedeuteter, verschwommener Bilder (Bilderflucht) über das angedeutete B. bis zum in sich geschlossenen, stat. B. von gegenständl. Fülle und tiefer Bedeutsamkeit. Einzelne Epochen und Dichter zeigen durch bevorzugte B.bereiche teils e. gewisse B.konstanz. Bes. in der Lyrik erscheint das B. geprägt von stärkster gefühlsmäßiger Anteilnahme des Sprechenden, die sich schon in der Art der Skizzierung und Ausgestaltung bekundet; kaum seltener ist es in der Erzählung, wo es durch →Beschreibung entsteht, doch auch hier z. T. von intensivster Wirkung bes. als Schlußbild in Roman (JEAN PAUL, *Titan*) und Novelle (C. F. MEYER, *Die Hochzeit des Mönchs*). – Abgesehen von der allg. Bildhaftigkeit dichterischer Sprache unterscheidet man als Darstellungsmittel des sinnl. nicht Faßbaren die Sonderformen →Gleichnis, →Vergleich, →Symbol oder Sinnbild, →Emblem, →Metapher und →Katachrese von den sog. uneigentl. Redeformen, die zur Bz. des Gemeinten e. Ausdruck aus anderem Bereich übertragen und dadurch der Aussage geistige Vertiefung schaffen, bes. →Allegorie und →Personifikation. – 2. dramaturg. Ersatzwort für →Akt oder →Szene.

H. Pongs, D. B. i. d. Dichtung, II 1927 ff., IV ²1960–73; S. J. Brown, *The world of imagery*, Lond. 1927; L. H. Hornstein, *Analysis of Imagery*, PMLA 57, 1942; C. Day Lewis, *The poetic image*, Lond. ⁶1951; W. Killy, Wandlg. d. lyr. B., 1956, ⁷1978; J. W. Beach, *Obsessive images*, Minneapolis 1960; J. Bloch-Michel, D. B. (Akzente 9, 1962); Bibl. z. antiken Bilderspr., hg. V. Pöschl 1964; M. Hardt, Stud. z. Funktionsweisen v. B. u. B.reihen i. d. Lit., 1966; K.-H. Hillmann, Bildlichkeit d. dt. Romantik, 1971; B. A. Sörensen (hg.), Allegorie u. Symbol, 1972; P. Requadt, Bildlichkeit der Dichtg., 1974; A. de Vries, *A dictionary of symbols and imagery*, Amsterd. ²1976; Kommunikative Metaphorik, hg. H. Pausch 1976; T. Ziolkowski, *Disenchanted images*, Princeton 1977; M. Anderle, Dt. Lyrik d. 19. Jh., 1979; *The language of images*, hg. W. J. T. Mitchell, Chic. 1980; ders., *What is an image?*, NLH 15, 1983/84; P. Michel, Alieniloquium, 1987; Was ist e. B., hg. G. Boehm 1988. →Symbol, →Allegorie.

Bildbruch →Katachrese

Bilderbibel, mit zahlreichen Bildern, seit der Erfindung des Buchdrucks bes. Holzschnitten, versehene Bibelausgabe. Sie entwickelt sich im 15. Jh. aus der →Armenbibel (Kölner B. 1479, Lübecker B. 1494) und verzichtet oft auf Vollständigkeit der Textwiedergabe zugunsten e. Erläuterung der Bilder. Bekannte Bibelillustrationen von DÜRER, H. HOLBEIN d. J., H. S. BEHAM, V. SOLIS, J. AMANN, T. STIMMER, SCHNORR VON CAROLSFELD (1852–62) und G. DORÉ (1866).
R. Muther, D. ältest. B.n, 1883.

Bilderbogen, reichillustrierte Erzählungen mit knappem Text (Unterschrift, Reimpaare oder Spruchband-Reden), mehr inhaltlich zusammengehörige Bilderfolgen mit Kurzlegenden für ein anspruchsloses Publikum, finden sich seit dem 13./14. Jh. als Hss. der Briefmaler-Zunft, dann als oft kräftig kolorierte →Einblattdrucke, anfangs mit naiven Holzschnitten mit volkstüml. Sensationsberichten, Nachrichten, Streitgesprächen, belehrenden und belustigenden Schnurren, religiösen, moral. und polit. Erörterungen und bes. mit stereotypen Motiven (→Totentanz, Verkehrte Welt, Jungmühle u. a.). Sie wurden im MA. auf Jahrmärkten und Volksfesten verkauft, beim →Bänkelsang mit Sittenbildern und Kuriositäten im 19. Jh. u. a. als *Neuruppiner B.* (1775 ff.) und *Münchener B.* (1850–1898). Fortleben im 20. Jh. als →Comics.
H. Fehr, Massenkunst i. 16. Jh., 1924; H. Rosenfeld, D. dt. Bildged., 1935; ders., D. ma. B., ZDA 85, 1954; RL; A. Spamer (Reallex. d. dt. Kunstgesch. II, 1948); Populäre Druckgraphik Europas, 5 Bde. 1967–73; E. Hilscher, D. B. i. 19. Jh., 1977.

Bilderbuch, illustriertes Kinderbuch, dessen Text in Vers oder Prosa nur nebensächl. Beigabe zu den

Bildern ist oder gar ganz fehlt. Die einfachen, meist farbigen Bilder aus der kindl. Begriffswelt sind dem Auffassungsvermögen der 2–8jährigen angepaßt. Beginnt mit den Holzschnitten der A-B-C-Bücher (J. GRISSBEUTEL, *Stimmenbüchlein* 1531) und Fabelillustrationen (B. WALDIS, *Der ganz neu gemachte Esopus*, 1548, G. ROLLENHAGEN, *Froschmeuseler*, 1591) sowie der →Einblattdrucke. Der Jugendbildung dient J. A. COMENIUS' *Orbis sensualium pictus* (1658). Im 18. Jh. erscheinen neben e. Fülle von moral. und bibl. B.ern auch J. B. BASEDOWS 4-bändiges *Elementarwerk* (1770–74) für die Jugend, F. BERTUCHS *B. für Kinder* (1790–1822), Ch. G. SALZMANNS *Elementarbuch* (1785–95) und J. K. A. MUSÄUS' *Moralische Kinderklapper* (1787); im 19. Jh. folgten bebilderte Märchen- und Volksliederbücher (z.B. mit Illustrationen von L. RICHTER, Th. HOSEMANN, F. POCCI, O. SPECKTER); in weiteste Kreise wirkten H. HOFFMANNS *Struwwelpeter* (1845), W. BUSCHS *Max und Moritz* (1865). Neuentwicklungen des 20. Jh. sind stärkeres Eingehen auf die kindl. Psyche und die Mitarbeit arrivierter Autoren am kindgerechten B. (BICHSEL, HÄRTLING, HERBURGER, KUNZE, S. LENZ).

A. Rümann, Alte dt. Kinderbücher, 1937; B. Hürlimann, D. Welt i. B., 1965; D. B., hg. K. Doderer, H. Müller 1973, ²1975; I. Ramsegger, D. B. (in: Kinder- u. Jugendlit., hg. M. Gorschenek 1979); H. Wegehaupt, Alte dt. Kinderbücher, Bibl. 1979. →Jugendliteratur.

Bildergeschichte, allg. jede Geschichte, deren Handlung vorwiegend in Bildern oder durch Bilderfolgen erzählt wird, während der Text, falls überhaupt vorhanden, von untergeordneter Bedeutung ist und etwa nur den Dialog angibt oder das Bild kommentiert. Künstlerische Vorläufer der B. sind antike Tempelfriese, ma. Freskenzyklen und Bildteppiche (Bayeux); sie finden Fortsetzung in den Bilderzyklen der Malerei (DÜRER, LEBRUN, BOUCHER, HOGARTH, DAUMIER), während die B. auf Massenverbreitung zielt. Die Variationsbreite der Gattung reicht von der →Bilderbibel und vom primitiven →Bilderbogen und →Comics bis zu den B.n von W. BUSCH, H. HOFFMANN, O. JACOBSON, O. E. PLAUEN und den Bilderromanen von R. TOEPFFER.

K. Riha, Bilderbogen, B., Bilderroman (in: Erzählforschung, hg. W. Haubrichs III, 1978).

Bilderlyrik (griech. *technopaignia*, lat. *carmina figurata*), metr.-graph. Spielerei: Figurengedichte, deren Verse durch versch. Länge und Druckanordnung im graph. Umriß (Satzspiegel) Symbolgegenstände darstellen. Die äußere Gestalt steht in spielerischer Beziehung zum Inhalt, und das Auf- und Abschwellen der Verslängen soll den organ. Rhythmus der Form ergeben. Bevorzugte Formen sind Herzen, Kreuze, Pyramiden, Eier, Säulen, Kronen, Schwerter, Bäume, Äpfel, Flügel, Orgeln, Lauten, Waagen, als Prunkstück der daktylische Pokal. B. erscheint zuerst in der alexandrin. Dichtung (THEOKRIT, SIMIAS von Rhodos) als Beschriftung von Weihgeschenken; sodann bei PORPHYRIOS und den Dichtern der Karolingischen Renaissance (ALCUIN, HRABANUS MAURUS) und in pers. Lyrik. C. SCALIGERS →Poetik führt sie 1561 theoret. wieder ein, nach ihm SCHOTTEL 1645 und zahlreiche andere europ. Barockpoetiken, bes. BOILEAU (*L'art poétique*, 1669–74) und nach ihm MORHOF, Chr. WEISE und OMEIS gegen ihre Verwendung einschreiten. Verbreitet ist die B. in der ganzen dt. Barockdichtung (ZESEN, BIRKEN), bes. bei den Nürnberger Pegnitzschäfern; als prunkvolle Gestalt formloser Gelegenheits- und Widmungsgedichte erhält sie sich bei kleineren Poeten bis ins 18. Jh., später nachgeahmt von A. Holz u. Chr. Morgenstern (Gedicht *Der Trichter*). Vgl. →Gemäldegedicht.

K. Borinski, D. Poetik d. Renaissance, 1886; C. Haeberlin, Carmina figurata graeca, 1887; J. v. Schlosser, B. (Jahrb. d. Kunsthist. Slg. Wien 13, 1892); U. v. Wilamowitz, D. griech. Technopaignia (Jahrb. d. archäol. Inst. 14, 1899); M. Zobeltitz, Üb. Figurenged. (Gutenberg-Fs. 1925); H. Rosenfeld, D. dt. Bildgedicht, 1935, ²1967; RL; A. Becker, GRM 33 u. 34, 1951f.; R. G. Warnock, R. Folter, *The German pattern poem* (Fs. D. W. Schumann, 1970); Massin, Buchstabenbilder u. Bildalphabete, 1970; H. Rosenfeld, Bild u. Schrift, AGB 11, 1971; U. Ernst, Europ. Figurengedd. i. Pyramidenform, Euph. 76, 1982; ders., *The figured poem* (*Visible language*, 20, 1, 1986); ders., D. neuzeitl. Rezeption d. ma. Figurengedichts i. Kreuzform (MA.-Rezeption, hg. P. Wapnewski 1986); A. Pieczonka, Sprachkunst u. Bild. Kunst, 1988.

Bilderrätsel →Rebus

Bilderreim →Bilderlyrik

Bilderschrift, jede Schrift, die nicht die einzelnen Laute, sondern durch bildsymbolische Zeichen ganze Wörter und Begriffe komplex wiedergibt, bes. die chines. B. und die →Hieroglyphen.

Lit. →Schrift

Bildgedicht, 1. →Bilderlyrik, 2. →Gemäldegedicht

Bildgeschichte →Bildergeschichte

Bildreihengedicht, Gedicht mit Reihung verschiedener mehr oder weniger ausgeführter →Bilder (je 1 Zeile bis zur Strophe) um dieselbe Idee, die in der Überschrift (Harsdörffer *Was ist die arge Welt?*, Heym *Die Ruhigen*), in der Einleitung des Gedichts (Hofmannswaldau *Die Welt,* Gryphius) oder an dessen Schluß (Storm *Juli,* R. Schaumann *Siehe*) zusammenfassend erscheint und der Bildkette den gemeinsamen Sinn unterlegt.

R. N. Maier, D. B., WW 3, 1952/53.

Bildsprung →Katachrese

Bildstreifen →Comics

Bildungsdichtung, jede Dichtung, in der starke bildungshafte, d.h. angelernte Elemente (z.B. Anspielungen auf Mythologie, Sage und Geschichte, auf die Bibel, philosoph. Systeme und fremde Dichtwerke) die eigtl. Aussage des Dichters tiefgreifend formen, wo nicht überdecken; sie setzt beim Leser ein ebenbürtiges Bildungsniveau voraus. Hang zur B. besteht bes. immer dort, wo in neuerer Zeit antike Elemente wiederaufgenommen werden.

Bildungsroman, spezifisch dt. Abart des →Entwicklungsromans, bei der weniger die Persönlichkeits- und Charakterentwicklung im Laufe der Lebensschicksale des Helden, als vielmehr der Einfluß der objektiven Kulturgüter, der seel. Erfahrungen und der personalen Umwelt auf die innerseel. Reifung und damit die Entfaltung und harmon. Ausbildung der geistigen Anlagen (Charakter, Willen) zur verantwortlichen, humanitären Gesamtpersönlichkeit im Mittelpunkt steht (z.B. Goethes *Wilhelm Meister*); meist mit dem →Erziehungs-, →Entwicklungs- oder →Künstlerroman verschmolzen. Der Bildungsgang führt meist als naturgesetzl. Prozeß über die drei Stufen jugendl. Subjektivität, Klärung des Bewußtseins durch Erfahrung, Bewußtwerden der harmon. Vollendung zur Einordnung in die Welt und Sozialisation. Ch. M. Wieland, *Agathon,* L. Tieck, *Franz Sternbalds Wanderungen,* Novalis, *Heinrich von Ofterdingen,* Jean Paul, *Titan,* Hölderlin,

Hyperion, MÖRIKE, *Maler Nolten,*
A. STIFTER, *Nachsommer,* G. KEL-
LER, *Der grüne Heinrich,* W. RAA-
BE, *Der Hungerpastor,* A. SCHAEF-
FER, *Helianth,* Th. MANN, *Der Zau-
berberg, Dr. Faustus,* H. HESSE,
Das Glasperlenspiel, im Ausland
Ch. DICKENS, *David Copperfield*
und R. ROLLAND, *Jean Christophe.*
E. L. Stahl, D. rel. u. human.-phil.
Bildgs.-idee u. d. Entstehg. d. dt. B. i. 18.
Jh., 1934; H. H. Borcherdt, D. dt. B. (V.
dt. Art i. Spr. u. Dtg. V, 1941); B. Berger,
D. mod. dt. B., 1942, n. 1970; B. Walter,
D. mod. dt. B., Diss. Bln. 1948; A.
Schötz, Gehalt u. Form d. B. i. 20. Jh.,
Diss. Erl. 1950; H. Wagner, D. engl. B.,
1951; F. Martini, D. B., DVJ 35, 1961;
H. Seidler, Wandlgn. d. dt. B. i. 19. Jh.,
WW 11, 1961; RL; R. Pascal, *The Ger-
man Novel,* Lond. ³1965; J. Scharf-
schwerdt, Th. Mann u. d. dt. B., 1967; H.
Germer, *The German novel of education,*
1968; G. Röder, Glück u. glückl. Ende i.
dt. B., 1968; L. Köhn, Entwicklungs- u.
B., 1969; F. Jost, *La tradition du B.,* CL
21, 1969; J. Jacobs, Wilh. Meister u. s.
Brüder, 1972; M. Schrader, Mimesis u.
Poesis, 1975; M. Swales, *The German B.,*
Princeton 1977; ders., Unverwirklichte
Totalität (D. dt. Roman, hg. W. Paulsen
1977); ders., *The german B.,* C C 1,
1979; P. Gallmeister, D. B., FLE 1981;
W. Taschner, Tradition u. Experiment,
1981; R. Selbmann, Theater i. Roman,
1981; H. Tiefenbacher, Textstrukturen d.
Entw.- u. B., 1982; M. Beddow, *The
fiction of humanity,* Cambr. 1982; F.
Jost, *Variations of a species,* Symposium
37, 1983; J. Hörisch, Gott, Geld u.
Glück, 1983; K.-D. Sorg, Gebrochene Te-
leologie, 1983; R. Selbmann, D. dt. B.,
1984; R. P. Schaffner, *The apprenticeship
novel,* 1984; *Autocoscienza e autoingan-
no,* Neapel 1985; L. Saariluoma, D. Erz.-
struktur d. frühen dt. B., Helsinki 1985;
E. K. Labovitz, *The myth of the heroine,*
1986, ²1988; F. Moretti, *The way of the
world,* 1986; K. Wirschem, D. Suche d.
bürgerl. Individuums n. s. Selbstbe-
stimmg., 1986; Z. Gesch. d. dt. B., hg. R.
Selbmann 1988; N. Ratz, D. Identitätsro-
man, 1988. →Entwicklungsroman.

Binnenerzählung, die gerahmte Erzählung innerhalb einer →Rahmen-
erzählung.

Binnenreim, allg. jeder Reim, von
dem eins oder beide beteiligten
Reimwörter im Versinneren stehen,

→Schlagreim, →Mittenreim, →In-
reim, →Zäsurreim, →Mittelreim.
Im engeren Sinne der Reim zweier
Wörter innerhalb derselben Verszeile: ›Es herzet und scherzet das flüchtige Reh‹ (J. KLAJ).
H. A. Forster, D. B. (Sprachspiegel 37,
1981).

Biobibliographie (v. griech. *bios* =
Leben), zumeist = →Personalbi-
bliographie, insbes. eine solche, die
neben Verzeichnung der Primär-
und Sekundärliteratur zum Werk
auch e. biograph. Abriß der Person
und der Lit. dazu enthält.

Biographie (griech. *bios* = Leben,
graphein = schreiben), Lebensbeschreibung, als solche Zweig der
Geschichtsschreibung: verbindet die
Darstellung des äußeren Lebensab-
laufs und der inneren Entwicklung
e. Einzelmenschen mit der Betrachtung seiner Leistungen. Hauptaufgabe der B. ist, ›den Menschen in
seinen Zeitverhältnissen darzustellen u. zu zeigen, inwiefern ihm das
Ganze widerstrebt, inwiefern es ihn
begünstigt, wie er sich eine Welt-
und Menschenansicht daraus gebildet und wie er sie, wenn er Künstler,
Dichter, Schriftsteller ist, wieder
nach außen abspiegelt‹ (GOETHE).
Als Lebenslauf (→vita) großer polit., geistiger oder künstler.-dichter.
Persönlichkeiten war die B. schon in
der Spätantike verbreitet: PLU-
TARCH stellte exemplarisch je e.
Griechen und e. Römer nebeneinander, SUETON beschrieb nach festem
Schema die Lebensläufe der röm.
Kaiser, CORNELIUS NEPOS allg. bedeutende Persönlichkeiten, TACITUS
das Leben s. Schwiegervaters Agricola, und DIOGENES LAERTIUS sammelte B.n der Philosophen. Die
frühchristl. B. beginnt im Grunde
mit den Evangelien und der Apostelgeschichte und behandelt dann
in legendenhafter Form das Leben

der Heiligen und Märtyrer, unkritisch, wundersüchtig und weniger
am wirkl. Leben als am Exempel
göttl. Gnade interessiert. SUETON
wirkt fort in ma. Fürsten-B, wie
EINHARDS *Vita Caroli Magni* und
JOINVILLES *Saint Louis*. Erst die Renaissance entwickelt mit dem Sinn
für die individuelle Persönlichkeit
das Interesse an der Einmaligkeit
eines Lebens, etwa in BOCCACCIOS
Dante-B. und G. VASARIS Künstler-
B.n. Neben zahlr. Autobiographien
entstehen in der Folgezeit die B.n I.
WALTONS, J. BOSWELLS *Life of Dr.
Samuel Johnson*, VOLTAIRES *Hi-
stoire de Charles XII.*, W. IRVINGS
Life of Washington, R. W. EMER-
SONS Thoreau-B., Th. CARLYLES
Cromwell-B. und Geschichte Fried-
richs d. Gr. als Musterfall der Hel-
denverehrung. Das historisierende
19. Jh. schuf die exakte wiss.-krit.
B. in J. G. DROYSENS *Leben des
Grafen York*, H. GRIMMS *Michel-
angelo*, C. JUSTIS *Winckelmann*, W.
DILTHEYS *Leben Schleiermachers*,
R. HAYMS *Herder*, E. SCHMIDTS
Lessing u. a. Im 20. Jh. setzt etwa F.
GUNDOLFS *Goethe* die heroisieren-
de B. fort, während in England L.
STRACHEY den iron. Typ vertritt
(*Elisabeth and Essex*, *Queen Victoria* u.a.), R. ROLLAND verehrend
und St. ZWEIG psychologisierend
die Künstler-B. fortsetzen. Histo-
risch exakte B.n hohen Ranges
schrieben H. NICOLSON, C. SAND-
BURG *(Abraham Lincoln)*, C. J.
BURCKHARDT *(Richelieu)* u.a., wäh-
rend E. LUDWIG, A. MAUROIS, E.
G. KOLBENHEYER, W. v. MOLO, H.
MANN u.a. die B. als →biographi-
schen Roman in die Belletristik hin-
überleiten. E. gelungene Parodie der
B. gibt W. HILDESHEIMERS *Marbot*
(1981). – Sammelbecken moderner
B.n sind die großen Nachschlagewerke, so für den dt. Sprachraum:
Allg. Dt. B., 56 Bde. 1875–1912, n.

1967 ff; *Biogr. Jahrb. u. dt. Nekrolog*, hg. A. BETTELHEIM, 18 Bde.
1897–1917; *Dt. Biogr. Jhrb.*,
1925–32; K. WURZBACH, *Biogr.
Lex. d. Kaisertums Österr.*, 60 Bde.
1857–92, n. 1966; A. BETTELHEIM,
Neue Österr. B. 1815–1918,
1923 ff.; *Histor.-biogr. Lex. d.
Schweiz*, 7 Bde. 1921–34; *Die großen Dt.*, 5 Bde., ²1956 ff.; *Neue dt.
B.*, 1954 ff.; *Österr. biogr. Lex.*,
1957 ff. →Auto.-B., →Semiauto-B.,
→Dichter-B., →Memoiren, →Ne-
krolog.

F. Leo, D. griech.-röm. B. nach ihrer lit.
Form, 1901, ²1965; S. Lee, *Principles of
b.*, Cambr. 1911; W. R. Thayer, *Art of b.*,
N.Y. 1920; W. L. Cross, *An outline of b.*,
1924; D. R. Stuart, *Epochs of Greek and
Roman B.*, Berkeley 1928; A. Maurois,
Aspects de la b., Paris 1928; E. Ludwig,
D. Kunst d. B., 1936; H. Oppel, Grund-
fragen d. lit.-hist. B., DVJ 18, ·1940; J.
Romein, D. B., 1948, ²1960; W. Steidle,
Sueton u. d. antike B., 1951; A. Dihle,
Stud. z. griech. B., 1956; S. Dresden, *De
structuur van de b.*, Haag 1956; L. Edel,
Literary B., Toronto 1957; J. A. Garraty,
The nature of b., N.Y. 1957; H. Nicolson, D. Kunst d. B., 1958; H. Böschenstein, D. neue Mensch, 1958; H. Nicolson, *The development of Engl. B.*, Lond.
1959; J. L. Clifford, *B. as an art*, N.Y.
1962; G. Blöcker, B.-Kunst od. Wiss. (in:
Definitionen, 1963); P. M. Kendall, *The
art of b.*, Lond. 1966; J. W. Reed, *Engl.
b. in the early 19th cent.*, New Haven
1966; T. A. Dorey, *Latin b.*, Lond. 1967;
Essays in 18th cent. b., hg. P. B. Dagh-
lian, Bloomington 1968; E. H. O'Neill, *A
hist. of American b.*, N.Y. ²1968; D. A.
Stauffer, *The art of b. in 18th cent. England*, N.Y. ²1969; F. Hiebel, B.ik u. Essayistik, 1970; A. Cockshut, *Truth to life*,
Lond. 1974; A. Shelston, *B.*, Lond. 1977;
H. Scheuer, B., 1979; H. Gardner, *Lit.B.*,
MLR 75, 1980; *Reading life histories*, hg.
J. Walker, Canberra 1981; V. Anderen u.
y Selbst, hg. R. Grimm 1982, B. u. Au-
tob. i. d. Renaiss., hg. A. Buck 1983; D.
Madelenant, *La b.*, Paris 1984; B. u. soz.
Wirklichkeit, hg. M. Kohli 1984; H.
Koopmann, D. B., PoE 1985; *The craft of
lit. b.*, hg. J. Meyers, Lond. 1985; I. Na-
del, *B.*, Lond. 1986; W. Berschin, B. u.
Epochenstil i. lat. MA., 1986 ff.; A. Dihle,
D. Entstehg. d. histor. B., 1987; E. Hom-
berger u.a., *The troubled face of b.*,
Lond. 1987; B.-sozialgeschichtl., hg. A.
Gestrich 1988; *The biographer's art*, hg.
J. Meyers, Lond. 1988.

Biographischer Roman, Sonderform des →historischen Romans im 20. Jh., hat mit diesem die außerdichterische Wirklichkeit, mit dem Entwicklungsroman die biograph. Struktur und z. T. mit dem Künstlerroman die Hauptfigur gemein und schwankt dementsprechend in der Variationsbreite von der individuellen Charakterentwicklung und der Darstellung einer bedeutenden histor. oder kulturgeschichtl. Leistung bis zum breitausgemalten histor. Panorama, innerhalb dessen die Hauptfigur entweder als Konzentrat oder als Überwinder des Zeitgeistes gesehen wird. Von der →Biographie, deren Struktur er benutzt, unterscheiden ihn die freie Verwendung histor.-biograph. Fakten, die Hinzuerfindung von Ereignissen, Begegnungen, Figuren und Gesprächen zur Profilierung des Helden und das Nachempfinden von Motiven und Gefühlen z. T. in innerem Monolog. Vertreter des b. R. sind etwa A. Maurois, R. Graves, M. Yourcenar, H. Troyat, I. Stone, in Dtl. Klabund, L. Feuchtwanger, R. Neumann, H. Franck, E. Stickelberger, M. Brod, E. G. Kolbenheyer, E. Ludwig, W. v. Molo, H. Mann, A. Döblin, J. Wassermann, St. Zweig, P. Härtling und W. Hildesheimer.

E. Birch, D. b. R. i. d. neuen dt. Dichtg., Diss. Hdlbg. 1936; H. Böschenstein, D. neue Mensch, 1958; N. Honsza, D. b. R. d. 20. Jh., Diss. Breslau 1964; R. Zeller, Biogr. u. Roman, LiLi 10, 1980; G. Michel, Biogr. Erzählen, 1985.

Bispel (mhd. = lehrhafte Erzählung, Fabel, Gleichnis), selbständige ep. Kurzform didakt. oder satir.-moral. Inhalts in mhd. Lit. nach Art der lat. →Exempla mit Nähe zur Fabel. Schöpfer und Hauptvertreter des B. als selbständiger Gattung ist der Stricker (um 1230) mit seinen Reimpaardichtungen: an e. kürzeres, in Versform erzähltes Einzelbild oder -geschehnis aus Menschen- oder Naturleben schließt sich e. Verallgemeinerung mit längerer Erläuterung e. moral. Satzes an, die mit dem Vorhergehenden eine Einheit bildet. Vorbild sind wohl antike und oriental. Tierfabeln und Predigtmärlein, der *Physiologus* und ma. Bestiarien. Als B. bezeichnen auch Thomasin von Zerklaere, Hugo von Trimberg und andere Didaktiker die lehrhaften Einlagen ihrer größeren Dichtungen, und ›bischaft‹ nennt U. Boner die Fabeln seines *Edelstein*. Später allg. = Spruchgedicht.

RL; U. Schwab, Z. Interpret. d. geistl. B.rede, 1958; H. de Boor, Fabel u. B., 1966; H. Fischer, Stud. z. dt. Märendichtg., 1968; H.-J. Ziegler, Erzählen i. SpätMA., 1985.

Bitterfelder Weg, Kulturprogramm der DDR mit dem Ziel, ein aktives Verhältnis der Werktätigen zur Literatur und der Schriftsteller zur Arbeitswelt und den sozialist. Produktionsverhältnissen zu schaffen und die eigenschöpferische lit. Tätigkeit der Arbeiter anzuregen (›Greif zur Feder, Kumpel‹), um an der Quelle das Entstehen einer sachlich authent. Darstellung und Verherrlichung des ›sozialist. Menschen‹ mit den Mitteln der →sozialistischen Realismus zu fördern. Beschlossen auf der 1. Bitterfelder Konferenz vom 24. 4. 1959, die die Gründung von ›Zirkeln schreibender Arbeiter‹, Arbeitertheatern u. a. Kulturverbänden zur Folge hatte, und erweitert auf der 2. Bitterfelder Konferenz vom 24./25. 4. 1964. Die echten künstler. Ergebnisse des B. W. waren nicht zahlreich: E. Strittmatters *Ole Bienkopp*, Ch. Wolfs *Der geteilte Himmel,* ferner Werke von B. Reimann, D. Noll, M. W. Schulz, E. Neutsch u. a.

J. Lehnecke, D. ›B. W.‹ (Dt. Studien I, 2, 1963); F. Trommler, DDR-Erz. u. B. W. (Basis 3, 1972); G. Pareigis, Krit. Analyse d. Realitätsdarstellg. i. ausgew. Wken. d. B. W., 1974; I. Gerlach, Bitterfeld, 1974; F. Trommler, Prosaentwicklg. u. B. W., LuS 6, 1975; T. Hörnigk, D. ı. B. Konferenz (Lit. Leben i. d. DDR, 1979).

Blackout (engl. = Verdunkelung), das plötzliche, vollständige Ausschalten der Bühnenbeleuchtung, im Theater nach witzigen Aktschlüssen, im Kabarett am Abschluß pointierter Sketchs und nach verblüffenden Pointen, das, nur wenige Sekunden dauernd, den Überraschungseffekt verstärken soll.

Blankvers (engl. *blank verse* = reiner, d. h. reimloser Vers), fünfhebiger akatalektischer oder hyperkatalektischer Jambenvers ohne Reimbindung:

◡‒◡‒◡‒◡‒◡‒(◡): ›Gefährlich ist die Freiheit, die ich gebe.‹ (GOETHE). Urform ist der franz. →vers commun, der, vom Alexandriner verdrängt, in ital. (→Sc101ti, →Endecasillabo) und engl. Dichtung weiterlebte. Der Earl of SURREY wendete ihn in seiner *Äneis*-Übersetzung 1540 zuerst reimlos, da man den Reim nicht mit der Würde des antiken Epos vereinbar fand, und schuf so den B., der dann im Drama zuerst von SACKVILLE (*Gorboduc*, 1562) aufgenommen, durch SHAKESPEARE, KYD und MARLOWE zu freier Beweglichkeit, künstler. Vollendung und weitester Verbreitung geführt wurde und auch in Epik (MILTON, *Paradise Lost*, 1667) wie z. T. Lyrik (E. YOUNG, *Night Thoughts*, 1744) e. Vorzugsstellung genoß. In dt. Dichtung vereinzelt im 17. Jh. (KUHLMANN), dann bes. seit Mitte des 18. Jh.: zuerst in Übersetzungen aus dem Engl., so J. E. SCHLEGELS Übersetzung von CONGREVES *Braut in Trauer* 1748, dann in Übersetzun-

gen aus SHAKESPEARE und MILTON, in J. W. v. BRAWES Trauerspiel *Brutus* 1757 (auf Anraten LESSINGS), in WIELANDS *Lady Johanna Gray* 1758 zuerst gesprochen auf der dt. Bühne. LESSING griff somit schon auf e. Tradition zurück, als er ihn zuerst in einigen Fragmenten (u. a. *Kleonnis* 1755) anwendete; dann freilich kehrt er in seinen Hauptwerken zur Prosa zurück, um ihn erst im *Nathan* 1779 wiederaufzunehmen und zum gebräuchlichsten Vers der dt. Dramas zu machen, der den →Alexandriner sowie die Sturm- und Drang-Prosa verdrängte. Über GOETHE *(Iphigenie, Tasso),* SCHILLER, KLEIST, GRILLPARZER, HEBBEL reicht sein Gebrauch z. T. über G. HAUPTMANN bis in die Gegenwart hinein (T. S. ELIOT, Ch. FRY, B. BRECHT), da ihm trotz des festen metr. Gerüsts e. starke Modulationsfähigkeit eignet (männl. oder weibl. Schluß, gereimt oder reimlos, beliebige Zäsurlage, Betonungsversetzung, Antilabe, Enjambement) und ihn zum Ausdrucksmittel verschiedenster Gehalte macht. In dt. Epik im Ggs. zur engl. (J. THOMSON, A. TENNYSON, R. BROWNING) ist der B. außer WIELANDS *Geron,* BÜRGERS Homerübs. und LILIENCRONS *Poggfred* kaum gebräuchlich; in der Lyrik (z. B. SCHILLER, HEINE, STORM, GEORGE) steht er vorzugsweise in fremden Formen wie Sonett, Stanze, Terzine. Durch den Einfluß der dt. Klassik gelangte der B. auch nach Skandinavien, Rußland (PUŠKIN, *Boris Godunov*) und Polen.

F. Zarncke, Üb. d. 5-füß. Jamb. b. Lessing, Schiller u. Goethe, 1865 und Kl. Schr. II, 1898; A. Sauer, Üb. d. 5-füß. Jamb. vor Lessings Nathan, 1878; J. A. Symonds, *B.V.*, Lond. 1895; E. Zitelmann, D. Rhythmus d. 5-füß. Jamb. (Neue Jhrb. XIX, 1907); L. Hettich, D. 5-füß. Jamb. i. d. Dramen Goethes, 1913; K. Haller, Stud. üb. d. B., DVJ 31, 1957; R. Bräuer, Tonbewegg. u. Erscheinungsformen d. sprachl. Rhythmus,

1964; L. Schädle, D. frühe dt. B., 1971; D. Chisholm, Prosod. Aspekte d. B.dramas (Lit.wiss. u. empir. Meth., hg. H. Kreuzer 1981).

Blason (franz. = Wappen, Schild), beschreibende Gedichtart in der franz. Lit. des 15./16. Jh.: kurzes Preis- oder Scheltgedicht von 8–10silbigen Versen mit Paarreim, das mit pointierter Zuspitzung eine Beschreibung eines Menschen oder Gegenstandes gibt, entweder rein deskriptiv (b. médaillon) nach Art der herald. Wappenbeschreibung und dann in der Tradition des griech. Epigramms stehend, oder betont satir. (b. satirique) als Lob oder Tadel des Beschriebenen und damit die lat. Satire fortsetzend. Hauptvertreter der Gattung nach ital. Vorbild sind G. Alexis, M. Scève, P. Gringoire und C. Marot mit seinem *B. du beau têtin* (1535), das auch bereits das B. inhaltlich vorwiegend auf die Beschreibung von einzelnen Schönheiten des weibl. Körpers einengt; diese Mode stieß bei ihrer Umdrehung ins Satirische später leicht ans Obszöne, und die neuen Kunstideale der Plejade machten ihr ein Ende oder drehten sie in anakreont. →Hymne-B. um (Ronsard, R. Belleau).

R. E. Pike, *The b. in French lit. of the 16th cent.* (*Romantic Review* 27, 1936); D. Wilson, *Le b.* (in: *Lumière de la Pléiade*, 1966).

Blatt, 1. im Buch das nicht geknickte, zwei Seiten umfassende (für die Kollationierung: unpaginierte) Stück Papier, 2. Bz. für →Zeitungen, →Zeitschriften u.a. Periodika.

Blaue Blume, Symbol für die Dichtung, Inbegriff aller romantischen Sehnsucht nach dem Unendlichen, Unerreichbaren, All-Einen als Ziel von Leben und Kunst und fast sakrale Losung der →Romantik. Nach e. altdt. Sage in Novalis' Roman *Heinrich von Ofterdingen* (1802).

J. Hecker, D. Symbol d. b. B., 1931; L. Willson, *The B. B.*, GR 34, 1959; G. v. Molnár, Euph. 67, 1973; O. F. Best, V. blauen Blümchen z. b. B., GRM 36, 1986.

Blindes Motiv →Motiv

Blockbuch, Buch, dessen Blätter mit ganzseitigen Holzplatten einseitig bedruckt (Holztafeldruck) und mit den leeren Seiten aneinandergeklebt wurden, vorwiegend Bilddrucke mit knappen Begleittexten. Die Texte wurden anfangs handschriftlich eingefügt, später aus den Tafeln mitgeschnitten. Das Verfahren wurde bereits im 8. Jh. in China und um 1430 bis 1500 bes. in Dtl. und den Niederlanden meist für reichillustrierte Gebrauchsliteratur zur Erbauung und Belehrung (Antichrist, Apokalypse, Sterbebüchlein, Armenbibel, Totentanz, Hohes Lied) verwandt (33 versch. Werke in über 100 Ausgaben erhalten). →Einblattdruck.

R. Hochegger, Üb. d. Entstehg. u. Bedeutg. d. B., 1891.

Bloomsbury Group, nach e. Londoner Stadtteil benannter engl. Freundschaftskreis von Dichtern, Gelehrten, Kritikern, Verlegern und Künstlern um Vanessa u. Adrian Stephen und Virginia u. Leonard Woolf rd. 1907 bis um 1930, pflegte ohne einheitliches Programm bes. philos., ästhet. und eth. Diskussionen und beeinflußte Romanschaffen, Biographie und Kunstkritik der Zeit: G. L. Strachey, G. E. Moore, E. M. Forster, A. Waley, V. Sackville-West, J. M. Keynes, D. Garnett, C. u. V. Bell, R. Fry u.a.

J. K. Johnstone, *The B. G.*, N.Y. 1954, n. 1978; Q. Bell, *B.*, Lond. 1968; R. Shone, *B.portraits*, Lond. 1976; L. Edel, *B.*, Lond. 1979; H. Antor, *The B. G.*, 1986; S. P. Rosenbaum, *Victorian B.*, Lond. 1987.

Blubo = →Blut und Boden-Dichtung

Blues, nordamerikan. Volkslieder
der Negersklaven in den Südstaaten
seit der Sklavenzeit, im Ggs. zu den
→Spirituals weltlich-allgemeine, in
1. Person erzählende, ursprünglich
oft improvisierte Sologesangsstücke
in   getragener,   schwermütiger
Grundstimmung und fester, von
afrikan. Rhythmen und amerikan.
Kirchenliedern beeinflußter Form:
Der 1. Vers jeder dreizeiligen Strophe aus Viertaktern wird wiederholt und reimt mit dem 3. Individueller Ausdruck schwarzamerikan.
Lebensgefühls, zuerst ab rd. 1800
als ländl. Country-B., dann ab 1900
als klass. städt. City-B., ab 1920
kommerzialisiert. Dichter wie L.
HUGHES und W. CUNEY übertrugen
diese Versform auf nichtgesungene
Lyrik.
J. E. Berendt, B., 1957, 1970; P. Oliver,
B. fell this morning, N.Y. 1961; S. B.
Charters, D. Story v. B., 1962; Ch. Keil,
Urban B., Chic. 1966; P. Oliver, *Scree-
ning the B.*, Lond. 1968; ders., *The Story
of the B.*, Lond. 1969; P. Garon, *B. and
the poetic spirit*, N.Y. ²1978.

Blütenlese →Anthologie

Bluette (franz. = Feuer-, Witzfun-
ke), e. einaktiges kleines, witzig-satir. Bühnenstück; Gattung der dramat. oder musikal. Kleinkunst.

Blumenspiele, franz. ›Jeux floraux‹, alljährlich Anfang Mai in
Toulouse (Frankreich) veranstaltete
Dichterwettstreite, ursprüngl. Anfang des 14. Jh. e. Wettstreit von 7
provenzal. Troubadours. Seit 1324
werden goldene und silberne Blumen als Preise verteilt. Ludwig XIV.
erweiterte die B. 1694 zu e. Académie des jeux floraux von 40 Mitgliedern; die meisten großen Dichter Frankreichs wurden auf den bis
in die Gegenwart fortgeführten B.n

preisgekrönt. Ähnliche B. entstanden in anderen Städten Südfrank-
reichs und Nordspaniens (Barcelona u.a.). 1899–1908 schuf Joh. FA-
STENRATH in Köln nach dem franz.
Vorbild e. ähnl. Dichterwettstreit
gleichen Namens, der nur lokale Bedeutung gewann.
F. de Gélis, *Hist. crit. des j. f.*, Toulouse
1912; A. Praviel, *Hist. anecdotique des j.
f.*, Toulouse 1924; F. Ségu, *L'Académie
des jeux floraux*, II Paris 1935f.

Blutsegen, auch Wundsegen, Sonderform des ma. →Zauberspruchs,
die bei einer blutenden Wunde das
Blut zum Stehen bringen und die
Wunde heilen lassen soll, erzählt
meist zuerst einen bekannten Exem-
pelfall, etwa das Stehenbleiben des
Jordanwassers, und schließt daran
die Besprechungsformel an. Seit
ahd. Zeit bekannt.

Blut und Boden-Dichtung, Sammelbz. für die polit.-völk. tendenziöse   →Heimatdichtung   und
→Bauerndichtung unter dem →Na-
tionalsozialismus mit ihrer provinziellen, oft sauer verkitschten Verherrlichung des Bodenständigen,
Volkhaften, Bäuerlichen als Idealisierung der ursprüngl. naturhaften
bäuerl. Lebensform der Germanen
mit ihrer Bindung an Sippe und
Scholle und ihrer Mythologisierung
des Bauern als Pflüger, Säer und
Schnitter. Sie unterscheidet sich von
der bloßen Heimatlit., mit der sie
allerdings das Provinzielle und
Kleinbürgerliche gemein hat, einerseits durch die weltanschaul. Überhöhung des Blutsgedankens in Ras-
se- und Artbewußtsein, den Begriff
der Blutsgemeinschaft e. Volkes und
ablehnende Verachtung des Rasse-
fremden, andererseits durch melodramat. Pathetisierung des Boden-
(Schollen-)Begriffs zu e. betont antizivilisator. Haltung gegen Verstädterung und sog. →Asphaltlit. und

eine primitive Verzerrung der menschl. Werte, die eine pseudo-myth. Schollenverbundenheit, Bodenständigkeit, Heimatliebe und angeblich instinktive Ablehnung alles Wurzellosen, Artfremden zum alleinigen Maßstab des Charakters macht. Der B. als breitester, nur künstlerisch durch ihr gequältes, altertümelndes Pathos, nicht menschlich gefährlichster lit. Ausprägung des Nationalsozialismus galt die offizielle Förderung durch Partei und Staat ebenso wie heroische Kriegsverherrlichung und rein polit. Parteidichtung. Ihre wirkliche lit. Bedeutung wurde zeitbedingt maßlos überschätzt, ihre histor. Bedeutung ist belanglos. Bes. vertreten durch A. BARTELS, J. BERENS-TOTENOHL, H. F. BLUNCK, H. E. BUSSE, H. CLAUDIUS, A. DÖRFLER, F. GRIESE, H. GRIMM, M. JAHN, H. C. KAERGEL, J. KNEIP, J. LINKE, H. STEHR, K. H. WAGGERL u. a.
Lit. →Nationalsozialismus.

Bobo (span. = dumm, albern), der →Narr und die →komische Person im span. Theater.

Bocksgesang, scherzhafte, aber wörtliche Verdeutschung für →Tragödie.

Boerde (holländ. = Spaß), mittelniederld. erot.-satir. schwankhafte Verserzählungen ohne moral. Tendenz ähnlich den franz. →Fabliaux und der italien. Novelle, oft mit oriental. Stoffen. Ihr Spott wendet sich vor allem gegen die Vertreter des Klerus.
De Middelnederlandse B.n, hg. C. Kruyskamp 1956.

Bogen, im Buchdruck das ungefaltete große Blatt, falls bedruckt auch Druckbogen genannt, das je nach erforderlichem →Format in kleinere Blätter gefalzt wird, am häufigsten bei Oktavformat durch dreimalige Faltung in 8 Blätter = 16 Seiten. Im gedruckten Buch stehen die laufenden Nummern der B. (Bogensignatur) meist links unten auf der 1. Seite des B.s. Bei einem sog. Bogenhonorar dient der Umfang des Werkes (Zahl der B.) als Grundlage der Honorarberechnung. Bogenkorrektur →Korrektur.

Bogenstil →Hakenstil

Bohème (franz. *maison de bohème* = ›polnische Wirtschaft‹), antibürgerlich-unphiliströser Lebensstil von Künstlern und Dichtern in asozialer, individualist. Ungebundenheit entweder als extravaganter Protest gegen die konventionelle bürgerl. Standesordnung mit ihrem Erwerbsdenken, ihrem Sittenkodex und ihrer spießigen Saturiertheit, die teils provokativ durchbrochen werden, oder unfreiwillig aus der materiellen Notlage der Nichtarrivierten. Die freiwillige B. entsteht aus der Überzeugung von der Unvereinbarkeit intensiver künstler. und konventionell-bürgerl. Lebensform zumeist dort, wo Kunst und Lit. nicht aus sozialen oder polit., sondern aus künstlerisch-weltanschaul. Gründen e. antibürgerl. Stellung beziehen. Sie wurde verwirklicht zuerst in Frankreich um 1830 im Pariser Quartier Latin und Montmartre durch NERVAL, GAUTIER, A. HOUSSAYE u. a. (geschildert von G. SAND, BALZAC, MUSSET, NERVAL, MURGER, *Scènes de la vie de Bohème,* 1851, danach die B.-Opern von PUCCINI 1896 und LEONCAVALLO 1897, u. a.) und in den späteren Existenzialistenkellern, in Italien in der Mailänder →Scapigliatura um 1860, in England um R. L. STEVENSON, O. WILDE, BEARDSLEY und E. DOWSON, in Dtl. nach Vorformen in Sturm und Drang und Romantik bes. im Naturalistenkreis Berlins und Schwabings (geschildert

von E. v. WOLZOGEN, BIERBAUMS
Stilpe, WEDEKIND, F. REVENTLOW,
K. MARTENS, A. STRINDBERG, E.
MÜHSAM u. a.) und bei den Impres-
sionisten (ALTENBERG, HILLE, LI-
LIENCRON) und Expressionisten
(DÄUBLER, LASKER-SCHÜLER,
SCHEERBART), in den USA durch die
amerikan. Künstlerkolonie in Paris
(H. MILLER) und die →Beat genera-
tion. Während die B. anfangs, so bei
MURGER, als unprogrammat.
Durchgangsstadium der jungen
Künstler und Dichter in materieller
Not bis zu ihrer gesellschaftl. Aner-
kennung galt, gewinnt sie seit der
Jahrhundertwende programmat.
Charakter als bindungsfreie künst-
ler. Existenzform der Vaganten und
Außenseiter in Literatencafés und
Künstlerkolonien als Gegenkultur
schlechthin.

P. Honigsheim, D. B. (Vierteljahrshefte
für Soziol. 3, 1923); A. Parry, *Garrets
and Pretenders*, N.Y. ²1960; RL; H.
Kreuzer, Exkurs üb. d. lit. B. (Dt. Lit. i.
20. Jh. I, ⁴1961); ders., Z. Begriff d. B.,
DVJ 38, Sonderheft, 1964; M. Easton,
Artists and Writers in Paris, Lond. 1964;
H. Kreuzer, D. B., 1968; E. Kleemann,
Zw. symbol. Rebellion u. polit. Revolu-
tion, 1985.

Bohnenlied, usprüngl. (Schweizer)
Volkslied unbekannter Entstehung,
das im Kehrreim auf Bohnen als
Fruchtbarkeitssymbol anspielt,
dann allg. satirisches Spottlied, z.B.
1522 gegen Ablaß u. ä.

Bollandisten →Legende

Bombast (engl. = wattiert), engl.
Bz. für →Schwulst

Bonmot (franz. = gutes Wort),
Witzwort, treffender, witziger Ausspruch, oft zur geistreichen Fassung
e. Lebensweisheit mit Nähe zum
→Aphorismus, etwa in den Konver-
sationskomödien O. WILDES.

Bontemps (franz. = gute Zeit), Ro-
ger B., in der (volkstümlichen)

franz. Lit. der Farcen und Schwänke
seit dem 15. Jh. Verkörperung des
franz. Nationalcharakters mit seiner gutmütigen Behäbigkeit, seinen
Hoffnungen und Ängsten, Träumen
und Illusionen.

Bonvivant (franz. = Lebemann),
Rollenfach (→Rolle) speziell des dt.
Theaters, ursprüngl. seit 1782 der
weltgewandte Intrigant, später seit
etwa 1830 der elegante Herzensbre-
cher, Lebemann und Salonlöwe
(→Anstandsrolle).

Botenbericht, dramaturg. Hilfsmittel: für den Fortgang der Handlung
wichtige Ereignisse, die aus bes.
Gründen (Wahrung der Orts→ein-
heit, Scheu vor Zersplitterung) nicht
dargestellt oder technisch schwer
darstellbar sind (Seeschlachten,
Schiffsuntergang, auch grausige Geschehnisse), also in der Zwischen-
zeit außerhalb der Szene spielend
gedacht sind, werden durch e. Boten
auf der Szene verkündet; in die Bühnenhandlung einbezogen wirken sie
als erregendes Moment, tragen zur
→Peripetie bei oder stehen nach der
Katastrophe. Häufig im griech. und
klass. franz. Drama. Beispiel:
SCHILLER, *Wallensteins Tod* IV, 10.
Im Realismus und Naturalismus
vermieden. Vgl. →Teichoskopie.

W. Grosch, Bote u. B. i. engl. Drama bis
Shakespeare, Diss. Gießen 1911; K. Ob-
mann, D. Bericht i. dt. Drama, 1915; O.
Mann, Poetik d. Tragödie, 1958.

Boulevardstück (franz.), urspr. die
Repertoirestücke der großen kommerziellen Pariser Boulevardtheater
zu Ende des 19. Jh., dann allg. büh-
nensicheres Unterhaltungslustspiel
ohne bes. Bemühung um gehaltliche
Tiefe oder avantgardist. Formenex-
perimente, meist handwerkl. saubere, im Zeitgeschmack (Mode, Inte-
rieurs) verpackte, harmlos-reizvolle
Erfolgsstücke (bes. Intrigen, Affä-
ren, Ehebruchskomödien) des Ge-

brauchstheaters aus Geldbürgertum und Halbwelt der Zeit mit geistreich-brillantem Dialog, chargierender Psychologie und dankbaren Rollen. Seit den Vaudevilles Domäne bes. des franz. Dramas, das nur in den beiden Nachkriegszeiten etwas zurückging und dessen bedeutendste Vertreter z. T. von der leichten Muse zum Rang echter, hintergründiger Dichtung aufsteigen: E. SCRIBE, V. SARDOU, E. LABICHE, L. HALÉVY, T. BERNARD, G. FEYDEAU, G. COURTELINE, S. GUITRY, E. BOURDET, P. GÉRALDY, M. ACHARD, J. DEVAL, C. PUGET, A. ROUSSIN, M. PAGNOL u. a., in Dtl. etwa Curt GOETZ, in Österreich H. BAHR, in England S. MAUGHAM und N. COWARD.

K. M. Christenson, D. zeitgen. frz. B'theater, Diss. Wien 1978; G. Leisentritt, D. eindimensionale Theater, 1979; V, Klotz, Bürgerl. Lachtheater, 1980; A. Steinmetz, Scribe-Sardou-Feydeau, 1984.

Bousingots (v. franz. *bousin* = Lärm, Spektakel), Spitzname für e. Gruppe junger franz. Romantiker um 1831/32, die, meist zwanzigjährig, neben republikan. Idealen den breitkrempigen Seemannshut gemein hatten: P. BOREL, Th. GAUTIER u. a. G. SAND beschreibt sie im Roman *Horace* (1842).

Bouts-rimés (franz. =) vorgegebene Endreime ohne vorangehende Verszeile, aus denen bes. im 17. bis 19. Jh. aus dem Stegreif, teils nach gestelltem Thema, die ebenfalls B.r. genannten Gedichte, oft Sonette, verfertigt wurden. Dieses von Gilles MENAGE (1613–1692) erfundene Gesellschaftsspiel, an dem auch bekannte Dichter (CORNEILLE, BOILEAU) teilnahmen, verbreitete sich von den franz. Salons über England und Schottland. Sein Erfolg beruht darauf, daß bekanntlich oft der Klang der Reimworte erst einen gelungenen Vers inspiriert (vgl.

→Reimlexikon). Als Gegenstück zu den B.r. schrieb E. E. CUMMINGS Sonette, von denen er nur die zwei Anfangsworte jeder Zeile gab.

Brachykatalexe (v. griech. *brachys* = kurz), Art der →Katalexe, bei der das letzte Metrum des Verses durch e. Pause ersetzt wird.

Brachylogie (griech. *brachylogia* = Kürze im Ausdruck), kurze, gedrängte Redeweise, die Fähigkeit, mit wenigen Worten in prägnantem Stil viel zu sagen: in der Antike bes. von TACITUS, in dt. Lit. in KLEISTS Novellen zu hoher Kunst entwickelt.

Brachysyllabus (griech. = kurzsilbig), Versfuß, der ausschließlich aus Kürzen besteht, so →Pyrrhichius, →Tribrachys und →Prokeleusmatikos.

Brâhmana, erklärende Ritualtexte und -bücher innerhalb des *Veda.*

Bramarbas, Typenfigur des gemeineurop. Dramas: der Großsprecher und Prahler, vorwiegend im Offiziersrang. Obwohl der Name erst 1710 erscheint, reicht die Figur zurück bis zu PLAUTUS' *Miles gloriosus,* SHAKESPEARES Falstaff, dem Capitano der Commedia dell'arte, A. GRYPHIUS' *Horribilicribrifax* u. a., gipfelt in L. HOLBERGS *Jakob von Tyboe* (1741) und wird von G. B. SHAW in *Helden* (*Arms and the Man,* 1894) mit ihrem Gegenteil konfrontiert.

Branche (franz. = Zweig), in franz. Lit. die einzelnen Überlieferungszweige bzw. Sonderausprägungen der ma. Heldensage, insbes. der Artussage.

Brauchtumslied, Sammelbz. für alle mit Sitten und Gebräuchen des Kalenderjahres oder des menschl. Lebenswegs im Zusammenhang stehenden Volkslieder, die brauchtüml. Festen zur Ausgestaltung dienen, z.B. Hochzeits-, Tauf-, Oster-, Erntelied u.ä.; international verbreitet und entweder im Chor oder im Wechsel von Chor und Solosänger gesungen, z.T. mit Tanz und Musik.

M. Kuckel, Brauchtumspoesie aus Norddtl., 1935; L. Schmidt, Volksgesang u. Volkslied, 1970.

Brautlied →Brutliet

Brautwerbungssagen, Sagen um das Thema von der Werbung e. Königs bzw. vornehmen Herrn um e. von ihrem Vater in strengem Gewahrsam gehaltene Fürstentochter, oft mit Glück, Kampf und List, bei Abweisung der Werbung gleichzeitig →Entführungssage. Strukturschema des Tristan-Stoffes, der mhd. Heldenepik *(Nibelungen, Kudrun)* und bes. der →Spielmannsepik des 12./13. Jh.: *König Rother* u.a.

Th. Frings, M. Braun, Brautwerbung, 1947; F. Geißler, Brautwerbung i. d. Weltlit., 1955; J. de Vries, D. B. (Spielmannsepik, hg. W. J. Schröder 1977).

Brechung, allg. Bz. für jede kaschierende Überschreitung einer metr. Grenze (Vers, Strophe) durch das sprachl. Sinngefüge, so daß Versgefüge und Satzgefüge sich nicht decken, sondern in ein Spannungsverhältnis zueinander geraten. Die einzelnen Erscheinungen sind →Enjambement, →Strophensprung, →Reimbrechung, →Hakenstil.

H. de Boor, Z. Lehre v. d. metr. B. (Fs. Th. Siebs, 1977).

Breite →epische Breite

Bremer Beiträger, Sammelname für die Herausgeber und Mitarbeiter der *Neuen Beiträge zum Vergnügen des Verstandes und Witzes* 1744–1748 bzw. 1757, nach dem Erscheinungsort als *Bremer Beiträge* abgekürzt, dem ursprüngl. als

Monatsschrift geplanten Konkurrenzunternehmen zu den einseitig und scharf polem. *Belustigungen des Verstandes und Witzes* des Gottschedianers J. J. Schwabe: e. Gruppe fast gleichaltriger Leipziger Studenten, die sich in der Zs. e. Sprachrohr für ihre Dichtungen – keine moral., kunsttheoret. oder polem. Abhandlungen – schufen und kollektiv über die Aufnahme einzelner, dann anonym gedruckter Beiträge entschieden. Aus der Schule Gottscheds hervorgegangen, neigten sie bei allem Rationalismus doch mehr zu der freieren Kunstauffassung der Schweizer Haller, Bodmer und Breitinger und dokumentieren darin die Änderung des Lebensgefühls zugunsten von Natürlichkeit, Phantasie und Gefühl. Herausgeber war K. Chr. Gärtner, ab 1747 N. D. Giseke, die bedeutendsten Mitarbeiter: J. A. und J. E. Schlegel, J. A. Cramer, G. W. Rabener, Chr. F. Gellert, F. W. Zachariae und J. A. Ebert. Bedeutung erlangten die *B. B.* bes. durch ihre Erstveröffentlichung von Klopstocks *Messias* (Gesang 1–3; 1748).

RL; Ch. M. Schröder, D. B. B., 1956; F. Meyen, B. B. am Collegium Carolinum in Braunschweig, 1962.

Brettl →Überbrettl, →Kabarett

Breviarium (lat. = kurzes Verzeichnis, Auszug), 1. = →Brevier, 2. spätantiker Titel für Sammelwerke mit Auszügen über polit.-statist. Ereignisse und Tatsachen (*B. Augusti, B. Imperii*), herrschende Rechtsordnungen (*B. Alaricianum*) u.ä.

Brevier (v. lat. *breviarium* = kurzes Verzeichnis, Auszug), allg. jede Auswahl, z.B. ›lyrisches B.‹, bes. das offizielle liturg. Gebet- und Andachtsbuch der kathol. Kirche, enthält in jahres- und tageszeitlicher Ordnung die vorgeschriebenen

Stundengebete, Offizien (4 Jahres-, 8 Tageszeiten: Matutin, Laudes, Prim, Terz, Sext, Non, Vesper, Komplet). Es geht auf frühchristl. Gebräuche und später vorgenommene Zusammenstellungen der relig. Gebets- und Andachtsübungen zurück; für das Abendland setzt sich die Praxis der röm. Kirche und die Normierung durch den Hl. BENEDIKT (6. Jh.) durch; ursprünglich in mehrere Bücher geteilt (Psalterium, Hymnarium, Lectionarium, Antiphonarium u. a.), dann unter Papst GREGOR VII. 1074 mit starken Verkürzungen (daher Name) zur bequemeren Handhabung in ein Buch zusammengefaßt, erhielt es unter Papst PIUS V. 1568 im wesentlichen die heutige Form (weitere Revisionen 1602 und 1631, Überarbeitungen 1882 und 1911). In der Ostkirche und in den einzelnen Mönchsorden sind unterschiedliche B.e in Gebrauch. Verdeutschungen als Laien-B. für Klosterfrauen und Laienbrüder erschienen, teils mit Holzschnitten illustriert, zahlreich im 15./16. Jh.: Jak. WYGS *Petbuch* 1518, e. *Teutsch Römisch B.*, ²1535, seit dem 13. Jh. auch verkürzt als ›Stundenbücher‹ für den Laiengebrauch. Übersetzungen der B.-Hymnen wirkten auf die Entwicklung des volkssprachl. Kirchenliedes. →Gebetbuch.

S. Bäumer, Gesch. d. B., 1895; St. Stephan, Laien-B.-II, 1928; J. Brintrine, D. röm. B., 1932; H. Bohatta, Bibliogr. d. B.e 1501–1850, 1937, ²1963.

Brief (v. lat. *breve* sc. *scriptum* = kurzes Schriftstück), die schriftl. Nachricht als Ersatz des mündl. Verkehrs, setzt als e. der ältesten Kulturdenkmäler gleichzeitig mit dem Gebrauch der Schrift ein. Die ältesten bezeugten B.e sind der Urias-B. DAVIDS (2. *Sam.* 11, 14), der B. des ind. Königs STRABOBATES an SEMIRAMIS und der B. des Königs PROITOS von Tiryns an IOBATES. Als Schreibmaterial diente im Altertum e. Wachstafel oder →Papyrus; auf letzterem sind zahlr. amtl. wie private B.e in Ägypten erhalten. Schon früh erschienen B.sammlungen berühmter Persönlichkeiten; ab 4. Jh. v. Chr. bestand e. B.lit., und durch das ganze klass. Altertum herrscht e. umfangreicher B.wechsel, am bedeutendsten der CICEROS, dessen überaus lebendige, wenn auch durchaus mit Bewußtsein stilisierte B.e einen einzigartigen Einblick in die Vielfalt seines Wesens geben. Neben diesen aus der Wirklichkeit des Lebens für e. bestimmten Augenblick geschriebenen B.en, zu denen in gewissem Sinn auch die von PLINIUS d. J. gehören, steht die Fülle der lit. oder Kunstb.e, die eigentlich bequeme Einkleidung schöngeistiger Essays oder philosoph. Abhandlungen darstellen (SENECA, *Epistulae morales*), ferner B.e in Versform (HORAZ, *Epistulae, Ars poetica*, OVID, *Tristia, Epistulae ex Ponto*), sog. ›offene B.e‹ meist polit. Inhalts, die außer an den Adressaten auch in die Öffentlichkeit gelangten (z. B. ISOKRATES an König PHILIPP: Aufruf zum Krieg gegen Persien, SALLUST an CAESAR: Programm der Staatsreform) und bes. seit der hellenist. Zeit die Gattung der →fingierten B.e unter dem Namen berühmter Persönlichkeiten (OVID, →*Heroiden*) oder kleiner Leute (ALKIPHRON, *Hetären-B.e*), deren Unterscheidung bei gemeinsamer Überlieferung oft nicht leicht fällt: fingierte B.e in THUKYDIDES Geschichtswerk. Auch Philosophen wandten sich brieflich an ihre Schüler (PLATON, EPIKUR). Diese Form wurde vom Christentum zu Gedankenaustausch, Belehrung, Ermahnung der Gemeinde u. a. seelsorgerischen Zwecken aufgenommen (PAULUS u. a. B.e des NT., der Kirchenväter: AMBROSIUS, HIERONYMUS, AUGUSTIN u.a., →Epistel). Der byzantin. Hof entwickelte e. gekünsteltes B.-zeremoniell. Im MA. sind die Klöster und geistl. Höfe Hauptträger der B.-kunst, die auch bei den spätma. Mystikern vollendete Formen fand. Die höf. Kultur der Zeit pflegt den poet. B.wechsel in der Volkssprache (→Salut, →Minne-B., →Büchlein); auch der Liebesbrief wird lit. geformt (ABAELARD). Die Humanisten stellen den (lat.) B. in den Dienst wiss. Gedankenaustauschs (PETRARCA, ENEA SILVIO, ERASMUS, CELTIS, REUCHLIN) sowie der Satire *(Epistulae obscurorum virorum)*; erst mit LUTHER beginnt der Übergang zur Nationalsprache, doch noch im Barock bedient sich die feine Gesellschaft teils lat., teils franz., wo nicht französierter Sprache. Der B. zeigt hier alle Charakteristika der Epoche: Unnatürlichkeit, Geziertheit und Formelhaftigkeit (Ausnahme: die Briefe der LISELOTTE VON DER PFALZ. Vgl. →Briefsteller). Daneben pflegt man wieder den fingierten B. (→Heroiden) als stilist. Glanzleistung. Gleichzeitig im 17. Jh. entwickelt Frankreich e. hohe und elegante B.kultur (Mme de SÉVIGNÉ, Mme de MAINTENON), lit. ausgestattet in PASCALS *Lettres écrites à un provincial* 1656/57 und MONTESQUIEUS *Lettres persanes* 1721, die übers ganze 18. Jh. (DIDEROT, VOLTAIRE, ROUSSEAU, Mme de STAËL) bis zu George SAND, FLAUBERT, PROUST und GIDE reicht. Der engl. B. zeigt demgegenüber stärkere Natürlichkeit (Lord CHESTERFIELD, Lady MONTAGU, H. WALPOLE, SWIFT, ADDISON, POPE, SCOTT, BYRON). Auch in Dtl. ist das 18. Jh. die große Zeit des B.es; seine Bedeutung beginnt mit dem Freundschaftskult der Empfindsamkeit; der Durchbruch zur Natürlichkeit (GOTTSCHEDIN, GELLERT: *Muster-B.e* 1751, Frau Rat GOETHE, GLEIM) ermöglichte die Weiterbildung zum Herzensund Seelenerguß auch im →Briefroman. Andererseits benutzt man den B. wiederum zur Einkleidung literarkrit. und philos. Abhandlungen (→Literaturb.e, HERDER: *Auszug aus einem B.wechsel über Ossian, B.e zu Beförderung der Humanität,* SCHILLER: *Über die ästhetische Erziehung des Menschen, Philosophische B.e* u.a.). Auf der Höhe der Klassik steht der GOETHE-SCHILLER-B.wechsel sowie der HUMBOLDTS. Bes. der umfangreiche B.wechsel GOETHES zeigt in ganzer Breite dessen Persönlichkeitsentfaltung. Unter den geistvollen und tiefbeseelten Romantiker-B.en (Brüder SCHLEGEL, NOVALIS, TIECK, BRENTANO, A. v. ARNIM) ragen bes. die der Frauen (Caroline SCHLEGEL, Bettina v. ARNIM, S. MEREAU, R. VARNHAGEN) heraus. Um die Mitte des 19. Jh. setzt auch im B. die Wandlung ins Unpersönliche und Sachlich-Geschäftsmäßige ein (Ausnahme: BISMARCK u.a.); Feinheit persönl. Stilführung und Kunst des behagl. Plauderns gehen im Tempo des modernen, technisierten (Schreibmaschine!) Lebens verloren. Von den Dichtern geben noch MÖRIKE, STIFTER, HEBBEL, STORM, MEYER, KELLER, HEYSE, FONTANE, HOLZ, im Ausland STENDHAL, BALZAC, FLAUBERT, DICKENS, R. BROWNING, O. WILDE, H. C. ANDERSEN, L. TOLSTOI u.a. manchen Aufschluß über Werkgestaltung und Weltanschauung; nach dem B.werk RILKES und HOFMANNSTHALS, HESSES, Th. MANNS und KAFKAS sowie den A. GIDES, D. H. LAWRENCES und Th. WOLFES erlischt größtenteils der Anspruch des B.s auf Wirkung in der Öffentlichkeit, den noch L. THOMAS satir. *Filser-B.e*

(1909–12) und Werke von CAMUS und BÖLL hatten. Für die Literaturwissenschaft bleiben B.e und Briefwechsel der Autoren in Editionen oder Archiven wichtige Quellen, für Autographensammler sind sie Sammelobjekt. →Reisebriefe, →Briefgedicht, →Epistel.

G. Seinhausen, Gesch. d. dt. B., II 1889/91, ²1902, n. 1968; H. Peter, D. B. i. d. röm. Lit., 1901, n. 1965; M. Rouszan, La lettre, Paris 1902; W. Schubart, E. Jahrtausend a. Nil, 1923; A. Roseno, D. Entw. d. B.theorie, Diss. Köln 1933; C. Erdmann, Stud. z. B.lit. Dtls. i. 11. Jh., 1938, ²1952; O. Heuschele, D. dt. B., 1938; W. Büngel, D. B., 1939; H. H. Ohms, D. weiße Brücke, 1948; RL; A. Wellek, Z. Phänomenologie d. B. (D. Sammlung 15, 1960); R. Brockmeyer, Gesch. d. dt. B. v. Gottsched bis z. Sturm u. Drang, Diss. Münst. 1959; H. Rogge, Fingierte B.e als Mittel polit. Satire, 1966; H. Anderson u. a. (hg.), The familiar letter in the 18th cent., Kansas 1966; W. Schlawe, D. B.slgn. d. 19. Jh., 1969; G. Mann, D. B. i. d. Weltlit., NR 86, 1975; G. Honnefelder, D. B. i. Roman, 1975; P. Bürgel, D. Privat-B., DVJ 50, 1976; W. Füger, D. B. als Bauelement d. Erzählens, DVJ 51, 1977; Probleme d. B.-Edition, hg. W. Frühwald u. a. 1977; B.e dt. Barockautoren, hg. H.-H. Krummacher 1978; K. Ermert, B.sorten, 1979; D. B. i. Ztalter d. Renaiss., hg. F. J. Worstbrock 1983; W. G. Müller, D. B., PoE 1985; K. H. Bohrer, D. romant. B., 1987, ²1989.

Briefgedicht, Sammelbz. für alle Formen des (echten oder fingierten) versifizierten →Briefs, denen mit der Entfernung von der Alltagsprosa auch eine erhöhte Stimmungslage und Sprachschicht eignen, so aus der Antike der →Episteln von HORAZ und OVID sowie dessen →Heroiden, die im Barock wieder aufleben, aus dem german. MA. das →Winileod, aus dem Minnesang etwa →Salut, →Minnebrief und →Büchlein, die eleganten B. des franz. Rokoko, der dt. Anakreontik (GOECKINGK, GLEIM, RABENER, WIELAND) und als Gipfelpunkt der Gattung die aus der Situation des Schreibenden erwachsenen B. GOETHES an Frau von STEIN und M.

von WILLEMER und die B. BRENTANOS. In Frankreich ist das B. vertreten bei C. MAROT, VOLTAIRE u. a., in England bei DONNE, DRYDEN, POPE, KEATS u. a.

Briefroman, Romanform, die sich ausschließlich oder doch überwiegend aus fingierten →Briefen zusammensetzt, neben die noch Tagebuchfragmente u. a. Lebensdokumente sowie Einleitung oder Nachwort e. vermeintl. Herausgebers treten können; Abart der →Ich-Form, bes. bei nur e. einzigen Briefschreiber Nähe zum Tagebuch. Verteilt sich die Aufgabe des Erzählens polyperspektivisch auf mehrere Personen, so tritt oft in den Teilhandlungen e. dramat. Element hervor. Durch stärkste Unmittelbarkeit zu den Gestalten der Handlung – der Leser hat ihre Selbstzeugnisse vor Augen – bewirkt der B. große Vertrautheit mit den Figuren der Dichtung und e. fast intime seel. Nähe. Da der nüchterne Tatsachenbericht in Briefform keine künstler. Wirkung hervorbringt, verlangt die Form Vereinfachung der äußeren Handlungslinien zugunsten e. Betonung seel. Erlebnisse. Durch die lockere Form der Komposition und die Vertiefung innerer Wahrscheinlichkeit wird c. cindringl. Charakterzeichnung ermöglicht. – Die geschichtl. Vorstufen des B. sind zahlreich; die →Heroiden; die Slgn. künstlerisch wertvoller und ergreifender →Briefe, so die fünf leidenschaftl. Liebesbriefe der (fingierten?) portugies. Nonne Mariana (ALCOFORADO) an e. franz. Grafen (1669 hg.); die in den Roman eingestreuten Briefe, schon bei J. WICKRAM 1550, im Barockroman GRIMMELSHAUSENS und bes. im heroisch-galanten Roman (ZESEN, ZIGLER, Herzog ANTON ULRICH) als stilist. Prunkstücke.

Der eigtl. B. entwickelt sich im Zusammenhang mit dem Briefkult und den Selbstbekenntnissen in der Empfindsamkeit. Erster bedeutender Vertreter der B. – nach roman. Vorgängern – ist der Engländer S. RICHARDSON mit seinen drei sentimental-psycholog. B.en *Pamela, or Virtue Rewarded* 1740, *Clarissa* 1747/48 und *Sir Charles Grandison* 1753. Er sowie ROUSSEAU, der in seinem B. *Nouvelle Héloïse* 1759 durch Abwendung vom äußeren Erlebnis den Brief zum Gefäß höchster Leidenschaft machte, fanden eifrige Nachfolge in Frankreich (CHODERLOS DE LACLOS, *Les liaisons dangereuses*, 1782, SENANCOUR, *Oberman*, 1804), Italien (FOSCOLO, *Jacopo Ortis*, 1798) und in Dtl. mit entweder mehr rationalen oder mehr sentimentalen B.en: MUSÄUS, *Grandison der Zweite* 1760–62, J. T. HERMES, *Sophiens Reise von Memel nach Sachsen* 1769–73, S. von LA ROCHE, *Das Fräulein von Sternheim* 1771, *Rosaliens Briefe* 1779ff., L. TIECK, *William Lovell* 1795/96, HÖLDERLIN, *Hyperion* 1797, WIELAND, *Aristipp* 1800/01, an der Spitze GOETHES *Werther* 1774, der – abgesehen von meist späteren Einfügungen – nur Briefe einer Person enthält und damit zur künstlerisch geschlossensten Form durchdringt. Das 19. Jh. hat für den B. keinen Platz; erst im 20. Jh. erreichen Werke wie E. HEYKING *Briefe, die ihn nicht erreichten* 1903, A. GIDE, *L'école des femmes* 1929, H. de MONTHERLANT *Les jeunes filles* 1934 und M. B. KENNICOTT *Das Herz ist wach* 1933 breiteren Erfolg: R. HUCH verwendet die B.-Form in *Der letzte Sommer* 1910, W. JENS in *Herr Meister* 1963.

E. Schmidt, Richardson, Rousseau, Goethe, 1875; J. ten Brink, *De roman in brieven 1740–1840*, 1889; G. F. Singer, *The Epistolary Novel* 1933; C. E. Cany, *The Beginnings of the Epistolary Novel in France, Italy and Spain*, Berkeley 1937; F. G. Black, *The Epistolary Novel in the late 18. century*, Eugene 1940; H. H. Borcherdt, D. Roman d. Goethezeit, 1949; E. Th. Voß, Erzählprobleme d. B., Diss. Bonn 1958; H. R. Picard, D. Stellg. d. Autors i. B. d. 18. Jh., Diss. Hdlbg. 1959; K. R. Mandelkow, D. dt. B., Neophil. 44, 1960; ders. in: Orpheus u. Maschine, 1976; D. Kimpel, Entstehg. u. Formen d. B. i. Dtl., Diss. Wien 1962; J. Rousset, *Forme et signification*, Paris 1962; R. A. Day, *Told in letters*, Ann Arbor 1966; F. Jost, *Essais de lit. compar.* 2, Fribourg 1968; ders. in *Compar. Lit.*, hg. A. O. Aldridge, Urbana 1970; ders. in Fs. R. Wellek 1984; W. Voßkamp, Dialogische Vergegenwärtigung, DVJ 45, 1971; H. R. Picard, D. Illusion d. Wirklichk. i. B. d. 18. Jh., 1971; W. Koepke, *The epist. novel (Stud. on Voltaire* 192, 1980); L. Versini, *Le roman epist.*, Paris 1981; W. Jeske, D. B., FLE 1981; J. G. Altman, *Epistolarity*, Columbus 1982; S. L. Carrell, *Le soliloque de la passion fém.*, 1982. →Brief.

Briefsteller, urspr. Berufsbz. für professionelle Brief-Ersteller, dann Gattung der Sprach-, Stil- und Formdidaktik: Anleitung zum Abfassen formvollendeter Briefe mit Musterbriefen für eine Vielzahl mögl. Anlässe. Ihre Existenz läßt sich bis ins 2. Jh. v.Chr. bei den Griechen zurückverfolgen. Die ma. Formelbücher, die den fränk.-karoling. Briefstil prägten, wurden ab 11. Jh. in Italien durch B. (Ars dictandi) ersetzt, die für Briefe an Personen aller Stände u. Berufe Formeln und Muster bereithielten. Blütezeit in Dtl. ist der Barock, wo man auf Schmuck des Ausdrucks größten Wert legte, z.B. HARSDÖRFFERS *Teutscher Secretarius* 1656 und C. STIELERS *Der allzeit fertige Secretarius* 1673. Beim Umschwung zum natürl. Briefstil wirkte GELLERT mit durch seine *Briefe, nebst e. praktischen Abhandlung von dem guten Geschmack in Briefen*, 1751. Den umfangreichsten B. schrieb J. F. HEYNATZ (V 1773–93), einen weiteren K. P. MORITZ 1793. Seither nehmen die B. an Zahl ab oder beschränken sich auf bestimmte Berufsgruppen (z. B. Kaufmann). Die B. sind Dokumente der Stil-, Bildungs- und Sozialgeschichte. Vgl. →Komplimentierbuch.

L. Rockinger, Üb. B. u. Formelbücher i. Dtl. während d. MA., 1861; A. Bütow, D. Entw. d. ma. B., Diss. Greifsw. 1908; A. Roseno, D. Entw. d. Brieftheorie v. 1655–1709, Diss. Köln 1933; J. Robertson, *The Art of Letter-Writing*, Liverpool 1942; D. Brüggemann, Vom Herzen direkt i. d. Feder, 1968; R. M. G. Nickisch, D. Stilprinzipien i. d. dt. B.n d. 17. u. 18. Jh., 1969; S. Ertl, Anleitgn. z. schriftl. Kommunikation, 1984.

Brighella (v. ital. *briga* = Unannehmlichkeit), komische Typenfigur der →Commedia dell'arte: verschmitzter, intriganter Diener in grünweiß gestreiftem Kostüm, der die Ausführung seiner Pläne meist dem Arlecchino überläßt.

Broadway-Theater, die großen kommerziellen Star- und Amüsiertheater am Broadway New Yorks als dem Theaterzentrum Amerikas. Sie erlebten ihre Glanzzeit zwischen beiden Weltkriegen, erlebten seit 1950 bei zunehmender theatral. Vielseitigkeit die Konkurrenz der kleineren avantgardist.-experimentellen Künstlertheater Off-Broadway, deren wachsende Etablierung wieder die Rivalen als Off-Off-Broadway ins Leben rief.

J. B. Atkinson, *B.*, N.Y. 1970.

Broschüre (v. franz. *brocher* = heften), dünne, durch Draht, Faden oder Klebstoff geheftete Druckschrift aktuellen Inhalts, die mit propagandist. oder aufklärendem Zweck relig., polit., soziale oder wiss. Tagesfragen – oft in Dialogform – behandelt.

Brouillon (franz. =) Skizze, provisorisches Konzept, erster, noch unvollkommener und z. T. ungeordneter Entwurf für ein Schriftwerk; oft von Interesse für Entstehungsgeschichte eines Werkes und Arbeitsverfahren des Autors.

Bruchstück →Fragment

Bruitismus →Dadaismus

Brautliet (mhd.), Brautlied, Art des →Brauchtumsliedes: e. mit Tanz und Gesten verbundener chor. Gesang bei der Hochzeitsfeier während oder nach der Übergabe der Braut in die Sippe des Bräutigams; entspricht dem lat. →Hymenäus und erfleht als kult. Spruch Segen und Fruchtbarkeit für die Ehe. Bezeugt durch APOLLINARIS SIDONIUS (*carm.* 5, 218). Mhd. und anglofries. B. sind nur aus christl. Zeit überliefert, gehen jedoch auf heidn. Ursprung zurück.

E. Schröder, Brautlauf u. Tanz, ZDA 61, 1922.

Buch (nach der Buche, auf deren Tafeln in Germanien zuerst geschrieben wurde, vgl. griech. *biblos* = Papyrus, lat. *liber* = Bast, *codex* = Holzbrett), e. zu e. Ganzen vereinigte Anzahl beschriebener oder bedruckter Blätter oder →Bogen. Die älteste Form des B. nach den Tontafeln des Alten Orients, das für die Epen HOMERS schon vorausgesetzt werden muß, bilden die →Papyrusrollen, die von schreibgeübten Sklaven hergestellt wurden. Durch Streitigkeiten mit Ägypten, dem Herkunftsland des Papyrus, genötigt, entwickelte Pergamon autark das →Pergament, welches nach dem Verfall der Papyrusfabriken im Altertum diesen verdrängte; da es sich jedoch nur schwer in Rollen fügte, ging man seit dem 1. Jh. n. Chr. zur Form des →Codex über, der im 4./5. Jh. alle Papyrusrollen ersetzte – was nicht des Umschreibens wert gehalten wurde, ging verloren! – und die Grundform des heutigen B. ist. Mit dem Aufkommen des →Papiers um 1300 waren die Möglichkeiten für e. Ersatz der teuren Schreibstoffe und damit weitere Verbreitung des B. gegeben, die durch die Erfindung des →Buchdrucks noch gesteigert wurden. Die Benutzung von Buchentafeln bei den germ. Völkern muß früh begonnen haben, wie die gemeingerm. Bz. zeigt; bezeugt ist sie erst durch VENANTIUS FORTUNATUS (7, 18) im 6. Jh. n. Chr. Vollendete Buchkunst entwickelt schon früh künstlerische Gestaltung und Ausstattung (→Einband). B. heißt auch e. mehrere →Kapitel umfassende Einheit im Epos oder Roman. →Buchhandel, →Bibliothek.

K. Schottenloher, D. alte B., 1919, ³1956; H. Bohatta, Einf. i. d. B.kunde, ²1928; G. Fumagalli, *Vocabulario bibliographico*, Florenz 1940; S. Dahl, Gesch. d. B., ²1941; D. C. McMurtie, *The book*, N.Y. ³1943; *Nordisk Leksikon for Bogvæsen*, Koph. 1951–62; S. Jennett, *The Making of Books*, N.Y. 1951, ²1964; W. H. Lange, D. B. i. Wandel d. Zeiten, ⁶1951; F. G. Kenyon, *Books and Readers in Ancient Greece and Rome*, Oxf. ²1951; K. Schottenloher, B.er bewegten d. Welt, 1951f., ²1968; J. Kirchner, Lex. d. B.wesens, IV 1952–56; Hdb. d. Bibliothekswiss. I, ²1952; RL; T. Birt, D. antike B.wesen, ²1959; G. Glaister, *Glossary of the Book*, Lond. 1960; R. Fröhner, D. B. i. d. Ggw., 1961; A. Flocon, *L'univers des livres*, Paris 1961; R. Escarpit, D. B. u. d. Leser, 1961; S. H. Steinberg, D. Schwarze Kunst, ²1961; N. E. Binns, *An introduction to historical bibliography*, Lond. ²1962; H. Uhlig, Gesch. d. B. u. d. Buchhandels, ²1962; H. Presser, D. B. vom B., 1962, ²1978; W. Schubart, D. B. b. d. Griechen u. Römern, ³1962; G. H. Putnam, *Books and their makers in the M.A.*, N.Y. II ²1962; Das Druckwerk, 1963; H. Hiller, D. Ausbreitg. d. B., 1963; F. Funke, B.rchkunde, ²1963, ³1969; R. Mummendey, V. Büchern u. Bibliotheken, ²1964, ⁵1976; E. Harley, J. Hampden, *Books*, Lond. 1964; G. F. Kärcher, Warenkunde d. B., ²1965; B. u. Leser u. Dtl., 1966; O. Wenig, hg., Wege z. B.wiss., 1966; H. Hiller, Z. Sozialgesch. v. B. u. Buchhandel, 1966; ders., Wb. d. B., ³1967, ⁴1980; R. Escarpit, D. Revolution d. B., 1967; J. Carter, Bücher, die d. Welt verändern, 1968; N. Levarie, *The art and history of books*, N.Y. 1968; D. Harrop, *Modern book production*, Lond. 1968; H. G. Göpfert, Vom Autor z. Leser, 1977; B.- u. Verlagswesen i. 18. u. 19. Jh., hg. H. G. Göpfert u.a. 1977; Lex. d. ges. B.wesens, V 1987ff.

Buchbesprechung →Rezension

Buchdrama oder Lesedrama, der äußeren Form nach dramat. Dichtung, die entweder vom Autor nicht für Bühnenaufführung, sondern für schriftl. Verbreitung gedacht war und daher auf Bühnenwirksamkeit keine Rücksicht nimmt oder aber keinen Bühnenerfolg verspricht bzw. zur Darstellung ungeeignet ist aufgrund des abstrakten Themas, techn. Schwierigkeiten, Zeitdauer, Personenzahl, ständigen Schauplatzwechsels, mangelndem dramat. Bewegtheit (bei Dialogen), unerfüllbarer Anforderungen an die Bühne u. ä. dramaturg. Mängel. Beispiele: die Dramen SENECAS (evtl. zur Rezitation bestimmt), der HROTSVITH VON GANDERSHEIM, Dialoge der Humanisten, KLOPSTOCKS →Bardiete, viele Dramen des Sturm und Drang (1. Vorrede zu den *Räubern*), die den Bühnenzwang ablehnen, romant. Dramen, die durch Vermischung der Dichtungsgattungen wohl ep.-lyr., doch nicht dramat. gedacht sind (TIECKS *Kaiser Octavian* und *Genoveva*, ARNIMS *Halle und Jerusalem*), IMMERMANNS *Merlin*, GOBINEAUS *La Renaissance*, CLAUDELS *Le livre de Christoph Colomb* u.a. theaterferne Weltanschauungsdramen. Die Anschauungen über Bühnenwirksamkeit und Aufführbarkeit wandeln sich mit der Entwicklung der Theaterkunst; so galten GOETHES *Tasso* und *Faust II* oder CLAUDELS *Soulier de satin* lange als B.en, doch fragt sich, wieweit bei der Umsetzung solcher Dramen ins Gegenständlich-Theatralische e. Verengung des Eindrucks eintritt, den der mit schöpferischer Phantasie begabte Leser durch geistiges Schauen und Gestalten erfährt. Der Begriff B. ist nicht abwertend, da der poet. Wert e. Stückes nicht von der Bühnenwirksamkeit abhängt; andererseits kann blendende Aufführungskunst über gehaltl. Schwächen hinwegtäuschen.

M. Foth, D. Drama u. sein Ggs. zur Dichtkunst, 1902; R. Peacock, *The Poet in the Theatre*, London 1946; E. M. Inbar, Shakesp. i. d. Diskussion, JFDH 1979; P. Stefanek, Lesedr. (D. Drama u. s. Inszenierg., hg. E. Fischer-Lichte 1985).

Buchdruck, die mechan. Vervielfältigung des geschriebenen Wortes, geschah zuerst durch erhaben ausgeschnittene und mit Farbe bestrichene Holzplatten, die das Schriftbild auf e. daraufgelegten, mit Bürsten angedrückten Bogen übertrugen (Holztafeldruck, →Blockbuch). Um 1453 erfand der Mainzer Patrizier Joh. GUTENBERG den mechan. B. mit einzelnen, bewegl. und daher beliebig zusammensetzbaren, gegossenen Lettern aus Metall sowie die Vervielfältigung durch die Presse. Die verbilligte, schnellere und unbeschränkte Vervielfältigungsmöglichkeit gestattete breitere Verbreitung der Druckschriften in allen Volksschichten und sorgte für schnelle und unrechtmäßige Verbreitung seiner Erfindung in Dtl. und Italien. Um 1500 ist die Ausgestaltung des →Buches (Titelblatt, Illustrationen, Register) in heutiger Form vollzogen, und bis 1570 war die Umstellung von der →Handschrift auf den Druck allg. geworden. Wie die →Bibelübersetzung trug der B. wesentlich zur Schaffung e. einheitl. Schriftsprache bei, und nur unrechtmäßige Nachdrucke zeigen noch das Eindringen der Mundart in die Textgestaltung, wie es bei der hs. Verbreitung geläufig war. Wesentliche Verbesserungen brachten Schnellpresse (1811 von F. KÖNIG in London) mit maschineller Farb-

auftragung durch Walzen und Anpressen des Papiers ebenfalls über Walzen, Rotationspresse (1870 in Amerika) durch vollautomat. Herstellung mit Hilfe eines Walzendrucksatzes bis zur Ablagerung der gefalzten und gezählten Schichten, Setzmaschine (1884) durch halbautomat. Zusammenfügung des Schriftsatzes (Monotype gießt einzelne Buchstaben, Linotype ganze Zeilen) und schließlich Lichtsatz.

K. Faulmann, Illustr. Gesch. d. B.kunst 1882; K. B. Lorck, Hb. d. Gesch. d. B.erkunst, II 1882f., n. 1988; G. A. Bogeng, Gesch. d. B.erkunst, III 1930–41, n. 1973; L. C. Wroth, *A hist. of the printed book,* N.Y. 1938; H. Barge, Gesch. d. B.erkunst, 1940; J. Benzing, B.erlexikon d. 16. Jh., 1952; D. mod. Druck, hg. E. Kollecker u. W. Matuschke, ²1958; S. H. Steinberg, D. Schwarze Kunst, ²1961; D. B. Updike, *Printing types,* II Cambr./Mass. ²1962; G. Dowding, *An introduction to the hist. of printing types,* Lond. 1962; D. Druckwerk, hg. G. Barthel u. U. Krebs, II 1963; J. Benzing, D. B.er d. 16. u. 17. Jh. i. dt. Sprachgebiet, 1963; F. Genzmer, Umgang m. d. schwarzen Kunst, ²1965; W. T. Berry, H. E. Poole, *The annals of printing,* Lond. 1966; C. Clair, *A hist. of printing in Britain,* Oxf. 1966; ders., *A chronology of printing,* Lond. 1969; N. Levarie, *The art and history of books,* N.Y. 1968; J. Lewis, *Anatomy of printing,* Lond. 1970; K. Kirchner, Satz, Druck, Einband, ⁹1970; M. Boghardt, Analyt. Druckforschg., 1977; E. Eisenstein, *The printing press as an agent of change,* Cambr. II 1979.

Buchdruckerzeichen →Druckerzeichen

Bucheinband →Einband

Buchformat →Format

Buchführer, die reisenden Buchhändler des 15./16. Jh., die ihre Bücher von Stadt zu Stadt und von Messe zu Messe mit sich führten.

Buchgemeinschaften, im 20. Jh. neuentwickelte Form des Buchvertriebs meist außerhalb der Buchhandlungen durch Herstellung und Verkauf billiger Massenauflagen gut gängiger Titel direkt an feste

Mitglieder/Abonnenten, die sich zur regelmäßigen Abnahme einer festen Anzahl von Werken verpflichten und, wenn sie auf die Möglichkeit freier Wahl aus dem angebotenen Bestand verzichten, den Hauptvorschlagsband erhalten. Das Angebot besteht teils aus Lizenzausgaben, teils aus eigens für die B. hergestellten Werken; beide können – jedoch nur in beschränkter Titelzahl – durch die Kopplung von Großherstellung und Massenvertrieb ohne separate Verdienstspannen – bedingt wiederum durch die Abnahmegarantie der Abonnenten – billiger angeboten werden als im Sortiment. Werbung und Mitgliederverkehr geschehen meist durch eine Vereinszeitung, die die Neuerscheinungen ankündigt, Prämienbände für Mitgliederwerbung und Treuebände für längere Mitgliedschaft auslobt. Die Gefahren der B. liegen in der Standardisierung des lit. Geschmacks auf den Massengeschmack an gehobener Unterhaltungslit. in den teils geschmacklosen goldgeprägten Halblederbänden bis hin zu Klassikerauswahlen und Sach- und Gebrauchsschrifttum, in der Bevormundung durch die branchenbedingte Enge und Einseitigkeit der Auswahl gängiger Konsumware und der restlosen Kommerzialisierung der Lit. Die Vorteile der B. liegen bei genossenschaftl. Organisation in der Verbilligung der Bücherpreise, der Direktbelieferung frei Haus, die die bei weiten Kreisen herrschende Scheu vor dem Betreten einer Buchhandlung umgeht, und in der Erschließung neuer, bisher nicht angesprochener Bevölkerungskreise für das Buch; diese können zu Lesern und Buchkäufern werden. Gleichzeitig ermöglicht die Beteiligung von B. an Neuerscheinungen oder Neuauflagen höhere Druckauflagen der Verlage und damit ein vermindertes Risiko bzw. Verbilligung der Originalausgaben, deren Verkauf durch erfolgreiche Lizenzausgaben auf dem 2. Markt nicht beeinträchtigt wird. Die Bedenken wegen einer Ausschaltung des Sortiments suchen einzelne B. durch die Zusammenarbeit mit dem Sortiment als Auslieferer und Berater zu zerstreuen (sog. Lesering-Form). Eine noch stärkere Beeinträchtigung des Buchhandels ist bei der seit Jahren anhaltenden Stagnation der Mitgliederzahlen, die nur untereinander fluktuieren, ebensowenig zu erwarten wie ein wirkl. Einfluß auf das lit. Leben, da sich die B. im wesentlichen nicht an die lebendige Avantgarde und jüngere lit. Experimente, sondern an die vorher auf dem freien Markt erprobten Erfolgsbücher halten, und insbes. für die B. die von ihnen nicht steuerbare Konkurrenz der preisgünstigen Taschenbücher wächst. – Wichtigste dt. B.: Volksverband der Bücherfreunde (1919, erloschen), Dt. B. (1924), Büchergilde Gutenberg (1924), Wissenschaftliche Buchgesellschaft (1949), Bertelsmann-Lesering (1950), Dt. Bücherbund (1948) und Europäischer Buchklub (1950); entsprechend in Österreich B. Donauland, in der Schweiz Ex libris und Neue Schweizer Bibliothek, in den USA Book of the Month Club (1926) und The Literary Guild (1927); die franz. B. pflegen mehr das wertvoll ausgestattete, illustrierte Buch in Ggs. zu den broschierten Exemplaren des Buchhandels.

H. Hiller u. W. Strauß, D. dt. Buchhandel, ⁴1968; Buch u. Leser i. Dtl., 1966; G. Ehni, F. Weissbach, B. i. Dtl., 1967.

Buchhandel, der Vertrieb lit. Erzeugnisse, war zuerst bei Griechen und Römern bekannt und lieferte damals Bücher zu erstaunlich niedrigen Preisen sowie prachtvoll ausgestattete und illustrierte Liebhaberausgaben für die Vornehmen (z. B. die medizin. Werke des DIOSKURIDES, 1. Jh. n. Chr.), indem schreibgeübte Sklaven Abschriften serienweise (bis 1000 Exemplare) herstellten. CICEROS Verleger ATTICUS (109–32 v. Chr.) brachte zahlr. Autoren seiner Zeit in guten Ausgaben an die Öffentlichkeit. Im frühen MA. oblag die Vervielfältigung der Hss. und deren Verbreitung durch Austausch den Klöstern. Das späte MA. kannte den Handschriftenhandel der Stationarii an den Universitäten, jedoch erst im Humanismus setzte er, bes. mit antiken Hss., stärker ein. Seit der Erfindung des Buchdrucks und damit größerer Verbreitungsmöglichkeit erfolgte der Vertrieb durch sog. →Buchführrer an Klöster, Universitäten, Gelehrte usw. Ab 16. Jh. teilte sich der B. in →Verlag und Vertrieb (Drukker und Kaufleute bzw. Buchbinder), dann im 18./19. Jh. in Drukker, Verleger und Sortiment auf. Druckgesellschaften stellten Bücher auf gemeinschaftl. Kosten e. Interessentengruppe her. Dem Großhandel dienten die Oster- und Herbstmessen, anfangs in Frankfurt a. M., später mehr in Leipzig (vgl. →Buchmesse), zumal als mit dem Rückgang des europ. verbreiteten lat. Schrifttums das volkssprachliche zunahm (um 1700), heute an beiden Orten. 1479 beginnt die Kontrolle der Produktion durch die →Zensur. Nachdem obrigkeitliche →Privilegien (ab 1500) nur unzureichenden Schutz gegen unrechtmäßige →Nachdrucke boten, erfolgte 1825 die Gründung des Börsenvereins der dt. Buchhändler als Interessenverband und Dachorganisation zahlr. Einzelverbände. Seine Aufgaben sind Verhinderung von Nachdrukken, Einführung fester Ladenpreise, Herausgabe des *Börsenblattes für*

den dt. *Buchhandel* und der Nationalbibliographie, Werbeaktionen, Marktanalyse, Nachwuchsschulung, Buchmessen, -ausstellungen und -wettbewerbe, kaufmännische Beratung der Mitglieder u. ä. (Neugründung 1945 in der DDR; in der BR als ›Börsenverein dt. Verleger und Buchhändlerverbände‹ 1949, jetzt ›Börsenverein des dt. Buchhandels‹). Der gegenwärtige B. zerfällt in →Verlags-B. (Herstellung), Sortiments-B. (Einzelvertrieb im Ladengeschäft), Reise-B. (Einzelvertrieb durch reisende Vertreter, bes. für mehrbändige Sammelwerke z. T. auf Teilzahlungsbasis, die nach Bestellung zugesandt werden), Versand-B. (Vertrieb durch Kataloge und Prospekte auf dem Postweg), Export-B. (Einzelvertrieb an Interessenten im Ausland), →Antiquariats-B., Kommissions-B. (Auslieferungslager versch. Verlage an den Hauptplätzen des Buchhandels) und Zwischenhandel in Barsortiment und Grosso-B. (zur raschesten Versorgung angeschlossener Sortimenter mit Publikationen möglichst vieler Verlage), ferner Bahnhofs-B. und Warenhaus-B. Eine Anzahl von →Buchgemeinschaften erschließt breitere Leserkreise.

F. Kapp u. J. Goldfriedrich, Gesch. d. dt. B., V 1886–1923, ²1970; O. Hartmann, D. Entw. d. Lit. u. d. B., 1910; F. Schulze, D. dt. B. u. d. geist. Strömgn. d. letzten 100 Jahre, 1925, n. 1987; M. Paschke, P. Rath, Lehrb. d. dt. B., ⁷1932; E. Stemplinger, B. i. Altertum, ²1933; A. Druckenmüller, D. B. d. Welt, 1935; H. Widmann, Gesch. d. B., 1952, ²1975 ff.; S. Taubert, Grundriß d. B. in aller Welt, 1953; F. Mumby, *Publishing and bookselling,* Lond. ²1956; K. Ludwig, Kurze Gesch. d. B. i. Dtl., 1959; F. Schulz, D. Schicksal d. Bücher u. d. B., ²1960; F. Uhlig, Gesch. d. Buches u. d. B., ²1962; H. Kliemann u. P. Meyer-Dohm, B., E. Bibliogr., 1963; Th. Joy, *The truth about bookselling,* Lond. 1964; B. u. Wiss., hg. F. Uhlig, 1965; D. dt. B. i. Quellen u. Urkunden, hg. H. Widmann, II 1965; S. Taubert, Bibliopola, 1966; H. Hiller u. W. Strauß, D. dt. B., ⁴1968, ⁵1975; M.

Plant, *The Engl. Book Trade,* Lond.
²1966; H. Hiller, Z. Sozialgesch. v. Buch
u. B., 1966; T. Kleberg, B. u. Verlagswesen i. d. Antike, 1967; P. Meyer-Dohm,
B. als kulturwirtschaftl. Aufgabe, 1967;
Bibliogr. d. B., ³1970; Hdb. d. B., hg. P.
Meyer-Dohm, IV 1971–77, ²1974–77;
H. G. Göpfert, V. Autor z. Leser, 1977;
M. Shell, *The economy of lit.*, Baltimore
1978; B. u. Lit., hg. R. Wittmann 1982;
ders., Buchmarkt u. Lektüre i. 18. u. 19.
Jh., 1982; D. Buchmarkt d. Goethezt.,
hg. E. Fischer II 1986.

Buchillustration →Illustration

Buchklub →Buchgemeinschaft

Buchkritik →Kritik

Buchmalerei →Miniatur

Buchmesse, allg. Zusammenkunft
der Buchhändler, in Dtl. ursprüngl.
zur Abrechnung über das Kommis-
sionsgut, dann zunehmend Ver-
kaufs- und Repräsentativausstel-
lung der jüngsten und älteren Ver-
lagsproduktion für Sortimenter,
Zwischenhändler und ein interes-
siertes Publikum sowie für den Li-
zenzmarkt. Zuerst seit Ende 16. Jh.
im Rahmen der allg. Messen als
Oster- (Frühjahrs-) und Herbst-
(Michaelis-)Messe in Frankfurt/M.
und Leipzig, seit Mitte 18. Jh. nur in
Leipzig, seit 1949 daneben die Internationale Frankfurter B. im
Sept./Okt. als bedeutendste der
Welt. Weitere mehr nationale B. in
London, New York, Paris, Nizza,
Bologna, Mailand, für die Ostlän-
der in Warschau. Vgl. →Meßka-
talog.
A. Dietz, Z. Gesch. d. Frankf. B., 1921;
R. Recke, D. Frankf. B., 1951.

Buchrolle →Papyrus

Buchsoziologie →Literatursozio-
logie

Buchstabe, das Schriftzeichen für e.
Sprachlaut. Stab heißt der senkrech-
te Hauptstrich fast aller Runen,
dann das ganze Schriftzeichen (>Ru-
nenstab<), im Ggs. dazu bezeichnete
man die Schriftzeichen in >Büchern<

als B.en; die Deutung aus >Buchen-
stäbchen< ist fraglich.
H. Rosenfeld, Buch u. B. (Gutenberg-Jb.
1969).

Buchstabenschrift, →Schrift, die
im Ggs. zur →Bilder- und →Silben-
schrift jeden Laut durch Einzelzei-
chen wiedergibt.

Buchtitel →Titel

Buchumschlag, die Verpackung
des gebundenen oder broschierten
Buches, in erster Linie als Schutz des
Einbands gedacht, doch je nach Inhalt, Zeitgeschmack und Verlag
mehr oder weniger aufwendig, farbig, graphisch oder illustriert zugleich als plakative Werbung ausgestattet und heute vielfach lackiert.
C. Rosner, *The Growth of the Book-
Jacket,* Cambr./Mass. 1954; G. K. Schauer, Kleine Gesch. d. dt. B. i. 20. Jh., 1962;
K. Weidemann, B.e u. Schallplattenhül-
len, 1969; W. Scheffler, B.e 1900–1950,
1971.

Buchwissenschaft, vieldiskutierte
Bz. für eine zu konstruierende wiss.
Disziplin, die alle bisher von
Rechtswiss., Wirtschaftswiss., Soziologie, Publizistikwiss., Ge-
schichtswiss., Literaturwiss., Pädagogik und Bibliothekswiss. behandelten Aspekte des Bereichs Buch
und Buchhandel in sich vereint. Indessen kann dieser Bereich nur ein
gemeinsames Forschungsfeld für interdisziplinäre Kooperation, nicht
durch Addition der Betrachtungsweisen eine eigene wiss. Disziplin
bilden, da die einer solchen zuzu-
ordnenden Forschungsbereiche wesensgemäß den obengenannten Disziplinen zugehören und eine B. mithin keine eigenständige Methode
entwickeln, sondern mit simplifizie-
rendem Dilettantismus fremde Disziplinen einverleiben würde.
P. Glotz, W. Langenbucher, B.? (Publizistik 10, 1965); H. Hiller, W. Strauß, D.
dt. Buchhandel, ⁴1968; Wege zur B., hg.

O. Wenig 1966; Buchhandel u. Wiss., hg. F. Uhlig 1967. →Buch.

Bücherei →Bibliothek, →Deutsche Bücherei

Bücherkunde →Bibliographie

Bücherliebhaberei →Bibliophilie

Bücherprivilegien →Privilegien

Bücherverbot →Zensur

Bücherverbrennung, die Vernichtung relig., polit. oder moral. anstoßerregender Schriften durch autoritäre Institutionen (Staat, Kirche) oder einzelne in e. symbol. Akt, wiederholt sich in Zeiten geistiger Unterdrückung oder als Protest gegen eine solche: 213 v. Chr. in China B. der konfuzian. Schriften auf kaiserl. Befehl, im MA. B. ketzerischer Schriften durch die Inquisition, SAVONAROLAS B. auch der Schriften BOCCACCIOS und PETRARCAS 1497, B. der Schriften LUTHERS, kathol. Schriften durch die Wiedertäufer 1534, der Werke MILTONS 1660, reaktionärer Schriften auf dem Wartburgfest 1817, schließlich die nationalsozialist. B. vom 10. 5. 1933 durch die ›Dt. Studentenschaft‹, die sich gegen den sog. ›undeutschen Geist‹ marxist., pazifist., ›dekadenter‹ oder jüd. Autoren richtete. Die mod. Form eines gerichtl. Einziehungs- und Vernichtungsbeschlusses unterscheidet sich nur durch (manchmal) abgewogenere Auswahl und weniger spektakuläres Verfahren. In fast allen Fällen von B. hat sich die echte Lit. auf die Dauer als stärker erwiesen als der Verfolgungswahn geistloser Unterdrücker oder fanatisierter Massen, die das Unerwünschte nicht durch Argumente, sondern durch Gewaltmaßnahmen aus der Welt schaffen zu können glaubten.

W. Speyer, Büchervernichtung u. Zensur d. Geistes, 1981; Das war ein Vorspiel nur, hg. Akad. d. Künste 1983; In jenen Tagen, hg. F. Berger 1983; Das Vorspiel, hg. T. Friedrich 1983; Ch. v. Krockow, Scheiterhaufen, 1983; B., hg. J.-F. Leonhard 1983; D. B., hg. G. Sauder 1983; Dort, wo man Bücher verbrennt, hg. K. Schöffling 1983; 10. Mai 1933, B. i. Dtl., hg. U. Walberer 1983; H. Rafetseder, B.en, 1988.

Büchlein, zunächst Bescheidenheitstopos mhd. Autoren für ihre moral.-didakt. und erbaul. Schriften (H. SEUSE), dann insbes. für →Minnebriefe und →Minnereden; aus der mhd. höfischen Dichtung z. B. von HARTMANN VON AUE, ULRICH VON LICHTENSTEIN sowie aus dem 14./15. Jh. erhalten. Vgl. →Sterbe-B.
RL.

Bühne, der für das Auftreten der Schauspieler und den Ablauf der Vorstellung bestimmte, zwecks besserer Sichtbarkeit erhöhte Teil e. Theateraufführungen dienenden Örtlichkeit. Die Spielfläche, etwa in Augenhöhe der 1. Zuschauerreihe, z. T. schräg nach hinten ansteigend, wird gegen den Zuschauerraum durch den seitlich oder horizontal beweglichen Haupt-→vorhang und aus Sicherheitsgründen auch durch den eisernen Vorhang abgeschlossen. Sie öffnet sich gegen diesen durch den (neuerdings z. T. veränderlichen) äußeren und inneren Bühnenrahmen (Bühnenportal), der die Proszeniumslogen aufnimmt und, zum Zuschauerraum hin neutral der Saalarchitektur angepaßt, zur Bühne hin die Apparaturen der Beleuchtungstechnik mit Beleuchtungszentrale und Stellwerk aufnimmt (neuerdings werden Beleuchtungszentrale und elektro-akustische Zentrale vielfach auch an der Rückwand des Zuschauerraums eingebaut). Der in den Zuschauerraum hineinragende Teil der B., auch →Proszenium, heißt Vor-B., bei größerem Ausmaß →Raum-B., und dient der Überwindung des Guckkastentheaters. Vor oder teils unter ihm liegt bei größeren Bühnen der Orchesterraum, in seiner Mitte der Souffleurkasten. Der Höhenraum über der B., dem Zuschauer durch →Soffitten verdeckt, dient zur Aufnahme der Obermaschinerie (Portalbrücke, Arbeitsgalerien, Oberlicht, Flugwerke u. ä.) und als Schnürboden für Dekorationen und Rundhorizont. Der Raum unter der B. beherbergt die Untermaschinerie: Unterbühnen, Hydraulik der Bühnenpodien, Maschinerie der Wagen- oder Drehbühne und Versenkungen. Nach dem System der Verwandlungstechnik unterscheidet man heute die Podium-B. mit teilbaren und stufenförmig heb- und senkbaren Podien, die Doppelstock-B. mit zwei übereinander gelagerten Spielflächen, die Wagen-B. mit seitlich oder nach hinten verschiebbaren, auf Rollen gelagerten Bodenplatten, die Versenk-Verschiebe-B. als Verbindung von Podium- und Wagen-B. und die →Drehbühne. – Die altgriech. B., stets →Freilicht-B., lag zwischen der →Orchestra und dem feststehenden Hintergrund der →Szene. Ma. Passionsspiele u. a. geistliche Dramen verwendeten die an geeigneter Stelle (Marktplatz, vor der Kirche) aufgeschlagene →Simultan-B. mit Häuserfronten als Dekoration, in England seit 1264 auch die →Wagenbühne. Das 15. Jh. kennt die ersten Saal-B.n: 1. die →Badezellenbühne (Terenz-B.) des Schuldramas, 2. die →Shakespeare-B., welche die umstrittene Hans-Sachs-B. (Meistersingerbühne) um e. Mittelvorhang erweitert, und 3. die →Guckkasten-B. der ital. Renaissance. Im Laufe der Zeit weiter ausgestaltet mit →Dekoration (→Ausstattung) durch gemalten →Prospekt, →Telari oder Periakten, →perspektivische →Kulissen, →Soffitten und →Versatzstücke, ferner →Theatermaschinen und Beleuchtung durch drehbare Öllampen in den Kulissen, blieb sie die Grundform der modernen B. Technische Vervollkommnung brachten →Drehbühne, Schiebe-B. (von F. BRANDT: seitlich vorgeschobene Bühnenpodien) und Versenk-B. (von A. LINNEBACH: hydraulische Zylinder versenken die B. zum Umbau in den Kellerraum), die schnellen Schauplatzwechsel gestatten, sowie die Bogenlampenbeleuchtung (von FORTUNATY) vom oberen Rampenrahmen mit Verwendung verschiedener Farbtönungen oder direktem und indirektem Licht (A. LINNEBACH); der Expressionismus bevorzugt Scheinwerfer zu stärkerer Raumwirkung. Hingegen verzichtet man z. T. auf technische Vorteile zugunsten größerer Einfachheit und kehrt zu antiken oder Shakespeare-B. zurück durch ein andeutendes Spiel, in dem Wort und Geste, unterstützt freilich durch raffinierte Verwendung von Lichteffekten und Scheinwerfern, das Wesentliche bilden (→Stilbühne). Die Überwindung des Guckkastenprinzips durch die frei im Raum stehende →Raumbühne oder die Form des Arenatheaters wurde immer wieder versucht, ohne dauernde Ergebnisse zu erbringen. →Theater.

E. Schmidt, D. B.nverhältnisse d. dt. Schuldramas i. 16. Jh., 1903; E. K. Chambers, *The medieval stage*, Lond. II 1903; C. H. Kaulfuß-Diesch, D. Inszenierung d. dt. Dramas a. d. Wende d. 16. u. 17. Jh., 1905; A. Köster, D. Meistersinger-B. d. 16. Jh., 1920; C. Hagemann, D. Kunst d. B, II 1922; J. Gregor, Wiener Szen. Kunst, 1924; F. Kranich, B.ntechnik d. Ggw., 1929–33; E. J. Eckardt, Stud. z. dt. B.gesch. d. Renaiss., 1931; J. Bemmann, D. B. v. geistl. Spiel bis z. frühen Oper, Diss. Lpz. 1933; G. Schöne, D. Entwicklg. d. Perspektiv-B. v. Serlio bis Galli-Bibiena, 1933; P. Sonrel, *Traité de scenographie*, Paris 1943; B. Mello, *Trattato di scenotecnica*, Maild. 1949; F. Hansing, W. Unruh, Hilfsbuch d. B.ntechnik, ²1950; W. P. Boyle, *Central and Flexible Staging*, Berkeley 1956; G.

Wickham, *Early Engl. Stages*, Lond. III 1959–81; W. F. Michael, Frühformen d. dt. B., 1963; T. B. L. Webster, Griech. B.naltertümer, 1963; H. Kindermann, B. u. Zuschauerraum, 1963; W. Beare, *The Roman Stage*, Lond. ³1965; N. D. Shergold, *A hist. of the Spanish stage*, Oxf. 1966; B.formen, Fs. H. A. Frenzel, 1974; T. E. Lawrenson, *The French stage and playhouse in the 17. cent.*, Lond. ²1985.

Bühnenanweisungen, die in den Sprechtext e. Dramas eingeschobenen szen. Bemerkungen des Dichters über Bühnenbild und Ausstattung, Aussehen, Kleidung, Sprechweise und Gesten der Schauspieler, deren Auf- und Abtreten und dessen Art, Richtung und Tempo, ferner evtl. akust. Effekte, Musik usw., nur für den Darsteller, Regisseur und Kapellmeister gedacht und im Druck meist durch Klammern, kleinere oder Kursiv-Schrift abgesetzt. Sie spiegeln die Auffassung des Dichters von der Darstellungsart, die er, gewissermaßen sein erster eigener Regisseur, für sein Stück angewandt wissen will, und sind aufschlußreich für sein Verhältnis zur Bühne, ermöglichen z. T. selbst die Rekonstruktion früherer Bühnenformen und Spieltechnik (bes. wenn der Verfasser selbst Schauspieler war). Schon im antiken Drama (z. B. AISCHYLOS) in knappster Form erhalten. Form und Umfang wandeln sich von der sachl. Schauplatzanweisung des Humanisten- und Barockdramas zur ausführl. Vorschrift der Volksstücke (H. SACHS) und wieder von der – nach dem antiken Vorbild – knappsten B. der Klassik (GOETHE, *Tasso*) über die eingehendere in Romantik und Realismus bis zur präzisiertesten Kleinigkeit (A. HOLZ) und ep. Breite (G. HAUPTMANN) im Naturalismus und den Sprachexperimenten des Expressionismus (G. KAISER) mit Rücksicht auf das lesende Publikum; ihre prakt. Befolgung im einzelnen ist stellenweise unmöglich. Vgl. auch die ausführl. Vorreden G. B. SHAWS zu seinen Dramen und BRECHTS →Musteraufführungen.

S. Mauermann, D. B. i. dt. Drama bis 1700, 1911; M. Herrmann, Forschgn. z. dt. Theatergesch. d. MA. u. d. Renaissance, 1914; W. Meincke, D. Szenenanweisg. i. dt. naturalist. Dr., Diss. Rostock 1930; G. Schiffer, Goethes szen. Bemerkgn., Diss. Mchn. 1945; P. Küp, B. i. Dr. d. Sturm u. Drang, Diss. Mchn. 1956; RL; E. Sterz, D. Theaterwert d. szen. Bemerkungen i. dt. Drama, 1963; E. Maletschek, D. szen. Bemerkgn. i. Konversationsstück unt. Laube a. Burgtheater, Diss. Wien 1965; W. Lehr, D. szen. Bemerkgn. i. d. Dramen d. Altwiener Volkstheaters bis 1752, Diss. Wien 1965; G. Westphal, D. Verhältn. v. Sprechtext u. Regieanweisg. b. Frisch, Dürrenmatt, Ionesco u. Beckett, Diss. Würzb. 1965; E. Meier, *Realism and Reality. The Function of Stage Directions*, Bern 1967; J. Steiner, D. B., 1969.

Bühnenaussprache, die akzent- und dialektfreie, ideale Lautgestaltung der dt. Hochsprache, soweit nicht Dialekt bezweckt wird, für alle dt. Bühnen Norm. Die B. bezweckt ein Höchstmaß an künstler. Eindringlichkeit durch letztmögl. Deutlichkeit und Wohlklang des Sprechens auf der Bühne; scharfe Unterscheidung von D T, B P usw., Vollklang und Überhöhung der Vokale, Mitsprechen der Endkonsonanten, Zungen-R. u. a. m. Die schon von GOETHE 1803 als Theaterleiter in Weimar begonnenen Bestrebungen kamen zum Abschluß in der einheitl. Regelung durch Theaterfachleute und Germanisten für das gesamte dt. Sprachgebiet 1897, in starker Anlehnung an norddt. Sprechweise. Maßgeblich ist: Th. Siebs, Dt. Aussprache, ¹⁹1969.

Bühnenbearbeitung, im Ggs. zu →Adaption und →Dramatisierung die Anpassung e. dramat. Dichtung an die Erfordernisse und Möglichkeiten der Bühnenaufführung, reicht von geringfügigen Änderungen im Text (Streichung, Zusammenziehung, früher auch Einschub) bis zur grundlegenden Umgestaltung des Geistes, der Form (Szenenfolge) und des Gefüges (berühmt die Theaterniederlage von KLEISTS *Zerbrochenem Krug* u. a. durch GOETHES B. in drei →Akten). Ursachen sind oft bühnenprakt. Gesichtspunkte (Länge, Schauplatzwechsel, Figurenfülle, technisch nicht darstellbare oder nicht wirksame Erscheinungen u. ä.), Zugeständnisse an den Publikumsgeschmack: im Lustspiel Anspielungen auf Zeitereignisse. Umwandlung e. trag. Ausgangs, so bes. in Aufklärung und Sturm und Drang (SCHILLERS eigene B. des *Fiesko*), früher auch Eingriffe der →Zensur: Tilgung polit. oder sittl. anstößiger Partien oder Tendenzen. Das 16./17. Jh. brachte oft willkürl. oder pietätlose B.en bes. der Dramen SHAKESPEARES. Auch die Dramen LESSINGS, SCHILLERS *(Wallenstein)* und GOETHES *(Faust)* erlebten zahlreiche B.en, wichtig: GOETHES *Egmont* durch SCHILLER. Die neuere Dramatik ist zurückhaltender und vorsichtiger in B.en, greift im Gegenteil oft auf e. Urform, falls vorhanden, zurück. Sie kennt andererseits auch Fälle, die alte Texte nur zu Vorwänden für die Einfälle des Regisseurs entwerten. RL.

Bühnenbild, die durch →Bühnenanweisung des Autors festgelegte →Dekoration und detaillierte →Ausstattung e. Szene bzw. e. Aktes oder Schauplatzes im Hinblick auf die optimale künstler. Wirkung der Aufführung; erfolgt durch den Bühnenbildner oder Dekorateur mit Rücksicht auf den Inhalt des Stükkes und auf den Zeitgeschmack und gibt der dramat. Dichtung die Fiktion/Illusion des zugehörigen Raumes. Ein künstliches B. im Ggs. zu den an vorhandene Gegebenheiten, Baulichkeiten usw. angelehnten Schauplätzen der ma. Simultanbühne entwickelte im Anschluß an VITRUV erstmals die Schulbühne der Renaissance, die als kleine Flächenbühne (→Badezellenbühne) eine Raum- und Tiefenillusion erwecken will. In der einfachsten Form, der Winkelrahmenbühne (erstmals Ferrara 1508) ersteht hinter der schmalen Spielbühne durch zwei in stumpfem Winkel zusammenstoßende bemalte Holzrahmen mit Prospektdurchblick eine Raumillusion, die während der Aufführung unverändert bleibt. Erst die →Telari (1589) und →Kulissen (1620) mit auswechselbarem Schluß→prospekt boten die Möglichkeit der Verwandlung innerhalb eines Stückes. Künstlerische Umwälzung brachte die Ablösung der bisherigen, auf einen mittleren Zuschauerplatz ausgerichteten Zentralperspektive des B. durch die Winkelperspektive mit verschiedenen Fluchtpunkten (F. GALLI-BIBIENA), Verfeinerung die Vervollkommnung der Raumillusion bis zur Illusionsbühne des 19. Jh. mit vorwiegend Architekturteilen und Landschaftsprospekt, schließlich übersteigert durch die Forderung realist.-histor. Echtheit des B. und der Requisiten bei den →Meiningern und Milieuechtheit des Naturalismus. Das →Ausstattungsstück erhebt das B. zum Selbstzweck. A. APPIA und E. G. CRAIG dagegen schufen lichtdurchflutete B. mit abstrakten Gebilden, M. REINHARDT nutzte Drehbühne und Rundhorizont, die Tendenz ging vom gemalten, illusionist. B. zu abstrahierender, symbol. Stilisierung (→Stilbühne) mit starker Nutzung der Lichteffekte im Sinne der gegenstandslosen Kunst, zur Heranziehung bedeutender zeitgenöss. Künstler als Bühnenbildner, zum zitathaft andeutenden graph. Detail und zum neutralen B. des bewußten Anti-Illusionismus, der die Eigengesetzlichkeit des Bühnenraumes betont und nicht nur die Effekte, sondern durch Freilegung der Bühnenmaschinerie auch ihre Mittel zeigt.

O. Fischel, D. mod. B., 1923; K. Niessen, D. B. 1924ff.; J. Gregor, Wiener szen. Kunst, 1924; P. Zucker, D. Theaterdekoration d. Barock, 1925; ders., D. Theaterdekoration d. Klassizismus, 1925; S. Cheney, *Stage decoration*, 1928; E. Pirchan, 2000 Jahre B., 1948; F. Schumacher, Wandlgn. i. B., 1948; H. Burris-Meyer, *Scenery for the theatre*, Boston 1948; E. Pirchan, Bühnenmalerei, ²1950; H. Philippi, *Stagecraft and scene design*, Bost. 1953; O. Schubert, D. B., 1955; F. Janssen, B. u. bild. Künstler, 1957; R. Southern, *Changeable Scenery*, N.Y. 1959; A. S. Gilette, *Stage scenery*, N.Y. 1959; O. K. Larson, *Stage design*, 1961; *Baroque and Romantic Stage Design*, hg. J. Scholz, N.Y. 1962; W. O. Parker, H. K. Smith, *Scene design and stage lighting*, N.Y. 1963; K. Niessen, D. B. v. d. Renaiss. b. z. Romantik, 1963; D. Bablet, *Estétique générale du décor de théâtre*, Paris 1965; H. Zielske, Handlungsort u. B. i. 17. Jh., 1965; W. R. Fuerst, S. J. Hume, *20th cent. stage decoration*, N.Y. 1966; Bühne u. bild. Kunst i. 20. Jh., hg. H. Rischbieter 1968.

Bühnendichter, fest angestellte Dramatiker an großen Theatern, bes. in der 2. Hälfte des 18. Jh. üblich. Der B. verpflichtete sich, gegen festes Gehalt jährlich e. bestimmte Anzahl eigener Stücke zu liefern und die nötigen →Bühnenbearbeitungen, Prologe, Epiloge, evtl. auch Übersetzungen zu übernehmen. Ähnlich war Lessings Stellung als Konsulent des Nationaltheaters in Hamburg; Schiller schloß in Mannheim e. Kontrakt über drei Dramen jährlich; J. F. Jünger, Th. Körner, in freierem Verhältnis auch Grillparzer waren nacheinander B. des Wiener Burgtheaters. Im 19. Jh. gingen die Funktionen e. B.s auf den Dramaturgen über, zumal kein größerer Dichter die Lieferungsverpflichtung auf die Dauer erfüllen konnte, doch war noch G. Hauptmann e. Art freischaffender,

kontraktloser B. für Brahms Lessingtheater, Berlin.

R. Siebert-Didczuhn, D. Theaterdichter, 1938.

Bühnenmanuskript, Text für die Inszenierung e. Dramas, für das zur Aufführung noch kein Drucktext vorliegt oder dessen Spieltext (→Bühnenbearbeitung) starke Abweichungen gegenüber dem Druck aufweist.

Bühnenmusik, allg. jede auf der Bühne selbst, nicht vom Orchester, vorgetragene Musik in Oper und Schauspiel, dann speziell die sog. Schauspielmusik, die, von e. kleinen Orchester im Orchesterraum ausgeführt, als Ouvertüre in das Schauspiel einführt, als Zwischenaktmusik (→Zwischenakt) die Teile harmonisch verbindet oder bei Liedern, Songs, Tänzen und Höhepunkten der lyr. Stimmung in das Bühnengeschehen integriert wird. Antikes und ma. Drama kannten B., im östl. (z.B. chines.) Theater ist sie teils unerläßlicher Bestandteil des Dramas, doch kann von Schauspielmusik eigtl. erst die Rede sein, seit in der abendländ. Entwicklung der Oper eine selbständige musikal. Gattung neben dem lit. Sprechstück entstand. Das Drama Shakespeares und des Barock war stark mit Musik angereichert, Gottsched forderte B. für eingelegte Arien, Lessing solche für Ouvertüre und Zwischenakt, Goethe und Schiller schrieben für ihre Stücke B. vor. Bekannteste B. sind Beethovens B. zu Goethes *Egmont* (1810) und F. Mendelssohns B. zu Shakespeares *Sommernachtstraum* (1826–43), später G. Bizets B. zu A. Daudets *L'Arlesienne* (1872) und E. Griegs B. zu H. Ibsens *Peer Gynt* (1876). Seit F. Liszt (1879) die Abschaffung der Zwischenaktmusik gefordert hatte, ging die B.

allg. zurück, wurde unselbständig, unwesentlich und hält sich heute, wo nicht von Autoren (GARCÍA LORCA, WILDER, ANOUILH) vorgeschrieben, nur noch in Sonderformen wie →Musical und den Stükken B. BRECHTS (*Dreigroschenoper* u. a.).

A. Aber, D. Musik i. Schauspiel, 1926; F. Mirow, Zwischenaktmusik u. B. d. dt. Theaters i. d. klass. Zeit, 1927; O. Riemer, Musik u. Schauspiel, 1946; H. M. Brown, *Music in the French sec. theatre*, Cambr./Mass. 1963.

Bühnenschwank →Schwank

Bühnenverlag →Bühnenvertrieb

Bühnenvertrieb, Bühnenverlag, Vermittlungsstelle für Aufführungsrechte von Bühnenwerken, übernimmt die Sichtung neuentstandener Dramen im Hinblick auf förderungswerte Autoren und Stücke, deren Vervielfältigung (vielfach als hektographierte →Bühnenmanuskripte), die Werbung dafür bei Theatern, Fernseh-, Rundfunkanstalten und Filmgesellschaften, die Vermittlung zwischen den Absichten des Autors und den Wünschen der Dramaturgen, Regisseure, Intendanten und Schauspieler und alle geschäftl. Abschlüsse einschl. Aufführungsverträge für den Autor, in lohnenden Fällen auch die echte lektoratsmäßige Beratung und Unterstützung junger vielversprechender Autoren und die Aufarbeitung der ausländ. Klassiker und Modernen durch Neuübersetzungen. Sein Gewinnanteil beträgt meist 2,5% der Abendeinnahmen, d. h. ein Viertel der Tantiemen.

S. Jährig-Ostertag, D. dramat. Werk, Diss. Köln 1971; dies., Z. Gesch. d. Theaterverlage i. Dtl., AGB 16, 1976.

Bühnenvolksbund →Volksbühne

Bühnenwerk, im Sinne des →Urheberrechts jedes zur bühnenmäßigen Aufführung bestimmte dramat., musikal., choreograph. oder pantomim. Werk. Sein Aufführungsrecht steht allein dem Autor zu und ist durch Berner Konvention und Welturheberrechtsabkommen geschützt.

Bürgerlicher Realismus →Realismus

Bürgerliches Trauerspiel, ein Drama, dessen Tragik sich in einer betont bürgerl. Welt entfaltet, und zwar im Kampf gegen die Unterdrückung durch den Adel, in Konflikten innerhalb des Standes, die e. innere Tragik enthüllen, oder im Zusammenstoß mit dem aufkommenden Arbeiterstand, der an der Brüchigkeit bürgerl. Weltordnung Kritik übt. Diese drei grundsätzl. Möglichkeiten folgen in geschichtl. Reihenfolge und spiegeln die Entwicklung des Bürgertums wider. Die Form des b. T. ist durchweg die Prosa. Die Verwendung bürgerl. Personen, Geschicke und Lebensauffassung im Trauerspiel ist nicht zu allen Zeiten selbstverständlich gewesen: bis in die Mitte des 18. Jh. herrschte die →Ständeklausel, die dem Bürger die Fähigkeit zum Tragischen und dem b. T. die →Fallhöhe abspricht. Vorstufen bilden GRYPHIUS' *Cardenio und Celinde* (1648), nur aus Quellentreue im bürgerl. Milieu angesiedelt und noch ganz in der Form der heroischen Tragödie, sowie die späten Schuldramen Chr. WEISES; beides bleiben Einzelfälle ohne Nachwirkung. Erst mit dem Aufstieg e. selbstbewußten und standesstolzen Bürgerkultur ergab sich das Bestreben, die sittl. Grundsätze und Konflikte des neuen Standes auch im angemessenen ernsten Drama auf der Bühne zu zeigen, zumal die Gleichheit der auf der Bühne dargestellten Lebensanschauung mit derjenigen der Zuschauer eine viel tiefergreifende Wirkung erzielen mußte als die kalte Bewunderung lebensferner Heroen. Das b. T. entwickelt sich mit dem Umschwung von der soz. zur eth. Wertung des Menschen zuerst in England unter dem dort früher erstarkten, emanzipierten Bürgertum: G. LILLO, *The London Merchant* (1731) und RICHARDSONS moralische Sittenromane übten starken Einfluß auf den Kontinent. In Frankreich geht die Entwicklung nicht von der strengen klassizist. Tragödie, sondern von der Komödie aus und nimmt durch Zurückdrängen des Komischen den Umweg über die →Comédie larmoyante, die in Dtl. durch GELLERT vertreten wird. DIDEROT (*Les fils naturel*, 1757; *Le père de famille*, 1758) leitet zum ernsten Drama über. – Der Schöpfer des dt. b. T. wurde nach Vorgang von Chr. L. MARTINIS *Rhynsolt und Sapphira* (1753) LESSING; nach engl. Vorbild und in krit. Abgrenzung gegen die franz. Tragödie entsteht 1755, zunächst noch in engl. Milieu spielend, sein rührendes Familienbild *Miß Sara Sampson* und erlebt zahlreiche moralisierende Nachahmungen in der Zeit bis 1772. Auf der anderen Seite führt seine *Minna von Barnhelm* (1767) als e. der ersten Lustspiele auch den Adel auf die Bühne. Der trag. Zusammenstoß von Bürgertum und Adelswillkür erscheint zuerst in LESSINGS *Emilia Galotti* 1772, dem ersten Höhepunkt des b. T.: scharfer Protest gegen absolutist. Willkür führt aus den rührenden Familienszenen in den größeren Zusammenhang staatspolit. und sozialer Probleme. Die Reihe der b. T.e, die gegen Übergriffe des Adels auf das preisgegebene Bürgertum in radikaler Form Stellung nehmen und die Auflehnung des Individuums gegen die Gesellschaftsordnung verherrlichen,

setzt sich in den zahlreichen, doch – unter falscher Berufung auf GOETHES *Götz* – oft formlosen Sozialdramen des →Sturm und Drang fort (LENZ, KLINGER, H. L. WAGNER) und findet ihre sprachlich und dramatisch geschlossenste Ausformung in SCHILLERS *Kabale und Liebe* (1783); e. andere Richtung dagegen versandet zu weichlich-moral. Familien- und →Rührstücken (F. L. SCHRÖDER, v. GEMMINGEN, GROSSMANN, mit bes. Erfolg IFFLAND und KOTZEBUE), die nach den Befreiungskriegen durch die veränderten Verhältnisse nur noch historisch wirken (BIRCH-PFEIFFER, BAUERNFELD, BENEDIX). Klassik wie Romantik stehen dem b. T. fremd gegenüber, und auch die Wiederbelebungsversuche durch das Junge Dtl. (GUTZKOW) in liberalem Sinn scheitern. Isoliert steht BÜCHNERS *Woyzeck* mit seiner Kritik an der Menschlichkeit. – Die 2. Stufe des b. T. setzt zwei Generationen später mit HEBBELS *Maria Magdalena* (1884) ein: kleinbürgerl. Moral und pedant. Pflicht- und Ehrgefühl wenden sich gegen ihre Träger selbst und führen zu Konflikten innerhalb desselben Standes aus seinem Wesen heraus: das Individuum als Opfer der eigenen Gesellschaft. (O. LUDWIGS b. T. *Der Erbförster*, 1850, dagegen sucht die Tragik mehr aus dem Charakter heraus zu entwickeln). – Auf der 3. Stufe des b. T. deckt der Naturalismus gesellschaftskritisch die Lebenslüge des selbstzufriedenen Bürgertums auf und vertritt ihm gegenüber oft die Forderungen des rechtlosen Arbeiterstandes (IBSEN, HAUPTMANN); damit wird das b. T. zur →sozialen Dichtung im engeren Sinne. Die Kritik an den brüchigen Lebensformen steigert sich bis zur Verzerrung und Karikatur im Expressionismus und Surrealismus (WEDEKIND, STERN-

HEIM, KAISER, TOLLER, HASEN-
CLEVER, BRECHT).

A. Eloesser, D. bürgerl. Drama, 1898; O.
Walzel, D. bürgerl. Drama (Neue Jahrbücher 35, 1915); K. Brombacher, D. dt.
Bürger i. Lit.-Spiegel v. Lessing bis Sternheim, 1920; H. Ulmann, D. dt. Bürgertum i. dt. Tragödien d. 18. u. 19. Jh.,
1923; F. Brüggemann, D. Kampf und d.
bürgerl. Weltanschauung i. d. Lit. d. 18.
Jh., 1925; J. Clivio, Lessing u. d. Problem
d. Tragödie, 1928; J. Kruuse, *Det folsom-
me Drama*, Kopenh. 1934; J. Pinatel, *Le
drame bourgeois*, Lyon 1938; E. Dosenheimer, D. dt. soz. Dr., 1949; RL; J.
Krueger, Z. Frühgesch. d. Theorie d. b. T.
(in: Worte u. Werte, Fs. B. Markwardt
1961); W. Schaer, D. Gesellschaft i. dt.
bürgerl. Drama d. 18. Jh., 1963; R. Dau-
nicht, D. Entstehg. d. b. T. i. Dtl., ²1965;
L. Pikulik, ›B. T.‹ u. Empfindsamkeit,
1966, ²1981; A. Wierlacher, D. bürgerl.
Dr., 1968; ders., in: Neues Hdb. d. Lit.-
wiss. 11, 1974; K. S. Guthke, D. dt. b. T.,
1972, ⁴1984; P. Szondi, D. Theorie d. b.
T. i. 18. Jh., 1973; K. Willenberg, Tat u.
Reflexion, 1975; P. Weber, D. Menschenbild d. b. T., ²1976; K. Weimar, B. T.,
DVJ 51, 1977; B. Kahl-Pantis, Bauformen d. b. T., 1977; R. Meyer, D. dt.
Trauersp. i. 18. Jh., Bibl. 1977; D. Wa-
lach, D. aufrechte Bürger, 1980; J. Jacobs, Z. Nachgesch. d. b. T. i. 20. Jh. (Fs.
W. Hinck, 1983); K. Sauterbrück, D. an-
ti-b. T., 1984).

Bütten, handgeschöpftes →Papier,
kenntlich an der unregelmäßigen
Dicke und dem ungleichmäßigen
Rand, der heute auch maschinell
nachgeahmt wird (Imitiert-B.). Im
Buchdruck vor allem für nume-
rierte Luxusausgaben und bibliophile Drucke verwendet.

Buffa, Opera buffa, →Oper

Bugarštice, älteres Versmaß der
serbokroat. Epik, Langzeile von 15
Silben, meist mit Zäsur nach der 7.
Silbe, gelegentlich mit e. Refrain
von drei Trochäen.

D. Subotic, *Yugoslav Popular Ballads*,
1932.

Bukolik, bukolische Dichtung (v.
griech. *bukolos = Hirt)* →Hirten-
dichtung, →Schäferroman

Bukolische Diärese, die von den
griech. und lat. Bukolikern häufig

angewandte →Diärese (2) nach dem
4. Versfuß des →Hexameters, der
dadurch in e. daktyl. Tetrameter +
Adonius zerfällt. Häufig bei griech.
u. lat. Bukolikern, z. B. VERGIL,
Eclogen VIII, 68: ›Ducite ab urbe
domum, mea carmina, // ducite
Daphnim.‹

Bulletin (franz.), publizist. Begriff:
ursprüngl. Tagesbericht, seit 1789
Titel zahlreicher Periodika; seit
1800 (Tagesbefehl NAPOLEONS)
allg. eine amtliche Verlautbarung.

**Bundesprüfstelle für jugendge-
fährdende Schriften,** 1954 geschaffene Behörde innerhalb des
Bundesfamilienministeriums der BR
zur Durchführung des publizist.
→Jugendschutzes gemäß dem 1953
verabschiedeten, 1961 und 1974 re-
vidierten ›Gesetz über die Verbreitung →jugendgefährdender Schriften‹. Die B. wird nur auf Antrag der
Bundesfamilienministeriums, der
Jugendämter oder anderer Behörden tätig und prüft die zur Indizierung vorgeschlagenen Schrift-, Ton-
und Bildwerke (Schallplatten, Tonbänder, Schmalfilme, Videos, Spiel-
karten u. ä.) auf ihren jugendgefähr-
denden Charakter, über den eine
Zweidrittelmehrheit des einmal monatlich zusammentretenden 12köp-
figen Plenums mit Vertretern aus
Kunst, Lit., Buchhandel, Verlag, Ju-
gendverbänden, Jugendwohlfahrt,
Lehrerschaft und Religionsgemein-
schaften entscheidet. Bei offenbarer
Jugendgefährdung genügt Einstimmigkeit eines Dreiergremiums. Die
indizierten Schriften, die im ›Bun-
desanzeiger‹ bekanntgegeben werden, dürfen nicht mehr an Jugendliche unter 18 Jahren abgegeben, ihnen zugänglich gemacht, frei verbreitet, in Leihbüchereien oder Le-
sezirkeln verliehen, im Kiosk, durch
Versand oder Reisende vertrieben
bzw. durch Werbung, Auslage in

Schaufenster, Anzeigen usw. angeboten werden – Maßnahmen, die in ihrer prakt. Auswirkung einer Zensur auch für Erwachsene nahekommen. Werke, die von ordentl. Gerichten für unzüchtig erklärt wurden, werden ohne erneute Prüfung in die Liste aufgenommen; nicht aufgenommen werden dürfen dagegen lit. Werke, für die nach Sachverständigengutachten der sog. Kunstvorbehalt gilt.

Bund proletarisch-revolutionärer Schriftsteller Deutschlands, sozialist.-kommunist. dt. Schriftstellerorganisation 1928–33, vereinigte Autoren bürgerl. und proletar. Herkunft, die ihr Schaffen als Waffe der Agitation und Propaganda im Klassenkampf für die sog. revolutionäre Arbeiterklasse betrachteten und mit lit. Mitteln die Revolution vorantreiben wollten. 19. 10. 1928 in Berlin gegründet, mit 23 Ortsgruppen in Dtl., Österreich und der Schweiz. 1932 rd. 500 Mitglieder zählend. Publikationsorgan war die Zs. *Die Linkskurve,* Grundsätze die Schürung des Klassenkampfes, Absage an die bürgerl. Lit., Primat des Inhalts vor der Form, Ausrichtung an der Sowjetunion. Mitglieder waren u. a. J. R. BECHER, A. ABUSCH, K. GRÜNBERG, H. MARCHWITZA, L. RENN, E. WEINERT. Nach der Machtergreifung Hitlers arbeiteten 1933–35 Exilgruppen in Moskau, Paris und Prag.

Lit. d. Arbeiterklasse, hg. I. Hiebel ³1976; F. Albrecht u. a., B.p.r.S.D., 1978; ders., DaF 15, 1978; A. Klein, Kühnheit u. Begeisterg., WB 24, 1978; H. Kahn, Bewährg. u. Bündnis, WB 25, 1979; M. Lefèvre, V. d. prolet.-rev. z. soz.-realist. Lit., 1980.

Bunraku (nach BUNRAKUEN, einem Puppenspieler des 19. Jh.), neuere Bz. des japan. Puppentheaters in der Nachfolge des abgesunkenen →Joruri.

A. C. Scott, *The puppet theatre of Japan,* 1963; D. Keene, *B.,* 1968.

Bûrañjis, an den Höfen meist in Prosa verfaßte ep. Chroniken der assames. Lit. des 16.–19. Jh.

Burgensagen, an Ruinen und dergl. anknüpfende →Sagen, →Lokalsagen, berichten von Bau und Zerfall der ehem. Burg, von Menschenopfern beim Bau, vom Aussterben des Geschlechtes u. a. Episoden, ferner von unterird. Gängen, verborgenen Schätzen, Grabkammern usw. Sie sind noch heute mündlich im Volk verbreitet, meist jedoch nur in näherer Umgebung der betreffenden Örtlichkeit.

Burleske (v. ital. *burla* = Scherz, *burlesco* = scherzhaft), 1. die Aussageweise derbkom. Verspottung und der Verzerrung zur possenhaften, jedoch nicht satir. strafenden Karikatur unabhängig von der lit. Gattung, Stil der überdrehten Komik, die systematisch erhabene Sachverhalte und Situationen in niederer, vulgärer Sprache travestiert, verkörpert etwa in der *Batrachomyomachia,* den Komödien des ARISTOPHANES, den ital. Vers-B. u. a. F. BERNIS, der Volkskomödie, auch bei GOLDONI und GOZZI, im dt. →Fastnachtsspiel, bei FISCHART und ABRAHAM A SANCTA CLARA, in elisabethan. Komödien (BEAUMONT/FLETCHER, *The Knight of the Burning Pestle*), S. BUTLERS *Hudibras* und J. GAYS *Bettleroper.* In Frankreich verbindet sich der Begriff der B. im 17. Jh. als Reaktion auf die Preziosität mit dem der Antiketravestie (P. SCARRON, *Typhon ou la gigantomachie, Virgile travesti*), so daß er nach franz. Vorbild auch im engl. Sprachbereich z. T. den dort ungebräuchl. Begriff der →Travestie ersetzt. – 2. kleines derbkom. Lust- oder →Possenspiel mit karikaturist. Übertreibung, dient meist humorig-krit. Verspottung von persönl. oder lit. Verschrobenheiten (Gekünsteltheit, Bildungsdünkel u. ä.) durch realist. Gegenüberstellung des einfachen, natürlichen Ursprungs dieser Eigenarten; ähnlich z.B. GOETHE, *Götter, Helden und Wieland*. →Parodie, →Travestie, →Farce, →Groteske, →Burletta.

K. F. Flögel, Gesch. d. B., 1794; G. Kitchin, *A survey of B. and Parody in Engl.*, 1931; A. H. West, *L'influence franç. dans la poésie b. en Angleterre entre 1660–1700*, Paris 1931; V. C. Clinton Baddeley, *The Burlesque Tradition in the Engl. Theatre after 1660*, 1952; F. Bar, *Le genre burlesque en France au 17e siècle*, Paris 1960; D. Werner, *Das B.*, Diss. Bln. 1966; A. B. Shepperson, *The novel in motley*, N.Y. 1967; J. D. Jump, *Burlesque*, Lond. 1972.

Burletta (ital. = kleiner Scherz, Singspiel), in England urspr. eine musikal. Burleske, dann im 18./19. Jh. eine musikal. Versposse nahe der kom. Oper von höchstens drei Akten mit durchgehender Musikbegleitung der Sprechdialoge und jeweils mindestens 5 Liedeinlagen, bei der die eingefügte Musik vor allem kleinen Bühnen dazu diente, die gesetzl. Beschränkungen des Sprechtheaters auf öffentl. Bühnen zu umgehen. Die B. waren auch Travestien von KOTZEBUE, SHAKESPEARE sowie romant. und histor. Stoffe (W. SCOTT).

Burns Stanza, von R. BURNS (*To a louse*) häufig verwendete, doch in provenzal. Lyrik und engl. Romanzen des MA. bereits vorgebildete und auch von WORDSWORTH (*At the grave of Burns*) verwendete 6zeilige engl. Strophenform aus jamb. Vierhebern (1., 2., 3. u. 5. Zeile) und zwei jamb. Zweihebern (4. u. 6. Zeile) in der Reimfolge aaabab.

A. H. MacLaine, *New light on the genesis of the B. S.* (*Notes and Queries* 198, 1953).

Burschenschaftliche   Dichtung
→Studentenlieder

Bustrophedon-Schreibung
(griech. ›nach der Ochsenwendung‹), ›Furchenschrift‹, abwechselnd nach rechts und links laufende Schriftführung; übl. Anordnung hethit. Hieroglyphen, in der griech. →Schrift Übergangsstadium von der linksläufigen phönik. zur heutigen rechtsläufigen Schreibweise.

Butzenscheibenlyrik, spöttisch abwertender Ausdruck P. HEYSES (an GEIBEL 7. 4. 1884) die altertümelnden, epigonalen ep.-lyr. Modedichtungen gegen Ende des 19. Jh., die nach der Schablone von V. v. SCHEFFELS *Trompeter von Säckingen* und *Gaudeamus* in erlebnisarmen, pseudoromantisch-sentimentalen Liedern, oft hohlem und geschmacklosem Wortgeklingel, die im Gefolge e. romantisierenden wilhelmin. Bildungsbürgertums ma. Kaiserherrlichkeit und Burg- und Stadtkultur mit ihrer Wein- und Minneromantik als ideolog.-nationale Kulisse wiederaufleben lassen wollten. Auch SCHEFFEL steht der B. z.T. bedenklich nahe, zeigt jedoch noch e. persönl. Gepräge. Vorläufer sind G. KINKEL, O. v. REDWITZ (*Amaranth,* 1849) und O. ROQUETTE (*Waldmeisters Brautfahrt,* 1851), Hauptvertreter R. BAUMBACH (*Lieder eines fahrenden Gesellen,* 1878, darunter die *Lindenwirtin; Spielmannslieder,* 1882) und J. WOLFF (*Der fahrende Schüler,* 1900 u.a.m.). Vom Naturalismus kritisiert. Fortleben im Kommersbuch.
RL.

Bylinen (v. russisch *bylina* = Begebenheit), urspr. auch ›Starinen‹, epische Heldenlieder der russ. Volksdichtung nach legendären oder histor. Stoffen der russ. Geschichte;

oft höf. Herkunft, rd. 500–600 reimlose Vierheber mit Mittelzäsur umfassend, wurden sie durch berufsmäßige Sänger und Spielleute (Skomorochi) nach mündl. Tradition im Sprechgesang zu Saitenbegleitung in weiteste Kreise verbreitet, im Volke als ›gesunkenes Bildungsgut‹ bewahrt und mündlich überliefert: die kriegerisch-heroischen B. in Nordrußland (Archangelsk, Olonetz, Onega, Sibirien) bis ins 20. Jh.; die südruss. B. gingen z. T. in Chorlieder über. Viele wichtige histor. Ereignisse bes. des 11.–16. Jh. finden phantast. ausgeschmückten Widerhall in den B. mit fest überkommenen Bildern, Formeln, Topoi und Schilderungen, selbst Reden: von Großfürst VLADIMIR dem Heiligen (980–1015) und seiner Tafelrunde über den Tatareneinfall und die Zeit IVANS III. und Boris GODUNOVS bis zu den Kämpfen PETERS d. Gr. Die versch. Zyklen entstanden in räumlich getrennten Kreisen: zuerst um Kiev (10./11. Jh.), dann Novgorod (14. Jh.) und Moskau (15. Jh.), schließlich ganz Großrußland (16./17. Jh.); seitdem gehen die Neuschöpfungen zurück, die B. leben im Volksmund als histor. Lieder fort, die von Sängern (Skasiteli) geschickt vorgetragen werden (19./20. Jh.). Nachahmungen von KARAMZIN, LERMONTOV, A. K. TOLSTOJ u. a. →Dumka.

R. Abicht, D. russ. Heldensage, 1907; R. Trautmann, D. Volksdichtg. d. Großrussen. Bd. I: D. B., 1935; D. Tschizewskij, Altruss. Litgesch., 1949; A. M. Astachova, *Byliny*, Moskau 1966; A. E. Alexander, *B. and fairy tale*, Haag 1973; G. Mayer, D. inszenierte Epos (Erzählforschg. 3, hg. W. Haubrichs 1978).

Byronismus →Pessimismus

Cabaret →Kabarett

Caccia (ital. = Jagd), volkstümliche ital. Dichtart des ausgehenden 14./ 15. Jh., wohl aus dem Madrigal entstanden, schildert in meist kurzen Versen (Senare, Septenare, aber auch Endecasillabi) mit freier Reimfolge urspr. eine Jagd, dann allg. einen Vorgang in schneller Bewegung: Schlacht, Fischzug, Feuer, Markttreiben, Feste u. ä. und ahmt in Metrum und Klang die ruhelose Hast nach. Verfasser von C. waren u. a. F. SACCHETTI und LORENZO DE MEDICI. Auch franz. und engl. Nachbildungen (catch) im 16. Jh.

N. Pirotta (*Rivista music. ital.* 48, 1946); W. T. Marocco, *14.cent. Ital. c.*, Cambr./ Mass. ²1961.

Caesur →Zäsur

Calembour (franz., wohl nach Ph. FRANKFURTERS Schwanksammlung *Der Pfaffe vom Kalenberg*, 1473), ›Wortspiel durch verschiedene Bedeutung gleich oder ähnlich lautender Wörter bzw. Wortgruppen bei gleicher oder abweichender Schreibweise (→Homonyme); in England und Frankreich ausgebildet, in Dtl. mit falschem Bezug auf die Stadt Calau als →Kalauer, oft = ›fauler Witz‹.

Calypso, urspr. balladenartiges, improvis. Volks- u. Tanzlied der Neger auf den Antillen mit betontem Rhythmus, später Modetanz.

Campû, ind. Erzählform, die zwischen kunstvoller Prosa und Strophen abwechselt; spätklass. Mittelding von Epos und Roman.

Canción (span. = Kunstlied), span. lyrische Gattung; urspr. im 15./16. Jh. 5zeiliger trochäischer Achtsilber. Der 1. Vers gibt das Motto (meist e. Sprichwort), die folgenden vier Verse, von denen zwei auf die 1. reimen, variieren es (Volte). Später auf 12 Verse mit 4zeiligem Motto erweitert und zahlreiche Varianten der Form: schließlich unter Einfluß der ital. →Kanzone allg. jedes Strophenlied, bes. die C. petrarquista: 4–12 gleichgebaute Strophen aus 11- oder 7-Silbern mit abschließendem Refrain, so im 16./17. Jh. bei Cervantes und Lope de Vega.

Cancionero (span. = Liederbuch, portug. *cancioneiro*), in span. und portug. Lit. jede lyr. Gedichtslg. meist versch., auch anonymer Dichter um ein gemeinsames Thema; am ältesten die C.s palacianos für höf. Lieder, ab 19. Jh. auch C.s populares für Volkslieder, ferner C.s generales (= allg.) und C.s particulares oder especiales (= bes.), auch in galicischer, kastil., katalon. und aragones. Mundart, schließlich für Lyriksammlungen von Einzeldichtern (z.B. Montemayor). Die ältesten C.s sammeln entsprechend den dt. →Liederhandschriften die höf. Lyrik (→Cantiga) der iber. Halbinsel: *C. da Ajuda* (310 Gedichte, unvollendet), *C. da Vaticana* (1205 Gedichte), *C. da Biblioteca Nacional* (1567 Gedichte), *C. de Stúñiga* u.a. umfassen rd. 2000 Lieder von 300, meist portug.-galicischen Troubadours der Zeit 1250–1350; *C. de Baena* (nach dem Sammler Juan Alfonso de Baena, um 1445), umfaßt die Zeit Alfons' V., Johanns II. und Emanuels von Portugal. Bis ins 17. Jh. entstanden zahlreiche weitere, teils erhaltene hs. Slgn. durch Poesieliebhaber; ihr Besitz gehörte zu den Gepflogenheiten des Adels; seit rd. 1500 auch im Druck, bes. *C. general* (1516) von Juan F. de Constancia, erweitert von F. del Castillo; Folio; im 16. Jh. schließlich C.s nach Motivgruppen, z.B. *C. Vita Christi*, *C. de obras de burlas*, 1519.

K. Vollmer, Beitrag z. Lit. d. C.s u. Romanceros, 1897; E. Asensio, *Poética y realidad en el C.peninsular de la edad media*, Madrid 1957.

Canevas →Kanevas

Canso (provenzal. =) →Kanzone, auch →Canción

Cantar (span. = Gesang). 1. allg. Liedtext (cantiga), – 2. Strophe (copla) aus 3–5, meist 4 assonierenden Achtsilbern, – 3. C. oder C. de gesta: nationales Heldenepos entsprechend der franz. chanson de geste, z.B. *C. de mio Cid* (um 1140).

Cantate →Kantate

Cante flamenco →cante jondo

Cante jondo (andalus., span. *cante hondo* = tiefinnerer Gesang), auch cante flamenco gen., das südspan. Volkslied, umkreist in assonierenden Versen zu Gitarrenbegleitung die Themen von Liebe und Tod und wird, formal von arab.-nordafrikan. Vorbildern beeinflußt, bes. von den andalus. Zigeunern gepflegt. F. García Lorca und M. de Falla erstrebten um 1920–40 seine Erneuerung.

R. Molina, A. Mairena, *Mundo y formas de c. flamenco*, Madrid 1963.

Cantica (lat. = Lieder), Einzel- und Wechselgesänge in der röm. Komödie im Ggs. zum →Diverbium. Zu Flötenbegleitung rezitativisch vorgetragen und gesungen (z.T. auch von e. Sänger, Cantor, hinter der Bühne, während der Schauspieler sie pantomimisch ausdrückt), unterbrechen sie nicht als Einlagen die Handlung wie das griech. Chorlied bei Menander, sondern führen sie fort. Die neuere att. →Komödie kennt keine C.; Plautus u.a. röm. Dramatiker (Livius Andronicus, Naevius) ersetzen griech. Monologe durch Monodien, Dialogpartien durch Duette bzw. Terzette und formen die →Palliata dadurch zum Singspiel um: gesprochen werden nur die jamb. Senare, gesungen oder musikalisch rezitiert dagegen alle trochäischen und jamb. Septenare und Oktonare sowie polymetrische Gebilde. TERENZ schränkt ihren Gebrauch weitgehend ein; in SENECAS Tragödien sind C. die Chorlieder. Der Anstoß zur Entstehung der C. ist umstritten, doch wohl aus dem vorlit. ital. Bühnenspiel abzuleiten. Musik und Lied als originaler Bestandteil des Schauspiels zeigen die ital. Musikalität und erhalten weltgeschichtl. Bedeutung als Urform der Operette. – Im Mittellatein bezeichnet C. monod. Gesangstexte versch. Art u. Form, insbes. lyr. Bibeltexte wie *Canticum canticorum = Hohelied*.

F. Leo, D. plautin. C. u. d. hellenist. Lyrik, 1897; O. Immisch, Z. Frage d. Plautin. C., 1923; G. Maurach, Gedanken z. Aufbau u. z. d. Struktur d. plautin. Lieder, 1964.

Cantiga (span./portugies. = Lied), allg. Bz. für die Volks- und Kunstlieder der iber. Halbinsel, insbes. für die rd. 2000 in den →Cancioneros überlieferten portugies., galic. und span. Lieder des 12.–14. Jh., inhaltlich gegliedert in →Cantigas de amigo, →Cantigas de amor, →Cantigas de escárnio y de maldizer und religiöse C.s

A. F. G. Bell u.a., *Da poesia medieval portuguesa*, ²1947; P. Le Gentil, *La poésie espagnole et portugaise à la fin du ma.*, 1953.

Cantigas de amigo (span. = Freundeslieder), volkstümliche Frauenlieder der ma. span.-portugies. Minnedichtung, in denen die Frau bzw. das Mädchen die Abwesenheit des Geliebten, ihre Trennung, Bewachung und seine mögliche Untreue bedauert bzw. seine Rückkehr wünscht. Weitgehend eigenständige span.-portugies. Form der →Frauenmonologe.

Lit. →Cantiga

Cantigas de amor (span. = Liebeslieder), Liedform der ma. span.-portugies. Minnedichtung: Lied des Liebenden an die Geliebte, hoffnungsloses Werben und bes. Klage des Ritters darüber, daß seine Liebe nicht erwidert wird. In der Thematik höf. Liebe von der provenzal. Lyrik beeinflußt.

Lit. →Cantiga

Cantigas de escárnio y de maldizer, rohe, oft beleidigende Verssatiren, Rüge- und Scheltlieder der ma. span.-portugies. Dichtung als Abart des →Sirventes, die in eleganter, wohllautender Sprachform bösen Spott verbreiten.

W. Mettmann, Zu Text u. Inhalt d. altportug. C., ZRP 82, 1966. →Cantiga.

Cantilène (frz.), in der franz. Lit. des MA. kurzes Gedicht für den Gesangsvortrag, Abart der lat. Sequenz, meist →Heiligenlied, z.B. *C. de Ste. Eulalie* (um 880). Eine heroische Abart der C., e. Art Heldenlied, wurde früher als Vorform des chanson de geste angenommen.

Canto (ital. = Gesang), Abschnitt e. längeren erzählenden Versdichtung, insbes. des →Epos, etwa bei DANTE, ARIOST, TASSO, VOLTAIRE, POPE, BYRON, LILIENCRON (›Cantus‹), E. POUND u.a., entsprechend dem dt. →Gesang. Ein C. sollte urspr. ein solches Textstück umfassen, wie es ein Vortragender in einem Zuge (an einem Abend) rezitieren konnte.

Cantus (lat. = Gesang), Untergliederung des Epos entsprechend →Canto bzw. dt. →Gesang

Canzone →Kanzone

Canzonetta →Kanzonette

Canzoniere (ital. = Liederbuch), ital. Bz. für Lieder- oder Gedichtsammlung einzelner oder mehrerer entsprechend →Cancionero und →Chansonnier, z.B. bei PETRARCA und SABA.

Capitano (ital. = Hauptmann), Typenfigur der →Commedia dell'arte:

der feige, doch prahlsüchtige Soldat bzw. Offizier und Maulheld. →Bramarbas.

Capitolo (ital. = Kapitel), ital. Gedichtart in Form aneinandergereihter Terzinen, anfangs (14./15. Jh.) erzählenden, polit. lehrhaften, ab 15. Jh. auch erot. Charakters, ab 16. Jh. in Parodie der Terzinen DANTES oder z.B. von PETRARCAS *Trionfi*, deren Abschnitte C. benannt sind, die klass. Form der Verssatire etwa bei F. M. MOLZA, L. TANSILLO, L. ARIOSTO und F. BERNI und später der Burleske.

Capriccio (ital. = Laune), in der Musik seit 16. Jh. eine freie, scherzhafte Komposition, in der Graphik (CALLOT, GOYA) phantast. Karikatur, in der Lit. unscharfe Bz. für ein launiges, oft nur skizzenhaft ausgeführtes, kurioses Phantasiestück in Prosa, z.B. E. T. A. HOFFMANNS *Prinzessin Brambilla*.

R. Grimm, D. Formbz. C. i. d. dt. Lit. d. 19. Jh. (Stud. z. Trivialliit., hg. H. O. Burger 1968).

Captatio benevolentiae (lat. = Gewinn des Wohlwollens), feststehende rhetor. Formel in Rede und Brief, mit der der Sprecher bzw. Schreiber um Gunst und Wohlwollen des/der Angesprochenen wirbt, oft als →Devotionsformel.

Carmen (lat. = Gedicht, Mz. *carmina*), urspr. jede rhythmisch gebundene, formelhafte Spruchrede in archaischer Sprache (Kultlieder wie C.*arvale*, C.*saliare*, Prophezeiung, Zauberformel, Gebet, Schwur, Gesetze, Verträge) in altüm. Lit.; später als dichterische Gattung svw. lyrisches Gedicht (CATULL, HORAZ), bes. Ode, Fest- oder →Gelegenheitsgedicht (C.*saeculare* zur Jh.-feier u.a.), aber im weiteren Sinne auch Epos, Lehrgedicht, Elegie, Satire und dramat. Dichtung. Die ma. C. *Burana* und C. *Cantabrigiensia* sind

Sammlungen der →Vagantendichtung.

Carmen figuratum →Bilderlyrik

Carol (engl. = Lied), in England im 14./15. Jh. urspr. eine feststehende lyr. Form: Lied aus gleichförmigen vierzeiligen Strophen aus Vierhebern mit der Reimfolge aaab und einem zweizeiligen, auf die Schlußzeile reimenden (bb) Refrain; urspr. Tanzlied, dessen Strophe vom Vorsänger vorgetragen und dessen Refrain vom Chor mitgesungen wurde, später auch mit längeren Strophen und Varianten der Reimfolge. Entstanden wohl unter Einfluß des entsprechenden franz. carole, seit 16. Jh. nach Vorbild der franz. →Noëls von moral., satir. und erot. Themen auf relig. Volkslieder zu Weihnachten und Ostern unabhängig von der metr. Form eingeschränkt. Während aus dem MA. rd. 500 C.s erhalten sind, lebt der Christmas C. als →Weihnachtslied bis zur Gegenwart fort. Abart: →Lullabies.

E. Duncan, *The Story of the C.*, 1911; E. B. Reed, *Christmas C.*, Cambr., Mass. 1932; R. L. Greene, *The Early Engl. C.*, Oxf. 1935, ²1977; E. Routley, *The Engl. C.*, Lond. 1959, n. 1973; D. Brice, *The folk c. of Engl.*, Lond. 1967.

Carri (ital. *carro* = Wagen), die →Wagenbühne der ital. Renaissance auf von Ochsen gezogenen Wagen für höf. Festspiele und Karnevalsspiele, dann auch letztere selbst.

Častuška (Mz. Častuški), russ. Form der städt. Volksdichtung seit Mitte des 19. Jh., e. Art kurzer, meist 4zeiliger Schnadahüpfl (Paaroder Kreuzreim) humorig-witziger Art auf Liebeserlebnisse, aktuelle Ereignisse, aber auch polit. Stoffe, die sich wachsender Beliebtheit erfreut und zu Serienbildung neigt.

W. Tschitscherow, Russ. Volksdichtg., 1968.

Casus →Kasus

Catch (engl. = Haschen, evtl. v. ital. →*caccia*), altes kanonartiges engl. Gesellschaftslied, Rundgesang, Kanon oder mehrstimm. Chor mit heiterem, derbkom., durch Überlagerung der Stimmen oft schlüpfrigem Text; sehr beliebt im 17./18. Jh. und seit 1609 in zahlreichen Slgn. verbreitet; Vertonungen u.a. von H. Purcell.

Catenen (lat. *catena* = Kette), Katenen, Kettenkommentare der Bibel, enthalten die exeget. Bemerkungen der Kirchenväter, auch Häretiker, in der Reihenfolge des Textes und sind z.T. wichtig für die Rekonstruktion verlorener Schriften der Kirchenväter wie älterer Textformen der Bibel. Sie entstanden zumeist im 6.–11. Jh. als Kompilation durch byzantin. Gelehrte.

Cauda (lat. = Schweif), 1. das Geleit der →Kanzone, 2. →Coda oder allg. jede separate, in sich geschlossene Versgruppe als Abschluß einer Strophe oder eines Gedichts, 3. →Kehrreim.

Causerie (frz. = Plauderei), insbes. seit Ch. A. Sainte-Beuves *Causeries du lundi* (1851–62) in Frankreich Bz. für populäre, leichtverständliche, in anmutig unterhaltender Form belehrende Ausführungen, Aufsätze und Essays über kulturelle Fragen, die durch betont aufgelockerte, möglicherweise den Leser persönlich ansprechende Form die trockene Erörterung der Materie vermeiden und sich den Anschein intimer, geistreich-aphorist. Unterhaltungen geben. In dt. Lit. etwa Fontanes Theaterkritiken.

Causes grasses (frz. = schwierige Fälle), burleske Farcen im franz. Theater des MA., in denen die Mitglieder der →Basoche zu Fastnacht das Prozeßwesen karikierten, z.B.

mehrere Stücke von G. Coquillart.

Cautisha, in der ostind. Oriyâ-Lit. →Alphabetlieder, d.h. kunstvolle Gedichte von mindestens 34 Zeilen, deren jede mit einem anderen Buchstaben des Alphabets beginnt.

Cavaiola, auch Farsa cavaiola (nach dem Ort Cava dei Tirreni b. Salerno), volkstüml. Dialektfarce Süditaliens im 15.–17. Jh., verspottet in Versen und festen Typen vor allem die wegen ihrer Tölpelhaftigkeit und Einfalt verlachten Bewohner von Cava dei Tirreni. Am bedeutendsten V. Bracas *La maestra di cucito*, sonst meist anonyme Werke; später im Fastnachtsspiel aufgegangen.
R. Baldi, *Saggi storici introduttivi alle farse cavaiole*, Neapel 1933.

Cavalier Poets, nachträgliche Bz. für e. Gruppe engl. Dichter der 1. Hälfte des 17. Jh. bes. während des Bürgerkriegs, zumal für die aristokrat. höf. Lyriker unter Charles I. (1625–1649): R. Herrick, Th. Carew, J. Suckling, R. Lovelace, E. Waller, Th. Randolph u.a. Ihre äußerst verfeinerte, elegante, leicht melanchol. und geistreichspieler. Gesellschaftslyrik (cavalier lyric) verband die Richtung der Metaphysicals (J. Donne) mit Petrarkismus und Klassizismus (B. Jonson).
R. Skelton, *C. P.*, 1960; *C. P.*, hg. T. Clayton, Oxf. 1977.

Caveau (frz. = Gewölbe), franz. lit. Gesellschaft in Paris, 1729 von Piron, Crébillon d. Ä., Duclos, Moncrif, Helvétius u.a. gegründet, nach Auflösung (1739) 1759 neugegründet von Pelletier, Marmontel, Suard u.a. Nach der Franz. Revolution fortgesetzt in den Dîners du Vaudeville (1796–1802) und ab 1805 als Le C.moderne mit

BÉRANGER, DÉSAUGIERS, BRILLAT-SAVARIN u. a. bis Mitte 19. Jh.

Celtic Revival →Irische Renaissance

Cénacle (frz. v. lat. *cenaculum* = Speisesaal), Bz. mehrerer franz. Dichter- und Künstlerkreise der Romantik in Paris: 1. C. von Ch. NODIER 1823/24 um die 1823 gegründete Zs. *La Muse française* und deren Mitarbeiter, die sich im Speisesaal der Bibliothèque de l'Arsenal trafen, 2. C., der berühmteste, um V. HUGO mit Th. GAUTIER, A. BRIZEUX, E. und A. DESCHAMPS, A. de VIGNY, A. de MUSSET, A. de LAMARTINE, P. MERIMÉE, G. de NERVAL u. a. seit 1829, 3. C. um Ch.-A. SAINTE-BEUVE und 4. ›petit C.‹ um P. BOREL und die jungen, aggressiven Romantiker.

L. Séché, *Le c. de la Muse française*, Paris 1908.

Cenáculo (portugies. = Speisesaal), 1871 in Lissabon gegründeter portugies. Literaturkreis von Mitgliedern der Generation von Coimbra unter geistiger Führung von EÇA DE QUEIRÓS und A. T. de QUENTAL; begründete mit mehreren sozialrevolutionär-fortschrittl. Manifesten den portugies. Realismus, bemühte sich durch Vorträge um den geistigen und soz. Anschluß Portugals an den europ. Standard und nahm programmatisch zu soz., polit., ökonom. und lit. Fragen Stellung. Mitglieder waren u. a. J. de BATALHA REIS, J. P. de OLIVEIRA MARTINS und J. RAMALHO ORTIGÃO.

Census (lat. = Schätzung, Zählung), ein – gelegentlich regional begrenztes – Standortverzeichnis aller bekannten Exemplare eines Buches, der Werke eines Autors oder Drukkers u. ä., insbes. bei seltenen und frühen Drucken.

Centiloquium (lat. =) Slg. von 100 Aussprüchen, Sentenzen u. ä.

Cento (lat. = aus Lappen zusammengeflicktes Kleid, Flickwerk), Flickgedicht, e. aus Zitaten (ganzen Versen, Versteilen, Redewendungen, Bildern) vorbildlicher Dichter (bes. HOMER und VERGIL) zusammengesetztes Gedicht. Voraussetzung ist erstaunliche Belesenheit des Dichters sowie genaue Kenntnis der als ›Steinbruch‹ benutzten Werke beim Publikum. Weitverbreitet bereits bei den homerischen Rhapsoden, die Teile älterer Gedichte übernahmen, in hellenist. und byzantin. Zeit als HOMER-Centonen, im späten Altertum (HOSIDIUS GETAS Tragödie *Medea, Carmen nuptialis* des AUSONIUS, christl. C. *Vergilianus* der PROBA FALCONIA u. a.), im MA. für neulat. geistliche Dichtungen (geistl. Lieder des Mönchs METELLUS in Tegernsee aus HORAZ- und VERGIL-Versen im 12. Jh., in Byzanz e. *Christus patiens* aus 2610 EURIPIDES-Versen; bibl. Geschichten aus HOMER-Versen u. ä.), in Renaissance und Barock (PETRARCA-C. in H. MARIPETROS *Il Petrarca spirituale*, 1536, ein anonymer engl. *Cicero princeps*, 1608, Etienne de PLEURES *Sacra Aeneis*, 1618: Christi Taten in VERGILS Versen; zahlr. Jesuitendramen, ähnlich auch S. BRANTS *Narrenschiff*). Schließlich bis zur Gegenwart fortlebend als witzig kombinierte Aneinanderreihung von Klassikerzitaten, etwa aus SCHILLERS Balladen.

J. O. Delepierre, *Tableau de la lit. du centon*, Lond. II 1874f.; R. Lamacchia, *Dall'arte allusiva al c.* (Atene e Roma, N.S. 3, 1958).

Chamsa, Chamse →Khamsa

Chanson (franz. = Lied), urspr. in franz. Lit. jedes singbare ep. oder lyr. Gedicht weltl. Inhalts und volkstüml. Form mit stroph. Gliederung in der Volkssprache: →chanson de geste, →chanson de toile, ch. dramatique (oder ch.à personnages,

Dialog Liebender), ch. de croisade = Kreuzfahrerlied u. a. m., insbes. das höf. Minnelied der provenzal. und altfranz. Troubadours des 12./ 13. Jh. (→Minnesang), meist in 5–7 gleichgebauten Strophen aus meist 6–10 Versen und e. Untergliederung der Strophen ähnl. der →Meistersangstrophe in e. Aufgesang aus zwei nach gleicher Melodie gesungenen Stollen zu je 2–3 Versen und e. Abgesang (cauda) nach anderer Melodie, oft auch mit Kehrreim. Die freie Reimanordnung ermöglicht mannigfaltige Variationen. – Später bezeichnet Ch. als musikal. Fachbegriff das mehrstimmige franz. Lied oft mit Refrain, bes. Liebes- und Trinklied, des 15.–17. Jh. (GUILLAUME DE MACHAUT, JOSQUIN DE PRÈS, JANEQUIN, MAROT). Das 18. Jh. gab ihm neben tändelnd-galanten Formen durch Kritik am Absolutismus zeitweilig polit.-satir. Charakter, und die Franz. Revolution brachte zahlr. polit. Ch.s hervor, doch kehrt es bald zu sentimental-fröhlichem Charakter zurück und mündet indirekt in den Schlager. – Heute und in engerem Sinne (literar. Ch.) bezeichnet Ch. eine Form der ›Gebrauchslyrik‹: e. nach Inhalt, Form und Melodie leichtes, verspieltes, frech-iron., witzig pointiertes und thematisch engagiertes Kehrreimlied zum Einzelvortrag auf der Kleinkunstbühne durch den Autor selbst oder Chansonniers bzw. Diseusen (Brettllied) mit Begleitung durch ein Instrument. Es entfaltet seine ganze Wirkungskraft nicht als bloßer – lit. oft wertloser – Text, sondern erst beim gekonnten, melodramat. Vortrag vor einem intimen Publikum durch den kongenialen Zusammenklang von Tonfall, Sprachgebärde, Mimik, Gestik, (dem Wort untergeordneter) Melodie, Milieu und der Kontaktsituation des vom Stoff emotional di-

stanzierten Vortragenden zu seinem Publikum. Seine legere Unbekümmertheit und die Vielseitigkeit der ihm eigenen Formen und Tonlagen bestimmen die große formale Reichweite des Ch. von Besinnlichkeit bis zur Aggression, von lyr. Verspieltheit bis zur boshaften, anspielungsreichen Satire, doch zeichnen sich vier Hauptformen ab: 1. rollenliedhafte, mondän-frivole Selbstdarstellung, bes. der eigenen oder allgemeinmenschl. Unzulänglichkeiten und Alltagssorgen, 2. volkstüml. Handlungsdarstellung oder humorist. Milieudarstellung mit Nähe zu Bänkelsang, Moritat und Ballade, 3. teils betont sentimentale Liebes- und lyr. Stimmungsdarstellung und bes., seit dem 1. Weltkrieg, 4. aggressive polit. oder zeit- und sozialkrit. Reflexion satir. Charakters im Reportagestil, insbes. im Angriff auf soz. Mißstände und herkömmliche Tabus. Nach Vorgang von BÉRANGER, B. NADAUD, A. BRUANT u. a. um 1850 in Pariser Cafés als aktuelles Gesellschaftslied zum Ausdruck von Kollektivstimmungen gepflegt, erlebte es seine Hochblüte in der intimen Atmosphäre der Bohème-Kabaretts von Montmartre (›Chat Noir‹, gegr. 1881, u. a.), später durch Interpreten wie M. CHEVALIER, TRENET, PRÉVERT, BRASSENS, VIAN, AZNAVOUR, BÉCAUD, MONTAND, PIAF, GRÉCO u. a. In Dtl. wurde das Ch. seit der Jahrhundertwende in den Kabaretts (›Elf Scharfrichter‹, ›Überbrettl‹) gepflegt, wobei neben das franz. Vorbild Einflüsse des heiteren Gesellschaftsliedes und der Bänkelsängerballade treten und später auch Show, Film und Funk die Entwicklung bestimmen. Im stärker lit. Chanson begründen bes. Wortspiele, Andeutungen und beabsichtigte Assoziationen die doppelte Ebene des Vordergründig-Hintergründigen. Ch.

schrieben u. a.: O. J. Bierbaum, B. Brecht, R. Dehmel, H. Hesse, F. Holländer *(Ich bin von Kopf bis Fuß...)*, A. Holz, E. Kästner, A. Kerr, Klabund, D. v. Liliencron, W. Mehring, Ch. Morgenstern, M. Morlock, J. Ringelnatz, W. Schaeffers, R. Schickele, R. A. Schröder, K. Tucholsky, F. Wedekind *(Ich habe meine Tante geschlachtet)* und E. v. Wolzogen. Vgl. →Song, →Couplet.

J. Tiersot, *Hist. de la ch. populaire en France*, Paris 1889; L. Schneider, *D. franz. Volkslied*, ²1920; P. Coirault, *Recherches sur notre ancienne ch. populaire traditionnelle*, Paris 1927–33; A. Jeanroy, *La poésie lyr. des troubadours*, 1934; J. V. Gilles, *La ch., le théâtre et la vie*, Lausanne 1944; RL; L. Barjon, *La ch. d'aujord'hui*, 1959; H. Weinrich, Interpretation e. Ch. u. s. Gattung, NS 1960; W. Ruttkowski, Reflexion üb. d. lit. Ch., NDH 10, 1963; ders., *D. lit. Ch. i. Dtl.*, 1966; F. Schmidt, *D. Ch.*, 1968, ²1982; D. Schulz-Koehn, *Vivela ch.*, 1969; W. Neef, *D. C.*, 1972; R. Hippen, *D. Schleuder Davids*, TuK 9, 1973; L. Petzoldt, *Bänkelsang*, 1974; R. Hippen, *D. Kabarett-Ch.*, 1987.

Chanson baladée →Virelai

Chanson de geste (mlat. *gesta* = Taten), ›Tatenlied‹, Bz. der ältesten, anonymen altfranz. ep. Heldenlieder um histor. Ereignisse oder Sagengestalten aus der Gründungszeit der franz. Nation unter den Karolingern, meist in Zehnsilber-(→Vers commun, seltener Achtsilber-, später z. T. Zwölfsilber-)Strophen (Laissen) versch. Länge mit gleicher Assonanz (später Reimbindung) für alle Verse e. Strophe abgefaßt und von Spielleuten (→Jongleurs) und fahrenden Sängern (→Trouvères), den vermutl. Verfassern, zu Saitenspielbegleitung psalmodierend auswendig oder nach Hss. vorgetragen. Sie entstanden im 11.–13. Jh., umfassen durchschnittl. 8–10000 Verse und weisen starke eth., relig., polit. und

soziale Einflüsse durch feudale und christl. Elemente (Heidenkämpfe, Kreuzzüge), später auch oriental. und provenzal. Elemente auf. Die rd. 80 erhaltenen Ch. d. g., von denen viele im 14./15. Jh. weitreichende sprachl. Umformungen, z. T. in Prosa, derbkom.-romaneske Ausgestaltungen und abenteuerhafte Anschwellungen, etwa um Kindheits- und Jugendgeschichte des Helden oder die Taten seiner Nachkommen, erfahren haben, gehen evtl. auf ältere, verlorene Heldenlieder (cantilènes) zurück und gliedern sich hauptsächlich in drei Zyklen: 1. die Königsgeste aus dem Kreis um Karl d. Gr., mit diesem als Hauptfigur umfaßt die ältesten und bedeutendsten: *Chanson de Roland* vor 1080, *Pélerinage de Charlemagne* um 1150, *Huon de Bordeaux*, *Berte aux grans piés*, *Fierabras*, *Isembart* u. a., 2. der Kreis um Guillaume d'Orange oder Garin de Monglane schildert Kreuzzüge und Heidenkämpfe als Bewährungsproben der Helden: *Chançun de Williame*, *Charroi de Nîmes*, *Prise d'Orange*, *Aliscans* u. a., 3. die Vasallengesten um Empörer gegen die kaiserl. Zentralgewalt *Doon de Mayence*, *Girart de Roussillon*, *Quatre fils de Aimon* (= *Renaud de Montauban*). Die Ch. d. g. arbeiten mit wenigen, feststehenden und monoton wiederholten Typenfiguren; sie fanden späterhin weite Verbreitung, vielfach Abwandlung und zahlr. Übersetzungen (*Rolandslied* des Pfaffen Konrad, um 1170) wie Nachahmungen, auch in dt. →Volksbüchern des MA. wie *Haimonskinder* 1604, *Hugschapler* der Elisabeth von Nassau-Saarbrüken (1397–1456) u. a. und insbes. in der italien. Lit. (Pulci, Boiardo, Ariosto). Seit dem 13. Jh. werden sie durch individuellere, abenteuerhaftere →höf. Epen meist nach kelt., oriental. oder antiken Stoffen abgelöst.

L. Gautier, *Les épopées françaises*, Paris IV ²1878–92; Petit de Juleville, *Bibliogr. générale des Ch.s d. g.*, 1895; J. Bédier, *Les légendes épiques*, IV Paris ³1926–29; F. Schürr, D. altfranz. Epos, 1926; M. Wilmotte, *L'épopée franç.*, 1939; M. Teissier, *Ch. d. g., contes chroniques*, 1947; J. Crossland, *The Old French Epic*, Oxf. 1950; I. Siciliano, *Les origines des ch. d. g.*, Paris 1951; J. Rychner, *La ch. d. g.*, Genf 1955, ²1967; M. de Riquer, *Ch. d. g. franç.*, 1957; A. de Mandach, *Naissance et développement de la ch. d. g. en Europe*, Genf IV 1961–81; Ch. d. g. u. höf. Roman, Kolloquium, 1963; W. Callin, *The Epic Quest*, Baltimore 1966; K.-H. Bender, König u. Vasall, 1967.

Chanson de toile (franz. *toile* = Leinwand; nach dem Gesang beim Weben), auch Ch. d'histoire oder →romance, altfranz. ep. Volkslieder des 11./12. Jh., die e. ritterl. Liebesgeschichte meist mit Hindernissen und deren Überwindung in schlichter Form zum Singen am Webstuhl und aus weibl. Sicht vortragen: 3–5zeilige Strophen aus Zehnsilbern mit derselben Assonanz und ein einzelner reimloser oder zwei selbständig assonierende Verse als Kehrreim. Die volksläufige Form drang später auch in adl. Kreise; 10 Ch.s d. t. sind vollständig, 7 fragmentarisch erhalten, z.B. *Bel Eremborc*, das P. Heyse als *Schön Erenburg* übersetzte.

K. Bartsch, Altfranz. Romanzen u. Pastourellen, 1870; G. Gröber, D. altfranz. Romanzen, 1872; E. Faral, *Les ch. d. t.*, Romania 69, 1946; H. Poulaille, R. Pernoud, *Les ch. d. t.*, Paris 1946; G. Saba, *Les ch. d. t.*, Modena 1955.

Chanson d'histoire →Chanson de toile

Chanson dramatique (franz. =) →Rollengedicht

Chansonette (franz. =) kleines Liedchen, meist komischer oder frivoler Art; in Dt. fälschlich auch deren Sängerin (franz.: *chanteuse* oder *chansonnière*).

Chansonnier (provenzal. = Liederbuch), 1. entsprechend dem span. →Cancionero und den dt. →Liederhandschriften Sammelhandschrift von provenzal. Troubadourlyrik. – 2. Sänger moderner →Chansons.

Chant (franz. = Gesang), getragenernstes Lied meist feierlicher Art (*ch. guerrier, ch. nuptial*) im Ggs. zum leichteren →Chanson, Ode, Hymne u.ä., franz. auch der Abschnitt eines Epos (→Canto, →Gesang).

Chantefable (franz. = Singfabel), volkstüml., oft dialog. franz. Abenteuererzählung des MA., wechselnd zwischen rezitierter erzählender Prosa und gesungenen (assonierenden) Versen (Verseinlagen oder Liedstrophen) der Monologe und Dialoge. Einziges erhaltenes Beispiel der möglicherweise seinerzeit weitverbreiteten, evtl. arab. beeinflußten Gattung ist *Aucassin et Nicolette* (13. Jh.). Nachbildungsversuch in L. Tiecks *Melusine* (1800). Die Ch.s von R. Desnos (1944) sind vertonte Tierfabeln.

H. Heiss. D. Form d. Ch. (Zs. f. frz. Spr. u. Lit. 42, 1914).

Chanties →Shanties

Chant Royal (franz. = königliches Lied), Gedichtform aus 5 elfzeiligen Strophen meist aus Zehnsilbern in der Reimfolge ababccddedE und e. fünfzeiligen Schlußstrophe mit der Reimfolge ddedE, die alle auf den gleichen Vers auslaufen; oft für e. Allegorie, die in der Schlußstrophe erklärt wird; Verwendung für feierl. moral.-didakt., zeitkrit. und relig. Stoffe im franz. 14.–16. Jh., bes. bei E. Deschamps, Charles d'Orléans, J. und C. Marot. Im 19. Jh. durch Banville erneuert.

Chapbooks, engl. Form der →Volksbücher bes. im 16.–18. Jh.: die meist von reisenden Buchhändlern vertriebenen, meist illustrierten

Bücher und Hefte mit volkstüml. Erzählungen, Balladen, Traktaten, Pamphleten, Neubearbeitungen volkstüml. Stoffe, Kinderlieder und Märchen.

Charakter (griech. = das Eingeprägte), in der Literaturwissenschaft allg. jede in e. dramat. oder erzählerischen Werk auftretende, der Wirklichkeit nachgebildete oder fingierte, aber durch individuellere →Charakterisierung in ihrer persönl. Eigenart von den bloßen unprofilierten →Typen abgehobene Figur einer Dichtung.

W. J. Harvey, *Ch. and the novel*, Ithaca 1966; M. Price, *Forms of life*, New Haven 1983.

Charakterdrama, im Unterschied vom →Handlungsdrama (→Schicksalsdrama) und →Ideendrama e. Schauspiel, in dem die äußeren Begebenheiten zurücktreten und der Schwerpunkt auf Darstellung und Entfaltung e. eigenartigen Charakters in seinen ausgeprägten Eigenschaften ruht. Die Konflikte kommen z. T. mit der Außenwelt, bes. aber im innerseel. Bereich, innerhalb der Persönlichkeit zustande. Der Begriff ist fließend und bezeichnet nur das Überwiegen innerhalb der komplexen dramat. Grundstruktur; die genauere Analyse zeigt, daß sich Schicksals- und Charaktertragik oft selbst in einer Person vereinen oder in zwei versch. Figuren desselben Dramas gegenüberstehen können. Auch das Ch. benötigt Handlung, in der sich die Charaktere entwickeln, bewähren oder scheitern; oft entfaltet sie sich aus dem Charakter. (Nach ARISTOTELES, *Poetik* 6 kann die Tragödie notfalls die Charaktere entbehren, nie aber die Handlung.) Dagegen bedarf das Ch. nicht des strengen Aufbaus der Schicksalsdramen, da nicht der Zusammenhang der Begebenheiten, sondern ihr Wechselspiel mit dem Charakter wesentlich ist. – Die Betonung des Charakters schon in den Dramen SHAKESPEARES *(Hamlet, Richard III.)* setzt e. bewußt individualist. Weltsicht voraus; vom einseitig konzipierten Typus als abstrahierte Form der Aufklärung geht die Entwicklung über die ausgebildete Einzelpersönlichkeit in ihrer individuellen Vielschichtigkeit (Ch.en des →Sturm und Drang, GOETHES *Tasso*, Dramen O. LUDWIGS) bis zu den komplexeren Gebilden moderner Dramen, bei denen sich e. generelle Einstufung nicht durchführen läßt. Nach der beabsichtigten Wirkung der ausgearbeiteten Charaktere unterscheidet man →Charakterkomödie und →Charaktertragödie. →Drama.

J. Augustin, Schicksalsdr. u. Ch., Diss. Prag 1922; RL; R. Petsch, Drei Haupttypen d. Dramas, DVJ 11, 1933; ders., Wesen und Formen d. Dramas, 1945; P. Kluckhohn, D. Arten d. Dramas, DVJ 19, 1941; A. Pfeiffer, Ursprung u. Gestalt des Dramas, 1943; O. Mann, Poetik d. Tragödie, 1958.

Charakterfach, in der Schauspielkunst die Darstellung von →Charakterrollen.

Charakterisierung, die Wesensbeschreibung von Figuren dichterischer Texte, insbes. Dramen, kann auf zweierlei Art erfolgen: 1. direkt, d. h. durch Angaben anderer Figuren desselben Stückes, aus denen der Zuschauer Einsicht in die beschriebene Figur gewinnt, 2. indirekt, d. h. der Zuschauer muß aus dem Benehmen der Gestalt selbst Schlüsse über ihren Charakter ziehen; seltener aus e. Selbst-Ch. Widersprechende Ch.en sind beliebte Kunstgriffe zu dramat. Spannungssteigerung bis zum Auftreten des Titelhelden (z. B. LESSING, *Emilia Galotti* I, 4–6; SCHILLER, *Maria Stuart* I, 1; GOETHE, *Egmont* I, dreifach).

Ch. Ch. Walcutt, *Man's changing mask*, Minneapolis 1966.

Charakterkomödie, im Ggs. zu →Intrigen- und →Situationskomödie e. Lustspiel, das die kom. Wirkung aus der übertriebenen Darstellung e. merkwürdigen Charakters oder Typus bezieht, der, fast auf eine einzige Eigenschaft (Geiz, Ehrsucht, Größenwahn) vereinfacht, lächerlich gemacht wird. Für die dramat. Struktur ist dabei belanglos, ob die Komik auf individuelle →Charaktere oder abstrahierte →Typen zurückgeht, so daß Typenkomödie und Ch. ineinander übergehen. Sie überragt die bloße Situationskomödie an innerer Wirkung. Vorläufer der Ch. ist B. Jonsons →Comedy of humours. Erster Meister der Ch. als Typenkomödie ist Molière (*L'avare*, 1668; *Le bourgeois gentilhomme*, 1670; *Le malade imaginaire*, 1673); in seiner Nachfolge steht der Däne L. Holberg (*Jeppe vom Berge*, 1723); in Dtl. erscheint sie moralisierend im 18. Jh. bis zu Lessings *Der junge Gelehrte* (1748) u. a., dann als moralisch indifferentes freies Spiel mit Charaktermöglichkeiten etwa bei Kleist (*Der zerbrochene Krug*, 1811) und G. Hauptmann (*Der Biberpelz*, 1893). →Charakterdrama.
E. Levi, *Il comico di carattere da Teofrasto a Pirandello*, Turin 1959.

Charaktermaske, im Ggs. zur Phantasie→maske die Gesamtaufmachung e. Bühnenfigur (→Kostüm und Schminkart), die schon äußerlich Stand, Beruf, Charakter ihres Trägers durch typ. Merkmale anzeigt (Richtertalar, Bettlerkittel u. ä.). Ihr Gebrauch reicht von der Antike über geistl. Drama und Commedia dell'arte bis zur Gegenwart.

Charakterrolle, →Rollenfach im Theater: Schauspielerpart, der die Darstellung eines scharf betonten, individuellen, oft widersprüchl. Charakters erfordert, z. B. Hamlet, Falstaff, Götz, Wallenstein. Ihre Eigenart wird vom Dramatiker oft nur angedeutet und setzt beim Schauspieler einfühlendes Nachschaffen voraus.

Charakterspieler, Schauspieler für →Charakterrollen.

Charaktertragödie, →Tragödie, die im Ggs. zum →Schicksalsdrama die Tragik aus den individuellen Charaktereigenschaften des Helden und seiner Umgebung entwickelt, indem durch sie innere und äußere Konflikte oder Fehleinschätzung der Situation entstehen und durch die geweckten Leidenschaften Schuld hervorgerufen wird. Meister der Ch. ist Shakespeare (*Hamlet, Othello, König Lear*); durch den Vergleich seiner Tragödien mit den antiken entstand der Begriff ›Ch.‹, der in gewisser Hinsicht auch für Goethes *Götz* und *Egmont* zutrifft. Auch die Ch. des Sturm und Drang berief sich auf Shakespeare, ohne jedoch seine vollendete und bühnengerechte innere Form zu erreichen; ebenso leitet der Realismus häufig die Tragik aus dem Überwiegen der Leidenschaften ab. →Charakterdrama.
Th. Lipps, D. Streit üb. d. Tragödie, ²1915; J. Volkelt, Ästhetik d. Tragischen, ³1917; O. Mann, Poetik d. Tragödie, 1958.

Chardscha →Kharǧa

Charge (franz. = Bürde e. Amtes), karikierende Übertreibung; dann nur knapp gezeichnete und kurz in Erscheinung tretende Neben-(Episoden-)Rolle, die daher zu größerer Eindringlichkeit vom Schauspieler überscharf ausgeprägt, grell charakterisiert (›chargiert‹) werden muß und dann oft komisch wirkt. Ric-

caut in LESSINGS *Minna von Barnhelm,* der Kapuziner in *Wallensteins
Lager;* v. Kalb in *Kabale und Liebe*
u. a. stehen als größere Kontrastfi-
guren, die der Handlung und
Hauptfigur durch Gegenüberstellung mehr Plastik verleihen, gegen
e. Fülle von Randgestalten wie
Hanswurst im 16./17. Jh. und die
unendliche Zahl der Bedienten (Stu-
benmädchen, Diener, Hofschran-
zen) im 18. Jh., ferner Komischer
Alter, Erbschleicher, Pedant, Kupp-
ler u. a. m. – Heute heißt Ch. oft
auch die neutrale Nebenrolle überhaupt.
Lit. →Rolle.

Charon (nach dem Fährmann der
Unterwelt in griech. Mythologie),
von O. ZUR LINDE und R. PANN-
WITZ 1904 gegr. Dichterkreis um die
vorwiegend Lyrik enthaltende Monatsschrift *Ch.* (1904–14 und
1920–22). Zu ihm gehörten ferner:
R. PAULSEN, K. RÖTTGER, E. BOK-
KEMÜHL und W. LEHMANN. Literaturgeschichtlich bedeutet der Ch.-
Kreis krit. Abstandnehmen vom
Naturalismus und Vorwegnahme
des Expressionismus: Man lauscht
den Dingen ihren Eigenrhythmus
ab, sie werden vom Objekt zum
Subjekt aller Kunst und gestalten
sich durch den Künstler. Die einen-
genden herkömml. Formen der Lyrik werden abgelehnt; e. phonet.
Rhythmus, natürlicher, doch keineswegs banaler Tonfall, Kraft des
Ausdrucks und innere Ergriffenheit
machen das Gedicht zum reinen
Hörerlebnis. Neben der Selbstent-
faltung des Menschentums in der
Kunst erstrebt der Ch. die Einheit
von Dichtung, Religion und Philosophie mit dem Alltag; ein stark
religiös-myth. oder philosoph. Zug
beherrscht seine Dichtung. Sein
Streben nach e. neuen Menschentum fand zwar infolge der Zurück-
gezogenheit des Kreises keine Breitenwirkung, drang jedoch als erster
Aufbruch relig. Kräfte im 20. Jh.
wohl in die Tiefe.
H. Hennecke, Ch. (Einl.), 1952.

Charta (lat. =), dünnes Blatt, bes.
der →Papyrusstaude, dann allg. jeder Beschreibstoff, später übertragen auf Schriftstück, bes. Urkunde.

Chaucer-Strophe →Rhyme royal

Chayâvâda (ind. = Lehre vom
Schatten, d. h. vom Abglanz des
Überirdischen im Irdischen), die romantische Bewegung der neueren
ind. Hindî-Lit. insbes. der Jahre
1920–1935, erstrebt eine Poetisierung, Subjektivisierung der Lit. und
eine Verfeinerung der Sprache bes.
in Natur- und Liebeslyrik. Hauptvertreter: JAY SHANKAR PRASÂD,
SÛRY KÂNT TRIPÂTHÎ NIRÂLÂ und
SUMITRÂNAND PANT.

Chevy-Chase-Strophe (engl. =
›Jagd auf den Cheviotbergen‹, e. im
16. Jh. aufgezeichnete Volksballade), auch Ballad-stanza, Ballad-met-
re gen., Strophenform der meisten
engl. Volksballaden. Sie besteht aus
2 mal 2 vierhebigen Versen, von
denen die 2. und 4. infolge rhythm.
Pause als dreihebig erscheinen und
e. starken Sinneinschnitt bewirken.
Durch stumpfen Ausgang aller Verse entsteht e. knapper, spannender
und kraftvoller Eindruck; die Senkungen sind überwiegend einsilbig,
doch ermöglicht freie Senkungsfüllung starke Beweglichkeit und Anpassung der metr. Form:

$$\cup\_\cup\_\cup\_\cup\_$$
$$\cup\_\cup\_\cup\_$$
$$\cup\_\cup\_\cup\_\cup\_$$
$$\cup\_\cup\_\cup\_$$

›Das Wasser rauscht, das Wasser
schwoll, / Ein Fischer saß daran, …‹
(GOETHE). Im engl. Original reimen
nur die 2. und 4. Zeile (ebenso

GLEIMS *Preußische Kriegslieder,* 1758, die die Ch.Ch.Str. in Dtl. populär machten), doch erscheint sie auch reimlos (GOTTSCHEDIN, KLOPSTOCKS *Kriegslied zur Nachahmung des alten Liedes von der Ch.-Ch.-Jagd,* 1749) oder im Kreuzreim durchgereimt (STRACHWITZ, *Das Herz von Douglas,* Th. FONTANE, *Archibald Douglas, Gorm Grymme,* J. N. Vogel, *Heinrich der Vogler* u. a. m.). Vorkommen seit mittelengl. Zeit auch in engl. Volks- und Kirchenliedern, Kunstballaden (COLERIDGE, *The Ancient Mariner*), dt. Kirchenliedern, Volks- und Kunstballaden.

K. Neßler, Gesch. d. Ballade Ch.-Ch., 1911. →Metrik.

Chiasmus (griech. *chiasmos* = Gestalt e. Chi: X), →rhetorische Stilfigur; die symmetr. Überkreuzstellung von syntaktisch oder bedeutungsmäßig einander entsprechenden Satzgliedern, meist als spiegelbildl. Anordnung (Flügelstellung) von Subjekt oder Prädikat oder Substantiv und Adjektiv in zwei gleichgebauten Sätzen in der Folge: a + b : b + a oder in zwei parallelen Stufen: a + b, a | b : b + a, b + a. Beispiel: ›Die Kunst ist lang und kurz in unser Leben‹. (*Faust* 558 f.). Der Ch. dient oft zur Verdeutlichung e. →Antithese (→Antimetabole) oder als hemmender Abschluß e. Reihe von →Parallelismen (ab, ab, ab, ba, z. B. das Xenion *Humanität*); als Stilmittel schon in der Stabreimdichtung, als rhetor. Figur in antiker Rhetorik häufig, auch in Verbindung mit →Anapher, von dort bei HARTMANN VON AUE und GOTTFRIED VON STRASSBURG verwendet; Blüte im Barock (ANGELUS SILESIUS), ferner bei SCHILLER u. a.; auch in neuerer Zeit unbewußt gebrauchtes Stilmittel.

H. Horvei, *The changing fortunes of a rhet. term,* Bergen 1985.

Chiave (ital. = Schlüssel), in der →Kanzone PETRARCAS derjenige Vers, der Fronte und Sirima verbindet.

Chiffre (franz. = Ziffer, Zahl), 1. Geheimschrift durch Ersetzen jedes Buchstabens durch e. anderen nach e. ›Schlüssel‹; kann bei Kenntnis des Schlüssels entziffert (›dechiffriert‹) werden. – 2. in moderner Dichtung, bes. Lyrik, Stilfigur des Wirklichkeitsschwundes: emblemartig abkürzende Zeichen (einfache Worte oder Wortverbindungen), deren Bedeutung nicht der selbstverständl. Gehalt entspricht, sondern aus dem Textzusammenhang hervorgeht, diesen aber erst verständlich macht. Restform des vollplastisch ausgeführten Symbols in Gestalt eines knappen, funktionellen Zeichens, das im Interesse der Konzentration und Sinnverkürzung sich die bildliche Ausführung versagt, sich aber seiner konventionellen Vordergrundsbedeutung ebenfalls z. T. begibt und dabei leicht zu e. verschlüsselten Geheimzeichen oder vieldeutigen Zeichensystem aus unkontrollierbaren Gefühlswerten wird, z. B. ›Stadt‹ bei TRAKL für Hoffnungslosigkeit.

W. Lang, Zeichen, Symbol, Ch., DU 20, 1968; E. Marsch, D. lyr. Ch. (Sprachkunst I, 1970).

Chiffre-Gedicht, Sonderform des →Cento, die statt der neukombinierten Verse nur deren genaue Fundstelle zitiert, z. B. in GOETHES Briefwechsel mit M. von WILLEMER.

Choka →Nagauta

Choliambus (griech. *cholos* = hinkend), auch Skazon, ›Hinkjambus‹, sechshebiger jamb. Vers (Senar), in dem anstelle des 6. Jambus ein Trochäus oder Spondeus eintritt; durch diese rhythm. Umkehrung von pa-

radox auffallender, überraschender
Form: ‿‿⌣‿‿‿ ‿‿⌣‿‿‿| ‿‿⌣‿‿⌣:
›Ein Liebchen hatt ich, das auf einem Aug' schielte‹ (F. RÜCKERT).
Zuerst von HIPPONAX von Ephesos
(6. Jh. v. Chr.) in seinen betont vulgären Spottgedichten zu satir.
Zwecken verwendet; in hellenist.
Dichtung bei HERONDAS und KAL-
LIMACHOS, in lat. Dichtung bei CA-
TULL und MARTIAL; dt. bei ZESEN
und RÜCKERT; vgl. A. W. SCHLE-
GELS Gedicht *D. Ch.:* ›Der Choli-
ambe scheint ein Vers für Kunstrichter, / die immerfort voll Nase-
weisheit mitsprechen / und eins nur
wissen sollten, daß sie nichts
wissen.‹

Chor (griech. *choros* = Tanzplatz,
Tanz, Reigen mit Gesang, schließlich die ihn aufführenden Personen),
Zusammenfassung gleichartiger
Personen, die durch Zusammenklang ihrer Stimmen bei Gesang
oder Sprechvortrag e. Einheit bilden
und als solche dem Einzelhelden der
dramat. Handlung betrachtend,
deutend und wertend (›idealisierter
Zuschauer‹) gegenüberstehen oder
auch in den Vorgang selbst eingreifen.
Das griech. →Drama erwuchs aus
den kult. Festspielen des Ch. anläßlich der →Dionysien, von Gesangs-
strophen (→Chorlieder, →Dithy-
ramben, Wechselgesänge von Chorführer und Ch.) und Musik (Kithara
oder Flöte) begleiteten langsamen
Tänzen in feierl. Rhythmus, und
zwar durch Einschaltung von Ein-
zel- und Wechselrede. THESPIS fügte
534 v. Chr. den Chorliedern erklärende Verse ein; dann erfolgte die
Wechselrede von Schauspieler und
Chor. AISCHYLOS erweiterte durch
Einführung e. 2. Schauspielers die
Handlungsmöglichkeiten und wurde damit zum Schöpfer der →Tra-
gödie; der Ch. blieb ihr wesentl.

Bestandteil; als nach Zurückdrängung von Tanz und Gesang das
Wort die Hauptsache wurde, verband er sich eng mit der Handlung,
blieb während der ganzen Spieldauer auf dem Schauplatz (→Orche-
stra) und griff, bes. durch Tätigkeit
des Chorführers, oft in die Handlung ein *(Eumeniden).* Der trag. Ch.
bestand beim Dithyrambus anfangs
eventuell im Höchstfall aus 50 (?),
später 12 Personen; die Kosten der
Einstudierung trug ein →Chorege.
SOPHOKLES erhöhte die Zahl der
Schauspieler auf 3 und den Chor
auf 15 Personen; die Verbindung
von Ch. und Handlung wird geloc-
kert: abgesehen von seiner Wichtigkeit für die Exposition tritt anstelle
der Eingriffe in die Handlung die
betrachtende Teilnahme am dramat. Geschehen, die sich auf lyr.
Wendepunkte zusammendrängt.
Der Ch. ist häufig Sprachrohr des
Dichters. Bei EURIPIDES schließlich
ist der Ch. gelegentlich auf aus-
wechselbare lyr. Einlagen ohne Zusammenhang mit der Handlung eingeschränkt. In der röm. Tragödie
SENECAS hat der Ch. nur in den
Zwischenakten Bedeutung und
spielt für die Handlung keine Rolle.
In der älteren Komödie (ARISTO-
PHANES) greift der 24köpfige Ch.
häufig mit Gesängen und durch den
Chorführer in die Handlung ein
oder wendet sich ans Publikum
(→Parabase); die neue und röm.
Komödie kennt keinen mit der
Handlung verbundenen Ch., sondern allenfalls e. chorisches Intermezzo. – Die wesentl. Formen des
antiken Chorgesangs sind die →Par-
odos, der →Kommos, das →Stasi-
mon und schließlich das Abgangs-
lied (→Exodos). Daneben stehen
Duette mit Schauspielern und
Wechselgesänge (→Amoibaia).
Das geistl. Drama des MA. verband
die Einzelbilder der Darstellung

durch liturgieartige, ep. Chorgesänge, welche die Pausen füllten und selbst bei anderen Stoffen beibehalten wurden. Für das von der röm. Komödie abgeleitete Schuldrama des Humanismus ist der Ch. belanglos; wo er erscheint (rd. ⅓ der Dramen), dienen seine meist gesungenen und auf die Handlung bezogenen Lieder nur der Akteinteilung (REUCHLIN, *Henno*); an ihre Stelle tritt in den Schweizer Dramen und denen der Meistersinger Instrumentalmusik.

Die Englischen Komödianten des 17. Jh. übertrugen im Anschluß an SHAKESPEARE die Funktion des Ch. auf den Prolog- und Epilogsprecher bzw. den Narren, ebenso das Volksdrama und Chr. WEISE. Im Barockdrama dagegen erscheint der Ch. als →Reyen (GRYPHIUS u. a.); Jesuitendrama und LOHENSTEIN verwenden ihn neben und zu allegor. →Zwischenspielen. Die franz. Tragödie ersetzt ihn durch die Rolle des Vertrauten, ebenso das dt. Aufklärungsdrama; RACINES Verwendung des Ch. als rückschauender und vordeutender Aktschluß *Esther, Athalie)* fand nur Nachhall in CRONEGKS *Olint und Sophronia;* in KLOPSTOCKS →Bardieten erscheint er als Sinnbild des Volkswillens, und seine Mitglieder greifen z. T. einzeln in die Handlung ein. Weite Verbreitung fand er in den Singspielen und Monodramen des 18. Jh.; das bürgerl. Trauerspiel kennt keinen Ch., der sinngemäß nur im Heroendrama seine Begründung hat.

Nach Vorgang von SULZER, WIELAND, HERDER und den Brüdern STOLBERG erhebt SCHILLER zuerst im *Malteser*-Fragment und dann in der *Braut von Messina* (vgl. Vorrede ebda.) den antiken Chor zum bewußten Stilprinzip. Er erstrebt größere poet. Kraft, Reinheit und Würde durch Läuterung der Affekt-

handlung in abgeklärter Betrachtung (der Ch. übernimmt die der Handlung abträgliche Reflexion), Erhebung des Gewöhnlichen ins Allgemein-Menschliche und bewußte Distanzierung von der Wirklichkeit, Stilisierung zum Symbol hin. Sein Scheitern beruht letztlich auf der Unvereinbarkeit antiker Formelemente und Vorstellungsweisen mit modernen. Auch andere gleichzeitige Versuche (PLATENS Komödien, TIECKS *Prinz Zerbino* III) gelangen nicht über SCHILLER hinaus; freier ist die Verwendung des Ch. in GOETHES *Faust.* Das illusionsstrebige Drama des Realismus und Naturalismus hat keinen Raum für den Ch., erst mit den stilisierenden Tendenzen in Symbolismus, Expressionismus und bes. den zahlreichen antiken Themen des Existentialismus erlangt er erneute Bedeutung, so bei C. LANGENBECK, P. ERNST, HOFMANNSTHAL, WERFEL, KAISER, BRECHT, ELIOT *(Mord im Dom),* GARCÍA LORCA, GIRAUDOUX, ANOUILH, SARTRE, FRISCH, DÜRRENMATT, P. WEISS.

L. Rieß, D. Ch. i. d. Tragödie (Preuß. Jhrb. 54, 1884); R. v. Liliencron, D. Ch.-gesänge d. lat.-dt. Schuldramas i. 16. Jh. (Zs. f. Musikwiss. VI, 1890); B. Venzmer, D. Ch. i. geistl. Drama d. dt. MA., Diss. Rostock 1897; R. Petsch, D. Ch. i. Volk i. antik. u. modern. Drama (Neue Jhrb. 13, 1904); P. Stachel, Seneca u. d. dt. Renaissancedrama, 1907, ²1967; E. Helmrich, *The History of the Chorus in the German drama* (Germ. studies 7–9, 1912); W. Lohmeyer, D. Dramaturgie d. Massen, 1913; R. Fischer, D. Ch. i. d. Drama v. Klopstocks ›Hermannsschlacht‹ bis Goethes ›Faust‹ II, Diss. Mchn. 1917; L. Großmann, Chöre, Volks- u. Massenszenen i. Schillers Dramen, Diss. Hbg. 1922; K. Burdach, Schillers Chordrama (in: ›Vorspiel‹ Bd. 2, 1926); W. Kranz, Stasimon, 1933; E. Beinemann, D. chor. Element i. Drama d. Gegenw., Diss. Jena 1941; C. A. Uhsadel, D. Ch. als Gestalt, 1969; RL; E. Menz, D. Ch. i. Theater d. 20. Jh. (in: Der Dichter u. s. Zeit, hg. W. Paulsen 1970); T. B. L. Webster, *The Greek ch.,* Lond. 1970; H. M. Brown, D. Ch... i. dt. Dr. d. 19. Jh. (Kleist-Jb. 1981/82).

Choral →Kirchenlied

Chorege (griech. *choregos* =) 1. vermögender griech. Bürger, der die Ausbildungs- und Ausstattungskosten e. →Chores (Choregie) als öffentl. Leistung übernahm, z. T. auch künstlerisch leitete. Jedem an einem Wettkampf teilnehmenden Dichter wurde e. Ch. zugewiesen; ihm galt im Falle e. Sieges neben dem Dichter die Ehre, und sein Name erschien auf den Didaskalien. Nach dem Peloponnes. Krieg (431 bis 404) ging die Choregie infolge Verarmung der Bürger auf den Staat über. 2. Chorführer, →Koryphaios.

Choreus (griech. *choros* = Tanz) = →Trochäus

Choreut (griech. *choreutes*), auch Choret, der Chortänzer oder -sänger im griech. Drama; die Ch.en trugen →Masken von Frauen oder Männern des Ortes, an dem die Handlung spielte. Vgl. →Chor.

Choriambus, aus je einem Trochäus (= Choreus) und Jambus bestehender (daher Name), aber einheitlicher antiker Versfuß von 6 Moren Länge: $\stackrel{\smile}{-}\smile\smile\stackrel{\smile}{-}$, 2 Längen umgeben 2 Kürzen. Häufige Verwendung, vielfach in Verbindung mit Glykoneen und Asklepiadeen, doch auch selbständig, in dramat. Chorliedern, PLAUTUS' Cantica, der Lyrik von SAPPHO, ALKAIOS und HORAZ, bes. in der →Asklepiadeischen Strophe und als Dimeter in GOETHES *Pandora,* in England bei MARVELL und SWINBURNE.

Chorlieder, von vornherein für gemeinsamen chor. Vortrag bestimmte Dichtungen, die in Stil, metr. Form und Inhalt anstelle des Einzelempfindens kollektives Denken und Fühlen setzen. Nach der Form unterscheidet man durchweg vom ganzen Chor gesungene Ch. von solchen mit zeitlich verschiedenen Einsätzen der Chorteile und solchen, in denen der Chor nur den →Kehrreim mitsingt bzw. wiederholt. Die Wurzeln liegen im Kult und →Arbeitslied, wichtige Formen sind etwa: →Kirchenlied, Prozessionslied, Marsch- oder →Soldatenlied, Hochzeitslied, →Totenklage, →Tanz-, →Trink- und →Gesellschaftslied, →Brutlied.

In Griechenland gelangten die Ch. zu früher Blüte in den Kultfesten der Götter: Zur Musik von Kithara oder Aulos schritten die Choreuten ihren feierl. Reigen; später sangen sie mit. Kern des vom Dichter selbst komponierten und eingeübten Liedes war e. Erzählung aus der Sage. Als kunstvolle Chordichter ragten bes. Dorier hervor: TYRTAIOS, THALETAS und ALKMAN (sein Jungfrauenlied ist das älteste erhaltene Stück). Seit STESICHOROS aus Himera (um 600 v. Chr.) datiert die Dreiteilung der Ch. in →Strophe, →Antistrophe und →Epodos. Weitere Chorlyriker waren IBYKOS und ARION; den Höhepunkt erreicht die Ch.-dichtung um 500 v. Chr. in SIMONIDES, PINDAR und BAKCHYLIDES. Wichtigste antike Gattungen der Ch. sind →Hymnus, →Päan, →Epinikion, →Threnos und →Dithyrambos. Über die Ch. im Drama s. →Chor. Eigenröm. Form des Ch. ist das →Carmen.

Altgerman. Ch. sind nicht erhalten, doch bezeugt; so berichtet GREGOR d. Gr. von e. Opfergesang der Langobarden, ADALBERT VON BREMEN vom Kultgesang bei e. Opferfest in Upsala, PRISCUS von ›Skythischen Liedern‹, die got. Mädchen bei e. Schleiertanz vor ATTILA gesungen haben, und TACITUS bezeugt den Gesang von Herkulesliedern vor der Schlacht. Das älteste direkte Zeugnis e. chor. Tanzliedes bildet der Bericht über die *Tänzer von*

Kölbigk (1038) in balladesker Umformung: Vierzeiler für den Vorsänger und Kehrreim für den Chor. – Das →Kirchenlied entwickelte keinen komplizierten chor. Aufbau.

RL; R. Petsch, Spruchdichtg. d. Volkes, 1938; C. M. Bowra, *Greek lyr. poetry*, Oxf. ²1961.

Chorlyrik →Chorlieder

Chrestomathie (griech. *chrestos* = brauchbar, nützlich, *mathein* = lernen), Slg. vorbildlicher, meist für den Unterricht in e. Sprache brauchbarster Stücke aus versch. (bes. Prosa-)Schriftstellern; zu Ausgang des Altertums Ch.n aus griech. und lat. Autoren als Ergebnis der neubelebten Wissenschaften (z.B. die des PROKLOS); in der Neuzeit für den Schulgebrauch abgestimmte Auswahlen der bedeutendsten Schriftsteller e. Landes. Vgl. →Anthologie.

Chrie (v. griech. *chreia* = Gebrauch), heute veraltete Art der schriftl. Behandlung e. philos. oder lit. Satzes (Sentenz, Sprichwort) in e. Aufsatz nach festgelegtem formalem Schema, das den zu behandelnden Satz, Lob des Verfassers, Beweis, Erläuterung (Einwände, Gleichnisse, Beispiele, Zeugnisse) und e. zusammenfassenden Schluß enthält. Seit der Antike übliche Vorübung zur Rhetorik, dann jahrhundertelang Gliederungsschema für Schulaufsätze.

G. v. Wartensleben, D. Begriff d. griech. Chreia, 1901; M. Fauser, D. Ch., Euph. 81, 1987.

Christgeburtsspiel →Weihnachtsspiel, →Krippenspiel

Christlich-deutsche Tischgesellschaft, von A. v. ARNIM 1810 in Berlin gegr. romant. Dichterkreis, an dem KLEIST, EICHENDORFF, CHAMISSO, FOUQUÉ, BRENTANO, A. MÜLLER, J. G. FICHTE, A. N. v. GNEISENAU u.a. teilhatten, zentriert um KLEISTS *Berliner Abendblätter* (1810–11). Konservativ, antirevolutionär, antiliberal und national und die polit. Ideen der dt. Romantik vertretend, wurde er über seine Fortsetzung, die 1816 gegr.‚\stärker polit. orientierte ›Christlich-Germanische Tischgesellschaft‹, zu einer der Keimzellen der preuß. Konservativen Partei.

J. Nadler, D. Berliner Romantik, 1912; P. Eberhard, D. polit. Anschauungen d. Ch.-dt. T., 1937.

Christliche Dichtung im weiteren Sinn – gegenüber der thematisch und motivlich stärker auf die Glaubenslehren und -worte ausgerichteten →geistlichen Dichtung der frühen, fest im Christentum ruhenden Epochen – ist jede Dichtung, die fest im Boden der christl. Heilsgewißheit und christl. Ethik wurzelt und diese zum immanenten Angelpunkt des Menschenbildes nimmt. Sie steht damit im Ggs. zu den sich seit der abendländ. Aufklärung entwickelnden nihilist. und atheist. Richtungen und gewinnt erst als bewußter Gegenpol zu diesen Strömungen festere Kontur innerhalb der ohnehin durch die ganze christl. Kultur des Abendlandes weithin auf christl. Grundlage ruhenden allg. Lit. Sie führt zu literarhistor. wichtigen Gruppenbildungen (z.B. →Renouveau catholique), während für die lit. Wertung das christl. Element an sich als außerlit., weltanschauliches Ingrediens ohne Belang ist.

R. Schneider, D. Bildgsauftrag d. christl. Dichters, 1946; J. Zangerle, D. Bestimmg. d. Dichters, 1948; E. Hederer, D. christl. Dichter, 1956; A. Wolf, Christl. Lit. d. MA., 1958; Gibt es heute Christl. Dichtg.?, hg. H. Linnerz 1960; G. Kranz, Christl. Lit. d. Neuzeit, 1959; ders., Europas christl. Lit., II ²1968; Was ist das Christl. i. d. c. Lit.?, 1960; C. I. Glicksberg, *Lit. and Religion*, Dallas 1960; C. Möller, Lit. d. 20. Jh. u. Christentum, 1960; G. Kranz, Christl. Lit. d. Ggw., 1961; E. Langgässer, Das Christl. i. d. c. D., 1961; R. M. Frye, *Perspective on*

Man, Philadelphia 1961; W. Grenzmann, Dichtg. u. Glaube, ⁶1968; ders., Üb. d. Probl. d. c. D., DU 15, 4, 1963; H. Altmann, Was ist c. D., DU 16, 5, 1964; H. Linnerz, C. D.?, 1965; C. Hohoff, Was ist c. Lit.?, 1966; H. J. Baden, Lit. u. Bekehrung, 1968; Mod. Lit. u. christl. Glaube, 1968; Christl. Dichter i. 20. Jh., hg. O. Mann ²1968; E. Klee, Wege u. Holzwege, 1969; P. K. Kurz, Warum ist d. christl. Lit. zu Ende (Zeitwende 42, 1971); H. v. Arnim, Christl. Gestalten neuerer dt. Dichtg., 1972; T. Kampmann, D. verhüllte Dreigestirn, 1973; G. Kranz, Lex. d. christl. Weltlit., 1978; M. Edwards, Towards a chr. poetics, Lond. 1984; R. Kaske, Medieval Christ. Lit., Toronto 1988.

Christmas Pantomimes (engl. = Weihnachtsrevue), in England aus dem 17. Jh. stammende komische Zauber- und burleske Ausstattungsstücke, bestehend aus e. Märchen oder Volkssage mit nachfolgender Posse und grellen Theatereffekten. Blüte im 18. Jh., heute als Weihnachtsspiel.

A. E. Wilson, C. P., Lond. 1934.

Christspiele →Adventsspiele

Chronik (griech. chronika = Zeitangaben, -buch), Form der Geschichtsschreibung, Darstellung geschichtl. Ereignisse lediglich nach ihrer zeitl. Abfolge ohne Rücksicht auf tiefere, innere, sachl. Zusammenhänge in lat. oder volkssprachl. Vers oder Prosa. Im Unterschied zu den →Annalen bilden nicht die einzelnen Jahre, sondern größere Zeiträume, z.B. Regierungszeiten, das Gerüst; bes. im MA. vom 6. bis 17. Jh., zumal bei den Mönchen im 15./16. Jh. gebräuchl. Form; Familien-, Geschlechter-, Kloster-, Bistums-, Kaiser-, Papst-, Landes-, Städte- (St. Galler, Berner, Straßburger, Limburger u.a.m.) und →Weltchronik. Wichtigste die um 1150 von e. Regensburger Geistlichen verfaßte Kaiser-Ch. in Versen (→Reim-Ch.). Die Reimch. bildet e. Grenzfall zwischen Epik und Geschichtsschrei-

bung. Die Ch. schildert ihren Gegenstand von Urbeginn bis Gegenwart und versteht Geschichte als Heilsgeschichte. Berühmte Ch.en von EUSEBIOS, HIERONYMUS, ISIDOR, dt. EKKEHARDT VON AURA, OTTO VON FREISING, EIKE VON REPGOW, SCHEDEL, franz. JOINVILLE, FROISSART, engl. GEOFFREY VON MONMOUTH und LAYAMON. Im 20. Jh. nimmt Ch. mehr den Sinn e. chronolog. Aufzeichnung, Chronologie = ›Ch. der Ereignisse‹ an. Dichter-Ch.en geben deren Lebenslauf nach Daten.

K. Jakob, Quellenkunde d. dt. Gesch. I ⁶1959, II ⁵1961, III 1952; W. Kaegi, Chronicon mundi, 1954; W. Struwe, Stud. z. Verh. v. Reim- u. Prosa-Ch., Diss. Bln. 1955; H. Schmidt, D. dt. Städtechr.n, 1958; RL ²; H. Grundmann, Geschichtsschreibung im MA., ²1969; H. Wenzel, Höf. Geschichte, 1980; N. H. Ott, Ch. (in: Ep. Stoffe d. MA., 1984).

Chronikalische Erzählung, Chroniknovelle, meist →histor. Erzählung (Roman, häufiger Novelle), die sich als Herausgabe e. alten Chronik (auch Briefe, Tagebücher u.ä.) ausgibt und nach einleitendem →Rahmen (Manuskriptfund) den fingierten Chronisten der alten Dokumente selbst berichten läßt, um den Eindruck der Unmittelbarkeit und tieferen Wahrhaftigkeit zu erwecken. Die Illusion wird häufig durch →Archaismen in Stil und Sprache erhöht, obwohl auch in der höchst kunstbewußten Form gerade schlichteste Wahrheit und Echtheit erreicht werden kann. – Nach dem Vorgang von RABENER (Chronik des Dörfchens Querlequitsch 1742) gewinnt die ch. E. breiteren Raum durch die Romantik und ihr verklärtes Bild der Vergangenheit: BRENTANOS Fragment Aus der Chronika e. fahrenden Schülers (1803 bzw. 1817) versucht zuerst e. altertümlich-umständliche Stilisierung, E. T. A. HOFFMANNS Elixiere des Teufels (1816) fingieren die Herausgabe alter Papiere. Reiche Pflege in der Schweiz: J. M. Usteri (*Zeit bringt Rosen*, 1811, *Gott beschert über Nacht*, 1812 u. a. m.), später C. F. Meyer, *Das Amulett*, 1873, *Der Heilige*, 1879, *Plautus im Nonnenkloster*, 1882, *Die Hochzeit des Mönchs*, 1884, und G. Keller, *Das Meretlein* im *Grünen Heinrich*, 1854. Virtuose Vollendung der Form bei W. Meinhold, *Maria Schweidler, die Bernsteinhexe*, 1843, durch meisterhafte Nachgestaltung barocker Sprache, damit größte Realistik. Andere ch. E.en oder Einschübe verzichten mehr oder weniger auf Archaisierung der Sprache wie Stifter, *Aus der Mappe meines Ugroßvaters*, 1841, W. H. Riehl, *Meister Martin Hildebrand*, 1847, Raabes und F. v. Saars kurze Erzählungen sowie die häufig chronikalisch eingekleideten Novellen Storms, *Aquis submersus*, 1876, *Renate*, 1878, *Zur Chronik von Grieshuus*, 1884 u. a. In neuer Zeit Kolbenheyer mit archaisierter Sprache: *Meister Joachim Pausewang*, 1910, *Paracelsus*-Trilogie, 1917–25, *Das gottgelobte Herz*, 1938, zeitnah bei R. Huch: *Ludolf Ursleu*, 1892, *Aus der Triumphgasse*, 1902, E. Bertram, *Michaelsberg*, 1935, ähnl. auch Th. Mann, *Doktor Faustus*, 1947.

K. Friedemann, D. Rolle d. Erzählers i. d. Epik, 1910; Th. Rockenbach, Th. Storms Chroniknovv., Diss. Münster 1916; R. Leppla, W. Meinhold u. d. ch. E., 1928; RL; E. Lämmert, Bauformen d. Erzählens, ²1967; I.-M. Greverus, D. Chronikerz. (Volksüberlieferg., Fs. F. Ranke 1968); E. Knobloch, D. Wortwahl i. d. archaisierenden ch. E., 1971.

Chronique scandaleuse (franz. = Lästerchronik), nach dem 1611 aufgekommenen Titel e. Schrift (um 1488) des königl. Sekretärs Jean de Roye Schlagwort für e. Schrift, die die verborgenen wahren Laster oder bloßen Klatschgeschichten e. Gesellschaft oder Gemeinschaft literarisch ausbeutet.

Chronistichon (griech. *chronos* = Zeit, *stichos* = Vers: Zeitvers) →Chronogramm.

Chronodistichon →Chronogramm

Chronogramm (griech. *chronos* = Zeit, *graphein* = schreiben: Zeitinschrift), Merkvers, bes. Inschrift, in der die zugleich als röm. Zahlenzeichen gebrauchten (meist großgeschriebenen) Buchstaben nach ihrem Zahlenwert zusammengezählt die Jahreszahl des Ereignisses geben, auf das sich die Inschrift bezieht, z. B.: LVtetIa Mater natos suVos DeVoraV It = 1572, Bartholomäusnacht. Als Vers Chronistichon, als Doppelvers Chronodistichon genannt.

E. Kuhs, Buchstabendichtg., 1982.

Chronograph (v. griech. *chronos* = Zeit, *graphein* = schreiben), 1. Verfasser e. →Chronik, insbes. die byzantin. Verfasser von Weltchroniken als der geläufigsten Form der Geschichtsschreibung (J. Malalas, K. Manasse, Nikephoros I., M. Glykas u. a.). – 2. im Rußland des 15.–17. Jh. e. Form der Chronik selbst, die über die antike und byzantin. Geschichte in die Landesgeschichte mündet.

Ch'uan-ch'i, chines. Dramenform der Yüan- und Ming-Zeit (12. bis 17. Jh.), südchines. Gegenstück zum →Tsa-chü mit beliebig vielen Akten und großen metr. und musikal. Freiheiten; am bekanntesten *P'i-p'a chi (Die Laute)*.

Cicerone (ital.), urspr. die wegen ihrer Redseligkeit mit Cicero verglichenen ital. Antiquare und Fremdenführer; seit J. Burckhardts gleichnamiger Schrift (1855) auch ein lit. Reisehandbuch mit Beschreibung der Kunstdenkmäler und Sehenswürdigkeiten.

Ciceronianismus, Richtung in der ital. Rhetorik und Stilkunst der Renaissance im 16. Jh., die zur klass. Latinität und zum Stil CICEROS zurückkehren will. An der Diskussion um die Vereinbarkeit heidn.-philos. Rhetorik und individueller christl. Gedanken beteiligen sich u.a. PETRARCA, L. VALLA, A. POLIZIANO, ERASMUS, BEMBO, E. DOLET.

R. Sabbadini, *Storia del ciceronianismo,* Turin 1886; M. Fumaroli, *L'âge de l'eloquence,* Genf 1981.

Cinquain (franz. = Fünfzeiler), von der amerikan. Dichterin A. CRAPSEY (*Verse,* 1915) in Anlehnung an japan. Vorbilder (Haiku, Tanka) entwickelte Gedichtform: jambischer Fünfzeiler von jeweils 2, 4, 6, 8 und wieder 2 Silben je Zeile, also insges. 22 Silben; knappe, elegante, doch leicht preziöse Form.

Circumlocutio (lat.) = →Periphrase

Cisiojanus, vom SpätMA. bis ins 16. Jh. übliche Merkverse, aus denen man Abfolge und Datum der unbewegl. wichtigsten Festtage und Kalenderheiligen nach der Silbenzahl ihrer Anfangssilben innerhalb des Monatsverses abzählen konnte; so bedeutet ›cisio‹ (aus lat. *circumcisio* = Beschneidung, sc. Christi) in Anfangsstellung vor ›janus‹ (aus *januarius*), daß dies Fest auf den 1. Jan. fällt; meist in 24 ansonsten sinnfreien Hexametern (je Monat 2) oder dt. Reimversen abgefaßt, u.a. auch von OSWALD VON WOLKENSTEIN, KONRAD VON DANGKROTZHEIM und MELANCHTHON.

R. M. Kully, C. (Schweiz. Archiv f. Volkskde. 70, 1974); H. A. Hilgers, Versuch üb. dt. C. (Poesie u. Gebrauchslyr., hg. V. Honemann 1979).

Claque (franz. = Händeklatschen), die Gesamtheit der Claqueure (franz. = Klatscher), von Theaterdirektoren, Autoren oder Schauspielern bestellte und mit Geld, Freikarten, Ermäßigung oder Bewirtung bezahlte Beifallklatscher im Theater. Schon in der Antike bekannt und bei PLAUTUS, SUETON und TACITUS erwähnt, ebenso in MA., Renaissance und elisabethan. Zeit; seit Beginn des 19. Jh. von Paris aus in andere europ., auch dt. Theaterstädte verbreitet und selbst im 20. Jh. in Studioaufnahmen des Fernsehens üblich. Sie sollen zu allg. Beifall anregen und dem Stück damit Erfolg sichern. Zur Zeit der Hochblüte, etwa bei profesionellen Organisationen wie LANTONS ›Assurance de succès dramatique‹ (1820 in Paris gegr.), unterscheidet man versch. Gruppen je nach der Arbeitsweise: Klatschen, Trampeln, Beifallmurmeln, Nebenbemerkungen, Ausrufe, Lachen bzw. Schluchzen, Dacaporufen bis zum Anpreisen des Stückes an Anschlagsäulen und in Cafés.

Clavis (lat. = Schlüssel), veraltete Bz. für lexikalische Werke zur Erläuterung antiker Schriftwerke oder der Bibel.

Clerihew, Bz. von Edmund Clerihew BENTLEY für die von ihm 1905 entwickelten Nonsense-Verse, Vierzeiler aus zwei Reimpaaren unterschiedl. Länge über berühmte Persönlichkeiten, deren Name den Reim der 1. Zeile liefert.

K. Thielke, Mehr Nonsense-Dtg., NS 5, 1956.

Cliché →Klischee

Cliffhanger (engl. ›vom Felsen Hängender‹), Fortsetzungsroman oder Fernsehserie, deren Episode gerade im spannendsten Moment abbricht.

Clio →Klio

Clique (franz. = Verein), Gruppenbildung – auch von Literaten –, deren Mitglieder durch starken inneren Zusammenhalt, gegenseitige Förderung und systematische Bekämpfung Außenstehender oder anderer C. sich gegenseitig maßgebliche Einflüsse und Schlüsselstellungen zuspielen.

Clown (engl. = Tölpel), urspr. die →komische Person des engl. Theaters, der →Hanswurst, seit 16. Jh. aufgekommen und auch im Trauerspiel erscheinend, schließlich als Spaßmacher und Dummer August in die Pantomime und von dort als Akrobat oder Scherzmusiker in den Zirkus verwiesen. Das Groteske seiner Komik und sein verzerrtes Menschenbild, in dem tief menschliche Züge immer wieder durchbrechen, ohne zu triumphieren, läßt den C. immer wieder zu einer Schlüsselfigur moderner Erzählkunst aufsteigen (G. GRASS, *Die Blechtrommel*, H. BÖLL, *Ansichten eines Clowns* u. a.).

M. W. Disher, *C.s and pantomimes*, Lond. 1925; E. Welsford, *The fool*, Lond. 1935; A. Nicoll, *The world of harlequin*, Cambr. 1963; F. Usinger, D. geist. Funktion d. C. i. uns. Zeit, 1964; W. Willeford, *The fool and his scepter*, 1964; C. v. Barloewen, C., 1981; D. Wiles, *Shakespeare's C.*, Cambr. 1987.

Cobla (provenzal., v. lat. *copula*), die Strophe in der provenzal. Troubadourlyrik, je nach dem Reimschema unterschieden in C. unisonans mit gleichem Endreim aller Verse, C. singular mit versch. Endreimen innerhalb der Strophe, C. doblas mit gleicher Endreimfolge in zwei aufeinanderfolgenden Strophen und C. ternas mit gleicher Endreimfolge in drei aufeinanderfolgenden Strophen. Bei der C. retrogradada wiederholt die 2. Strophe die Reimfolge der 1. in umgekehrter Reihenfolge.

Da eine einstrophige C. (→cobla esparsa) oft eine gleichgebaute Antwortstrophe hervorruft, bezeichnet C. gelegentlich auch eine solche zweistrophige Kurzform der →Tenzone.

A. Jeanroy, *La poésie lyr. des troubadours* II, Paris 1934.

Cobla esparsa (provenzal. = isolierte Einzelstrophe), Form der ma. Lehr- und Scheltdichtung der provenzal. Troubadours seit dem 12. Jh.: isolierte Kanzonenstrophe sentenziösen, didakt. oder epigrammat.-aggressiven Charakters als in sich selbständiges Einzelgebilde entsprechend dem mhd. Spruch. Evtl. Ausgangspunkt für die Sonettform als ital. Sonderform der C. e. Vgl. →Cobla.

K. Voßler, D. Dichtgsformen d. Romanen, 1951.

Cockney (engl. = Hahnenei), der vulgäre Großstadtjargon der Londoner City, z. B. in SHAWS *Pygmalion*.

Coda (ital. = Schweif), 1. in provenzal. und ital. Lyrik der Abgesang (Sirima) der →Kanzone. Vgl. →Cauda. – 2. in ital. Dichtung Zusatz (Geleit) zum →Sonett (Schweifsonett), zuerst mit dem letzten Vers reimender Elfsilber oder Elfsilberpaar mit eigenem Reim, ab 14. Jh. auf den letzten Vers reimender Siebensilber und folgendes Elfsilberpaar mit eigenem Reim; später wurden auch mehrere C. angehängt. – 3. bei den →Sirventes der abschließende Kurzvers der Strophe, gibt den Reim der folgenden Strophe an.

Codex (lat. = Baumstamm, Holzklotz, Mz. Codices), röm. Vorform des →Buches: durch Scharniere, Riemen oder Ringe in Heftform zusammengebundene, mit e. Wachsschicht zum Schreiben überzogene Elfenbein- oder Holzschreibtafeln

(→Diptychon), schon früh für kürzere Aufzeichnungen benutzt. Beim Übergang vom →Papyrus zum →Pergament wurde die C.form bevorzugt, da sich das Pergament nicht so gut in Rollen herstellen ließ. Im 1. Jh. n.Chr. waren beide Formen vertreten, im 4./5. Jh. wurden alle Rollen in Codices umgeschrieben; was der Arbeit nicht für wert gehalten wurde, ging damit verloren. Der C. mit in Lagen gefalteten, doppelseitig beschriebenen Pergamentblättern zwischen mit Leder oder Metall überzogenen Holzdeckeln, vielfach in ma. Klöstern prunkvoll durch Miniaturen und Ornamente illuminiert, nimmt mit anderen Materialien bis ins 15. Jh. die Form des heutigen Buches vorweg. C. *rescriptus* (lat. = wiederbeschrieben) →Palimpsest. Von der Erscheinungsform des C. als Slg. zusammengehöriger Texte wird die Bz. auf diese selbst übertragen *(C. Justinianus, C. juris canonici)*, dann von solchen Vorschriftensammlungen auf deren Inhalt (Ehren-C.).

C. H. Roberts u.a., *The birth of the c.*, Oxf. 1983. →Paläographie, →Buch.

Collage (franz. = Kleben), entsprechend den gleichnamigen Klebebildern der kubist. Kunst aus präfabriziertem Material eine experimentelle lit. Technik, die den Text mit Anspielungen, Zitaten anderer Autoren und vorgeprägten Wendungen (auch in fremden Sprachen) versetzt, um dadurch dem Thema weitere Horizonte abzugewinnen. Sodann deren lit. Ergebnis: Werke aus e. Kombination heterogener, unzusammenhängender reproduzierter Sprachstücke, bes. im Futurismus, Dadaismus, Surrealismus, im →Cento, der →Dokumentarlit., dem mod. Hörspiel, bei J. JOYCE, T. S. ELIOT und E. POUND; MALLARMÉ, APOLLINAIRE, GIDE, DOS PASSOS und BUTOR; in dt. Lit. bei A.

HOLZ, DÖBLIN, EINSTEIN, SCHEERBART, ARP, SCHWITTERS, HEISSENBÜTTEL, JANDL, MON, A. SCHMIDT, P. WEISS und ARTMANN, am deutlichsten in der satir. Zitat C. von K. KRAUS, *Die letzten Tage der Menschheit*. Die Bz. C. wurde anfangs mit der der →Montage gleichgesetzt.

W. C. Seitz, *The art of assemblage*, 1961; H. Wescher, D. C., 1968; Prinzip C., hg. F. Mon 1968; H. Vormweg, Dokumente u. C.n (Neues Hörsp., hg. K. Schöning 1970); K. Riha, Cross-Reading und Cross-Talking, 1971; U. Weisstein, C., CLS 15, 1978; ders., *Verbal paintings*, YCGL 27, 1978; R. Faber, D. C.-Essay, 1979; Lit. C.n, hg. V. Hage 1981; ders., C. n. i. d. dt. Lit., 1984.

College Novel (engl. = Universitätsroman), der an Colleges und Universitäten spielende Roman, dessen Hauptfigur vorwiegend Intellektuelle mit weltanschaul., soz., psych. oder erot. Problemen sind; geläufigster Typus des anspruchsvollen amerikan. Gegenwartsromans, z.B. bei S. BELLOW, M. MCCARTHY, E. SEGAL, V. NABOKOV, J. D. SALINGER u.a.

J. O. Lyons, *The C. N. in America*, Carbondale 1962.

Colombina (ital. = Täubchen), feststehende Typenfigur der →Commedia dell'arte: die listig-kokette Zofe, Tochter oder Dienerin des Pantalone und später Geliebte des Arlecchino, gelegentlich auch als Arlecchinetta wie dieser buntscheckig gekleidet. Fortleben in der franz. →Soubrette und als Columbine in der engl. Pantomime.

Colon →Kolon

Comedia (span./portug.), in der span. und portugies. Lit. Bz. nicht nur für Komödie oder Lustspiel, sondern feststehende Bz. für jedes – ernste oder heitere – dreiaktige weltl. Versschauspiel meist glückl. Endes um Liebe, Ehre, Treue nach

Stoffen aus Gegenwart und Vergangenheit im Ggs. zum geistl. →Auto sacramental, zu den einaktigen Vorspielen (→Loas), Zwischenspielen (→Entremeses) und Nachspielen (→Sainetes) und zu den →Zarzuelas (Singspielen). Ihre Hauptformen sind die →Comedia en capa y espada und die →Comedia de ruido. Unter den wechselreichen Versformen überwiegt der trochäische Achtsilber.

H. J. Chaytor, Dram. theory in Spain, Cambr. 1925; M. Newels, D. dram. Gattgn. i. d. Poetiken d. Siglo de oro, 1959.

Comedia de ruido (span. = Lärm) oder C. de teatro, →Ausstattungsstück mit reichen Bühnenmitteln, zahlr. Figuren und lebhafter äußerer Handlung im Ggs. zur →C. en capa y espada.

Comedia en capa y espada (span. =) Mantel- und Degenstück, nach der Kleidung der in ihnen auftretenden oberen Gesellschaftsklassen (caballeros bzw. galanes u. damas) benannte span. Schauspiele im Ggs. zur →C. de ruido, fast dekorationslos gespielte feine Intrigenstücke von vornehmstem sprachl. Ausdruck meist um Heiratspläne, die durch Zufälle, Mißverständnisse, Verkleidungen, Verwechslungen oder die Umwelt verhindert, doch schließlich glücklich durchgeführt werden, z. T. in sozial abgestufter Duplizität der Fälle; inhaltl. beherrschende Rolle der Ehre. Stehende Kontrastfigur neben dem idealisierten Helden ist e. komisch-parodierende Bedientenrolle (Gracioso, meist unter Namen wie Picaro, Bobo, Simple). Hauptvertreter sind Lope de Vega, P. Calderón, Tirso de Molina, A. Moreto y Cabaña, J. Ruiz de Alarcón.

Comedie (franz.), in franz. Lit. nicht nur die →Komödie, sondern auch das ernste Drama (→Schauspiel) mit untrag. Ausgang.

E. Winkler, Z. Gesch. d. Begriffs C. i. Frankreich, 1937.

Comédie-ballet (franz.), von Molière entwickelte Mischform von Drama und Ballett, in der in die Handlung oder zwischen die Akte der Komödienhandlung Balletteinlagen eingefügt werden, die das Thema der Haupthandlung satirisch oder burlesk variieren. Nach dem Erfolg von Les fâcheux (1661) schrieb Molière noch 13 weitere C.-b., am bekanntesten Le bourgeois gentilhomme (1670).

F. Böttger, Die C. b., 1931.

Comédie de mœurs →Sittenstück

Comédie de salon (franz. =) Salontheater, im Frankreich des 18. und frühen 19. Jh. unterhaltsame Theaterstücke für Privataufführungen in geschlossener Gesellschaft, die die soz. Gleichrangigkeit von Darstellern, Rollen und Zuschauern voraussetzen; iron.-satir. und z. T. erot. Fortsetzungen des Gesellschaftslebens als Gesellschaftstheater. Hauptautoren: L. de Carmontelle, Leclerq, später A. de Musset; Sonderform die →Proverbes dramatiques. Vgl. →Salonstück.

V. du Bled, La comédie de société au 18e. siècle, Paris 1893; M. Herrmann, D. Gesellschaftstheater des L. C. de Carmontelle, 1968.

Comédie larmoyante (franz. Bz. nach Chassiron, von Lessing als →»weinerliches Lustspiel« übersetzt), frühaufklärerische, empfindsame Form der franz. →Tragikomödie 1730–1750. In Verbindung mit e. Wandlung des Lebensgefühls, die schon den Abstieg der klass. Tragödie hervorgerufen hatte, das Bürgertum im Ggs. zur →Ständeklausel ernst nahm und später das →bürgerliche Trauerspiel hervorbringen sollte, entsteht in Frankreich als

Übergangsform die c. l. aus der im Bürgertum angesiedelten Komödie durch Zurückdrängung des Komischen, Aufnahme rührender Elemente und Beibehaltung des glückl. Ausgangs. In der c. l. steht Tugend neben Laster, und durch ans Tragische grenzende Verwicklungen wird die Gefühlsteilnahme der Zuschauer bis zur Rührung geweckt, die zwischen Erschütterung und Heiterkeit schwankt, bis mit dem Sieg des Guten und Lösung aller Intrigen der obligate Schluß eintritt. Engl. Vorbild ist die ›sentimental comedy‹ von C. CIBBER und R. STEELE. Hauptvertreter sind nach dem Vorgang von MARIVAUX und DESTOUCHES in Frankreich F. DANCOURT und NIVELLE DE LA CHAUSSÉE (1692–1754) mit *Fausse antipathie*, 1733, *Le préjugé à la mode*, 1735, *L'école des amis*, 1737, *Mélanide*, 1741 und *La gouvernante*, 1747. Auch VOLTAIRES *L'enfant prodigue* steht der Gattung sehr nahe, ebenso bes. DIDEROT *(Le père de famille)*, der zum ernsten →bürgerlichen Trauerspiel überleitet. Erster theoret. Verteidiger der c. l. ist Louis RICCOBONI 1738. Über die Nachfolge in Dtl. →Weinerliches Lustspiel und →Rührstück.

G. Lanson, *N. de la Chaussée*, 1887; A. Trettin, Darstellg. d. Familienlebens i. d. c. l., Diss. Kiel 1911.

Comédie rosse (franz. *rosse* = gemein), in Frankreich Abart des naturalist. Dramas von naiver Unmoralität, krasser Brutalität und unbewußtem Zynismus, um 1887 bis 1895 bes. in A. ANTOINES Théâtre libre gepflegt. Autoren waren u. a. J. JULIEN (*Le maître*, 1890), G. ANCEY (*L'école des veufs*, 1889), P. ALEXIS (*Monsieur Betzy*, 1889), H. CÉARD, L. HENNIQUE.

H. Weber, Die C. r., Archiv 105, 1954.

Comedy of humours (engl.), engl. Sonderform der Renaissancekomö-

die im 16./17. Jh., noch z. T. typenhafter Vorläufer der →Charakterkomödie. Sie bezieht ihre kom. Wirkung aus dem Renaissance-Ideal des Decorum, das eine ausgeglichene Persönlichkeit verlangt und jede Exzentrizität verabscheut, aus der traditionellen Säftetheorie, die Gesundheit und Charakter von der richtigen Mischung der vier Grundsäfte im menschl. Körper abhängig macht, und aus der Konfrontation einer solchen nach Ausgeglichenheit strebenden Gesellschaft mit einzelnen extrem überzeichneten Narren und Exzentrikern, die als menschlich zu kurz gekommen, doch nicht schädlich aufgefaßt werden. Vertreter sind vor allem B. JONSON (*Every Man in His Humour*, 1598; *The Silent Woman*, 1609; *The Alchemist*, 1610 u. a.), ferner J. FLETCHER, G. CHAPMAN sowie später SHADWELL (*The sullen lovers*, 1668) und CONGREVE mit Übergang zur →Comedy of manners.

F. E. Schelling, *Elizabethan Drama*, 1910; H. L. Snuggs, *The Comic Humours*, PMLA 62, 1947.

Comedy of manners (engl. = Sittenstück), engl. Sonderform des →Sittenstücks im ausgehenden 17. und 18. Jh., die absurde soziale Zustände, korrumpierte Auffassungen und unmoral. Verhaltensweisen korrigieren will, sie daher satirisch überzeichnet, anprangert und der Lächerlichkeit preisgibt. Hauptvertreter sind DRYDEN, ETHEREGE, WYCHERLEY und CONGREVE, im 18. Jh. SHERIDAN (*School for scandal*, 1777) und GOLDSMITH. Die Verspottung veräußerlichter, überholter Sitten in Salon- und Konversationsstücken lebte Ende des 19. Jh. wieder auf mit WILDE, MAUGHAM und COWARD.

J. Palmer, *The c. o. m.*, 1913, n. 1962; B. Dobrée, *Restoration Comedy*, Oxf. 1924; N. W. Sawyer, *The c. o. m.*, 1931,

n. 1969; C. S. Paine, C. o. m., Boston 1941; K. Muir, *The c. o. m.*, Lond. 1970; D. L. Hirst, *The c. o. m.*, Lond. 1979.

Comics (amerikan. *comic strips* = komische Bildstreifen), die unterste, ästhetisch, lit. und gehaltlich mangelhafte Stufe der →Bildergeschichte, bestehend aus e. Kombination von gezeichnetem Bildstreifen (panels, bandes), Erzähltext und Dialog. Die oft primitiv ausgeführten Zeichnungen, die die Handlung in Phasenverschiebungen oder Kernpunkten vorantreiben, überwiegen an Informationswert die gelegentlich eingeschobenen, knapp Sprünge ergänzenden oder erläuternden Zwischentexte sowie den Dialog, der den Figuren in den für die C. typ. Sprechblasen (engl. *balloons*, ital. *fumetti*, Wölkchen) aus dem Munde quillt, und bestätigen den weitgehend unlit. Charakter der C. Ihre bevorzugten Stoffe sind Tiergeschichten (*Mickey Mouse*, 1930 ff. und *Donald Duck*, 1938 ff. von W. Disney), Leben und Taten histor. oder pseudohistor. Helden (*Prinz Eisenherz, Astérix*), Abenteuer phantast., unüberwindl. Übermenschen (*Tarzan*, 1929; *Mandrake*, 1935; *Superman, Batman, Phantom*) und Fabelwesen in utop. Situationen, ferner und vorzugsweise jede Art von Science Fiction, Krieg, Kriminal- und Detektivgeschichten, Verbrechen, Horror und Sadismus sowie massiver Sex, aber auch infantile Raffungen von Werken der Weltlit. (*Odysseus, Faust, Hamlet, Bibel*), Geschäftsreklame und polit. Propaganda. Der Humor, der den C. urspr. den Namen gab, spielt darin eine ebenso geringe Rolle wie der normale Bürgeralltag. Das Geschehen ereignet sich vielmehr meist in e. imaginären Welt, e. histor.-geograph. Chaos, in dem neben Raumschiffen Saurier auftreten und alles nur der Erzeugung des Außergewöhnlichen und der Spannung dient. Auch die Figuren, grobschlächtig in Gut und Böse, Freund und Feind geschieden, sind entweder finstere Untermenschen und machtgierige Verbrecher oder strahlende Helden, Archetypen des unterschwelligen Wunschdenkens, die sich in allen nur denkbaren Situationen bewähren und zu e. neuen, volksläufigen Mythologie des Massenzeitalters werden. Der Primitivität des Aufbaus, der ein episodenhaftes Nacheinander ohne festere gedankliche Bindung und Spannungssteigerung liebt, entspricht in den Textbeigaben eine vereinfachte typisierte, kurzatmige, z. T. absichtlich entstellte Sprache mit kurzen und vielfach unvollständigen Sätzen, individualisierenden Interjektionen und den für die Gattung typ. Lautmalereien für Geräusche. Die Wirkung der C. auf Leser und insbes. Jugendliche wurde früher als allzu gefährlich, abstumpfend, verrohend und das geistige Leistungsvermögen zersetzend überschätzt, doch kann als sicher gelten, daß das primitiv entstellte Bild der Welt, des Menschen und der Gesellschaft in den C. die Einordnung erschwert, daß die Verkümmerung von Sprache und Phantasie durch die Vorwegnahme der Vorstellungen eine geistige Bewältigung der Welt unterbindet und zu einer inneren Verarmung führt. Die präfabrizierten Klischees schalten das log. Denken aus und verhindern jede Differenzierung des Weltbildes. – Es ist bezeichnend für den Trivialcharakter der C., daß alle in Anspruch genommenen Vorläufer (außer den →Bilderbogen) auf künstlerisch höherem Niveau stehen: der Teppich von Bayeux, ma. Miniaturen mit Spruchbändern, Hogarths Bilderfolgen *The Rake's Progress* und *Marriage à la Mode*, W. Buschs

Bildergeschichten, später die Bildromane von R. TOEPFFER und die Bildergeschichten von O. JAKOBSON *(Adamson)* und O. E. PLAUEN *(Vater und Sohn)*. Die ersten C. erschienen in den USA der 80er Jahre fortsetzungsweise auf den letzten Seiten von Magazinen, Zeitschriften, dann auch Zeitungen: *The Origin of Species,* 1894, *The Yellow Kid* von R. F. OUTCAULT 1896, *The Katzenjammer Kids* von R. DIRKS 1897ff., *Lady Bountiful* von G. CARR u.a., dann seit 1932 daneben auch als (meist farbige) Broschüren und Bücher *(comic books)* mit massenhafter Verbreitung von insges. bis zu 100 Mill. Exemplare monatlich, die von 50–70% aller Amerikaner und 165 Mill. Menschen in der Welt regelmäßig gelesen werden. Das Vordringen der C. nach Europa und Dtl. nach 1945, urspr. mehr als Jugendlektüre, erbrachte in den Jahren 1950–60 rd. 1,5 Mill. Exemplare monatlich in der BR und ging seither trotz Verfilmungen und Fernsehsendungen zurück. Jüngere Entwicklungen sind die freundliche Darstellung menschl.-kindl. Schwächen in den *Peanuts* von Ch. M. SCHULZ 1950ff., der iron.-didakt. *Astérix* von R. GOSCINNY 1961ff., die Sex und Gewalttat verbindenden C. für Erwachsene *(Barbarella* von J.-C. FOREST 1964, *Phoebe Zeit-Geist* von M. O'DONOGHUE und F. SPRINGER 1965 und *Jodelle* von P. BARTIER und G. PEELLAERT 1966), die Indienstnahme der C. für polit. Agitation der Untergrund Lit. und die in Italien beliebten Photoromane mit gestellten Bildern und Blasendialogen. D. BUZZATI umschrieb 1970 den Orpheus-Mythos als C.

M. Sheridan, *C. and their creators,* Boston 1942; C. Waugh, *The C.,* 1947; F. Wertham, *Seduction of the innocent,* N.Y. 1954; M. Welke, D. Sprache d. C., 1958, [4]1974; M. Doetsch, C. u. ihre jugendl. Leser, 1958; S. Becker, *Comic art in America,* N.Y. 1959; C. della Corte, I fumetti, Mail. 1961; D. M. White u. R. H. Abel, *The funnies,* N.Y. 1963; K. Riha, D. Blase im Kopf (in: Triviallit., hg. G. Schmidt-Henkel 1964); A. Baumgärtner, D. Welt d. C., 1965; J. Feiffer, *The great c. book heroes,* Lond. 1967; *Bande dessinée,* hg. P. Couperie, Paris 1967; P. Couperie, M. C. Horn, *A hist. of the C. strip,* N.Y. 1968; G. Blanchard, *La bande dessinée,* Verviers 1969; K. Riha, Zok roarr wumm, 1970; Vom Geist der Superhelden, hg. H. D. Zimmermann 1970; G. Metken, C., 1970; W. J. Fuchs, R. C. Reitberger, C., 1971, [2]1974; W. Kempkes, Bibliogr. d. internat. Lit. üb. C., 1971, [2]1974; L. Daniels u.a., *Comix,* N.Y. 1971; A. Brück, Sex u. Horror i. d. C., 1971; F. Lacassin, *Pour un 9. art,* Paris 1971; J. Wermke, Wozu C. gut sind, 1973, [4]1979; H. Künnemann, C. (in: Kinder- u. Jugendlit., hg. G. Haas 1974); W. K. Hünig, Strukturen d. C. strip, 1974; C. i. ästhet. Unterr., hg. D. Pforte 1974; C. Materialien, hg. D. Hoffmann 1975; W. U. Drechsel u.a., Massenzeichenware, 1975; H. J. Kagelmann, C., 1976; P. Burgdorf, C. i. Unterr., 1976; C. u. Religion, hg. J. Wermke 1976; M. Pierre, *La bande dessinée,* Paris 1976; *The World Encycl. of C.,* hg. M. Horn N.Y. 1976, n. 1984; E. K. Baur, D. C., 1977; U. Krafft, C. lesen, 1978; C., hg. R. Gubern u.a. 1978; W. J. Fuchs u.a., C.-Hb., 1978; P. Skodzik, Dt. C.-Bibliogr., 1978; A. C. Baumgärtner, D. Welt d. Abenteuer-C., 1979; H. Philippini u.a., *Hist. de la bande dessinée en France,* Paris 1980; H. J. Schnackertz, Form u. Funktion medialen Erzählens, 1980; C. Holtz, C., 1980; H. Schröder, Bildwelten u. Weltbilder, 1982; D. Grünewald, C., 1982; A. Pleuß, Bildergeschn. u. C., 1983; P. Bronson, *Guide de la bande dessinée,* Paris 1984; D. Grünewald, Wie Kinder C. lesen, 1984; U. Baur, F. e. Gattgstheorie d. C., EdT 1984; T. Groensteen, *La bande dessinée depuis 1975,* Paris 1985; K. Hecker, Fotoromane (Publizistik 30, 1985); R. Neumann, Bibliogr. z. C.-Sekundärlit., 1987; K. Riedemann, C., Kontext, Kommunikation, 1988.

Commędia, in ital. Lit. urspr. jedes in der Volkssprache abgefaßte ernste oder heitere Gedicht (DANTES *Divina* C.) mit glücklichem Ausgang, später bes. für – auch ernste – dramatische Dichtungen und schließlich →Komödien.

Commędia dell'ąrte (ital. *arte* = Kunst, Beruf), volkstümliche ital.

→Stegreifkomödie mit feststehen-
dem →Szenar (Handlungsverlauf
und Szenenfolge), das stereotype
Verwicklungen variiert; die Einzel-
ausführung sowie die eingestreuten
Witze, Tanz-, Musik-, Zaubereinla-
gen, Akrobatik und mimischen
Scherze (Lazzi) werden im Augenblick der Darstellung anhand e. großen Szenenrepertoires der Schauspieler erfunden, Monolog und Dialog bleiben der Improvisation überlassen (daher kein lit. Niederschlag,
nur Modellbücher zur Improvisation bestimmter Szenen, zibaldoni),
ihr Erfolg hängt daher ab von Mimik, Gestik und Improvisationskunst der darstellenden Berufsschauspieler. Zu den feststehenden,
durch Gesten und Kostüm gekennzeichneten, psychologisch kaum
charakterisierten Typen der C. d. a.,
von denen die kom. Typen Halb-
masken trugen, haben alle ital.
Landschaften und Dialekte beigetragen; viele sind zeitlos geworden:
Dottore, e. schwatzhafter, gelehrter
Pedant aus Bologna, Pantalone, der
einfältige Vater, vornehme Kaufmann und geprellte Ehemann aus
Venedig, Arlecchino bzw. Brighella
aus Bergamo oder Pulcinella aus
Neapel, sein pfiffiger Diener, Colombina (Smeraldina) dessen Geliebte, Scaramuccio, der bramarba-
sierende Capitano, Tartaglia, der
Stotterer, Beltrame, der Querkopf
u. a. m., z. T. aus der →Atellane entlehnte Figuren. – Die C. d. a. entstand aus Anregungen aus ital. Farcen, Karnevalsspielen, volkstüml.
Mundartkomödien und den lit. Re-
naissancekomödien (→Commedia
erudita, MACHIAVELLI, ARIOSTO,
ARETINO) um Mitte des 16. Jh. in
Oberitalien (1545 Padua), angeblich von Francesco CHEREA, dem
Komiker LEOS X., erfunden, und
bestand, durch Graf Carlo GOZZI
(18. Jh.) in seinen Märchenstücken

poetisch verfeinert, trotz der litera-
risierenden Ersatzversuche Carlo
GOLDONIS bis zu Anfang des 19. Jh.
und wurde nach 1947 durch G.
STREHLER u. a. wiederbelebt. Durch
Wandertruppen über ganz Europa
bis nach Madrid, Kopenhagen und
Petersburg verbreitet, gewinnt sie
bedeutenden Einfluß auf Lustspiel
und Posse der anderen Länder. Im
dt. Sprachraum verdankt ihr schon
GRYPHIUS und trotz der GOTT-
SCHED-NEUBERSCHEN Reform das
Wiener →Volksstück von STRANIT-
ZY bis RAIMUND und NESTROY
stärkste Anregungen, und GRILL-
PARZER, P. ERNST, H. v. HOF-
MANNSTHAL u. a. griffen auf ihre
Formen zurück; in Frankreich, wo
die ›Comédie italienne‹ 1660 zu co-
médiens du roi ernannt wurde, steht
MOLIÈRE unter ihrem Einfluß, bis er
die Typenkomödie durch die
→Charakterkomödie ersetzt, in
Spanien Lope de VEGA; auch in
England ist ihre Wirkung bei
SHAKESPEARE u. a. elisabethan. Dra-
matikern spürbar.

M. Scherillo, *La c. d. a. in Italia,* Turin
1884; W. Smith, *The c. d. a.,* 1912, n.
1966; P. L. Duchartre, *La comédie ital.,*
Paris ²1925; ders., *La c. d. a. et ses enfants,* Paris 1955; C. Mic, *La c. d. a.,*
Paris ²1927; E. Petraccone, *La c. d. a.,*
Neapel 1927; M. Apollonio, *Storia de la
c. d. a.,* Rom 1930; M. J. Wolff, D. C. d.
a., GRM 1933; K. M. Lea, *Italian Popular Comedy,* Oxf. II 1934; H. Kindermann, D. C. d. a. u. d. Volkstheater,
1938; A. Kutscher, D. c. d. a. u. Dtl.,
1955; T. Niklaus, *Harlequin,* 1956; V.
Pandolfi, *La C. d. a.,* Florenz VI
1957–61; A. K. Dshiwelegow, C. d. a.,
1958; M. T. Herrick, *Ital. comedy in the
Renaiss.,* Urbana 1960; A. Nicoll, *The
World of Harlequin,* Cambr. 1963, n.
1987; W. Hinck, D. dt. Lustsp. d. 17. u.
18. Jh. u. d. ital. Komödie, 1965; G.
Oreglia, *The C. d. a.,* Oxf. 1968; F. Ta-
viani, *La c. d. a. e la soc. barocca,* Rom
1969; W. Krömer, D. ital. C. d. a., 1976;
G. Hansen, Formen d. c. d. a. in Dtl.,
1984; C. d. a., hg. D. Esrig 1986, ²1987.

Commedia erudita (ital. = gebildet), im Italien der Renaissance

nach antikem Vorbild und bes. unter Einfluß der röm. Komödie von den Humanisten entwickeltes Charakter- und Intrigenlustspiel, im Ggs. zur C. dell'arte für Laienaufführungen ohne viel Ausstattung an Höfen und Schulen. In Einhaltung der Poetikregeln, z.T. in Prosa, in Motiven und Plots Nachahmung der komplizierten Intrigen bes. der Neuen Komödie. Hauptvertreter: Aretino, Ariosto und Machiavelli *(Mandragola)*.

Commentarius (lat. =) →Kommentar, →Hypomnema

Common metre oder **common measure** (engl. = gewöhnliches Versmaß), Strophenform aus vier jambischen Verszeilen zu je 3 Hebungen im 2. und 4. Vers und je 4 Hebungen im 1. und 3. Vers mit der Reimfolge abab oder axay, verwendet in engl. Kirchenliedern (hymnal stanza) oder mit freierer Füllung in Balladen (ballad metre), auch als ›double c.m.‹ mit der Reimfolge abxayczc.

Complainte (franz. = Klage), lyrische Gattung des franz. MA. (Rutebeuf, später Ronsard, du Bellay) und der engl. Renaissance (Chaucer, Spenser): volkstüml. Klagelied in gedämpftem Ton meist als Monolog des Dichters auf ein trauriges Ereignis (unerwiderte Liebe, unglückliche Umstände, Gang der Welt, auch Niederlage, Mord oder Tod), z.T. nach trag. Stoffen bibl., legendärer oder novellist. Herkunft, gelegentlich auch als humorist. Scheinklage (etwa auf die leere Börse); ab 16. Jh. auch ins Satirische, ab 18. Jh. ins Burleske gewendet. Vgl. →Plan.
J. Peter, C. and Satire in Early Engl. Lit., Oxf. 1956; M. Wodsak, Die C., 1985.

Complexio (lat. =) →Symploke

Computerlyrik, lyr. Texte aus der elektron. Datenverarbeitungsanlage. Sie entstehen durch Fütterung des Elektronengehirns mit ausgewähltem Wortmaterial, das nach metr. Möglichkeiten vorsortiert ist und Hinweise auf Reimmöglichkeiten trägt, und durch Speicherung der grammat. und der Versregeln, in die die eingeflößten Vokabeln nach Zufallsauswahl eingefügt werden. Das Ergebnis sind aleator. (Zufalls-)Texte, absurde Kombinationen nicht zusammenpassender Wörter in klanglich vertrauten Versschemata, die ästhet. Reiz nur durch die verblüffenden Assoziationen gewähren, deren Sinnferne und Aussagelosigkeit die Ausweglosigkeit angesichts einer absurden, nicht verstehbaren Welt spiegeln.
G. Stickel, Computerdichtung, DU 18, 2, 1966; M. Krause u.a., C., 1967, ²1969; H. W. Franke, C'graphik, 1971; S. J. Schmidt, Ästhet. Prozesse, 1971; A. A. Moles, Kunst u. Computer, 1973; S. J. Schmidt, C. (in: Elemente e. Textpoetik, 1974).

Conceits, Concetti →Konzetti

Conceptismo →Konzeptismus

Condoreiros (nach dem Kondor als Vogel der Anden), humorist. Bz. für die 3. Phase der brasilian. Romantik 1860–70, die sog. Schule von Pernambuco, bes. L. F. Varela, T. Barreto und A. Castro Alves, wegen ihrer erhabenen Ziele ihrer patriot. soz. Gedichte, die oft den Kondor als Symbol verwenden.

Conférence (franz. =) Ansage in e. Kleinkunstbühne, e. Kabarett, bei öffentl. oder privaten Veranstaltungen, Unterhaltungssendungen im Rundfunk und Fernsehen u.ä. durch e. Conférencier.

Confessiones →Bekenntnisse

Confident (franz. =) Vertrauter, Figur im klass. franz. Drama, dem die Hauptfigur Geheimnisse, Pläne und innere Regungen anvertraut und die ihrerseits ihr Rat erteilt und durch ihr Wissen um Vorgeschichte und Hintergründe Informationslücken beim Publikum ausfüllt; in gew. Hinsicht Ersatz des →Chors; wegen ihrer Unselbständigkeit schon im 18. Jh. kritisiert, doch im Lustspiel (Werner und Franziska in LESSINGS *Minna von Barnhelm,* Max in SCHNITZLERS *Anatol*) bis ins 20. Jh. fortlebend.

Confrérie de la passion →Passionsbrüder

Congé (franz. = Urlaub), Gedichtart des franz. MA. ähnl. dem antiken →Apopemptikon, Abschiedsgedicht eines Abreisenden an die zurückbleibenden Freunde, z.B. bei Jean BODEL, ins Satirische gewandt bei ADAM DE LA HALLE.

Connecticut Wits oder Hartford Wits (engl. = Schöngeister von C. oder H.), erster nordamerikan. Dichterkreis in Hartford/Conn. um 1780/1800: J. TRUMBULL, T. DWIGHT, D. HUMPHREYS, J. BARLOW, ehem. Yale-Studenten, die zumeist mit dilettantenhaften polit.-satir. Gedichten und Epen eine eigenständige patriot.-amerikan. Dichtung begründen wollten.

V. L. Parington, *The C. W.,* 1926; L. Howard, *The C. W.,* Chicago 1943.

Consolatio (lat. = Trost, -schrift, -rede), röm. Lit.gattung: Trostgedicht, meist in Hexametern abgefaßte Grabgedichte, von STATIUS in den →Silvae zu feinster Form entwickelt, ferner e. anonyme C. an Livia beim Tode ihres Sohnes Drusus; auch CICERO und SENECA verfaßten Trostschriften in Prosa, philos.-rhetor. Inhalts. Nachwirkung: *Consolatio Philosophiae* des BOËTHIUS und Joh. GERSONS *De consolatione theologiae* (um 1418).

R. Kassel, Unters. z. griech. u. röm. Konsolationslit., 1958; H.-T. Johann, Trauer u. Trost, 1968; P. v. Moos, C., IV 1971 f.

Conspectus siglorum →Apparat

Constructio ad sensum →Constructio kata synesin

Constructio apo koinu →Apokoinu

Constructio kata synesin (lat. c. = Bau, griech. *k. s.* = nach dem Sinn), in der Stilistik mangelnde Übereinstimmung (Kongruenz) syntaktisch einander zugeordneter Satzteile (meist Subjekt und Prädikat) im Numerus, seltener Genus. Zugrunde liegt häufig e. Verlagerung der Vorstellung vom ausgedrückten Einzahlbegriff auf e. anschaul. Mehrzahl bzw. umgekehrt oder die Überlagerung des grammat. Geschlechts durch das natürliche, die das Beziehungsverhältnis lockert. Die C. k. s. erscheint öfter in älterer, weniger folgerichtig gegliederter und poet. Sprache, z.T. durch die Wortstellung hervorgerufen: ›Der Worte sind genug gewechselt‹ (statt: (es) ist. GOETHE, *Faust* 214).

Conte (franz. = Erzählung), in franz. Lit. in weiterem Sinne jede Erzählung, auch Verserzählung *(C. du Graal)* oder religiös belehrende *(c.pieux, c.dévot)* oder moralisierende *(c.moralisé)* Geschichte, im engeren Sinne eine kurze, meist durch ein Adjektiv präzisierte, zur kultivierten Unterhaltung bestimmte Erzählform in Vers oder Prosa zwischen Roman und Novelle, die im Ggs. zur stärker realist. *nouvelle* das Märchenhaft-Phantastische, Burleske und Exotische einbezieht, dadurch gegenüber der Wirklichkeit keinen Abbildcharakter erstrebt und eine Identifikation des Lesers mit den Figuren vermeidet. Frühe Beispiele bieten die heiteren, vielfach gerahmten Renaissancenovellen nach ital. Vorbild: *Cent nouvelles nouvelles,* MARGUERITE DE NAVARRAS *Heptameron,* DESPÉRIERS

Nouvelles recréations et joyeux devis u. a. m. Das Märchenhafte bricht durch in den *C. des fées* der Gräfin D'AULNOY, den *C. de ma mère l'Oye* von Ch. PERRAULT u. a., das Frivol-Satirische in LA FONTAINES Verserzählungen und das philos. Belehrende in den *C. philosophiques* von VOLTAIRE (*Candide* u. a.), die Morallehre in den *C.moraux* von MARMONTEL und MERCIER als Gegengewicht zu den pikanten *C.* von DIDEROT, CRÉBILLON fils, DUCLOS u. a. Im 19. Jh. erneuern die *C.drôlatiques* von BALZAC derbe ma. Sinnenfreude in archaisierender Sprache; MUSSET, FLAUBERT (*Trois c.*) und MAUPASSANT, die ihre Novellen C. nennen, stellen sich damit betont ein in die unterhaltsame Erzähltradition.

V. Propp, *Morphologie du c.*, 1970.

Contes d'aventure, e. Gruppe franz. →Abenteuerromane, im 12. Jh. entstanden durch Auslassen alles Historischen aus antiken, byzantin., antikisierenden u. a. Romanen, Ausmalung des Wunderbaren (Zwerge, Riesen, Feen, Zauberer u. a. m.) und Mischung von Bestandteilen versch. Herkunft (oriental. Märchen, Chanson de geste und Liebesgeschichte). Wichtigste: GAUTIER D'ARRAS, *Eracle* (nach 1164), AMON DE VARENNE, *Florimont* (1188), *Floire et Blancheflor* (1160/70), *Partenopeus de Blois* (vor 1188, mhd. von KONRAD VON WÜRZBURG), *Romanz de la rose* (um 1200), GERBERT DE MONTREUIL, *Roman de la violette* u. a.

Contradictio in adjecto (lat. = Widerspruch im Beiwort), als rhetor. Figur Abart des →Oxymoron: die im Beiwort ausgesagte Beschaffenheit steht im Widerspruch zum Hauptbegriff: z. B. ›kleinere Hälfte‹, ›die armen Reichen‹.

Contrasto (ital. = Gegensatz), ital. Streitgedicht in Dialogform, dessen Strophen, oft Sonette, auf die einzelnen Personen oder allegor. Figuren verteilt werden, z. B. CUILLO D'ALCAMO: *Rosa fresca* als Streitgespräch zwischen e. Liebenden, der seine Leidenschaft schildert, und der Geliebten, die sie zurückweist. Ital. Pendant zum provenzal. Joc partit (→Tenzone).

Copla (span. v. lat. *copula* = Strophe), Liedchen, eleg.-erot. Vierzeiler, insbes. 1. volkstüml. span. Strophenform aus 4 achtsilb. Versen, deren 2. und 4. durch Assonanz oder Reim gebunden und deren 1. und 3. frei sind (evtl. aus einem Langzeilenpaar entstanden); im Wechsel von 8- und 4silb. Versen →Pie quebrado genannt. Beliebt in Volks- und volkstüml. Dichtung des 14.–16. Jh. – 2. Variantenreiche Strophe der span. Kunstdichtung im 15.–17. Jh. aus 8–12 Achtsilbern, z. B. in J. MANRIQUES' *C. s por la muerte de su padre*, 1476.

Copyright (engl. =) →Urheberrecht, insbes. die diesbezügl. Schutzvorschriften in den USA. Nach der C.-Act vom 4. 3. 1909 muß jedes im Ausland hergestellte Druckwerk eines Nichtamerikaners, das in den USA staatl. Schutz gegen Nachdruck genießen soll, den Vermerk ›C. by...‹ (stets abgekürzt © mit Namen des Autors oder Verlages sowie Jahreszahl im Titel oder Impressum tragen. →Welturheberrechtsabkommen, →Berner Konvention.

H. Howell, *The C. Law*, Wash. 1942, ³1952; M. Nicholson, *A Manual of C. practice*, N.Y. 1945, ²1956; S. M. Stuart, *Internat. C.*, Lond. 1983. →Urheberrecht.

Coq-à-l'âne (nach dem franz. Sprichwort *C'est bien sauté du coq à l'âne,* ›vom Hahn auf den Esel springen‹, für unzusammenhängendes, sinnloses Gerede), eigentüml. Gattung der franz. Verssatire, die unter dem Schein unzusammenhängender, sprunghafter Nonsense-Dichtung verkappt in dunklen Andeutungen Schwächen, Laster und Fehler der Zeit, einzelner Menschen, sozialer Gruppen und Institutionen angreift und aufzeigt. C. Marot begründete die Form 1530 mit vier Versepisteln versch. Länge in Achtsilbern und fand zeitweise reiche Nachahmung, bis die Gattung, von der Pléiade verurteilt, erlosch.

Ch. Rinch, *La poésie satirique de C. Marot*, Paris 1940; H. Meylan, *Épîtres du c.-a-l'â.*, Genf 1955; C. A. Mayer, C. (*French Studies* 15, 1962).

Corpus (lat. = Körper), die Gesamtheit eines Werkes, Nachlasses, aller Werke gleicher Art (Urkunden, Dokumente) oder Gattung, dann auch deren wiss. Gesamtausgabe.

Correctio (lat. = Verbesserung), auch Metanoia (griech. = Sinnesänderung), in antiker und mlat. Lit. wie überhaupt in jeder pathet. Sprachgebung beliebte →rhetorische Figur: unmittelbare Selbstberichtigung, Zurücknahme e. schwächeren Ausdrucks und dessen Ersatz durch einen gewichtigeren, sachgemäßeren zum Zwecke der Ausdruckssteigerung; häufig in Form der →Anadiplose oder als Percontatio, d.h. Wiederholung des als ungenügend erkannten Wortes in Fragestellung, z.B. Cicero, *Catilina* I, 1, 2: ›Dieser aber lebt! Lebt? Nein, er kommt sogar noch in den Senat!‹

Corrido (span.), in Mittelamerika, bes. Mexiko, e. ep-, lyr., histor. oder satir. Gedicht in Achtsilbern zum Sprech- oder Gesangsvortrag, das als Flugblatt gedruckt und verteilt wird; insbes. aus der span. Romanze und Ballade entwickeltes anonymes →Zeitungs- und →historisches Lied, das zu aktuellen Ereignissen Stellung nimmt; seit Mitte 19. Jh. als illustriertes Flugblatt Hauptform der mexikan. Volksdichtung.

V. T. Mendoza, *El romance espagnole y el c. mexic.*, Mexiko 1939; D. Castañeda, *El c. mex.*, Mexiko 1943.

Corrigenda (lat. = zu Verbesserndes), Druckfehlerberichtigung.

Costumbrismo (span. = Sittenschilderung), lit. Bewegung des 19. Jh. in Spanien und Südamerika, erstrebte als Gegenschlag zur Romantik seit rd. 1830 eine realistischere Darstellung von Milieu und Gestalten des tägl. Lebens aufgrund exakter Studien und Beobachtungen, vorwiegend in kurzen Skizzen, Charakterstudien und Szenen. Zu ihren Anhängern (costumbristas) rechnen St. Estébanez Calderón, R. de Mesonero Romanos, M. José de Larra, M. Gonzáles Celedón und R. Palma; Nachwirkung auf den realist. Sittenroman des späten 19. Jh.: R. Gallegos, C. Alegría, J. Icaza und M. Gálvez; auch Ausgangspunkt des Regionalismus.

J. F. Montesinos, *C. y Novela*, Berkeley 1961, ⁴1980; E. Konitzer, Larra u. d. C., 1971.

Couleur locale (franz. =) →Ortskolorit

Coup de théâtre (franz. = Theaterschlag), unerwartete, plötzliche und effektvolle Wendung im Lauf eines Dramas.

Couplet (franz. v. lat. *copula* – eigtl. Verbindung, gemeint zweier paralleler rhythm. Sätze zu e. Strophe, z.B. zweier →Alexandriner zum Epigramm), 1. im provenzal. und altfranz. Minnesang die →Strophe schlechthin. – 2. Seit dem 19. Jh. scherzhaft-satir., teils auch witzig-zweideutiges, pikantes Lied oft frivolen oder aktuellen Inhalts in kom. Oper, Vaudeville, Operette, Singspiel, Posse und Kabarett, dessen gleichgebaute Strophen nach derselben Melodie gesungen werden und stets mit dem gleichen witzigen, pointierten, z. T. überraschend abgewandelten Kehrreim schließen. Autoren z. B. RAIMUND und NESTROY. Vgl. →Chanson. – 3. Im →Rondeau die 2–3 freien Teile zwischen den Repriseversen. – 4. In franz. Metrik das →Reimpaar; entsprechend engl. →Heroic C.

Cours d'amour (franz. =) →Liebeshöfe

Cover story (engl. =) Titelgeschichte, in der Publizistik derjenige Beitrag e. Zeitschrift (Illustrierte, Magazin), auf den sich das Titelbild der Ausgabe bezieht.

Creacionismo (v. span. *creación* = Schöpfung), kurzfristige Strömung der span.-lateinamerikan. Lyrik zu Ende des 1. Weltkriegs ähnlich dem dt. Dadaismus, eingeleitet von dem chilen. Dichter V. HUIDOBRO 1916. Abart des →Ultraismo, betont die Freiheit der Dichtung von der Wirklichkeit, will die dichter. Schöpfung als der natürl. Schöpfung vergleichbaren Prozeß sehen, bemüht um Vermenschlichung der Dinge, Präzisierung des Unbestimmten, Konkretisierung des Abstrakten und Abstraktion des Konkreten und gekennzeichnet durch freie, preziöse Bilder, schnelle Rhythmen und vielschichtige, wesentliche Worte. In Spanien bes. vertreten durch G. DIEGO und J. LARREA, in franz. Lit. von P. REVERDY.

Crepidata →Fabula

Crepuscolarismo (v. lat. *crepuscolare* = dämmerig), poesia crepuscolare, Richtung der ital. Lyrik um 1900–1920, gekennzeichnet durch dekadente Lebensmüdigkeit, Melancholie, Abwendung von aller Rhetorik im Stil D'ANNUNZIOS, Zuwendung zu den kleinen und gewöhnl. Dingen des Alltags und eine gewollt einfache, prosanahe, auf Prunk und Pose verzichtende Sprache unter Einfluß von VERLAINE, LAFORGUE und JAMMES. Hauptvertreter waren S. CORAZZINI, G. GOZZANO, C. CHIAVES, ferner M. MORETTI, C. GOVONI, A. PALAZZESCHI und F. M. MARTINI, Sprachrohr die kurzlebige Zs. *Cronache latine* (1905 f.).

G. Petronio, *Poeti del nostro secolo: i. C.*, Florenz 1937; G. Maggio-Valveri, *I crepuscolari*, Palermo 1949; A. Gennarini, *La poetica dei crepuscolari*, Siena 1949; O. Panoro, *I poeti crep.*, Livorno 1962; L. Baldacci, *I crep.*, Turin ²1967; A. Vallone, *I crep.*, Palermo ⁴1973.

Creticus →Kretikus

Criollismo (span. = Kreolismus), von J. SANTOS CHOCANO begr. regionalist. Richtung der span.-amerikan. Lit. in der 1. Hälfte des 20. Jh., die den ausländ. Einfluß ablehnt und in Rückbesinnung auf die eigenständige Kulturentwicklung Lateinamerikas seit der Kolonialzeit und ihre Synthese von Indianismus, Iberismus und Europäismus latein.-amerikan. Stoffe in selbstgeprägter Form verlangt. Vertreten u. a. durch M. LATORRE, M. ROJAS, M. AZUELA, J. ICAZA, R. GALLEGOS, E. RIVERA, R. GUÏRALDES.

E. Quesada, *El C. en la Lit. Argentina*, 1902.

Crispin, Rollenfigur des gewitzten, skrupellosen Dieners und treuen Vertrauten des Helden im franz. Lustspiel des 17. und frühen 18. Jh. u. a. bei SCARRON und REGNARD; aus der ital. Commedia dell'arte dorthin übernommen.

Cross-Reading (engl. = Querlesen), urspr. lit. Gesellschaftsspiel, dann satir.-iron. Technik der →Collage, indem etwa mehrspaltig gedruckte Texte, z. B. Zeitungen und bes. Klassiker, über die Spalten hinweg gelesen werden und vorgeprägte Sprachteile neue Sinnkombinationen ergeben. In angelsächs. Ländern verbreitet, von LICHTENBERG nachgeahmt und in der →Cut-up-Methode variiert.

K. Riha, C. u. Cross-Talking, 1971.

Crusca (Accademia della crusca) →Akademie, →Sprachgesellschaften

Crux (lat. = Kreuz), in der →Textkritik die durch Kreuzzeichen (†) bezeichneten derart verderbten Stellen (→Korruptelen) in Handschriften, daß jeder Versuch zu ihrer Erklärung durch →Konjekturen sinnlos und unverbindlich erscheint; daher allg.: unlösbare Frage.

Cuaderna Vía (span. = vierfacher Weg) oder Mester de clerecía, Metrum der span. Epik des 13./14. Jh., Verbindung von 14-, gelegentl. auch 16silbigen Zeilen mit strenger Silbenzählung und gleichem Reim der ganzen vierzeiligen Strophe sowie Mittelzäsur jedes Verses. Verwendet seit rd. 1200 vor allem in der gelehrten ma. Versepik der Geistlichen (GONZALO DE BERCEO, JUAN RUIZ, *Libro de buen amor* u. a.) vermutlich nach franz. Vorbild; im 15. Jh. durch →Arte mayor verdrängt, im lateinam. Modernismo des 19. Jh. neubelebt.

J. D. Fitz-Gerald, *Versification of the C. V.*, N.Y. 1905; P. L. Barcia, *El mester de clerecía*, Buenos Aires 1967.

Culteranismo, Cultismo →Gongorismus

Cursus (lat. = Lauf), auf dem Wechsel verschieden akzentuierter Silben beruhender rhythm. Satzschluß zum Zweck eindrucksvollen Wohlklangs. Aus den quantierenden →Klauseln antiker Kunstprosa und Rhetorik entstehen beim Verfall der Quantitäten im Spätlat. (4.

Jh.) nach →akzentuierendem Prinzip gestaltete Schemata, die seit dem 11./12. Jh. allg. in mlat. und neulat., z. T. auch volkssprachl. Kunstprosa am Ende von Sinnabschnitten (Komma, Kolon) erscheinen. Die beiden Endworte sind mindestens je dreisilbig, da zum volleren Ausströmen der Sprache zwischen den letzten beiden Tonstellen des Satzes mindestens 2, höchstens 4 Senkungen liegen sollen. Wichtigste C.: 1. C. planus (= eben), (x), xáx xáx, z. B. inflammávit ardóre. – 2. C.tardus (= langsam), (x) xáx xxáx, z. B. crucifíxus appáruit. – 3. C.velox (= schnell), (x) xáx xxáx, z. B. lítteris commendávit. – 4. C.trispondiacus: (x) xáx xxáx, z. B. ratiónem confirmávit.

W. Meyer, Ges. Abhdlgn. z. mlat. Rhythmik, II 1905; A. C. Clark, *The c. in ma. and vulgar Lat.*, 1910; M. G. Nicolau, *L'origine du c. rhythmique*, 1930; E. Norden, D. antike Kunstprosa, [5]1958; H. Lausberg, Hdb. d. lit. Rhetorik, 1960; ders., Elemente d. lit. Rhetorik, [2]1963; K. D. Thieme, Z. Probl. d. rhythm. Satzschlusses i. d. dt. Lit. d. SpätMA., 1965.

Curtal Sonnet (engl. = Kurzsonett), von G. M. HOPKINS entwickelte, von 14 Zeilen auf zehneinhalb Zeilen verkürzte Form des →Sonetts, bestehend aus einem Sechszeiler (Reimfolge abc abc) und einem Vierzeiler mit halbzeiligem Abschluß (Reimfolge dbcd c oder dcbd c), angewandt u. a. in seinen Gedichten *Peace* and *Pied beauty*.

Cut-up (engl. = zerlegen), experimentelle Kompositionstechnik der →Collage und Sonderform des →Cross-Reading, indem eine Textseite in der Mitte längs gefaltet, zur Hälfte über eine andere gedeckt und dann quer über beide gelesen wird. Entwickelt 1960 von B. GYSIN, W. S. BURROUGHS und G. CORSO, in Dtl. von J. PLOOG und C. WEISSNER verwandt.

C. u., hg. C. Weissner 1969.

Cynghanedd (kymr. = Zusammenklang), das strenge Kompositionsprinzip der kymrischen Verskunst, das innerhalb einer Verszeile eine Anzahl von Korrespondenzen innerhalb der Vokale der Konsonantengruppen oder ganzer Silben nach Art des Binnenreims erfordert.

Cywydd (kelt., Mz. *cywyddau*), häufigstes Versmaß der ma. kymrischen Dichtung: Reimpaare von 7 Silben, deren Worte untereinander alliterieren oder durch eine andere Form von →Cynghanedd verbunden sind und von denen jeweils ein Reim betont, einer unbetont ist. Später weitgehend im Formalismus erstarrt.

Da capo (ital. = von Anfang), Beifallsruf, der Sänger, Schauspieler u. ä. zur Wiederholung des Vorgetragenen auffordert.

Dadaismus (nach den kindersprachlichen Stammellauten ›dada‹, franz. = Holzpferdchen, als ›Kunstoffenbarung‹), extreme revolutionäre Kunst- und Lit.richtung von 1916–1924, Überspitzung und zugleich Verhöhnung der Tendenzen des Expressionismus: der Gefühlsüberschwang lehnt im Streben nach Unmittelbarkeit die ästhet. Gesetze, log. Zusammenhänge wie die Kontrolle durch den Verstand überhaupt ab und kehrt in raffinierter Naivität zurück zu primitiven Äußerungen, Wortgestammel, Lauten und Assoziationen ohne Rücksicht auf den Wortsinn; Streben nach ›Bruitismus‹ = Wiedergabe der Umweltgeräusche und Lebensstimmen in ihrem angeblich sinnlosen Neben- und Durcheinander als Zusammenklang (›Simultaneität‹) unter

Rückgriff auf Traumanalyse und Unterbewußtsein; Auflösung der konventionellen rationalen Gedichtform zugunsten freier Assoziationsketten, aleatorischer Dichtung und bloßer Lautgedichte. Der D. verkündet damit schrankenlose künstler. Anarchie und – auf soz. Gebiet – in scharf antibürgerl. Tendenz die Relativität und Unsinnigkeit aller vermeintl. Ordnungen, insbes. als Reaktion gegen den Krieg und die durch ihn hochgespielten hohlen Ideale des Bildungsbürgertums, deren vermeintl. Rationalität der D. die bewußte Irrationalität gegenüberstellt. – Von H. BALL, T. TZARA, R. HUELSENBECK, K. SCHWITTERS, H. ARP, M. JANCO u. a. 1916 im Züricher ›Cabaret Voltaire‹ begründet und propagiert, verbreitet er sich als Modeströmung in Malerei (bes. Collagen) und Dichtung anfangs trotz schärfster Opposition über Deutschland (Berlin 1918 mit R. HUELSENBECK, W. HERZFELDE, W. MEHRING, R. HAUSMANN, Köln mit M. ERNST und H. ARP, Hannover mit K. SCHWITTERS), USA (1919 New York) und bes. Frankreich (Paris 1920) und beeinflußt z. T. L. ARAGON, A. BRETON, P. ELUARD, P. SOUPAULT, J. COCTEAU, F. PICABIA u. a. bis zum Übergang in →Surrealismus.

R. Dessaignes, *Storia del D.*, Mail. 1946; R. Motherwell, *The Dada painters and poets*, N.Y. 1951; F. Usinger, D. D. (in ›Expressionismus‹ hg. O. Mann, 1956); H. Arp u. a., D. Geburt d. Dada, 1957; W. Mehring, Dada Berlin, 1959; Dada, hg. R. Huelsenbeck 1964; H. Richter, Dada, Kunst und Antikunst, 1964, ³1978; W. Verkauf, Dada, ³1965; M. Sanouillet, *Dada à Paris*, Paris 1965; Dada i. Zürich, hg. P. Schifferli 1966; M. Prosenc, D. Dadaisten i. Zürich, 1967; R. Brinkmann, Üb. einige Voraussetzgn. v. Dada (Fs. K. Ziegler, 1968); M. A. Caws, *The poetry of Dada and surrealism*, Princeton 1969; R. Döhl, D. (in: Expressionism. als Lit., hg. W. Rothe 1969); M. L. Grossman, *Dada*, N.Y. 1971; R.

Hausmann, A. Anfang war Dada, 1972, ²1980; C. W. E. Bigsby, *Dada and surrealism*, Lond. 1972; R. Meyer, Dada i. Zürich u. Berlin, 1973; R. W. Last, *German Dadaist lit.*, N.Y. 1973; W. S. Rubin, D. u. Surrealismus, 1973; H.-G. Kemper, V. Expressionism. z. D., 1974; D. Ades, Dada u. Surrealismus, 1975; L. M. Fiedler, D. u. d. Weltkrieg (Arcadia 11, 1976); E. Philipp, Wortkunst u. D., 1976; S. Fauchereau, *Expressionisme, dada, surrealisme*, 2 Bde. Paris 1976; L. Forti, *La poesia dadaista tedesca*, Turin 1976; W. S. Rubin, Dada, 1978; R. Sheppard, *Dada and expressionism* (*Publ. of the Engl. Goethe Soc.* 49, 1979); ders., *What is Dada*, OL 34, 1979; Da Dada da war, hg. K. Riha 1980; E. Philipp, D., 1980; *Dada*, hg. R. Sheppard, Chalfont St. Giles 1980; *New Studies in Dada*, hg. ders., Driffield 1981; A. Young, *Dada and after*, Manch. 1981; Sinn aus Unsinn, hg. W. Paulsen 1982; H. Bolliger u.a., Dada in Zürich, 1985; C. P. Buschkühle, Dada, 1985; N. Baitello, D. Dada-Internationale, 1987.

Dainas (Ez. Daina), lettische Volkslieder aus heidn. Tradition in Form trochäischer (seltener daktylischer) Vierzeiler altertümlich-poet. Inhalts; wohl von Frauen gedichtet, behandeln balladenhaft oder lyr. Szenen aus dem Alltagsleben, Familie, Natur und Aberglauben. Vorbild vieler lett. Lyriker.

U. Katzenelenbogen, *The D.*, 1935.

Dainos (Ez. Daina), altlitauische Volkslieder rein lyr. Charakters, oft Jahreszeitenlieder oder andere typ. Situationen aus dem Volksleben schildernd (Arbeits-, Braut-, Totenlieder) und von jungen Mädchen bei der Arbeit nach diatonischen Melodien gesungen. Meist Vierheber mit Bindung durch Parallelismus, Alliteration und Endreim. Von Ph. RUHIG 1745 auszugsweise übersetzt *(Litauisches Wörterbuch)*, erregten sie das Entzücken LESSINGS *(33. Literaturbrief)*, HERDERS und GOETHES, der e. Daina 1782 in *Die Fischerin* aufnahm. Als Quelle der litau. Lit. sind viele der wehmütig-sehnsuchtsvollen D. bis heute lebendig.

T. Brazys, D. Singweise d. lit. D., 1918; A. Domeikaite, D. lit. Volkslieder i. d. dt. Lit., 1928.

Daktyloepitrịt, antiker Vers aus Verbindung von →Daktylen (oder →Spondeen) mit →Epitriten, erstere meist in der Form des →Hemiepes (—∪∪—∪∪—) oder als akatalektische Tripodie (—∪∪—∪∪——), letztere meist in der Normalform —∪——. Verwendung in griech. Chorlyrik (STESICHOROS, PINDAR, BAKCHYLIDES) und Drama.

Lit. →Metrik.

Dạktylus (griech. *daktylos* = Finger), dreiteiliger antiker Versfuß von 4 Moren Länge, Gegenstück zum →Anapäst: auf eine lange (betonte) folgen zwei kurze (unbetonte) Silben: in der Grundform —∪∪, z.B. ›Wasserfall‹; durch Zusammenziehung der beiden Kürzen als daktylischer→Spondeus: —; seltener, in griech. Metrik unmöglich, ist Spaltung der Länge: ∪∪∪∪ oder Spaltung und Zusammenziehung: ∪∪—, daher galt die Länge des D. in antiker Metrik als irrational, weil weniger als 2 Moren umfassend. Charakteristisch ist in akzentuierender Dichtung das erregende, tänzelnde Element, im Dt. daher z.B. oft bei lebhafter Gemütsbewegung, Jubel, Unruhe usw. Häufigste Verwendung sechshebig im →Hexameter oder im →Pentameter und deren Verbindung zum →Distichon. Der D. ist der Vers der antiken Epik (→Hexameter) und erscheint auch z.T. in der Lyrik. Seine Verwendung in mhd. Kunstlyrik des 12., bes. 13. Jh. erklärt sich eher aus eigenständiger Entwicklung als durch Einfluß der neulat. und provenzal. Lyrik; mit dem ausgehenden Minnesang verschwindet er Ende des 13. Jh. Von OPITZ wird er in der *Poeterey* gebilligt, wenn auch nicht empfohlen und angewendet. Erst BUCHNER

(Orpheus) und nach ihm ZESEN holen ihn hervor und benutzen ihn gegen den roman. alternierenden Vers, bes. zur Nachahmung antiker Formen. Auch in Sturm und Drang sowie Klassik häufig verwendet, meist als ep. Vers: KLOPSTOCK, GOETHE *Hermann und Dorothea, Reineke Fuchs,* HÖLDERLIN *Archipelagus* u. a. m.

R. Weissenfels, D. daktyl. Rhythmus b. d. Meistersängern, 1886; A. Köster, Dt. D.en, ZDA 44, 1902; G. Baesecke, ZDP 41, 1909. →Metrik.

Dalang, der Spieler und Sprecher der →Wayang-Spiele.

Damnatur →Imprimatur

Dandy (engl., nach einem ind. Beamtentitel), der Typ des extravaganten, blasierten, dünkelhaften und egozentr. Lebe- und Genußmenschen mit seinem Horror vor dem Gewöhnlichen, Alltäglichen, Trivialen (Prototyp: George BRUMMELL) entstand im Kreis junger engl. Aristokraten Mitte 18. Jh., wurde um 1825–35 zur beherrschenden Figur der →Fashionable Novels und fand seine charakterlich-soziolog. Vertiefung in der engl. und franz. Romantik, die ihn zum Typ des Protests gegen soziale Gleichmacherei aus aristokrat. Geist stilisiert, und mündet in den Ästhetizismus der →Dekadenz: BYRON, STENDHAL, MUSSET, BALZAC, BARBEY D'AUREVILLY, BAUDELAIRE, HUYSMANS, WILDE.

G. Köhler, D. D.ismus i. franz. Roman d. 19. Jh., 1911; F. Schubel, D. engl. D.tum als Quelle e. Romangatte, Koph, 1950; R. Gruenter, Formen des D.tums, Euph. 46, 1952; J. C. Prevost, *Le dandyisme en France,* Genf 1957; E. Moers, *The D.,* Lond. 1960; O. Mann, D. D., ²1962; Der D., hg. O. Schaefer 1964; J. Laver, D., Lond. 1968; E. Carassus, *Le mythe du d.,* Paris 1971; H. Hinterhäuser, D. D. i. d. europ. Lit. d. 19. Jh. (Weltlit. u. Volkslit., hg. R. Alewyn 1972); S. Neumeister, D. Dichter als D., 1973; M. Lemaire, *Le dandysme,* Paris 1978; H. Gnüg, Kult d. Kälte, 1988.

Dansa (provenzal. = Reigen), volkstüml. Tanzlied der provenzal. Lit. seit 12. Jh., ähnl. der provenzal. →Balada, doch ohne feste metr. Form. Später z. T. mit relig. Gehalt.

Danse macabre →Totentanz

Darmstädter Kreis, 1. Gesellschaft empfindsamer Schöngeister um die lit. sehr interessierte hess. Landgräfin HENRIETTE CHRISTIANE KAROLINE rd. 1769–73. In der Lebenshaltung durch die Tugendromane RICHARDSONS, ROUSSEAUS und der S. von LA ROCHE bestimmt und unter starkem Eindruck von GLEIM und KLOPSTOCK wird der D. K. zur Hauptstätte e. innigen Gefühls- und Freundschaftskultes; man strebt nach Seelenverbrüderung, Liebesschwärmerei und Natürlichkeit, die bezeichnenderweise nur aus lit. Quellen gespeist wird. Die zwei Hauptzentren sind das Haus des Geheimrats von HESSE und Goethes Freund J. H. MERCK; unter den Mitgliedern überwiegt das weibl. Element, die ›schönen Seelen‹: Caroline FLACHSLAND, Herders Braut, deren schwärmerischer Brautbriefwechsel für den Geist des D. K. typisch ist, die Hofdamen Henriette von ROUSSILLON und Luise von ZIEGLER u. a., ferner Franz LEUCHSENRING, der auf ›Reisen des Herzens‹ in Frankreich und der Schweiz Gleichgesinnte sucht, der Minister Freiherr von MOSER, und, sozusagen als korrespondierendes Mitglied: HERDER, der persönlich nur zweimal erschien. Lit. Bedeutsamkeit erhält der D. K. bes. durch die Verbindung mit GOETHE, der im Jahr 1772 von Frankfurt herüberkommt, manche seiner Dichtungen hier zuerst vorliest und neue Anregungen mitnimmt (*Felsweihegesang, Pilgers Morgenlied, Elysium* bis zum *Werther*), später jedoch auch zur Verspottung jener Übertreibungen in Satiren (*Pater Brey, Satyros, Jahrmarktsfest zu Plundersweilern*) neigt (vgl. *Dichtung und Wahrheit* 12–13). – 2. Ein D. K. 1957–59 um D. SPOERRI, C. BREMER und E. WILLIAMS publizierte konkrete Poesie.

V. Tornius, Schöne Seelen, 1920; RL; L. Rahn-Bechmann, D. Darmstädter Freundeskreis, Diss. Erlangen 1934; W. Gunzert, Darmstadt u. Goethe, 1949; ders., Darmstadt z. Goethezeit, 1982.

Darstellung, in der Lit. allg. die Wiedergabe außerdichterischer – realer oder imaginärer – Sachverhalte und Erlebnisse durch die künstler. Nachgestaltung im Wort und deren →Form. In Theater, Film usw. die Verkörperung einer →Rolle.

Datierung (v. lat. *datum* = gegeben), in der Literaturgeschichte die Bestimmung von →Entstehungszeit und →Erscheinungsjahr e. Schriftwerkes oder e. Handschrift; bes. für ältere, vor Erfindung des Buchdrucks entstandene Werke nur annähernd feststellbar und vielfach umstritten, ebenso in neuerer Zeit die D. kleinerer Texte und Gedichte, die nicht gleich nach Abfassung veröffentlicht werden. Annähernde D. geschieht durch Festsetzung des frühestmöglichen u. spätestmöglichen Zeitpunktes (→*terminus a quo* oder *post quem* bzw. *ante quem*) unter Zuhilfenahme von äußeren Indizien wie Beschreibstoff/Papier, Wasserzeichen, Schrift, Tinte und inneren Anhaltspunkten wie Form, Thema, wie Anspielungen auf Zeitereignisse, persönl. Erlebnisse und andere Literaturwerke, Sprach- und Versgestaltung, Gedankenwelt u.a.m. Beide zusammen ergeben e. absolute Chronologie (Tag und Jahr) des Werkes oder e. relative Chronologie, die nur das zeitl. Verhältnis der Werke, Handschriften usw. zueinander klärt.

Débat (franz. = Gespräch), in ma. franz. Lit. des 12.–15. Jh. Nebenform des →Dit in Dialogform, didaktisches →Streitgedicht zwischen meist zwei Personen, Personifikationen, Tieren, Abstrakta o.ä., z.B. zwischen Sommer und Winter, Körper und Seele, Kleriker und Ritter über religiöse, ethische, polit.-soz. u.a. Themen meist vor e. Schiedsrichter, etwa bei RUTEBEUF, VILLON, CHRISTINE DE PISAN, A. CHARTIER, L. LABÉ u.a., meist jedoch anonym.

Debüt (franz. *début* = Anfang), erstes öffentliches Auftreten e. Schauspielers oder Sängers, auch dessen erste Rolle in e. neuen Engagement (Antrittsrolle); in der Lit. das Erstlingswerk eines jungen Autors (Zeitschriftenbeitrag oder Buch).

Décadence →Dekadenzdichtung

Décadents (franz.), 1. Gruppe franz. Autoren um die Zs. Le Décadent (1886–89). – 2. Vertreter der →Dekadenzdichtung.

Décima →Dezime

Decknamen, erfundene Namen zur Verschleierung tatsächl. Identität, z.B. in der erot. Lit. (so heißt CATULLS Lesbia eigentl. Clodia, TIBULLS Delia: Plania, PROPERZ' Cynthia: Hostia usw.) oder im →Schlüsselroman; meist jedoch für Autorennamen: →Pseudonym, →Kryptonym, →Anagramm.

Deckungsauflage, im Verlagswesen derjenige Teil einer Auflage, deren Verkaufserlös (zum Nettopreis) die Kosten für die Herstellung der Gesamtauflage einschließlich Honorar und Bindekosten, jedoch ohne Werbe- und Vertriebskosten decken würde. Sie wird je nach der Absatzerwartung e. Buches festgesetzt und dann bestimmend für den Ladenpreis. Im Hinblick auf die allg. Geschäftsunkosten des Verlagsgewerbes beginnt der Gewinn des Verlegers erst wesentlich nach Erreichung der D.

Dedikation (lat. *dedicatio* = Weihung), Widmung, Zueignung e. Schriftwerkes an vom Verfasser bes. geschätzte Personen, früher oft an den →Mäzen. Sie erfolgt im klass. Epos zu Anfang des Gedichts nach der Proposition und spricht den Gönner an, im gedruckten Buch auf e. speziell mitgedruckten D.s-titel, bis ins 18. Jh. hinein mit unterwürfiger D. als Widmungsvorrede, -brief oder -gedicht an e. hohen Gönner, von dem der Autor anstelle des z. T. noch unüblichen Honorars Anerkennung und Belohnung seiner Arbeit erhielt oder erhofft, heute ohne finanzielle Hintergedanken durch hsl. Widmung in einzelnen D.sexemplaren an dem Verfasser nahestehende Personen. →Widmungsgedicht.

H. B. Wheatley, *The d. of books*, Lond. 1887; J. Ruppert, *Quaest. ad hist. dedicationis*, Diss. Lpz. 1911; K. Schottenloher, *D. Widmungsvorrede i. Buch d. 16. Jh.*, 1953; W. Leiner, *D. Widmungsbrief i. d. frz. Lit.*, 1965.

Definition (lat. *definitio* = Abgrenzung), Begriffsbestimmung durch Angabe aller wesentlichen Merkmale und Unterscheidung von naheliegenden Begriffen, nach ARISTOTELES der übergeordneten Gattung und des artbildenden Unterschiedes.

W. Dubislav, *Die D.*, ³1931; R. Robinson, *D.*, Oxf. 1950.

Dekabristen (v. russ. *dekabr* = Dezember), nach dem Aufstand russ. Konstitutionalisten beim Tod ALEXANDERS I. in Petersburg am 14. Dezember 1825 Sammelbz. für die daran Beteiligten, nach Schriftsteller, meist adlige Romantiker: K. F. RYLEEV, A. I. ODOEVSKIJ, A. BESTUŽEV und W. KÜCHELBECKER, denen auch PUŠKIN und GRIBOEDOV nahestanden. Nach dem Scheitern des Aufstandes wurden die Anführer verurteilt und verbannt.

M. Wolkonskij, *Die D.*, 1946; M. Zetlin, *The Decembrists*, N.Y. 1958; A. G. Mazour, *The First Russian Revolution*, Stanford ²1961; H. Lemberg, *D. nationale Gedankenwelt d. D.*, 1963; M. Raeff, *The Decembrist Movement*, N.Y. 1966.

Dekade (griech. *dekas* = Zehnzahl), Einheit von 10 Büchern (LIVIUS), Geschichten (BOCCACCIO, *Decamerone*) oder Gedichten (C. STIELER, ›Zehen‹).

Dekadenzdichtung (franz. *décadence* = Verfall), breite Seitenströmung der europ. Lit. im ausgehenden 19. Jh. (→*fin de siècle*), entstanden aus dem Bewußtsein der Zugehörigkeit zu e. überfeinerten und damit unaufhaltsamem Abstieg verfallenen Kultur; zeigt weltschmerzliche Zerrissenheit und Pessimismus, Tagträume und Schönheitskult (→Ästhetizismus), letzte Verfeinerung psycholog. Darstellung und Vorliebe für diffizile Seelenzustände in ihren Halbtönen und Übergängen; sie steigert sich von müder Resignation bis zu patholog. Perversitäten in der Darstellung des körperlich oder seelisch Ungesunden, morbider, nervöser und überreizter Gestalten, haltloser und heruntergekommener Existenzen usw. Doch nicht die Wiedergabe von Niedergangserscheinungen allein ist schon D. (vgl. HAUPTMANN, SUDERMANN), entscheidend sind die Bejahung von Verfall, Willensschwäche, Lebensferne, die subjektive Distanzierung von bürgerl. Alltagswerten zugunsten e. moralfreien Kunst (→L'art pour l'art) und das offene Bekenntnis zum Spätstil der Überreife. Dekadenz wurde zuerst von NIETZSCHE (*Fall Wagner*, 1888) als Niedergangserscheinung aus Erschöpfung und Auflösung hergeleitet und für seine Zeit abwertend verkündet, nachdem MONTESQUIEU (*Considé-rations sur les causes de la grandeur des Romains et de leur décadence*, 1734), ROUSSEAU u. a. Philosophen der Aufklärung Begriff und Symptome der Entartung am Beispiel früherer Kulturepochen geklärt hatten und GIBBON (*History of the decline and fall of the Roman empire*, 1776–88) der absterbenden, dekadenten Kultur vor der kraftvollen, doch barbar. Neubildung den Vorzug gegeben hatte. An diesen später von SPENGLER und TOYNBEE fortgesetzten Gedankengang knüpft die D. an. Einzelzüge zeigen schon BYRON, MUSSET, LEOPARDI in ihrer Weltschmerzdichtung, POE und DE QUINCEY im Auskosten exot.-perverser Reize, in Dtl. HEINE, LENAU und C. F. MEYER. Der eigentliche Beginn und zugleich die höchste dichterische Ausformung erscheint in der Lyrik von BAUDELAIRE (*Les fleurs du mal*, 1857), MALLARMÉ, RIMBAUD und VERLAINE, in den Romanen von Th. GAUTIER, MAETERLINCK, VERHAEREN und HUYSMANS (*A rebours*), bei den Engländern Oscar WILDE (*Salome*) und A. BEARDSLEY, den Dänen J. P. JACOBSEN und H. BANG und den Russen ČECHOV, SOLOGUB, MEREŠKOVSKIJ wie in Italien bei D'ANNUNZIO. Gegenüber den ausgeprägten Vertretern der D. bes. in Frankreich zeigen in der dt. Dichtung nur einzelne Werke dekadente Züge; ihr Zentrum ist vorwiegend Österreich; SCHNITZLER, ALTENBERG, RILKE, HOFMANNSTHAL, BAHR, BEER-HOFMANN, SCHAUKAL, WILDGANS, ferner HARTLEBEN, DAUTHENDEY, PRZYBYSZEWSKI, WEDEKIND, BIERBAUM, F. HUCH, Heinrich MANN; bes. E. v. KEYSERLING und Thomas MANN (*Buddenbrooks, Tonio Kröger, Tristan, Tod in Venedig*) versuchen durch e. ›Heroismus der Schwäche‹ e. Umwertung zu erreichen, während RILKE und HOFMANNSTHAL die Überwindung der D. dokumentieren. Um die Jh.-wende unterliegt die D. der scharfen Opposition durch die lebensbejahende →Heimatdichtung und den energiegeladenen Expressionismus; das Thema der Dekadenz lebt fort bei TRAKL, MUSIL, BROCH, HESSE, BENN, E. JÜNGER, W. FAULKNER u. a.

E. v. Sydow, D. Kultur der D., 1921; G. L. van Roosbroeck, The legend of the Decadents, N.Y. 1927; A. J. Farmer, Le mouvement esthét. et déc. en Angleterre, Diss. Paris 1931; W. Binni, La poetica del decadentismo italiano, Florenz 1936, ²1949; F. Altheim, Roman u. Dekadenz, 1951; W. Eickhorst, Dekadenz i. d. neueren dt. Prosadtg., 1953; RL; A. E. Carter, The idea of déc. in French lit., Toronto 1958; G. R. Ridge, The hero in French Decadent Lit., Athens 1961; H. Frodl, D. dt. D. d. Jh.wende, Diss. Wien 1963; R. Geißler, Dekadenz u. Heroismus, 1964; K. Swart, The sense of decadence in 19th cent. France, Haag 1964; N. Richard, Le mouvement décadent, Paris 1968; E. Gioanola, Il decadentismo, Rom 1972; E. Koppen, Dekadenter Wagnerismus, 1973; I. Bernhart, D., Neohelicon 2, 1974; U. Weinhold, Künstlichkeit u. Kunst i. d. dtspr. D., 1977; K. Müller, D. D.problem i. d. österr. Lit. um d. Jh.wende, 1977; Fin de siècle, hg. R. Bauer 1977; ders., D. (Cahiers roumains d'et. lit. 1978); R. Gilman, Decadence, N.Y. 1979; W. Rasch, D. Darstellg. d. Untergangs, SchillerJb. 25, 1981; U. Horstmann, Ästhetizismus u. Dekadenz 1983; J. R. Reed, Decadent style, Ohio 1985; W. Rasch, D. lit. Déc., 1986; L. Dowling, Lang. and dec. in the Victorian fin de siècle, Princeton 1986; Dekadenz i. Dtl., hg. D. Kafitz 1987; S. Nalbantian, Seeds of d. in late 19. cent.-novel, Lond. 1988.

Dekastichon (griech. *deka* = 10, *stichos* = Vers), Zehnzeiler, Gedicht oder Strophe von 10 Verszeilen, z. B. →Dezime und →Dixain.

Dekasyllabus (griech. *deka* = 10, *syllabe* = Silbe), jambischer Zehnsilber mit Zäsur nach der 4. Silbe, mit weibl. Reim als Elfsilber (→Endecasillabo). In roman. Lit., bes. Epik, als →vers commun sehr alt und häufig (*Cantilène de Ste. Eula-*

lie, Vie de St. Alexis, Chanson de Roland), in dt. als jamb. Fünfheber meist ohne feste Zäsur.

Deklamation (lat. *declamatio* = Vortrag), kunstgerechter Vortrag von Dichtwerken, bes. Gedichten; gelegentl. auch abwertend im Sinn von: eingelerntes, hohles Gerede. →Rezitation.

S. F. Bonner, *Roman D.*, Berkeley 1950.

Dekonstruktion, mod. ikonoklast. Methode jüngerer poststrukturalist. Literaturkritiker der 70er Jahre, die alle Prämissen der formalist., werkimmanenten Interpretation bezüglich der Einheit, Ganzheit, Geschlossenheit, Harmonie, Einhelligkeit und Bedeutung e. Werkes radikal ablehnt und statt solcher ›Illusionen‹ die Offenheit, den Werdestatus, den Spielcharakter des Werkes betont, das sich auch gegen den Strich lesen und subversiv auslegen lasse. Hauptvertreter in Frankreich und USA: J. DERRIDA, J. LACAN und die ›Yale School of Criticism‹: H. BLOOM, G. H. HARTMAN, P. de MAN, J. H. MILLER.

H. Bloom u.a., *D. and criticism*, N.Y. 1979, ⁴1985; J. Culler, *On d.*, Ithaca 1982, dt. 1988; U. Horstmann, Parakritik u. D., 1983; C. Norris, *D.*, Lond. 1983; *The Yale critics*, hg. J. Arac, Minneapolis 1983; C. Butler, *Interpretation, d., and ideology*, Oxf. 1984; C. Norris, *Paul de Man*, Lond. 1988.

Dekoration (lat. *decorare* = schmücken), illusionsfördernde künstler. Ausgestaltung der Bühne zu den für die jeweilige Handlung erforderl. Schauplätzen durch blendfrei gemalte →Kulissen, →Prospekt, →Versatzstücke und →Soffitten, im geschlossenen Zimmer selbst Seitenwände und Decke. – Abgesehen von andeutenden Anfängen auf der antiken Bühne (Lauben, Paläste, Tempel und Statuen für die Tragödie, Privathäuser und

Fenster für die Komödie, Landschaften mit Bäumen, Höhlen, Bergen usw. für das Satyrspiel, stets die ganze Spieldauer gleichbleibend), kann von D. erst gesprochen werden, nachdem um 1500 die Renaissance den modernen →Theaterbau geschaffen hatte. Die ma. →Simultanbühne mit feststehenden Schauplätzen kennt keine D. im eigtl. Sinne. Mit der engen räuml. Begrenzung des Schauplatzes in der →Guckkastenbühne des geschlossenen Theaterbaues entstand das Bedürfnis nach bildmäßiger Ausgestaltung der Bühne. Die nach 1500 entdeckten Gesetze der →Perspektive erhöhten die Illusion. Die für den Schauplatzwechsel erforderliche Wandlungsfähigkeit erreichte die Renaissancebühne durch →Telari in Verbindung mit dem seitlich auseinanderschiebbaren Schlußprospekt. Seit 1620 tritt an ihre Stelle, vom Jesuitentheater raffiniert ausgebaut, die →Kulissenbühne (zuerst Wien 1659), welche die dekorationslose Bühne des →Schuldramas übertrifft und ab 1720 in Anlehnung an die reich ausgestattete Opernbühne eine Prunkarchitektur entwickelt. Besondere Verdienste um ihren weiteren Ausbau erwerben sich die über alle dt. Theaterstädte verteilten Mitglieder der ital. Maler- und Bühnenbildnerfamilie GALLI-BIBIENA: durch Übereckstellung der D. wird die perspektiv. Tiefenillusion auch auf die nicht in der Mittelachse des Theaters liegenden Plätze ausgedehnt und damit die opt. Wirkung bis ins Maßlose gesteigert (Treppenbauten, Bogenhallen, Palast- und Turmbauten). Diese Art der D. setzt sich durch die QUAGLIO, GAGLIARDI und FUÉNTES bis ins 19. Jh. fort, während an den Fest- und Opernspielen des Wiener Hofes BURNACINI die Mittelachsen-Perspektive zu unendl. Prunk entfaltet. Gegen

e. solche Entwicklung der D.-kunst als Selbstzweck entsteht bereits in 18. Jh. mit der Wandlung von Schaukunst zur Wortkunst e. Gegenbewegung: D. COTEL, J. G. LANGHANS, Anton de PIAN und in Dtl. bes. im 19. Jh. F. SCHINKEL kehren zu e. dem Bühnenwerk gemäßen D. zurück, die nicht Wirklichkeitsnachahmung, sondern Vereinfachung aufs Wesentliche, Stilisierung bietet. Im 19. Jh. verficht LAUBE die Schlichtheit der →Ausstattung; PUJOULX, A. J. BREYSIG und SCHRÖDER erstreben die Zimmer-D. wegen ihrer intimeren Wirkung für Kammerspiele. Der Realismus greift auf die Illusionsbühne zurück, und die →Meininger fordern histor. Treue der D. Gegen die überspitzt naturalist. D. erfolgt der Gegenschlag um 1900 durch die →Stilbühne mit symbolhaft andeutender, fast ornamentaler D. Große Maler beteiligen sich am Entwurf der →Bühnenbilder: L. CORINTH, M. LIEBERMANN, SLEVOGT u.a. Neue Umwälzungen der D. brachten die Ausbildung raffinierter Beleuchtungseffekte (Lichtkegel), die russ. Experimente mit Abkehr von jeder Wirklichkeitsandeutung (TAIROFF, ALTMANN) und die abstrakte, kubist.-futurist. D. des Expressionismus. In der Gegenwart bemüht man sich wieder um e. sparsame und stilist. andeutende D. mit einfachen, z.T. illusionshindernden Mitteln. →Bühne, →Bühnenbild, →Ausstattung, →Theater.

M. Herrmann, Forschgn. z. dt. Theatergesch. d. MA. u. d. Renaissance, 1914; P. Mahlberg, Schinkels Theater-D.en, Diss. Greifswald 1916; W. Bertram, D. Gallibibiena, Diss. Marbg. 1923; A. Tairoff, D. entfesselte Theater, 1923; J. Gregor, Denkmäler d. Theaters (II: Szen. Architekturen), 1924; ders., Wiener Szen. Kunst (I: D. Theater-D.), 1924; P. Zukker, Theater-D. d. Barock, 1925; ders., Theater-D. d. Klassizismus, 1925; H. Tintelnot, Barocktheater u. barocke Kunst, 1939; L. Sievert, Lebendiges

Theater, 1944; D. Frey, Kunstgesch. Grundbegriffe, 1947; N. Decugis u.a., Le décor de théâtre en France, Paris 1953; S. Melchinger, Theater d. Gegenw., 1956; R. Hainaux, Le décor de théâtre, Amsterd. 1957; A. Boll, La d. théâtrale, Paris 1958; D. Bablet, Le décor du théâtre, Paris 1965, ²1976.

Deleatur (lat. = es werde getilgt), in Korrekturfahnen und -bögen Bz. von zu tilgenden Buchstaben, Wörtern usw., deren Durchstreichung am Textrand wiederholt wird unter Beifügung des Korrekturzeichens: ♃.

Demutsformel →Devotionsformel

Denkschrift, an Behörden gerichteter, klarer und objektiver Bericht über e. wichtige öffentl. Angelegenheit, Abhandlung e. gelehrten Körperschaft. Auch Darlegung polit. Sachlagen und Geschehnisse wie schon das *Monumentum Ancyranum* über AUGUSTUS, CÄSARS *De bello Gallico* u.ä.

Denkspruch →Apophthegma, →Devise, →Gnome, →Maxime, →Sentenz.

Denkvers, lit. wertloser, künstlich zusammengesetzter Vers zur leichteren Einprägung von Lernstoffen (grammatischer Regeln, Namen, Geschichtsdaten u.ä. nicht vernunftgemäß, sondern nur gedächtnismäßig zusammenfaßbarer Begriffe), für die er durch Rhythmus, Reim oder Assonanz e. Gedächtnisstütze bietet; in neulat. und ma. Pädagogik beliebt, als Genus-Regeln der lat. Schulgrammatik z.T. bis in die Gegenwart erhalten. Vgl. →Katalogvers.

Denkwürdigkeiten →Memoiren

Denotation →Konnotation

Dénouement (franz. =) →Lösung der Konflikte oder Intrigen in Epik oder Drama. Vgl. →Lösungsdrama, →Katastrophe.

Deprecatio (lat. = An-, Herabrufung), rhetor. Figur des gehobenen Pathos ähnlich der →Apostrophe: Anrufung einer nicht anwesenden Person oder Sache in flehentl. Bitte um Mitgefühl in einer schwierigen Lage, meist mit starkem Appell an eth. Werte.

Descort (provenzal. = Zwiespalt), durchkomponiertes und gesungenes Lied, dessen Strophen nach Verszahl und Versart verschieden sind und oft sogar in versch. Sprachen oder Dialekten verfaßt sind. Inkongruenz als Zeichen seel. Disharmonie bes. in der Minneklage. In franz.-provenzal. (RAIMBAUT DE VAQUEIRAS), span., portugies. und ital. Lit. (JACOPO DA LENTINI, GIACOMINO PUGLIESE, DANTE), hier ›discordo‹ genannt.

Descriptio →Ekphrasis

Desinvolture (franz. =) Zwanglosigkeit, Freimut, Sichgehenlassen im Stil, bes. im →Expressionismus.

Deskription (lat. *descriptio* =) →Beschreibung, →Ekphrasis

Destan, episches Volkslied der türk. Dichtung des MA., besingt meist in Strophen aus 4 Elfsilbern lokale Helden oder Ereignisse.

Detektivroman, Detektivgeschichte (engl. *detect* = auf-, entdecken), neuere, spezifisch angloamerikan., ›analyt. Abart des →Kriminalromans bes. im 20. Jh., in der die psycholog. Erklärung des Verbrechens zurücktritt hinter der ausführl. Schilderung seiner Aufklärung, der Aufhellung eines fiktiven, anfangs offensichtlich unerklärbar erscheinenden und für den Leser bis zum Schluß geheimnisumwitterten Tatbestandes durch den Detektiv mit Hilfe von Indizien, Psychologie, Kombinatorik, Intuition und log. Schlußfolgerungen. Weder Verbrecher noch Verbrechen, sondern der Detektiv steht als ›Held‹ von erstaunl. Intuition, messerscharfer Logik, untrügl. Schlauheit und Gewandtheit übermenschl. Formats im Mittelpunkt des Interesses. Mit ihm und seinem Wissen identifiziert sich der Leser, der den D. wegen seines analyt. Aufbaus – die Untersuchung eines Falles – als intellektuelle Denksportaufgabe betrachtet, die allerdings trotz ihres Charakters als bewußte Fiktion und trotz der marionettenhaften Präzision ihres vorkalkulierten Figurenreigens mit falschen Fährten als retardierenden Elementen nicht immer auf das Hilfsmittel des Zufalls verzichtet. Die durch Einbuße an innerem Gehalt erkaufte Erhöhung der rein stoffl. Spannung bedingt trotz oft geschickter Erzähltechnik die Einstufung des D. als Unterhaltungslit., soweit Geheimnis, Bedrohung, Fahndung, Verdacht und Auflösung des Rätsels und dieses selbst nicht über das stoffl. Interesse hinaus zu Aussagen menschl. Befindlichkeit werden. Die wenigen lit. anspruchsvollen D., die allein die Geschichte der Gattung bestimmen, lassen daher eine vertiefende Fortentwicklung in drei histor. Stufen erkennen: im 19. Jh. stehen die Fragen nach dem Wer, die Erkenntnisfrage nach der Person des Mörders und die unbeschränkte, optimist. Bewunderung menschl. Verstandeskombinatorik im Vordergrund. Seit der Jahrhundertwende tritt daneben die Frage nach dem Wie der Tat und der Aufklärung, die unter dem Aspekt der aufblühenden Naturwissenschaft und Technik zur Verfeinerung der Methoden auf beiden Seiten führt. Unter dem Eindruck neuer psycholog. und sozialer Skepsis an der menschl. Vollkommenheit gewinnt schließlich seit dem 1. Weltkrieg die Frage nach dem Warum, den Beweggründen der Tat, Oberhand und wird entsprechend bei den Ermittlungen einbezogen, so daß das Spiel von Jäger und Gejagtem zuletzt in ein Verständnis menschl. Zusammenhänge und soz. Tragödien mündet. Von hier aus gewinnt dann neben der Psychologie des Verbrechers auch der Charakter des bisher oft schablonenhaft gezeichneten Detektivs an Interesse, und sein ursprüngl. Übermenschentum wird in menschl. Gefährdung, Exzentrizität und eigenwillige Schwächen zurückgenommen: er wird personalisiert und geht in Serie. Vorgebildet wurde der D. in detektor. Novellenformen der Romantik um rätselhafte Geschehnisse (E. T. A. HOFFMANN, KLEIST), in A. MÜLLNERS *Der Kaliber* (1829) und den Erzählungen des Amerikaners E. A. POE (*The Murders in the Rue Morgue*, 1841, u. a. um Auguste Daupin), verbreitet durch die Engländer W. COLLINS und A. Conan DOYLE in den Sherlock-Holmes-Geschichten und den Franzosen E. GABORIAU. Elemente des D. zeigen FONTANES *Unterm Birnbaum* und RAABES *Stopfkuchen*. Im 20. Jh. schreiben bedeutende D. in England A. CHRISTIE (um den Detektiv Hercule Poirot), D. SAYERS (um Lord Peter Wimsey), E. WALLACE, G. K. CHESTERTON (Father Brown-Geschichten), E. AMBLER, J. H. CHASE, W. F. CROFTS, E. C. BENTLEY u. a., in den USA M. SCHERF, E. S. GARDNER, P. HIGHSMITH, P. CHENEY (um die Detektive Callaghan und Lemmy Caution), E. QUEEN (Pseudonym), hartrealistisch R. CHANDLER (um Ph. Marlowe) und D. HAMMETT, in Neuseeland N. MARSH, in Frankreich G. SIMENON (Kommissar Maigret), in

Dtl. J. WASSERMANN (*Der Fall Maurizius*), F. DÜRRENMATT (*Der Verdacht; Der Richter und sein Henker; Das Versprechen*, um Kommissar Bärlach), F. GLAUSER u. a. Die besten unter ihnen erstreben e. Vermenschlichung und Beseelung des verstandesmäßig konstruierten und mechanisch ablaufenden Entdeckungsvorgangs, die menschl. Teilnahme Raum gibt und nicht zuletzt zur Wandlung des Verbrechers beiträgt. W. BERGENGRUENS *Der Großtyrann und das Gericht* benutzt die Spannung des D. für das Problem allgemeinmenschl. Schuld.

F. Depken, Sherlock Holmes, Raffles u. ihre Vorbilder, 1914; H. Epstein, D. D. d. Unterschicht, 1929; R. Messac, Le Detective Novel, Paris 1929; F. Fosca, Hist. et technique du roman policier, Paris 1937; H. D. Thomson, Masters of Mystery, Lond. 1941; R. Caillois, Le roman policier, Buenos Aires 1941; H. Haycraft, Murder for Pleasure, 1941; ders., The Art of the Mystery Story, 1946; L. Schulze, D. Nachfolger d. Sh. Holmes, Diss. Marb. 1949; F. Wölcken, D. lit. Mord, 1953; RL; W. Gerteis, Detektive, 1953; S. Dresden, S. Vestdijk, Marionettenspel met de dood, Haag 1957; J. Elgström u. A. Runnquist, Svensk mordbok, Stockh. 1957; G. F. McCleary, On detective fiction, Lond. 1960; J. Elgström u. a., Mord i biblioteket, Stockh. 1961; E. Bloch, Philos. Ansicht d. D. (in: Verfremdungen, 1962), sep. 1979; R. Alewyn, D. Rätsel des D. (in: Definitionen, 1963); P. Boileau u. T. Narcejac, Der D., 1967; U. Suerbaum, D. gefesselte D. (Poetica I, 1967); A. E. Murch, The development of the detective novel, Lond. ²1968; Der wohltemperierte Mord, hg. V. Žmegač 1971; S. Kracauer, D. D. (Schriften I, 1971); M. Holquist, Whodunit, NLH 3, 1971/72; R. Alewyn, Anatomie d. D. (Weltlit. u. Volkslit., 1972); C. Reinert, D. Unheimliche u. d. D., 1973; P. G. Buchloh, J. P. Becker, D. D., 1973, ²1978; P. Hasubek, D. Detektivgesch. f. junge Leser, 1974; H. Conrad, D. lit. Angst, 1974; Q. Egloff, D. u. engl. Bürgertum, 1974; C. Reinert, Detektivlit. b. Sophokles, Schiller u. Kleist, 1975; L. Landrum u. a., Dimensions of d. fiction, Bowling Green 1976; V. Neuhaus, Vorüberleggn. z. e. Gesch. d. detektor. Erzählens, Arcadia 12, 1977; P. Hühn, Z. d. Gründen f. d. Popularität d. D., Arcadia 12, 1977; R. Burckhardt, D. hartgesottene amerik. D.gesch., 1978; H.-O. Hügel,

Untersuchungsrichter, Diebsfänger, Detektive, 1978; P. J. Brenner, D. Geburt d. D., LWU 11, 1978; H. Hudde, D. Scheitern d. Detektivs, Romanist. Jb. 29, 1978; D. Gutzen u. a., Themen u. Tendenzen d. mod. D., Arcadia 1978 Sonderh.; E. Schulze-Witzenrath, D. Geschn. d. D., Poetica II, 1979; D. Bennet, *The det. story*, PTL 4, 1979; Sh. Holmes auf d. Hintertreppe, hg. H. L. Arnold 1981; D. Schwanitz, D. undurchschaute Lösgstechn. d. Detektivs, Arcadia 17, 1982; A. Peterson, *Victorian masters of mystery*, N.Y. 1983; D. Daube, D. Geburt d. D'gsch., 1983; Lit. u. Kriminalität, hg. J. Schönert 1983; Z. Škreb, D. D., EdT, 1984; C. S. Hamilton, *Western and hard-boiled det. fiction in America*, Lond. 1987; *The sleuth and the scholar*, hg. B. R. Rader, Lond. 1988. →Kriminalroman.

Deus ex machina (lat. =) der Gott aus der Maschine. In versch. späteren griech. Tragödien (z. B. EURIPIDES' *Iphigenie*) wurde e. an sich unlösbare Verwicklung kurz vor der Katastrophe durch den Machtspruch eines mittels Maschinerie von oben auf die Bühne herabgelassenen Gottes gelöst; daher sprichwörtlich für jede durch plötzliche, unmotiviert eintretende Ereignisse, Personen oder außenstehende Mächte (Monarch, Heilige, Maria) in letzter Minute bewirkte Lösung e. Konflikts in Dichtung wie Alltagsleben. Das Verfahren, von ARISTOTELES abgelehnt, bedeutet an sich kein Versagen der dramat. Gestaltungskraft, wenn es von Dichter wie Publikum je nach Weltauffassung oder geistiger Grundlage des Stückes akzeptiert oder als bewußte Verfremdungstechnik, Parodie der Scheinwelt Theater, verstanden wird (MOLIÈRE, *Tartuffe; BRECHT, Dreigroschenoper, Der gute Mensch von Sezuan*).

A. Spira, Unters. z. D. e. m. b. Sophokles u. Euripides, 1960; M. Lefèvre, Der D. e. m. i. d. dt. Lit., Diss. Bln. 1968; K. R. Fösel, Der D. e. m. i. d. Komödie, 1975.

Deuteragonist (griech.), der zweite Schauspieler im griech. →Drama, der erst den Dialog auf der Bühne

ermöglichte; erstmals von AISCHYLOS dem →Protagonisten zur Seite gestellt.

Deutsche Akademie für Sprache und Dichtung, am 28. 8. 1949 in der Paulskirche Frankfurt/M. gegründete Nachfolgeorganisation der ehem. Sektion für Dichtkunst der Preuß. Akademie, mit Sitz in Darmstadt und e. beschränkten Anzahl gewählter ordentl. und korrespondierender Mitglieder. Ihre selbstgewählten Aufgaben sind die Vertretung des dt. Schrifttums vor dem In- und Ausland, die Pflege der dt. Sprache in Kunst, Wissenschaft, öffentl. und privatem Gebrauch, die Förderung begabter Schriftsteller bzw. wertvoller Werke durch Preise und Auszeichnungen, die Neuherausgabe vergessener wertvoller Werke sowie die Stellungnahme zu Fragen des geistigen Lebens. Sie verleiht den Georg-Büchner-Preis für zeitgenöss. dt. Dichtung, den Preis für Germanistik im Ausland, den Übersetzerpreis, den Johann-Heinrich-Merck-Preis für lit. Kritik, den Sigmund-Freud-Preis für wiss. Prosa und den Karl-Hillebrand-Preis für Essays, gibt seit 1953 e. Jahrbuch heraus und trifft sich zweimal jährlich zu Tagungen in wechselnden Städten der BR.

Deutsche Bewegung, von W. DILTHEY 1867 geprägte und von H. NOHL 1911 aufgegriffene Bz. für die lit. und geistigen Strömungen in Dtl. rd. 1770–1830 als der zweiten weitgehend eigenständigen Epoche dt. Selbstverwirklichung nach der ma. Blütezeit, gekennzeichnet durch eine lit. Hochblüte (KLOPSTOCK, LESSING, HERDER, GOETHE, SCHILLER, HÖLDERLIN, JEAN PAUL, KLEIST, Romantiker) und e. Blüte der Philosophie (KANT, FICHTE, SCHELLING, HEGEL) in Verbindung mit nationaler Selbstbesinnung,

Wiederentdeckung der nationalen Vergangenheit, neuer Sprachbewußtheit, Aneignung der Antike und Bejahung des eigenen Volkstums. Die nationalist.-chauvinist. belastete, anti-aufklärerische Bz. ist heute weitgehend aufgegeben und philos. durch →Idealismus, lit. durch die Bz. Goethezeit ersetzt.

Deutsche Bibliothek, 1947 in Frankfurt a.M. gegründete, ab 1952 vom Bund, dem Land Hessen, der Stadt Frankfurt und dem Börsenverein des dt. Buchhandels unterhaltene Stiftung öffentl. Rechts, ab 1969 Bundesanstalt, entspricht in ihren Zielsetzungen als Nationalbibliothek der →Deutschen Bücherei in Leipzig: Sammlung (Präsenzbibliothek) und bibliograph. Aufschlüsselung des gesamten deutschsprachigen Schrifttums des In- und Auslandes seit 8.5.1945 (Pflichtexemplare), des im Inland erschienenen fremdsprachigen Schrifttums, ferner der fremdsprachigen Lit. über Dtl., der Übss. aus dem Dt., der dt. Exillit. 1933–45, der Hochschulschriften, Dissertationen und ungedruckter wiss. Werke, schließlich Herausgabe der Deutschen Bibliographie.
Bibliographie u. Buchhandel, Fs. 1959; Die D. B., hg. K. Köster 1965; Die D. B., hg. R.-D. Saevecke 1980.

Deutsche Bücherei, 1912 vom Börsenverein dt. Buchhändler in Leipzig gegründete und seither staatlich unterhaltene dt. Nationalbibliothek, Sammelstelle aller seit 1.1.1913 erschienenen Druckwerke in dt. Sprache (Pflichtexemplare), ferner der fremsprachigen Lit. des Inlandes, fremdsprachiger Übss. dt. Bücher und ausländ. Schrifttums über Dtl.; Herausgeberin der Dt. Nationalbibliographie und versch. Sonderbibliographien. In der BR dient die →Deutsche Bibliothek derselben Aufgabe.

H. Uhlendahl, Vorgesch. u. erste Entwicklung d. D. B., 1957; D. B. 1912–1962, Fs., 1962.

Deutsche Gesellschaften, lit. Vereinigungen ähnl. den →Sprachgesellschaften zur Pflege von dt. Schrift und Sprache, Dicht- und Redekunst mit dem Ziele der Herausgabe e. dt. Grammatik und Poetik. Entstanden im Anschluß an die von GOTTSCHED 1727 in Leipzig gegründete D. G. im 18. Jh. Wichtigste: Göttinger D. G. von 1738 (BÜRGER, GLEIM, HÖLTY, F. W. ZACHARIÄ) und Mannheimer D. G. von 1775 (KLOPSTOCK, LESSING, HERDER, WIELAND, SCHILLER), ferner ähnliche Institutionen zur Förderung von Sprachpflege und allg. Bildung in Hamburg 1715, Jena 1728, Nordhausen 1730, Weimar 1733, Halle 1736, Helmstedt 1746, Königsberg 1741, Erlangen 1755, Wien 1760.
H. Schultz, D. Bestrebgn. d. Sprachges. d. 18. Jh. f. d. Reinigg. d. dt. Spr., 1888; RL.

Deutsches Literaturarchiv →Archiv

Deutschgesinnte Genossenschaft →Sprachgesellschaften

Deutschkunde, 1925 begründete Fächergruppe im Gymnasialunterricht, umfaßte außer der Dichtung die Gesamtheit dt. Geistes- und Kulturlebens in Sprache, Lit., Philosophie, Musik, Kunst und Volkstum in Vergangenheit und Gegenwart als e. Art ›völk.‹ Kulturkunde.
W. Hofstaetter, Grundzüge d. D., 2 Bde. 1925–29; ders., D., ⁵1930; ders., Zs. f. D., 1934ff.; W. Hofstaetter, U. Peters, Sachwörterbuch d. D., 2 Bde., 1930.

Deutschland, Junges →Junges Deutschland

Deutschmeisterlieder, volkstümliche Lieder des Wiener Hoch- und Deutschmeister-Regiments Nr. 4; oft von Wiener Volkssängern verfaßt.

Deutschordensdichtung, die rd. 1300–1400 von begabten Angehörigen des Dt. Ritterordens in Preußen, oft auf Anregung der Hochmeister, verfaßten Werke in ostmitteldt. Sprache, der Amtssprache des Ordens, z. T. auch lat.; vereinen gemäß der Struktur des Ordens Ritterliches und Mönchisches, jedoch entsteht keine höf. Dichtung oder Minnelyrik, sondern einerseits verherrlichende Darstellungen der Ordensgeschichte: *Livländ. Reimchronik* (Ende 13. Jh.), Übersetzung des lat. *Chronicon terrae Prussiae* (1326) des PETER VON DUSBURG durch den Ordenskaplan NIKOLAUS VON JEROSCHIN: *Kronike von Pruzinlant,* gereimte Ordensgeschichte des WIGAND VON MARBURG (1394) und Geschichte des Ordenslandes 1360 bis 1405 in Prosa von JOHANN VON POSILGE; andererseits geistl. Dichtungen für den prakt. Gebrauch (Tischlektüre), bes. Übersetzungen von Bibelstücken, geistl. Verserzählungen, Legenden und Marienkult. Der D. nahe steht der unbekannte, wohl priesterl. Verfasser des *Väterbuches* (um 1280) und des *Passional,* zweier großer mhd. Legendensammlungen des ausgehenden 13. Jh. nach lat. Vorlage (40 000 und 110 000 Verse!). Vom *Passional* beeinflußt zeigt sich der Dichter e. Psychomachie *Der Sünden Widerstreit.* Der Ritter HEINRICH VON HESLER übertrug um 1310 die *Apokalypse* und schrieb e. gereimtes *Evangelium Nicodemi.* Ihre Blüte erlebt die D. nach der Verlegung des Ordenssitzes von Venedig in die Marienburg (1309) unter dem Hochmeister LUDER VON BRAUNSCHWEIG (1331–35), der selbst e. *Geschichte der Hl. Barbara* schrieb und die Makkabäer-Bücher übertrug (1322), sowie seinem Nachfolger DIETRICH VON ALTENBURG (1335–1341). Beliebte Themen sind die Glaubenshelden und -heldinnen des AT.: *Esther, Esra* und *Nehemia, Judith* (1304), *Daniel* (1331) und die Paraphrase des *Hiob* (1338), evtl. von THILO VON KULM, der 1331 auch in dem Buch von den *Sieben Siegeln* tiefgründige Glaubensgeheimnisse erläutert. Claus CRANC übersetzt um 1348 die Propheten, andere die Apostelgeschichte in meisterhafter Prosa; Der FRANKFURTER veröffentlicht Ende des 14. Jh. e. *Theologia deutsch,* e. myst. Lebenslehre, und JOHANN VON MARIENWERDER beschreibt zu Beginn des 15. Jh. *Das Leben der seligen vrouwen Dorothee von Montau.* Zwei weitere Gruppen der D. bilden Rechts- und Artes-Literatur. Die Schlacht von Tannenberg 1410 setzt der blühenden Ordenskultur e. Ende.

Ph. Strauch, D. D.-lit. d. MA., 1910; K. Helm, D. Lit. d. Dt. Ordens i. MA. (Zs. f. dt. Unterr. 30, 1916); RL; W. Ziesemer, D. Lit. d. Dt. Ordens i. Preußen, 1928; H. Grundmann, Dt. Schrifttum i. Dt. Orden (Altpreuß. Forschgn. 18, 1941); K. Helm u. W. Ziesemer, D. Lit. d. Dt. Ritterordens, 1951; G. Jungbluth, Z. Gesch. d. Dt. Ordens, 1969.

Deutung, Auslegung und Erklärung des Sinnes, der (auch weltanschaulichen) Bedeutung und des inneren Zusammenhanges e. Sprachkunstwerkes, →Interpretation, →Hermeneutik, →Exegese.

Devětsil (tschech. = Huflattich), 1920 in Prag gegründeter tschech. Dichterkreis junger Linkssozialisten, veröffentlichte nach Vorbild des russ. Proletkult seine sozialrevolutionär-modernist. Anschauungen in zahlreichen Manifesten. Mitglieder der Gruppe, als deren lit. Vorbilder RIMBAUD und APOLLINAIRE galten, waren u.a. V. VANČURA, K. TEIGE, J. SEIFERT und V. NEZVAL. →Poetismus.

Devise (franz. v. mlat. *divisa* = Unterscheidungszeichen), Losung, Denk- und Wahlspruch e. Person bzw. Gemeinschaft; früher häufig auf Orden und Wappenschilden (bes. in England und Frankreich, in Dtl. nur bei höchstem Adel); enthält, einprägsam und schlagkräftig formuliert, die Grundsätze ihres Glaubens und Handelns in Form e. Bekenntnisses, e. →Maxime oder e. Aufforderung, z.B.: ›Suum cuique‹ (lat. = Jedem das Seine).

Devotio moderna (lat. = neue Frömmigkeit), von Geert GROOTE begründete relig. Bewegung des niederländ. MA. (14./15. Jh.), erstrebte ein myst. verinnerlichtes, erbaulich sich versenkendes und zugleich tätig helfendes Christentum. Bildete die Grundlage für die geistl. Lit. des 15. Jh. in den Niederlanden, insbes. der geistl. Lieddichtung in der (meist lat.) Erbauungslit.: G. GROOTE, THOMAS VON KEMPEN *(Nachfolge Christi)*, G. ZERBOLD u. a. Wirkte nachhaltig auf die dt. Mystik.

A. Hyma, *The Christian Renaissance*, Michigan 1925, ²1965; Maria Schmidt, D. geistl. Lied d. D. m., Nijmegen 1930; J. M. E. Dols, Bibliogr. der Moderne Devotie, Nijmegen 1941; R. Post, *De Moderne Devotie*, Nijmegen 1941; M. A. Lücker, Meister Eckhart u. d. D. m., Leiden 1950; H.-F. Rosenfeld, Z. d. Anfängen d. D. m. (Festgabe f. U. Pretzel, 1963); *Moderne devotie*, Nijmegen 1984.

Devotionsformeln (lat. *devotio* = Ergebenheit), Demutsformeln, →Topoi der angenommenen, übertriebenen Bescheidenheit wie Beteuerung der eigenen Unfähigkeit, Unwürdigkeit oder Selbstverkleinerung, dienen in spätantiken und ma. Schriften häufig bei der Einleitung e. Werkes der →Captatio benevolentiae oder im Epilog der Bitte um Nachsicht.

J. Schwietering, D. Demutsformel mhd. Dichter, 1921, n. 1970.

Dexiographie (v. griech. *dexios* = rechts, *graphein* = schreiben), rechtsläufige Schreibrichtung, d. h. von links nach rechts geschriebene Schrift im Ggs. zur semit., phönik. und etrusk. Linksläufigkeit; nach e. Phase des Wechsels (›Bustrophedon‹) seit der klass. Antike europ. Regel.

Dezime (lat. u. span.-portug. *décima* = zehnte, zehnfach), roman., bes. span. Strophenform aus 10 trochäischen Vierhebern, urspr. in der Reimfolge ababacdccd, später variiert in ababaccddc, abbaaccddc, abbaaccdcd. Das mit der Natur der Reimstellung begründete Zerfallen der D. in zwei Fünfzeiler (Quintillhas) vermeidet die Form der →Espinelas. Verbindung von 4 D. zur →Glosse (2). Dt. Nachbildungen in der Romantik (F. SCHLEGEL, L. TIECK, L. UHLAND).

J. M. de Cossío, *La d. antes de Espinel* (*Revista de filología española* 28, 1944); R. Baehr, Span. Verslehre, 1962.

Diärese (griech. *diairesis* = Auseinandernehmen, Trennung), 1. in der Lautlehre die getrennte Aussprache zweier als Diphthong denkbarer aufeinanderfolgender, jedoch zu versch. Silben gehörender Vokale, bezeichnet durch das Trema (zwei über den 2. Vokal gesetzte Punkte): naïv; im Vers, z.B. im Hexameterschluß, künstlich archaisierend zur Gewinnung e. schwachen Endsilbe, z.B. *aquai* (ältere Form, dreisilbig) statt *aquae*. Ggs.: →Synizese. – 2. in der Metrik Einschnitt im Vers, bei dem im Ggs. zur →Zäsur Wort- und Versfußende zusammenfallen; bei antiken Trochäen meist dimetrische, bei Anapästen monometrische D. Vgl. →bukolische Diärese. – 3. in der Rhetorik die Aufgliederung e. Hauptbegriffs in zahlreiche, syndetisch oder asyndetisch aneinandergereihte Unterbegriffe, die am

Schluß durch Nennung des Kollektivs zusammengefaßt werden, zum Zweck bildkräftigerer Darstellung allg. Begriffe wie alles, nichts, viel usw. – →Akkumulation.

Dialękt (griech. *dialektos* = Sprache, Gespräch), Mundart, d. h. eigtl. die zwanglose Redeweise der Umgangssprache im Ggs. zur →Schriftsprache, dann bes. die hinsichtlich Lautwert und Wortschatz landschaftlich unterschiedl. Sprache (regionale Varietät). Ein D. kann durch polit. und kulturelle Isolierung seines Sprachraumes zur selbständigen Schriftsprache werden. Am Anfang aller Lit. steht die Schriftmundart. Mit dem Entstehen e. künstl. →Schriftsprache aus dem vorherrschenden D. oder e. Mischung geht der direkte Einfluß des D. auf die Lit. zurück, doch wirkt er ständig auf Lautbildung und Wortschatz der Schriftsprache ein oder entwickelt als →Schriftmundart eine →Dialektdichtung.

W. Mitzka, Dt. Mundarten, 1943; S. Pop, *La dialectologie*, 1950; A. Bach, Dt. Mundartforschg., ³1969; E. Schwarz, D. dt. Mundarten, 1950; W. Henzen, Schriftspr. u. Mundarten, ²1954; K. Wagner, D. Gliederg. d. dt. Mundarten, 1954; B. Martin, D. dt. Mundarten, ²1959; R. E. Keller, *German Dialects*, Manchester 1961; V. M. Schirmunski, Dt. Mundartkunde, 1962; G. Bergmann, Mundarten u. Mundartforschung, 1964; H. Löffler, Probleme d. Dialektologie, 1974, ²1980; Z. Theorie d. D., hg. J. Göschel 1976; J. Goossens, Dt. Dialektologie, 1977; T. L. Markey, Prinzipien d. Dialektologie, 1977; K. J. Mattheier, Pragmatik u. Soziologie d. D.e, 1980; D. u. Dialektologie, hg. J. Göschel 1980; Dialektologie, hg. W. Besch, II 1982f.; H. Niebaum, Dialektologie, 1983; Aspekte d. D'theorie, hg. K. J. Mattheier 1983; *The dialects of mod. German*, hg. C. Russ, Beckenham 1988; *Historical Dialectology*, hg. J. Fisiak 1988.

Dialektdichtung, vollständig in Mundart (→Dialekt) verfaßte Dichtung im Ggs. zur Dichtung in der Hoch- oder →Schriftsprache. Vor Entstehen e. solchen ist praktisch jede Dichtung an e. bestimmte Mundart gebunden. Spätere D. sucht z. T. nach regionaler Selbstdarstellung, Milieuechtheit, romant. Folkloristik, Eskapismus im vermeintl. Gemüthaft-Echten, Behaglichen oder satir. Enthüllung provinzieller Vorurteile, Gesellschaftskritik in verbergenden Sprachgebärden, Sprachspiel mit lit. unverbrauchtem Material und schließl. Proselyten des gesellsch. Protests. Im allg. sind in der D. alle Gattungen vertreten, doch ist mangels einheitl. Orthographie die Wirkung bei mündl. Vortrag am größten und die Reichweite meist auf den Mundartraum beschränkt. – Das Umgekehrte ist in altgriech. Lit. der Fall, wo die Gattungen unabhängig von der Herkunft des jeweiligen Autors den Dialekt, in dem sie zuerst hervorgetreten sind, beibehalten. Bis in byzantin. Zeit galt daher für das Epos der altionisch-äolische (nach HOMER), für die Lyrik der äolische (nach ALKAIOS und SAPPHO), für →Chorlied der Tragödie und Hirtenlied der dorische und für Geschichtsschreibung und Medizin zuerst der neuionische (nach HERODOT und HIPPOKRATES), nach THUKYDIDES und DIOKLES der attische Dialekt, natürlich unter wechselnder Beeinflussung und z. T. als künstliche Weiterbildung. – Im MA. sucht die mhd. →Dichtersprache Dialektgrenzen durch übermundartl. Lautgebung zu überbrücken. Nach dem Vordringen der nhd. →Schriftsprache LUTHERS wird die D. in Dtl. auf lokale Gelegenheitsdichtung und etwa noch Bauernrollen im Lustspiel (GRYPHIUS, *Geliebte Dornrose*) eingeschränkt und erscheint erst wieder in der 2. Hälfte des 18. Jh. unter dem Einfluß der Reaktion von BODMER und BREITINGER gegen GOTTSCHED. Der

Schwabe S. Sailer (1714–77), der Oberfranke K. Grübel (1736–1809, *Gedichte in Nürnberger Mundart*, 1798) sowie J. H. Voss (plattdt.), J. G. D. Arnold (els.) und J. M. Usteri (schweiz.) bringen die ersten Ansätze e. neuen D. J. P. Hebels *Alemannische Gedichte* (1803) dringen über die Grenzen der Mundart hinaus vor und regen weitere D. an, während in den Volkstheatern der Alpenländer das Dialektstück weitgehend in Geltung geblieben war (Stranitzky, Castelli, Raimund, Nestroy bis Anzengruber) und im 20. Jh. sich erneuert (Ö. v. Horváth, W. Bauer). Im 19. Jh. tritt sodann insbes. der plattdt. Raum mit D. von geradezu klass. Geltung in Lyrik (Klaus Groth) und Erzählkunst (Fritz Reuter, R. Kinau) hervor; es folgen die anderen dt. Landschaften, in Bayern etwa F. Stelzhamer, F. v. Kobell, K. Stieler, in Schlesien K. v. Holtei, in Schwaben J. Eberle und T. Troll, in Österreich P. Rosegger, H. C. Artmann, G. Rühm und F. Achleitner, in Franken F. Kusz, in Hessen K. Sigel, in der Schweiz R. v. Tavel, M. Lienert, K. Marti u.a. Das Drama nimmt in der Lokalposse (Niebergall, *Datterich*), im Naturalismus (G. Hauptmann, *Die Weber, Der Biberpelz*, K. Schönherr, L. Thoma), im niederdt. Bühnenschwank (F. Stavenhagen, A. Hinrichs, K. Bunje) und in der modernen sozialkrit. Provinzdramatik (M. Fleisser, M. Sperr, F. X. Kroetz, P. Turrini), Dialekte auf. In ähnlicher Weise entwickelt sich die D. im Ausland: in England durch G. Chaucer, A. Ramsay, R. Ferguson, R. Burns, E. Waugh und W. Barnes, in Amerika mit J. R. Lowell und J. Ch. *Herris*, in Italien mit G. Giusti, G. G. Belli, C. Porta, P. Burati, Pescarella,

S. Di Giacomo, Trilussa, P. P. Pasolini und F. Russo; über die franz. D. →Felibrige. →Schriftmundarten.

F. Schön, Gesch. d. dt. Mundartdichtung, IV 1918–39; O. v. Greyerz, D. Mundartdichtung d. dt. Schweiz, 1924; RL; G. Thürer, Wesen u. Würde d. Mundart, 1944; B. Martin u. G. Cordes in ›Aufriß‹; M. Jaeger, Theorien d. Mundartdichtg., 1964; J. D. Bellmann, D. Mundart i. d. Lit. d. heut. Welt (Muttersprache 75, 1965); Warum im Dialekt, hg. G. W. Baur u.a., 1976; F. Hoffmann u.a., D. neue dt. Mundartdichtg., 1977; W. Schenker, Dialekt u. Lit., ZDP 96, 1977; L. Foerste, Plattdt. Erz. d. 19. Jh., 1977; P. Pabisch, Heimatdichtg. i. Dialekt, 1978; H. Haid, Dtspr. D'lyrik seit 1965 (Dt. Lit. i. d. BRD, hg. P. M. Lützeler 1980); F. Hoffmann, Zwischenland, 1981; L. Berlinger, D. zeitgen. dt. Dialektgedd., 1983; Dichten im Dialekt, hg. A. Klein 1985; L. M. Eichinger, Mundartlyrik, NKL 1984; F. Hoffmann, 30 Jhre neue dt. Mundartdichtg., JIG 19, 1987; G. Reinert-Schneider, Dialektrenaiss.?, 1987.

Dialog (griech. *dialogos* = Unterredung), Wechsel- oder Zwiegespräch, d.h. im Ggs. zum →Monolog die von zwei oder mehreren Personen abwechselnd geführte Rede und Gegenrede; hat in der Lit. mehrfache Bedeutung: 1. im Drama seit der Einführung des →Antagonisten als konstitutives Element (neben dem Monolog; im antiken Drama durch →Chorlieder und dergl. unterbrochen), das zu Beginn des Stückes die Vorgeschichte darlegt (z. B. Gryphius, *Cardenio und Celinde*), die Handlung weiterführt und die Gegensätze, aus denen der Konflikt ersteht, zutage treten läßt (Goethe, *Tasso*). Von der bewegten D.führung hängt e. Großteil der Wirkung ab. – 2. in der Erzählkunst, in Erzählgedicht und Ballade wie im →Dialogroman als lebendige Darstellung von Gipfelpunkten des Geschehens mit dramat. Intensität und zur direkten Charakteristik der Figuren. – 3. als selbständige lit. Kunstform im philos. D., der durch

die einzelnen Unterredner den Gegenstand von versch. Seiten beleuchtet, die scheinbare Objektivität
des Verfassers wahrt und im Austausch gegensätzl. Meinungen zur
Erkenntnis des Richtigen und Be-
griffsklärung fortschreitet. Seine urspr. Form ist der sog. ›Sokratische
D.‹, der die Abwicklung von Denk-
vorgängen veranschaulicht und in
geistvoller Frage, Einwurf und Widerlegung den Gesprächspartner
zur Klärung seiner Vorstellungen,
Aufgabe von Vorurteilen und zur
Erkenntnis führt. Von den Sophisten und SOKRATES, bes. PLATON
(*Kriton, Phaidon* u. a. m.) als Lehr-
methode zu hoher Kunst entwickelt.
Im späteren ›peripatetischen D.‹ stehen sich in den einzelnen Unterred-
nern bestimmte Denkrichtungen,
dann auch (so bei CICERO) Philo-
sophenschulen gegenüber. Von SE-
NECA wird der D. zur Darstellung
von Lebensweisheiten im Sinne der
→Diatribe verwendet; LUKIAN benutzt ihn zur satir. Darstellung moral. und kultureller Zustände. Der
D. bleibt weit über das MA. hinaus
die beliebteste Form der Erörterung
philos., relig. und weltanschaul.
Fragen (AUGUSTINUS, DUNS SCO-
TUS, ABAELARD) wie auch der volkstüml. →Streitschriften und →Streit-
gedichte. Im ma. Schulbetrieb dient
er der Formulierung dogmentreuer
Antworten über das rechte Schrift-
verständnis. Um 1400 verfaßt JO-
HANNES VON TEPL in Prosa das tiefgründige Streitgespräch *Der Ackermann aus Böhmen.* Der Humanismus pflegt die D.-lit. im Anschluß
an PETRARCA *(De vera sapientia)* als
echten Meinungsaustausch individuell charakterisierter Gesprächspartner. ERASMUS VON ROTTER-
DAM zeichnet in seinen D.en den
idealen Humanisten; Ulrich von
HUTTEN (*Gesprächsbüchlein,* 1521)
und GREBEL bilden den D. nach

dem Muster LUKIANS, des Haupt-
vertreters e. satirisch-witzigen D.s
in der Antike, zur bedeutsamen
Waffe für Reformation und ständisch gebundenen Nationalismus
aus; es folgt e. Fülle relig. Streitgespräche zwischen Vertretern der
versch. Konfessionen mit dem Ziel
der Toleranz und gegenseitigen Verständnisses. Eine neue Blüte erlebt
die D.-literatur im Aufklärungszeitalter: WIELAND verwendet ihn
scherzhaft-spöttisch als Übersetzer
LUKIANS (1788–89) und führt die in
Dtl. – im Ggs. zu Frankreich – ver-
nachlässigte Form des →Totenge-
sprächs ein. Daneben steht der philos. D. um ästhet., moral. oder lit.
Probleme in weiter Verbreitung:
LESSINGS Freimaurergespräche
Ernst und Falk (1778–80), MEN-
DELSSOHN, *Phädon* (1767), SCHEL-
LING, *Clara,* J. J. ENGEL, HERDER,
KLINGER, JACOBI, SOLGER, FRIES,
M. MEYR u. a. m. Im 20. Jh. erreicht
der D. nach R. BORCHARDT und F.
MAUTHNER (*Totengespräche* 1906)
neue und strenge Formgebung in
Paul ERNSTS *Erdachten Gesprächen*
(1921) und nähert sich in der Ge-
genwart dem →Essay mit subjekti-
ven Anschauungen meist über lit.
Fragen (HOFMANNSTHAL, H. BAHR,
R. KASSNER, BUBER, G. BENN, *Drei
alte Männer,* L. A. SCHMIDT) oder
polit. Probleme (B. BRECHT, *Flücht-
lingsgespräche*). Vertreter der D.li-
teratur sind in Italien PETRARCA,
LANDINO, EBREO, ARETINO, MA-
CHIAVELLI, GELLI, TASSO, GALILEI,
ALGAROTTI, GOZZI und LEOPARDI
(*Operette morali);* in Frankreich
MALEBRANCHE, FÉNELON, FONTE-
NELLE (nach dem Muster LUKIANS),
DIDEROT, RENAN, GIDE *(Corydon),*
PÉGUY, VALÉRY *(Eupalinos)* und
CLAUDEL; in England BERKELEY
und D. HUME als Nachahmer PLA-
TONS, J. HARRIS im Anschluß an
CICERO und W. S. LANDOR *(Imagi-*

nary conversations). →Gespräch, →Gesprächspiel, →Totengespräche, →Dialogroman. – 4. In Lyrik und Volkslied als →Wechselgesang. – 5. als witziger D. im →Witzblatt *(Kladderadatsch, Simplicissimus)* oder Unterschrift zu Zeichnungen.

R. Hirzel, D. D., II 1895, ²1963; A. Heusler, D. D. i. d. altgerm. erz. Dtg., ZDA 46, 1902; G. Niemann, D. D.lit. d. Reformationszeit, 1905; A. H. Hawkins, D., 1909; E. Merill, *The D. in Engl. Lit.,* 1911; D. Gewerstock, Lucian u. Hutten. Z. Gesch. d. D. i. 16. Jh., 1924; J. Martin, Symposion. D. Gesch. e. lit. Form, 1931; H. Thielmann, Stil u. Technik d. D. i. neueren Drama, Diss. Hdlbg. 1937; H. Tietze, D. verschweigende D., Diss. Bonn 1938; R. Wildbolz, D. philosoph. D. als lit. Kunstwerk, Bern 1952; J. Andrieu, *Le d. antique,* Paris 1954; RL; J. Whatmough, *Poetic, Scientific and other forms of discourse,* Berkeley 1956; M. Egk, D. Gespräch als Kunstform i. d. Romantik, Diss. Freibg. 1956; M. Hoffmann, D. D. b. d. christl. Schriftstellern d. ersten 4 Jhh., 1966; R. Böschenstein, Der D., EG I, 1968; H. Gundert, D. platon. D., 1968; W. H. Sokel, D.führg. u. D. i. express. Drama (Aspekte des Expressionism., hg. W. Paulsen 1968); L. Lucas, Dialogstrukturen u. ihre szen. Elemente i. dt. Dr. d. 20. Jh., 1969; G. Bauer, Z. Poetik d. D., 1969, ²1977; J. Jaffe, S. Feldstein, *Rhythms of d.,* N.Y. 1970; H. Schlumberger, D. philos. D., 1971; S. Grosse, Lit. D. u. gesproch. Sprache (Fs. H. Eggers, 1972); M. Głowiński, D. D. i. Roman, Poetica 6, 1974; H.-G. Winter, D. u. D.roman i. d. Aufklärg., 1974; H. Turk, Dialekt. D., 1975; R. Bauer, Üb. d. D. als lit. Gattg. (Jb. d. dt. Akad. f. Spr. u. Dichtg. 1976); G. Deimer, Argumentative D.e, 1976; M. K. Bénouis, *Le d. philos. dans la litt. franç. du 16. siècle,* Haag 1976; R. Eichler, Poetic drama, 1977; D.e, hg. W. Heindrichs 1979; Lit. u. Konversation, hg. E. Hess-Lüttich 1980; D.forschg., hg. P. Schröder 1981; U. Roumois-Hasler, Dramat. D. u. Alltagsd., 1982; R. Zimmer, Dramat. D. u. außersprachl. Kontext, 1982; R. Schmachtenberg, Sprechakttheorie u. dramat. D., 1982; Interaktionsanalysen, hg. G. C. Rump 1982; Dialogizität, hg. R. Lachmann 1982; A. K. Kennedy, *Dramatic d.,* Cambr. 1983; D. Gespräch, hg. K. Stierle 1984; Gespräche zw. Alltag u. Lit., hg. D. Cherubim 1984; R. Mortier, *Pour une poétique du d.* (Fs. R. Wellek, 1984); *Le d. au temps de la renaiss.,* hg. M.-T. Jones-Davies, Paris 1984; O. F. Best, D. D., PoE 1985; F. Jacques, Üb. d. D., 1986.

Dialogisieren, die →Bearbeitung e. (erzählenden, essayist.) Textes in Dialogform, entweder durch Auflösung indirekter Rede bei der Gesprächswiedergabe e. Erzählung in direkte Rede oder durch Trennung e. fortlaufenden abstrakten Darlegung in fingierte Wechselrede, bes. bei →Bearbeitungen für Bühne oder Funk, z. B. G. Bernanos *Dialogues des Carmélites* nach G. von Le Forts Novelle.

Dialogismus (griech. *dialogismos* = Überlegung, Gedanke), dialogische Form der Darstellung durch fingierte Aussprüche, Selbstgespräche und tatsächl. Gespräche zum Zwecke größerer Lebendigkeit innerhalb von ep. Darstellungen oder Reden; schon im Altertum beliebt zur Enthüllung des Charakters und der Gefühle von Personen (z. B. Vergil, *Aeneis* 4, 534), in dt. Lit. bei Lessing *(Ein Vade mecum),* Herder *(Ossian),* Nietzsche u. a. Vgl. →Ethopoeie, →innerer Monolog. Im weiteren Sinn in der Rhetorik auch Fragen des Redners an sich selbst.

Dialogroman, Form des →Romans, in dem Gespräche den Großteil des Raumes einnehmen und deren Erzählvorgang sich vorwiegend im Figurengespräch abspielt, so daß der Handlungsbericht indirekt in den Dialog einfließt, sei es, daß dieser als Handlungsgespräch selbst den Fortgang der Ereignisse betreibt, sei es, daß er nur durch Gesprächsinhalte auf ein zwischenzeitl. Geschehen verweist. Beispiele geben Crébillon, Diderot *(Jacques le fataliste),* Wieland *(Peregrinus Proteus)* und die Romane des späten Fontane *(Die Poggenpuhls; Der Stechlin).*

E. Lämmert, Bauformen d. Erzählens, ²1967; H.-G. Winter, Dialog u. D. i. d. Aufklärg., 1974.

Diaphora (griech. = Unterschied), 1. in der Rhetorik allg. die Betonung und Darlegung der Verschiedenheit zweier Dinge. – 2. als →rhetorische Figur Spiel mit den versch. Bedeutungen und Verwendungsarten e. Wortes, Wiederholung mit Abwandlung des Sinnes, häufig in verstärkter Betonung: →Anaklasis und →Antistasis.

Diarium (lat. =), Buch für tägliche Eintragungen, →Tagebuch, Kladde.

Diaskeuast (v. griech. *diaskeuazein* = herrichten), Bearbeiter bzw. Redakteur e. Schriftwerks, bes. der Epen HOMERS nach der →Liedertheorie.

Diastole (griech. =), Dehnung kurzer Vokale aus Verszwang. Ggs.: →Systole.

Diatessaron (griech. *dia* = durch, *tessares* = vier), Querschnitt durch die vier Evangelien, = →Evangelienharmonie.

Diatribe (griech. = Zeitvertreib, Gespräch, Unterricht), antike Literaturgattung, zuerst volkstüml., satir. Predigt für e. breites Publikum der kynisch-stoischen Wanderredner und Moralphilosophen, die mit derben Mitteln wie Anekdote, Witz, Offenheit und Gepolter gegen Sittenlosigkeit vorgeht; seit Ende des 4. Jh. v. Chr. auch schriftlich, in Vers oder Prosa, abgefaßte Moralpredigt, die in fingiertem Dialog auf die Einwände e. angenommenen Hörers eingeht. Die bekanntesten Prosa-D.n des Altertums stammen von BION VON BORYSTHENES, während KERKIDAS VON MEGALOPOLIS (›Meliamben‹ gegen den Luxus) und MENIPPOS VON GADARA zur reinen Satire überleiten. Ihre Fortsetzung findet die D. etwa im Dialog und der Brieflit. SENECAS, den *Episteln* und *Satiren* des HORAZ, den Briefen

des Apostels PAULUS, in der frühchristl. Predigtlit., am deutlichsten jedoch in der Moral→predigt (bes. ABRAHAM A SANCTA CLARA). Im Humanismus ist D. gleichbedeutend mit Streitschrift.

A. Oltramare, *Les origines de la d. rom.,* Lausanne 1926.

Dibrachys (griech. *di* = doppelt, *brachys* = kurz), antiker Versfuß aus zwei Kürzen, = →Pyrrhichius.

Dichoreus (griech. =), doppelter →Choreus (→Trochäus), antiker Versfuß: ‒◡‒◡

Dichter, der Schöpfer bzw. Verfasser von Sprachkunstwerken, →Dichtungen, unterscheidet sich – bei fließenden Grenzen – vom →Schriftsteller durch stärkere Genialität und Intensität der Sprachformung und des Welterlebens, vom Sprachkünstler durch die eigenschöpferische Leistung, hat aber an beiden Oberbegriffen Anteil. Das spezifisch dt. Wort erscheint erstmals als ›tihtaere‹ im 12. Jh. im *König Rother*, steht bald gleichbedeutend neben ›Poet‹, was im 16.–18. Jh. bevorzugt wird, im MA. neben →Skalde, →Skop, →Barde, Singer oder Meister, wird seit der Geniezeit bevorzugt für den genialen, auf Inspiration und Phantasie bauenden ›D.‹, und wird in mehr rationalen Zeiten gern durch Literat, →Autor, →Verfasser, →Schriftsteller, ja Schreiber abgelöst und als prätentiös vermieden, bleibt im Grunde aber als oberste Stufe des Schriftstellers unersetzbar. Die Auffassung vom D. wandelt sich im Laufe der Zeitalter im Gefolge der Kunstanschauungen vom myth. Halbgott Orpheus, vom festlichen Sänger (z. B. PINDAR), vom Seher-Dichter ›vates, dem Offenbarer ewiger Ordnungen, in Rom zum gelehrten Dichter (→poeta doctus), dessen handwerkliche Kunst erlernbar ist, im MA. (bes. Meistersang) und Barock bis zu BOILEAU und GOTTSCHED, vom ›Originalgenie‹ des Sturm und Drang, das aus Empfindungstiefe und Intuition dichtet, über die universalist. poet. Lebensgestaltung der Romantik bis zum Zeitkritiker und Gesellschaftsanalytiker des Naturalismus und zur psycholog. Ausdeutung des Schaffensvorganges. Die psych. Voraussetzungen für den D. sind alg.: Weltoffenheit, d.h. seel. Eindrucks- und Aufnahme-(→Konzeptions-)fähigkeit, starker persönlicher Wille zum Ausdruck des inneren Erlebens u. Gestaltungskraft, d.h. die Fähigkeit der schöpfer. Phantasie zu lebhafter und überzeugender sinnl. Anschauung, innerer Wahrheit und Einfühlung in Stimmungen und Charaktere sowie Griffsicherheit in der Wahl der Stoffe, der Gattungsform und des stoffgemäßen Ausdrucks wie angemessenen einheitl. Stils überhaupt; doch stellen die einzelnen Gattungen unterschiedl. Anforderungen: Die Lyrik verlangt empfindlichste Ansprechbarkeit für seel. Regungen und die leisesten Untertöne des Lebens sowie Fähigkeit zu deren sprachkünstler. Wiedergabe; die Epik erfordert Menschen- und Weltkenntnis und Organisationsfähigkeit, die e. eigene Welt neu ins Leben ruft und als Ganzes in ihrer Breite und Entwicklung vorstellt; das Drama setzt e. einheitl. und dennoch in den Figuren differenzierte Menschen- und bes. Charaktergestaltung voraus, die im Zusammenprall der Gegensätze e. eigene Weltanschauung offenbart. Erlernbar sind nur handwerkl. Voraussetzungen, die D. und Schriftsteller gemeinsam haben, doch bedeutet ihre Beherrschung allein ohne innere Erlebnisfähigkeit und visionäre Schöpferkraft keine Annäherung an das Wesen des D.s. Starke Beteiligung des Intellekts und ästhet. Feingefühl ist erforderlich für die Sammlung, Auswahl, Anordnung und Gliederung des Stoffes und ausgewogene Formgebung, die der künstler. Objektivation vorausgeht oder intuitiv im Spracherleben mitgegeben wird. In vielen Fällen folgt selbst dann e. mühselige Verfeinerung und Feilung am Kunstwerk der Sprache, die die letzten ästhet. Feinheiten zur Geltung zu bringen sucht. Auch die Sprache an sich als Gestaltungsstoff steht unter dem Gesetz der Logik, und Versuche zu ihrer Ablösung (z.B. im →Dadaismus) erwiesen sich als undurchführbar. Doch nicht in techn., erlernbaren Fertigkeiten erschöpft sich der letztlich auch als Werturteil geltende Begriff des D.s, sondern in der Gabe, äußeres oder inneres Leben in seinem wesentl. Gehalt und seiner Stimmungslage zu gestalten und im Leser bzw. Hörer bei der Rezeption des Werkes Einstimmung zu veranlassen. Diese Begabung ist in Kreisen unterschiedlichster soz. Herkunft vom Fürsten über ein breites Mittelfeld der Akademiker und höf.-bürgerl. Beamten bis zu den Fahrenden anzutreffen, kann durch Auftraggeber (→Mäzen) gefördert werden oder residiert wie zur Arriviertheit in der →Bohème. D. bleibt bis zum Berufsschriftsteller des 18. Jh. stets Nebenberuf. Vgl. →Schriftsteller.

W. Dilthey, D. Einbildungskraft d. D.s (Festschr. f. E. Zeller 1887); ders., D. Erlebnis u. d. Dichtg., ¹²1950; M. J. Wolff, Z. Wesen d. poet. Schaffens, GRM 3, 1911; M. Hamburger, V. Organismus d. Sprache d. D.s, 1920; M. Darnbacher, V. Wesen d. D.phantasie, 1921; M. Kommerell, D. D. als Führer, ²1940, ³1982; E. Gamper, D. u. D.tum z. Zt. d. Jg. Dtl., Diss. Zürich 1932; C. Engel, Studien z. D.begriff u. z. poet. Anschauungen d. Heidelberger Romantiker, 1934; E. Calmberg, D. Auffassg. v. Beruf d. D.s i.

Weltbild dt. Dichtg. zwisch. Nietzsche u. George, Diss. Tüb. 1936; A. Stamm, D. Gestalt d. dt.-schweiz. D.s um d. Mitte d. 19. Jh., 1937; E. Hashagen, D. Beruf d. D.s i. d. Anschauungen d. Biedermeierzt., Diss. Tüb. 1938; H. Kasten, D. Idee d. Dichtg. u. d. Ds. i. d. lit. Theorien d. sog. Naturalismus, Diss. Kgsbg. 1938; H. W. Rosenhaupt, D. dt. D. um d. Jh.-wende, 1939; *The Intent of the Artist*, hg. A. Centeno, Princeton 1941; S. Spender, *Life and the Poet*, London 1942; P. Kluckhohn, D. berufl. u. bürgerl. Existenz, 1949; I. Zangerle, D. Bestimmung d. D.s, 1949; W. Muschg, Dichtertypen (Fs. f. F. Strich, 1952); R. Schneider, Üb. D. u. Dichtg., 1953; H. Kunisch, Grundformen d. Dtg. u. d. D.tums (Wirk. Wort 5, 1955); RL; A. F. Scott, *The Poet's Craft*, Lond. 1957; K. Müller, V. dichter. Schaffensvorgang, 1957; W. Muschg, Tragische Lit.gesch., ³1958; F. C. Prescott, *The Poetic Mind*, Lond. 1960; E. C. Mason, Exzentr. Bahnen, 1963; H. Schirmbeck, D. D. i. Ztalter d. Wiss. (Jb. Dt. Akad. f. Sprache u. Dichtg. 1963); H. Maehler, D. Auffassg. d. D.berufs i. frühen Griechentum, 1963; V. Erlich, *The double image*, Baltimore 1964; A. Kambylis, D. D.weihe u. ihre Symbolik, 1965; W. Kühne, D. Autor u. s. Schaffen, 1966; B. v. Heiseler, Üb. d. D. (Ges. Essays 2, 1967); K. Schröter, Der D., der Schriftsteller (Akzente 20, 1973); B. v. Wiese, D., Schriftsteller, Narren (Lit. u. Dichtg., hg. H. Rüdiger 1973); ders., D.tum (Üb. Lit. u. Gesch., Fs. G. Storz 1973); F. v. Stockert, D. zwischen Muse u. Publikum, GRM 23, 1973; K. O. Conrady, Gegen die Mystifikation d. Dichtg. u. d. D. (in: Lit. u. Germanistik als Herausforderg., 1974); E. Canetti, D. Beruf d. D. (Akzente 23, 1976); H. Linduschka, D. Auffassg. v. D.beruf. i. dt. Naturalism., 1978; Der Autor, hg. H. Kreuzer, LiLi 42, 1981; E. Heller, D. D. i. Ztalter d. Prosa (R. Brinkmann-Fs. 1981); G. Lieberg, Poeta creator, Amsterd. 1982; M. Bragg, *From Gottsched to Goethe*, 1984; P. Dronke, *The medieval poet and his world*, Rom 1984; H. G. Bickert, D. D. als Handwerker (Sprache i. Vergh. u. Ggw., hg. W. Brandt 1988).

Dichterakademien, den →Akademien nachgebildete, z. T. auch Akademien der Wissenschaften angeschlossene Schriftstellervereinigungen zur Pflege von Sprache und Lit., Fortsetzungen der barocken →Sprachgesellschaften, umfassen meist im Unterschied zu den →Dichterkreisen bereits arrivierte,

in der Gesellschaft angesehene Autoren, deren Anerkennung auf die D. zurückwirkt. Wichtigste D. sind in Dtl. die Preuß. Akademie der Künste mit der Sektion für Dichtkunst (1926–45), fortgeführt in der Dt. Akademie der Künste der DDR mit der Sektion Dichtung (1950) und der Akademie der Künste in West-Berlin (1956), die Bayer. Akademie der Schönen Künste (München 1948), die Akademie der Wissenschaften und der Lit. (Mainz 1949), die →Deutsche Akademie für Sprache und Dichtung (Darmstadt 1949) und die Freie Akademie der Künste (Hamburg 1949).

R. Minder, Warum D.? (in: Dichter i. d. Gesellsch., 1966); I. Jens, Dichter zwischen rechts u. links, 1971; H. Brenner, Ende e. bürgerl. Kunstinstitution, 1972.

Dichterarchiv →Archiv

Dichterbiographie, die wissenschaftl. Darstellung vom Lebenslauf e. Dichters als Sonderform der →Biographie. Anfänge in der Schule des ARISTOTELES; bedeutendster antiker Biograph: SUETON (HORAZ-Biographie); im MA. die Vidas der Troubadours und in der Renaissance BOCCACCIOS DANTE-Biographie; Blütezeit in der 2. Hälfte des 19. Jh. und als heroisierende D. (GUNDOLF) anfangs des 20. Jh. Ihr Wert ist heute ein wenig fragwürdig geworden – als Rückschlag auf den übertriebenen histor.-krit. ›Biographismus‹ der positivist. Schule (E. SCHMIDT, *Lessing*, F. MUNCKER, *Klopstock*, R. WELTRICH, *Schiller* und ihre Nachfolger) um die Jahrhundertwende, der unter Ausschöpfung aller erreichbaren Quellen und philolog. Methoden der Materialgewinnung ein Persönlichkeitsbild aufbaute und dabei noch im Kunstwerk selbst Aufschlüsse über den Lebensgang suchte. Die Werkdeutung geriet in Gefahr, zur Hilfswiss. der D. zu werden, die mit vielen, z.T. unwichtigen Details den Zugang zum Werk verstellte. Die alleinige Deutung der Dichtung durch Herantragen biographischer Kenntnisse ist methodisch fragwürdig; sie sind für das Wesen der Dichtung wenig aufschlußreich, da zwischen Leben und Werk (als objektivierter Konzeption) kein kausaler Zusammenhang zu bestehen braucht (entgegen der →Milieu-Theorie) und jede →Interpretation zu dem Werk hin und nicht vom Werk weg erfolgen soll. Daneben behält die mod. wiss. D. vollen Wert als geschichtliches Zeugnis für die Kulturepoche und den menschl. Entwicklungsgang der Schöpferpersönlichkeit.

H. Uppel, Grundfragen d. lit. hist. Biographie, DVJ 18, 1940; F. Sengle, Z. Problem d. modernen D., DVJ 30, 1952; L. A. Fiedler, *Archetype and Signature* (*Sewanee Review*, 1952); L. Edel, *Literary Biography*, N.Y. 1959; R. Altick, *Lives and Letters*, N.Y. 1965; A. Kittang, *La place des études biogr. dans les recherches litt.*, OL 30, 1975; E. Ribbat, Leben u. Werk, LiLi Beih. 10, 1979.

Dichterdrama, stoffl. Sonderform des →Künstlerdramas mit e. Dichter als Hauptfigur: GOETHES *Tasso*, GRILLPARZERS *Sappho*, A. de VIGNYS *Chatterton*, GRASS' *Die Plebejer proben den Aufstand*, T. DORSTS *Toller*, P. WEISS' *Hölderlin* u.a., teils Darstellung der dichter. Psyche im Konflikt mit der Welt, teils Zeugnis des polit. Engagements der Literaten.

R. Grimm, Dichter-Helden, Basis 7, 1977; M. Kux, Mod. D.en, 1980.

Dichterfehde →Literaturfehde

Dichtergedicht, ein lyr. Gedicht, das über Sein, Wesen und Existenz des Dichters im allgemeinen oder privaten Fall oder über andere Dichter reflektiert; spezielle Form vielfach der Selbstfeier in allen Epochen seit HORAZ (*Exegi monumentum*), bes. ausgeprägt im Barock und im 19. Jh. (DROSTE, GEIBEL u.a.).

H. Schlaffer, D. D. i. 19. Jh., SchillerJb. 10, 1966.

Dichterhandschrift →Autograph

Dichterische Freiheit, auch poetische Lizenz, der künstlerischen Vollkommenheit des Werkes dienende bewußte Abweichungen und Verstöße gegen 1. den übl. Sprachgebrauch mit Rücksicht auf Stil, Rhythmus, Reim oder Wohlklang, 2. geschichtl. Zustände und Tatsachen zum Zweck dichterischer Vereinheitlichung oder Idealisierung, die der größeren Geschlossenheit oder Wirkung des Werkes dient. Letztere sind für den Dichter, der nicht den Stoff darstellen will, sondern nur durch den Stoff eine poet. Idee oder Wahrheit zum Ausdruck bringen will, selbstverständlich, da das Dichtwerk als eigenständiges Ganzes außerhalb der Bezüge zur Historie und Dingwelt überhaupt gesehen werden will, und da es ihm nicht um äußere, sondern um innere Wahrheit geht; die künstler. Durchdringung und Umformung der bloßen Gegebenheiten verlangt sie sogar. (Beispiele: Geschichtsdramen der Klassik, bes. SCHILLERS *Don Carlos, Jungfrau von Orleans*). Ihre Grenze liegt dort, wo das Bewußtsein der Unrichtigkeit im Aufnehmenden die künstler. Wirkung beeinträchtigt.

Dichterjuristen, Schriftsteller mit Jurastudium bzw. Juristen im Brotberuf, in dt. Lit. insbes. GOETHE, ARNIM, GRILLPARZER, KLEIST, Z. WERNER, E. T. A. HOFFMANN, EICHENDORFF, UHLAND, GRABBE, IMMERMANN, HEBBEL, REUTER, STORM, KELLER, SCHEFFEL, DAHN und Timm KRÖGER.

E. Wohlhaupter, D., III 1953–57.

Dichterkreis, lockerer, zwangloser Zusammenschluß e. Gruppe meist gleichaltriger und daher durch gleiche Lebensstimmung verbundener

Dichter (oft auch Künstler, Kritiker, Wissenschaftler) zu gemeinsamem geist. Streben, Gedankenaustausch oder lokalem Zusammenleben auf Grund verwandter Anschauungen über die Dichtung, ihre Formen, Inhalte, Wesen und Ziele und zu wechselseitiger Anregung und Kritik, oft um e. hervorragende Persönlichkeit (→George-Kreis) oder e. entferntes Vorbild, dem es nachzueifern gilt (KLOPSTOCK für den →Göttinger Hain). Sammelpunkte sind Freundschaftskreise an Universitäten, gastfreie Häuser von Dichtern und Gönnern, selbst Fürsten, lit. Zeitschriften, Theater, in neuerer Zeit auch Verlagshäuser. Die Verbindung beginnt meist in der Jugend (Studentenzeit) und kann sich über das ganze Leben erstrekken, löst sich jedoch später häufig infolge räuml. Trennung oder individueller Sonderentwicklung der bedeutendsten Mitglieder, deren Wirkung den Ursprungskreis überschattet.

Dennoch zeigen die Schöpfungen e. D.es starke Gemeinsamkeiten. Eine genaue Scheidung des D.es von der →Dichterschule mit gleichen, einheitl. Stiltendenzen ist bei den fließenden Übergängen nicht möglich; der D. zeigt e. stärkere Koordinierung der Elemente. Die zahlreichen D.e aller Literaturvölker sind bedeutende Quellpunkte des lit. Lebens, und ihr Auftreten kennzeichnet vielfach den Beginn neuer Stilepochen; die wichtigsten dt.: Heidelberger (OPITZ, SCHADE, GRUTERUS, ZINCGREF), →Nürnberger, →Königsberger, →Hallescher, →Bremer Beiträger, →Göttinger Hain, Straßburger Freundeskreis (GOETHE, HERDER, LENZ, JUNG-STILLING, SALZMANN), →Darmstädter Kreis, der romantische →Heidelberger, Jenaer und →Schwäbische D., →Münchner,

→Ludlamshöhle, →Maikäferbund, →Durch, →Tunnel über der Spree, →Friedrichshagener D., →George-Kreis, →Charon, →Nyland-Kreis, →Sturmkreis, →Gruppe 47 und →Gruppe 61, →Wiener Gruppe, →Forum Stadtpark, Graz, →Werkkreis; ausländische →Lyoner, →Pleias, →Pléjade, →Cénacle, →Parnassiens, →Lake School, →Bloomsbury Group, →Dekabristen, →Phosphoristen u.a.m. Vgl. →Salon, →Schriftstellerverbände, →Sprachgesellschaften, →Dichterakademien.

S. R. Nagel, Dt. Lit.atlas, 1907; H. F. Nöhbauer, Lit. Gruppen (Tendenzen d. dt. Lit. seit 1945, hg. T. Koebner 1971); K. Günther, Lit. Gruppenbildg. i. Berliner Naturalismus, 1972; C. Neutjens, D. Funktionsänderg. d. D. i. Dtl. i. 20. Jh. (Dichtg., Sprache, Gesellsch., 1973); A. Beck, D. Bund ist ewig, 1982.

Dichterkrönung, Auszeichnung e. Dichters durch staatl. oder künstler. Autorität im Anschluß an die antike Sitte des feierlichen Bekränzens mit dem Lorbeer zur Würdigung und Anerkennung hoher dichter. Leistungen im Agon. Sie erscheint zuerst wieder im ital. Humanismus: der Humanist Albertino MUSSATO empfängt 1314 die D. durch den Bischof und Rektor der Universität von Padua; 1341 schließt sich die öffentl. Krönung PETRARCAS durch e. röm. Senator auf dem Kapitol an. In Dtl. nimmt der Kaiser als Nachfolger der antiken Imperatoren das Recht für sich in Anspruch: Karl IV. krönt 1355 ZANOBI DA STRADA, Friedrich III. neben ital. Humanisten und 1442 ENEA SILVIO PICCOLOMINI auch den ersten Dt., Konrad CELTIS, 1487 in Nürnberg. Zu Beginn des 16. Jh., unter Maximilian I., erhielt die D. feste, doch rasch wieder gelockerte Formen: zeremonielle Verleihung von Lorbeerkranz und Ring, des Titels Poeta Caesareus laureatus und die Berechtigung, an den Universitäten Poetik und Rhetorik zu lehren. Da die D. Amt der kaiserl. Hofpfalzgrafen (meist Gelehrter oder Professoren) wurde und jedem Dichter auf Grund von befriedigenden Leistungen in neulat. Dichtung auf e. Bewerbung hin offenstand, sank im 17. Jh. mit zunehmender Zahl der gekrönten Dichter der Wert des Titels und diente schließlich dem Spott der anderen; nur D. durch den Kaiser selbst blieb e. Auszeichnung. Sie erhielten u.a. LOCHER 1497, HUTTEN 1518, H. BEBEL und GLAREAN durch Maximilian I., N. FRISCHLIN durch Rudolf II. 1577, OPITZ durch Ferdinand II. 1625, RIST durch Ferdinand III. 1644. Die Sitte erhielt sich bis ins frühe 19. Jh. in Dtl., in England bis in die Gegenwart (→poet laureate) und gewann noch einmal lit. Bedeutung, als GOTTSCHED, dem als Dekan der Philos. Fakultät der Landesuniversität Leipzig durch den Kurfürsten Friedrich August vom Kaiser Karl VI. das Recht zur D. erwirkt wurde, dies Privileg zur Durchsetzung seiner Schule im Kampf gegen BODMER und BREITINGER benützte (z.B. D. SCHÖNAICHS 1752). Auch Ch. F. D. SCHUBART wurde 1766 schriftlich der kaiserl. Dichterlorbeer verliehen. J. EBERLE erhielt 1963 den Titel poeta laureatus von der Univ. Tübingen für s. lat. Dichtungen.

W. Erman, E. Horn, Bibliographie d. dt. Univ., Abt. ›D.‹, 1904; M. Husung, Kaiserlich gekrönte Dichter (Zs. f. Bücherfreunde, N. F. X., 1918); E. K. Broadus, The Laureateship, Oxf. 1921; K. Schottenloher, Kaiserliche D.en (Fs. f. P. Kehr, 1926); RL; R. Specht, D.en bis z. Ende d. MA., 1928; J. A. v. Bradish, D.en i. Wien d. Humanismus, JEGP 3, 1937; J. Eberle, Poeta laureatus (Attempto 12, 1963); T. Verweyen, D., GRM Beih. I, 1979.

Dichtermärchen →Kunstmärchen

Dichterschule, mißverständliche Bz. aus der Forschung des 19. Jh.,

die anstelle der geistigen Zeitströmungen individuelle Vorbilder zur Gruppen- und Epochenbildung benutzte; seit der Ablösung des Positivismus durch geisteswiss. Forschungsmethoden ersetzt durch die einzelnen →Dichterkreise. Der Ausdruck ›Schule‹ setzt e. lernbare Dichtkunst und e. Lehrer voraus, wie es allenfalls noch HRABANUS MAURUS und NOTKER D. DT. in Fulda bzw. St. Gallen gewesen sind und wie ihn der Meistersang in seinem einseitigen Schulbetrieb ausbildete, doch schon für die Kreise von Nachahmern um die höf. Epiker und Minnesänger des Hoch-MA. erweist sich die Bz. als zu eng. Meint D. dagegen e. bewußte Durchführung gemeinsam abgeleiteter theoret. oder künstler. Erkenntnisse in programmat. Form, so ließe sich bestenfalls von e. D. des OPITZ (→Schlesische), den GOTTSCHEDschulen der Aufklärung, der älteren Romantik, des Jungen Dtl., des Naturalismus und der Neuromantik reden.

RL.

Dichtersprache, allg. e. gehobene, stilisierte Form der Kunstsprache, die außer in Prosa bes. in gebundener Rede (Metrum, Reim) erscheint und sich durch ausgeprägte Eigenarten von der Umgangssprache unterscheidet, doch e. starken Einfluß auf deren Entwicklung ausübt. Im Ggs. zur auf bloße Informationsübermittlung und Sachdarstellung angelegten Gebrauchssprache und der auf Geistes- und Gemütsbewegung abzielenden Sprache der Rhetorik aktualisiert und organisiert die D. die ästhetischen Werte der Sprache zu künstlerischer, ganzheitlicher Wirkung. In der Literaturgeschichte wechseln Epochen einer Annäherung von D. zur Alltagssprache mit solchen einer betonten Abhebung.

Schon das Sanskrit der altind. Priester und die Sprache der Skalden in der *Edda* sind D.n; die griech. Epiker benutzen bis in die byzantin. Zeit hinein den längst nicht mehr gesprochenen altion. →Dialekt HOMERS, der selbst als Kunst-, nicht als gesprochene Sprache anzusehen ist. Die augusteische D. unterscheidet sich von der klass. lat. Prosa durch Meidung gewöhnlicher Wörter, Rückgriff auf ältere Vorbilder (→Archaismen), Bedeutungslehnwörter und Konstruktionen aus dem Griech. und Abwendung von der prosaischen Wortstellung in der gebundenen Rede. Im ma. Frankreich bildet der Dialekt der Ile de France den Ausgangspunkt der D. Die mhd. D. der Blütezeit um 1200 bringt aus ritterl. Kreisen den ersten Ansatz zu e. hochdt., übermundartlichen – freilich nur geschriebenen – Gemeinsprache durch Streben nach größtmöglicher Gemeinverständlichkeit, indem sie mundartlich beschränkte Ausdrücke und Lautformen vermeidet, nach e. einheitl. Wort- und Formenschatz strebt und nur Reimwörter verwendet, die im größten Teil des Sprachgebiets e. →reinen Reim ergeben. Die Einheitlichkeit der Sprachgestaltung ermöglicht den Werken größere Verbreitung, so daß auch ostmitteldt. (HEINRICH VON MORUNGEN) und niederdt. Dichter (WERNER VON ELMENDORF, ALBRECHT VON HALBERSTADT und HEINRICH VON VELDEKE in seinen Epen) sich der D. bedienen. Mit dem Verfall der höf. Dichtung zu Ende des 13. Jh. findet diese erste dt. →Schriftsprache ihr Ende. Im Barock geben OPITZ und die →Sprachgesellschaften das Vorbild für e. gekünstelte, an Redeschmuck und Metaphern, Doppel- und Neubildungen reiche D. unter Zugrundelegung der ostmitteldt. Schriftsprache; seit Mitte des 18. Jh. nähert sich die dt. D. trotz der Tendenz zum Erhabenen und Idealisierten bei KLOPSTOCK, der Klassik und HÖLDERLIN bewußt der Umgangssprache (bes. im Naturalismus), während der Einfluß auf die Fortentwicklung der Schriftsprache nach den fruchtbaren Epochen von Sturm und Drang, Klassik und Romantik auf die Zeitungs- und Mediensprache übergeht. Noch Neuromantik (GEORGE, HOFMANNSTHAL) und Expressionismus sowie die mod. Lyrik entwickeln bewußt esoter. Sprach- und Stilformen.

C. v. Kraus, H. v. Veldeke u. d. mhd. D., 1899; E. Wießner (in Maurer-Stroh, Dt. Wortgesch. I, 1943); W. Nowottny, *The Language poets use*, Oxf. 1962; G. Storz, Gibt es e. D.? (in: Figuren u. Prospekte, 1963); R. Schmitt, Dichtg. u. D. i. indogerm. Zeit, 1967; Indogerman. D., hg. R. Schmitt 1968; H. Kuhn, Z. mod. D. (in: Text u. Theorie, 1969); L. Doležel, Z. statist. Theorie d. D. (Lit. wiss. u. Linguistik, hg. J. Ihwe, 2, 1, 1971); W. Weiss, D. als Problem (Sprachthematik i. d. österr. Lit. d. 20. Jh., 1974); H. Anz, Poet. Sprache, Euph. 70, 1976.

Dichtung, Teilgebiet der →Literatur, doch nicht wie diese an die Schrift gebunden: höchste Form der Sprachkunst, und zwar 1. abstrakt als Kunstsparte = Dichtkunst, 2. kollektiv als Sammelbegriff der Sprachkunstwerke und 3. individuell das einzelne Sprachkunstwerk. Das Wort D. hat keine Parallelen in anderen europ. Sprachen. Das zugehörige Verb, ahd. *tihtôn*, ›ordnen, herrichten‹, ags. *dihtan*, nimmt noch in ahd. Zeit unter Einfluß des lat. *dictare* = ›diktieren‹ den Sinn von ›schreiben, schriftlich abfassen, poetisch darstellen‹ an und wird in mhd. Zeit auf die Bedeutung ›ersinnen, ausdenken‹ ausgedehnt. Das Substantiv *getihte*, ›Gedicht‹ erscheint in Glossaren des 15. Jh. für lat. *poesis, poema* noch ohne Gattungseinschränkung (vgl. →Gedicht). Während ›Poesie‹, erst im 19.

Jh. auf Lyrik begrenzt, im Anschluß an *ars poetica* als ›Dichtkunst‹ verdeutscht wird, hat D. noch im 18. Jh. die Bedeutung, später den Nebensinn von ›Fiktion, Erfundenes, Erdachtes‹ und gewinnt erst um 1800 seinen Spitzenrang im Begriffsfeld ›Literatur, Schrifttum, schöne (bzw. schöngeistige) Literatur, Belletristik, Sprachkunst(werk)‹ als deren höchste künstlerische Ausformung. Erst um 1900 wird D. endgültig nicht mehr als Ggs. zu →Prosa, sondern auch deren künstler. Formen umfassend verstanden. Die Stellung der D. im Bereich der Künste ist bedingt durch das akustische, damit körperlose Material der Sprache, der jedoch außer dem reinen Klangcharakter im Ggs. zur Musik auch eine sinnvolle Bedeutung eignet, und durch das Nacheinander der Darstellungsart im Ggs. zum Nebeneinander der bildenden Kunst. Die Ausgrenzung der D. aus dem weiten Feld der Lit. geschieht mit fließenden Übergängen mit Hilfe von qualitativen Kategorien der →Ästhetik: 1. Intensität der künstler. Sprachbehandlung: In der D. verschmelzen die in der Sprache vorgegebenen Bedeutungsvorstellungen mit der (in Umgangssprache und Mitteilungssprache oft unbeachteten) Stimmungshaftigkeit und vielschichtigen Sinnfülle der Worte und Klänge zu einer unauflösl. Formeinheit von klang- und bildstarker Verdichtung. Die Sprache, ob gebundene Rede mit Rhythmus, Metrum und Reim oder Prosa, wird zum in sich selbständigen Kunstgebilde, in dem Klangformen (Vers, Reim), Bildformen (Metaphern, Symbole), Stimmungen und Gedanken bzw. Ideen ein stimmiges Ganzes bilden. 2. Schöpferisches: D. schafft dank der kreativen Phantasie des →Dichters eine in sich geschlossene und schlüssige Eigenwelt

mit eigenen Gesetzen, ob ihre Naturnachahmung zustimmendes oder veredelndes Abbild, neugeschaffene Möglichkeit im Sinne der →Mimesis als Gestaltung wesenhafter Wirklichkeit ist oder mit einer autonomen Realität aus eigener Logik von der außerdichter. Erfahrungswelt abweicht. 3. Formales: die in der Geschichte der D. entwickelten Formen und →Gattungen geben Muster nicht zur bloßen Nachahmung, sondern zur kreativen Anverwandlung, die in jedem Fall neu zu untersuchen ist. Der Begriff der D. als kreativ-fiktionale Sprachkunst schließt die nicht-fiktionalen Gattungen und Zweckformen der Lit., Didaktik und Rhetorik aus. Die Entstehung von D. wird in irrationalen Epochen (Sturm und Drang, Romantik) als →Inspiration, →Erlebnis oder →Bekenntnis gedeutet; andere Epochen (Spät-MA., Barock) betrachten sie als lehr- und lernbar und sehen in Gelegenheits- und Auftrags-D. keinen log. Widerspruch. Das Primat der künstler. Formung kann eine breite Skala von der zweckfreien L'art pour l'art-D. bis zur weltanschaul.-philos., relig. oder ideolog.-polit. D. umfassen, da die Postulate von Innerlichkeit, seel. Stimmung und Gemüthaftigkeit nur gelegentl. wiederauflebende romant. Aspekte der D. hervorheben, die nicht zu allen Zeiten den innersten Kern der D. bezeichnen. Der Vielfalt dichter. Möglichkeiten entspricht die Vielfalt ihrer Betrachtungsweisen innerhalb der Entwicklung der →Literaturwissenschaft, doch sollte angesichts der primär künstlerischen Qualität der D. eine ästhet.-werkimmanente →Interpretation den Vorrang haben, da sich sie ergänzende biogr., psycholog., geistesgeschichtl., weltanschaul., philos. oder polit.-soziale Aspekte auch und stärker bei der allg. Betrachtung der Lit. als bei der D. anbieten, die in erster Linie nicht Weltgedanken, sondern Kunstsinn dokumentiert.

Th. A. Meyer, D. Stilgesetz d. Poesie, 1901; W. Dilthey, D. Erlebnis u. d. D., 1905, ¹⁵1970; E. Ermatinger, D. dichter. Kunstwk., 1921, ³1939; H. Hefele, D. Wesen d. D., 1923; O. Walzel, Gehalt u. Gestalt, 1923; E. Winkler, D. dichter. Kunstwk., 1924; Th. Spoerri, Präludium z. Poesie, 1929; Philos. d. Lit.wiss., hg. E. Ermatinger, 1930; R. Ingarden, D. lit. Kunstwk., 1931, ⁴1972; F. Baldensperger, *La Lit.*, Paris ²1934; O. Walzel, Grenzen v. Poesie u. Unpoesie, 1937; Th. Spoerri, D. Formwerdung d. Menschen, 1938; G. Müller, Üb. d. Seinsweise v. D., DVJ 17, 1939; K. Berger, D. D. i. Zusammenhang d. Künste, DVJ 21, 1943; J. Petersen, D. Wiss. v. d. D., ²1944; B. Croce, *La poesia*, ²1946, dt. 1970; H. Oppel, Peregrina. V. Wesen d. Dichterischen 1946; E. Staiger, Grundbegriffe d. Poetik, 1946, ⁸1968; W. Kayser, D. sprachl. Kunstwerk, 1948 u.ö.; Ch. du Bos, Was ist D.?, 1949; P. Goodman, *The structure of lit.*, Chicago 1954; J. Pfeiffer, Wege z. D., 1953; ders., Umgang m. D., 1936, ¹¹1967; ders., Üb. d. Dichterische u. d. Dichter, ¹1956; J. Maas, D. Geheimwiss. d. Lit., ²1955; H. Read, *The nature of lit.*, N.Y. 1956; B. Allemann, Üb. d. Dichterische, 1957; G. Storz, Sprache u. D., 1957; R. Wellek, A. Warren, Theorie d. Lit., 1959, ⁶1963; M. Dufrenne, *Le Poétique*, Paris 1962; H. Seidler, D. D., 1959, ²1965; G. Wolandt, Philos. d. D., 1965; K. Hamburger, D. Logik d. D., ²1968; Lit. u. D., hg. H. Rüdiger 1973; H. H. Hiebel, D.-Theorie u. Deutg., 1976; O. Mann, D. klass. u. d. romant. Auffassg. v. d. Wesen u. d. Form d. D., 1978; H. Seidler, Grundfragen e. Wiss. v. d. Sprachkunst, 1978; P. Henninger, *L'unique D.* (in: *Le genre*, 1979); W. A. Koch, Poetizität, 1981; *Lit. and the other arts*, hg. Z. Konstantinović 1986. →Literatur, →Poetik, →Literaturwiss.

Dichtungsgattungen →Gattungen

Dichtungslehre, -theorie →Poetik

Dichtungsmorphologie →morphologische Literaturwissenschaft und →Literaturwissenschaft.

Dichtungswissenschaft, e. Richtung der dt. →Literaturwissenschaft nach 1950, die sich in bewußter Abkehr von früheren, polit. verstrickten Methoden nur mit dem Erfassen dichter. Kunstwerke beschäftigt und alle außerästhet. (biograph., philolog., weltanschaul., soziolog.) Fragen und Verknüpfungen meidet, also auch im Ggs. zur →Literaturgeschichte keine histor. Entwicklungsgänge verfolgt, vielmehr in unmittelbarer Nähe zum Werk und geschriebenen Wort nach der Seinsweise von Dichtung forscht. Ihre wesentl. Arbeitsmethode ist die werkimmanente →Interpretation.

H. O. Burger, Method. Probleme d. Interpretation, GRM 32, 1951; A. Mulot, Z. Neubesinnung d. Lit.wiss., ebda.; A. Pfeiffer, Rede z. Begründung e. dt. D., 1951; P. Kluckhohn, Lit.wiss., Lit.gesch., D., DVJ 26, 1952.

Dictionarium (v. lat. *dictio* = Redensart, Wort), seit den späten MA. Bz. für alphabet. Wörterverzeichnisse von Begriffen und Sachen; heute als franz. *dictionnaire*, engl. *dictionary* nur für Wörterbücher.

Dictum (lat. = Gesagtes, Mz. Dicta) →Diktum

Didaktik, didaktische Dichtung (v. griech. *didaskein* = lehren) →Lehrdichtung

Didaskalien (griech. *didaskalia* = Lehre), beim antiken Drama 1. szenische Anweisung der Dramatiker zur Aufführung ihrer Werke, 2. ›Einstudierung‹ und Aufführung von →Chören für die Bühne, 3. die aufgeführte →Tetralogie selbst, mit der e. Dichter im dramat. Wettkampf auftrat, 4. die (z. T. im Theater aufgehängten) chronolog. Listen und Urkunden über erfolgte Aufführungen von Dramen und Chordichtungen, enthielten neben dem Titel der Werke und dem Namen des Dichters auch die ersten Schauspieler, Komponisten und →Choregen, Aufführungszeit und -ort, Anlaß, errungene Preise u. a. Angaben über nähere Umstände. ARISTOTELES sammelte sie zu e. Werk *D.*; über alexandrin. antiquar. Gelehrsamkeit (KALLIMACHOS, ARISTOPHANES von BYZANZ) gelangten sie z. T. in ma. Hss.; wichtige alte Inschriften wurden 1929 in Aixone gefunden. In Rom wurden sie von den Ädilen aufgezeichnet und sind für TERENZ regelmäßig, zu PLAUTUS vereinzelt *(Stichus, Pseudolus)* erhalten.

A. Wilhelm, Urkunden dramat. Aufführungen i. Athen, 1905.

Diebssegen, Texte zur Bannung von Dieben, die kraft ihrer mag. Formel den Diebstahl verhindern sollen. Die erhaltenen D. aus altoriental., röm. und ma. Texten und Hss. sollen vor allem vor Bücherdieben schützen.

E. v. Künssberg, Rechtl. Volkskunde, 1936.

Diegese (griech. *diegesis* =) Ausführung, weitläufige Erzählung, Lebensbeschreibung, auch Inhaltsangabe.

Digest (engl. v. lat. *digestae* = Gesammeltes), urspr. Sammlung von jurist. Schriften oder Gerichtsentscheidungen, dann allg. Zusammenstellung meist bereits vorher anderweitig veröffentlichter Schriften in Auszügen oder in gekürzter Form, schließlich allg. Kurzform.

Digression (lat. =) Abschweifung, schmückender Teil einer Rede oder Schrift, der den eigentl. zu behandelnden Gegenstand außer acht läßt und sich beiläufig einer nicht oder nur indirekt mit dem Hauptthema verbundenen Geschichte, Erinnerung, Beschreibung o. ä. zuwendet. Als rhetorischer Kunstgriff dient sie zwei Zwecken: 1. Ablenkung des Hörers bei einem allzu trockenen Stoff, 2. Erhöhung der Spannung durch Unterbrechung des Hauptthemas kurz vor einer entscheidenden Wendung. →Exkurs.

Dihärese →Diärese

Diiambus (griech. =) doppelter →Jambus: ◡−◡−.

Dikatalektisch, d. h. doppelt →katalektisch ist eine Verszeile, die außer am Versende auch in der Versmitte eine Silbe zuwenig enthält, z. B. der jamb. →Pentameter.

Dikolon (griech.), aus zwei versch. Versmaßen bestehende Strophe, zweigliedriger Satz (→Kolon).

Dikretikus (griech. *dis* = doppelt), doppelter →Kretikus, bes. als →Klausel.

Diktion (lat. *dictio* = Vortrag), in der Rhetorik die bes. Art der Gedankenformulierung in der Rede, Ausdrucksweise; dann die ›Schreibart‹ e. Schriftstellers, →Stil.

Diktionär (v. lat. →*dictionarium* =) →Wörterbuch, bes. Stilwörterbuch mit Redewendungen und Worterklärungen.

Diktum (lat. *dictum* = das Gesagte, Mz. *dicta*), Ausspruch, →Sentenz.

Dilettant (ital. *dilettare*, lat. *delectare* = ergötzen), auch Amateur, Nichtfachmann: Liebhaber, der ohne entsprechende Vorbildung, fachl. Schulung und genügende Fähigkeiten sich außerberuflich als Schaffender (z. B. Sonntagsmaler), Kenner oder Sammler in e. Kunst oder Wiss. versucht und seine – oft richtigen und wertvollen – Vorstellungen in e. künstlerisch unbefriedigende Leistung einbringt. Nach der 1734 gegr. engl. ›Society of Dilettanti‹ der Kunstliebhaber wird der D. für GOETHE und das frühe 20. Jh. problematisch. Vgl. →Liebhabertheater.

F. Klein, *Autour du dilettantisme*, Paris 1895; C. Saulnier, *Le dilettantisme*, Paris 1940; H. Koopmann, D.ismus (Stud. z.

Goethezeit, Fs. L. Blumenthal 1968); H. Bitzer, Goethe üb. d. D.ismus, 1969; H. R. Vaget, Der D., SchillerJb. 14, 1970; ders., D. Bild d. D. b. Moritz, Schiller u. Goethe, JFDH 1970; ders., D.ismus u. Meisterschaft, 1971; J. Stenzel, SchillerJb. 18, 1974; J.-F. Hugot, *Le dilettantisme dans la lit. franç.,* Paris 1984.

Dima, Gattung der klass. ind. Dramatik: Vierakter um einen harten Kampf aus der hl. Legende.

Dimeter (griech. *dis* = doppelt, *metron* = Maß), antiker Vers aus zwei gleichen anapäst., daktyl., choriamb., ion., jamb. oder trochäischen →Metren. Bei zweiteiligen Versmaßen aus vier Füßen, also jamb. D.: ∪–∪–| ∪–∪–, z.B. ›Das Wasser rauscht‹, das Wasser schwoll‹ (Goethe), trochäischer D.: –∪–∪| –∪–∪, z.B. ›Hör, es klagt die Flöte wieder‹ (Brentano). In dt. Dichtung oft zur Nachbildung roman. Metren: Herders *Cid,* doch auch in Balladen (Goethe, *Der Schatzgräber,* Schiller, *Kassandra* u.a.) und Dramen (Grillparzer, *Die Ahnfrau, Der Traum, ein Leben* u.a.).

Dinggedicht, im Ggs. zum bewegten, e. Werdendes (Stimmungsablauf) schildernden Gedicht mit subjektiver, echt lyr. Stimmungshaltung e. auf unpersönliche, episch-objektive →Beschreibung e. Seienden (Gegenstand) angelegtes Gedicht, behandelt häufig Werke der bildenden Künste in sprachl. Nachvollzug und damit Neuschöpfung des Kunstwerks, Läuterung von allem Zufällig-Unwesentlichen und Einfühlung in sein Wesen und inneres Gesetz, aus der die Neigung zu symbol. Ausdeutung entspringt. In dt. Dichtung als eigener und wesentlicher Zweig der Lyrik bes. bei Dichtern mit enger Beziehung zur bildenden Kunst: zuerst bei Mörike *(Auf eine Lampe),* dann bei C. F. Meyer

(Der römische Brunnen) aus e. Haltung der Distanz vom Gegenstand und unter Ausschluß eigener Stimmungsübertragung, rein gegenständlich, schließlich bei Rilke *(Römische Fontäne)* auch auf andere Alltagsgegenstände *(Der Panther, Das Karussell)* ausgedehnt und als sehnsuchtsvolles Versenken in das Wesen des Dinges als e. Sinngebung des Daseins. Ähnliche Kunstauffassung und Kunstnähe zeigen die franz. Parnassiens und die engl./amerikan. Imagisten. Vgl. →Gemäldegedicht.

K. Oppert, D. D., DVJ 4, 1926; H. Kunisch, Rilke u. d. Dinge, 1946; RL; W. G. Müller, D. Weg z. Symbolismus, Neophil. 58, 1974; S. Sandbank, *The object-poem,* PT 6, 1985.

Dingsymbol, der →Falke der Lyrik, bes. Ballade, e. Gegenstand von symbolhafter Bedeutung, der an bedeutsamen Stellen wiederholt erscheint, z.B. der ›Ring‹ des Polykrates, die ›Kraniche‹ des Ibykus bei Schiller, das ›Trinkglas‹ in Uhlands *Glück von Edenhall.* →Symbol.

Dionysien, griech. Feste zu Ehren des Wein- und Fruchtbarkeitsgottes Dionysos im antiken Athen. Die kleinen ländlichen D. feierten im Dezember das Herannahen der Weinlese mit Prozessionen und Gesang, die →Lenäen im Januar/Februar boten Komödien, die Anthesterien im Februar/März Frühlingsriten; die großen städtischen D. bildeten im 6.–1. Jh. v.Chr. das Frühlingsfest März/April; mit sechs Tagen Dauer, von denen vier allein den Aufführungen neuer Tragödien →Trilogien, Satyrspiele und Komödien dienten, waren sie das größte und prunkvollste Fest Griechenlands. Lit. Bedeutung durch den Kultgesang der →Dithyramben und dessen Entwicklung zum antiken

→Drama. Vgl. →Tragödie, →Komödie, →Agon, →Chor, →Lenäen.
L. Deubner, Att. Feste, 1932, ³1969; A. Pickard-Cambridge, *The Dramatic Festivals of Athens*, Oxf. 1953, ²1968.

Dionysisch (v. griech. Weingott Dionysos), im Ggs. zur maßvollen Formstrenge und zur vernunftgebundenen heiteren Erhabenheit des Apollinischen das ekstatisch-irrationale, rauschhaft-sinnenhafte, chthonische Welterlebnis und dessen dichterische Gestaltung in stark expressiver, aufgelockerter Form (lokkerer Satzbau, den herkömml. Sprachschatz erweiternde spontane Neubildungen, Synästhesien, Sprünge und ggf. freie Rhythmen). Die aus der romant. Gedankenwelt bes. SCHELLINGS entwickelte Antithese von D. und Apollinisch fand ihre neue und feste Ausgestaltung durch NIETZSCHES *Geburt der Tragödie* (1872) mit der These von der Entgrenzung des Individuums und seinem Aufgehen im Weltganzen als D. Die Entgegensetzung von D. und Apollinisch als Typologie künstler. Schaffens (rational, klar, maßvoll, harmon. – irrational, ekstat., sinnl., emotional) findet Anwendung etwa in der Charakteristik des Unterschiedes von Sturm und Drang (HEINSE, junger GOETHE) oder Romantik (NOVALIS, TIECK, WACKENRODER, KLEIST, HÖLDERLIN) zur dt. Klassik und ebenso von Symbolismus und Expressionismus. Grundform des D.en ist der →Dithyrambus.

W. F. Otto, Dionysos, 1933, ²1939; O. Kein, D. Apollin. u. D. b. Nietzsche u. Schelling, 1935; A. Mette, D. psychol. Wurzeln d. D. u. Apollin., 1940; L. Wiesmann, Das D. b. Hölderlin u. i. d. dt. Romantik, 1948; M. Vogel, Apollinisch u. D., 1966; M. L. Baeumer, Das D., CG I, 1967; ders., Z. Psychol. des D. i. d. Lit.wiss. (Psychol. i. d. Lit.wiss., hg. W. Paulsen 1971); ders., D. mod. Phänomen d. D. (Nietzsche-Stud. 6, 1977); J. B. Foster, *Heirs to Dionysos*, Princeton 1981; A. Del Caro, *D.ian aesthetics*,

1981; B. Lypp, D.-Apollin. (Nietzsche-Stud. 13, 1984); B.-A. Kruse, Apollin.-D., 1986.

Dipodie (griech. *di* = doppelt, *pus* = Fuß: Doppelfuß), metrische Einheit aus zwei gleichen, meist jambischen oder trochäischen Versfüßen: ◡⌣◡⌣ oder ⌣◡⌣◡ . In griech. Metrik gilt bei Jamben, Trochäen und Anapästen die D. als Maßeinheit, →Metrum, bei Daktylen u. a. die →Monopodie. In akzentuierender Dichtung ist die D. bes. bei schnellem Tempo gekennzeichnet durch überwiegende Betonung einer Hebung (Hauptton) gegenüber der anderen (Nebenton) im Ggs. zur →Monopodie; dadurch Bildung rhythmischer Einheiten als Abstufung, so daß e. 4- oder 6hebiger Vers sich oft in zwei bzw. drei D.n teilt und durch Über- und Unterordnung der einzelnen Tonstellen, aus der resultierenden Haupttonstellen der einzelnen D.n untereinander, größere Gliederung, Leichtigkeit und Lebhaftigkeit erzielt, z.B. jambisch: ›Das Wásser ráuscht', / das Wásser schwóll‹ (GOETHE), trochäisch: ›Núr der Írrtum ìst das Lében‹ (SCHILLER). Eine regelmäßig wiederkehrende Struktur ist nicht erforderlich; bei ansteigender oder fallender Form aller D.n e. Verses spricht man von gleichlaufenden, bei Wechsel innerhalb e. Verszeile von gebrochenen Versen. Häufige Verwendung in flotten Volks-, Studenten- und Soldatenliedern.

Diptychon (griech. = doppelt Gefaltetes), im Altertum aus zwei durch Scharniere oder Ringe zusammenklappbaren Blättern bestehende Schreibtafel; urspr. Holz, später auch Silber, Gold, Elfenbein, mit Wachsüberzug auf der Innenseite zum Einritzen der Schrift; gelegentl. auch drei (Triptychon) oder mehrere (Polyptychon) Blätter, Urbild des →Codex.

Dirae (lat. = Verwünschungen), röm. Literaturgattung entsprechend den griech. →Arai: Verwünschungsgedichte, Schmähverse auf Personen oder Sachen, z.B. Properz III, 25, Horaz, *Epode* 16, Ovid, *Ibis*, auch in Hexametern in der →*Appendix Vergiliana* oder inschriftlich in eleg. Distichen.
W. Hübner, D. im röm. Epos, 1968.

Direkte Rede, wörtliche R., gibt im Ggs. zur →indirekten R. den Wortlaut des Gesagten unverändert, meist in Anführungszeichen, wieder, z.B.: er sagte: ›Ich bin entrüstet.‹
W. Günther, Probl. d. Rededarstellg., NS Beih. 13, 1928; E. Lämmert, Bauformen d. Erzählens, ²1967; A. Banfield, *Narrative style and the grammer of direct and indirect speech* (*Foundations of lang.* 10, 1973).

Dirge (engl., v. lat. ›*Dirige domine*…‹ als Anfang e. Totenklage), Grabgesang, Trauer-, Klagelied.

Dirigierrolle (v. lat. *dirigere* = leiten), e. Art Regiebuch für den Spielleiter ma. geistl. Spiele, enthielt e. Skizze des Bühnenplans mit Dekoration und Aufstellung der Schauspieler, deren Liste u. z.T. Textstellen als Stichwörter für Texteinsätze.

Discordo →Descort

Diseur, Diseuse (franz. =) Sprecher(in), Vortragskünstler(in) für Sprechtexte und Sprechgesang in Kabarett und Kleinkunstbühne.

Diskurs (lat. *discursus* = Hin- und Herlaufen, Sich-Ergehen), eifrige Erörterung, Unterredung, Gespräch, auch Abhandlung. Franz. Discours (Rousseau u.a.), ital. Discorso (Machiavelli u.a.). Vgl. →Diskursanalyse.

Diskursanalyse (zu →Diskurs), Forschungsrichtung der mod. Linguistik (Strukturalismus, Textlinguistik, Sprachhandlungstheorie, Anthropologie und Psycholinguistik). Sie geht von einem nicht immer klar definierten, erweiterten und z.T. sehr allgemeinen Begriff von →Diskurs im Sinne einer über den Einzelsatz hinausgreifenden sprachlichen Kommunikation vom Sprecher zum Empfänger aus, die von einem Ausgangspunkt durch eine Reihe von Implikationen zu einem Zielpunkt führt, und analysiert deren psycholog., psychoanalyt., soz., sozialhistor., semiot., evtl. auch rhetor. und narratolog. Implikationen als sprachl. Handlung. In der Anwendung der Methode auf lit. Texte versucht die D. die Grenze zwischen Linguistik und Lit.wissenschaft zu überschreiten, ohne indessen den fiktiven Charakter künstler. Texte und die Rolle des Autors in Betracht zu ziehen. Ihre erfolgr. Anwendung auf die Dichtung steht noch zu Beweis.
Z. S. Harris, *Discourse analysis* (*Language* 28, 1952); M. Pécheux, *Analyse automatique du discours,* Paris 1969; M. Foucault, D. Ordnung d. D., 1974; J.-C. Gardin, *Les analyses du discours,* Neuchâtel 1974; D. Maingueneau, *Initiation aux méthodes de l'analyse du discours,* Paris 1976; T. A. van Dijk, *Text and context,* Lond. 1977; B. Gray, *The grammat. foundations of rhetoric,* Haag 1977; Urszenen, hg. F. A. Kittler 1977; T. Todorov, *Les genres du discours,* Paris 1978; B. H. Smith, *On the margins of discourse,* Chic. 1978; R. Fowler, *Preliminaries to a sociolog. theory of lit. discourse,* Poetics 8, 1979; T. A. van Dijk, Textwiss., 1980; F. Martinez-Bonati, *Fictive discourse and the structure of lit.,* Ithaca 1981; M. McCanles, *The dialectical structure of discourse,* PT 3, 1981; G. Genette, Nouveau discours du récit, Paris 1983; J. Link, Elementare Lit. u. generative D., 1983; *Discourse and lit.,* hg. T. A. van Dijk, Amsterd. 1985; *Literary discourse,* hg. L. Halász 1987; *Text and discourse constitution,* hg. J. S. Petöfi 1987; Diskurstheorie u. Lit.wiss., hg. J. Fohrmann 1988.

Dispondeus (griech.) = doppelter →Spondeus: − − − −.

Disposition (lat. *dispositio* = kunstgerechte Anordnung, Gliederung des gesammelten und zu behandelnden Materials für e. klare und übersichtliche Darstellung (Aufsatz, Abhandlung, Rede) nach sachl. Gesichtspunkten.

Dissertation (lat. *dissertare* = ausführlich erörtern), selbständige schriftliche wiss. Abhandlung über e. engumgrenztes Thema, zur Erlangung der Doktorwürde der entsprechenden Fakultät e. Universität (vielfach laut Vorschrift gedruckt) vorgelegt, um die Fähigkeit zu eigener wiss. Arbeit zu belegen. In romanischen Ländern ›These‹ genannt.

Dissonanz (v. lat. *dissonare* = gegensätzlich klingen), unharmonischer Mißklang in Rhythmus oder Klanggestalt e. Textes, im Ggs. zur →Kakophonie, die im Sprachmaterial vorgefunden wird, erst im Zuge der Abfassung entstanden; daher auch als beabsichtigter Effekt verwendbar (J. DONNE, R. BROWNING).

Distanz (lat. *distantia* = Abstand), im Ggs. zu →Unmittelbarkeit die Abstandhaltung des Dichters gegenüber der von ihm geschilderten Gefühlswelt. Nach SCHILLER (*Rezension der Bürgerschen Gedichte*, 1791) ist kunstvolle Gestaltung einer Seelenlage (Leidenschaft usw.) erst dann möglich, wenn der Dichter diese innerlich selbst überwunden hat, um den unmittelbaren Ausdruck seiner Empfindung mit den Mitteln der Kunst zu erhöhen und idealisieren. Allzugroße D., etwa in der Barocklyrik, gestattet e. spielerische Haltung zur Sprache; ihre Überwindung erstrebte die Ausdruckshaltung des Sturm und Drang, gegen Ende des 19. Jh. (C. F. MEYER u. a.) setzt wieder e. bewußte Wahrung e. innerpersönl. Ei-

gensphäre in der Lyrik ein, während die ep. Formen wesensgemäß e. sog. ›epische D.‹ verlangen. Über D. beim Schauspiel vgl. →Verfremdungseffekt. Die ›D.klausel‹ der franz. klass. Tragödie verlangte zeitl. Abstand des Stoffes von der Gegenwart, also histor. Alter als Garantie s. Würde.

E. M. Wilkinson, Üb. d. Begriff d. künstler. D. (Dt. Beitr. z. geist. Überlieferg. 3, 1957).

Distichisch (griech. *dis* = doppelt, *stichos* = Vers), die wechselnde Abfolge von zwei verschiedenen Verszeilen in Strophe oder Gedicht, z. B. im →Distichon. Ggs. →monostichisch.

Distichon (griech. *dis* = doppelt, *stichos* = Vers), allg. Doppelvers, Strophe aus zwei versch. Versen, bes. das aus daktylischem →Hexameter und →Pentameter bestehende Verspaar (Elegeion, elegisches D.):

$$\underline{\acute{-}\cup\cup}\,|\,\underline{\acute{-}\cup\cup}\,|\,\underline{\acute{-}\cup\cup}\,|\,\underline{\acute{-}\cup\cup}\,|\,\underline{\acute{-}\cup\cup}\,|\,\underline{\acute{-}\cup}$$
$$\underline{\acute{-}\cup\cup}\,|\,\underline{\acute{-}\cup\cup}\,|\,\underline{\acute{-}}\,\|\,\underline{\acute{-}\cup\cup}\,|\,\underline{\acute{-}\cup\cup}\,|\,\underline{\acute{-}}$$

z. B.: ›Im Hexameter steigt des Springquells flüssige Säule, / Im Pentameter drauf fällt sie melodisch herab.‹ (SCHILLER, *Das D.*). Neben dem Steigen und Fallen ist die Zweiteilung des Pentameters durch die scharfe Mittelzäsur und der Zusammenstoß beider Hebungen charakteristisch, so daß auf e. relativ einheitlichen, gleichmäßig flutenden Vers, der durch Verlagerung der Diärese reiche Ausdrucksmöglichkeiten gewinnt, stets ein zwiespältiger folgt: Ausdruck e. wankenden und haltsuchenden Gemütszustandes, daher in der Antike häufig für Elegien, doch auch Epigramme u. a. Inschriften verwendet; in dt. Lit. zuerst bei FISCHART, KLAJ, v. BIRKEN und WEISE mit Reimbindung, seit GOTTSCHED reimlos, häufig bei KLOPSTOCK, SCHILLER (*Der Spaziergang* u. a.), GOETHE (*Römische*

Elegien), in den *Xenien* und bei Hölderlin (*Menons Klage, Der Wanderer, Brot und Wein* u. a.).

O. Weinreich, Z. Ästhetik d. D. (Neue Jhrb.
23, 1920); L. Strauß, Z. Struktur d. dt. D.
(Trivium 6, 1948); M. Platnauer, *Lat.
Elegiac Verse,* Lond. 1951; M. Lausberg,
D. Einzel-D., 1982.

Distributio (lat. = Verteilung) =
→Akkumulation

Distribution (lat. = Verteilung), in
der Literatursoziologie und Kommu-
nikationswiss. die Verbreitung und
Verbreitungswege der Medien, hier
bes. der Lit., z. B. durch Buchhandel,
Kiosk/Zeitschriftenhandel, Bibliotheken, Lesegesellschaften, Buchgemeinschaften, für Dramen und Büh-
nenbearbeitungen, auch Theater,
Film, Fernsehen, Kassette, Rundfunk, Schallplatte, Tonband u. a. m.

Distrophisch (griech. =) zweizeilig
oder zweistrophisch.

Distrophon (griech. *dis* = doppelt,
strophe = Wendung), Gedicht aus
zwei Strophen oder Zeilen.

Dit (franz., v. lat. →*dictum* =
Spruch, Ausspruch), in altfranz. Lit.
des 13.–14. Jh. kurzes, belehrendes
Gedicht in Reimpaaren oder einreimigen vierzeiligen Alexandrinern,
enthält meist e. ernste oder heitere
Erzählung als →Exempel (z. B. *Dit
dou vrai aniel*), die Beschreibung e.
Gegenstandes, e. Berufs o. ä., auch
der Straßen von Paris, e. Erlebnisses, im allg. mehr satir. als moral.
mit Spott auf polit., moral. oder
religiöse Zustände. Meist anonym;
bekannte Verfasser waren u. a. Rutebeuf, Guillaume de Machaut,
Jean Bodel, Gautier de Coincy,
Froissart, Christine de Pisan, E.
Deschamps.

Dithyrambus (griech. *Dithyrambos,* auch Beiname des Gottes Dionysos), altes griech. kult. →Chor-
und Reigenlied, das die Taten und
Leiden des Weingottes u. a. Götter
und Heroen in ekstat. Ergriffenheit
und Steigerung über die Hymne hinaus verherrlicht, daher oft Unregelmäßigkeiten in Vers- und Strophenbau aufweist; an den →Dionysien
durch Chöre von 50 Personen als
mit lebhaften Gebärden und zu Flötenbegleitung um den Altar tanzen-
den Satyrn im Wettstreit aufgeführt,
später neben den →Dramen. Als Erfinder der Kunstform mit Einteilung
in Strophe des Vorsängers und Antistrophe des Chors gilt Arion, der
um 600 v. Chr. für den Tyrannen
Periandros von Korinth e. D. dichtete und aufführte; bei der Weiterentwicklung in Athen wurde der D.
zum Ausgangspunkt des antiken
→Dramas. Die großen D.dichter
sind Pindar, Simonides und Bakchylides (6 D.en fragmentar. erhalten). Mit Lasos von Hermione (um
507 v. Chr.) beginnt die Verweltlichung des D. und die Ersetzung der
stroph. Gliederung durch freiere
Komposition; im 5./4. Jh. blüht der
sog. Jung-D. (Melanippides, Philoxenos, bes. Timotheos), e. virtuoser, dabei häufig sinnleerer und
schwülstiger Kunstgesang mit ständig wechselnden Rhythmen und
eingefügten Solopartien des Künstlers, der die stroph. Gliederung auflöste und durch Überwiegen des
musikal. Elements allmählich
opernhafte Form annahm (Einfluß
auf Euripides). Die knappe Überlieferung sowie die sehr variable
metr. Form erschweren die genaue
Abgrenzung des D. gegen die
→Ode. – Unter den dt. Nachbildungen stehen Klopstocks Freie
Rhythmen und Goethes freirhythm. Sturm und Drang-Lyrik
(*Wanderers Sturmlied* u. a.) dem Wesen des D. näher als Schillers *D.;*
auch Hölderlin, Nietzsche (*Dio-
nysos-D.en*) und in neuerer

Zeit WEINHEBER verwenden die Form.

H. Schönewolf, D. jungatt. D., Diss. Gießen 1938; G. A. Privitera, *Appunti intorno agli studi sul d.*, Florenz 1957; A. W. Pickard-Cambridge, D., *Tragedy and Comedy*, Oxf. 1927, ²1962.

Ditrochäus (griech. =) Doppel-→trochäus: ‿‿‿‿, verwendet in Versen in Verbindung mit anderen Kola und als →Klausel.

Dittographie (v. griech. *dittos* = doppelt, *graphein* = schreiben = Doppelschreibung), in der Textkritik Bz. für fehlerhafte Doppelsetzung von Buchstaben, Silben, Wörtern in Hss. oder Frühdrucken. Ggs.: →Haplographie.

Divan →Diwan

Diverbium (v. lat. *dis* = auseinander, *verbum* = Wort), Wechselgespräch zweier Schauspieler auf der Bühne, →Dialog; in der röm. Komödie als Ggs. zu den→Cantica die gesprochenen Partien, stets jamb. Senare; in den Hss. abgekürzt DV.

Divertissement (franz. = Unterhaltung), Balletteinlage in Drama oder Oper.

Diwan (pers. = Schreibzimmer, Sammlung beschriebenen Papiers u. a. m., auch =) Gedichtsammlung meist e. einzigen Dichters, oft in alphabet. Ordnung nach dem 1. Reimwort, oder mehrerer Dichter eines Stammes. Seit 7. Jh. in allen oriental. Litt. häufig; in Dtl. erst durch GOETHES *Westöstlichen D.* geläufig.

Dizain, Dixain (franz. =) Zehnzeiler als Gedicht- oder Strophenform, meist Zehnsilber-, seltener Achtsilberzeilen in der spiegelbildl. angeordneten Reimfolge ababbccdcd, später bei der Plejade mit 5 Reimen ababccdeed; Verwendung bei C. MAROT, M. SCÈVE (*Délie*, 1544), als

Strophe in Ballade und Chant royal, auch einzeln als epigrammat. Form.

Dochmius (griech. *dochmios* = schräg, schief), 5-teiliger, scheinbar aus Jambus und Kretikus zusammengesetzter antiker Versfuß mit der Grundform ‿‿‿‿‿, auch mit Verlängerung der Kürzen und Längenauflösung, wie überhaupt dieser aus altem Volksgut stammende Versfuß sehr frei behandelt wurde und bei allein festliegenden Hebungen rd. 30 Variationen aufweist; nur in der griech. Tragödie bei Gesängen erregten Inhalts und im alexandrin. *Des Mädchens Klage* verwendet. Vgl. →Hypodochmius.

Document humain (franz. = menschliches Dokument), Schlagwort der franz. Naturalisten, bes. ZOLAS und der Brüder GONCOURT, im Anschluß an den BALZAC-Essay H. TAINES für die Forderung des naturalist. Programms, e. lit. Schilderung menschl. Lebens müsse in gleicher Weise wie ein (natur)wiss. Werk durch genaue Tatsachenbeobachtung aus dem Alltagsleben belegt sein und könne nur dann als Quelle für die Selbsterkenntnis des Menschen dienen.

Dodekasyllabus (griech. *dodeka* = 12), Zwölfsilber, Vers aus 12 Silben, bes. →Alexandriner.

Dörperliche Dichtung (mhd. ›dörper‹ = Dörfler, Tölpel), verbreiteter Zweig der spätma. Lyrik seit NEIDHART VON REUENTHAL, setzt – als natürl. Reaktion auf die konventionell erstarrte höf. Dichtung – anstelle des übertriebenen Frauendienstes im Minnesang realist. Themen aus bäuerl. Umgebung, in denen der tölpelhaft grobe und unhöf. Bauer – bei aller Freude NEIDHARTS an dessen natürl. Leben – verspottet wird: Sommerlieder, Mai- und Dorftanzlieder mit kleinem ep. Kern, dessen Groteske aus dem Bauernleben auf kom. Wirkung berechnet ist, Winterlieder mit Liebeszwisten und Prügeleien der Bauern, derbe Tagelieder, die oft zur Parodie des Minnesangs ausarten, bieten e. lebenstrotzendes Gegenbild zur verfeinerten und verstiegenen ritterl. Kultur und sind sowohl Bauernsatire wie versteckte Gesellschaftskritik. Die Wahrung von Kunstform und Sprache des hohen Minnesangs bringt e. Auseinanderklaffen von Form und Inhalt, das als bewußte Parodie nur vom Kunstkenner der höf. Gesellschaft empfunden und gewürdigt werden konnte; man hat daher auf e. Vortrag der d. D. bei Hofe geschlossen (›höfische Dorfpoesie‹). Außer den Gedichten NEIDHARTS selbst und seiner vergröbernden Nachahmer (BURKHART VON HOHENFELS, ULRICH VON WINTERSTETTEN, GOTTFRIED VON NEIFEN u. a. m.), darunter eine Reihe von Pseudo-Neidharten, zählen zur d. D. noch spätere Schwänke, in denen NEIDHART als Held und Bauernfeind erscheint (*Neidhart Fuchs* u. a.), in gewissem Sinn auch H. WITTENWEILERS burleskes Epos *Der Ring*.

A. Bielschowsky, Gesch. d. dt. Dorfpoesie i. 13. Jh., 1891; J. Seemüller, Z. Poesie Neidharts (Prager dt. Stud. 8, 1908); R. Brill, D. Schule Neidharts, 1908; F. Mohr, D. unhöf. Element i. d. mhd. Lyrik, Diss. Tüb. 1913; S. Singer, Neidhart-Stud., 1920; RL; J. Günther, D. Minneparodie b. Neidhart, Diss. Jena 1931; E. Wießner, Neidhart v. Reuenthal, 1949.

Doggerel (engl.), engl. Bz. für einen holpernden, schlecht gebauten Vers von roher, ungenügender metr. Durchgestaltung entsprechend dem dt. →Knittelvers, oft unbeabsichtigt, z. T. auch bewußt für parodist. oder kom. Effekte angewandt.

Dohâ, ind. Form des Distichons, entweder in vielen ind. Dialekten als selbständige Spruchform oder in der Hindî-Epik als Unterbrechung anderer, längerer Strophenformen verwandt.

Doinâ (rumän.), schwermütig-getragenes Lied auf Natur und Menschenleben in der rumän. Volksdichtung insbes. Siebenbürgens. Seine düstere Stimmung wird z. T. durch angehängte heitere Tanzverse aufgelöst. Im 19. Jh. gesammelt und Vorbild der Kunstlyrik.

Dokumentarliteratur, unscharfe Sammelbz. für alle publizist. Werke, die weniger Wert darauf legen, als fiktionale Literatur zu gelten, als vielmehr in oft trockener Sprache einen unbekannten, vergessenen oder verdrängten Tatbestand vor Augen zu führen, dessen Darstellung zur polit. Bewußtseinsbildung führen soll. Die aufklärende Tendenz unterscheidet D. von wiss. Haltung, der Glaube, daß das Augenscheinlich-Authentische auch das Wahre sei, unterscheidet sie von echter Literatur: auch sie kann durchaus Dokumente integrieren und Zitate montieren, ohne zu agitieren (BÜCHNER, Th. MANN, A. DÖBLIN); der Unterschied ist weniger graduell als intentional. Die Formen der D. reichen vom →Dokumentartheater, Hörspiel und Feature über Bericht, Reportage (KISCH, WALLRAFF, RUNGE), Protokoll (A. KLUGE), Studie, Interview und Revue bis zum Roman (T. CAPOTE, *In cold blood*, A. KLUGE, F. C. DELIUS), zum Gedicht (H. M. ENZENSBERGER, E. FRIED) und zur sachlichen →Dokumentation.

D., hg. H. L. Arnold 1973; K. L. Berghahn, Operative Ästhetik (Dt. Lit. i. d. BRD, hg. P. M. Lützeler 1980); N. Miller, Prolegomena z. e. Poetik d. D., 1982.

Dokumentarroman →Dokumentarliteratur

Dokumentarspiel →Dokumentartheater

Dokumentartheater, Dokumentarstück, Dramenform des polit. Theaters in den 60er Jahren, die als Reaktion gegen die Unverbindlichkeit der Brechtschen Parabel und aus Skepsis gegenüber der Möglichkeit, Menschen und gesellschaftl. Verhältnisse durch Phantasieprodukte von der Bühne herab zu verändern, Zuflucht zu archival. histor. Faktenmaterial (Akten, Protokolle, Interviews, Presseberichte, Tonbänder, Bilddokumente) sucht und es in mehr oder weniger unveränderter Form, in authent. Szenen und quellenmäßig belegbaren Sätzen und Dialogen auf die Bühne bringt. Das D. ist mithin eine in die Kunst verirrte szen. Reportage, bei der der Autor nur zum Arrangeur des dokumentar. Materials wird, der allenfalls die Ausschnitte bestimmt, Sätze herausgreift, die, isoliert gesprochen, überbewertet werden, über das Geschehen jedoch nicht mehr frei verfügt. Das D. ist die Kapitulation des schöpfer. Menschengestalters vor einer handlungsmäßig vorgefundenen und sprachlich vorgeformten, aktenmäßig beglaubigten Wirklichkeit in der Vermutung, deren schauspieler. Nachvollzug als Bühnenhandlung trage bereits die Interpretation der Zusammenhänge in sich und in einem ebenso schwerwiegenden wie modernen Mißverständnis von der Funktion des Theaters, das sich mit dem D. auf die Ebene und in die Konkurrenz aktueller Massenmedien begibt. Die Wirkung des D. ist außerästhet. Art und regt bestenfalls zu erneuter Diskussion der aufsehenerregenden Fälle aus der jüngsten polit. Vergangenheit an, die es eben um ihres Aufsehens willen vorführt (Judenmord, Attentat auf Hitler, Atomkrat, Kennedymord, Volksaufstand, Vietnamkrieg). Seine Figuren verzichten auf psycholog. Durchforschung wie auf menschl. Interesse, da sie nicht Charaktere, sondern nur Modellfälle für ganze Gruppen darstellen.

Nach Vorformen im russ. Revolutionstheater, den →Living Newspapers und dem polit. Agitationsstück E. Piscators in den zwanziger Jahren erlebt das D. seit R. Hochhuths aufsehenerregendem Stück *Der Stellvertreter* (1963) um die Haltung des Vatikans zur Judenermordung, wo die Form vom Problem her nahelag, eine neue Blüte. Die formale Spannweite reicht dabei von halbdokumentar. Stücken (Hochhuth, *Der Stellvertreter, Soldaten*, 1967; G. Grass, *Die Plebejer proben den Aufstand*, 1966) bis zu solchen, die sich im Sprechtext ausschließlich auf aktenmäßig abgesicherte Ereignisse und Äußerungen beschränken (P. Weiss, *Die Ermittlung*, 1965; H. Kipphardt, *In der Sache J. Robert Oppenheimer*, 1964, *Joël Brand*, 1965; W. Graetz, *Die Verschwörer*, 1965; T. Dorst, *Toller*, 1968; H. M. Enzensberger, *Das Verhör von Habana*, 1970).

U. Jenny, W. Kaiser, H. Karasek, Akzente 13, 1966; G. Rühle, D. dokumentar. Drama u. d. dt. Gesellschaft (Jhrb. d. Dt. Akad. f. Spr. u. Dichtg. 1966); M. Vanhelleputte, *Réflexions sur le courant documentaire du théâtre allemand*, EG 22, 1967; J. D. Zipes, *Documentary drama in Germany*, GR 22, 1967; M. Kesting, Völkermord u. Ästhetik, NDH 14, 1967; H. Vogelsang, Mod. österr. Dokumentardramatik (Beitr. z. Dramatik Österr. i. 20. Jh., 1968); J. D. Zipes, *The aesth. dimensions of German doc. drama*, GLL 23, 1970/71; ders., D.dok. Drama (Tendenzen d. dt. Lit. seit 1945, hg. T. Koebner 1971); R.-P. Carl, Dok. Theater (Dt. Lit. d. Gegenw., hg. M. Durzak 1971); S. Onderdelinden, Fiktion u. Dokument (Amsterdamer Beitr. z. n. Germanistik 1, 1972); P. Ivernel, *Le théâtre doc. et/dans l'hist.*, RA 5, 1973; Dokumentarlit., hg. H. L. Arnold 1973; K. Brynhildsvoll, *D.*, Oslo 1973; K. Bohnen, Agitation als ästh. Integration (Sprachkunst 5, 1974); R. D. Theisz, D. dok. Drama unserer Zeit (Ideologiekrit. Stud. z. Lit. 2, 1975); K.-

H. Hilzinger, D. Dramaturgie d. dok.
Theaters, 1976; A. Blumer, D. dok. Theater d. 6oer Jahre i. d. BRD, 1977; D. dt.
Drama v. Express. bis z. Gegenw., hg. M.
Brauneck ³1977; G. Mason, Doc. drama
(Mod. drama 20, 1977); W. Nehring, D.
Bühne als Tribunal (Ggw.lit. u. 3. Reich,
hg. H. Wagener 1977); K. Hickethier,
Fiktion u. Fakt (Fernsehsendgn., hg. H.
Kreuzer 1979); L. Nussbaum, The German doc. theat. of the sixties (German
studies review 4, 1981); L. Acosta, El
drama doc. aleman, Salamanca 1982; R.
Tarot, Dok. Th. (Fs. W. Hinck, 1983); F.
Neubauer, Gesch. i. D'spiel, 1985; G.
Saße, Faktizität u. Fiktionalität, WW 36,
1986; B. Barton, D. D., 1987.

Dokumentation (v. lat.), allg. die
Sammlung, Erschließung, Ordnung
und Bereitstellung von Dokumenten
(Büchern, Zss., Aufsätzen, Zeitungsberichten, Briefen, Akten, Urkunden, Bildern, Filmen, Tonbändern, Urteilen, Kritiken usw.) für
ein bestimmtes Interessengebiet
nach rationellen Methoden; dann
als lit. Form auch der kommentarlose oder nur durch Fußnoten erläuterte Abdruck solcher Dokumente
in chronolog. oder systemat. Abfolge als Quellensammlung für wiss.
Forschung.
M. Scheele, Wiss. D., 1967; Ch. Hitzeroth u. a., Leitfaden f. d. formale Erfassg.
v. Dokumenten, 1976.

Dolce stil nuovo (ital. = süßer neuer Stil), Bz. DANTES (Purgatorio 24,
57) für einen Stil ital. Liebeslyrik
des späten 13. Jh., Umwandlung der
provenzal.-sizil. Troubadourlyrik
unter dem Einfluß platon. und scholast. Elemente sowie der soziolog.
Umschichtung durch den Aufstieg
des Bürgertums zum Ideal des Seelenadels (gentilezza) allegor.-myth.
Ausdeutung der Liebe als göttl.
Ordnungskraft und der Geliebten
als engelhafte Verkörperung der
Gottheit. Der Umformungsprozeß
vollzieht sich im 13. Jh. in Norditalien, bes. Florenz und Bologna: Guido CAVALCANTI, Guido GUINIZELLI, Dino FRESCOBALDI, CINO DA

PISTOIA und später bes. DANTE (Vita nuova, 1292). Wirkung bes. auf
PETRARCA.
K. Voßler, D. philosph. Grundlagen z.
süßen neuen Stil, 1904; V. Rossi, Il ›d.
st.n.‹, 1930; F. Figurelli, Il d. st.n., Neapel 1933; M. Ruffini, I poeti del d. st.n.,
Turin 1937; F. Biondolillo, Dante creatore del d. st.n., Palermo 1937; C. Cordié,
D.st.n., Maild. 1942; G. Petrocchi, Il d.
st.n., 1960; M. Marti, Storia dello s.n.,
Lecce II 1974; E. Pasquini, Lo stilnovo e
la poesia religiosa, Bari 1975; G. Favati,
Inchiesta sul d.s.n., Florenz 1975; A. Solimena, Repertorio dello s.n., Rom 1980.

Dolnik (russ. dolja = Teil), eine Art
freier Verse im Russischen mit fester
Hebungszahl, doch gewissen Freiheiten in der Senkungsfüllung. Unter Einfluß russ. Volksdichtung von
SUMAROKOV, PUŠKIN, BLOK und
MAJAKOVSKIJ verwandt.

Donquichotiade, →Abenteuerroman nach dem Muster des Don
Quijote von CERVANTES, meist als
Parodie weltfremden Idealismus,
z. B. WIELANDS Don Sylvio von Rosalva.

Doppelausgaben, zwei gleichzeitig
an versch. Orten oder (z. B. wegen
Zollschwierigkeiten oder Nachdruckschutz) in versch. Ländern
hergestellte, sonst identische Ausgaben e. Buches, etwa aus England
und den USA.

Doppelbegabungen, Talente, die
sich nicht auf einen Kunstbereich
beschränken, sondern in zwei oder
mehr Künsten Bedeutendes leisten,
also mehr als dilettieren und sich oft
nicht oder erst spät für eine Kunstart entscheiden, treten bes. hervor
in Renaissance, Romantik und frühem 20. Jh.: am häufigsten in der
Verbindung von Dichtung und Bildkunst als →Malerdichter, doch
auch oft als Dichter-Musiker (Minne- und Meistersänger, LUTHER,
E. T. A. HOFFMANN, R. WAGNER)
und Dichter-Schauspieler (SHAKE-

SPEARE, RAIMUND, NESTROY, AN-
ZENGRUBER, WEDEKIND, C. GOETZ,
J. OSBORNE, P. USTINOV) oder
Dichter-Architekten (VANBRUGH,
PERRAULT).
Lit. →Malerdichter.

Doppeldruck oder Zwitterdruck,
Druckausgabe eines Buches, die
dem Anschein nach mit einem äußerlich durch Titelblatt u. ä. gleichen Druck identisch ist, in Wirklichkeit aber auf einzelnen Seiten
oder Lagen Abweichungen gegenüber diesem enthält, da nach Beginn
des Auflagendrucks noch nachträgliche Änderungen am Satz (z. B.
Druckfehlerberichtigungen) vorgenommen wurden, die nur ein Teil
der Auflage enthält. Häufig unter
den Flugschriften der Reformationszeit und in den dt. Klassikerausgaben. Ihr Ermitteln ist wichtig
für die Erstellung kritischer Texte.
M. Boghardt, D. Begriff d. D., JFDH
1973.

Doppelempfinden →Synästhesie

Doppelfassung →Fassung

Doppelreim, 3- oder 4-silbige Endreime mit der folgenden Zeile, die
zwei Hebungen bzw. zwei miteinander reimende Wortpaare enthalten,
z. B. Klanggeister – Sangmeister
(RÜCKERT); bei nur einer Hebung
heißen sie vokalische Halbreime,
z. B. licht war – sichtbar (HESSE).

Doppelroman, 1. Romantypus mit
zwei oder mehreren weitgehend
selbständigen Haupterzählsträngen,
die in Raum, Zeit und Figuren völlig divergieren, einander jedoch
konsekutiv oder korrelativ zugeordnet sind, d. h. einander spiegeln, und
von denen einer zumeist die Perspektive für die Schilderung des anderen abgibt. Beispiele sind E. T. A.
HOFFMANNS *Kater Murr*, IMMER-
MANNS *Münchhausen*, THACKERAYS

Vanity Fair, RAABES *Chronik der
Sperlingsgasse*, GIDES *Fauxmon-
nayeurs*, MULTATULIS *Max Have-
laar*, Th. MANNS *Doktor Faustus*,
U. JOHNSONS *Drittes Buch über
Achim* u. a. – 2. ungenau für →Kol-
lektivroman und – 3. →Zyklen-
roman.
F. C. Maatje, Der D., Groningen ²1968.

Doppelsestine →Sestine

Doppelsinn →Ambiguität, →Am-
phibolie

Doppelte Ebene, Kunstmittel, das
die Einschichtigkeit des lyr. Vorgangs durchstößt und über dem Gegenständlichen e. Hintergründiges
erscheinen läßt, etwa durch Zweiteilung der Strophe in Geschehens-
bericht und Deutung (GOETHE, *Der
Zauberlehrling*; SCHILLER, *Die
Glocke*), durch Relativierung des
Geschehens auf e. (teils gegenläufigen) Grundakkord in Refrain
oder refrainartigen Strophenformen
(Triolett, Rondeau, Glosse), in mod.
Lyrik etwa durch den Wechsel zwischen Darstellung und Betrachtung
bzw. Anrede oder zwischen ep. und
lyr. Sprechweise; Ansätze bei GOE-
THE *(Mignon)* und BRENTANO *(Der
Tod)*, bes. ausgeprägt bei VERLAINE
(La lune blanche u. a.); oder durch
die Wahl e. ambivalenten Wort- und
Bildmaterials, das hinter dem Bild e.
symbol. Bezug durchscheinen läßt
(DROSTE, *Der Knabe im Moor*; C. F.
MEYER, *Zwei Segel*); schließlich
durch das unlösbare Ineinander
versch. Motiv- und Verweisbereiche
in der zeitgenöss. Lyrik; im Drama
als e. aus der dargestellten Wirklichkeit aufragende Welt der Visionen
und Träume (GRILLPARZER, *Der
Traum, ein Leben*, HAUPTMANN, *El-
ga, Hanneles Himmelfahrt*). →Vor-
dergrundshandlung.
H. Friedrich, D. Struktur d. mod. Lyrik,
1956; W. Kayser, D. sprachl. Kunstwerk,
1949 u. ö.

Doppeltitel, zweifache Titel, von denen e. den Stoff, der andere den Ideengehalt bezeichnet, waren im Barock, bes. im lat. Schuldrama beliebt (z. B. GRYPHIUS: *Catharina von Georgien oder Bewehrete Beständigkeit*), auch bei LESSING und KLEIST u. a.

A. Rothe, Der D., 1970.

Dorfgeschichte, häufigste Form der →Bauerndichtung: Erzählung aus der dörfisch-bäuerl. Lebenswelt, meist in realist. Form, von starker Naturnähe und inhaltlich vom Verhältnis der Zeit zum Bauernstande bestimmt. Charakteristisch sind Bodenständigkeit, ländl. Behaglichkeit, Langsamkeit des Denkens und Fühlens, starkes Lokalkolorit, oft Verwendung der Mundart (bes. bei Dichtern bäuerl. Herkunft, die Verhältnisse ihrer Landschaft zeichnen), z. T. auch die unkünstler. zivilisationskrit. Tendenz e. Sittenspiegels für die überzivilisierte Stadtbevölkerung oder die Schönfärberei eines Edelbauerntums im trivialen →Bergroman. – Die Entwicklung läuft parallel zu derjenigen der →Bauerndichtung überhaupt: Die strenge Standeskultur des Hoch-MA. hat für bäuerl. Elemente keinen Raum (Ausnahme der lat. *Ruodlieb*, 1040, und z. T. HARTMANNS *Armer Heinrich*); um 1230 entsteht die →dörperliche Dichtung NEIDHARTS und im Anschluß daran um 1260 die Verserzählung *Meier Helmbrecht* von WERNHER DEM GÄRTNER, drastisch-realist. Darstellung sowohl abgeglittenen Bauern- wie Rittertums (Raubritter). In den bürgerl. Volks- und Schwankbüchern des 15./16. Jh. (*Eulenspiegel, Lalebuch*) und in WITTENWEILERS *Ring* (1450) erscheint der Bauer als tölpelhafte Spottfigur; vertiefte Erfassung bietet lediglich der Humanist H. BEBEL, selbst Bauernsohn,

in seinen *Facetiae* (1506/09). Neben der ländl. Staffage barocker Schäferdichtung mit ihren Ausläufern bis in die Anakreontik steht realist. Schilderung des Dorflebens bei GRIMMELSHAUSEN und MOSCHEROSCH. Neuansatz bringt im 18. Jh. zunächst die Schweiz: A. v. HALLER (*Die Alpen*, 1729) würdigt den Bauernstand und seine Bedeutung, H. K. HIRZELS pädagog. Schrift *Die Wirtschaft eines philosophischen Bauern* macht ihn vollends literaturfähig; PESTALOZZIS Erziehungsroman *Lienhard und Gertrud* (1781) zeigt die Aufstiegsmöglichkeiten des Landbewohners, U. BRÄKER (*Armer Mann im Toggenburg*, 1783) das Dorfelend. In Dtl. ist das Dorf zunächst mehr Gegenstand von Gedichten, Idyllen und Volksliedern. J. MÖSER dringt zu höherer Wertschätzung vor; aus eigenen Kreisen entsteht in J. H. Voss ein eifriger Kämpfer gegen die Leibeigenschaft, M. CLAUDIUS feiert als erster in schlichten Gedichten die Unverbildheit, Natürlichkeit des Landlebens, und diese Umwälzung der sozialen Einschätzung findet auch in HEBELS *Schatzkästlein* Niederschlag. BRENTANOS *Geschichte vom braven Kasperl und dem schönen Annerl* (1817) benutzt den dörfl. Rahmen zur Darstellung ständischer Tragik. Mit KLEISTS *Michael Kohlhaas* (1810) beginnt bäuerl. Starrköpfigkeit e. wesentl. Moment der D. zu werden, doch die eigentl. selbständige D. beginnt erst mit IMMERMANNS in den *Münchhausen* eingeflochtenen *Oberhof* (1839) als Hofgeschichte. Es folgt GOTTHELF, dessen gesamtes Werk dem Schweizer Bauerntum gewidmet ist (*Uli der Knecht, Uli der Pächter*) und Selbstbewußtsein mit erzieher. Kritik vereint. Mit B. AUERBACH (*Schwarzwälder Dorfgeschichten*, 1843 ff.) beginnt e. Neigung zu süßl. Darstellung, die sich ähnlich bei J. Rank (*Erzählungen aus dem Böhmerwald*, 1843) und M. Meyr (*Erzählungen aus dem Ries*, 1851) fortsetzt. Den realist. Zug vertritt H. Kurz (*Weihnachtsfund*, 1855 u. a.), der im *Sonnenwirt* (1854) den notwendigen Schritt zum kulturhistor.-psycholog. Roman vollzieht. Die D.n der Droste (*Die Judenbuche*, 1842) und von Otto Ludwig (*Heiteretei*, 1854, *Zwischen Himmel und Erde*, 1856) ragen bereits über die ländl. Milieuschilderung hinaus, während G. Kellers *Romeo und Julia auf dem Dorfe* (1856) höchste Erfüllung der Gattung bildet; auch Ebner-Eschenbachs D.n, Anzengrubers (*Der Schandfleck*, 1876, *Der Sternsteinhof*, 1885) und Roseggers Romane verkörpern echtes Bauerntum. Die Mehrzahl der unpolit.-konservativen D.n dagegen projiziert ein sentimentales Bild ländl. Idylle und heiler Welt als Gegenbild zur sozial gespaltenen, verunsicherten Industriegesellschaft. Als Vorstufe des Realismus wird die D. im Naturalismus verdrängt, geht in der →Heimatdichtung und zeigt seither engere landschaftl. Beschränkung oder in der Nazizeit Tendenz zur →Blut und Boden-Dichtung: in Norddtl. G. Frenssen (*Jörn Uhl*, 1901), Timm Kröger, H. Voigt-Diederichs; in der Heide H. Löns; im Weserland Lulu von Strauss und Torney (*Bauernstolz*, 1901); in Mitteldtl. W. v. Polenz (*Der Büttnerbauer*, 1895, *Der Grabenhäger*, 1897) und Clara Viebig; im Schwarzwald H. Hansjakob; in Bayern L. Thoma, in der Schweiz E. Zahn, H. Federer, M. Lienert u. a., in der Gegenwart bes. J. M. Bauer, R. Billinger, P. Dörfler, O. M. Graf, A. Huggenberger, J. Kneip, F. Nabl, J. Perkonig, H. Sohnrey, K. H. Waggerl, M. zur Bentlage, J.

Berens-Totenohl. Die sozialist. D. der DDR, sog. Landliteratur (Strittmatter u. a.) propagiert mit ideolog. Typen die Sozialisierung der Landwirtschaft. In osteurop. Litt. steht die D. vielfach am Beginn der eigenständ. Nationallit. Bedeutendste ausländ. Vertreter der D. und des Dorfromans waren in England O. Goldsmith, G. Eliot, Th. Hardy und R. Llewellyn, in Norwegen B. Björnsson, K. Hamsun und T. Gulbranssen, im fläm.-niederl. Bereich Streuvels, Timmermanns und Claes, in Frankreich H. Balzac, G. Sand, R. Bazin, J. Giono und C. F. Ramuz, in Italien G. Verga und I. Silone, in Rußland Gogol, Turgenev, Nekrason und Solochov, in Polen S. Reymont und in Finnland A. Kivi, J. Aho und F. Sillanpää.

R. Hallgarten, D. Anfänge d. Schweizer D., 1906; L. Lässer, D. dt. Dorfdichtg., 1907; L. v. Strauß u. Torney, D. D. i. d. modern. Lit., 1906; E. Rüd, D. dt. D. bis auf Auerbach, Diss. Tüb. 1909; RL; F. Altvater, Wesen u. Formen d. dt. D. i. 19. Jh., 1930; R. Zellweger, *Les débuts du roman rustique*, Paris 1941; J. Hein, D., 1976; U. Baur, D., 1978; M. H. Parkinson, *The rural novel*, 1984. →Bauerndichtg.

Dorfkomödie, heiteres →Volksschauspiel aus dem Dorfleben, vielfach für Laienspiel oder Bauerntheater, z. B. von L. Anzengruber und A. Hinrichs.

Dorfroman →Dorfgeschichte

Dortmunder Gruppe →Gruppe 61

Dottore (ital. = Doktor), Typenfigur der →Commedia dell'arte: der kom.-pedant. Gelehrte aus Bologna im Advokatengewand mit breitkrempigem Hut und später Spitzenkragen. Sein hohles, mit lat. Zitaten versetztes Geschwätz entlarvt ihn als Blender.

Douzain (franz. =) Zwölfzeiler, Strophe oder Gedicht von zwölf Verszeilen; im franz. 16. Jh. beliebt mit der spiegelbildl. Reimfolge ababbcbccdcd.

Doxographen (griech. *doxa* = Meinung, *graphein* = schreiben), griech. Gelehrte, welche die versch. Lehrmeinungen der Philosophen chronolog. oder systemat. nach Problemen geordnet übersichtlich zusammenstellten: EUDEMOS, THEOPHRAST, AËTIOS und bes. DIOGENES LAERTIOS.

H. Diels, Doxographi Graeci, 1879, ⁴1965.

Doxologie (griech. *doxologia* = Lobpreis), liturg. Lobgesänge im christl. Gottesdienst, Schlußteil des protestant. Vaterunser.

Drama (griech. = Handlung), eine der drei natürlichen Grundformen der Dichtung, die im Ggs. zur subjektiven Stimmungshaftigkeit einmaligen Einzelerlebens und dem Bekenntnischarakter in der Lyrik und zur breiten Stofffülle vergangenen Geschehens in der Epik e. knappe und in sich geschlossene, organisch erwachsene →Handlung unmittelbar gegenwärtig in →Dialog und →Monolog, und zwar nicht nur durch das die Phantasie anregende Wort, sondern auch durch szen. Darstellung auf der Bühne zur Anschauung bringt und damit dem Zuschauer durch Entlastung der nachschaffenden Phantasie e. direktes äußeres wie inneres Mitgehen ermöglicht. Das eigtl. D. ist auf die Bühnendarstellung hin angelegt und findet in ihr seine Vollendung wie die Partitur in der musikal. Wiedergabe (vgl. dagegen →Buchdrama). Grundbestandteil des D. ist der →Konflikt polarer Kräfte oder gegensätzl. Haltungen, welche die Spannung erzeugen, durch Umsetzung des leidenschaftl. Wollens in

die Tat miteinander in Widerspruch oder Kampf geraten und aus der Wechselwirkung (Aktion und Reaktion) die dramat. Handlung entfalten. Hinsichtlich der Verteilung der Gegensätzlichkeit im D. unterscheidet man – bei zahlr. Übergängen – den innerseel. Konflikt des Helden durch Widerstreit von zwei Lebenshaltungen *(Faust, Jungfrau von Orleans)* oder zwei sittl. Anforderungen *(Iphigenie, Antigone)* von dem Kampf des Helden mit e. äußeren (höheren, gleichwertigen oder niederen) Gegenmacht oder deren Verkörperung durch Personengruppen bzw. einzelne Gegenspieler: Schicksal *(Oedipus)*, sittl. Macht *(Die Räuber, Agnes Bernauer)*, Charakter *(Tasso, Judith, Penthesilea)*, →Intrige *(Emilia Galotti, Kabale und Liebe);* bei minderwertigem →Gegenspieler besteht die Gefahr einseitiger Schwarz-Weiß-Zeichnung. Der Gespaltenheit der Welt als innerem Gesetz des D. steht als äußeres Gesetz die →Einheit der →Handlung gegenüber: sie fordert streng kausale und überzeugende Verknüpfung und Motivierung zwecks eindeutiger Wirkung der trag. Notwendigkeit bzw. der kom. Situation.

Die Rücksicht auf Darstellbarkeit verlangt straffste zeitl. wie stoffl. Konzentration des Geschehens, engstes Ineinandergreifen der Wechselwirkungen innerhalb des schmalen dargestellten Handlungsausschnitts. Die für das Verständnis des Verlaufs notwendige →Vorgeschichte mit den zeitlich zurückliegenden Voraussetzungen des Konflikts wird nur selten im →Prolog, →Vorspiel oder in der →Exposition des 1. Akts zusammengefaßt, sondern meist erst schrittweise im Verlauf des Dramas, z.T. bewußt erst an seinem Ende *(Nathan, Käthchen von Heilbronn)* aufgedeckt; im →analytischen D. bildet ihre Enthüllung den Kern des Geschehens; abliegende breitere und die Darstellungsmöglichkeiten überschreitende Ereignisse werden durch →Botenbericht oder →Teichoskopie in das Handlungsganze einbezogen; ihre Überspitzung bildet die rein äußerliche und überholte Forderung der drei →Einheiten. Der Spannungssteigerung dienen die →retardierenden Momente; als ausgedehntere →Episoden gefährden sie den glatten Ablauf.

Hinsichtlich der Aufgliederung der Handlungsentwicklung in einzelne Stufen gelten →Exposition, →Peripetie und →Katastrophe als die wichtigsten; das herkömmliche 5stufige und pyramidenförmige Schema von Gustav FREYTAG mit (1.) →Exposition, Steigerung durch (2.) →»erregende Momente« zur Verwicklung im (3.) Höhepunkt, (4.) ›fallende →Handlung‹, unterbrochen durch das →retardierende ›Moment der letzten Spannung‹ und vorausweisendes Finale in der (5.) Katastrophe bzw. →Lösung entspricht der Gliederung der klass. Dramen in fünf →Akte, gilt jedoch nur für das →Zieldrama, nicht für →analyt. Dramen, und ist trotz der weiten Wirkung letztlich unzulänglich, da es den Aufbau vom Schicksal der dramat. bzw. ab leitet; infolge der Zielstrebigkeit jedes D. steht jedoch jede Einzelheit in Beziehung zum Handlungsergebnis (beim analyt. D. rückwärtig zum Ausgangspunkt) und gewinnt ihre aufbautechn. Funktion durch die Weiterentwicklung zum Gestaltungsziel hin.

Die Vielfalt der entwickelten Formen unterteilt man nach versch. Gesichtspunkten: 1. nach dem Ausgang, der als Gestaltungsziel wesentlich die Struktur beeinflußt: →Tragödie, →Komödie (→Posse, →Schwank, →Farce, →Volksstück), →Rührstück, →Schauspiel, →Tragikomödie, 2. nach dem Aufbau: →Zieldrama und →analytisches D., 3. nach der zugrunde liegenden Struktur: Figuren-, Raum-, Geschehens-D. (KAYSER), 4. nach der Gestalt (Zahl und Art der Darsteller sowie Anteil der Musik): →Mono-, →Duo-, →Massen-D., →Pantomime, →Puppenspiel, → Schattenspiel, →Vaudeville, →Melodrama, →Singspiel, →Operette, →Oper, →Musik-D., 5. nach den verkörperten geistigen Prinzipien: →Ideen-, →Problem-, →Tendenz-D., 6. nach der Ursache des Konflikts: →Schicksals-, →Charakter-, →Milieu-D., →Intrigenstück, 7. nach der Stoffwahl: →bürgerliches Trauerspiel, →historisches D., →geistliches D., →Künstler-D.; →Märchen-D., →Zauberstück, →Konversationsstück, 8. nach der Individualität der Figuren: →Charakter- und →Typen-D., 9. nach der Aktzahl: →Einakter usw., daneben zahlr. willkürl. Bezeichnungen durch den Dichter selbst (z. B. HAUPTMANN) sowie einzelne Erscheinungen der D.engeschichte.

Den Ausgangspunkt für die Entwicklung des D. bilden in allen Kulturvölkern einerseits der allg. menschl. Spieltrieb und andererseits kult. Gesänge und Tänze, die infolge der allg. Freude an Schaustellungen durch Monolog und Dialog erweitert wurden. Der für das Abendland bedeutsamste Ansatz ist die att. →Tragödie. Mit dem Entstehen der ersten →Theaterstücke steigt die Zahl der Aufführungen; die Schauspieler tragen →Kothurn und →Masken und sind als Schicksalsträger überindividuell; das Pathos der Erhabenheit ist der Schicksalsdarstellung gemäß. Aus der Aufführungsform erklärt sich die Wahrung der drei →Einheiten.

Die röm. Tragödie (SENECA) bleibt in Inhalt und Form vom griech. Vorbild abhängig, verstärkt aber die Bedeutung des Rhetorisch-Pathetischen wie der Affekte und wendet die Handlung ins übermäßig Grausige; sie wirkt zuerst stärker auf die Entwicklung des mod. D. In der →Komödie (PLAUTUS und TERENZ) werden die griech. Vorbilder bearbeitet. Volkstümlichere Formen verbreiten sich im →Mimus, der →Atellane und →Phlyakenposse. Die Jenseitshaltung des aufkommenden Christentums setzt der weiteren Entwicklung zunächst ein Ende.

Das D. des MA. ist vorwiegend aus dem Kultus hervorgegangenes →geistliches D. in allen Formen zur Darstellung des Heilsgeschehens, ferner →Moralität und →Fastnachtsspiel. Die Renaissance bringt als Folge ihrer weltlicheren Einstellung die Erneuerung des röm. D. (→Schul-D.). Sie prägt die Form des europ. D. bis ins 18. Jh. und bahnt den Weg zu seiner Säkularisierung. Zur Zeit staatl. Zersplitterung und relig. Spaltung in Deutschland, wo humanist. →Schuldrama und →Reformations-D. herrschen, entwikkeln die Nachbarländer eigene D.-Formen: Italien die →Commedia dell'arte, Spanien die →Autos und e. vom relig. Dogma bestimmtes Weltanschauungs-D. um den Gegensatz von Diesseitsfreude und Jenseitsbedrohung (LOPE DE VEGA, TIRSO DE MOLINA, CALDERÓN), Frankreich die tragédie classique (CORNEILLE, RACINE) und Komödie (MOLIÈRE). In England entsteht im 16. Jh. mit dem D. SHAKESPEARES als der ersten individualist. Menschen- und Charakterdarstellung e. dem antiken D. gleichwertiger Eigentyp, der mit dämon. Macht e. vollständiges Lebensbild mit allen Höhen und Tiefen entfal-

tet und anstelle der Einheiten in der Orts- und Zeitgestaltung die innergesetzl. Gefühlswerte berücksichtigt; lediglich die innere Wahrscheinlichkeit und Einheit der Handlung entscheidet; als genialer psycholog. Gestalter weiß SHAKESPEARE sie im verwickelten, vielschichtigen Geschehensgeflecht von Gegensätzen wie Parallelen, zwischen Derbem, Komischem und Erhabenem stets zu wahren.

Die Form des elisabethan. D. gelangt, wenngleich in vereinfachter Art und bewußter Effekthascherei, durch die →Englischen Komödianten auch nach Dtl. und lebt im →Hans-Wurst-Spiel wie in den →Haupt- und Staatsaktionen der →Wandertruppen fort, beeinflußt jedoch auch das D. des →Barock, das mit der Form des →Singspiels zur →Oper überleitet. Daneben erscheint als Mittel der Gegenreformation das lat. →Jesuiten-D.

In der Aufklärung beherrscht zunächst das Vorbild der klassizist. franz. tragédie classique unter der Schutzherrschaft GOTTSCHEDS und aufgeführt von der Truppe der NEUBERIN die dt. Dramatik bis GELLERT. Anstöße zur Lockerung ihrer strengen Regeln (→Einheiten, →Ständeklausel) und normativen Formmuster bringen die →comédie larmoyante (→weinerliches Lustspiel) und das →bürgerliche Trauerspiel. Nach Vorgang J. E. SCHLEGELS tritt LESSING als der erste große dt. Dramatiker der Neuzeit für das D. SHAKESPEARES ein und wendet sich gegen GOTTSCHED und die Verfechter der tragédie classique. Auf seinen Erkenntnissen baut die Dramatik des →Sturm und Drang, die freilich in leidenschaftl. Streben von Natürlichkeit und Wahrscheinlichkeit zu Natur und Wahrheit z. T. die innere Gesetzlichkeit Shakespearescher D. verkennt und auflöst

(LENZ, KLINGER). Den Höhepunkt der Entwicklung bildet das D. der dt. →Klassik, das als →Ideen-D. aus e. trag. Diesseitswelt in e. umgreifende geistige Ideenwelt führt und das Menschenschicksal in e. geschlossenes Weltbild einordnet. Während die Romantik – mit Ausnahme von KLEIST und den SHAKESPEARE-Übersetzungen ohne bleibende dramatische Dichtungen – nur im →Schicksals-D. in Frankreich Nachahmer fand und das Biedermeier im Wiener →Volksstück e. Märchen- und Zauberwelt zur Geltung brachte, wirkt das D. der Klassik bei fortschreitender Entwicklung des →Realismus und der psycholog. Motivierung weit ins 19. Jh. fort (KLEIST, BÜCHNER, GRILLPARZER, HEBBEL, LUDWIG); WAGNER schafft im →Musik-D. e. nationales Weihespiel neuer Form, doch e. Umsturz erfolgt erst mit dem →sozialen Drama und →Milieu-D. des →Naturalismus unter dem Einfluß IBSENS. Als Gegenströmung erstreben Impressionismus und Symbolismus (SCHNITZLER, HOFMANNSTHAL) ein geist. vertieftes Gesellschaftsbild und die →Neuklassik die Erneuerung des antiken und klass. Geistes im D. Unter dem Einfluß STRINDBERGS und mit WEDEKIND als Vorläufer entsteht das →expressionistische D., locker aneinandergereihte Bilderfolgen auf der Suche nach dem Unzeitlichen, Seelischen im Menschen; in ihm wie bes. im D. des franz. →Existentialismus zeigt sich e. betonte Rückkehr zu antiken Formen und Stoffen; daneben stehen mehr oder weniger traditionslos B. BRECHTS →episches Theater, das →Dokumentartheater, das sozialkrit. →Volksstück und das D. des →Absurden.

W. Creizenach, Gesch. d. neueren D., V. ²1909–23; A. Perger, System d. dram. Technik, 1911; R. F. Arnold, D. moderne D., ²1912; B. Diebold, Anarchie i. D., 1921; H. Schlag, D. D., ²1922; M. Freyhan, D. D. d. Gegenw., 1922; R. K. Goldschmit, D. D., 1923; H. Schauer, D. dt. D. seit d. Renaiss., 1924; R. Petsch, 2 Pole d. D., DVJ 2, 1924; M. Martersteig, D. dt. Theater i. 19. Jh., 1924; R. Petsch, D. Aufbau d. dram. Persönlichkeit, DVJ 3, 1925; R. F. Arnold u.a., D. dt. D., 1925; J. Bab, D. Theater d. Gegenw., 1928; R. Petsch, Z. inneren Form d. D., Euph. 30, 1929; A. Perger, Einorts-D. u. Bewegungs-D., 1929; E. Ermatinger, D. Kunstform d. D., ²1931; H. H. Borcherdt, D. europ. Theater i. MA. u. i. d. Renaissance, 1933, n. 1969; R. Petsch, 3 Haupttypen d. D., DVJ 12, 1934; ders., D. Darbietungsform d. dram. Dichtg., GRM 23, 1935; ders., D. u. Theater, DVJ 14, 1936; A. Perger, D. Wandlung d. dram. Auffassung, 1936; A. Nicoll, *The Theory of D.*, Lond. 1937; W. Kosch, D. dt. Theater i. 19. u. 20. Jh., ³1939; P. Kluckhohn, D. Arten d. D., DVJ 19, 1941; A. Pfeiffer, Ursprung u. Gestalt d. D., 1943; R. Petsch, Wesen u. Formen d. D., 1945; R. Peacock, *The Poet in the Theatre*, Lond. 1946; A. H. Quinn, *A history of American D.*, N.Y. 1946; A. R. Thompson, *The Anatomy of D.*, Berkeley 1946; H. Kindermann, Theatergesch. d. Goethezeit, 1948; E. Reynolds, *Modern Engl. D.*, Lond. 1949; E. Nippold, Theater u. D., 1949; E. Souriau, *Les 600 000 situations dramatiques*, 1950; K. Hamburger, Z. Strukturbegriff d. ep. u. dram. Dichtg., DVJ 25, 1951; A. Nicoll, *A Hist. of Engl. D.*, Lond. 1952ff.; M. Lamm, *Modern D.*, Oxf. 1952; E. Hartl, K. Ziegler in ›Aufriß‹, 1952ff.; A. Pickard-Cambridge, *The Dramatic Festivals of Athens*, 1953, ²1968; J. Gassner, *Masters of the D.*, N.Y. 1953; C. J. Stratman, *Bibliography of Medieval D.*, Berkeley 1954; G. Frank, *The Medieval French D.*, Oxf. 1954; W. Beare, *The Roman stage*, Lond. ²1955; W. Flemming, Epik u. D.tik, 1955; W. v. Scholz, D. D., 1956; E. Franzen, Formen d. mod. D., 1956, ³1974; P. Fechter, D. europ. D., III 1956–58; D. Schäfer, D. histor. Formtypen d. D., ZDP 75, 1956; J. Rühle, D. gefesselte Theater, 1957; W. Krusch, *The American D. since 1918*, Lond. 1957; H. D. F. Kitto, *Form and Meaning in D.*, Lond. 1957; B. von Wiese, D. dt. D., II 1958; RL; H. F. Garten, *Modern German D.*, Lond. 1959; V. Klotz, Geschloss. u. off. Form i. D., 1960; R. Peacock, *The Art of D.*, Lond. 1960; J. L. Styan, *The elements of D.*, Lond. 1960; M. Boulton, *The anatomy of D.*, Lond. 1960; J. H. Lawson, *Theory and technique of playwriting*, N.Y. 1960; C. D. Stuart, *The development of dramatic art*, N.Y. ²1961; W. Fowlie, Dionysus in Paris, 1961; F. Mennemeier, D. mod. D. d. Auslandes, 1961; D. I. Grossvogel, 20th. century French d., N.Y. ²1961; A. S. Downer, Recent American d., Minneapolis 1961; J. Guicharnaud, Mod. French theatre, New Haven 1961; D. van Abbé, D. in Renaissance Germany and Switzerland, Melbourne 1961; A. Nicoll, World d., Lond. ⁷1961; A. Williams, The d. of ma. England, Ann Arbor 1961; B. Gascoigne, 20th. century d., Lond. 1962; A. Nicoll, British d., Lond. ⁵1962; G. Weales, American D. since World War II, N.Y. 1962; L. Kitchin, Mid-century d., Lond. ²1962; O. Reinert, Mod. D., Boston 1962; J. Allen, Masters of European d., Lond. 1962; A. Pickard-Cambridge, Dithyramb, Tragedy and Comedy, Lond. ²1962; K. Hamburger, V. Sophokles zu Sartre, 1962, ²1963; M. Lioure, Le d., Paris 1963, ²1973; H. Vogelsang, Österr. Dramatik. d. 20. Jh., 1963; J. L. Styan, The dramatic experience, Lond. 1964; R. Fricker, D. mod. engl. D., 1964; B. H. Clark, European theories of the d., N.Y. ²1964; G. E. Wellwarth, The theatre of protest and paradox, N.Y. 1964, ²1972; M. C. Bradbrook, Engl. dramatic form, Lond. 1965; R. Brustein, The theatre of revolt, Lond. 1965; J. Chiari, Landmarks of contemp. d., Lond. 1965; I. Evans, A short hist. of Engl. d., Lond. ²1965; W. Mittenzwei, Gestaltg. u. Gestalten i. mod. D., 1965; H. Rischbieter u. E. Wendt, Dt. Dramatik i. West u. Ost, 1965; J. R. Taylor, Zorniges Theater, 1965; H. Kunstmann, Mod. poln. Dramatik, 1965; H. Oppel u.a., D. mod. engl. D., ²1966; H. W. Wells, The Class. D. of the Orient, Lond. 1966; E. Brüning, D. amerikan. D. d. 30er Jahre, 1966; L. Broussard, American d., Oklah. ³1966; P. W. Harsh, A handbook of classical d., Stanford ²1966; L. Kitchin, D. in the sixties, Lond. 1966; A. W. Ward, A hist. of Engl. dram. lit., III Lond. 1966; D. Knowles, French d. of the inter-war years, Lond. 1967; F. Lumley, New trends in 20th cent. d., Oxf. ²1967; E. Bentley, D. lebendige D., 1967; A. Kuchinke-Bach, Stilfragen d. D., 1967; H. Denkler, D. d. Expressionismus, 1967, ²1979; R. Taeni, D. nach Brecht, 1968; D. franz. Theater, hg. J. v. Stackelberg II 1968; S. Hoefert, D. D. d. Naturalismus, 1968; A. Wierlacher, D. bürgerl. D., 1968; R. Williams, D. from Ibsen to Brecht, Lond. 1968, ²1976; O. Mann, Gesch. d. dt. D., ³1969; The Reader's Encyclopedia of world d., hg. J. Gassner, E. Quinn 1969; P. Szondi, Theorie d. mod. D., ⁷1970; S. W. Dawson, D. and the dramatic, Lond. 1970; D. dt. D. v. Expressionismus bis z. Gegenw., hg. M. Brauneck 1970, ³1977; D. engl. D., hg. D. Mehl II 1970; U.-K. Ketelsen, Vom heroischen Sein u. völk. Tod. Z. D. d. 3. Reiches, 1970; M. Kesting, Panorama d. zeitgen. Theaters, ²1970; T. F. van Laan, The idiom of d., Ithaca 1970; P. Pütz, D. Zeit i. D., 1970, ²1977; K. Schoell, D. franz. D. seit d. 2. Weltkrieg, II 1970; A. Viviani, D. D. d. Expressionismus, 1970; Dt. Dramentheorien, hg. R. Grimm, II 1971, ³1980f.; P. M. Levitt, A struct. approach to the analysis of d., Haag 1971; W. F. Michael, D. dt. D. d. MA., 1971; J. Osborne, The naturalist d. in Germany, Manchester 1971; M. Durzak, Dürrenmatt, Frisch, Weiß, 1972; M. Esslin, Jenseits d. Absurden, 1972; A. Martino, Gesch. d. dramat. Theorien i. Dtl. i. 18. Jh., 1972ff.; M. Matlaw, Modern world d., Lond. 1972; D. mod. franz. D., hg. W. Pabst 1972; Theater in der Zeitenwende, hg. W. Mittenzwei, II 1972; D. amerik. D., hg. H. Itschert 1972; D. engl. D., hg. J. Nünning 1973; H. Denkler, Restauration u. Revolution. Polit. Tendenzen i. dt. D., 1973; H. Geiger, Widerstand u. Mitschuld, 1973; W. Hinck, D. mod. D. i. Dtl., 1973; F. N. Mennemeier, Mod. dt. D., II 1973–75, ²1979; H. Schanze, D. i. bürgerl. Realismus, 1973; M. Dietrich, D. mod. D., ³1974; E. Dosenheimer, D. dt. soz. D., ²1974; G. U. Gabel, D. u. Theater d. dt. Barock, 1974; R. Gilman, The making of mod. d., N.Y. 1974; D. am. D., hg. P. Goetsch 1974; L. Löb, From Lessing to Hauptmann, Lond. 1974; S. Melchinger, Gesch. d. polit. Theaters, II ²1974; W. Schivelbusch, D. sozialist. D. nach Brecht, 1974; R. Axton, Europ. d. of the early M.A., Lond. 1974; The Revels hist. of d. in English, Lond. VIII 1975–83; D. Brett-Evans, V. Hrotsvith bis Folz u. Gengenbach, II 1975; D. zeitgen. engl. D., hg. K.-D. Fehse, N. Platz 1975; D. amerikan. D. d. Gegenw., hg. H. Grabes 1975; H. Klunker, Zeitstücke u. Zeitgenossen, ²1975; Beiträge z. Poetik d. D., hg. W. Keller 1976; D. engl. D. i. 18. u. 19. Jh., hg. H. Oppel 1976; J. M. Ritchie, German express. d., N.Y. 1976; P. D. Arnott, An introd. to the French theatre, Lond. 1977; K. Heitmann, D. frz. Theater d. 16. u. 17. Jh., 1977; H.-J. Müller, D. span. Theater i. 17. Jh., 1977; P. Goetsch, Dauformen d. mod. engl. u. am. D., 1977; H. Motekat, D.zeitgen. dt. D., 1977; M. Pfister, Das D., 1977, ⁴1984; W. Weiß, D. D. d. Shakespearezeit, 1978; M. Durzak, D.express. D., II 1978f.; E. Lefèvre, D. röm. D., 1978; M. Esslin, Was ist e. D., 1978; Theater u. D. i. Amerika, hg. E. Lohner 1978; H. G. Huettich, Theater in the planned soc. (DDR), Chapel Hill 1978; C. D. Innes, Mod. Germ. d., Cambr. 1979; D. griech. D., hg. G. A. Seeck 1979; H. Koopmann,

D. d. Aufkl., 1979; Hdb. d. dt. D., hg. W. Hinck 1980; A. Huyssen, D. d. Sturm u. Drang, 1980; B. Asmuth, Einf. i. d. D.analyse, 1980, ²1984; B. Bennett, *Mod. d. and Germ. classicism*, Ithaca 1980; C. W. Thomson, D. engl. Theater d. Ggw., 1980; W. Buddecke u.a., D. dtspr. D. seit 1945, 1981; Dt. D.en Interpret., hg. H. Müller-Michaelis II 1981, ²1985; H. Vogelsang, Österr. D.tik d. 20. Jh., 1981; J. L. Styan, *Mod. d.*, Cambr. III 1981; J. Schäfer, Gesch. d. am. D. u. Theaters i. 20. Jh., 1981; K. Reichelt, Barockdr. u. Absolutism., 1981; Mod. frz. Theater, hg. K. A. Blüher 1982; Ch. Dedeyan, *Le d. romant. en Europe*, Paris 1982; *D. and symbolism*, hg. J. Redmond, Cambr. 1982; K. Gajek u.a., D. dt. D. d. 20. Jh., Warschau 1982; N. Greiner u.a., Einf. ins D., II 1982; *The d. of the M.A.*, hg. C. Davidson N.Y. 1982; D. engl. D. v. Beckett bis Bond, hg. H. F. Plett 1982; J. P. Aikin, *Germ. baroque d.*, Boston 1982; D. Kafitz, Grundz. e. Gesch. d. dt. D., II 1982; Stud. z. D.tik i. d. BRD, hg. G. Kluge Amsterd. 1983; E. McInnes, D. dt. D. d. 19. Jh., 1983; W. F. Michael, D. dt. D. d. Reformationszt., 1984; R. J. Alexander, D. dt. Barockd., 1984; D. Bradby, *Mod. French d.*, Cambr. 1984; H. Ziornek, *A hist. of Span. Golden Age d.*, Kentucky 1984; D. amerikan. D., hg. G. Hoffmann 1984; R. A. Bonks, *D. and theatre arts*, Lond. 1985; D. D. u. seine Inszenierg., hg. E. Fischer-Lichte 1985; *The theatre in the M.A.*, hg. H. Bract, Leuven 1985; S. Karlinsky, *Russian d.*, Berkeley 1985; B. Zelinsky, D. russ. D., 1986; K. Schoell, D. frz. D. i. 20. Jh., 1986; H. Lederer, *Handbook of East Germ. D.*, 1987; J. Landa, Bürgerl. Schocktheater, 1987; Dt. Ggw.dramatik, hg. L. Pikulik II 1987; H. Steinmetz, D. dt. D. v. Gottsched bis Lessing, 1987; D.tik d. DDR, hg. U. Profitlich 1987; H. Lederer, *Hb. of East German d.*, 1987; R. C. Cowen, D. dt. Dr. i. 19. Jh., 1988; H. Zapf, D. D. i. d. abstrakten Gesellsch., 1988.

Dramatic Monologue (engl. =) dramatischer Monolog, e. bes. in neuerer angloamerikan. Lit. häufige lyr. Form ähnlich dem →Rollenlied: Monolog e. bestimmten Figur in e. vorgegebenen, bes. bezeichnenden und gemütstiefen Situation als Verlebendigung e. Charakters in seiner Ergriffenheit und zugleich Gestaltung e. Situation nur in der Spiegelung durch das erlebende Ich, nicht wie beim →Monolog des Dramas in e. vorweg geschilderten Lage. Zuerst bei R. BROWNING (*My last duchess*), dann bei TENNYSON, SWINBURNE, YEATS, E. POUND, T. S. ELIOT.

A. Höfele, Rollen-Ich u. lyr. Ich, LJb 26, 1985.

Dramatik (zu griech. →*drama*), 1. die dramat. Dichtkunst (→Drama) als abstrahierender Oberbegriff im Ggs. zu Epik oder Lyrik. – 2. Sammelbegriff für alle Formen und Arten des Dramas oder für das gesamte dramat. Schaffen, z.B. die Dramen einer Lit., einer Epoche oder eines Autors. – 3. umgangssprachlich die Spannung, erregte Bewegung eines Geschehens.

Dramatisch bezeichnet über die bloße Zugehörigkeit zum →Drama hinaus eines der drei Grundelemente der Poesie, dessen Wesen E. STAIGER als ›Spannung‹ bezeichnet. Es ist nicht an die Erscheinungsform in der Gattung Drama gebunden, wenngleich es dort seine stärkste und späteste Ausformung erhalten hat: das Drama entstand aus dem Geist des D.en. Von der idealen Bedeutung her (Erregung, Spannung, Konflikt, Handlungsreichtum, Gegensätzlichkeit) läßt sich der Begriff ›D.‹ auch in anderen Gattungen aufweisen, bes. in →Ballade und →Novelle (KLEIST) und ist nicht einmal an die Form des Wortwechsels gebunden, wie auch e. ›d.er‹ Stoff nicht unbedingt bühnenwirksam zu sein braucht.

E. Staiger, Grundbegr. d. Poetik, ⁸1971.

Dramatisierung, →Bearbeitung eines (epischen) Stoffes für die Bühne, d.h. Anpassung an deren Gesetze und Wirkungsmöglichkeiten, Raffung und steigernde Konzentration der Handlung durch Streichung episod. Beiwerks, Einschränkung der Figuren und Situationen, verschärfte Herausarbeitung der Gegensätze

u. a. Beispiele sind SHAKESPEARES D. von Renaissancenovellen, R. WAGNERS D. ma. Epen, GOETHES 1. Fassung des *Götz* (1771), dramatisierte Novellen KLEISTS und Romane der Ch. BIRCH-PFEIFFER, D.en von J. HAŠEKS Roman *Die Abenteuer des braven Soldaten Schwejk* durch M. BROD, H. REIMANN, E. PISCATOR und B. BRECHT (1928) u. ä. Vgl. →Bühnenbearbeitung, →Adaption.

R. J. Dieffenbacher, D.en ep. Stoffe, Diss. Hdlbg. 1935; M. Bluestone, *From story to stage*, Haag 1974.

Dramatis personae (lat. = die Personen des Dramas), dem Spieltext vorangestelltes Personenverzeichnis bei Druckausgaben von Dramen; seit humanist. Klassikereditionen üblich, anfangs meist ständisch, dann nach der Bedeutung der Figuren oder der Reihenfolge ihres Auftretens (BRECHT) angeordnet und z. T. (SCHILLER, *Fiesko*; Naturalismus) durch nähere Charakteristiken kommentiert.

Dramaturg (griech. *dramaturgein* = e. Drama verfassen), urspr. Verfasser und Aufführungsleiter (→Regisseur) von Dramen, dann deren Kenner und Kritiker, jetzt lit.-theaterwiss. und künstler. Beirat e. Theaterleitung (auch bei Film, Funk, Fernsehen). Ihm obliegt die Sorge dafür, daß die echten dichter. Werte e. Stückes in der Aufführung werkgetreu erhalten bleiben und nicht dem bloßen ›Theater‹ weichen, die Sichtung der eingereichten Stücke, deren Auswahl und Vorschlag zur Annahme, Vorbereitung des Spielplans, evtl. →Bühnenbearbeitung einzelner (meist älterer) Werke oder Vergabe von Übersetzungen, Beratung bei Besetzung, Inszenierung und Proben sowie die Redaktion von Theaterzeitschriften und Programmheften, die den Zuschauer in den Geist der Bühnendichtung einführen sollen. Seit der im 18. Jh. erfolgten Besinnung auf die kulturelle Aufgabe der Bühne beschäftigt jedes größere Theater e. D. (berühmte: LESSING, TIECK, IMMERMANN, SCHREYVOGEL, H. BAHR, B. BRECHT, FRISCH, DÜRRENMATT), doch ist die Bedeutung seines Amtes als Anwalt der Literatur heute im Zeichen des Regietheaters weitgehend auf die e. einflußlosen Redaktors von Programmheften herabgesunken.

Dramaturgie (griech. *dramaturgos* = Verfasser und Aufführungsleiter e. Dramas), 1. Kurzbz. der dramaturg. Abteilung eines Theaters, einer Rundfunk- oder Fernsehanstalt, Stab des Chef→dramaturgen. – 2. praktisch-szen. D., befaßt sich mit der Bühnenaufführung e. Dramas und umgreift die Tätigkeit des →Dramaturgen und →Regisseurs: →Inszenierung. – 3. theoret. D., von LESSING als Begriff eingeführt, die Wissenschaft von der Kunst des Dramas und Theaters, die aus der Lehre von seinem Wesen die inneren Gesetze, Strukturen und Aufbaumittel im Hinblick auf prakt. Bühnenwirksamkeit deduktiv oder induktiv ableitet – somit der auf das Drama bezogene Teil der →Poetik. Die Geschichte der D. gibt wertvolle Hinweise für die wechselnde Kunstauffassung der Epochen. Die älteren D.n wahren als Regelbücher für den Dramatiker meist antik-klassizist. Erbe in ununterbrochener Überlieferung, während sich in der neueren Zeit meist das künstler. Programm der lit. Strömungen in ihnen niederschlägt, soweit sie nicht lediglich e. prakt. Hilfe für Dramaturgen und Regisseure bieten wollen. – Die ältesten und folgenreichsten der dramaturg. Schriften, die *Poetik* des ARISTOTELES mit Regeln für die →Tragödie (→Mimesis, →Ständeklausel, →Einheiten, →Charakterdrama,

→Katharsis) und die in vielem auf griech. Lehre zurückgehende *Ars poetica* des HORAZ, die anstelle des Schicksalsdramas e. stärkere Charakterisierung der Personen fordert, bleiben bis in das 18. Jh. von größtem Einfluß auf das dramat. Schaffen wie auf die nachfolgenden Theorien. Ihre Wiederentdeckung in der Renaissance gab zu e. Fülle von →Poetiken und D.n Anlaß (VIDA, MINTURNO, CASTELVETRO, bes. SCALIGER), die in der erweiternden Umschreibung der antiken Vorbilder bes. das →»prodesse‹ des HORAZ in den Vordergrund stellen: Das Drama dient der Selbstvergewisserung des Individuums, der Erkenntnis seiner Möglichkeiten, Rechte und Pflichten und seiner innerl. Festigung durch die Beherrschung der Affekte. Die →Katharsis jedoch dient dem stoischen Ideal der Affektlosigkeit. Im Anschluß an die Renaissancepoetiken formuliert auch OPITZ in seiner *Poeterey* 1624 die →Ständeklausel und erörtert die Gattungen; ihm folgt die Flut dt. Barockpoetiken. In Frankreich erhebt die D. des Klassizismus (BOILEAU, *L'art poétique*) die Forderung nach den drei →Einheiten, die von GOTTSCHED (*Critische Dichtkunst*) übernommen wird. Erst LESSING (*Hamburgische D.*) wendet sich, vorbereitet von BODMER und BREITINGER, gegen die rationalist. Mißdeutung des ARISTOTELES und tritt für die Dramenform SHAKESPEARES und DIDEROTS ein; aus dem histor. Denken heraus erkennt man die Eigengesetzlichkeit des Kunstwerks, seine Unabhängigkeit von Vorbild und Regel wie seinen irrationalen Charakter. Die daraus hervorgehende Formauflösung im Sturm und Drang wird abgelöst durch strengere Gestalt der Klassik, wie sie in den dramaturg. Schriften SCHILLERS – im Ggs. zu LENZ' *Anmerkungen*

über das Theater (1774) – gefordert wird. Aus der D. der Romantik ragen A. W. v. SCHLEGELS *Vorlesungen über dramatische Kunst* sowie TIECKS dramaturg. Studien hervor, bleiben jedoch mehr auf die Theorie beschränkt. Im 19. Jh. gewinnt neben der Annäherung an die Wirklichkeit im Realismus philos. Weltdeutung entscheidenden Einfluß auf das Drama; die Dichter suchen ihre dramaturg. Erkenntnisse z. T. systematisch zusammenzustellen (HEBBEL, O. LUDWIG, R. WAGNER, *Oper und Drama*); als Theoretiker steht neben VISCHER G. FREYTAG, der in seiner *Technik des Dramas* (1863) die Summe des klass. und nachklass. Dramas zieht. Die modernen Strömungen und ihre Vertreter entwickeln ihr eigenes Programm in ständiger Wechselbeziehung zur prakt. Auswertung (s. d. einzelnen Epochen). In diesem Sinn bz. D. auch die dramat. Theorie und Technik eines Autors.

H. Bulthaupt, D. d. Schauspiels, IV 1893–1901, ¹³1912; H. Dinger, D. als Wissenschaft, II 1904 f.; R. Petsch, Dt. D. v. Lessing bis Hebbel, 1912, ²1921; A. Winds, Drama u. Bühne i. Wandel d. Auffassg. v. Aristot. bis Wedekind, 1923; H. Ihering, Aktuelle D., 1924; A. Kutscher, Stilkunde d. Theaters, 1932; ders., Elemente d. Theaters, 1932; A. Perger, D. Wandlung d. dramat. Auffassung, 1936; M. v. Eyb, D. Methode d. D., Diss. Mchn. 1935; O. zur Nedden, Drama u. D. i. 20. Jh., Diss. Würzbg. 1940; A. Perger, Grundlagen d. D., 1952; G. Müller, D. d. Theaters, d. Hörspiels u. d. Films, ⁶1954; RL; M. Dietrich, Europ. D., 1952, ²1967; dies., Europ. D. i. 19. Jh., 1961; O.-R. Dithmar, Dt. D. zw. Hegel u. Hettner, Diss. Hdlbg. 1965; E. Bentley, D. lebendige Drama, 1967; Dt. Dramentheorien, hg. R. Grimm II 1971; A. Martino, Gesch. d. dram. Theorien i. Dtl. i. 18. Jh., 1972; E. Wendt, Mod. D., 1974; V. Klotz, D. d. Publikums, 1976; F. H. Link, D. d. Zeit, 1977; A. J. Niesz, D. *in Germ. drama from Gryphius to Goethe*, 1980. →Theater, →Drama.

Dramma per musica (ital. = →Musikdrama), frühere Bz. für →Oper.

Dramolętt (franz. *dramolet* =) kurzes dramenartiges Bühnenspiel, z. B. SCHILLERS *Huldigung der Künste*, FOUQUÉS D.s aus der Vorzeit.

Drápa (Mz. Drapur), altnord. Lob- oder Preislied der →Skalden zum Preis einzelner Personen oder ganzer Stämme in stroph. Form von kunstvollem Bau, meist im →Dróttkvaett-Maß, meist dreiteilig: ›upphaf‹ = Einleitung, ›stefja-balkr‹ = Mittelteil mit Kehrreimen, ›stef‹, und ›sloemr‹ = Schluß. Einleitung und Schluß haben meist dieselbe Strophenzahl, der Mittelteil über 20. Häufige und beliebte höf. Kunstform mit Blütezeit im 9.–13. Jh.
J. de Vries, Altnord. Lit.gesch. I, ²1956.

Drehbuch, die ›Partitur‹ des →Films‹, schriftl. Vorlage des Filmregisseurs, enthält alle opt. Spieleinzelheiten in genauer Beschreibung: Schauplatz, Dekoration, Beleuchtung, Requisiten, Vorgänge, Bewegungen, Gebärden, Mienenspiel usw., ferner techn. Anweisungen zur Kameraeinstellung (Nah-, Totalaufnahme, Überblenden usw.) und – seit Erfindung des Tonfilms – doppelspaltig rechts daneben synchron.-synopt. den gesprochenen Text sowie alle akustischen Effekte (Musik, Geräusche) in zeitlicher Reihenfolge nach numerierten Einstellungen und Bildern. Vorstufen zum D. sind das ›Exposé‹ (Skizze des dramaturg. Handlungsaufbaus, rd. 10 Seiten) und das ›Treatment‹ (festgelegte Einzelbildfolge mit allen Handlungsmöglichkeiten). Das lit. Roh-D. des Filmautors wird ergänzt durch das detaillierte Regie-D. und das techn. Produktions-D. mit Anweisungen für Kameramann, Filmbildner, Tonmeister usw. als Abschluß der schriftl. Vorarbeiten e. Films. Obwohl die D. gelegentlich von bedeutenden Literaten (E. KÄSTNER, J. COCTEAU, J. GIRAU-

DOUX, Ch. FRY, L. DURRELL u. a.) stammen, können sie als handwerkl.-techn. Kollektivprodukt in den seltensten Fällen lit. Eigenwert beanspruchen; nach einzelnen frühen Versuchen wie dem *Kinobuch* (1913) von M. PINTHUS hat daher erst der jüngste lit. Film (I. BERGMAN, A. ROBBE-GRILLET, M. DURAS) seine D. auch als Buch zur Lektüre herausgegeben.
F. Wolf u. a., V. d. Filmidee z. D., 1949; O. Schumann, D. Manuskript, 1954; V. Krecker, D. D., Diss. Bln. 1956; Schreiben f. d. Film, hg. J. Brunow 1988. →Film.

Drehbühne, e. in den Bühnenboden eingelassene, möglichst große und auf Kugellagern um den Mittelpunkt drehbare Scheibe, auf deren einzelnen Sektoren keilförmig nebeneinander mehrere Bühnenbilder gleichzeitig aufgebaut sind bzw. während der Vorstellung hinter der Bühne umgebaut werden. Drehung des jeweils benötigten Schauplatzes zur Bühnenöffnung bei seitl. Abschluß durch Vorhänge ermöglicht schnellsten Szenenwechsel, bes. bei szenenreichen Dramen. Pläne von LEONARDO DA VINCI und I. JONES. Erfindung K. LAUTENSCHLÄGERS, 1896 zuerst für MOZARTS *Don Juan* im Münchner Residenztheater benutzt. Als Nachteile erwiesen sich die geringe Tiefenwirkung und der keilförmige Grundriß der Szenenbilder: Schiebe- und Versenk→bühne ermöglichen neuerdings die Vorbereitung größerer Szenen.

Dreiakter, →Drama in drei →Akten, neben Fünfakter und Einakter häufigste Form des Aufbaus: →Protasis (= Einleitung, →Exposition), →Epitasis (= Verwicklung, steigende →Handlung mit Höhepunkt und →Peripetie) und →Katastrophe oder Lösung, etwa entsprechend ARISTOTELES Dreiteilung der dramat. Handlung und HEGELS Denkschema von These, Antithese und Synthese. Vom röm. Grammatiker, Rhetoriker und TERENZkommentator Aelius DONATUS (4. Jh. n. Chr.) proklamiert, wurde der D. die Form des ital., bes. aber span. und portug. klass. Dramas; in Spanien zuerst bei Antonio DIEZ (*Auto de Clarindo*, 1535) und Francisco de AVENDAÑO (*Comedia Florisea*, 1551), später in CERVANTES' Komödien, bei VIRUES, GARCÍA LORCA u. a. m. In frz., engl. und dt. Drama selten (HEBBEL, *Maria Magdalena*; WAGNER; IBSEN).

Drei Einheiten →Einheiten

Dreifelderbühne →Shakespearebühne

Dreikönigsspiel, auch Magierspiel seit dem 11. Jh. in Dtl., Frankreich (Limoges, Besançon, Rouen, Nevers, Orléans) und Spanien ausgebildete Form des →geistlichen Dramas, urspr. Vorspiel der Messe am 6. Januar, stellt die Huldigung der Hl. drei Könige an der Krippe Jesu zunächst pantomimisch dar: sie treffen, durch Kronen bezeichnet, von versch. Seiten im Mittelschiff der Kirche zusammen; der Stern leitet sie zu der im Chor aufgestellten Krippe, wo sie ihre Geschenke darbringen und dann den Rückweg antreten; später zunehmend realist. durch die Gestalt des Herodes und schließlich den bethlehemit. Kindermord mit der Klage der Mütter erweitert und mit dem →Weihnachtsspiel vereint. Am bekanntesten das *Freisinger D.*

H. Anz, D. lat. Magierspiele, 1905; H. Kehrer, D. Hl. 3 Kge. i. Lit. u. Kunst, II 1908 f.; N. King, Ma. D.e, 1979. →Hirtenspiel.

Dreireim, gleicher Endreim für drei aufeinanderfolgende Zeilen, oft zur Kennzeichnung am Ende e. größeren Sinnabschnittes in späthöf. Epik, ab 13. Jh. häufig, auch bei H.

SACHS an den Aktschlüssen mehraktiger Dramen wie z. T. in den Erzählungen und Schwänken zur deutlicheren Gliederung; später bei J. REGNART.

M. Rachel, Reimbrechung u. D. i. Drama d. H. Sachs, 1870.

Dreistillehre →Stilarten

Dreiteilige Strophe →Meistersangstrophe

Drittes Reich →Nationalsozialismus

Drôlerie (franz. = Drolligkeit), übermütig-schalkhaftes dichterisches Phantasiegebilde, schnurrige Skizze.

Drolls (engl., v. franz. *drôle* = drollig), auch Droll-Humours, kom. und farcenhafte Kurzdramen aus den beliebtesten und erfolgreichsten Szenen älterer Dramen, wie sie nach der Schließung der engl. Theater durch die Puritaner 1642 in Privathäusern und im ›Red Bull‹ aufgeführt wurden. Sie konnten beim Nahen einer Polizeistreife leichter abgebrochen werden. Falstaff-Szenen, die Totengräberszene aus *Hamlet* und Bottom der Weber aus dem *Sommernachtstraum* waren beliebte Vorlagen.

Dróttkvaett (isl. ›Hofton‹), 8zeilige Strophenform im altnord. Preisgedicht (→Drápa) der Skalden, zerfällt in zwei Halbstrophen (helmingr) aus je vier dreihebigen Kurzzeilen von je sechs Silben mit fester weibl. Kadenz; außer Alliteration auch Binnenreim, und zwar regelmäßiger Wechsel von Vollreim (aðalhending) in den geraden und Halbreim (skothending) in den ungeraden Zeilen, Sprachschmuck durch →Kenning. Ein Schatz vorgeprägter Verse sowie lange Übung ermöglichten die Improvisation in dieser strengen Form.

W. F. Bolton, *The Old Icelandic D.*, CL
14, 1962; R. Frank, *Old Norse court
poetry*, Ithaca 1978; H. Kuhn, D. D.,
1983.

Druck →Buchdruck

Druckbogen →Bogen

Druckerlaubnis →Imprimatur

Druckersprache, 1. die Standes-
und Berufssprache der Buchdruk-
ker. – 2. im 16. Jh. die Sprachform
der nach eigenem Gutdünken ge-
handhabten sprachl. Umformung e.
vorgelegten Manuskripts durch die
Setzer. Jede große Druckerei entwickelte e. eigene D., häufig durch
Beimischung von Mundartformen
kenntlich und lokalisierbar.
H. Klenz, D. dt. D., 1900; V. Moser, D.
Straßburger D. z. Zt. Fischarts, 1920.

Druckerzeichen (Signet), Gewerbe-
zeichen zur Angabe von Druckerei,
später Verlag, am Schluß e. Druckwerkes, seit Einführung der Titelseite meist auf dieser; oft von bedeutenden Künstlern entworfen (HOL-
BEIN, DÜRER); zuerst 1457 auf dem
bei FUST und SCHÖFFER gedruckten
Psalter, mit der Erneuerung der
Buchkunst im 19. Jh. wieder aufge-
lebt. Bei fehlender Angabe des
Druckjahrs und -orts ist das D. oft
der einzige Anhaltspunkt zu Ermitt-
lungen über die Entstehung.
A. Meiner, D. dt. Signet, 1922; E. Weil,
D. dt. D. d. 15. Jh., 1924; M. L. Polain,
*Marques des imprimeries en France au
XVe siècle*, 1926; W. J. Meyer, D. franz.
D.-u. Verlegerzeichen d. 15. Jh., 1926; R.
Juchhoff, D. D.- u. Verlegerzeichen d. 15.
Jh., 1927; M. J. Husung, D. D.- u. Verle-
gerzeichen Italiens i. 15. Jh., 1929; H
Grimm, Dt. Buchdrucker-Signete d. 16.
Jh., 1965.

Druckfehler, durch Versehen des
Setzers entstandene Fehler im
Schriftsatz; ihrer Beseitigung dient
die →Korrektur; nach vollendetem
Druck entdeckte D. verzeichnet e.
beigefügtes D.-verzeichnis (→Errata
oder →Corrigenda). Offensichtl. D.

werden in krit. Ausgaben still-
schweigend richtiggestellt.
E. L. Grieshaber, Wider d. D., 1961.

Druckjahr →Erscheinungsjahr

Druckort, Ort, an dem ein Buch
gedruckt wurde; nicht unbedingt
mit dem Verlagsort identisch, jedoch zumeist bei Frühdrucken, da
Druck und Verlag in einer Hand
lagen. Angabe des D. wurde im 16.
Jh. Pflicht; daher wurde der D. bes.
in Zeiten strenger Zensur oft gefälscht oder durch einen erfundenen
Ortsnamen ersetzt, so z.B. bei
SCHILLERS *Anthologie auf das Jahr
1782.*
E. Weller, D. falschen u. fingierten D.e, II
²1864 m. Nachtr. 1867; neu III 1961.

Druckvermerk →Impressum

Dry Mock (engl. = trockener
Spott), dem →Understatement verwandte Form des iron., absichtlich
nicht zündenden Witzes, nach Vorformen bei JEAN PAUL bes. für die
angelsächs. Lit., zumal das Drama,
charakteristisch.
A. Thompson, *The D. M.*, Berkeley 1948.

Dschoruri →Joruri

Dubitatio (lat. = Zweifel), →rheto-
rische Figur der Frage: die innere
Anteilnahme des Redners bzw. Autors an den geschilderten Vorgängen (Umfang und Schrecklichkeit e.
Katastrophe usw.) bekundet sich in
fingierter Unsicherheit angesichts
der Schwierigkeiten und in der direkten Frage an die Zuhörer, wie er
mit der Darstellung beginnen oder
fortfahren solle.

Dublette (v. franz. *doublet* = Dop-
pelstück), 1. im Bibliothekswesen e.
in zwei Exemplaren vorhandenes
Buch als Reserve oder Austauschex-
emplar. – 2. in der Literaturwissenschaft ähnliche Teile e. Dichtwer-
kes, bes. in der HOMERforschung
wichtig.

Duma →Dumka

Dumb show (engl. = stummes Spiel), →Pantomime, bes. das allegor. pantomimische Einleitungs- oder →Zwischenspiel mit Musik und z. T. Tanz bei SHAKESPEARE und seinen Zeitgenossen. Oft Vorausdeutung auf den Sinn des Folgenden.

D. Mehl, D. Pantomime i. Drama d. Shakespearezeit, 1964.

Dumka (russ., Mz.: Dumky), balladenartige lyr.-ep. Volkslieder der Ukrainer mit freiem Versmaß, versch. Zeilenlänge, oft reimlos; meist von blinden Berufssängern (Kobsaren = Leierspieler nach der ›kobza‹, Banduristen = Gitarrespieler nach der ›bandura‹) zu Instrumentalbegleitung in Moll gesungen, behandeln sie heroische Stoffe: Kämpfe der Kosaken gegen Türken, Polen und Tataren, doch auch novellist. Familienszenen. Sie sind z. T. (Saporoge, Don-Kosaken) den großruss. →Bylinen gleichwertig, entstanden jedoch erst im 16./17. Jh. aus Umbildung histor. Volkslieder unter lit. Einflüssen und blühten bis ins 19. Jh. hinein.

A. Horbatsch, D. ep. Stilmittel d. ukrain. D., Diss. Mchn. 1950.

Dunciade (engl. *Dunciad* v. *dunce* = Dummkopf), satir. Spottgedicht, z. B. die *D.* POPES (1728) auf zeitgenöss. Dichter.

Duodez (v. lat. *duodecim* = 12), e. der kleinsten Buch→formate: Größe e. in 12 Blätter gefalteten →Bogens (24 Seiten). Zeichen: 12°. Im 18. Jh. beliebt.

Duodrama (lat. *duo* = 2), Drama, in dem nur zwei Personen handelnd und redend auftreten, z. B. S. v. GOUÉ, *Der Einsiedler, Dido* (1771), KÖRNER, *Die Blumen;* entstanden meist aus dem →Monodrama, indem sich dem Hauptdarsteller e.

Nebenfigur als Opponent und Stichwortgeber gegenüberstellt, so in J. C. BRANDES' *Ariadne auf Naxos,* ähnlich GOETHES *Proserpina.* Die Stoffe werden meist der Antike entnommen; Instrumentalmusik untermalt den Sprechtext (→Melodrama). Bes. beliebt um 1770 bis 1790 als Gelegenheit für virtuose Paraderollen der Schauspieler, in Neuromantik und Expressionismus vereinzelt für lyr. →Buchdramen (HOFMANNSTHAL, *Der Tor und der Tod,* HASENCLEVER, *Jenseits*).

A. Köster, D. lyr. Drama d. 18. Jh. (Preuß. Jb. 68, 1881); E. Istel, D. Entstehg. d. dt. Melodramas, 1904.

Duplicatio (lat. = Verdoppelung) →Epanalepse

Durch, 1886 von K. KÜSTER, L. BERG, E. WOLFF in Berlin gegründeter lit. Verein revolutionärer junger Schriftsteller, die im Ggs. zum Idealismus und Dogmatismus e. wahren Realismus mit freier und exakter Behandlung sozialer Probleme unter Berücksichtigung naturwiss. Erkenntnisse forderten. Vorspiel des dt. →Naturalismus. Mitglieder: A. HOLZ, J. SCHLAF, J. H. MACKAY, W. BÖLSCHE, H. u. J. HART, G. HAUPTMANN, A. v. HANSTEIN.

A. v. Hanstein, D. jüngste Dtl., 1901; W. Liepe, hg., Verein D., Protokolle, 1932; K. Günther, Lit. Gruppenbildg. i. Berliner Naturalismus, 1972.

Dyfalu (kelt.), poet. Technik der kelt. Lyrik des 14.–17. Jh., besteht in der Reihung phantasievoller allegor.-metaphor. Umschreibungen von starker Bildkraft für einen nicht genannten, zu erratenden Gegenstand. Nach Blütezeit bei DAFYDD AP GWILYM und DAFYDD NANMOR im 14./15. Jh. rasch zur Manier entartet und verspottet.

Dystopie →Utopie

Ebene, doppelte →doppelte Ebene

Echo (griech. = Schall, Widerhall), Echoreim, alleinstehendes Wort, das auf den unmittelbar vorhergehenden Zeilenschluß reimt (→Schlagreim) und meist e. sinntragende Antwort gibt; Klangspielerei, selten zu voller Zufriedenheit gemeistert: ›Was tu ich in des Tages Hitze? – Sitze!‹ (OPITZ). →Echolied.

Echolied, Gedicht, dessen Reimwörter durch →Echo verdoppelt werden und dessen Verszeilen meist aus Fragen bestehen, auf die das Echo oft verblüffend antwortet, so daß der Wirkung nach die Frage in sich selbst Antwort findet, vielfach in satir. Absicht. Nach Vorläufern in der Antike (*Anthologia Graeca,* GAURADAS) und theoret. Untermauerung in den Renaissance und Barockpoetiken als Klangspielerei beliebt in dt., franz., engl. und ital. Lit. vom 16. bis zur Mitte des 18. Jh. (Rederijkers; neulat. Humanistenpoesie, z.B. JOHANNES SECUNDUS; OPITZ; KLAJ; BIRKEN, HARSDÖRFFER, SPEE; G. HERBERT, *Heaven;* J. SWIFT, *A Gentle Echo on Woman*) und in der Romantik (A. W. SCHLEGEL, *Waldgespräch;* TIECK; BRENTANO).

E. Colby, *The Echo-Device in Lit. (Bulletin New York Publ. Library* 23, 1919); J. Bolte, D. Echo i. Volksglauben u. Dichtung, 1935; A. Langen, Dialog. Spiel, 1966.

Echoreim →Echo

Echtheit, die Unverfälschtheit des →authentischen Textes und seine Herkunft von dem betr. Verfasser im Ggs. zu →Plagiat, →Imitation, →Fälschungen, →Pseudepigraphen.

Eckenstrophe →Berner Ton

Ecole fantaisiste (franz. = phantast. Schule), franz. spätsymbolist. Dichterkreis des frühen 20. Jh. mit iron. und eleg. Lyrik aus dem Alltag der Bohème in klassizist. Versen im Stil von VERLAINE, MAETERLINCK und RODENBACH; F. CARCO, T. DERÈME, J.-M. BERNARD, P.-J. TOULET.

Ecole lyonnaise (franz. = Schule von Lyon), locker verbundener Dichter- und Literatenkreis der franz. Frührenaissance des 16. Jh. in Lyon um Louise LABÉ, M. SCÈVE, P. DU GUILLET, B. ANEAU, DESPÉRIERS, J. STUARD u.a., z.T. auch P. de TYARD, O. de MAGNY und C. MAROT; vermittelte den ital. Neuplatonismus und Petrarkismus nach Frankreich.

J. Aynard, *Les poètes lyonnais,* Paris 1924.

Ecole romane (franz. = romanische Schule), 1891 gegründete Gruppe junger franz. Dichter, die in Stellungnahme gegen den verschwommenen Symbolismus der Zeit log. Klarheit der Sprache verlangte und im Rückgriff auf die franz. Renaissance des 16. und 17. Jh. eine klassizist. Erneuerung der griech.-lat. Tradition erstrebten: J. MORÉAS, Ch. MAURRAS, E. RAYNAUD, R. de la TAILHÈDE und M. DU PLESSYS.

Ecriture automatique →automatischer Text

ed., edd. (lat. *edidit/ediderunt* = herausgegeben hat/haben es), lat. Abkürzung vor oder nach dem Herausgebernamen.

Edieren (v. lat. =) herausgeben, →Edition.

Editio castigata, castrata oder expurgata (lat. = gezüchtigte, gereinigte Ausgabe), um moral., relig. oder polit. anstößige Stellen entweder vom Herausgeber oder Verfasser selbst oder auf Weisung der Zensur bereinigte Ausgabe eines Werkes. Vgl. →ad usum delphini.

Editio definitiva (lat. = endgültige Ausgabe), diejenige Ausgabe e. Werkes, deren Textgestaltung den letztgültigen Wünschen des Verfassers entspricht, also im Unterschied zur →Ausgabe letzter Hand ggf. noch spätere oder postum bekanntgewordene Änderungen und Ergänzungen berücksichtigt.

Edition (lat. *editio* =), Herausgabe e. Werkes, älterer, fremdsprachiger, bes. antiker Texte, →kritischer Gesamt→ausgaben mit →Lesarten-→Apparat nach den Grundsätzen moderner →Textkritik und →Editionstechnik. – Heute oft auch bloßer verleger. Reihentitel.

Editionstechnik, Technik und Methodik der wiss. Herausgabe von älteren Schriftwerken in Neudruck, insbes. von solchen, für die mehrere authent. oder sekundäre Fassungen, Überlieferungszweige und damit →Lesarten vorliegen; als Verfahrensweise bei der Veröffentlichung wiss. einwandfreier Texte e. Grundlage der Literaturwissenschaft, bes. im 19. Jh. entwickelt. E. umfaßt im Optimalfall die Kollation aller autorisierten und nicht nachweisbar sekundären Textzeugen, die Herstellung und Druckeinrichtung eines verantwortlichen, überprüfbar zuverlässigen →krit. Textes durch zu rechtfertigende Auswahl der Überlieferungszweige und Varianten sowie durchschaubare Emendationen bzw. Konjekturen für Korruptelen nach den Methoden der →Textkritik, und übersichtl. Präsentation der abgelehnten Varianten im →Apparat (Fußnoten oder Appendix), ggf. bei →historisch-kritischen Ausgaben in histor. nachvollziehbarer textgeschichtl. Anordnung. Je nach dem Ziel der Edition verlangt E.

Entscheidungen über evtl. Faksimile- oder Parallelabdrucke, Modernisierung von Orthographie und Interpunktion (für Leseausgaben), Anhänge mit Überlieferungs- und Textgeschichte, Bewertung der Zeugen, erläuterndem Sachkommentar, Abbildungen, Bibliographie, Register usw.

H. Zeller, Z. gegenwärt. Aufgabe d. E., Euph. 52, 1958; F. Beißner, Editionsmethoden d. neueren dt. Philol., ZDP 83, 1964; H. Praschek, D. Technifizierg. d. Edition (Mathematik u. Dichtg., hg. H. Kreuzer 1965); G. Schieb, Editionsprobl. altdt. Texte, PBB 89, 1967; Theorie u. Technik d. Edition, hg. B. Fabian 1968; W. Woesler, Probleme d. E., 1968; Kolloquium üb. Probleme altgermanist. Editionen, hg. H. Kuhn 1968; H. W. Seiffert, Unters. z. Methode d. Herausgabe dt. Texte, ²1969; K. Kanzog, Prolegomena z. e. hist. krit. Ausg. d. Wke. H. v. Kleists, 1970; Texte und Varianten, hg. G. Martens, H. Zeller 1971; M. Windfuhr, D. neugermanist. Edition (Methodenfragen d. dt. Lit.wiss., hg. R. Grimm 1973); H. Kraft, D. Geschichtlichk. lit. Texte, e. Theorie d. E., 1973; H. Boetius, Textkritik u. E. (Grundzüge d. Lit.- u. Sprachwiss. I, 1973); M. Lutz-Hensel, Prinzipien d. ersten textkrit. Editionen mhd. Dichtg., 1975; W. Woesler u.a., LiLi 5, 1975; H. J. Kreutzer, Überlieferg. u. Edition, 1976; Probl. d. Brief-Edition, hg. W. Frühwald 1977; Probl. d. Edition mittel- u. neulat. Texte, hg. L. Hödl 1978; O. Reichmann, Z. Edition frühnhd. Texte, ZDP 97, 1978; D. Nachlaßedition, hg. L. Hay 1979; K. Kanzog, Edition u. Engagement, II 1979; Edition u. Interpretation, hg. L. Hay 1981; Probl. d. neugermanist. Edition, ZDP 101 Sonderh. 1982; H. Zeller, Für e. hist. Edition (Germanistik, Forschgsstand u. Persp. 2, 1985); G. Schweikle, Z. Edition mhd. Lyr., ZDP 104 Sonderh. 1985; Buchstabe u. Geist, hg. W. Jaeschke 1987; Editionsprobl. d. Lit.wiss., ZDP 105 Sonderh. 1987; *Edition et manuscrits*, hg. M. Werner 1987; Editio, Jb. 1987ff. →Textkritik.

Editorik →Editionstechnik

Editio princeps (lat. =) →Erstausgabe im Druck eines vor Erfindung des Buchdrucks entstandenen Werkes; bes. bei den Humanisten Bz. für den Erstdruck antiker Autoren und ma. Texte nach den Handschriften, z.B. E. p. des EURIPIDES durch Aldus MANUTIUS, Venedig 1503.

Editio spuria (lat. *spurius* = unecht), ohne Wissen und Genehmigung des Verfassers veröffentlichter Druck oder →Nachdruck.

Editor (lat. =) →Herausgeber

Eglantier, nach ihrem Emblem (Der gekreuzigte Christus am Rosenbaum, E.) Name der bedeutendsten niederländ. →Rederijkers-Kammer in Amsterdam im 16./Anfang 17. Jh., die durch ihre Mitglieder (COORNHERT, SPIEGEL, R. VISSCHER, HOOFT, COSTER und BREDERO) zum Zentrum der niederländ. Renaissancelit. wurde und bes. für die Reinigung der niederländ. Sprache eintrat.

Egofuturismus →Futurismus

Egotismus (engl. *egotism* v. lat. *ego* = ich), Bz. urspr. von ADDISON (1714) in bezug auf MONTAIGNE nicht für Ichbezogenheit als Charakterfehler, sondern für die Neigung, in der Lit. von sich selbst zu sprechen; dann bald allg. die Neigung, die eigene Person in den Vordergrund des Gesprächs oder der Lit. zu stellen, psycholog. Neugier auf sich selbst in der Einsicht, daß Selbsterfahrung die einzige Möglichkeit der Welterfahrung ist. ›Egotist‹ daher e. Verfasser von Romanen in der →Ich-Form, die oft der Selbsterforschung und -darstellung dienen. Durch STENDHAL (u.a. *Souvenirs d'égotisme*, 1832, erschienen 1892) und dessen Rezeption bei NIETZSCHE (1885) philos. untermauert, in mod. Lit. vertreten u.a. bei BARRÈS (*Le culte du moi*, 1888–91), VALÉRY, GIDE, PROUST, D. H. LAWRENCE, H. MILLER.

E. Goodheart, *The cult of the ego*, Chic. 1968; D. Moutote, *L'égotisme franç. mod.*, Paris 1980.

Eheroman →Familienroman

Ehestandsliteratur, Form der Moralsatire in Vers oder Prosa z. Z. des Humanismus, knüpft an die Minnelehre des ANDREAS CAPELLANUS an und konfrontiert oft deutsche Redlichkeit mit der Leichtfertigkeit der Romanen. Hauptwerke sind ALBRECHTS VON EYB *Ehebüchlein* (1472) und FISCHARTS *Ehezuchtbüchlein* (1578).

H. Goern, D. Ehebild i. dt. MA., 1936.

Ehrenrede, spezif. Gattung ma. →Heroldsdichtung im 14. Jh.: Preis- und Reimreden zum Ruhm verstorbener Fürsten und Adliger, in der Tradition der →laudatio funebris und der →Totenklagen zwischen →Leichenrede und mod. Nachruf stehend und nach festem Aufbauschema Lobpreis, Wappenbeschreibung, Tatenruhm und Fürbitte enthaltend. Hauptvertreter ist Peter SUCHENWIRT; Nachwirkung bis H. SACHS.

T. Nolte, Lauda post mortem, 1983.

Eidformeln, entweder für eine im Augenblick zu beschwörende politische Konstellation (*Straßburger Eide* von 842) oder für wiederkehrende Bekräftigungen (Priestereid, Treueid, Beamteneid u.ä.) entworfene, einprägsame Formeln, die durch Generationen überliefert wurden. Sie gehören zu den frühesten Sprachdenkmälern vieler Literatursprachen.

Eidyllion (griech.) →Idylle

Eigennamen →Namen

Eigenrhythmische Verse, Bz. F. BEISSNERS für →Freie Rhythmen

Einakter, Bühnenstück geringeren Umfangs in einem →Akt, meist ohne Szenenwechsel. Nach volkstüml. Vorformen in Zwischenspiel, Fastnachtspiel, Farce u.ä. als Form erst seit der 2. Hälfte des 18. Jh. üblich (LESSING, *Philotas*), auch in Singspiel (MOZART, *Bastien und Bastienne*) und Oper (MASCAGNI, *Cavalleria rusticana*). Um 1900 noch als abendfüllende Kurzform des mehraktigen Dramas angelegt (STRINDBERG, *Fräulein Julie*, SCHNITZLER, *Der grüne Kakadu*, ČECHOV, WILDE, *Salome*), dann bevorzugte Form des mod. Dramas, das keine Entwicklung mit dramat. Handlungsablauf, Intrigen, Charakteren und wohlgeordnetem Aufbau geben will, sondern gedrängte, mim. und gest. verdichtete Ausschnitte aus einem unübersehbaren Ganzen, zu Anfang und Ende hin offen. Form des Spiels mit Psyche und Sprache, der lyr. oder iron. Darstellung exemplar. Fakten und Situationen, szen. Einfälle, des Grotesken und Absurden (HOFMANNSTHAL, FRY, YEATS, O'NEILL, GIRAUDOUX, COCTEAU, GARCÍA LORCA, WILDER, BRECHT, GENET, BEKKETT, IONESCO, GRASS, PINTER, MROŻEK).

V. W. Robinson, *The hist. of the Germ. play in one act in the 18. century*, Diss. Urbana 1936; P. Wilde, *The Craftsmanship of the one-act-play*, N.Y. 1951; D. Schnetz, *D. mod. E.*, 1967; H. Roth, *D. E. um d. Jh.wende*, Diss. Wien 1971; Y. Pazarkaya, *Dramaturgie d. E.*, 1973; R. C. Cowen, *The significance of the E. in German naturalism* (*Michigan Germanic Stud.* I, 1975); B. Schultze, *Stud. z. russ. lit. E.*, 1984.

Einband, jede Form der Verbindung der einzelnen Seiten oder Bogen eines geschriebenen oder gedruckten Buches untereinander sowie deren Zusammenschluß in einer E.-Decke, beginnend mit den Scharnieren des →Diptychons und der Fadenheftung des →Codex. Die E.-Decke aus Holz oder Pappe wurde im MA. und der Frühzeit des Buchdrucks meist mit Schweinsleder überzogen, das durch Lederschnitt oder Blindprägung sowie gelegentl. durch Metallschließen und -beschläge, evtl. Edelsteine oder Elfenbeinschnitzereien verziert war. Der Rücken des handgebundenen Buches zeigte früher echte Bünde. Die vom Islam angeregte E.-Kunst wanderte von Italien nach Frankreich und ließ dort den franz. Leder-E., den Franz-, bzw. Halbfranzband, entstehen. Mit der Mechanisierung der Buchherstellung hat auch der Halbleder-E., früher stets mit Lederecken versehen, weitgehend dem Leinen- oder Halbleinen-, Papp- oder Kunststoff-E. weichen müssen, und der in England aufgekommene Verleger-E., bei dem der Buchblock in die vorpräparierte Decke eingehängt wird, führte zu weiterer Standardisierung. In den letzten Jhh. war der E. Zeugnis der wechselnden Geschmacksrichtungen vom überladenen Schmuck bis zur ornamentscheuen reinen Schriftlösung. Neben das gebundene Buch treten die mod. Broschur-, Klebeheftung- und Lumbeckverfahren.

G. A. E. Bogeng, *D. Buch-E.*, 1913, n. 1969; W. Mejer, *Bibliogr. d. Buchbinderei-Lit.*, 1925, m. Nachtr. 1933; H. Loubier, *D. Buch-E.*, ²1926; H. Schreiber, *Einf. i. d. E.-Kunde*, 1932; H. Helwig, *Hdb. d. E.-Kunde*, III 1953–55; A. R. A. Hobson, *The Lit. of Bookbinding*, Cambr. 1954; D. Weber, *D. Buch-E. in s. Zeit*, 1959; F. Wiese, *D. Buch-E.*, ⁴1964; H. Helwig, *D. dt. Buchbinderhandwerk*, II 1962–65; ders., *Einf. i. d. E.-kunde*, 1970; O. Mazal, *Europ. E.kunst*, 1987.

Einbildungskraft →Phantasie

Einblattdruck, einseitig bedrucktes (→anopisthographisches) Einzelblatt aus der Frühzeit des Buchdrucks (2. Hälfte des 15. Jh.), als das Reibeverfahren vor Erfindung der Presse keinen doppelseitigen Druck zuließ, doch auch später; meist →Flugblatt von Kleinoktav bis Folio mit abgeschlossenem Text: Bekanntmachungen, Ablässe, Fehdebriefe, Einladungen, Anzeigen,

Kalender, Neuigkeiten (Vorläufer der Zeitung), relig. oder polit. Propaganda, Traktate, Berichte über merkwürdige Ereignisse, Morallehren, Gebete, Lieder, Fabeln, Sinnsprüche in Prosa und Vers u.ä., meist mit volkstüml. Illustrationen (Kupfer, Holzschnitt). Auch LUTHERS 95 Thesen u.a. wichtige Geschichtsquellen erschienen als E. Fortleben im →Bilderbogen.

P. Heitz, E.e d. 15. Jh., 1899ff.; RL; J. Rosenthal, E.e v. d. Anfgn. d. Druckkunst bis z. Tode Maximilians I., 1931; W. L. Strauss, *The German singleleaf woodcut,* III N.Y. 1975; G. Ecker, E.e v. d. Anfgn. bis 1555, II 1981.

Eindruckskunst   →Impressionismus

Einfache Formen, aus phänomenolog.-morpholog. Betrachtung sich ergebende einfachste Urformen der Dichtung, die als übersyntaktische Grundtypen sprachl.-dichter. Gestaltens nicht mehr von Stilistik und Rhetorik, als anonyme, vorlit. Erzeugnisse außerhalb der individuellen Kunstdichtung noch nicht von der Poetik erfaßt werden: →Legende, →Sage, →Mythe, →Rätsel, →Spruch, →Kasus, →Memorabile, →Märchen, →Witz. Histor. Wandel nicht unterworfen, können sie von der Kunstdichtung nachgeahmt werden und gelten aus morpholog. Sicht als Keimzellen späterer Gattungen der Lit.

A. Jolles, E. F., 1930, ⁶1982; W. A. Berendsohn, E. F. (Hdwb. d. dt. Märchen I, 1930); R. Petsch, D. Lehre v. d. E. F., DVJ 10, 1932; RL; K. Ranke, D. Welt d. e. F., 1978; *Simple forms,* hg. Z. Kanyó, Szeged 1982.

Einfühlung, Begriff der Kunst- und Literaturpsychologie und -ästhetik, 1. Teilvorgang des ästhet. Erlebens als Ggs. zum rationalen Verstehen: das gefühlsmäßige, unreflektierte Ergreifen des im Kunst- oder Dichtwerk manifestierten Sinnes oder seel. Gehalts auf rein emotionaler Basis jenseits des verstandesmäßigen Begreifens, das auf dem Weg über Stimmung, Gefühl und Affekt sich direkt an den sinnl. Ausdruckserscheinungen orientiert und die gemüthaften Werte des Kunst- oder Dichtwerks mit Analogien der eigenen Gemütslage verschmilzt. – 2. Haltung des gefühlsbestimmten, Welt und Natur beseelenden Kunstschaffens im Ggs. zur abstrahierenden Reduktion auf rationale Grundmuster.

W. Worringer, Abstraktion u. E., 1908, n. 1964; A. Prandtl, D. E., 1910; M. Geiger, Üb. d. Wesen u. d. Bedeutg. d. E., 1911; T. Lipps, Zur E., 1913; F. Kainz, Vorlesgn. üb. Ästhetik, 1948; H. W. Gruhle, Verstehen u. Einfühlen, 1953; ders., Verstehende Psychologie, ²1956; R. Katz, *Empathy,* Lond. 1963; K.-P. Lange, Z. Begriff d. E. (Beitrr. z. Theorie d. Künste i. 19. Jh. I, 1971).

Eingangssenkung = →Auftakt

Einheiten, die drei E. der Handlung (vollständige Durchführung e. einzigen Grundmotivs ohne Episoden, Nebenhandlungen nur in direktem Kausalbezug zu diesem und nicht ablösbar), des Ortes (gleichbleibender Schauplatz ohne Szenenwechsel) und der Zeit (Ablauf innerhalb von 24 Stunden) bilden seit ihrer Formulierung durch den franz. Klassizismus e. der ständigen Grundprobleme der →Dramaturgie. Die E. der Handlung ist für den inneren Zusammenhang des dramat. Geschehens meist unerläßlich, sinnvolles und wesensgemäßes Grundprinzip und selbst in der lokkeren Bilderfolge (WEDEKIND) andeutend erhalten. Die E. des Ortes ist oft nur bühnentechnisch vorteilhaft, kann jedoch auch der inneren Geschlossenheit des Dramas dienen, da ein allzu häufiger Ortswechsel die Illusion beeinträchtigt. E. der Zeit entspringt der Erkenntnis, daß e. kurze, in sich geschlossene Handlung e. engeren Zeitraum umfaßt, doch ist sie nicht im rationalist. 24-Stunden-Rahmen denkbar, sondern als e. den Bühnengeschehnissen selbst innewohnende, gefühlswertige Gesetzlichkeit des Zeitablaufs, die selbst in der Erstreckung über mehrere Jahre nicht illusionsstörend wirkt. ARISTOTELES (*Poetik*, 8) forderte nur die E. der Handlung unter scharfer Ablehnung der Episode u. stellte deduktiv in der griech. Tragödie die Zeit e. Sonnentages fest, die dem auf die Katastrophe konzentrierten antiken →Drama wesensgemäß innewohnte und Handlungsdauer mit Aufführungszeit gleichsetzte; er fordert keine E. des Ortes – sie war ohnehin durch die ständige Anwesenheit des Chors auf der Bühne bedingt. Mehr nach den prakt. Vorbildern als seiner Theorie hält sich die Renaissancedramatik (zuerst TRISSINO, *Sofonisbe*, 1515) an die E.: die des Ortes ist für die unveränderliche, zuerst vorhanglose Bühne naturbedingt, E. der Zeit in den katastrophennahen Vorwürfen nicht einengend. So erhebt L. CASTELVETRO in seinem Aristoteleskommentar 1576 die drei E. aus Gründen größerer künstler. Wahrscheinlichkeit zur Regel und gibt den Anlaß zu weitreichenden theoret. Auseinandersetzungen (SIDNEY, CERVANTES, LOPE DE VEGA). Der franz. Klassizismus übernahm die E. als Forderungen der Vernunft (wie auch der vorhanglosen Bühne mit König und Gefolge in der Bühnenloge). Nach dem Vorgang von MAIRET, CHAPELAIN, HÉDELIN D'AUBINAC und SCUDÉRI werden sie von der Académie als Gesetz formuliert, ebenso später von CORNEILLE (*Discours des trois unités*, 1660) und bes. BOILEAU (*L'art poétique* III, 39). Trotz häufiger Unwahrscheinlichkeiten, Erstarrung und Steifheit schuf der strenge und selbstgewähl-

te Formzwang der E. die einmalige stilist. Geschlossenheit der *tragédie classique*, bis MOLIÈRE und später DIDEROT e. Lockerung brachten. Dagegen bedeutet GOTTSCHEDS Forderung der drei E. (*Critische Dichtkunst*) für das dt. Drama, dem im geistlichen, Meistersinger- und Jesuitendrama wie in den Stücken der Engl. Komödianten der Formzwang fremd war, trotz ihrer vernunftgemäßen Begründung die schablonenhafte Übertragung fremder Regeln. Während schon BODMER und BREITINGER für freiere Handhabung eintreten, geht LESSING (*Hamburgische Dramaturgie*) auf ARISTOTELES zurück und erweist dessen falsche, äußerliche Ausdeutung durch die Franzosen mit der Erklärung der E. aus den antiken Bühnenverhältnissen. Für die mod. Voraussetzungen des dt. Dramas erkennt er nur noch die E. der Handlung an, strebt jedoch in seinen Dramen nach innerer Erfüllung auch der anderen Normen. HERDER (*Shakespeare*) leitet sowohl das formstrenge antike wie das lockere elisabethan. Drama als eigenständige Formen aus der völk. Eigenart und den Umweltbedingungen ab und erfaßt die innere Struktur der Zeit in SHAKESPEARES Dramen. Die bewußte Regellosigkeit des Sturm und Drang verstößt die E. zugunsten der naturgegebenen Verhältnisse (LENZ, *Anmerkungen übers Theater*), verliert jedoch in grenzenloser Freiheit z.T. den inneren formalen Zusammenhang. GOETHE wahrt bei strengen Stoffen die E. (*Iphigenie, Tasso*), läßt sie im *Faust* dagegen gänzlich außer acht; SCHILLER wendet sich in den *Räubern* gegen die E., vernachlässigt selbst in *Don Carlos* die E. der Handlung. Das 19. Jh. zeigt mit zunehmendem Realismus e. Annäherung an die E. als Mittel stärkerer

Wahrscheinlichkeit in zwangloser Form: zeitl. Konzentration u. möglichst Vermeidung des Ortswechsels (SCRIBE, WILDE, IBSEN); ebenso findet das Streben zur Stileinheit in Expressionismus, bes. aber Neuromantik und Neuklassik, Bindung in den E., während BRECHT, BORCHERT u. a. die offene Form bevorzugen. Das mod. groteske und absurde Drama benutzt die E. als äußere Form des Chaos (DÜRRENMATT, BECKETT, IONESCO, ALBEE). – Im Einzelfall gibt die jeweils neue Auseinandersetzung mit den E. im Kunstwerk wertvolle Hinweise auf den Formwillen des Dichters wie die Struktur des Werkes; mit der Feststellung ihrer Befolgung ist in keinem Fall e. Werturteil verbunden.
H. Breitinger, *Les trois unités*, Genf 1879; P. Ernst, D. E. d. Orts u. d. Zeit (Schaubühne 5, 1908); E. Teichmann, D. 3 E. i. frz. Trauersp., Diss. Lpz. 1909; RL; M. Kommerell, Lessing u. Aristoteles, 1940, ²1957. →Drama.

Einlage →Intermezzo

Einleitung, einer fachwiss. Schrift oder der Edition e. Dichtung vorangestellter Text des Verfassers oder Herausgebers, der im Ggs. zu dem mehr techn. Vorfragen klärenden →Vorwort zum Thema des eingeleiteten Werkes selbst in e. kurzen Überblick seiner Probleme persönlich Stellung nimmt. Vgl. →Prolegomena, →Prolog, →Proömium, →Protasis, →Exposition, →Exordium.

Einortsdrama, im Ggs. zum Bewegungsdrama, das sich durch viele Räume hindurch bewegt, diejenige Dramenform, die hinsichtlich der Raumgestaltung auf einen einzigen Handlungsort festgelegt ist und damit die klass. Forderung nach →Einheit des Ortes in strengstem Sinn erfüllt; sie ergibt meist stark verdichtete Handlung mit konzentriertem Zeitablauf. Mod. Beispiele

sind BECKETTS *Warten auf Godot* und DÜRRENMATTS *Die Physiker*.
A. Perger, F.- und Bewegungsdrama, 1929; ders., Grundlagen d. Dramaturgie, 1952.

Einpersonenstück →Monodrama

Einreim →Reimhäufung

Einsilbiger Reim →männlicher Reim

Einzelausgabe, im Ggs. zur →Gesamtausgabe die einzeln käufliche, separate, in keinem größeren Zusammenhang publizierte Ausgabe e. Werkes. Die Editionsform von ›Gesammelten Werken in Einzelausgaben‹ vereinigt die Vorteile beider Editionsformen.

Einzugslied →Parodos

Eisteddfod (walis. = Sitzung, Mz. *eisteddfodau*), musikal.-lit.-dramat. Wettkämpfe der walis. Dichter, nach Vorbild des 12. (1176 in Cardigan) oder 15.–16. Jh. 1862 erneuert und jährlich abwechselnd in Nord- oder Südwales abgehalten, mit Preisen für Gedichte in festen Maßen, in freien Maßen, für Drama, Schauspielkunst, Essay, Übersetzung, Rezitation u. a.

Ekâksara, in der klass. ind. Lit. gekünstelte Gedichte, in denen nur ein einziger Konsonant vorkommt.

Ekkyklema (griech. *ekkyklein* = herausdrehen), im altgriech. Theater eine kleine Bühne, die, aus dem Portal e. dargestellten Hauses herausgerollt, dessen Inneres darstellte. Bei Morden, die in der griech. Tragödie sich nie auf offener Szene, sondern stets im Hausinneren abspielten, wurde der Tote danach auf dem E. herausgerollt, und die Totenklage fand auf offener Szene statt.
E. Bethe, E. u. Thyroma (Rhein. Museum 83, 1934).

Eklektizismus (v. griech. *eklegein* = auswählen), urspr. in der (hellenist.) Philosophie, dann auch übertragen auf die Lit., ein Verfahren, das keine eigenschöpferische Erkenntnis, Haltung oder Kunstanschauung entwickelt und sich auch nicht einer bestimmten ausgeprägten Schule verbindet, sondern statt dessen aus den vorhandenen Erkenntnissen, Weltanschauungssystemen oder lit. Schulen dasjenige auswählt und vereint, was dem eigenen Standpunkt nahekommt. Kennzeichen des Unschöpferischen, des →Epigonentums und der Spätzeiten.

Ekloge (griech. = Auswahl), in röm. Lit. ›auserlesenes‹ kurzes Einzelgedicht beliebigen Themas; später eingeschränkt auf ländliches oder Hirtengedicht (→Hirtendichtung, →Idylle) und damit gleichbedeutend gebraucht, so die *Eclogae* VERGILS (von ihm selbst *Bucolica* genannt), des T. CALPURNIUS und NEMESIANUS. Traditionelle Form von hoher Musikalität in Monolog- oder Dialogform mit Überwiegen des Stimmungshaften über die Handlung, wiederbelebt in Renaissance (DANTE, PETRARCA, BOCCACCIO) und Humanismus, Barock und Aufklärung (GARCILASO DE LA VEGA, C. MAROT, RONSARD, FONTENELLE, A. CHÉNIER, LAMARTINE, E. SPENSER, A. POPE, J. SWIFT u.a.).
M. K. Bragge, *The Formal E. in 18th cent. Engl.*, Lond. 1926; A. Hulubei, *L'e. en France au 16 e siècle*, Paris 1938; D. Lessig, *Urspr. u. Entwicklg. d. span. E.*, 1962; R. Borgmeier, *The dying shepherd*, 1975.

Ekphrasis (griech. = Beschreibung), in der antiken Rhetorik und Lit. die detaillierte (typisierte, idealisierte) Beschreibung von Personen, Sachen oder Ereignissen mit allen Umständen aufgrund festgelegter Technik mit passenden →Topoi; bes. die Beschreibung von Kunstgegenständen, Denkmälern, Bauten u. a.; im MA. zu virtuoser Kunstübung erstarrt.
G. Kurman, *E. in epic poetry*, CL 26, 1974.

Elaborat (lat. *elaboratus* = durchgebildet, mit Mühe erschaffen), mühevolle schriftliche Ausarbeitung e. Themas und deren Ergebnis; vielfach als iron. Bz.

Elbschwanenorden →Sprachgesellschaften

Elegantia (lat. =) in antiker Rhetorik Gewähltheit, Feinheit, sprachl. und log. Richtigkeit in der Darstellung; im Humanismus die stilist. Meisterschaft in lat. Kunstprosa; als ›Zierlichkeit‹ das Ideal barocker Sprachpflege in Lit., Poetiken und bes. den →Sprachgesellschaften.
P. Böckmann, *Formgesch. d. dt. Dichtung* I, 1949.

Elegeion (griech. *e. metron* =) elegisches Maß, →Distichon.

Elegiac Stanza (engl. = elegische Strophe), engl. Strophenform gleich der →Heroic Stanza: Vierzeiler aus jamb. Fünfhebern mit fester Zäsur nach der 2. Hebung (→Heroic Verse) und der Reimfolge abab. Verwendung in J. HAMMONDS *Love Elegies* (1743), Th. GRAYS *Elegy written in a country churchyard* (1750) und späterer →Gräberpoesie (LONGFELLOW).

Elegiambus, röm. Verszeile aus e. daktylischen →Hemiepes (→Archilochius minor) mit folgendem jambischen Dimeter: ⏔⏔⏔⏕ ⏑‒⏑‒⏑‒⏑‒. Beispiel: HORAZ, 11. *Epode*. Da der erste Teil dem halben Pentameter (→Elegeion) gleicht, spiegelt der Name die Zusammensetzung wie auch →Jambelegos. Vgl. →Archilochische Strophe.

Elegie (griech.), in der Antike jedes Gedicht in →Distichen (→Elegeion) mit Ausnahme des Epigramms, das sich jedoch der Kurzelegie nähert, ohne Rücksicht auf Inhalt und Stimmung; die Festlegung auf e. wehmutsvolle, klagend-entsagende subjektive Gefuhlslyrik geschah erst später, so daß rein formale E.n ohne sehnsüchtige Trauer ebenso möglich sind wie stimmungsmäßig echte E.n ohne Distichen-Form. Die anfangs starke Nähe der E. zum Epos in Form (Daktylen des Hexameters) wie Inhalt (z. T. Mythos) weicht, als die bei aller Strenge wandlungsfähige Form (→Distichon) für stärkstes inneres Erleben, schmerzlich-sentimentale Stimmungen und Reflexion über die persönl. Anliegen des Dichters gewonnen wird; kennzeichnend bleibt die Vielheit der Motive und die subjektive Fügung der Gedankenfolge.

Die E. entstand im 7. Jh. v. Chr. in Ionien, wurde anfangs zur Flöte (phrygisch ›elegn‹, daher Name?) beim Symposion vorgetragen und umfaßte inhaltlich außer Klageliedern auch Morallehren (das sogenannte *Theognis-Buch,* PHOKYLIDES), Kampfrufe, (KALLINOS, TYRTAIOS), Politik (SOLON, THEOGNIS), Betrachtung (XENOPHANES), Lebensgenuß, Darstellungen aus Geschichte und Mythos, daneben auch starken Gefühlsausdruck (ARCHILOCHOS) und Liebesdichtung (zuerst MIMNERMOS). An ANTIMACHOS (um 400 v. Chr., *Lyde* auf den Tod der Gattin) knüpfen die alexandrin. Elegiker: HERMESIANAX, PHANOKLES, PHILITAS von Kos und KALLIMACHOS (300 v. Chr.) an. Für die Weiterentwicklung der Gattung ist die röm. E. bes. bedeutsam, da etwa vergleichbare griech. Beispiele durchaus fehlen. Sie schloß sich in formalen Mitteln und stofflich oft an das hellenist. Vorbild an, übertraf es jedoch bald durch e. eigene Subjektivität: Corn. GALLUS, CATULL (der auch andere Maße verwendet), später TIBULL, PROPERZ, SULPICIA, OVID. Neben Mythologie (PROPERZ) und Trauergesängen (OVID, *Tristia*) steht nunmehr an beherrschender Stelle die Liebessehnsucht nach e. unter →Decknamen angeredeten Geliebten; ihre hohen Ansprüche, Krankheit, Leiden, aber auch Untreue, Nebenbuhler und Eifersucht sind ständige Themen. E. Abart im eleg. Maß enstand in OVIDS →Heroiden.

Für die weitere Entwicklung ist weniger die metr. Form als die sanftschwermütige Stimmungslage ausschlaggebend; insofern können manche Gedichte des Minnesangs auch als E. gelten. Spätröm. und mlat. E.n dichten AUSONIUS, BOETHIUS, VENANTIUS FORTUNATUS, HILDEBERT VON LAVARDIN und ALANUS AB INSULIS. Die Renaissance übernimmt in der neulat. Humanistendichtung die antike Form (P. LOTICHIUS SECUNDUS, JOHANNES SECUNDUS, *Basai,* C. CELTIS); VILLON, MAROT, L. LABÉ und RONSARD führen die E. in Frankreich ein, TASSO, ARIOST und SANNAZARO in Italien, GARCILASO DE LA VEGA und LOPE DE VEGA verbreiten sie in Spanien, HEINSIUS in den Niederlanden; in Dtl. empfiehlt sie OPITZ 1624 für ›traurige Sachen‹ und Liebesdinge, ersetzt jedoch das →daktylische Distichon durch Alexandriner mit Kreuzreim und Wechsel von männl. und weibl. Reim; ihm folgen FLEMING, LOGAU, HAUGWITZ, RIST, BIRKEN u. a., häufig im Schäferkostüm, später GOTTSCHED, BREITINGER und BODMER (stroph. E.).

Mit dem Durchbruch von Gefühlsbewegung und Naturschwärmerei in der Empfindsamkeit erreicht die E. ihre Blütezeit: Themen sind Abschied, Trennung, Sehnsucht, Erinnerung und Totenklage; zuerst in England: MILTON, GOLDSMITH,

YOUNG (*Night Thoughts*, 1744) und GRAY (*Elegy written in a country churchyard*, 1745), in Frankreich A. CHÉNIER, in Deutschland bes. UZ, KLOPSTOCK (in antiker Form), der Göttinger Hain (HÖLTY, MILLER; bei Voss und Friedrich L. v. STOLBERG Nähe zum Idyll), MATTHISSON, CLAUDIUS und von SALIS-SEEWIS. Dem Sturm und Drang ist eleg. Dichtung wesensfremd. GOETHE bezeichnet mit E. einmal das Versmaß in mehr genrehaft-idyll. Inhalt (*Römische E.n*), einmal die Stimmung ohne eleg. Maß (*Trilogie der Leidenschaft*, sog. Marienbader E.); die Vereinigung gelingt in *Euphrosyne* u. a. SCHILLER (*Über naive und sentimentalische Dichtung*) bestimmt das Elegische als Sehnsucht nach e. unerreichten Ideal im Ggs. zum Idyllischen (verwirklichtes Ideal) und Satirischen (Tadel des herrschenden Zustandes); seine eigenen E.n sind zumeist in Reimstrophen gehalten (*Die Götter Griechenlands, Sehnsucht, Der Pilgrim, Die Ideale, Das Ideal und das Leben*), seltener in Distichen (*Pompeji und Herculanum*) und finden dann leicht den Übergang zu Lehrgedicht (*Der Spaziergang*) oder seherischer Verkündung (*Nänie*). Bei HÖLDERLIN erreicht die gedankenreiche und bilderstarke Sehnsucht nach dem Unerreichten e. inneren Höhepunkt (in Reimstrophen *Griechenland, An die Natur*, dann in Distichen *Menons Klage, Heimkunft, Brot und Wein* u. a.).

Die Romantik vermeidet antikes Maß und Bezeichnung (NOVALIS, ARNDT); im 19. Jh. haben die Dichter des Weltschmerz (LEOPARDI, LENAU, GRILLPARZER, *Tristia ex Ponto*) Anteil an der liedmäßigen Entwicklung; PLATEN und RÜCKERT versichern sich der antiken Form; MÖRIKE zeigt noch einmal die ganze Größe der E. in der Vereinigung

sanfter Heiterkeit mit Schwermut. Später bringen der Münchner Dichterkreis (GEIBEL), A. GRÜN und F. v. SAAR (*Wiener E.n*, 1893), in England SHELLEY, M. ARNOLD, SWINBURNE und TENNYSON, in Spanien J. RAMÓN, JIMÉNEZ und GARCÍA LORCA die Verbindung zu den vereinzelten E.n bei WERFEL, TRAKL, WEINHEBER, KÖLWEL, KROLOW, BENN, HOLTHUSEN, CELAN, BACHMANN, N. SACHS und bes. RILKE (*Duineser E.n*), z. T. ohne Bindung an das Versmaß und in überpersönl. Streben nach der Gestaltung letzter Erkenntnise; in der DDR BECHER, FÜRNBERG und BRECHT (*Buckower E.n*).

H. Potez, *L'e. en France avant le romantisme*, Paris 1897, n. 1970; A. Kostlivy, D. Anfge. d. dt. antikisierenden E., Progr. Eger 1898; M. Lloyd, *Elegies: Ancient and Modern*, Trenton 1903; E. Levi-Malvano, *L'e. amorosa nel settecento*, Turin 1908; J. W. Draper, *The Funeral E., and the Rise of Engl. Romanticism*, N.Y. 1929; E. Römisch, Stud. z. älteren griech. E., 1933; C. M. Bowra, *Early Greek Elegists*, Lond. 1938; A. A. Day, *The Origins of Latin Love-E.*, 1938; F. Beißner, Gesch. d. dt. E., 1941, ³1965; E. Castle, D. Formgesetz d. E., ZfA 37, 1943; E. D. Grubl, Stud. z. d. ags. E.n, 1948; RL; M. Platnauer, *Latin Elegiac Verse*, Cambr. 1951; G. Luck, D. röm. Liebes-E., 1961; *Critical Essays on Roman Lit.: Elegy and Lyric*, hg. J. P. Sullivan, Cambr./Mass. 1962; A. F. Potts, *The Elegiac Mode*, Ithaca 1967; C. M. Scollen, *The birth of e. in France*, Genf 1967; E. Mertner, T. Gray u. d. Gattg. d. E., Poetica 2, 1968; K. Weissenberger, Formen d. E., 1969; D. griech. E., hg. G. Pfohl 1972; A. Schmitt-v. Mühlenfels, D. Funeral E. Neuengl., 1973; M. L. West, *Stud. in Greek e. and iambus*, 1974; D. C. Mell, *A poetics of Augustan e.*, Amsterd. 1974; K. Jungmann, Stud. z. frz. E. d. 18. Jh., 1976; K.-W. Kirchmair, Romant. Lyr. u. neoklass. E., 1976; E. Smith, *By mourning tongues*, Woodbridge 1977; T. Ziolkowski, *The class. German e.*, Princeton 1980; O. Knörrich, D. E., FLE 1981; P. Veyne, *L'é. érotique romaine*, Paris 1983.

Elementare Dichtung, Bz. von K. SCHWITTERS (1922) für e. auf das elementare Sprachmaterial reduzierte Dichtung, daher = →Konkrete Poesie.

Elfenbeinturm, als Schlagwort Allegorie für die geistige Ansiedlung eines Künstlers (Dichters, Philosophen) in einer nur ästhet., vom Weltgetriebe abgelösten Erhabenheit, einer nur dem Kunstschaffen und der Meditation gewidmeten Isolation von den Realitäten des Lebens im Ggs. zu dem vielfach geforderten polit. oder gesellschaftskrit. →Engagement. Ursprünglich 1835 im Anschluß an *Hohelied* 7,5 von SAINTE-BEUVE geprägt und auf VIGNY bezogen, später bei O. WILDE, H. JAMES u. a.

R. Bergmann, D. elfenbeinerne Turm i. d. dt. Lit., ZDA 92, 1963; C. V. Bock, *A tower of ivory*, Lond. 1970.

Elfsilber →Endecasillabo, →Hendekasyllabus

Elision (lat. *elisio* = Herausstoßen), die – z. T. durch Apostroph (') bezeichnete – Ausstoßung e. unbetonten Vokals 1. im Wortinneren zwischen zwei Konsonanten zur Erleichterung der Aussprache: ›gehn‹ statt ›gehen‹ (= →Synkope), auch aus mler. Gründen; 2. am Wortende vor vokal. anlautendem folgenden Wort zur Vermeidung des →Hiat: ›trag' ich‹; in antiker Metrik regelmäßig verwendet (Vorstufe: →Synalöphe), von dort in die roman. Dichtersprachen übernommen, durch OPITZ auch in dt. Dichtung eingeführt. – Die nicht aus metr. Gründen erfolgende sprachgeschichtl. Abwerfung eines Lautes heißt →Apokope.

L. Brunner, Z. E. langer Vokale i. lat. Vers (Mus. Helveticum 13, 1956).

Ellipse (griech. *elleipsis* = Auslassung, Mangel), in der Stilistik die Weglassung minder wichtiger, aus dem Sinnzusammenhang leicht ersichtl., ergänzbarer und für die vollständige syntakt. Konstruktion notwendiger Wörter innerhalb e. Satzes, bes. in leidenschaftlich erregter Rede (daher häufig im Sturm und Drang, z. B. SCHILLER, *Die Räuber* IV, 5) wie in der Umgangssprache zwecks Kürze des Ausdrucks, Hervorhebung des Wichtigen und damit stärkerer Gefühlskonzentration: ›Was (machen wir) nun?‹, auch im straffen Befehl; durch häufigen Gebrauch z. T. zur Gewohnheit geworden: ›Je schneller (du kommst), um so besser (ist es).‹ Sonderform: →Aposiopese, die im Ggs. zur E. gerade das Wichtigste verschweigt.

E. n u. fragmentar. Ausdrücke, hg. R. Meyer-Hermann II 1985; H. Ortner, D. E., 1987.

Eloge (franz. *éloge*, v. lat. →*elogium* =) Lobrede, Lobschrift, Schmeichelei (→Panegyrikus), in Frankreich seit dem 17. Jh. bes. durch FONTENELLE ausgebildeter Zweig der Rhetorik: die Würdigung verstorbener Mitglieder der Académie Française in öffentl. Gedenkreden meist durch deren Nachfolger, z. B. CONDORCET, D'ALEMBERT. Vgl. →Enkomion, →Laudatio.

M. Durry, *E. funèbre*, Paris 1950.

Elogium (lat. = Aussage), bes. in der röm. Antike e. lobende Aufschrift auf Grabmälern, Ahnenbildern, Statuen, in Vers oder Prosa von den Taten des Verstorbenen berichtend und daher später häufig zu Familienchroniken benutzt; am berühmtesten die der Scipionen (um 250 v. Chr.); lit. Slgn. von ATTICUS und VARRO. In der Kaiserzeit wurde die Abfassung von E. a auf berühmte Männer eine häufige rhetor. Kunstübung. Vgl. →Eloge.

Eloquenz (lat. *eloquentia* =) Beredsamkeit, die prakt. Beherrschung der effektvollen Rede im Ggs. zur theoret. →Rhetorik.

Elukubration (v. lat. *elucubrare* =
bei Lampenlicht ausarbeiten), mit
nächtl. Fleiß, d. h. mit größter Mühe
und Sorgfalt ausgearbeitete Abhandlung.

Emblem (griech. *emblema* = Eingefügtes, Einlegearbeit, Mustersinn-
bild für Goldschmiedearbeit u. ä.),
→Sinnbild, dreiteiliges Kunstgebilde mit bestimmtem, engumgrenz-
tem, abstraktem Sinngehalt innerhalb e. geschlossenen, traditionell
festgelegten Systemzusammen-
hangs, entstanden aus der Verzahnung von Bildkunst und Literatur
und aus dem Bestreben, Abstraktes
im konkreten Bildvorgang zu erfassen und Bildvorgängen durch originelle Deutung einen hintergründigen Sinn zu geben. Das E., wie es in
den barocken Sammlungen in Erscheinung tritt, umfaßt drei Teile:
eine abstrakte, meist lat. Überschrift
(Lemma, Motto, Inscriptio), die
komprimiert eine Erkenntnis zusammenfaßt, ein Sinnbild (Icon,
Imago, Pictura) als Holzschnitt oder
Kupferstich, das eine Szene aus
Sprichwortgut, Natur, Tierdichtung
(Physiologus), Epigramm, Mythologie, Geschichte, bibl. Überlieferung u. ä. vereinfacht darstellt, und
einen meist als Epigramm gehaltenen Text (Subscriptio), der in wechselseitiger Erhellung von Sinnspruch
und Sinnbild das bildlich Dargestellte erklärt, seine Bedeutung auslegt, es auf die Überschrift bezieht
und vielfach daraus eine Lebensweisheit oder eine (relig., moral.,
soz., erot.) Verhaltensregel abstra-
hiert. Mit der Entschlüsselung ihres
Wechselbezuges können Bild und
Text als Erfahrungsinhalt integriert
werden. Das E. unterscheidet sich
demnach vom hintergründigeren,
vielschichtigeren →Symbol, indem
es auf eine klar umgrenzte Bedeutung aus einem ganz anderen Be-

reich außerhalb des Dargestellten
verweist. Der Gebrauch des E. beruht auf der Überzeugung, das
Weltgeschehen stecke voller auf-
deckbarer heiml. Verweise, verborgener Bedeutungen und verkappter
Sinnbezüge, und auf der Vorstellung
vom Verweischarakter alles Sichtbaren auf einen höheren, inneren,
prinzipiellen Sinn der Weltordnung.
Kindlicher Freude an der scheinbaren Verrätselung des Daseins und
barocker Bilderlust entsprungen,
durch Hieroglyphen, Wappendeu-
tung und Devisen angeregt, wurde
die Emblematik, ursprünglich esoter. Gelehrtenkultur und Stoffquelle
für die Bildkunst, rasch zur Mode in
ganz Westeuropa und beeinflußte
über Kunst und Kunsthandwerk
hinaus auch Dichtung, Predigt und
Erbauungsliteratur von der Renaissance bis zur Mitte des 18. Jh. Dem
Dichter wie dem Publikum gleichermaßen geläufig, begründet sie
die doppelte (wörtl. und emblemat.)
Sinnebene vieler Dichtungen und erklärt deren Rätselhaft-Unverständ-
liches aus dem Bildsinn. Ihre Wirkung verblaßt in dem Augenblick,
wo die E. nicht mehr verstanden
werden, als Rationalismus und Bürgertum sie als spielerischen höf. Zierat verbannen und ihnen nur noch
in Wappen, Devisen, Wahlsprüchen,
Exlibris u. ä. einen Existenzbereich
überlassen. Eine über 600 Titel umfassende E.-lit. erläuterte im 16./17.
Jh. oft mit Illustrationen die Bedeutung der E.e und nahm fast den
Rang von Hausbüchern ein: A. AL-
CIATUS, Augsburg 1531 (n. 1977)
und Paris 1542 (n. 1980), G. de LA
PERRIÈRE 1539, G. CORROZET
1540, W. HOLTZWART 1581, G.
WITNEY 1586, J. CAMERARIUS,
Nürnberg 1590–1604, J. BOISSARD
1593 (n. 1977), G. ROLLENHAGEN,
Köln 1611, D. HEINSIUS 1616, J.
CATS 1622, F. QUARLES 1635, F.

PICINELLI 1687 (n. 1977) u. a. Mit ihrer Hilfe gelang die Entschlüsselung vieler bisher unverstandener Feinheiten der Barockliteratur.

M. Praz, *Studies in 17th. century imagery*, 1939; ders., *A Bibliography of E. Books*, Lond. 1947; H. Stegemeier, *Problems in E. Lit.*, JEGP 45, 1946; RL; R. Clements, *Picta Poesis*, Rom 1960; J. H. Landwehr, *Dutch E. books*, Utrecht 1962; A. Schöne, E.ata, DVJ 37, 1963; R. Freeman, *Engl. E. books*, Lond. ²1966; A. Henkel, A. Schöne, E.ata, 1967, ²1976; A. Schöne, E.atik u. Drama i. Zeitalter d. Barock, ²1968; D. Sulzer, Z. e. Gesch. d. E.theorie, Euph. 64, 1970; J. Landwehr, *E. books in the Low Countries*, Utrecht 1970; P. M. Daly, *The poetic e.*, Neophil. 54, 1970; H. Homann, Stud. z. E.atik d. 16. Jh., Utrecht 1971; J. Landwehr, *German e. books*, Utrecht 1972; A. Buck, D. E.atik (Neues Hb. d. Lit.wiss. 10, 1972); B. Tiemann, Fabel u. E., 1974; Außerlit. Wirkgn. barocker E.bücher, hg. W. Harms 1975; D. Sulzer, Poetik synthetis. Künste (Geist u. Zeichen, Fs. A. Henkel 1977); F. W. Wentzlaff-Eggebert, D. Bedeutg. d. E.atik f. d. Verständn. v. Barock-Texten, Argenis 2, 1978; E. u. E.atikrezeption, hg. S. Penkert 1978; P. M. Daly, *E. theory*, Nendeln 1979; ders., *Lit. in the light of the e.*, Toronto 1979; M. Schilling, Imagines mundi, 1979; *The European e.*, hg. P. M. Daly, Waterloo 1980; H. Homann, B. F. Scholz u. L. Dittrich, JIG 13, 1981; Lit. u. d. anderen Künste, 1982; K. J. Höltgen, *Aspects of the e.*, 1986; I. Höpel, E. u. Sinnbild, 1987.

Emblematik, die Lehre und Wiss. von den →Emblemen als Teil der Toposforschung und deren prakt. Anwendung.

Emblemliteratur →Emblem

Embolima →Stasimon

Emendation (lat. *emendatio* = Verbesserung), Berichtigung eines offensichtl. verderbt oder unvollständig überlieferten Textes auf Grund sprachl.-stilist., metr., paläograph. oder inhaltl. Überlegungen mit den Mitteln philolog. →Textkritik (→Rezension und →Konjektur). – Auch Druckfehlerberichtigung (›Emendanda‹ = zu Verbesserndes).

B. v. Lindheim, *Problems and Limits of Textual E.* (Fs. f. W. Hübner, 1964).

Emigrantenliteratur →Exilliteratur

Empfindsamkeit (LESSING schlug J. J. BODE 1768 ›empfindsam‹ als Übersetzung des engl. ›sentimental‹ vor), lit. Strömung innerhalb der →Aufklärung in der 2. Hälfte des 18. Jh., in Dtl. bes. 1740–1780. Die E., z. T. als dt. Ausprägung des westeurop. →Préromantisme gesehen, entwickelt sich als Reaktion e. polit. einflußlosen und daher im Streben nach Emanzipation auf andere Bereiche verwiesenen Bürgertums gegen die Vorherrschaft des Rationalismus in einer verinnerlichten Aufklärung unter dem Einfluß des →Pietismus und bildet die Verweltlichung des relig. Naturgefühls in subjektiver Gefühlsüberschwang, Belauschen und Selbstgenuß der innerseelischen Regungen und Stimmungen, Freundschaftskult und Schwärmerei bis zu sanfter Tränenseligkeit. Die Morallehre der Aufklärung bleibt intakt, und Vernunft soll die Affekte zu sittl. Zufriedenheit und soz. Vollkommenheit, den Bürger zum Selbstgefühl seines autonomen Wertes als sittl. Persönlichkeit führen. Gefühl gilt als Maßstab für Persönlichkeit und Handlungen; in der Selbstanalyse durch Briefe, Gespräche, Tagebücher und Bekenntnisse sucht man sich die feinsten Nuancen des Innenlebens abzuhorchen.

Führenden Einfluß gewinnt England: seit 1715 durch die →Moralischen Wochenschriften und deren dt. Nachbildungen; seit 1740 durch die Tugend- und Familienromane S. RICHARDSONS (*Pamela*, 1740; *Clarissa Harlowe*, 1749; *Sir Charles Grandison*, 1753); seit 1760 durch die empfindsamen Romane L. STERNES (*Sentimental Journey*,

1768 u.a.), ferner THOMSONS naturnahe Idyllen (*The Seasons*, 1726/30), YOUNGS schwermütige *Night Thoughts* (1742/43, dt. 1754), MACPHERSONS schwärmerischen *Ossian* (1760) und GOLDSMITHS idyllischen Roman *The Vicar of Wakefield* (1766).

Im stärker rationalist. beherrschten Frankreich entstehen bereits unter engl. Einfluß die →comédie larmoyante und die bürgerl. Dichtung DIDEROTS, während die realist. Familienromane der PRÉVOST und MARIVAUX in der Wirkung hinter den engl. zurückbleiben. Bes. aber wirkt ROUSSEAUS *Nouvelle Héloïse* (1761), mehr leidenschaftlich als empfindsam, auf die Ausbildung des rein Gefühlsmäßigen und damit über die E. hinaus auf den Sturm und Drang.

In Italien stehen U. FOSCOLO, in Polen F. KARPIŃSKI, in Rußland KARAMZIN, RADIŠČEV und DERŽAVIN der E. nahe.

In Dtl. geht die Entwicklung über den Pietismus der PYRA und LANGE zu der erhabenen Kunstlyrik KLOPSTOCKS; der →Göttinger Hain pflegt daneben auch volkstümlichere Liebeslyrik und Freundschaftskult; als schlichte Idyllik erscheint sie bei HALLER, E. v. KLEIST, UZ, GESSNER, GELLERT, GLEIM und F. JACOBI. Im Epos erreicht KLOPSTOCK den Höhepunkt an Naturnähe und relig. Tiefe im *Messias* (1748–73) und wirkt durch die Kraft seiner Empfindung und Sprache in weite Kreise. Im Drama der E. herrschen bürgerl. Tugendideale im →weinerlichen Lustspiel GELLERTS, dem →Rührstück (SCHRÖDER, GEMMINGEN, IFFLAND, KOTZEBUE) und dem →bürgerlichen Trauerspiel. Im empfindsamen (Seelen-)Roman bildet die Handlung nur den Rahmen für e. Fülle gefühlvoller Betrachtungen; bevorzugte

Formen sind →Reise- und →Briefroman; unbedeutende Gegenstände werden im Licht empfindsamer Anteilnahme wesentlich. Nach Ansätzen bei SCHNABEL (*Insel Felsenburg*, 1731 bis 1743), GELLERT (*Leben der schwedischen Gräfin G.*, 1746), J. T. HERMES (*Sophiens Reise*, 1769–73), SCHUMMEL, THÜMMEL, KNIGGE und bes. S. v. LAROCHE (*Geschichte des Frl. v. Sternheim*, 1771) gipfelt er in der individuellen Erlebnisgestaltung von GOETHES *Werther* (1774), der gleichzeitig durch die Unbedingtheit des Gefühls über die bloße E. hinausragt und in den Wertheriaden (J. M. MILLER, *Siegwart* 1776, J. H. JACOBI) weite Nachahmung fand. Die Überspitzungen der E., bes. im →Darmstädter Kreis, geißelt GOETHE später in der Jugendsatire *Triumph der E.* (1777); die bloße Gefühlsschwärmerei der E. wird abgelöst durch den Gefühlsrausch des →Sturm und Drang. Ihr wesentlicher Beitrag bestand in der Vertiefung und Verfeinerung der Gemütsbeobachtung und damit der Einbeziehung innerseel. Regungen in die künstler. Gestaltung.

V. Tornius, Schöne Seelen, 1920; E. Schmidt, Richardson, Rousseau u. Goethe, ²1924; M. Wieser, D.sentimentale Mensch, 1924; R. Unger, Hamann u. d. Aufklärung, ²1925; RL; H. Kindermann, Durchbruch d. Seele, 1928; J. Schmidt, Stud. z. Bibeldrama d. E., Diss. Bresl. 1933; W. T. Wright, *Sensibility in Engl. prose fiction*, Lond. 1937; E. Blochmann, Schiller u. d. E., DVJ 24, 1950; I. Eder, Unters. z. Gesch. d. empf. Romans i. Dtl., Diss. Wien 1953; H. Boeschenstein, Dt. Gefühlskultur, 1954; A. Sherbo, *Engl. sentimental drama*, Michigan 1957; H. R. Brown, *The sentimental novel in America*, N.Y. 1959; L. I. Bredvold, *The natural hist. of sensibility*, Detroit 1962; R. Newald, D. dt. Lit. v. Späthumanismus z. E., ⁶1967; G. Jäger, E. u. Roman, 1969; P. U. Hohendahl, E. u. gesellsch. Bewußtsein, SchillerJb. 16, 1972; R. Krüger, D. Zeitalter d. E., 1973; G. Sauder, E., III 1974ff.; W. Doktor, D. Kritik d. E., 1975; P. Mog, Ratio u. Gefühlskultur, 1976; G. Kaiser, Aufklärg., E., Sturm u.

Drang, ²1976; P. U. Hohendahl, D.europ. Roman d. E., 1977; Das weinende Saeculum, Coll. 1983; J. Barkhausen, D. Vernunft d. Sentimentalismus, 1983; L. Pikulik, Leistungsethik contra Gefühlskult, 1984; W. Herrlinger, Sentimentalismus u. Postsentimentalismus, 1987; F. Baasner, D. Begriff sensibilité i. 18. Jh., 1988; N. Wegmann, Diskurse d. E., 1988.

Emphase (griech. *emphasis* = Verdeutlichung, Erscheinen), Nachdruck in der Rede als phonet. Stilmittel (Betonung, Stimmhebung) zur Hervorhebung und stärkeren Eindringlichkeit e. Wortes oder Ausdrucks in seiner ganzen, sonst vielleicht überhörten Bedeutungsschwere und Hintergründigkeit: ›Ein Mann steht vor dir!‹ (SCHILLER). Auf der emphat. Betonung einzelner Redeteile – im Ggs. zur allg. erhöhten Gefühlslage des →Pathos – beruht außer dem Ausruf und der rhetor. Frage e. Reihe von Stilfiguren wie →Anaklasis (2), →Antistasis, →Diaphora.

K. Voßler, Üb. d. E., Trivium 4, 1946.

Empirische Literaturwissenschaft, von S. J. SCHMIDT u.a. inaugurierte neue, systemat. Richtung der →Literaturwissenschaft auf intersubjektiv überprüfbarer Grundlage. Sie betrachtet Lit.wiss. als empir. orientierte Sozialwissenschaft und als ihren Gegenstand den Gesamtbereich soz. Handlungen an und mit lit. Werken, aufbauend auf einem System der ästhet. Kommunikation zwischen (Text-)Produzent, Vermittler, Rezipient und Verarbeiter, das gesellschaftlich relevante Aspekte der Literaturgeschichtsschreibung, -soziologie, -psychologie, -kritik und -didaktik vereinen will.

Empirie i. Lit.- u. Kunstwiss., hg. S. J. Schmidt 1979; ders., E. L., Poetics 8, 1979; ders., Grundriß d. e. L., II 1980–82; ders. u.a., Poetics 10, 1981; Lit.wiss. u. empir. Methoden, hg. H. Kreuzer 1981; N. Groeben, E. L. (Er-

kenntnis d. Lit., hg. D. Harth 1982; Zs. SPIEL, 1982ff.; P. Finke, Konstruktiver Funktionalismus, 1982.

Empörergesten →Chanson de geste

Enallage (griech. = Vertauschung), Verschiebung der Wortbeziehung, bes. die E. des Adjektivs, d.h. seine Zuordnung nicht zum eigtl. Beziehungswort (meist e. Genitiv), sondern zum vorangehenden regierenden Substantiv, zu dem es logisch nicht gehört, z.B. ›das braune Lachen ihrer Augen‹ (O. LUDWIG); beruht auf der gefühlsmäßigen Vorwegnahme der als stärkster Eindruck empfundenen Eigenschaftsbez., daher häufig im impressionist. Stil (HUYSMANS u.a.); in antiker Dichtung nur als poet. Stilfigur zulässig (oft bei VERGIL). Häufig in gedankenloser Umgangssprache (›in baldiger Erwartung Ihrer Antwort‹).

Encheiridion (griech. =) Handbuch, Leitfaden, urspr. wie →Vademecum ein Buch als kurzer Ratgeber zum Inderhandhalten, Beisichtragen, z.B. LUTHER *Kleiner Katechismus* (Obertitel bis 1546: E.), ERASMUS' *E. militis christiani.*

Endecasillabo (ital.-span., v. griech. *hendeka* = 11, *syllabe* = Silbe), ital.-span. Abart des franz. →vers commun, der bes. in Italien gemäß dem Sprachmaterial ausschließlich als jamb. Elfsilber mit weibl. Reim, fester Hebung auf der 10. und beweglicher Hebung auf der 4. oder 6. Silbe erscheint: ◡–◡–◡–◡–◡–◡, z.B. ›Es ist ein still Erwarten in den Bäumen‹ (EICHENDORFF). Männl. oder weibl. Zäsur nach der bewegl. Hebung teilt den E. in zwei ungleiche Teile; bei Vorausgehen des kürzeren Teils E. a minore, sonst E. a maiore genannt. Ältester (12. Jh.) und häufigster Vers im ital. Epos (DANTE, PETRARCA, ARIOST, TASSO u.a.) und in den Strophenformen Sonett, Stanze, Terzine, Kanzone und Sestine auch nach Dtl. gekommen zum Ersatz des Alexandriners und vers commun bei WIELAND, HEINSE, GOETHE (z.B. *Faust, Zueignung*), Romantikern, PLATEN, GEORGE. Vgl. →Hendekasyllabus.

Endecha (span. = Klagelied), span. Strophenform aus 6- oder 7silbigen Vierzeilern mit Assonanz der geraden Zeilen; häufig für Totenklagen, Trauergedichte und dergl. verwendet. Bei der Sonderform der E. real ist die 4. Zeile 11silbig (CERVANTES).

P. Le Gentil, *La poésie lyr. espagnole et portugaise* II, 1953.

Endreim, im Ggs. 1. zum Stabreim (→Alliteration) und 2. zum →Binnenreim Bz. für die Verbindung von zwei oder mehr Versen durch Gleichklang von der letzten Hebung an, = →Reim.

Endsilbenreim, im Ggs. zum heutigen →Reim, der als sog. Stammsilbenreim den Gleichklang vom letzten betonten Vokal an fordert, der Gleichklang lediglich der – auch unbetonten – jeweils letzten Silbe (Endsilbe) zweier Zeilen, beim ›gestützten E.‹ auch der vorangehenden Konsonanten. E. tritt in dt. Lit. etwa bei OTFRIED VON WEISSENBURG auf, wird jedoch in frühmhd. Zeit nach Abschwächung der Endsilbenvokale als nicht mehr genügend empfunden.

Enfants sans souci (*Enfans sans soucy* = Kinder ohne Sorgen), bekannteste der ma. franz. Laienschauspieler-Genossenschaften (confréries), 1485–1594 in Paris u.a. franz. Städten; war im Ggs. zur →Basoche nicht ständisch begrenzt und spielte im Ggs. zu den →Passionsbrüdern fast ausschließlich Farcen (→Sotties) im Narrenkostüm. Berühmte Mitglieder waren P. GRINGOIRE und C. MAROT.

Engagement (franz. = Verpflichtung), die Stellungnahme (des Künstlers, Schriftstellers usw.) zu zeitgenöss. polit., ideolog., gesellschaftl., moral. oder religiösen Fragen und seine Parteinahme im Meinungsstreit. Soweit das E. im lit. Werk Niederschlag findet, führt es zu →engagierter Literatur.

Engagierte Literatur, jede Form von Lit., bei der es nicht in erster Linie um ästhet. Werte und Probleme oder um stilist. Experimente geht, die nicht nach dem Prinzip des →L'art pour l'art um ihrer selbst willen besteht und aus dem →Elfenbeinturm hervorgeht, sondern die ein polit., soziales, religiöses oder ideologisches →Engagement eingeht und dieses, jedoch im Ggs. zur bloßen →Tendenzdichtung mit den Mitteln der Lit., vorträgt und verficht. Das Sich-Einlassen mit der vorgefundenen Wirklichkeit und der Wille, aktiv an der Gestaltung der Umwelt teilzunehmen, verbindet sich in ihr mit der Erkenntnis von der dem Schriftsteller adäquaten Form sekundären Handelns durch das Wort, das dem Leser über den Inhalt Erkenntniswerte vermittelt, seine Bewußtseinslage weitet und ihn zur Auseinandersetzung mit den Problemen und zur Suche nach einer Lösung zwingt. Der ästhet. Wert der e. L. unterscheidet sie von der reinen Tendenzlit., ihre sekundäre Wirkung trennt sie vom aktiven Handeln etwa des Politikers. E. L. in diesem Sinn hat es zu allen Zeiten und bei allen Völkern gegeben, in →Polenliteratur, →Jungem Deutschland, bei den →Achtundvierzigern, in der antifaschist. und pazifist. Lit. der NS-Zeit, der Darstellung des span. Bürgerkriegs, der Auseinandersetzung mit dem Nationalsozialismus, in Stellungnahmen gegen den Vietnam-Krieg ebenso wie im ständigen gesellschaftl. Engagement des →sozialistischen Realismus oder im christl. Engagement des →Renouveau catholique, im Linksengagement etwa der →Gruppe 47 oder der →Protestsongs gegen das Establishment, des franz. →Existenzialismus (J. P. SARTRE) und des ital. Kommunismus (MALAPARTE, C. LEVI, S. QUASIMODO) ebenso wie im Gegenengagement der polit. Rechten und der Konservativen. Der Begriff, franz. *littérature engagée*, wurde 1945 von J. P. SARTRE geprägt.

J. P. Sartre, Was ist Lit.?, 1950; J. Mander, *The Writer and Commitment*, 1961; W. Schmiele, Zwei Essays z. lit. Lage, 1963; T. W. Adorno, Engagement (in: Noten z. Lit. III, 1963); K. Kohut, Was ist Lit., Diss. Marb. 1965; M. Adereth, *Commitment in mod. French Lit.*, Lond. 1967; J. Burkhardt, Prediger od. Literaten, 1967; H. A. Glaser, Formen d. Engagements (Tendenzen d. dt. Lit. seit 1945, hg. H. Koebner 1971); R. Gauger, *Litt. engagée*, 1971; Z. Skreb, *Litt. engagée* (*Yearbook of compar. criticism* 5, 1973); G. Müller, Lit. u. Revolution, Stockh. 1974; B. Dücker, Theorie u. Praxis d. Engagements, Diss. Hdlbg. 1978; G. Hay, V. d. Herkunft e. L. i. Westdtl., DU 33, 1981; M. Lentzen, D. Span. Bürgerkrieg u. d. Dichter, 1985.

Englische Komödianten, um Mitte des 16. Jh. in England ausgebildete Berufsschauspielertruppen von je 10–18 Mann mit meist 6 Musikern, die infolge Überschusses im Mutterland und der Theaterfeindlichkeit der Puritaner den Kontinent bereisten (zuerst 1585 als Begleiter des Lord LEICESTER nach Dänemark, von dort 1586 nach Dresden und nach England 1587 zurück) und seit 1592 ständig in Dtl., meist an Fürstenhöfen oder in Städten anläßlich von Märkten und Messen (Frankfurt, Köln, Danzig) sehr freie, schwülstige Prosabearbeitungen engl. (SHAKESPEARE, MARLOWE, KYD), später auch ital., franz. und dt. (HEINRICH JULIUS VON BRAUNSCHWEIG, Jakob AYRER, Volksbücher wie *Fortunat* u. a.) Dramen und kom. Singspiele anfangs in engl., ab 1604/05 in dt. Sprache aufführten und bis 1650 durch ständige Aufnahme dt. Nachwuchses ganz in dt. →Wandertruppen aufgingen, die nur reklamehalber den Namen beibehielten. Ihre Spielweise war infolge der fremden Sprache stark auf opt. Wirkung (Kostüme, Mimik, Gebärden) angewiesen, daher Betonung aller theaterhaften, routinierten Effekte, bes. Herausarbeitung derb-realist. wie possenhafter (Mord-, Lärm- und Prügel-)Szenen und bewegte Handlungsfolge. Als Zwischenspiele dienten Clownszenen, schwankhafte Singspiele und Tänze der ›Springer‹. Lyr. Einlagen (bes. SHAKESPEARES) sowie die moral. Tendenz bibl. Stoffe (Verlorener Sohn, Susanna, Esther) entfielen im Interesse e. lediglich wirkungsvollen Unterhaltung. Dennoch war ihr Einfluß auf die Entwicklung der dt. Bühne sehr stark, wenngleich nicht überall künstlerisch wertvoll (Verrohung), die Ausbildung der dramat. Wirkungsmöglichkeiten brachte Bereicherung und Leben in das zu bloßer Deklamation erstarrte Schuldrama; die Figur des Hanswursts und manche Stoffe für Puppenspiele hielten sich noch bis ins 18. Jh. (→Haupt- und Staatsaktion).

Die einzelnen Truppen unterstellten sich gern Fürstenhöfen (bes. Landgraf MORITZ VON HESSEN in Kassel, Herzog HEINRICH JULIUS VON BRAUNSCHWEIG in Wolfenbüttel, ferner Dresden, Stuttgart, München, Wien, Graz u. a.), um für den Winter e. ständige Unterkunft zu haben; von dort aus besuchten sie die Städte, meist für die Dauer von

2–6 Wochen, bzw. bei Durchzug nur e. Tag. Sie zeigten genossenschaftl. Verfassung meist unter Leitung des Narrendarstellers, der neben der geistigen Beweglichkeit die nötige Kenntnis der dt. Sprache aufwies und mit seinem individuellen Rollennamen als Clown (→Pickelhering) die Bz. der ganzen Truppe stellte; ihm standen zwei Hauptrollendarsteller zur Seite. Berühmte Prinzipale: Thomas SACKVILLE (= Jan Bouset), John SPENCER (= Junker Stockfisch), John GREEN, R. REEVE, R. BROWN, REINOLD, WEBSTER, MACHIN, ROE, ARTZSCHAR und Joris JOLLIPHUS. Frauenrollen wurden bis 1650 nur von Männern gespielt; der beschränkten Personenzahl zufolge werden Massenszenen gemieden, kleine Nebenrollen von demselben Darsteller gegeben und als Statisten einheim. Liebhaber (Handwerker, Studenten u.a.) geworben, die z.T. bei der Truppe bleiben und die Eindeutschung bewirken.

Die Vorstellungen selbst begannen meist nachmittags 14–15 Uhr in geschlossenen Sälen (Rathaus-, Ball-Säle u.ä.); die Bühne bestand aus e. einfachen Brettergerüst mit Stoffbehängen und Eingängen durch Vorhangschlitze an beiden Seiten, durch e. Zwischenvorhang in neutrale, in den Saal vorstoßende Vorderbühne und mit Versatzstücken spärl. dekorierte Hinterbühne geteilt, während die Oberbühne, meist Galerie des Saals, die Kapelle aufnahm; unter Einfluß der Opernbühne wurden später Vordervorhang, Kulissen und Versenkeinrichtungen für Geistererscheinungen eingeführt. Auswahl der Stücke (an Sonn- und Feiertagen nur geistl. Dramen), Reklame (durch Anschläge und Austrommeln) und finanzielle Verrechnung (hohe Steuern!) wurden vom Hof oder Stadträten geprüft; das große

Repertoire erschien gesammelt in den *Engelischen Comedien und Tragedien* (1620), dt. Nachahmungen im *Liebekampff* (1630).

J. Meissner, D. E. K. i. Österr., 1884; J. Bolte, D. Singspiele d. E. K., 1893, n. 1977; E. Herz, Engl. Schauspieler u. engl. Schauspiel z. Zt. Schakespeares i. Dtl., 1903, n. 1977; J. T. Murray, *Engl. Dram. Companies*, Lond. 1910; W. Richter, Liebeskampf und Schaubühne, 1911; RL; A. Baesecke, D. Schauspiel d. E. K. i. Dtl., 1935; H. Kindermann, Shakespeare u. d. Volkstheater (Shakesp.-Jhrb. 72, 1936); R. Pascal, The Stage of the E. K., MLR 35, 1940; E. L. Stahl, Shakesp. u. d. dt. Theater, 1947; E. Wikland, *Elizabethan Players in Sweden*, Stockh. 1962; E. Brennecke, *Shakesp. in Germany*, Chic. 1964; G. Hoffmeister, *The Engl. comedians in Germany* (Germ. baroque lit., hg. ders. N.Y. 1983); J. Limon, *Gentlemen of a company*, Cambr. 1985.

Englisches Sonett →Sonett

Englyn, traditionelle Gedichtform der kymr.-walis. Lyrik seit dem 9. Jh. mit drei, später in der heute häufigsten Form (e. unodl union) auch vier Verszeilen, von denen die erste 10, die zweite 6 Silben umfaßt und die 3. und 4. einen →cywydd bilden. Die 1. Zeile hat eine Zäsur nach der 7. (8., 9.) Silbe, die mit den Reimen der anderen Zeilen reimt; ihr erster Teil ist durch →Cynghanedd in sich gebunden, ihr 2. Teil (9 Silben) ist durch Cynghanedd oder Reim mit dem 1. Teil der 2. Zeile gebunden, deren Teile in letzterem Fall wiederum durch Cynghanedd in sich gebunden sind. Daneben mehrere Abarten.

Enhoplios (griech. *rhythmos enhoplios* = Takt zum Waffentanz) = →Prosodiakos

Enigma (griech. =) →Rätsel

Enjambement (franz. = Überschreitung), Versbrechung, Zeilensprung, das Übergreifen des Satz- und Sinnzusammenhangs ohne emphatische Pause von e. Verszeile (Strophe) über deren Ende auf die folgende, so daß Satz- und Versende nicht zusammenfallen, der Satzschluß meist innerhalb e. Verszeile steht und deren mehr. Einheit aufteilt:

Wie soll ich meine Seele halten, daß / sie nicht an deine rührt? Wie soll ich sie / hinheben über dich zu andern Dingen?
(Rilke)

Das E. dient der Variation der Sprachführung, indem es den auf die Dauer ermüdenden schroffen Zeilenschluß (→Zeilenstil) lockert und e. Gleiten, Strömen der Sprache im Parlandostil ermöglicht, eine Spannung zwischen Versmaß und Sprachfluß herstellt, bei häufiger Wiederholung jedoch wieder nach Herstellung der Zeileneinheit strebt. E. erscheint in griech., bes. alexandrin., und röm. ebenso wie mhd. Lyrik. Im franz. Alexandriner war das E. durch MALHERBE und BOILEAU streng verpönt und erst in der Romantik durch CHÉNIER wieder eingeführt; dagegen schon in antiker und mhd. Dichtung bewährtes Kunstmittel. Häufig im engl. elisabethan. Drama, bei RONSARD, MILTON, LESSING *(Nathan)*, KLOPSTOCK, GOETHE, SCHILLER *(Don Carlos)*, HÖLDERLIN, KEATS, V. HUGO, LENAU (Oden) und bes. RILKE. Vgl. →Hakenstil, →Reimpaarsprung, →Synaphie, →Strophensprung.

F. Wahnschaffe, D. syntakt. Bedeutg. d. mhd. E.s, 1919; RL; A. Wagner, Unbedeutende Reimwörter und E. b. Rilke, 1930; RL: Brechung; D.-R. Moser, E. i. Volkslied (Db. f. Volksliedforschg. 14, 1969); H. Heinen, *The significance of e. for recent Germ. verse* (Fs. H. Rehder, 1979). →Metrik.

Enklise (griech. *enklisis* = Neigung), Anlehnung e. tonlosen und daher unselbständigen Wortes (Enklitikon, z.B. lat. *-que*, dt. Pronomina) an e. vorhergehendes betontes zu dessen Verstärkung und Bildung e. Toneinheit, z.B. ›Warum denn?‹, ›Kommst du?‹. Ggs. →Proklisis.

Enkomiologos, nach seinem Vorkommen in →Enkomien benannter griech. Vers: ‿‿‿‿‿/‿‿‿‿‿, Umkehrung des →Jambelegos.

Enkomion (griech. =) Preis- und Loblied, -gedicht, -rede, urspr. auf den Sieger in griech. Festspielen (→Epinikion), beim Heimgeleit ihm zu Ehren von Chören unter Flötenbegleitung gesungen; in weniger feierl. Form schon bei HOMER bekannt, dann SIMONIDES, PINDAR, BAKCHYLIDES; später Preislied, -rede allg., z.B. auch auf eine Stadt, seit ISOKRATES und GORGIAS auch als iron.-satir. Prosaform in der Biographie oder als Huldigungs- und Schmeichelgedicht innerhalb e. Epos (Enkomiastik von professionellen Enkomiographen); schließlich oft iron.-satirisch, z.B. ERASMUS' VON ROTTERDAM *Encomium moriae* (*Lob der Torheit,* 1509), weitverbreitet im 16.–18. Jh. →Panegyrikus.

A. Hauffen, Ironische Enkomien (VJS f. Lit.gesch. 6, 1893); G. Fraustadt, *Encomiorum in litteris graecis usque ad romanam aetatem historia,* Diss. Lpz. 1909.

Enoplios (griech. *rhythmos enhoplios* = Takt zum Waffentanz) = →Prosodiakos

Ensalada (span. zu Salat, svw. ›Mischmasch‹), seltene span. Gedichtform von versch. Zeilen- und Strophenlänge und versch. Reimschema je nach Maßgabe der zugrunde gelegten Melodie.

P. Henríquez Ureña, *La versificación irregular en la poesía castellana,* ²1933.

Ensemble (franz., v. nlat. *insimul* = zugleich, zusammen), 1. Gesamtheit der an e. Theater fest engagierten Schauspieler und Sänger: Künstlertruppe, 2. das harmonisch ineinandergreifende Zusammenspiel (E.-Spiel) der Schauspieler auf der Bühne in Drama, Ballett, Gesang usw.,

3. Zusammenwirken mehrerer (So-lo- und Chor-)Sänger und Musiker, bes. im Finale.

Ensenhamen (provenzal. = Unterweisung), moral.-soziales Lehrgedicht der provenzal. Lyrik, vielfach in Reimpaaren und mit dem Ziel, e. einzelnen oder e. soz. Gruppe direkt oder in der ep. Einkleidung die ihr nach Geschlecht, Beruf und Stand angemessene Lebensart und Weltklugheit zu lehren; z. B. bei ARNAUT DE MAREUIL.

J. Bathe, D. moral. E. i. Altprovenzal., 1906; A. Mouson, Les e.s occitans, Paris 1981.

Entfaltungsdrama = →Zieldrama

Entführungssagen, Sagen von der listigen Entführung einer wohlverwahrten, edlen Jungfrau, meist Fürstentochter, durch Könige oder hohe Herren nach abgewiesener →Brautwerbung *(Kudrun, König Rother).*

Enthüllungsdrama = →analytisches Drama

Entreakt (franz. *entr'acte* =) →Zwischenakt, -musik, -spiel

Entremés (span. = Einschiebsel, wie ital. →*intermezzo*), urspr. zwischen den Hauptgängen e. Hofbanketts aufgeführtes einaktiges, mim., kom. Festspiel, ab 13. Jh. auch zwischen Turnieren und Prozessionen mit Übergang zum Possenspiel; später volkstüml., kom.-realist. →Zwischenspiel mehraktiger Dramen im span. 16./17. Jh., kleine dramat. Scherze aus dem Volksleben ohne Zusammenhang mit der Haupthandlung. Charakterist. Gattung des span. Theaters, von LOPE DE VEGA und CALDERÓN (100 E.es) zu ihren eigenen Tragödien verfaßt, von CERVANTES (8 E.es, 1615) und QUEVEDO als eigene Gattung und für fremde Dramen.

Einige Dichter, z. B. Luis QIÑONES DE BENAVENTE, schrieben nur E.es. Die Tradition wirkt fort in →Sainete und →género chico.

W. S. Jack, *The early E.es in Spain,* Phil. 1923; E. Asensio, *Itinerario del e.,* Madrid 1965.

Entstehungsgeschichte verfolgt den Werdegang e. lit. Werkes von den →Quellen und ersten Plänen über die einzelnen Vorarbeiten, Verarbeitungsstufen und →Fassungen bis zur Veröffentlichung.

E. Elster, D. Aufgabe d. Lit.gesch., 1894.

Entstehungszeit, die Zeit des Schaffens an e. Werk, das erst mit der schriftl. Niederlegung sich von seinem Autor zu lösen beginnt. Mit der genauen Angabe der E. sind biograph. Erlebnisse und mögliche Abhängigkeiten (Aufnahme von fremden Einflüssen) genau abzugrenzen; sie liegt oft weit vor dem →Erscheinungsjahr, mit dem die breitere Wirkung und Rezeption des Werkes einsetzt. Bei fehlender Angabe läßt sich die E. aus Beobachtung sprachl., metr. und stilist. Eigenarten z. T. annähernd festlegen. →Datierung.

Entwicklungsroman, Roman, der in sehr bewußter und sinnvoller Komposition den inneren und äußeren Werdegang e. Menschen von den Anfängen bis zu e. gewissen Reifung der Persönlichkeit mit psycholog. Folgerichtigkeit verfolgt und die Ausbildung vorhandener Anlagen in der dauernden Auseinandersetzung mit den Umwelteinflüssen in breitem kulturellem Rahmen darstellt. Die Grenzen zum →Bildungs- und →Erziehungsroman sind fließend, häufig finden sie sich in e. Werk vereint, oder E. wird als Oberbegriff beider verstanden, während im eigtl. E. nicht der Einfluß der Bildungsgüter oder der Pädagogik, sondern die Innenansicht der Entwicklung im Vordergrund steht: Das Streben und Irren des Helden führt aus eigener Kraft auf e. Stand gewisser Vollkommenheit, der dem subjektiven Idealbild des Dichters und seiner Zeit entspricht. Häufig eignet dem E. ein stark autobiograph. Charakter, wie er auch formal die →Ich-Form bevorzugt; der starke Bekenntnisgehalt tritt in dem häufigen Erscheinen mehrerer unterschiedl. Fassungen mit dem Wandel des Menschenbildes beim Dichter hervor. Als selbständige Form ist der E. e. spezifisch dt. Gattung (Ausnahmen etwa Dickens' *David Copperfield*, Fieldings *Tom Jones*, R. Rollands *Jean Christophe*); Voraussetzungen für ihn sind die Erkenntnis e. stattfindenden menschl. Entwicklung und der bewußte Wille zu deren Darstellung, wie sie erst mit dem stärker naturwiss. Weltbild möglich wird. Weder *Parzival* noch *Simplicissimus* sind demnach als Vorstufen zu werten; die wesentl. Ausformungen entstehen erst nach der autobiographisch ausgerichteten Seelenforschung des Pietismus (Jung-Stilling, K. Ph. Moritz, *Anton Reiser*). Der dt. E. beginnt mit Wielands *Agathon* (1766, neue Fassungen 1773, 1794) und erreicht erste Höhe in Goethes *Wilhelm Meisters Lehrjahre* (1795/1796), der für die gesamte folgende Entwicklung von größtem Einfluß ist: Tieck, *Franz Sternbald* 1798, Novalis, *Heinrich von Ofterdingen* 1799, Jean Paul, *Titan* 1800/03, Eichendorff, *Ahnung und Gegenwart* 1815, G. Keller, *Der Grüne Heinrich* 1854, neue Fassung 1879/1880, G. Freytag, *Soll und Haben* 1855, Stifter, *Der Nachsommer* 1857, Raabe, *Der Hungerpastor* 1864, H. Hesse, *Peter Camenzind* 1904, *Das Glasperlenspiel* 1943 u. a. m.

RL; M. Gerhard, D. dt. E. bis z. Goethes ›W. Meister‹, 1926, ²1968; K. Scheuten, Seelengesch. u. E., Diss. Bonn 1934; Ch. Kehr, D. dt. E. seit d. Jh.wende, Diss. Lpz. 1936; H. H. Borcherdt, D. Roman d. Goethezeit, 1949; L. Köhn, E.- u. Bildungsroman, DVj 42, 1968 u. 1969; A. v. Roeder, Dialektik v. Fabel u. Charakter, 1969; F. Trommler, V. Stalin z. Hölderlin (Basis 2, 1971); *Udviklingsromanen*, hg. T. Jensen u. a., Odense 1982; H. Tiefenbacher, Textstrukturen d. E. u. Bildungsr., 1982; H. Esselborn-Krumbiegel, D. Held i. Roman, 1983.

Enumeratio (lat. = Aufzählung) = →Akkumulation

Envoi, Envoy (franz. = Geleit), Geleit, Widmung, Postskript, allg. in der roman. →Ballade, →Kanzone, →Chant royal eine kürzere Strophe als Abschluß einer Reihe längerer Strophen, die meist Metrum und Reime der vorangehenden letzten halben Strophe aufgreift und eine namentl. Zueignung, beginnend mit ›Prince‹ o. ä., e. Schlußfolgerung oder Zusammenfassung enthält. In provenzal. Lyrik →Tornada genannt.

Enzyklopädie (griech. *enkyklios* = rund, allg., *paideia* = Erziehung, Bildung), der Kreis der Wissenschaften und Künste, die jeder freie Grieche in der Jugend betreiben mußte; dann umfassende und übersichtl. Darstellung des gesamten theoret. wie prakt. Wissensstoffes e. Zeit (Universal-E.) oder e. einzelnen Fachgebiets (Spezial-E.) in systemat., d. h. nach Themenkreisen geordnetem Zusammenhang oder in alphabet. Reihenfolge nach Stichwörtern, häufig aus philos. Betrachtungsweise. Im Ggs. zu der in der Erforschung der Spezialgebiete fortschreitenden Wissenschaft dient die E. der Sicherung, Sammlung und Zusammenstellung gewonnener Teilergebnisse, gewissermaßen der geistigen Bestandsaufnahme und dem In-Bezug-Setzen der Einzelforschung zum Ganzen.

Die älteste (verlorene) E. des europ. Kulturkreises stammt angeblich von SPEUSIPPOS (4. Jh. v. Chr.), Schüler PLATONS. Im Anschluß an die *Disciplinae* des VARRO (1. Jh. v. Chr.) erfolgt in den E.n des CASSIODOR, CELSUS und MARTIANUS CAPELLA die Erhebung der sieben Freien Künste (→artes liberales) zum durchs ganze MA. gültigen Bildungskanon. PLINIUS d. Ä. stellt in den 37 Büchern seiner *Naturalis historia* (um 77 n. Chr.) Lesefrüchte der verschiedensten naturwiss. Autoren ohne Kritik zusammen. Die *Origines* des ISIDOR VON SEVILLA (560–636) bilden das Vorbild für HRABANUS MAURUS' *De universo* (847). Im MA. faßt man unter dem Titel →Summa (THOMAS VON AQUIN, *Summa theologiae*) oder →*Speculum* (VINCENZ VON BEAUVAIS, *S. maius*) die Wissensgebiete in Kompendien zusammen und erspart die Lektüre anderer Werke. Die ital. Renaissance bringt neben mehreren E.n auch zuerst den Namen auf; in Dtl. bes. verbreitet war die *Scientiarum omnium e.* von J. H. ALSTED (1630). Die größten E.n aber entstehen in China: *Ku-kin t' uschu tsitscheng*, 5044 Bde., 1726, ²1862 und *Yung-loh-ta-tien*, 11 095 Bde. (ungedruckt), nach 1403. Als Begründer der mod. E. gilt F. BACON (*Novum organum scientiarum*, 1620); mit dem Einsetzen aufklärer. Bestrebungen vermehrt sich die Zahl der E.n, die nun auch in der Muttersprache erscheinen und prakt. Wissen vermitteln: L. MORÉRI, *Grand dictionnaire historique*, 10 Bde. 1674, ¹⁰1759; J. J. HOFFMANN, *Lexicon universale*, 1677; A. FURETIÈRE, *Dictionnaire universel*, 1690; P. BAYLE, *Dictionnaire historique et critique*, 2 Bde. 1695–97, dt. v. GOTTSCHED 1741–44; V. M. CORONELLI, *Biblioteca universale*, 1701–06; E. CHAM-BERS, *Cyclopaedia*, 2 Bde. 1728; J. P. LUDEWIG, *Großes vollständiges Universallex. aller Wissenschaften und Künste*, 68 Bde. 1731–54 (nach dem Verleger *Zedlers Lex.* genannt); J. G. SULZER, *Kurzer Begriff aller Wissenschaften*, 1745; als Hauptwerk der Aufklärung die *Encyclopédie ou dictionnaire raisonné des sciences, des arts et des métiers* von DIDEROT, d'ALEMBERT und den franz. →Enzyklopädisten, 35 Bde. 1751–80; *Encyclopaedia Britannica*, zuerst 3 Bde. 1768–71; J. J. ESCHENBURG, *Lehrbuch der Wissenschaftskunde*, 1792; HEGEL, *E. der philosophischen Wissenschaften*, 1817; J. S. ERSCH, J. G. GRUBER, *Allg. E. der Wissenschaften und Künste*, unvollendet, 167 Bde. 1818–1890. Seit Beginn des 19. Jh. wird die E. durch das breitere Bevölkerungskreise ansprechende, knapper und sachlicher informierende →Konversationslexikon abgelöst; daneben besitzt fast jedes Kulturvolk seine große E.

B. Wendt, Idee u. Entwicklungsgesch. d. enzykl. Lit., 1941; H. Kogan, *The great E. Britannica*, Chic. 1958; R. L. Underbrink, *About e.as*, Jacksonville 1960; R. L. Collison, *Encyclopedias*, N.Y. 1962, ²1966; J. Proust, *L'e.*, Paris 1965; M. P. de Gandillac, *La pensée encycl. au M.A.*, Paris 1966; J. Henningsen, in, AfB 10, 1966; *The circle of knowledge*, hg. J. M. Wells, Chic. 1968; U. Dierse, E., 1977; *Notable e.s of the 17. and 18. cent.*, hg. F. A. Kafker, Oxf. 1981; C. Meier, Grundzüge d. ma. E.ik (Lit. u. Laienbildg., hg. L. Grenzmann 1984).

Enzyklopädisten, die rd. 200 Mitarbeiter und Herausgeber der großen franz. →Enzyklopädie von 1751–1780, die nach dem Vorbild von CHAMBERS und P. BAYLE (→Enzyklopädie) nicht nur e. popularisierendes Sammelwerk wiss. Rüstzeugs, sondern zugleich Sprachrohr der franz. Aufklärung bes. auf relig., eth. und polit. Gebiet sein wollte. Die Leitung hatten DI-

DEROT und d'ALEMBERT; Teilgebiete behandelten: MALLET (Theol., Gesch.), TOUSSAINT (Jura), DAUBENTON (Medizin), YVON (Logik, Moral), ROUSSEAU (Musik, Philosophie), MARMONTEL (Lit.gesch.), L. de JAUCOURT (Naturwissensch.), MORELLET (Nationalökonomie), HOLBACH (Chemie), ferner BUFFON, CONDILLAC, MONTESQUIEU, QUESNAY, TURGOT, VOLTAIRE, DUMARSAIS, GRIMM u.a.

L. Ducros, *Les e.*, 1900, n. 1967; F. Le Gras, *Diderot et les E.*, Amiens 1928; F. Schalk, D. Encycl. d. franz. Aufklärg., 1936; J. Proust, *L'Encyclopédie*, Paris 1965; J. Lough, *The Encyclopédie*, Lond. 1972.

Epanadiplose, 1. = →Anadiplose, 2. = →Kyklos.

Epanalepse (griech. *epanalepsis* = Wiederaufnahme), →rhetorische Figur: Wiederholung des gleichen Einzelwortes oder e. Wortgruppe am Satzanfang, entweder als Geminativ unmittelbar aufeinander (›Gott, Gott erbarmt sich unser‹, BÜRGER, *Lenore*) oder nach Zwischenschaltung e. Wortes (›Hilf, Gott, hilf!‹, ebda.), schließlich auch am Ende des Satzes (›Laß sausen durch den Hagedorn, laß sausen, Kind, laß sausen!‹, ebda.) oder in der Sonderform der →Anadiplose – stets zur pathet. Ausdruckssteigerung. Bes. häufig in W. WHITMANS *Leaves of Grass*.

Epanaphora (griech.) = →Anapher

Epanastrophe (griech. = Wieder-Umwendung), 1. als rhetor. Figur →Anadiplose, – 2. in der Verslehre Wiederholung der Schlußzeile der vorangehenden Strophe als Beginn der folgenden.

Epanodos (griech. = Rückweg), Wiederholung e. Satzes in umgekehrter Wortfolge, so daß das erste Wort zum letzten wird usw.; ›Das

Ende kommt, es kommt das Ende‹ (HESEKIEL 7,6), kreuzweise Kombination von Anapher und Epiphora bei chiastischer Wortstellung, so daß eigtl. innen Anadiplose und außen Epanalepse vorliegt. – 2. →Regression.

Epeisodion (griech. *epeisodios* = dazukommend, eingeschoben), der ›Akt‹ im griech. Drama, d.h. die anfangs in trochäischen Tetratern, später meist in jamb. Trimetern gehaltenen Dialogpartien zwischen zwei Chorliedern (→Stasima), durch die sie getrennt werden; dagegen heißt der Dialogteil vor dem Einzugslied des Chors (→Parodos) →Prologos, derjenige nach dem letzten Stasimon →Exodos. Die Zahl der E.a beträgt meist drei, später mehr. Der Name bezeugt den Ursprung des →Dramas aus dem →Chor; später treten an die Stelle mit der Handlung verbundener Chorlieder →Embolima (= ›Einschiebsel‹), unabhängige tänzerisch-lyr. Einlagen.

K. Nickan, E. u. Episode, Museum Helv. 23, 1966; R. Friedrich, E. in drama and epic, Hermes III, 1983.

Epenthese (griech. = Einfügung), Form des →Metaplasmus: Hinzufügung, Zwischenschaltung eines Lautes bzw. einer Silbe im Wortinneren aus poet.-archaischen oder metr. Gründen, z.B. Mavors für Mars (VERGIL, *Aen.* 8,630).

Epexegese (griech. *epexegesis* = eingefügte Erklärung), →rhetorische Figur: →parataktische Auseinanderlegung logisch einander untergeordneter Begriffe zum Zwecke deutlicheren Hervortretens, bes. bei VERGIL.

Ephemeriden (griech. *ephemeris* = Tagebuch), Aufzeichnungen von Tagesereignissen in chronolog. Reihenfolge, dann ähnl. →Almanach bes. astronom. Jahrbücher mit vorausberechneter Stellung der Gestirne für jeden Tag; im Bibliothekswesen Bz. für Periodika: Zeitungen, Zss. u.a., dann auch Titel solcher Organe, z.B. O. v. GEMMINGENS *Wiener E.* (1786).

Ephymnien (griech. *ephymnein* = dazu singen), e. Art Kehrreim in antiken Chorliedern, meist in anderem Versmaß als die Strophen gehalten und diese verknüpfend.

Epicedium →Epikedeion

Epideiktik (griech. *genos epideiktikon* =) die prunkende, zur Schau stellende Art der Rede, im Ggs. zur Gerichtsrede und der polit. Rede nicht prakt. Zwecke verfolgend, hat Lob und Tadel von Personen, Gegenständen, Eigenschaften zum Ziel und ist im hohen Maße in der Gelegenheits- und Festrede entwickelt. Ihre freiere und stofflich weniger gebundene Form erlaubt dem Redner eine künstler. Schaustellung seines Könnens.

V. Buchheit, Unters. z. Theor. d. Genos epideiktikon v. Gorgias bis Aristoteles, 1960.

Epigonendichtung (griech. *epigonoi* = Nachgeborene), allg. die auf große schöpferische Epochen folgende Dichtung, die das Erbe der vergangenen Generation unter dem Eindruck ihrer hohen Leistungen ohne eigene Schöpferkraft nachahmt. Sie bringt es leicht zu formaler Beherrschung der erprobten Technik und erreicht dank der Langsamkeit geistiger Entwicklung bei der breiten Masse zeitweilig große Erfolge, bleibt jedoch ohne Sinn für das organisch Gewachsene des Gehalts und unfähig zum Gestalten eigener und zeitgenöss. Probleme. In dt. Dichtung entsteht E. zuerst als Nachbildung der höf. Epik bei RUDOLF VON EMS, KONRAD VON Würzburg u.a. E. im engeren Sinne meint die dt. nachklass. und nachromant. Dichtung des 19. Jh. als stärkste Gegenströmung zum gleichzeitigen Realismus. Sie entsteht in Anlehnung an den dt. Idealismus zuerst in der Zeit nach den Befreiungskriegen bis 1848 und verliert erst um 1880 mit dem Aufkommen des Naturalismus alle Geltung. Den Namen gibt IMMERMANNS Roman *Die Epigonen* (1836). Im Bewußtsein des Epigonentums strebt man mit rückwärtiger Blickrichtung nach vollendeter Formkunst und Schönheit als Weltanschauung (→Ästhetizismus). IMMERMANN selbst findet zum Realismus durch; PLATENS aristokrat. Kunstauffassung und reines Formgefühl zeigen den unbedingten Willen zur Schönheit, der sich in der Italiensehnsucht der Zeit (GREGOROVIUS u.a.) ausspricht; bes. Pflege findet die E. im →Münchner Dichterkreis um GEIBEL und HEYSE, ferner bei A. GRÜN, RÜCKERT, HAMERLING, SCHEFFEL, WOLFF, DAHN (→Professorenroman), EBERS, GAUDY u.a. Einen bes. Zweig bilden die heroisch-pathet. Dramen der Schiller-Epigonen von H. J. v. COLLIN bis WILDENBRUCH und die traditionsbewußte Dichtung der Jahrhundertwende (HOFMANNSTHAL, GEORGE-Kreis, P. ERNST). Vgl. →Eklektizismus.

M. Windfuhr, D. Epigone, AfB 4, 1959; E. Alker, D. dt. Lit. i. 19. Jh., ²1961; H. Henel, Epigonenlyrik, Euph. 55, 1962; C. David, Üb. d. Begriff d. E'ischen (Tradition u. Ursprünglichkeit, 1966); M. Durzak, Epigonenlyrik, SchillerJb. 13, 1969; G. Mattenklott, D. Epigonale, Merkur 38, 1984.

Epigramm (griech. *epigramma* = Inschrift, Aufschrift), urspr. Aufschrift auf Gebäuden, Kunstwerken, Weihgeschenken, Grab- und Denkmälern u.ä. zur Erläuterung ihrer Bedeutung, anfangs meist in eleg. Distichen (Kurz-Elegie) verfaßt und zweckentsprechend von prägnantester Kürze des Ausdrucks; seit Ende des 6. Jh. v.Chr. dichterisch erweitert als selbständige Gattung (lit. Buch-E.) zur einprägsamen Ausformung von Gefühlen, Stimmungen und geistreichen Gedanken um den bezeichneten Gegenstand, Würdigung der Person des Grab- oder Denkmals, bes. Deutung von Ereignisse, Zuständen, allg. Betrachtungen u.ä., Gattung der →Gedankenlyrik: Sinngedicht, schließlich oft mit satir. Inhalt und überraschender Sinndeutung des Berichteten in der Schluß→pointe, die hohe künstler. Formgebung verlangt.

Als Begründer des E. gilt SIMONIDES von Keos (556–468 v.Chr.) mit Grabinschriften der in den Perserkriegen Gefallenen (›Wanderer, kommst du nach Sparta, verkünde dorten, du habest / uns hier liegen gesehen, wie das Gesetz es befahl‹ für die Thermopylenkämpfer); es folgten AISCHYLOS (Marathon-Inschrift?), PLATON und bes. die hellenist. und alexandrin. Dichter wie KALLIMACHOS, LEONIDAS von Tarent, ASKLEPIADES von Samos, MELEAGER u.a. mit kunstvollen, feingeschliffenen Formen; die Griech. →Anthologie enthält rd. 3600 E.e versch. Dichter. Die Römer, zuerst ENNIUS (200 v.Chr.), dann CATULL, später AUSONIUS, übernehmen das E. von den Alexandrinern, z.T. als Grabinschrift (z.B. des PACUVIUS), bes. aber der Meister des E., MARTIAL (um 40–102) gibt ihm den straffen satir. Charakter, der bis zu LESSING in der Poetik als das Wesen der Gattung gelten sollte, während es in der ind. und pers. Lit. als allg. Sinnspruch gilt. Auch in dt. Lit. erscheint es zuerst als →Spruchdichtung, etwa in FREIDANKS *Bescheidenheit* (um 1230) oder der

Form des →Priamel (13./14. Jh.), schließlich im volkstüml. →Schnadahüpfel. In der Folgezeit neigen bes. antikisierende Epochen zur E.dichtung. Nach dem Vorbild MARTIALS entsteht die franz. (C. MAROT, 1495–1544, RONSARD und die Opposition gegen RICHELIEU) und neulat. (Engländer OWEN, 1560–1622) E.dichtung der Renaissance. OPITZ führt 1625 das E. als kurze Satire mit spitzfindiger Endpointe in die dt. Lit. ein und zeigt Abhängigkeiten von OWEN wie MARTIAL. Im herrschenden Maß des →Alexandriners entsprach das E. der antithet. Lebensauffassung des Barock und fand reiche Blüte bei FLEMING, GROB, PLAVIUS und fast allen anderen Dichtern der Zeit, bes. in den zeitsatir. *Sinngedichten* LOGAUS und WERNICKES als Verhöhnung der Laster und Modetorheiten, während D. CZEPKO und ANGELUS SILESIUS (*Cherubinischer Wandersmann*) dieselbe Form zum Ausdruck myst. Religiosität benutzten. Ebenso erscheint das E. in der verstandesklaren Aufklärung als bevorzugte scharfsinnige Form bei fast allen Dichtern, bes. vollendet bei A. G. KÄSTNER und LESSING, der auch in den *Zerstreuten Anmerkungen über das E.* (1771) seine theoret. Begründung im Sinne MARTIALS versucht: Erwartung (Spannungserregung) und Aufschluß (überraschende Lösung) bilden nach ihm die Bauelemente des E. Demgegenüber vertritt HERDER (*Über das griech. E.,* 1785), von der *Anthologie* ausgehend, e. freiere Abgrenzung des Stoffkreises und legt Wert auf befriedigende Darstellung e. Gehalts. In Frankreich schreiben BOILEAU, MALHERBE, ROUSSEAU, VOLTAIRE, LEBRUN, in England JONSON, DONNE, DRYDEN, SWIFT, POPE, PRIOR, HERRICK, W. BROWNE, bes. LANDOR und BELLOC E.e.

SCHILLER und GOETHE verwenden die Distichenform der →Xenien (1797) als Lit.- und Kultursatire gegen ihre Gegner, GOETHE ferner in den *Venezianischen E.en* (1790) u.a. mit tiefem philos.-eth. Gehalt. Im 19. Jh. lebt das E. fort als Literatursatire bei KLEIST, PLATEN und GRILLPARZER, als polit. Offensive im Jungen Dtl., bei HEINE, HERWEGH u.a., daneben aber als schlichte, friedl. Spruchdichtung bei EICHENDORFF, UHLAND, RÜCKERT (in Anlehnung an oriental. Spruchweisheit), GEIBEL, VISCHER, HEBBEL (eth. und ästhet. Betrachtungen und Lebenserfahrungen) und MÖRIKE (menschlich erfüllte ›Aufschriften‹ nach dem formvollendeten Typ der *Anthologie,* Erlebnisbilder ohne didakt. oder satir. Beiklang). Seit rd. 1850 bevorzugt man flexiblere Prosaformen wie →Aphorismus und →Sentenz, das E. findet nur noch vereinzelte Ausformungen bei E. POUND, Ch. MORGENSTERN, E. KÄSTNER, J. BOBROWSKI. →Monodistichon.

R. Reitzenstein, E. u. Skolion, 1893; M. Rubensohn, Griech. E.e in dt. Übersetzung d. 16./17. Jh., 1898; E. Urban, Owenus u. d. dt. E.atiker d. 17. Jh., 1899; R. Levy, Martial u. d. dt. E.atik d. 17. Jh., 1903; E. Beutler, V. griech. E. i. 18. Jh., 1909; F. Fuchs, Beitr. z. Gesch. d. frz. E., Diss. Würzb. 1924; T. K. Whipple, *Martial and the Engl. E.,* 1925; P. Nixon, *Martial and the modern e.,* New York 1927; RL; Th. Erb, D. Pointe i. d. Dichtg., 1928; H. H. Hudson, *The E. in the Engl. Renaiss.,* 1947; O. Weinreich, E.stud., 1948; R. Raiser, Üb. d. E., 1950; W. Preisendanz, D. Spruchform i. d. Lyrik d. alten Goethe, Diss. Hdlbg. 1952; G. Bernt, D. lat. E., Diss. Mchn. 1968; Das E., hg. G. Pfohl 1969; G. Neumann, Nachw. zu: Dt. E.e, hg. ders. 1969; G. C. Rimbach, D. E. u. d. Barockpoetik, SchillerJb 14, 1970; R. K. Angress, *The early German e.,* Lexington 1971; K. M. Holum, *The e.* (*Linguistics* 94, 1972); W. Dietze, Abriß e. Gesch. d. dt. E. (in: Erbe u. Gegenwart, 1972); G. Keller, *L'e.,* Lausanne 1974; J. Weisz, D. dt. E. d. 17. Jh., 1979; P. Erlebach, Formgesch. d. engl. E., 1979; W. Nolting, D. Sinnged. a. d. Leser, LfL 1979; O. Knörrich, D. E.,

FLE, 1981; M. Lausberg, D. Einzeldistichon, 1982; W. Barner, Vergnügen, Erkenntnis, Kritik, Gymnas. 92, 1985.

Epigrammatik, Sammelbz. für →Epigramme und deren Kunsttheorie.

Epigraph (griech. *epigraphein* = darauf schreiben), antike →Inschrift; mit Ausnahme des →Epigramms mehr von histor. als lit. Wert.

Epigraphik (zu →Epigraph), Inschriftenkunde, d.h. Sammlung und Sichtung, Erforschung und Auswertung der →Inschriften an antiken Denkmälern u.ä.; Teil der Altertumswissenschaft.

E. Hübner, Röm. E., ²1892; W. Larfeld, Hdb. d. griech. E., II 1902–07; ders., Griech. E., ³1914; R. Cagnat, *Cours d'e. lat.,* Paris ⁴1914, n. 1964; C. M. Kaufmann, Hdb. d. altchristl. E., 1917; F. Hiller v. Gärtringen, Griech. E., ³1924; H. Dessau, Lat. E. (Einl. i. d. Altert.wiss., 1925); J. E. Sandys, *Lat. Epigraphy,* Cambr. ²1927; R. Bloch, *L'epigraphie lat.,* Paris 1952; V. Wanscher, *Epigraphie étrusque et préromaine,* Koph. 1954; G. Klaffenbach, Griech. E., ²1966; M. Guarducci, *Epigrafia greca,* Rom 1967; E. Meyer, Einf. i. d. lat. E., 1972.

Epik (griech. *epikos* = episch, zum →Epos gehörig), die epische, d.h. erzählende Dichtung oder Erzählkunst und damit die mittlere der drei natürl. →Gattungen dichterischer Gestaltungsmöglichkeiten überhaupt, insofern sie objektiver als die Lyrik, subjektiver als die Dramatik ist, da die Vorgänge weder im Innern des Dichters selbst spielen noch in darstellenden Personen objektiviert vorgeführt werden. Ihre Grundhaltung ist e. Ursituation zwischenmenschl. Verkehrs: das Erzählen als Vermitteln zwischen Ereignis und Zuhörer (Erzählhaltung), die betrachtende, distanzierte und gelassen-ausgeglichene Darstellung von der Vergangenheit angehörenden Geschehnissen der inneren, bes.

aber der äußeren Welt (Wirklichkeit, Phantasie- oder Traumwelt), Schilderung von Zuständen und Menschen in breiterer Form (→epische Breite) oder knapp gedrängtem Bericht, in Vers oder Prosa, vom festen, überschauenden Standpunkt des (fiktiven) →Erzählers, der selbst selten hervortritt oder an der Handlung teilhat (→Ich-Form), häufiger die bloße →Er-Form oder eine →Perspektive (→Briefroman, →Chronikalische oder →Rahmenerzählung) wählt. Das Weltgeschehen in bunter Fülle, in das der ep. Vorgang hineingestellt wird, nicht e. einzelne, um e. tätigen Helden streng verknüpfte Handlung steht im Vordergrund. Außer der selbstgefügten, lockeren und durch →Episoden beliebig erweiterbaren Einheit des Geschehens bedarf es keiner Grenzen von Raum und Zeit wie etwa der Einheiten des Dramas oder des geschlossenen Stimmungseinklangs der Lyrik; Zeitform (→ep. Präteritum, →histor. Präsens), Zeitgestaltung des Erzählens in Beschleunigung und Verharren z. T. selbst Zurückdrehen der →Zeit (→Rückblende) stehen im Belieben des Epikers (→Erzählzeit), ebenso die Gliederung in einzelne Aufbauteile (→Gesänge, →Abenteuer, →Bücher, →Kapitel usw.), und nur in stark betontem Eigengewicht der Einzelabschnitte bekundet sich e. tekton. Aufbauwillen. Aus dem weniger auf e. Schluß hindrängenden Aufbau der E. ergibt sich bes. in der ausgeprägten Großformen e. größere Selbständigkeit der Teile, und selbst →Vorausdeutungen auf das Ende (aus der Allwissenheit des überschauenden Epikers heraus) wirken nicht spannungsraubend. Hinsichtlich der Untergliederung der ep. Formen unterscheidet man die auf kom. Wirkung angelegten von den ernsten oder lösenden. Als

präliterar. Vorgänger erzählender Dichtung gelten die sog. →einfachen Formen →Märchen, →Sage, →Legende (in individuell dichterischer Gestaltung als ›Kunstmärchen usw. bezeichnet). Von den ep. Großformen →Roman und →Saga in Prosa, →Epos (→Volks-, →Kunstepos) in Versen trennt man die Kleinformen wie →Novelle, →Kurzgeschichte, →Skizze, →Anekdote und allg. →Erzählung in Prosa; →Ballade, →Romanze, →Idylle und →Verserzählung in gebundener Rede; →Parabel und →Fabel als lehrhafte wie →Satire, →Parodie und →Travestie als lächerlich darstellende Formen erscheinen sowohl in Prosa als in Versen. Die Entwicklung der E. als Dichtgattung, fast überall gleichzeitig mit der Lyrik einsetzend, ist für die einzelnen Arten unterschiedlich (daher s. d., bes. →Epos und →Roman).

Die Theorie der ep. Formen beginnt mit ARISTOTELES' *Poetik*, aber eigentl. erst im 18. Jh.; während vorher lediglich die Form des Epos als Heldengedicht Gegenstand theoret. Erörterungen war, wird nun mit der reichen Ausbildung ep. Gattungen die Frage nach der stoffl. Abgrenzung bes. von der Dramatik deutlich (SCHILLER-GOETHE Briefwechsel; GOETHE *Über epische und dramatische Dichtung*, 1797). Die Prosa-E. wird erst (nach Vorgang von BLANKENBURGS *Versuch über den Roman*, 1774) im 19. Jh. als dichterische Gestalt erschlossen (HEYSES →Falkentheorie, SPIELHAGEN, *Neue Beiträge zur Theorie und Technik der E. und Dramatik*, 1898 u. a.), und die Diskussion über ihr Wesen hält ebenso an wie die ständige Verfeinerung des lit.wiss. Instrumentariums zur Erfassung und Beschreibung des Erzählvorgangs und der Erzähltechniken mit den implizierten Problemkreisen Fiktionalität, Kommunikation und Rezeption in Erzähltheorie und Erzählforschung (Narrativik).

W. P. Ker, *E. and Romance*, Lond. 1897; K. Friedmann, D. Rolle d. Erzählers i. d. E., 1910, n. 1977; H. Frank, Dt. Erzählkunst, 1922; E. Hirth, D. Formgesetz d. ep., dr., lyr. Dtg., 1923; E. Weber, Gesch. d. epischen u. idyll. Dichtg., 1924; M. F. Lawson, Spanng. i. d. Erzählg., 1934; R. Petsch, Z. Lehre v. d. ältest. Erzählformen (Dichtg. u. Volkstum 35, 1934/35); R. Petsch, Wesen u. Formen d. Erzählkunst, ²1942; H. Brandenburg, D. Kunst d. Erz., 1946; G. Müller, D. Bedeutg. d. Zeit i. d. Erzählkunst, 1947; ders., Üb. d. Zeitgerüst d. Erzählens, DVJ 24, 1950; K. Hamburger, Beobachtungen üb. d. urep. Stil (Trivium 6, 1948); dies., Z. Strukturprobl. d. ep. u. dram. Dichtg., DVJ 25, 1951; J. Wassermann, D. Kunst d. Erzählung, ²1948; M. L. Shedlock, *The art of the story-teller*, N.Y. ²1951; R. Lidell, *Some principles of fiction*, Lond. 1953; P. Lubbock, *The craft of fiction*, Lond. ²1954; W. Flemming, L. u. Dramatik, 1955; E. Lämmert, Bauformen d. Erzählens, 1955, ⁷1980; H. Eggers, Symmetrie u. Proportion ep. Erzählens, 1956; D. M. Foerster, *The fortunes of ep. poetry*, 1962; H. E. Hugo, *Aspects of fiction*, Boston 1962; R. Male, *Types of short fiction*, Belmont 1962; M. Church, *Time and reality*, Carbondale 1963; W. Lockemann, D. Entstehg. d. Erzählproblems, 1964; W. Bausch, Theorien d. ep. Erzählens i. d. dt. Frühromantik, 1964; J. Pfeiffer, Wege z. Erzählkunst, ⁶1964; E. Neis, Struktur u. Thematik d. tradit. u. mod. Erzählkunst, 1965; R. Scholes, R. Kellogg, *The nature of narrative*, N.Y. 1966; H. Maiworm, Neue dt. E., 1967; K. Hamburger, D. Logik d. Dichtg., ²1968; *Perspectives on fiction*, hg. J. L. Calderwood, N.Y. 1968; E. Kahler, Untergang u. Übergang, 1970; A. Ros, Z. Theorie lit. Erzählens, 1972; J. Ihwe, *On the foundations of a general theory of narrative structure* (Poetics, 1972); T. Todorov, Poetik d. Prosa, 1972; H. Meyer, D. Kunst d. Erzählens, 1972; J. Vogt (Grundzüge d. Lit.- u. Sprachwiss. I, 1973); J. Anderegg, Fiktion u. Kommunikation, 1973, ²1977; W. C. Booth, D. Rhetorik d. Erzählkunst, 1974; A. Behrmann, Einf. i. d. Analyse v. Prosatexten, ⁴1975; S. E. Larsen, *Litteraer semiologi*, Odense 1975; K. Kanzog, Erzählstrategie, 1976; Erzählforschung, hg. W. Haubrichs III 1976–78; C. Kahrmann u. a., Erzähltextanalyse, II 1977, ²1981; D. ReichDe, Kommunikation i. Erzähltext, II 1978; G. Genot, *Elements of narrativics*, 1979; F. K. Stanzel, Theorie d.

Erzählens, 1979, ³1985; B. Paukstadt, Paradigmen d. Erzähltheorie, 1980; E. Krückeberg, D. Begriff d. Erzählens i. 20. Jh., 1981; J. Lintvelt, *Essai de typologie narrative art*, Princeton 1981; Erzählg. u. Erzählforschg. i. 20. Jh., hg. R. Kloepfer 1981; W. Seifert, Theorie u. Didaktik d. Erzählprosa, 1982; Histor. Erzählen, hg. S. Quandt 1982; G. Prince, *Narratology*, 1982; Erzählforschg., hg. E. Lämmert 1982; S. Rimmon-Kenan, *Narrative fiction*, Lond. 1983; M. J. Torlan, *Narrative*, Lond. 1988.

Epikedeion (griech., lat. *epicedium* =) schwermütiges Trauer-, Grab- und Trostgedicht im Angesicht e. Toten, meist in Form der Kurz→elegie oder des →Epigramms, auch rein daktylisch; beliebte Dichtart der Antike bes. seit hellenist. und röm. Zeit (CATULL, PROPERZ); in lat. Dichtung auch als Tier-E. auf verstorbene Lieblingstiere; als Klage über den Tod e. Vogels bis ins 18. Jh. (GLEIM, RAMLER) nachwirkend. Vgl. →Threnos, →Consolatio.

G. Herrlinger, Totenklage um Tiere i. d. antiken Dichtg., 1929; E. Stringer, Stud. z. humanist. E.dichtg., Diss. Wien 1956; H.-H. Krummacher, D. barocke E., SchillerJb 18, 1974.

Epilog (griech. *epilogos* = Nachrede), 1. Schlußteil einer Rede. – 2. abschließendes Nachwort zu e. Literaturwerk (z. B. persönl. Anrede in den meisten höf. Epen, ma. Chroniken und z. T. Romanen: GRIMMELSHAUSEN, *Simplizissimus*, WIELAND, *Don Silvio*). – 3. bes. im Drama nach der Vorstellung v. e. Mitwirkenden (in Tragödien ernste, in Komödien lustige Personen; bei zwei Personen Nähe zum →Nachspiel) an die Zuschauer gerichtete Schlußrede, naive Form der Verbindungnahme zum Publikum; in die röm. Komödie von PLAUTUS eingeführt, bes. im 16./17. Jh. in den Anfängen des neuen Dramas verwendet (SHAKESPEARE) und bis ins 19. Jh. gebräuchlich (GOETHES *E. zu Schillers Glocke* anläßlich deren Aufführung; TIECK, *Genoveva*); im mod. Drama nur noch parodierend. Der E. enthält oft e. Bitte um Beifall oder Nachsicht (PLAUTUS), Ankündigung weiterer Vorstellungen und Aufforderung zu erneutem Erscheinen, Danksagung ans Publikum für den Besuch oder die Spielerlaubnis, Huldigung an Gönner (im elisabethan. Drama Schlußgebet für die Königin); bes. häufig zur Verdeutlichung der Absichten des Dichters und zu seiner Rechtfertigung gegenüber Polemiken (18. Jh.), zur Ausdeutung der dargestellten Heilsgeschichte und Mahnung zur Frömmigkeit (ma. Drama durch e. Praecursor oder Herold), Verbindung des dargestellten histor. oder bibl. Stoffes mit der Zeitlage (Humanistendrama), Zusammenfassung, belehrende Folgerung und moralische Nutzanwendung (Hans SACHS, Fastnachtsspiel, Reformationsdrama) oder ganz primitiv zur Verkündung des Endes, im modernen Theater oft auch in satir.-iron. Sinn (BRECHT, *Der gute Mensch von Sezuan*, CLAUDEL, ELIOT).

E. Zellweker, Prolog u. E. i. dt. Drama, 1906; H. Hirte, Entw. d. Prologs u. E. i. früh-neuengl. Dr., Diss. Gießen 1928; RL; E. Mason-Vest, Prolog, E. u. Zwischenrede i. dt. Schauspiel d. MA., Diss. Basel 1950; E. M. Krampla, Prolog u. E. v. engl. Mysterienspiel, Diss. Wien 1958; M. E. Knapp, *Prologues and E. of the 18. century*, New Haven 1961.

Epimythion (griech. =) die moralische Nutzanwendung am Schluß e. Beispiels (→Exemplum) oder e. →Fabel als Ergebnis rationaler Schlußbetrachtung. Vgl. →Promythion.

Epinikion (griech. *e. melos* = Siegesgesang), im antiken Griechenland seit 6. Jh. v.Chr. Preislied zu Ehren des Siegers in den panhellen. Festspielen, bei seinem festl. Triumphzug, dem Einzug in die Heimat oder Festmahl, von Chören zu Flötenbegleitung gesungen; häufig von 3teiligem Bau (Strophe, Antistrophe, Epode) und daktylo-epitrit. Maßen. Enthält Lob der Person, des Herkommens, Anknüpfung an e. Mythos und Preis der Dichtkunst. Von SIMONIDES als Kunstform entwickelt und neben BAKCHYLIDES bes. von PINDAR gepflegt; Nachwirken bei RONSARD und HÖLDERLIN.

R. Hamilton, *E.*, Haag 1974; M. R. Lefkowitz, *The victory ode*, Park Ridge 1976.

Epiparodos (griech. *epi* = darauf), das Einzugslied (→Parodos) des altgriech. Chors bei seinem evtl. zweiten Aufziehen nach erfolgtem Abzug.

Epipher →Epiphora

Epiphonema (griech. = Nachklang), in der antiken Rhetorik die Sentenz oder verallgemeinernde Schlußbetrachtung als Abschluß eines längeren Gedankengangs, meist in Form eines Ausrufs.

Epiphora (griech. = Herzubringen, Zugabe), auch Epipher, bes. in der Antike übliche →rhetorische Figur: ausdrucksvolle Wiederholung desselben Wortes oder Wortgefüges jeweils am Schluß mehrerer aufeinanderfolgender Sätze oder Satzglieder, Sonderfall des →Homoioteleuton, Umkehr der →Anapher, doch jünger und künstlicher als diese; auch in der Form des →Polyptoton oder mit Lockerung durch Setzung von Synonymen. Beispiel: ›Ich sah auf dich und weinte nicht. Der Schmerz / schlug meine Zähne knirschend aneinander; / Ich weinte nicht...‹ (SCHILLER, *Don Carlos* I, 2), NIETZSCHE, *Nachtlied* u.ö.

Epiphrase (v. griech. *epiphrasis* = Nachsatz), Stilfigur, die einem syntakt. scheinbar beendeten Satz in nachträgl. Anknüpfung noch ein oder mehrere ergänzende Glieder folgen läßt, sei es zur Abrundung oder Richtigstellung des Gedankens, sei es zur Betonung oder Steigerung: ›Mein Retter seid ihr und mein Engel.‹ (SCHILLER, *Tell*).

Epiploke (griech. = Anknüpfung), fortgeführte →Anadiplose, indem vor Fortsetzung des Gedankens oder Anknüpfung e. neuen das soeben Gesagte wiederholt wird, oft mit Wechsel der syntakt. Funktion, etwa entsprechend dem Geschlechtsregister Matth. I, 2–16, z. B. VERGIL, *Ekloge* 2, 63; häufig zum Zwecke e. Steigerung (→Klimax) verwendet.

Epirrhema (griech. = das Dazugesprochene), im griech. Drama Sprechpartie e. Schauspielers oder Chorführers, die quasi als Antwort auf die Liedstrophe des Chores folgt; in der →Parabase der alten att. Komödie oft satir. Ansprache des Chorführers der einen oder (Antepirrhema) der anderen Chorhälfte an das Publikum nach der Ode der entsprechenden Chorhälfte, meist in trochäischen Tetrametern gehalten und in Rat und Ermahnung ausklingend. Die epirrhematische Syzygie oder Komposition (Gesungenes – Gesprochenes im Wechsel a b a b: Ode – E. – Antode – Ant-E.), eine der Grundformen der Komödie, ist im →Agon am sichtbarsten verwirklicht und auch in der Tragödie, bes. bei AISCHYLOS, häufig.

Episch, über die bloße Zugehörigkeit zur →Epik hinaus eine der natürl. Grundhaltungen der Dichtung: ausführliche, gelassene Vergegenwärtigung einer vergangenen Handlung für ihne Hörer- oder Leserschaft aus zeitl. und emotionaler Distanz. Als solche nicht allein an die Erscheinungsform in ep. Gattungen gebunden, vielmehr als erzählende Haltung des Vor-einen-Hinstellens schlechthin auch im Drama (B. BRECHTS →episches Theater) und in der Lyrik (z. B. Elegie, Ballade) denkbar, wie auch das Epos wieder mehr zum →Lyrischen oder →Dramatischen drängen kann.

E. Staiger, Grundbegriffe der Poetik, 1946, ⁹1971.

Epische Breite, das Gesetz der erzählenden Großformen, die in breit ausmalender Schilderung, gemächlichem Verweilen bei Einzelheiten, Abschweifungen, →Episoden, →epischen Wiederholungen oder ständigen Rückgriffen (HOMER) die Freude an der bunten Fülle der darstellbaren Welt bekunden. Die Grenze der e. B. liegt dort, wo sie zum Zerfließen des Gesamteindrucks führt.

Epische Integration →Integration

Epischer Zyklus →Kykliker

Episches Präteritum, die Zeitform des Imperfekts oder P. als natürlichste Erzählform der aus rückblickender Haltung berichteten Ereignisse ohne Ablenkung durch irgendwelche zeitliche Brechung. Es wird nicht als wirkliche Vergangenheit, sondern als fiktionale Gegenwart des Erzählgeschehens empfunden und läßt daher sogar Zukunftsadverbien zu. Vgl. →Praesens historicum.

K. Hamburger, Das e. P., DVJ 27, 1953; K. Stanzel, E. P., erlebte Rede, hist. Präsens, DVJ 33, 1959; W. Rasch, Z. Frage d. e. P., WW 3. Sonderh. 1961; K. Hamburger, D. Logik d. Dichtg., ²1968.

Episches Theater, von B. BRECHT 1926–30 in bewußter Abgrenzung zum →aristotelischen Drama der bürgerl. Theaterpraxis theoret. formulierte und ausgebildete Theater- und Dramenform im Sinne der marxist. Gesellschaftsveränderung durch Bewußtmachung; fordert statt des illusionist. Bühnenerlebnisses, das den Zuschauer suggestiv und gefühlsmäßig ergreift (→Einfühlung) und im Miterleben seine Aktivität verbraucht, e. demonstrierend-erzählende Form, die durch Argumente aus der Handlung den Zuschauer zum rationalen Betrachter und Beurteiler macht, ihn der Handlung gegenüberstellt, zu eigenen Entscheidungen zwingt und durch Distanz seine Aktivität weckt, die Veränderung der ges. Verhältnisse herbeizuführen. ›Gegenstand der Untersuchung‹ sei der ›veränderliche und veränderte Mensch‹, die Spannung richte sich daher nicht wie beim illusionist. Drama auf den Ausgang, sondern auf den Gang der Handlung, die in Einzelszenen, Kurven und Sprüngen (→Montage) ohne ›evolutionäre Zwangsläufigkeit‹ abrolle, daher ohne Spannung, Konflikt, Zuspitzung und Katharsis auskomme, weil e. T. nicht Besserung des Menschen, sondern der Verhältnisse bezwecke. Die durch den →Verfremdungseffekt gesteigerte antiillusionist. Haltung verzichtet auf Akteinteilung, Exposition und ›Natürlichkeit‹, da nicht Identifikation mit den Figuren und Unterhaltung, sondern Kritik erstrebt wird (›dramatische Bilderbogen‹). Die polemisch überspitzten theoret. Postulate BRECHTS schließen praktisch die Zugrundelegung eines ›Dramatischen‹ als dynam. Spannungsmittel nicht aus. Die ep. Mittel der Verfremdung, Distanzierung und Bewußtseinsschulung sind u.a. lockere →offene Form in Episoden, Illusionsbrechung durch distanzierende Ansager bzw. kommentierenden Erzähler, Kommentierung und Ausweitung durch Songs, Chor, Spruchbänder, Projektionen, Plakate u.a., permanente Belehrung und offener, den Zuschauer zur Entscheidung aufrufender Schluß. Viele

dieser Einzeltechniken waren bereits vorgeprägt im griech., asiat. Theater, im ma. geistl. und elisabethan. Drama, bei IBSEN, WILDER, CLAUDEL, im polit. Theater E. PISCATORS u.a.m.; BRECHTS Leistung ist ihre systemat. Koordination. In seiner strikten Form scheint das e. T. BRECHTS Nachfolgegeneration (BAIERL, HACKS, H. MÜLLER, P. WEISS) nicht zu überleben.

W. Benjamin, Was ist e. T. (in: Schriften II, 1955); E. Schumacher, D. dramat. Versuche B. Brechts, 1955; P. Szondi, Theorie d. mod. Dramas, 1956; M. Dietrich, E. T., MuK 2, 1956; J. Rühle, D. gefesselte Theater, 1957; O. Mann, B. Brecht, 1958; W. Hinck, D. Dramaturgie d. späten Brecht, 1959, ⁵1971; M. Kesting, D. e. T., 1959, ⁷1978; F. H. Crumbach, D. Struktur d. E. T., 1960; U. Weisstein, From the dramatic novel to the e. t., GR 38, 1963; Das e. T., hg. R. Grimm 1966; J. Gassner, Varieties of e. t. in mod. drama (Compar. Lit., hg. A. O. Aldridge, Urbana 1969); M. Hahnloser-Ingold, D. engl. Theater u. B. Brecht, 1970; W. Hecht, Brechts Weg z. e. T., ²1976; G. Koller, D. mitspielende Zuschauer, 1979; J. L. Styan, Mod. drama III, Cambr. 1981; J. Eckhardt, Das e. T., 1983.

Epische Wiederholung, die Wiederkehr gleicher Formeln, Wendungen, Ausdrücke u. Sprüche, ist bes. im frühen Volksepos und im Märchen e. wesentliches Stilmittel. →Epitheton. In der griech. Epik entsteht aus der e. W. das Phänomen der ›typischen Szenen‹ und der versus iterati (= wiederholten Verse), die der hellenist. und entsprechend der röm. Geschmack vermeidet.

S. Hock, D. Wiederholg. i. d. Dichtg., Fs. f. Jerusalem, 1915; K. H. Hartmann, Wiederholungen i. Erzählen, 1979; H Brinkmann, Wiederholg., WW 33, 1983; M. Szegedy-Maszak, Forms of repetition in music and lit., YCGL 32, 1983.

Episode (griech. epeisodion = Einschaltung, Einschiebsel), urspr. die zwischen zwei Chorgesänge ›eingeschobene‹ Sprechpartie des altgriech. →Dramas: →Epeisodion; heute allg. in Roman, Epos und

Drama e. in sich geschlossene, in die Haupthandlung eingeschaltete und mit ihr meist nur locker verknüpfte Nebenhandlung, die durch Gegensatz oder Parallele der plastischeren Hervorhebung des Hauptthemas, seinem besseren Verständnis und seiner allg. Ausweitung dient (z.B. Thekla und Max Piccolomini in SCHILLERS *Wallenstein*), bei fehlendem Sinnzusammenhang dagegen bes. im Drama den Gesamteindruck beeinträchtigt. Als eigene Literaturform für die E. erscheint die Novelle (bei SCHNITZLER u.a.) mit tieferer Sinndeutung des Lebens aus scheinbaren Zufälligkeiten. Episodische Struktur kann ganze Werke bestimmen, z.B.MANZONIS *I promessi sposi*, SCHNITZLERS Einakterzyklen *Anatol* und *Reigen*. Episodenstück heißt in Film, Funk und Fernsehen eine Reihe nur durch gemeinsames Thema verbundener Einzelszenen, die versch. Autoren und Regisseure zum Rahmenthema beitragen.

U. Wertheim, Fabel u. E. i. Dramatik u. Epik, NDL 12, 1964. →Epeisodion.

Episodenstück →Episode

Epistel (griech. *epistole,* lat. *epistula =*) →Brief, 1. allg., bes. 2. die Apostelbriefe des NT. und deren zur sonntägl. Verlesung bestimmte Abschnitte (→Perikopen), daher häufig im Sinne von Mahnschreiben, Strafpredigt u.ä., 3. als Dichtform die poet. E. (Briefgedicht) in Versen (Hexameter, Distichen, dt. Jambus, franz. Alexandriner), meist lehrhaften moral., philosoph. oder ästhet. Inhalts in epischer (Ereignisdarstellung) oder lyrischer (Empfindungen, Bekenntnisse) Form, familiärem Plauderton und stets an e. bestimmte reale oder fiktive Person gerichtet (HORAZ, *Epistula ad Pisones = Ars poetica*), häufig mit Nähe zu Elegie (OVID, *Epistulae ex Ponto*) und Satire. Über PETRARCA,

ARIOST, GARCILASO DE LA VEGA *(Epistula moral a Fabio),* J. DONNE, A. POPE, JONSON, DRYDEN, CONGREVE, C. MAROT, BOILEAU und VOLTAIRE bis ins 20. Jh. üblich (GOETHES E.n, AUDEN, *Letter to Lord Byron,* BRECHT, *E. an die Augsburger).* Sonderform: →Heroiden.

H. Peter, D. Brief i. d. röm. Lit., 1901; E. L. Rivers, *The Horatian E. and its Introduction into Spanish Lit.* (*Hispanic Review* 22, 1954); J. A. Levine, *The Status of the Verse E. before Pope (Studies in Philology* 59, 1962); G. Rückert, D. E. als lit. Gattg., WW 22, 1972; M. Motsch, D. poet. E., 1974.

Epistolar(ium), Verzeichnis aller bei der Messe zu lesenden Stellen der Bibel außer denen der Evangelien (→Evangelistar) in der Folge des Kirchenjahres; hauptsächlich aus den Apostelbriefen (→Episteln), daher Name.

Epistolographie (griech. *epistole =* Brief, *graphein =* schreiben), 1. allg. das Briefeschreiben, sodann – 2. Sammelbz. für die erhaltenen Briefe einer bestimmten Zeit, – 3. die Lehre und Kunst des Briefeschreibens, in der Antike Teil der Rhetorik, im MA. als Ars dictandi gelehrt, in der Neuzeit durch →Briefsteller.

Epistrophe (griech. = Herumdrehen, Wiederkehr) = →Epiphora.

Epitaph (griech. *epitaphios* = zum Begräbnis gehörig), 1. ›epitaphios logos‹ = →Leichenrede, in Athen bei der öffentl. Bestattung der für das Vaterland gefallenen Bürger im Auftrage des Staates von e. bestellten Redner gehalten, z.B. der e. l. des PERIKLES aus dem Jahre 431 v.Chr. (THUKYDIDES II, 34–36) und der des GORGIAS als Musterrede; 2. Grabinschrift, in der Antike meist →Epigramm; auch allg. ein poet. Nachruf; 3. e. mit Inschrift versehenes Grabmal.

R. Lattimore, *Themes in Greek and Latin E.s*, Urbana [2]1962; W. Segebrecht, Steh, Leser, still!, DVJ 52, 1978; ders., Poet. Grabschriften d. 17. Jh., LfL 1981; I. Reid, *Genre and framing*, Poetics 17, 1988.

Epitasis (griech. = Anspannung), nach DONAT Mittelteil des Dramas, die zur Verwicklung sich steigernde dramatische Handlung, Schürzung des Knotens, Höhepunkt der Spannung und →Peripetie, bes. im →Dreiakter.

Epithalamium (lat., v. griech. *epithalamion* = zum Brautgemach, *thalamos*, gehörig), Hochzeitslied, -gedicht, urspr. bei Griechen und Römern aus Volksbräuchen hervorgegangen und von jugendl. Chören zu Ehren der Neuvermählten vor deren Schlafgemach gesungen, meist in äolischen Versmaßen oder Hexametern und mit Refrain; in der Antike von SAPPHO (Fragm. 91–95), THEOKRIT (*Id.* 18), CATULL (61. 62. 64), STATIUS (*Silvae* I, 2), AUSONIUS, CLAUDIAN u.a.m. gepflegt, in der Renaissance erneuert bei TASSO, MARINO, RONSARD, BELLEAU, DU BELLAY, SPENSER *(E.)*, SIDNEY, DONNE, JONSON, HERRICK, CRASHAW, DRYDEN u.a., im 19. Jh. bei SHELLEY, COLERIDGE, TENNYSON, APOLLINAIRE. →Feszninnen, →Hymenaeus.

A. L. Wheeler, *Tradition in the E.* (*American Journal of Philol.* 51, 1930); A. Gaertner, D. engl. E.-lit. i. 17. Jh., 1936; R. Muth, Hymenaios u. E. (Wiener Stud. 67, 1954); V. Tufte, *The poetry of marriage*, L. A. 1972.

Epitheton (griech. = das Hinzugefügte, Zusatz, Beiwort), einem Substantiv oder Eigennamen attributiv beigefügtes Adjektiv oder Partizip zur näheren Erläuterung, Veranschaulichung und Umgrenzung der Person oder Sache, das dieser zunächst eine eigene, unverwechselbare Kennzeichnung gibt; bes. in zwei verschiedenen Formen: 1. typisie-

rendes E., in lat. Rhetorik ›E. ornans‹ (= schmückend) genannt, ständige formelhafte Wiederkehr als stehendes Beiwort; es erscheint, bes. in antiker Dichtung, gewohnheitsgemäß z. T. selbst in sinnwidrigem Zusammenhang. Ein Wandel der Welt- und Lebensauffassung kann es verändern; so heißt z. B. das E. für ›Mond‹ im Rokoko ›silbern‹, in der Romantik ›golden‹, im Impressionismus ›bleich‹. Als Beispiele zeigt die volkstüml. Dichtung stehende Verbindungen wie ›rotes Blut, grüner Wald, tapferer Held, scharfes Schwert‹ u.a.m. Bes. Verwendung findet es im Epos als bewußtes und mit tiefem Feingefühl passend gewähltes Stilmittel: ›der listenreiche Odysseus‹ (HOMER), ›der treffliche Hauswirt‹ (GOETHE, *Hermann und Dorothea*). – 2. individualisierendes E. gibt die Einmaligkeit der bezeichneten Eigenschaft durch e. der jeweiligen Situation genau angemessene Nebendarstellung wieder und erreicht durch bewußte Seltenheit der Anwendung stärkere Betonung; seine verfeinerte Auswahl ist kennzeichnend für die Kunstdichtung, z.B. ›gähnende Tiefe‹, ›gesellige Wolken‹; schon in der Renaissance von RONSARD u.a. gefordert und im Barock von OPITZ (*Poeterey*, 1625) zur Nachahmung zwecks Bereicherung der Kunstsprache empfohlen, setzt es sich jedoch erst seit GOETHE in großer Form durch; JEAN PAUL, BRENTANO und HEINE erzeugen durch Setzung unerwarteter E.a. (→Oxymoron) witzige Effekte; die franz. Romantiker entwickeln die ›audition colorée‹ unter Zuhilfenahme von →Synästhesien; reiche Verwendung findet das individualisierende E. im Impressionismus. – Hinsichtlich der Stellung ist das vorangehende E. das häufigste: OPITZ wendet sich gegen die Nachstellung, die für volkstüml.

Dichtung charakteristisch ist (›Röslein rot‹, GOETHE; ›ein Mädchen schön und wunderbar‹, SCHILLER).
A. Filipsky, D. stehende Beiwort i. Volksepos, 1886; W. Hawel, D. schmükkende Beiwort i. d. mhd. volkstüml. Epen, Diss. Greifswald 1908; K. H. Meyer, Unters. z. schmückenden Beiwort i. d. ält. griech. Poesie, Diss. Gött. 1913; RL; M. Parry, L'épithète traditionelle dans Homère, 1928; W. Whallon, The Homeric E. (Yale Classical Studies 17, 1960).
→Stil.

Epitomạtor, Verfasser e. →Epitome.

Epitome (griech. = Ausschnitt), kurzer Auszug (Inhaltsangabe) aus e. größeren Schriftwerk (→Periochen zu LIVIUS) oder e. Wissensgebiet, Zusammenfassung der Wissenschaft, geschichtl. Abriß (FLORUS, EUTROPIUS); Kurzfassung eines lit. Werkes; in hellenist., spätröm. (E. des Alexanderromans) und humanist. Lit. beliebt.

Epitrịt(us) (v. griech. *tritos* = der dritte), vierteiliger griech. Versfuß von 7 Moren Länge, bestehend aus drei Längen und einer Kürze, in der Grundform: $\smile\angle\angle\angle$ (trochäisches Metrum mit Schlußlänge); je nach Stellung der Kürze an 1., 2., 3. oder 4. Stelle unterscheidet man 1.–4. E. oder E. primus, secundus, tertius, quartus, von denen der 1. und 4. E. als unrhythmisch galten. Verwendung meist in Verbindung mit Daktylen: →Daktyloepitrit.

Epizeụxis (griech. = Hinzufügung) = →Epanalepse

Epochalstil, abstrahierende Sammelbz. für diejenigen Stilelemente einer Epoche, die über die individuellen Stilformen der einzelnen Autoren hinaus das gemeinsame Stilbild der Epoche prägen, z.B. rhetor.-manierist. Züge oder Topoi des Barock, Sprachverkürzung und Eksta-

tik des Expressionismus u.ä. Bei der Stiluntersuchung älterer Literaturwerke ergibt erst der Abzug von Elementen des E. die Möglichkeit zur Charakteristik des Persönlichkeits- oder →Individualstils; dabei bleibt zu berücksichtigen, daß jeder E. jedoch erst von den Neueren geprägt und von deren Nachfolgern zum E. entfaltet wurde.
P. Por, Epochenstil, 1982.

Epoche (griech. *epoche* = Haltepunkt, Zeitpunkt e. bedeutsamen Ereignisses als Ausgangspunkt e. neuen Entwicklung), heute allg. Zeitraum, Periode, in der Lit.-geschichte die einzelnen, aufeinanderfolgenden Zeiträume der lit. Entwicklung, die sich auf Grund e. Reihe von Gemeinsamkeiten gleichzeitiger Dichtungen als Abstraktionen ergeben und, für jeden Sprachraum unterschiedlich, innerhalb größerer Kulturgemeinschaften Verwandtschaften aufweisen. Die sinngemäße Abtrennung und Zusammenfassung der E. erweist sich als theoretisch wie praktisch äußerst schwieriges Problem; genaue Scheidung der einzelnen E. ist bei der Fülle der Individualitäten und dem in ständigem Fluß begriffenen, Älteres weitertragenden und Neues vorausdeutenden Ablauf der Geistes- und Kunstgeschichte mit ihren Überschneidungen, Verflechtungen und den individuellen Sonderentwicklungen der Großen unmöglich oder erscheint zunächst als bedenkliche, wenn nicht gar als naive Willkür. Vermeidung größerer Gruppenbildung bietet das →annalistische Prinzip, jedoch bedeutet diese Beschränkung gleichzeitig e. gewissen Verzicht auf gliedernde Überschau. Die ital. Geschichtsschreibung benutzt die ›mechanische‹ Gliederung in Jhh., die engl. z.T. die Regierungszeiten der Herrscher (elisabethanische, viktorianische E.); in Dtl. hat man sich im 20. Jh. mehr von der Abhängigkeit an von außen herangetragene E.begriffe gelöst und kultur-, kunst- und geistesgeschichtliche Strukturen der E.bildung zugrunde gelegt, die jedoch noch häufig bis zur Bezeichnung hin umstritten sind und nur als histor. Hilfskonstruktionen zur Ortung und Einordnung des einzelnen Autors oder Werkes bzw. seiner Sonderart dienen können.

R. M. Meyer, Prinzipien wiss. Periodenbildg., Euph. 8, 1901; G. v. Below, Üb. histor. Periodisiergn., 1925; F. Neumann, D. Gliederg. d. dt. Lit.gesch. (Fs. J. Volkelt, 1926); H. Cysarz, D. Periodenprinzip i. d. Lit.wiss. (in: Philos. d. Lit.wiss., hg. E. Ermatinger 1930); R. H. Fife, Epochs in German Lit., GR 14, 1939; H. P. H. Teesing, D. Probl. d. Perioden i. d. Lit.gesch., Groningen 1949; J. Hermand, Üb. Nutzen u. Nachteil lit. E.begriffe, MH 58, 1966; Periods in German Lit., hg. J. M. Ritchie, Lond. 1966; RL²: Periodisierung; H. Kreuzer, Z. Periodisierg. d. mod. dt. Lit. (Basis 2, 1971); C. Guillén, Second thoughts on lit. periods (in: Lit. as system, Princeton 1971); H. Remak, The periodization of 19th cent. German lit. (Dichter u. Leser, 1972); H. Diller, Stud. z. Periodisierg., 1972; E. Ribbat, E. als Arbeitsbegriff d. Lit.gesch. (Historizität i. Sprach- u. Lit.wiss., hg. W. Müller-Seidel 1974); J. Hermand, D. Streit um d. E.nbegriffe (Akten d. 5. internat. Germanisten-Kongr., 1976); Renaissance, Barock, Aufklärg., hg. W. Bahner 1976; H. D. Schäfer, Z. Periodisierg. d. dt. Lit. seit 1930 (Lit.magazin 7, 1977); Comparative lit. today, hg. E. Kushner 1979; W. Falk, Stil u. E., JIG 12, 1980; W. F. Eggers, The idea of lit. periods, CLS 17, 1980; C. Träger, Z. Stellg. u. Periodisierg. d. dt. Lit. i. europ. Kontext, ZfG 2, 1981; M. Brunkhorst, D. Periodisierg. i. d. Lit.gesch.schreibg. (Vergl. Lit.-wiss., hg. M. Schmeling 1981); M. S. Batts, Periodization in early hist. of Germ. lit., Seminar 18, 1982, Spr. u. Lit. i. histor. Prozeß I, hg. T. Cramer 1983; M. Titzmann, Probl. d. E.begriffs (Klassik u. Moderne, Fs. W. Müller-Seidel 1983); J. Grimm, Theorie u. Praxis d. lit. Periodisierg. (Romanist. Zs. f. Lit.-gesch. 8, 1984); E.schwellen u. E.strukturen, hg. H.-U. Gumbrecht 1985; E.schwelle u. E.bewußtsein, hg. R. Herzog 1987; R. Rosenberg, E.gliederg., DVJ 61, 1987 Sonderh.

Epochenstil →Epochalstil

Epọde (griech. *epodos* = Schluß-, Nachgesang), 1. periodische E.: in 3-teilig aufgebauten altgriech. Chorliedern und Hymnen die auf die gleichmäßig gebauten Rhythmen von →Strophe und Antistrophe folgende, abweichend gebaute 3. Strophe, entsprechend dem →Abgesang der dt. →Meistersangstrophe. – 2. stichische E. (griech. *stichos epodos* = nachgesungener Vers): in der Lyrik e. Kurzvers, der in regelmäßigem Wechsel auf e. längere Zeile folgt, oft jamb. Trimeter und Dimeter o. ä. Wechsel längerer und kürzerer Verszeilen mit Ausnahme des Distichons. – 3. Dann Strophen und schließlich Gedichte in solchen Metren; von ARCHILOCHOS um 650 v. Chr. erfunden, im Hellenismus aufgelebt und durch HORAZ' E.n (von ihm selbst nur ›iambi‹ genannt) in die röm. Lit. eingeführt.

Epopọe (griech. *epopoiía* = episches Dichtwerk), veraltete Bz. für →Epos, im engeren Sinn bes. Götter- und Heldenepos. Entsprechend Roman-E. seltene Bz. für einen monumentalen panoram. Gesellschaftsroman.

Epos (griech. = Wort, Erzählung; auch Vers, →Daktylus), frühe und dichterisch am meisten durchgestaltete Großform der →Epik in gehobener Sprache und stets gleichbleibenden, gemessen fortschreitenden Versen oder Strophen (grundsätzlich ist jedes Maß möglich; die ep. Wirkung beruht weniger auf dem Versmaß wie Hexameter, Alexandriner, Blankvers u. a., sondern auf dem durch die dauernde Wiederholung erzeugten Gleichmaß), durch die gebundene Rede wie die Öffentlichkeit des feierl. mündl. Vortrags durch Rhapsoden vom (späteren) privat gelesenen Roman, durch größeren Umfang und Monumentalität des Stils u. der Darstellung (→epische Breite, →epische Wiederholungen, →Epitheta, feststehende Formeln, wiederkehrende Szenen) von der kürzeren Ballade unterschieden; stofflich meist in den Schicksalskämpfen und Taten der Götter- und Heldensagen (heroische Dichtung), Mythen u. ä. angesiedelt oder große histor. Ereignisse und Persönlichkeiten verherrlichend, bietet es jeweils die idealisierte Lebensform der Zuhörerschaft, daher durch Steigerung (Pathos) des Gehalts über das Alltägliche zur Allgemeingültigkeit charakterisiert – im Ggs. zur →Idylle. Im Laufe der Entwicklung formen sich versch. Arten des E. aus. Die Romantik (bes. J. GRIMM) unterschied das →Volks-E. (→Helden-E.) als ›sich selbst dichtendes‹ Werk aus der Quelle anonymer heim. Überlieferung mit unreflektierter, ursprüngl. empfindender Volksphantasie und naiv wirkenden Elementarkräften (Liebe, Haß) vom bewußt geschaffenen und die Schöpferindividualität widerspiegelnden →Kunstepos, das meist mit lit. Reflexion über die eigene Geschichte auftritt. F. A. WOLF und K. LACHMANN erklärten die großartige Leistung alter Epen aus der →Liedertheorie. Die mod. Forschung lehnt meist beide Theorien zugunsten selbständiger Schöpfungen von (anonymen) Einzeldichtern ab. Eine Sonderentwicklung nimmt das →komische E. als Parodie der erhabenen Form durch niedere Stoffe, ferner das Tier-E. (→Tierdichtung). Seit dem Untergang rhapsod. Vortragsweise und der Erweiterung des Lesepublikums wie Einbeziehung niederer Stoffkreise wird die hohe Kunstform des E. mit ep. Breite, sprachl. Überhöhung und metr. Bindung z. T. als unangemessen oder unnötig schwerfällig angesehen und durch den Prosa-→roman

verdrängt, der jedoch in äußerer wie innerer Form e. eigene Gattung darstellt und nicht als letzte Stufe des E. anzusehen ist: objektive Gegenstandswelt mit Einheit von Realem und Idealem im E. stehen gegenüber der subjektiven Problemstellung, Psychologie und Gefühlshaltigkeit des Romans. Versuche zu e. Erneuerung des E. in neuester Zeit scheitern am Fehlen e. adäquaten Aufnahmefähigkeit u. -bereitschaft des Publikums, eines allg. verbindlichen Lebensideals und an der Schwierigkeit, Gegenwartsstoffe in die gehobene Kunstform zu steigern.

Das Volksepos bildet sich in der Frühzeit aller Völker aus und zeigt seine urspr. Gestalt in allen Parallelschöpfungen in ähnlicher Weise. Am Anfang der oriental. Epik steht das *Gilgamesch-E.* aus dem 3. Jahrtausend v. Chr. Große Epen entstehen in Indien im *Mahâbhârata* (5. Jh. v. bis 4 Jh. n. Chr.), trag. E. vom Kampf zweier Heldengeschlechter göttl. Abkunft und im *Râmâyana* (4. Jh. v.–2. Jh. n. Chr., von VÂLMÎKI u. a.?), Kampf des Helden Râma um seine geraubte Gattin. Ansätze e. hebr. E. sind in der Simson-Sage (*Richter* 13–16) erhalten. In Persien sammelte FERDAUSÍ um 1010 n. Chr. im *Schâh-Nâmé (Königsbuch)* die alten Sagen und Mythen vom Kampf des Lichtes, verkörpert in Ormudz und Rustem, mit dem finsteren Ahriman. Im Anschluß daran schuf RUSTHAVELI im 12. Jh. das georg. National-E. *Vephchis Tkaosani (Der Mann im Pantherfell).* Bei den Serben entsteht das Volks-E. vom Königssohn Marko und seinem Kampf gegen die Heiden. In Finnland gruppiert sich die Überlieferung um die Gestalt des Volkshelden *Kalevala,* während der russ. Lit. e. geschlossenes umfangreiches Volksepos fehlt und nur einzelne Heldenlieder (*Igorlied,* um

1200, e. höf. E., →Bylinen) um Wladimir und den Bauernsohn Ilja als Verkörperung des Volkslebens erhalten sind.

Am Anfang der abendländ. Epentradition stehen HOMERS Hexameterdichtungen *Ilias* und *Odyssee* (um 700 v. Chr.), als höchste Verkörperungen ep. Weltsicht alle späteren Dichtungen beeinflussend und noch immer Ausgangspunkt jeder theoret. Betrachtung des E. Unter dem Namen HOMERS überliefert wurde noch e. Reihe anderer Epen, deren Verfasserschaft man heute den →Kyklikern beilegt; unter ihnen leitet das kom. Tier-E. *Batrachomyomachia (Froschmäusekrieg)* als →Parodie der *Ilias* diese im MA. beliebte Gattung ein. Etwa 100 Jahre später entstehen in Anlehnung an HOMER die Dichtungen HESIODS, von den Griechen auf Grund der Hexameter-Form ebenfalls als Epen bezeichnet, nach heutiger Auffassung →Lehrgedichte wie auch die Werke von ARATOS und LUKREZ. Mit dem Aussterben des Mythos und dem Erwachen des Geschichtsbewußtseins geht das Volks-E. in Kunst-E. über, das – in ständiger Auseinandersetzung mit dem Vorbild HOMER – erst nach ausführl. antiquar. Studien über Mythen, alte Lebensformen, Sprache usw. gestaltet wird. KALLIMACHOS fordert in Erkenntnis der fehlenden Voraussetzungen für e. großes E. das →Epyllion. Von den nachhomer. Epikern (PEISANDROS, PANYASSIS, CHOIRILOS, ANTIMACHOS) ist nur die *Argonautika* des APOLLONIUS RHODIUS erhalten; nachchristl. Epiker waren Quintus SMYRNAEUS, NONNOS *(Dionysiaka)*, MUSAIOS *(Hero und Leander)*, PRUDENTIUS *(Psychomachia)* u. a.

In Rom kam es nicht erst zur Ausbildung e. Volks-E., die Ependichtung steht hier von Anbeginn unter dem Vorbild der Griechen: Übertragung der *Odyssee* in Saturnier durch LIVIUS ANDRONICUS, 240 v. Chr., Behandlung neuerer histor. Stoffe als myth. Ahnenpreis in NAEVIUS' *Bellum Poenicum* und ENNIUS' *Annales* in Hexametern. Den Höhepunkt bringt VERGILS *Aeneis* (29–19 v. Chr.) als röm. Nationalepos aus der Vereinigung histor. und myth. Elemente, aufgebaut auf der Rom-Idee des Augustus. Mehr als seine didakt. *Georgica* wurde die *Aeneis* nunmehr – zufolge der Verbreitung lat. Sprache – Vorbild aller folgenden Epen, bes. im MA. Spätere lat. Epiker waren LUKAN *(Pharsalia)*, STATIUS *(Thebais, Achilleis)*, SILIUS ITALICUS *(Punica)* und als erster christl. Vertreter IUVENCUS (4. Jh.).

Bei den german. Völkern erwachsen aus den Sagenkreisen der Völkerwanderungs- und Christianisierungszeit eigenständige anonyme →Heldenepen: *Edda* in Island, *Beowulf* in England, *Nibelungen, Kudrun, Dietrich* und der lat. *Waltharius* in Dtl.; Einformung christl. Inhalte in german. Form bietet der *Heliand*. In den roman. Ländern entstehen zuerst aus dem Glaubenskampf gegen den Islam die franz. →Chansons de geste und der durch sie beeinflußte span. *Cid* (1140); hier zeigt sich bereits der Übergang zum →höfischen E. des Hoch-MA. (CHRESTIEN DE TROYES, WOLFRAM, GOTTFRIED, HARTMANN, HEINRICH VON VELDEKE), z. T. in Anlehnung an kelt. Sagenkreise (König Artus, Gralssage) und auch zur Verserzählung sowie dem Abenteuer-E. der →Spielmannsdichtung, die zur Prosaauflösung überleitete. Mit der Renaissance beginnt e. neue große Blüte des E. als Zeichen der höf. Kultur Italiens: an der Schwelle steht DANTES *Divina Commedia* (1307–21), die in Terzinen der

Volkssprache noch einmal e. Himmel, Fegefeuer und Hölle umfassendes christl. Weltbild gibt und gleichzeitig VERGIL huldigt; es folgen L. PULCIS *Morgante* (1483) und M. BOIARDOS *Orlando innamorato* (1479–94), Vorstufe zu ARIOSTS *Orlando furioso* (1516), schließlich TASSOS *La Gerusalemme liberata* (1575). Das portug. National-E. erscheint 1572 in CAMÕES' *Lusiadas* gleichzeitig mit P. de RONSARDS vergebl. Versuch e. franz. Nationalepos *La Franciade* (1572) und dem bedeutendsten span. Kunst-E., *La Araucana* (1569–89) von A. de ERCILLA Y ZÚÑIGA; in England beginnt SPENSER 1590 nach dem Vorbild ARIOSTS das allegor. E. *Faerie Quenne*. Mit zunehmender Subjektivität der Seelenhaltung und der Auflösung des stoffl. beherrschenden Rittertums klingt die Blütezeit des E. ab; es lebt nur noch in theoret. Beschäftigung fort; in Humanismus und Barock dient die Form zur Einkleidung von Satire, erbaul. Stoffen (Heiligenleben), Schlachtenberichten u. ä., in der Aufklärung als Lehrgedicht.
Eine letzte Stufe des E. wird erreicht in der bewußten Hervorholung der bereits ungewöhnlich gewordenen Gattung durch einzelne Dichter als Protest gegen die Verflachung der poet. Formen im nivellierenden Roman, so in MILTONS religiös-pathet. *Paradise Lost* (1667) in Blankversen und seinen Nachfolgern in den →Patriarchaden, DRYDEN, POPE, in Frankreich VOLTAIRES *Henriade* (1728); in Dtl. steht im Aufklärungszeitalter KLOPSTOCKS pietist. *Messias* (1748–73, Hexameter), begeistert aufgenommene Neuerweckung der ep. Form, gegenüber der rokokohaft-galanten Ritter- und Feenwelt von WIELANDS *Oberon* (1780, Stanzen). Angeregt durch Voss' idyll. E. *Luise* (1795)

schreibt GOETHE, bewußt homerisierend, *Hermann und Dorothea* (1797, Hexameter) und verknüpft die erhabene Formtradition des E. ohne myth. Hintergrund mit mod., bürgerl. Geist und idyll. Inhalten; in seiner Nachfolge steht noch HEBBELS *Mutter und Kind* (1857), soziale Themen bringt REUTERS *Kein Hüsung* (1857/59). Die Erneuerung alter Stoffe und Dichtformen in der Romantik bringt zunächst Bearbeitungen und Übersetzungen älterer Epen (SIMROCK, HERTZ, JORDAN u. a.) bzw. Volksmärchen (BAUMBACHS *Zlatorog*, oriental. in PLATENS *Abbassiden*) oder nach roman. Vorbild locker gefügte Romanzenkränze im Anschluß an HERDERS *Cid*-Übertragung: BRENTANO, LENAU (*Savonarola*, 1837; *Die Albigenser*, 1842).
In England schreibt KEATS *Hyperion* und BYRON seine romant.-iron. Epen *Childe Harold* (1812–17) und *Don Juan* (1819–24), ihm folgen M. ARNOLD, BROWNING, TENNYSON u. a., in der franz. Romantik VIGNY, LAMARTINE und V. HUGO; in Spanien entspricht ihm J. de ESPRONCEDA (*El Diablo Mundo*, 1841), in Schweden verfaßt E. TEGNÉR die *Fritjofssaga* (1825), in Rußland begründet PUŠKIN mit dem Epos auf Peter den Großen (*Der eherne Reiter*, 1833) e. russ. histor. E.; ihm folgt der Pole A. MICKIEWICZ mit heroischen Gesängen um die Niederlage des Deutschordens und *Pan Tadeusz* (1834) als östl. Gegenstück zu *Hermann und Dorothea*. Neben der eigenständigen Gattung des →komischen E. verbreitet sich in Anlehnung an den histor. Roman des 19. Jh. noch e. Reihe histor. Epen, von denen sich jedoch nur wenige gehalten haben: A. MEISSNERS *Ziska* (1846), SCHEFFELS *Trompeter von Säckingen* (1854), HAMERLINGS *König von*

Sion (1869), C. F. MEYERS *Huttens letzte Tage* (1871), WEBERS *Dreizehnlinden* (1878) u. a. m. Nach Vorgang von BYRON und HAMERLING (*Ahasverus in Rom*, 1866) gelingt SPITTELER noch einmal die Darstellung e. myth. geschlossenen Weltanschauung im philos. E. (*Prometheus und Epimetheus*, 1881, bes. *Olympischer Frühling*, 1900-1906); zwar entstehen noch im 20. Jh. Epen wie HAUPTMANNS idyll.-philos. E. vom Landleben *Anna* (1922) und sein philos.-volkstüml. *Till Eulenspiegel* (1927) mit der Gestaltung mod. Probleme, idyll. Epen wie LILIENCRONS *Poggfred* (1896), DEHMELS soziales und erot. E. *Zwei Menschen* (1903) und bes. WILDGANS' kulturkrit. E. *Kirbisch* (1927), ferner A. SCHAEFFERS *Parzival* (1922), Paul ERNSTS *Kaiserbuch* (1923 ff.), DÄUBLERS *Nordlicht* (1910) und DÖBLINS *Manas* (1927), allein die Form lebt nicht wieder auf.

Die Theorie des E. beschränkte sich bis ins 19. Jh. auf das Vorbild VERGILS, bestenfalls noch HOMERS, und sah in der Erfüllung ihrer Normen die Meisterung der Gattung; auch LESSING (*Laokoon* 16) greift auf ihn zurück. Tiefbedeutsame Erkenntnisse vom Wesen des E. enthält der SCHILLER-GOETHE-Briefwechsel und dessen Zusammenfassung in GOETHES Aufsatz *Über epische und dramatische Dichtung* (1797); der Unterschied zum Drama wird durch die Möglichkeiten des jeweiligen Vermittlers, Rhapsode bzw. Mime, dargetan. W. v. HUMBOLDT betrachtet die Möglichkeiten neuerer Epik in *Über Goethes Hermann und Dorothea* (1799); seine Forderung e. bürgerl. statt heroischen E. führt zur Idylle und bedeutet die Auflösung der alten Form von innen heraus. In der Romantik bemühen sich bes. die Brüder SCHLEGEL um

Erfassung des Wesens früherer Epen. HEGELS Auffassung von der Ablösung des E. durch den Roman als mod. ›bürgerliche Epopöe‹ bewahrheitet sich im Laufe des 19./20. Jh., und damit verklingt mehr oder weniger die theoret. Beschäftigung mit Nähe zur Praxis.

J. Clark, *History of Epic Poetry*, 1900; F. Panzer, D. altdt. Volks-E., 1903; K. Furtmüller, D. Theorie d. E., 1903; A. Heusler, Lied u. E. i. germ. Sagendichtg., 1905, [3]1960; W. P. Ker, *Epic and romance*, Lond. 1908, n. 1957; J. Meier, Wesen u. Leben d. Volks-E., 1909; G. Finsler, Homer i. d. Neuzeit, 1912; W. Flemming, E. u. Drama, ZfÄ 9, 1916; R. Meszleny, C. Spitteler u. d. nhd. E., I, 1918; J. Fränkel, D. E., ZfÄ 13, 1918; E. Hirt, D. Formgesetze d. ep., dram. u. lyr. Dichtg., 1923; E. Weber, Gesch. d. ep. u. idyll. Dichtg., 1924; G.. Murray, *The rise of the Greek epic*, Oxf. 1934, [5]1960; H. Schneider, D. germ. E., 1936; M. Wilmotte, *L'épopée française*, Paris 1939; P. A. Becker, V. Kurzlied z. E. (Zs. f. franz. Spr. u. Lit., 1940); E. Busch, D. Verhältn. d. dt. Klassik z. E., GRM 29, 1941; W. Wehe, D. moderne Vers-E. (Zs. f. dt. Geisteswiss. 4, 1942); H. T. Swedenberg, *The theory of the epic in Engl.*, 1944; C. M. Bowra, *From Virgil to Milton*, Lond. 1945, [2]1962; W. Matz, D. Vorgang i. E., 1947; H. Maiworm, D. Wiederbelebg. d. dt. E. i. 18. Jh., Diss. Tüb. 1949; J. Crosland, *Old French Epic*, Lond. 1951; H. Halbach, H. Maiworm in ›Aufriß‹; K. Wais, Frühe E. Westeuropas I, 1953; E. v. Richthofen, *Estudios epicos medievales*, Madrid 1954; E. M. W. Tillyard, *The Engl. epic*, Lond. 1954, [2]1966; R. A. Sayce, *The French bibl. epic in the 17th cent.*, Oxf. 1955; RL; E. M. W. Tillyard, *Seven Engl. E. writers*, Lond. 1958; M. Menéndez Pidal, *La epopeya castellana*, Madr. 1959; F. Pierce, *La poesia epica del siglo d' oro*, Mail. 1960; V. M. Schirmunski, Vergl. Epenforschg., 1961; D. M. Foerster, *The fortunes of epic poetry*, 1962; D. Haenicke, Unters. z. Vers-E. d. 20. Jh., Diss. Mchn. 1963; C. M. Bowra, Heldendichtg., 1964; A. B. Lord, D. Sänger erzählt, 1965; L. Pollmann, D. E. i. d. roman. Lit., 1966; L. B. Smith, *The Elizabethan epic*, Lond. 1966; A. S. Cook, *The classic line*, Bloomington 1966; K. Ziegler, D. hellenist. E., [2]1966; H. J. Schuler, *The german epic epic i. the 19th and 20th cent.*, Haag 1967; H. Maiworm, Neue dt. Epik, 1968; G. Dumézil, *Mythe et épopée*, Paris 1968-73; D. dt. Vers-epos, hg. W. J. Schröder 1969; S. Koster, Antike Epentheorien, 1970; T. A. Vogler,

Preludes to vision, Berk. 1971; P. Merchant, *The epic,* Lond. 1971; D. ma. E., hg. F. Wagner 1973; *The epic in medieval society,* hg. H. Scholler 1977; H. Görgemanns u.a., *Studien z. antiken E.,* 1977; E. R. Haymes, D. mündl. E., 1977; K. Werner, D. Gattg. d. E. nach ital. u. frz. Poetiken d. 16. Jh., 1977; W. Schetter, D. röm. E., 1978; D. röm. E., hg. E. Burck 1979; J. Grisward, *L'archéologie de l'épopée médiévale,* Paris 1981; H. Bartels, E., 1982; H. Koopmann, V. E. z. Roman (Fs. R. Wellek, 1984); W. Calin, *A muse for heroes,* Toronto 1984. →Epik, →Poetik, →Gattungen.

Epyllion (griech. Kunstwort, geprägt von M. HAUPT als Diminutivform von Epos), Kleinepos, vom Haupt der alexandrin. Dichter, KALLIMACHOS, anstelle des nicht mehr zeitgemäßen großen heroischen →Epos geforderte ep. Kleinform für Episoden oft myth., erot. oder idyll.-psycholog. Inhalts, Meisterstück des →poeta doctus für e. gelehrtes Publikum mit bis ins kleinste ausgefeilter Form und feinstem Versbau in Hexametern oder Distichen (100–800 Verse). Nach dem Muster von KALLIMACHOS' *Hekale* fand die neue Form weite Verbreitung bei THEOKRIT, MOSCHOS, EUPHORION und bes. den röm. →Neoterikern: CATULL (64: *Peleus und Thetis*), OVID und die Epyllien *Culex* und *Ciris* der *Appendix Vergiliana;* später allg. →Verserzählung.

J. Heumann, *De e. Alexandrino,* 1904; G. May, *De stilo epilliorum Romanorum,* Diss. Kiel 1910; M. M. Crump, *E. from Theocritus to Ovid,* Oxf. 1931; W. Allen, *The E.* (Transactions and Proceedings of the Amer. Philol. Assoc. 71, 1940); ders., *The Non-Existent Classical E.* (Studies in Philol. 55, 1958); V. d'Agostino, *Considerazioni sull'e.* (Rivista di studi class. 4, 1956); K. Gutzwiller, *Stud. in the Hellenistic e.,* 1981.

Erato, griech. →Muse der Liebesdichtung.

Erbauungsliteratur, betrachtende Schriften in volkstüml. Sprache (oft Dialog- oder Briefform) zur privaten relig. Erbauung und Glaubensstärkung weiterer Kreise, Anweisung zu rechtem christl. Leben, Trost in Bedrängnis und Pflege innerlicher Religiosität; bereits im christl. Altertum und MA. in vielen Formen in Vers und Prosa neben den Hl. Schriften verbreitet: Heiligenleben u. -legenden, Schriften CYPRIANS und GREGORS d. Gr., der →Mystiker (Meister ECKART, SEUSE, TAULER, *Theologia Teutsch,* THOMAS A KEMPIS, *De imitatione Christi,* WEIGEL, J. BÖHME), zahlr. ›Seelengärtlein‹, Traktate, Trost- und →Sterbebüchlein; bes. seit der Reformation als ev. E.: LUTHERS *Betbüchlein* (1522), HABERMANNS *Andachtsbücher* (1567), relig. Flugschriften u.a.; dann von neuem durch die engl. Puritaner (BAKER, HALL, AMES, bes. BUNYAN und BAXTER) über den Schweizer und holländ. Calvinismus auf den Kontinent verbreitet, bes. von vielen Schriftstellern des Barock (HARSDÖRFFER, MOSCHEROSCH) ausgebildete lit. Wegweiser zur Religion, prakt. Sittenlehren, Predigtbücher und →Postillen, die bis 1750 e. wesentlichen Teil des dt.-sprachigen Schrifttums ausmachen, z.T. die Belletristik überwuchern und lange Zeit neben Bibel, →Gesang- und →Gebetbuch Hauptlektüre des Volkes bleiben: H. MÜLLERS *Geistliche Erquickstunden,* Ch. SCRIVERS *Seelenschatz,* ZESENS *Des kirchlichen Frauenzimmers Tugendwecker* (1659), bes. J. ARNDTS *Vier Bücher vom wahren Christentum* (1609), *Paradiesgärtlein* (1612) und die *Meditationes* (1612) seines Schülers J. GERHARD unter myst. Einfluß stehen gegen e. seit dem Tridentinum weitverbreitete jesuit. E. Die in England vorgebildete →pietist. Tendenz verstärkt sich im 18. Jh. zu subjektiver Innerlichkeit: TERSTEEGEN, G. ARNOLD, SPENER, FRANCKE, BENGEL, OETINGER, STARK, BOGATZKY u.a. Die Richtung setzt sich mit starker individueller Differenzierung übers 19. (ZSCHOKKE, SPITTA, GEROK) ins 20. Jh. fort: Losungen der Brüdergemeinc, Bibelkalender; auf kath. Seite SAILER, A. STOLZ, R. GUARDINI und P. LIPPERT. Neben religiöser Zweckprosa wurden auch viele Dichtungen, z.B. von SPEE, ANGELUS SILESIUS oder KLOPSTOCKS *Messias* als E. gelesen.

H. Beck, D. E. d. ev. Kirche Dtl.s, I, 1883; ders., D. rel. Volkslit. d. ev. Kirche Dtl.s, 1891; C. Grosse, Die Alten Tröster, 1900; P. Althaus, Forschungen z. ev. Gebetslit., 1927; RL; W. Schmidt, Z. dt. E. d. späten MA. (Altdt. u. altniederl. Mystik, hg. K. Ruh 1964); G. F. Merkel, Dt. E., JIG 3, 1971; Triviale Zonen i. d. relig. Kunst d. 19. Jh., hg. W. Wiora 1971; H. Kech, Hagiographie als christl. Unterhaltgs.lit., 1977; D. Peil, Z. angewandten Emblematik i. prot. E'büchern, 1978; D. Schmidtke, Stud. z. dingallegor. E. d. SpätMA., 1982; B. Mecking, Christl. Biographien, 1983; H.-H. Krummacher (Acta literaria 26, 1984 u. Rhetorik 5, 1986).

Ereignislied, Typ des altgerman. Erzähl- und →Heldenliedes, der ein Geschehen unmittelbar vorführt, entweder doppelseitiges E. als ep.-dramat. Erzählung mit eingebauten Reden der Gestalten (z.B. *Hildebrandslied*), oder einseitiges E. als e. Art →Rollenlied ohne Erzählverse.

A. Heusler, Altgerman. Dichtg., ²1941.

Erfolg, →Bucherfolg,→Bestseller

Er-Form, im Gegensatz zur →Ich-Form die Erzählform in der 3. Person, in der der →Erzähler als Betrachter an der Handlung keinen Anteil hat.

Erfühlung, literaturpsycholog. und Stil-Begriff: das sinnl. Offensein für die Eindrücke der Welt und die Empfänglichkeit für deren Zusammenhänge; stilbildend bes. in Romantik und Impressionismus. Ggs.: →Beseelung, →Einfühlung.

H. Pongs, D. Bild i. d. Dichtg., ²1960.

Erinnerungen →Memoiren

Erinnerungsnovelle, Erzählform, in der e. ältere Rahmenfigur Jugenderlebnisse berichtet; bes. bei Th. STORM: *Im Saal, Immensee* u.a.

Eristik (griech. *eristike techne* =) Streit- und Disputierkunst in spitzfindigem oder polem. Dialog, z.B. in der Sophistik und in Frühdialogen PLATONS *(Enthydemos).*

Erlebnis, der ursprüngliche Bewußtseinsvorgang, in dem der Mensch an e. beliebigen Moment des Lebens e. wesentl. Zug des Daseins, e. Gegenstand, Zustand oder Geschehen in seinem ganzen Bedeutungsgehalt und seiner Sinnschwere erfaßt; es ist gekennzeichnet durch stärkste Gefühlsunmittelbarkeit und -erregtheit, die zwar e. bewußte gedankl. Verarbeitung nicht ausschließt, doch gerade in der erhöhten Intensität des seel. Erlebens, ›Durchlebens‹, und der Gefühlsresonanz beim schöpferischen Menschen zum direkten oder indirekten künstlerischen →Ausdruck drängt und nach mitteilbarer Gestalt verlangt. Das E., überhaupt die feinempfindliche E.fähigkeit, bilden e. Grundvoraussetzung dichter. Schaffens und gehaltl. Vertiefung, auch wenn sich das Ergebnis unterkühlt vom E. distanziert; mit ihm und nicht erst in der →Konzeption oder bereits bewußten Gestaltung liegt oft der Ursprung des entstehenden Kunstwerks; insofern ist jede Dichtung zu e. gewissen Grade E.dichtung. Ausschlaggebend sind nicht Größe und Bedeutung des Geschehens oder äußerer Anlaß überhaupt (Real-E.), auch Traumbilder, Vorstellungen, ersehnte Ziele können zum inneren E. ausreifen (Phantasie-E.). Im Kunstwerk treten sie meist in komplexer Form unter Anteilnahme des Unbewußten auf, und selbst das Real-E. wird vom echten Dichter nach künstler. oder geistigen Erfordernissen umgestaltet, ›verdichtet‹. Infolge der geringen Abhängigkeit des E.es von äußeren Anstößen erweist sich die positivist. biograph. Methode der Ableitung aller den Kunstwerken zugrunde liegenden Impulse und E. aus den bekannten äußeren Lebensvorgängen des Dichters (→Erlebnisdichtung) als Mißgriff, und auch die →psychoanalytische Forschung nach ›verdrängten E.‹ aus wiederkehrenden Motiven und Bildern birgt die Gefahr e. einseitig-äußerl. Beurteilung des Schaffensvorgangs. Als Reaktion auf die Überbetonung des E.-Begriffs durch die Dilthey-Schule wird dessen Relevanz für das dichter. Schaffen heute z. T. abgestritten, wobei übersehen wird, daß das E. nicht nur Gefühl, sondern auch Form-E. oder Erkenntnis als Ergebnis e. inneren Auseinandersetzung sein kann und daher etwa auch für Tendenz- und Auftragsdichtung gilt.

W. Dilthey, D. E. u. d. Dichtg., 1905, ¹⁴1965; O. Walzel, Leben, Erleben u. Dichtg., 1912; R. Müller-Freienfels, Psychologie d. Kunst, 1923; Ch. Bühler, D. E.begriff i. d. modernen Kunstwiss. (Fs. O. Walzel, 1924); J. Körner, E., Motiv, Stoff (ebd.); K. Schultze-Jahde, E. u. Ausdruck, 1929; W. Krogmann, D. Stoffgestaltg. d. Dichters, Archiv 165, 1934; E. Ermatinger, D. dichter. Kunstw., ³1939; RL; H. Seidler, D. Dichtg., ²1965; K. Sauerland, Diltheys E.begriff, 1972; ders., Z. Wort- u. Entstehgsgesch. d. Begriffs E., CG 6, 1972; B. Fairley, E. and all that (in ders., Selected essays, 1984).

Erlebnisdichtung, überholter Begriff der positivist. und geistesgesch. Literaturwissenschaft: Dichtung, die aus dem höchst subjektiven, persönl. →Erlebnis des Autors hervorgeht und dieses in direkt bekennender oder indirekter Form in Dichtung umsetzt. Sie wird erst möglich mit der Emanzipation des Individuums im 18. Jh. (J. C. GÜNTHER, KLOPSTOCK) und gipfelt in GOETHES Liebeslyrik und *Werther*. Unter dem Eindruck von GOETHES direkter Gefühlsaussprache galt der Lit.wiss. um die Jh.wende die Intensität des Erlebnisses ohne Rücksicht auf den Grad lit.-künstler. Objektivierung an sich als höchster Wert, E. daher als Gipfel der Lit., demgegenüber Formkunst und z.B. Gedankenlyrik abgewertet wurden. Die notwendige Ausweitung des Erlebnisbegriffs auf die Tradierung von Form- und Gehaltskategorien aus früheren Epochen (Renaissance, Barock, Rokoko) macht den Begriff E. obsolet, da er prinzipiell auf jede Dichtung anwendbar ist.

Lit. →Erlebnis.

Erlebte Rede, eingebürgerte, wenngleich nicht ganz zutreffende Bezeichnung für franz. ›style indirect libre‹: bes. Art der Wiedergabe von Gedanken, seltener ausgesprochenen Worten e. handelnden Figur in der Epik; nicht als Monolog in →direkter Rede im Präsens (Sie fragte: ›Muß ich wirklich in den Garten?‹) oder als indirekte Rede im Konjunktiv, abhängig von e. übergeordneten Verb (Sie fragte, ob sie wirklich in den Garten müsse), sondern Zwischenform in der 3. Person Indikativ Imperfekt: Mußte sie wirklich in den Garten? (SCHNITZLER). Die inneren Vorgänge werden durch die Perspektive nicht des Erzählers, sondern der sie selbst ›erlebenden‹ Person wiedergegeben, jedoch durch die Verwendung der 3. Person in direktem und dadurch mehr objektiv-unpersönlich erscheinendem Bericht und im Imperfekt dem Erzähltempus angeglichen. Stilwerte sind größere, fast suggestive Unmittelbarkeit des Mitfühlens und die durch beliebigen Wechsel der Perspektiven gegebene größere Beweglichkeit und Eindringlichkeit des Erzählens; das Fehlen e. deutlichen Hinweises auf den Übergang zum Bericht zu e. R. verlangt den Einsatz feinster Sprachmittel und ermöglicht schwebende Halbtöne, gelegentlich auch bewußte Zweideutigkeit auf der Grenze von Erzähler zu Figur. Schon in lat. Lit. z.T. nachgewiesen und in der franz. seit dem 12. Jh. geläufig, findet die e. R. erst im mod. Roman seit Jane AUSTEN und FLAUBERT, bes. aber seit Naturalismus und Impressionismus weite Verwendung: Th. MANN, SCHNITZLER, DÖBLIN *Berlin Alexanderplatz*, R. WALSER; doch ist erst der →innere Monolog Ausgangspunkt für den →stream of consciousness.

T. Kalepky, Zum *style indirect libre*, GRM 5, 1913; E. Lorck, D. E. R., 1921; L. Spitzer, Z. Entstehg. d. sog. e. R., GRM 16, 1924; E. Lerch, Urspr. u. Bedeutg. d. sog. e. R. (ebd.); M. Lips, *Le style indirect libre*, Paris 1926; W. Günther, Probleme d. Rededarstellg., Diss. Bern 1928; F. Todemann, D. e. R. im Span. (Roman. Forschgn. 44, 1930); Th. Heinermann, D. Arten d. reproduzierten Rede, 1931; W. Bühler, D. e. R. i. engl. Roman, 1938; O. Funke, Z. 'e. R.' b. Galsworthy (in: Wege u. Ziele, 1945); W. Neuse, E. R. u. innerer Monolog i. d. erz. Schr. Schnitzlers, PMLA 49; L. Glauser, D. e. R. i. engl. Roman d. 19. Jh., 1949; G. Storz, Üb. d. Monologue intérieur oder die e. R., DU 7, 1955; K. R. Meyer, Z. e. R. i. engl. Roman d. 20. Jh., 1957; A. Neubert, D. Stilform d. e. R. i. neueren engl. Roman, 1957; N. Miller, E. u. verschleierte R. (Akzente, 1958); F. K. Stanzel, Ep. Präteritum, e. R., hist. Präsens, DVJ 33, 1959; W. G. Hoffmeister, Stud. z. e. R. b. Th. Mann u. R. Musil, Haag 1965; D. Cohn, E. R. i. Ich-Roman, GRM 19, 1969; D. Beyerle, E. vernachlässigter Aspekt d. e. R., Archiv 208, 1971 f.; G. Steinberg, E. R. II 1971; P. Hernadi, *Dual perspective*, CL 24, 1972; R. Pascal, *The dual voice*, Manch. 1977; D. Cohn, *Transparent minds*, Princeton 1978; W. Neuse, D. Anfänge d. e. R. u. d. inn. Monologs i. d. dt. Prosa d. 18. Jh. (Theatrum mundi, Fs. H. Lenz 1980); M. v. Roncador, Zw. dir. u. indir. Rede, 1987; J.-M. Martin, Unters. z. Probl. d. e. R., 1987.

Erlösungsspiele →Passions- und →Osterspiele; als Quelle dient bes.

Die Erlösung, Dichtung e. unbekannten Geistlichen nach 1300.

Ermetismo →Hermetismus

Erotiker, Verfasser von →erotischer Literatur, insbes. die der altgriech. Romane und Liebesnovellen.

Erotikon (griech. *erotikos* = erotisch), 1. Liebeslied, vgl. →Liebesdichtung, – 2. Werk der →erotischen Literatur.

Erotische Literatur (Eros = griech. Gott der Liebe), themat. Sammelbz. für Werke aller lit. Gattungen mit stärkerer Betonung des Körperl.-Sinnlichen und Sexuellen in den Geschlechtsbeziehungen jeder Art, mit fließenden Übergängen zur mehr seel.-geistigen und gefühlhaften →Liebesdichtung, in der das Sinnliche kaum Erwähnung findet, einerseits und den rein auf die Beschreibung sexueller Vorgänge als Stimulans abzielenden Werken der →Pornographie andererseits. E. L. ist kein abgrenzbarer Sonderbereich der Lit., da viele große Autoren mit Einzelwerken und viele große Werke in Partien an ihr teilhaben. Im engeren Sinne umfaßt sie solche Werke, bei denen erot. Motive und Themen im Vordergrund stehen. Ihre Verfasser sind bis ins 20. Jh. fast ausschließl. Männer, die männl. Wunschvorstellungen auch auf evtl. weibl. Icherzähler oder Hauptfiguren projizieren. Die Beurteilung der Freimütigkeit in der lit. Darstellung der sinnl. Liebe und ihrer Freuden und Leiden, die die e. L. unbefangen als integrierenden Bestandteil des Körper-Geist-Wesens Mensch sieht, schwankt in den versch. Zeiten, Gesellschaften und Völkern je nach der Toleranzschwelle bzw. der öffentl. Tabuierung der Sexualsphäre; und erst allmählich bricht sich die Erkenntnis Bahn, daß die Verpönung des Erotischen, vorwiegend durch die christl. Kirche, dem natürl. Wesen des Menschen ebensowenig gerecht wird wie dessen teilweise Überbewertung; dennoch wurde e. L. häufig mit obszöner Lit. gleichgesetzt, von der →Zensur verfolgt und flüchtete in Anonyme und Pseudonyme. Wesentliches Kriterium der lit. Wertung ist auch hier allein die Veredelung des Derb-Stofflichen durch e. ästhetisch befriedigende sprachl.-künstler. Umsetzung und Stilisierung; in ihr bekundet sich die moral. Bewältigung des Inhalts und seine Unterordnung unter höhere Werte. Der fragwürdige bibliophile Sammelwert der Erotika beruht demnach nicht auf den offiziell außer Kurs gesetzten lit. Wertungsmaßstäben, sondern auf der Rarität der unterdrückten Objekte und zweifelsohne z. T. auch auf einem durch die Unterdrückung geförderten lit. Voyeurtum. Ihre Bedeutung für psychoanalyt. Erkenntnisse wurde zeitweilig überschätzt, da ihre Überbewertung des Erotisch-Sexuellen ebensowenig zum Maßstab des Normalverhaltens genommen werden kann. Der Hauptanteil der e. L. entfällt auf die roman. Länder (Italien, Frankreich). Wichtigste Werke: Das ind. *Kâmasûtra*, einige chines. Romane (*Chin P'ing Mei*; Li Yü, *You Pu Tuan*), japan. Sittenromane von Ihara Saikaku, das hebr. *Hohelied*, die *Milesischen Geschichten* des Aristeides von Milet (um 100 v.Chr.), erotische Novellen, die als Einlagen (›Milesiaka‹) bei Petronius und Apuleius fortleben; der griech. Liebes- und Abenteuerroman (logos erotikos oder erotikon genannt), der meist von glücklicher Vereinigung des Liebespaares nach Überwindung zahlreicher Hindernisse handelt (Antonius Diogenes, Xe-

nophon von Ephesos, Heliodor, Achilleus Tatios, Longos, *Daphnis und Chloe*); der *Apollonius von Tyros;* die *Hetärengespräche* des Lukian; Dichtungen der röm. Elegiker, bes. Catulls; Ovids *Ars amatoria,* z.T. Martial; arabische Märchen aus *1001 Nacht;* derbe Schwänke des MA.; die franz. →Fabliaux; Boccaccios *Dekameron;* Aretinos *Ragionamenti;* Bandellos Novellen; das *Heptameron* der Marguérite de Navarre, die Sittenschilderungen Brantômes und Béroalde de Vervilles, die *Contes* von Lafontaine; bes. die galante Dichtung des 18. Jh. (Crébillon, *Le sopha,* Choderlos de Laclos, *Les liaisons dangereuses,* Restif de la Bretonne, *Monsieur Nicolas,* Louvet de Couvray *Chevalier de Faublas,* Nerciat *Félicia,* Casanova, Cleland, *Fanny Hill*) und die Romane des Marquis de Sade sowie Frühwerke Diderots *(Les bijoux indiscrets),* aus der dt. Klassik etwa Schillers *Venuswagen* und Goethes *Röm. Elegien, Das Tagebuch* und *Venetianische Epigramme;* Balzacs *Contes drôlatiques;* Werke Maupassants; psychologisch motiviert in der Dekadenzdichtung (Baudelaire, Mallarmé, Verlaine); Schnitzlers *Reigen;* ferner Wedekind, Dehmel, Sacher-Masoch, F. Harris u.a., schließlich die oft krasse sexuelle Realistik einzelner Szenen moderner Romane (J. Joyce, H. Miller, D. H. Lawrence, V. Nabokov, *Lolita,* L. Durrell, N. Mailer, M. McCarthy, *The Group,* Southern/Hoffenberg, *Candy,* M. Aymé, J. Genet, Ch. Rochefort, P. Réage, *Histoire d.O,* A. Moravia, R. Mykle, H. Bataille, M. Leiris, A. Nin, P. Roth, E. de Jong, E. Arsan).

Bibliogr.: H. S. Ashbee, *Index librorum*

prohibitorum, III 1867–85, N.Y. ²1962; Comte d' Imecourt, *Bibliographie des ouvrages rélatifs à l'amour,* VI ⁴1894 bis 1900; H. Hayn, A. Gotendorf, *Bibliotheca Germanorum erotica et curiosa,* IX ³1912–29; B. Stern-Szana, *Bibliotheca Curiosa et Erotica,* 1921; L. Perceau, *Bibliogr. du roman érotique au 19. siècle,* Paris II 1930; R. S. Reade, *Registrum Librorum Eroticorum,* Lond. II 1936, n. 1965; P. Pia, *Les livres de l'enfer,* Paris II 1978. – Lit.: A. Schumann, Gesch. d. e. L. d. Dt., 1904/05; P. Schultz, D. erot. Motive i. d. dt. Dichtgn. d. 12./13. Jh., Diss. Greifsw. 1907; B. Stern, Illustr. Gesch. d. e. L., 1908; E. Rohde, D. griech. Roman, ³1914; P. Englisch, Gesch. d. e. L., 1926, n. 1977; H. Lewandowski, D. Sexualproblem i. d. modern. Lit., 1927; E. Fuchs, D. gr. Meister d. Erotik, 1931; M. Coulon, *Hist. de la poésie priapique,* 1932 ff.; H. L. Marchand, *Erotic hist. of France,* 1933; H. Klose, Sexus u. Eros i. d. dt. Nov.-Dichtg. um 1900, Diss. Bresl. 1941; C. v. Bolen, Gesch. d. Erotik, 1951, n. 1966; R. Varin, *L'érotisme dans la lit. franç.,* Lyon 1952, ²1969; W. Feyerabend, D. Erotik i. amerik. Roman, ²1953; R. Ginzburg, *An unhurried view of erotica,* Lond. 1959; F. Saba Sardi, *Sesso e mito,* 1960; Lo Duca, *Hist. de l'érotisme,* Paris 1960; C. Waldemar, Spielarten d. Liebe, 1961; D. Loth, *The erotic in lit.,* N.Y. 1961; H. E. Wedeck, *Dictionary of e. L.,* N.Y. 1962; A. Mordell, *The erotic motive in lit.,* N.Y. 1962, n. 1976; P. H. Simon, *Le thème érotique dans la lit. mod.* (in: *Le jardin et la ville,* 1962); G. Legman, *The Horn book,* N.Y. 1963; M. Praz, Liebe, Tod u. Teufel, 1963; L. A. Fiedler, Liebe, Sexualität u. Tod, 1964; B. J. Hurwood, *The golden age of erotica,* Lond. 1968; E. u. P. Kronhausen, Bücher a. d. Giftschrank, 1969; S. B. Purdy, *On the psychology of e. l.* (*Lit. und psychol.* 20, 1970); H. Schlaffer, Musa iocosa, 1971; P. Pia, *Dict. des œuvres érotiques,* Paris 1971; R. P. Basler, *The taste of it* (Mosaic 6, 1972 f.); P. Brockmeier, Lust u. Herrschaft, 1972; P. u. E. Kronhausen, Erot. Phantasien, 1972; P. Webb, *The erotic arts,* Lond. 1975, ⁴1982; H. Hoven, Stud. z. Erotik i. d. dt. Märendichtg., 1978; M. Charney, *Sexual fiction,* Lond. 1981; P. J. Kearney, *A hist. of e. l.,* Lond. 1982; Liebe als Lit., hg. R. Krohn 1983; W. Dietrich, D. erot. Nov. in Stanzen, 1985; *Unauthorised sexuality during the enlightenment,* hg. R. P. MacCubbin, Cambr. 1987; P. Gay, D. zarte Leidenschaft, 1987; J.-P. Dubost, Eros u. Vernunft, 1988.

Errata (lat. = Irrtümer) →Druckfehler

Erregendes Moment, im →Drama der erste andeutende Durchblick auf die Verwicklung oder das Zwischenziel (und damit mittelbar auf das Endziel) der Handlung; im regelmäßigen Drama meist am Ende des 1. Akts, leitet als ›Steigerung‹ von der →Exposition zum Höhepunkt über.

Erscheinen, im Buchhandel die Auslieferung e. in einer Anzahl von Stücken vervielfältigten Werkes an die Einzelhändler zwecks Angebots an das Publikum; wichtig als terminus post quem für Rezeption und Wirkung e. Werkes. Als E.-termin gilt der Tag des Auslieferungsbeginns, im Zweifelsfall der Tag des Eintreffens e. Belegstücks bei der Deutschen Bibliothek bzw. Deutschen Bücherei.

Erscheinungsjahr, das Jahr der →Erstausgabe e. Schriftwerkes, als solches für die Literaturgeschichte von Belang, da mit ihm Breitenwirkung und Einfluß des Werkes beginnen. Das E., nicht immer identisch mit dem Druckjahr oder Jahr des Copyright-Vermerks, wird seit 1457 meist auf dem Titelblatt oder Impressum angegeben, doch z.T. waren und sind im Buchhandel Vordatierungen von Herbst-Neuerscheinungen um ein Jahr zwecks größerer Aktualität üblich (so z.B. GRIMMELSHAUSENS *Simplicissimus* 1668!).

Erscheinungsort, der Ort, an dem ein Buch bei →Erscheinen zur Auslieferung gelangt; in der Frühzeit des Buchdrucks zumeist mit dem →Druckort, heute mit dem Verlagsort identisch.

Erstaufführung (Première), im Ggs. zur →Uraufführung überhaupt die erste Aufführung e. musikal. oder dramat. Werkes als Neueinstudierung in e. bestimmten Sprache, e.

neuen Übersetzung, e. Bearbeitung, an e. bestimmten Bühne oder e. bestimmten Ort. Bei fremdsprachigen Bühnenstücken unterscheidet man ferner die deutschsprachige E. (einschließl. DDR, Österreich und Schweiz) von der deutschen, österr. oder Schweizer E. und europ. von amerikan. E.

Erstauflage, die erste (in ihrer Höhe durch Verlagsvertrag bestimmte) öffentl. →Auflage e. Werkes, meist, außer bei Privatdrucken, ident. mit →Erstausgabe.

Erstausgabe, die erste Veröffentlichung e. Druckwerkes in Buchform, zumeist im Buchhandel, und e. Exemplar derselben; braucht keine vom Verfasser besorgte, →authentische Ausgabe zu sein (→Raubdruck), bildet jedoch meist bei Verlust der Hs. neben der →Ausgabe letzter Hand die Grundlage der →kritischen Ausgabe und hat hohen →bibliophilen Wert. →Editio princeps.

L. Brieger, Ein Jh. dt. E.n (1750–1880), 1925; G. Bogeng, Einführg. i. d. Bibliophilie, 1931; G. v. Wilpert u. A. Gühring, E.n dt. Dichtg., 1967; J. Meyer, Üb. d. Umgang m. E.n, Philobiblon 30, 1986.

Erstdruck, 1. erster Druck- (auch z.T. Schreibmaschinen-)Abzug e. Werkes überhaupt, z.B. Korrekturabzug, Probedruck für den Buchhandel, doch im Ggs. zur →Erstausgabe nicht für die Veröffentlichung bestimmt. – 2. die erste Veröffentlichung e. lit. Werkes in Zeitung, Zeitschrift, Sammelwerk u.ä., also nicht als selbständige Buchausgabe (→Erstausgabe) bzw. vor einer solchen; wichtig für die Text- und Druckgeschichte e. Werkes und die Erstellung e. histor.-krit. Ausgabe.

Erstlingsdruck, 1. das erste Druckerzeugnis e. Landes, e. Stadt u.ä., als Zeugnis des fortschreitenden Kulturlebens wertvoll. – 2. = →Inkunabel. – 3. in der Graphik die ersten Abzüge e. Druckform; bei Stichen, Radierungen u.a. empfindlichen Illustrationsverfahren wertvoller als die späteren, weniger scharfen Abzüge von der bereits abgenutzten Druckform und z.T. durch e. ganz feine, später verschwindende Signierung gekennzeichnet.

Erstlingswerk, das erste, veröffentlichte oder unveröffentlichte Werk e. Autors.

D. Gesch. d. E., hg. K. E. Franzos 1894.

Erweiterter Reim, →Reim, bei dem auch unbetonte Silben vor der letzten Hebung gleichlauten oder assonieren; beliebt in ma. Dichtung. Vgl. →reicher Reim.

Erzähldistanz, Erzählabstand, in der Epik die zeitl. Distanz, etwa in Jahren, zwischen erzählter Handlung und der Gegenwart des Erzählers; sie verringert sich meist mit Fortschritt der Erzählung. →Distanz.

Erzählende Dichtung →Epik

Erzähler, 1. allg. Verfasser erzählender Werke in Prosa. – 2. fiktive Gestalt, nicht identisch mit dem Autor, die ein ep. Werk erzählt, es aus ihrer →Perspektive heraus darstellt und dem Leser vermittelt. Durch die erneute subjektive Spiegelung des Geschehens im Charakter und den Eigenarten des E. entstehen reizvolle Brechungen. Bei den älteren Erzählformen ist die Haltung des E. weitgehend durch die Tradition fixiert: der E. des Epos ist der feierliche, allwissende und alles überschauende Sänger, der E. des Märchens ein naiv-kindlich Wundergläubiger, der E. der Novelle ist der nur äußerlich als Zuschauer am Geschehen teilnehmende (C. F. MEYER, *Der Heilige*), z.T. anonyme

(DROSTE, *Die Judenbuche*) Bericht-
erstatter. Der Roman dagegen als
jüngste ep. Großform hat seit dem
18. Jh. eine Fülle versch. Erzählhal-
tungen bzw. Erzählsituationen entwickelt, die als zentrales Formprinzip der Großepik und möglicherweise als Grundlage einer neuen Typologie des Romans in neuerer Zeit
die bes. Beachtung der Lit.-wiss. gefunden haben. Im Ichroman ist der
E. entweder selbst Held oder miter-
lebende Figur der Handlung (Briefroman, Entwicklungs- und Bildungsroman), oder er schildert aus
iron. Distanz Selbsterlebtes wie im
Schelmen- und Reiseroman, doch
seine Perspektive bleibt auf eigene
Erfahrungen, Beobachtungen und
Gedanken begrenzt. Auch die Utopie bedient sich zur Beglaubigung
weitgehend des Ich-E. Grundsätzlich ist auch dieses Ich des E. nicht
gleichzusetzen mit dem Ich des Autors. Im Er-Roman spiegelt sich die
Individualität des E., der auch hier
nicht mit dem Autor identisch zu
sein braucht, im Maße seiner
Kenntnis, seiner Anteilnahme am
Geschehen und seinem inneren Verhältnis zum Stoff, die von unbeteiligter Allwissenheit bis zu mühsa-
mer Erforschung der Zusammenhänge und von kühler, sachlicher
Distanz bis zu tiefster innerer Ergriffenheit, von iron. Betrachtung
bis zu spieler. Verwirrversuchen reichen können. Dieser auktoriale E.
steht als allwissender, kommentierender, voraus- und zurückverwei-
sender E., der eine eigene Individualität entwickelt und seine Haltung
gegenüber dem Berichteten betont,
außerhalb der Handlung. Maßgeblich für die Bedeutung des E. ist
letztlich auch die Wichtigkeit, die
der Autor seiner Rolle zugesteht; so
kann die Subjektivität des E. den
Erzählstoff überwuchern (STERNE,
JEAN PAUL), seine Rolle kann stark
akzentuiert sein und die Handlungs-
fäden individuell verschlingen
(RAABE, Th. MANN). Bei der sog.
personalen Erzählsituation schließlich fehlt der E. als Vermittler zum
Leser, d.h. er kann aus dem Streben
nach objektiver Darstellungsweise
aller stärker hervortretenden pers.
Eigenarten entkleidet, unpersönlich
sein oder in mod. Erzählmitteln wie
erlebter Rede und innerem Monolog oder der Scheinobjektivität des
→nouveau roman gänzlich verschwinden, dem Leser selbst die Illusion des unmittelbaren Dabeiseins
geben (szen. Darstellung, direkte
Rede), ihm die Deutung überlassen
und damit das traditionelle Bild des
Romans als geordnete Sinngefüge
der Welt zum Einsturz bringen.

R. Petsch, Wesen u. Formen d. Erzählkunst, ²1942; F. Stanzel, D. typ. Erzählsituationen i. Roman, 1955; W. Kayser,
Entstehg. u. Krise d. mod. Romans,
1955; ders., D. Problem d. Erzählens i.
Roman, GQ 19, 1956; ders., Wer erzählt
den Roman? (in: Die Vortragsreise,
1958); E. Lämmert, Bauformen d. Erzäh-
lens, 1955, ⁷1980; D. Friedemann, D.
Rolle d. E. i. d. Epik, ²1965; V. Klotz
(hg.), Z. Poetik d. Romans, 1965; K.
Hamburger, D. Logik d. Dichtg., ²1968;
U. Pörksen, D. E. i. mhd. Epos, 1971; H.
van Gorp, *Het optreden van de verteller
in de roman*, Hasselt 1971; L. E. Kurth,
Unzuverlässige Sprecher u. E. i. dt.
Dichtg. (*Traditions and transitions*), Fs.
H. Jantz 1972); A. Ros, Z. Theorie lit.
Erzählens, 1972; F. Piedmont, Z. Rolle d.
E. i. d. Kurzgesch., ZDP 92, 1973; J. M.
Ellis, *Narration im German Novelle*,
Cambr. 1974; W. H. Schober, Erzähl-
techniken im Roman, 1975; K. Kanzog,
Erzählstrategie, 1976; D. Meindl, Z. Pro-
blematik d. E.begriffs, LiLi 8, 1978; L.
Doležel, D. Typologie d. E. (Z. Struktur
d. mod. Romans, hg. B. Hillebrand,
1978), F. K. Stanzel, Theorie d. Erzäh-
lens, 1979, ³1985; D. H. Lynn, *The he-
ro's tale*, Basingstoke 1988. →Epik.

Erzählerdistanz →Distanz, →Er-
zähldistanz

Erzählgedicht, von H. PIONTEK
(*Neue dt. E.e.*, 1964) geprägte, unscharfe Bz. einer mod. Form kürzerer Versepik, die sich durch distan-

zierend-rationale Haltung und z. T. histor., reportagehafte oder groteske Stoffe von der mehr mythischnuminosen, gefühlsbetonten →Ballade unterscheidet.

H. Müller, Formen d. neuen dt. E., DU 21, 1969; H. Graefe, D. dt. E. i. 20. Jh., 1972; H. Laufhütte, Neues z. E., ZDP 92, 1973.

Erzählhaltung →Erzähler

Erzählkunst →Epik

Erzähllied, Sammelbz. für alle gesungenen erzählenden Volkslieder wie →Ballade, →Schwank, →Legende, →Moritat u. ä.

Erzählperspektive →Perspektive

Erzählsituation →Erzähler

Erzählte Zeit →Erzählzeit

Erzählung, allg. mündl. oder schriftl. Darstellung des Verlaufs von wirklichen oder erdachten Geschehnissen; nicht genauer zu bestimmende Form der →Epik: 1. im weiteren Sinne Sammelbegriff für alle epischen Gattungen, 2. im engeren Sinne e. Gattung, die sich durch geringeren Umfang, geringere Figurenzahl, Welthaltigkeit und Breite von Epos, Roman, Saga, durch weniger kunstvollen und tektonischen straffen Aufbau von der Novelle, durch geringere Pointierung von Anekdote und Kurzgeschichte, durch Vermeidung des Unwirklichen von Sage und Märchen unterscheidet und somit alle weniger gattungshaft ausgeprägten Formen der Erzählkunst umfaßt, sich mit den anderen jedoch häufig überschneidet; gekennzeichnet durch dezentriertes, lockeres, gelegentl. verweilendes und entspannendes Entfalten des Erzählstoffes. Sie erscheint meist in Prosa, doch auch in Versen (Vers-E., z. B. des Rokoko, bes. WIELANDS) und bildet Sonderfor-

men als →Rahmen-E. und →chronikalische E.

J. Müller, Novelle u. E., EG 16, 1961; Hb. d. dt. E., hg. K. K. Polheim 1981; Russ. E., hg. R. Grübel, Amsterd. 1984. →Epik.

Erzählzeit, die →Zeit, die e. episches Werk beansprucht (Dauer des Lesens oder Erzählens), im Ggs. zur ›erzählten Zeit‹ als dem Zeitumfang, über den sich die erzählte Handlung erstreckt. Das Verhältnis beider Komponenten zueinander ist aufschlußreich für Struktur und Erzählweise: während im klass. Roman die E. wesentlich kürzer ist als die erzählte Zeit (Raffung, Aussparung, Konzentration auf breiter geschilderte Höhepunkte), halten sich bei mod. Bewußtseinsromanen beide annähernd die Waage (V. WOOLF, *Mrs. Dalloway,* J. JOYCE, *Ulysses*).

G. Müller, E. u. erzählte Zeit (Fs. P. Kluckhohn 1948); ders., Morpholog. Poetik, 1968; W. H. Schober, Erzähltechniken i. Roman, 1975; Zeitgestaltg. i. d. Erzählkunst, hg. A. Ritter 1978. →Zeit.

Erziehungsroman, weniger häufige Nebenform des →Entwicklungs- und →Bildungsromans von gleicher formaler Struktur, jedoch mit stärkerer Blickrichtung auf die äußeren Daseinsbedingungen und Kräfte als auf die innere Menschwerdung, unter pädagog. Gesichtspunkten. Im Extremfall führt er exemplar. Erziehungsprogramme als bewußten Prozeß, pädagog. Theorien und Einzelfragen am prakt. Beispiel vor und fand sinngemäß größte Verbreitung in der europ. Aufklärung. Beispiele: XENOPHONS *Kyrupädie,* J. WICKRAMS *Knabenspiegel* 1554, J. J. ROUSSEAUS *Émile* 1762, HERMES' *Sophiens Reise* 1769/73, PESTALOZZIS *Lienhard und Gertrud* 1781/89, ferner zahlr. →Fürstenspiegel.

O. Benda, D. Kunstform d. E.s, Progr. Triest 1913; P. Stolz, D. E. als Träger d. wechselnden Bildungsideals i. d. 2. Hälfte

d. 18. Jh., Diss. Mchn. 1925; H. Germer, *The German novel of education 1792–1805*, 1968; ders., *The German novel of education 1764–1792*, 1982; R. Granderoute, *Le roman pédagogique*, Paris II 1985.

Esbattement (niederl., v. franz. = Belustigung), Komödienform der →Rederijker-Bühne des 15./16. Jh. von einfacher, schwankhafter Handlung, übermütiger Ausgelassenheit, vielfach satir. Schilderung zeitgenöss., genau lokalisierter Vorkommnisse und Zustände. Bes. vertreten durch Cornelis EVERAERT.

Escola Mineira (portug. = Schule von Minas Gerais), frühromant., im Grunde recht heterogener Dichterkreis der brasilian. Lit. des ausgehenden 18. Jh. im Goldminengebiet der Provinz Minas Gerais und dessen Zentrum Vila Rica (heute Ouro Preto), der z. T. mit der Aufstandsbewegung gegen die portug. Unterdrückung in Verbindung stand. Wichtigste Vertreter waren die Epiker J. de SANTA RITA DURÃO und J. Basílio DA GAMA sowie die Lyriker C. Manuel DA COSTA und T. António GONZAGA.

Eselsbrücke (lat. *pons asinorum*), urspr. in der Scholastik Figur zur Veranschaulichung log. Verhältnisse, Anleitung zum log. Schluß: heute Übersetzung fremdsprachl. Texte für Schüler. →Denkvers.

Eskapismus (engl. *escape* = entfliehen), allg. die Flucht vor der Wirklichkeit und soz. Verantwortung, insbes. Flucht in die Kunst und Lit. als Ersatzwelt des schönen Scheins gegenüber der unbewältigten Realität; als moral. Vorwurf bes. gegen →esoterische Lit., →l'art pour l'art und Bewohner des →Elfenbeinturms, von marxist. Literaturkritik gegen den →Formalismus und viele Formen des →Experiments erhoben.

Esoterisch (griech. *esoterikos* = innerlich, für die Eingeweihten) im Ggs. zu →exoterisch heißt e. Stil, e. Lehre oder e. Schrift, die durch strengste Vermeidung der Alltagssprache und künstliche Formen der Stilisierung (Chiffren, Codes) dem Laien dunkel bleibt und nur dem würdigen Eingeweihten zugänglich ist; häufiger in Versen als in Prosa und vorzugsweise in exklusiven lit. Gruppen (GEORGE-Kreis, Hermetismus).

Esperpento (span.), Bz. von R. del VALLE-INCLÁN für seine sozialsatir. Grotesken.

Espinela, seit ihrer Erfindung durch Vicente ESPINEL um 1590 die gebräuchliche und klass. Form der span. →Dezime, die das Zerfallen der Strophe in 2 Quintilhas zu 5 Zeilen vermeidet durch Aufgliederung und gleichzeitige Zusammenfassung in aufeinander bezogene Gruppen zu 4 und 6 Zeilen mit festem syntakt. Einschnitt nach der 4. Zeile und der Reimfolge abba accddc.
D. C. Clarke, *Sobre la e.* (*Revista de filología española* 23, 1936).

Esprit Gaulois (franz. = gallischer Geist), der ausgelassen-witzige und ungenierte franz. Humor mit s. Freude am Sinnlichen und am derben Spaß im Ggs. zum Esprit précieux. In der Lit. bes. vertreten durch RABELAIS.

Essay (engl., franz. *essai* = Versuch), kürzere Abhandlung über e. wiss. Gegenstand, e. aktuelle Frage des geistigen, kulturellen oder soz. Lebens u. ä. in leicht zugängl., doch künstlerisch wie bildungsmäßig anspruchsvoller, geistreicher und ästhetisch befriedigender Form, gekennzeichnet durch bewußte Subjektivität der Auffassung, die dem-

E. auch im Fall überholter wiss. Voraussetzungen im einzelnen als geistigem Zeugnis seines Schöpfers bleibenden Wert gibt, durch bewußten Verzicht auf systemat. und erschöpfende Analyse des Sachwertes zugunsten mosaikhaft lockerer, das Thema von versch. Seiten fast willkürlich, sprunghaft-assoziativ belichtender Gedankenfügung, die wesenstiefe individuelle Erkenntnisse zu vermitteln sucht, e. Nachvollziehen des persönl. Erlebnisses erstrebt und das Thema in großen Zusammenhängen sieht, durch Vorläufigkeit der Aussage bei aller aphorist. Treffsicherheit im einzelnen und Unverbindlichkeit der aufgezeigten mögl. Zusammenhänge, die keine Verallgemeinerung zuläßt, schließlich durch die Souveränität in der Verfügung über den Stoff. Der E. gilt daher als →offene Form von fragmentar. Wahrheit, als ein Schwebezustand zwischen Wissen und Zweifel, und unterscheidet sich durch die subjektive Formulierung von der streng objektiven wiss.-sachl. Abhandlung, durch das geistige Niveau und Streben nach zeitlosen Einsichten vom breiteren und oberflächlicheren journalist. Feuilleton.

Der E. setzt in allen Lit. mit Ausbildung der Kunstprosa ein. Den Namen prägte zuerst MONTAIGNE (*Essais*, 1580), formal in Anlehnung an röm. Vorbilder (PLUTARCH, *Moralia*, SENECA, *Epistulae morales*, GELLIUS, *Noctes Atticae*) und den sich auflösenden ma. Schulstil. Ihm folgten in England F. BACON (*Essays* 1597 ff., rel. Betrachtungen), A. COWLEY, D. DEFOE und im 18. Jh. die engl. →Essayisten. Philosoph. Abhandlungen erschienen in Form des E. zur Betonung des Fragmentcharakters gegenüber der geschlossenen Schulform: DESCARTES, PASCAL, LOCKE, HUME, LEIBNIZ; in

Dtl. stehen im 18. Jh. Aufsätze von LESSING, HERDER, WIELAND, MÖSER, STURZ, KNIGGE, G. FORSTER, LICHTENBERG, W. v. HUMBOLDT, SCHILLER und bes. GOETHE (*Von dt. Baukunst* u. ä.) dem E. nahe. Im 19. Jh. beginnt mit stärkeren lit. Anforderungen e. neue Blüte der Kunstform: in England bei HAZLITT, LAMB, Lord STANHOPE, CARLYLE, DE QUINCEY, MACAULAY, M. ARNOLD, RUSKIN, BULWER-LYTTON; in Amerika R. W. EMERSON, in Frankreich BRUNETIÈRE, SAINTE-BEUVE, TAINE, STENDHAL; in Dtl. übernimmt erst H. GRIMM *(E.s)* 1859 die Bezeichnung anstelle des bisherigen ›Versuch‹ (F. SCHLEGEL, HEINE, SCHLEIERMACHER); von KLEIST, JEAN PAUL, A. MÜLLER, BÖRNE, SCHOPENHAUER, RUMOHR, GERVINUS, FALLMERAYER, J. SCHMIDT, K. FRENZEL, R. v. GOTTSCHALL ausgebaut, wird sie durch K. HILLEBRAND, F. KÜRNBERGER, O. GILDEMEISTER, V. HEHN, B. GOLTZ, J. BURCKHARDT, K. FISCHER, NIETZSCHE, FONTANE u. a. fortgesetzt. E. letzte ästhet. Verfeinerung um die Jh.-wende macht den E. zum Spiel höchster Geistigkeit: in England WILDE, BELLOC, CHESTERTON, HUXLEY, FORSTER, T. S. ELIOT, H. NICOLSON; in Frankreich A. FRANCE, BARRÈS, MAURRAS, P. VALÉRY, RIVIÈRE, GIDE; in Dänemark BRANDES; in Spanien UNAMUNO und ORTEGA Y GASSET, in dt. Lit. S. FREUD, A. KERR, F. RATZEL, W. RATHENAU, H. und Th. MANN, R. BORCHARDT, R. KASSNER, O. SPENGLER, H. WÖLFFLIN, K. KRAUS, G. SIMMEL, G. LANDAUER, K. SCHEFFLER, W. F. OTTO, R. SCHICKELE, H. BAHR, H. v. HOFMANNSTHAL, St. ZWEIG, R. A. SCHRÖDER, M. WEBER, J. WASSERMANN, W. BENJAMIN, H. BALL, E. BERTRAM, P. ERNST, O. LOERKE, W. LEHMANN, M. HEI-

MANN, A. POLGAR, F. BLEI, J. HOF-
MILLER, E. und F. G. JÜNGER, K.
JASPERS, Th. HAECKER, R. HUCH,
F. GUNDOLF, W. MUSCHG, G.
BENN, H. BROCH, J. ROTH, K. MU-
SIL, E. G. WINKLER, M. KOMME-
RELL, M. RYCHNER, L. und E. R.
CURTIUS, A. DÖBLIN, C. J. BURCK-
HARDT, Th. ADORNO, M. BENSE,
H. HOLTHUSEN, W. JENS u.a.m.
Seit Th. MANN, R. MUSIL, H.
BROCH u.a. dringen essayist. Ele-
mente als Erweiterung der Wirk-
lichkeitsbewältigung in weitem Ma-
ße auch in den Roman ein. Im Zeit-
alter zunehmender Spezialisierung
der Fachleute und der Faktengläu-
bigkeit der Laien schließlich wird
der urspr. Bereich des E. durch das
ästhetisch anspruchslosere Sachbuch eingeengt.

G. Lukács, Üb. Wesen u. Form d. E. (in:
D. Seele u. d. Formen, 1911); H. Walker,
The Engl. e. and e.ists, Lond. 1915; O.
Williams, *The e.*, 1915; J. B. Priestley, *E.
of today and yesterday*, London 1926; O.
Doderer, D. dichter. E. (D. Lit. 29, 1926);
H. Newboldt (hg.), *E. and e.ists*, Lond.
1927; R. D. O'Leary, *The e.*, N.Y. 1928;
F. H. Brooksbank, *E. and letter writing*,
Lond. ²1932; H. Merk, Dt. E.isten (Neue
Jhrb., 1937); A. Boas, *The fortunes of the
e. in France*, Lond. 1939; B. Klie, D. dt.
E. als Gattg., Diss. Bln. 1944; M. Bense,
Üb. d. E. u. seine Prosa, Merkur 1, 1947;
H. Fischer, D. lit. Form d. E., Diss. Mchn.
1950; J. Lincoln Stewart, *The e.*, 1952;
R. Schirmer-Imhoff, Montaigne u. d.
Frühzt. d. engl. E., GRM 34, 1952/53; G.
Just in ›Aufriß‹; P. M. Schon, Vorformen
d. E., 1954; W. E. Süskind, D. E. (Dt.
Rundschau 80, 1954); H. Wolffheim, D.
E. als Kunstform (Fs. H. Pyritz, 1955); H.
de Haas, D. Kunst d. lit. E. (Hochland
47, 1955); K. A. Horst, Wandlgn. d. E.
(Jahresring 1955/56); Th. W. Adorno, E.
als Form (in: Noten z. Lit., 1958); L.
Fiedler, *The art oft the e.*, N.Y. 1958,
²1969; RL; W. Schmied, D. essayist.
Mensch (Wort i. d. Zeit 6, 1960); K. G.
Just, D. Gesch. d. E. i. d. europ. Lit. (in:
Anstöße, 1960); R. Exner, Z. Problem e.
Definition u. e. Methodik d. E., Neophil.
46, 1962; W. Haacke, Exkurs z. E. (in:
Definitionen, 1963); B. Berger, D. E.,
1964; W. Hilsbecher, E. üb. d. E. (in: Wie
modern ist e. Lit., 1965); L. Rohner, An-
fänge d. E., Akzente 12, 1965; H. Rehder,
D. Anfänge d. dt. E., DVJ 40, 1966; K. G.

Just, Versuch u. Versuchung (in: Übergänge, 1966); G. Haas, Stud. z. Form d.
E. u. zu s. Vorformen i. Roman, 1966; L.
Rohner, D. dt. E., 1966; ders. (hg.), Dt.
E.s, IV 1968; H. Schumacher, D. dt. E. i.
20. Jh (Dt, Lit. i. 20. Jh., ⁵1967); R.
Champigny, *Pour une esthétique de l'o.*,
Paris 1967; A. Fischer, Stud. z. histor. E.,
1968; M. Christadler, D. amerikan. E.,
1968; G. Haas, E., 1969; H. Küntzel, E.
u. Aufklärg., 1969; D. Bachmann, E. u.
E.ismus, 1969; H. W. Drescher, Themen
u. Formen d. period. E. i. späten 18. Jh.,
1970; F. Hiebel, Biographik u. E.istik,
1970; R. Miles, *First princip. of the e.*,
N.Y. 1971; H. Mörchen, Schriftsteller in
der Massengesellschaft, 1973; A. Auer,
D. krit. Wälder, 1974; D. engl. E., hg. H.
Weber 1975; G. Haas, Z. Gesch. u.
Kunstform d. E., JIV 7, 1975; H. Mör-
chen, Gegenaufklärg. u. Unterwerfg. (D.
dt. Lit. i. 3. Reich, hg. H. Denkler, 1976);
V. J. Dell'Orto, *19. cent. descriptions of
the German e.*, JIG 10, 1978; J. Terrasse,
Rhétorique de l'e. lit., Montreal 1978; R.
Faber, D. Collage-E., 1979; H. Kähler,
Zum E., WB 26, 1980; H. Mörchen,
Nebensachen (Dt. Gegenw.lit., hg. M.
Durzak 1981; W. Adam, D. E., FLE,
1981; H. Kähler, V. Hofmannsthal bis
Benjamin, 1982; R. M. Chadbourne, *A
puzzling lit. genre*, CLS 20, 1983; G.
Baumann, Umwege u. Erinn., 1984; K.
Weissenberger, D. E., PoE, 1985.

Essayismus →Essay

Essayisten, 1. Verfasser von →Es-
says, 2. bes. Bz. für die Mitarbeiter
der engl. →moralischen Wochenschriften, bes. ADDISON und STEE-
LE, ferner COWLEY, DRYDEN,
TEMPLE, S. JOHNSON.

Estampie (franz., v. ahd. stampôn
= stampfen, provenzal. *estampida*),
Tanzlied der altfranz. Lit. des 13./
14. Jh. von ausgeprägtem Rhythmus, instrumental oder mit Text,
z.T. Refrain.

Estilo culto (span. = gepflegter
Stil) →Gongorismus

Estribillo (span. = Steigbügel,
→Kehrreim aus einer oder mehreren Zeilen in span. Lyrik und Balladendichtung. Er kann (im 14. Jh.),
auch am Anfang eines Gedichts ste-

hen und in den Strophen thematisch abgehandelt werden.

Ethopoeie (griech. *ethopoiia* = Charakterdarstellung, lat. *sermoinatio*), Darstellung von Charakteren, Beschreibung der geistigen Beschaffenheit und des Seelenzustandes e. histor. oder fiktiven Gestalt, meist durch fingierte Reden und Briefe; beliebter Kunstgriff der antiken Rhetorik und bes. Geschichtsschreibung, demzufolge nicht alle überlieferten Äußerungen als echt zu betrachten sind. Deutlichste Ausprägung in OVIDS →Heroiden.

Eucharistikon (v. griech. *eucharistos* = dankbar), rhetor. Dankgedicht in antiker Lit., z.B. STATIUS IV, 2.

Euphemismus (griech. *euphemein* = Worte guter Vorbedeutung gebrauchen), uneigentl. Redeweise: verhüllende Umschreibung (→Periphrase) e. unangenehmen, anstößigen oder unheilbringenden Sache (Tabu) durch e. mildernden oder beschönigenden Ausdruck aus Schamgefühl, Anständigkeit, religiöser Scheu oder Aberglauben, der gefahrbringende Worte meidet, auch allg. zu rhetor. Zwecken und bes. in polit. und Propagandasprache, z.B. entschlafen für sterben, vollschlank für dick u.ä.; auch Fremdwörter dienen z.T. der Vermeidung unschöner Worte, z.B. transpirieren für schwitzen. Übersteigerter E. ironisiert die sich hinter ihm verbergenden ges. Tabus, z.B. in Th. MANNS *Felix Krull*.

Ch. Bruneau, E. (Fs. E. Gamillscheg, 1952); K. Sornig, Beob. z. Motivation u. Wirkg. v. E., Istanbul 1969; E. Leinfellner, D. E. i. d. polit. Sprache, 1971; *Fair of speech*, hg. D. J. Enright, Oxf. 1985; S. Luchtenberg, E.en i. heut. Dt., 1985.

Euphonie (griech. *euphonia* = Wohlklang), sprachlicher Wohllaut; ihm dienen z.T. die Einschiebung

von Lauten zur Vermeidung der →Kakophonie oder die Regeln zur Vermeidung des →Hiatus.

Euphuismus, nach dem Roman *Euphues* (1578) von J. LYLY benannter engl. Beitrag zum manierist. Prosastil des →Schwulst (→Preziösität, →Gongorismus, →Marinismus) im europ. Barock, gekennzeichnet durch Überwiegen des intellektuellen Moments in der Sprachgebung: gezierte Wortwahl, gesuchte und verselbständigte Umschreibungen, Häufung überladener Bilder (statt naturbezogener Metaphern höchst künstl. Chiffren), gelehrte Anspielungen auf antike Mythologie, spitzfindige Wortspiele, Verzierung durch rhetor. Figuren wie Anapher und Epiphora, geistreich zugespitzte Antithesen und epigrammat. Parallelismen. Der Kunststil fand Nachahmung bei BRETON, FORDE, GREENE, LODGE, z.T., meist witzig, selbst bei SHAKESPEARE (*Love's Labour's Lost, Romeo and Juliet* I, 5; Beatrice und Benedict in *Much Ado about Nothing*) und bei den →Metaphysical Poets.

F. Landmann, Der E., 1881; C. G. Child, *J. Lyly and E.*, 1894; A. Feuillerat, *J. Lyly and É.*, Cambr. 1910; M. W. Croll, H. Clemons, *The Sources of Euphuistic Rhetoric* (in: *Euphues*, Lond. 1916); T. K. Whipple, *Isocrates and E.*, MLR 11, 1916; W. Ringler, PMLA, 1938; S. Raiziss, *The metaphys-passion*, Phil. 1952; *The descent of Euphues*, hg. J. Winny, Cambr. 1957.

Eupolideion, nach dem altatt. Komödiendichter EUPOLIS (5. Jh. v.Chr.) benannte Verszeile aus einem 3. Glykoneus und e. katalekt. trochäischen Dimeter:

$$-\smile-\smile \mid -\smile\smile- \parallel -\smile-\smile-\smile-$$

verwendet in griech. Komödie und Satyrspiel (DIPHILOS, MENANDER).

Euripideion, von EURIPIDES abgeleitete Bezeichnung für e. katalekt.

trochäischen Dimeter (→Leky-
thion): ⏑‿⏑‿⏑‿—; oft mit zwei
vorangehenden Kretikern.

Europamüder →Pessimismus

Eutẹrpe, griech. →Muse der Tonkunst (Flötenmusik), des Gesanges
und der lyr. Dichtung.

Evangeliạr (lat. *evangeliarium*),
Buch für den gottesdienstl. Gebrauch in der christl. Spätantike
und im MA., das die vier Evangelien
vollständig mit vorangestellten Vorreden und Inhaltsangaben der Kapitel sowie einige Briefe von Heiligen
und Kirchenvätern und die Canones
enthält, oft mit kostbarer Buchmalerei, Darstellungen des Lebens Jesu, ausgestattet; berühmte Hss. aus
dem 9.–12. Jh. erhalten. →Evange-
listar.
S. Beissel, Gesch. d. Evangelienbücher,
1906.

Evangelienharmonie (griech. *eu-
angelion* = frohe Botschaft, *harmo-
nia* = Verbindung, Einklang), die
Zusammenarbeitung der vier Evangelien zu e. fortlaufenden und einheitl. Darstellung der Lebensgeschichte Jesu unter Einbeziehung
möglichst großer Teile der Originaltexte, z. T. durch Zusätze des Kom-
pilators erweitert. Theoretische
Richtlinien gaben AUGUSTINUS *(De
consensu evangelistarum)* und die
Reformatorenkreise (A. OSIANDER,
dessen E. von 1537 auch die Bezeichnung prägte, J. CALVIN 1555
und M. CHEMNITZ 1593). – Ältester
Versuch ist das →Diatessaron des
Syrers TATIAN, um 170 n. Chr., das
bis ins 4. Jh. die Form des NT. für
die syr. Kirche bildete und später als
ketzerisch auf Ablehnung stieß. Es
wurde um 546 vom Bischof VICTOR
VON CAPUA in lat. Übersetzung auf-
gefunden, in e. Abschrift, wohl
durch BONIFATIUS, nach Fulda ge-

bracht, dort um 830 auf Anregung
von HRABANUS MAURUS übersetzt
und bildet e. Hauptquelle der 1.
selbständigen dt. E., des *Heliand*
(um 830) Größere Auswahl der
Quellen, Benutzung von Kommentaren, von Schriften der Kirchenväter und Perikopen zeigt die E. des
Mönchs OTFRIED VON WEISSEN-
BURG, entstanden um 863–871, mit
Endreim-Versen von kunstvollem
Bau in Anlehnung an lat. Hymnen-
verse, aufgegliedert in fünf Bücher
mit Einleitungs- und Schlußkapiteln
und sinnerläuternden Zusätzen.
Spätere Gestaltungen (Jean de GER-
SON, 1429) sind freier, dichterischer
und von eigenem Schöpfergeist be-
seelt: an der Spitze steht KLOP-
STOCKS *Messias* (1748–73) und die
folgenden →Messiaden, ferner P.
ERNSTS *Der Heiland* (1930). Rein
sachl. Versuche e. restlosen Zusammenschau der vier Evangelien dagegen wie etwa die von J. STICKEN-
BERGER 1932, A. VEZIN 1938, J.
MAIWORM 1946, M. J. LAGRANGE,
dt. 1950, G. RICCIOTTI, dt. ²1952
und J. LEBRETON, dt. 1952, erweisen sich als letztlich nicht möglich,
da die Evangelien keine Biographie
Jesu geben wollen. →Synopsis.
H. J. Vogels, Beitr. z. Gesch. d. Diatessaron i. Abendl., 1919; C. Peters, D. Diatessaron, Rom 1939; G. Baesecke, Z. Überlieferg. d. ahd. Tatian, 1948; RL; D.
Wünsch, E.n i. Reformationszeitalter,
1983. →Bibelübersetzung.

Evangelistar (griech.-lat. *evangeli-
starium*), →Perikopenbuch, in der
alten Kirche e. Zusammenstellung
aller bei der Messe zu lesenden
Evangelienabschnitte für den sonn-
und festtägl. Gottesdienst in der
Reihenfolge des Kirchenjahres; wie
das →Evangeliar im MA. oft mit
reichem Buchschmuck und Malerei
kostbar ausgestattet. Durch Zufü-
gung des →Epistolars mit den übrigen Bibelstellen entsteht das →Lek-
tionar.

Evergreen (engl. = Immergrün), eigtl. ein →Schlager, der sich über die raschen Modewechsel hinweg Jahrzehnte hindurch in der Gunst des Publikums hält; dann im Buchmarkt übertragen auf den →Steadyseller.

Examination →Textkritik

Exegese (griech. *exegesis* = Auseinandersetzen), Auslegung, erklärende Ausdeutung e. (bes. bibl. oder jurist.) Textes zu dessen besserem Verständnis nach den Grundsätzen der →Hermeneutik, und zwar entweder histor.-philolog. als Ermittlung des vom Verfasser gemeinten Sinnes, als typolog. Deutung oder als →Allegorese. Der umfassende Begriff ist die →Interpretation. Vgl. →Kommentar, →Scholien.

Exempel (lat. *exemplum*, griech. *paradeigma* = Beispiel), kurze Erzählung von positiven oder negativen →Beispielen sittl. Lebens, zur Veranschaulichung einer dogmat. oder moral. Lehre als Ansporn oder Abschreckung in einem Text oder einer Rede eingestreut.

In der antiken Rhetorik steht das E. als eingelegter Beleg in der Beweisführung der Gerichtsrede und verbreitet sich von daher bes. während der Kaiserzeit über alle Dichtungsarten, zunächst als kurze Darstellung von Taten, Leistungen, Aussprüchen um e. hervorstechenden Charakterzug mit folgendem →Epimythion, seit 100 v. Chr. jedoch zumeist in Gruppierung um e. typ. Idealfigur als Verkörperung e. bes. Eigenschaft. Stoff für E. bieten erst der Mythos, später Fabel, Erfahrung und Geschichte; mit zunehmendem Verlangen nach dem E. entstehen die ersten E.-Sammlungen von HYGIN, Cornelius NEPOS und VALERIUS MAXIMUS (*Factorum et dictorum memorabilium libri*),

meist nach sachl. Gesichtspunkten geordnet. Die Gattung lebt fort im MA. in Homilien und Dialogen GREGORS d. Gr., der *Disciplina clericalis* des PETRUS ALFONSI, bes. aber seit der 2. Hälfte des 12. Jh. in Traktaten und Predigten (›Predigtmärlein‹) zur Verdeutlichung von theolog. Vorstellungen, als Beweis für die Kraft des Glaubens an e. Lebensbeispiel und gleichzeitig ›Belohnung‹ der Hörer. Als Quellen dienen zunächst die Gleichnisse des NT., die *Vitae patrum* und die Legende, dann Geschichte, Volksüberlieferung und Naturkunde, auch antike Autoren (PLINIUS, VALERIUS MAXIMUS, SENECA, OVID), dann entstehen zahlr. neue E.-Sammlungen: VINCENT VON BEAUVAIS' *Speculum historiale*, CAESARIUS VON HEISTERBACH, *Dialogus miraculorum*, Don JUAN MANUEL, *Conde Lucanor*, die *Gesta Romanorum*, STEPHAN VON BOURBON, JACOBUS DE CESSOLIS u. a. m., seit dem 13. Jh. in alphabet. Stichwortfolge und nur knapper Inhaltsangabe, die Ausgestaltung dem Prediger überlassend. Die Verwendung heiterer und in der Kirche Gelächter erregender E. führte zu ihrer Unterdrückung durch die Reformation (erst 1568 Wiedereinführung mit der evangel. Sammlung von A. HONDORFF *Promptuarium exemplorum*), während die kath. Kirche, die Dominikaner, Franziskaner und bes. Jesuiten das E. weiterhin pflegen. Häufige Verwendung dann im Reformationsdrama u. ä. Meister in seinem Gebrauch waren die großen Volksprediger GEILER VON KAISERSBERG, MARTIN VON KOCHEM und ABRAHAM A SANCTA CLARA. Der Barock sammelt die E. als Bildungsgüter in großen Enzyklopädien oder ›Schauplätzen‹: Th. ZWINGER,, *Theatrum humanae vitae*, 1565, P. LAUREMBERG, *Acerra*

philologica, 1637, G. Ph. HARS-
DÖRFFER, *Großer Schauplatz*,
1650f., H. A. VON ZIGLER UND
KLIPHAUSEN, *Täglicher Schauplatz*,
1695 u.a. – Bedeutend ist der Einfluß der E. auf Unterhaltungsschrifttum, Schwanklit. (PAULI,
Schimpf und Ernst) und schließlich
moral. Schullesestücke. Auch Sagen, Märchen, Volkslieder, Balladen
und Romanzen verwenden Motive
der E.: Gang nach dem Eisenham-
mer, Mönch von Heisterbach und
zahlreiche andere. Die Auflösung
der E.lit. erfolgt erst mit dem stärkeren Einfluß der ital. Novelle und des
Schwanks.

R. Cruel, Gesch. d. dt. Predigt i. MA.,
1879, n. 1970; J. J. Mosher, *The e. in the
early religious and didactic lit. of Engl.*,
N.Y. 1911; K. Alewell, Üb. d. rhetor.
Paradeigma, Diss. Kiel 1913; D. Howie,
Studies in the use of e., Lond. 1923; J.
Th. Welter, *L'e. dans la lit. relig. et di-
dact. du m. a.*, Paris 1927, n. 1970; A.
Closs, Weltlohn, 1934; H. Kornhardt, E.,
Diss. Gött. 1936; E. R. Curtius, Europ.
Lit. u. lat. MA., 1948, ⁶1967; RL; E.
Moser-Rath, Predigtmärlein d. Barockzt.,
1964; H. Bausinger, E. u. Beispiel (Hess.
Bll. f. Volkskde. 59, 1968); F. C. Tubach,
Index exemplorum, Helsinki 1969; M.
Fuhrmann u. K. Stierle (Poetik u. Herme-
neutik 5, 1973); Volkserzählung u. Re-
formation, hg. W. Brückner 1974; F. P.
Knapp, Similitudo, 1975; H. D. Oppel,
E. u. Mirakel (Archiv f. Kulturgesch. 58,
1976); E. H. Rehermann, D. Predigt-E. b.
protestant. Theologen d. 16. u. 17. Jh.,
1977; P. Assion, D. E. als agitator.
Gattg., Fabula 19, 1978. →Beispiel, →Bi-
spel.

Exemplar (lat. = Muster, Abbild),
früher einzelne Abschrift e. Buches,
heute dessen Einzelstück.

Exemplum →Exempel

Exilliteratur (lat. *exilium* = Verbannung), allg. jedes durch polit.
Radikalismus, Zensur, Schreibverbot, Bedrohung im Mutterland ins
ideolog. freie Ausland verdrängte
Dichtertum (im Unterschied etwa
zu den völlig aus freien Stücken ausgewanderten Emigranten), so z.B.

im Altertum OVID, nach der Franz.
Revolution (CHATEAUBRIAND, B.
CONSTANT, Mme de STAËL), z.Zt.
der Reaktion (BÖRNE, HEINE, LAU-
BE), nach dem poln. Aufstand von
1830/31 (A. MICKIEWICZ, J. SŁO-
WACKI), nach der russ. Revolution
von 1917 (BUNIN, MEREŽKOVSKIJ,
RACHMANOVA, NABOKOV, REMI-
ZOV, CVETAEVA, IVANOV, GIPPIUS,
SMELEV, zuerst auch A. TOLSTOJ
und I. EHRENBURG), im ital. Fa-
schismus (SILONE, FERRERO, BOR-
GESE, PREZZOLINI) und unter der
Herrschaft Francos in Spanien (S.
de MADARIAGA, J. GUILLÉN, A.
MACHADO Y RUIZ, A. CASONA, R.
J. SENDER) wie nach der Sowjetisie-
rung der balt. Staaten (estn., lett.,
litau. E.) oder aus totalitären osteurop., südamerikan. und afrikan.
Staaten, bes. aber und mit größtem
Umfang in der bisherigen Geschichte das Schrifttum der nach 1933 aus
polit.-ideolog. oder rass.-relig.
Gründen teils freiwillig aus Protest
gegen Geistfeindschaft und Unfrei-
heit, teils gezwungenermaßen unter
dem Druck von Verfolgung im Ausland (bes. Frankreich, Schweiz,
England, UdSSR, USA, Mexiko, Argentinien, Palästina) lebenden dt.
Dichter und Schriftsteller. Machtergreifung, Reichstagsbrand, Bücherverbrennung, Judenverfolgung, Besetzung Österreichs und der Tschechoslowakei sowie Kriegsbeginn lö-
sten die entscheidenden Emigra-
tionswellen aus, die sich zunächst
auf Wien, Prag, Zürich, Paris,
Stockholm und Amsterdam konzentrierten. Daneben unterscheidet
man e. →innere‹ Emigration als
passive Opposition im Mutterland
(W. BERGENGRUEN, R. SCHNEIDER,
G. WEISENBORN, E. WIECHERT
u.a.). E. trennende Spaltung innerhalb der Literaturgeschichte ist
nicht erfolgt; beide Gruppen führen
in großen Werken die aufgenomme-

nen Entwicklungslinien in Heimat wie Fremde weiter. Hinzu kommt, daß die einseitige Abwertung der Dichtwerke vom polit. Standpunkt nicht eine Einzelströmung, sondern eine Vielzahl verschiedenster Persönlichkeiten und Richtungen, praktisch alle bedeutenden, traf und damit Einheitlichkeit und Geschlossenheit in der dt. E. ausschloß; die einzigen gemeinsamen Züge der E. sind Verpflichtung zur Humanität, dt. Kulturbewußtsein, starke Politisierung, vom erbitterten Haß und leidenschaftl. Angriff bis zu tiefer Sehnsucht und Bemühen um Verstehen, e. Tendenz, die selbst in distanzierten histor. Stoffen hervortritt, Radikalisierung der persönl. Stellungnahme in Warnung und Anklage, bes. autobiograph. Rechtfertigung des eigenen Handelns, schließlich Vereinfachung der künstler. Intentionen für die Bedürfnisse e. nichtdt. Leserschaft, mitbedingt durch die völlig veränderten Lebensumstände und die plötzliche Auslösung aus e. geistigen Nährboden wie die Aufnahme von Einflüssen des Gastlandes, z.T. selbst seiner Sprache; jedoch bildeten sich auch wortführende dt. Zeitschriften (*Die Sammlung, Maß und Wert, Das Wort* u.a.) und Verlagshäuser (Querido, de Lange, Bermann-Fischer, Malik) im Ausland. Wichtigste Gestalten der dt. E., von denen nur ein Teil nach 1945 zurückkehrte und viele Schwierigkeiten hatten, wieder ein Publikum zu gewinnen, sind J. R. Becher, W. Benjamin, F. Blei, B. Brecht, W. Bredel, B. v. Brentano, H. Broch, F. Bruckner, F. Th. Csokor, A. Döblin, A. Ehrenstein, C. Einstein, L. Feuchtwanger, B. u. L. Frank, O. M. Graf, M. Gumpert, W. Hasenclever, St. Hermlin, M. Herrmann-Neisse, H. Hesse, G. Kaiser, A. Kerr, H. Kesten, A.

Kolb, P. M. Lampel, E. Lasker-Schüler, E. Lissauer, K., H. u. Th. Mann, W. Mehring, A. Mombert, R. Musil, A. Neumann, K. Pinthus, Th. Plievier, A. Polgar, G. Regler, E. M. Remarque, J. Roth, H. Sahl, A. Schaeffer, R. Schickele, A. Seghers, M. Tau, E. Toller, F. v. Unruh, J. Urzidil, B. Viertel, E. Waldinger, A. T. Wegner, E. Weinert, E. Weiss, F. Werfel, F. Wolf, A. Wolfenstein, K. Wolfskehl, P. Zech, C. Zuckmayer, A. u. St. Zweig. Nach 1945 wird die BR z.T. selbst erstrebtes Asylland für nonkonformist. Autoren der sozialist. Länder, und es entsteht e. Art zweiter, ideolog. begründeter E. innerhalb Dtls. durch Emigranten oder Ausgewiesene insbes. aus der DDR (U. Johnson, Ch. Reinig, M. Bieler, P. Huchel, W. Biermann, R. Kunze).

W. A. Berendsohn, D. humanist. Front, II 1946–76; R. Drews u. A. Kantorowicz, Verboten u. verbrannt, 1947; F. C. Weiskopf, Unter fremden Himmeln, 1948, n. 1981; W. K. Pfeiler, *German Lit. in Exile*, Lincoln 1957; RL; E. Haase, Einf. i. d. Lit. des Refuge, 1959; H. Brenner, Dt. Lit. i. Exil (in: Hdb. d. dt. Gegenwartslit., hg. H. Kunisch 1965); K. Jarmatz, Lit. i. Exil, 1966; M. Wegner, Exil u. Lit., 1967, ²1968; K. R. Grossmann, Emigration, 1969; R. E. Cazden, *German exile lit. in America*, Chic. 1970; W. Sternfeld, E. Tiedemann, Dt. E., Bibliogr., ²1970; J. Radkau, D. dt. Emigration i. d. USA, 1971; W. A. Berendsohn u.a., CG 5, 1971; H.-A. Walter, Dt. E., IX 1972ff., VI 1978ff.; G. Berglund, Dt. Opposition gegen Hitler i. Presse u. Roman i. Exil, Stockh. 1972; P. Tabori, *The anatomy of exile*, Lond. 1972; F. Goldner, D. österr. Emigration, 1972; Exil u. innere Emigration, II 1972f.; D. dt. E., hg. M. Durzak 1973; H.-Ch. Wächter, Theater i. Exil, 1973; H. E. Tutas, NS-Propaganda u. dt. Exil, 1973; B. Perotti, *La lett. tedesca dell' esilio*, Verona 1974; H. Müssener, Exil i. Schweden, 1974; Dt. Lit. i. Exil, hg. H. L. Arnold II 1974; E. Bahr u.a., JIG 6, 1974; S. Bock u.a., WB 21, 1975; A. Gerlach, Dt. Lit. i. Schweizer Exil, 1975; H. E. Tutas, Nationalsoz. u. Exil, 1975; T. A. Kamla, *Confrontation with exile*, 1975; E. Nyssen, Geschichtsbewußtsein u. Emigration, 1975; D. dt. E. seit 1933, Bd. I: Kalifornien, hg. M. Spalek, J. P. Strelka II 1976; L. Maas, Hb. d. dt. Exilpresse, III 1976–81; H. Dahlke, Gesch.roman u. Lit.kritik i. Exil, 1976; G. Heeg, D. Wendg. z. Gesch., 1977; Z. dt. E. i. d. Niederlanden, hg. H. Würzner 1977; Dt. E.drama u. E.theater, hg. W. Elfe u.a. 1977; A. Kantorowicz, Politik u. Lit. i. Exil, 1978; E. Krispin, *Anti-Nazi writers in exile*, Athens 1978; Antifaschist. Lit., hg. L. Winckler III 1978f.; P. Diezel, Exiltheater i. d. S. U., 1978; J. M. Spalek, *Guide to the archival materials of the germanspeaking emigration to the U.S.*, Charlottesville 1978; A. Stephan, D. dt. E., 1979; G. Badia u.a., *Les barbelés d'exil*, Grenoble 1979; Erfahrung Exil, hg. S. Bock 1979, ²1981; Exil, hg. E. Loewy 1979, III ²1981f.; Protest, Form, Tradition, hg. J. P. Strelka, Alabama 1979; Kunst u. Lit. i. antifaschist. Exil, hg. W. Mittenzwei VII 1979–81; Dt. E., hg. W. Elfe 1979; Presse i. Exil, hg. H. Hardt 1979; H. Schneider, Exiltheater i. d. Tschechosl., 1979; Biogr. Hb. d. dt. Emigration nach 1933, III 1980–84; F. N. Mennemeier u.a., Dt. Exildramatik, 1980; I. Drewitz, D. zerstörte Kontinuität, 1981; E. Middell, E.forschg., WB 27, 1981; J. P. Strelka, Topoi d. E., ZDP 100, 1981; D. Pike, Dt. Schriftsteller i. sowjet. Exil, 1981; Exil u. Asyl, hg. M. Beck 1981; Faschismuskritik u. Dtl.bild i. Exilroman, hg. C. Fritsch 1981; Zs. Exil, 1981ff.; Dt. E., hg. W. Elfe 1981; Leben i. Exil, hg. W. Frühauf 1981; Das Exilerlebnis, hg. D. G. Daviau, Columbia 1982; D. Niederlande u. d. dt. Exil, hg. K. Dittrich 1982; Exile: *the writer's experience*, hg. J. M. Spalek, Chapel Hill 1982; K. Umlauf, Exil, Terror, Illegalität, 1982; *Latin America and the lit. of exile*, hg. H.-B. Moeller 1983; Exil in Großbrit., hg. G. Hirschfeld 1983; H. F. Pfanner, *Exile in New York*, Detroit 1983; U. Bernard, *Regards sur le IIIième Reich*, Grenoble 1983; F. Trapp, Dt. Lit. zw. d. Weltkriegen II: Lit. i. Exil, 1983; J. P. Strelka, E., 1983; A. Heilbut, *Exiled in paradise*, N.Y. 1983; Exilforschg., Jb. 1983ff.; G. Badia u.a., *Les bannis de Hitler*, Paris 1984; K. Obermann, Exil Paris, 1984; J. R. Taylor, Fremde im Paradies, 1984; H. Möller, Exodus d. Kultur, 1984; Dt.spr. E., hg. W. Koepke u.a. 1984; Widerstand u. Exil, 1985; Exil, hg. D. G. Daviau, Columbia 1985; Schreiben i. Exil, hg. A. Stephan 1985; H. A. Walter, G. Ochs, Dt. Lit. i. Exil, Bibl. 1985; Dtspr. Exil i. Dänemark, hg. R. Dinesen 1986; M. Seidel, *Exile and the narrative imagination*, Yale 1986; W. Kramer, D. Faschismus i. Exilroman, 1986; K. Feilchenfeldt, Dt. E., 1986; A. Betz, Exil u. Engagement, 1986; F. Pohle, D. mexikan.

Exil, 1986; Österr. E. i. d. Niederl., hg. H. Würzner, Amsterd. 1986; A. Huss-Michel, Lit. u. polit. Zss. d. Exils, 1987; K. U. Werner, Dichter-Exil u. Dichter-Roman, 1987; M. Seyfert, Im Niemandsland, 1987; *German exile theatre in Britain*, hg. G. Berghaus, Lond. 1988.

Existentialismus in der Dichtung.

Das Weltbild des sich im Anschluß an KIERKEGAARD und NIETZSCHE und die Existenzphilosophie (HEIDEGGER, JASPERS, MARCEL) entwikkelnden E., gekennzeichnet durch die Anschauung von der Ungeborgenheit des Menschen, seinem Ausgesetztsein in absoluter Freiheit bei ständigem Entscheidungszwang und absoluter Selbstverantwortung als letztmögliche Steigerung des Individualismus ins Transzendente, findet seinen lit. Niederschlag in den Werken e. Reihe von Dichtern, wobei jedoch stets schon das Bekenntnis zu ästhet. Ausformung in der Kunst e. Überwindung des letzten Nihilismus bedeutet. Als erste Vorläufer könnten BÜCHNER (1813–1837) und DOSTOEVSKIJ (1821–1881) gelten; in Dtl. werden in neuerer Zeit JÜNGER, KAFKA (*Der Prozeß*, 1924; *Das Schloß*, 1926) und RILKES Spätwerk nur in ungenauem Sinne dem E. zugeordnet, dessen eigentl. Durchbruch in der Lit. erst nach dem 2. Weltkrieg und zuerst in Frankreich erfolgt und bis in die 6oer Jahre anhält. Der Hauptvertreter ist J. P. SARTRE, der in seinen Dramen (*Les mouches*, 1943; *Huis-clos*, 1944; *Les jeux sont faits*, 1947; *Morts sans sépulture*, 1947, *Les mains sales*, 1949; *Le diable et le bon Dieu*, 1951 u.a.) und seinen Romanen (*La nausée*, 1938; *Le mur*, Nov., 1939; *Les chemins de la liberté*, 1947–49) die von ihm philos. begründete Richtung – wenngleich nicht ohne innere Widersprüche und Paradoxien – zu gestalten sucht. Ihm folgen mit der gleichen unerbittl. Schärfe existentialist. Erzählkunst Simone de BEAUVOIR (*L'Invitée*, 1943), ferner J. ANOUILH und – bis zum Bruch 1952 – A. CAMUS (*La Peste*, 1947), z.T. auch J. GENET und M. TOURNIER, im christl. E. G. MARCEL. Einflüsse auf die dt. Lit. zeigen sich u.a. bei H. KASACK, H. E. NOSSACK, A. ANDERSCH, W. KOEPPEN.

N. Abbagnano, *Introduzione all'e.*, Mail. 1942; G. de Ruggiero, *L'e.*, Paris 1942; H. Lefebvre, *L'e.*, Paris 1946; J. Wahl, *Petite hist. de l'e.*, Paris 1947; J. Hessen, *Existenzphilos.*, 1947; R. Harper, *E.*, Cambr./Mass. 1948; R. Campbell, *L'e.*, Paris 1948; E. Mounier, *Einf. i. d. Existenzphilos.*, 1949; M. Müller, *Existenzphilos. i. geist. Leben d. Ggw.*, 1949; M. Reding, D. *Existenzphilos.*, 1949; J. Lenz, D. *mod. dt. u. franz. E.*, 1951; L. Gabriel, *Existenzphilos.*, 1951, ²1968; J. Wahl, *La philos. de l'existence*, Paris 1951; J. Collins, *The Existentialists*, N.Y. 1952; J. Ell, D. E., 1955; O. F. Bollnow, *Existenzphilos.*, ⁴1955; J. Wild, *The challenge of e.*, Bloomington 1955; F. Heinemann, E. *lebendig od. tot?*, ²1956; W. Kaufmann, *E. from Dostoevsky to Sartre*, N.Y. 1957; H. H. Holz, D. *franz. E.*, 1958; A. Santucci, *E.e filosofia italiana*, Bologna 1959; H. J. Blackham, *Six existentialist thinkers*, N.Y. 1959; M. Grene, *Introduction to E.*, Chicago ²1959; D. E. Roberts, *E. and religious belief*, N.Y. 1960; K. F. Reinhardt, *The Existentialist revolt*, N.Y. ¹1960; W. Barrett, *Irrational man*, Lond. 1961; H. E. Barnes, *The lit. of possibility*, 1961; F. T. Kingston, *French E.*, Toronto 1961; F. Molina, *E. as philos.*, N.Y. 1962; A. B. Fallico, *Art and e.*, N.Y. 1962; H. R. Müller-Schwefe, *Existenzphilos.*, 1962; H. E. Barnes, *Humanistic E.*, Nebraska 1962; R. G. Olson, *An Introduction to E.*, N.Y. 1962; E. Breisach, *Introduction to modern e.*, N.Y. 1962; D. D. McElroy, *E. and mod. lit.*, N.Y. 1963; P. Roubiczek, *E. – For and Against*, Lond. 1964; O. F. Bollnow, *Franz. E.* 1965; C. Wilson, *Introd. to the new e.*, Lond. 1966; F. A. Olafson, *Principles and persons*, Baltimore 1967; L. Pollmann, *Sartre u. Camus*, 1967, ²1971; *Literar. Diskurse d. E.*, hg. H. Harth 1986.

Exkurs (lat. *excursus* = Ausfall), in e. wiss. Abhandlung e. selbständige und in sich geschlossene, als Anhang beigefügte oder (z.T. als Anmerkung) in den Text eingeschobene kürzere Abschweifung auf Sonderprobleme, die nicht direkt zum Thema gehören, doch im Zusammenhang der Darstellung auftauchen. Häufige Verwendung auch in der Epik und antiken Lit. (z.B. SALLUST), in Leseranreden und Erzählerreflexionen des Romans seit dem 18. Jh.

M. v. Poser, D. *abschweifende Erzähler*, 1969.

Exlibris (lat. = aus den Büchern), meist auf die Innenseite des Buchdeckels geklebtes, kunstgraphisch ausgestaltetes Druckblatt als Bucheignerzeichen, das die Zugehörigkeit zu e. Privatslg. oder öffentl. Bibliothek bezeichnen und vor Entwendung schützen soll, heute für die Bibliophilie wertvoller Sammelgegenstand aufgrund seines Kunst- und histor. Wertes als Nachweis früherer Besitzer e. Buches, daher Bildung von E.-Gesellschaften und -Vereinen. – Im 15. Jh. aus hs. Namenszug entstanden, umfaßte die bildl. Darstellung Wappen und Namen, z.T. allegorische Hinweise auf Beruf, Stand u. Interessen des Besitzers. Ihre Blütezeit bildet das 16.–18. Jh.; von Dtl. verbreitet sich ihr Gebrauch im 17. Jh. auf England, Frankreich, Italien. Namhafte Künstler wie DÜRER, CRANACH, HOLBEIN, CHODOWIECKI, KLINGER, THOMA, in England CRANE und A. BELL, in neuer Zeit LIEBERMANN, SLEVOGT und CORINTH gestalten E., im 20. Jh. meist in symbolhafter Form.

F. Warnecke, D. *dt. Bücherzeichen*, 1890; G. A. Seyler, *Ill. Hdb. d. E.kunde*, 1895; E. Stickelberger, D. E. *i. d. Schweiz u. i. Dtl.*, 1905; E. de Budan, *Bibliogr. des E.*, ²1906; R. Braungart, D. *neue dt. E.*, 1913–19; ders., D. *moderne dt. Gebrauchs-E.*, 1922; A. Schramm, *Taschenbuch f. E.-Sammler I*, 1924; E. Walter, W. v. zur Westen, E., ³1925; G. W. Fuller, *A Bibliogr. of bookplate lit.*, Spokane, Wash. 1924; H. Heeren (hg.), *E. u. Gebrauchsgraphik*, 1948/49; E. Geck, E., 1955; N. H. Ott, E., 1967; S. Wolf, E., 1985.

Exodium (lat., v. griech. *exodion* =) 1. Ausgang oder Schlußakt e. Schauspiels, bes. in röm. Lit.; 2. heiteres Nachspiel zu e. Tragödie, meist Satyrspiel, Mimus oder Atellane.

Exodos (griech. = Hinausweg, Ausgang), Schluß- und Abzugslied des →Chors in der altgriech. Tragödie, bes. im letzten Stück der Trilogie, später meist durch e. kurzes anapästisches Exodikon ersetzt; bei ARISTOTELES schließlich allg. der an das letzte →Stasimon anschließende ganze Schlußteil des Dramas mit der Lösung oder Katastrophe.

Exordium (lat. = Beginn), die kunstgerechte Einleitung als Anfang e. Rede, soll das Interesse der Hörer erregen, das Thema andeuten und die Stillage festlegen; in antiker und ma. Rhetorik durch bestimmte →Topoi (z. B. →captatio benevolentiae) gekennzeichnet, auch →Proömium.

Exoterisch (griech. *exoterikos* = äußerlich) im Ggs. zu →esoterisch heißen gemeinverständliche, für den Außenstehenden (Laien) bestimmte Schriften.

Exotische Dichtung (griech. *exotikos* = ausländisch, fremdartig), Schrifttum, das durch Verlagerung des Schauplatzes in außereurop., weitabgelegene Länder bes. Reize aus der Schilderung der dortigen, dem Europäer ungewohnten und merkwürdigen Verhältnisse, Gebräuche und Menschen zieht und die Phantasie der Leser anregt, daher Nähe zum →Abenteuer- und →Reiseroman zeigt. Zu voller Wirkung entfaltet es sich weniger in den Kolonialvölkern (Ausnahmen in England: DEFOE, STEVENSON, CONRAD, LONDON und KIPLING, in Frankreich P. LOTI, Th. GAUTIER, HÉRÉDIA, FLAUBERT u. a.) als den

nicht kolonisierenden Nationen Mitteleuropas. – Bereits HOMERS *Odyssee* und der griech. *Alexanderroman* zeigen Anfänge e. D. Die e. D. des MA. griff höchstens auf den durch die Kreuzzüge vertrauten arab.-islam. Orient (WOLFRAM VON ESCHENBACH, Spielmannsepik) oder Indien *(Alexanderroman)* zurück. In der weiteren Lit.gesch. findet sich e. D. bes. in Epochen überschäumenden Lebensgefühls, das zu letzter Steigerung nach den unerhörten Zuständen fremder Länder greift: 1. im Barock als heroischgalante Romane aus der Sittenwelt des Orients, von ZESEN ins Dt. übertragen und nachgeahmt in *Simson* und *Assenat* aus der ägypt.-hebr. Welt, Herzog ANTON ULRICHS VON BRAUNSCHWEIG *Aramena*, Geschichtsroman aus Babylon, und H. A. von ZIGLER UND KLIPHAUSENS *Asiatische Banise*, nur z. T. die Romane HAPPELS und REUTERS *Schelmuffsky*. Noch die Aufklärung (MONTESQUIEU, HALLER, WIELAND) siedelt den Staatsroman z. T. aus Gründen der Tarnung im Orient an. Eigene Wege gehen die zahlreichen →Robinsonaden des 17./18. Jh. und die mit ihnen thematisch verbundenen kulturfeindl. Utopien der gemeineurop. Vorromantik, die an den Mythos e. amerikan. Goldenen Zeitalters und e. edlen Wilden als Kontrastfolie zur europ. Unnatur anknüpfen (ROUSSEAU, CHATEAUBRIAND, BERNARDIN DE SAINT-PIERRE, SEUME, SOUTHEY, LONGFELLOW) – 2. in der Romantik infolge der verbreiteten Orient- und Indien-Studien: GOETHES *Westöstlicher Divan*, die →orientalisierende Lyrik PLATENS u. bes. RÜCKERTS, später in FREILIGRATHS pathet.-exot. Balladen als Effektsteigerung und in STIFTERS *Abdias* mit dem eigenartigen Zauber arab. Wüste. Meister des exot. Romans im 19. Jh. sind J.

F. COOPER und Ch. SEALSFIELD mit seinen Schilderungen des amerikan. Lebens aus eigenster Anschauung. Die bei ihm gewonnene dichter. Tiefe wird schließlich im Unterhaltungsschrifttum GERSTÄCKERS und bes. Karl MAYS zugunsten phantast. und spannungserregender Elemente veruntreut. – 3. in Neuromantik (DAUTHENDEY, H. HESSE) und Expressionismus (EDSCHMID, KLABUND, STUCKEN, DÄUBLER, DÖBLIN, BONSELS, BETHGE, PAQUET, KELLERMANN, R. MÜLLER) greift der Ausdruckswille, dem das Abendland zu eng ist, bes. in fernöstl. Regionen (China). Auch G. HAUPTMANN hat mit *Der weiße Heiland, Indipohdi* und *Die Insel der großen Mutter* Anteil an der e. D., und BRECHT verwendet sie zur Verfremdung, während das breite Unterhaltungsschrifttum (B. TRAVEN) von jeher aus den unerhörten und abenteuerl. Erlebnissen der Fremde bes. Effekte gezogen hat.

R. Rieman, D. Entwicklg. d. polit. u. exot. Romans i. Dtl., 1910; G. Chinard, *L'Amérique et le rêve exot. dans la lit. franç.*, Paris 1913, n. 1970; L. Cario u. C. Régismanset, *L'Exotisme*, 1911; P. Jourda, *L'exotisme dans la lit. franç.*, Paris II 1938–56; H. Plischke, V. Cooper bis K. May, 1951; D. exot. Roman, hg. A. Maler 1975; W. Reif, Zivilisationsflucht u. lit. Wunschträume, 1975; U. Bitterli, D. Wilden u. d. Zivilisierten, 1976; T. Lange, Idyll u. exot. Sehnsucht, 1976; H. H. Remak, *Exotism in romanticism*, CLS 15, 1978; W. R. Berger, Exotismus i. d. europ. Ländern, Arcadia 16, 1981; K.-H. Kohl, Utopie, Erfahrg. u. nüchterner Blick, 1981.

Experiment (lat. *experimentum* =) Versuch, Erprobung, in Lit. und Theater die praktische Erprobung neuer Ausdrucksformen, neuer Aussageweisen und neuer Inhalte auf ihre Wirksamkeit und ihre Möglichkeiten als Aussage neuen menschl. Selbstverständnisses. Ein wesentl. Teil aller lit. Neuerungen und insbes. der mod. Dichtung entstand aus dem E. als suchendem Bemühen nach neuen Mitteln und Wegen sprachl. Wirklichkeitsgestaltung, so daß das E., dem zugleich immer der Charakter des Provisorischen, nicht Endgültigen anhaftet, bis seine Ergebnisse sich als anerkannte Kunst legitimieren, als die Vorhut mod. Dichtung bezeichnet werden kann. Experimentelle Dichtung der Gegenwart sind etwa die →abstrakte Dichtung, das →absurde Drama, der →automatische Text, die →Collage, die →Computerlyrik, →Happening, →konkrete und →visuelle Poesie u. ä.

The Great E. in American lit., hg. C. Bode, N.Y. 1961; H. Motekat, E. u. Tradition, 1962, E. u. Erfahrg. i. Wiss. u. Kunst, hg. W. Strolz 1963; H. Schwerte, D. Begriff d. E. i. d. Dichtg. (Fs. H. O. Burger, 1968 u. Universitas 29, 1974); B. Heimann, Exp. Prosa (Dt. Lit. d. Gegenw., hg. M. Durzak 1971); Exp. Prosa, hg. K. Hohmann 1974; H. Hartung, Exp. Lit. u. konkrete Poesie, 1975; Das E. i. Lit. u. Kunst, hg. S. J. Schmidt 1977; B. Heimann, Exp. Prosa d. Ggw., 1978; V. Kahlschlag z. movens, hg. J. Drews 1980; R. Nägele, D. Arbeit d. Textes (Dt. Lit. i. d. BR., hg. P. M. Lützeler 1980); ders., Aspekte d. exp. Theaters, CG 14, 1981; S. J. Schmidt, Notizen z. exp. Dichtg. (Interferenzen, hg. L. Jordan 1983); G. Rückert, Exp. Lyrik, NKL, 1984; S. Schmid-Bortenschlager, Konstruktive Lit., 1985.

Explanation (lat. = Ausbreitung), verdeutlichende Sinnerklärung des Sachinhalts e. Textes im Ggs. zum sprachlichen →Kommentar und der ästhet. →Interpretation. Vgl. →Exegese, →Scholien.

Explicit (lat. aus *explicitum est* = ist abgewickelt, in Angleichung an →*incipit*), urspr. Anfangswort der Schlußwendung e. Buchrolle (z. B. ›explicit Plinii liber historiarum primus, incipit secundus‹), dann allg. in alten Hss. und Frühdrucken Schlußvermerk oder -wort. →Kolophon.

Exposé (franz. = Darlegung), kurzer Entwurf zur Erläuterung e. Situation oder e. Plans als Grundlage zur Diskussion, daher: Rohentwurf e. lit. Arbeit in Grundzügen, auch Bericht, →Denkschrift, →Memorandum. Vgl. →Drehbuch.

Exposition (lat. *expositio*, urspr. ›Inhaltsangabe‹, dann Prolog, ab 16. Jh. im heutigen Sinn), wesentlicher Bestandteil des →Dramas: wirkungsvolle Einführung des Zuschauers in Grundstimmung, Ausgangssituation, Zustände, Zeit, Ort und Personen des Stückes und Darbietung der für das Verständnis wichtigen Voraussetzungen, die zeitlich vor Beginn der eigentl. Bühnenhandlung liegen (→Vorgeschichte). Im klass. Drama ist sie meist als →Protasis in die Handlung des 1. Akts integriert (z.B. GOETHE, *Egmont*) und wird durch das →erregende Moment abgeschlossen. In dieser Form ist die E. in die Dramentheorie G. FREYTAGS eingegangen, doch ist die Beschränkung auf den 1. Akt nicht notwendig (LESSING, *Minna von Barnhelm*); im →analytischen Drama erstreckt sich die E. als Enthüllung der ›Vorfabel‹ über das ganze Drama bis an den Schluß, da zu ihr alle Momente rechnen, die e. zeitlich zurückliegende Ausgangssituation aufhellen. – In einfachster Form erscheint die E. als handlungsexterner →Prolog (Antike, geistl. Drama, Fastnachtsspiel, Humanistendrama, Reformationsdrama, in der Gegenwart bei HAUSMANN, *Lilofee*, Thornton WILDER, *Our town* u.a.). E.dialog ist seit der antiken Tragödie üblich, kann jedoch durch starke ep. Elemente zum Monolog umgestaltet werden (VONDEL, GRYPHIUS, *Cardenio und Celinde*). Selbständige Form der E. ist das →Vorspiel (SCHILLER, *Wallenstein*, GOETHE, *Faust*). Am kunstvollsten und dem Dramenaufbau am angemessensten

erscheint die möglichst weitgehende Umsetzung ep. Elemente der E. in bildhafte Handlung (SHAKESPEARE) oder schrittweise enthüllenden Dialog (IBSEN).

E. Ziel, Üb. d. dram. E., Diss. Rostock 1869; RL; R. Petsch, D. dramat. E. (Nationaltheater 3, 1930); D. Dibelius, D. E. i. dt. naturalist. Drama, Diss. Hdlbg. 1935; L. Espenhahn, D. E. beim Film, Diss. Wien 1948; O. Mann, Poetik d. Tragödie, 1958; H. G. Bickert, Stud. z. Probl. d. E., 1969; W. Schultheis, Dramatisierg. v. Vorgesch., Assen 1971; H. G. Bickert, *Poeta rhetor* (Fs. J. Kunz, 1973); ders., E.probleme d. tekton. Dramas (Beitr. z. Poetik d. Dramas, hg. W. Keller 1976); J. O. Fichte, *Expository voices in medieval drama*, 1976. →Drama.

Expressionismus (lat. *expressio* = Ausdruck), Ausdruckskunst, Strömung zuerst der europ. bildenden Kunst, dann bes. der dt. Lit. rd. 1910–1925. Getragen von der zwischen 1875 und 1895 geborenen Generation und ausgelöst bes. durch das Erlebnis der inneren Krise vor dem 1. Weltkrieg und diesen selbst, stellt er geistesgeschichtlich e. Reaktion der Seele dar gegen die materielle Wirklichkeitsnachbildung im Naturalismus einerseits und die Wiedergabe äußerer Eindrücke im Impressionismus andererseits: künstler. Gestaltung erfolgt nunmehr als rein geistiger Ausdruck innerlich geschauter Wahrheiten und seel. Erlebnisse des Ich unter freier Benutzung der äußeren Gegebenheiten (Natur, Sprache), deren Beziehung zur Kunst geleugnet, selbst als Ggs. ausgegeben wird. Die Idee gestaltet ihre eigene, dynam. Wirklichkeit, daher Sprengung der herkömml. ästhet. Formen, teilweise selbst ihre Umkehr wie die Aufhebung der Sprachlogik im →Dadaismus; die Satzformen werden bewußt vereinfacht, telegrammartig verkürzt und grotesk verzerrt, um die leidenschaftl. Erregung gesteigerten Persönlichkeitsgefühls zu betonen; so erklären sich Stilmittel wie Wortballungen, Worthäufungen, Weglassen des Artikels, der Füllwörter und Präpositionen, kühnste Wortbilder zur Darstellung von Abstraktem, gehetztes Pathos und bis zum Schrei gesteigerte rauschhafte Ekstase bei rhythm. und metr. Freiheit des Verses. Aus dem Protest gegen Autorität, Imperialismus, Industrialisierung, Enthumanisierung und die behagliche Selbstzufriedenheit im Wohlstand des Bürgertums entstehen apokalypt. Visionen vom Weltende und e. Kampf der Generationen, der in häufiger Verwendung des Vater-Sohn-Motivs Niederschlag findet. Das Streben nach e. Erneuerung, Verwesentlichung des Menschen und neuer Sinngebung des Daseins in verbrüdernder Liebe und Menschenwürde wendet sich gegen fortschreitende Mechanisierung und Großstadtzivilisation und dringt als Revolution des Gefühls selbst zu relig., ja myst. Haltung vor. Trotz scheinbar kollektivistischer Züge, die auf die Gemeinsamkeiten des Menschenloses verweisen sollen (TOLLER, *Masse Mensch*) vertritt der E. die Überzeugung von Wert und Recht der Persönlichkeit zur Ausbildung seel. Kräfte, wie sie in den roman. Ländern von →Futurismus und später →Surrealismus erstrebt wird. Nur nach der Ausführung dieses in zahlr. Zss. (*Der Sturm,* 1910, *Der Brenner,* 1910, *Die Aktion,* 1911, *Die Weißen Blätter,* 1913, *Das neue Pathos,* 1913, *Genius,* 1919), Manifesten, Pamphleten und Essays niedergelegten Programms unterscheidet man e. sich innerlich versenkende, auf seel. Reichtum und Gefühlswerten aufbauende Richtung von e. betont intellektuellen, die mit dem Ziel grundlegender soz. Umgestaltung aus extremer Sicht polit.-ges. Engagement sucht (Aktivismus).

Reinsten Ausdruck fand der E. in der Lyrik; hier überwiegen die Reflexion in langen Monologen, die rhythmisch packende Durchgestaltung und der im Pathos Ausdruck suchende Gefühlsüberschwang, der durch Wort und Symbol die Wirklichkeit umgestalten will. Die Lyrik umfaßt alle Tonlagen vom anklagenden Entsetzen über Verfall und Verwesung (G. BENN) über die schwermütig verkündete Klage (TRAKL) bis zur ekstat. Jubelhymne (WERFEL). Wichtigste Vertreter: HEYM, STADLER, J. R. BECHER, E. LASKER-SCHÜLER, G. ENGELKE, A. EHRENSTEIN, A. v. HATZFELD, A. STRAMM, F. SCHNACK, A. MOMBERT, Th. DÄUBLER, P. ZECH, A. LICHTENSTEIN, E. BLASS, J. van HODDIS, A. WOLFENSTEIN, F. HARDEKOPF, G. SACK, Y. GOLL u. a. Das express. Drama stellt dem naturalist. Milieudrama und dem impressionist. Stimmungsdrama e. symbolhaftes, ausdrucksstarkes Ideendrama gegenüber; es verwendet durchweg typenhafte Verkörperungen (›der Vater, das Kind‹ usw.) ohne individuelle Zeichnung und anstelle des tekton. Aufbaus lockere Folgen symbol. Bilder, unterstützt durch musikal. Untermalung, Bewegungschor, z.T. Tanz und Pantomime, ohne Bindung an realen Zeit- und Raumwert (Stationentechnik) und durchsetzt von lyr.-hymn. Stellen: der Monolog, im Naturalismus als unwirklich verpönt, wird wieder Hauptausdruck des Seelischen. Auch die Regie bemüht sich um letzte Konzentration auf den Ideengehalt, der ebenfalls durch Bühnenbild (Gerüste, abstrakte Kuben, Stufen) wie Beleuchtungseffekte hervorgehoben wird. Als Vorläufer gelten BÜCHNER, STRINDBERG und WEDEKIND; den Einsatz des express. Dramas bringt R. J. SORGE mit *Der Bettler* (1912), es folgen E. BAR-

LACH, F. v. UNRUH, R. GOERING, P. KORNFELD, W. HASENCLEVER, G. KAISER, B. BRECHT, E. TOLLER, H. MANN, A. WILDGANS, F. WOLF, O. KOKOSCHKA, A. BRUST, A. BRONNEN und H. JOHST, in der Komödie C. STERNHEIM. Weniger bedeutend und ausgeprägt ist die Prosa des E., charakterisiert durch Einbeziehung des Unwirklichen in die zeitl. Existenz, doch stärkere Bindung an realist. Gestaltungsmittel: L. FRANK, F. WERFEL, K. EDSCHMID, A. DÖBLIN, M. BROD, H. MANN, A. SCHAEFFER, KLABUND, R. SCHICKELE, G. HEYM, G. BENN, A. P. v. GÜTERSLOH, H. ULITZ, C. STERNHEIM, A. EHRENSTEIN, C. EINSTEIN, F. JUNG u.a.; am Rande stehen die großen Revolutionen der Erzählkunst durch J. JOYCE und KAFKA, letzterer erst vom Existentialismus entdeckt; doch auch H. HESSE mit Demian, WASSERMANN mit Christian Wahnschaffe u.a. gehören dem E. zeitweilig an. Um 1923 durch die →Neue Sachlichkeit abgelöst, wirkte der E. mehr auf Theater und Film und nur vereinzelt auf außerdt. Literaturen. Die ›E.-Debatte‹ in der Zs. Das Wort 1936–39 untersuchte das Verhältnis des E. zum Faschismus.

P. Fechter, D. E., ³1920; K. Edschmid, Üb. d. E. i. d. Lit., ⁷1920; H. Bahr, E., ²⁵1922; H. Walden, D. E., ³1924; A. Schirokauer, E. d. Lyrik (in: Weltlit. d. Gegenw., hg. L. Marcuse 1924); B. Diebold, Anarchie i. Drama, ³1925; F. J. Schneider, D. expr. Mensch, 1927; K. Breysig, Eindruckskunst u. Ausdruckskunst, 1927; E. Utitz, D. Überwindg. d. E., 1927; A. Soergel, Dichtg. u. Dichter d. Zt., N. F.; Im Banne d. E., ⁶1930; J P Stettes, V. Naturalismus z. neuen Sachlichkeit, 1932; M. Hain, Studien üb. d. Wesen d. früh-expr. Dramas, 1933; W. G. Klee, D. charakterist. Motive d. expr. Erzähls.lit., Diss. Leipz. 1934; W. Paulsen, E. u. Aktivismus, 1935; M. Keller, D. dt. E. i. Drama, 1936; L. Palmer, The language of the German e., Illinois 1938; R. Samuel, R. H. Thomas, E. in German life, lit. and theatre, Cambr. 1939; W. Struyver, D. dt. expr. Dichtg., Diss. Am-

sterd. 1939; F. E. van Bruggen, I. Schatten d. Nihilismus, 1946; A. R. Meyer, D. maer. v. d. musa expressionistica, 1948; F. Martini, Was war E.?, 1948; W. Milch, Ströme, Formeln, Manifeste, 1949; R. D. Ebeling, Stud. z. Lyrik d. E., Diss. Freibg. 1951; K. Ziegler, D. Drama d. E., DU 5, 1953; G. Lukacs, Größe u. Verfall d. E. (in: Probleme d. Realismus, ²1954); K. L. Schneider, D. bildhafte Ausdruck i. d. Dichtgn. Heyms, Trakls u. Stadlers, 1954, ³1968; W. Kohlschmidt, D. dt. Früh-e., OL 9, 1954; I. Maione, La Germania espressionista, Neapel 1955; H. Friedmann, O. Mann (hg.), E., 1956; R. E. Modern, El e. lit., Buenos Aires 1958; I. de Brugger, Teatro alemán espr., Buenos Aires 1959; P. Chiarini, Il teatro tedesco espr., Bologna 1959; R. Brinkmann, E. Forschungsprobleme, DVJ 33/34, 1959/60; separat 1961; C. Hill, R. Ley, The drama of German E., Chapel Hill 1960 (Bibliogr.); W. H. Sokel, D. lit. E., 1960; RL; H. Liede, Stiltendenzen expr. Prosa, Diss. Freib. 1960; E., hg. P. Raabe 1960; W. Muschg, Von Trakl zu Brecht, 1961; K. Edschmid, Lebendiger E., 1961; I. u. P. Garnier, L'e. allemand, Paris 1962; E. Runge, V. Wesen d. E. i. Drama u. auf d. Bühne, Diss. Mchn. 1963; E. Krispyn, Style and society in German lit. e., Gainesville 1964; P. Raabe, D. Zss. u. Sgln. d. lit. E., 1964; ders., E., e. Lit.übersicht, DU 16, 1964; ders., D. E. als histor. Phänomen (ebda. 17, 1965); E., hg. ders. 1965, n. 1987; L. Mittner, L'espressionismo, Bari 1965; A. Arnold, D. Lit. d. E., 1966, ⁷1971; P. U. Hohendahl, D. Bild d. bürgerl. Welt i. expr. Drama, 1967; K. L. Schneider, Zerbrochene Formen, 1967; H. Denkler, Drama des E., 1967, ²1979; Aspekte d. E., hg. W. Paulsen 1968; J. Hermand, E. als Revolution (in ders., V. Mainz nach Weimar, 1969); E. als Lit., hg. W. Rothe 1969; G. Luther, Barocker E.?, Haag 1969; P. Chiarini, L'espressionismo tedesco, Rom 1969, ²1985; D. dt. E., hg. H. Steffen ²1970; J. Willet, E., 1970; A. Viviani, D. Drama d. E., 1970; dies., Dramaturg. Elemente d. express. Dr., 1970; E. Kolinsky, Engagierter E., 1970; G. Martens, Vitalismus i. E., 1971; H. Thomke, Hymn. Dichtg. i. E., 1972; A. Arnold, Prosa d. E., 1972; J. Ziegler, Form u. Subjektivität i. frühen E., 1972; E. as an internat. lit. phenomenon, hg. U. Weisstein, Paris 1973; R. S. Furness, E., Lond. 1973; P. Böckmann, Wandlungen d. Dramenform d. E. (Fs. B. v. Wiese, 1973); Ch. Eykman, Denk- u. Stilformen d. E., 1974; G. Perkins, Contemporary theory of e., 1974; R. F. Allen, Lit. life in German e. and the Berlin circles, Ann Arbor 1974, n. 1983; A. Kaes, E. in Amerika, 1975; H.-J. Knobloch, D. Ende d. E., 1975; R. Hamann, J.

Hermand, E., 1975; S. Vietta, H.-G. Kemper, E., 1975, ²1983; Begriffsbestimmg. d. lit. E., hg. H. G. Rötzer 1976; J. M. Ritchie, *German expr. drama*, Boston 1976; W. Steffens, Expr. Dramatik, 1977; W. Rothe, D. E., 1977; B. Hillebrand, E. als Anspruch, ZDP 96, 1977; M. Durzak, D. expr. Drama, II 1978 f.; E. i. europ. Zwischenfeld, hg. Z. Konstantinović 1978; J. M. Palmier, *L'e. et les arts*, Paris 1979; R. F. Allen, *German expr. poetry*, Boston 1979; W. Rothe, Tänzer u. Täter, 1979; G. P. Knapp, D. Lit. d. dt. E., 1979; O. Huber, Mythos u. Groteske, 1979; *E. reconsidered*, hg. G. B. Pickar 1979; R. Brinkmann, E. Forschgsber. 1980; U. Weisstein, *German lit. e.*, GQ 54, 1981; E., hg. H. Meixner, E. Vietta 1982; E., Manifeste u. Dok., hg. T. Anz 1982; M. Stark, Für u. wider den E., 1982; W. Krull, Polit. Prosa d. E., 1982; E. u. Kulturkrise, hg. B. Hüppauf 1983; *Passion and rebellion*, hg. S. E. Bronner, South Hadley 1983; W. Paulsen, Dt. Lit. d. E., 1983; W. Krull, Prosa d. E., 1984; P. Raabe, D. Autoren u. Bücher d. lit. E., 1985; E., hg. P. Chiarini, Rom 1986; J. L. Brockington, 4 Pole expr. Prosa, 1987; A. P. Dierick, *German expr. prose*, Toronto 1987; R. Benson, Dt. expr. Theater, 1987.

Exspiratorisch →Akzent

Extempore (lat. *ex tempore* = aus der Zeit), in der Schauspielkunst die freie, erfundene →Improvisation aus dem →Stregreif ohne Rückhalt im Text als spontaner Ausbau der jeweiligen dramat. Situation; Spielprinzip der →Commedia dell' arte und von daher auch später bes. in kom. Rollen üblich.

Extemporieren (lat. *ex tempore* = aus der Zeit), aus dem →Stegreif ohne Vorbereitung, Konzept oder schriftl. Text sprechen oder spielen. Vgl. →Extempore.

Extravaganza (engl., v. ital.), volkstüml. engl. Schauspielgattung des 19. Jh. zwischen →Feerie und →Burleske, Verbindung von farcenhaft-witzigen Texten in gereimten Couplets, meist Märchen- oder Mythentravestie mit Musik nach bekannten Melodien, Pantomime und Ballett, gepflegt bes. im Londoner Olympic Theatre unter Mme. Vestris nach Texten von J. R. PLANCHÉ, H. J. BYRON und anfangs W. S. GILBERT. Vorläufer des Musical und der Revue, z.T. fortlebend in engl. Christmas-Pantomimes.

Exzerpt (lat. *excerptum* = Herausgehobenes), wörtl. oder zusammenfassender Auszug, Lesefrüchte aus e. Schriftwerk (→Epitome), entweder des Wesentlichen oder bestimmter Aspekte, zum Zweck leichteren Lernens und geringerer Kosten an teurem Buchmaterial schon im Altertum beliebt (LIVIUS' Periochen, z.T. einzige erhaltene Form des Geschichtswerkes), und zwar in Prosa wie Poesie.
K. Ehlich, Z. Analyse d. Textart E. (Pragmatik, hg. W. Frier, Amsterd. 1981).

Fabel (lat. *fabula* = Erzählung), 1. der (überlieferte, erlebte oder erdachte) thematisch-stoffl. Vorwurf, Grundplan im Handlungsverlauf e. ep. oder dramat. Dichtung, der bereits künstlerisch organisiert ist und die Figurenkonstellation sowie die Zentralmotive aufzeigt. – 2. im engeren Sinne (Äsopische F.) selbständige kurze episch-didakt. Gattung der →Tierdichtung in Vers oder Prosa, die eine allg. anerkannte Wahrheit, e. moral. Satz, e. prakt. Lebensweisheit an Hand e. überraschenden, doch analogen Beispiels in uneigentlicher Darstellung veranschaulicht und bes. aus der Übertragung menschl. Verhältnisse, Sitten, auch der Rede, auf die beseelte oder unbeseelte Natur (Pflanzen, Steine, bes. Tiere) witzig-satir. oder moral.-belehrende Effekte erzielt. Die Tier-F. erspart durch Benutzung der feststehenden, allg. anerkannten Charaktereigenschaften der einzelnen Tiere (List des Fuchses, Majestät des Löwen u. ä.) eine vorgegebene Charakterschilderung. E. bes. Erläuterung der Nutzanwendung im Nachwort (→Epimythion) ist meist nicht erforderlich, da die Kontinuität des Vergleichs in allen Teilen trotz der logisch unmögl. Verhältnisse (im Ggs. zur bloßen Übereinstimmung in einem Punkt bei →Parabel und →Gleichnis) den Sinn der Darstellung erkennen läßt. – Heimat der F. ist der Orient: Indien *(Pañcatantra)* und Arabien. Der phryg. Sklave AISOPOS (um 550 v. Chr.) zeichnete angeblich F.n ind. und griech. Herkunft auf und führte damit die bereits bei HESIOD und ARCHILOCHOS vorgebildete F. als selbständige Gattung ins Abendland ein. Seine F.sammlung oder die ebenfalls verlorenen *Aisopia* des DEMETRIOS von Phaleron (4. Jh. v. Chr.) wurde von BABRIUS in griech., von PHAEDRUS (um 50 n. Chr.) unter Verstärkung des lehrhaften Elements und später von AVIANUS (um 400) in lat. Verse umgedichtet und schließlich in Prosa aufgelöst *(Romulus* oder *Aesopus latinus,* um 350/500). Während das satir. Element im →Tierepos seine Ausgestaltung erfuhr, sichert die lehrhafte Form der F. ihre Beliebtheit als Schullektüre übers MA. (STRICKER, Slg. *Der Edelstein,* 1349 von U. BONER, ferner bes. in Spanien und Frankreich: MARIE DE FRANCE) hinaus in die Reformationszeit, welche die F. individueller und realistischer ausformt und im Dienst der relig. Erneuerung verwendet (STEINHÖWEL, E. ALBERUS, *Buch von der Tugend und Weisheit,* 1550, B. WALDIS, *Esopus,* 1548, LUTHER, S. BRANT, H. SACHS, FISCHART). Der Barock bringt keine neue F.dichtung, wohl aber ihre Verwendung bei ABRAHAM A SANCTA CLARA und HARSDÖRFFERS Theorie von der F. als Lehrgedicht. In Frankreich durch LAFONTAINE (1621–1695) zum witzig-iron., galanten und in der Tierliebe volks-

tüml. Kabinettstück lit. Kleinkunst entwickelt, gilt sie dem Vernunftzeitalter der Aufklärung, bes. Rokoko, als wahrhafte Erfüllung des →prodesse et delectare, daher höchste Dichtform (GOTTSCHED, bes. BODMER und BRETINGER), wird in England von GAY und MOORE, in Dtl. von GELLERT, HAGEDORN, GLEIM, LICHTWER, PFEFFEL, MEYER VON KNONAU, HERDER u. a. übernommen und vereint heiter-gelöste Plauderei mit Lehrhaftigkeit und bürgerl. Lebensklugheit. LESSING wendet sich gegen die zierliche, weitschweifige Form der Versfabel *(Abhandlung vom Wesen der F.,* 1759; dagegen BODMER: *Lessingsche unäsopische F.n,* 1760) und verficht theoretisch wie praktisch *(F.n, 1759)* die epigrammatisch zugespitzte, geistreich-ernste und knappe Prosaform im Sinne der antiken Rhetorik als Zeitkritik. Mit ihm und dem Russen KRYLOV klingt die Hochblüte der F. ab. Sowohl HEYS Kinder-F.n zu Bildern als die sinnreichen F.n von M. v. EBNER-ESCHENBACH und W. BUSCH, im 20. Jh. F. KAFKA, G. ANDERS und J. THURBER brachten kein wesentl. Aufleben der Gattung, das vielleicht in G. ORWELLS *Animal Farm* und Comics wie *Mickey Mouse* zu sehen ist.

G. Diestel, Bausteine z. Gesch. d. dt. F., Progr. Dresd. 1871; W. G. Rutherford, *The Hist. of Greek F.,* 1883; L. Hervieux, *Les fabulistes lat.,* Paris 1893–99; O. Weddingen, D. Wesen u. d. Theorie d. F., 1893; M. Marchiano, *L'origine della favola greca,* 1900; M. Plessow, Gesch. d. F.dichtg. i. Engl., 1906, n. 1967; H. Badstüber, D. dt. F., 1924; W. Wienert, D. Typen d. griech.-röm. F., Helsinki 1925; Th. Erb, D. Pointe..., 1928; M. Staege, Gesch. d. dt. F.theorie, 1929, n. 1970; W. Kayser, D. Grundlagen d. F.dichtg...., Archiv 160, 1931; R. Petsch, Hagedorn u. d. dt. F. (Fs. f. Melle, 1933); A. Rammelmeyer, Stud. z. Gesch. d. russ. F...., 1938; J. F. Heybroek, *De f. in Nederland en Vlaanderen,* Amsterd. 1941; Th. Spoerri, D. Aufstand d. F. (Trivium I, 1942); F. R. Whitesell, *Fables in ma. Exempla*, JEGP 3, 1947; D. Sternberger, D. Figuren d. F., 1950; C. Filosa, *La favola e la let. esopiana in Italia*, 1952; K. Meuli, Herkunft u. Wesen d. F., 1954; J. Janssens, *La f. et les fabulistes*, Brüssel 1955; RL; B. E. Perry, *Fable* (Stud. generale 12, 1959); W. Briegel-Florig, Gesch. d. F.-forschg. i. Dtl., Diss. Freib./Br. 1965; H. Friederici, D. Tierf. als operatives Genre, WB 11, 1965; M. Vollrath, D. Moral d. F.n i. 13. u. 14. Jh., Diss. Jena 1966; H. de Boor, Üb. F. u. Bispel, 1966; J. Shea, *Stud. in the verse f. from La Fontaine to Gray*, Minnesota 1967; E. Leibfried, F., 1967, ⁴1982; R. Dithmar, D. F., 1970, ⁵1982; Ch. H. Wilke, F. als Instrument d. Aufklärg. (Basis 2, 1971); G. Schütze, Ges. krit. Tendenzen i. dt. Tier-F.n d. 13.–15. Jh., 1973; W. Gebhard, Z. Mißverhältn. zw. d. F. u. ihrer Theorie, DVJ 48, 1974; S. Eichner, D. Prosa-F. Lessings, 1974; B. Tiemann, F. u. Emblem, 1974; M. Hueck, Textstruktur u. Gattungssystem, Stud. z. Verh. v. Emblem u. F., 1975; H. Lindner, Bibliogr. z. Gattungspoetik 5: F. (Zs. f. frz. Spr. u. Lit. 85, 1975); E. Herbrand, D. Entw. d. F. i. 18. Jh., 1975; T. Noel, *Theories of the f. in the 18. cent.*, N.Y. 1975; K. Doderer, F.n, ²1977; L. Vindt, D. F. als lit. Genre (Poetica 9, 1977); K. Grubmüller, Meister Esopus. Unters. z. Gesch. u. Funktion d. F. i. MA., 1977; E. Volek, D. Begriffe F. u. Sujet i. d. mod. Lit.wiss. (Poetica 9, 1977); B. Kosak, D. Reimpaar-F. i. Spät-MA., 1977; Texte z. Theorie d. F., hg. E. Leibfried 1978; H. Lindner, F.n d. Neuzeit, 1978; U.-K. Ketelsen, V. Siege d. natürl. Vernunft, Seminar 16, 1980; V. Ott, Die F., FLE 1981; B. Könneker, D. Rezeption d. äsop. F. i. d. dt. Lit. d. MA. (Rezeption d. Antike, hg. A. Buck 1981); T. Karadagli, F. u. Ainos, 1981; Die F., hg. P. Hasubek 1982; F.forschg., hg. ders. 1983; K. Grubmüller, Z. Pragmatik d. F. (Textsorten u. lit. Gattgn., 1983); Fabula docet, hg. U. Bodemann 1983; F. Hassauer, D. Philos. d. F.-tiere, 1984; E. Leibfried, F. 1984; W. Freytag, D. F. als Allegorie (Mlat. Jb. 20, 1985 u. 21, 1986); A. Elschenbroich, Sammeln u. Umgestalten äsop. F.n b. d. Neulateinern, Daphnis 14, 1985; H. J. Blackham, *The f. as lit.*, Lond. 1985; G. Dicke u.a., D. F.n d. MA. u. d. früh. Neuzeit, 1987; A. Elschenbroich, D. dt. u. lat. F. i. d. früh. Neuzeit, II 1988.

Fabian Society, 1884 gegr. engl. Gesellschaft sozialist. Intellektueller, die im Ggs. zur radikalen revolutionären Aktion für eine am Beispiel des röm. Feldherrn gegen Han-

nibal, Quintus Fabius Maximus Cunctator, orientierte Politik der Schwächung des Gegners durch vorsichtiges, hinhaltendes und verzögerndes Handeln anstrebte. Sie publizierte 1889 die *Fabian Essays*, und Sidney und Beatrice WEBB sowie G. B. SHAW und H. G. WELLS standen ihr nahe.

E. Pease, *The history of the F. S.*, Lond. 1925, ³1963; A. M. McBriar, *Fabian socialism and English politics*, Cambr. 1962; M. Cole, *The story of Fabian socialism*, Lond. 1962; A. Fremantle, *This little band of prophets*, N.Y. 1962; P. Wittig, D. engl. Weg z. Sozialismus, 1982.

Fabel (franz., zu lat. *fabella* = kleine Erzählung, Mz. *fabliaux*), altfranz. schwankartige Verserzählung in (durchschnittl. 300) Achtsilbern mit Paarreim, meist frivolen bis derbrealist.-unsittl. Inhalts (Erotik als volkstüml. Unterhaltung), doch reich an Witz; oft pikante Abenteuer als harmlose Verspottung der Ritter, Geistlichen, Bürger und Bauern durch vortragende Spielleute ohne ernstere sozialkrit. oder moralist. Tendenz, gedacht als derbrealist.-parodist. Gegenstück zu edler höf. Dichtung. Die F.s verwenden teils indogerman. Mythen, teils einheim. oder frei erfundene Motive, teils oriental. Stoffe durch Vermittlung der Kreuzfahrer oder Araber Spaniens und finden ihre häufigsten Themen in weiblicher Untreue, dem Leben der Dirnen und Kupplerinnen und der Unsittlichkeit der Geistlichen. Sie entstanden seit Mitte des 12., bes. aber im 13./14. Jh. in Nordfrankreich (älteste der 147 erhaltenen, um die Pariser Dirne Richeut, 1159). Unter den namentlich bekannten Verfassern ragen RUSTEBEUF, HUON LE ROI, Henri d'ANDELI, Philippe de REMI und Jean BODEL hervor. Die F.s gingen im 15./16. Jh. in Prosanovellen auf und bilden e. unerschöpfl. Stoffquelle späterer Dichter (BOCCACCIO, *De-camerone*, CHAUCER, RABELLAIS, MOLIÈRE, LAFONTAINE).

J. Bédier, *Les Fabliaux*, Paris 1925, ⁶1964; P. Nykrog, *Les Fabliaux*, Kopenh. 1957, ²1973; M. Tessier u.a., *Les fabliaux*, Paris 1959, ²1965; J. Rychner, *Contribution à l'étude des f.*, Neuchâtel II 1960; J. Beyer, Schwank u. Moral, 1969; F. Frosch-Freiburg, Schwankmären u. F., 1971; P. Menard, *Les fabliaux*, Paris 1983; M. J. S. Schenck, *The fabliaux*, Amsterd. 1987.

Fabliaux →Fablel

Fabula (lat. = Erzählung), 1. →Fabel. – 2. im antiken Rom jedes ›dramatische Gedicht‹, d.h. Schauspiel. Man unterscheidet F. →Atellana, F. Crepidata (lat. *crepida* = Sandale), Tragödie mit griech. Stoff und Kostüm, F. →Palliata, F. →Praetexta und F. →Togata oder →Tabernaria.

Facetiae →Fazetie

Fachbuch, im engeren Sinn ein Lehrbuch über ein bestimmtes Spezialgebiet zur Ausbildung oder Fortbildung für Angehörige eines bestimmten Berufs. Im weiteren Sinn dann jedes der Vermittlung von Wissen an Fachgenossen dienende, auch wiss. Buch, das im Ggs. zum →Sachbuch von e. Fachkenner verfaßt ist.

Fachliteratur, 1. allg. die belehrende Lit. über ein bestimmtes, umgrenztes Fachgebiet als Summe der einschlägigen →Fachbücher. Sie ist im allg. nicht Gegenstand der Literaturwissenschaft, da sie in erster Linie nicht ästhet., sondern fachl. Zwecken dient. – 2. Die frühe volkssprachige Fachprosa des MA., als solche Teilgebiet der Mediävistik, →Artesliteratur.

G. Eis, Stud. z. altdt. Fachprosa, 1951; ders. in ›Aufriß‹; ders., Ma. F., ²1967; F. d. MA., Fs. f. G. Eis, 1968; G. Eis, Forschgn. z. Fachprosa, 1971; P. Assion, Altdt. F., 1973; Fachprosaforschg., hg. ders. u.a. 1974; Fachprosa-Stud., hg. G. Keil 1982; G. Eis, Medizin. Fachprosa, Amsterd. 1982.

Fachprosa →Fachliteratur, →Artesliteratur

Faction-Prosa (zu engl. *fact* = Tatsache und *fiction* = Erzähllit.), Faktographie, amerikan. Form der ep. →Dokumentarliteratur in den 60er Jahren: nicht-fiktiver ›Tatsachenbericht‹ (nonfiction novel), objektive, dokumentierende Beschreibung und Rekonstruktion wichtiger oder symptomat. Ereignisse aus der konkreten Welt in sachl. Berichtstil als Ggs. zur subjektiven ›Fiction‹, doch nie ohne innere parteil. Stellungnahme des Autors: J. R. HERSEY, T. CAPOTE (*In cold blood*, 1965), N. MAILER (*Of a fire on the moon*, 1970).

M. Johnson, *The new journalism*, Lawrence 1971; *The new journalism*, hg. T. Wolfe, N.Y. 1973; M. Zavarzadeh, *The mythopoetic reality*, Urbana 1976; J. Hollowell, *Fact and fiction*, Chapel Hill ²1977; R. Weber, *The lit. of fact*, Athens 1980; R. A. Smart, *The nonfiction novel*, Lanham 1985.

Fadentechnik, bes. bei Dramen mit bloßer →Vordergrundshandlung gebräuchl. Aufbau nach dem zeitl. Verlauf der Handlung.

Fado (portug. = Schicksal), portug. Volksliedgattung: wehmütiges, zweiteiliges Liebes-(Tanz-)Lied, in der Unterhaltung der Lissaboner Bevölkerung seit rd. 1820 beliebt; afro-brasilian. Herkunft oder fortlebende ma. →Cantigas de amigo entsprechend den dt. Frauenliedern oder →Frauenmonologen und den franz. →Chansons de toile mit der Grundstimmung der ›saudade‹ (Sehnsucht), oft zu Gitarrenbegleitung gesungen.

Fälschungen, literarische, im Unterschied zum →Plagiat sind Werke, bei deren Abfassung und Herausgabe die Absicht vorlag, durch Angabe falscher Verfasserschaft oder Entstehungszeit das Publikum über die wirkl. Herkunft zu täuschen; dagegen gilt das Fingieren von Reden in antiker Geschichtsschreibung (THUKYDIDES) und das älter Quellen in der →chronikalischen Erzählung nicht als F. Zahlreich sind die F., bes. Unterstellung falscher Namen (berühmter wie HOMER, VERGIL, selbst e. Briefwechsel zwischen SENECA und PAULUS und die sog. *Phalaris-Briefe*) im Altertum, deren Aussonderung der Textkritik oft schwere Probleme stellt. Auctoritasglaube und Nachahmungsstreben gegenüber den großen Meistern führen im MA. zu zahlr. Unterstellungen unechter Werke, die nicht als F., sondern als Huldigung zu verstehen sind (falsche NEIDHARTE u.a.). Im 15. Jh. ›ergänzte‹ man (vermeintl.) unvollständige Werke der röm. Lit. E. der fruchtbarsten F. der europ. Lit., MACPHERSONS *Ossian* (1760ff.), angeblich Übersetzung altgäl. Balladenfragmente, bestimmte als vermeintliche ›Volkspoesie‹ weitgehend die Entwicklung der ursprünglichen, naturnahen Ausdruckslyrik im Sturm und Drang (HERDER) und wurde erst 1895 endgültig als unecht entlarvt; ähnlich die sog. *Reliquias da poesia portuguesa* aus dem 17. Jh. und die dt. *Uralindachronik;* weniger glückten die Th. CHATTERTON. ALEXIS' erste Romane erschienen als angebliche Übersetzungen SCOTTS, Romane W. von GERSDORFS als solche J. F. COOPERS; mit satirischer Absicht veröffentlichte HAUFF den *Mann im Mond* unter dem Namen CLAURENS, F. LEWALD die *Diogena* als Werk der Gräfin HAHN-HAHN, A. HOLZ und J. SCHLAF erfanden für ihre Skizzen *Papa Hamlet* einen norwegischen Dichter Bjarne P. Holmsen u.ä. F. aus jüngster Zeit sind die Gedichte e. Fremdenlegionärs von G. FORESTIER (d. i. K. E. KRÄMER) und *Das*

dritte Auge von LOBSANG RAMPA. Endlos ist die Zahl der F. auf polit. Gebiet, von der Konstantinischen Schenkung über die pseudoisidorischen Papstbriefe bis zu Tagebüchern Eva Brauns und Hitlers. Eine bes. Art lit. F. bilden die →fingierten Briefe und Autographen-F. →Interpolation, →Pseudepigraphen.

J. M. Querard, *Les supercheries lit. dévoilées,* Paris III 1869/70; F. K. Chambers, *History and motives of lit. forgeries,* 1891; I. A. Farrer, Lit. F., 1907; A. Thierry, *Grandes mystifications lit.,* Paris II 1911–13; C. G. v. Maassen, Lit. F. (Südd. Monatshefte 33, 1935/36); P. Ricard, *Artifices et mystifications lit.,* Montreal 1945; F. Mendax, Aus d. Welt d. Fälscher, 1954; RL; S. Cole, *Counterfeit,* Lond. 1957; E. Frenzel, Gefälschte Lit., AGB 4, 1961; H. Fuhrmann, D. F. i. MA. (Hist. Zs. 197, 1963); M. Quercu, Falsch aus d. Feder geflossen, 1964; W. Speyer, D. lit. F. i. heidn. u. christl. Altert., 1971; A. Q. Morton, *Literary detection,* Epping 1978; L. Braun, Scenae suppositiciae, 1980.

Fahrende, im MA. herumziehende Gaukler, Musiker, Sänger, Dichter, →Jongleure und Spielleute, die von Hof zu Hof, Markt zu Markt zogen; im SpätMA. auch fahrende Schüler (→Vaganten, Goliarden), ab 17. Jh. auch Komödianten; standen außerhalb der Ständeordnung und waren in eigene Zünfte zusammengeschlossen; ihre Identität mit den Verfassern der →Spielmannsdichtung des 11./12. Jh. wird angezweifelt.

T. Hampe, D. fahrenden Leute i. d. dt. Vergangenheit, 1902, ²1924; H. Naumann, Versuch e. Einschränkg. d. romant. Begriffs Spielmannsdichtg., DVJ 2, 1924; J. Bolte, F. Leute i. d. Lit. d. 15./16. Jh., 1928; H. Steinger, F. Dichter i. dt. MA., DVJ 8, 1930; W. Salmen, Die f. Musiker i. europ. MA., 1960; A. Schreier-Hornung, Spielleute, F., Außenseiter, 1981.

Faksimile (lat. *fac simile* = mach ähnlich!), genaue Nachbildung von Hss., älteren seltenen Druckwerken, Zeichnungen, graph. Darstellungen

u. ä., früher unzureichend durch Pausen, Kupferstich, Holzschnitt, Steindruck, heute durch photomechan. Reproduktion. Bibliophile F.-Ausgaben geben altes Schrifttum im Originalbild mit genauen Tonwerten bis zu Gilbung, Gebrauchsspuren, hsl. Randnotizen, evtl. auch Einband wieder und vermitteln den opt. Eindruck des Originals. Vgl. →Neudruck, →Reprint.

M. Kramer, Das F., Librarium 23, 1980.

Falkentheorie, Strukturmodell der Novellentheorie von P. Heyse. Er fordert (in Einleitung zum *Dt. Novellenschatz,* 1871 und *Jugenderinnerungen,* 1900) nach dem Beispiel von BOCCACCIOS Falkennovelle (9. Geschichte des 5. Tages im *Dekameron*) von jeder guten →Novelle e. ›Falken‹, d. h. e. Leitmotiv, fast →Dingsymbol, das als verbindendes Aufbaumittel an wesentl. Stelle immer wieder erscheint. Beispiele bei DROSTE, *Die Judenbuche,* C. F. MEYER, *Das Amulett* und *Jürg Jenatsch* (das Beil), u. ä. – Gefahr der veräußerlichten Technik, doch strenge Form, da ›in e. einzigen Kreise nur e. einziger Konflikt‹ erscheinen soll, der im Falken sein spezif. Zeichen trägt.

M. Schunicht, D. Falke, GRM 10, 1960; K. Negus, *P. Heise's Novellentheorie,* GR 40, 1965; D. Locicero, *P. Heyse's F.,* MLN 82, 1967; R. A. Wolff, D. Falke a. Wendepkt. (*New German Studies* 5, 1977). →Novelle.

Fallende Handlung →Drama

Fallhöhe, Begriff der Dramaturgie zur Begründung der →Ständeklausel, nach Vorgang der Renaissancepoetiker vom franz. Ästhetiker BATTEUX geprägt und von seinem Übersetzer RAMLER, dann GOTTSCHED, später SCHOPENHAUER (*Die Welt als Wille und Vorstellung* III, 37) aufgegriffen, besagt, daß die höhere, meist fürstl. Stellung und Würde des Helden in der Tragödie eine überzeugendere Wirkung von der Ausweglosigkeit des trag. Scheiterns hervorrufe, während niederen Personen, z. B. im →bürgerlichen Trauerspiel, die F. fehle, da sich die Umstände ihrer stets verhältnismäßig geringen Bedrängnis, oft Kleinigkeiten, durch machtvolle Menschenhilfe leicht beheben ließen und nicht den Eindruck des Furchtbaren und e. trag. Erschütterung beim Zuschauer erweckten. Die Anschauung übersieht den Wert e. inneren, seinserschütternden Lebenstragik, der äußere, rein materielle Hilfe keine Lösung bietet. J. E. SCHLEGEL und LESSING lehnten die F. daher ab.

O. Walzel, V. Geistesleben alter u. neuer Zeit, 1922.

Familienblatt, im Ggs. zu kulturkrit., Gelehrten- und Fachzss. e. meist illustrierte und wöchentl. Zs. volkstüml.-unterhaltenden, z. T. dichter. und halbwiss.-belehrenden Inhalts unter strenger Vermeidung aller zu polem. Meinungskampf neigenden aktuellen oder polit. Themen oder verletzenden Stellungnahmen, gekennzeichnet durch liberale sittlich-relig. und patriot. Gesinnung. Sie entstehen im 19. Jh. aus den →moralischen Wochenschriften und dem Vorbild etwa von CLAUDIUS' *Wandsbeker Bote* und suchen infolge der polit. Reaktion im trauten Familienleben den Ausweg aus den Unannehmlichkeiten des öffentl. Lebens, zuerst im Biedermeier, während das Junge Dtl. stärker politisch-liberalist. Tendenzen verfolgt (LEWALD, *Europa* 1835 ff.), dann bes. nach 1850. Schon die Titel sind bezeichnend: GUBITZ' *Gesellschafter oder Blätter für Geist und Herz,* 1817–48; GUTZKOWS *Unterhaltungen am häuslichen Herd,* 1852–64 (nach

DICKENS *Household Words*), führend KEILS *Gartenlaube,* ab 1853 (zuerst Beiblatt in STOLLES *Dorfbarbier,* 1844), *Über Land und Meer,* 1859, *Daheim,* 1864, *Buch für alle,* 1866, ANZENGRUBERS *Heimat,* 1876, *Vom Fels zum Meer,* 1881, *Universum,* 1884, ROSEGGERS *Heimgarten,* P. KELLERS *Bergstadt* u.a.m., insges. bis Ende der Blütezeit um 1880 fast 150 F.er. Eine anspruchsvollere Form künstler. Ausstattung erstreben bes. seit 1890 Westermanns (1857) und Velhagen & Klasings (1886) *Monatshefte* sowie J. RODENBERGS *Dt. Rundschau,* 1874. Erfolgreiche Autoren der F.er sind meist Frauen: MARLITT, WERNER, HEIMBURG, COURTHS-MAHLER, gelegentl. aber auch HEBBEL, STORM, HEYSE, RAABE, FONTANE. Trotz der späteren antibürgerl. Zss. (M. G. CONRAD, *Die Gesellschaft,* 1885) und der starken Konkurrenz durch Magazine, Illustrierte, Massenmedien u.a. lebt das F. in Unterschichten bis in die Gegenwart fort.

Chr. Touaillon, Z. Psychologie d. F. (Gegenwart 68, 1905); E. v. Wolzogen, D. F. u. d. Lit. (Lit. Echo 9, 1907); RL; E. A. Kirschstein, D. Familien-Zs., Diss. Lpz. 1937; G. Menz, Familien-Zss. (Hdb. d. Zeitgs.wiss. I, 1940); D. Barth, Zs. f. alle, 1974; ders., D. F., AGB 15, 1975.

Familiendrama, Familiengemälde
→Familienschauspiel

Familienroman, e. stofflich im Problemkreis des bürgerl. oder adl. Familienlebens, den Konflikten und Bindungen des Zusammenlebens, im weiteren Sinne auch noch der Generationen und der Ehe angesiedelter Roman, doch nur selten rein in dieser themat. Begrenzung, meist spielen dem anspruchsvollen F. umfreifendere und allg. soz. Fragen hinein. Der F. entsteht meist in Zeiten der Unterdrückung öffentl. Lebens oder geringen Interesses an diesem, setzt realist. Gestaltungsweise voraus und ist bes. e. häufige Form der →Frauendichtung. Erste dt. Vorstufe ist WICKRAMS *Von guten und bösen Nachbarn* (1556); die Folgezeit ordnet die Darstellung von Familienverhältnissen dem →Abenteuerroman unter. Den Neueinsatz bringt die Empfindsamkeit mit zahlr. →Briefromanen (RICHARDSON, GELLERT, HERMES). Stehen hier Schicksal, Gefährdung und Tugend der Frau im Mittelpunkt, so neigt e. andere Richtung zum Problem der Kindererziehung und damit dem →Erziehungsroman (NICOLAI, SALZMANN, JUNG-STILLING, PESTALOZZI, S. von LA ROCHE). Während die Dichtung von Klassik und Romantik dem F. fernbleibt, blüht er in der Unterhaltungslit. fort (J. SCHOPENHAUER, LAFONTAINE, KOTZEBUE, CLAUREN, MARLITT, ESCHSTRUTH, COURTHS-MAHLER u.a. bis in die Gegenwart). In der hohen Dichtung finden Familienschicksale auch in der Folgezeit nicht gesonderte Gestaltung, sondern erscheinen als Hintergrund im →Bauernroman, in der →Heimatdichtung, im sozialen bzw. Ständeroman (G. FREYTAG, *Soll und Haben,* O. LUDWIG, *Zwischen Himmel und Erde,* L. von FRANÇOIS, M. von EBNER-ESCHENBACH u.a.). Nach dem Vorgang von FLAUBERT, ZOLA und MAUPASSANT entstehen die Eheromane von L. TOLSTOJ *(Anna Karenina, Kreutzersonate),* DOSTOEVSKIJ *(Die Brüder Karamasow),* FONTANE *(Cécile, Effi Briest, L'Adultera),* G. REUTER *(Aus guter Familie)* und J. WASSERMANN. Eine neue Form bildet der auf die Geschlechterfolge ausgreifende Generationsroman (ZOLA, *Les Rougon-Macquart,* STIFTER, *Witiko,* FREYTAG, *Die Ahnen,* Th. MANN, *Buddenbrooks,* R. MARTIN du GARD, *Les Thibault,* GALSWOR-

THY, *Forsyte Saga*, O. DUUN, *Die Juwikinger*, SIMPSON, *Die Barrings*, *Der Enkel* u. a.), ferner bei F. NABL, R. HUCH, G. HERMANN, O. ENKING, J. PONTEN, I. SEIDEL, H. STEHR, H. LEIP, P. DÖRFLER, B. v. BRENTANO, W. BREDEL, W. KEMPOWSKI, A. KÜHN u. a., in amerikan. Lit. z. B. W. FAULKNER, J. C. OATES.

RL[1]; A. Behrens, Der entwurzelte Mensch i. F. (1880–1932), Diss. Bonn 1932; D. Bayer, D. triviale F. u. Liebesroman i. 20. Jh., 1963, [2]1971; dies., Falsche Innerlichkeit (in: Trivialit., hg. G. Schmidt-Henkel 1964). →Trivialit.

Familienschauspiel, Verflachung des bürgerl. Dramas ohne trag. Ausgang zum Zweck moral. oder rührender Wirkung und Unterhaltung weniger durch dargestellte Handlungen als dramat. Zustandsschilderungen bürgerl. Familienverhältnisse (›Familiengemälde‹). Blütezeit nach der →comédie larmoyante und dem →bürgerlichen Trauerspiel um die Wende vom 18. zum 19. Jh. mit Stücken, deren Konflikte von Tugend und Laster im Familienkreis harmon. gelöst werden: O. H. v. GEMMINGEN, G. F. W. GROSSMANN, F. L. SCHRÖDER, bes. A. W. IFFLAND, A. v. KOTZEBUE, Ch. BIRCH-PFEIFFER, R. BENEDIX, S. H. MOSENTHAL, LENZ u. a. (→Rührstück). Von der antibürgerl. Romantik ins Trivialschrifttum verdrängt, lebt das F. nach Vorgang von HEBBELS *Maria Magdalene* bes. in den Milieuschilderungen des Naturalismus als künstlerisch wertvolle ›Familienkatastrophe‹ wieder auf: IBSEN, ČECHOV, HOLZ/SCHLAF, *Familie Selicke*, HAUPTMANN, *Das Friedensfest*, SUDERMANN, *Ehre*. Für anhaltendes Interesse am F. sprechen die unsägl. und endlosen Familienserien des Fernsehens.

A. Eloesser, D. bürgerl. Drama, 1898; A. Stiehler, D. Ifflandische Rührstück, 1898; RL[1]; I. Dünhofen, D. Familie i. Dr., Diss.

Wien 1958; G. Saße, D. aufgeklärte Familie, 1987.

Familienzeitschrift →Familienblatt

Famosschrift (lat. *famosus* – berüchtigt), humanist. Übersetzung für *libellus famosus* = →Schmähschrift, →Pasquill.

Fantastische Literatur →phantastische Literatur

Fantasy-Literatur (engl. *f.* = Phantasie), im Unterschied zur herkömml. →phantastischen Literatur neue Form der Phantasiedichtung im 20. Jh. im Gefolge von C. S. LEWIS, H. P. LOVECRAFT und J. R. R. TOLKIEN (*The Hobbit*, 1937, *The lord of the rings*, 1954), die die Phantasie mit gänzl. imaginären Welten, Wesen, Pseudomythologien u. ä. evozieren will und neben Science Fiction und Utopie eine eigene Gattungsform entwickelt, von phantast. Kinder- und Jugendlit. jedoch leicht zu Trivialit. und Comics absinkt.

B. M. Tymm, *F. lit.*, N.Y. 1979; R. Jackson, *F.*, Lond. 1981; H. W. Pesch, F., 1982; F., hg. R. Giesen 1982; *Bridges to f.*, hg. G. E. Schusser, Carbondale 1982; T. E. Apter, *F. lit.*, Bloomington 1982; R. N. Lynn, *F. for children*, N.Y. 1983; F. Hetmann, D. Freuden d. F., 1984; A. Swinfen, *In defence of f.*, Lond. 1984; W. Wunderlich, Mythen, Märchen u. Magie, WW 36, 1986; M. Schütze, Neue Wege nach Narnia u. Mittelerde, 1986.

Farce (franz. = Füllsel, v. lat. *farcire* = stopfen), urspr. derbkom. Einlage im ma. franz. Mirakelspiel, ähnlich den Zwischenspielen dt. Passionsspiele und den →Fastnachtsspielen, dann im 14.–16. Jh. selbständig als kurzes, possenhaftes Spiel in Versen zur burlesken Verspottung menschl. Schwächen und Torheiten in typ. Verkörperungen und Situationen; zahlreich, doch meist anonym überliefert: berühmt *Maistre Pathelin* (1464), andere von

Deschamps, Villon, Marguérite de Navarre, Rabelais, Marot; bes. in der span. Lit. durch den Portugiesen Gil Vicente (16. Jh.) u.a. verbreitet und vollendet in den →Entremeses von Cervantes u.a. In England Bz. für alle einaktigen Komödien, die die unmöglichsten und absurdesten Situationen für derbes Gelächter ausbeuten, z.B. von J. Heywood; in Dtl. als Gattung selbständig eingeführt, häufig zur Verspottung eigener Schwächen oder lit. Gegner in Knittelversen oder Prosa: Lenz, Klinger, Wagner, Goethe *(Satyros; Pater Brey; Götter, Helden und Wieland; Jahrmarktsfest in Plundersweilern)*; in der Romantik bei Tieck und A. W. Schlegel reine →Literatursatire von verschärft polem. Haltung unter Rückgriff auf das Fastnachtsspiel im Stil des Hans Sachs. Im 19./20. Jh. oft gleichbedeutend mit →Posse, →Schwank und den klamaukhafteren Werken des →Vaudeville und →Boulevardstückes. Heute bes. mit Nähe zur Groteske in Prosa bei Frisch und Dürrenmatt, Jarry, Ionesco, Beckett, Arrabal, D. Fo u.a.

O. Levertin, Stud. z. Gesch. d. F., 1890, n. 1970; A. Beneke, D. Repertoire u. d. Quellen d. franz. F.n, Diss. Jena 1910; L. R. Busquet, *Les f.s du m. a.,* 1942; W. Klemm, D. engl. F. i. 19. Jh., 1946; RL; L. Hughes, *A century of Engl. f.,* Princeton 1956; L. C. Porter, *La f. et la sotie* (Zs. f. roman. Philol. 75, 1959); L. Breitholtz, D. dor. F., Stockh. 1961; B. Cannings, *Toward a Definition of F. as a Lit. Genre,* MLR 56, 1961; B. C. Bowen, *Les caractéristiques essentielles de la f. franç.,* Urbana 1964; K. S. Guthke, D. metaphys. F. i. Theater d. Gegenw. (Jb. d. Dt. Shakesp.-Ges. West 1970); A. Tissier, *La f. en France,* Paris II 1976; F. Caradec, *La f. et le sacré,* Paris 1977; J. M. Davies, *F.,* Lond. 1978; V. Klotz, Bürgerl. Lachtheater, 1980; B. Rey-Flaud, *La f.,* Genf 1985; L. Smith, *Mod. Brit. f.,* Lond. 1988.

Fârsà, ruhmrednerisches Lied der Galla in Afrika zum Preise eines Stammes, oft mit Aufzählung von dessen Helden und Taten.

E. Cerulli, *Folk Lit. of the Galla,* 1922.

Farsa Cavaiola →Cavaiola

Faschismus →Nationalsozialismus

Fashionable Novel (engl. = Moderoman), beliebte Form des engl. Gesellschaftsromans zwischen Romantik und Realismus (1825–35), meist Darstellung des Lebens der gesellschaftl. Oberschicht und der Hocharistokratie und Kritik des Dandytums, dem die F. N. eben durch ihr Bild aristokrat. Lebensformen Vorschub leistete: Ward, Lister, Mulgrave, Disraeli, Bulwer-Lytton, Gore, Bury, Blessing u.a.

M. Rosa, *The Silver Fork School,* 1936; F. Schubel, Die ›F. N.‹, Kopenh. 1952.

Fassung, die vom Autor einmal gegebene Gestalt e. lit. Textes. Häufig sind Doppel- oder mehrfache F.en bei gründl. Überarbeitung e. Werkes, die, in der Reihenfolge der Entstehung verfolgt, ebenso aufschlußreich für die geistige und künstler. Entwicklung des Dichters als für die dem Kunstwerk selbst entströmenden Formanforderungen und Entfaltungskräfte sind: Manzoni, *I Promessi Sposi,* Goethe, *Faust,* Mörike, *Maler Nolten,* G. Keller, *Der grüne Heinrich,* Flaubert, *Madame Bovary,* C. F. Meyers Gedichte. Ihre angemessene Wiedergabe mit allen Varianten oder Abdruck aller F.en in einer →historisch-kritischen Ausgabe ist Aufgabe der →Editionstechnik.

Fasti (lat. *dies fasti* im Ggs. zu *nefasti*: Tage, an denen das Sakralgesetz Rechtsgeschäfte zuließ), von den Pontifices maximi geführte altröm. Festkalender, enthielten e. Verzeichnis der Feiertage, Spiele, Opfer, Märkte usw., später auch der höchsten Beamten und Priester e. Jahres

(F. consulares bzw. sacerdotales); oft als Stein- oder Marmortafeln erhalten, bilden sie e. wichtige Geschichtsquelle und Grundlage für ›Annalen. Poetische F. als Spiegel des Jahreslaufs mit mytholog.-aitiolog. Erklärung der Festtage von OVID.

Fastnachtsspiele, im 14. Jh. (*Neidhardtspiel* von St. Paul) lit. Form annehmende schwankhaft-volkstüml. Spiele, ausgelassene kostümierte Umzüge zur Fastnachtszeit mit Einstreuung kurzer mim. Szenen ohne eigtl. Handlung als Reihung gleichgebauter derbkom. Einzelmonologe in Revueform (kom. Wettbewerb gleichartiger Personen u.ä.), oft (Ehe-)Streit- und Gerichtsszenen, teils von unglaubl. Roheit und Unflätigkeit (bes. Arztspiele). Nach anonymen Anfängen ab 1430 neben Lübeck u. Sterzing bes. in Nürnberg durch die Meistersinger (Hans ROSENPLÜT, Hans FOLZ) zur lit. Ständesatire in Knittelversen nach Schwankmotiven mit Verspottung des einfachen Volkes, bes. Bauern, Juden, auch Raubritter u.a. mißliebiger Einrichtungen durch den Stadtbürger ausgebaut, doch unter Wahrung des anti-illusionist., scheinbar improvisierten Charakters und schlichter Form mit wenigen Figuren; in der Schweiz (GENGENBACH, MANUEL) durch Polemik gegen kirchl. Mißstände in den Dienst der Reformation gestellt. Größte lit. Höhe und gleichzeitig Volkstümlichkeit erreicht das nunmehr verselbständigte Handlungsspiel bei Hans SACHS (1494–1576, 85 F. erhalten) in Verbindung von schwankhaft-satir. Scherz mit moralisierendem Ernst: realist. Darstellung menschl., auch bürgerl. Schwächen in kom. Form, witzigem Dialog mit moral.-krit. Absicht in der abschließenden Nutzanwendung.

Mit J. AYRER (um 1600), der zahlr. ältere Schwankmotive, auch Einflüsse der Englischen Komödianten (Clown), verarbeitet, klingt das F. aus, vom Protestantismus unterdrückt und von kathol. Seite durch das Schuldrama ersetzt. Die Verbesserung des Menschen durch lachende Kritik wählt neue Formen (→Satire); erst Sturm und Drang (GOETHE) und Romantik (A. W. SCHLEGEL) greifen wieder auf die alte Form zurück. Lit. Bedeutung erhält das F. als ältester Formtyp des weltl. Dramas in dt. Sprache.

V. Michels, Stud. üb. d. älteste dt. F., 1896; M. J. Rudwin, *The Origin of German Carnival Comedy*, 1920; R. Stumpfl, D. Kultspiele d. Germanen, 1935; H. G. Sachs, D. dt. F., Diss. Tüb. 1957; D. van Abbé, Was ist F.?, MuK 6, 1960; E. Catholy, D. F. d. SpätMA., 1961; S. Streicher, Üb. d. F. (Schweizer Rundschau 61, 1962); W. Lenk, D. Nürnberger F. d. 15. Jh., 1966; E. Catholy, F., 1966; RL; G. Simon, D. erste dt. F.tradition, 1970; J. Merkel, Form u. Funktion d. Komik i. Nürnb. F., 1971; R. Krohn, D. unanständige Bürger, 1974; B. Sowinski, Das F., FLE 1981; H. Bastian, Mummenschanz, 1983.

Faszikel (v. lat. *fasciculus*) Bündel, Aktenbündel, Heft, im Buchwesen: Lieferung, ungebundener Teilband.

Fatras (franz. = Plunder, Wortschwall), franz. Gedichtform pikard. Herkunft des 13.–17. Jh., bestehend aus zwei Teilen: einem Distichon mit der Reimfolge ab und einer 11zeiligen Strophe mit der Reimfolge a*abaab/babab*, die das Distichon als ersten und letzten Vers aufnimmt, es entwickelt und erläutert. Entstanden vermutlich als Gesellschaftsspiel nach einem gestellten Thema, das die Anwesenden nach der festgelegten Form weiterdichteten. Danach, ob das Distichon eine sinnvolle Abwandlung gestattet, unterscheidet man F. possible und F. impossible, letzteres eine Art der Nonsense-Dichtung. Das

Doppel-F. besteht aus zwei F., von denen das erste das Distichon in normaler Reihenfolge auslegt, das zweite dessen Zeilen umstellt (ba) und demnach auch die Reime umstellt: b*babba/ababa*. Texte von Ph. de BEAUMANOIR, B. HERENC.

L. C. Porter, *La fatrasie et le f.,* 1960.

Fatrasie, im franz. MA. strenge Gedichtform: Elfzeiler aus 6 Fünfsilbern und 5 Siebensilbern der Reimfolge aab aab ba bab. Die Formstrenge führt zu unzusammenhängenden Versen, die ähnlich den →Fatras impossibles oft komisch-absurde Effekte haben.

L. C. Porter, *La f. et le fatras,* 1960.

Fazetie (lat. *facetiae* = launiger Einfall, Scherz), kleine schwankhafte Rede oder Kurzerzählung oft erot. Färbung mit witziger Pointe, zur geistreichen, urbanen Unterhaltung und iron. Belustigung durch geschliffenen Humor ohne satir.-moralkrit. Absicht. Aus der heiteren Genußfreude der Renaissancekultur heraus vom ital. Humanisten Francesco POGGIO BRACCIOLINI (1380–1459, *Liber facetiarum,* postum 1470) praktisch, von T. PONTANUS theoretisch begründet, geht sie in Frankreich in die Novelle über und bleibt nur im südwestdt. Humanismus als Sondergattung erhalten: STEINHÖWELS Übertragung im *Esop* 1475, A. TÜNGER 1486 (moralisierend), S. BRANT 1500, H. BEBEL, *Facetiae* (3 Bde. 1508–12, lat., doch volkstüml. schwäb. Stoffe), ERASMUS VON ROTTERDAM, *Colloquia* (1524, ästhet. Dialoge ohne pointierte Kürze der Form), N. FRISCHLIN, *Facetiae* (postum 1600 mit dt.-lat. Pointe). Bereits im 16. Jh. geht die F. in gröberen volkstümlicheren Formen wie →Schwank und Anekdote auf (PAULI, *Schimpf und Ernst* 1522, WICKRAM, *Rollwagenbüchlein*

1555, KIRCHHOFF, *Wendunmut* 1562). Frühzeitig benutzen Predigten und Disputationen (heitere Quodlibet-Quaestionen) der Universitäten die F. als →Exempel. Nachleben in C. F. MEYERS Novelle *Plautus im Nonnenkloster.* – *Facetus* heißt eine Slg. lat. Sprichwörter in Versen für Schulzwecke aus dem 12. Jh.

K. Vollert, Z. Gesch. d. lat. F.-Slgn. d. 15./16. Jh., 1912; RL; W.-K. Nawrath, F. u. Schwank (Fs. G. Bebermeyer, 1974).

Feature (engl. = Aufmachung, zu lat. *factura* = Bearbeitung), aktuelles Hörbild für die Rundfunksendung, das als Montage von Reportagen, Kommentaren, Dialogen und Dokumenten in informator. Absicht ein Thema, e. Ereignis, e. Zustand oder e. Meinung ohne eigtl. Spielhandlung funkwirksam darstellt. Als Zweckform Seitenstück zum monolog. oder dialog. Radio-Essay. Nach engl. Vorbild ab 1945 auch in Dtl. verbreitet: E. SCHNABEL, P. v. ZAHN, A. EGGEBRECHT, A. ANDERSCH, H. M. ENZENSBERGER, H. HEISSENBÜTTEL, S. LENZ, A. SCHMIDT, W. KOEPPEN u. a. bei unscharfer Abgrenzung zum →Hörspiel.

L. Kapeller, F. (Rufer u. Hörer, 1951); A. Andersch, Versuch üb. d. F. (Rundfunk u. Fernsehen, 1953); L. Besch, Bemerkgn. z. F. (Rundfunk u. Fernsehen, 1955); S. Harral, *The F. Writer's Handbook,* Norman 1958; T. Auer-Krafka, D. Entw.-gesch. d. westdt. Rundfunk-F., 1980; C. Hülsebus-Wagner, F. u. Radio-Essay, 1983. →Hörspiel.

Federname (dt. für →Nom de plume) →Pseudonym

Feendrama →Féerie

Feengeschichten (zu franz. *fée* = Fee, v. lat. *fata* = Schicksale), Erzählungen um wohlwollende, verlockende oder unheilbringende Feen, übernatürl. Märchenfrauen, die den Menschen von Geburt an begleiten. Sie entstanden nach dem Vorbild ägypt.-ind. Zaubererzählungen, pers. Geister- und arab.-oriental. Dämonenmärchen (*1001 Nacht*, Peris und Dschinen) bes. z. Z. der Kreuzzüge seit 12. Jh. und verschmolzen mit einheimischen, insbes. auch kelt. Vorstellungen (Dtl.: Alben oder Elfen) zu e. festen Auffassung von e. Feenreich. In der höf. Dichtung, bes. Artussage, den Lais der MARIE DE FRANCE, *Lanval, Guingamor* u. a., auch bei WOLFRAM VON ESCHENBACH, dem frz. Epos, *Huon de Bordeaux* (1150, Vorlage zu WIELANDS *Oberon*), ebenso später CERVANTES, ARIOST, TASSO *La Gerusalemme liberata*, CHAUCER, SPENSER *Faerie Queene*, SHAKESPEARE *Midsummernight's Dream*, SHELLEY *Queen Mab*, frz. Märchen des 17. Jh. vom Kampf guter u. böser Feen wie Volks- und Kunstmärchen überhaupt (PERRAULT, M. d'AULNOY, WIELAND, TIECK, HOFFMANN, FOUQUÉ) spielen sie e. große Rolle bes. im Undine- und Melusine-Stoff. →Féerie.

K. Briggs, *The fairies in tradition and lit.*, Lond. 1966; G.-L. Fink, *Naissance et apogée du conte merveilleux en Allemagne*, Paris 1966; H. Hillmann, *Wunderbares i. d. Dichtg. d. Aufklärung*, DVJ 43, 1969; J. Barchilon, *Le conte merveilleux franç.*, Paris 1975; B. Bettelheim, *Psychoanalyse des contes de fées*, Paris 1976; M.-L. von Frantz, *L'interprétation des contes de fées*, Paris 1980; F. Robert, *Le conte de fées*, Nancy 1982.

Féerie (franz.), Bühnenfassung der →Feengeschichte als Schauspiel, Oper, Singspiel, Ballett, Pantomime, meist als großes →Ausstattungsstück mit viel Maschinenkunst; seit 17. Jh. in England, Frankreich und Italien beliebt. Als Vorlagen dienten bes. SHAKESPEARES *Midsummernight's Dream*, Dramen GOZZIS, RAIMUNDS →Zauberstücke.

Fehde →Literaturfehde

Félibre, Vertreter des →Félibrige.

Félibrige (zu neuprovenzal. *félibre* = Kenner), 1854 in Fontségugne bei Avignon gegr. Dichterkreis zur Pflege und Erneuerung provenzal. Sprache und Lit., heute mit Zweigen in allen südfranz. Landschaften. Bedeutendste Vertreter sind MISTRAL, ROUMANILLE, AUBANEL, BRUNET, MATHIEU, TAVAN.

E. Ripert, *La renaissance provençale*, Paris ²1924; G. Bertoni, *Poesia provenzale mod.*, Modena 1940; E. Ripert, *Le F.*, ³1948; A. Gourdin, *Langue et litt. d'oc*, Paris 1949; A. del Monte, *Storia della lett. provenzal mod.*, 1958; E. v. Jan, *Neuprovenzal. Lit.gesch.*, 1959; H.-E. Keller, F., *Neophil.* 1964; R. Jouveau, *Hist. du F.*, Nîmes 1971; R. Lafont, *Nouv. hist. de la lit. occitane*, Paris II 1971.

Femininus (lat. = weiblich), →weiblicher Reim

Fêng, die chines. Volkslieder im *Shiking.*

Fermate (ital. = Stillstand), Schluß e. rhythmischen →Periode, meist katalektisch und mit e. im metrischen System nicht vorgesehenen Dehnung der (vor-)letzten Silbe über normale Länge.

Fermatenreim, gleicher Reimklang der Schlußverse der einzelnen Strophen eines Gedichts, so daß sich gewissermaßen die Strophen reimen.

Fernsehspiel, mit der Verbreitung des Fernsehens neu entwickelte Zwischenform von Theater und Film, die speziell für den Bildschirm geschrieben wurde, in der Gestaltung auf das Medium Rücksicht nimmt, jedoch zwischen den beiden traditionellen Gattungen wenig Eigengesetzlichkeit entwickelte. Das eigens für das Medium konzipierte Original-F., das im Sendeprogramm zwischen Kino- und Fernsehfilmen, Direktübertragungen von Theateraufführungen (photographiertem Theater), Fernsehaufzeichnungen von Bühneninszenierungen mit geringen, durch die Freizügigkeit der Kamera bedingten Abwandlungen, fernseheigenen Studioaufzeichnungen von Theaterstücken und den aus Stoffhunger als Ausweg gewählten Adaptionen ep. Vorlagen nur geringen Raum einnimmt, hat zwischen allen diesen Möglichkeiten und den aktuellen Reportagesendungen, Dokumentationen und Features des Mediums wenig Chancen zur experimentellen Auslotung von Möglichkeiten und Maßstäben. Doch erscheint nach den bisherigen Erfahrungen, nach denen sich das Fernsehen als Transportmittel jeder Art von Wirklichkeiten und Spielwirklichkeiten erweist, eine Eigengesetzlichkeit der Gattung als Illusion: Abgrenzungen und Charakteristika der F. sind mehr aufnahmetechnischer als lit. Art; Eigenart entfaltet allenfalls die Regie, nicht die Dramaturgie. Gegenüber dem Theater hat das F. den Vorteil beweglicherer Handlungsführung mit realistischerem Hintergrund, einer Vielfalt von Einstellungen, rascher Wechsel und Schnitte, der Exaktheit der Bilder und ihrer Nähe in Großaufnahmen, die Mimik verdeutlichen, schließlich des unterbrechungslosen Handlungsablaufs ohne Akteinteilung bei einer optimalen Dauer von 1–1½ Stunden. Die Nachteile des auf intimere Wirkungsmittel zugeschnittenen Kammerformats sind der Ersatz leibhaftiger Darsteller durch deren Abbilder, das Fehlen einstimmender Atmosphäre im Wohnzimmer, der Verzicht auf die direkte Resonanz echten Publikums und auf deren Rückwirkung zur Bühne, der kleinere Spielraum ohne echte Raumtiefe, der das Schauspiel in eine flächenhafte Zone überträgt und zu-

gunsten von Nahaufnahmen zum Verzicht auf die gleichzeitige Anwesenheit des Szenenganzen, auf die Darstellung der räuml. Beziehung der Spieler untereinander und zu ihrer Umwelt drängt, so daß szen. Komposition, raumgreifende Gesten, Gruppen- und Massenszenen weniger zur Geltung kommen und jede Darstellung des Pathos und der Leidenschaft leicht theatralisch wirkt. Gegenüber dem Film ist das F. benachteiligt durch die Reduktion opt. Wirkungen im Kleinformat: Tiefenschärfe, Raumwirkung, Landschaft und Umwelt des Films, Atmosphäre überhaupt treten auf dem Bildschirm zurück, die Intimität der Vorführung im häusl. Bereich mit ihren Halbnahen und Großaufnahmen läßt keine Massensuggestion und keine Identifikation des Zuschauers mit den Figuren des F. aufkommen. Das F. wendet sich an jeden einzelnen; der spielende Mensch, nicht Milieu und Umwelt stehen in seinem Mittelpunkt, und der Verzicht auf Umweltgestaltung gestattet das Durchspielen größerer szen. Einheiten im chronolog. Ablauf. Die Funktion des gesprochenen Wortes ist im F. nicht wie im Film dem Bild untergeordnet, sondern begründet es, auch bei satir. Kontrastwirkungen von Wort und Bild. Die gemäßigte Suggestivität des Bildes läßt Optisches und Sprachliches zu einem Ausgleich kommen, indem das Wort, distanziert und im nüchternen Mittelmaß der Alltagssprache fern aller Extreme, dialekt. Denkprozesse darstellbar macht. Der durch die sonstigen aktuellen Reportagen und Berichte des Fernsehens erhöhte Authentizitätscharakter des Bildschirms verwischt für viele Zuschauer die Grenzen zur Fiktion, so daß auch das Spiel als gleichzeitig erlebbare Realität empfunden wird. Dennoch hat sich die damit begründete Forderung nach Ansiedlung des F. in der Alltagsrealität als unberechtigt erwiesen, da gerade der Einbruch satir., skurriler und phantast. Elemente in die Bildrealität neue Wirkungsmöglichkeiten eröffnet. Die soziolog. Kuriosität, daß das F. ein völlig heterogenes Millionenpublikum erreichen will, schränkt seine Möglichkeiten zu Experimenten ebenso ein wie die Chance für einen ästhet. Dogmatismus und die Darstellung von Extremen (Gewalt, Erotik) und läßt die Mehrzahl der Stücke auf das Niveau mittlerer Gebrauchsware um Alltagsprobleme oder Kriminalfälle abstimmen, die im Interesse einer Vororientierung der Zuschauer vielfach in einer wachsenden Zahl von Serien produziert werden, die das durchschnittliche F. zu einer der vergänglichsten und am leichtesten in Vergessenheit geratenen Kunstformen machen. – Wichtige Autoren von F. sind in Dtl. L. AHLSEN, H. von CRAMER, T. DORST, R. ERLER, R. W. FASSBINDER, Ch. GEISSLER, F. von HOERSCHELMANN, C. HUBALEK, H. KIPPHARDT, P. LILIENTHAL, D. MEICHSNER, E. MONK, G. OELSCHLEGEL, Th. SCHÜBEL, R. STEMMLE, O. STORZ, T. VALENTIN, K. WITTLINGER u. a., im Ausland J. ARDEN, S. BECKETT, P. CHAYEFSKY, W. HALL, L. LEHMANN, D. MERCER, J. MORTIMER, T. MOSEL, H. PINTER, T. RATTIGAN, R. ROSE, A. WESKER, T. WILLIS u. a.

G. Eckert, D. Kunst d. Fernsehens, 1953; M. R. Weiss, The T. V. Writer's Guide, Lond. 1959; The armchair theatre, Lond. 1960; A. Swinson, Writing for Television, Lond. ²1960; W. Paul, Gibt es e. Dramaturgie des F.?, NDH 78, 1961; B. Rhotert, D. F., Diss. Mchn. 1961; E. Barnouw, The Television Writer, N.Y. 1962; F. Beckert, F., Diss. Lpz. 1962; K. V. Riedel, D. F. als Kunstgattg. (Rundfunk u. Fernsehen 11, 1963); H. Schwitzke, D. Verhältn. v. Wort u. Bild i. F., STZ 3, 1964); T. Schwaegerl, D. dt. F. 1936–1961, Diss. Erl. 1964; Acht F.e, hg. H. Schmitthenner 1966; S. R. Elghazali, Lit. als F., 1966; O. Storz, F. – gibt es das?, DU 18, 1966; C. Trapnell, Teleplay, S. Franc. 1966; J. Lingenberg, D. F. i. d. DDR, 1968; H. O. Berg, F e nach Erzählvorlage, 1972; H. Schanze, Fernsehserien, LiLi 2, 1972; Millionenspiele, hg. T. v. Alst, 1972; I. Münz-Koenen, D. Entw. d. Fernsehdramatik i. d. DDR, Diss. Bln. 1973; D. F., hg. P. v. Rüden 1975; H. Kreuzer, Fernsehen als Gegenstand d. Lit.wiss. (in ders., Verändergn. d. Lit.begriffs, 1975); K. Beling, F. u. ep. Vorlage, Diss. Mainz 1976; Lit.wiss.-Medienwiss., hg. H. Keuzer 1977; W. Waldmann, D. dt. F., 1977; I. Schneider, D. Diskuss. um d. F., LiLi 8, 1978; G. Szyszkowitz, E. Beitr. z. Gesch. d. F. i. Österr., MuK 24, 1978 u. 28, 1982; Theorie d. F., hg. C. Beling 1979; Fernsehsendungen u. ihre Formen, hg. H. Kreuzer 1979; Dramaturgie d. F., hg. I. Schneider 1980; W. Waldmann, Einf. i. d. Analyse v. F.en, 1980; Fernsehforschg., -kritik, hg. H. Kreuzer 1980; K. Hickethier, D. F. d. BR., 1980; T. Neuhauser, D. F., FLE 1981 u. Universitas 38, 1983; P. v. Rüden, Fernsehen u. dt. Ggw.lit. (Dt. Ggw.lit., hg. M. Durzak 1981); Sachwb. d. Fernsehens, hg. H. Kreuzer 1982; K. Hickethier, Schwierigk. b. Umgang m. d. Wirklichk. (Tendenzen d. dt. Ggw.lit., hg. T. Koebner ²1984); D. Experimentelle F., hg. T. Koebner 1988.

Fescennini →Feszenninen

Festgedicht, →Gelegenheitsgedicht auf e. festl. Ereignis des öffentl. oder privaten Lebens (Hochzeit, Geburt, Taufe). Die künstlerisch meist wertlose Form gewann durch GOETHE u. a. innere Vertiefung und Veredelung. →Carmen.

Festschrift, Gelegenheitsschrift anläßlich e. bestimmten Ereignisses, bes. e. als Ehrendum zum Geburtstag e. hochbetagten Gelehrten von seinen Fachgenossen gewidmete Festgabe, enthält neben e. Würdigung seines Lebenswerkes wiss. Beiträge zu versch. Spezialfragen des Fachgebietes.

J. Hannich-Bode, Germanistik i. F.n, 1976; O. Leistner, Internat. Bibliogr. d. F.n, 1976.

Festspiel, anläßlich e. religiös-kult. (Götterfeste, Heiligentage) oder weltl. Festes (Hoffeiern, Jubiläen, Einweihungen, histor. Gedenktage) veranstaltete, meist der feierl. Stimmung des Publikums entsprechend prunkvoll inszenierte und ausgestattete Opern-, Dramen- oder Ballettaufführung, z. B. WAGNERS Bayreuther F.e (seit 1876 nach eigenen Kunsttheorien), auch e. eigens hierfür verfaßtes Werk, z. B. G. HAUPTMANNS umstrittenes *F. in dt. Reimen* (1913), DEVRIENTS *Luther* und *Gustav Adolf.* Man unterscheidet periodisch wiederkehrende Gemeinschafts-F.e unter Mitwirkung von Laien, bes. zu Kultfeiern (griech. →Dionysien, ma. →geistl. Drama zu kirchl. Festen und Ritterturniere) und mytholog.-allegor. Gelegenheits-F.e an Fürstenhöfen, bes. in Renaissance und Barock bis ins 18. Jh. zu höf. Familienfesten, allegor. F.e wie C. CELTIS *Ludus Dianae* (1501), die ital. →Trionfi und die Vereinigungen aller Künste am Wiener Kaiserhof (*Il Pomo d'oro,* Roßballett u. a.) zu oft schmeichelhaften Huldigungen, veredelt in GOETHES Weimarer Maskenzügen, *Paläophron und Neoterpe, Des Epimenides Erwachen,* SCHILLERS *Huldigung der Künste* (vgl. auch *Faust II,* 1), auch als z. T. ortsgebundene geschichtl. Gedenkfeiern wie J. RISTS *Das friedejauchzende Teutschland* (1653), die histor.-patriot. Tellspiele der Schweiz, KLEISTS *Hermannsschlacht* gegen Napoleon, T. S. ELIOTS *Murder in the Cathedral* (1935) u. a. Nationale F.e arten im 19. Jh. und im Dritten Reich (MÖLLER, EURINGER) in phrasenhafte Selbstverherrlichung aus. Seit Anfang des 20. Jh. bildet sich an zahlr. Orten Europas e. ständige F.-Tradition zur Wahrung und Pflege kultureller Bestleistungen mit Star-Interpreten (Weimar, Salzburg, Recklinghausen, Heidelberg, Hersfeld, Schwetzingen, Avignon, Stratford-

upon-Avon, Edinburgh, Spoleto). →Volksfestspiele.

A. Jolles, V. Schiller z. Gemeinschaftsbühne, 1919; J. Petersen, D. dt. Nationaltheater, 1919; A. Straka, D. mod. rel. F. i. Österr., Diss. Wien 1932; H. Tintelnot, Barocktheater u. barocke Kunst, 1939; F. Moser, D. Anfge. d. Hof- u. Gesellschaftstheaters i. Dtl., 1940; O. Rommel, Wiener Renaissance, 1947; RL; R. Alewyn u. K. Sälzle, D. große Weltheater, 1959, ²1985; K. Sauer, G. Werth, Lorbeer u. Palme, 1971; Massenspiele, hg. H. Eichberg 1977; I. M. Zeilinger, Stud. z. F.idee d. 20. Jh., Diss. Wien 1982; J. J. Berns, D. Festkultur dt. Höfe, GRM 38, 1984; M. Stern, D. F. d. 19. Jh. i. d. Schweiz, JIG 15, 1986.

Feszenninen (lat. *versus Fescennini,* wohl nach Fescennium in Etrurien), altlatein. improvisierte prälit. Scherz- und Spottlieder ohne festes Metrum in Dialogform mit Ansätzen zu mim. Gestaltung und evtl. volkstüml. Vorstufe des Dramas; zum Erntefest, bei Geburten und bes. vor Hochzeiten als Art bäuerl. Polterabendspiel mit Gesang und Tanz vorgetragen, infolge der satir. derben, unzweideutigen Neckerei dann später allg. ›Neckgedichte‹.

E. Hoffmann, D. F. (Rhein. Museum 51, 1898); G. E. Duckworth, The Nature of Roman Comedy, 1952.

Feuersegen, Zauberspruch zur Abwehr von Brandschaden und Beendigung e. Feuerbrunst.

O. Ebermann, D. F. i. d. Dichtg. (Hess. Blätter f. Volkskunde 25, 1927).

Feuilleton (franz. = Blättchen), im Ggs. zu den Tagesmeldungen im polit., wirtschaftl. und sportl. Teil e. Zeitung der Unterhaltungsteil, auch dessen einzelner Beitrag, enthält Nachrichten, Kritiken und Aufsätze aus dem Geistes- und Kulturleben (Lit., Theater, Kunst, Wissenschaft), kurze populärwiss. Darstellungen, allg. Betrachtungen über das Gesellschaftsleben, Reisen und belletrist. Beiträge: Gedichte, Kurzgeschichten, Erzählungen und Fortsetzungsromane (anfangs selbst von DUMAS und E. SUE) in leichtverständl., geistreich-witzigem, durchaus persönl., subjektivem Plauderton, die im besten Fall, wenn nicht nur im Massenbetrieb und für den Tag hingesetzt, die Form des →Essay erreichen. F. in noch engerem Sinn ist e. von alltägl. Begebenheiten oder aktuellen Vorkommnissen ausgehende, sie unsystemat.-assoziativ umspielende, geistreich verallgemeinernde und pointiert zugespitzte Betrachtung des Menschlichen. Dem Sinn nach schon im 18. Jh. vorhanden (LESSINGS *Das Neuste aus dem Reiche des Witzes* als Beilage der *Voßischen Zeitung*, 1751–55), wurde der Name von J. L. GEOFFROY am 22. 6. 1800 im *Journal des Débats* als bewußt abgesetzter Teil ›unterm Strich‹ für Lit.-, Kunst- und Bühnenkritiken eingeführt. In Dtl. erschien das erste moderne F. 1831 im *Nürnberger Correspondent* von A. LEWALD, seither in allen europ. Zeitungen. Meisterhafte F.isten sind bes. Franzosen (GAUTIER, SAINTE-BEUVE, *Causeries du Lundi*, J. JANIN, BALZAC, BAUDELAIRE, ALAIN, G. MARCEL u.a.), im dt.sprachigen Bereich die leichtflüssigen Wiener und Österreicher (NORDEN, HANSLICK, SALTEN, KÜRNBERGER, SAPHIR, SPEIDEL, ALTENBERG, POLGAR, BAHR, BLEI, FRIEDELL, KISCH), ferner in Dtl. HEINE, BÖRNE, GLASSBRENNER, HARDEN, KERR, PENZOLDT, AUBURTIN, GAN, P. BAMM, TUCHOLSKY, SIEBURG, HAAS, REIFENBERG, STERNBERGER, KRÜGER, JENS u.a., in der Schweiz WIDMANN und R. WALSER, in England H. BELLOC, G. K. CHESTERTON und J. B. PRIESTLEY, in den USA M. TWAIN, J. STEINBECK und E. HEMINGWAY.

E. Eckstein, Beitr. z. Gesch. d. F.s, 1876; T. Kellen, Aus d. Gesch. d. F., 1909; E. Meunier, D. Entwicklg. d. F. d. großen Presse, Diss. Hdlbg. 1914; H. Haufler, Kunstformen d. f.istischen Stils, Diss. Tüb. 1928; E. Meunier, H. Jessen, D. dt. F., 1931; E. Dovifat, F. (Hdb. d. Zeitgs.-wiss. I, 1940); W. Haacke, F.-Kunde, II 1943; ders., Hdb. d. F., III 1951–53; H. Knobloch, V. Wesen d. F., 1962; W. Haacke, D. F i 20. Jh. (Publizistik 21, 1976); H. Lengauer, D. Wiener F. i. letzt. Viertel d. 19. Jh. (Lenau-Forum 9/10, 1977f.); U. Weinzierl, Typ. Wiener F.isten?, LK 20, 1985; B. Tewes, Lit. i. dt. Tagesztgn., SPIEL 4, 1985.

Feuilletonismus, die leichthin plaudernde lit. Form des →Feuilletons, bes. die wirkungsbedachte Herausstreichung unwesentl. u. alltägl. Dinge zu reizvoll scharfer Betrachtung umgreifender Hintergründe des Einzelgeschehens; im positiven Fall auf der Suche nach echter Wahrheit und Argumentation, meist jedoch in negativem Sinn gebraucht für das verantwortungslose Blenden mit geistreich formulierten Halbwahrheiten und oberflächl. Gedankenspiel. Letzterem galt der lebenslange Kampf von K. KRAUS *(Die Fackel);* ebenso erkennt H. HESSE *(Das Glasperlenspiel,* 1943) das 20. Jh. als ›feuilletonistisches Zeitalter‹.

Feuilletonroman (franz. *roman feuilleton*), speziell franz. Abart des →Fortsetzungs- oder →Zeitungsromans für die große Presse des 19. Jh., der Wünsche und Ängste des Publikums als Identifikationsangebot spiegelt und zugleich je nach Standort des Blattes aktuelle ges.-polit. Themen fiktional illustriert. Autoren waren u.a. BALZAC, SAND, DUMAS, SUE, GABORIAU, LEBLANC.

H. J, Neuschäfer, D. frz. F., 1986.

Fibel (wohl entstellt aus ›Bibel‹, die zuerst den Stoff lieferte), Abc-Buch, erstes Lesebuch zum Lesenlernen, heute dem Erleben des Kindes mit (illustrierten) Stoffen aus seiner Umwelt angepaßt; dann allg. Elementarbuch e. Fachgebietes.

E. Schmack, D. Gestaltwandel d. F., 1960; P. Gabele, Pädag. Epochen i. Abbild d. F., 1962; A. Grömminger, D. dt. F.n d. Ggw., 1970.

Fiction (engl. = →Fiktion), allg. die →Phantasie als Kraft dichterischer Weltgestaltung; bes. engl.-amerikan. Bz. für erzählende Prosa. →Epik.

Figur (lat. *figura* = Gestalt), 1. →Figurant, 2. →rhetorische F. 3. komische F. →komische Person, 4. allg. jede in der Dichtung, bes. Epik und Drama, auftretende fiktive Person, auch Charakter genannt, doch ist die Bz. ›literarische F.‹ vorzuziehen zur Unterscheidung von natürlichen Personen und den oft nur umrißartig ausgeführten Charakteren.
Beitr. z. Poetik d. Dramas, hg. W. Keller 1976. – Nachschlagewerke über lit. F.en: Laffont-Bompiani, *Dictionnaire des personnages*, Paris 1960; F. N. Magill, *Cyclopedia of lit. characters*, N.Y. 1962; W. Freeman, *Dict. of fictional characters*, Lond. 1963; A. u. W. van Rinsum, Lex. lit. Gestalten, II 1988 ff.

Figura etymologica (lat.), Wortspiel ähnlich der →Paronomasie: Verbindung zweier Wörter desselben Stammes zu ausdrucksgesteigerter Bz. eines Begriffes, am häufigsten Verbindung von (meist intransitivem) Verb mit stammverwandtem Nomen als innerem (Akkusativ-)Objekt oder Subjekt, z. B. ›e. Grube graben‹ meist durch attributives Adjektiv erläutert: ›e. guten Kampf kämpfen‹, e. angenehmes Leben leben‹, z. B. ›Gar schöne Spiele spiel' ich mit dir‹ (GOETHE, *Erlkönig*), ferner die Verbindung zweier verwandter Nomina oder Verba, z. B. ›neuste Neuigkeit‹ (hierbei wie in ›König der Könige‹ und ›das Beste vom Besten‹ als höchste Steigerung).
G. Schaefer, König der Könige, 1974.

Figurant (lat. *figurare* = gestalten), Bühnensprache: Träger meist stummer Nebenrollen im Drama, →Statist, im Ballett: Corpstänzer.

Figurendrama, nach W. KAYSER Bauform des →Dramas, dessen Geschehensablauf und Konflikt sich wesentl. aus dem Charakter der Hauptfigur ergeben, in dem das Drama seine Einheit findet und dessen Entfaltung es oft als →Stationenstück in locker gefügten Einzelszenen darstellt: MARLOWES *Dr. Faustus*, SHAKESPEARES *Hamlet* und *Lear*, GOETHES *Götz*, BÜCHNERS *Woyzeck*, IBSENS *Peer Gynt*. Vgl. →Charakterdrama.
W. Kayser, D. sprachl. Kunstwerk, 1948, ¹⁹1983.

Figurengedicht →Bilderlyrik

Figurentheater →Puppenspiel, →Marionettentheater, →Schattenspiel

Fiktion (lat. *fictio* =) 1. Erdichtung, Unterstellung e. tatsächlicher Grundlage entbehrenden Sachverhalts, poet. Kunstmittel z. B. in den →Heroiden, →chronikalischen Erzählungen; – 2. allg. auch unbeweisbare Behauptung, →Fälschung. – 3. Im weiteren Sinne jede Erdichtung als Schilderung eines nicht wirklichen Sachverhalts in e. Weise, die ihn als wirklich suggeriert, ohne indessen einen nachprüfbaren Bezug zur außerdichter. Wirklichkeit zu behaupten; als solche Grundlage fast aller pragmat. Dichtungsformen, insbes. der Epik (im Ggs. zur Historie und zur Geschichtsdichtung). – Ihre Figuren und Ereignisse sind imaginär oder fiktiv, d. h. Teil e. als wirklich erscheinenden, tatsächl. aber nichtwirkl. Welt, sie sind jedoch nicht fingiert, d. h. in der Absicht geschaffen, den Eindruck realer Eixstenz zu vermitteln. Der F.charakter (Fiktionalität) der Lit. ist Autoren und Lesern nicht zu allen Zeiten gleichermaßen bewußt; seine Erkenntnis greift seit dem 16. Jh. um sich und gipfelt in der Ironie der Romantik. Vgl. →Wahrheit, →Wirklichkeit.

K. Hamburger, D. Logik d. Dichtung, 1957, ³1977; B. Heimrich, F. u. F.ironie i. Theorie u. Dichtg. d. dt. Romantik, 1967; E. Plessen, Fakten u. Erfindungen, 1971; A. Höger, F.ität als Kriterium poet. Technik, OL 26, 1971; J. Anderegg, F. u. Kommunikation, 1973, ²1977; W. Iser, D. Wirklichk. d. F. (Rezeptionsästhetik, hg. R. Warning 1975); J. Landwehr, Text u. F., 1975; G. Gabriel, F. u. Wahrheit 1975; J. Bruck, Z. Begriff lit. F., ZGL 6, 1978; H. Gaus, The function of f., Gent 1979; W. Hoops, F.ität als pragmat. Kategorie, Poetica 11, 1979; S. J. Schmidt, F.ality, Poetics 9, 1980; A. Assmann, D. Legitimität d. F., 1980; U. Keller, F.ität als lit.wiss. Kategorie, 1980; W. Rösler, D. Entstehg. d. F.ität i. d. Antike, Poetica 12, 1980; E. Kleinschmidt, D. Wirklichkeit d. Lit., DVJ 56, 1982; Funktionen der F., hg. D. Henrich 1983; H. Spittler, Was ist F.ität (in: Kl. Stud., 1983); R. Zerbst, D. F. der Realität, 1984; S. J. Schmidt, The f. is that reality exists, PT 5, 1984; C. Jacquenod, Contribution à une étude du concept de f., 1988.

Film

Film (altengl. *felmen* = dünne Haut, nach dem F.-Material benannt) entstand im Ggs. zum kult. Ursprung des →Dramas oder Theaters allg. aus techn. Vervollkommnung der Photographie und ermöglichte die Darstellung bewegter Bilder, bleibt somit trotz des Tonfilms (seit 1929) in erster Linie Bildkunstwerk, nicht Wortkunstwerk, und findet nur im →Drehbuch einstweilen lit. Niederschlag. Wort wie Musik ordnen sich als andeutende Interpretation der Schau unter und bedingen andere Wirkungsmöglichkeiten, -grenzen u. künstlerische Wertmaßstäbe. Vgl. →Verfilmung.

Black, Portmann, Reinert u. a., Kl. F.-Lexikon, 1946; G. Sadoul, Hist. générale du cinéma, Paris V 1946–54; S. Kracauer, From Caligari to Hitler, Princeton 1947; G. Sadoul, Le cinéma, 1948; R. Low, The Hist. of the British F. (1906–18), Lond. 1949–51; G. Aristarco, Storia delle teorie del f., Turin 1951; B. S. Eichsfelder, F.-Gesch. i. Stichworten, 1951; R. A. Inglis, D. amerik. F., 1951; R. Clair, V. Stumm-F. z. Ton-F., 1952; W. Hagemann, D. F., 1952; C. L. Ragghianti, Cinema arte figurativa, Turin 1952; H.

Agel, Le cinéma, Paris 1954; G. Sadoul, Hist. de l'art du cinéma, Paris 1955; F. v. Zglinicki, D. Wege d. F., 1957; R. Spottiswoode, F. and its Techniques, Berk. ⁴1957; ders., A Grammar of F., ebda. ²1951; E. Iros, Wesen u. Dramaturgie d. F., ²1957; E. Morin, D. Mensch u. d. Kino, 1958; V. Pandolfi, Il cinema nella storia, Florenz 1958; G. Sadoul, Les merveilles du cinéma, Paris 1958; F. Kempe, F., 1958; O. Tartarini, L'influenza del cinema nella narrativa contemp., Rom 1958; R. Oertel, Macht u. Magie d. F., 1959; G. Künstler, D. F. als Erlebnis, 1960; J. Leyda, Kino, Lond. 1960, ²1982; V. I. Pudovkin, F. Technique and F. Acting, N.Y. 1960; E. Lindgren, A picture hist. of the cinema, N.Y. 1960; A. R. Fulton, Motion pictures, Norman 1960; J. L. Anderson, D. Richie, The Japanese f., Tokio 1960, ²1981; S. Spraos, The decline of the cinema, Lond. 1961; P. Leprohon, Hist. du cinéma I, Paris 1961; P. Bianchi, F. Berutti, Storia del cinema, Mail. 1961; G. Bluestone, Novels into Film, Baltimore ²1961; C. Lizzani, Storia del cinema italiano, Florenz 1961; L. Chiarini, Arte e tecnica del f., Bari 1962; L. L. Ghirardini, Storia generale del cinema, Mail. II 1962; G. Sadoul, Le cinéma franç., Paris 1962; E. Wagenknecht, The movies in the age of innocence, Norman 1962; U. Gregor, E. Patalas, Gesch. d. F., 1962; E. Lindgren, The Art of the F., Lond. ²1963; H. P. Manz, Internationale F.-Bibliogr., 1963; F. Stepun in ›Aufriß‹; RL: Lit. u. F.; J. Mitry, Dictionnaire du cinéma, Paris 1964; J. H. Lawson, F.: The Creative Process, N.Y. 1964; S. Kracauer, Theorie d. F., 1964; R. Rach, Lit. u. F., 1964; R. Schickel, Movies, N.Y. 1964; A. Estermann, D. Verfilmg. lit. Werke, 1965; U. Gregor, E. Patalas, Gesch. d. mod. F., 1965; H. E. Schauer, Grundprobleme d. Adaption lit. Prosa durch d. Spielf., Diss. Bln. 1965; G. Charensol, Le cinéma, Paris 1966; P. Pleyer, Dt. Nachkriegs-F., 1946–48, 1965; L'Encyclopédie du cinéma, hg. R. Boussinot, Paris 1966; Encycl. of the cinema, hg. I. Cameron, Lond. 1966; L. Halliwell, The F. goer's Companion, N.Y. ²1967; W. Dadek, D. Filmmedium, 1968; J. Mitry, Hist. du cinéma, 1968; G. Albrecht, Nat.soz. F.politik, 1969; D. S. Hull, F. i. the 3rd Reich, Berkeley 1969; R. D. Richardson, Lit. and f., Bloomington 1970; R. Jeanne, Ch. Ford, Dict. du cinéma universel, Paris 1970; D. Prokop, Materialien z. Theorie d. F., 1971; Ch. Metz, Semiologie d. F., 1972; B. Balász, D. F., ³1972; Theorie d. Kinos, hg. K. Witte 1972; J. Toeplitz, Gesch. d. F., 1972 ff.; U. Kurowski, Lexikon d. F., 1972; D. Krusche, J. Labenski, Reclams F.führer, 1973, ⁷1987; U. Kurowski, Lex. d. internat. F., 1974; S. Kracauer, Kino, 1974; W. Shdan (Hg.), D.sowjet. F., II 1974; F. Courtade, P. Cadars, Gesch. d. F. i. 3. Reich, 1975; R. Arnheim, F. als Kunst, ²1975; G. Wagner, *The novel and the cinema*, Rutherford 1975; G. Jowett, F., Boston 1976; *The Oxford Companion to f.*, hg. L.-A. Bawden 1976; W. Faulstich, Einf. i. d. F.analyse, 1976; W. Tichy, Buchers Enzykl. d. F., 1977; Poetik d. F., hg. W. Beilenhoff 1977; Lit.wiss.-Medienwiss., hg, H. Kreuzer 1977; J. Lotman, Probl. d. Kinoästhetik, 1977; W. u. I. Faulstich, Modelle d. F.-analyse, 1977; U. G. Lechner, Lit. u. F., Diss. Salzb. 1977; rororo-F.lexikon, VI 1978; U. Gregor, Gesch. d. F. ab 1960, 1978; K. Cohen, *F. and fiction*, N.Y. 1979; H. G. Pflaum u.a., F. i. d. BRD., 1979, ²1982; I. Schneider, Überleg. z. e. Semiotik d. Lit.verfilmg., LiLi 9, 1979; W. Buddecke, Verfilmte Lit., ebda.; J. Monaco, F. verstehen, 1980; Lit. i. F. u. Fernsehen, hg. H. Grabes 1980; F. Baby, *Du littéraire au cinématographique* (*Études litt.* 13, 1980); G. Seitz, F. als Rezeptionsform v. Lit., ²1981; I. Schneider, D. verwandelte Text, 1981; B. Heimann, F. u. dt. Ggw.lit. (Dt. Ggw.lit., hg. M. Durzak 1981); R. Abel, *French cinema*, Lond. 1983; F.-J. Albersmeier, Bild u. Text, 1983; H.-B. Heller, Lit. u. F. (Neues Hdb. d. Lit.wiss. 20, 1983); Methodenprobl. d. Analyse verfilmter Lit., hg. J. Paech 1984; F. u. Lit., hg. S. Bauschinger 1984; W. Michel, Lit.verfilmg., Universitas 40, 1985; H.-B. Heller, Lit. Intelligenz u. F., 1985; F.-J. Albersmeier, D. Herausforderg. d. F. an d. frz. Lit., 1985; E. Rentschler, *German f. and lit.*, Lond. 1986; B. Drewniak, D. dt. F. 1938–45, 1987; J. Paech, Lit. u. F., 1988; Lit.-Verfilmg., hg. V. Roloff 1988; W. Faulstich, D. F.interpretation, 1988; E. Hohenberger, D. Wirklichk. d. F., 1988; F.analyse interdisziplinär, hg. H. Korte 1988.

Fin de siècle (franz. = Ende des Jh.), nach dem Titel e. Lustspiels von de Jouvenot und Micard, 1888, Schlagwort für das vorherrschende Lebensgefühl und Bz. für →Dekadenzdichtung und →Ästhetizismus der letzten Jh.wende mit ihrem blasierten, nervös überfeinerten Existenzgefühl u. ihrer Neigung zu pessimist. Spätzeit- und Verfallsstimmg.

E. Koppen, Dekadenter Wagnerismus, 1973; F.d.s., hg. R. Bauer u.a., 1976; H. Hinterhäuser, F.d.s., 1977; Jh.ende, Jh.wende, hg. H. Kreuzer II 1977(Neues Hb. d. Lit.wiss, 18/19); J. M. Fischer, F.d.s., 1978; C. E. Schorske, F.d.s. Vienna, N.Y. 1980; dt.: Wien 1982; Dt. Lit. d. Jh.wende, hg. V. Žmegač 1981; H. Merkl, E. Kult d. Frau u. d. Schönheit, 1981; *The turn of the century*, hg. G. Chapple 1981, ²1983; F.d.s., hg. K. Bohnen 1984; J. Rieckmann, Aufbruch i. d. Moderne, 1985; G. Uekermann, Renaissancismus u. F.d.s., 1985; F. N. Mennemeier, Lit. d. Jh.wende, II 1985–88.

Fingierte Briefe, →Briefe, die nicht in erster Linie zu Mitteilung und Meinungsaustausch zwischen Absender und Empfänger dienen, sondern deren Verfasser, Inhalt und Empfänger fingiert, also entweder erfunden oder gefälscht sind. Die Fiktion des Briefcharakters dient entweder der →Beglaubigung wie im →Briefroman, oder sie ist das Vehikel für die Abfassung überhaupt wie in den →Heroiden oder den *Hetärenbriefen* Alkiphrons, dem *Chandos-Brief* Hofmannsthals, in denen der Autor praktisch eine dem Gegenstand oder seinem Empfinden angemessene Rolle übernimmt, oder sie dient als Satire unter betontem Bruch des Briefgeheimnisses bewußt der Charakterisierung und Verspottung von Absender und Adressat, die unter dem Schutz der schon um der Fiktion willen aufrecht erhaltenen Anonymität mit den Mitteln ihres scheinbar eigenen Gedankengutes lächerlich gemacht oder ad absurdum geführt werden (z. B. *Epistulae obscurorum virorum* von Crotus Rubeanus und Ulrich von Hutten). Der weitaus größte Teil der f. B. benutzt die Anonymität oder Verkleidung zu aggressiver polit. Satire auf herrschende Zustände (Pascal, Montesquieu, *Lettres persanes*, die engl. *Juniusbriefe*, Kleist, L. Thoma, *Filser-Briefe*, M. Harden u.a.).

H. Rogge, F. B. als Mittel polit. Satire, 1966. →Brief.

Fitte (altengl. = Lied), urspr. wohl ags. Einzellied, dann Bz.für die Vortragseinheit ep. Werke wie *Beowulf* entsprechend →Canto, →Gesang; in der Lit.wiss. Kompositionseinheit ep. Dichtungen allg.

H. Eggers, Symmetrie u. Proportion ep. Erzählens, 1956.

Flagellantendichtung (v. lat. *flagellare* = geißeln) →Geißlerlieder

Flash-back (engl. =) →Rückblende

Flickvers, inhaltlich und gedanklich überflüssiger, nichtssagender Vers, der nur zur Strophenfüllung oder Reimes halber eingeschaltet ist, meist in strophisch gegliederten Epen, so bes. im 1. Teil des *Nibelungenliedes*: ›Die drie künege wâren, *als ich gesaget hân,* / von vil hôhem ellen . . .‹

Flickwort →Füllwort

Fliegende Blätter →Flugblatt

Flores rhetoricales (lat. =) Redeblüten, der schwere Stilschmuck (Ornatus) der →rhetorischen Figuren, →Tropen und →Topoi, in antiker Rhetorik und neulat. wie spätma. Schrifttum Kennzeichen der kunstvoll-erhabenen →Stilart.

Florierter Stil →geblümter Stil

Florilegium (lat. = Blütenlese), 1. wie griech. →Anthologie, 2. Sammlung von Lesefrüchten, Zitaten und bes. Sentenzen und rhetor. Wendungen (→Flores) aus antiken Autoren und der Bibel als Vorbild zur Wiederverwendung bei Ausschmükkung von Reden und Predigten oder zur Vorspiegelung eigener Belesenheit.

K. Wachsmuth, Stud. z. d. griech. F., 1882, n. 1970.

Floskel (lat. *flosculus* = Blümchen), gezierter Ausdruck, Redeblüte, dann bes. nichtssagende Redensart, konventionelle Höflichkeitsformel, inhaltslose, formelhafte Phrase.

Flüsterwitz, der nur hinter vorgehaltener Hand geflüsterte polit. →Witz, der sich aggressiv gegen die derzeitigen Machthaber und deren Politik oder die soz. und kulturellen Zustände und Maßnahmen richtet; ausschließlich in totalitären Regimen beheimatet und dort aufschlußreich für die wahre Volksmeinung.

H.-J. Gamm, D. F. i. Dritten Reich, 1963; F. Redlich, Der F. (Publizistik 8, 1963).

Flugblatt, 1–2seitige, teils illustrierte Gelegenheitsdruckschrift zur Verbreitung sensationeller Nachrichten, relig. Ermahnung oder propagandist., teils auch satir. Stellungnahme zu aktuellen polit., relig., soz., moral. u.a. Fragen, seit 1488 nachweisbar; Vorläufer der Zeitung. →Flugschrift, →Einblattdruck.

K. Schottenloher, F. u. Zeitung, 1922, ²1985; K. d'Ester, F. u. Flugschrift (Hdb. d. Zeitgs.wiss. I, 1940); H. Wäscher, D. dt. illustr. F., II 1955 f.; H. Rosenfeld, F., Flugschrift, Flugschriftenserie, Zeitschrift (Publizistik 10, 1965); W. A. Coupe, *The German illustrated broadsheet in the 17. cent.*, II 1966f.; F.er d. Ref. u. d. Bauernkr., hg. H. Meuche 1976; A. Wang, Illustr. F.er i. 17. Jh., Philobiblon 21, 1977; Dt. illustr. F.er d. 16. u. 17. Jh., hg. W. Harms 1980ff.; E. Lang, D. illustr. F. d. 30j. Krieges, Daphnis 9, 1980; R. Kastner, Geistl. Rauffhandel, 1982; Illustr. F.er d. Barock, hg. W. Harms 1983; Volk u. Lit. i. 17. Jh., hg. W. Brückner, 1985; E.-M. Bangerter-Schmid, Erbaul. illustr. F.er a. d. Jahren 1570–1670, 1986.

Flugschrift, als Sprachrohr des Volkes meist bewußt anonyme oder pseudonyme, teils illustrierte (DÜRER, CRANACH) u. geheftete Druckschrift geringen Umfangs (3–40 S., →Broschüre), häufig von marktschreierischer Aufmachung und schlagwortartiger Kürze, die unter Umgehung von Zensur und Buchhandel in tendenziöser, oft polem. Form und derbvolkstüml. Sprache zu polit., kulturellen, soz., relig.

oder wiss. Tagesfragen mit dem Zweck der Meinungsbeeinflussung Stellung nimmt und dabei häufig lit. Formen verwendet: Lied, Gedicht, Aufruf, Manifest, Dialog, Brief (Telegramm), Satire, Exempel, Fabel, Travestie u. ä. Trotz des oft geringen künstler. Eigenwertes bei der Behandlung aktueller Stoffe stellt sie e. wichtiges kultur- und zeitgeschichtl. Dokument dar und wird als publizist. Form u. Kommunikationsmedium erforscht. Sie entsteht kurz nach Erfindung des Buchdrucks als Vorläufer der Zeitung (Berichte von Unglücksfällen, Naturkatastrophen, Prophezeiungen, Mordtaten, Festen u. ä.) und erreicht Hauptverbreitung in Zeiten innerer Spannungen und Kämpfe, bes. im 16./17. Jh. In der →Reformationszeit dient sie gebildeten Vertretern, meist Theologen beider Konfessionen, in gewollt ungelehrter Aufmachung als relig. Kampfmittel und steht an propagandist. Wirkung nur der direkten Rede nach. Versuche zu ihrer Einschränkung durch Reichspolizeiverordnung (1548 und 1577) waren vergeblich. Unter den Verfassern überwiegen die Protestanten: Lu-THER *(An den christl. Adel dt. Nation, Von der Freiheit e. Christenmenschen)*, Ulrich v. HUTTEN, EBERLIN VON GÜNZBURG, Erasmus ALBERUS u. a.; der St. Galler Reformator J. VADIAN schuf im *Karsthans* (1521) e. stehende Figur der F.en; auf kath. Seite steht bes. Th. MURNER *(Von dem großen Lutherischen Narren,* 1522). Im 17. Jh., bes. im 30jährigen Krieg, überwiegen polit. und soz. Themen bei teils bis zur Unflätigkeit gesteigerter Derbheit. Im 18. Jh. behauptet die F. ihre Bedeutung neben den aufkommenden Zeitungen und Zss. in den lit. Kämpfen um GOTTSCHED und die Neubersche Bühnenreform, später in der Franz. Revolution, den

Befreiungskriegen, im Vormärz (BÜCHNERS *Hess. Landbote*), im Kriege 1870/71 sowie bei späteren Revolten und Widerstandsgruppen. Vgl. →Flugblatt.

F. Humbel, D. Flugblattlit. d. schweiz. Reformationsgesch., 1912; F. Behrend, D. lit. Form d. F.en (Zentralblatt f. Bibliothekswesen 34, 1917); K. Schottenloher, Flugblatt u. Zeitg., 1922, ²1985; K. d'Ester, Flugblatt u. F. (Hdb. d. Zeitgswiss., 1940); P. Böckmann, D. gemeine Mann i. d. F.en d. Reformation, DVJ 22, 1944; RL; H. Rosenfeld, Flugblatt, F., F.enserie, Zeitschrift (Publizistik 10, 1965); B. Balzer, Bürgerl. Reformationspropaganda, 1973; P. Lucke, Gewalt u. Gegengewalt i. d. F. d. Reformation, 1974; H.-J. Ruckhäberle, F.lit. i. histor. Umkreis G. Büchners, 1975; S. Weigel, F.enlit. 1848 in Berlin, 1979; Jakobin. F.en, hg. H. Scheel 1980; F.en als Massenmedien d. Ref.zt., hg. H.-J. Köhler 1981; R. W. Scribner, *For the sake of the simple folk,* Cambr. 1981; J. Schwitalla, Dt. F.en 1460–1525, 1983; F.en d. frühen Ref.bewegg., hg. A. Laube II 1983.

Flutsagen, aus der Frühzeit fast aller Völker mit Ausnahme einiger asiat. und aller afrikan. überlieferte Sagen, berichten von großen Wasserfluten, die Berge überdecken, alles Lebende mit Ausnahme je eines würdigen Paares meist als Strafe für sündiges Verhalten vernichten u. ä. (Sintflut der *Bibel, Edda, Gilgamesch* u. a. m.). Den Anstoß sucht man in e. lokalen Überschwemmung in vorhistor. Zeit oder aufgefundenen Meerestieren im Gebirge.

R. Andree, D. F., 1891.

Folgedrama →analytisches Drama

Folía, span. volkstüml. Strophenform aus vier zumeist achtsilbigen Zeilen; vermutlich im Anschluß an e. portugies. Tanzlied im 16. Jh. entstanden und vorwiegend für Nonsenseverse und scherzhafte Lieder verwendet.

Foliant, Buch in →Folio- →Format, dann allg. jeder unhandl. →›Wälzer‹.

Folio (v. lat. *in folio* = in einem Blatt), größtes Buch→format des nur einmal gefalzten →Bogens, der dann 2 Blätter = 4 Seiten ergibt: rd. 42 × 33 cm, abgekürzt fol. oder 2°, beliebtes Format im 15./16. Jh. (z. B. SHAKESPEARES ›First F.‹ 1623), heute nur noch für Atlanten, kunstgesch. Bildwerke u. ä. gebräuchlich. Nach den Preuß. Instruktionen gelten als F. Formate von über 35 cm Höhe; daneben hat sich für Formate von über 45 cm Höhe die Bz. Groß-F. eingebürgert.

Folkeviser (dän. = Volksweisen), altdän. Dichtungen bes. des 12.–14. Jh. unter Einfluß der franz. Troubadours, schott. Balladen und des dt. Minnesangs; meist höf.-ritterl. ep.-balladenhafte Tanzlieder von Berufssängern mit Vorgesang und von allen gesungenem Kehrreim, anfangs stabend, später endreimend, schließlich als Volksballaden allg. im Volke anonym verbreitet und erst im 16./17. Jh. von Adligen gesammelt. Neben lit. und histor. Stoffen solche aus Volksüberlieferung und Legende. E. jüngere Sonderform sind die →Kaempeviser (= Kampfweisen) mit Stoffen der Helden- und Göttersagen.

E. Frandsen, F., 1935; C. Roos, D. dän. F. i. d. Weltlit. (›Forschgsprobl. d. vgl. Lit.gesch.‹ 2, 1951); O. Holzapfel, *Det balladeske*, Odense 1980.

Folklore (engl., von W. J. THOMS 1846 geprägt, = Volkskunde), der Überlieferungsschatz in Volksglauben, -dichtung (Lieder, Märchen, Sagen, Sprichwörter), -kunst und Brauchtum als Gegenstand der Volkskunde.

Form (lat. *forma* = Gestalt), die äußere Gestalt oder Erscheinungsform e. sprachl. Kunstwerks als Summe vieler Einzelkomponenten (Sprache, Stil, Rhythmus, Metrum, Vers, Strophe, Reim, Klang, Bild, Struktur, Aufbau, Gliederung, Gattung, Zeitgestaltung, Perspektive u. a. m.) als schöpfer. Leistung des Dichters im Unterschied zur intendierten Funktion und zum vorausgesetzten Inhalt oder Stoff, jedoch niemals von diesem ablösbar, sondern nur im Aspekt des vielschichtigen Ganzen und aufs engste mit dem ausgesagten Gehalt verschmolzen, der durch sie erst Bedeutung gewinnt. Letztlich erst in der Formgebung und durch sie wird die Aussage des Dichters zum Kunstwerk; sie ist die eigentliche produktive Leistung der Kunst, insofern Dichten nicht nur e. Ausströmen, sondern zugleich e. Durchdringen, Klären und Prägen bedeutet. Man unterscheidet äußere F. (Gattungs-F., metr. und stilist. Darstellungsart) von innerer F. als Gestaltwerdung e. innewohnenden Idee; die Verbindung beider zu inniger, wesensgemäßer Einheit ist Erfüllung der F. Wesen der F. und ihr Beitrag zur Dichtung sind e. hervorragendes Problem der lit. →Ästhetik; ihre Anschauungen haben vielfache Wandlungen erfahren. MA. wie Renaissance, Barock und franz. Klassizismus sahen in der äußeren F. das alleinige Element des Dichterischen, das dem bloßen Stoff die Kunsthöhe gab. Ihre normative →Poetik beschränkt sich demgemäß auf verbindl. Abgrenzung der überkommenen Gattungen, Kunstregeln und Bereitstellung von Mitteln zur Meisterung der äußeren F. Gegenüber den traditionell erstarrten F.en versucht LESSING, der gleichzeitig die Scheidung der Aussageformen von Dichtung und bildender Kunst vornimmt, aus Stoff und Aufgaben der Dichtung deren vorgegebene Erscheinungsformen herzuleiten *(Laokoon, Hamburgische Dramaturgie)*. Erst gegen Ausgang des 18. Jh. begreift man im Gefolge SHAFTESBU-

RYS und damit PLOTINS (›inward form‹ = endon eidos) die F. als e. gleichzeitig mit dem Aussageinhalt nach individuellem innerem Gesetz organisch Erwachsenes, nicht mehr als vorgegebene äußere Fassung, in die der Inhalt einzugießen ist. HERDER und GOETHE entwickeln die Anschauung von der ›inneren F.‹ als Organismus, notwendigem Ausdruck innerer Spannung; SCHILLER erkennt in der Vereinigung von Stoff und F. erst die ›lebende Gestalt‹ und verlangt, daß der ›Stoff durch die F. vertilgt‹ werde, denn ›in e. wahrhaft schönen Kunstwerk soll der Inhalt nichts, die F. aber alles tun‹, und die dt. Klassik umgeht die Gefahr e. Willkür und Anarchie der F., indem sie Stoffen wie Gattungen ihr inneres Formgesetz und Maß verstandes- wie gefühlsmäßig ablauscht (SCHILLER-GOETHE-Briefwechsel). Auch für die ältere Romantik und den Idealismus (SCHELLING, HEGEL) ist die F. geistbestimmt; dagegen legt der Positivismus des 19. Jh. seiner F.betrachtung rein naturwiss. Maßstäbe zugrunde. Das 20. Jh. brachte die Neubesinnung auf die geistige und sprachkünstler. Grundlage der Dichtung und enthüllte die ganze Problematik des Stoff-Form-Verhältnisses; die Betrachtung erfolgte aus versch. Gesichtspunkten, und je nach lit.wiss. Methode schwanken Weite und Bedeutung des Begriffs F.

Th. A. Meyer, D. Stilgesetz d. Poesie, 1901; M. Hamburger, D. F. problem i. d. neueren dt. Ästhetik u. Kunsttheorie, 1915; O. Walzel, D. künstler. F. d. Dichtwks., 1916; H. Hefele, Gesetz d. F., 1921; E. Hirt, D. F.gesetz d. ep., dramat. u. lyr. Dichtg., 1923; O. Walzel, Gehalt u. Gestalt, 1923; Th. A. Meyer, F. u. F.losigkeit, DVJ 3, 1925; H. Friedmann, D. Welt d. F.en, ²1930; H. Weston, *F. in Lit.*, Lond. 1934; R. Schwinger, H. Nicolai, Innere F. u. dichter. Phantasie, hg. J. Obenauer 1935; T. Spoerri, D. Formwerdg. d. Menschen, 1938; R. Ingarden, D. F.-Inhalt-Problem (Helicon 1, 1939); G.

Müller, D. Gestaltfrage i. d. Lit.-wiss., 1944; H. Read, *F. i. modern poetry*, Lond. 1948; P. Böckmann, D. Lehre v. Wesen u. Formen d. Dichtg. (Fs. R. Petsch, 1949); E. Kerkhoff, Innere F., Neophil. 1952; H. Seidler, Allg. Stilistik, ²1963; E. Lachmann, D. Gewalt dichter. F. (Ammann-Fs., 1953); Th. Spoerri, D. Weg z. F., 1954; A. Jaszi, Ästh. F., DVJ 29, 1955; RL; P. Hartmann, Probleme d. sprachl. F., 1957; K. Burke, *The Philosophy of Lit.F.*, ²1957; Stil- u. F.probleme i. d. Lit., hg. P. Böckmann 1959; ders., Formgesch. d. dt. Dichtg. I, ³1967; ders., Formensprache, 1966; H. Prang, Formgesch. d. Dichtkunst, 1968. →Ästhetik, →Dichtg. u. d. einzelnen →Gattungen.

Formalismus, auf der Grundlage des russ. Symbolismus aufbauende Schule der russ. Literaturwissenschaft und -kritik rd. 1915–30, die die Eigenständigkeit und Eigengesetzlichkeit der Dichtkunst postulierte, die Erforschung ihrer Gesetze, formalen Kompositionsprinzipien und techn. Kunstmittel (Stil, Laut, Klang, Vers, Rhythmus, Metrik, Bild, Motiv usw.) als Hauptaufgabe der Literaturwissenschaft betrachtete und alle nicht ästhetischen (biograph., psycholog., ideolog., soziolog., polit. oder theolog.) Kriterien verwarf, um den Hauptwert auf Formanalyse zu legen: V. ŠKLOVSKIJ, B. EJCHENBAUM, R. JAKOBSON, B. TOMAŠEVSKIJ, V. ŽIRMUNSKIJ, J. TYNJANOV. Der russ. F. schwenkte nach starken Angriffen von seiten der marxist. Kritiker um 1927 zur soziolog. Methode über. Er erlebte nach 1930 e. zweite Blütezeit in Polen (M. KRIDL, R. INGARDEN) und der Tschechoslowakei (R. WELLEK), gelangte dann mit emigrierten Vertretern nach Amerika und beeinflußte dort den →New Criticism. Lange war in marxist. Sprachgebrauch ›F.‹ allg. abwertender Zensurbegriff für jede bourgeoise ästhet. oder experimentelle Verirrung, die sich nicht der Forderung des →sozialist. Realismus nach polit. Parteilichkeit einfügt.

F. W. Neumann, D. formale Schule d. russ. Lit.-wiss., DVJ 29, 1955; C. L. Ebeling, *Taal- en letterkundl. Aspecten van het Russ. F.*, Haag 1955; J. Holthusen, D. russ. F. (Merkur 14, 1960); V. Erlich, Russ. F., 1964, ²1973; E. Olson u.a., Üb. F., 1966; Texte russ. Formalisten, hg. J. Striedter II 1969–72; E. M. Thompson, *Russ. F. and Angloam. New Criticism*, Haag 1971; F., Strukturalismus u. Gesch., hg. A. Flaker u.a. 1974; P. Medvedev, D. formale Methode i. d. Lit.wiss., 1976; F. Jameson, *The prison-house of language*, Princeton 1978; A. A. Hansen-Löve, D. russ. F., 1978; T. Bennett, *F. and marxism*, Lond. 1979; P. Steiner, *Russ. F.*, Ithaca 1984.

Format (lat. *formatus* = gestaltet), eigtl. das Verhältnis von Höhe und Breite e. Blattes oder Buches (Hoch-F., Quer-F.), dann allg. seine Größe; durch Falten des großen →Bogens entstehen, jeweils nach Zahl der Blätter benannt: →Folio, Quart, Sext, Oktav, Duodez, Sedez. Bei DIN-F. bleibt das Seitenkantenverhältnis trotz abnehmender Größe konstant. Anstelle der Bogenfaltung hat sich heute allg. die Bz. nach der Höhe der Buchdeckel durchgesetzt, so gelten für die *Deutsche Bibliographie* Höhen bis 18,5 cm als Kleinoktav, bis 22,5 cm als Oktav, bis 25 cm als Großoktav, bis 35 cm als Quart und bis 45 cm als Folio; daneben halten sich die Bezeichnungen Lexikon-Oktav für 25–30 cm, Groß-Quart für 35–40 cm und Groß-Folio für über 45 cm.

Formel (lat. *formula* = Norm, Regel; Wort der Rechtssprache), feststehende Redewendung (Satz, -teil), aus individueller Prägung e. Begriffes oder Gedankens stammend und von der Allgemeinheit als bes. treffend anerkannt und übernommen, die in gewissen Vorstellungszusammenhängen sich immer wieder aufdrängt und meist unverändert wiederkehrt, dabei jedoch als abgegriffene Marke durch Konventionalisierung ihren ursprünglichen tieferen Sinn meist verloren hat (Brief-,

Gruß-, Anrede-, Dankes-F.). Häufig dient Rhythmus, Assonanz, →Alliteration oder Endreim (→Reim-F.) als Gedächtnisstütze: ›Mit Haut und Haar; sang- und klanglos‹. Zahlreiche F.n entstammen der Rechtsprechung (Schwur-F.), Kultbräuchen (→Zauber-, →Beschwörungs-, religiöse Gebets-F.), andere als →geflügelte Worte der Lit., Politik u.ä. Die Verwendung fester F.n ist meist Ausdruck e. in sich ruhenden, gleichbleibenden Lebensgefühls. In der Lit. finden sich F.n bes. bei älterer oder archaisierender, weniger individualisierend als typisierend gestaltender Dichtung: in Epik der Antike und MA. als vorgeprägte, wiederholte Wendungen für Kampfschilderungen, Dialogeinleitung, Brautwerbung, Totenklage u.ä., in mhd. und neulat. Lyrik selbst für Naturschilderung, ferner in Volkslied, Märchen, Rätsel, Sage und bei deren Wiederbelebung in der Romantik; in mod. Lit. – freilich individueller, nicht gemeinschaftlich geprägter Redeweise – bis zu Th. MANNS *Doktor Faustus* und T. S. ELIOTS *Murder in the Cathedral*. →Topos, →Epitheton ornans, →Schlagwort, →Zwillingsformel, →Floskel.

R. M. Meyer, D. altgerm. Poesie nach ihren f.haften Elementen, 1889; R. Petsch. F.hafte Schlüsse i. Volksmärchen, 1900; RL; F. Thompson, F. (Hdwb. d. dt. Märchens II, 1934/40); W. Hövelmann, D. Eingangs-F. i. germ. Dichtg., Diss. Bonn 1936; H. M. Heinrichs, Üb. germ. Dichtgsf. (Fs. f. Öhmann, 1954); M. v. Lieres und Wilkau, Sprach-F. i. d. mhd. Lyrik bis z. Walther, 1965; T. Pàroli, *Sull' elemento formulare nella poesia germanica antica*, Rom 1975; N. Voorwinden, Z. Begr. d. ep. F. (Amsterd. Beitr. z. ält. Germanistik 20, 1983).

Formelbücher →Briefsteller

Formen →Einfache F., →Offene F.

Formenlehre   →Poetik,   →Gattungen

Formgeschichte →Form

Fornyrðislag (isländ. ›Altmärenton‹), altnord. Versform in der *Edda*, besteht aus Strophen von je vier Langzeilen, deren jede durch Zäsur in zwei Halbzeilen mit je zwei Hebungen und 2–3 Senkungen zerfällt, die wiederum durch Stabreim gebunden werden; Fortentwicklung des →Alliterationsverses mit regelmäßigerer Silbenzahl und stroph. Aufbau. Vgl. →Alliterationsvers.

Forschungsbericht, kritisch referierender, nicht auf bibliograph. Vollständigkeit angelegter Überblick über Forschungsstand und Fachpublikationen zu e. bestimmten Spezialgebiet als aktuelle Einführung in dieses.

Fortsetzungsroman, der →Zeitungsroman oder Zeitschriftenroman, oft Vorabdruck einer Buchausgabe, der den Lesern in kleineren Tagesrationen zerhackstückelt vorgesetzt wird, im allg. jedoch Trivial- oder Unterhaltungslit., die zumal in eigens für solche Publikation verfaßten →Illustriertenromanen durch effektvolle, spannungserregende Kapitelschlüsse das Interesse des Lesers auf die nächste Nummer erregen soll. Doch lassen sich auch lit. wertvolle Werke in Fortsetzungen drucken, wenn sie das Grundprinzip des F. erfüllen, daß jeder einzelne Teil die Handlung um ein Stück weiterbringt. Auch WIELANDS *Abderiten* und SCHILLERS *Geisterseher* erschienen als F., DICKENS' Romane in Lieferungen. Vgl. →Feuilletonroman, →Zyklenroman.

E. Kerr, *Bibliogr. of the Sequence Novel,* Minneapolis 1950; R. D. Mayo, *The Engl. Novel in the Magazines,* 1962; H. J. Neuschäfer, *Populärromane* i. 19. Jh., 1976; I. Oscarsson, *Fortsättning följer,* Lund 1980.

Forum Stadtpark, avantgardist.-aggressive Künstler- und Literatengruppe in Graz, gegr. 1958 von A. KOLLERITSCH, zentriert um die Zs. *Manuskripte:* P. HANDKE, B. FRISCHMUTH, W. BAUER, O. WIENER u.a. Veranstaltet Lesungen, Ausstellungen u.ä. in dem zum mod. Kulturzentrum umgewandelten Grazer Stadtpark-Café.

Wie die Grazer auszogen…, 1975; G. Scheuer, *Das F. S.* (Lit. i. d. Steiermark, 1978).

Fotoroman →Comics

Frage, rhetorische →rhetorische Frage

Fragment (lat. *fragmentum* =) Bruchstück: 1. nicht vollständig überliefertes Werk. Bes. aus der Antike und dem MA. bis zur Erfindung des Buchdrucks sind zahlr. Werke nur aus Exzerpten oder Zitaten anderer Schriftsteller erhalten; wichtige F.e: ARISTOTELES' *Poetik,* LIVIUS, got. *Bibel, Hildebrandslied, Muspilli* u.a. – 2. vom Dichter unabsichtlich aus äußeren Ursachen wie Tod (GOTTFRIEDS *Tristan*), Interesseverlagerung im Zuge der Persönlichkeitsentwicklung oder inneren Ursachen wie Scheitern an der Größe des Stoffes nicht vollendetes bzw. aufgegebenes Werk. Derartige F.e finden sich im Nachlaß fast aller Dichter; sie sind ins allg. Bewußtsein auf Grund ihres F.charakters oder als Nebenprodukte nicht gleichermaßen eingegangen, doch für die literarhistor. und künstler. Beurteilung ihres Schöpfers im Rahmen des Gesamtwerkes oft sehr wesentlich, so GOETHES *Prometheus, Mahomet, Achilleis, Die natürliche Tochter,* HÖLDERLINS *Tod des Empedokles,* KLEISTS *Robert Guiskard,* GRILLPARZERS *Spartakus, Robert,* JEAN PAULS *Flegeljahre,* BÜCHNERS *Lenz, Woyzeck,* HEBBELS *Moloch,* MUSILS *Der Mann ohne Eigenschaften,* Th. MANNS *Bekenntnisse des Hochstaplers Felix*

Krull u.a.m. Zahlreiche F.e zeugen von immer neuem Ringen um die Gestaltung e. Stoffes: Faust (LESSING, GRILLPARZER), Christus (HEBBEL, GRABBE, O. LUDWIG), Demetrius (SCHILLER, HEBBEL). Wenige F.e finden später Fortsetzung und Abschluß durch andere Autoren wie WOLFRAMS *Willehalm* durch ULRICH VON TÜRHEIM, sein *Titurel* durch ALBRECHT VON SCHARFENBERG, GOTTFRIEDS *Tristan* durch ULRICH VON TÜRHEIM u.a., HAUPTMANNS *Herbert Engelmann* durch ZUCKMAYER. – 3. Beabsichtigte F.e als bewußte lit. Form zeigen die Unendlichkeit e. Stoffes oder Themas, der in konkreter Ausgestaltung nur verengt dargelegt werden konnte. Die offene Form des Suchens und des Vorläufigen erscheint in LESSINGS *Wolfenbüttler F.en*, GOETHES *F. aus e. Reisejournal*, HERDERS *F.en über die neuere dt. Lit.* u.a. und ist bes. der Frühromantik gemäß, als programmat. Prosastück theoretisch bestimmt von F. SCHLEGEL; auch NOVALIS' *Blütenstaub*, *Heinrich von Ofterdingen*, ARNIMS *Kronenwächter* fehlte der Wille zur Vollendung, sog. →Aphorismen zum Ausdruck ›progressiven Denkens‹, ähnlich in der engl. Romantik (COLERIDGE, KEATS, BYRON) und in der Neuromantik HOFMANNSTHALS *Andreas, Bergwerk von Falun*. Hierher gehören auch Werke, deren letzter Abschluß auf Grund der weitgespannten Idee nur äußerlich möglich, innerlich nie erreichbar ist, wie etwa GOETHES *Faust*.

H. Scheffler, Wesen d. F. (D. Lit., 1932); A. N. Fink, Maxime u. F. (Wortkunst, N. F. 9, 1934); H. Maier, Anmerkungen z. Wesen d. F. (D. Lit., 1938); G. Gugler, D. Problem d. fragm. Dichtg. i. d. engl. Romantik, 1944; RL; H. Stresau, D. dichter. F. (Dt. Univ. Ztg. 13, 1958); D. Unvollendete als künstler. Form, hg. J. A. Schmoll 1959; D. F. Rauber, *The f. as romantic form*, MLQ 30, 1969; D. Schröder, F.-poetologie i. 18. Jh., Diss. Kiel 1976; Ch. Meckel, Üb. d. F.arische, 1978; F. u. Totalität, hg. L. Dällenbach 1984; E. Behler, Das F., PoE 1985; G. Ueding, D. F. als lit. Form d. Utopie, EG 41, 1986.

Fragreim, lyrische Form der rhetor. oder deliberativen Frage: ›Wie soll ich dich empfangen?‹

Fraktur (lat. *fractura* = Bruch), nach den gebrochenen Linien die sog. dt. oder got. Druckschrift, ursprünglich keine dt. Schriftart, sondern in Italien als Modifikation der →Antiqua 1522 entstanden, bes. in Nordeuropa verbreitet, doch meist im Humanismus verdrängt und nur in Dtl. bis 1800 herrschend, dann allmählich bes. in wiss. und auch im Ausland gelesenen Werken durch die Antiqua ersetzt und heute trotz einiger Wiederbelebungsversuche praktisch völlig abgelöst.

G. Milchsack, Was ist F., ²1925; E. Crous, J. Kirchner, D. got. Schriftarten, 1928. →Schrift.

Frankfurter Forum für Literatur e. V., vom Frankfurter Autor H. BINGEL 1966 begründetes, alljährlich im November stattfindendes Autorentreffen in Frankfurt zu internen Werkstattlesungen mit Sofortkritik, öffentl. Lesungen, Diskussionen u.a. Veranstaltungen an unübl. Orten mit dem Ziel, die Beziehungen von Lit. und Publikum in der Buchmessestadt zu intensivieren. Autoren: H. C. ARTMANN, K. DEDECIUS, E. FRIED, M. GREGOR-DELLIN, P. HANDKE, E. JANDL, K. KROLOW, F. MON, R. NEUMANN, W. WEYRAUCH, G. ZWERENZ u.a.m., bes. auch junge Autoren des östl. und westl. Auslands.

Franziskaner, der 1209 durch FRANZ VON ASSISI gegründete Orden gewinnt nicht nur durch Traktate, Predigten, Legenden und Erbauungsbücher starken Einfluß auf die dt. Lit., sondern auch mit BERT-

HOLD VON REGENSBURG, DAVID VON AUGSBURG, J. PAULI, Th. MURNER u. a.

Franziskan. Schrifttum i. dt. MA., hg. K. Ruh II 1965–85.

Frauendienst, im MA. fiktives ritterl. Dienstverhältnis zur Verehrung e. hohen, meist verheirateten höf. Dame (frouwe), das nicht nur auf →Minnesang beschränkt ist, sondern sich auch in ritterl. Haltung und Taten zu Ehren der Minnedame äußert. Als erot. Sublimierung des Feudalsystems innerhalb der ges. Normen bleibt der F. in der Regel ohne erot. Belohnung. Darstellung bes. im *F.* ULRICHS VON LICHTENSTEIN.

K. Burdach, Üb. d. Ursprung d. ma. Minnesangs, 1918; F. Neumann, Hohe Minne, ZfD 1925 f.; E. Kaiser, D. F. i. mhd. Nationalepos, ²1935; H. Wenzel, F. u. Gottesdienst, 1974; I. Kasten, F. b. Trobadors u. Minnesängern, 1986.

Frauenklage, Form der monolog. Verserzählung in eleg. Ton, Klagegedicht der verlassenen Frau, im Anschluß an OVIDS *Heroiden* bes. in der engl. Lit. vom SpätMA. bis zur Renaissance verbreitet: Th. HEYWOODS *Oenone and Paris,* Th. MIDDLETONS *Ghost of Lucrece* u. a.

G. Schmitz, Die F., 1984.

Frauenlied →Frauenmonolog

Frauenliteratur, im Unterschied zur tendenziösen feminist. Lit. der geistigen, soz. und polit. Frauenemanzipation: allg. das von Frauen verfaßte Schrifttum. Die Typisierung der Lit. nach ›typ.‹ weibl. (und männl.) Eigenschaften und Sehweisen ist angesichts der Vielfalt der Erscheinungen einseitig und problematisch und nur sozialhistor. entschuldbar. Das mod. Konstrukt e. F. nach geschlechtl. Differenzierung gegen e. ›Männerlit.‹ ist wiss. unhaltbar, da die Lit. als Ganzes keine Aufspaltung in separate geschlechtl. Reihen kennt und wechselseitige und zeitbedingte Einflüsse jederzeit stärker sind als die innerhalb e. Reihe. Die separate Betrachtung der F. kann daher nur den begrüßenswert zunehmenden Anteil und das allmähl. Vordringen der Frau in e. lange falschlich als männl. Domäne betrachtete Gesamtlit. bezeichnen, deren Form- und Wertkategorien unverändert bleiben. – Das traditionelle Bild von Rolle und kultureller Stellung der Frau als der Stillen, Naturverbundenen, ausgleichend Bewahrenden im Wandel der Zeiten sowie die erst im 19. Jh. vollzogene Emanzipation der Frau erklären das späte Einsetzen der F. und die anfängl. Vorliebe für relig., moral., empfindsame Stoffe, bes. in gefühlsbetonter Lyrik und weltaufgeschlossener Epik, während die straffe, wuchtige Gestaltung des Dramas meist der F. versagt blieb. Aus der Antike sind SAPPHO, CORINNA, SULPICIA, SEMPRONIA, u. a. als dichtende Frauen bekannt. Erste Vertreterin der F. in Mitteleuropa ist die Nonne HROTSVITH VON GANDERSHEIM (10. Jh.) mit lat. Lesedramen und Erzählungen als Gegenstücke zum heidn. TERENZ, in dt. Sprache zuerst Frau AVA (12. Jh., *Leben Jesu* u. a. geistl. Dichtungen). Die Mystik findet reiche Blüte in Nonnenklöstern (HILDEGARD VON BINGEN, MECHTHILD VON MAGDEBURG, M. u. Chr. EBNER, KATHARINA VON SIENA, THERESA VON AVILA) und wirkt bis in die breite geistliche F. des 18. Jh. fort (Gräfin von SCHWARZBURG-RUDOLSTADT, Gräfin v. KÖNIGSMARK, Sibylla SCHWARZ). Bedeutend ist die Erzähl- und Übersetzungslit. adliger Frauen, meist Fürstinnen: MARIE DE FRANCE (12. Jh.), CHRISTINE DE PISAN, ELISABETH VON NASSAU-SAARBRÜCKEN *(Hug Schapler),* ELEONORE VON ÖSTERREICH, CA-

THARINA VON GREIFFENBERG. In Italien bringt die Renaissance F. von Vittoria COLONNA, Vittoria ACCOROMBONA, Gaspara STAMPA u. a., in Frankreich Louise LABÉ und das 17./18. Jh. die Romane der MARGUÉRITE DE NAVARRE *(Heptameron),* der Mme de SCUDÉRY und Mme de LA FAYETTE sowie die Brieflit. der Mme de SÉVIGNÉ und de MAINTENON. In Dtl. entstehen im 18. Jh. die ersten großen Werke: die Lyrik der A. L. KARSCH, erfolgreiche Dramenbearbeitungen der NEUBERIN und GOTTSCHEDIN; ein reiches Feld bietet der Roman der Empfindsamkeit: Sophie von LA ROCHE *(Das Frl. von Sternheim,* 1771), e. Entwicklungslinie, die über B. NAUBERT bis zur MARLITT, ESCHSTRUTH und COURTHS-MAHLER wie Vicki BAUM in Triviallit. absteigt. Weniger das strenge Frauenideal der Klassik als die Emanzipation in der Romantik begünstigt F.: Bettina von ARNIM, Dorothea SCHLEGEL *(Florentin),* Caroline SCHLEGEL, Rahel VARNHAGEN, Karoline von GÜNDERODE *(Mahomet),* Charlotte von STEIN *(Dido),* Karoline von WOLZOGEN *(Agnes von Lilien),* Charlotte von KALB *(Cornelia),* Sophie MEREAU (Gedichte und Romane), Therese HUBER, E. v. d. RECKE, L. BRACHMANN, Mme de STAËL, Joh. SCHOPENHAUER und Karoline PICHLER, bes. e. reiche Brieflit. Rückwendung zur Bürgerlichkeit im Biedermeier und Aufgreifen der Tagesfragen im Jungen Dtl. bedingen e. realist. F.; in England die Schwestern BRONTË, E. BARRET-BROWNING und George ELIOT, in Amerika H. BEECHER-STOWE *(Uncle Tom's Cabin,* 1852), in Frankreich wirkt George SAND auf die dt. F.: Gräfin HAHN-HAHN, Fanny LEWALD und die zahlr. →Familienblatt-Schriftstellerinnen, die Dramatikerin BIRCH-PFEIFFER, die

Jugenddichterinnen O. WILDERMUTH und Joh. SPYRI. In der Mitte des 19. Jh. stehen die drei großen Dichterinnen: A. v. DROSTE-HÜLSHOFF als größte dt. Lyrikerin, L. von FRANÇOIS mit histor. Romanen und M. von EBNER-ESCHENBACH mit sozialen Erzählungen und Romanen wie Aphorismen. Über den Naturalismus (C. VIEBIG, H. BÖHLAU, G. REUTER, A. GERHARD) führt der Weg bis in die Gegenwart mit B. v. SUTTNER, M. v. MEYSENBUG, L. BRAUN, E. v. HANDELMAZZETTI, L. ANDREAS-SALOMÉ, L. v. STRAUSS und TORNEY, H. VOIGT-DIEDERICHS, A. MIEGEL, I. KURZ, I. SEIDEL, L. CHRIST, C. LAVANT, F. v. REVENTLOW, A. SEGHERS, R. SCHAUMANN, E. LASKER-SCHÜLER, G. KOLMAR, M. L. FLEISSER, G. LEUTENEGGER, G. von LE FORT, E. LANGGÄSSER, R. HUCH, M. L. KASCHNITZ, N. SACHS, L. RINSER, R. REHMANN, Ch. REINIG, Ch. WOLF, I. BACHMANN, I. AICHINGER, H. DOMIN, I. DREWITZ, H. SPIEL, G. WOHMANN, B. FRISCHMUTH, S. KIRSCH, F. MAYRÖCKER, E. PLESSEN, A. MECHTEL, K. STRUCK, E. JELINEK, R. AUSLÄNDER, F. ROTH, E. BORCHERS, G. ELSNER, B. SCHWAIGER u.a.; in Amerika M. MITCHELL *(Gone with the Wind,* 1936), MASO DE LA ROCHE, W. CATHER, Pearl S. BUCK, E. WHARTON, E. DICKINSON, M. MOORE, G. STEIN, C. McCULLERS, M. McCARTHY, E. GLASGOW, H. DOOLITTLE, K. A. PORTER, A. NIN, S. PLATH, J. C. OATES, E. JONG, in England M. WEBB, V. WOOLF, V. SACKVILLE-WEST, E. SITWELL, A. CHRISTIE, D. LESSING, K. MANSFIELD u.a., in Frankreich A. de NOAILLES, T. MONNIER, die COLETTE, S. de BEAUVOIR, F. SAGAN, N. SARRAUTE, M. DURAS, M. YOURCENAR, C. ROCHEFORT, V. LEDUC u.a., in

Skandinavien S. LAGERLÖF, S. UNDSET und T. BLIXEN, in Rußland A. ACHMATOVA, in Polen M. DOMBROWSKA, in Italien G. DELEDDA, in Chile G. MISTRAL.

S. Pataky, Lex. dt. Frauen d. Feder, II 1898; Th. Klaiber, Dichtende Frauen d. Gegenw., 1907; L. Berger, Les femmes poètes de l'Allemagne, Paris 1910; H. Spiero, Gesch. d. F. seit 1800, 1913; Chr. Touaillon, D. Frauenroman d. 18. Jh., 1919; K. Helmer, D. Frauenbewegung..., Diss. Wien 1922; RL; E. Hoppe, Liebe u. Gestalt, 1934; N. Haperlin, D. dt. Schriftstellerinnen i. d. 2. Hälfte d. 18. Jh., Diss. Ffm. 1935; E. Pollatos, D. histor. Frauenroman, Diss. Wien 1955; D. Typus d. Mannes i. d. Dtg. d. Frau, hg. E. Hoppe 1960; J. Moulin, La poésie féminine, Paris 1963; M. A. Bald, Women writers of the 19th century, N.Y. ²1963; L. Auchincloss, Pioneers and caretakers, Minneapolis 1965; A. Adburgham, Women in print, Lond. 1972; E. Hardwick, Seduction and betrayal, Lond. 1974; E. Showalter, A lit. of their own, Princeton 1976; P. M. Spacks, The female imagination, Lond. 1976; M. Mercier, Le roman féminin, Paris 1976; E. Moers, Literary women, Lond. 1977; R. Möhrmann, D. andere Frau, 1977; Dt. Dichterinnen, hg. G. Brinker-Gabler 1978; J. Serke, Frauen schreiben, 1979; D. Frau als Heldin u. Autorin, hg. W. Paulsen 1979; D. franz. Autorin, hg. R. Baader 1979; I. Hildebrandt, Warum schreiben Frauen?, 1980; E. T. Beck, Westdt. F. d. 70er Jahre (Dt. Lit. i. d. BRD, hg. P. M. Lützeler 1980); S. M. Gilbert, The madwoman in the attic, New Haven 1980; U. Püschel, Mit allen Sinnen, 1980; Neue Lit. d. Frauen, hg. H. Puknus 1980; Gestaltet u. gestaltend, hg. M. Burkhard, Amsterd. 1980; E. Frederiksen, Dt. Autorinnen i. 19. Jh., CG 14, 1981; P. Stubbs, Women and fiction, Lond. 1981; E. Friedrichs, D. dtspr. Schriftstellerinnen d. 18. u. 19. Jh., 1981; Frauen – Sprache – Lit., hg. M. Heuser 1982; Z. Swiatlowski, F., TeKo 10, 1982; Beyond the eternal feminin, hg. S. L. Cocalis 1982; R. Schmidt, Westdt. F. i. d. 70er Jahren, 1982; I. Ezergailis, Women writers, 1982; N. Kohlhagen, Sie schreiben wie e. Mann, 1983; M. Jurgensen, Dt. Frauenautoren d. Ggw., 1983; F., hg. ders. 1983; C. Gürtler, Schreiben Frauen anders?, 1983; I. Hildebrandt, V. Eintritt d. Frau i. d. Lit., 1983; H. Suhr, Engl. Romanautorinnen i. 18. Jh., 1983; Frauen u. Frauenbilder, hg. J. Valgard, Oslo 1983; P. Dronke, Women writers of the MA., Cambr. 1984; J. M. Woods u.a., Schriftstellerinnen, Künstlerinnen u. gelehrte Frauen d. dt. Barock, 1984;

Frauen Literatur Geschichte, hg. H. Gnüg u.a. 1985, ²1989; F. i. Österr. v. 1945 bis heute, hg. C. Kleiber 1986; R. Baader, Dames des lettres, 1986; M. Brügmann, Amazonen d. Lit., Amsterd. 1986; G. Brinker-Gabler, Lex. dtspr. Schriftstellerinnen 1800–1945, 1986; Frauenspr. – F.? hg. I. Stephan 1986; K. Richter-Schröder, F. u. weibl. Identität, 1986; B. Becker-Cantarino, D. lge. Weg z. Mündigkeit, 1987; D. David, Intellectual women and victorian patriarchy, Lond. 1987; E. V. Beilin, Redeeming Eve. Women writers in the Engl. renaiss., Lond. 1987; S. Weigel, D. Stimme d. Medusa, 1987; J. Todd, Feminist lit. history, Lond. 1988; E. Hobby, Virtue of necessity: Engl. women's writing 1649–88, Lond. 1988; R. Sherry, Studying women's writing, Lond. 1988; G. v. d. Decken, Emanzipation auf Abwegen, 1988; Dt. Lit. v. Frauen, hg. G. Brinker-Gabler II 1988.

Frauenmonolog, von Dichtern verfaßte Sehnsuchts- und Klagelieder (→Rollengedichte) liebender Frauen, von HARTMANN, REINMAR d. A. u. a.

H. Fischer, D. F. i. d. dt. höf. Lyrik, Diss. Marburg 1934; T. Frings (in: Gestaltg. – Umgestaltg., 1957); W. E. Jackson, Reinmar's women, Amsterd. 1981; Vox feminae, hg. J. F. Plummer, Kalamazoo 1981.

Frauenroman, 1. der von Frauen verfaßte, zumeist auch um das Erleben der Frau kreisende Roman allg. als Teil der →Frauenliteratur, – 2. als inhaltliche Qualifikation ohne Rangabstrich allg. ein Roman um ein Frauenleben, – 3. im engeren Sinne e. spezielle Gattung der →Triviallit. mit Nähe zum Liebesroman: er schildert in gefühlsseliger Verwaschenheit ein vermeintlich sublimiertes und natürlich nach einigen spannungsfördernden Hindernissen zum Happy-End führendes Liebeserlebnis einer Dame der guten Gesellschaft in einer zeitfernen, edlen und heilen Bilderbuchwelt im Adels- und Gutsbesitzermilieu oder in Studenten- und Künstlerkreisen ohne nähere Lokalisierung und ohne lebensechte oder auch nur gefühlsechte erot. Züge und stilisiert jede Empfindung in angelernte, gestelzte Redensarten.

Ch. Touaillon, D. dt. F. d. 18. Jh., 1919, n. 1979; H. Gude, Stud. z. jungdt. F., Diss. Tüb. 1931; W. Nutz, Konformlit. f. d. Frau (in: Trivialllit., hg. G. Schmidt-Henkel 1964); G. Strecker, Frauenträume – Frauentränen, 1969; M. Wildi, D. engl. F., 1976; H. Meise, D. Unschuld u. d. Schrift, 1983; L. Schieth, D. Entw. d. dt. F. i. ausgeh. 18. Jh., 1987.

Frauenstrophe →Minnesang

Frauenzeitschriften, e. Teil der →Moralischen Wochenschriften, der sich bes. an Frauen wendet und ihrer Unterhaltung und Belehrung dient, bes. im 18. und frühen 19. Jh. (WIELANDS *Journal für dt. Frauen,* 1805f., FOUQUÉS *Berlinische Blätter für dt. Frauen,* 1829); später im Kampf um die Frauenrechte eingreifend; heute entweder bewußt unpolit. und am aktuellen wie kulturellen Geschehen uninteressierte Illustrierte mit den Zentralthemen Liebe, Mode, Küche, Heim und Kindererziehung oder feminist. Periodika.

H. Lachmanski, D. dt. F. d. 18. Jh., Diss. Bln. 1900; A. Zander-Mika, F. (Hdb. d. Zeitgs.-wiss. I, 1940); E. Sullerot, *La presse féminine,* Paris 1963; dies., *Hist. de la presse fem. en France,* Paris 1966; H. Ulze, F. u. Frauenrolle, ²1979.

Freie Bühne, von M. HARDEN, Th. WOLFF, P. SCHLENTHER, H. und J. HART, S. FISCHER, J. STETTENHEIM, P. JONAS, STOCKHAUSEN und O. BRAHM am 5. 4. 1889 nach dem Vorbild des naturalist. ›Théâtre libre‹ des franz. Schauspielers A. ANTOINE gegründeter Verein für geschlossene Mitgliedervorstellungen von naturalist. Dramen, deren öffentl. Aufführung meist durch Zensur verboten war (29. 9. 1889: IBSENS *Gespenster,* 20. 10. 1889: HAUPTMANNS *Vor Sonnenaufgang,* ferner *Das Friedensfest,* ANZENGRUBERS *Das 4. Gebot,* HOLZ und SCHLAFS *Die Familie Selicke,* TOLSTOJS *Macht der Finsternis,* BJÖRN-SON, GONCOURT, STRINDBERG u. a.); ohne festes Theater und mit e. für jede Nachmittagsvorstellung bes. zusammengestellten Ensemble bahnte die F. B. in der kurzen Zeit ihres Bestehens zuerst unter dem Vorsitz O. BRAHMS, ab 1894 unter dem P. SCHLENTHERS und schließlich ab 1898 L. FULDAS dem naturalist. Drama den Weg. Organ der Bewegung war die 1890 von O. BRAHM begründete Zs. *F. B.,* ab 1894 *Neue deutsche Rundschau,* ab 1904 *Neue Rundschau.* Ähnliche Gründungen erfolgten durch B. WILLE ›Freie →Volksbühne‹, ›Dt. Bühne‹, ›Neue Freie →Volksbühne‹, ebenso F. B. in München, Leipzig, Wien, Kopenhagen und London (›Independent Theatre‹ von I. T. GREIN).

P. Schlenther, Wozu der Lärm, Genesis d. F. B., 1889; W. Thal, Berlins Theater u. d. F. B., 1890; O. Brahm, F. B. (Theater-Kalender, 1911); J. Schlaf, D. F. B. u. d. Entstehg. d. naturalist. Dramas, Diss. Lpz. 1912; RL; A. I. Miller, *The Independent Theatre,* New York 1931; A. Bürkle, D. Zs. ›F. B.‹, Diss. Hdlbg. 1941; G. Schley, D. F. B. i. Berlin, 1967; K. Günther, Lit. Gruppenbildg. i. Berliner Naturalismus, 1972.

Freie Künste →Artes liberales

Freie →**Rhythmen,** reimlose, metrisch gänzlich ungebundene, doch stark rhythmisch bewegte Verszeilen von beliebiger Länge, Hebungszahl (meist 3–4) und Senkungsfüllung, unstrophisch, doch oft sinngemäß in Versgruppen versch. Länge gegliedert, von rhythm. Prosa unterschieden durch den bei aller Unregelmäßigkeit ähnlichen Abstand der Hebungen, Korrespondenz der Zeilen und den ekstat., den griech. Dithyramben PINDARS nachgebildeten Charakter, der jedoch nur bei profilierendem, lebendig nachfühlendem (infolge Fehlens e. festen Betonungsschemas recht schwierigen) Vortrag erreicht wird. Stilwerte sind die ungebundene Anschmiegsamkeit und dadurch größere Ausdrucksfähigkeit der freiströmenden Empfindung. Ihre restlose Meisterung gelang nur wenigen, großen Dichtungen meist in feierlich-erhabener, volltönender Form ohne liedhafte Intimität: zuerst KLOPSTOCK (1758 in *Dem Allgegenwärtigen*, 1759 *Frühlingsfeier*, →Bardiete u. a.) in bewußtem Aufbruch des Gefühls gegen OPITZschen Metrenzwang, nach dem Vorbild der unstroph. Psalmen; ferner GOETHE *Wanderers Sturmlied, Ganymed, Mahomets Gesang, Prometheus;* HÖLDERLIN *Hyperions Schicksalslied,* NOVALIS *Hymnen an die Nacht,* HEINE *Nordseebilder,* NIETZSCHE *Dionysos-Dithyramben,* LINGG, SCHEFFEL, SAAR, HOLZ, RILKE, LERSCH, WERFEL, TRAKL, BENN, BRECHT, Walt WHITMAN (*Leaves of Grass),* CLAUDEL, ELIOT, W. AUDEN, MAJAKOVSKIJ.

A. Goldbeck-Löwe, Gesch. d. freien Verse i. d. dt. Dichtg. v. Klopstock bis Goethe, Diss. Kiel 1891; L. Benoist Hanappier, D. F. R. i. d. dt. Lyrik, 1905; R. M. Meyer, D. Gesetz d. F. R., Euph. 18, 1911; RL; E. Busch, Stiltypen d. dt. freirhythm. Hymne, 1934; A. Closs, D. F. R. i. d. dt. Lyrik, 1947; M. Kommerell, Gedanken üb. Gedichte, ²1956; H. Enders, Stil u. Rhythmus, 1962; L. L. Albertsen, D. f. R., Aarhus 1971. →Metrik.

Freier Schriftsteller →Schriftsteller

Freies Deutsches Hochstift, am 10. 11. 1859 (100. Geburtstag SCHILLERS) in Frankfurt a. M. gegründete Gesellschaft zur Pflege von Wissenschaft, Kunst und Bildung, seit 1863 im Goethehaus. Seine Aufgaben als Institut sind die Bewahrung des Erbes der Klassiker, die Verwaltung und Publikation des umfangreichen Handschriftenarchivs (25 000 Manuskripte aus klass.-romant. Zeit), der Bibliothek und des Goethemuseums, ferner seit 1902 die Herausgabe des Jahrbuchs des F. D. H.

F. Adler, F. D. H. Seine Gesch., I 1959; J. Behrens, F. D. H., 1981.

Freie Verse (franz. *vers libres),* 1. gereimte Zeilen von versch. Länge und Hebungszahl bei gleichen Versfüßen (durchgehend entweder Jamben oder Trochäen) mit oder ohne Strophenform. Stilwerte sind gefällige Anpassungsfähigkeit und Wendigkeit der Fügung. Zuerst im ital. Madrigal (daher auch Madrigalverse gen.) und frühen Formen des Musiktheaters (Oper, Singspiel), dann franz. Fabeln (LAFONTAINE) und Komödien (MOLIÈRE, *Amphitryon),* schließlich bes. bei plaudernden Fabeln des 18. Jh. (GELLERT, HAGEDORN, LESSING), Lehrgedichten (BROCKES, HALLER) und in WIELANDS *Komischen Erzählungen* und *Oberon.* Später: 2. Verszeilen ungleicher Füllung ohne jede metr. und prosod. Regelung, nur durch Reimbindung, seltener Assonanz, von →Freien Rhythmen und Prosa unterschieden. Zu Ausgang des 19. Jh. unter Einfluß von Walt WHITMAN im franz. Symbolismus (RIMBAUD, LAFORGUE, G. KAHN, E. DUJARDIN, F. VIÉLÉ-GRIFFIN), z. T. ohne regelmäßiges Metrum, gebraucht, z. T. heftig abgelehnt (MALLARMÉ, VERLAINE), bald als Kunstform anerkannt (SAINT-POL-ROUX, G. APOLLINAIRE, P. CLAUDEL, vgl. →Verset, Ch. PÉGUY, SAINT-JOHN PERSE), in Dtl. bei E. STADLER, F. WERFEL u. a.

P. A. Becker, Z. Gesch. d. vers libre, 1888; A. Goldbeck-Löwe, Z. Gesch. d. f. V. i. d. dt. Dtg., 1891; G. Kahn, *Le vers libre,* Paris 1912; H. Morier, *Le rhythme du vers libre symboliste,* Genf III 1943 f.; R. Kloepfer, Vers libre (LiLi 1, 1971); H.-J. Frey u. a., Kritik d. f. V., 1980; S. R. Verdier, *Étude du vers libre,* Diss. Toulouse 1981; W. Deinert, Ist das noch e. Vers?, LJb 24, 1983. →Metrik.

Freiheitsdichtung, unscharfe Bz. für jede →polit. Dichtung, die größere Freiheit verherrlicht oder verlangt, z.B. auch die polit. Lyrik des →Jungen Deutschland, in engerem Sinne die Dichtung der →Befreiungskriege.

Freilichttheater, Theater zur Aufführung von geeigneten →Festspielen (Opern und Dramen) unter freiem Himmel in natürl. Umgebung oder Anpassung an e. gegebenes Gelände (z.B. Architekturfassade, Ruine), das als Stimmungsraum zur künstler. Wirkung beiträgt, oft unter Verzicht auf künstl. Kulissen und Beleuchtungseffekte und urspr. nur bei Tageslicht bespielt (daher Name). Das antike →Amphitheater wie die →Shakespearebühne waren nur bedingt F.; wohl dagegen die ma. Passionsspiele. Das 18. Jh. liebte das →Natur- und →Heckentheater. Im Zusammenhang mit der →Heimatkunst-Bewegung wurde die Form im 20. Jh. in England, Frankreich, Dtl., Österreich, der Schweiz und Italien aus Mißbehagen an der illusionist. Guckkastenbühne und dem Streben nach Gemeinschaftsbildung durch e. wesenhaftes Kunsterlebnis erneuert; aus zahlr. lokal begrenzten Anlässen entwickeln sich zu berühmten Unternehmungen zuerst das von E. WACHLER geleitete Harzer Bergtheater bei Thale, die ehem. Zoppoter Waldoper (Wagner-Aufführungen), heute bes. die Salzburger Jedermann-Aufführung vor dem Dom, Festspiele im Heidelberger Schloßhof, die Bad Hersfelder Festspiele in der Stiftsruine, die Bregenzer Festspiele, Tell-Spiele in der Schweiz, Edinburgher F., die Opernbühne in der Arena von Verona und zahlreiche religiöse F. →Thingspiel.
E. Wachler, D. F.bühne, 1909; H. Maisch, F. (D. Scene 14, 1924); RL; E. Stadler, Gesch. d. F., 1950; ders., D. neuere F., 1951; B. Schöpel, Naturtheater, 1965.

Freimaurerdichtung, zahlreiche unter dem Einfluß des Freimaurertums, meist von Ordensmitgliedern verfaßte und seine (weitgehend mit der Aufklärung ident.) Ziele spiegelnde Werke, gekennzeichnet durch Weltbürgertum, Humanität, Toleranz und aktive Nächstenliebe, häufig mit mysteriösem Einschlag (MOZARTS *Zauberflöte*): BLUMAUER, KNIGGE, HERDERS *Briefe zur Beförderung der Humanität, Adrastea,* LESSINGS *Ernst und Falk* und bes. *Nathan;* GOETHE zeigt Spuren im *Wilhelm Meister, Faust* und einzelnen Logengedichten, SCHILLER im *Lied an die Freude* und *Don Carlos,* Logenlieder von M. CLAUDIUS und J. H. VOSS, Z. WERNER, *Die Söhne des Thals;* ferner triviale Geheimbundromane.
R. Taute, Ordens- u. Bundesromane, 1907, n. 1977; F. J. Schneider, D. Freimaurerei u. ihr Einfl. auf die geist. Kultur i. Dtl., 1909; A. Wolfstieg, Bibliogr. d. freimaur. Lit., III ²1923/26; R. Huss, D. Freimaurertum i. d. Gesch. d. dt. Lit., 1931; H. Schneider, *Quest for Mysteries: The Masonic Background for Lit. in 18. cent. Germany,* Ithaca 1947; E. Lennhoff, O. Posner, Internat. Freimaurer-Lexikon, ²1965,; RL; O. Antoni, D. Wortschatz d. dt. F'lyrik, 1968; Geh. Ges.n, hg. P. C. Ludz 1979; Beförderer d. Aufkl. i. Mittel- u. Osteuropa, hg. E. H. Balazs 1979; M. C. Jacob, *The radical enlightenment,* Lond. 1981; E. Großegger, Freimaurerei u. Theater, 1981; M. Agethen, Geheimbund u. Utopie, 1984.

Freisingen →Meistersang

Freitagsgesellschaft, von GOETHE angeregte, 1791–97 anfangs wöchentl., später monatl. Zusammenkunft von Gelehrten und Dichtern wie WIELAND, HERDER, BODE, BÖTTIGER u.a. in Weimar zu Vorträgen u. Diskussionen.
C. Schüddekopf, Die F., Goethe-Jb. 19, 1898.

Freudenspiel, barockes Ersatzwort für →Komödie.

Friedenspreis des Deutschen Buchhandels, 1950 gestifteter, vom

Börsenverein des dt. Buchhandels jährl. zur Buchmesse verliehener Preis für e. Schriftsteller gleich welcher Sprache, dessen Werk einen Beitrag zum Frieden und zur internat. Verständigung liefert.

Friedrichshagener Kreis, 1890 gegr., lockerer Dichterkreis des dt. Naturalismus in Friedrichshagen bei Berlin um W. BÖLSCHE, B. WILLE, später auch um die Brüder HART, umfaßte G. und C. HAUPTMANN, M. HALBE, O. E. HARTLEBEN, A. STRINDBERG, R. DEHMEL und F. WEDEKIND.

K. Günther, Lit. Gruppenbildg. i. Berliner Naturalismus, 1972; H. Scherer, Bürgerl.-oppositionelle Literaten u. soz.demokr. Arbeiterbewegg., 1974.

Fronleichnamsspiel (mhd. *vrôn* = des Herrn = Christi), aus den spätma. Fronleichnamsprozessionen entwickelte und 1264 von Papst Urban IV. nach e. Vision der Lütticher Nonne Juliane eingesetzte Form des →geistlichen Dramas, die ohne einheitl. Handlung an bestimmten Stationen des Weges in einzelnen, geschlossenen Bildern und Szenen, oft nur kürzeren diesbezügl. Sprüchen, das Geheimnis des Altarsakraments verherrlicht und später nach dem Vorbild der Passionsspiele, doch noch breiter als diese, der symbolhaften Darstellung der gesamten Heilsgeschichte von der Schöpfung bis zur Erlösung auf →Wagenbühnen erweitert wird; bes. in England aus dem 14./15. Jh. erhalten (York, Wakefield, Chester, Coventry, für Wagenbühnen), im dt. Sprachgebiet in Neustift/Tirol (1391), Bozen (um 1470), Eger (1479), Freiburg i. Br. (1516), Innsbruck, Künzelsau (1479) u.a., in Italien in Viterbo (1462); breiteste Entfaltung in Spanien als →Auto sacramental.

A. Mitterwisser, Gesch. d. Fronleichnamsprozessionen i. Bayern, 1930; O.

Sengpiel, D. Bedeutg. d. Prozessionen f. d. geistl. Schauspiel d. MA., 1932; W. F. Michael, D. geistl. Prozessionsspiele i. Dtl., Baltimore 1947; A. Dörrer, Tiroler Umgangsspiele, 1957; E. Wainwright, Stud. z. dt. Prozessionsspiel, 1974.

Fronte →Kanzone

Frontispiz (franz., v. lat.), verziertes Titelblatt, die im 17./18. Jh. übliche Verzierung des Buchtitels durch einen Kupferstich (Titelkupfer), wenn vollständig in Kupfer gestochen, auch Kupfertitel genannt, insbes. dann die mit vielfach allegor. Darstellungen verzierte, auf den Titel, Verfasser oder Inhalt bezogene, dem Titelblatt gegenüberstehende Illustration, die den Charakter des Textes signalisieren soll.

Frottola (ital. *frotta* = Schwarm), heiteres, volkstüml. ital. Tanzlied satir.-didakt. Inhalts, bes. im 14.–16. Jh. gepflegt, anfangs aus 7- und 11silbigen Versen, seit Ausgang des 15. Jh. meist aus 7silbigen Reimpaarversen, in der metr. Form der Ballata (→Ballade) ähnlich. F. schrieben u.a. F. SACCHETTI, PETRARCA, L. PULCI, LORENZO DE' MEDICI und G. D'ANNUNZIO.

R. Schwartz, D. F. i. 15. Jh. (VJS f. Musikwiss. 2, 1886).

Fruchtbringende   Gesellschaft →Sprachgesellschaften

Frühdruck, unscharfe, in der zeitl. Begrenzung unterschiedl. ausgelegte Bz. für Werke aus der Frühzeit des Buchdrucks: 1. = →Inkunabeln (bis 1500), 2. Nachfolger der Inkunabeln (1501–1550), 3. übergeordneter Begriff für beides (bis 1550).

Frühromantik, die ältere (Berliner und Jenaer) →Romantik, bes. A. W. und F. SCHLEGEL, TIECK, NOVALIS und WACKENRODER, im Ggs. zur Hoch- und Spätromantik.

Lit. →Romantik.

Fu oder Tz'u-fu, chines. Dichtform der Han-Zeit (1.–3. Jh. n. Chr.) in eleganter rhythm. Prosa mit Parallelversen von gleicher Silbenzahl, gleicher Gliederung u. ähnl. Gedankeninhalt als Zwischenform von Poesie und Prosa aufgefaßt, anfangs eleg., später mehr beschreibenden oder didakt. Charakters. Meister des F. waren Ssu-ma Ch'ien und Mei Sheng.

Fudohsi oder **Fudoki,** altjapan. Landschaftsbeschreibungen, meist aus dem 8. Jh., wichtige Quelle für Landeskunde und Mythologie.

Füllmotiv, mit dem Haupt→motiv in keiner Beziehung stehendes, nicht auf es einwirkendes, selbständiges Nebenmotiv, das etwa bei neuen Bearbeitungen desselben Stoffes leicht zu streichen oder durch e. anderes F. zu ersetzen ist.

Füllsilbe, gedanklich unnötige, nur aus rhythm.-metr. Gründen zur Füllung des Versmaßes eingefügte Silbe. Vgl. →Füllwort.

Füllung, die Anzahl und Gestalt der →Senkungen zwischen den →Hebungen innerhalb des →Taktes in akzentuierender Dichtung. Man unterscheidet feste F., bei der die Anzahl der Senkungen feststeht, bes. nach antiken und roman. Versformen, und freie F., z.B. im →Alliterationsvers, überspitzt im →Schwellvers.

Füllwort, gedanklich inhaltsloses, für den Sinn überflüssiges Wort, oft aus rhythm. oder metr. Gründen, teils als Wiederholung, in den Vers eingeschoben.

Fünfakter, →Drama in fünf →Akten, seit der Renaissance (Castelvestro, Scaliger u.a.), die den →Dreiakter in Nachfolge von Horaz (*Ars poetica* 189 ff.) und Varro wie den Dramen Senecas zum F. ausbaute, Idealtyp des Dramenaufbaus auch für Gottsched; in der

Klassik Regel und von G. Freytag gefordert; die häufigste Form des franz., engl. und dt. Dramas. Zum Aufbau vgl. →Drama.

Fürstenspiegel, Vorform des →Staatsromans, wendet sich meist an Fürsten und Adel direkt und entwirft in utop.-didakt. Form reiner Theorie oder am Beispiel e. histor. Persönlichkeit das Idealbild des Herrschers mit seinen Pflichten und Aufgaben und gibt Ratschläge zur besten Regierungsweise, stellt sittliche Grundsätze und polit. Verhaltungsmaßregeln bis ins Private auf, teils auch e. prakt. Erziehungslehre für künftige Fürsten. Wichtigste F.: Xenophon, *Kyrupaideia,* Sedulius Scotus, Hinkmar von Reims, Johannes von Salisbury *Policraticus* (1159), Gottfried von Vitero *Speculum regum* (1185, Verse), Thomas von Aquino *De regimine principum* (1265/66), Engelbert von Admont (1290/92), Aegidius Romanus (1277/79), Erasmus von Rotterdam, *Institutio principis christiani* (1516, nach christl. Sittengesetz und antikem Geist als weiser und gerechter Friedensfürst), bes. Machiavelli, *Il Principe* (1532, postum, nach den selbst unmoral. Handlungen rechtfertigenden Erfordernissen der absolutist. Staatsräson), Fénelon, *Télémaque* (1699, nach dem Vernunftgesetz der Aufklärung), Wieland, *Der goldene Spiegel,* J. Görres, *Geisterstimmen...,* ferner Ramsay, Marmontel, Haller, Wieland u.a.

F. Meinecke, D. Idee d. Staatsraison i d. neueren Gesch., 1924; G. Richter, Stud. z. Gesch. d. alt. arab. F., 1932; W. Berges, D. F. d. hoh. u. spät. MA., 1938, ²1952; B. Singer, D. F. i. Dtl. i. Zeitalter d. Humanismus u. d. Reformation, 1981; R. A. Müller, D. dt. F. d. 17. Jh. (Histor. Zs. 240, 1985); D. Peil, Emblemat. F. i. 17. u. 18. Jh. (Frühma. Stud. 20, 1986).

Fugitives (engl. = Flüchtlinge), e. Gruppe von Dichtern und Kritikern der nordamerikan. Südstaaten, die als Lehrer und Studenten zu Anfang der 20er Jahre an der Vanderbilt University in Nashville, Tennessee zusammentrafen und dort 1922–25 die Zweimonatsschrift *The Fugitive* herausgaben: J. C. RANSOM, A. TATE, D. DAVIDSON, R. P. WARREN, M. MOORE und W. C. CURRY; mit stark gedankl. Lyrik in klassizist. Formen an T. S. ELIOT anknüpfend, in der Kritik Vorläufer des →New Criticism. Als bedeutendster Dichterkreis des amerikan. Südens beeinflußte er die Lit. im Hinblick auf Traditionalismus, Regionalismus, antizivilisator. und antifortschrittl. Haltung.

J. M. Bradbury, *The F.*, Chapel Hill 1958; L. Cowan, *The F. Group*, Baton Rouge 1958; J. L. Stewart, *The Burden of Time*, Princeton 1965.

Fugung →Synaphie

Funkerzählung, Funknovelle, die speziell für den Rundfunk verfaßte Erzählung oder Novelle als dritte, ausgesprochen epische rundfunkeigene Dichtungsform neben →Feature und →Hörspiel, erwächst aus den techn. Besonderheiten und Voraussetzungen des Rundfunks und unterscheidet sich von der gewöhnlichen Lese-Erzählung oder -Novelle insbes. durch ihre starke Abstimmung auf die Mündlichkeit des Erzählens und den Kontakt zum Hörer. Die Mündlichkeit bedingt einen bes. lebendigen, anschaul. Stil der Schilderung, u. a. mit direkter Ansprache des Zuhörers, und empfiehlt den Kunstgriff, die ganze F. einem am Geschehen teilhabenden oder es miterlebenden Ich-Erzähler in den Mund zu legen, der als einzig hörbarer Erzähler den Hörer zum Nacherleben auffordert. Eingeblendete Dialoge oder Geräusche bilden die Übergangsform zum Hörspiel. Verfasser von F. im dt. Sprachbereich sind u. a. E. SCHNABEL, W. WEYRAUCH, O. H. KÜHNER, S. LENZ, K. KUSENBERG, D. MEICHSNER, R. REHMANN, J. REHN, H. LENZ und E. SCHAPER.

O. H. Kühner, Üb. d. F. (Rundfunk u. Fernsehen, 1961); A. P. Frank, Das Hörspiel, 1963; D. Hasselblatt, F.n, 1963 (Nachw.).

Funkkantate, lit.-musikal. Rundfunksendeform der frühen 30er Jahre, variiert durch Vorherrschen des lit., musikal. oder chor. Elements. Beispiel: B. BRECHTS *Der Flug der Lindberghs*, 1929 mit Musik von P. HINDEMITH und K. WEILL.

Funktionalismus, Funktionalität (v. lat.), die funktionelle Bezogenheit der einzelnen Teile eines Kunstwerks allg. oder eines Literaturwerks auf das Ganze als ein Element desselben, das über seinen Eigenwert hinaus eine oder mehrere Aufgaben im Gefüge des Werkganzen zu erfüllen hat, die wiederum nur aus dem Gesamt des Werkes heraus deutlich sind. Der F. wird am augenfälligsten im →Leitmotiv und im →Schlüsselwort, aber auch jedes andere Motiv, Bild, Symbol oder Wort hat in seinem Maße eine verdeckte Funktion im Aufbau des Sinnganzen, die in versch. Epochen und versch. Gattungen, →offenen und →geschlossenen Formen unterschiedl. stark sein kann.

W. Emrich, Protest u. Verheißung, 1960, ³1968.

Furchenschrift →Bustrophedon

Furcht und Mitleid →Katharsis

Fuß →Versfuß

Fußnote, →Anmerkung zur Erläuterung des Textes, Lit.- oder Quellenangabe am unteren Seitenrand oder im Anhang mit Verweiszeichen (Asterisk, Ziffer) im Text. Sie enthält spezielle Weiterungen, die sich in den fortlaufenden Text nicht einfügen ließen, doch zur Abrundung, Ergänzung oder Dokumentation desselben nötig sind. Seit dem Barock z. T. auch in schöner Lit., ironisiert und parodiert von RABENER (*Hinkmars von Repkow Noten ohne Text,* 1745) und JEAN PAUL (*Des Feldpredigers Schmelzle Reise,* 1809).

Futurismus (lat. *futurum* = Zukunft), äußerst radikale Form des →Expressionismus in Italien. Als künstlerische Bewegung unter dem Einfluß von NIETZSCHE und BERGSON rein auf das Zukünftige gerichtet, nimmt der F. gegen alle (auf dem histor. Boden Italiens bes. starke) Traditionsgebundenheit in Geschichte, Kunst, Philosophie und der gesamten Kultur auch des öffentl. und polit. Lebens Stellung, verlangt den endgültigen Bruch mit der Vergangenheit, selbst Vernichtung alter Kunstdenkmäler, erklärt den Krieg daher als Heilung der Welt und sucht nach neuen, dynam. Formen der Weltaussage im Maschinenzeitalter. Ausgehend von der bildenden Kunst, wurde er von F. T. MARINETTI 1909 (*Manifeste du futurisme* im Pariser *Figaro* vom 20. Febr.) und erneut 1912 (*Manifesto tecnico della letteratura futurista*) auf die Lit. übertragen und äußert sich hier in einer die konventionelle log.-grammat. Satzkonstruktion entwertenden Freiheit des Wortes: lockere Folge von Substantiven und Infinitiven, sinnl. Lauten, Onomatopöie als ein unreflektierter, reinster Ausdruck des Inneren, Aufrüttelung des akademisch erstarrten Epigonentums zu neuer Aussagekraft. Aufgrund seines Radikalismus brachte der F. keine großen Dichter (MARINETTI, BUZZI, CAVACCHIOLI, FOLGORE, z. T. auch GOVONI, PAPINI, SOFFICI, PREZZOLINI u. PALAZZESCHI) und keine

breite, anhaltende Wirkung hervor. Nach der freudigen Begrüßung des Faschismus, dem sein aggressiver Aktionismus nahestand, fand er um 1924 schnelle Auflösung und wirkte in Kubismus, Dadaismus und Surrealismus weiter. Am stärksten war der Einfluß seiner revolutionären Tendenzen in Rußland als Ego-F. mit Sprachverzerrung, egoist. Manierismus und extravagantem Wortbombast (I. SEVERJANIN) oder als Kubo-F. mit Neologismen und mechanisierter Sprache (V. MAJAKOVSKIJ, CHLEBNIKOV, BURLJUK, z. T. LAVRENEV, PASTERNAK u. a.). Das Streben nach Anerkennung als offizielle Staatskunst wurde durch den sozialist. Realismus überrundet, und MAJAKOVSKIJS radikale Kunstzs. *LEF* geriet unter Kritik.

G. Papini, *L'esperienza futurista*, Florenz 1919; K. Čukovskij, *Futuristy*, Petersb. 1922; F. Flora, *Dal romanticismo al futurismo*, Piacenza 1922; C. Pavolini, *Cubismo, Futurismo, Espressionismo*, Bologna 1926; L. Fillia, *Il futurismo*, Mail. 1932; A. Moretti, *Il futurismo*, Turin 1940; G. Giani, *Il futurismo*, Venedig 1950; E. Falqui, *Il futurismo e il novecentismo*, 1953; R. T. Clough, *Futurism*, 1961; R. Carrieri, *F.*, Mail. 1962; Ch. Baumgarth, Gesch. d. F., 1966; V. Markov, *Russian F.*, Berkeley 1968; K. A. Ott, D. wiss. Urspr. d. F., Poetica 2, 1968; D. Tschižewskij, D. russ. F. u. d. dichter. Sprache, Archiv 209, 1972; U. Apollonio, D. F., 1972; V. D. Barooshian, *Russian Cubo-F.*, Haag 1974; J. Riesz, Dt. Reaktionen auf d. ital. F., Arcadia 11, 1976; C. Chiellino, D. F.debatte, 1978; U. Weisstein, *F. in Germany and Engl.* (*Revue des langues vivantes* 44, 1978); H. Finter, Semiotik d. Avantgardetextes, 1978; N. Blumenkranz-Onimus, *La poésie futuriste ital.*, Paris 1984; *Futurismo e Futurismi*, hg. P. Hulten, Vened. 1986, engl. N. 1. 1986.

Fyrtiotalisterna (schwed. = Vierziger), Gruppe schwed. Dichter der 40er Jahre um die Lit.-Zeitschrift *40-tal (fyrtiotal)* unter Einfluß des franz. Surrealismus, des Existentialismus, des amerikan. Romans und T. S. ELIOTS: E. LINDEGREN, K. VENNBERG, W. ASPENSTRÖM u. a.

Gag (engl.), witziger, effektvoller Einfall in Film, Theater, Fernsehen, Kabarett und Schaugeschäft, visuelles Gegenstück zur verbalen →Pointe.

F. Mars, *Le g.*, Paris 1964.

Gaia sciensa, gai saber (altprovenzal. = fröhliche Wissenschaft), Bz. der Toulouser Meistersingerschule von 1323 für die aussterbende Liebeslyrik der provenzal. Troubadours und für ihre eigene Dichtkunst, bes. Marienlyrik.

Gaita gallega, Versmaß von durchschnittlich 10–11 Silben in zwei Halbversen, verwendet in der volkstüml. galicischen, portugies. und span. Lyrik und bei JUAN DE MENA.

Gajatri →Gâyatrî

Galante Dichtung (span.-ital. *gala* = höf. Festkleidung), 1. svw. →erotische Literatur. – 2. Modeerscheinung in der europ. Lit. des Spätbarock und Rokoko rd. 1680–1720: geistreich pointierte, oft auch frivole Gesellschaftsdichtung zur Unterhaltung höf. Kreise, meist Lyrik mit bestimmten, witzig abwandelbaren Stoffen und eleganten Formen (poetische Epistel, Kantate, Madrigal, Ode, Sonett, bes. Epigramm), stark verstandesbetontes Gesellschaftsspiel mit meist erot. Inhalten zum heiteren Zeitvertreib ohne Streben nach Gefühlsausdruck und Erlebniswiedergabe und in bewußtem Abstand zum Volkstümlichen. Die g. D. entsteht in den tonangebenden Salons von Frankreich (Hôtel de Rambouillet u. a.), wo die Bezeichnung ›galant‹ das →preziöse Bildungsideal und die gesellschaftl. Lebensstil der Aristokratie umfaßt, und spiegelt das Leben dieser Kreise: gewandte, weltgläubige Konversationsführung voll Esprit, Ironie, amouröser Tändelei und Koketterie, die das Leben als leichtfertiges Spiel im Rahmen der Gesellschaft versteht (LE PAYS, BENSERADE, selbst VOITURE; in Italien GUARINIS *Pastor fido* und der →Marinismus). In Dtl. hingegen entfällt meist die soziale Voraussetzung solcher Dichtung; sie erscheint hier eher als leere lit. Konvention aus Übernahme der franz. und ital. Vorbilder, bes. um 1695–1715, so in der sog. 2. →Schlesischen Dichterschule und bes. in zahlr. Anthologien: B. NEUKIRCHS *Herrn von Hofmannswaldau und anderer Deutschen auserlesene und bisher ungedruckte Gedichte* (7 Bde., 1695–1727), *Des schlesischen Helicons auserlesene Gedichte* (1699), MENANTES (HUNOLD), *Auserlesene und theils noch nie gedruckte Gedichte verschiedener berühmter und geschickter Männer* (3 Bde., 1718–20) u. a. Hauptvertreter sind neben den obigen: CELANDER, AMARANTHES (CORVINUS), ABSCHATZ, Chr. GÜNTHER (mehr volkstümlich) in der Lyrik; P. WINCKLER (*Edelmann*, 1696), HAPPEL (*Curiositates*), HUNOLD (*Die verliebte und galante Welt; Die liebenswürdige Adalie* u. a.), J. L. ROST, A. BOHSE, J. G. SCHNABEL, MELISSO und J. MEIER als Dichter des frivol tändelnden, burlesken galanten Unterhaltungsromans, der durch viele kom. Situationen und Verwirrungen zu einem glückl. Ende führt und als Verfallsform des →heroisch-galanten Romans nach Wegfall des Heroisch-Abenteuerlichen die galante Liebe als unverbindliches, frivoles Gesellschaftsspiel schildert, und HUNOLD und NEUMEISTER als Poetiker. Die g. D. bereitete den Weg zu →Rokoko, →Anakreontik und WIELAND; sie fand Nachahmung und Parodie bei Arno HOLZ' *Dafnis* (1904, vollst. 1924).

M. v. Waldberg, D. g. Lyrik, 1885; G. Steinhausen, G., curiös, politisch (Zs. f.

dt. Unterr. 9, 1895); U. Wendland, D. Theoretiker u. Theorien d. sog. g. Stilepoche, 1930; E. Thurau, G., 1936; RL; H. Singer, D. galante Roman, 1961, ²1966; ders., D. dt. Roman zw. Barock u. Rokoko, 1963, D. g. Stil, hg. C. Wiedemann 1969; F. Heiduk, D. Dichter d. g. Lyrik, 1971; J. Schöberl, Lilien-milch u. rosenpurpur, 1972; J. M. Pelous, Amour précieux, amour galant, Paris 1980; Europ. Hofkultur i. 16. u. 17. Jh., hg. A. Buck III 1981; J. A. McCarthy, The galland novel and the German enlightenment, DVJ 59, 1985.

Galanter Roman →galante Dichtung

Galdralag →Ljóðahāttr

Galimathias (franz., wohl von griech. chalimadzeis = du rasest), Schlagwort der lit. Kritik seit MONTAIGNE für sinnloses, verworrenes Geschwätz, Kauderwelsch.

Galliamb (griech. galliambikon metron), nach den Galloi, ihren asiat. Priestern benanntes Kultlied der Kybele, dann dessen antiker Vers: katalektischer Tetrameter des →Ionikus a minore, Grundform:

$$\cup\cup\overset{\prime}{-}-\cup\cup\overset{\prime}{-}-/\cup\cup\overset{\prime}{-}-\cup\cup\underset{\smile}{\cup}$$

auch mit →Anaklasis, Zusammenziehung der Kürzen und Längenauflösung, so CATULL (63):

$$\cup\cup\overset{\prime}{-}\cup-\overset{\prime}{-}-/\cup\cup\overset{\prime}{-}\cup\cup\cup\cup\overset{\prime}{\cup}$$

Verwendung ferner bei KALLIMACHOS, VARRO Saturae und MAECENAS. Nachbildungen bei MEREDITH und TENNYSON.

Gallizismus, Nachbildung e. aus dem Franz. entlehnten, nur ihm eigentümlichen Ausdrucksweise in anderen Sprachen.

Gânas (ind.), Gesangbücher mit den Melodien zu den ind. →Aranyaka-Texten.

Gândirea (rumän. = Gedanke), rumän. Literaturkreis des 20. Jh. um die gleichnamige, 1919 von C. PETRESCU gegründete, ab 1926 von N. CRAINIC geleitete Zs. (1944 verboten), vertrat gegenüber dem herrschenden Modernismus eine traditionalist., spiritualist., kirchlich or thodoxe Auffassung (Gandirismo). Mitglieder waren u.a. V. VOICULESCU, I. PILLAT und L. BLAGA.

Garbâs (ind.), von Rezitatoren vielfach aus dem Stegreif vorgetragene Lieder der ind. Gujarâtî-Lit. meist zum Preis der göttl. Mutter Ambâ.

Gartentheater →Heckentheater

Gasel →Ghasel

Gassenhauer, urspr. im 16. bis ins 18. Jh. von dem Gassenläufer, Bummler (frühnhd. hauen = gehen) oder zum G., dem Tanz auf der Gasse, gesungenes volkstüml. Lied im Sinne des späteren Begriffs Volkslied, engl. ballad; erst seit der Romantik geringschätzig und abwertend als durch ständige Wiederholung abgedroschener, kurzlebiger und sentimentaler oder zotig-trivialer →Schlager der Städter von eingängiger, primitiver Melodie im Ggs. zum edlen →Volkslied von anhaltender Wirkung; dann auch auf populäre Zugnummern aus Singspiel, Operette und Oper übertragen. Die neue Forschung erkennt im G. e. wertvolle kultur- und sittengesch. Quelle, so in den Slgn. Gassenhawerlin 1535 und Gassenhawer und Reutterliedlein 1536.

A. Penckert, D. Gassenlied, 1911; RL; D. Wouters, J. Moormann, Het Strattlied, Amsterd. 1933, K. Gudewill, G. (D. Musik i. Gesch. u. Gegenw. 4, 1955); L. Richter, D. Berliner G., 1969.

Gastarbeiterliteratur, das lit. Schaffen der ausländ. Arbeitnehmer in der BR. als Teil der →Ausländerliteratur.

Gastspiel, Auftreten von Künstlern an fremden Bühnen, seit dem 18. Jh.

allg. üblich: 1. G. auf Engagement, zwecks Vorstellung und Erprobung e. Schauspielers vor heim. Publikum, Kritik und im Ensemblespiel der eigenen Bühne vor fester Spielverpflichtung, 2. Star-G., das einzelne berühmte Künstler anderer Bühnen und Völker dem heim. Publikum in glanzvollen Vorstellungen bekanntmachen soll; G.e gaben bes. F. L. SCHRÖDER, KEAN, TALMA, IFFLAND, S. BERNHARDT, DUSE, KAINZ, F. HAASE, A. MATKOWSKY, auch Regisseure wie MAX REINHARDT u. a., oft unter Gefahr e. Auflösung der Ensemblekunst, 3. Ensemble-G. ganzer Truppen, seit den Meiningern üblich, bes. G.e des Théâtre libre, des Moskauer Künstlertheaters 1906, von C. HEINES Ibsen-Theater, F. KAYSSLERS Tolstoj-Truppe, dem Wiener Burgtheater, G. STREHLERS Piccolo Teatro Milano u. a. in Europa und Amerika. Sie bedeuten e. Verbreitung der Bühnenkunst auch auf Orte ohne feste Bühne und sind oft für Umwälzungen des Theaterwesens entscheidend gewesen.

Gâthâs (altiran. = Lieder), 1. älteste iran. religiöse Hymnen und Kultgesänge, wohl z. T. in Versform umgesetzte Predigten des ZARATHUSTRA im *Awesta*. – 2. die Verseinlagen der →Jâtaka.

H. Humbach, D. G. d. Zarathustra, II 1959; P. Horsch, D. vedische G.- u. Sloka-Lit., 1966; H. Lommel, D. G. d. Zarathustra, 1971; M. C. Monna, *The g. of Zarathustra*, Amsterd. 1978.

Gattungen. Der Begriff bezeichnet bei schwankender Terminologie zwei grundsätzlich zu unterscheidende Gruppen: 1. die drei ›Naturformen der Poesie‹ (GOETHE) oder Grund-G. →Epik, →Lyrik und →Drama, schon im Wesen der dichter. Gestaltung angelegte und im Laufe der Geschichte ausgebildete dichter. Aussageweisen, Grundmög-

lichkeiten der Stoffgestaltung und der Haltung des Dichters zu Umwelt, Werk und Publikum: →Lyrisch, →episch und →dramatisch, die sich in versch. Stärke oder Mischung in der Einzeldichtung verkörpern und in reinster Ausprägung die G. am meisten erfüllen. Die G. sind somit nicht erstarrte, konventionelle Formen, sondern hilfsweise Ordnungsschemata zur Klassifikation der vorliegenden Werke; ihre Abgrenzung voneinander und die Aufdeckung ihrer inneren Wesens- und Wachstumsgesetze wie Gestaltungsprinzipien ist Aufgabe der →Poetik. Die grundsätzliche theoret. Erkenntnis von der Dreiteilung der G. war der Poetik des Altertums unbekannt, wenngleich damals die prakt. Grundlegung erfolgte – ihr ging es mehr um Begriffsbestimmung der einzelnen Dichtarten – und drang auch in Dtl. erst am Ende des 18. Jh., in Frankreich im 19. Jh. durch. In neuerer Zeit bestreitet bes. B. CROCE die Berechtigung zur G.-Einteilung, beruft sich auf die Unteilbarkeit und Einheit aller Künste und erkennt in den G. nur traditionelle Schemata der Poetik, denen die Dichter folgen. CROCES Ablehnung rief auf der anderen Seite die Neubesinnung der Literaturwissenschaft auf das G.problem hervor, die aus verschiedensten Blickrichtungen die natürl. Bedingtheit der G. zu fassen sucht (subjektiv-objektiv; Fühlen, Erkennen, Wollen), die sich u. a. darin bekundet, daß die meisten Schriftsteller eine G. bevorzugen (›geborene‹ Dramatiker u. ä.). – 2. ›Dichtarten‹ (GOETHE) oder Unter-G. oder Genres im einzelnen wie Ode, Hymne, Elegie, Ballade usw. als Unterteilung der eigentl. Grund-G. Ihre Einteilung erfolgt teils nach rein formalen Gesichtspunkten (Sonett, chronikalische Erzählung, Briefroman, Vers oder Prosa), teils nach inhaltl. (Abenteuerroman, Gespenstergeschichte); meist jedoch bedingen Inhalt und Gestalt einander und geben somit feste Anhaltspunkte der inneren →Form (Epos, Novelle, Hymne, Tragödie, Komödie). Zahlr. Übergangsformen, bes. in Zeiten bewußter Vermischung der G., histor. bedingte Abwandlungen der Einteilungsprinzipien durch Strukturveränderung der Gesellschaft oder neue Medien, eigenwillige Benennungen durch den Dichter und fortschreitende Differenzierung der Formen wie der Kategorien erschweren die Zuordnung zu e. bestimmten Untergattung. Sie wollen weder äußeres Etikett noch Verkörperung e. Gattungsidee sein, sondern jede entstehende Dichtung realisiert sie entweder aufs neue oder schafft ihre eigene G.; jede schemat. Abgrenzung und Systematisierung (wie z. B. J. PETERSENS Rad) verkennt somit ihr Wesen. Überhaupt spielt die Zugehörigkeit der einzelnen Dichtung zu e. bestimmten G. weniger für ihr Wesen e. Rolle als für die theoret. Beschäftigung der Literaturwissenschaft, die bei der systemat. Ausweitung ihres Forschungsfeldes gelegentlich auch Didaktik, Gebrauchslit. und Essay als G. anzuerkennen geneigt ist und sie nach →Textsorten gliedert oder überhaupt andere Gliederungsaspekte, z. B. die Kommunikationsfunktion, erprobt.

F. Brunetière, *L' évolution des genres*, Paris 1890, [7]1922; E. Bovet, *Lyrisme, épopée, drame*, Paris 1911; B. Croce, *La poesia*, Bari [4]1946; R. K. Hack, *The doctrine of the lit. Forms* (Harvard stud. in class. philol. 27, 1916); K. Erskine, *The kinds of poetry*, N.Y. 1920; E. Hirt, D. Formgesetz d. epischen, dramat. u. lyr. Dichtg., 1923; R. Hartl, Versuch e. psycholog. Grundlegg. d. Dichtgs.-G., Diss. Wien 1924; R. Petsch, G., Art u. Typus (Forschg. u. Fortschritt 7); J. Petersen, Z. Lehre v. d. Dichtgs.-G. (Fs. A. Sauer, 1925); ders., D. Wiss. v. d. Dichtung I, 1939; G. Müller, Bemerkgn. z. G.poetik

(Philos. Anzeiger 3, 1929); K. Viëtor, Probleme d. lit. G.gesch., DVJ 9, 1931; R. Bray, *Des genres lit.*, 1937; P. v. Tieghem, *La question des genres lit.* (Helicon I, 1938); I. Behrens, D. Lehre v. d. Einteilg. d. Dichtkunst (Beiheft z. Zs. f. roman. Phil. 92, 1940); J. J. Donohue, *The Theory of Lit. Kinds*, Iowa II 1943–49; I. Ehrenpreis, *The ›Types Approach‹ to Lit.*, 1945; P. Böckmann, D. Lehre v. Wesen u. Formen d. Dichtg. (Fs. R. Petsch, 1949); C. Vincent, *Théorie des genres lit.*, [22]1951; J. Suberville, *Théorie de l'art et des genres lit.*, 1951; K. Voßler, D. Dichtgsformen d. Romanen, 1951; K. Viëtor, D. Gesch. lit. G. (in: Geist u. Form, 1952); I. Brunecker, Allgemeingültigkeit od. hist. Bedingth. d. poet. G., Diss. Kiel 1954; W. Flemming, Epik u. Dramatik, [2]1955; ders., D. Problem v. Dichtgs-G. u. -Art (Stud. generale 12, 1959); J. Ortega y Gasset, Traktat üb. d. lit. G. (Merkur 13, 1959); M. Newels, D. dramat. G. i. d. Poetiken d. Siglo de Oro, 1959; E. Staiger, Grundbegriffe d. Poetik, [8]1968; H. Seidler, D. Dichtg., [2]1965; F. Sengle, D. lit. Formenlehre, 1967; W. V. Ruttkowski, D. lit. G., 1968; K. R. Scherpe, Gattungspoetik i. 18. Jh., 1968; K. Hamburger, D. Logik d. Dichtg., [2]1968; H. Prang, Formgesch. d. Dichtkunst, 1968; M. Fubini, Entstehg. u. Gesch. d. lit. G., 1971; P. Hernadi, *Beyond genre*, Ithaca 1972; W. Lockemann, Lyrik, Epik, Dramatik, 1973; ders., Textsorten versus G., GRM 24, 1974; K. W. Hempfer, G.theorie, 1973; W. Ruttkowski, Bibliogr. d. G.poetik, 1973; D. G. i. d. vgl. Lit.wiss., hg. H. Rüdiger 1974; Textsortenlehre – G.sgesch., hg. W. Hinck 1977; G. F. Probst, G.begriff u. Rezeptionsästh., CG 10, 1977; *Theories of lit. genre*, YCC 8, 1978; K. Müller-Dyes, Lit. G., 1978; E. Marsch, G.system u. G.wandel, LiLi Beih. 10, 1979; U. Müller, Drama u. Lyrik, 1979; *Le genre*, Colloq. Straßburg 1979; V. Žmegač, Kunst u. Ideologie i. d. G.poetik d. Jh.-wende, GRM 30, 1980; W. Raible, Was sind G.?, Poetica 12, 1980; R. Champigny, *For and against genre labels*, Poetics 10, 1981; G. Willems, D. Konzept d. lit. G., 1981; Formen d. Lit., hg. O. Knörrich 1981; W. R. Berger, G.theorie u. vergl. G.forschg. (Vergl. Lit.-wiss., hg. M. Schmeling 1981); W. E. Rogers, *The three genres*, N.Y. 1981; H. Dubrow, *Genre*, Lond. 1982; A. Fowler, *Kinds of lit.*, Oxf. 1982, [2]1985; Textsorten u. lit. G., hg. v. Vorstand der Vereinigung der dt. Hochschulgermanisten 1983; M. Schnur-Wellpott, Aporien d. G.theorie, 1983; F. Martini, Lit. Form u. Gesch., 1984; C. Bickmann, D. G.begriff, 1984; *La nation de genre à la renaiss.*, hg. G. Demerson, Genf 1984; J. D. Pizer, *The hist. perspective in Ger-*

man genre theory, 1985; *Genres in medieval German lit.*, hg. H. Heinen 1986.

Gattungsgeschichte, method. Zwischenbereich von →Literaturgeschichte und nicht-normativer Poetik, untersucht die histor. Verwirklichungen, Entstehung, Wandel und evtl. Absterben e. →Gattung, deren bes. Affinität zu bestimmten Epochen usw.
J. Hermand, Probl. d. heut. G., JIG 2, 1970. →Gattungen.

Gattungslehre →Poetik

Gattungsstil →Stil

Gaucho-Literatur, Sonderform der südamerikan. Lit. des 19. Jh. in den La-Plata-Staaten, bes. Argentinien, behandelt als Stoff Leben und Sitten der aussterbenden Gauchos, der freiheitsliebenden, mutigen Cowboys der Pampa. Die Gaucho-Lyrik (Hidalgo, H. Ascasubi, E. del Campo) und -Epik (J. Hernández, *Martin Fierro*) mit eleg. Klage um das Verschwinden der alten Zeit und mit folklorist. Interesse lehnt sich im Stil an die Gaucho-Lieder an. Daneben steht als Sondergruppe der Gaucho-Roman, eingeleitet von Sarmiento, der später entweder zu romant. Idealisierung (E. Gutiérrez, R. Guiraldes, *Don Segundo Sombra*, C. Reyles, Larreta) oder zu realist. Schilderung (E. Acevedo Díaz, J. de Viana, Lynch) führt.
J. Furt, *Arte Gauchesco*, 1924; ders., *Lo Gauchesco en la Lit. Argentina*, 1929; C. Reyles, *El Nuevo Sentido de la Narración Gauchesca*, 1930; S. J. García, *Panorama de la Poesía Gauchesca y Nativista del Uruguay*, 1941; M. Nichols, *The Gaucho*, 1942; A. Caillava, *Hist. de la Lit. Gauchesca en el Uruguay*, Montevideo 1945; J. L. Borgés, *Aspectos de la Lit. Gauchesca*, Montevideo 1950; ders. u. A. Bioy Casares, *Poesía Gauchesca*, Mexiko II 1955; E. Larocque Tinker, *G. L. of Argentina and Uruguay*, 1961; ders., *The horsemen of the Americas*, 1966.

Gauda, Gaudiyastil, in der ind. Poetik der dunkle, schwere, vieldeu-

tige, geblümte, mit Alliterationen und Assonanzen verzierte Prosastil im Ggs. zum →Vaidarbha-Stil.

Gawęda (poln. = Plauderei), in poln. Lit. des 19. Jh. die kleine, volkstüml. Prosa- oder Verserzählung in schlichtem Konversationsstil aus dem Mund naiv-gutgläubiger Menschen mit Stoffen aus dem alten Adelsleben. Nach Ansätzen bei Mickiewicz und Rzewuski bes. gepflegt von W. Pol und W. Syrokomla als konservative Apotheose des Kleinadels.

Gaya Ciencia →Gaia sciensa

Gâyatrî, altind. 8silbiges Versmaß im *Veda*, bei dem die ersten vier Silben frei, die zweiten vier nach der Kadenz festgelegt sind:
$$\smile \smile \smile \smile \mid \smile \overset{\perp}{} \smile \overset{\smile}{}.$$

Gâyatrî-Pâda, altind. Strophenform aus drei →Gâyatrî-Versen zu je 8 Silben; verwendet im *Rigveda*.

Gazette (ital. *gazetta* = 2-Soldi-Stück, Preis der 1. Zeitung in Venedig), alte Bz. für →Zeitung.

Gebände →Abgesang

Gebärde, im Ggs. zur konventionell-unpersönlichen Geste die mehr persönlichkeitsgebundene geistig-seel. od. körperl. Äußerung des Denkens und Wollens, in jeder Kunst, bes. der Schauspielkunst wesentl. Bestandteil. Das frühe Theater kannte die Beschränkung auf sechs konventionelle, leichtverständliche und vom Dilettanten leicht erlernbare Hauptgesten: Händefalten, Händeringen, Armeheben usw.; Gottsched führte normierte Gesten für Schauspieler ein; lockerer waren Goethes *Regeln für Schauspieler*, seither verzichtet man auf Normung der G.n; dagegen legten LAVATERS *Physiognomische Fragmente* (1774 ff.) den Grund zu ihrer wiss. Erforschung. Jede Epoche prägt auch im Theater ihre eigene G. form. Auch in Epik und Lyrik erscheint die G. als Umsetzung des Inneren in Handlung, bes. in den Novellen von KLEIST und C. F. MEYER.

C. Michel, G.nsprache, 1886; RL¹; F. B. Zons, Auffassg. d. G. i. d. mhd. Epik, Diss. Münster 1933; J. Schänzle, D. mim. Ausdruck, 1939; H. Ruppert, D. Darstellg. d. Leidenschaften u. Affekte i. Drama d. Sturm u. Drang, 1941; M. Riemenschneider-Hoerner, D. Wandel d. G. i. d. Kunst, 1942; A. M. Dietrich, Wandel d. G. auf d. dt. Theater v. 15.–17. Jh., Diss. Wien 1944; H. U. Wespi, D. Geste als Ausdrucksform, 1949; R. P. Blackmur, *Language as gesture*, 1955; W. Habicht, D. G. i. engl. Dichtgn. d. MA. (Abh. Bayr. Akad., Phil.-hist. Kl. 46) 1959; E. Schmid, Üb. d. G., WW 10, 1960; A. Roeder, D. G. i. Drama d. MA., 1974; D. Barnett, *The art of gesture*, 1987.

Gebäude →Aufgesang

Gebet, unabhängig vom relig. Kontext auch selbständige lyrische Kunstform, gekennzeichnet durch Bitte, Imperative und direkte Anrede, Ich-Du-Aussprache, z. T. Rollenlyrik, z. B. im MA. bei WALTHER, REINMAR VON ZWETER, MARNER, FRAUENLOB, FREIDANK; im 19. Jh. bei BRENTANO, MÖRIKE u. a.; als Rollentext im Drama (z. B. Gretchen in *Faust I*), ferner bes. in ep. Dichtungen als Prolog, →Anrufung oder Einleitung (WOLFRAMS *Willehalm*, MILTON, KLOPSTOCK) oder Abschluß (Pfaffe KONRAD, *Rolandslied;* vgl. Th. MANN, *Doktor Faustus*). →Gebetbuch.

W. T. Noon, *Poetry and prayer*, New Brunswick 1966; F. L. Kelly, *Prayer in 16. cent. Engl.*, Florida 1966; H. Kleinknecht, D. G.parodie i. d. Antike, ²1967; R. Liver, D. Nachwirkg. d. antiken Sakralspr. i. christl. G., 1979; E. C. Lutz, Rhetorica divina, 1984.

Gebetbuch, für den Laiengebrauch bestimmtes Andachtsbuch, bis ins 13. Jh. meist auf Grundlage des lat. Psalters mit je nach Gegend und Benutzerkreis wechselnden Beigaben (Heiligengebeten u. ä.), daher nur für die Gebildeten verständlich. Seit dem 14. Jh. wird der Psalter durch das →Brevier ersetzt, hat jedoch auch darin starken Anteil. Gleichzeitig, in den roman. Ländern etwas früher, entstehen die ersten volkssprachl. G.er, zunächst Übersetzungen für Nonnen u. ä., im 15. Jh. die ›Stundenbücher‹ (→Livres d'heures) und ›Seelengärtlein‹ (›Hortuli animae‹) für Laien. Der Buchdruck ermöglicht weiteste Verbreitung bes. der wohlausgestatteten franz. ›Livres d'heures‹ seit 1487 und ihrer volkssprachl. Nachahmungen, meist erweitert durch Ablaß- und Beichtgebete, Meßerklärungen und Beistandsanweisungen für Sterbende. Seit der Reformation treten lat. G.er ganz zurück, das ev. G. (MUSCULUS 1533, HABERMANN 1567, J. ARNDT 1652, J. GERHARD 1669, STARK 1723) wird durch Einfügung von Kirchenliedern zum →Gesangbuch, seit dem Pietismus mit stark subjektiver Innerlichkeit zur Privatandacht. Die Gegenreformation bringt eine Fülle von G.ern des wiedererstarkenden Katholizismus, besonders der Jesuiten, und gibt im 16. Jh. die Grundform des heutigen G.: Petrus CANISIUS, F. v. SPEE (*Gülden Tugent-Buch* 1649), bes. verbreitet W. NAKATENUS *Himmlisches Palmgärtlein* 1667, ebenso des Kapuziners MARTIN von KOCHEM an 30 G.er, gemütsreich wie *Der große Baumgarten* 1675, *Der Guldene Himmelsschlüssel* 1689 u. a. Im Vernunftzeitalter verbindet sich bei J. M. SAILERS *Vollständigem Lese- u. G.* 1783 Rationalismus mit mystisch-sentimentalen Zügen. Weitere kath. G.er von K. v. ECKARDTSHAUSEN (1790), Ph. J. BRUNNER (1801), Fürst ALEXAN-

DER VON HOHENLOHE (1818) und J. B. DEVIS (1839) bringen die Verbindung zum mod., von den Benediktinern weitgehend bestimmten G. im engen Anschluß an die Liturgie und ihre Ausdeutung, im Bestreben, das Leben des Christen vom Gebet her zu erfassen. Allg. verbreitetes ev. G. ist noch das von STARK (¹1723), ständig verbessert und ergänzt. Durch die Liturgische Bewegung wird ein neues ev. G. gefordert und vorbereitet (1. *Allg. ev. G.* 1955). →Erbauungsbuch.

St. Beissel, Z. Gesch. d. G. (Stimmen aus Maria Laach 77, 1909); F. Hotzky, Z. dt. G.-Lit. d. ausgehenden MA., Progr. Kalksburg 1913; G. Domel, D. Entstehg. d. G...., 1921; H. Bohatta, *Bibliogr. des Livres d'heures*, ²1924; P. Althaus, Forschgn. z. ev. Gebetslit., ²1966; D. christl. G. i. MA., hg. G. Achten 1980.

Geblümter Stil (mhd. *bluemen* = mit Blumen schmücken), blumenreiche, ungewöhnl. manierierte Stilform mit Überbetonung des formal Gekonnten, Gekünstelten, Auffälligen durch seltsame Wortspiele, dunkle Metaphern, überhöhte Vergleiche, rhetor. Figuren, bes. Pleonasmus, Parallelismus, Litotes, Anapher u. ä., pompöse Wortbildungen, Fremdwörter, Neologismen, teils bei geringer, epigonaler dichter. Schöpferkraft. Kunstausdruck des 13. Jh. für den mit WOLFRAMS VON ESCHENBACH ›dunklem Stil‹ einsetzenden und bes. bei den Epigonen seiner Schule verwendeten Stil: ALBRECHTS VON SCHARFENBERG *Jüngerer Titurel, Lohengrin*, KONRAD und JOHANN VON WÜRZBURG in der Epik, bes. aber in der nachhöf. Lyrik von KONRAD VON WÜRZBURG, FRAUENLOB, RUDOLF VON EMS, HEINRICH VON MÜGELN, HUGO VON MONTFORT und MUSKATPLÜT bis zum Meistersang, ebenso in Minneallegorie und -rede: HADAMAR VON LABER, SUCHENWIRT, HERMANN VON SACHSENHEIM.

Auch übertragen auf die →Schwulststile des Barock und epigonale Lyrik des 19. Jh.

RL; Nyholm, Stud. z. sog. g. S., Abo 1971; K. Stackmann, Redeblumen (Fs. F. Ohly, 1975); F. Schülein, Z. Theorie u. Praxis d. Blümens, 1976.

Gebrauchsliteratur, ›Zweckliteratur‹, entsprechend der engl. Bz. *nonfiction* und im Unterschied zu außerlit. Gebrauchstexten (Geschäftsbrief, Protokoll, Nachricht, Gesetzestext u.a.) solche nichtfiktionale Texte, die durch Beachtung gewisser lit.-ästhet. Kriterien ihre zweck- und sachbezogene Aussage in e. literarisches Gewand kleiden, jedoch in erster Linie außerkünstlerische Ziele verfolgen: Gebet- und Andachtsbuch, Kirchenlied, Flugblatt, Flugschrift, Fachprosa, Traktat, Sachbuch, Dialog, Bericht, Interview, Reisebericht, Reportage, Biographie; Essay, Autobiographie, Tagebuch u.a. (letzteres im Ggs. zum rein fingierten lit. Tagebuchroman). Umstrittene Begriffsprägung aus dem Bestreben nach Ausweitung des traditionellen Literaturbegriffs mit fließenden, wertungsbestimmten Übergängen zu →engagierter Lit., →Tendenzdichtung und →Gelegenheitsdichtung.

H. Belke, Lit. Gebrauchsformen, 1973; ders., Gebrauchstexte (Grundzüge d. Lit.-u. Sprachwiss., hg. H. L. Arnold I, 1973); G., hg. L. Fischer 1976; J. Schwitalla, Was sind Gebrauchstexte (Dt. Sprache, 1976); H. Koopmann, Zwecklit. i. früh. 19. Jh. (Textsortenlehre, hg. W. Hinck 1977); Poesie u. G. i. dt. MA., hg. V. Honemann 1979.

Gebrauchslyrik, zu e. bestimmten Zweck (Gebet, Kirchenlied, Zauberspruch, Albumvers, Schlagertext, Werbung, Propaganda) oder Anlaß (→Gelegenheitsdichtung) verfaßte Gedichte. →Gebrauchsliteratur.

Gebrochener Reim, verstärkte Form des →Enjambements, benutzt

e. im Wortinneren stehende Silbe zur Reimbindung, meist humorvoll: ›Hans Sachs war ein Schuh- / macher und Poet dazu‹.

Gebundene Rede, durch Metrum und Rhythmus, teils auch Alliteration, Reim und Strophe erhöhte Sprachgestaltung im Ggs. zur ungebundenen →Prosa, erreicht durch kunstvolle rhythm. und klangl. Durchformung feierl. Erhabenheit und größeren ästhet. Genuß des Aufnehmenden und bot obendrein in schriftloser Frühzeit, teils in Verbindung mit der Melodie, wertvolle Gedächtnisstütze zur Einprägung; in Epik und Drama heute meist durch Prosa ersetzt, doch für die Lyrik wesentl. und unersetzl. Formprinzip.
L. Fischer, G. R., 1968.

Geburtstagsdichtung   →Gelegenheitsdichtung

Gedächtnisvers →Denkvers

Gedankenfiguren →rhetorische Figuren

Gedankenlyrik, auch Ideenlyrik, philos. Lyrik, allg. reflektierende Lyrik, die in erster Linie gedankl. Erlebnisse gestaltet. Der problemat. Begriff legt die falsche Auffassung nahe, als sei Lyrik im allg. gedankenlos und nur Empfindung. Lyrik als sprachkünstler. Ausformung innerer, gemütsbetonter Erlebnisse ist aber nicht an die unmittelbare Gefühlsaussprache gebunden, sondern kann ebenfalls der ästhet. Gestaltung geistiger, gedanklich-weltanschaul. Inhalte dienen, deren gemüthaftes, inneres Erleben sich nicht in Symbol und bildhafter Anschauung, sondern in direkter dichter. Aussprache zum Ergriffensein formt. Das starke erlebnishafte Beteiligtsein des Dichters unterscheidet die G. von der nüchtern-objektiven Lehrdichtung. Grundthemen der G. sind etwa das Erleben e. Ideals, e. Gegensatzes oder harmon. Einsgefühls, die Erkenntnis der Heilsbotschaft (Theodizee) oder tragisch gestimmte, tiefste Erschütterung. Große Vertreter der G. im Ausland sind LAMARTINE, VIGNY, VALÉRY, BYRON, LEOPARDI, SHELLEY, KEATS, T. S. ELIOT, E. POUND u. a., hochgradig ist die G. jedoch Bestandteil der dt. Dichtung. Erste Ansätze, oft mit Didaktik untermischt, zeigt bereits die antike Dichtung (HESIOD, LUKREZ, HORAZ), sodann die höf. Lyrik mit FRIEDRICH VON HAUSEN, später MARNER und REGENBOGEN, bes. aber in WALTHERS polit. Dichtung um die Reichsidee; FREIDANKS *Bescheidenheit* leitet zur →Spruchdichtung über, die bes. im 16. Jh. blüht. Renaissance und Humanismus pflegen die →Gelehrtendichtung des →poeta doctus. G. als Ausdruck gespaltenen Weltgefühls zwischen christl. Offenbarungsglauben und antik-stoischer Welthaltung, sündhaftem, vergängl. Diesseits und göttl. Jenseits gestaltet sich im Barock, vorzugsweise in den Formen des Sonetts und Epigramms: OPITZ, HÖCK, RIST; GRYPHIUS, ABSCHATZ, FLEMING; CZEPKO, ANGELUS SILESIUS, LOGAU. Die Aufklärung zeigt bei Vorherrschen des didakt. Elements und der (Natur-)Beschreibung den Preis der Schöpfung und damit den Theodizeegedanken: HALLER *Über den Ursprung des Übels, Unvollkommene Gedicht über die Ewigkeit* und *Die Alpen,* teils in befriedigter, gelöster Heiterkeit: BROCKES *Irdisches Vergnügen in Gott,* teils in sehnsüchtiger Klage: E. v. KLEIST *Der Frühling* oder in schwärmer. [*] Form: KLOPSTOCK, LAVATER und die Brüder STOLBERG, ferner GESSNER, WIELAND, MATTHISSON, CREUZ und UZ, während RABENER, LISCOW und bes. LESSING das Epigramm fortbilden. Die G. des späten GOETHE ist in den Sammlungen *Gott und Welt, Parabolisch* und *Epigrammatisch,* ferner teils im *West-östlichen Divan* vereint. Höhepunkt und eigentl. Ausprägung sind SCHILLERS große sog. philosoph. Gedichte als Verkörperung klass. Ideengehalts im Anschluß an KANT und SHAFTESBURY: *An die Freude, Worte des Glaubens, Die Götter Griechenlands, Die Künstler, Das Ideal und das Leben, Der Spaziergang* u. a. m., entstanden aus der Spannung von Sinnlichem und Geistig-Sittlichem und ihrer Lösung in der Kunst. Ihm folgen die frühen Hymnen HÖLDERLINS, dann die Frühromantiker (NOVALIS), GRILLPARZER, HEBBEL, ferner Ch. A. TIEDGE, HALM, SAAR, SCHEFER, SALLET, D. F. STRAUSS, A. GRÜN, F. Th. VISCHER, A. VON DROSTE-HÜLSHOFF und bes. F. RÜCKERT mit der Einbeziehung östl. Weisheit; um die Jh.-wende dann bes. NIETZSCHE, DEHMEL, MORGENSTERN, SPITTELER, St. GEORGE und RILKE. Das Anwachsen der sog. ›G.‹ in der Gegenwart bezeugt, daß der Begriff nur von einer falschen Lyrik-Vorstellung aus abgesondert werden konnte.

M. Citoleux, *La poésie philos. au XIX. siècle,* 1906; P. Stanciov-Cerna, D. G., Diss. Lpz. 1913; RL; P. Schaaf, D. philos. Ged., DVJ 6, 1928; A.-M. Schmidt, *La poésie scientifique en France au 16.e siècle,* Paris 1938; G. Müller, Grundformen dt. Lyrik (V. dt. Art i. Sprache u. Dichtg. V, 1941); G. Storz, Gedanken üb. d. Dichtg., 1941; H. Falkenstein, D. Problem d. G. u. Schillers lyr. Dichtg., Diss. Marb. 1963; A. Todorow, G., 1980; B. Asmuth, D. gedankl. Gedicht, NKL, 1984. →Lyrik.

Gedicht, allg. jede Erscheinungsform der metr. oder rhythm. gebundenen Dichtung, auch episches oder dramatisches G. (SCHILLERS *Don Carlos*), bes. aber für die →Lyrik. Vgl. →Prosagedicht.

Gefängnisliteratur, das lit. Schaffen von Insassen der Strafvollzugsanstalten.

S. Weigel, Und selbst im Kerker frei, 1982; B. Scheffer, Lit. Kompetenz v. Strafgefangenen, SPIEL 3, 1984.

Geflügelte Worte (Übers. von J. H. VOSS 1781 für griech. *epea pteroenta* = d.h. rasch von den Lippen des Redenden zum Ohr des Hörenden eilende Worte), stehender Ausdruck bei HOMER, seit G. BÜCHMANNS →Zitatenslg. mit Quellenangabe G. W. (1864) Bz. für sprichwörtlich in aller Munde lebende, bei vielen Gelegenheiten passende und angewendete Schriftstellerzitate und Aussprüche berühmter Persönlichkeiten im Ggs. zum nicht quellenmäßig nachweisbaren →Sprichwort. Slgn. →Zitat.

Gegenreformation (Ausdruck J. S. PÜTTERS), kath. Gegenströmung nach der Reformation, rd. 1555–1648, die nach geistiger Neubesinnung (Konzil von Trient, Jesuiten) die Verbreitung des Protestantismus einschränken will; findet auch in der Lit. des 16./17. Jh. (→Gebets-, →Gesang-, →Erbauungsbücher, →geistliches Lied und bes. →Jesuitendrama) reichen Niederschlag. Wichtigste Vertreter sind J. FISCHART, J. NAS, Ä. ALBERTINUS. Vgl. →Barock.

W. Weisbach, D. Barock als Kunst d. G., 1920; H. Hermelink, Reformation u. G., ²1931; A. Elkan, Entsteh. u. Entw. d. Begriffs G. (Hist. Zs. 112, 1941); H. Jedin, Kath. Ref. od. G., 1946; P. Hankamer, Dt. G. u. dt. Barock, ²1947; L. Petry, D. G. i. Dtl., 1952; H. Tüchle, Reformation u. G., 1965; RL; E. W. Zeeden, D. Zeitalter d. G., 1967; G. u. Lit., hg. J.-M. Valentin, Amsterd. 1979; D.-R. Moser, Verkündigg. durch Volksgesang, 1981.

Gegenrefrain, Beginn mehrerer aufeinanderfolgender Versgruppen oder Strophen mit den gleichen Worten, entsprechend der Anaphora in Prosa; häufig bei BRENTANO: ›Einsam will ich untergehen...‹ u. a.

Gegenspieler, im Drama, aber auch in der Epik, bes. der Novelle, der zweite Held, dessen Verhalten oder Taten die Handlungsweise des Haupthelden bedingen und damit ein dialekt. Element in die Handlung bringen, z. B. Franz zu Karl Moor in SCHILLERS *Räubern*. Der G. ist teils als Einzelgestalt (SCHILLER, SHAKESPEARE), teils als Personengruppe (HEBBEL, *Maria Magdalene*, GOETHE, *Götz*) objektiviert oder als innerer Widerstreit in die Seele des Helden verlegt (GOETHE).

H. Jannach, The antagonist i. the German drama from Gottsched to Schiller, 1954.

Gegenstandsloser Roman →nouveau roman

Gegenstrophe →Antistrophe

Gegenutopie →Anti-Utopie

Gehäufter Reim →Reimhäufung

Gehalt, im Ggs. zur äußeren →Form der gedankliche oder geistige Inhalt, die Aussage e. Dichterkes (Ideengut, Probleme, Lebensanschauung, Welthaltung, ästhetische Weite), der erst durch die einheitliche künstlerische Prägung und Ausgestaltung in der inneren Form zum ideellen Wertbestandteil des Sprachkunstwerkes und in der Rezeption realisiert wird.

Geheimbundroman, Romantyp der dt. Aufklärung, der aus der Existenz zahlr. geheimer Gesellschaften dieser Zeit (→Freimaurer, Illuminaten, Rosenkreuzer) Elemente des Abenteuers, des Wunderbaren und des Schauerromans vereint: Intrigen, wunderbare Lenkung, Verstrickung in Verschwörergruppen u. ä., z. B. SCHILLERS *Geisterseher*, MEYERNS *Dya-Na-Sore*, GROSSES *Genius,* VULPIUS' *Aurora,* ferner Motive bei WIELAND, MORITZ,

ZSCHOKKE, TIECK, GOETHE, JEAN PAUL, E. T. A. HOFFMANN, ARNIM und HIPPEL sowie zahlr. Trivialromane.

M. Thalmann, D. Trivialroman d. 18. Jh., 1923, n. 1967; R. Nicolai-Haas, D. Anfge. d. dt. G. (Geh. Gesellschaften, hg. P. C. Ludz 1979); M. Agethen, Geheimbund u. Utopie, 1984; M. Voges, Aufkl. u. Geheimnis, 1987.

Geißlerlieder, Wallfahrts- und Pilgerlieder der in Italien seit 1260, in Dtl. bes. seit dem Pestjahr 1349 herumziehenden Geißler oder Flagellanten beim Einzug in e. Stadt, beim Bußakt selbst und beim Auszug; formal kunstlos-volkstüml. u. schemat. →Leise oder →Leiche, teils Kontrafakturen, teils überlieferte Kreuzfahrerlieder, dichterisch wertlos, nur in Italien kunstvoller, während die slaw. und wallon. G. oft Umformungen der dt. sind. Als frühe Form des geistl. Volksliedes in zahlr. Chroniken der Zeit (bes. HUGO VON REUTLINGEN), teils mit Melodien erhalten.

P. Runge, D. Lieder u. Melodien d. Geißler..., 1900, n. 1969; G. F. Collas, Gesch. d. Flagellantismus, 1913; RL; A. Hübner, D. dt. G., 1931; J. Müller-Blattau, D. dt. G. (Zs. f. Musikwiss. 17, 1935).

Geisterballade →Gespensterballade

Geisterroman →Gespenstergeschichte

Geistesgeschichte, spekulative Methodenrichtung der →Literaturwiss. und der Geisteswiss. allg. ca. 1900–1945 als Ablösung des →Positivismus; umfaßt die koordinierende Betrachtung der gesamtkulturellen Entwicklung (Religion, Wissenschaft, Philosophie, Künste, Staat, Gesellschaft und Wirtschaft) als Manifestationen e. einheitl. Geistes und sucht auch die Dichtung als geistesgeschichtl. Dokument auszuwerten und in geistige Entwicklungszusammenhänge einzuordnen: DILTHEY, UNGER, KORFF *(Geist der Goethezeit)*, KLUCKHOHN, REHM, E. BERTRAM, F. GUNDOLF. Die mod. Literaturwiss. wehrt sich gegen den Einbruch der G., da diese den dokumentar. Wert des Kunstwerks höher veranschlagt als den Kunstwert und es in ein präetabliertes Bezugsfeld einfügt, von dessen Synthesen her wieder Problem- und Ideengehalt analysiert werden.

H. Cysarz, Lit.gesch. als Geisteswiss., 1926; E. Rothacker, Einl. i. d. Geisteswiss., 1920, ²1930; ders., Logik u. Systematik d. Geisteswiss., 1927, ²1948; J. Wiegand, Dt. G. i. Grundriß, ²1947; P. Böckmann, V. d. Aufgaben e. geisteswiss. Lit.betrachtung, DVJ 9, 1931; G. Müller, Gesch. d. dt. Seele, ²1962; K. Muhs, Gesch. d. abendld. Geistes, II 1950–53; W. Ehrlich, G., 1952; F. Heer, Europ. G., 1953; W. Nestle, Griech. G., 1956; H. J. Schoeps, Was ist u. was will d. G., 1959; W. Bossenbrook, Gesch. d. dt. Geistes, 1963; H. Rüdiger, Zwischen Interpretation u. G., Euph. 57, 1963; B. v. Wiese, G. oder Interpretation? (in: Zwischen Utopie u. Wirklichkeit, 1963); RL; K. Viëtor, Dt. Literaturgeschichte als G., 1967; K. Riha, Lit.wiss. als G. (in: Z. Kritik lit.wiss. Methodologie, 1973).

Geistliche Dichtung, zum Unterschied von biblischer im engeren, →christlicher Dichtung im weiteren Sinne die auf dogmat.-eth. Grundhaltung und Überlieferung e. Religionsgemeinschaft und ihren histor.-relig. Inhalten aufbauende Dichtung nicht nur der Geistlichen (die auch weltliche Dichtung schaffen), sondern auch der Laien. Die g. D. des Abendlandes beruht daher auf dem Christentum und legt dessen Glaubensinhalte ihrer Wirkung zugrunde; sie benutzt meist Stoffe aus der Bibel, Heiligenlegenden u. ä. Quellen, oft mit didakt. Einschlag, teils auch in reiner und hoher Dichtkunst, die aus sich zum Erlebnis des Glaubens hinführt. Hauptformen der g. D. sind →Erbauungslit., →Evangelienharmonie, →geistliches Drama, →geistliche Epik,

→Kirchenlied und →geistliches Lied.

A. H. Kober, Gesch. d. rel. Dichtg. i. Dtl., 1919; R. Stroppel, Liturgie u. g. D. zwischen 1050 und 1300, 1927; H. Neumeister, Geistlichkeit u. Lit., 1931; W. Grenzmann, Dtg. u. Glaube, ⁶ 1968; H. Rupp, Dt. rel. Dtgn. d. 11./12. Jh., 1958; RL; L. B. Campbell, *Divine poetry and drama in 16th cent. England,* Berkeley 1959; G. R. Owst, *Lit. and the pulpit in medieval England,* N.Y. ²1960; A. A. Avni, *The Bible and romanticism,* Haag 1969; C. Soeteman, Dt. g. D. d. 11. u. 12. Jh., ²1971; D. Kartschoke, Bibeldichtg., 1975; ders., Altdt. Bibeldichtg., 1975; W. Bartenschläger, Gesch. d. spirituellen Poesie, 1977; J. L. Kugel, *The idea of bibl. poetry,* New Haven 1981; Frömmigkeit i. d. früh. Neuzeit, hg. D. Breuer, Amsterd. 1984.

Geistliche Epik, Epik mit Stoffen aus christl. Heilsgeschichte und Tradition nach der Bibel, →Legenden, →Visionen u. a. Sie erreicht größte Höhe im glaubensgeschlossenen MA., wo der strenge gemeinsame Glaubenshintergrund eine genaue Scheidung zwischen weltlicher und g. E. z. T. unmöglich macht: das *Leben Jesu* der Frau AVA, der Friedberger *Christ und Antichrist* u. a., bes. AT.-Übersetzungen: Wiener und Altsächsische Genesis und Exodus, →Evangelienharmonien (*Heliand,* OTFRIED), Reimbibeln, Heiligenlegenden, Geschichtsdichtungen *(Annolied, Kaiserchronik)* u. a., Zweckdichtung zur Christianisierung und zur Verinnerlichung und Vertiefung des Glaubenslebens: →Mariendichtungen (Priester WERNHER 1170), dann auch in der Ritterdichtung bei HEINRICHS VON VELDEKE *Servatius,* HARTMANNS VON AUE *Der arme Heinrich* und *Gregorius,* KONRADS VON FUSSESBRUNNEN *Kindheit Jesu,* KONRADS VON HEIMESFURT *Unsere vrouwen hinvart,* OTTES *Eraclius,* OTTOS VON FREISING *Barlaam,* REINBOTS VON DURNE *St. Georg,* RUDOLFS VON EMS *Guter Gerhard* und KONRADS VON WÜRZBURG Legenden. Es

folgen im Spät-MA. GUNDACKERS
VON JUDENBURG *Christi hort,*
die hess. *Erlösung,* bes. aber
die →Deutschordensdichtung mit
zahlr. Viten, bes. Marienleben, und
Legenden. Den Gipfel der g. E. bildet DANTES *Divina Commedia.* Die
nachreformator. g. E. erreicht infolge allg. Verweltlichung nicht mehr
diese Höhe; ihre Träger sind nunmehr Laien, sie wird →Erbauungs-
lit. Der protestant. Geist bringt drei
sehr verschiedene Hauptwerke hervor: G. DU BARTAS' Weltschöpfungsepos *La Semaine* (1578), MIL-
TONS puritan. *Paradise Lost* (1667)
und KLOPTOCKS pietist. beeinflußter *Messias* (1748 ff.) sind die letzten großen Erscheinungen der g. E.;
mit dem Durchbruch des Individualismus zerbricht die Unbedingtheit
der allgemeinverbindl. Glaubenshaltung.

J. van Mierlo, *Geestelijke Epiek der Mid-
deleeuwen,* Amsterd. 1939; R. A. Sayce,
The French bibl. epic in the 17. cent.,
Oxf. 1955; M. Wehrli, Sacra poesis (Fs.
F. Maurer, 1963); B. Naumann, Dichter
u. Publikum i. dt. u. lat. Bibelepik d.
frühen 12. Jh., 1968; R. Herzog, D. Bibelepik d. lat. Spätantike, 1975; D. Kartschoke, Bibeldichtg., 1975; ders., Bibelepik (Ep. Stoffe d. MA., hg. V. Mertens
1984); A. Masser, Bibel- u. Legendenepik
d. dt. MA., 1976; Geistl. u. weltl. Epik d.
MA. i. Österr., hg. D. McLintock 1987.
→geistl. Dichtg.

Geistliche Lyrik →Geistliches Lied

Geistlichendichtung, die Dichtung
geistl. Verfasser, bes. im europ.
MA.; vorwiegend →geistliche Dichtung, doch auch weltl. Stoffe: Waltharius, Ruodlieb, Pfaffe LAMP-
RECHTS *Alexanderlied,* Pfaffe KON-
RADS *Rolandslied.*

H. Schneider, Heldendichtg., G., Ritterdichtg., 1943; F. Maurer, Zur G. d. MA.
(in: Dicht. u. Sprache d. MA., 1963); G.
Meissburger, Grundlagen z. Verständnis
d. dt. Mönchsdichtg. i. 11. u. 12. Jh.,
1970.

Geistliches Drama, geistliches
Spiel, im Ggs. zum →biblischen

Drama →geistliche Dichtung in
Dramenform, die Hauptform des
ernsten ma. Dramas in ganz Europa, bes. im 13.–15. Jh., entstand seit
10. Jh. unabhängig vom antiken
Drama, doch ebenfalls aus e. Kulthandlung: durch mim.-szen. Ausweitung weihevoller liturg. Wechselgesänge (→Tropus) an höheren
Kirchenfesten zu Darstellungen der
lat. vorgetragenen Heilsgeschichte
in lebenden, anschaul. Bildern
durch Aufteilung unter versch.
Sprecher, später auch legendärer
Stoffe, teils unter Einformung alt-
heidn. Kultgebräuche (Jul- und
Frühlingsfeiern) und profaner Szenen als Vermenschlichung des Erha-
ben-Heiligen. Fortschreitende Dramatisierung und Verweltlichung bei
zunehmender Zuschauer- und Spielerzahl und Kostümierung führten
zum Überwiegen des Theatralischen
und veranlassen im 13. Jh. auf Befehl der Kirche die Verlegung des
Schauplatzes aus der Kirche ins
Freie, seit dem 14./15. Jh. auf die
→Simultanbühne auf dem Marktplatz, wo Elemente der weltl. Fastnachtsspiele eindringen. Seit dem
13. Jh. fließen in den bisher lat. Text
volkssprachl. Stellen ein (Wolfenbüttler, Trierer Osterspiel), seit Ersetzung der klerikalen Spieler durch
bürgerl. Laien verdrängt die Volkssprache das Lat.; dennoch bleibt
das ganze g. D. gottesdienstliche
Angelegenheit, relig. Feier der Gemeinde, Sinngebung des ird. Geschehens im Hinweis auf das Heilsgeschehen und die Sinngebung des
Menschen, die als gemeinsames Erlebnis Dichter, Spieler und Zuschauer umfaßt; es ist überwiegend
anonyme und streng stoffgebunde-
ne Inszenierung dogmat.-kirchl. Inhalte, nicht eigene dichter. Schöpfung nach dramat. Aufbauprinzipien und künstlerischen Tendenzen;
einmal gewonnene Grundtypen

wandern und werden geändert, lassen jedoch noch Zusammengehörigkeit erkennen. Die Spieltechnik betonte bes. die Deklamation, weniger die Mimik; Wechsel von Massen- und Soloszenen dienten der Gliederung; Ankündigung durch e. Herold (Praecursor) und Epilog umrahmen das Spiel. Hauptgruppen des g. D. sind die →Weihnachts- (→Advents-, →Propheten-, →Hirten-, →Dreikönigs-)Spiele, die →Oster- (→Passions-, →Apostel-)Spiele, →Antichrist- und →Weltgerichtsspiel, →Paradies- und →Fronleichnamsspiel, →Mirakel, →Mysterien und →Legendenspiele. Das engl. g. D. ist wie das dt. landschaftlich verschieden, neigt zu Typen- und Gruppenbildung und Verschmelzung von Heiterem und Ernstem, braucht jedoch im Ggs. zur dt. Marktplatzbühne e. kubische Wageninszenierung. In Frankreich dagegen pflegt man früh die effektvolle Schaukunst und Bühnenmaschinerie, Hervortreten des Individuellen in Gestaltung und Autorennamen, ferner wie in Italien scharfe Trennung kom. und ernster Szenen und nationale Zentralisierung des g. D. auf einen Sammelpunkt (Paris bzw. Florenz), wo Genossenschaften (→Passionsbrüder) die Aufführungen betreuen, und schließlich die flächige Simultanbühne (Valenciennes) mit präziser Bildwirkung im Ggs. zur dt. Raumbühne. Bes. das ital. Drama zeigt größte Prachtentfaltung und beschäftigt bedeutende Maler und Bildhauer bei der Ausstattung der Rappresentazione sacra. Die Blütezeit des g. D. endet mit der Ablösung der relig. Vorherrschaft durch die Reformation und Luthers Ablehnung des g. D.; es geht in das humanist. →Schuldrama über, z. T. auch in e. Reihe von Barockspielen, doch fehlt diesen nicht mehr Gemeinschafts- sondern Hof-

fest-Spielen die naive Glaubensoffenheit des MA., die für das g. D. charakteristisch ist; der Dualismus von Diesseits und Jenseits bricht durch. Das →Jesuitendrama behandelt moral., histor. und bes. Märtyrerstoffe und regt in Alpendörfern zur Entstehung von neuen Passionsspielen an (Oberammergau, Erl, Thiersee, Brixlegg u. a.), die sich teils bis in die Gegenwart erhielten. Letzte künstler. Höhe erreicht das span. g. D. mit den →Fronleichnams- und Märtyrerspielen CALDERÓNS (1600–1681), →Auto. Versuche der Romantiker zur Wiederbelebung der ma. Form als einer der antiken gleichwertigen Dramenschöpfung aus christl. Geist (Z. WERNER) scheiterten; Relikte im 20. Jh. bei HOFMANNSTHAL, CLAUDEL und ELIOT; für das mod. Drama wurden andere Formen entscheidend.

E. Wilken, Gesch. d. geistl. Spiele i. Dtl., 1872; C. Callenberg, D. geistl. Spiel i. MA., 1875; R. Heinzel, Beschreibg. d. geistl. Schauspiele d. MA., 1898, n. 1977; E. K. Chambers, The ma. Stage, Oxf. 1903, n. 1925; G. Cohen, Hist. de la mise en scène dans le théâtre relig. franç. au M.A., 1906, n. 1951; P. E. Kretzmann, The Liturgical Element in the Earliest Form of the MA. Drama, 1916; M. J. Rudwin, A hist. and bibliogr. survey of the German rel. drama, 1925; W. Stammler, D. rel. Drama i. dt. MA., 1925; RL: Drama, ma.; G. Cohen, Le théâtre en France au ma., Paris 1929–31; H. Brinkmann, D. Eigenform d. ma. Dramas i. Dtl., GRM 18, 1930; K. Young, The Drama of the ma. Church, Oxf. 1933, n. 1962; H. H. Borcherdt, D. europ. Theater i. MA. u. i. d. Renaiss., 1934, ²1969; V. Galante Garonne, L'apparato scenico del dramma sacro in Italia, Turin 1935; R. Stumpfl, Kultspiele d. Germanen, 1936; E. Eichert, D. geistl. Spiel d. Gegenw. i. Dtl. u. Frkr., 1941; W. F. Michael, D. geistl. Prozessionsspiele i. Dtl., 1947; T. S. Eliot, Religious drama, N.Y. 1954; G. Frank, Ma. French drama, Oxf. 1954; H. Craig, Engl. rel. drama of the MA., Oxf. 1955; A. J. Hotze, Mediev. liturgic dr., 1956; T. Meier, D. Gestalt Marias i. g. Schausp. d. dt. MA., 1959; H. Brinkmann, D. rel. Drama i. MA., WW 9, 1959; G. Weales, Religion in

Modern Engl. Drama, Oxf. 1960; M. D.
Anderson, *Drama and Imagery in Engl.
Medieval Churches*, Lond. 1963; O. B.
Hardison, *Christian Rite and Christian
Drama in the MA.*, Baltimore 1965; R.
Hess, D. roman. geistl. Schauspiel als
profane u. relig. Komödie, 1965; A.
Grünberg, D. relig. Drama d. MA., III
1965; W. M. Merchant, *Creed and dra-
ma*, Phil. 1966; T. Stemmler, Liturg. Fei-
ern u. geistl. Spiele, 1970; W. F. Michael,
D. dt. Dr. d. MA., 1971; D. Brett-Evans,
V. Hrotsvit bis Folz u. Gengenbach, II
1975; R. H. Schmid, Raum, Zeit u. Publi-
kum d. geistl. Spiels, 1975; R. Warning,
Funktion u. Struktur, 1974; G. Wickham,
The medieval theatre, Lond. 1974; R.
Axton, *Europ. drama in the early MA.*,
Lond. 1974; P. C. Jacobsen, D. Entw. d.
lat. g. Spiels i. 11. Jh., Mlat. Jb. 12, 1977;
B. Neumann, Zeugnisse ma. Aufführun-
gen i. dt. Sprachraum, 1979; Aspekte d.
relig. Dramas, hg. H. Reinitzer 1979; W.
Klein, Poet. Struktur, 1982; *The drama of
the MA.*, hg. C. Davidson, N.Y. 1982; J.
S. Street, *French sacred drama*, Cambr.
1983; *The theatre in the MA.*, hg. H.
Braet, Leuven 1985; J. A. Parente, *Relig.
dr. and the humanist. tradition*, 1987; B.
Neumann, Geistl. Schausp. i. Zeugnis d.
Zt., 1987.

Geistliches Lied, sangbares, stro-
phisches relig. Lied um christl.
Glaubensinhalte zum Unterschied
vom liturgisch gebundenen Kirchenlied einerseits und der weiten
undogmat.-individuellen relig. Lyrik andererseits, meist für den gemeinschaftl. Volksgesang entstanden. Das dt. g. L. entsteht aus Nachbildung der neulat. christl. (Ma-
rien-)Hymnen, so zuerst das *Melker
Marienlied* (1140); es folgen Kreuz-
zugshymnen (→Kreuzzugsdich-
tung) und zur Zeit des Minnesangs
wie im SpätMA. g. L.er in Form des
→Leis (WALTHERS *Leich* u.a.), u.a.
geistl. Tagelieder und →Kontrafak-
turen weltl. Lieder; in Italien entstehen relig. Lobgesänge, sog. →›Laudes‹ nach dem Vorbild FRANZ VON
ASSISIS *(Sonnengesang, Laudes
creaturarum)*, bes. bei JACOPONE DA
TODI. In Dtl. bringt die Folgezeit
nur relig. Themen der Spruchdichter und Meistersinger, dann im 15.
Jh. unter dem Einfluß des Meister-

sangs, der Volkslieder und der neulat. Hymnen die g. L.er des
MÖNCHS VON SALZBURG, des
Schweizers HEINRICH VON LAUFEN-
BERG, weniger HUGOS VON WOL-
KENSTEIN. Erst die Reformation
bringt neuen Aufschwung; LUTHER
machte das von der Gemeinde gesungene g. L. zum festen Bestandteil
des Gottesdienstes, damit zum
→Kirchenlied; seine eigene Dichtung und die seiner Helfer nahm das
geistl. Volkslied und die neulat.
Hymnen zum Vorbild für e. volkstüml. und glaubensfestes g. L., das
die Gemeinde im Gesang vereinigt,
e. Wirkung, die auch auf kath. Seite
zur Pflege des g. L. führte. Blütezeit
erreicht das g. L. im Barock, in metaphor. Aussprache des Glaubenser-
lebens oder in myst. Verinnerlichung mit Ansätzen zum subjektiven Seelenlied: ANGELUS SILESIUS,
F. v. SPEE, D. CZEPKO, in Spanien
JUAN DE LA CRUZ und TERESA DE
JESÚS auf kath., P. GERHARDT, A.
GRYPHIUS und P. FLEMING auf ev.
Seite; dann wieder im Pietismus, ge-
prägt von schlichter Innigkeit und
subjektiver Gemütstiefe: G. AR-
NOLD, G. TERSTEEGEN, L. v. ZIN-
ZENDORF, in der Aufklärung bei
GELLERT und KLOPSTOCK, im 19.
Jh. aus Erneuerung des relig. Ge-
fühls in verwandelter Form, meist
als →Kirchenlied bei NOVALIS,
BRENTANO, ARNDT, SPITTA, GE-
ROK, Luise HENSEL, A. VON DRO-
STE-HÜLSHOFF, A. KNAPP, J.
STURM u.a.m., im 20. Jh. bei R. A.
SCHRÖDER, J. KLEPPER, G. von LE
FORT, W. BERGENGRUEN und R.
SCHNEIDER. →Kirchenlied.

A. H. Kober, Gesch. d. rel. Dichtg. i. Dtl.,
1919; G. Müller, Gesch. d. dt. Liedes,
1925; R. Giessler, D. g. Lieddichtg. d.
Katholiken i. Zeitalter d. Aufklärg.,
1929; S. Singer, D. relig. Lyrik d. MA.,
1933; M. C. Pfleger, Untersuchungen an
dt. g. L. d. 13.–16. Jh., Diss. Bln. 1937;
H. N. Fairchild. *Religious trends in Engl.
poetry*, N.Y. V 1939–62; K. Berger, Ba-

rock u. Aufklärg. i. g. L., 1951; A. Esch, Engl. rel. Lyrik d. 17. Jh., 1955; J. Pfeiffer, Dichtkunst u. Kirchenlied, 1961; J. Benzinger, *Images of eternity*, Urbana 1962; L. L. Martz, *The poetry of meditation*, New Haven 1962; S. Manning, *Wisdom and Number*, Lincoln 1962; A. S. P. Woodhouse, *The poet and his faith*, Chic. 1965; J. Janota, Stud. z. Funktion u. Typus d. dt. g. L. i. MA., 1968; R. Gerling, Schriftwort u. lyr. Wort, 1969; P. Dronke, D. Lyrik d. MA. II, 1973; B. K. Lewalski, *Protest. poetics and the 17th century rel. lyrics*, Princeton 1978; D.-R. Moser, Verkündigg. durch Volksgesang, 1981; I. Scheitler, D. g. L. i. dt. Barock, 1982; Frömmigkeit d. früh. Neuzeit, hg. D. Breuer, Amsterd. 1984.

Gekreuzte Reime →Kreuzreim

Gekrönter Dichter →Dichterkrönung

Gelegenheitsdichtung, aus bestimmten äußeren Anlässen (Taufe, Geburtstag, Hochzeit, Jubiläum, Sieg, Fest, Fürstenpreis, Tod, Begrüßung, Abschied u.a.), teils auf Bestellung (→Auftragsdichtung) verfaßte Dichtung, die der festl. Erhöhung e. Tagesereignisses dient, damit ihre Aufgabe erfüllt und selten darüber hinaus großen künstler. Wert besitzt, oft dagegen auf der Stufe lyr. →Gebrauchsliteratur. Bes. in Humanismus, Renaissance und Barock beliebt, von SCALIGER u.a. Renaissancepoetikern ausführlich behandelt, von OPITZ dem Epos und der Tragödie gleichgesetzt und zu den →Silvae gezählt. Der Barock überträgt die lat. G. der Humanisten mit Übersteigerung der Stilmittel, allegor., gelehrten und fremdartig-mytholog. Apparat in e. Fülle von Hochzeits→carmina mit erot. Anspielungen, lobenden Leichencarmina, →Festspiele u.a.m. Bevorzugte Formen sind Sonett, Ode und Alexandriner, ferner Formspielereien wie Echo, Bilderlyrik u.a., wobei oft das Mißverhältnis von Anlaß und prunkend hohlem Aufwand heute peinlich wirkt. Mit dem Durchbruch des individuellen Bekenntnis- und Erlebnistons in der G. Ch. GÜNTHERS und neuem Selbstverständnis des Dichtertums im 18. Jh. endet diese erste Form der G. Wenn GOETHE seine Gedichte als G. bezeichnete (zu Eckermann 18. 9. 1823), so faßte er die Gelegenheit als Anstoß e. individuellen, verinnerlichten und ins Gültige erhobenen →Erlebnisses, d.h. Dichtung nicht für, sondern aus Gelegenheiten.

M. v. Waldberg, Renaissancelyrik, 1888; C. Enders, Dt. G. bis zu Goethe, GRM 1, 1909; RL; H. Rüdiger, Göttin Gelegenheit, Arcadia 1, 1966; O. A. Webermann, Z. Probl. d. G. (*Estonian Poetry and Language*, 1965); F. Griem, Form u. Funktion d. engl. Geburtstagsdichtg., 1971; P. Matvejevitch, *La poésie de circonstance*, Paris 1972; E. M. Oppenheimer, *Goethe's poetry for occasions*, Toronto 1974; W. Segebrecht, D. Gelegenheitsgedicht, 1977; G., hg. D. Frost 1977; Dt. Barocklit. u. europ. Kultur, hg. M. Bircher 1977; J. Leighton, *Occasional poetry in the 18. cent. in Germany*, MLR 78, 1983; R. Ledermann-Weibel, Züricher Hochzeitsgedd. i. 17. Jh., 1984; J. Drees, D. soz. Funktion d. G., Stockh. 1986.

Gelehrtendichtung, Dichtung als Produkt von gelehrter Arbeit und Bildung des Verfassers (der selbst nicht beruflich Gelehrter zu sein braucht, wie auch nicht jede Dichtung e. Gelehrten G. ist), doch nicht didakt. Wissensprunk, sondern wahrhafte ›Verdichtung‹ des Wissens mit innerem Erlebnisgehalt, die dennoch oft hohes Bildungsniveau des Lesers voraussetzt. Der Hellenismus kennt das Ideal des →poeta doctus; Vermittlung antiker Kultur und Bildung bleibt weiterhin Hauptinhalt der G.: seit der karoling. Renaissance mit Hymnen und Lehrgedichten Geistlicher (ALKUIN, PAULUS DIAKONUS, HRABANUS MAURUS, WALAHFRID STRABO) oder lat. Nachdichtungen (*Waltharius*, *Ruodlieb*, HROTSVITH VON GANDERSHEIM), in der Renaissance seit der Lösung der Gelehrsamkeit vom Geistlichenstand an den Universitäten Nachahmung der antiken Vorbilder mit Hilfe von →Florilegien u. a. durch die neulat. Humanistendichter (PETRARCA, ERASMUS VON ROTTERDAM, C. CELTIS, *Amores* 1563, Eobanus HESSUS, *Heroiden* 1514, Simon LEMNIUS, *Amorum libri* 1542) und das didaktisch-allegor. →Jesuitendrama (BALDE, BIDERMANN). Die Barockdichtung ist fast durchweg G. und verwendet zuerst die dt. Sprache durchgängig bei reicher mytholog. Umschreibung in Lyrik, Lehrdichtung, Schäferpoesie und antiquarisch ausgerichteten Romanen: OPITZ, LOHENSTEIN, BUCHHOLTZ, ANTON ULRICH VON BRAUNSCHWEIG, ebenso der franz. Klassizismus. Die Aufklärung betont Interesse für Pädagogik (GELLERT, NICOLAI, KNIGGE, J. J. ENGEL, HIPPEL, PESTALOZZI), Naturwissenschaft (HALLER, BROCKES), Geographie (FORSTER) und bes. den gelehrten Staatsroman (HALLER, WIELAND). Im 19. Jh. entfaltet sich der Historismus bes. im →Professorenroman und reicht als →historischer Roman bis in die Gegenwart, in der der ›poeta doctus‹ angesichts der geistigen Situation zum neuen Idealbild des Dichters wird als intellektueller, das Wissen und die Probleme seiner Zeit souverän beherrschender, zugleich mit der lit. Tradition vertrauter und dennoch eigenschöpferischer Dichter (Th. MANN, R. MUSIL, H. BROCH, W. JENS, E. POUND, T. S. ELIOT), insbes. auch in der esoterisch-anspielungsreichen Lyrik der Nachkriegszeit (W. HÖLLERER, H. M. ENZENSBERGER u. a.). RL; G. E. Grimm, Lit. u. Gelehrtentum i. Dtl., 1983.

Geleit →Envoi, →Tornada

Geleitgedicht →Propemptikon

Geleitwort, empfehlendes →Vorwort einer namhaften (vielfach auch außerlit.) Persönlichkeit zu e. Einzelwerk, e. Sammelwerk, e. Reihe oder Zeitschrift, das vielfach aus Werbegründen vorangestellt wird.

Gelenkte Literatur, jede Lit., deren freie Entfaltung durch staatl. oder halbstaatl. Maßnahmen dirigiert und eingeengt wird, etwa durch Förderung bestimmter Tendenzen oder durch Unterdrückung anderer, nicht für opportun erachteter Richtungen; vorwiegend in faschist. und sozialist. Ländern.

Gelfrede (mhd. *gelf* = übermütig, höhnisch), die bereits bei TACITUS erwähnte und im *Hildebrandslied* wie mhd. Heldenepen erhaltene Reizrede der german. Helden vor dem Zweikampf.

Gemäldegedicht, auch Bildgedicht, hat als Gegenstand e. Werk der Malerei (ggf. auch der Plastik) und gibt entweder e. nachvollziehende Beschreibung des Dargestellten in langatmiger Verherrlichung, teils mit Anknüpfung witziger Einfälle (im antiken →Epigramm, im ma. →Totentanz, im 16./17. Jh. als Begleittext zu Einblattdrucken, Holzschnitten und Stichen, bes. im Barock: VONDEL, HARSDÖRFFER, BIRKEN, vgl. →Emblem), oder setzt den geistigen Gehalt und Eindruck des inspirierenden Werkes ganz in dichter. Stimmung u. Worte um und schafft somit ein gleichwertiges Sprachkunstwerk (Romantik: A. W. SCHLEGEL; MÖRIKE, C. F. MEYER, bes. Neuromantik: LILIENCRON, *Böcklins Hirtenknabe*, GEORGE, *Böcklin*, DEHMEL, DAUTHENDEY, HOFMANNSTHAL, RILKE, *Neue Gedichte*, WEINHEBER). Urform schon in den antiken Epen, etwa der Schild des Aeneas bei VERGIL. LESSINGS →*Laokoon* trug zur

Besinnung auf die grundlegenden Unterschiede von Dichtung und bildender Kunst und deren Eigengesetze bei. KLEIST parodiert das G. im *Zerbrochenen Krug* mit dessen Beschreibung. →Bilderlyrik, →Dinggedicht, →Beschreibung, →ut pictura poesis.

W. Waetzold, Malerromane u. G.e (Westerm. Monatsh. 116, 1914); RL; H. Rosenfeld, D. dt. Bildgedicht, 1935; G. Kranz, D. Bildgedicht i. Europa, 1973; ders., D. Bildgedicht, III 1981–87; W. Jost, Gedd. auf Bilder, NKL, 1984; G. Kranz, Meisterwke i. Bildgedd., 1986; A. Pieczonka, Sprachkunst u. Bild. Kunst, 1988.

Gemeinfreie Werke, Werke, deren →Schutzfrist abgelaufen ist und deren Nachdruck daher jedem freisteht.

Gemeinplatz (WIELAND 1770 für lat. *locus communis*), allg. bekannte und unbestrittene, daher nichtssagende Behauptung, oft in Form stehender Redensart: ›Das Leben ist schwer‹. →Topos, ›Floskel.

E. Gülich, Was sein muß, muß sein, 1978; I. Meichsner, D. Logik v. G.en, 1983.

Gemenge, in der mutmaßlichen urgerman. Kleindichtung das ungeordnete Nebeneinander von einzelnen oder paarweisen Lang- und Kurzzeilen.

Gemination (lat. *geminatio* = Verdopplung) →Epanalepse.

Genealogie (griech. *genealogia* =) Geschlechterkunde, allg. die Sippen- und Geschlechterforschung als histor. Hilfswissenschaft, insbes. aber die Stammreihe zur Herleitung der Abkunft von den (männlichen) Ahnen. Sagenhafte G.n erscheinen in der pseudohistor., chronikal. Lit. und der alten Epik als myth. Form, z.B. im AT. der Stammbaum Abrahams von Adam her, in den Geschlechtsregistern der antiken und ma. Epik, die ihre Hauptfiguren

vielfach von den trojan. Helden herleitet, und in den nordgerman. Sagas.

P. Philippson, G. als myth. Form, Oslo 1936; A. Schröcker, D. dt. G. i. 17. Jh. (Archiv f. Kulturgesch. 59, 1977).

Genera dicendi →Stilarten

Generalprobe, die letzte, vollständige →Probe e. Theater-, Musik-, Ballettstücks vor der →Erstaufführung, meist nur den Beteiligten, deren Angehörigen und der Presse zugänglich.

Generation (lat. *generatio* = Zeugung), die Geschlechterfolge innerhalb der Familie (Vater-Sohn-Enkel) bei e. durchschnittl. Altersabstand von 30–35 Jahren; allg. die Gesamtheit der Zeitgenossen e. Menschenalters (geschichtl. G.), die weniger durch biolog. Vererbung und Geburt (H. v. MÜLLER) als auf Grund gemeinsamer Bildung, Anschauungsweise und Lebenserfahrungen und gemeinschaftl. Erlebnisse wie Kriege und epochemachende Persönlichkeiten (K. MANNHEIM, J. PETERSEN) zu e. gewissen Gleichartigkeit des Lebensgefühls, der Welt- und Kunstanschauung wie der Stilformen gelangt. Der Begriff fand um 1850 Aufnahme in die Geschichts- und um 1880 in die Lit.-wissenschaft und galt dem Positivismus und der Geistesgeschichte als geschichtl. Ordnungsprinzip und Erklärung des Weltanschauungs-, Geschmacks- und Formenwandels aus dem Gegensatz von Vätern und Söhnen, sollte aber zugleich Rückschlüsse auf Vergangenheit und Zukunft ermöglichen: W. SCHERER schloß aus der Zusammenfassung mehrerer G.en auf e. Periodik lit. Blütezeiten von 600 Jahren (1200, 1800, vermutlich 600). DILTHEY verstand G. als Schicksal, so bes. in der dt. Frühromantik, die unter dem Eindruck der Klassik zur Schaffung eigener Aussageformen vordringen muß. Trotz der Richtigkeit zugrunde liegender Erkenntnisse und der Lockerung der chronologisch oder landschaftlich begrenzten Darstellung durch das G.prinzip birgt die Anwendung auf die Geistes- und Lit.geschichte die Gefahr e. vergewaltigenden Darstellung des geistigen und künstler. Lebens in seiner nicht allein biologisch faßbaren Fülle und dem Ineinander alter und neuer Einflüsse schon durch die Überlagerung der G.en. →G. von 98, →Beat g., →Lost g.

W. Pinder, D. Problem d. G., 1927; K. Mannheim, D. Problem d. G.en (Kölner Vierteljahrshefte f. Soziologie, 1928); H. v. Müller, 10 G.en dt. Dichter u. Denker, 1928); R. Alewyn, D. Problem d. G.en i. d. Gesch. (Zs. f. dt. Bildg. 5, 1929); J. Petersen, D. lit. G.en (Philos. d. Lit.wiss., hg. E. Ermatinger 1930); K. Hoppe, D. Probl. d. G. i. d. Lit.wiss. (Zs. f. Dtkunde 49, 1930); W. Linden, D. Problem d. G.en i. d. Geistesgesch. (Zeitwende 8, 1932); W. Schachner, D. G.sproblem i. d. Geistesgesch., 1937; H. Peyre, *Les g.s lit.*, Paris 1948; H. P. H. Teesing, D. Magie d. Zahlen (Misc. litt. 1959); N. A. Donkersloot, Neophil. 43, 1959; J. Marias, *G.s*, Alabama 1967; J. K. King, *The g. theory in German lit. criticism*, GLL 25, 1971 f.; H. Elema, G.sgruppen, ZDP 97, 1978; W. Krauss, Periodisierg. u. G.stheorie (in: D. Innenseite d. Weltgesch., 1983).

Generationsroman   →Familienroman

Generation von 98 (*generación del 98*, Prägung von AZORÍN 1913), die junge Dichtergeneration der span. Lit. nach der Niederlage Spaniens gegen die USA von 1898 und dem Verlust der letzten Kolonien, gekennzeichnet durch das Streben nach nationaler Wiedergeburt, Besinnung auf die Volkstumskräfte und zugleich Ausbruch aus der Isolation, Aufgeschlossenheit gegenüber europ. Kultur und geistigem Austausch mit Iberoamerika, stilist. durch Verzicht auf Prunk und Rhetorik zugunsten nüchterner Sachlichkeit. Hauptvertreter: GANIVET,

AZORÍN, BENAVENTE, BAROJA, MACHADO Y RUIZ und R. M. DEL VALLE-INCLÁN, später ORTÉGA Y GASSET, UNAMUNO, R. DARÍO und PÉREZ DE AYALA.

H. Jeschke, D. G. v. 98 in Spanien, 1934; P. Laín Entralgo, *La g. del 98*, 1945, [6]1967; L. Granjel, *Panorama de la G. del 98*, Madrid 1959; ders., *La g. lit. del 98*, Salamanca 1966; H. Ramsden, *The 1898 movement in Spain*, Manch. 1974; D. L. Shaw, *The g. of 1898 in Spain*, Lond. 1975.

Generation von 1927 bzw. **1925,** bedeutendste span. antirealist. und antiromant. Dichtergruppe, fand sich 1927 zum 300. Todestag L. de GÓNGORAS zusammen, strebte nach zeitgemäßer Wiederbelebung der span. Klassik, Besinnung auf lyr. Formkunst und lyr. Sprache im Anschluß an mod. franz. Symbolismus und Surrealismus sowie intensive Metaphorik nach Vorbild GÓNGORAS: R. ALBERTI, V. ALEIXANDRE, D. ALONSO, L. CERNUDA, G. DIEGO, F. GARCÍA LORCA, J. GUILLÉN, J. LARREA, M. ALTOLAGUIRRE u. a.

C. B. Morris, *A generation of Span. poets*, Cambr. 1969, n. 1978.

Genero chico (span. = kleine Gattung), typ. Gattung des span. Dramas der Zeit 1868 – um 1910, in der einzelne Schauspieltruppen als Reform der Vorstellungsdauer auf eine Stunde beschränkten und dadurch die kostspieligen, langdauernden Theatervorstellungen der Zeit auch breiteren Kreisen zugänglich machen wollten: leichte, einaktige Komödien mit lustigen Szenen aus dem Volksleben vorwiegend Madrids, später meist mit Musikbegleitung, die als lebendige, unlit. und anspruchslose Unterhaltung gedacht waren, jedoch durch Zusammenarbeit einfallsreicher Stückeschreiber (R. de la VEGA, *La verbena de la paloma*, C. ARNICHES, J. de BURGOS, M. RAMOS CARRIÓN, V.

Aza, T. Luceño u. a.), Schauspieler und Musiker zu erfolgr. kleinen Meisterwerken wurden und die Gattung über Spanien hinaus verbreiteten. Die Vorläufer des G. c. liegen in den →Sainetes und →Entremeses des MA. und den →Zarzuelas.

M. Zurita, *Hist. del g. c.*, Madrid 1920; M. Muñoz, *Hist. de la zarzuela y el g. c.*, Madrid 1946; J. Deleito y Piñuela, *Origen y apogeo del g. c.*, Madrid 1949; C. Vian, *Il teatro chico spagnolo*, Maild. 1957.

Genethliakon (griech. *genethlia* = Geburtstag), Form der antiken →Gelegenheitsdichtung: Glückwunschgedicht zur Geburt e. Kindes oder Geburtstagsfeier, meist als stark rhetor. Kunstpoesie reich an Flores und Topik: Statius (*Silvae* II, 7; IV, 7 u. 8), Ausonius, ähnlich Vergil *Ekloge* 4. Das Motiv des Geburtstags erscheint auch in anderen Dichtarten bei Tibull, Ovid, Persius, Martial. Daneben bildet die antike Rhetorik den Logos des Genethliakos (Geburtstagsrede) aus.

E. Cesareo, *Il carme natalizio nella poesia latina*, 1929.

Genie (franz., v. lat. *genius* = Geist, Schutzgeist, Erzeuger), Begabung zu eigenschöpferischer Gestaltung und ›genialer Mensch‹ als wesentl. irrational bestimmter Träger dieser Fähigkeit, gekennzeichnet durch Intuition, Originalität und Spontaneität. Kernbegriff des 18. Jh. im Ggs. zum Rationalismus: Diderot betont die Fähigkeit zu göttl. Begeisterung und Schöpferkraft, Addison die Phantasie, E. Young die schöpfer. Freiheit, Shaftesbury den schöpfer. Enthusiasmus, Bodmer, Gellert und Lessing die Unabhängigkeit von Mustern und Regeln. Von Hamann, Herder, Lavater, Goethe und dem Sturm und Drang überhaupt wird das →Originalgenie, das seine eigenen Regeln entwirft, bes.

im Bild des Prometheus, als nicht verstandes-, sondern gefühlsbetont, zum Ideal erhoben: Schiller setzt es dem →naiven Dichter gleich; e. neue G.verehrung beginnt mit Nietzsches Philosophie des Übermenschen, die auch Th. Manns Roman *Doktor Faustus* zugrundeliegt. In der Übersteigerung des G. zum Wahnsinn liegt oft die Tragik dieser überragenden Ausnahmepersönlichkeiten (Tasso, Swift, Hölderlin, Lenau, Nietzsche, Kafka); Plato freilich meint mit dem ›göttlichen Wahnsinn‹ der Dichter die nach unmittelbarer Gestaltung drängende Intuition. →Sturm und Drang, →Talent.

F. Brentano, D. G., 1892; J. Ernst, D. G.-begriff d. Stürmer u. Dränger, Diss. Zürich 1916; H. Wolf, Versuch e. Gesch. d. G.-begriffs i. d. Ästhetik d. 18. Jh., 1923, n. 1973; E. Zilsel, D. Entstehg. d. G.-begriffs, 1926; W. Lange-Eichbaum, D. G.problem, 1930; B. Rosenthal, D. G.-begriff d. Aufklärgs.zeitalters, 1933; P. Grappin, *La théorie du g. dans le préclassicisme allemand*, Paris 1952; RL: Dichter; E. Lauterborn, Beitr. z. Gesch. d. franz. G.begriffs i. 18. Jh., Diss. Freib. 1952; W. Lange-Eichbaum, G., Irrsinn u. Ruhm, [6]1967; R. Brain, *Some reflections on genius*, Lond. 1960; A. Gehring, G. u. Verehrergemeinde, 1968; R. Currie, *Genius*, Lond. 1974; W. Schmidt-Dengler, Genius, 1978; F.-J. Meissner, Wortgesch. Unters. i. Umkreis v. franz. enthousiasme u. g., Genf 1979; R. Virtanen, *On the dichotomy between genius and talent*, CLS 18, 1981; G. Peters, D. zerrissene Engel, 1982; D. Bromwich, *Reflections on the word genius*, NLH 17, 1985; J. Schmidt, D. Gesch. d. G.-Gedankens i. d. dt. Lit., II 1985.

Geniezeit, -periode (zu →Genie) →Sturm und Drang

Genos, Genus (griech.-lat. = Art, Gattung) →Stilarten

Genre (franz. =) →Gattung (2: Dichtarten)

Genrebild (franz. *genre* = Gattung), der Malerei entlehnte Bz. für kürzere, vorwiegend ep. Prosadarstellungen meist typ. Ereignisse, Personen und Sittenbilder aus dem friedvollen, beschaulichen bürgerl. oder ländl. Familien- und Alltagsleben in kurzen, einheitlich geschlossenen, handlungsarmen, selbstgenügsamen Szenen von leichtem Humor oder idyll. Sentimentalität, bes. in den Moralischen Wochenschriften des 18. Jh., dann wiederum in Episoden innerhalb von Einzelwerken aus Sturm und Drang, Romantik (JEAN PAUL, ARNIM), Biedermeier (STIFTER, MÖRIKE, DROSTE) und Realismus (GOTTHELF, STORM, FONTANE), bis dieser auch von beschreibenden Episoden e. funktionelle Bedeutung verlangt. Später in Jugendschriften. →Idyll.

E. Seybold, D. G. i. d. dt. Lit., 1968.

Geonym (griech. *ge* = Erde, *onoma* = Name), Form des →Pseudonyms, das an die Stelle des Autorennamens auf die geographische Herkunft des Verfassers verweist: ›von einem Schweizer‹.

Georg-Büchner-Preis →Deutsche Akademie für Sprache und Dichtung

George-Kreis, elitär-exklusiver Gelehrten- und →Dichterkreis um den ›Meister‹ St. GEORGE und die *Blätter für die Kunst*, (1892–1919): Ringen um relig. vergeistigte Weltanschauung, aristokratisch formstrenge Wortkunst und sakraler Persönlichkeitskult: L. ANDRIAN-WERBURG, K. WOLFSKEHL, E. BERTRAM, F. GUNDOLF, M. KOMMERELL, P. GÉRARDY, L. KLAGES, ferner der junge HOFMANNSTHAL, DAUTHENDEY, VOLLMOELLER, DERLETH, BOEHRINGER, HELLINGRATH, K. HILDEBRANDT, E. KANTOROWICZ, C. A. KLEIN, H. v. HEISELER, E. HARDT und F. WOLTERS.

F. Gundolf, St. George, 1920; F. J. Brecht, Platon u. d. G., 1929; F. Wolters,

St. George u. d. ›Bll. f. d. Kunst‹, 1930; H. Rößner, G. u. Lit.wiss., 1938; D. Jost, St. George u. s. Elite, 1949; C. David, *St. George,* 1952; E. Salin, Um St. George, ²1954; G. P. Landmann, St. G. u. s. Kreis, 1960, ²1976 (Bibl.); Der G.-K., hg. G. P. Landmann 1965, ⁴1980; M. Winkler, G.-K. 1972; M. Nutz, Werte u. Wertungen i. G.-K., 1976; K. Kluncker, D. G.-K. als Dichterschule (Fin de siècle, hg. R. Bauer 1977); K. Landfried, Politik d. Utopie (Schriftst. u. Politik i. Dtl., hg. W. Link 1979); M. Landmann, Figuren um S. G., Amsterd. 1982; Gestalten um S. G., hg. J. Aler, Amsterd. 1984; K. Kluncker, D. geheime Dtl., 1985.

Georgian Poets, Sammelbz. für eine Gruppe traditionsverbundener engl. Lyriker während der Regierungszeit Georgs V. (1910–36), deren vorwiegend konventionelle, zartfühlende, epigonal-spätromant. Naturgedichte 1912–22 in den fünf von E. MARSH herausgegebenen Anthologien *Georgian Poetry* veröffentlicht wurden. Hauptvertreter: E. BLUNDEN, J. MASEFIELD, W. DE LA MARE, R. BROOKE, L. ABERCROMBIE, W. H. DAVIES, W. W. GIBSON, H. MONRO, R. GRAVES, J. DRINKWATER und D. H. LAWRENCE.

F. Swinnerton, *The Georgian Literary Scene,* Lond. 1935, n. 1969; R. H. Ross, *The Georgian Revolt,* Lond. 1966.

Georgik (griech.), nach VERGILS *Georgica*, Lehrgedichten über den Landbau, gelegentl. Gattungsbezeichnung für ›Landlebendichtung‹, d. h. poet.-didakt. Unterweisung in Landarbeit und Viehzucht, z. T. mit Verherrlichung des Landlebens als arkad. Existenz und Goldenes Zeitalter, dann Nähe zur →Hirtendichtung. Nach antikem Vorbild HESIODS *(Werke und Tage)* und VERGILS auflebend in der Renaissance: POLIZIANO, *Rusticus* 1483, VIDA *De bombyce* 1527, ALAMANNI, *La coltivazione* 1546, TUSSER, *500 points of good husbandry* 1573, RAPIN, *Horti* 1665, dann wieder im 18. Jh.: THOMSON, *The seasons*

1726, Cowper, *The task* 1785; im 20. Jh. bei F. Jammes, *Géorgiques chrétiennes* 1911 und C. Simon, *Géorgiques* 1981.

J. Chalker, *The Engl. g.*, Baltimore 1970; Europ. Bukolik u. G., hg. V. Garber 1976.

Gerichtsspiel →Weltgerichtsspiel

Germanischer Versbau ist →akzentuierend im Ggs. zum →quantitierenden →antiken Vers.

Germanismus, beim Übersetzen in andere Sprachen übertragene Eigentümlichkeit der dt. Sprache (Redewendung, Wortstellung, z.B. Endstellung des Prädikats im Nebensatz), die in Fremdsprachen beabsichtigt eigenartig oder fehlerhaft wirkt.

Germanistik, urspr. die german. →Philologie im weitesten Sinne: Sprach- und →Lit.wissenschaft, Volks-, Altertums- und Rechtskunde aller german. Völker, doch gemeinhin auf dt. Philologie begrenzt. Als selbständige Wissenschaft neben der Altphilologie und als Universitätsdisziplin von den Brüdern Grimm und K. Lachmann Anfang des 19. Jh. begründet, später histor. in ältere (evtl. mittlere) und neuere G., sachlich in Literaturwissenschaft und Linguistik aufgeteilt. Zur Geschichte der G. →Literaturwissenschaft.

Lit. →Philologie.

Gerüststrophen, im Volkslied Strophen, bes. Kehrreime, deren feststehendes Gerüst bei Wiederkehr nur einzelne Worte variiert.

Gesätz →Aufgesang

Gesammelte Werke, als Editionsbz. für e. Teilausgabe e. Gesamtwerks oft nur ›Ausgewählte Werke‹ oder noch vor Schaffensabschluß des Verfassers herausgegebene, nicht immer das Gesamtwerk umfassende Ausgaben. Sie bieten durch ungekürzten Abdruck aller wichtigen Werke, z.T. separat käuflich (G. W. in Einzelausgaben) e. Querschnitt durch das Gesamtschaffen e. Autors und dürfen daher im Ggs. zu ›Ausgewählten Werken‹ weder einzelne Werke unvollständig enthalten noch unangemessene Schwerpunkte setzen. →Gesamtausgabe.

F. Strich, Üb. d. Herausgabe g. W. (in: Kunst u. Leben, 1960).

Gesamtausgabe, ungekürzte Ausgabe e. (etwa vorher in Teilen veröffentlichten) Einzelwerkes oder einer zusammengehörigen Gruppe von Einzelwerken (z.B. aller Dramen, Erzählungen o.ä.) oder ›sämtlicher Werke‹ e. Verfassers. Vgl. →Kritische Ausgabe.

Gesamtkunstwerk, Vereinigung aller Künste: Dichtung, Musik, Mimik, Tanz, Malerei und Architektur zu e. einheitlichen, großartig rauschhaften Ganzen in Wort, Ton und Bild, die dem allerdings, da die bloße Addition der Wirkungen keine Steigerung bedeutet, ein Kunstbereich meist strukturell überwiegt; nach Ansätzen im archaischen sakralen Drama und im geistl. Drama des MA. zuerst wieder in den von der Kulissenkunst beherrschten Festspielen des Barock, bes. aber von R. Wagner (*Das Kunstwerk der Zukunft,* 1850) geprägter Ausdruck für seine kult. ›Bühnenweihefestspiele‹ und Bühnenfestspiele unter Rückgriff auf german. und ma. Sagengestalten, letztmögliche Steigerung der ›progressiven Universalpoesie‹ F. Schlegels mit Überwiegen des musikal. Elements, das über dichter. Schwächen hinweghebt (→Musikdrama).

S. Kunze, R. Wagners Idee d. G. (Beitr. z. Theorie d. Künste i. 19. Jh., hg. H. Koopmann, Bd. 2, 1972); J. Werner, D. G. als Utopie, Universitas 36, 1981; R. Görner, Üb. d. Trenng. d. Elemente, MuK 29, 1983; D. Hang z. G., hg. H. Szeemann 1983.

Gesang, in der Lit. Untergliederungseinheit des →Epos, entsprechend auch = →Canto.

Gesangbuch, Slg. volkssprachl. →Kirchenlieder für den gottesdienstl. oder privaten Gebrauch, heute meist in Anordnung nach dem Kirchenjahr. Weite Verbreitung erst nach Erfindung des Buchdrucks möglich. LUTHER führt zuerst den Gemeindegesang ein; das erste ev. *Gesangbüchlein* mit acht Liedern erscheint 1524 in Wittenberg; es folgen, ebenfalls unter LUTHERS Aufsicht, andere offizielle G.er in Straßburg, Leipzig (V. BABST 1545) und Rostock (J. SCHLÜTER, 1531, plattdt.), e. reformiertes Züricher G. 1540, auf kath. Seite der Hallesche Stiftspropst M. VEHE 1537 mit e. *New Gesangbüchlein Geystlicher Lieder,* des Bautzener Domdechanten J. LEISENTRITT *Geistliche Lieder und Psalmen* (1567) mit Übernahme von 66 protestant. Texten, ferner 1575 e. gereinigtes offizielles Diözesan-G. des Bischofs von Bamberg, WALASSER (Tegernsee 1574), HECYRUS (Prag 1581), Innsbrucker G. (1587), Würzburger G. (1581), Jesuiten-G.er seit 1596, Kölner G. des Bischofs von Speyer (1599, zuerst mit ›Es ist ein Ros‹ entsprungen‹), N. BEUTTNER (Graz 1602), teils mit volkstüml. Liedern u.a.m. Der volksnahe Gemeindegesang des 16. Jh. geht im 17. Jh. in persönlich gehaltene →geistliche Lieder über: P. GERHARDT, ANGELUS SILESIUS, F. von SPEE, Die Fülle der Kirchenlieddichtung (FREILINGHAUSENS *Geistreiches G.* von 1714 mit 815 Liedern) führt zur Auswahl des Geeignetsten aus beiden Konfessionen und zu landschaftlich versch. G.ern, ebenso wie zur Anpassung an den Zeitgeschmack (barocke Titel: *Himmlischer Harfenklang, Geistlicher Paradeiß-Vogel, Keusche Meer-*

Fräulein). Weiteren Zuwachs brachte die Dichtung des →Pietismus und der Aufklärung: GELLERT, KLOPSTOCK (*Geistliche Lieder,* 1758), LAVATER, SCHUBART u.a. Die kath. Romantik nimmt ma. und barocke Texte wieder auf, bes. H. BONES *Cantate* (1847); der Cäcilienverein pflegt seit 1867 das kath. Kirchenlied, doch abgesehen von zahlr. offiziellen Diözesan-G.ern und dem auf der Fuldaer Bischofskonferenz 1916 aufgestellten Kanon von 23 Liedern als Grundstock des G. kam es erst 1975 zu e. kath. dt. Einheits-G. *(Gotteslob).* Das ev. G. erhält im 19./20. Jh. das alte und historisch empfundene Liedgut ohne wesentl. Neuzuwachs, der dem veränderten Lebensgefühl Rechnung trägt: im einheitl. *Ev. Kirchen-G.* von 1950 zeigt es e. Stamm von 394 Liedern mit regional abweichenden Zusätzen. →Graduale, →Antiphonar.

M. Dreves, E. Wort z. G.frage, 1884; P. Sturm, D. ev. G. d. Aufklärg., 1923; RL¹; H. Petrich, Unser G., 1924; L. Cordier, D. dt. ev. Liedpsalter, 1929; O. Söhngen, D. Zukunft d. G., 1949; Ch. Mahrenholz, D. ev. Kirchen-G., 1951; I. Röbbelen, Theologie u. Frömmigkeit i. dt. ev. G., 1957; K. Küppers, Diözesan-Gesang- u. Gebetbücher d. dt. Sprachgebiets i. 19. u. 20. Jh., 1987.

Gesangspruch, einstrophige lyr. und zur Instrumentalbegleitung (Fiedel) durchkomponierte Form der →Spielmannsdichtung mit anfangs religiös-didakt., später mehr persönl. Inhalten (Fürstenpreis, Klage); von WALTHER VON DER VOGELWEIDE als polit. Werbung an höf. Kreise benutzt.

Geschehnisdrama →Handlungsdrama

Geschichte →Erzählung

Geschichtliches Lied →historisches Lied

Geschichtsallegorie, Anspielung auf gegenwärtige polit. Zustände durch Darstellung e. ähnlichen

Situation in der Vergangenheit, z. B. LOHENSTEINS *Arminius,* ähnl. KLEISTS *Hermannsschlacht.* → Schlüsselroman.

Geschichtsdichtung, allg. jede dichter. Gestaltung der Vergangenheit im Ggs. zur wiss. exakten Geschichtsschreibung. Sie zeigt, soweit nicht e. oberflächlich historisierendes Gewand der ›bildenden‹ Unterhaltungslit. als Umkleidung dient, an histor. Stoffen wie Kulturbildern, Ereignissen und bes. Persönlichkeiten (beliebt wegen konzentrierter Thematik) Wesen und Wirkung der geschichtl. Kräfte in Entfaltung und Ablauf und bedient sich bes. des →historischen Dramas und →historischen Romans. Sie dokumentiert das Geschichtsbild des Verfassers, versucht e. Sinndeutung des Vergangenen aus eigener (mod., relig., nationaler, soz., krit., ideolog. usw.) Sicht und dient oft der Einkleidung e. polit. Tendenz (KLEISTS *Hermannsschlacht),* dem Preis von Herrscherhäusern (SHAKESPEARES Königsdramen, RAUPACH, WILDENBRUCH) oder der angenehmen und ästhetisch ansprechenden Form geschichtl. Belehrung (→historischer Roman, →Professorenroman).

V. Klemperer, D. Arten d. hist. Dichtung, DVJ 1, 1923; E. Heinzel, Lex. hist. Ereign. u. Pers. i. Kunst, Lit. u. Musik, 1956; ders., Lex. d. Kulturgesch. i. Lit., Kunst u. Musik, 1962; RL: Lit. u. Gesch.; Gesch. i. d. österr. Lit. d. 19. u. 20. Jh., 1970; G. M. Koch, Z. Verh. v. Dichtg. u. Gesch.schreibg., 1983.

Geschichtsdrama →historisches Drama

Geschichtsklitterung, nach dem Titel von FISCHARTS *Gargantua und Pantagruel* (²1582) Bz. für fehlerhafte, entstellende und tendenziösparteil. Geschichtsschreibung.

Geschichtsroman →historischer Roman

Geschichtssage, im Ggs. zur Natur-, Volks-, Göttersage und Legende e. um histor. Ereignisse gebildete →Sage, bes. die →Heldensage der Völkerwanderungszeit (z. B. Burgundenuntergang im *Nibelungenlied).* Kennzeichnend für die sagenmäßige Auffassung histor. Zusammenhänge in der G. ist, daß ihnen nie politische, stets nur zwischenmenschl. oder persönl. Ursachen zugrunde gelegt werden. Frei von aller histor. Objektivität, schaltet sie oft sehr willkürlich mit Tatsachen und Personen, überhäuft hervorragende Helden eines Zeitalters mit Wundertaten und Worten (Dietrich von Bern) und sucht in Zeiten der Not Trost im Glauben an eine Wiederkehr des alten Glanzes (→Kaisersagen).

Geschlossene Form →Tektonik, →offene Form

Geschmack, das Vermögen zu unmittelbarer, spontaner, objektiver, differenzierter Beurteilung e. Kunstwerks nach adäquaten Gesichtspunkten aus dem ästhet. Erlebnis heraus vor theoret. Reflexion, die Ansprechbarkeit für ästhet. Werte allg., das in gewissem Grade wandelbar ist (Zeit-G.), sodann das spezielle ästhet. Empfinden e. einzelnen, e. Gruppe oder Epoche als Reaktion auf die Lit. der Zeit. Erst das pädagog. 18. Jh. bemüht sich um lit. G.sbildung des Publikums (GOTTSCHED, BREITINGER, NICOLAI, WIELAND, LESSING, KANT, GERSTENBERG, HERDER, SCHILLER) durch →Kritik (→Ästhetik). Angesichts der Tendenz der erarbeiteten ästhet. Grundbegriffe und Kunstsetze, für e. epigonal-traditionelle Kunstübung und das konservative Bildungsbürgertum zu zeitunabhängigen Konstanten zu werden, wird der herrschende G. zum Angriffsziel jeder →Avantgarde. Der Geschmackswandel innerhalb der Epochen und einzelner Gruppen, der sich innerhalb e. ganzen sozialen Schicht, e. Sprachgemeinschaft oder e. Kulturkreises nach dem Wechsel der Leitbilder mit typ. Phasenverschiebungen vollzieht, und seine historisch-soz. Bedingungen sind Forschungsgebiet der →Literatursoziologie. Er ist vielfach an Generationswechsel, soziale Umschichtungen, geistesgeschichtl. Umstürze, histor. Ereignisse, neue Bildungsgebiete und Interessenbereiche gebunden und kann durch auswählende Instanzen (etwa in Verlag und Theater) oder geschmacksbildende Vorbilder (früher die höf. oder großbürgerl. Gesellschaft, heute das Establishment in Lit., Theater, Kritik und Wissenschaft) und die ihnen zur Verfügung stehenden Massenmedien bis zu e. gewissen Grade gelenkt werden, allerdings mit charakterist. Ausnahmen etwa bei unerwarteten Bucherfolgen oder Fehlschlägen hochgelobter Werke beim breiten Publikum, das sich z. T. nicht an den Geschmacksrichtern, sondern an ephemeren Moden orientiert.

R. Schaukal, Vom G., 1910; L. Schükking, Lit.gesch. u. G.sgesch., GRM 5, 1913; ders., Soziologie d. lit. G.sbildung, 1931, ³1961; B. Heimann, Üb. d. G., 1924; RL; W. Weisbach, V. G. u. seinen Wandlgn., 1947; W. Ziegenfuß, D. Überwindg. d. G., 1947; J. D. Hart, *The popular book*, Berkeley 1950; A. M. Clark, *Stud. in lit. modes*, Lond. 1958; B. S. Allen, *Tides in Engl. Taste*, N.Y. II 1961; H. Klein, *There ist no Disputing about Taste*, 1967; R. Peacock, *Criticism and personal taste*, Oxf. 1972; J.-B. Barrère, *L'idée du goût*, Paris 1972; G. della Volpe, Kritik d. G., 1978; H.-J. Gabler, G. u. Gesellsch., 1982. →Publikum.

Geschweifter Reim →Schweifreim

Gesellschaften, literarische, dienen neben dem allg. Interesse an der Literatur und der Förderung von deren Pflege, Verbreitung und Verständnis in Diskussionen, Spezialbibliotheken und period. Veröffentlichungen insbes. der Publikation, Sammlung, Erhaltung und Pflege des Werkes einzelner dt. und ausländ. Dichter der Vergangenheit, so z. B. A.-Stifter-G., Annette-von-Droste-G., Dt. Dante-G., Dt. Schiller-G., Dt. Shakespeare-G., E.-Barlach-G., Goethe-G., G.-Hauptmann-G., W.-Raabe-G., Grabbe-G., Heine-G., Jean-Paul-G., Klaus-Groth-G., P.-Ernst-G., Th.-Storm-G., →Freies Dt. Hochstift u. v. a. Vgl. →Sprach-G.

Aufzähl. d. dt. G.: Kürschners Dt. Lit. Kal., d. ausländ. G.: Cassell's *Encyclopaedia of Lit.* I, ²1973 s. v. Societies.

Gesellschaftsdichtung, im Ggs. zur →Individualdichtung die lit. Produktion aus der (höheren) Gesellschaft und für diese. Die Werke werden schon im Entstehen nicht allein von der Verfasserpersönlichkeit, sondern weitgehend vom Rezipientenkreis und dessen geist., eth., ästhet. und soz. Normen beeinflußt, entsprechen dessen Verhaltensmustern in typ. Figuren und zeigen uniforme, konventionelle und repräsentative Züge, weniger individuelle Gefühlsaussprache. Die G. blühte in Minnesang und höf. Epik, dann im 16./17. Jh.: Renaissance, Frühbarock bis Anakreontik (→Galante Dichtung, →Hirtendichtung, →Singspiel, →Gesellschaftslied), in Frankreich bes. die →Plejade; erst die Auflösung der verbindl. Gesellschaftsstruktur bringt ihr Ende und damit die neue Stellung des Dichters ohne →Publikum, ohne festen Hörerkreis, für den er dichtet, führt zur Gesellschaftskritik, die ihrerseits wieder Erwartungen der Rezipienten entsprechen kann.

Gesellschaftskomödie   →Konversationsstück

Gesellschaftslied (Bz. von HOFF-
MANN VON FALLERSLEBEN 1844), im
Ggs. zum →Volkslied e. aus Lebenskreis, Welthaltung und Gefühlslage
e. beliebigen Gesellschaft entstandenes, für sie bestimmtes und in ihr
bei Fest und Tanz gesungenes
Kunstlied mit konventionellen,
meist ital., doch der Mode unterworfenen Formen (meist strophisch:
Villanelle, Kanzone, Madrigal u. a.)
und Motiven (Liebe, Wein, Musik,
Geselligkeit, Freundschaft). Die
Minnelieder gelten nur beschränkt
als G.; die eigentliche Ausbildung
erfolgt mit dem Einsetzen e. ausgesprochen tragenden Gesellschafts-
kultur um Mitte des 16. Jh., zunächst unter dem formalen Einfluß
ital. Hofmusiker, seit REGNARDS
Villanellen (1574) mit Angleichung
von Wortlaut und Melodie, bei
LINDNER (*Gemma musicalis,* 1588)
in Kanzonettform, bei H. L. HASS-
LER, Ch. v. SCHALLENBERG und
HAUSSMANN meist in Anpassung
der Texte an Modetänze der Zeit
(Galliarde, Intrade, Pavane, Ballet-
to); erste Höhe bei J. H. SCHEIN,
Ch. DEMANTIUS, J. CHRISTEN, M.
FRANCK (Einführung der Koloratur
ins G.), JEEP, E. WEIDMANN und M.
ZEUNER. Hauptblütezeit ist der Ba-
rock mit allen großen Dichterkrei-
sen: →Königsberger (S. DACHS
›Kürbishütte‹), Schlesien (OPITZ),
Leipzig (P. FLEMING, Ch. BREHME,
C. DEDEKIND, später A. KRIEGER),
Hamburg (Ph. v. ZESEN, J. RIST, J.
SCHOP, G. VOIGTLÄNDER) und
Thüringen (Kaspar STIELERS *Ge-
harnschte Venus,* 1660), auch in der
Ausbildung des gesellschaftlichen
→Singspiels. Fortgesetzt wird die
Entwicklung im Rokoko (GÖRNER,
HILLER), bes. der →Anakreontik:
GLEIM, UZ, HAGEDORN, im Sing-
spiel Chr. F. WEISSE. Im Sturm und
Drang und bes. der Romantik
weicht das G. dem wiederentdeck-

ten Volkslied oder geht ins individuelle Seelenlied über; Ausläufer sind
die rein geselligen (→Studenten-
u. a.) Lieder des →Kommersbuches
der gleichen Kreise, bes. im Biedermeier. Doch noch GOETHE und EI-
CHENDORFF schreiben Tafellieder.

R. Velten, D. ältere dt. G. unter d. Einfl.
d. ital. Musik, 1914; L. Nowak, D. dt. G.
i. Österr. 1480–1550, 1930; M. Platel, V.
Volkslied z. G., 1939; L. Schmidt, ›D.
Muckennetz‹, 1947; RL; C. Petzsch, Ein-
schränkendes z. Geltgs.bereich v. G.,
Euph. 61, 1967. →Lied.

Gesellschaftsroman, Roman, der
weniger in ereignisreichem Handlungsablauf mit zeitl. Nacheinander
als in breiter Zustandsschilderung
bei zeitl. Nebeneinander vieler
Handlungsstränge das ganze Gesellschaftsleben e. Zeit und die daraus
entstehenden Konflikte zeichnet. Er
ist meist weltgläubig und teils selbst
Verkörperung des Gesellschaftsgei-
stes (MA: HARTMANNS *Erec* und
Iwein, Barock: ZESEN u. a., Klassik:
GOETHES *Wilhelm Meister*), teils
gesellschaftskritisch oder regt durch
sachl. Darstellung zur krit. Analyse
der Gesellschaft an. Obwohl ep.
Form der →sozialen Dichtung, ist
der G. nicht identisch mit Sozialroman oder →sozialem Roman, da er
sich wesentl. auf die tragenden oder
führenden Schichten der Gesellschaft konzentriert, ihre Situation
und ihre Probleme in breiten, objektiven Milieuschilderungen mit psycholog. Differenzierung der Figuren
und Darlegung der wirkenden soz.
Kräfte, doch ohne Tendenz oder
soz. Anklage vorführt, die Unterschichten dagegen eher als soz. Folie
benutzt. Der G. setzt e. relative Einheit, Gliederung und Zentrierung
der Gesellschaft voraus und entwik-
kelt nur dort feste lit. Tradition, wo
er diesen Nährboden findet; sonst
führen fließende Übergänge zum
→Zeitroman. Hauptvertreter sind
in England J. AUSTEN, DICKENS,

THACKERAY, TROLLOPE, G. ELIOT, G. MEREDITH, GALSWORTHY und H. JAMES, in Frankreich STENDHAL, BALZAC, die GONCOURTS, FLAUBERT und ZOLA, in Rußland GONČAROV, TURGENEV, TOLSTOJ und DOSTOEVSKIJ, in Dtl. GUTZKOW, FREYTAG, FONTANE, Th. und H. MANN, KEYSERLING, MUSIL, J. ROTH und H. BROCH.

E. Cohn, Gesellschaftsideal u. G. d. 17. Jh., 1921; J. R. Humm, D. G., 1947; R. Pascal, The German Novel, 1956; R. A. Koc, The German G. at the turn of the century, 1982. →sozialer Roman.

Gesellschaftsstück →Konversationsstück

Gesetz, 1. meistersingerische, in der Schweiz teils noch heute übliche Bz. für →Strophe allg., 2. →Aufgesang.

Gespaltener Reim, Reim, bei dem sich die Reimsilben auf zwei oder mehrere kurze Wörter, nicht nur ein Reimwort verteilen: hat es/mattes.

Gespensterballade, →Ballade, die gleich der →Gespenstergeschichte Stimmung und Schreckwirkung aus dem Erscheinen übersinnl. Gestalten, bes. Toter zieht (totenmag. Ballade: Begegnung mit dem Geist des oder der gestorbenen Geliebten). Die Entwicklung setzt ein mit Sweet William und William's Ghost in PERCYS Reliques, in Dtl. BÜRGERS Lenore, Der Wilde Jäger, begünstigt durch e. der Volksnähe förderlichen Irrationalismus im Sturm und Drang und der Romantik; so folgen GOETHE (Der untreue Knabe, Die Braut von Korinth, Totentanz), BRENTANO (Auf dem Rhein), MÖRIKE, UHLAND, DROSTE, FONTANE, v. STRACHWITZ, A. MIEGEL, L. v. STRAUSS UND TORNEY, B. v. MÜNCHHAUSEN u. a.

L. Kämpchen, D. numinose Ballade, 1930.

Gespenstergeschichte, motivbestimmte Sonderform der Erzähl-kunst, erregt durch unheiml. Ereignisse und das Auftreten wirklicher oder vermeintl. Geister und Spukgestalten (Dämonen, Teufel, Vampire, Wieder -und Doppelgänger) Grauen und Schauder des Lesers. Mehr auf Spannungserregung und Nervenkitzel als auf künstler. Wirkung angelegt und beim Leser Offenheit für Magie, Spiritismus und Aberglauben voraussetzend, bleibt sie größtenteils auf die Triviallit. beschränkt und erreicht selten volle Kunsthöhe, dann in Zeiten des Irrationalismus oder als aufklärer. Parodie des Geisterglaubens. G. finden sich in der Folklore aller Völker. Ihr lit. Einsetzen erfolgt bereits vor dem Barock; GRYPHIUS verwendet sie zuerst im Drama (Cardenio und Celinde, Das verliebte Gespenst), LESSING untersucht in der Hamburgischen Dramaturgie den Unterschied des echt irrationalen (SHAKESPEARE) vom rational verstandenen Gespenst (VOLTAIRE); gleichzeitig beginnt die eigentliche G. in England mit Horace WALPOLES Castle of Otranto (1764) und dessen Nachfolgern (A. RADCLIFFE, The Mysteries of Udolfo, M. LEWIS, The Monk, M. SHELLEY, Frankenstein, E. A. POE u. a.) als Schauerromantik der Geister und findet in Dtl. reiche Nachfolge, andeutend bei GOETHE, Unterhaltungen dt. Ausgewanderten (1794), SCHILLER im Geisterseher, dann bei TIECK im Blonden Eckbert (1796), JEAN PAUL, KLEIST, Das Bettelweib von Locarno, bes. E. T. A. HOFFMANN, Das Majorat, Die Elixiere des Teufels u. a. als Meister der damon. G., bei HEINE und HAUFF (Phantasien im Bremer Ratskeller, Memoiren des Satan, Märchen) teils in iron. Form, im Realismus allein bei STORM (Der Schimmelreiter u. a.), dann wieder die okkultist. G. der Neuromantiker H. H. EWERS, MEYRINK (Der Golem 1915, Das *grüne Gesicht,* 1916), A. M. FREY, A. KUBIN *(Die andere Seite,* 1909), ferner STROBL, BLUNCK, M. LUSERKE, BERGENGRUEN *(Das Buch Rodenstein)* und teils auch Expressionisten. In Frankreich vertreten GAUTIER, VILLIERS DE L'ISLE-ADAM und MAUPASSANT, im engl. Sprachbereich BULWER-LYTTON *(Zanoni),* Sh. LE FANU, R. L. STEVENSON, R. KIPLING, H. JAMES, O. WILDE *(The Canterville Ghost,* 1887) und in russ. Lit. GOGOL, TURGENEV u.a., in Polen J. POTOCKI *(Manuscrit trouvé à Saragosse),* in Norwegen K. HAMSUN, die Mischung von Realem und Unheimlichem. →Schauerroman, →Gespensterballade.

B. Diederich, V. G.n, ihrer Technik u. Lit., 1903; RL; O. Rommel, Rationalist. Dämonie, DVJ 17, 1929; K. Kanzog, D. dichter. Begriff d. Gespenstes, Diss. Bln. 1951; P. Penzoldt, D. Struktur d. G., Phäicon 2, 1975; G. Kozielek, Geister- u. Gruselgeschn. i. d. neueren dt. Lit., GW 27, 1976; I. Vetter, D. Erbe d. schwarzen Romantik, Diss. Graz 1976; J. Briggs, *Night Visitors,* Lond. 1977; M. Hadley, *The undiscovered genre,* 1979; D. Weber, D. G., FLE, 1981; L. Frhr. v. Stackelberg, D. dt. G. i. d. Zt. d. Spätaufkl. u. d. Romantik, Diss. Mchn. 1983; E. Lindig, Hausgeister, 1987.

Gespräch, heute meist im Ggs. zur fiktiven lit. Form des →Dialogs e. wirklich stattgefundene Unterredung und deren Aufzeichnung wie LUTHERS Tischgespräche, GOETHES G.e mit ECKERMANN, RIEMER, SORET, Kanzler von MÜLLER u.a. oder F. v. BIEDERMANNS Bearbeitungen der G.e von SCHILLER, GOETHE, LESSING.

W. B. Lerg, D. G., 1970; D. Kunst d. G., hg. C. Schmölders 1979; B. Techtmeier, D. G., 1984; G.e zw. Alltag u. Lit., hg. D. Cherubim 1984; D. G., hg. K. Stierle 1984; R. Wardhaugh, *How conversation works,* Lond. 1985.

Gesprächsspiel, Sonderform des lit. Dialogs zu zwanglos-kurzweiliger Belehrung bes. für ein adl.-patriz. Publikum, im Barock von HARSDÖRFFER, RIST, ABELE, THOMASIUS und GRIMMELSHAUSEN verwendet, Verbindung nüchterner Gelehrsamkeit mit unterhaltend-galanter Form, bes. *Frauenzimmer-G.e.*

R. Hasselbruck, Gestalt u. Entw. d. G., Diss. Kiel 1957; RL; R. Zeller, Spiel u. Konversation i. Barock, 1974.

Gesta (lat. = Taten), urspr. lat. Protokolle röm. Beamter, dann allg. histor. Aufzeichnungen; im MA. ritterliche Abenteuer und Heldentaten, sodann Titel für deren rhetor., anekdot.-moralisierende Erzählung, z.B. bei den *G. Francorum, G. Danorum, G. Romanorum, G. Caroli magni* u.a., vgl. auch →Chanson de geste.

Gestalt, 1. →Form, 2. →Figur

Geste (lat. *gestus* = Gebärde), 1. die mehr stereotype und konventionelle Körperbewegung, normierte Körperhaltung und →Gebärde des Schauspielers oder Redners. – 2. →Chanson de geste.

Geusenlieder, niederländ. Art des histor. Volksliedes: Lieder auf die polit. Ereignisse aus der Zeit der Geusen (16. Jh.), der niederländ. Freiheitskämpfer gegen Spanien, insbes. Spott- und Kampflieder, am bekanntesten *Wilhelmus van Nassouwe.*

Het Geuzenlied, hg. P. Leendertz, Zutphen II 1924 f.

Ghasel (arab. *ghazal* = Gespinst), herrschende Gedichtform der oriental. Lyrik von beliebiger Länge (meist 6–30 vierhebige Langzeilen), die den Reim des ersten Verspaares (Königs- →Beit) in jeder geraden Zeile aufnimmt, während die ungeraden reimlos sind: aa ba ca da... xa. Jedes Verspaar (arab. →Beit) bildet e. Ganzes ohne wesentl. Sinneinschnitt oder Interpunktion, das letzte nennt oft den Dichternamen.

Lockere Leichtigkeit der Sprachführung und dauernder Gleichklang durch mag. Wiederholung der durch die Flexionsendungen ermöglichten, oft reichen Reime (z. T. das gleiche Wort) ebenso wie das Fehlen e. dynamisch abrundenden Schlusses geben dem G. e. zeitlose Gleichförmigkeit, die tief dem Lebensgefühl der Orientalen entspricht; es tritt daher selbst an gehobenen oder lyr. Stellen der Prosa ein. Den Inhalt bilden meist geruhsam-idyll. oder philos. Gedanken: Lob des Friedens, des Weines, des Schenkens, der Genügsamkeit und des ruhigen Lebens (vgl. dagegen →Kasside) mit oft myst.-erot. Tönen. Von den Arabern ausgebildet, wurde die Form seit dem 8. Jh. von anderen islam. Völkern übernommen: Persern (bes. bei HĀFEZ, 14. Jh., in höchster Vollendung), Inder und Türken, und in dt. Lit. durch F. SCHLEGEL 1803 nachgeahmt, dann von GOETHE *(Divan)*, RÜCKERT, PLATEN, GEIBEL, BODENSTEDT, LEUTHOLD, HAGELSTANGE und ähnlich G. KELLER verwendet.

H. Tschersig, D. G. i. d. dt. Dichtg., 1907; RL¹; A. K. Kinany, *The Development of Ghazal in Arabic Lit.*, Damaskus 1951; D. Balke, Westöstl. Gedichtformen, Diss. Bonn 1952. →Metrik.

Ghostword (engl. = Geisterwort) = →Vox nihili

Ghostwriter (engl. = Geisterschreiber), Schriftsteller, die beruflich im Auftrag und anonym unter dem Namen ihrer Auftraggeber (mummies), bes. Politiker, Filmschauspieler, Sportler, Industrieller u. a. Personen von öffentl. Interesse oder überlasteter Erfolgsschriftsteller (z. B. A. DUMAS d. Ä.), meist nach genauer Absprache Bücher. bes. Memoiren, oder Reden verfassen, bes. in Amerika; in Frankreich *nègre* genannt.

R. Güttler, D. G., NDH 81, 1961; H. Stolz, D. G. i. dt. Recht, 1971.

Gierasa, Ruhm- und Preislied der Galla in Afrika auf die Macht und die Taten einzelner Helden im Ggs. zur →Fârsâ.

E. Cerulli, *Folk Lit of the Galla,* 1922.

Gîtâ (ind. =) Lied

Glaubensbekenntnisse aus ahd. Zeit bilden mit Tauf- und Beichtformeln e. wesentlichen Teil der erhaltenen ältesten dt. Prosa.

W. Matz, D. ahd. G., Diss. Halle 1932.

Gleicher Reim →rührender Reim

Gleichklang, Oberbegriff für →Reim, →Assonanz und →Alliteration.

Gleichlauf →Parallelismus

Gleichnis, Großform des →Vergleichs: poet. Veranschaulichung e. Sachverhalts, Vorgangs, Gedankens durch Vergleichung e. analogen Vorgangs oder Zustands aus e. anderen, anschaulicheren, konkret-alltägl. Lebensbereich, der sich im Ggs. zur →Fabel nur in einem wesentl. Punkt (tertium comparationis) einleuchtend mit dem Gemeinten berührt, so daß Sachsphäre und Bildsphäre wechselseitig die Bedeutung erhellen, die ausdeutend direkt hinzugefügt wird (im Ggs. zur Allegorie, etwa ›so... wie‹): ›Es traf mich wie ein Blitz aus heiterm Himmel‹. Formale Möglichkeiten sind die parallele Durchführung oder die gesonderte Ausführung der einzelnen Vergleichsglieder, bei der jeder Teil im anderen gegenwärtig ist und die Wirkung erhöht; Vorangehen des Vergleichsbereichs ohne Andeutung der Beziehung dient der Spannungssteigerung. In beiden Fällen neigt der Vergleichsbereich zu e. gewissen sprachl. Verselbständigung und selbstwertigen ep. Breite. Erste und häufige Verwendung des G. erfolgte in griech. Epik (HOMER), die durch Breite des Weltbildes und be-

trachtende, daher auch vergleichende Haltung des Epikers das klare G.
begünstigte. Die sog. G.se des NT.
dagegen sind meist eher →Parabeln,
da sie die Sachsphäre nicht nennen,
sondern erschließen lassen. Die NT-
Forschung unterscheidet nach eigener Terminologie das G. aus vertrauter Alltagswirklichkeit von der
erdichteten Parabel.

W. Moog, D. homerischen G.se, ZfÄ
1912; H. Pongs, D. Bild i. d. Dichtg., I,
1927; J. Günther, Üb. d. G. (D. Lit. 38,
1936); E. Linnemann, G.se Jesu, 1961,
⁴1966; E. Biser, D. G.se Jesu, 1965; G.se,
hg. B. Schelp 1982; G. Eichholz, D. G.se
d. Evangelien, ⁴1984.

Gleitender Reim →reicher Reim

Gliederreim, die gewöhnliche Stellung der Reimworte am Abschluß
paralleler Sätze oder Satzglieder,
Verse oder Halbverse im Ggs. zu
sog. ›reimenden Verbindungen‹ wie:
›sang- und klanglos‹.

Glimpfwort →Euphemismus

Gliommero (neapolitan. = Knäu-
el), ital. Gedichtform ähnlich der
→Frottola, doch mehr zur Rezitation gedacht, in versch. Versmaßen,
meist Endecasillabi, mit Mittelreim,
abwechslungsreichem, bunt durch-
einandergewürfeltem, meist farcen-
haftem Inhalt und reichen Anspielungen auf polit. und aktuelle Ereignisse sowie den Tagesklatsch. Beliebt in Neapel im 15./16. Jh. Einige
G. werden SANNAZARO zuge-
schrieben.

Glosa →Glosse (2)

Glossar (griech. *glossarion*, zu =
Glosse), 1. Slg., von →Glossen (1),
2. Wörterbuch zur Erklärung altertüml., mundartl. u.a. unverständl.
Ausdrücke (meist eines bestimmten
Textes, im Anhang zu diesem);
scheinbare Slg. von Glossen, 3.
sachlich oder alphabetisch geordnetes Wörterverzeichnis, Sprachwör-
terbuch überhaupt.

Glosse (griech. *glossa* = Zunge,
Sprache), 1. mundartl., veralteter,
seltener oder sonstwie unverständl.
und erklärungsbedürftiger Ausdruck, dann bes. die Erklärung (›In-
terpretament‹) oder Übersetzung e.
solchen (im Unterschied zur Erläuterung, →Scholie), und zwar als In-
terlinear-G. zwischen den Zeilen
(nächste Stufe: →Interlinearver-
sion), als Kontext-G. im Text selbst,
als Marginal-G. am Rande oder als
Griffel-G. nur eingeritzt. Das Abfassen (Glossographie) und Sammeln
von G.n, bes. zu HOMER, in →Glos-
saren war e. Hauptanliegen der antiken Philologie seit dem 5. Jh.
v.Chr., die dadurch nicht mehr geläufige Wörter und Wendungen der
frühen Klassiker erläuterte (bes. in
der alexandrin. Gelehrsamkeit und
der röm. PLAUTUS-Renaissance).
Auch die ältesten ahd., altfranz. und
altengl. Schriftdenkmäler sind G.n:
über- oder beigeschriebene Übersetzungen einzelner lat. Wörter oder
Wendungen, teils ganzer Wortregi-
ster und fremder G.nsammlungen
(*Abrogans*, um 765), zur Erleichterung des Lateinunterrichts und der
Lektüre für Geistliche und Kloster-
schüler bei Texten wie VERGIL, *Bibel*, Kirchenväter, PRUDENTIUS u.a.
Sie erschienen entweder in der Reihenfolge ihres Auftretens im Text,
alphabetisch oder nach Sachgruppen geordnet (*Kasseler Glossar*, um
800, *Vocabularius St. Galli* 776).
Sie wurden seit 750 durch das MA.
häufig von e. Kloster zum anderen
weitergereicht und, teils fehlerhaft,
abgeschrieben. Am ältesten und bedeutendsten sind die *Malbergischen
G.n* (um 600) zur *Lex Salica*. Reiche Glossiertätigkeit herrschte bes.
in Reichenau und St. Gallen. Die
G.n sind e. wichtige Quelle für
Sprachentwicklung (Worthorizont,
Sprachverfeinerung und -verselb-
ständigung, Ausdrucksmöglichkei-

ten) und Kulturgeschichte (Aufnahme des antik-christl. Bildungsgutes, Auswahl der Lektüre, Kultur- und Bildungsstufe der Klöster).

RL; B. Goetz, Glossographie in RE; G. Baesecke, D. dt. Abrogans..., 1930; ders., D. Vocabularius St. Galli, 1933; R. Bergmann, Verz. d. ahd. u. altsächs. G.hss., 1973; A. Schwarz, G.n als Texte, PBB 99, 1977.

2. span. lyr. Gedichtform des 15.–17. Jh. von bes. Zierlichkeit: 4 →Dezimen, die e. vierzeiliges Motto oder Thema als Grundgehalt so abwandeln, daß ihre Schlußzeilen zusammen stets das wieder in sich gereimte Motto ergeben und den Inhalt des Gedichts als dessen Variation erscheinen lassen; auch freier mit beliebig langem Motto u. beliebig langen Strophen. Im 16. Jh. bei V. ESPINEL, in dt. Dichtung von den Romantikern, bes. Brüder SCHLEGEL, ferner TIECK, EICHENDORFF, UHLAND und D. v. LILIENCRON (G.) übernommen und z.T. parodiert.

H. Janner, La glosa española (Revista de filología española 27, 1943); K. Voßler, D. Dichtgsformen d. Romanen, 1951.

3. in der Publizistik feuilletonist. Kurzkommentar mit polem. Stellungnahme zu Tagesereignissen, daher 4. in der Umgangssprache allg. hämisch-spött. ›Randbemerkung‹.

Glossographie (griech. graphein = schreiben), Aufzeichnen und Sammeln von →Glossen (1), Vorstufe und Quelle der Lexikographie.

Glykoneus, nach dem griech. Dichter GLYKON benanntes antikes Versmaß aus acht Silben: katalektische Tetrapodie aus drei Trochäen und einem Daktylus, nach dessen Stellung unterscheidet man 1. G.: ⌣́⌣⌣́⌣⌣́⌣⌣́⌣ (auch als Choriambus + Diiambus), 2. G.: ⌣⌣́⌣⌣⌣́⌣⌣́⌣ (Grundform) und 3. G.: ⌣⌣́⌣⌣́⌣⌣⌣́. Verwendung in Chorlyrik, in der äol. Lyrik, bes.

der 2. G. als Schlußvers der →asklepiadeischen Strophe: ›Auf den Flügeln der Morgenluft‹ (KLOPSTOCK), auch verkürzt im →Pherekrateus.

Gnome (griech. = Erkenntnis, Meinung), kurzer Denkspruch in Vers oder rhythm. Prosa, meist lehrhaft: Sittenlehre, Lebensregel und -weisheit, Erfahrungssatz, →Sentenz, verbreitet in ind., arab., pers., hebr. Lit., bes. bei den Griechen als Gattung der eleg. Dichtung in Distichen oder Hexametern: HOMER streut G.n in die Epik ein, HESIOD besteht zum großen Teil aus G.n, bes. aber bei der unter dem Namen des THEOGNIS von Megara (500 v.Chr.) überlieferten Sammlung, SOLON, PHOKYLIDES als gnom. Dichtung, später oft gefälscht; in röm. Literatur die Sentenzen des PUBLILIUS SYRUS und die sog. Dicta Catonis (2. Jh. n.Chr.), später in Slgn. (Gnomologien) des FAVORINUS (2. Jh.), ORION (5. Jh.) und JOHANNES DAMASZENUS. Altergerman. Spruchgut findet sich in den gnom.-didakt. Teilen der Lieder-Edda. In dt. Lit. entsprechen FREIDANKS Bescheidenheit (1229) und die →Priameln des 14./15. Jh. der Gattung; im 19. Jh. RÜCKERTS Weisheit des Brahmanen und SCHEFERS Laienbrevier, zuletzt St. GEORGES Stern des Bundes (1914).

B. C. Williams, Gnomic Poetry in Anglo-Saxon, 1914; K. v. Fritz in RE, Suppl. 6, S. 74ff., 1935; E. Ahrens, G.n i. griech. Dichtg., 1937; K. Bielohlawek, Hypotheke u. G., 1940. – →Spruch- u. →Lehrdichtg.

Goethezeit, unscharfe Bz. der Jahrzehnte ca. 1770–1830 als lit. Einheit; Oberbegriff für →Sturm und Drang, →Klassik und →Romantik. Vgl. →Idealismus, →Deutsche Bewegung.

Götterapparat, mythologischer Apparat, Bz. für Auftreten und Eingreifen von Göttern, Halbgöttern u.a. mytholog.-allegor. Figuren in die Handlung e. Dramas (→deus ex machina) oder Epos zur Vorantreibung der Handlung oder Konfliktlösung.

Göttersage →Mythos

Göttinger Hain, von Voss nach KLOPSTOCKS Ode *Der Hügel und der Hain* (Hain als Aufenthalt der german. →Barden gegenüber dem griech. Parnaß) benannter, am 12. 9. 1772 bei Göttingen gegründeter Freundschaftsbund junger Dichter, meist Studenten der dortigen Universität: BOIE, VOSS, HÖLTY, MILLER, J. Fr. HAHN, WEHRS, K. F. CRAMER, später Chr. u. L. v. STOLBERG, J. A. LEISEWITZ, ESMARCH, nahestehend auch G. A. BÜRGER, SCHUBART, M. CLAUDIUS. Wie bereits im vorangegangenen Ausgangs- und Kristallisationspunkt, dem *Göttinger Musenalmanach* (hg. BOIE und F. W. GOTTER, 1770ff.) sind die Ziele durch die Empfindsamkeit beeinflußt: Befreiung der Dichtung von aufklärer. Rationalismus und gesellschaftl. Konvention (Rokoko) wie von fremden Vorbildern, bes. franz. Einfluß (WIELAND), dafür Freiheit von Phantasie und Leben, dynam. Enthusiasmus im Geiste des schwärmerisch verehrten Vorbildes KLOPSTOCK und Verkörperung verschwommener patriot., relig. und sittl. Ideale: Freundschaft, Tugend und Tyrannenhaß. Ein ›Bundesjournal‹ berichtet über die wöchentl. Zusammenkünfte, e. ›Bundesbuch‹ sammelt alle nach gemeinsamer Kritik gebilligten Dichtungen. Höhepunkte waren KLOPSTOCKS Geburtstagsfeier am 2. 7. 1773 und sein persönl. Erscheinen im Bund 1774; bald danach brachte der Weggang vieler Mitglieder die Auflösung des G. H. Seine Bedeutung

für die Lit.geschichte liegt in der Wiedererweckung der schlichten volks- und naturnahen Dichtung mit subjektiven, irrationalen Zügen und der Entstehung der volkstüml. Kunstballade (HÖLTY, BÜRGER) in Anlehnung an PERCYS *Reliques;* wenige weitere Werke gewannen lit. Größe wie Voss' Hexameter-Idyllen (*Luise* 1795, *Der 70. Geburtstag* 1780), MILLERS Roman *Siegwart* 1776 als Nachfolger des *Werther,* LEISEWITZ' Tragödie *Julius von Tarent* 1776; nur die Gemeinschaft wirkte in die Zeit.

F. Lüdecke, Z. Gesch. d. G. Dichterbundes, Euph. 11, 1904; A. Köhler, D. G. H., GRM 8, 1920; RL; A. Wicke, D. Dichter d. G. H. i. ihrem Verhältnis z. engl. Lit., Diss. Gött. 1929; R. Baesken, D. Dichter d. G. H. u. d. Bürgerlichkeit, 1937; G. Fricke, G. H. u. G. Ballade, 1937; E. Metelmann, Z. Gesch. d. Gött. Dichterbundes, 1965. →Empfindsamkeit und →Sturm und Drang.

Gogynfeirdd, die kymr. Hofdichter des 11.–13. Jh., unter sich in versch. Rangstufen gestaffelt.

Goldene Latinität, Epochenbz. für die lat. Lit. ursprünglich von den Anfängen bis 17 n.Chr. (Tod OVIDS), jetzt für die Klassik der spätrepublikan. (81–43 v.Chr.) und augusteischen (42 v.–17 n.Chr.) Zeit, die Blütezeit der Kunstprosa (CICERO, CAESAR) in sprachl. Vollendung, der Epik (VERGIL), der Lyrik und Elegie (HORAZ; CATULL, TIBULL, PROPERZ, OVID) und der Geschichtsschreibung (LIVIUS). Der Begriff weitete sich damit von einer sprachl.-stilist. Kategorie höchster Geschmeidigkeit der lat. Literatursprache zur Periodenbz. für diejenige Entwicklungsphase, in der griech. Vorbild und röm. Eigenart zu e. untrennbaren Einheit verschmolzen. Gemäß der antiken Weltzeitalter-Lehre wurde die folgende Epoche als →Silberne Latinität bezeichnet.

L. P. Wilkinson, *Golden Latin Artistry*, Lond. 1963.

Goliarden (zu Goliath? oder *gola* = Schlund?), B7 des 13. Jh. für →Spielleute und →Vaganten.

H. Brinkmann, G., GRM 12, 1924; O. Dobiache-Rojdesvensky, *Les poésies des g.*, Paris 1931.

Gongorismus, span. Beitrag zum europ. →Schwulststil oder →Manierismus des 17. Jh., nach seinem Erfinder, dem Dichter Luis de GÓNGORA Y ARGOTE (1561 bis 1627) benannt, auch estilo culto, culteranismo oder cultismo, gekennzeichnet durch häufige Fremdwörter, lat. Satzbildung, überladene, gekünstelt-virtuose Wendungen, reiche rhetor. Figuren, Hyperbeln, gesuchte und überraschende Bilder und Metaphern, geschraubte Antithesen, gelehrte Anspielungen bes. auf antike Mythologie, raffinierte Begriffs- und Wortspiele (→Konzetti), seltene, preziöse Wortbildungen u. a. m. Der im Großen wie im Kleinen geistig durchgestaltete, ausgesprochen dunkle und esoter. Stil fand Beifall und zahlr. Nachahmer (Gongoristen, Culteranisten) in anderen Lit.: →Marinismus, →Preziösität, →Euphuismus. Sachgerechte und vorurteilsfreie lit.-histor. Betrachtung als echter und überzeugender Ausdruck frühbarocker Welthaltung fand der G. erst im 20. Jh. Im Anschluß an die Feierlichkeiten zum 300. Todestag GÓNGORAS bildete sich 1927 in Spanien e. Art Neu-G., dem u.a. G. DIEGO, R. DARÍO und R. ALBERTI angehörten.

L. P. Thomas, *Gongora et le G.*, Paris 1911; F. Ichaso, *Góngora y la nueva poesia*, Havanna 1927; A. Reyes, *Cuestiones gongorinas*, Madrid 1928; D. Alonso, *Góngora y la lit. contemp.*, Santander 1932; E. Carilla, *El G.o en América*, Buenos Aires 1946; D. Alonso, *La lengua poética de Góngora*, Madrid 1927, ³1961; ders., *Estudios gongorinos*, Madrid 1955, ²1961; F. García Lorca, D. dichter. Bild b. Góngora, 1954.

Gorgianische Figuren, →rhetorische Figuren, nach GORGIAS d. Ä. (485–375 v.Chr.), der sie zuerst reichlich verwendete.

Gothic Novel →Schauerroman

Gotischer Bund, schwedisch ›Götiska förbundet‹, auch ›Göterna‹, romant.-konservativer und patriot. schwed. Dichterkreis zu Beginn des 19. Jh., gegr. 1811 in Stockholm um die Zs. *Iduna*; pflegt bes. Stoffe aus altnord. Vorzeit und nord. Mythologie zur Stärkung schwed. Nationalbewußtseins. Mitglieder: E. G. GEIJER, P. H. LING, E. TEGNÉR, A. A. AFZELIUS, E. STAGNELIUS u.a.

O. Springer, D. nord. Renaiss., 1937.

Gotische Schrift, auch gotische Minuskel gen., e. nicht von den Goten stammende, sondern erst seit dem 11. Jh., bes. 12. Jh. aus der karoling. Minuskel entwickelte Schriftart mit schmalen Buchstaben, Spitz- statt Rundbogen, gebrochenen Verbindungsstrichen und Grundlinien; herrschend im 13.–15. Jh.

Gottschedianismus, Bz. GOETHES für die von GOTTSCHED geforderte Vorherrschaft der klassizist. franz. Alexandrinertragödie auf dt. Bühnen.

Grabrede →Epitaph, →Laudatio funebris, →Leichenrede

Grabschrift →Epitaph, →Epigramm

Gracioso (span.), die →komische Person in der span. Komödie seit dem 16. Jh., teils verschlagen-bauernschlaue, teils einfältige Dienerrolle der Hauptfigur; bei LOPE DE VEGA kom. Gegenstück zu seinem Herrn und dessen Taten parodierend, bei ALARCÓN Vertrauter und Ratgeber, bei TIRSO DE MOLINA Verbindung von Komiker und Ratgeber, bei CALDERÓN als der lebensweise Narr. Später zum Typ erstarrt und um 1750 verbannt.

Ch. D. Ley, *El g.en el teatro de la península*, Madrid 1954; B. Kinter, D. Figur d. G. i. span. Theater d. 17. Jh., 1977.

Gradation (lat. *gradatio* = Steigerung), als →rhetorische Figur die Abstufung in der Anordnung e. Wort- und Satzreihe nach ihrer Schwere, Bedeutung und Vorstellung entweder nach oben (→Klimax) oder nach unten (→Antiklimax).

Graduale (v. lat. *gradus* = Stufe), 1. Responsorium g., ›Stufengesang‹, in der kath. Messe e. aus 1–2 Psalmversen bestehender kurzer Zwischengesang des auf den Stufen des Altars stehenden Priesters nach der Epistelverlesung, 2. liturg. Gesangbuch für alle Chorgesänge der Messe.

O. Brodde, Ch. Müller, D. G.lied, 1954.

Gradualismus (v. lat. *gradus* = Schritt, Stufe), von G. MÜLLER auf die ma. Lit. angewandter philosoph. Begriff, bezeichnet das Vorhandensein mehrerer eigenständiger Realitätsschichten in stufenweiser Hinordnung zu Gott und erklärt das Auftreten versch. stilist.-eth. Grundsätze bei den Werken desselben ma. Autors (z. B. HARTMANN VON AUE), das Verhältnis von Minne- und Marienlyrik und die Weltentsagung vieler ma. Epenhelden aus dem Wechsel dieser Realitätsschichten.

G. Müller, G., DVJ 2, 1924; H. Brinkmann, ebda. 3, 1925; RL; W. Heinemann, Stud. z. G. i. d. dt. Lit. d. 13. bis 15. Jh., Diss. Lpz. 1964.

Gradus ad Parnassum (lat. = Stufen zum →Parnaß), lat. oder griech. Wörterbuch mit Angabe der Quantitäten, Synonyme und Epitheta e. Wortes, Versregeln u. ä. als Anleitung zum Reimeschmieden in lat.

oder griech. Sprache. Werke von P. ALER 1702, J. CONRAD 1863, H. LINDEMANN 1866 und L. QUICHERAT (Paris 1906). →Reimlexikon.

Gräberpoesie, nach ihrem bevorzugten Schauplatz Bz. für e. lyr.-eleg. Richtung insbes. der engl. Vorromantik um die Mitte des 18. Jh., die ihre melanchol. Meditationen an die Gedanken von Tod, Sterblichkeit, Grab und Einsamkeit anknüpft: Th. PARNELL, *Night-Piece on Death* (1721), E. YOUNG, *Night Thoughts* (1742–45), R. BLAIR, *The Grave* (1743), Th. GRAY, *Elegy Written in a Country Churchyard* (1751) und deren zahlreiche Nachahmer (›Graveyard School‹). Das Motiv, vorgeprägt in A. GRYPHIUS' *Kirchhofsgedanken*, gewann europ. Verbreitung: in Dtl. v. CREUTZ, v. CRONEGK, KLOPSTOCK und HÖLTY, in Schweden OXENSTIERNA, BELLMAN, LIDNER und KELLGREN, in Italien PINDEMONTE und bes. U. FOSCOLO (*I sepolcri*).

P. van Tieghem, *La poésie de la nuit et des tombeaux*, Brüssel 1921; C. A. D. Fehrmann, *Kyrkogårdsromantik*, 1954.

Gräzismus (lat. *graecus* = griech.), aus dem Griech. entlehnter Ausdruck oder syntakt. Spracheigentümlichkeit, bes. bei den röm. →Neoterikern und den augusteischen Dichtern.

Grammatik (griech. *gramma*, wie lat. *littera* = Buchstabe, Schrift, Lit.) bezeichnete in der Antike das Wissen von Sprache und Lit., Philologie im allg. (lat. *grammaticus* = Gelehrter schlechthin), wird ebenso noch in den →Artes liberales verstanden und erhielt erst später die Einschränkung auf die Wissenschaft vom Aufbau der Sprache.

Grammatische Figuren →rhetorische Figuren

Grammatischer Reim, Reimbindung von Wörtern des gleichen

Stammes, oft auch Flexionsformen desselben Wortes ohne Rücksicht auf Gleichklang: bekleiden / kleidet / kleit / leiden / leidet / leit. Verkünstelei in Minne- und Meistersang, z. B. REINMAR DER ALTE (*Minnesangs Frühling* 198).

Grand Guignol →Guignol

Graserlied, dt. Abart der →Pastourelle, so OSWALD VON WOLKENSTEIN (48 f.).

Graslied, alte Bz. für →Volkslied im 15./16. Jh.

Grazer Autorenversammlung, März 1973 aus Opposition gegen das als zu traditionell empfundene PEN-Zentrum Wien in Graz gegr. Verband von österr. Schriftstellern, Journalisten und Germanisten der experimentell-gesellschaftskrit. Nachkriegsgeneration.

G. Veit, *La G. A.,* Austriaca 4, 1978; R. Innerhofer, *D. G. A.,* 1985.

Grazer Forum →Forum Stadtpark

Graziendichtung, von →Rokokodichtung und →Anakreontik nicht scharf abtrennbare lit. Richtung, welche die aus der zeitgenöss. bildenden Kunst bekannten und im Barock vielfach als Zierat verwendeten Grazien als Verkörperung des Anmutigen und damit in ihrem Sinne des Schönen schlechthin preist und als Lebensideal entweder das geistig Lebendige, den Esprit und sinnl. Reiz (Frankreich, Anakreontik, bes. HAGEDORN) oder die innere, seel. Anmut und Schönheit betont (England: MILTON, RICHARDSON, als Philosoph und Theoretiker SHAFTESBURY; Dtl.: PYRA und der junge WIELAND). Den Höhepunkt und Ausgleich der dt. G. bilden WIELANDS *Musarion oder die Philosophie der Grazien* (1768) und *Grazien* (1770); erzieher. Absichten verknüpft J. G. JACOBIS *Charmides und Theone* (1773);

HERDERS *Fest der Grazien* beendet die G.

F. Pomezny, Grazie u. Grazien i. d. dt. Lit. d. 18. Jh., 1900; RL. →Anakreontik.

Greguería, von dem Spanier R. GÓMEZ DE LA SERNA (1888–1963) erfundene Form des paradox-humorist. Aphorismus, der in knappen Sätzen, durch ungewöhnl. Ideenverbindung und schalkhaft-tiefsinnige Einfälle eine neuartige, exzentr. Sicht der Dinge vermittelt. Das Versinnlichen der Abstrakta, das Wörtlichnehmen der sprachl. Bilder und die Vertauschung der Kausalzusammenhänge liefern der G. kom., banale oder surrealist. Vergleichsebenen, auf denen der Witz entsteht: ›Schwalben versehen den Himmel mit Anführungszeichen.‹

Griechendichtung →Philhellenismus

Grobianismus (›Grobian‹ zu ›grob‹ als Verdeutschung von lat. *rusticus* zuerst 1482 in ZENINGERS *Vocabularius theutonicus;* G. latinisierte Ableitung), das grobe und unflätige Benehmen, wurde Gegenstand iron. und satir. Darstellung in der sog. Grobianischen Dichtung des 15./16. Jh., die an die höf. Anstandslehren des Hoch-MA. (THOMASIN VON ZERKLAERE, *Der welsche Gast,* 1215/16) und ihre Weiterbildung zu bürgerl. →Tischzuchten des 15. Jh. anknüpft und in iron. verkehrten Anstandsregeln die Sittenvergröberung geißelt. S. BRANT erhebt im satir. *Narrenschiff* (1495, Kap. 72) Grobian zum Schutzheiligen der unflätigen Schlemmer und Säufer seiner Zeit; in MURNERS *Schelmenzunft* präsidiert er als Schwein einer wüsten Tafelrunde; es folgen die Darstellungen des Schlaraffenlandes; neue Tischzuchten (1538) greifen die Gestalt satirisch auf und preisen e. ›grobianischen Orden‹;

auch Hans SACHS verwendet sie (*Die verkert dischzuecht Grobiani*, 1563). Hauptwerk wird F. DEDEKINDS phantast.-humorist. Lobgedicht von 1200 lat. Distichen aus der Wittenberger Studentenzeit *Grobianus* (1549, neubearbeitet 1552, 1554 u.ö., ebenso in zahlr. Übersetzungen bis 1739), von Kaspar SCHEIDT in geschickter und volkstüml. dt. Bearbeitung (*Von groben Sitten*, 1551) auf doppelte Länge erweitert. Es folgen FISCHARTS grobian. Umdichtung des *Eulenspiegel* (1572), seine *Geschichtsklitterung* (1582), in denen der G. bis ins 18. Jh. fortwirkt.

L. Fränkel, Bemerkungen zur Entwicklg. d. G. (Germania 36, 1891); P. Merker, D. Tischzuchten d. 12.–16. Jh. (Mitteilg. d. dt. Gesellsch. i. Lpz. 11, 1913); RL; E. F. Clark, *The Grobians of H. Sachs and his predecessors*, JEGP 16, 1919; B. Zaehle, *Knigges Umgang m. Menschen u. seine Vorläufer*, 1933; G. Sichel, *Introd. alla lett. grobianesca* (in: *Per una storia della litt. tedesca*, Pisa 1983).

Groschenhefte, verbreitetste Form der →Trivialliteratur in Gestalt wöchentlich in Millionenauflagen erscheinender, von anonymen oder pseudonymen Schreibern oder Autorenkollektivs verfaßter Romanhefte. Sie unterscheiden sich je nach dem Milieu, in dem sie spielen, in Heimat-, Arzt-, Frauen-, Schicksals-, Wildwest-, Landser-, Kriminal- und utop. Romane u. a. m., finden ihre Gemeinsamkeit in den nur vorgegebenen Konflikten und Problemen, die ebenso gedankenlos ins Happy-End aufgelöst werden, in einer irrealen, alltagsfernen Märchenwelt, einem Überfluß als Tugend und Herz und in einem berechneten Einsatz von Gemütswirkungen, der den Kitsch als Narkotikum benützt.

P. Nusser, *Romane f. d. Unterschicht*, 1973; A. V. Wernsing, W. Wucherpfennig, *D. G.*, 1976; G. Neumann, *D. polit. Gehalt v. G.*, 1976; A. M. Mallinckrodt, *D. kleine Massenmedium*, 1984. →Trivialliteratur.

Großepik, Sammelbz. für →Epos und →Roman.

Großfolio →Folio

Grossobuchhandel →Buchhandel

Großstadtdichtung, themat. Gruppe von Werken, behandelt die Konflikte, Erlebnisse und Erfahrungen (Angst, Bedrohung, Entfremdung) des menschlichen Lebens im rastlosen Strömen der anonymen, unüberschaubaren Welt- und Millionenstädte und ihrem Massencharakter; sie beginnt nach Vorläufern bei LESAGE, SUE, HUGO und DIKKENS wesentl. erst seit dem Naturalismus (ZOLA) und erhebt sich wieder im Expressionismus zu starker Aussagekraft, oft als →sozialer Roman (BELYJ, DOS PASSOS, A. DÖBLIN, *Berlin Alexanderplatz*), →Arbeiterdichtung oder Lyrik (HEYM, TRAKL, van HODDIS, BENN, BRECHT).

G. Hermann, D. G., 1931; H. Schelowsky, D. Erlebnis d. Großstadt u. seine Gestaltg. i. d. neuen dt. Lyrik, Diss. München 1937; B. H. Gelfant, *The American City Novel*, Oklahoma 1954; R. Trautmann, D. Stadt i. d. dt. Erzählungskunst d. 19. Jh., Diss. Basel 1957; M. Thalmann, *Romantiker entdecken d. Stadt*, 1965; H. Rölleke, D. Stadt b. Stadler, Heym u. Trakl, 1966, ²1987; W. Kohlschmidt, Aspekte d. Stadtmotivs i. d. dt. Dichtg. (Fs. f. A. Fuchs, 1967); V. Klotz, *D. erzählte Stadt*, 1969; K. Riha, *D. Beschreibg. d. Großen Stadt*, 1970; S. Vietta, Großstadtwahrnehmg., DVJ 48, 1974; G. M. Hyde, *The poetry of the city* (*Modernism*, hg. M. Bradbury u. a. Harmondsworth 1976); M. S. Fries, *The changing consciousness of reality*, 1980; G. Willems, G.- u. Bewußtseinspoesie, 1981; B. Pike, *The image of the city in mod. lit.*, Princeton 1981; A. Freisfeld, D. Leiden an d. Stadt, 1982; N. Reichel, D. Dichter in d. Stadt, 1982; M. Pleister, D. Bild d. Großstadt..., 1982; D. Stadt i. d. Lit., hg. C. Meckseper 1983; K. Riha, Dt. G'lyrik, 1983; *Unreal city*, hg. E. Timms 1985; H. Kähler, Berlin – Asphalt u. Licht, 1987; M. Muranga, G'elend i. d. dt. Lyr., 1987.

Groteske (ital. *grottesco* zu *grotta* = Grotte, nach unterirdischen Ruinen, sog. ›Grotten‹ antiker Thermen und Paläste, bes. des Titus-Palastes in Rom, wo man wunderliche und verschnörkelte Wandmalereien mit Verbindungen von Pflanzen-, Tier- und Menschenteilen fand, die RAFFAEL zu Ornamenten verwandte), Dichtart des Derbkomischen, Närrisch-Seltsamen, die teils humoristisch, teils ironisch scheinbar Gegensätzlichstes und Unvereinbares, bes. das Komische und das Grausige, in paradoxem Phantasiespiel in übermütiger, verblüffender Weise nebeneinanderstellt und in Zusammenhang bringt, teils selbst mit Lebensweisheit verknüpft; Gegenströmung gegen jeden Vernunftglauben einerseits und Zeichen einer Verzerrung, Entstellung und Verfremdung der Welt anderereits. Die Alogik des G. bewirkt zunächst Komik wie beim →Absurden, die aber nach Erkenntnis der Deformation des Ideals in kathart. Entsetzen umschlägt. Das G. erscheint meist in kürzerer Prosa, Tragikomödie oder Lyrik, z.B. MORGENSTERNS deklinierter *Werwolf*, RINGELNATZ' Suahelischnurrbarthaar im Kattegat *(Logik).* Kennzeichnend ist das Umschlagen der Form ins Formlose, des Maßvollen ins Sinnlose bis geradezu Dämonische, des Lächerlichen ins Entsetzliche, Monströse. Epochen, in denen das G. daher e. bevorzugte Stellung einnimmt, sind immer wieder diejenigen, denen der Glauben an eine heile Welt zerbrochen ist, die Kausalgesetze der natürl. Welt aufgehoben erscheinen und in denen die bindungslos gewordene Phantasie über das Mögliche hinaus in das noch Unfaßbare umschlägt, um die dämon. Zersetzung der Welt zu beschwören: SpätMA., 16. Jh. (RABELAIS, FISCHART), Sturm und Drang (LENZ), Spätromantik und Moderne. Meister der G. sind die Romantiker: JEAN PAUL, ARNIM, E. T. A. HOFFMANN, bes. auch Engländer: BYRON, E. A. POE, später Mark TWAIN, R. DAHL, Italiener: PIRANDELLO, Russen: GOGOL, ANDREEV, MAJAKOVSKIJ, Polen: MROŻEK und in Dtl. F. Th. VISCHER, W. BUSCH, WEDEKIND, SCHNITZLER, MEYRINK, H. H. EWERS, KUBIN, SCHEERBART, KAFKA, H. MANN, KAISER, STERNHEIM, HERZMANOVSKY-ORLANDO, BRECHT, GRASS, FRISCH, DÜRRENMATT, M. WALSER, R. RASP, G. ELSNER, in Frankreich neuerdings bes. JARRY, GENET, AYMÉ, BECKETT und IONESCO.

K. F. Floegel, Gesch. d. Groteskkomischen, 1788, n. 1978; Th. Wright, *A History of caricature and the grotesque in lit. and art*, Lond. 1875; H. Schneegans, Gesch. d. G. u. Satire, 1894; M. Untermann, D. G., Diss. Kgsbg. 1929; R. Pernusch, Das G., Diss. Wien 1954; W. Kayser, Das G., 1957, ²1961; C. Dimić, D. G. i. d. Erzählg. d. Expressionismus, Diss. Freib. 1960; G. Mensching, D. G. i. mod. Drama, Diss. Bonn 1961; W. van O'Connor, *The Grotesque*, Carbondale 1962; Sinn oder Unsinn, 1962; L. B. Jennings, *The Ludicrous Demon*, Berkeley 1963; I. Drewitz, G. Lit. (Merkur 19, 1965); A. Clayborough, *The G. in Engl. Lit.*, 1965; A. Heidsieck, D. G. u. d. Absurde i. mod. Drama, 1969, ²1971; C. Pietzker, D. G., DVJ 45, 1971; F. K. Barasch, *The grotesque*, Haag 1971; P. Thomson, *The grotesque*, Lond. 1972; H. Leopoldseder, Groteske Welt, 1973; F. Heuer, D. G. als poet. Kategorie, DVJ 47, 1973; P. Thomson, *The grotesque in German poetry 1880–1933*, Melbourne 1975; A. Barbanti Tizzi, *Il g. nella lett. tedesca*, Bologna 1976; Ch. W. Thomson, D. G. u. d. engl. Lit., 1977; A. Karátson, *Le g. dans la prose du 20. siècle*, RLC 51, 1977; A. Campbell, *The g. as a crit. concept*, Seminar 15, 1979; O. Huber, Mythos u. G., 1979; H. Sandig, Dt. Dramaturgie des G., 1980; W. Jansen, D. G. i. d. dt. Lit. d. Spätaufkl., 1980; Das G. i. d. Dichtg., hg. O. F. Best 1980; M. Steig, Z. Definition d. G. (D. Psychoanalyse u. d. Unheiml., hg. C. Kahane 1981); M. Müller, D. G., FLE, 1981; G. G. Harpham, *On the g.*, Princeton 1982, ²1987; F. Burwick, *The haunted eye*, 1987; P. M. Uruburu, *The gruesome doorway*, 1987; *Le grotesque*, EG 43/I, 1988.

Gründerzeit, aus der Sozialgeschichte entlehnte Epochenbz. für die Hochblüte des Nationalismus und Kapitalismus in Dtl. im Gefolge des Krieges von 1870/71, umfaßt die siebziger und frühen achtziger Jahre des 19. Jh. und damit lit. die Endphase des bürgerlichen →Realismus mit pathet.-theatral. Epigonendichtung eines unpolit. Genie- und Heroenkults, monumental gedachte historisierende Epen und Tragödien sowie die →Butzenscheibenlyrik. Als typ. Vertreter der G. gelten P. Heyse, E. v. Wildenbruch, F. Dahn, F. Spielhagen, R. Voss und z. T. Nietzsche.

R. Hamann u. J. Hermand, G., 1965; J. Hermand, Z. Lit. d. G., DVJ 41, 1967; K. G. Just, V. d. G. bis z. Gegenw., 1973; J. Hermand, Grandeur..., MH 69, 1977.

Grundmaß, in der Metrik ungenaue Bz. für →More, →Takt, →Vers, →Strophe.

Grundriß, systemat. Darstellung des Wesentlichen und Grundlegenden e. Wissenschaft bzw. e. Wissensgebietes.

Gruppe(n), literarische →Dichterkreis

Gruppe 47, von Hans Werner Richter u. a. Mitarbeitern der von der Besatzungsmacht verbotenen Zs. *Der Ruf* am 10. 9. 1947 in München gegr. und geleiteter Dichter- und Kritikerkreis der jungen lit. Kräfte Dtl.s nach 1945 in lockerem Zusammenhang ohne feste Organisation und ohne festes polit. oder ästhet.-lit. Programm außer der Förderung der jungen dt. Lit. durch gegenseitige Kritik bei den 1947–55 halbjährl., 1956–68 jährl. Tagungen (letzte 1972 Berlin und 1977 Saulgau), bei denen Mitglieder und eingeladene Außenstehende in e. begrenzten Kreis aus unveröffentlichten Werken vorlasen, die anschließend in e. mündl. Sofortkritik der Teilnehmer ohne Möglichkeit zur eigenen Stellungnahme des Autors diskutiert wurden, und der von Verlegern und Rundfunkanstalten gestiftete Preis der G. 47 verliehen wurde. Als bedeutendster und durch die Stellung ihrer Mitglieder einflußreichster Gruppierung der dt. Nachkriegslit. wurde der G. 47 insbes. wegen gelegentl. Resolutionen und öffentl. Stellungnahmen kleinerer Teilnehmergruppen, wegen ihres linkssozialist. polit. Engagements und wegen ihrer wachen Kritik an polit. und soz. Verhältnissen in der Bundesrepublik von ihren Gegnern ein lit. Meinungsmonopol vorgeworfen, doch überschätzte man allg. Einfluß und Einheitlichkeit der Gruppe, die nur aufgrund ihrer Vielfalt und Vielseitigkeit den Anspruch erheben konnte, repräsentativ für die mod. dt. Lit. zu sein: I. Aichinger, A. Andersch, I. Bachmann, R. Baumgart, J. Bekker, H. Bender, H. Bienek, H. Böll, P. Celan, H. v. Cramer, M. Dor, G. Eich, H. M. Enzensberger, G. Grass, P. Härtling, H. Heissenbüttel, G. Herburger, W. Hildesheimer, W. Höllerer, W. Jens, U. Johnson, A. Kluge, W. Koeppen, S. Lenz, R. Lettau, R. Rasp, R. Rehmann, K. Roehler, P. Rühmkorf, E. Schnabel, W. Schnurre, R. Schroers, G. Seuren, M. Walser, P. Weiss, W. Weyrauch, G. Wohmann u. a. m.

Almanach d. G. 47, hg. H. W. Richter 1962; H. Meyer-Brockmann, Dichter u. Richter, 1962; R. Schroers, G. 47 u. dt. Nachkriegslit., Merkur 19, 1965; G. 47, hg. H. Ziermann 1966; D. G. 47, hg. R. Lettau 1967; H. Lehnert, D. G. 47 (Dt. Lit. d. Ggw., hg. M. Durzak 1971, ²1981 u. d. T. Dt. Gegenw.lit.); S. Mandel, *Group* 47, Carbondale 1973; F. Kröll, D. G. 47, 1977; ders., G. 47, 1979; H. W. Richter u. d. G. 47, hg. H. A. Neunzig 1979; D. G. 47, hg. H. L. Arnold 1980, ²1987; E. Pohl, D. G. 47 (Lit.betrieb i. d. BRD, hg. H. L. Arnold ²1981).

Gruppe 61, am 17. 6. 1961 von F. Hüser in Dortmund gegr. Kreis von

Schriftstellern, Kritikern, Journalisten und Lektoren zur Förderung der ›lit.-künstlerischen Auseinandersetzung mit der industriellen Arbeitswelt und ihren sozialen Problemen‹ durch gegenseitige Kritik, Aussprache, Beratung und Diskussion in zweimal jährl. Lesungen und Zusammenkünften. Die G. 61 erstrebt e. Erneuerung der →Arbeiterliteratur unter den neuen Aspekten der Industriegesellschaft und pflegt daher weniger soz. Klassenkampfdichtung oder pathet. Verherrlichung des Arbeitsethos als vielmehr nüchtern-distanzierte Bewältigung der mod. Arbeitswelt in Industrie, Betrieb und Freizeit, wenngleich sich einzelne Mitglieder am Stil der sozialromant. Arbeiterdichtung oder an gedankenlos übernommenen, realist. Thema abträglichen Kunstgriffen der mod. Lit. orientieren. Infolge der engumgrenzten Thematik, des vorwiegend stoffl. Interesses, der soz. Herkunft der Mitglieder aus Arbeiter- und Angestelltenkreisen und des mangelnden lit. Feingefühls, das z.T. an konventionellen Formen, abgegriffenen Bildern und dem zerschlissenen Vokabular der Sprachklischees festhält, ist die ästhet.-lit. Bedeutung der G. 61, gemessen am Niveau der höheren Nachkriegslit., geringer als ihre soz. und literaturpolit. Bedeutung als Versuch zur Darstellung eigener Erfahrungen und erlebten Unbehagens in der industrialisierten, vermassenden Arbeitswelt. Mitglieder J. Büscher, K. E. Everwyn, B. Gluchowski, M. von der Grün, A. Mechtel, E. Runge, W. Körner, J. Reding, K. Struck, E. Sylvanus, H. Wohlgemuth u.a. Der linke, antiästhet. Flügel der G. 61 spaltete sich 1970 unter E. Schöfer und G. Wallraff als →›Werkkreis Literatur der Arbeitswelt‹ ab.

Aus der Welt d. Arbeit, hg. F. Hüser u.a. 1966; F. Hüser, V. d. Arbeiterdichtg. z. neuen Industriedichtg., 1967; G. 61, hg. H. L. Arnold 1971; K. Bullivant, G. 61 nach 10 Jahren (Basis 3, 1972); P. Kühne, Arbeiterklasse u. Lit., 1972; F. Schonauer, D. Dortmunder G. 61 (Hb. z. dt. Arbeiterlit., 1977); Arbeiterlit. i. d. BR., hg. H. L. Arnold 1979.

Gruppe 1925, linksbürgerl.-kommunist. Berliner Schriftstellergruppe aus dem Bereich des Expressionisten 1925–28 um J. R. Becher, B. Brecht, A. Döblin, L. Frank und E. E. Kisch, R. Leonhard, die nach Gründung des →Bundes proletar.-revolut. Schriftsteller auseinanderbrach und zu lit. Fehden führte.

K. Petersen, D. G. 1925, 1981.

Gruppo 63 (ital. *gruppo sessantatre*), nach dem dt. Vorbild der →Gruppe 47 im Oktober 1963 in Palermo gegr. Dichterkreis der ital. Avantgardisten, der wie sein Vorbild in alljährl. Arbeitstagungen unveröffentlichte, vorgelesene Texte diskutiert; sie werden in jährl. Almanachen veröffentlicht. Gemeinsamkeiten der recht verschiedenartigen Mitglieder sind die Polemik gegen das lit. Establishment, die Neigung zu lit. Esoterik, zu Experimenten und mod. Manierismen. Mitglieder sind Anceschi, Arbasino, N. Balestrini, A. Barilli, F. Curi, O. del Buono, Dorfles, U. Eco, A. Giuliani, G. Guglielmi, F. Leontetti, G. Manganelli, E. Pagliarani, A. Porta, E. Sanguineti u.a.m.

Gruselgeschichte →Gespenstergeschichte, →Schauerroman

Gstanzl →Schnadahüpfel

Guckkastenbühne, die seit der ital. Renaissance eingeführte, im Barock technisch vervollkommnete, im 18. Jh. allg. verbreitete und im wesentl. noch heute bestehende Bühnenform an e. Seite des Zuschauerraumes, von diesem durch Vorhang abgeteilt, mit auswechselbarem Schlußprospekt und seitlich abschließenden, perspektiv. Kulissen. →Bühne.

Gudrunstrophe →Kudrunstrophe

Guignol (franz. = Hanswurst), populäre Hauptfigur des um 1808 von dem Puppenspieler Laurent MOURGUET in Lyon eingeführten Handpuppen-Kasperlespiels, dann übertragen auf das später nach Paris übernommene aggressiv zeitsatir. Puppenspiel überhaupt. Das Pariser ›Théâtre du Grand Guignol‹ stellte 1897–1962 mit echten Schauspielern meist kurze krass naturalist. Schauer- und Gruselstücke (u. a. von O. MÉTÉNIER und A. de LORDE) dar, die als Gattung mit Grand G. bezeichnet werden.

A. Camillo-Traversi, *Hist. du Grand G.,* Paris 1933; P. Fournel, *L'hist. véritable de G.,* Genf 1981.

Gunki, Gunkimono, der chronikartige Kriegsroman als Erzählform der japan. Prosalit. seit dem 12. Jh. als romant. Historie von held. Kriegsgeist: *Hōgen Monogatari, Heiji Monogatari, Heike Monogatari, Gempei Seisuiki* und *Taheiki.*

Guslar (v. serb. *gusla,* einsaitige Kniegeige), nach dem Begleitinstrument für seinen Vortrag Bz. des serbokroat. Heldenliedsängers.

Hadīth (arab. = Feststellung), dem Propheten MOHAMMED von dritter Seite zugeschriebene Lehren, Aussprüche und Handlungen, die neben der direkten Überlieferung im *Koran* für einen Teil der Muslim als maßgebl. Quelle relig.-moral. Verhaltensregeln gelten. Die Suche nach solchen Belegen aus der Tradi-

tion MOHAMMEDS rief nach dem Tod des Propheten unter seinen Freunden, Bekannten und Zeitgenossen eine reiche H.-Lit. hervor, die z. T. zielbewußt und interessebedingt neue ›Traditionen‹ vortäuschte, so daß als Gegengewicht eine H.-Kritik entstand.

J. Goldziher, Muhammedan. Stud. II, 1889; O. Houdas u. W. Marçais, *Les traditions islamiques,* Paris IV 1903–14; A. Guillaume, *The Traditions of Islam,* Oxf. 1924; G. E. v. Grunebaum, D. Islam i. MA., 1963.

Häufung →Worthäufung

Haftband, pers. Gedichtform aus 12 Strophen zu je 8 Zeilen, davon 7 mit gleichem Reimwort, die 8. mit neuem Reimschluß; von MUHTASHAM KASHI (16. Jh.) erfunden und meist Leben und Taten der Propheten u. ä. beschreibend.

Hagiographie (griech. *hagios* = heilig, *graphein* = schreiben), wiss. Beschäftigung mit sowie erbauliche Beschreibung von Heiligenleben, entstand aus den Märtyrerakten, später oft mit kritikloser →Legendenbildung; Beginn bei ATHANASIUS.

H. Kech, H. als christl. Unterhaltgslit., 1977; H. U. Gumbrecht, Faszinationstyp H. (Fs. H. Kuhn 1979); *H. and medieval lit.,* hg. H. Bekker-Nielsen, Odense 1981.

Hagionym (griech. *hagios* = heilig, *onoma* = Name), Heiligenname als →Pseudonym, z.B. St. ALBIN für Bettina von ARNIM.

Haibun (japan.), in japan. Lit. ein essayartiger, konziser poet. Prosatext von gepflegtem Stil mit Einlagen von Haiku, in denen die Stimmung der H. lyrisch gipfelt.

Haikai no renga →Renga

Haiku, japan. lyr. Kurzform aus drei Zeilen zu 5-7-5, also zusammen 17 Silben mit heiter skizzierter Pointe, seit 16. Jh. aus dem scherzhaften Kettengedicht (Haikai no renga, →Renga) entstanden. Kennzeichnend ist trotz der stoffl. Freiheit die knappste und sinnreiche Erfassung des Gegenstandes in geeigneter, typ. Form und treffendem Ausdruck. Traditionell ist die Bindung an Natur, Elemente, Jahreszeiten. Meister des auch noch heute beliebten H. waren Matsuo BASHO, BUSON, ISSA und SHIKI; Nach- u. Neudichtungen u.a. von M. HAUSMANN (*Liebe, Tod und Vollmondnächte,* 1951), E. POUND, W. B. YEATS, J. ULENBROOK (1960), D. KRUSCHE (1970), I. v. BODMERSHOF (1980), H. KASDORFF (1986). →Hokku.

G. Bonneau, *Le H.*, Paris 1935; C. Meili, *Le H.*, 1951; H. G. Henderson, *An Introd. to H.*, N.Y. 1957; ders., *H. in Engl.*, N.Y. 1967; K. Yasuda, *The Japanese H.*, Tokyo ¹1960; H. Hennecke, Üb. d. jap. H., NDH 79, 1961; R. Blyth, *A hist. of h.*, Tokio II 1963 f., ²1972; D. Krusche, H., 1970; W. H. Cohen, *To walk in seasons*, Tokio 1972; R. Etiemble, *Sur une bibliogr. du H.*, CLS 2, 1974; H. Meyer, Rilkes Begegng. m. d. H., Euph. 74, 1980; D. Krusche, D. jap. H. i. Dtl. (in: Lit. u. Fremde, 1985).

Hainbund →Göttinger Hain

Hakenstil, -vers, auch Bogenstil, im Ggs. zum →Zeilenstil, bei dem syntakt. oder Sinneinschnitt mit dem Schluß der Langzeile oder des Langzeilenpaares zusammenfallen, e. Stilform der german. Alliterationsdichtung (ähnlich dem →Enjambement), die den Sinneinschnitt ans Ende der ersten Halbzeile, also in die Versmitte verlegt, so daß 2. Hälfte e. Langzeile und 1. Hälfte der folgenden e. durch den Sinn verklammerte Einheit bilden; sehr oft im *Beowulf, Heliand* und *Hildebrandslied.*

A. Heusler, Dt. Versgesch. I, 1925; S. Beyschlag, Zeilen- u. H., PBB 56, 1932. →Metrik.

Halbreim   →unreiner   Reim, →Doppelreim

Halbvers, Halbzeile, allg. jede Hälfte e. Verses, insbes. der →Kurz-

vers innerhalb der german. →Langzeile. →Hemistichon.

Hallesche Dichterkreise, in der 2. Hälfte des 18. Jh. fast gleichzeitig: 1. älterer H. D., um 1735–45, unter engl. Einfluß, bes. MILTONS, stehend, pietist. und der Empfindsamkeit genäherter Freundschaftsbund von J. J. PYRA und S. G. LANGE, gegründet 1733 als ›Gesellschaft zur Beförderung der dt. Sprache‹, pflegt bes. relig. und erhabene, gefühlsbetonte Stoffe (Natur, Freundschaft) in reimloser Odenform und bereitet KLOPSTOCKS relig. Dichtung, bes. den *Messias,* vor. – 2. jüngerer H. D., um 1739–60, antipietist., franz. beeinflußt und anakreontisch, um GLEIM, UZ, GÖTZ mit weltl. heiterer Sinnenfreude. Vorbereiter der →Anakreontik.

K. Viëtor, Gesch. d. dt. Ode, 1923, ²1961; RL; W. Rasch, Freundschaftskult u. Freundschaftsdichtg. d. 18. Jh., 1936.

Hamartia (griech. = Irrtum), Fehleinschätzung oder Verkennung der Situation und entsprechendes Fehlverhalten des Helden, nach ARISTOTELES e. Ursache der Verwicklung in der Tragödie. Sie ist nicht sittl. Schuld, aber doch mangelnde Reflexion oder →Hybris und daher vom Helden zu verantworten.

O. Hay, H. (Philologus 83, 1928).

Hamâsa (arab. = Tapferkeit), Bz. arab. Anthologien, bes. mit Helden- und Preisliedern der Tapferkeit, Totenklagen, Sprüchen, Liebes- und Spottgedichten, bes. von ABU TAMMÂM (dt. von F. RÜCKERT 1846).

Handbuch, Zusammenfassung der wichtigsten Realien e. Wissensgebiets, eigtl. in e. Einzelband handl. Umfangs und Formats, dann auch in mehrbändigen Sammelwerken.

Handlung, Umsetzung innerseelischer Willensäußerungen in die Tat, ist Inhalts- und Strukturelement der

→pragmatischen Gattungen: Geschehensablauf in der Epik und bes. unentbehrliche Ursache der Konflikte im Drama, wo die →Einheit der H. wenigstens für geschlossene Formen unveränderl. Erfordernis ist und auch offene Formen ihr bei aller Mehrdimensionalität im Prinzip nahebleiben. Im dramat. Aufbau unterscheidet man steigende H. bis zur →Peripetie und fallende H. bis zur Katastrophe, nach der Wichtigkeit innerhalb des Stückes Haupt- und in diese verwobene →Nebenh. (vgl. →Episode), ferner ›äußere H.‹, →Vordergrunds-H. als Ereignisablauf und ›innere H.‹ als seelischgeistige, sittliche u. ä. Entwicklung. Vgl. →Fabel, →Plot.

R. Franz, D. Aufbau d. H. i. d. klass. Dramen, ⁴1910; A. Dyrhoff, D. H. i. Drama, 1919; W. W. Kirchesch, D. Verhältn. v. H. u. Dramaturgie, Diss. Mchn. 1963; G. Harras, Kommunikative H.prozesse, 1978; S. Giles, The probl. of action in mod. Europ. drama, 1981; K. K. Schäfer, H. i. neueren engl. Dr., 1986.

Handlungsdrama, Drama, das sich im Ggs. zum →Figurendrama weniger aus den vorgegebenen Anlagen der Figuren als aus situationsbedingten oder willensfreien →Handlungen entwickelt.

Handpuppenspiel →Puppenspiel

Handschrift, handgeschriebener Text; bis zur Erfindung des →Buchdrucks einzig mögliche Form der Verbreitung von Lit. und damit als Überlieferungsträger von unschätzbarem Wert (→Codex), und auch später teils als individuellere Form höher geschätzt als der Druck. Schreibstoff und Schriftart gestatten neben den inhaltl. Indizien z. ungefähre Datierung der H.en; Geschichte, Datierung und Entzifferung von H.en sind Aufgabe der →Paläographie. Älteste german. H. ist der Codex argenteus (got. Bibel),

bekannteste die Große Heidelberger Liederhs. Heute ist H. als Druckvorlage aus der Hand des Verfassers gleichbedeutend mit →Manuskript. →Autograph, →Buch, →Schrift, →Schreibstoffe.

RL; K. Löffler, Einf. in d. Hss.kunde, 1929; W. Frels, Dt. Dichter-H.en 1400–1900, 1934, n. 1970; Gesch. d. Textüberliefg., II 1961–64; P. O. Kristeller, Latin manuscript books before 1600, N.Y. ³1965; A. Brown u. A. Petti, Engl. Lit. Hands from Chaucer to Dryden, Lond. 1965; J. Kirchner, Germanist. Hss.praxis, ²1967; P. J. Becker, Hss. u. Frühdrucke mhd. Epen, 1977; Dt. H.en 1100–1400, hg. V. Honemann 1987. →Paläographie.

Handwerkertheater, Bühnenaufführung durch e. Laientruppe von Handwerkern ähnlich dem →Bauerntheater mit primitivsten techn. und schauspieler. Mitteln ohne größeren Aufwand an Kostümen und Dekorationen, bes. z. Z. des Meistersangs und Hans SACHS', als Handwerker auf provisor. Podien in Kneipen oder Höfen – nur bei großen und ernsten zumal geistl. Spielen im Chorraum der Kirchen oder in Sälen – Revuen und →Fastnachtsspiele mit einfachstem, stat. Gebärden (zwecks leichterer Lernbarkeit und Verständlichkeit) und typisierender Darstellungsart aufführten; teils noch im 18./19. Jh. in England, Süddtl. (Lauffener Salzschiffer) und der Schweiz von einzelnen Ständen fortgeführt. SHAKESPEARE im Sommernachtstraum und GRYPHIUS in Peter Squentz parodieren das H., das nach seiner Blütezeit im frühen 16. Jh. bald ins Ständetheater überging.

M. Herrmann, Forschgn. z. dt. Theatergesch. d. MA. u. d. Renaiss., 1914; RL¹; E. Catholy, D. Fastnachtsspiel d. SpätMA., 1961; L. Schmidt, D. dt. Volksschauspiel, 1961.

Handwerkslied, →Ständelied mit Schilderungen des Handwerks, Zunft- und bes. Wanderburschenlebens, daneben auch Verspottungen (bes. der Schneider).

H. Berg, K. Herig, H. aus alt. Zt., 1927. →Volkslied.

Hanka (japan. = Geleit) oder Ka-eshi-uta, in japan. Lyrik eine Strophe in →Tanka-Form, die als Abschluß, Zusammenfassung oder Nachtrag an ein Langgedicht (→Nagauta) angehängt wird. Die Manier, an ein Langgedicht 1–2 H. anzuhängen, kam im 7. Jh. nach chines. Vorbild auf.

Hans-Sachs-Bühne →Bühne

Hanswurst (zur Bz. der Gefräßigkeit und als Vergleich des linkischen Dickwansts mit der Wurst, als ›Hans Worst‹ zuerst in e. Rostocker Bearbeitung von BRANTS *Narrenschiff* 1519, dann bei LUTHER, *Vermahnung an die Geistlichen* 1530 und *Wider Hanns Worst* 1541, zuerst 1553 auf den tölpelhaften Bauern im Fastnachtsspiel, seit 1573 den Lustspielnarren allg. übertragen), derb- →komische Person mit mim. Stegreifscherzen zur Belustigung der Zuschauer, Lieblingsfigur des volkstüml. Theaters, im Gefolge der →Englischen Komödianten (→Pickelhering) entstanden, nach Vorbild der →Commedia dell'arte als →Harlekin bis ins 18. Jh. auf dt. Bühnen, bes. im Fastnachtsspiel (auch Hans SACHS), der Stegreifkomödie und den →Haupt- und Staatsaktionen, um 1710 von den Wiener Schauspielern J. A. STRA-NITZKY und G. PREHAUSER wiederbelebt als stehende Charakterfigur: gefräßiger, einfältig-bauernschlauer Salzburger; von GOTTSCHED erbittert bekämpft, da sein kom. Stegreifspiel oft ohne Zusammenhang mit der Haupthandlung das ernste Drama sprengte, von der NEUBERIN 1737 in e. Vorspiel von der Bühne verbannt, doch bes. in Süddtl. we-nig erfolgreich; von LESSING (*Hamburgische Dramaturgie* 18) und MÖSER (*Harlequin,* 1761) dagegen in der Berechtigung seiner Rolle verteidigt und schließlich als Kasperl in der Wiener Zauberposse RAIMUNDS künstlerisch neugestaltet, lebt er im Puppenspiel fort. Vgl. →Hanswurstspiel.

Lit. →komische Person.

Hanswurstspiel, auch Hanswurstiade, aus dem ma. Fastnachtsspiel, der Commedia dell'arte und dem Pickelheringspiel der Englischen Komödianten entwickeltes possenhaftes Stegreif-Bühnenstück um e. →komische Person, die durch köstl. und schlagfertigen Mutterwitz, bewegl. Fröhlichkeit und unersätl. Appetit sowie den kom. wirkenden Kontrast zwischen seinem Wesen und seinen Großtaten heitere Effekte erzielt und hierdurch wie durch originelles Benehmen, virtuose Dialogführung und geistesgegenwärtige Beherrschung ganzer Register von Wortwitzen u.ä. den Mittelpunkt der Handlung bildet. Wanderbühne und Engl. Komödianten hängen das H. seit der 2. Hälfte des 17. Jh. als Nachspiel an ihre ernste Hauptaktion an. Trotz der Verpönung der kom. Person und des Stegreifspiels durch GOTTSCHED und die NEUBERIN lebt das H., vom Wiener Ph. HAFNER zuerst in lit. Formen gefügt, bis ins 19. Jh. fort und erreicht bei RAIMUND und NESTROY neue Formen, später nur noch mit bürgerl. Berufen der Hauptfigur in Posse und Schwank sowie im heutigen Puppenspiel. →Hanswurst.

RL. →Lustspiel, →komische Person.

Hapax legomenon (griech. = nur einmal Gesagtes), nur an einer Stelle belegtes, der Bedeutung nach daher oft unklares Wort einer gestorbenen Sprache oder Sprachstufe, im Unterschied zu →Vox nihili.

Haplographie (griech. *haplus* = einfach, *graphein* = schreiben), fehlerhafte einmalige Setzung e. doppelt erforderlichen Buchstabens, e. Silbe oder e. Wortes, z.B. in Handschriften. Ggs.: →Dittographie.

Haplologie (v. griech. *haplus* = einfach, *logos* = Wort), ›Silbenschichtung‹, der Ausfall einer von zwei meist durch Zusammensetzung aufeinanderfolgenden ähnlichlautenden Silben, z.B. ›tragi(ko)komisch‹.

Happening (engl. = Geschehnis), primitive pseudokünstler. Veranstaltungsform der 6oer Jahre in den USA (seit 1957) und Europa, die durch plötzlich überraschend eintretende groteske Ereignisse, durch auf spontane Provokation ausgerichtete Effekte und die Zuschauer irritierende Techniken der Darbietungsform die herkömml. Denkgewohnheiten und Gefühlsschablonen in Frage stellen, Unerwartetes in den vermeintlich berechenbaren Alltag hineinbringen und Wirkungen und Assoziationen hervorrufen will, die in den Teilnehmern ein anderes Verhältnis zur Welt hervorrufen sollen, sie von passiven Konsumenten des Gebotenen zu aktiven Mitwirkenden machen will. Das H. entstand und ist erklärbar als Protest gegen die Denaturierung und Mechanisierung des Menschen in e. präfabrizierten Konsumwelt mit e. bewußtseinsbildenden Industriereklame und akzeptierten Tabus und Konventionen. Seine Formenbreite reicht von systematisch aufgebauten, im Effekt vorausberechneten H. über eine freiere, dem Zufall bewußt Raum lassende spontane Improvisation bis zum billigen Klamauk mit überstrapazierten, abgegriffenen Reizwerten, Schablonen und zeitgerechten Phrasen. Exzessiv und auf Sensationen erpicht, bewußt schockierend bis zum Exhibitionismus, dennoch im vielfach zusammenhanglosen Ergebnis immer weit hinter der Theorie wie den Erwartungen zurückbleibend, ist das H. bei aller Aufrichtigkeit des Bemühens unaufrichtig nur in der von den Veranstaltern propagandierten Gleichsetzung der Geschehnisse mit Kunst. ›Aktionskünstler‹ des H. waren A. Kaprow, B. Brock, W. Vostell, O. Mühl, J. Beuys.

J. Becker, W. Vostell, H.s, 1965; M. Kirby, *H.s*, N.Y. 1965; J. J. Lebel, *Le h.*, Paris 1966; W. Vostell, Aktionen, 1970; ders., H. u. Leben, 1971; W. Nöth, Strukturen d. H., 1972.

Happy end (engl. = glückliches Ende), guter Ausgang in Roman, Film, Drama, bes. →Trivialliteratur.

Harǧa →Kharǧa

Harinī (ind. = Taube), Strophenform der ind. Epik und Panegyrik aus vier Siebzehnsilbern der Form ⏑⏑⏑⏑⏑–/––––/⏑–⏑⏑–⏑⏑–.

Harlekin (franz. Arlequin, ital. Arlecchino), die →komische Person der →Commedia dell'arte, schelmischer Diener aus Bergamo in buntem Flickenwams mit Pritsche, schwarzer Halbmaske und Kahlkopf, seit 1613 vielseitige Hauptfigur auch in franz. Komödie (Regnard, Lesage, Marivaux) und kom. Oper; in Dtl. seit Moscherosch 1642 anstelle des →Hanswurst geläufige Bz. in Posse (H.ade) und ernstem Drama; 1737 auf Bestreben Gottscheds durch die Neuberin abgeschafft.
Lit. →komische Person.

Harlekinade →Hanswurstspiel

Hartford Wits →Connecticut Wits

Haufenreim →Reimhäufung

Hauptfigur →Held

Haupthandlung →Handlung, →Nebenhandlung

Hauptrolle, in Theater, Film usw. die je nach Anlage des Stückes bis zu 3–5 zentralen, für Ablauf und Ausgang der Handlung entscheidenden Figuren im Ggs. zu den Nebenrollen.

Haupttitel, im Ggs. zu Neben-, Vor- und Untertitel der eigentliche, auf dem Titelblatt angegebene →Titel e. Druckwerks, bei →Doppeltitel meist dessen 1. Bestandteil.

Haupt- und Staatsaktion (›Hauptaktion‹ im Ggs. zum kom. Zwischen- bzw. Nachspiel, ›Staatsaktion‹ nach dem histor.-polit. Inhalt und der Ausstattung; Ausdrücke der dt. Wanderbühnen), krit.-polem. Bz. GOTTSCHEDS für die aus Banalisierung der engl., span., franz., ital. und dt. Ereignisdramen, auch Opern, entstandenen Repertoirestücke der dt. →Wanderbühnen um 1685–1720; oft vom Prinzipal verfaßte, auf den breiten Publikumsgeschmack der Zeit zugeschnittene, im Handlungsaufbau stereotype und lit. wertlose Tragödien aus der höf. Welt, meist mit pseudohistor. Stoffen aus oriental. und antiker, fast nie dt. Geschichte und pompösem Großaufgebot von Fürsten und Hofstaat, die dem politisch ausgeschalteten Kleinbürger e. vermeintl. Blick in die Kulissen, Intrigen, Liebesaffären, Leidenschaften und Festlichkeiten der ›Großen‹ bieten wollen, daher ohne jede höhere Sinndeutung auf Sensationen und grelle Effekte (Blutgier wütender Tyrannen, Märtyrererloiden, Geistererscheinungen, Wahnsinnsszenen, Hinrichtungen, Lauschszenen, Krönungen, Hochzeiten) abzielen und die trag. Wirkung meist durch possenhafte Einschübe (→Hanswurst als Vertreter gesunden Menschenverstandes) sowie den obligaten Endsieg des Guten aufheben. Die Spieltexte führten nur die ernsten Szenen schematisch aus, überließen kom. Einlagen dagegen der Improvisationskunst, sie wurden nie gedruckt, blieben in hs. Form Eigentum des Prinzipals und sind in dieser Form, bes. in Wien, erhalten; ihre Sprache ist blumenreiche, schwülstige Prosa.

K. Weiß, D. Wiener H. u. S., 1854; C. Heine, D. Schauspiel d. dt. Wanderbühne vor Gottsched, 1889; R. Payer v. Thurn, Wiener H. u. S., II 1908–11, n. 1975; RL.

Hausväterliteratur, prakt. Anleitungen zur Haus- und Grundverwaltung und Landwirtschaftslehre, Lehrbücher der Ökonomik, bildeten aufgrund der griech. Ökonomik-Lit. (ARISTOTELES u.a.) und röm. Agrarlehre (VERGIL u.a.) sowie ma. Arteslit. einen Zweig der Sachliteratur im 16./17. Jh., so nach Vorgang von C. VON HERESBACH (1570) und A. VON THUMBSHIRN (postum 1616) bes. in J. COLERS *Oeconōmia ruralis et domestica* (1598/99) und W. H. VON HOHBERGS *Georgica curiosa* (1682).

RL; D. Vaterbild i. Abendl., hg. H. Tellenbach II 1978.

Haute tragédie (franz. = hohe Tragödie), die Tragödienform (→Tragödie) des franz. Klassizismus in der 2. Hälfte des 17. Jh. (CORNEILLE, RACINE) mit geschlossener Form in fünf symmetr. gebauten Akten, Wahrung der drei →Einheiten und der Ständeklausel, Beschränkung von Handlung und Figurenzahl aufs Wesentliche, Basierung des trag. Konflikts auf eth. Normen der höf. Gesellschaft und Zurücknahme der (außerhalb des Bühnengeschehens verlaufend gedachten) Handlung in die Sprache des Alexandrinerverses. Lit. →Tragödie.

Hebung (urspr. Übersetzung des gegenteiligen griech. →Arsis), die betonte, d.h. rhythmisch-akzentuell hervorgehobene Silbe im dt. Vers im

Ggs. zur →Senkung; in Übereinstimmung mit der gewöhnl. Wortbetonung. Man unterscheidet nach Schwereabstufung stark betonte Haupt- (´) und schwächer betonte Neben-H. (`), heute unabhängig von der Silbenlänge. Im altgerman. Stabreimvers liegt die H. auf Starktonsilben jeder Quantität; nur wenn die Hebung mehr als eine More umfaßt, wird lange Quantität erforderlich, ebenso im ahd. und mhd. Reimvers, später freier. Durch Senkungsausfall entsteht e. →›beschwerte‹ oder ›überdehnte H.‹, oder, wenn die H. auf e. sprachliche Kürze fällt, ›H.sverkürzung‹ (bei OTFRIED und mhd. Dichtern). In alternierenden Versen bezeichnet ›Hebungsspaltung‹ oder ›gespaltene H.‹ das Eintreten von zwei Kürzen, deren erste den Ton trägt, statt einer Länge. Die Zahl der H.en, meist 2–6, bestimmt den Vers (›Vierheber‹ usw.). →Vers, →Iktus.
RL. →Metrik.

Hebungsspaltung →Hebung

Heckentheater, im Rokoko gepflegte →Freilicht- und Naturtheater in Schloßparks, umgeben von kunstvoll beschnittenen Hecken, Lauben, Springbrunnen, Tempeln, Statuen u. ä. mit amphitheatral. Zuschauerraum u. vertiefter Orchesternische vor dem Schauplatz, bes. für Aufführungen ital. Komödien, leichter Opern, Pantomimen, Schäferspiele, Hirtenballetts u. ä. durch Mitglieder der Hofgesellschaft, ausgestaltet durch Maler wie WATTEAU, FRAGONARD u. a. Nach span. Vorbild wird das H. seit der 2. Hälfte des 17. Jh. zuerst in Frankreich (Versailles, Marly), dann auch in Dtl. nachgeahmt: CHARBONNIER 1689–93 in Hannover-Herrenhausen, Dresden, M. DIESEL 1718 im Salzburger Mirabell-Garten, Schwetzingen, Rheinsberg, Weimar-

Belvedere, Darmstadt, Würzburg u. a. m.
A. Kutscher, D. Naturtheater (Fs. F. Muncker, 1926); R. Meyer, H.- u. Gartentheater i. Dtl. i. 17. u. 18. Jh., 1934.

Heft, 1. = →Lage, 2. Folge e. Lieferungswerks, 3. selbständiges Druckwerk geringeren Umfangs.

Heftroman →Groschenheft

Heidedichtung, Zweig der Landschafts- und →Heimatdichtung des ausgehenden 19. Jh., findet sich bes. bei DROSTE *(Heidebilder),* STIFTER *(Heidedorf),* LÖNS, STORM u. a.
H. Eick, H. (Freistatt 49, 1905); A. Hinkeldeyn, D. Heide i. Spiegel d. Dichtg. (Monatsbl. f. dt. Lit. 10, 1905); L. Bräutigam, D. Lüneburger Heide (Zs. f. dt. Unterr. 19, 1905); K. Hüber, D. Heide i. d. Dichtg. (Lit. Echo 20, 1918).

Heidelberger Romantik, Dichter- und Schriftstellerkreis der jüngeren →Romantik, bestehend zumeist aus Studenten und Dozenten der Heidelberger Universität seit 1805; A. von ARNIM, C. BRENTANO, J. von EICHENDORFF, L. UHLAND, J. GÖRRES, Brüder GRIMM u. a., zusammengeschlossen um die von ARNIM hg. *Zeitung für Einsiedler.* Ihre Bestrebungen führten über die lit. Ergebnisse hinaus zur Sammlung und Sichtung der lit. Überlieferung in Volksliedern *(Des Knaben Wunderhorn,* hg. A. v. ARNIM und C. BRENTANO 1806–08), Volksbüchern (hg. J. GÖRRES 1807), Märchen *(Kinder- und Hausmärchen,* hg. Brüder GRIMM 1812) und Sagen (Brüder GRIMM 1816).
H. Levin, D. H. R., 1922. →Romantik.

Heiligenleben, Heiligenlegende →Legende

Heiligenlied, geistl. Lied für den kirchl. Volksgebrauch zur Anrufung e. oder mehrerer Heiliger, mit deren Lobhymnus und Ersuchen um Fürbitte; findet sich zur Verdrängung der heidn. Heldenlieder durch christl. Heldenverehrung schon in ahd. Lit. (Petrus-, Georgslied, RATPERTS St. Galluslied, in lat. Übersetzung durch EKKEHARD IV.). Die meisten H.er richten sich an Maria, Johannes den Täufer, die Apostel, bes. Petrus, Johannes, Engel (bes. Michael und die Schutzengel), an Märtyrer und Ordensstifter (Franziskus, Ignatius), daneben an lokale Heilige für Land, Diözese, Stadt, Kirche und Kapelle in e. Fülle von Hymnen und Sequenzen, meist nach lat. Vorbild oder volkstüml. Wallfahrtsgesängen. Trotz geringer Bedeutung lebt das H. bis in die heutigen kath. Gesangbücher fort. RL[1].

Heilige Schriften, eine Gruppe von Literaturwerken, die in erster Linie nicht schöngeistig-ästhet. Ziele verfolgen, sondern der Verbreitung, Pflege und Praxis einer Religion dienen, also der Kanon relig. Offenbarung, Lehre und Überlieferung, Hymnik und Liturgik, Gebets-, Ritual-, Erbauungsschriften, Aufzeichnungen der Religionsgründer, Urlehrer, Propheten und Weisen sowie die als göttlichen Ursprungs erklärten kirchl. Gesetzbücher. Die H. S. gelten als inspiriert, normativ und im Wortlaut unveränderlich und unterscheiden sich dadurch vom bloßen relig. oder theolog. Schrifttum; sie wurden oft aus Furcht vor Mißbrauch lange nicht und dann zuerst nur für den Gebrauch der Priester aufgezeichnet. Zu ihnen gehören u.a.: sumer. Hymnen und Gebete, ägypt. Totenbücher, pers. *Awesta,* arab. *Koran,* ind. *Veden, Puranas, Brahmanas* und *Upanishaden,* japan. *Kojiki* und *Nihongi,* jüd. AT. und *Talmud,* christl. *Bibel,* schließlich die Grundwerke der zahlr. nachchristl. Sekten, z.B. das *Buch Mormon* (1830).
H. Hachmann, Religion u. H. S., 1914;

M. Mieses, D. Gesetze d. Schriftgesch., 1919; L. Browne, *The World's Great scriptures,* N.Y. 1945; C. S. Braden, *The scriptures of mankind,* N.Y. 1952; J. Leipoldt u. S. Morenz, H. S., 1953; A. C. Bouquet, *Sacred books of the world,* Lond. 1954, [2]1962; G. Lanczkowski, H. S., 1956; K. Goldammer, D. Formenwelt d. Religiösen, 1960; H. I. Needler, *Sacred books and sacral criticism,* NLH 13, 1981f.

Heilsspiegel →Spiegel

Heimatdichtung, Heimatliteratur, themat. bestimmter, wertungsfreier Oberbegriff für alles lit. Schaffen aus dem Erlebnis der Heimat, einer bestimmten Landschaft und ihrer Menschen sowie des ländl. Gemeinschaftslebens im weitesten, nicht nur rein stoffl. Sinne als allg. Grundlage der Welterfahrung. H. im umfassendsten Begriff ist im Grunde ein Großteil aller Lit., auch der Großstadtdichtung, doch wird die Bz. als unterscheidendes Kriterium üblicherweise auf e. mehr in ganz konkretem ländl. Milieu e. spezif. Region oder Provinz angesiedelte Lit. eingeschränkt, die sich durch die geograph.-soziol. verifizierbare Umwelt von der Allgemeinheit der →Bauerndichtung und der →Dorfgeschichte abhebt und durchaus zu echter und hoher Kunst erwachsen kann: GOTTHELF, HEBEL, O. LUDWIG, STIFTER, KELLER, STORM, REUTER, GROTH, ANZENGRUBER, RAABE, EBNER-ESCHENBACH, ROSEGGER, THOMA und bes. die Schlesier, im Ausland HAMSUN, UNDSET, DUUN, BOJER, STREUVELS, TIMMERMANNS, FAULKNER, die Vertreter der →Irischen Renaissance und des franz. →Regionalismus, GIONO, VERGA, PAVESE, REYMONT u.a. Der Oberbegriff H. umfaßt dabei ebenso die echt. H., die engagiert Fehlentwicklungen, soz. Mißstände oder gefährl. Charakterzüge aufzeigt, als auch die ihr zuwiderlaufende einseitige, idyll. Schönfärberei, die in der Bewegung der →Heimatkunst ihre histor. Ausprägung findet und später in die →Blut- und Boden-Literatur des Dritten Reiches einbezogen wurde, und er greift auf dem Bereich der Triviallit. bis auf den freilich klischeehaft unverbindlichen, stereotypen →Heimatroman aus. Der von der Nazizeit pervertierte und von Vertriebenengruppen gefühlsüberlastete Heimatbegriff erlebte in jüngerer Zeit eine Renaissance, die aus Natur- und Landschaftsverbundenheit, →Dialektdichtung, Nostalgie nach Provinz und Ursprünglichkeit, lokalem Traditionsbewußtsein und umweltbewußtem Alternativ-Lebensstil eine krit.-skept., bewußt distanzierte, ideolog. variable und formal vielseitige neue H. (oder Anti-H.) jenseits poet. Idealisierung und polit.-konservativer Gefühlsappelle hervorbringt: O. M. Graf, L. Christ, H. Bienek, P. Handke, G. Grass, F. Innerhofer, F. Jonke, S. Lenz u. a. m.

J.-M. Greverus, D. territoriale Mensch, 1972; P. Mettenleiter, Destruktion d. H., 1974; Regionalismus, hg. L. Gustafsson (Tintenfisch 10, 1976); G. Boch, Stud. z. engl. Provinzroman, 1976; A. Häny, D. Dichter u. ihre Heimat, 1978; N. Mecklenburg, Regionalismus u. Lit., Basis 9, 1979; W. v. Bredow u. a., Zwiespältige Zufluchten, 1981; N. Mecklenburg, Erzählte Provinz, 1982, ²1986; Heimat, hg. H. Bienek 1985; Lit. u. Provinz, hg. H. G. Pott 1986; N. Mecklenburg, D. grünen Inseln, 1987; D. Begriff Heimat i. d. Ggw.lit., hg. H. W. Seliger 1987.

Heimatkunst, dt. Strömung der sog. Stammesdichtung, um 1890–1933 von E. Wachler, A. Bartels, F. Lienhard, T. Kröger und H. Sohnrey (Zs. *Heimat)* als Schlagwort geprägt. Gegen die seit Naturalismus und Symbolismus drohende Gefahr e. Vergroßstädterung, Internationalisierung, Intellektualisierung und Verkünstelung der Dichtung in der →Dekadenz fordert sie im Anschluß an Gedankengut Langbehns *(Rembrandt als Erzieher)* und Lagardes *(Dt. Schriften)* und unter Verweis auf die freilich überragenden Vorbilder der →Heimatdichtung im weiteren Sinne die Betonung des Bodenständigen, Verbindung von Dichtung mit Landschaft und Volkstum, Wiederentdeckung der Provinz und der Stammeseigentümlichkeiten etwa in Form des →Bauernromans, der →Dorfgeschichte und des Kleinstadtromans. Ihr Unterschied zur Heimatdichtung allg. liegt in der fast lehrhaften, idealisierenden Verherrlichung von Heimat, Bauerntum und Dorfleben als unumstößlichem Wert, Wurzel und Hort reinen Menschentums und in einer Betrachtung, die aller Kritik, allen unbequemen Fragen und Problemen, aller Desillusionierung des aufgestellten Trugbildes ausweicht. Ihre wesentl. Bedeutung liegt in der Vermittlung zwischen den einzelnen Landschaften und der Würdigung ihrer Eigenständigkeiten. Die Verbreitung der H. in e. Fülle von →Heimatromanen geschieht unbeeinflußt von den einzelnen Stilepochen bis in die sog. →Blut- und Boden-Dichtung des Dritten Reiches, die die H. als Vorläufer in ihr Kulturprogramm eingliederte. Trotz e. gewissen provinziellen Enge und oft tendenziöser Übersteigerung in der Verherrlichung bäuerl. Lebensverhältnisse gegenüber der Großstadt umfaßt die H. e. Reihe begabter Vertreter, von denen freilich die größten wiederum über den engen Programmbereich hinausragen. Den größten Erfolg fand Frenssens *Jörn Uhl,* ferner außer den obigen Löns, Söhle, Holzamer, v. Polenz, Viebig, Hansjakob, Zahn, Federer, L. v. Strauss und Torney, Schönherr, Greinz, Bartsch, Waggerl, Grogger, Perkonig, Ponten, Kneip und H. F. Blunck;

auch auf die Entstehung der →Freilichttheater hatte die H.bewegung wesentl. Einfluß.

A. Bartels, H., 1904; RL; E. Jenny, D. H.-bewegung, 1934, P. E. Schütterle, D. Heimatroman i. d. dt. Presse d. Nachkriegszeit, Diss. Würzb. 1936; L. Dieck, D. lit.gesch. Stellg. d. H., Diss. Mchn. 1938; K. Rossbacher, H.bewegung u. Heimatroman, 1975.

Heimatroman, 1. Hauptform der →Heimatdichtung und der →Heimatkunst, vielfach in Gestalt des →Bauernromans und der →Dorfgeschichte. – 2. Form der →Trivialliteratur in der Nachfolge L. GANGHOFERS, die e. unverbindl., klischeehafte Landschaft (meist die Alpen, daher auch als →Bergroman bezeichnet) zum nicht näher definierten Schauplatz seiner stereotypen Handlung hat, in der in primitiver Schwarz-Weiß-Malerei die guten Menschen kernig, urwüchsig und erdverbunden, die bösen verstädtert und verderbt sind. Heimat und Natur werden hier lediglich als Wertbegriff und als Quelle des antizivilisatorisch-romantizist. Sentiments veräußerlicht. Auch der auf Großgrundbesitz und Rittergütern spielende H. weicht aus der realen und zeitgemäßen Situation einer industrialisierten landwirtschaftl. Produktion zurück in e. verlogene und romantisch verbrämte Feudalwelt adligen Junkertums.

P. E. Schütterle, D. H. i. d. dt. Presse d. Nachkriegszeit, Diss. Würzb. 1936; M. Wegener, D. Heimat u. d. Dichtkunst (in: Triviallit., hg. G. Schmidt-Henkel 1964); K. Rossbacher, Heimatkunstbewegg. u. II., 1975; K. Heydemann, Jugend auf d. Lande, Sprachkunst 9, 1978.

Heimkehrerroman, Sondertyp des Zeitromans, der nach Kriegen und Katastrophen e. Neuorientierung der inneren und äußeren Welt und e. Bilanz der Umsturzjahre zugleich mit e. Bestandsaufnahme des Bleibenden versucht, zentriert um die Gestalt e. aus Krieg oder Gefangenschaft Heimkehrenden und dessen Auseinandersetzung mit der vorgefundenen Umwelt. Dt. H. der letzten Nachkriegszeit sind u.a. G. GAISERS *Eine Stimme hebt an* (1950), F. TUMLERS *Heimfahrt* (1950) und *Ein Schloß in Österreich* (1953), H. W. RICHTERS *Sie fielen aus Gottes Hand* (1951) und J. M. BAUERS *Soweit die Füße tragen* (1955). Dramatische Gestaltung ähnl. Problematik gab W. BORCHERTS *Draußen vor der Tür* (1947).

Heischelied, Volkslied zu bestimmten Festen des Kirchen- oder Kalenderjahrs, das von Kindern und Burschen von Tür zu Tür vorgetragen und mit Lebensmitteln entlohnt wird. Nach antiken Ansätzen bes. im german. und slav. Bereich verbreitet.

H. Siuts, D. dt. H., 1968.

Heiti (anord. = Benennung), bildliche Umschreibung e. normalen Wortes (Begriff, Gegenstand) durch oft weitabliegende eingliedrige metaphor. Ausdrücke in altgerman. Dichtung, z.B. ›Renner‹ statt ›Roß‹. →Kenning.

Held, urspr. Verkörperung held. Taten und Tugenden, die durch vorbildl. Verhalten Bewunderung erweckt, so in →Heldendichtung, -epos, -lied und -sage, vielfach hervorgegangen aus antikem Heroenund Ahnenkult. Für ihn wird nach der →Ständeklausel hohe soz. Abkunft vorausgesetzt. Mit der Verbürgerlichung der Lit. im 18. Jh. wird aus dem soz. und charakterl. Repräsentanten eine Gattungsrolle, daher heute allg. Bz. für die Hauptfigur und -rolle e. Dramas oder e. epischen Dichtung, den Handlungsmittelpunkt ohne Rücksicht auf soz. Herkunft, Geschlecht und bes. Eigenschaften, also auch für den unheldischen, passiven, problemat., negativen H. oder →Antihelden, der in mod. Lit (mit Ausnahme der Triviallit. und des sozialist. Realismus) als Leidender oder Opfer (Woyzeck) den strahlenden H. früherer Zeit abgelöst hat. In der Bühnensprache dagegen nur für e. heldenhafte (auch Neben-) Rolle und deren Träger: ›gesetzter H.‹ (Götz, Tell, Wallenstein) oder ›jugendlicher H.‹ bzw. Erster Liebhaber (Max Piccolomini). →positiver H., →Protagonist, →negativer H., →Antiheld.

H. Gifford, The Hero of his time, Lond. 1950; R. Giraud, Unheroic hero, New Brunswick 1957; G. R. Ridge, The Hero in French Romantic Lit., Athens 1959; ders., The Hero in French Decadent Lit., Athens 1962; R. Jones, The Alienated Hero in Mod. French Drama, Athens 1962; K. Fuß, D. H., ZDP 82, 1963; R. Girard, Deceit, desire, and the novel, Baltimore 1965; D. D. Galloway, The absurd hero in American fiction, Austin 1965; P. Zeindler, D. negative H. i. Drama, Diss. Zürich 1969; J. D. Zipes, The great refusal, 1970; A. Maler, D. H. i. Salon, 1973; W. Reed, Meditations on the hero, New Haven 1974; K. Willenberg, Tat u. Reflexion, 1975; R. M. Torrance, The comic hero, Cambr./Mass. 1978; W. T. H. Jackson, The hero and the king, N.Y. 1982; G. Ramras-Rauch, The protagonist in transition, 1982; D. Wilson, The romantic heroic ideal, Baton Rouge 1982; C. Berger, Wer od. was ist e. H., NDL 31, 1983; dies., D. Autor u. s. H., 1983; H. Esselborn-Krumbiegel, D. H. i. Roman, 1983; L. Bishop, The romantic hero and his heirs in French lit., 1984; J. Seidel, Figur u. Kontext, 1985.

Heldenballade →Heldenlied, →Volksballade

Heldenbriefe →Heroiden

Heldenbuch, Bz. des 15./16. Jh. für Slgn. von z. T. umgearbeiteten Heldenepen, bes. drei wichtige, teils einzige Quellen: 1. H. nach e. Straßburger Handschrift, 1477 zuerst gedruckt (bis 1590 wiederholt), enthält: Ortnit, Wolfdietrich, Laurin, Rosengarten und e. wichtige Vorrede über Sagengeschichte, 2. Dresd-

ner H., 1472 wohl von KASPAR VON DER RHÖN u. a. für Herzog Balthasar von Mecklenburg geschrieben, verkürzt und sprachlich vergröbert, enthält außer den vorigen noch: Ekke, Sigenot, Dietrich und seine Gesellen, Etzels Hofhaltung, Jüngeres Hildebrandslied, Herzog Ernst und Meerwunder, 3. Ambraser H., 1504–16 von Hans RIED in Bozen für Kaiser Maximilian geschrieben, enthält u. a. Kudrun, Biterolf, Wolfdietrich, Erec und Iwein, Moriz von Craon, HEINRICHS VON DEM TÜRLIN Mantel, Nibelungen Not und Klage, WOLFRAMS Titurel, WERNHERS Meier Helmbrecht, ULRICHS VON LICHTENSTEIN Frauenbuch. Schließlich wird der Titel ›H.‹ auch auf neuere Sammlungen und Ausgaben (v. MÜLLENHOFF, v. d. HAGEN, SIMROCK u. a.) übertragen.

RL¹; H. Schneider, Germ. Heldensage, III 1928 ff.

Heldendichtung, allg. Sammelbz. für →Heldensage, →Heldenlied und →Heldenepos im Unterschied zur →höfischen Dichtung.

H. Munro Chadwick, The heroic age, Cambr. 1912, ²1967; ders., The growth of lit., ebda. 1932; A. Heusler, Altgerman. Dichtg., 1920, n. 1957; D. B. Briem, German. u. russ. H., GRM 17, 1929; W. Jungandreas, Umlokalisierung i. d. H., ZDP 59, 1934; H. Schäfer, Götter u. Helden, 1937; H. Kuhn, German. Kultur u. Dichtg., DVJ 16, 1938; F. Normann, The Germanic heroic poet (Fs. f. Fiedler, 1938); Th. Frings, Europ. H., Neophilol. 24, 1938; D. v. Kralik, Geschichtl. Züge dt. H., 1939; F. R. Schröder, Ursprung u. Ende d. german. H., GRM 27, 1939; G. Baesecke, Vor- u. Frühgesch. d. dt. Schrifttums I, 1940, II, 1, 1950; H. Schneider, H., Geistlichendichtg., Ritterdichtg., ²1943; H. de Boor, Gesch. dt. Lit. I, 1949; L. Wolff, D. dt. Schrifttum bis z. Ausgang d. MA., I, 1951; G. Ehrismann, Geschichte d. dt. Lit., ³1954; H. Rupp, H. als Gattung d. dt. Lit. d. 13. Jh. (Volk, Sprache, Dichtg., Fs. K. Wagner, 1960); RL; C. M. Bowra, H., 1964; W. Hoffmann, Mhd. H., 1974; Europ. H., hg. K. v. See 1978; C. L. Gottzmann, H. d. 13. Jh., 1987; Heldensage n. H. i. German., hg. H. Beck 1988.

Heldenepos, ep. Großform mit Stoffen und Gestalten der nationalen →Heldensage im Ggs. zum →höfischen Epos mit kelt., franz., lat. und oriental. Quellen. Wegen dieses Ggs. ist der Begriff H. auf das →Epos der Kulturkreise außerhalb des westeurop. MA. kaum übertragbar. Dt. H. entstanden aus Aufschwellung, dichter. Erweiterung (Episoden, Nebenfiguren, breit ausladende, episierende Schilderungen anstelle des balladesken Liedstils), seltener wohl vereinheitlichender Verknüpfung (→Liedertheorie) mehrerer kürzerer →Heldenlieder und Spielmannsepen durch Spielleute, deren Bildungsniveau fast dem der höf. Dichter gleichkam. Im Ggs. zu mündl. Überlieferung und Vortrag des Heldenliedes wurde das H. aufgezeichnet und vorgelesen, evtl. gesungen. Bei der schriftl. Überlieferung ergaben sich häufige Änderungen (Verschlechterungen, Einschübe, Kürzungen, seltener Verbesserungen) der Textgestalt aus mangelnder Pietät gegenüber den (im Ggs. zum höf. Epos) anonymen Verfassern. Wichtige Zeugnisse sind bes. die späteren →Heldenbücher. Das H. als endgültige Gestaltung der german. Sagenstoffe fand in höf. Kreisen nicht den gleichen Anklang wie das höf. Epos; im Ggs. zu diesem eignet ihm noch mehr ursprüngl. Kraft und Empfindung, Vorliebe für formelhafte Wendungen, Gestalten und elementare Naturmächte (Liebe, Haß), die oft den geschildtl. Hintergrund zugunsten des Einzelschicksals zurückdrängt und umgestaltet. Erst später gewinnt das Rittertum größeren stilist. Einfluß, der urspr. herbe, archaische Stil (bes. im engl. H. des 8. Jh., *Beowulf*) wird durch Aufnahme höf. Elemente zum Mischstil. Das Vorbild des lat. Buchepos *(Waltharius)* leitet zum Kunstepos über. Der Form nach neigt das H. zu stroph. Gliederung, so in →Nibelungen-, →Kudrun- und →Waltherstrophe, →Hildebrands- und →Bernerton; seltener ist die Verwendung höf. Reimpaare *(Klage, Biterolf, Laurin, Dietrichs Flucht).* Die europ. Entwicklung des H. beginnt in Frankreich *(Chanson de Roland,* →Chanson de geste, Form der →Laisse) und Spanien *(Cid,* 1140), es folgt das dt. H., bes. die *Nibelungen,* welche die Siegfriedsage mit dem um Dietrich von Bern, Attila und die Burgunden verbinden, und *Kudrun.* Die Christianisierung bewirkt den Wandel der heidn. Motive in christl. (Kampf mit Ungeheuern und Dämonen zum Kampf gegen Ungläubige und innere Versuchung), aus dem german. Volkshelden wird der christl. Ritter. Schließlich erfolgt die Prosaauflösung des H. in →Volksbücher. →Volksepos.

F. Panzer, D. dt. Volksepos, 1903; A. Heusler, Lied u. Epos i. german. Sagendichtg., 1902, ³1960; W. P. Ker, *Epic and Romance,* Lond. ²1908; J. Meier, Werden u. Wesen d. dt. Volksepos, 1909; H. Schneider, D. mhd. H., ZDA 58, 1921; ders., Dt. u. franz. Epik, ZDP 51, 1926; RL; K. zur Nieden, Üb. d. Verfasser d. mhd. H., Diss. Bonn 1930; A. Heusler, Nibelungensage u. -lied, ³1934; A. Kuhn, Üb. Urspr. u. Charakter d. westroman. H., GRM 23, 1935; H. Schneider, D. german. Epos (Philos. u. Gesch. 59, 1936); F. Panzer, D. nationale Epik Dtls. u. Frkrs. (Zs. f. dt. Bildg. 14, 1938); A. Wilmotte, *L'épopée française,* Paris 1939; P. A. Becker, V. Kurzlied z. Epos, 1940; H. Schneider, D. dt. Epos (V. dt. Art i. Sprache u. Dichtg. I, hg. G. Fricke 1941); D. v. Kralik, D. Siegfriedtrilogie I, 1941; F. Panzer, Stud. z. Nibelungenlied, 1945; K. Wais, Frühe Epik Westeuropas, 1953; H. Schneider, D. mhd. H. u. dt. u. franz. H. (in: Kleinere Schriften, 1962); J. Heinzle, Mhd. Dietrichepik, 1978; Dt. H'epik i. Tirol, hg. E. Kühebacher 1979; *Traditions of heroic and epic poetry,* hg. A. T. Hatto, Lond. 1980; H. Fromm, Riesen u. Recken, DVJ 60, 1986. →Epos, →Heldendichtung.

Heldengedicht, komisches →komisches Epos

Heldenlied, Kurzform der →Heldendichtung und Ausgangspunkt des →Heldenepos, german. episch-balladeske Dichtform im 5.–8. Jh. in lockeren Strophen von 2–5 stabreimenden Langzeilen (insges. 80–300), im Stil gekennzeichnet durch Verwendung von Formeln und Epitheta, Parallelismen und Antithesen, in der Komposition durch Vermeidung ep. Breite, geringe Figurenzahl, sprunghaftes Zusammenrücken der Gipfelpunkte der Handlung meist in Form des dramat. Dialogs als Darstellung des Konflikts, im Inhalt durch Stoffe aus german. →Heldensage, bes. der Völkerwanderungszeit, teils auch antike und oriental. (bes. pers.) Motive, die bei der Wanderung aufgenommen wurden, jedoch meist unter Ausschaltung des Politisch-Historischen zugunsten rein persönl. Einzeltragik. Die gleichen Stoffe finden ständig erneute Behandlung und Umformung. Das H. ist Adelsdichtung zum Preise des Heldentums und wurde von Sängern, die e. angesehene Stellung am Fürstenhof innehatten, vor der Kriegergesellschaft auswendig vorgetragen, doch nie aufgezeichnet. Einziges erhaltenes dt. H. ist das *Hildebrandslied,* um 800 in z. T. niederdt. Fassung e. oberdt. Originals (Langobardische Quelle?) fragmentarisch aufgezeichnet. Eine bei EINHART erwähnte H.-Slg. Karls des Großen wurde durch Ludwig den Frommen vernichtet, doch gestatten Darstellungen, Wiedergaben und Hinweise zeitgenöss. Geschichtsschreiber wie des Goten JORDANES (6. Jh.) und des Langobarden PAULUS DIAKONUS (8. Jh.), auch die späteren mhd. Heldenepen und die Umarbeitungen der *Edda* (*Brot, Atlakvitha*) Rückschlüsse auf Form, Stoffe und Entwicklung des H.: Im 4./5. Jh. von den Goten auf dem Balkan und in Italien ausgebildet (*Hunnenschlacht, Ermanarich*), wurde es von den Langobarden (*König Alboin*) übernommen und gelangte von dort zu den Bayern (got. Stoffe wie *Dietrichs Flucht, Rabenschlacht*), Franken (*Burgunderuntergang*), Westfalen (*Wieland der Schmied*) und Skandinaviern (*Edda*-Lieder); andere H.er wie *Siegfried, Wolfdietrich, Walther und Hildegunde, Hilde, Hettel* u. a. m. sind ihrer Herkunft nach unbestimmt. Gehaltlich gemeinsam ist ihnen die beherrschende Auffassung der Ehre und das Fehlen christl. Haltungen wie Liebe, Jenseitsglaube u. ä. Neben der Erweiterung zu Heldenepen und trotz Unterdrückungsversuchen von seiten der Kirche bestehen die H.er bei vielfacher Umformung in der Unterschicht und bei den Spielleuten bis ins 12./13. Jh. weiter, werden noch im 12. Jh. durch neue Stoffe (*Dietleib, Ortnit, Rosengarten*) vermehrt, doch fast nie aufgezeichnet und bieten schließlich den Ansatzpunkt der jüngeren →Volksballade, indem sie als ›Heldenballaden‹ den Bezug zu Adelsethos und Geschichte verlieren und das allg.-menschl. Erleben betonen. Vgl. →Bylinen.

R. Petsch, Germ. Liederdichtg. i. d. Heldenzeit, GRM 27, 1939; H. Hempel, D. ältest. german. H.er (Zs. f. dt. Bildg. 16, 1940); F. Genzmer, Vorzeitsaga u. H. (Fs. P. Kluckhohn, 1948); J. de Vries, H. u. Heldensage, 1961; F. Draeger, D. german. H., ²1961; H. Schneider, Lebensgesch. d. altgerman. H. (in: Kleinere Schriften, 1962); G. T. Gillespie, *Heroic lays* (*Oxf. Germ. Stud.* 9, 1978); H. Helgason, D. H. auf Island, 1980; B. Sowinski, D. H., FLE, 1981. →Heldendichtung.

Heldensage, →Sage u. e. →Helden, bildet als mündl. oder schriftl. Überlieferung von Taten einzelner aus der heroischen Frühzeit e. Volkes die Stoffquelle der →Heldenlieder und →Heldenepen. Ihre Grundzüge sind idealist. und trag. Welt-

betrachtung, strenges National-
bewußtsein, Kriegerehre, Anreicherung durch Motive aus Mythos und
Märchen, Persönlichkeitskult (Ein-
zelkämpfe statt Schlachten u.ä.),
aristokrat. Haltung (Könige, Fürsten als Helden) und Nichtachtung
polit., geschichtl., geograph. und fa-
miliärer Zusammenhänge, Möglichkeiten und Wahrheiten, die sich
in beliebiger Verknüpfung von histor. Geschehnissen, selbst von Ver-
wandtschaftsverhältnissen, äußert.
Durch Zusammenschluß einzelner
Heldenlieder um große Persönlichkeiten entstehen feste Sagenkreise,
die oft miteinander verbunden sind,
so in der Antike Herakles, Theseus,
Argonauten, Ödipus, Atriden, Troja, Odysseus, Aeneas u.ä., im kelt.
Bereich Artus, im span. Cid, in
Frankr. Karl d. Gr. und Roland. Die
wichtigsten dt. H. sind: ostgot.
Kreis: Dietrich von Bern, westgot.:
Walter von Aquitanien, burgund.:
Siegfried, Attila, langobard.: Rother, ostfränk.: Ortnit, Hugdietrich,
Wolfdietrich (?) und niederdt.: Hilde, Kudrun. Beowulf und Wieland
sind nur in engl. bzw. isländ. Überlieferung erhalten. Slg. im →Hel-
denbuch.

W. Grimm, D. dt. H., ³1889; O. L. Jiric-
zek, D. dt. H., 1898; C. Voretzsch, D.
franz. H., 1894; H. Bédier, *Les légendes
épiques*, Paris ³1926ff.; F. v. d. Leyen, D.
dt. H., 1912; H. Schneider, D. germ. H.,
III 1928–34, I ²1962; H. de Boor, H. ist
Lit.gesch. (Zs. f. dt. Bildg. 8, 1929); H.
Schneider, D. dt. H., ²1964; F. Martini,
Germ. H., 1935; E. Mudrak, D. dt. H.,
1938; O. Höfler, Dt. H. (V. dt. Art i.
Sprache u. Dichtg. II, hg. G. Fricke
1941); E. Mudrak, D. nord. H., 1943; E.
v. Richthofen, Stud. z. roman. H. d. MA.,
1944; W. Betz, in ›Aufriß‹; H. Kuhn, H.
vor u. außerh. d. Dtg. (Fs. F. Genzmer,
1952); H. Schneider, Einl. z. e. Darstellg.
d. H., PBB 77, 1955; F. R. Schröder,
Mythos u. H., GRM 36, 1955; J. de
Vries, Heldenlied u. H., 1961; Zur german.-dt. H., hg. K. Hauck ²1964; H.
Schneider, Kleinere Schriften z. german.
H. u. Lit. des MA., 1962; G. Zink, H.
(Kurzer Grundriß d. germ. Philol. 2,

1971); K. v. See, German. H., 1971,
²1981; H. Uecker, German. H. 1972; H.
u. H'dichtg. i. Germ., hg. H. Beck 1988.
→Heldendichtg. u. →Heldenepos.

Helikon, Gebirge in Böotien, Sitz
der →Musen und Ursprung der
Hippokrene.

Hellenismus, Epoche der griech.
Kultur-, Kunst- und Lit.geschichte
von Alexander d. Gr. bis zur röm.
Weltherrschaft (30 v. Chr.) oder bis
zum Untergang der antiken Welt;
geprägt bes. durch die starke Einbeziehung oriental. Elemente und Wesenszüge ins Griechentum und seine
Verbreitung über die ganze östl.
Mittelmeerwelt mit Alexandrien als
Zentrum. In der Lit.-geschichte ausgezeichnet durch die Verschmelzung
von Poesie u. Gelehrsamkeit zu einer neuen Bildungsdichtung, die als
Spätzeit das Lehrgedicht und die
kleineren Formen (Epigramm, Epyllion, Idylle, Bukolik) bevorzugt.
Hauptvertreter: KALLIMACHOS,
THEOKRIT, APOLLONIOS RHODIOS
und ARATOS.

J. G. Droysen, Gesch. d. H., III 1836–43,
n. 1980; P. E. Legrand, *La poésie alexan-
drine*, Paris 1924; U. v. Wilamowitz-
Moellendorf, D. hellenist. Dichtg., II
1924; R. Laqueur, H., 1925; J. Kaerst,
Gesch. d. H., II ²⁻³1926–27; V. Grön-
bech, D. hellenist. H., 1955; A. Körte u. P. Händel,
D. hellenist. Dichtg., ²1960; M. Hadas,
Hellenist. Kultur, 1963; W. W. Tarn, D.
Kultur d. hellenist. Welt, 1966; C. Schneider, Kulturgesch. d. H., II 1967–69; R.
Bichler, 1983; R. Kassel, D. Ab-
grenzg. d. H. i. d. griech. Lit.gesch.,
1988.

Helming, Langzeilenpaar, Halb-
strophe der meist vierzeiligen Strophe altisländ. Alliterationsdichtung.

Hemiepes (griech. *hemi* = halb,
epos = →Hexameter), halber →He-
xameter, d. h. daktylischer Trimeter
mit einsilb. Katalexe: —∪∪—∪∪—,
u. a. verwendet in der →Archilochi-
schen Strophe, im →Pentameter
und stichisch bei AUSONIUS.

Hemistichon (griech. *hemi* = halb, *stichos* = Vers), Halbvers einer durch Zäsur geteilten Verszeile als selbständiges Kolon etwa bei der →Stichomythie; in german. Dichtung →Anvers oder →Abvers der Langzeile oder →Kurzvers.

Hendekasyllabus (griech. *hendeka* = elf, *syllabe* = Silbe), Elfsilber, allg. 11silbiger Vers, bes. in der →Sapphischen und →Alkäischen Strophe und der →Phalakäische Vers. Verwendet bei SOPHOKLES, ARISTOPHANES, THEOKRIT und CATULL. Vgl. →Endecasillabo.

Hendiadyoin (griech. = eins durch zwei), →rhetorische Figur, bes. in Antike und Barockstil beliebt: 1. Verbindung von zwei synonymen Substantiven, seltener Verben, zur Ausdrucksverstärkung e. Begriffs: ›Hilfe und Beistand‹. 2. Beiordnung von zwei Substantiven, deren eines nur den Wert e. Attributs besitzt und oft durch e. Adjektiv ersetzt werden kann, z.B. VERGIL, *Georg.* II. 192: *peteris libamus et auro* = aus Schalen opfern wir und aus Gold = aus goldenen Schalen. Der zweite Begriff erscheint als zu wichtig für e. Unterordnung und wird daher beigeordnet.
E. A. Hahn, *H.* (*Classical World* 15, 1921).

Hending (anord. = Reim), in der nord. Skaldendichtung der Silbenreim, erscheint neben dem Stabreim schon früh als Binnenreim (BRAGES ›Hofton‹), erst später in Island als Endreim.

Hephthemimeres (griech. *hepta* = sieben, *hemi* = halb, *meros* = Teil, lat. *semiseptenaria*), im →Hexameter, jamb. Trimeter u.ä. männl. →Zäsur nach der 4. Hebung (7. Halbfuß), meist verbunden mit Trithemimeres (Nebenzäsur nach 2. Hebung = 3. Halbfuß), z.B. Ho-

MER A 7: ›Atreus' Sohn, der Männer Fürst, und der edle Achilleus‹:
$$\acute{\smile} \smile \smile\smile \,||\, \smile\smile \,\acute{\smile}\, \smile\smile \,\acute{\smile}\, ||$$
$$\smile\smile \acute{\smile}\smile\smile \acute{\smile} \smile.$$

Heptameter (v. griech. *hepta* = sieben, *metron* = Maß), nach der Theorie antiker Metrik e. Vers aus sieben Metra; im Wortsinn prakt. unbekannt; da Jambus, Trochäus und Anapäst nur verdoppelt ein →Metrum bilden, ist auch der lat. →Septenar prakt. ein →Tetrameter.

Heptastichon (v. griech. *hepta* = sieben, *stichos* = Vers), jede Gruppe oder Strophe von sieben Verszeilen.

Heraldische Dichtung →Heroldsdichtung

Herausgeber, Organisator und geistiger Leiter e. Sammel- oder Reihenwerks mit Beiträgen versch. Verfasser (Mitarbeiter) oder e. periodisch erscheinenden Werkes (Zeitung, Zeitschrift, Jahrbuch u.ä.). H. genießt Urheberrechtsschutz, wenn Auswahl und Zusammenstellung der Beiträge (z.B. bei Anthologien, Lexika o.ä.) e. eigene geistige Leistung darstellen. H. heißt auch der für die Textgestalt verantwortlich Zeichnende bei Neuausgaben älterer Literaturwerke, bei Gesamt-, Auswahl- oder →kritischen Ausgaben.

Herbstlied, Liedgattung des späten Minnesangs seit STEINMAR VON KLINGENAU um das Thema: Fülle und Reife, später zum beliebten Schlemmerlied verflacht.

Hermeneutik (griech. *hermeneuein* = auslegen, nach Hermes als Vermittler zwischen Göttern und Menschen), die Kunst der sinngemäßen Auslegung (→Deutung, →Interpretation, →Exegese) e. Schriftwerkes, bes. auch der *Bibel*, dann die wiss. Theorie der Auslegung, Reflexion über Bedingungen und Möglichkeiten des Verstehens und s. sprachl. Artikulation. – Die Geschichte der H. beginnt mit der antiken HOMER-Exegese und jurist. Gesetzesauslegung. Das MΛ. konzentriert sich auf die Bibelexegese bes. im Hinblick auf die Lehre vom mehrfachen Schriftsinn, d.h. e. allegor., verborgenen zweiten Sinn, der sich durch →Allegorese erschließen läßt. LUTHER kehrt zum Literalsinn zurück. Seit dem 18. Jh. vereinen sich theolog. und profane (philol.-histor.) H. zu e. Teilgebiet der Logik. Im 19. Jh. ist philol. H. die Domäne der klass. Philologie. SCHLEIERMACHERS systemat. H. sieht das Verstehen als Reproduktion des Produktionsprozesses. DILTHEY definiert H. als ›Kunstlehre des Verstehens‹ schriftl. fixierter Lebensäußerungen und erhebt sie zur grundlegenden Methode der Geisteswiss. gegenüber den ›erklärenden‹ Naturwiss. Die philos. H. des 20. Jh. (HEIDEGGER, GADAMER) versteht sich als vormethodolog. Untersuchung zur Wirkung von Vorverständnis auf das Verstehen (hermeneut. Zirkel). Neuere lit. H. (JAUSS) bezieht Aspekte wie Rezeptionsästhetik, Rezeptionsgeschichte, Überbrückung der histor. Distanz und Erwartungshorizont in ihre methodolog. Überlegungen ein.

Th. Birt, Kritik u. H. (Hdb. d. klass. Altertumswiss. I, 3), 1913; W. Dilthey, D. Entstehg. d. H. (Ges. Schr. V, 1924); J. Wach, D. Verstehen, III 1926–33, n. 1966; R. Bultmann, Glauben u. Verstehen, I 1933, II 1952; O. F. Bollnow, D. Verstehen, 1949; H. Gadamer, Wahrheit u. Methode, 1960, ⁵1986; E. Betti, D. H. als allg. Methodik d. Geisteswiss., 1962; G. Stachel, D. neue H., 1968; N. Henrichs, Bibliogr. d. H., 1968; F. Rodi, Morphologie u. H., 1969; E. Leibfried, Krit. Wiss. v. Text, 1970; P. Szondi, Einf. i. d. lit. H., 1975; K. Weimar, Hist. Einl. z. lit. H., 1975; E. Hufnagel, Einf. i. d. H., 1976; U. Japp, H., 1977; H. R. Jauss, Ästhet. Erfahrg. u. lit. H., 1977 u. 1982; D. Freundlieb, Z. Wiss.theorie d. Lit.-wiss., 1978; Seminar: D. H. u. d. Wiss.,

hg. H.-G. Gadamer 1978; M. Riedel, Verstehen od. Erklären?, 1978; D. C. Hoy, The critical circle, Berkeley 1978; Text-H., hg. U. Nassen 1979; Stud. z. Entw. e. materialen H., hg. ders. 1979; Philologie u. H. i. 19. Jh., hg. H. Flashar 1979; E. Leibfried, Lit. H., 1980; L. Bidella, D. Verstehen lit. Texte, 1980; H. Brinkmann, Ma. H., 1980; Text u. Applikation, hg. M. Fuhrmann 1981; J. M. Peck, Hermes disguised, 1983; K. Mueller-Vollmer, Understanding and interpretation, YCC 10, 1983; L. Dannenberg u.a., Wiss.theorie, H., Lit.wiss., DVJ 58, 1984; W. W. Holdheim, The hermeneutic mode, Ithaca 1984; J. Stephan, Lesen u. Verstehen, 1985; W. Frank, D. Sagbare u. d. Unsagbare, ⁵1988; J. Hörisch, D. Wut d. Verstehens, 1988.

Hermetische Literatur, dem Hermes Trismegistos als Entsprechung des ägypt. Thoth (Gott der Schrift und helfender Weisheit, Weltgeist) zugeschriebenes relig.-philos. u. okkultist. Offenbarungsschrifttum des 3. Jh. n.Chr. aus Ägypten, vereinigt zum Corpus Hermeticum, das nach dem Titel des 1. der 17 Stücke Poimandres genannt, erhält es bes. durch die lat. Übersetzung des M. FICINO 1471 großen Einfluß auf die okkultist. Seite der europ. Geistesgeschichte; bis in die Neuzeit reicht das unter diesem Namen verbreitete alchemist., mag. und astrolog. Schrifttum (PARACELSUS).

R. Reitzenstein, Poimandres, 1904; W. Scott, Hermetica, Oxf. IV 1925–36, n. 1968; W. E. Peuckert, Pansophie, 1936; A. J. Festugière, La révélation d' H. Tr., IV Paris 1944–54.

Hermetische Lyrik →Hermetismus

Hermetismus (ital. ermetismo), mod. Strömung der ital. Lit. rd. 1920–1950, bes. Lyrik, die Klang- und Gefühlswerte des Wortes vor die Sinnbedeutung stellt und im Anschluß an Parnassiens, Dekadente und Symbolisten des 19. Jh. (RIMBAUD, MALLARMÉ, VALÉRY) nach vieldeutiger, mag. Dunkelheit und Geheimnischarakter der Lyrik strebt. Hauptvertreter: BONTEM-

PELLI, MONTALE, SABA, UNGARETTI, QUASIMODO, GATTO, SINISGALLI, SERENI, LUZI. Im weiteren Sinn auch außerital., nach esoter. Dunkelheit strebende ›hermetische‹ Lyrik (P. CELAN u. a.).

S. F. Romano, *Poetica dell'ermetismo*, Florenz 1942; F. Flora, *La poesia ermetica*, Bari ³1947; M. Petrucciani, *La poetica dell' ermetismo italiano*, Turin 1955; V. Orsini, *Ermetismo*, Pescara 1956; S. Ramat, *L'ermetismo*, Florenz 1969; B. Witte, Z. e. Theorie d. hermet. Lyr., Poetica 13, 1981.

Heroensage, →Heldensage mit stärkerer Ausprägung myth. Züge.

Heroic Couplet (engl. = heroischer Zweizeiler), paarweise gereimte jamb. Fünfheber (= Zehnsilber, →heroic verse), eins der häufigsten engl. Versmaße in ep. und heroischer Dichtung, dem Blankvers verwandt. Eingeführt, evtl. nach franz. oder ital. Vorbild, von CHAUCER (*Canterbury Tales*, 1391–99), verwendet u. a. von LYDGATE, CHAPMAN, MARLOWE, SPENSER, DRYDEN, POPE, JOHNSON, GOLDSMITH, CRABBE u. a., freier bei BYRON, KEATS, SHELLEY, BROWNING, SWINBURNE u. a.

W. C. Brown, *The Triumph of Form*, Chapel Hill 1948; W. B. Piper, *The H. C.*, Cleveland 1969.

Heroic Stanza (engl. = heroische Strophe), auch Heroic Quatrain, engl. Strophenform des 16./17. Jh. aus vier →Heroic Verses mit dem Reimschema abab (DRYDEN), seltener Paarreim (aabb), später als →Elegiac Stanza bekannt.

Heroic Verse (engl. = heroischer Vers), engl. Abart des →vers commun oder →Endecasillabo: 5hebiger Jambus mit fester männl. oder weibl. Zäsur nach der 2. Hebung, männl. oder weibl. Kadenz und Reim. Verwendung seit 13. Jh., als Verspaar im →Heroic Couplet, strophisch in der →Heroic Stanza.

Im 16. Jh. nach Wegfall von fester Zäsur und Reim zum →Blankvers entwickelt.

M. Freudenberger, Üb. d. Fehlen d. Auftakts i. Chaucers h. V., 1889, n. 1970.

Heroiden (griech. *heros* = Held), Heldenbriefe, fingierte poet. Liebesbriefe berühmter Helden aus Sage oder Geschichte, später Bibel, an die entfernte Geliebte oder umgekehrt, z. B. Dido und Aeneas, Odysseus und Penelope u. ä., nach dem Vorbild von OVIDS *Epistulae* oder *Heroides,* Frauenbriefen aus griech. Sage, Modegattung in Renaissance und Barock, zuerst in Italien in lat. Sprache (BASINI, MARULLUS, PONTANUS), dann ital. (16. Jh.: Luca PULCI, Marco FILIPPI; 17. Jh.: Pietro MICHELE, Antonio BRUNI, Lorenzo CRASSO), span., portugies. und bes. franz. (16. Jh.: M. D'AMBOISE, A. DE LA VIGNE, F. HABERT, F. DEBEZ, dann wieder 18. Jh.: FONTENELLE, COLARDEAU, DE LA HARPE, DORAT, MERCIER), engl. (M. DRAYTON, POPE) und holländisch (VONDEL, BARLAEUS, CATS). In Dtl. von Eobanus HESSUS 1514 eingeführt, wurden die H. e. beliebte Form der Barockdichter, bes. BIDERMANN, HOFMANNSWALDAU (28 H.), H. A. v. ZIGLER UND KLIPHAUSEN, LOHENSTEIN, OMEIS, NEUMEISTER, J. B. MENKE u. a. bis 1740; später bei A. W. SCHLEGEL und PLATEN vergebliche Erneuerungsversuche. In stereotypem Aufbau folgt auf e. Prosaeinleitung e. dringlich werbender, bis zur Bitte um Hingabe sich steigernder Brief des Mannes und e. anfangs empört abwehrende, schließlich jedoch gewährende Antwort der Frau, meist in kreuzweise gereimten Alexandrinern, von schwülstiger, stark sinnlicher Sprachtönung, oft je Brief genau 100 Verse.

M. v. Waldberg, D. galante Lyrik, 1885; G. Ph. Ernst, D. H. i. d. dt. Lit., Diss.

Hdlbg. 1901; RL; H. Dörrie, *L'épître héroïque dans les litt. mod.*, RLC 40, 1966; ders., *Der heroische Brief*, 1968.

Heroische Dichtung →Helden-epos, →Heldenlied

Heroischer Vers, der Vers des Epos, bes. der →Hexameter (griech., lat.), daneben in Frankreich →Alexandriner, in Italien →Endecasillabo, in german. Sprachen der →Blankvers. Vgl. →Heroic verse.

Heroisches Drama, Sonderform der engl. Tragödie um 1664–78, Liebe- und Ehre-Dramen in Heroic Couplets unter Einfluß der franz. tragédie classique und des span. Ehrendramas mit ins Maßlose und sprachlich Bombastische verzerrten Beispielen von Tapferkeit, Edelmut und Tugend ohne innere Wahrheit. Hauptvertreter sind DRYDEN mit *The Indian Emperor, The Conquest of Granada* und *Aureng-Zebe,* HO-WARD mit *The Indian Queen,* DA-VENANT und OTWAY. BUCKINGHAMS *The Rehearsal* verspottete den pathet. Überschwang.

A. Nicoll, *A Hist. of Restoration Drama,* 1928; C. V. Deane, *Dramatic Theory and the Heroic Play,* 1931; L. N. Chase, *The Engl. heroic play,* N.Y. ²1965.

Heroisch-galanter Roman, letzte Phase des schwülstigen Barockromans, entstanden um 1640 in Frankreich (GOMBERVILLE, LA CALPRENÈDE, SCUDÉRY), nach deren Übersetzung in Dtl. gegen Ende des 17. Jh., Verbindung von unterhaltender und belehrender Tendenz in vielfach verschachtelter, mehrsträngiger Erzählweise (Liebe, Verwechslung, Vertreibung, Mißgeschick, Prüfung, Bewährung, Wiedervereinigung in hochhöf., pseudohistor. Kreisen) auf der Basis von Großmut und Stoizismus, z.B. LOHENSTEINS *Arminius,* ähnliche Werke von ANTON ULRICH VON BRAUNSCHWEIG, A. H. BUCHHOLTZ, ZESEN, VON ZIGLER UND KLIPHAUSEN und E. W. HAPPEL. Auch GRIMMELSHAUSEN liefert seinen Beitrag *(Dietwald und Amelinde, Proximus und Lympida, Der keusche Joseph);* mit A. BOHSE Übergang zum →galanten Roman.
RL; M. Bannister, *Priviledged mortals,* Oxf. 1983. →Roman, →Barock.

Herold *(praecursor)* →Prolog, →geistliches Drama

Heroldsdichtung oder Wappendichtung, lehrhafte Dichtform des 13.–15. Jh., die fürstl. Wappen beschreibt, allegorisch ausdeutet und mit genealog. Themen und Lobpreisung der Familie verknüpft; nach Vorbildern im höf. Epos von KONRAD VON WÜRZBURG *(Turnier von Nantes)* eingeführt, später von berufsmäßigen Wappendichtern, Spielleuten mit eigener Tracht und Organisation unter e. Wappenkönig, die große Turniererfahrung besaßen und bei Turnieren als Reimsprecher Namen und Devise ihres Herrn verkündeten, als Brotarbeit übernommen, doch oft auf nüchterne Darstellung ganzer Wappenkataloge beschränkt. Nachhöf. Epigonentum mit dem Streben nach Wahrung des äußeren Ritterglanzes. Wichtigste Vertreter: Peter SUCHENWIRT (14. Jh.), dessen *Ehrenreden* H.en von 100–600 Versen enthalten, ROSENPLÜT aus Nürnberg. WIGAND VON MARBURG, Wappenherold des Deutschordens, und Georg RÜXNER, pfalzgräf. Herold. Im 16. Jh. ersetzt der →Pritschmeister den Herold.

A. Galle, Wappenwesen u. Heraldik b. Konr. v. Würzbg., ZDA 53, 1912; H. Rosenfeld, Nord. Schilddichtg. u. ma. Wappendichtg., ZDP 61, 1936; RL; S. C. van d'Elden, P. Suchenwirt, 1976; W. Kroll, Herald. Dichtg. b. d. Slaven, 1986.

Herrnhuter Brüdergemeine, die pietist. Religionsgemeinschaft, trägt seit ihrer Zusammenfassung 1722 unter dem Graf ZINZENDORF durch Kirchenlieder, Gesangbücher (¹1735: 999 Lieder) und Erbauungsschriften zur dt. Lit., bes. des →Pietismus, bei.

Heterometrie →Isometrie

Heures →Livres d'heures

Hexameter (griech. *hex* = sechs, *metron* = Maß), antiker Vers aus sechs Daktylen, deren letzter katalektisch ist und deren erste vier, der 5. nur ausnahmsweise (→Spondiacus) und mit bes. Absicht (bei HOMER 1: 50) zur Vermeidung eintöniger Klapperns durch Spondeen (bes. oft im Lat., in dt. Lit. durch Jamben mit schwerer Senkung) ersetzt werden können:

$$\acute{-}\smile\smile\,|\,\acute{-}\smile\smile\,|\,\acute{-}\smile\smile\,|\,\acute{-}\smile\smile\,|\,\acute{-}\smile\smile\,|\,\acute{-}\smile$$

›Hurtig mit Donnergepolter entrollte der tückische Marmor‹. Die →Zäsur liegt im antiken H. hinter der 3. (→Penthemimeres) oder 2. (→Trithemimeres) und 4. (→Hephthemimeres) Hebung oder der 1. Senkung des 3. Fußes (→Kata triton trochaion), fast nie der des 4. (→bukolische Diärese) und ist im Dt. weniger ausgeprägt. Zäsur wird vermieden (sog. ›Brücke‹) zwischen beiden Senkungen eines daktyl. gefüllten 4. Fußes und nach einem spondeisch gefüllten 4. Fuß. Der H. ist der Grundvers des griech. (HOMER, bes. regelmäßig bei NONNOS) und röm. Epos (zuerst ENNIUS, VERGIL, verfeinert: OVID, LUKAN), der Bukolik, doch auch in Epyllion, Lyrik, Didaktik (HESIOD) und Satire; in lat. Dichtung bes. durch die Häufigkeit der Spondeen und Zusammenfall von Wort- und Versakzent am Zeilenschluß gekennzeichnet; im MA. erscheint er z.T. als →leoninischer H., seit 1350 dt.; der Humanismus (CLAJUS, GESNER, FISCHART) versucht nach antikem Vorbild e. quantitierenden dt. H. mit natürl. Betonung nur am Versschluß; einzelne Versuche im 17. Jh. (BIRKEN) bleiben wirkungslos; erst im 18. Jh. wird er auf Hinweis GOTTSCHEDS wieder aufgenommen; KLOPSTOCKS *Messias* (1748) verdrängt mit ihm den →Alexandriner aus dem dt. Epos; es folgen E. v. KLEIST (H. mit Auftakt), GESSNER, Voss (Idyllen, Homerübersetzung), GOETHE (*Hermann und Dorothea, Reineke Fuchs*), SCHILLERS Gedankenlyrik, später HEBBELS *Mutter und Kind*, G. HAUPTMANNS *Anna* und *Till Eulenspiegel*, WILDGANS' *Kirbisch*, R. A. SCHRÖDER, B. BRECHT, engl. SOUTHEY, KINGSLEY, COLERIDGE, LONGFELLOW, TENNYSON und SWINBURNE. Trotz derart breiter Aufnahme wird er vielfach für dt. Dichtung als ungeeignet abgelehnt und ist bes. hinsichtlich der Zäsurregeln umstritten. Dt. Metrik definiert den H. als sechshebigen Vers ohne Auftakt mit je 1–2 Binnensenkungen und weibl. Kadenz. E. andere Verwendungsmöglichkeit bietet die Verbindung mit dem →Pentameter zum →Distichon als Vers von Epigramm und Elegie.

A. Heusler, Dt. u. antiker Vers, 1917; ders., Dt. Versgesch., 1925–29; S. Levy, D. dt. H., ZDP 54, 1929; H. Gretz, D. Schule des H., NR 1937; F. G. Jünger, Üb. d. dt. H. (D. Lit., Juli 1938); T. Georgiades, D. griech. Rhythmus, 1949; C. G. Cooper, *An Introduction to the Lat. H.*, 1952; H. Drexler, H.-Stud., Madrid VI 1953–56; R. Burgi, *A Hist. of the Russ. H.*, 1954; W.-H. Friedrich, Üb. d. H. (Fs. A. Henkel, 1977); K. Thraede, D. H. i. Rom, 1978; H. *studies*, hg. R. Grotjahn 1981. →Metrik.

Hexastichon (v. griech. *hex* = sechs, *stichos* = Vers), Versgruppe oder Strophe aus sechs Verszeilen.

Hexensprüche als Form ältester german.-heidn. Dichtung sind häufig bezeugt, jedoch selten erhalten.

Hiatus (lat. = klaffende, gähnende Öffnung), Aufeinandertreffen von zwei Vokalen am Wortende und Anfang des folgenden Wortes: ›wo aber‹, in antiker Dichtung wie Kunstprosa wie im silbenzählenden roman. Vers als Mißklang streng verpönt und durch →Elision, →Aphärese, bzw. →Synalöphe oder →Synizese vermieden, nur vereinzelt bei Satzschluß, Verseinschnitt oder Interjektion erlaubt. Im Dt. unterscheidet man fallenden (leichtbetontes -e zwischen Senkungen), steigenden (unbetontes -e vor Vokal) und schwebenden H. (zwei unbetonte Vokale). Da durch Elision e. Störung der Sprachmelodie möglich ist, gibt es in neuerer dt. Lyrik keine grundsätzliche H.-Regel; Nichtachtung oder bewußte Vermeidung sind individuelle Stilzüge des Dichters; dagegen wurde er im Ahd., Frühmhd. und Mhd. verpönt, von OPITZ und GOTTSCHED verboten und durch Apostrophierung des Auslautes beseitigt; vermieden wird er bei KLOPSTOCK, VOSS, A. W. SCHLEGEL, LESSING und GOETHE, bes. streng bei PLATEN, RÜCKERT, SIMROCK, CHAMISSO, GRILLPARZER, MÖRIKE und STORM, freier und unregelmäßig gefühlsbestimmt bei SCHILLER, KÖRNER, KLEIST, HEINE, SCHEFFEL, HAUFF, DROSTE, HEBBEL und HAUPTMANN.

RL; W. Scherer, Üb. d. H. i. d. neueren dt. Metrik (in: Kl. Schriften II, 1893); J. Franck, Aus d. Gesch. d. H. i. Verse, ZDA 48, 1907; J. Pelz, D. prosod. H., Diss. Bresl. 1930; A. Stene, H. in English, 1954. →Metrik.

Hieroglyphen (griech. *hieros* = heilig, *glyphein* = einschneiden: heilige Inschriften), die →Bilder- und Begriffsschrift der alten Ägypter, besteht aus 2–3000 Zeichen teils phonet. (d.h. für e. Laut), teils ideograph. (d.h. für e. Begriff) Bedeutung nach e. höchst komplizierten System, deren Entzifferung erst 1822 dem Franzosen CHAMPOL-

LION durch den 1799 gefundenen griech.-ägypt. Stein von Rosette gelang. Die H. waren schon vor Eintritt Ägyptens in die Geschichte als System vorhanden, blieben fast 4000 Jahre hindurch in Gebrauch und wurden erst in der 2. Hälfte des 3. Jh. n. Chr. durch die kopt. Schrift der ägypt. Christen mit dem griech. Alphabet verdrängt; noch Kaiser Decius (†251) ist in H. erwähnt.

S. Schott, H., 1950; J. Janssen, H., Leiden 1952; E. Iversen, *The myth of Egypt and its h.*, Kopenh. 1961; A. Erman, D. H., ³1968; L. Dieckmann, *Hieroglyphics*, St. Louis 1970; K. T. Zauzich, H. ohne Geheimnis, 1981.

Hieronym (v. griech. *hieros* = heilig, *onoma* = Name), →Pseudonym in Gestalt e. heiligen, kirchl. oder relig. Namens. Vgl. →Hagionym.

Hikajat (malai. = lange Prosaerzählung), malaische legendär-histor. Prosaerzählungen bes. um malaische Nationalhelden *(H. Hang Tuah)* oder Chroniken der Fürstenhäuser; Hoflit. der klass. Zeit um 1500, später zunehmende Romantisierung zu bunten pseudohistor.-kosmopolit. Märchenromanen und schließlich zu langatmigen und locker komponierten Romanwerken.

Hilarodie (v. griech. *hilaros* = heiter, *ode* = Gesang), Gattung des hellenist. →Mimus, Tragödienparodie in gemessener Form und zurückhaltendem Stil durch einen Mimen in männl. Kleidung mit Krone und Kothurn. Wohl von RHINTON erfunden, später nach SIMOS auch Simödie genannt.

Hildebrandston, Abart der →Nibelungenstrophe mit Zäsurreim und vier gleichgebauten Langzeilen (geschrieben auch zu acht Kurzzeilen), nach dem Reimschema ababcdcd, wobei a und c weiblich, b und d männlich reimen; verwendet im *Jüngeren Hildebrandslied*.

Himmelsbriefe, angeblich von e. Gott, in christl. Bereich zumeist Jesus, verfaßte und auf die Erde gesandte Briefe, die nach oriental. und wohl auch spätantikem Vorbild ab 6. Jh. auch im christl. Abendland auftauchen. Sie bringen ihren Besitzern oder Abschreibern angeblich Glück und Segen und schützen sie vor Unfällen und Tod (Abwehrzauber).

O. Weinreich, Antike H.e (Archiv f. Religionswiss. 10, 1907); W. Köhler, Briefe v. Himmel u. aus d. Hölle (D. Geisteswiss. I, 1914); R. Stübe, D. H., 1918; A. Closs, H.e (Fs. W. Stammler, 1953); RL.

Hinkjambus →Choliambus

Hintertreppenroman, nach der Hintertreppe als Dienstboteneingang, wo er durch Kolportagehandel vertrieben und meist kritiklos gelesen wird, benannter Roman der →Trivialliteratur; künstlerisch wertlos und auf primitive Spannung abhebende Banalisierung wertvoller Romane; entstanden aus den Ritter- und Räuberromanen des 18. Jh.

Hippokrene (griech. = Roßquelle), Quelle am →Helikon, angeblich durch Hufschlag des →Pegasus entsprungen und seit Hesiod als Quell dichterischer Inspiration verehrt.

Hipponakteisches Maß →Choliambus

Hipponakteische Strophe, nach dem griech. Dichter Hipponax (6. Jh. v. Chr.) benanntes, 4zeiliges antikes Odenmaß aus katalektischem trochäischem Dimeter und katalektischem jambischem Senar in distichischem Wechsel:

$$\acute{-}\;\cup\;-\;\cup\;\acute{\m#x22}\;\cup\;\underline{\cup}$$
$$\cup\;\acute{-}\;\cup\;-\;\underline{\|}\;\acute{-}\;\cup\;-\;\cup\;\acute{-}\;\underline{\cup}$$

z. B. Horaz: ›Non ebur neque aureum / mea renidet in domo lacunar‹ (*Od.* II, 18).

Hirtendichtung, auch →arkadische, →bukolische oder Schäferdichtung, sucht gegenüber der friedlosen, beengenden, konventionellen Wirklichkeitswelt sentimentalisch Zuflucht in e. unwirklich-idealisierten, friedvollen und anspruchslosen, dafür glückl. und naturnahen Hirten- und Schäferwelt ohne ges. Zwänge als myth.-utop. Wunschbild. Ihre Formen sind bes. →Idylle, →Pastorelle, Schäferspiel (→Pastorale) und →Schäferroman, wobei Gattungsgrenzen gern weichen. Sie beginnt mit der Bukolik der Antike als lit. kultivierter Sehnsucht der Großstädter nach der Schlichtheit des Landlebens. Stesichoros führte die später vielbesungene Gestalt des schönen Schäfers Daphnis in die Lit. ein; Theokrit, der größte Vertreter griech. H., nimmt zuerst die sentimental. Haltung ein; ihm folgen Bion und Moschos; in röm. Lit. Vergils *Bukolika (Eklogen),* 1. Jh. v. Chr., später Calpurnius und Nemesianus; im 3. Jh. n. Chr. entstand der griech. Hirtenroman (Longos, *Daphnis und Chloë*). Die bereits in Vergils zeitgeschichtl. Anspielungen angebahnte Neigung zur →Schlüsseldichtung fand in der ital. Renaissance, oft unter Vorherrschen des Gedanklichen, verbreitet Aufnahme, so in Petrarcas *Bucolicum Carmen,* Boccaccios *Ameto* und bes. Sannazaros Idylle *Arcadia* (1495), engl. Spenser und Drayton, franz. Ronsard und Belleau, im Drama in Polizianos *Orfeo* (1480), Tassos *Aminta* (1573) und Guarinis *Pastor fido* (1585), engl. Marlowe, Jonson, Fletcher, und im oft lyrisch durchsetzten Hirtenroman der Spanier, im Anschluß an den →Amadis mit reicher Handlung (Montemayor, *Diana* 1559; Cervantes, *Galatea;* Lope de Vega, *Arcadia*), der Engländer (Ph. Sidney, *Arcadia,* 1590; J. Barclay, *Argenis,* 1621), der Franzosen (H. d'Urfé,

Astrée, 1610; seine Liebhabergestalt Céladon wird zum Vorbild der Zeit) und der Holländer (HOOFT, *Granida,* Schäferspiel 1605, van HEEMSKERCK, *De Bataviscbe Arcadia,* Roman 1637 u.a. bis ins 19. Jh.). Die dt. H., in Theorie und Praxis von den roman. abhängig, beginnt erst nach der ausländ. Hochblüte im 17. Jh., zuerst mit Übersetzungen, und verbreitet sich mit dem höf. Gesellschaftsideal des Barock; bedeutsam wird bes. OPITZ' Übertragung von RINUCCINIS ital. Hirtenoper *Daphne* 1627 mit der Musik von SCHÜTZ als erste dt. →Oper. Es folgen OPITZ' eigene *Schäfferey von der Nimfen Hercinie* 1630, BUCHNERS *Orpheus* 1638 mit Musik von SCHÜTZ, HOMBURGS *Dulcimunda* 1643, HARSDÖRFFERS *Pegnesisches Schäfergedicht* 1641, GRYPHIUS' *Geliebte Dornrose* 1660, KLAJ, S. von BIRKEN, ZESEN u.a.m., nicht mehr sentimental. Sehnsucht nach der Naturnähe e. goldenen Zeitalters, sondern bewußtes lit. Gesellschaftsspiel nach der Mode der ›Schäferei‹ als Kostümfest der Oberklassen, Rollendichtung in stilisierter Natur und bukol. Kulissen, unwirklich und meist als beliebte, nur dem Eingeweihten ergötzliche Einkleidung von Liebeshändeln und Anspielungen auf hohe zeitgenöss. Personen und Ereignisse im Schäferkostüm – die Dichter erscheinen teils selbst unter Schäfernamen (Dafnis, Damon, Corydon) und bilden Schäferorden (Pegnitzschäfer) – häufig jedoch in traditionellen Figuren und dem einzig mögl. Motiv schwärmerischer, doch unglückl. Liebesleidenschaft erstarrt, daher von CERVANTES bis A. HOLZ (*Dafnis* 1904) häufig parodiert. Auch das →Gesellschaftslied (SCHEIN, *Musica boscareccia,* 1621) und selbst geistl. Lyrik (HESSUS, BALDE, F. v. SPEE) be-

nutzt schäferl. Motive. Der Einfluß der H. reicht weiter ins 18. Jh., über lyr.-schäferl. Einlagen anderer Romane und Dramen hinaus bes. auf die erot. Lyrik und Schäferspiele des Rokoko und der Anakreontik, GLEIMS *Band* und *Der blöde Schäfer,* GESSNERS Idyllen, Maler MÜLLERS *Schafschur* 1775 und auch GOETHES *Laune des Verliebten.* Sie mündet schließl. im 19. Jh. in realist. Idylle, Dorfgeschichte und Bauernroman.

M. v. Waldberg, D. dt. Renaissancelyrik, 1888; O. Netoliczka, Schäferdichtg. u. Poetik i. 18. Jh. (Vjschr. f. Litgesch. 2, 1889); H. Broglé, D. frz. H. i. d. 2. Hälfte d. 18. Jh., Diss. Lpz. 1903; W. W. Greg, *Pastoral poetry and pastoral drama,* 1906, n. 1959; E. Carrara, *La poesia pastorale,* Maild. 1909; H. A. Rennert, *The Spanish Pastoral Romances,* 1912; J. Hubeaux, *Les thèmes bucoliques dans la poésie latine,* Brüssel 1930; H. Wendel, Arkadien i. Umkreis d. bukol. Dichtg., 1933; E. G. Carnap, D. Schäferwesen, Diss. Ffm. 1939; B. Snell, Arkadien (Antike u. Abendld. I, 1945); H. Petriconi, D. neue Arkadien (ebd. III, 1948); M. I. Gerhard, *Essai d'analyse lit. de la pastorale dans les litt. ital. espagn. et franç.,* Assen 1950; J. E. Congleton, *Theories of Pastoral Poetry in England,* Florida 1952; E. Eike, D. Entst. d. rel. Schäferlyr., Diss. Hdlbg. 1957; M. J. Bayo, *Virgilio y la pastoral española del renacimiento,* Madrid 1959; W. Empson, *Some versions of pastoral,* N.Y. 1960; W. L. Grant, *Neolatin lit. and the pastoral,* Chapel Hill 1965; G. Wojaczek, Daphnis, 1970; J. Hösle, D. europ. H. (Neues Hb. d. Lit.wiss. 9, 1972); RL; H. Beckby, D. griech. Bukoliker, 1975; Europ. Bukolik u. Georgik, hg. K. Garber 1976; Schäferdichtg., hg. W. Vosskamp 1977; Effe / Grimm / Krautter, Bukolik, 1977; B. Effe, D. Genese e. lit. Gattg., 1977; H. Cooper, *Pastoral, Medieval into Renaiss.,* 1977; R. Kettemann, Bukolik u. Georgik, 1977; H. U. Seeber, Mod. Pastoraldichtg. i. Engl., 1979; *Le genre pastoral en Europe,* Saint-Etienne 1980; C. Segal, *Poetry and myth in ancient pastoral,* Princeton 1981; K. Garber, Arkadien u. Ges. (Utopieforschg. 2, hg. W. Voßkamp 1982); J. Sambrook, *Engl. pastoral poetry,* Boston 1983; D. M. Halperin, *Before pastoral,* New Haven 1983; J. O. Newman, Et in Arcadia ego, DVJ 59, 1985; S. F. Walker, *A cure for love,* N.Y. 1987; E. A. Schmidt, Bukol. Leidenschaft, 1987; G. Parenti, *La poesia pasto-*

rale, Coll. Helv. 6, 1987; R. Magowan, *Narcissus and Orpheus,* N.Y. 1988; A. Patterson, *Pastoral and ideology,* Berkeley 1988. →Pastorale, →Schäferroman.

Hirtenlied, lyr. Form der →Hirtendichtung. Vgl. →Ekloge, →Pastorelle.

Hirtenspiel, 1. dramat. Form der →Hirtendichtung, vgl. →Pastorale, 2. Form des →Weihnachtsspiels im →geistlichen Drama des MA.: Verkündung der Hirten.

C. Müller, Z. Gesch. d. H., GRM 2, 1910; R. Roßbach, Volkseigenes Kulturgut i. dt. geistl. H. u. Dreikönigsspiel, Diss. Köln 1954.

Histörchen →Anekdote

Historie (griech. *historia* = Geschichte), eigentl. unterhaltende Erzählung e. historisch wahren Begebenheit im Ggs. zur erfundenen (›Fabel‹), in röm. Lit. ›Zeitgeschichte‹ im Unterschied zu →Annalen. Die Bz. wurde zwecks stärkerer Glaubwürdigkeit von den ma. Dichtern wie auch den Volksbüchern des 16./17. Jh. gern für ihre erdichteten und oft phantast. Erzählungen verwendet und gelangte durch diesen Mißbrauch zur gegenteiligen Bedeutung des Abenteuerlich-Erdichteten, z.B. *Historia von D. Johan Fausten.* - H.s oder Chronicle plays heißen ebenfalls die →historischen Dramen der engl. Elisabethaner, so Bale, Marlowe und die Königsdramen Shakespeares aus der engl. Geschichte, die durch starke Abhängigkeit von der histor. Tatsachenfolge von den übrigen Dramen abweichen.

RL; W. Brückner, H.n u. H. (Volkserz. u. Reformation, hg. ders. 1974); A. Seifert, H. im MA., AfB 21, 1977; J. Knape, H. in MA. u. früher Neuzeit, 1984.

Historienbibel, volkstüml., für Unterricht und Erbauung gedachte und meist illustrierte ma. Darstellung der bibl. Geschichte in Vers oder Prosa, oft unter Einschluß der weltl. Geschichte und der Apokryphen; bes. im 14.–15. Jh., aus den Überarbeitungen PETRUS COMESTORS *Historia scholastica* und Reimchroniken, bes. von RUDOLF VON EMS →*Weltchronik* hervorgegangen.

H. Vollmer, Materialien zu e. Bibelgesch. d. MA., IV 1912–19; H. Rost, D. Bibel i. MA., 1939.

Historiendrama, -lied u. ä. →Historisches Drama usw.

Historische Belletristik, 1. Oberbegriff für alle Arten der Geschichtsdichtung (→Historische Erzählung, h. Roman, →historisches Drama). – 2. historische Werke auf der Grenze zwischen Geschichtsschreibung und Dichtung, die einerseits auf wiss. Erörterungen und Quellenangaben, andererseits auf Erfundenes verzichten, z.B. Biographien und Geschichtsdarstellungen von E. LUDWIG, St. ZWEIG, A. MAUROIS u. a.

H. Herting, Gesch. f. d. Gegenw., 1979.

Historische Erzählung, historische Novelle und **historischer Roman** als Formen der →Geschichtsdichtung behandeln geschichtl. Ereignisse und Personen in e. Sonderform kulturgeschichtl. Hintergründe e. erfundenen Handlung, in freikünstler. Prosagestaltung und geben je nach Art des gewählten Stoffs und der Darstellungsweise e. individuellen Lebenslauf oder e. allg. Geschichtsbild, das jedoch wegen →dichterischer Freiheiten nicht immer das wiss. anerkannte, sondern auch e. intuitiv erfühltes, doch glaubwürdiges oder nach ästhet. Gesichtspunkten umgestaltetes sein kann. Gestaltung zeitgenöss. Stoffe dagegen gibt der →Gesellschafts- oder →Zeitroman. Neben der Fülle von Unterhaltungslit., die das histor. Kolorit als neugiererregenden Reiz des Abenteuerlich-Fremden benutzt, steht e. Reihe bleibender und gültiger h. R.e. Das Historische der Barockromane (BUCHHOLTZ, LOHENSTEIN) freilich erweist sich als Kulisse für Staatsromane oder bildungsgehäufte Abenteuer- und Wunderromane, in der Aufklärung als Schlüsselroman (VOLTAIRE, HALLER, WIELAND). Der eigtl. h. R. beginnt mit dem Durchbruch des Geschichtsbewußtseins und hist. Entwicklungsdenkens seit HERDER und GOETHES *Götz*, bes. mit der Geschichtsphilosophie HEGELS und der Romantiker als idealisierte große nationale Vergangenheit. Voran geht in England Walter SCOTT mit *Waverley* (1814) und anderen Romanen aus der Geschichte Schottlands und Englands *(Ivanhoe)*, in denen an historisch nebensächl. oder erfundenen Ereignissen e. breites, auf genauen Studien beruhendes kulturhistor. Bild von realist. Menschen- und Detailschilderung entsteht und die sich schnell über ganz Europa verbreiten; ihm folgen E. G. BULWER *(The Last Days of Pompeii)*, W. H. AINSWORTH, C. KINGSLEY, W. M. THACKERAY, Ch. DICKENS und Ch. READE *(The Cloister and the Hearth)*, in Frankreich A. de VIGNY *(Cinq Mars,* 1826), V. HUGO *(Notre Dame de Paris,* 1831), MÉRIMÉE, A. DUMAS d. Ä., später FLAUBERT *(Salammbô,* 1869), A. FRANCE, R. ROLLAND und ARAGON, in Italien MANZONI *(I Promessi sposi,* 1827), in Niederland/Belgien H. CONSCIENCE und Ch. de COSTER, in Rußland A. PUŠKIN, N. GOGOL, A. K. und L. TOLSTOJ *(Krieg und Frieden,* 1864–69), SOLOCHOV und MEREŠKOVSKIJ, in Polen SIENKIEWICZ *(Quo vadis,* 1896 u.a.) und B. PRUS, in Jugoslawien I. ANDRIĆ *(Die Brücke über die Drina),* in Amerika COOPER, HAWTHORNE, MELVILLE, CRANE, L. WALLACE, M. TWAIN, H. FAST, M. MITCHELL

(Gone with the Wind, 1936) u.a.m., in Skandinavien V. v. HEIDENSTAM, S. LAGERLÖF, S. UNDSET, in Spanien B. PÉREZ GALDÓS. In Dtl. beginnt der h. R. gleichzeitig mit ARNIM *(Die Kronenwächter,* 1817), K. PICHLER, BRENTANO, den Novellen KLEISTS, E. T. A. HOFFMANNS und TIECKS, ZSCHOKKE und bes. HAUFF mit *Lichtenstein* 1826, H. KURZ mit *Schillers Heimatjahre* 1843 und *Der Sonnenwirt* 1855, ALEXIS' Romanen aus versch. Epochen der märk. Geschichte, SPINDLER u.a.m. Neuen Aufschwung des h. R. brachte das Aufblühen der realist. Geschichtswissenschaft, die vom h. R., nicht immer zu seinem dichterischen Vorteil, histor. Treue verlangt. In ihrem Gefolge entstehen, zunächst noch allzu sentimental, SCHEFFELS *Ekkehard* (mit wiss. Quellennachweisen), die kulturhistor. Novellen von H. RIEHL, L. v. FRANÇOIS und MEINHOLD *(Die Bernsteinhexe)* und die h. R.e FREYTAGS, bes. *Die Ahnen* sowie die zahlreichen →Professorenromane der Zeit. Th. STORM schildert die herbe Lebensart seines Stammes vor histor. Hintergrund, G. KELLER sucht die Eigenart seiner Landsleute in humorvoller Weise an histor. Situationen aufzudecken, die im Rahmen der *Züricher Novellen* als Variationen erscheinen, und fragt bes. in *Ursula* nach dem Wesen der Geschichte. E. neue Stufe beginnt mit den h. R.en und Novellen C. F. MEYERS, der eigene Erlebnisse und Probleme bewußt ins Geschichtliche distanziert und die Konflikte von Handeln und Schuld, Leid und Gerechtigkeit in hoher, denkbar plast. Kunstform darlegt, wobei schon in der Stoffwahl eine Vorliebe für die großen Menschen der Renaissance zutage tritt. Ohne Seitenstück bleibt STIFTERS *Witiko* (1867) in bewußt feierl., breitem Saga-Stil, der an der

Geschichte Böhmens Wesen, Entfaltung und Wirken geschichtl. Kräfte verdeutlicht. Die Detailmalerei FONTANES (*Vor dem Sturm* u.a.) und RAABES beendet den h. R. des 19. Jh.; der Naturalismus lehnt den h. R. streng ab; erst Impressionismus und Neuromantik (R. HUCH, *Der große Krieg*, 1912 u.a.), schließlich Expressionismus (KLABUND, FEUCHTWANGER) nehmen ihn wieder auf; neben realist. Zügen erhält er schließlich innere, metaphys. Sinndeutung bei J. WASSERMANN, E. G. KOLBENHEYER, Th. MANN, St. ZWEIG, M. BROD, F. WERFEL, J. ROTH, I. SEIDEL, B. FRANK, F. THIESS, W. BERGENGRUEN, R. SCHNEIDER, H. MANN, E. COLERUS, E. STUCKEN, A. DÖBLIN, E. v. HANDEL-MAZZETTI, A. NEUMANN, A. ZWEIG, G. v. LE FORT, S. ANDRES, H. BENRATH, E. v. NASO, A. LERNET-HOLENIA, A. SEGHERS, E. STICKELBERGER, H. BROCH, St. HEYM, H. SCHOLZ, F. FÜHMANN u.a. und bleibt daneben die beliebte Form der histor. Distanzierung von Themen in gültiger Gestalt als Flucht vor der Gegenwart oder in der Exillit. als distanzierte Behandlung der Zeitgeschichte. Die neuere Zeit brachte bes. e. Reihe vorbildlicher h. R.e um die Antike: R. GRAVES' *I, Claudius*, M. YOURCENARS *Memoires d'Hadrien* 1953, Th. WILDERS *The Ides of March* 1948, H. BROCHS *Der Tod des Vergil* 1945, M. RENAULT *The King must die* 1958.

L. Gregorovius, D. Verwendg. histor. Stoffe i. d. erzähl. Lit., 1891; L. Stephen, Hours in a Library, 1892; L. Maigron, Le rom. hist. à l'époque romant., Paris 1898, n. 1970; R. du Moulin-Eckart, D. h. R. in Dtl., 1905; K. Wenger, H. R.e d. Romantiker, 1905; D. Binkert, H. R.e vor W. Scott, Diss. Bln. 1915; H. Bock, K. Weitzel, D. h. R. als Begleiter d. Weltgesch., 1922; Suppl. I 1925, II 1931; RL; H. Butterfield, The hist. Novel, 1924; W. A. Müller, D. archäolog. Dichtg., 1928; A. v. Grolmann, Üb. d. Wesen d. h. R., DVJ 7, 1929; J. Nield, Guide to the best hist. novels and tales, [5]1929; A. T. Sheppard, The Art and Practice of hist. Fiction, 1930; A. E. Baker, Guide to hist. Fiction, 1932; J. Marriott, Engl. Hist. in Engl. Fiction, 1940; A. Luther, Dt. Gesch. i. dt. Erzählg., 1940; M. Wehrli, D. h. R. (Helicon 3, 1940); W. v. Scholz u. E. Stickelberger, D. h. R. (Europ. Lit. 1, 1942); I. Herrle, D. h. R. v. Novalis bis Stifter, Diss. Lpz. 1952; Ch. Jenssen, D. h. R., 1954; G. Lukács, D. h. R., 1955; E. E. Leisy, The American hist. novel, Norman [2]1952, n. 1970; W. Drop, Verbeelding en historie, Assen 1958; W. Schamschula, D. russ. h. R. v. Klassizismus bis z. Romantik, 1961; H. G. Peters, Gesch. als Dichtg., NDH 91, 1963; G. Nelod, Panorama du roman hist., Brüssel 1969; Dargestellte Gesch. i. d. europ. Lit. d. 19. Jh., hg. W. Iser u.a. 1970; H. Eggert, Stud. z. Wirkgsgesch. d. dt. h. R. 1850–1875, 1971; K. Schröter, D. h. R. (Exil u. inn. Emigration, 1972); J. C. Simmons, The novelist as historian, Haag 1973; E. Nyssen, Geschichtsbewußtsein u. Emigration, 1974; W. Schiffels, Geschichte(n) erzählen, 1975; H. V. Geppert, D. andere h. R., 1975; H. Dahlke, Gesch.roman u. Lit.krit. i. Exil, 1976; E. Lehmann, Dreimal Caesar, Poetica 9, 1977; H.-D. Huber, H. R.e i. d. 1. Hälfte d. 19. Jh., 1978; Recherches sur le rom. hist. en Europe, Paris 1978; H. Riikonen, D. Antike i. h. R. d. 19. Jh., Helsinki 1978; W. W. Holdheim, D. Suche nach d. Epos, 1978; H.-J. Müllenbrock, D. h. R. i. 19. Jh., 1980; H. Vallery, Führer, Volk u. Charisma, 1980; W. A. Hanimann, Stud. z. h. R. 1939–45, 1981; P. Gallmeister, D. h. R., FLE, 1981; I. Schabert, D. h. R. i. Engl. u. Amerika, 1981; J. Rosellini (DDR-Roman u. Lit.ges., Amsterd. 1981); Histor. Erzählen, hg. S. Quandt 1982; D. h. R., hg. R. Borgmeier II 1984; H. Koopmann (Schreiben i. Exil, hg. A. Stephan 1985); R. Humphrey, The hist. novel as philos. of hist., Lond. 1986; B. M. Broerman, The Germ. hist. novel in exile, University Park 1986; G. Dekker, The American hist. romance, Cambr. 1987; M. Limlei, Gesch. als Ort d. Bewährg., 1988. →Roman.

Historischer Reim, Reimbindung, die z.Z. ihrer Aufzeichnung ›rein‹ war, durch spätere Veränderung der Aussprache jedoch ›unrein‹ geworden ist. Die histor. Richtigkeit unterscheidet sie vom →Augenreim. Beispiele bes. in engl. und franz. Dichtung: SHAKESPEARE: ›proved/loved‹.

Historisches Drama, dramat. Form der →Geschichtsdichtung mit histor. Stoffen, die tatsachengetreu oder mehr oder minder nach künstler. Erfordernissen abgeändert auf der Bühne erscheinen. Bis zum bürgerl. Trauerspiel und eigentlich bis zum Naturalismus IBSENS ist Geschichte neben dem Mythos fast die einzige Stoffquelle der Tragödie (SHAKESPEARES Historien, MARLOWE, LOPE DE VEGA, CALDERÓN, VONDEL, CORNEILLE, RACINE, GRYPHIUS, Ch. WEISE u.a.m.); in der monumentalen Gestaltung von Einzel- und Massenschicksal, geschichtl. Freiheit und Notwendigkeit sucht sie in ihren größten Ausformungen das Wesen des Geschichtlichen, Stellung des Individuums zur Geschichte und Tragik geschichtl. Handelns und Kämpfens zu formen und erscheint dann als Weltgericht oder Theodizee, ausweglose Tragödie der Leidenschaften, des Idealismus oder vernunftgemäße Selbstbescheidung u. diesseitige Vollendung: SCHILLERS *Don Carlos, Wallenstein* und *Maria Stuart,* GOETHES *Götz,* Dramen KLEISTS, GRABBES, BÜCHNERS *(Danton),* GRILLPARZERS und HEBBELS, HAUPTMANNS *Florian Geyer,* ähnlich den *Webern* das h. D. des Naturalismus, schließlich bei H. REHBERG, G. KAISER, F. WERFEL, F. BRUCKNER, B. v. HEISELER, R. SCHNEIDER, C. ZUCKMAYER als Auflösung des geschlossenen Aufbaus in e. eindringliche Bilderfolge, die Stimmungshintergrund und Gehalt wiedergibt. Im Ggs. zu diesen zeitlos gültigen Gestaltungen menschl. Begegnung stehen die sog. ›Historiendramen‹, die den histor. Stoff zum Ausdruck außerdichterischer, didakt., relig., politischer oder kultureller Tendenzen benutzen, etwa die →Bardiete KLOPSTOCKS, die →Ritterdramen in der Nachfolge des *Götz* (A. TÖRRING, BABO), UHLANDS *Ernst von Schwaben* und *Ludwig der Bayer,* die h. D. des Jungen Dtl., E. RAUPACHS Hohenstaufen- und E. v. WILDENBRUCHS Hohenzollerndramen, F. LIENHARDS *Luther* u.a.m. bis zu den politischen Bewegungen der Gegenwart und den histor. Stoffen B. BRECHTS *(Leben des Galilei),* P. HACKS und D. FORTES sowie zum →Dokumentartheater. Als oft außerkünstlerische Erzeugnisse zur Meinungsbeeinflussung erlischt ihre Wirkung mit der geschichtl. Weiterentwicklung, die deren Erfüllung oder neue Anliegen bringt. Wichtige h. D. im Ausland schrieben in England TENNYSON, BROWNING, SWINBURNE, G. B. SHAW, T. S. ELIOT, C. FRY, L. DURRELL, J. OSBORNE, P. CHAYEFSKY, in den USA M. ANDERSON und A. MILLER, in Schweden STRINDBERG, in Frankreich V. HUGO, A. DUMAS d. Ä., R. ROLLAND, H. de MONTHERLANT, P. CLAUDEL, A. CAMUS, J. ANOUILH und J.-P. SARTRE, in Rußland A. PUŠKIN und A. K. TOLSTOJ.

O. v. d. Pfordten, Werden u. Wesen d. H. D., 1901; F. E. Schelling, *The Engl. Chronicle Play,* 1902; G. C. Houston, *The Evolution of h. d. during the 1. half of the 19. Century,* Diss. Lond. 1920; E. Klotz, D. Problem d. gesch. Wahrh. i. h. D. Dtls., 1750–1850, Diss. Greifsw. 1927; H. W. Placzek, D. h. D. z. Z. Hebbels, 1928; R. Schantz, D. Gesch. als Stoff i. Dr. d. dt. Klassik, Diss. Ffm. 1929; R. Richter, Stud. üb. d. Drama d. Historismus, Diss. Rostock 1935; G. Dietz, D. h. D. vor d. Umbruch, Diss. Bonn 1935; J. Petersen, Geschichtsdrama u. nationaler Mythos, 1940; R. Fricker, D. h. D. i. Engl., 1940; D. v. Wiese, Gesch. u. Drama, DVJ 20, 1943; F. Sengle, D. dt. Gesch. dr., 1952, u. d. T. D. h. D. i. Dtl. ³1974; I. Ribner, *The Engl. history play in the age of Shakesp.,* Princeton 1957, ²1965; T. F. Driver, *The sense of history in Greek and Shakesp. drama,* Berkeley 1961; H. Hammerschmidt, D. h. D. i. Engl. 1956–71, 1972; B. W. Seiler, Literatur als ästhet. Kategorie, Poetica 5, 1972; H. Lindenberger, *Hist.drama,* Chic. 1975; W. Keller, Drama u. Gesch. (Beitr. z. Poetik d. Dr., hg. ders. 1976); K. Tetzeli v. Rosador, D. engl. Geschichtsdr. seit Shaw, 1976; Gesch. i. Gegenwartsdr., 1976; F. Martini, Gesch. i. Dr., Dr. i. d. Gesch., 1979; Gesch.dr., hg. E. Neubuhr 1980; Gesch. als Schausp., hg. W. Hinck 1981; P. Zahn, D. Gesch.dr., FLE 1981; G. Schnabl, Hist. Stoff i. neueren polit. Dr. Großbrit., 1982; F. Fasse, Gesch. als Problem v. Lit., 1983; M. H. Wikander, *The play of truth and state*, 1986.

Historisches Epos, Behandlung geschichtl. Stoffe in der Form des Epos. Während das griech. Epos wie Heldenepos und Volksepos überhaupt auf myth. und Sagen-überlieferung zurückgreift, findet sich zuerst beim Römer NAEVIUS *(Punischer Krieg)* die Gestaltung zeitgenöss. Ereignisse. Nachfolge bis ins 19. Jh.

D. Maskell, *The hist. epic in France 1500–1700*, Oxf. 1973; F. Shaw, Das h. E. (Stud. z. frühmhd. Lit., 1974); R. Häussler, Das h. E., II 1976–78; A. Ebenbauer, Carmen historicum, 1978.

Historisches Lied, balladeskes, oft lyrisch durchsetztes Volkslied um histor. Ereignisse und Personen, das diese teils wahrheitsgetreu aus eigener Anschauung (chronistisch, Berichtslied), teils verherrlichend (Preislied) oder tendenziös zur Beeinflussung darstellt (Parteilied) oder nur als Anlaß zu eigenen Meditationen und Gefühlsergüssen benutzt (Totenklage, Rollenlied u. ä.). H. L.er der Germanen sind schon bei TACITUS bezeugt, das älteste erhaltene ist das *Ludwigslied* als Preis des Ostfrankenkönigs Ludwig III. nach dem Sieg von Saucourt 881. Die reichere Überlieferung setzt in der Stauferzeit ein und erreicht größte Fülle gegen Ende des MA. durch meist anonyme Dichter, die oft Volks- oder Kirchenlieder mit neuen, historienhaften Texten versehen und in fliegenden Blättern verteilen. Der Inhalt betont das Persönlich-Episodische mehr als die histor.-polit. Wichtigkeit des Stoffes und zieht oft Nebensächliches dem Wichtigen vor, daher ist der histor. Quellenwert der h. L.er gering. Beliebte Themen sind der Streit der Ritter und Städte, Triumph-, Siegesund Spottlieder zu einzelnen Schlachten (Pavia, 1525), Kreuzzüge, Türkenkriege, Belagerung, ferner Stoffe wie Störtebeker 1402, Agnes Bernauer 1435, später in Anlehnung an das Gesellschaftslied in neuen festen Formen um den 30jährigen Krieg, Prinz Eugen, Friedrich II., Napoleon. Seit dem Aufkommen der Zeitung verliert das h. L. seine Bedeutung als Vermittler der Zeitgeschichte.

R. F. Arnold, 3 Typen d. hist. Volksliedes (Monatsbl. d. wiss. Clubs, Wien 1901); A. Hartmann, Hist. Volkslied u. Zeitgedicht, 1910–13; F. Jacobsohn, D. Darstellgsstil d. h. L., Diss. Bln. 1915; E. Schroeder, D. hist. Volkslied d. 30jähr. Krieges, Diss. Marbg. 1916; K. Möllenbrock, D. h. L. v. 30j. z. 7j. Krieg, ZDP 67, 1939; RL; C. Stief, *Stud. in the Russ. hist. song*, 1955; G. Kieslich, D. h. L. als publizist. Erscheing., 1958; D. Sauermann, Hist. Volkslieder d. 18. u. 19. Jh., 1968.

Historisches Präsens →Praesens historicum

Historisch-kritische Ausgabe, im Unterschied zur →kritischen Ausgabe die Edition e. Werkes, die über den etablierten bzw. gesicherten krit. Text hinaus alle überlieferten bzw. authentischen →Fassungen e. Werkes von den ersten Plänen und Entwürfen über sämtl. Umarbeitungen bis zur →Ausgabe letzter Hand einbezieht und damit e. vollständigen Überblick über Entstehung und Veränderungsprozeß des Werkes gibt, evtl. durch Abdruck der Hauptfassungen oder unter Zugrundelegung der ersten oder letzten vollständigen Fassung mit chronolog. Aufreihung aller handschriftl. und Druck-Varianten im →Apparat, ggf. auch mit philolog.

Kommentar. Sie ist Grundlage aller wiss. Beschäftigung mit e. Werk.

Lit. →Editionstechnik, →Textkritik.

Histrione (lat. *histrio* v. etrusk. = Gaukler), Schauspieler, im antiken Rom zuerst Etrusker, dann bes. Griechen und Sklaven.

Hochliteratur, die →Kunstdichtung im Ggs. zur →Volksdichtung einerseits, zur →Trivialliteratur andererseits.

Hochsprache, urspr. Bz. für die ›gehobene‹ gesprochene Sprache etwa der soz. Elite bzw. der gebildeten Oberschicht, die sich nicht nur von der mundartl. Volkssprache, sondern auch von der genormten Verkehrs- oder Standardsprache durch perfekte →Bühnenaussprache, Wortwahl und feines Stilempfinden ebenso abhob wie die →Literatursprache von der →Schriftsprache. Im Zuge permanenter soz. Angleichung des Standards nach unten und der Einebnung der Literatursprache zur Schriftsprache hin ist der als vorbildhaft gedachte Begriff H. bis zur Gleichsetzung mit Standard- oder Gemeinsprache verfallen, euphemist. und damit obsolet geworden. Im heutigen Wortsinn wird er am besten durch ›Standardsprache‹ ersetzt.

H. Moser, Stud. z. Raum- u. Sozialformen d. dt. Spr., 1979; E. Haas, Rhetorik u. H., 1980; R. Baum, H., Litspr., Schriftspr., 1987.

Hochstift   →Freies Deutsches Hochstift

Hochton, Betonung, Nachdruck in der Metrik. →Akzent.

Hochzeitsgedicht, Art der →Gelegenheitsdichtung: →Epithalamium, →Hymenaeus, →Feszenninen.

Höfische Dichtung, allg. jede nach Form und Gehalt an höf. Vorbildern orientierte Dichtung, 1. die dt. Dichtung in mhd. Blütezeit 1150–1250 als Erzeugnis e. ausge-

sprochen ritterlich-adl. und höf. Standeskultur, die ihre Ideale (êre, triuwe, milte, staete, mâze, zuht, minne) und Probleme, Standesbewußtsein und Lebensgefühl und bes. höf. Zucht in vorbildl. Weise zum Ausdruck brachte. An die Fürstenhöfe gebunden, entstand sie von Klerikern, Rittern, Ministerialen, teils auch bürgerl. und spielmänn. Verfassern für den Vortrag vor der ritterl. Gesellschaft und verherrlicht deren Lebensanschauung bes. in →Minnesang, →Kreuzzugs- und →Spruchdichtung und →höfischem Epos. Sie verbreitete sich mit dem Aufstieg und neuen Selbstbewußtsein des Rittertums von den franz. Trouvères bes. der Champagne und den →Troubadours der Provence über Schwaben, Thüringen, den Niederrhein und das Donauland und blüht nach Veränderung der Gesellschaftsstruktur in formgewandter, doch mehr inhaltsloser →Epigonendichtung bis ins 14. Jh., wo sie in der bürgerl. Dichtung aufgeht. – 2. die Dichtung des →Barock, ebenfalls repräsentative höfische →Gesellschaftsdichtung (nur treten hier an die Stelle der Ritter teils bürgerl. Hofleute), die in der Zeit des Absolutismus das Ideal stoischer Selbstbeherrschung und Zucht selbst in Märtyrertum, Not und Untergang verkündet und auch im heroisch-galanten Roman, Abenteuerroman wie im neugeformten Drama darstellt.

P. Kluckhohn, Ministerialität u. Ritterdichtung, ZDA 52, 1911; H. Naumann, G. Müller, Höf. Kultur, 1929; H. Naumann, Höf. Symbolik, DVJ 10, 1932; W. Kellermann, Altfranz. u. altdt. Lit., GRM 26, 1934; E. Kohler, Liebeskrieg. Z. Bildersprache d. h. D., 1935; B. Boesch, D. Kunstanschauung i. d. mhd. Dichtg., 1936; W. Bulst, Polit. Hofdichtg., DVJ 15, 1937; H. Spanke, Dt. u. franz. Dichtg. d. MA., 1943; H. Schneider, Heldendichtg., Geistlichendichtg., Ritterdichtg., ²1943; R. Bezzola, *Les origines et la formation de la lit. courtoise* III, Paris

1944–60, ²1967; A. Schirokauer, Üb. d. Ritterlyrik, GQ 1946; H. Kuhn, D. Klassik d. Rittertums (in: Annalen d. dt. Lit., hg. O. Burger 1952); H. de Boor, Gesch. d. dt. Lit. II: D. höf. Lit., 1952, ¹⁰1979; H. Kolb, D. Begriff d. Minne u. d. Entstehen d. höf. Lyrik, 1958; H. Kuhn, Dichtg. u. Welt i. MA., 1959, ²1969; J. Schwietering, Mystik u. h. D. im HochMA., ³1972; B. Nagel, Stauf. Klassik, 1977; Stauferzeit, hg. R. Krohn 1978; The expansion and transformation of courtly lit., hg. J. T. Snow, Athens 1980; J. Bumke, Höf. Kultur, II 1986. →Mittelalter.

Höfischer Roman = →höfisches Epos

Höfisches Epos, erzählende Hauptform der →höfischen Dichtung des MA. in Frankreich und Dtl., meist in 4hebigen Reimpaaren verfaßt und mit festen Stoffen und Motiven im Unterschied zum →Heldenepos e. idealisierender Spiegel der durch die Kreuzzüge geadelten ritterlich-höf. Kultur in ihren heroischen und sentimentalen Zügen, daher zumeist von hochadl. Mäzenen angeregt, gefördert, von ritterl. Ministerialen in auktorialem Erzählstil verfaßt und für den Vortrag vor e. höf.-adl. Laienpublikum bei Hofe, erst später auch vor städt. Patriziat gedacht. Wie das Heldenepos verwendet es Sagenmotive, jedoch nur solche aus fremden, bes. kelt. (König Artus, Tristan), antiken (Alexander, Troja, Aeneas) und oriental. (Flore und Blancheflor) Sagenkreisen und Märchen, die in der Anlage von Thema und Figuren wie in der Ethik höf. Gesellschaftsideal entsprechen oder in ritterl. Geist umgeformt werden. Die Hauptgestalten sind e. höf. Kavalier und edle Damen; ihre Lebensform wird geregelt durch das innere Gesetz der ›êre‹, ›mâze‹ und ›minne‹; die Durchgeistung und Beseelung des Heldenideals, in dem fast idyll. Elemente die heroischen überwiegen, führt zu e. idealisierten Humanität, wie überhaupt das h. E. als Idealisierung herrschender Zustände, Gesellschaftsformen und ihrer Problematik gilt. Der ›mâze‹ in der Lebensgestaltung entsprechen auf formaler Seite Beschneidung aller derben und kom. Züge (im Ggs. zum Spielmannsepos) und die Glättung im einheitlichen, fast monotonen Versmaß und damit zu e. unveränderlich festgelegten lit. Kunstwerk. Die Entwicklung des h. E. beginnt um 1150 in Frankreich mit den Artusepen des CHRESTIEN DE TROYES (Erec, Yvain, Perceval, Lancelot, Guilleaume d'Angleterre), der um psycholog. Motive wie Ehe, Treue, Ehebruch immer neue Abenteuer zu gruppieren weiß. In Dtl. ist vorangegangen HEINRICHS VON VELDEKE Eneit (um 1189) als Gestaltung des Rittertums und der Liebesverstrikkungen in bewußter Lit.sprache nach franz. Vorlage (Roman d'Enéas, um 1165). Die Jahre 1190–1230 bringen die höchste Blütezeit des h. E., zunächst durch rasch folgende dt. Bearbeitung der Stoffe CHRESTIENS durch HARTMANN VON AUE (Erec 1190, Iwein 1200), ULRICH VON ZATZIKHOFEN (Lanzelot), später HEINRICH VON DEM TÜRLIN (Mantel, Crône) und WIRNT VON GRAVENBERG (Wigalois, 1202/1205), in größter künstler. Höhe und geistig-formaler Durchgestaltung in WOLFRAMS VON ESCHENBACH Parzival (um 1204). GOTTFRIED VON STRASSBURG führt nach dem franz. Vorbild des Trouvère THOMAS den Liebesroman Tristan und Isolt (um 1210) weiter; als eigene Schöpfung entstehen HARTMANNS Legendenepen Gregorius und Der arme Heinrich um Konflikte von Rittertum und Gottesdienst, WOLFRAMS Titurelfragment (fortgeführt von ALBRECHT als Jüngerer Titurel) An den Parzivalstoff schließen sich zahlr. Lohengrindichtungen an, an die Artussage als erfundene Seitenteile STRICKERS *Daniel,* KONRADS VON STOFFELN *Gauriel* und PLEIERS Romane. Auf franz. Quellen zurück gehen Konrad FLECKS *Floire und Blanscheflur* und RUDOLFS VON EMS *Wilhelm von Orleans* als sentimentale Liebesromane; e. lat. Quelle benutzt WOLFRAMS *Willehalm.* Auf die Blütezeit folgt e. breiter Strom von Epigonen, Nachahmern, Erweiterern und Kompilatoren, die mit endlosen und wortreichen Nachschöpfungen von bis zu 50000 Versen die wahren Meisterwerke zu übertrumpfen suchen und tatsächlich zeitweise in Vergessenheit bringen. Erst bei KONRAD VON WÜRZBURG entstand e. Kurzform in der höf. Novelle, und der in Frankreich seit Mitte des 13. Jh. vordringende höf. Prosaroman setzt sich in Dtl. mit Ausnahme des Prosa-*Lanzelot* (um 1250) erst ab 15. Jh. durch, als die Umgestaltung des h. E. zum →Volksbuch erfolgt.

F. Karg, D. Wandlgn. d. h. E. i. Dtl. v. 13. z. 14. Jh., GRM 11, 1923; RL; H. Brinkmann, Wesen u. Formen ma. Dichtg., 1928; J. D. Bruce, *The evolution of Arthurian Romance,* II 1928; H. Hempel, Franz. u. dt. Stil i. h. E., GRM 23, 1935; E. Caflisch-Einicher, D. lat. Elemente i. d. mhd. Epik, 1936; K. Bollinger, D. Tragik i. h. E., Diss. Bonn 1939; H. Schneider, Heldendichtg., Geistlichendichtg., Artusdichtg., ²1943; K. H. Halbach in ›Aufriß‹; H. Eggers, Strukturprobleme d. ma. E., Euph. 47, 1953; F. Maurer, D. Welt d. h. E., DU 5, 1954; J. Frappier, *Les romans courtois,* ¹¹1955; E. Köhler, Ideal u. Wirklichk. i. d. höf. Epik, 1956, ²1970; I. Nolting-Hauff, D. Stellg. d. Liebeskasuistik i. höf. Roman, 1959; R. Bezzola, Liebe u. Abenteuer im höf. Roman, 1961; Chanson de geste u. höf. Roman, Kolloquium, 1963; M. Huby, *L'adaption des romans courtois en Allemagne,* Paris 1968; K. Ruh, Höf. Epik d. dt. MA., I ²1977, II 1980; B. Schmolke-Hasselmann, D. arthur. Versroman, 1979; K. Bertau, Üb. Lit.gesch., 1983. →Mittelalter.

Hörspiel, neue dramat. Lit.-gattung seit der Erfindung des Mediums Rundfunk (erstes H. 6. 10.

1923 Glasgow), gekennzeichnet durch Wegfall alles Optischen (Szene, Mimik, Milieu, Schauplatz, Kulisse, oft durch sog. Geräuschkulisse ersetzt) zugunsten des rein Akustischen, bes. des gesprochenen Wortes, untermalender Musik u. ä., das den alleinigen Ausdruck des seelisch-geistigen und äußeren Geschehens übernimmt, die Gestaltungsgesetze bedingt und im Interesse des Aufnehmenden strengste Konzentration der Handlung, spannenden Zusammenhang der Einzelszenen, geringe Personenzahl, reiche Abwechslung und kurze Sendedauer (meist bis 1 Std.) fordert. Vorteile sind die scheinbar unmittelbare Nähe des Sprechers zum Hörer und die bes. seit Verwendung des Magnetophonbandes mit filmähnlichem Montage- und Schnittverfahren, Ein-, Über- und Rückblende bestehende Möglichkeit zur Darstellung auch des Irrealen (innere Stimmen, Phantasieträume), Freizügigkeit in Orts- und Szenenwechsel und Zeitgestaltung – Vorzüge, die jedoch nicht als Neigung zu ep. Technik aufzufassen sind, sondern ihrerseits gerade strafften dramat. Handlungsaufbau bedingen. Halbepische Mischformen des H. dagegen sind die sog. →Funknovelle als Erzählung mit eingeblendeten Dialogen oder die Hörfolge (→Feature) als Reihung geschlossener, meist dokumentar. Einzelszenen. Auch Funkbearbeitungen von Bühnenwerken und Romanen können durch die Konzentration auf das Wort neue Bereicherung erfahren, doch eignen sich die von vornherein im Rahmen der techn. Möglichkeiten gehaltenen und sie ausnutzenden Neuschöpfungen eher für die Übertragung. Nach frühen Versuchen mit Original-H.n in England (R. HUGHES, *A. Comedy of Danger*) und Frankreich (P. CUSY/G. GERMINET,

Maremoto) entwickelte in Dtl. die erste Generation von H.autoren bis rd. 1935 die ästhet. Möglichkeiten der neuen Kunstform, vielfach in balladesker Gestaltung und z.T. mit sozialkrit. Engagement (R. BILLINGER, F. BISCHOFF, B. BRECHT, A. BRONNEN, A. DÖBLIN, H. FLESCH, E. HARDT, E. JOHANNSEN, H. KASACK, H. KESSER, H. KYSER, H. REHBERG, E. REINACHER, H. ROTHE, W. E. SCHÄFER, G. WEISENBORN, F. WOLF). Die NS-Zeit stellt das z.T. chor. H. in den Dienst polit. Propaganda (R. EURINGER, K. EGGERS, K. HEYNICKE, E. W. MÖLLER, H. JOHST). Das frühe Nachkriegs-H. bis etwa 1960 erschloß die gattungsimmanenten Möglichkeiten innerer Erfahrungen und des innerseel. Bereichs von Traum, Phantasie und Unterbewußtem in Assoziationen und surrealist. Kombinationen in den Formen des mehr dramat., ep. oder lyr. H. (I. AICHINGER, A. ANDERSCH, I. BACHMANN, W. BAUER, G. BENN, Ch. BOCK, H. BÖLL, W. BORCHERT, H. v. CRAMER, F. DÜRRENMATT, G. EICH, H. EISENREICH, M. FRISCH, P. HACKS, R. HEY, F. HIESEL, W. HILDESHEIMER, P. HIRCHE, F. v. HOERSCHELMANN, C. HUBALEK, W. JENS, M. L. KASCHNITZ, H. KASPER, O. H. KÜHNER, S. LENZ, D. MEICHSNER, Ch. REINIG, J. RYS, E. SCHNABEL, W. SCHNURRE, R. SCHROERS, M. WALSER, D. WELLERSHOFF, W. WEYRAUCH, E. WICKERT). Seit der Konkurrenz von Fernsehen und Fernsehspiel beim Publikum tendierte das ›Neue H.‹ nach 1965 bei kleineren Hörerzahlen zum esoter. Experiment, zur Entstofflichung und Abstraktion des reinen Sprach- oder stereophonen Schallspiels mit Wort- und Geräuschmaterial (K. BAYER, J. BECKER, R. DÖHL, B. FRISCHMUTH, P. HANDKE, K. HANSEN, H. HEISSENBÜTTEL, E. HERHAUS, K. HOFF, E. JANDL, F. KRIWET, F. MAYRÖCKER, F. MON, H. M. NOVAK, P. PÖRTNER, G. RÜHM, G. SEUREN, U. WIDMER, G. WOHMANN, P. WÜHR, K. WÜNSCHE). Daneben erscheinen als neue H.-Autoren D. KÜHN, Y. KARSUNKE, M. SCHARANG, P. WÜHR u.a. Wichtige H.autoren in England sind R. HUGHES, D. THOMAS und N. CORWIN, in Frankreich E. IONESCO, S. BECKETT, J. PERRET, R. PINGET, N. SARRAUTE, M. BUTOR, C. OLLIER, M. WITTIG u.a. →Sendespiel.

L. Gordon, *Radio Drama*, 1926; H. Pongs, D. H., 1930; R. Kolb, Horoskop d. H., 1932; L. Wegmann, Z. Frage d. dramat. H., Diss. Münster 1935; C. Laronde, *Théâtre invisible*, 1936; K. Paqué, H. u. Schauspiel, 1936; G. Eckert, Gestaltg. e. lit. Stoffes i. Tonfilm u. H., Diss. Bln. 1936; H. Kriegler, K. Paqué, D. H.buch, 1938; A. Pfeiffer, Rundfunkdrama u. H., 1942; W. Metzger, D. Räumliche d. Hör- u. Sehwelt, 1942; E. K. Fischer, Dramaturgie d. Rundfunks, 1942; F. Faßbind, Dramaturgie d. H., 1943; E. T. Rohnert, Wesen u. Möglichkeiten d. H., Diss. Mchn. 1947; G. Mehnert, Kritik d. H., Diss. Lpz. 1948; H. Bänninger, Bühnenstück u. H., 1951; F. Bischoff, D. Dramaturgie d. H. (Hans Bredow, Aus meinem Archiv, 1950); R. Pradalié, *L'art radiophonique*, Paris 1951; O. H. Kühner, Mein Zimmer grenzt an Babylon, 1954; G. Müller, Dramaturgie d. Theaters, d. H. u. d. Films, [6]1954; V. Gielgud, *British radio drama 1922–1956*, Lond. 1957; RL; W. Klose, D. H. i. Unterricht, 1958; D. McWhinnie, *The art of radio*, Lond. 1959; A. A. Scholl, Möglichkeiten u. Grenzen d. dichter. H. (Jahresring 1959/60); G. Rentzsch, Kl. H.-Buch, 1960; F. Knilli, D. H., 1961; D. Wellershoff, Bemerkungen z. H. (Akzente 8, 1961); D. Hasselblatt, Was ist H., GRM 43, 1962; H. Schwitzke, D. H., 1963; J. Haese, D. Gegenwarts-H. in d. sowjet. Besatzungszone Dtls., 1963; H.-G. Funke, D. lit. Form d. dt. H. in hist. Entwicklg., Diss. Erl. 1963; A. P. Frank, D. H., 1963; E. K. Fischer, D. H., 1964; H. L. Hautumn, Symbol. Formen i. H., DU 18, 1966; H. Schwitzke, Standortbestimmung d. H., LK 1, 1966; R. Sanner, Z. Struktur d. lit. H., WW 17, 1967; Reclams H.führer, 1969; F. Knilli, Dt. Lautsprecher, 1970; Neues H., hg. K. Schöning, 1970; J. M. Kamps, Aspekte d. H.

(Tendenzen d. dt. Lit. seit 1945, hg. T. Koebner 1971, ²1984); B. Dedner, D. H. d. 50er Jahre (D. dt. Lit. d. Gegenw., hg. M. Durzak 1971); H. Keckeis, D. dt. H. 1923–73, 1973; M. E. Cory, *The emergence of acoustical art form*, Lincoln 1974; W. Klose, Didaktik d. H., 1974; Lit. u. Rundfunk 1923–33, hg. G. Hay 1975; Ch. Hörburger, D. H. d. Weimarer Republik, 1975; B. H. Lermen, D. tradit. u. neue H. i. Dt.unterr., 1975; W. Klippert, Elemente d. H., 1977; R. Heger, D. österr. H., 1977; H. Priessnitz, D. engl. radio play, 1978; S. B. Würffel, D. dt. H., 1978; K.-D. Emmler, D. H., Bibl. IV ²1978–83; A. Soppe, D. Streit um d. H. 1924/25, 1978; P. Groth, H.e u. H'theorien sozkrit. Schriftst. i. d. Weim. Rep., 1980; M. Müller, D. H., FLE, 1981; Schriftst. u. H., hg. K. Schöning 1981; A. P. Frank, D. engl. u. am. H., 1981; R. Döhl, Nichtlit. Bedinggn. d. H., WW 32, 1982; ders., H'philologie, SchillerJb. 26, 1982; H'macher, hg. K. Schöning 1983; R. v. d. Grün, D. H. i. 3. Reich, 1984; R. Döhl, D. neue H., 1985; W. Wessels, H.e i. 3. Reich, 1985; M. Bloom, D. westdt. Nachkriegszt. i. lit. Orig.-H., 1985.

Hofdichtung, 1. das lit. Werk der →Hofpoeten. – 2. unscharfe Bz. für →höfische Dichtung. – 3. Sammelbz. für alle Dichtungen, die im Umkreis eines Fürstenhofes oder an ihm selbst entstehen und dessen Herrschaftsverhältnisse unterstützen bzw. dessen Herrschergestalten preisen, vielfach Gelegenheits- oder Auftragsdichtung mit aller zeremoniellen Topik und Rhetorik bis zu mytholog. Erhöhung und Apotheose. Bevorzugte lyr. Formen sind Preislied, Panegyrikos, Hymne, Ode, Ekloge, Eloge, Enkomion u. ä., dramat. Formen Fest-, Sing- und Schäferspiel, Intermezzi, Trionfi und Oper, als Großform auch das histor.-allegor. Epos. H. in diesem Sinn schrieben u.a. VENANTIUS FORTUNATUS am Merowingerhof, der ARCHIPOETA am Stauferhof, FILELFO für die Sforza, TASSO und GUARINI für die Este, SPENSER für Elisabeth I.

Hofpoet, Hofdichter, in gewissem Sinne Nachfolger der →Wappendichter und →Pritschmeister um 1700: an Fürstenhöfen (Berlin, Dresden, Wien) beamteter Berufsdichter, dem als Zeremonienmeister gegen festes Gehalt die Organisation und dichter. Ausgestaltung der Hoffeste u. a. Ereignisse des Hoflebens, teils selbst das Verfassen von Opern oblag. Naturgemäß entstanden meist künstler. belanglose, propagandist. preisende →Auftragsdichtungen; die Bedeutung der H. für die Lit.geschichte liegt in der ersten bewußten Abkehr vom Schwulst- und Prunkstil des Spätbarock zu rational-nüchterner Reimprosa im Gefolge von OPITZ und BOILEAU und nach dem Vorbild von HORAZ und GRACIÁN (*Oraculo manual*). H.en waren CANITZ, B. NEUKIRCH, J. U. KÖNIG, J. V. BESSER, K. G. HERÄUS u.a. Das Amt lebt fort im engl. →poet laureate.

RL; E. Kanduth, D. Kaiserl. Hofdichter i. 18. Jh. (D. österr. Lit., hg. H. Zeman 1979).

Hoftheater entstanden im 18. Jh. anstelle der kurzfristigen Gastspiele als erste feste Bühnen in Dtl. für die Festaufführungen an Fürstenhöfen, die schon vorher wesentlich beim Zustandekommen bes. ital. Opernaufführungen und franz. Balletts beigetragen hatten, nachdem Herzog HEINRICH JULIUS VON BRAUNSCHWEIG und Landgraf MORITZ VON HESSEN die ersten Hofschauspieler beschäftigt hatten, zuerst am Wiener Hof MARIA THERESIAS 1741, dann 1775 in Gotha unter Leitung von EKHOF, ferner Mannheim, Berlin, München u.a. Die Schauspieler dieser unter fürstl. Aufsicht stehenden und im Ggs. zum früheren Prinzipal nun von e. ernannten Direktor geleiteten H. werden Hofbeamte mit fester Pension. Die Einrichtung dient soz. und volksbildnerischen Aufgaben, bes.

der Pflege guten Geschmacks und feiner Sitten. Trotz der hemmenden Rücksicht auf ihre höf. Besitzer, die bes. die Aufführung aggressiver zeitgenöss. Stücke (Naturalismus: STRINDBERG, IBSEN, TOLSTOJ) verboten, sind sie von größtem Einfluß auf die Entwicklung des Theaters im Dtl. des 18./19. Jh., so das Weimarer H. unter GOETHE, das Wiener Burgtheater unter SCHREYVOGEL, LAUBE, DINGELSTEDT und bes. die →Meininger. Erst im 20. Jh. wurde ihre Aufgabe von Staats-, Stadt- und Privattheatern übernommen, die den mod. Spielplananforderungen elastischer nachkommen konnten. 1918 wurden alle dt. H. Staats-, Stadt- oder Landestheater. →Schloßtheater.

M. Martersteig, D. dt. Theater i. 19. Jh., ²1924; G. Krause, D. wirtsch. Entwickl. d. dt. Theaters, Diss. Kgsbg. 1925; RL¹; F. Moser, D. Anfge. d. H.- u. Gesellschaftstheaters i. Dtl., 1940.

Hofzucht, im 13.–15. Jh. beliebte Form der Lehrdichtung, die weltlich-höf. Sitten- und Anstandsregeln in Versform, meist kurzen Reimpaaren, zusammenfaßt: THOMASINS VON ZERKLAERE *Welscher Gast; Der Winsbeke* u. a. m., meist jedoch lit. wertlos, nur von kulturgeschichtl. Interesse und nach Verfall der hochhöf. Kultur z. T. in Sozialkritik oder Parodie verallgemeinert. →Tischzucht, →Grobianismus. RL.

Hohe Minne →Minnesang, →Frauendienst

Hokku, japan. lyr. Kurzform ernsten Inhalts, Strophe von 3 Zeilen zu 5, 7 und wieder 5 Silben, entspricht der Oberstrophe des →Tanka und dem →Haiku.

Holländische Komödianten, den →Englischen Komödianten nachgebildete Wandertruppen niederländ. Schauspieler in Dtl. im 17./18. Jh.,

die mit mehr Ausstattung und reicheren Kostümen meist niederländ. Stücke (VONDEL, HOOFT) bes. in Norddtl. aufführten, aber das engl. Vorbild nicht erreichten.

H. Junkers, Niederländ. Schauspieler i. 17./18. Jh. i. Dtl., Haag 1936.

Holograph (v. griech. *holos* = ganz, *graphein* = schreiben), ein vollständig eigenhändig handgeschriebenes Schriftstück (→Autograph), z. B. ein eigenhändiges Manuskript eines Werkes.

Holorime (griech./franz. = ›Ganzreime‹), Distichen, deren 2. Vers durch Verwendung von Homonymen zur Gänze mit dem 1. Vers reimt; bes. in franz. Lit.: ›Gal, amant de la reine, alla, tour magnanime, / Galamment de l' arène à la Tour Magne à Nîmes.‹ (R. DESNOS, *L'aumonyme,* 1923).

Holztafeldruck →Blockbuch

Homeriden, Sammelbez. für die griech. Sänger (→Rhapsoden) oder Epiker im Stile HOMERS.

Homilie (griech. *homilia* = Unterhaltung), eng an den Bibeltext sich anlehnende und ihn auslegende →Predigt.

Homme de lettres (franz.), urspr. Bz. für e. lit. Sekretär e. hochgestellten Persönlichkeit im 16./17. Jh., dann soviel wie allg. →Literat.

Homogramm (v. griech. Gleichgeschriebenes), auch Homograph, ein Wort, das ebenso wie ein anderes geschrieben, aber (im Ggs. zum →Homonym) versch. Aussprache und versch. Bedeutung hat, z. B. ›Montage‹ 1. Mz. von Montag, 2. Zusammenbau, ›Beinhaltung‹.

Homograph →Homogramm

Homoiarkton (griech. = gleich anfangend), →rhetorische Figur im

Ggs. zum →Homoioteleuton: gleichlautender Anfang zweier aufeinanderfolgender Sätze, Satzglieder oder Wörter. →Anapher, →Alliteration.

Homoioprophoron (griech. = Gleichlautendes), antike Bz. der →Alliteration bzw. der mehrfachen Wiederholung desselben Konsonanten oder derselben Silbe in einem Sprechtakt. Galt in antiker Rhetorik als Stilfehler.

Homoioptoton (griech. = gleich fallend), als →rhetorische Figur Sonderfall des →Homoioteleuton: Gleichklang e. Wortreihe durch gleiche Kasusendungen, z.B.›Maerentes, flentes, lacrimantes, commiserantes‹ (ENNIUS).

Homoioteleuton (griech. = gleich endigend), →rhetorische Figur, antike Vorform des →Reims: Wiederkehr gleichlautender Endsilben – nicht unbedingt gleicher Kasus wie beim →Homoioptoton – in aufeinanderfolgenden Wörtern, Satzteilen oder kürzeren Sätzen im Ggs. zum →Homoiarkton; anfangs nur an pathet. Stellen, später unbeschränkt gebraucht, bes. zur Bindung von Parallelismen, Antithesen, Isokola.

Homonyme (griech. *homonymia* = Gleichnamigkeit), gleichnamige, d.h. gleichlautende Wörter von ganz versch. Bedeutung und etymolog. Herkunft, bei versch. Schreibung (›Meer/mehr‹) auch Homophone genannt, bes. zahlreich im Franz.: *saint, sain, seing, cinq*; wesentl. Element der →Wortspiele; H.nhäufung bei FISCHART und RABELAIS beliebt.

Homophone →Homonyme

Honorar (v. lat. *honorare* = ehren), Vergütung von Autoren lit. Werke für die Einräumung von Nutzungsrechten an diesen (Druck,

Sendung, Aufführung, vgl. →Tantieme); vor Mitte des 18. Jh. nur vereinzelt, jedoch teils hohe Summen; meist mußte sich der Autor mit dem Ruhm und e. großen Anzahl von Freiexemplaren zufriedengeben, die er jedoch mit anderen Autoren tauschen oder in der Hoffnung auf lohnende Gegengabe an großzügige Gönner verschenken konnte; noch im Humanismus galt der Empfang e. H.s als unehrenhaft. Auch die Klassiker hätten nicht allein von den Erträgen ihrer lit. Tätigkeit leben können: WIELANDS bes. hohes H. umfaßte nur 42% seines Gesamteinkommens, GOETHES H.e wurden auf insges. 450 000 Goldmark geschätzt. In der Gegenwart steht das H. oft in Relation zu den mutmaßlichen Absatzmöglichkeiten bei e. bestimmten Ladenpreis, der dadurch bedingten Auflagehöhe und z.T. auch dem Ansehen des Verfassers. Man unterscheidet die einmalige Abfindung für alle Auflagen ohne Risikobeteiligung (Pauschal-H. oder, auf den Umfang berechnet, Bogen-H.) und das Absatzhonorar nach Maßgabe der verkauften Exemplare.
RL; W. Krieg, Materialien z. e. Entwicklungsgesch. d. Bücherpreise u. d. Autoren-H.e v. 15.–20. Jh., 1953; W. Martens, Lyrik kommerziell, 1975; H. G. Göpfert, Z. Gesch. d. A. (in: V. Autor z. Leser, 1977); Genie u. Geld, hg. K. Corino 1987. →Buchhandel.

Hora (rumän.), harmlos scherzendes oder auch satir. Tanzlied der rumän. Volksdichtung zum Gesang im Wirtshaus, bei Hochzeiten u.ä.

Horarium (lat. = Stundenbuch) →Livre d'heures

Horen (lat. *hora* = Stunde), Stundengebete der katholischen Priester und Mönche. Nach den griech. ›Horai‹, Gottheiten der Jahreszeiten, symbolisch für die ›welterhaltende Ordnung‹, benennt SCHILLER seine lit.-ästhetische Zs. *Die H.* (1795–97).

Horrorliteratur (lat./engl. *horror* = Entsetzen, Grausen), Sammelbz. für lit. Werke aller Gattungen, die betont Unheimliches, Entsetzliches, Gräßliches darstellen und nicht mit dem Abscheu, sondern der primitiven Sensationsgier der Leser rechnen, bes. →Schund- und →Trivialliteratur, und →Comics. In weiterem Sinn auch lit. Formen wie →Gespenstergeschichte und →Schauerroman, die das Grausige als Spannungsmittel und Nervenkitzel, nicht als Selbstzweck benutzen oder in höherer Absicht schockieren wollen, anspruchsvolle Leser auch durch Ironie, Satire, schwarzen Humor oder Parodie reizen können. Lit. →Schauerroman.

Hosenrolle, Darstellung e. männlichen Bühnenrolle durch e. Schauspielerin. Während bis rd. 1650 meist auch Frauenrollen von Männern gespielt wurden und erst im 17. Jh. infolge zunehmenden Realismus' Frauen in Italien, Spanien, Frankreich und England als Schauspielerinnen auftraten – in Dtl. zuerst die Gruppe des Magister VELTEN, 1668 mit drei Frauen – findet sich die H. zuerst in westeurop. Ländern im 17. Jh., in Dtl. erst zu Beginn des 18. Jh. (belegt Chr. F. WEISSES *Amalia,* 1766), zunächst als Rollentausch und kom. Verkleidungsszene im Lustspiel (SHAKESPEARE, *Was ihr wollt,* TIRSO DE MOLINA, *Don Gil von den grünen Hosen*), wo auch umgekehrt Schauspieler weibl. Rollen spielen, schließlich seit Mitte des 18. Jh. als Übernahme ernster Männerrollen wie Hamlet (Abt, Sarah Bernhardt, Adele Sandrock) und Romeo (A. Schebest, K. Ziegler). Während in der Oper die H. oft aus stimml. Gründen (R. STRAUSS, *Der Rosen-*

kavalier) unvermeidlich ist, wird die vom Publikum nicht durchschaute H. im ernsten Drama und der Tragödie als Snobismus abgelehnt oder, wie in BRECHTS *Der gute Mensch von Sezuan,* zur Verfremdung benutzt.

A. Holtmont, D. H., 1925; RL¹; K. Zerzawy, Entwicklg., Wesen u. Möglichkeiten d. H., Diss. Wien 1951; C. Bravo-Villasante, *La mujer vestida de hombre en el teatro español,* Madrid 1955.

Ho-shêng, Gattung der chines. Erzähllit. des 10.–14. Jh.: dialogisierte Erzählung in der Umgangssprache, die von mindestens zwei Sprechern vorgetragen oder gesungen wurde, u. U. mit Nähe zum dramat. Spiel.

Hrynhent (altnord. = strömendes Maß), jüngeres Versmaß der altnord. Skaldendichtung, Strophe von acht rhythmisch gleichmäßigen Zeilen zu je acht Silben (vier Trochäen), sonst entsprechend dem →Dróttkvaett; evtl. Nachbildung der achtsilbigen Trochäen des lat. Kirchengesangs. Verwendung in der skald. Hofdichtung des 11.–13. Jh., regelmäßig in der geistl. Dichtung des 13. Jh. und bis heute oft in isländ. Lyrik gehobenen Stils.

Hua-pên (chines. = Wurzeln der Geschichte), kurze Inhaltsangabe oder ausführlichere, schriftl. Wiedergabe e. Erzählung als Gedächtnisstütze für die chines. Erzähler und Rezitatoren beim freien mündl. Vortrag. H. waren im 7.–12. Jh. verbreitet und bildeten z.T. die Vorlagen für spätere Veröffentlichungen.

Huitain (v. franz. *huit* = acht), allg. jede Strophe oder jedes Gedicht zu 8 meist 10silbigen Zeilen und üblicherweise in der Reimfolge ababbcbc. Verwendung u.a. in den Lais und Balladen von F. VILLON, im frühen 16. Jh. (C. MAROT, M. SCÈVE) und der Epigrammdichtung des 18. Jh.

Hula, eine Verbindung von Tanz, Musik, Dichtung und Pantomime als relig. Zeremonie, die in Hawaii früher von bes. ausgebildeten Tanzgruppen in speziell dafür errichteten Hallen um einen Altar aufgeführt wurde.

M. Homsy, D. Keppeler, H., Honolulu 1943; N. B. Emerson, *The unwritten lit. of Hawaii*, N.Y. ²1965.

Huldigungsgedicht   →Gelegenheitsdichtung

Humanismus (v. lat. *humanus* = menschlich), allg. e. geistige Richtung, die durch Beschäftigung mit antiken Schriftstellern, Dichtern, Philosophen und Wiederbelebung antiker Bildung e. Höchstentfaltung der menschl. Persönlichkeit als Ideal erstrebt, daher die aus dem Studium und Erlebnis der →Antike (im Ggs. zu den Naturwissenschaften u.ä.) und ihrer Erkenntnis menschl. Wertes und künstler. Formen hervorgehende geistige Welthaltung und deren Menschenbild auf lit., sprachl. und log. Grundlage: poeta, orator, philosophus als Ideale des Menschen. Vorherrschend insbes. in zwei Epochen der abendländ. Geistesgeschichte: im H. des 15./16. Jh. am Anfang der Neuzeit (s. u.) und im →Neu-H. als Ergebnis intensiver Beschäftigung mit antiker Lit., Kunst- und Lebensauffassung zur Zeit der dt. Klassik: WINCKELMANN, W. v. HUMBOLDT, WOLF, LESSING, HERDER, GOETHE, SCHILLER, HÖLDERLIN. Die Frage des H. nach dem Bildungswert antiken Geistes für e. neues Menschentum bleibt bis in die Gegenwart.
Der H. des 15./16. Jh. als internationale, wenn auch bei jedem Volk – in Dtl. bes. seit Auffindung von TACITUS' *Germania* – national betonte abendländ. Bewegung begann in Italien als dem größten Wahrer antiken Erbes bereits um 1350 und erstrebte die geistige Erneuerung des Menschen durch Wiederherstellung der individuellen Persönlichkeitswürde und Vernunftfreiheit im Ggs. zur autoritären Herrschaft der Scholastik und der Kirche in ihrer Verkennung der Antike und Vernachlässigung der Sprachpflege, die der H. beide in e. christl. Weltbild einbeziehen will. Er wird eingeleitet durch die grundlegenden Veränderungen in Welt- und Gesellschaftsauffassung, die im Zeitalter der Entdeckungen und Erfindungen das Ende des MA. herbeiführen, und steht mit seinen Zielen nicht nur obenhin in gewisser Beziehung zu denen der Reformation (MELANCHTHON, HUTTEN), geht teils in der Verteidigung menschl. Willensfreiheit (ERASMUS) sogar über LUTHER hinaus und faßt auch den Kampf gegen Rom von der polit. Seite (HUTTEN). Vorläufer sind DANTE, PETRARCA und BOCCACCIO. Polit. Ereignisse wie die Entstehung der ital. Stadtstaaten und der durch die türk. Eroberung Konstantinopels 1453 hervorgerufene Zustrom griech. Gelehrter (Manuel CHRYSOLORAS, Kardinal BESSARION, Georgios Gemisthos PLETHON) nach Italien, die ebenfalls e. Fülle alter Handschriften mitbrachten, begünstigten die Wendung zur Antike und die Belebung der röm. Vergangenheit: die →Renaissance umfaßt in den roman. Ländern alle Lebensbereiche im Unterschied zum nur gelehrten H. Die Wissenschaft bemüht sich um Verbreitung, Lektüre und Übersetzung antiker Autoren, bes. um krit. Ausgaben durch Vergleichung versch. Handschriften – auch der *Bibel* u. a. hebr. Schriften –, um ihre Slg. in Bibliotheken, schließlich ihre bewußte Nachahmung; so entsteht e. reiche →antikisierende Dichtung in lat. Sprache, in Dtl. bes. das schlichte, rein dem Wort die-

nende →Schuldrama nach röm. Vorbild, Vorform des klass. dt. Dramas, freilich zuerst mehr Rhetorik und Stilpflege und erst seit der Reformation mit innerem Gehalt (NAOGEORG, MACROPEDIUS, FRISCHLIN), ferner Komödie (J. WIMPHELING, REUCHLIN, H. BEBEL, FRISCHLIN), Dialog (JOHANNES VON TEPL, Eobanus HESSUS, ERASMUS, HUTTEN, dt. GERBEL), Satire (S. BRANT, ERASMUS), Lyrik, bes. →Gelegenheitsdichtung, Lob- und Liebesgedichte (HESSUS, LOTICHIUS, CELTIS), →Fazetien und →Brief (REUCHLIN, ERASMUS, HUTTEN und CROTUS RUBEANUS, *Epistulae obscurorum virorum* 1515–17 als Angriff gegen die Scholastik). Das Sprachstudium führt zur Pflege vornehmer Ausdrucksweise in Rede und Schrift (Rhetorik und Stilistik) als Kennzeichen der gebildeten Persönlichkeit. Die Schulreform MELANCHTHONS vertritt die Anschauung des H. in pädagog. Hinsicht.

Wichtigste Vertreter des H. in Italien waren ENEA SILVIO PICCOLOMINI (= Pius II.), Lorenzo VALLA, POGGIO, FILELFO, PONTANO, VITTORINO DA FELTRE, Kardinal Pietro BEMBO u.a.; Mittelpunkt ihrer künstler., wiss., pädagog. und selbst polit. Tätigkeit ist der Hof der Medici in Florenz. Die Entwicklung greift über nach Frankreich, wo seit 1430 Griech. und Hebräisch an den Universitäten gelehrt wird; LASKARIS, TIPHERNAS, BUDÄUS, CASAUBONUS, SCALIGER, Robert und Henri ESTIENNE sind hier Hauptvertreter wie in Spanien Luis VIVES, in England Th. MORUS, in den Niederlanden H. GROTIUS sowie zahlreiche später in Dtl. wirkende Gelehrte (R. AGRICOLA, WIMPHELING, HEGIUS und CELTIS). Der 1. dt. Humanistenkreis (Früh-H.) bildete sich am Prager Hof um Karl IV.: JOHANNES VON NEUMARKT, JOHANNES VON TEPL (*Der Ackermann aus Böhmen*, 1400) u.a. Vertreter aus Kanzlei und hohem Klerus wirken bes. auf die neugegründeten Fürstenuniversitäten. NIKOLAUS VON CUES (CUSANUS) als Sucher e. neuen, harmon. Weltbildes leitet zum eigentl. H. über, der erst um 1450, fast ein Jh. nach der ital. Blüte, entsteht und durch die Entwicklung des Buchdrucks weitere Ausbreitungsmöglichkeiten erhält. Seine Zentren sind Gesellschaften humanistisch gesinnter Gelehrter und Juristen in größeren Städten wie Nürnberg (N. von WYLE, PIRCKHEIMER), Bamberg (ALBRECHT VON EYB), Augsburg (K. PEUTINGER, H. SCHEDEL) und Ulm (H. STEINHÖWEL), bes. aber Schulen und alle Universitäten: Basel (OEKOLAMPADIUS, ERASMUS, J. AMERBACH, J. HEYLIN, S. BRANT, J. FROBEN), Straßburg (S. BRANT, WIMPHELING, BEATUS RHENANUS), Heidelberg (R. AGRICOLA, J. VON DALBERG, C. CELTIS, J. REUCHLIN), Erfurt (CELTIS, MUTIANUS RUFUS, Eobanus HESSUS, CROTUS RUBEANUS), Tübingen (BEBEL), Wien, Universität und Hof Maximilians I. (CELTIS, CUSPINIANUS, VADIANUS), Köln (BUSCHIUS) und Münster (A. von LANGEN). Mit der Glaubensspaltung und dem Aufstieg der Volkssprache beginnt die Auflösung des H. – →Renaissance.

G. Voigt, D. Wiederbelebg. d. klass. Altertums, II 1859, ⁴1960; J. Burckhardt, D. Kultur d. Renaissance i. Italien, 1860; L. Geiger, Renaissance u. H., 1882; K. Burdach, V. MA. zur Reformation, 1893 ff.; A. Schröter, Beiträge z. Gesch. d. neulat. Poesie Dtls. u. Hollands, 1909; E. Caffi, *L'umanesimo...*, Rom 1912 ff.; K. Burdach, Renaissance, Reformation, H., 1918, ²1926, n. 1978; ders., Urspr. d. H., 1918; E. Drerup, Kulturwerte d. H., 1920; H. Baron, Z. Frage d. Ursprungs d. dt. H. (Histor. Zs., 132, 1925); W. Jäger, Antike u. H., 1925; G. Bebermeyer, Tübing. Dichterh.ten, 1927; P. Merker, D.

Zeitalter d. H. u. d. Reformat., ZfD 42, 1928; J. Huizinga, Herbst d. MA., ⁹1965; G. Ellinger, Gesch. d. neulat. Lit. Dtlds. i. 16. Jh., III 1929ff.; P. Joachimsen, D. H. u. d. Entwicklg. d. dt. Geistes, DVJ 8, 1930; R. Buschmann, D. Bewußtwerden d. dt. Gesch. b. d. H., Diss. Gött. 1930; L. Helbing, D. 3. H., 1932; A. E. Berger, H. u. Reformat. (Fs. f. Behagel, 1934); J. Maritain, Integraler H., 1938; H. Rupprich, Dt. Lit. i. Zeitalter d. H., DVJ 17, 1939; O. Kluge, D. H. als ästhet. Idee, ZfA 34, 1939; G. Toffanin, Gesch. d. H., 1941; D. Narr, D. H. als volksgesch. Problem, Diss. Würzbg. 1941; R. Roetschi, H. u. Idealismus, 1943; H. de Lubac, Drame de l'h.athée, Paris 1944; W. Näf, Aus d. Forschg. z. Gesch. d. dt. H., II 1944; W. Rüegg, Cicero u. d. H., 1946; A. Liebert, D. universale H., 1946; H. Prang, D. H., 1947; H. Kramer, D. H. d. Renaissancezt., 1947; O. Rommel, Wiener Renaissance, 1947; M. Enzinger, D. H. d. dt. Klassik, 1947; M. Heidegger, Rede z. H., 1947; O. Regenbogen, H. heute?, 1947; R. Newald, Humanitas, H., Humanität, 1947; E. Garin, D. ital. H., 1947; H. Rüdiger, Begriff u. Möglichkeiten d. H. (Geistige Welt, 1948); W. E. Peuckert, D. gr. Wende, 1948; A. Cronia, L'umanesimo nelle letterature slave, Bologna 1948; W. Stammler, Von der Mystik z. Barock, ²1950; P. Hofmann, D. H. i. d. abendländ. Gesch., DVJ 29, 1951; W. Rehm, Griechentum u. Goethezeit, ³1952; E. Przywara, Humanitas, 1953; H. Weinstock, D. Tragödie d. H., 1953, ⁵1967; M. P. Gilmore, Le monde de l'h., Paris 1955; RL; R. Weiss, H. in Engl., Oxf. 1957; A. Renaudet, H. et renaiss., Paris 1958; F. Heer, D. dritte Kraft, 1959; A. Chastel, D. Welt d. H., 1963; W. F. Schirmer, D. engl. Früh-H., ²1963; R. Newald, Probleme u. Gestalten d. dt. H., 1963; L. W. Spitz, The Religious Renaissance of the German Humanists, Cambr./Mass. 1963; L. Martines, The Social World of the Florentine Humanists, Princeton 1963; G. Ritter, D. gesch. Bedeutg. d. dt. H., ²1964; M. Seidlmayer, Wege u. Wandlgn. d. H., 1965; H. Rüdiger, Wesen u. Wandlgn. d. H., ²1966; S. Dresden, L'h. et la renaiss., Paris 1967; E. Kessler, D. Probl. d. frühen H., 1968; H. O. Burger, H., Renaiss., Reformation, 1969; H. Rupprich, D. ausgeh. MA., H. u. Renaiss. (Gesch. d. dt. Lit., hg. de Boor/Newald 4, 1, 1970); H., hg. H. Oppermann 1970; H. in France, A. H. T. Levi, Manch. 1970; F. Gaede, H., Barock, Aufkl., 1971; Neues Hb. d. Lit. wiss. 9–10, 1972; H.forschg. seit 1945, 1975; Itinerarium Italicum, hg. H. A. Oberman, Leiden 1975; E. Bernstein, D. Lit. d. dt. Früh-H., 1978; L'h. allemand, Coll. 1979; P. O. Kristeller, H. u. Re-

naiss., II 1980; W. Kölmel, Aspekte d. H., 1981; H. u. Reformation als kult. Kräfte, hg. L. W. Spitz 1981; D. dt. Renaiss.-H., hg. W. Trillitzsch 1981; J.-C. Margolin, L'h. en Europe, Paris 1981; E. Bernstein, German h., Boston 1983; C. Trinkaus, The scope of renaiss. h., Ann Arbor 1983; J. H. Overfield, H. and scholasticism in late medieval Germany, Princeton 1984; A. Buck, H., 1987; G. Böhme, Wirkgsgesch. d. H., 1988.

Humanistendrama →Schuldrama

Humanistische Front →Exilliteratur

Humor (lat. = Feuchtigkeit: nach der antiken Säftetheorie ist die Stimmung abhängig vom Mischungsverhältnis der Körpersäfte), Gemütsstimmung, die sich über die Unzulänglichkeiten des Menschenlebens wohlwollend, doch distanziert lächelnd erhebt und über das Niedrig-Komische, Unnatürliche hinweg zu e. gesunden und natürl. Weltauffassung durchdringt, Mittel der Selbstkritik und der Selbstbehauptung im unsinnigen Dasein zugleich, durch milde, humane Nachsicht und erhabene Gelassenheit der direkten Betrachtung vom scharfen Spott der →Satire wie der uneigentlichen Redeweise der Ironie und der derben →Komik geschieden und entweder aus dem Grunde schlichter Kindereinfalt oder der Freiheit des Geistes und dem wiedererlangten seel. Gleichgewicht nach schwersten Erschütterungen hervorgegangen, stets mit philos. Lebensanschauung verbunden und durch seine Erhabenheit der Tragik verwandt. Seine häufigste Erscheinungsform in der Dichtung ist die Epik, bes. der Roman, wo mit vielen Übergängen zur Komik entweder der Stoff oder einzelne Szenen H. entfalten oder e. unangemessene Darstellungsart durch Erzählerfigur, Stil, Perspektivwechsel, Abschweifungen u. ä. H. erzeugt. Nur wenige ep. Großformen halten die Diskrepanz von Idee und Erscheinung als Quelle des H. ohne Ironie durch. Seine weltanschaulichen Voraussetzungen (Diesseitsbezogenheit u. a.) finden sich im Ggs. zur Komik nur vereinzelt in Antike und ma. Blütezeit (WOLFRAM, WALTHER, später FISCHART), in vollem Maße erst nach Vorgang von SHAKESPEARE und CERVANTES, in engl. Lit. des 18. Jh. (STERNE, FIELDING, SWIFT, GOLDSMITH) und 20. Jh. (WILDE, SHAW, CHESTERTON), in Frankreich ohnehin selten (z. B. RABELAIS, MAUPASSANT, DAUDET, GIRAUDOUX, M. AYMÉ) und in Dtl. seit LESSINGS *Minna von Barnhelm*, WIELAND und J. H. Voss; selten bei den Klassikern, am wenigsten bei SCHILLER. Die erste Blüte des dt. H. bringt JEAN PAUL, in seinem Gefolge die Romantik: TIECK, E. T. A. HOFFMANN, ARNIM, EICHENDORFF, BRENTANO, MÖRIKE. Die unpathetische Sachnähe des Realismus ist der Entwicklung günstig: in Abhängigkeit von DICKENS stehen F. REUTER, O. LUDWIG, G. FREYTAG, einzeln ANZENGRUBER, RAIMUND, NESTROY, STORM, W. RAABE und G. KELLER, pessimistischer VISCHER *(Auch Einer)* und W. BUSCH, relativierend abgeschwächt bei FONTANE und ROSEGGER – in Amerika bei MARK TWAIN, in Rußland bei GOGOL' u. ČECHOV. Im 20. Jh. ragt neben Th. MANN, H. v. HOFMANNSTHAL, L. THOMA, C. ZUCKMAYER, E. STRAUSS und E. PENZOLDT bes. K. KLUGES *Der Herr Kortüm* (1938) als Meister echt dt. H. hervor. Zu den dt. ›Humoristen‹ des 20. Jh. zählen H. ERHARDT, W. FINCK, O. E. HARTLEBEN, K. KUSENBERG, Ch. MORGENSTERN, E. ROTH, J. RINGELNATZ, H. SPOERL, K. TUCHOLSKY, K. VALENTIN u. a. →Komik, →Witz, →Humoreske, →schwarzer Humor.

F. T. Vischer, Ästhetik I, ²1922; J. Bahnsen, D. Tragische, 1887; W. E. Backhaus, D. Wesen d. H., 1894; J. Müller, D. Wesen d. H., 1896; F. Baldensperger, *Les définitions de l'h.*, Paris 1907; K. de Bra, Beitr. z. Psychol. d. H., 1913; H. Bergson, D. Lachen, 1914; R. Roetschi, D. ästhet. Wert d. Komischen u. d. Wesen d. H., 1915; M. Bruns, Üb. d. H., 1921; H. Lipps, Komik u. H., ²1922; K. Esselbrügge, Z. Psychologie d. H. (D. Lit. 28, 1925 f.); H. Höffding, H. als Lebensgefühl, ²1930; St. Leacock, *H.*, Lond. 1935; F. G. Jünger, Üb. d. Komische, 1936; C. Janentzky, Üb. Tragik, Komik u. H., JFDH 1936–1940; E. Lancina, Witz und H., Diss. Wien 1937; O. Asch, Bildsprache u. H. als Ausdruck geistiger Reife, Diss. Bern 1937; H. Siebenschein, Dt. H. i. d. Aufklärg., 1939; H. Lützeler, D. Philosophie d. H. (Zs. f. dt. Geisteswiss., 1939); R. Müller-Freienfels, D. Lachen u. d. Lächeln, 1940; H. Plessner, Lachen u. Weinen, 1941, ²1950; G. Berbenkopf, V. H., 1944; L. Radermacher, Weinen u. Lachen, 1947; K. Krause, H. d. Antike, 1948; Th. Haecker, Opuscula, 1949; L. Cazamian, *The Development of Engl. H.*, 1953; H. Reinhold, Hum. Tendenzen i. d. Engl. Dtg. d. MA., 1953; H. Bunje, D. H. i. d. niederdt. Erz. d. Realismus, 1953; A. Potter, *Sense of humour*, N.Y. 1954; F. Janson, *Le comique et l'humeur*, Brüssel 1956; F. Rosenthal, *H. in early Islam*, Leiden 1956; A. Krüger, D. hum. Roman, 1957; K. Maier, Unters. z. Struktur d. höh. H. i. dt. Lustsp., Diss. Tüb. 1957; RL; W. Schmidt-Hidding, 7 Meister d. lit. H. i. Engl. u. Amerika, 1959; G. Baum, H. u. Satire i. d. bürgerl. Ästhet., 1959; H. Fromm, Komik u. H. i. d. Dichtg. d. dt. MA., DVJ 36, 1962; T. Vater, D. Komische u. d. H., DU 14, 1962; W. Preisendanz, H. als dichter. Einbildgs.kraft, 1963, ³1985; N. Yates, *The American Humorist*, Ames 1963; W. Schmidt-Hidding, H. u. Witz, 1963; D. H. Monro, *Argument of Laughter*, Notre Dame 1964; W. Thorp, *American H.ists*, 1964; J. Bourke, Engl. H., 1965; J. Schäfer, Wort u. Begriff Humour i. d. elisabethan. Komödie, 1966; H. Meyer, Wesenszüge d. humorist. Romans, 1966; H. Lützeler, Üb. d. H., 1966; F. Forster, Stud. z. Wesen v. Komik, Tragik u. H., Diss. Wien 1968; J. Bier, *The rise and fall of American h.*, N.Y. 1968; U. Karthaus, H., Ironie, Satire, DU 23, 1971; H. Helmers, Lyr. H., 1971; M. Grotjahn, V. Sinn d. Lachens, 1974; A. C. Zijderveld, H. u. Gesellsch., 1974; L. Feinberg, *The secret of h.*, Amsterd. 1978; *Savage comedy*, hg. K. S. White 1978; P. Barolsky, *Infinite jest*, Columbia 1978; B. Ekmann, Wieso... wir lachen, TeKo 9, 1981; ders., D. gute u. d. böse Lachen, JIG 16,

1984; D. Hörhammer, D. Formation d. lit. H., 1984; J. W. Jaeger, H. u. Satire i. d. DDR, 1984; R. Jurzik, D. Stoff d. Lachens, 1985; Hausbuch d. lit. Hochkomik, hg. B. Eilert 1987; U. Montigel, D. Körper i. humorist. Roman, 1987.

Humoreske (ital.-lat.), kurze humorist. Erzählung aus dem bürgerl. Alltag von liebenswürdiger Stimmung und versöhnlich schmunzelnder Heiterkeit in Sprachgebung, Motiven, Szenen und Charakteren, im Ggs. zur bissigen Satire, ausgelassenen Burleske, verzerrenden Groteske, gemeinen Zote, geistreich-pointierten Anekdote, Witz und derbstoffl. Schwank, aus dem sich durch verfeinerte Darstellungsart die H. entwickelte. Bes. Typen der H. sind Reise-H. und Standes-H. wie Schul-(ECKSTEIN), Militär-(LENZ, F. BONN, SCHLICHT) und Bauern-H. (THOMA). Neben dem breiten Bedarf an Unterhaltung für die Presse, der die Gattungsvorstellung nachteilig beeinflußte, steht die wirklich wertvolle H., zuerst von H. P. STURZ (*Reise nach dem Deister*, 1778), LANGBEIN, HAGEDORN, WIELAND, LESSING, THÜMMEL, JEAN PAUL, ZSCHOKKE, GAUDY, RAABE, H. SEIDEL, G. KELLER, C. F. MEYER *(Der Schuß von der Kanzel)*, F. REUTER, ANZENGRUBER, ROSEGGER, SAPHIR, STINDE, HARTLEBEN, H. HOFFMANN, SCHNITZLER, O. ERNST, RODA RODA, KLABUND, STERNHEIM u. v. a.

RL; R. Grimm, Begriff u. Gattg. d. H. (Jb. d. Jean Paul-Ges. 3, 1968). →Novelle, →Humor.

Humoristischer Roman →Humor

Hybris (griech. =) frevelhafter Hochmut, in antiker Vorstellung, bes. in der griech. Tragödie dargestellt, als Schuld die Ursache des Leidens, indem die Gottheit jede anmaßende Überheblichkeit mit rächender Strafe verfolgt. Beispiele: Krösus, Polykrates (vgl. SCHILLER, *Der Ring des Polykrates*).

Hydropathes, nach dem Titel ihrer Zs. e. Gruppe franz. symbolist. Lyriker, die ihre Gedichte 1878–80 im Kabarett rezitierten: GOUDEAU, CROS, ALLAIS, PONCHON u. a.

J. Lévy, H., 1928; R. de Castéras, H., 1945.

Hymenaeus (griech. *Hymenaios* = Gott der Eheschließung), griech. →Hochzeitslied, vom Gefolge der Braut, wechselnd in Knaben- und Mädchenstrophen, unter Kithara-, Flötenbegleitung und Tanz bei ihrer Heimführung in das Haus des Bräutigams gesungen, mit dem Refrain ›Hymen o Hymenaie‹. Röm. und europ. Fortleben im →Epithalamium. Vgl. CATULL 62.

R. Muth, H. u. Epithalamion (Wiener Stud. 67, 1954).

Hymne (griech. *hymnos* =) eigtl. feierl. Preis- oder Lobgesang e. Gottes oder Helden anläßlich von Kultfesten zu Musikbegleitung im Chor-, Wechsel- oder Einzelvortrag. Sumer.-akkad. H.n, althebr. Psalmen und die ägypt. *Sonnenh.* ECHNATONS sind oriental. Vorläufer. 33 sog. *Homerische H.n* in Hexametern auf Dionysos, Demeter, Apollon, Hermes, mehr episch berichtend, als Einleitung der homer. Gesänge von Rhapsoden gesungen; sechs H.n des KALLIMACHOS, 88 mystisch-überschwengl. ›orphische H.n‹ aus hellenist. Zeit in lyr. Maßen, PINDARS H.n auf Wettkampfsieger u. a. griech. lyr. Götter-H.n, in röm. Lit. HORAZ' *Carmen saeculare* gaben das Vorbild für spätere H.n voll pathet. Begeisterung und mythisch dunklem Stil. Für die christl. Liturgie umgeformt durch AMBROSIUS, heißt im MA. H. (oder besser Hymnus) jeder – auch unlyr. und nicht erhabene – Lobgesang Gottes (PRUDENTIUS, ISIDOR, VENANTIUS FORTUNATUS, BEDA, HRABANUS MAURUS, THOMAS VON

AQUIN), stets lat., metr.-rhythm. geformt, strophisch gegliedert und mit
Endreim, sind sie ab 13. Jh. Teil der
Liturgie und Vorform späterer Kirchenlieddichtung. Der Humanismus
(BRANT, MELANCHTHON) prägt
wieder den Göttergesang, Renaissance und Barock (RONSARD,
OPITZ, WECKHERLIN, PONTANUS)
unterscheiden die H. nur nach dem
relig. Inhalt von der Ode, deren
stroph. Form sie annimmt. OPITZ
empfiehlt – freilich erfolglos – auch
weltl. Stoffe wie Naturerscheinungen u. ä. und dt. Sprache. In der
Aufklärung zeigen die als H.n bezeichneten rel. Dichtungen oft lehrhaften Charakter (HALLER, J. E.
SCHLEGEL, WIELAND, CRAMER, E.
v. KLEIST). Aus dem Ansatz von
Pietismus und Empfindsamkeit, deren H.n ihr Verhältnis zu Gott, Jenseits und Einsamkeit als persönl. Erlebnis und individuelles Gefühl verherrlichen, entsteht bei KLOPSTOCK
die neue lyr. Form der H.: →freie
Rhythmen, meist in 4zeiligen
Scheinstrophen als adäquater Ausdruck der erhabensten und tiefsten
nicht nur relig., sondern auch patriot. Gefühle in rauschhafter Ekstase und Begeisterung. Unter den H.n
des Sturm und Drang (Maler MÜL-
LER in Prosa, Brüder STOLBERG in
Hexametern, HÖLTY, LENZ, SCHU-
BART, HERDER, SCHILLER) stehen
die großen Jugendhymnen GOE-
THES unter Einfluß PINDARS *(Wanderers Sturmlied, An Schwager Kro-
nos, Ganymed, Das Göttliche, Mahomets Gesang)* an rhythm.
Schwung und leidenschaftl. Begeisterung voran. HÖLDERLIN und
NOVALIS *(H.n an die Nacht* als letzte Steigerung romant. Todessehn-
sucht) führen neue Inhalte ein, PLA-
TENS Festgesänge zeigen starke Anlehnung an PINDAR; es folgen HEI-
NE, SCHEFFEL, GREIF, A. PICHLER
u. a. E. Neubeginn bringen NIETZ-

SCHES *Dionysos-* →*Dithyramben,*
freilich teils satir. Haltung; Stefan
GEORGE dagegen prägt e. streng
esoter., geschlossene Form. In Amerika bezieht Walt WHITMAN bewußt
schlichte Alltagsprobleme und die
Technik in seine naturalist. Prosa-
H.n ein. Dem Expressionismus ist
die Form der H. als Verkündigung
neuer Menschheit sehr gemäß:
MOMBERT, DÄUBLER, TRAKL,
HEYM, WERFEL, BECHER u. a. geben
ihr wieder ekstat. Charakter. WEIN-
HEBER dagegen lehnt sich an die
antike Form KLOPSTOCKS und
HÖLDERLINS an *(H. auf d. dt. Sprache)*, G. von LE FORT nimmt den
ursprüngl. Inhalt des Gottespreises
wieder auf, BRECHT, G. MAURER
und I. BACHMANN den Naturpreis.
– Feststehende formale oder inhaltliche Kennzeichen besitzt die H. im
Laufe der Geschichte kaum; das
Versmaß ist beliebig, die Beziehung
zur →Ode nicht deutlich abgrenz-
bar, ebenso die zur übersteigerten
Form der H. im →Dithyrambus.

RL; O. Hellinghaus, Lat. H.n d. christl.
Altertums u. MA., ³1934; E. Busch, Stiltypen d. dt. freirhythm. H., 1934, ²1975;
C. S. Phillips, *Hymnody, past and present,* 1937; H. W. Foote, *3 centuries of
American Hymnody,* 1940; R. E. Mes-
senger, *The medieval Lat. hymn.,* Wash.
1953; J. Julian, *Dictionary of Hymnolo-
gy,* ³1957; I. Schürk, Dt. Übertr. mlat.
H.n i. 18. u. 19. Jh., 1963; J. Szövérffy,
D. Annalen d. lat. H.-dichtg., II
1964–65; H. Gneuss, Hymnar u. H.n i.
engl. MA., 1967; H. Thomke, Hymn.
Dichtg. i. Expressionism., 1972; O.
Knörrich, D. H., FLE, 1981. →Ode,
→freie Rhythmen.

Hymne-Blason (zu →Blason), dem
→Blason verwandte franz. lyr. Gattung, die in anakreont.-epigram-
mat. Form in 7–10Silbern mit Paarreim oder in Alexandrinern lobend
oder satir. Kleintiere (Frosch, Amei-
se, Schnecke, Schmetterling) oder
Früchte (Kirsche, Salat) beschreibt.
Kultiviert in der Pléiade: RONSARD,
BELLEAU.

Hymnologie (zu →Hymne), die Wissenschaft vom christl. →Kirchenlied.

Hypallage (griech. – Vertauschung), →rhetorische Figur: 1. Veränderung der Wortbeziehung oder scheinbare Verwechslung einzelner Satzteile, bes. Ersetzung e. Adjektivs durch e. Substantiv und umgekehrt: ›revolutionärer Geist‹ statt ›Geist der Revolution‹, ›eine schlaflose Nacht‹. 2. →Enallage, 3. →Metonymie.

Hyperbasis →Hyperbaton

Hyperbaton (griech. = Übersteigendes), beliebte →rhetorische Figur: Sperrung, Abweichung von der ›üblichen‹ Wortstellung und künstliche Trennung e. syntaktisch zusammengehörigen Wortgruppe (z.B. Substantiv und Adjektiv) zu ›Spreizstellung‹ durch eingeschobene Wörter (z.B. Verb) oder Voranstellung e. betonten Wortes, oft auch Verschränkungen aus rhythm. Gründen (Klausel), letztlich auch →Inversion. H., Stilmittel emphat. Ausdrucks, gilt in Prosa als fehlerhaft, wenn die Konstruktion unklar wird; seine übertriebene Anwendung findet es in gekünsteltem Stil. Beispiel: ›Der Worte sind genug gewechselt‹ (GOETHE, *Faust* 214), ›Die Freiheit reizte mich und das Vermögen‹ (SCHILLER, *Wallenstein*). →Anastrophe.

Hyperbel (griech. *hyperbole* = Darüberhinauswerfen, Übermaß), in der Stilistik Übertreibung des Ausdrucks in vergrößerndem oder verkleinerndem Sinne bei der Charakterisierung (auch Gleichnis) e. Objekts oder e. Eigenschaft, die, wenn wörtlich genommen, ins gegenständlich Unmögliche gesteigert wird, z.B. der ›Balken im Auge‹. Stilwerte sind Intensivierung des Gemütsgehalts und größere An-

schaulichkeit, andererseits verflachen viele wegen ihrer eingängigen Hyperbolik in die Umgangssprache übernommenen H.n zu konventionellen, abgegriffenen und damit nichtssagenden Formeln: ›tausendmal, blitzschnell, Schneckentempo‹ u.ä., bes. Schimpfwörter. Die Anwendung kann kom., bes. iron., aber auch ernstgemeinte Effekte erzielen, bes. in volkstüml. Dichtungen (Märchen, Volksepos). In antiker Dichtung darf sie das dezente Maß nicht überschreiten und wird für wirklich ungewöhnliche Maßverhältnisse benutzt (VERGIL, *Aeneis* I, 162, HORAZ I, 1, 36); freier bei den Rednern; häufig ist sie bei oriental. Dichtern und der *Bibel*, ferner bei ma. Panegyrikern, CALDERÓN, SHAKESPEARE, SCHILLER u.a. Sturm- und Drangdichtern, weiter HEBBEL, Victor HUGO, bei JEAN PAUL und HEINE als kom. Vergleich; von GOETHE gemieden. Vgl. →Hyperoche.
Lit. →Stil.

Hyperkataléktisch (griech. *hyper* = über, *katalegein* = aufhören) heißt e. Vers mit überzähliger Silbe im letzten Fuß, bes. bei steigendem Metrum (Anapäst, Jambus). Vgl. →Katalektisch.

Hypermeter (griech. *hypermetros* = übermäßig), Vers, dessen letzte vokalisch auslautende Silbe →hyperkatalektisch ist, doch durch vokalischen Anlaut des folgenden Zeilenanfangs elidiert wird.

Hyperoche (griech. = Übermaß), →rhetorische Figur: Steigerung e. zu lobenden Gegenstandes ins Unvergleichbare, Einmalige; ›Das Beste auf der Erde‹. Sonderart der →Hyperbel.

Hypodochmius, antiker Versfuß: umgekehrter (→anaklastischer) →Dochmius und häufig neben diesem verwendet: ‿‿‿‿‿‿, auch lat. →Klausel.

Hypokrites (griech. = Ausleger, Deuter), nach der Aufgabe des ersten, von THESPIS eingeführten Schauspielers, den Chorgesang zu erklären, Bz. für den →Schauspieler im griech. Drama.

Hypomnema (griech. = Erinnerung, Merkblatt), Denk-, Erinnerungsschrift, Chronik, Tagebuch, Augenzeugenberichte, dann bes. →Kommentar im sprachl. wie historiograph. Sinne.

Hyporchem (griech. *hyporchema* =) heiter bewegtes Tanz- und Jubellied der griech. Chorlyrik in lebhaften päon. Rhythmen, später Daktylo-Trochäen, zur Kithara, später Flöte oder beiden gesungen, anfangs vom ganzen Chor, später von einem Teil zum Tanz des anderen Teils, bes. bei Waffentänzen der spartan. Jugend.

Hypostase (griech. *hypostasis* = Unterlage), die Substantialisierung, Vergegenständlichung oder →Personifikation eines Begriffs, bes. einer Eigenschaft oder eines Beinamens.
F. Erdin, D. Wort H., 1939; H. Lausberg, D. lit. Technik d. H., Archiv 195, 1959.

Hypotaxe (griech. *hypotaxis* = Unterordnung), im Ggs. zur →Parataxe die Unterordnung in der Satzgliederung, d. h. Aufgliederung des Gedankens in Haupt- und von diesen abhängige Nebensätze zu kunstvoll geschacheltem Gefüge; häufig Kennzeichen gedankl. Straffung und Überschau von Haupt- und Nebensächlichem und dessen in Konjunktionen ausgedrückten log. Beziehungen (antike →Periode bei CICERO, CAESAR, dt. bes. Th. MANN) oder der ungeordneten, aus dem Augenblick entstandenen Diktion

(H. v. KLEIST) bzw. sich verlierender Nervosität (PROUST) – jedoch stets auf e. fortgeschrittenen Stufe der Sprachentwicklung.

Hypothesis (griech. = Unterlage, Voraussetzung), von alexandrin. Gelehrten verfaßte lit.-hist. und ästhet. Einleitung der von ihnen herausgegebenen griech. Dramen; enthielten neben Inhaltsangaben die →Didaskalien und sind – teils verstümmelt und mit zahlreichen Zusätzen versehen – stellenweise noch bis in die heutigen Ausgaben erhalten. – →Argumenta.

Hysterologie, Hysteron proteron (griech. = das Spätere als Früheres), →rhetorische Figur: frühere Erwähnung des zeitlich erst späteren von zwei aufeinanderfolgenden Vorgängen oder des aus dem ganzen Satzinhalt logisch erst Folgenden als des Wesentlichen zur Hervorhebung: WOLFRAM *Parzival* 119, 3: ›Vögel würgen und fangen‹; *Faust* 2916: ›Ihr Mann ist tot und läßt Sie grüßen.‹

Iamb- →Jamb-

Iambes (franz.), franz. Strophenform, Wechsel von je einem Alexandriner mit einem Achtsilber mit der Reimfolge abab cdcd usw., häufig mit Enjambement und Reimbrechung, verwendet in den satir. Versen von A. CHÉNIER und A. BARBIER, die diese in Anspielung auf die antike →Jambendichtung I. nannten.

Ich-Form, epische Darstellungsform (Ich-Roman, -Erzählung), deren Ereignisse von dem →Erzähler, der nicht mit dem Autor identisch sein muß, als selbsterlebt hingestellt, gewissermaßen autobiographisch eingekleidet werden, im Ggs. zur geschichtl. echten, beglaubigten →Autobiographie jedoch e. erfundene oder in histor. Rahmen doch stark durch dichter. Freiheit umgestaltete und dadurch symbolhaltig gewordene Erzählung – die Grenzen sind fließend (GOETHE, *Dichtung und Wahrheit;* KELLER, *Der Grüne Heinrich;* CAROSSA). Technisch bedeutet die I.-F. den Verzicht auf die Allwissenheit des Epikers zugunsten der beschränkten →Perspektive des Erzählers (meist mit der Hauptfigur identisch oder beobachtender Augenzeuge) und stärkerer Unmittelbarkeit sowie →Beglaubigung selbst phantast. Geschehnisse (antike Abenteuerromane, Utopie, Schauerroman, Visionen, *Münchhausen,* BUTLERS *Erewhon*). Beliebte Erzählformen sind →Rahmenerzählung, →Brief, →Tagebuch. Teile in I.-F. finden sich bereits in rückblickenden Erlebnisberichten bei HOMER (*Odyssee* IX-XII) und VERGIL *(Aeneis),* erst in der Neuzeit aber gewinnt die I.-F. im Gefolge der →Bekenntnisliteratur stark subjektive Weltsicht und Betonung des inneren Erlebens vor dem äußeren, selbst unter der Gefahr des Psychologisierens. Durchweg bedienen sich ihrer der →Schelmenroman seit PETRONIUS und APULEIUS und die →Simpliziaden von GRIMMELSHAUSEN bis GOTTHELF (*Bauernspiegel* 1837), häufig auch der Reiseroman (DEFOE, SWIFT), die →Robinsonade, der humorist. Roman (FIELDING, DICKENS) oder der →Entwicklungs- und →Bildungsroman (KELLER, STIFTER *Der Nachsommer,* DICKENS, *David Copperfield,* HESSE *Demian,* ähnlich R. HUCH *Erinnerungen von Ludolf Ursleu d. J.,* Th. MANN, *Doktor Faustus* und *Felix Krull*) und bes. zur Selbstdarstel-

lung drängende psychologisch interessante Gestalten (*Werther* u. ä.; Außenseiter) wie auch die neue Arbeiterdichtung in Form der Lebensgeschichte (GORKIJ, *Kindheit,* LERSCH, *Hammerschläge,* GLASER, *Geheimnis und Gewalt*). Der mod. dt. Roman verzichtet zumeist auf die Objektivität des allwissenden Erzählers zugunsten der bescheidenen Ich-Perspektive (BÖLL, FRISCH, NOSSACK, GRASS, WALSER, WEISS, LENZ) oder des inneren Monologs. →Lyrisches Ich, →Egotismus.

K. Forstreuter, D. dt. Ich-Erzähl., 1924; RL[1]; F. K. Stanzel, D. typ. Erzählsituationen i. Roman, 1955; K. Hamburger, D. Logik d. Dichtg., 1957, [3]1977; B. Romberg, *Studies in the narrative technique of the first-person novel,* Stockh. 1962; F. K. Stanzel, Typ. Formen d. Romans, 1964, [10]1981; M. Henning, D. I.-F. u. ihre Funktion i. Th. Manns ›Doktor Faustus‹ u. i. d. dt. Lit. d. Ggw., 1966; R. R. Wuthenow, D. erinnerte Ich, 1974; M. Głowiński, *On the first-person novel,* NLH 9, 1977 f.; M. Jurgensen, D. fiktionale I., 1979; ders., Erzählformen d. fiktionalen I., 1980; U. Musarra-Schoder, *Les roman-mémoires mod.,* Amsterd. 1981; J. P. Sacken, *A certain slant of light,* N.Y. 1984; A. Muschg, Wie echt ist d. I. i. d. Lit. (Lit. aus d. Leben, hg. H. Heckmann 1984); A. Doppler, D. Abgrund d. I., 1985; E. Fauconneau Dufresne, D. Probl. d. I.-Romans i. 20. Jh., 1985; D. neuzeitl. I., hg. U. Fülleborn 1987; H. H. Beck, *The elusive I in the novel,* 1987.

Ich-Roman →Ich-Form

Ictus →Iktus

Idealisierende Darstellung, im Ggs. zur naturnahen (realistischen) die verschönte Darstellung e. vollkommenen, aller Mängel entledigten Gegenstandes oder Menschen als Idealtypus.

Idealismus, im Ggs. zum Materialismus schon seit NIKOLAUS VON CUES und LEIBNIZ als dt. philosophische Strömung bes. des 18. und beginnenden 19. Jh. der geistige Hintergrund der Goethezeit: Durchbruch im Sturm und Drang,

Hochblüte in der Klassik, Breitenwirkung und Übersteigerung in der Romantik. I. betrachtet das Geistige als Ursprung, ständigen Hintergrund und letzten Sinn des Seins, als Zentralkraft, die das organisch gedachte Weltsystem in harmon. Einheit zusammenhält: der Wille, bei FICHTE in optimist., bei SCHOPENHAUER in pessimist. Sinne. Der I. verzichtet auf rationale Erfassung der Welt zugunsten von Gefühl und Phantasie (→Irrationalismus). Organismusgedanke und damit Entwicklungsgedanke (Polarität von Thesis und Antithesis zur Synthesis als reine Denkformen HEGELS, ständige Umgestaltung der Welt bei SCHELLING und GOETHE) werden auf den Menschen übertragen und äußern sich im Streben nach ganzheitlicher und harmon. Kräfteentfaltung in wechselseitiger Ergänzung als Bildungsideal: Humanität und Kunst als höchste Erscheinungsformen des Menschlichen, in Übereinstimmung mit der neuen Begegnung mit der apollinisch verstandenen →Antike im Neu- →Humanismus (WINCKELMANN). H. A. KORFF unterscheidet Vernunft-I. als Spannung Materie-Geist (KANT, SCHILLER) und Natur-I. als Schöpfungseinheit (HERDER, GOETHE). Aus der Aufklärung übernimmt der I. die Diesseitsbetonung (Offenbarung des Göttlichen im Irdischen: Einheit, harmon. Schönheit, ordnende Vernunft, Freiheit und Liebe), das hohe Menschenbild und damit die Toleranzidee. Seine Einzelausprägungen sind u.a. Vollkommenheitsglaube und sittl. Selbstbesinnung bei KANT, Auffassung vom Geist als unsichtbarer Natur bei SCHELLING, Vernunftglaube bei HEGEL. Höchste dichterische Ausformung des I.: GOETHES *Faust.*

E. Cassirer, D. krit. I., 1906; O. Willmann, Gesch. d. I., III ²1907; M. Kronenberg, Gesch. d. dt. I., 1909–12; E. Cassirer, Freiheit und Form, 1916; P. Ernst, D. Zusammenbruch d. dt. I., 1918; R. Kroner, V. Kant bis Hegel, II 1921–24, ²1961; W. Lütgert, D. Religion d. dt. I, IV 1923–30, ²1967; H. A. Korff, Geist d. Goethezeit, IV 1923–53, ²1955; N. Hartmann, D. Philosophie d. dt. I., II 1929 f., ²1960; E. Troeltsch, D. dt. I. (in: Ges. Schr. 4, 1924); N. Hartmann, Diesseits v. I. u. Realismus, 1924; W. Dilthey, D. Jugendgeschichte Hegels…, ²1925; H. Groos, D. dt. I. u. d. Christentum, 1928; W. Kunz, Gestaltwirklichkeit u. Lebensgestaltg., 1930; E. Spranger, Kampf geg. d. I., 1931; K. Weidel, D. Religion d. dt. I., 1932; J. Hofmeister, Goethe u. d. dt. I., 1932; A. C. Ewing, I., Lond. 1934, ³1961; W. Dietsch, Problem d. Glaubens i. d. Philos. d. dt. I., 1935; F. Koch, Dt. Kultur d. I., 1935; F. Schultz, Klassik u. Romantik d. Dt., II ²1952; A. Liebert, D. Krise d. I., 1936; C. Ottaviano, Kritik d. I., 1941; H. U. v. Balthasar, Prometheus, 1947; P. W. Wenger, Geist u. Macht, 1948; E. Przywara, Humanitas, 1953; R. Benz, D. Zeit d. dt. Klassik, 1953; R. Bauer, D. I. u. seine Gegner i. Österr., 1966; G. Stiehler, D. I. v. Kant bis Hegel, 1970; H. Nohl, D. Dt. Bewegg., 1970; B. Küster, Transzendentale Einbildgskraft u. ästhet. Phantasie, 1979; H. Paetzold, Ästhetik d. dt. I., 1983; P. Bürger, Z. Kritik d. idealist. Ästhetik, 1983.

Ideenballade, Sonderform der →Ballade im Ggs. zur Volksballade und der numinosen Kunstballade, die den aktiv handelnden Menschen im Bereich diesseitiger, eth. Normen zeigt. Ausgeprägt bes. in den klass. Balladen GOETHES *(Die Braut von Korinth),* SCHILLERS *(Der Ring des Polykrates, Der Taucher, Der Handschuh, Die Kraniche des Ibykus* u.a.) und UHLANDS, in denen sich in erster Linie e. überindividueller, idealer Gehalt (Sieg der Idee über Schicksal und Realität) manifestiert.

Ideendrama, →Drama meist der regelmäßigen, geschlossenen Form, das Geschehensablauf und Charakterzeichnung einer herrschenden, einheitl. Idee (Weltanschauung) unterordnet, die in ihrer Allgemeingültigkeit – oft als kollektivist. Massendrama – die Einzelzeichnung der

Figuren überdeckt: *Jedermann,* Dramen der franz. Klassik, LESSINGS *Nathan,* GOETHES *Pandora* und *Iphigenie,* SCHILLER, GRILLPARZER, die meisten Dramen HEBBELS, SHAWS, neuerdings ELIOT, CAMUS, SARTRE. Verengerte Ideen ergeben das →Problem- und →Tendenzdrama.

R. Unger, V. Nathan zu Faust, 1916.

Ideengeschichte →Geistesgeschichte

Ideenlyrik →Gedankenlyrik

Idejnost (russ. =) die Durchdrungenheit des lit. Werkes mit fortschrittlichen politisch-sozialen Ideen, Forderung des →sozialistischen Realismus.

Identifikation (lat. *idem* = dasselbe, *facere* = machen), allg. Gleichsetzung: 1. des Schauspielers mit seiner Rollenfigur, des Zuschauers bzw. Lesers mit e. Figur des Dramas, Films, Romans oder dem Ich e. Gedichts; beruht auf →Einfühlung und lebhaftem und tiefwirkendem Ergriffensein vom Wesen des anderen. Gegen I. wendet sich →Verfremdung. – 2. einer Person mit e. Gegenstand in humorvoller, geistreicher Begründung: beliebter Witz bes. in der Komödie, schon bei PLAUTUS: ›Mein Vater ist eine Fliege – nichts kann vor ihm verwahrt werden‹ (*Mercator* 361).

V. Roloff, I. u. Rollenspiel (Erzählforschg., hg. W. Haubrichs 2, 1977); G. Adler, l. u. Distanzierg., WB 26, 1980; E. Andringa, Wandel d. lit. I., SPIEL 3, 1984.

Identischer Reim (v. lat. *idem* = derselbe), Reim desselben Wortes: ›Liebe/ ... Liebe‹. →Rührender Reim.

Ideogramm →Ideographie

Ideographie (griech. *idea* = Begriff, *graphein* = schreiben), im Ggs. zur →phonetischen Schrift gibt die Worte durch einzelne Begriffszeichen (Ideogramme) oder Bilder wieder, wie z.B. die chines. Schrift, →Bilderschrift, →Hieroglyphen, arab. Zahlen.

Idiom (griech. *idios* = eigentümlich), eigentümliche, vom Standard abweichende Ausdrucks- und Sprechweise einer regionalen oder soz. Gruppe: 1. →Dialekt, 2. →Jargon e. Standes.

Idiotikon (griech. *idiotikos* = einen einzelnen betreffend), Mundartwörterbuch, Zusammenstellung regional begrenzter Spracheigentümlichkeiten (→Idiotismen) in Wortschatz, Formenlehre, Syntax und Redewendungen.

Idiotismus (griech. *idiotismos* = Benehmen des gemeinen Mannes), Einzelfall e. →Idioms, charakteristische Besonderheit in Wortschatz, Grammatik, Schreib- und Sprechweise.

Iduna (german. Göttin, Jugendspenderin, Gattin des Dichtergottes Bragi), konservativer, idealist. kathol. Wiener Dichter-, Schriftsteller- und Kritikerkreis 1891–1904 in Opposition gegen den Naturalismus und →Jung-Wien um die Zeitschrift ›I.‹ (1892/93). Leitung F. von STEINWAND, ferner F. LEMMERMAYER, Guido LIST, R. v. KRALIK (*Zs. Der Gral,* 1906ff.), M. DELLE GRAZIE, R. STEINER, H. FRAUNGRUBER, F. HEROLD, F. HIMMELBAUER, H. GRASBERGER, F. MARRIOT, F. CHRISTEL.

Nagl-Zeidler-Castle, Österr. Lit.gesch. IV, 1937.

Idylle (bis 18. Jh.: Idyll, v. griech. *eidyllion* = Bildchen, kleines Gedicht), episch-halbdramat. (dialogische) Dichtform z. Schilderung friedvoll-bescheidenen, behagl.-gemütl. Winkelglücks harmlos empfindender Menschen in Geborgenheit und Selbstgenügsamkeit und natürlich-alltägl. Land- und Volkslebens in schlichter Alltagssprache, Vers oder Prosa, oft mit lyr. Einlagen in geschlossenen Szenen (→Genrebild), bes. als Form der →Hirtendichtung.

SCHILLER betrachtet in *Über naive und sentimentalische Dichtung* die I. als sentimental. Form der Wiederherstellung e. verlorengegangenen Einheit von Natur und Geist, ›Darstellung unschuldiger und glücklicher Menschheit‹ und fordert von ihr statt sehnsuchtsvoller Rückschau auf vergangene Urzustände e. vorwärtsstrebende I. zu höherer Harmonie und ›Ruhe in der Vollendung‹ ohne Rücksicht oder satirische Seitenblicke auf die Wirklichkeit.

Vorformen finden sich schon in hebr. (Buch *Ruth*) und ind. Dichtung (*Śakuntalā*, Einsiedlerleben). Die abendländ. Entwicklung beginnt bei den griech. Bukolikern: THEOKRIT (3. Jh. v. Chr.), BION und MOSCHOS mit heiter gelösten Bildchen aus dem Land- und Hirtenleben, das vom Städter neuentdeckt und sehnsuchtsvoll als glücklicherer und harmon. Zustand gepriesen wurde. VERGILS mehr lyr. →Eklogen werden Vorbild der europ. →Hirtendichtung von Renaissance und Barock bis ins 18. Jh., der die I. fast ausschließlich angehört. Auch die Theorie des Barock (HARSDÖRFFER) bis zu GOTTSCHED, BODMER und BREITINGER verlegt die I. in paradies. Urzustände zurück und fordert obendrein e. moral. Tendenz. Die Wiederaufnahme echter I.ndichtung erfolgte in der Aufklärung als Folge e. Diesseitswendung, der erneuten Sehnsucht nach dem verlorenen Frieden und der Tugend e. goldenen Zeitalters aus der Zivili-

sationsmüdigkeit und überfeinerter Kultur heraus. An der Spitze steht der Schweizer S. GESSNER mit Rokoko-I.n in rhythm. Prosa aus e. idealisierten Hirtenleben, Flucht aus der Gegenwart, von weicher, empfindsamer Gestaltung. Es folgen BODMERS Patriarchaden, GLEIM, UZ, HÖLTY, F. X. BRONNER, E. v. KLEISTS stark moral. I.n, Maler MÜLLERS Pfälzische I.n, unsentimentalisch, gegenwartserfüllt und von kraftvoller Realistik *(Schafschur, Nußkernen)*, Vorstufe der Dorfgeschichte, in volkstüml. Weise fortgesetzt in den *Alemannischen Gedichten* J. P. HEBELS und den Mundart-I.n des Schweizers J. M. USTERI, ferner BAGGESENS *Parthenais*, KOSEGARTENS *Jucunde* und U. HEGNERS *Molkenkur*, teils auch JEAN PAUL *(Wuz, Quintus Fixlein)* u. selbst HÖLDERLIN *(Emilie vor ihrem Brauttag,* 1799) mit eleg. Klängen. Daneben preist J. H. VOSS *(Der 70. Geburtstag, Luise)* zuerst das kleinbürgerl. Alltagsleben in antiken Hexametern. Den Anschluß an die antike Form finden ebenfalls GOETHES I.n: *Alexis und Dora* und Teile aus *Hermann und Dorothea* – selbst keine reine I. mehr; schließlich im 19. Jh. TIECK *(Des Lebens Überfluß),* der geistesverwandte Übersetzer THEOKRITS, MÖRIKE *(I. vom Bodensee, Alter Turmhahn),* HEBBEL *(Mutter und Kind),* H. SEIDEL und W. RAABE; im allg. geht die I. in der Dorfgeschichte auf. Im unidyll. 20. Jh. versuchen Th. MANN *(Herr und Hund, Gesang vom Kindchen),* H. v. HOFMANNSTHAL, G. HAUPTMANN *(Anna),* B. v. MÜNCHHAUSEN (1927, 1933), H. HESSE und J. L. FINCKH vergeblich e. Wiederbelebung der Dichtart; die naive Welthaltung der ursprüngl. I. ist verloren, die sentimentalische bricht durch pessimist. Grundhaltung die Form. – In Italien schrieben

u. a. Boccaccio *(Ameto)*, Sannazaro, Tasso und Guarini I.n, in
Spanien Cervantes, Montemayor
und Garcilaso de la Vega, in Portugal Camōes und Rodrigues Lo-
bo, in Frankreich Ronsard, Marot, Fontenelle, Gresset, bes.
Bernardin de St. Pierre *(Paul et
Virginie)*, Chénier, Lamartine,
Chateaubriand *(Atala, René)* und
V. de Laprade, in England Spenser, Gay, Pope, Steele, Thomson, Byron, Tennyson, Browning und Barrie, in Holland
Loosjes, in Schweden Lindner
und in Dänemark Öhlen-
schläger.

W. Nagel, D. dt. I. i. 18. Jh., Diss. Zürich
1887; G. Schneider, Üb. d. Wesen u. d.
Entwicklungsgang d. I., Progr. Hbg.
1893; G. Eskuche, Z. Gesch. d. dt. I.n-
dichtg., Progr. Siegen 1893; G. A. Andre-
en, *Stud. in the I. in German lit.*, Rock
Island 1902; W. Knögel, Voss' ›Luise‹ u.
d. Entw. d. dt. I., 1904; N. Müller, D. dt.
Theorien d. I., Diss. Straßbg. 1911; E.
Merker, Z. d. ersten I.n von J. Voß, GRM
8, 1920; E. Weber, Gesch. d. epischen u.
idyll. Dichtg., 1924; M. M. Prinsen, *De i.
in de 18. eeuw*, Diss. Amsterd. 1934; P.
Merker, D. dt. I.ndichtg., 1934; G. Pos-
sanner, D. dt. I.n-dichtg. d. 18. Jh., Diss.
Wien 1938; I. Feuerlicht, V. Wesen d. dt.
I., GR 22, 1947; ders., D. dt. I. seit
Geßner, MLQ 11, 1950; RL; R. Geißler,
Versuch üb. d. I., WW 11, 1961; F. Seng-
le, Formen d. idyll. Menschenbildes (in:
Arbeiten z. dt. Lit., 1965); R. Böschen-
stein-Schäfer, I., 1967, ²1977; B. Kahrmann, D. idyll. Szene i. zeitgen. engl.
Roman, 1969; L. Nagel, Z. Probl. d.
I.ndichtg., WB 16, 1970; F. Sengle, Bie-
dermeierzeit Bd. 2, 1972; J. Tismar, Ge-
störte I.n, 1973; U. Eisenbiß, D. Idylli-
sche i. d. Novelle d. Biedermeierzeit,
1973; G. Kaiser, Wandrer u. I., 1976; T.
Langer Idyll u. exot. Sehnsucht, 1976; K.
Bernhard, I., 1977; V. Cemolinna, *Micro-
Harmony*, 1977; T. Wretö, *Det förklara-
de ögonblicket*, Stockh. 1977; R. Faber,
Polit. Idyllik, 1977; W. Preisendanz, Spu-
ren d. I. i. Ztalt. d. Realism. (Auf den Weg
gebracht, hg. H. Sund 1979); H. J.
Schneider, Naturerfahrg. u. I. i. d. dt.
Aufkl. (Erforschg. d. dt. Aufkl., hg. P.
Pütz 1980); B. Peucker, *Arcadia to Ely-
sium*, 1981; G. Hämmerling, D. I. v.
Geßner bis Voß, 1981; B. Burk, Elemente
idyll. Lebens, 1981; F. R. Max, Die I.,
FLE, 1981; P. Skrine, *Illusion and reality*

(German baroque lit., hg. G. Hoffmeister,
N.Y. 1983); I. u. Modernisierg. i. d. europ. Lit. d. 19. Jh., hg. H. U. Seeber
1986; Dt. I'theorien i. 18. Jh., hg. H. J.
Schneider 1987. →Hirtendichtung.

Ihâmɪriga, Gattung der klass. ind.
Dramatik: vieraktiges Stück um den
Kampf zweier göttl. Helden um ein
Mädchen oder eine Frau.

Ikon (engl. *icon*, v. griech. *eikon* =
Bild), engl. Sammelbz. für das
→Bild als Umschreibung e. Person
oder e. Gegenstandes durch →Me-
taphern.

W. K. Wimsatt, *The Verbal I.*, Lexington
1954.

Iktus (lat. *ictus* = Schlag), Markie-
rung der →Hebung, Betonungssilbe
in →akzentuierender Dichtung:
Versakzent. Die Tatsache, daß die
Bz. I. auch für quantitierende Verse
aus der lat. Antike (Horaz, Quintilian) überliefert ist, hat zu versch.
Vermutungen veranlaßt.

E. Fränkel, I. u. Akzent i. lat. Sprechvers,
1928; P. W. Harsh, *I. and Accent (Lu-
strum 3*, 1958); A. Labhardt, *Le problème de l'i. (Euphrosyne 2*, 1959).

Illusion (v. lat. *illudere* = täuschen), in der Ästhetik die Vortäuschung von Personen, Örtlichkeiten,
Handlungen und Ereignissen, die
der bloßen Einbildungskraft entstammen, als Wirklichkeit. Der aus
dem Kunstwerk (Roman, Erzählung) oder seiner Darstellung (Theater) empfangene Eindruck kann auf
empfängliche Menschen stärker
wirken als Eindrücke der Erfahrungswelt. Die Poetik untersucht die
Mittel der I. (→Mimesis, →Beglau-
bigung) Während das späte 19. Jh.
z. T. den Kunstwert e. Werkes an
seiner Illusionswirkung maß, erstreben andere Richtungen wie das
→epische Theater die bewußte
Durchbrechung der I. zugunsten gedankl. Auseinandersetzung im
→Verfremdungseffekt.

Nachahmung u. I., hg. H. R. Jauß 1964;
E. P. Nassar, *I. as value (Mosaic 7,*

1973 f.); E. Lobsien, Theorie lit. I.sbildung, 1975; M. Hobson, *The object of art,* Cambr. 1982.

Illusionsbühne, Form der →Bühne, entstand, seitdem die →Guckkastenbühne der Renaissance – im Ggs. zur ma. Marktbühne – die Vortäuschung e. Schauplatzes durch gemalten Prospekt (Landschaft, Häuser), Telari und später Kulissen erforderte, wurde durch die Perspektivenmalerei, geschlossene Zimmerdekoration, Scheinwerfereffekte, Requisiten u. a. m., auch technische Neuerungen wie Theatermaschinen vervollkommnet, in den historisch genauen Kostümen der →Meininger sowie den echten Dekorationsstücken des Naturalismus (natürl. Bäume in REINHARDTS ersten Inszenierungen!) überspitzt und schließlich von der →Stilbühne abgelöst, der auch M. REINHARDT folgte.

M. Martersteig, Stilbühne u. I. (Kongreß f. Ästhet., 1914); RL¹.

Illustration (lat. *illustrare* = erleuchten), Bildbeigabe e. Buches, ganzseitig oder im Text, zur Veranschaulichung des Inhalts bei wiss. Werken, Verschönerung der Ausgabe in belletrist. Werken, schließlich als Hauptsache in kunstwiss. Werken und Kinderbüchern, wo der Text nur Beigabe ist. Entscheidend für den künstler. Wert der I. ist die gesunde Wechselbeziehung von I. und Text, die bes. in dichter. Werken der Einbildungskraft des Lesers freien Spielraum lassen muß. Der I. ma. Hss. dienen →Miniaturen, Initialen und ornamentale Randleisten; rd. 1450–1550 herrscht der (z. T. kolorierte) Holzschnitt, u. a. nach Entwürfen von DÜRER, CRANACH, HOLBEIN u. a., rd. 1650–1800 zunehmend der Kupferstich, später auch die Radierung: BOUCHER, FRAGONARD, EISEN,

COCHIN, MOREAU, GRAVELOT, in Dtl. CHODOWIECKI; ab 19. Jh. Lithographie, Holzstich und zunehmend mechan. Techniken: BLAKE, ROWLANDSON, CRUIKSHANK, BEWICK; DELACROIX, DORÉ, DAUMIER, GRANDVILLE; in Dtl. RICHTER, MENZEL, SCHWIND. Im 20. Jh. beteiligen sich Künstler wie BARLACH, KUBIN, KOKOSCHKA, BECKMANN u. a. an der Buch-I.

Th. Kutschmann, Gesch. d. I., 1899 f.; W. Hausenstein, Rokoko, 1924 u. ö.; A. Rümann, D. ill. dt. Bücher d. 18. u. 19. Jh., II 1925–37; L. Reau, *La gravure d'i.,* Paris 1928; F. Calot, *L'art du livre en France,* Paris 1931; M. Lanckoronska, R. Oehler, D. Buch-I. d. 18. Jh., III 1932–34; A. Fischer, D. Buch-I. d. Romantik, 1933; H. Simon, *500 years of i.,* N.Y. 1942, n. 1978; D. Bland, *The I. of books,* Lond. ³1962; ders., *A. Hist. of book i.,* Lond. 1958, ²1969; D. Diringer, *The illuminated Book,* Lond. 1958; K. Weitzmann, *Ancient Book Illumination,* Cambr./Mass. 1959; D. Buch-I. i. Dtl., Österr. u. d. Schweiz seit 1945, hg. W. Tiessen II 1968; E. Rothe, *Medieval book illumination in Europe,* Lond. 1968; O. E. Holloway, *French Rococo book i.,* Lond. 1969; H. Fühmorgen-Voss, Text u. I. i. MA., 1975; L. Lang, Express. Buch-I. i. Dtl., 1975; H. Kunze, Gesch. d. Buch-I. i. Dtl., II 1975; Buchkunst u. Lit. i. Dtl 1750–1850, hg. E. Hauswedell II 1977; R. Weinreich, Leselust u. Augenweide, 1978; J. Harthan, *The hist. of the illustr. book,* Lond. 1981; G. N. Ray, *The art of the French illustr. book,* N.Y. II 1982; E. Geck, Grundzüge d. Gesch. d. Buch-I., 1982; M. Melot, *The art of i.,* Lond. 1984; R. Mayer, Gedruckte Kunst, 1984; H. Wendlang, D. Buch-I., 1987.

Illustrierte →Zeitschrift

Illustriertenroman, Erscheinungsform der →Trivialliteratur in der illustrierten Wochenpresse, inhaltlich zumeist gleichlaufend mit dem trivialen Kriminal- oder Liebesroman, formal durch den Aufbau in Spannungsbögen, die das Interesse von Woche zu Woche wachhalten sollen, dem →Fortsetzungsroman verwandt, jedoch mit der Ausnahme, daß der erfolgreich ›ankommende‹ I., wenn speziell für die Illustrierte verfaßt, weiter ausgebaut, der erfolglose rasch vorzeitig abgeschlossen werden kann. Seine Ingredienzien sind die übl. Verzerrungen der Realität: eine stimulierende Kulisse exklusiven, weltweiten und mondänen Milieus, primitive Typenfiguren nach den Leitbildern der Werbung, die die Leser zur Identifikation mit den Helden auffordern und ihnen Ersatzerlebnisse bieten, ideale Wunschträume unverbindlich nachzeichnen, dazu ein Sprachabbau durch Wortklischees, bewußte Begriffsunschärfe und ein Überangebot reizstarker Worte, im Aufbau kurze, auch dem Analphabeten überschaubare Absätze und Partien, die Ereignisse häufen, ohne sie zu integrieren. Der I. beschreibt die klischeehaften Vorstellungen des Durchschnittslesers vom jeweiligen Milieu und schmeichelt ihnen noch durch die Unterstellung, ›vom Leben selbst‹ geschrieben zu sein.

A. Holzinger, D. Thema vor allem ist wichtig (in: Trivuallit., hg. G. Schmidt-Henkel 1964); H. Knittel, D. Roman i. d. dt. Illustr., Diss. Bln. 1967; W. Hollstein, D. dt. I. d. Ggw., 1973; M. Jabs-Kriegsmann, Zerrspiegel. D. dt. I. 1950–77, 1981.

Illyrismus, die kulturelle Renaissance der Kroaten 1830 bis 1850 und die Wiedererweckung des südslaw. Einheitsgedankens unter dem Einfluß der Romantik und des Panslawismus von J. KOLLÁR, geführt von L. GAJ; schuf e. einheitl. kroat. Schriftsprache und die Anfänge der mod. kroat. Lit. mit S. VRAZ, D. DEMETER, P. PRERADOVIĆ und I. MAŽURANIĆ.

Imagination (lat. *imaginatio* =) →Phantasie, bildl. Vorstellung.

Imaginisten (v. lat. *imago* = Bild), Moskauer Bohème-Dichterkreis 1919–24 in der Nachfolge des →Futurismus mit betonter Verwendung von Bild und Metapher sowie pessimist., morbider bis perverser Grundhaltung, die auch in der Mischung erhabener und rohester Bilder zutage tritt. Hauptvertreter war S. A. ESENIN, daneben V. ŠERŠENEVIČ, A. MARIENGOF, A. KUSIKÓV.

V. Markov, *Russian i.*, 1980.

Imagismus (v. lat. *imago* = Bild), engl.-amerikan. Lyrikerkreis um 1912–17, gekennzeichnet durch Abwendung von der konventionellen Tradition und neues Formstreben: größtmögliche Bildhaftigkeit und Kürze ohne ep. oder gedankl. Elemente bei Verwendung der Umgangssprache, unbedingte Sachnähe zum behandelten Gegenstand, Vermeidung jedes nicht für die Darstellung wesentl. oder ausschmückenden Wortes, Konzentration auf ein Bild als erschließende Grundmetapher, Ersetzung des Metrums durch musikal. Rhythmus als Ausdruck neuer Stimmungen und unstroph. Form (FLINT, *Poetry*, März 1913). Anregungen gaben der Symbolismus, auch chines. und japan. Lyrik, doch zeigt der I. ihnen gegenüber schärfere Konturen. Im Anschluß an die antiroman. Dichtungsauffassung von T. E. HULME (1886–1917) gegründet von Ezra POUND, Hauptvertreter: H. DOOLITTLE, Amy LOWELL, R. ALDINGTON, J. G. FLETCHER, F. S. FLINT, D. H. LAWRENCE; starker Einfluß auf T. S. ELIOT.

F. Vordtriede, D. I., Diss. Freib. 1935; H. Monroe, *A Poet's Life*, N.Y. 1938; L. Berti, *L'imagismo*, Padua 1944; S. K. Coffmann, *Imagism*, Norman 1951; G. Hough, *Image and experience*, Lond. 1959; G. Hughes, *Imagism and the Imagists*, Lond. ²1960; W. C. Pratt, *The Imagist Poem*, 1963; R. Bianchi, *La poetica dell' i.*, Mail. 1965; J. T. Gage, *In the arresting eye*, Baton Rouge 1981.

Imagologie (lat. *imago* = Bild), Arbeitsbereich der →vergleichenden Literaturwissenschaft, Untersuchung und Vergleich der Vorurteile und Vorstellungsbilder der versch. Völker voneinander in ihrem lit. Niederschlag, deren Zustandekommen, Tradition und Einfluß nicht im Sinne e. National- oder Volkscharakter-Klischees, sondern im Sinne besseren gegenseitigen Verständnisses.

M. S. Fischer, Nationale Images als Gegenstand vergl. Lit.gesch., 1981; ders., Lit. Seinsweise u. polit. Funktion nationbezogener Images, Neohelicon 10, 1983; H. Dyserinck, Komparatist. I., Synthesis 9, 1982; W. Rieck, Poet. Bilder v. Völkern als lit.wiss. Probl., WB 32, 1986.

Imayō-uta (japan. = Lieder in moderner Weise), Form der japan. volkstüml. Lyrik, die von der übl. Form der Kunstlyrik abweicht: vierzeilige Strophen, deren jede Zeile in zwei Halbverse zu 7 und 5 Silben zerfällt. Seit dem 12. Jh. verbreitete Form buddhist. Ursprungs für gesungene Lieder.

Imitation (lat. *imitatio* =) Nachahmung von musterhaften Vorbildern durch Anpassung an deren Stil, Wortgebrauch, Metrik, Figuren und Bilder; Grundbegriff bes. für röm. Dichtung, die durch den Wetteifer mit griech. Vorbildern erst zu eigener Höhe und Kunstvollendung gelangt. Noch im dt. Barock empfiehlt OPITZ die I. fremder Dichter, und HARSDÖRFFER nennt das Abborgen e. rühmlichen Diebstahl. I. der Antike ist Prinzip des Klassizismus. Erst mit wachsendem Originalitätsstreben, Selbstbewußtsein und Eigenständigkeit der mod. Lit. erhält der Begriff den negativen Sinn bloßer epigonaler, sklav. Nachahmung. – Über I. als Nachahmung der Natur →Mimesis.

H. Gmelin, D. Prinzip d. I. i. d. roman. Litt. (Roman. Forschgn. 46, 1932); E. Welslau, I. u. Plagiat i. d. franz. Lit., 1977; S. D. Martinson, On i., imagination and beauty, 1977.

Immoralismus →Amoralismus

Imprese (ital. *impresa* = Unternehmen, Devise), Sonderform des →Emblems auf Münzen, Siegeln und in der Heraldik, Verbindung von Bildsymbol mit →Devise oder →Motto in verschlüsselter, schwer erschließbarer und oft nur dem Eingeweihten verständl. Form. Beliebt im MA. u. 16./17. Jh., heute noch in Signets, Exlibris u. ä., z. T. von bedeutenden Dichtern entworfen.

L. Volkmann, Bilderschriften d. Renaiss., 1923; J. Gelli, Divise, motti e i., Mail. ²1928; D. Sulzer, Bemerkgn. z. e. Soziol. d. I. (Fs. K. Hamburger, 1981).

Impressionismus (lat. *impressio* = Eindruck), Eindruckskunst, Stilrichtung urspr. der franz. Freilichtmalerei im letzten Viertel des 19. Jh., auf die Dichtung von 1890–1910 übertragen, sucht im Ggs. zum geistbedingten Expressionismus und der objektiven, vollständigen Wirklichkeitsdarstellung des Naturalismus die getreue Wiedergabe subjektivsinnl. Eindrücke genau beobachteter Stimmungsgehalte, bes. der zufälligen und vorübergehenden Augenblicksbewegung und einmaliger Seelenzustände in allen ihren feinsten Differenzierungen und Nuancen, Halbtönen und Schattierungen, erreicht dadurch e. hohen Grad der Vollendung und Verfeinerung der sprachl. Ausdrucksmöglichkeiten: Lautmalerei, Synästhesie, angemessene, fein unterscheidende Beiwörter und Bilder für die einmalig-unverwechselbare Empfindung, Parataxe als Nebeneinander der Einzelkomponenten, Verunklärung (Verzicht auf begriffliche Analyse komplexer Eindrücke) und bes. →erlebte Rede. Gegenüber dieser vertieften psycholog. Erlebnis- und Reaktionsfähigkeit auf alle Reizwirkungen tritt die Darstellung äußerer Handlung, eth. Wertung und Willenstätigkeit zurück; so erreicht das Drama des I. höchstens den lyr. Einakter; bevorzugte Formen sind Lyrik und kürzere Prosa (Skizze), später auch längere Romane. Hauptvertreter sind in Italien d'ANNUNZIO, in Frankreich die Brüder GONCOURT, BAUDELAIRE, VERLAINE, BOURGET, FLAUBERT, J.-K. HUYSMANS, A. FRANCE, GIDE, CLAUDEL, M. BARRÈS, LENORMAND, DUHAMEL, H. de RÉGNIER, z.T. P. VALÉRY, J. ROMAINS, M. PROUST, in Belgien MAETERLINCK und teils VERHAEREN, in Dänemark J. P. JACOBSEN, H. BANG, in Norwegen K. HAMSUN, in Rußland ČECHOV. In Dtl. gelten als Vorläufer Th. FONTANE und in gewissem Sinne A. STIFTER *(Studien)*, als Hauptvertreter bes. D. v. LILIENCRON, P. ALTENBERG, P. HILLE, A. SCHNITZLER, der junge HOFMANNSTHAL und der junge RILKE, R. MUSIL, H. BAHR, E. v. KEYSERLING, R. SCHAUKAL, M. DAUTHENDEY, R. DEHMEL, z.T. St. GEORGE, H. MANN, Th. MANN *(Buddenbrooks, Der Zauberberg)*, G. FALKE, C. HAUPTMANN, A. KERR, L. ANDRIAN, R. BEER-HOFMANN, B. KELLERMANN, St. ZWEIG. In der Wiedergabe des rein Sinnenhaften wenden sich ihm auch die Naturalisten (G. HAUPTMANN, A. HOLZ, J. SCHLAF, C. VIEBIG) zu, die gleich dem I. die Sprachpräzision erstreben; auch neuromant. und symbolist. Züge weist er auf, indem die meisten großen Dichter auch anderer Richtungen durch ihn hindurchgehen. →Dekadenzlit.

R. Hamann, D. I. i. Leben u. Kunst, 1907; A. Soergel, Dichtg. u. Dichter d. Zeit I, 1911; M. Picard, D. Ende d. I., ²1920; H. Breysig, Eindrucckskunst u. Ausdruckskunst, 1927; L. Thon, D. Sprache d. dt. I., 1928; K. Brösel, Veranschaulichg. i. Realismus, I. u. Frühexpr., 1928; O. Walzel, Wesenszüge d. dt. I. (Zs. f. dt. Bildg. 6, 1930); M. Belang, Flaubert als Begründer d. lit. I. i. Frankr., Diss. Münster 1933; G. Decker, *D. i. in die Nederlandse letterkunde*, 1933; R. F. Lissens, *Het i. in de Vlamsche letterkunde*, 1934; C. M. Bowra, D. Erbe d. Symbolismus, 1948; W. Milch, Ströme, Formeln, Manifeste, 1949; R. Moser, *L' i. français*, 1951; B. J. Gibbs, *I. as a Lit. Movement (Modern Language Journal* 36, 1952); R. Hamann, J. Hermand, I., 1960, n. 1977; H. Sommerhalder, Z. Begriff d. lit. I., 1961, A. Stroka, D. I. d. dt. Lit., GW 10, 1966; W. Falk, I. u. Expressionismus (Expr. als Lit., hg. W. Rothe 1969); M. Diersch, Empiriokritizismus u. I., 1973, ²1977; M. E. Kronegger, *Lit. i.*, New Haven 1973; A. Schmidt, D. geist. Grundl. d. Wiener I. (Jb. d. Wiener Goethe-Ges. 78, 1974); W. Kohlschmidt, I. u. Jugendstil als lit. hist. Termini (*Filologia e critica*, Fs. V. Santoli 1976); M. Dietrich, I. i. österr. Theater (Lit. u. Theat. i. Wilh. Ztalter, hg. H.-P. Bayerdörfer 1978); R. M. Werner, I. als lit.hist. Begriff, 1981; W. Nehring, Möglichkeiten impr. Erzählens, ZPD 100, 1981; H. Marhold, I. i. d. dt. Dichtg., 1985.

Impressum (lat. = Eingedrücktes), Druckvermerk, Angabe von Verlag, Verfasser bzw. verantwortl. Herausgeber, auch Druckerei, Einband, Papierart, Umschlagentwurf, Auflagehöhe, Erscheinungsjahr und z.T. Copyright bei Druckschriften, meist auf der Rückseite des Titelblattes; für Zeitungen gesetzlich verlangt (Pflichteindruck).

Imprimatur (die lat. Formel der staatl. oder – bei relig., dogmat. und moral. Schriften – der kirchl. kathol. Bücher→zensur lautete entweder ›damnatur‹ = wird verdammt, d.h. darf nicht gedruckt werden, oder ›i.‹ = es werde gedruckt), 1. die vom Autor nach der letzten Korrektur erteilte endgültige Druckerlaubnis, – 2. die Druckfreigabe e. nach § 1385 des *Codex Juris Canonici* der kathol. Bücherzensur bei dem für den Autor zuständigen Diözesanoberhirten unterworfenen relig. Schriftwerks; wird in Bibelausgaben und -kommentaren, Erbauungs-, Gebets- und Andachtsbüchern sowie allen theolog. Werken eingedruckt.

H. Lackmann, D. kirchl. Bücherzensur nach gelt. kanon. Recht, 1962.

Imprint = →Impressum

Impromptu (franz. v. lat. *in promptu* = in Bereitschaft), unvorbereitetes, im Augenblick entstandenes →Stegreif-Werk, -Spiel, -Rede. →Improvisation.

Improvisation (lat. *improvisus* = unvermutet, unvorhergesehen), unvorbereitete Rede, Dichtung und schauspielerische Darstellung, Rollenerweiterung u. ä. aus dem →Stegreif, setzt lebhafte Phantasie voraus. Bes. beliebt in der ital. Renaissance (→Commedia dell'arte, B. Accolti, A. Marone), später bei Berufsdichtern verflacht.

W. Hermann, Dtls. Improvisatoren, 1906; H. Schultze, Theater aus d. I., 1955; J. Hodgson, E. Richards, *I.,* Lond. 1966.

Inauguraldissertation = →Dissertation

Incipit (lat. = es beginnt), urspr. Anfangsformel alter Hss., Buchrollen und Drucke anstelle des damals nocht nicht üblichen Titels (→explicit); dann Anfangsworte e. Textes.

Incrementum (lat. = Wachstum, Steigerung), rhetorische Figur der →Amplifikation: graduell gesteigerte Bezeichnungen des Gegenstandes durch e. Abfolge vom schwachen zum stärkeren Ausdruck gesteigerter Synonyme für denselben. Heute meist als Sonderform der →Gradation oder →Klimax betrachtet.

Index (lat. = Anzeiger), Inhaltsverzeichnis oder alphabet. Stichwort-, Sach- und Namenregister bei Büchern (→Register). Indices (Mz.) waren Schriftenverzeichnisse einzelner Autoren in röm. Lit. als erste literarhistor. Tätigkeit zur Scheidung von echten und unechten Werken.

Index librorum prohibitorum (lat. = Verzeichnis verbotener Bücher), auch *Index Romanus,* vereinzelt im MA., seit dem Konzil von Trient ab 1559 als Zusammenstellung von Einzelverboten von der kath. Kirche veröffentlichtes Verzeichnis derjenigen Bücher, die gegen kath. Dogma oder Moral verstoßen und deren Lektüre daher ihren Anhängern verboten ist; häufig neu herausgegeben und bis 1947 laufend revidiert, besteht aus drei alphabetisch zusammengeordneten Gruppen: 1. Autoren, deren Schriften sämtlich verboten sind, z. B. Luther, Marot, Rabelais, Machiavelli, Voltaire, d'Annunzio, A. Gide, Sartre, Moravia. 2. Einzelwerke sonst erlaubter Schriftsteller, 3. anonyme Werke. Die letzte Auflage (1948, Supplement 1954) umfaßte rd. 6000 Werke. Seit 1966 hat der I. l. p. nicht mehr kirchliche Gesetzeskraft und wird nicht fortgeführt, behält jedoch seine moral. Bedeutung.

F. H. Reusch, D. I., II 1883–85, n. 1967; L. Petit, *L'Index,* Paris 1886; J. Hilgers, D. I. d. verbot. Bücher, 1904; G. Casati, *L'Indice dei libri proibiti,* III Maild. 1937; A. Sleumer, *I. Romanus,* ¹¹1956; J. B. Scherer, 400 Jahre I. Romanus, 1958; H. Kühner, I. Romanus, 1963.

Indizierung →Zensur

Indianerroman, Sonderform des →Abenteuer- und →exotischen Romans aus dem Leben der nordamerikan. Indianer insbes. der Pionierzeit und ihrer Auseinandersetzung mit den weißen Ansiedlern; reicht von Coopers *Lederstrumpf* über Sealsfield, Strubberg, Gerstäker und K. May *(Winnetou)* bis zu O. Ruppius, B. Möllhausen, F. v. Gagern, F. Steuben u. a., in amerikan. Lit. bes. O. la Farge, M. Sandoz, D. Brown, C. Huffaker.

H. Plischke, V. Cooper bis K. May, 1951; E. Lips, D. Indianerbuch, ⁴1967; B. Georgi, D. Indianer i. d. amerikan. Lit., 1982.

Indianismus, Geistes- und Lit.-Strömung der südamerikan. Romantik Mitte 19. Jh., gekennzeichnet durch Hinwendung und Sympathie zum Indio als romantisch verklärtem Gegenstand einer exot.-folklorist. bestimmten Lit. Hauptvertreter: J. M. LAVARDÉN, E. ECHEVERRÍA, A. G. DIAS, J. M. de ALENCAR und G. de MAGALHÃES.

C. Meléndez, *La novela indianista en Hispanoamerica*, Madrid 1934; A. Cometta Manzoni, *El indio en la poesía de America esp.*, Buenos Aires 1939; D. Miller Driver, *The Indian in Brazilian Lit.*, N.Y. 1942; M. Strassberger, Üb. d. I., 1951.

Indigenismus, ähnlich dem →Indianismus Geistes- und Lit.-Strömung der südamerikan. Romantik bes. in den Andenländern des 19./20. Jh., betrachtet den Indio als Vorfahren der eigenen Geschichte und wesentl. Element der sozialen Erneuerung, protestiert gegen seine Unterdrückung und verlangt seine soz. Gleichstellung. Hauptvertreter: C. MATTO DE TURNER, A. GAMARRA, A. ARGÜEDAS, C. ALEGRÍA und J. ICAZA.

Indirekte Rede, im Ggs. zur →direkten Rede die mittelbare, meist von e. übergeordneten Verb des Sagens, Denkens o. ä. abhängige Wiedergabe von Worten anderer in der 3. Person und im Konjunktiv: Er sagte, er sei entrüstet.

A. Banfield, *Narrative style (Foundations of language* 10, 1973); G. Kaufmann, D. i. R., 1976; R. Pascal, *The dual voice*, N.Y. 1977; R. Küffner, Schwierigkeiten m. d. i. R. (Mutterspr. 88, 1978); E. Fauer, *Definition du discours ind. (Cahiers d'allemand*, 1979); N. Fernandez Bravo, Gesch. d. i. R. im Dt. (Dt. Spr. 7, 1979).

Individualdichtung (lat. *individuus* = unteilbar), im Ggs. zur →Gesellschaftsdichtung persönlichkeitsbetonte und rein vom Dichter aus gestaltete Dichtung; in der Extremform etwa das Tagebuch, das für keinen Leser bestimmt ist.

Individualstil (lat. *individuus* = unteilbar), von jedem gestaltungskräftigen Dichter ausgeprägter, persönlichkeitsgebundener →Stil, der

durch typische, unverwechselbare Eigenarten vom →Epochenstil und allg. Gattungsstil abweicht.

F. Martini, Persönlichkeitsstil u. Zeitstil (Stud.generale 8, 1955).

Indravajra (ind. = Indras Blitzstrahl), ind. Metrum der höf. Dichtung, Strophen von vier Elfsilbern der Form:

$$-\!-\!\cup\!-\!-\!\cup\!\cup\!-\!\cup\!-\!\underset{\cdot}{\cup}.$$

Indravamsha, ind. Metrum der höf. Dichtung, Strophe von vier Zwölfsilbern der Form:

$$-\!-\!\cup\!-\!-\!\cup\!\cup\!-\!\cup\!-\!\cup\!\underset{\cdot}{\cup}.$$

Industrieliteratur, →Arbeiterdichtung im engeren Sinne, die Probleme der mod. Industriegesellschaft und das Verhältnis von Mensch und Maschine zum Gegenstand hat, z. T. mit stark sozialkrit. Tendenz aus der Sicht der Arbeitnehmer in Dtl. gepflegt von der →Gruppe 61 und dem →Werkkreis Lit. der Arbeitswelt sowie in der DDR.

H. W. Kistenmacher, Maschinen u. Dichtg., Diss. Mchn. 1913; W. Wolff, Technik u. Dichtg., 1923; J. Winckler, D. dt. Industrielyrik (Pädagog. Warte 34, 1934); V. Frobenius, D. Behandlg. v. Technik u. Industrie i. d. Dichtg. v. Goethe bis z. Gegenw., Diss. Hdlbg. 1935; R. Dithmar, I., 1973, ²1977; L.-W. Wolff, Auftraggeber: Arbeiterklasse, LuS 6, 1975; M. D. Silberman, *Lit. of the working world*, 1976; V. Neuhaus, Die da oben, Jahresring 25, 1978 f.; P. Zimmermann, I. d. DDR, 1984.

Ineditum (lat. = nicht Herausgegebenes, Mz. Inedita), ungedrucktes, noch unveröffentlichtes Schriftwerk.

Inhalt, im Ggs. zu →Form und bei der Verbindung im (ästhet.) →Gehalt noch mehr der bloß →stofflíche, wertfrei nacherzählbare Tatsachenablauf e. Dichtung, der nie an die Stelle des Werkes selbst treten darf: in werthafter Dichtung bedingen Form und I. einander und sind untrennbar. I. ist immer auch Geformtes und nur theoret. Analyse separat zugänglich. Überbetonung des I. in soziolog. oder geisteswiss. Methoden führt zur Nichtachtung des Kunstwerks. Lit. Inhaltsforschung sollte als Oberbegriff die Quellen-, Themen-, Stoff-, Motiv- u. Symbolforschung zusammenfassen.

H. Redeker, Z. Ästhetik d. I.-Form-Dialektik, DU 1, 1974; E. Arndt, Probl. d. Lit.-Interpretation, 1978; H. Rust, Struktur u. Bedeutg., 1980; ders., Method. u. Probl. d. I.-Analyse, 1981; R. Viehoff u. a., SPIEL 2, 1983.

Initia (lat. = Anfänge), die Anfangswörter ma. Hss. und Frühdrucke vor Entstehung des eigtl. Titels, auch die Anfangswörter einzelner, insbes. der 1. und 2. Seite. Sie werden zus. mit →Incipit und →Explicit zur bibliograph. Zitierung und Identifikation herangezogen.

Initialen (lat. *initium* = Anfang), 1. Anfangsbuchstaben von Textabschnitten: Büchern, Kapiteln, Absätzen, Strophen; schon in Spätantike und bes. im MA. in den Hss. durch Größe, Farbgebung und Verzierung (ornamentale Linien und Schnörkel), schließlich durch kunstvolle bunte Miniaturmalerei – meist auf den Inhalt des folgenden Textes Bezug nehmend – hervorgehoben und auch in der Frühzeit des Buchdrucks mit der Hand ausgemalt, später durch teils bunte Holzschnitte oder Kupferstiche ersetzt. – 2. Anfangsbuchstaben als Verschleierung von Autorennamen (z. B. H. D. = Hilda DOOLITTLE) waren bes. im 17./18. Jh. üblich; ihre Anwendung auch auf lit. Figuren (z. B. *Die Marquise von O****) gibt den fiktiven Figuren größere Authentizität, da der Leser sie als Zeichen der Diskretion gegenüber realen Personen verstehen soll.

K. Lamprecht, I.ornamentik, 1882; K. Faulmann, D. I., 1886; W. L. Schreiber,

D. I.-Schmuck (Zs. f. Bücherfreunde 5, 1901); A. F. Johnson, *Decorative I. Letters*, Lond. 1931; A. J. Schardt, D. I., 1938; I. Reiner, I., 1942; J. Gutbrod, D. I., 1965.

Inkantation (v. lat.) →Beschwörungsformeln

Inkonzinnität (lat. *inconcinnus* = unharmonisch, unebenmäßig), im Ggs. zur →Konzinnität die syntaktisch ungleiche Konstruktion gleichwertiger Satzteile, entspricht e. übertriebenen Streben nach Wechsel im Ausdruck und Durchbrechung ermüdender Gleichmäßigkeit, in röm. Prosa zuerst bei ASINIUS POLLIO, dann SALLUST und bes. TACITUS' *Annalen*.

Inkunabeln (lat. *incunabula* = Windeln, Wiege), ›Wiegendrucke‹, früheste Erzeugnisse (Bücher, Einblattdrucke) des Buchdrucks mit beweglichen Lettern aus der Zeit bis 31. 12. 1500 (danach →Frühdrucke gen.), als dieser noch ›in den Windeln‹ lag, wegen teils typograph. Schönheit (ein Drittel illustriert), Seltenheit (Auflage wenige hundert; auch der Inhalt oft nie nachgedruckt) wie kultur- und literaturgeschichtl. Bedeutung äußerst gesucht und wertvoll für Bibliophile und Bibliotheken. Meist lat. relig., jurist. und medizin. Werke und antike Autoren.

L. Hain, *Repertorium Bibliographicum*, IV 1826–38, n. 1950; Suppl. dazu von W. A. Copinger, III 1895–1902, n. 1950; E. Vouilliéme, D. I. in ihren Hauptwerken, 1921ff.; Gesamtkatalog der Wiegendrucke, VII 1925–40, ²1968; D. Fava, *Manuale degli incunabuli*, Mail. 1939; K. Haebler, Hdb. d. I.kunde, 1925, n. 1979; F. Geldner, D. dt. I.drucker, II 1968–70; ders., I.kunde, 1977; RL²: Wiegendruck.

In medias res (lat. = mitten in die Dinge), nach HORAZ (*Ars poetica* 149) ein dichterisches Verfahren, das sich nicht lange bei einführenden Worten und einstimmenden Schilderungen aufhält, sondern den

Leser gleich mitten in die Handlung führt und während deren Ablauf die Vorgeschichte nachholt.

Innenreim →Inreim

Innere Emigration, von F. THIESS 1933 geprägte, August 1945 in e. offenen Brief veröffentlichte Bz. für diejenigen dt. Schriftsteller, die während des Dritten Reiches im Lande blieben, doch dem NS-Staat kritisch gegenüberstanden und daher geistig in die Emigration gingen, den ›Rückzug ins Schweigen‹ antraten und e. meist höchst indirekten Widerstand durch betontes Nichtengagement oder ästhet. Eskapismus leisteten, der ihnen eine Mittelstellung zwischen der offiziellen Dichtung des Dritten Reiches und der →Exilliteratur zuweist. Ihre lit. Technik war vielfach die der Camouflage, des durch einen anderen, vorgegebenen Gegenstand getarnten Schreibens ›zwischen den Zeilen‹, das sich im Einverständnis mit dem Leser entschlüsseln ließ (bes. R. PECHEL in der *Dt. Rundschau*) oder die der histor. Parallele oder des Gegenbildes als chiffrierte polit. Aussage. Die i. E. fand daher deutlichsten lit. Ausdruck im histor. Roman: W. BERGENGRUEN *(Der Großtyrann und das Gericht; Am Himmel wie auf Erden),* R. SCHNEIDER *(Las Casas vor Karl V.),* F. P. RECK-MALLECZEWEN, F. THIESS *(Das Reich der Dämonen),* J. KLEPPER *(Der Vater)* und G. von LE FORT, seltener in der Lyrik (R. A. SCHRÖDER, R. HAGELSTANGE, O. LOERKE, A. HAUSHOFER) und in der Rede (E. WIECHERT, *Rede an die Münchener Studenten, 1935).* In späteren Jahren schlossen sich auch G. BENN und E. JÜNGER *(Auf den Marmorklippen)* der i. E. an. Die Zuordnung weiterer Autoren ist problematisch.

H. R. Klieneberger, *The ›I. E.‹,* MH 57, 1965; H. Wiesner, I. E. (Hdb. d. dt. Gegenwartslit., hg. H. Kunisch 1965); H. R. Klieneberger, *The christian writers of the i. e.,* Haag 1968; W. Brekle, D. antifaschist. Lit. i. Dtl., WB 16, 1970; W. A. Berendsohn, I. E. (Germanist. Beiträge, Fs. G. Mellbourn, Stockh. 1972); Exil u. i. E., hg. R. Grimm, J. Hermand 1972; dass. II, hg. P. U. Hohendahl, E. Schwarz 1973; G. Berglund, Einige Anm. z. Begriff d. i. E., Stockh. 1974; R. Schnell, Lit. i. E., 1976; M. Mallmann, ›D. Innere Reich‹, 1978; Widerstand u. Verweigerg. i. E. 1933–45, hg. R. Löwenthal 1982; Europ. Lit. gegen d. Faschismus, hg. T. Bremer 1986.

Innere Form →Form

Innerer →**Monolog,** Erzähltechnik der Wiedergabe von in Wirklichkeit unausgesprochenen Gedanken, Assoziationen, Ahnungen der Figuren in direkter Ich-Form und Präsens im Ggs. zur →erlebten Rede in 3. Person und Imperfekt; erstrebt die Wiedergabe der Augenblicksregungen, wie sie im Bewußtseinsstrom (→stream of consciousness) und aus dem Unterbewußtsein erscheinen, und versucht die →Identifikation von Leser und Romanheld durch unmittelbare Gleichsetzung und völliges Verschwinden des Erzählers, aber auch e. objektiven Weltentwurfs. Der i. M. wurde nach Vorgang der simultanen Schilderung in Dadaismus und Futurismus erst im seelenanalyt. Roman eingeführt: zuerst beim Russen W. M. GARŠIN, *Vier Tage,* 1877 und E. DUJARDIN, *Les lauriers sont coupés,* 1887, dann bei H. CONRADI, *Adam Mensch,* 1889, SCHNITZLER, *Leutnant Gustl,* 1901, *Fräulein Else,* 1924, A. DÖBLIN, *Berlin Alexanderplatz,* 1930, Th. MANN, *Lotte in Weimar,* 1939, BROCH, *Der Tod des Vergil,* 1945, bes. aber bei J. JOYCE als Darstellung des Unterbewußten, das freilich als unlog., dämmerhaft angedeutete und ständig komplex überlagerte, formlose

Masse die sprachl. Formen sprengt (*Ulysses*, 1922, *Finnegans Wake*, 1939), bei seiner Schülerin Virginia WOOLF dagegen als logisch geordneter Bewußtseinsstrom und bei M. PROUST und W. FAULKNER (*The Sound and the Fury*, 1929) zu Dauermonologen ausgeweitet. Das ästhet. Problem, inwiefern e. auf bewußte Inkohärenz, freie Assoziationen, Aufhebung, ja Umkehrung des Zeitablaufes und Auflösung des syntakt. Gefüges abzielendes, scheinbar unkontrolliertes Psychogramm dieser Art noch e. Anspruch auf Anerkennung als Kunstwerk erheben kann, wird erst durch genaue Analyse des i. M. geklärt, in der sich vielfach herausstellte, daß der i. M. keineswegs bloße Wiedergabe e. (fiktiven) Bewußtseinsstromes ist, sondern vielmehr dessen durch musikal. Leitmotive und aufeinander bezogene Formmuster (patterns) bewirkte künstlerische Gestaltung.

E. Dujardin, *Le monologue intérieur*, Paris 1931; W. Neuse, Erlebte Rede u. i. M. in den erzählenden Schriften Schnitzlers, PMLA 49, 1934; G. Storz, Üb. d. monol. int. od. d. erlebte Rede, DU 8, 1955; D. Bickerton, *Modes of interior monologue*, MLQ 28, 1967; E. Höhnisch, Das gefangene Ich, 1967; W. J. Lillyman, *The interior monologue in J. Joyce and O. Ludwig*, CL 23, 1971; G. Uellenberg, Bewußtseinsstrom i. M. u. Rollenprosa (Tendenzen d. dt. Lit. seit 1945, hg. T. Koebner, 1971); D. Cohn, *Transparent minds*, Princeton 1978; F. Weisman, *Du monol. int. à la sous-conversation*, Paris 1979; W. Neuse, D. Anfge d. erl. Rede u. d. i. M. i. d. dt. Prosa d. 18. Jh. (Theatrum Mundi, Fs. H. Lenz 1980). →erlebte Rede, →Stream of consciousness.

Innerlichkeit, die Abwendung von der Außenwelt und den Umwelteinflüssen zu den inneren Erfahrungen und Reichtümern der Seele, zur Besinnung und inneren Sammlung. I. wird je nach Zeittendenz und Betrachterstandpunkt gescholten als irrationale, engstirnige Zivilisationsverachtung, als Eskapismus aus einer unverstandenen polit.-soz. Welt in den Elfenbeinturm der weltfremden, sentimentalen Kleinbürgeridylle, bes. in Zeiten der Revolutionen und polit. Enttäuschungen, oder gepriesen als seel.-gemüthafter, ›typisch dt.‹ Wert einer sehnsüchtig versponnenen Naturfrömmigkeit gegenüber einer weltgewandten und formglatten Oberflächlichkeit. Historisch realisiert wurde I. bes. in Mystik, Protestantismus, Pietismus, Empfindsamkeit, Romantik, Biedermeier und innerer Emigration, z. T. in der Neuen Subjektivität.

J. Brändle, D. Problem d. I., 1950; W. Kohlschmidt, Form u. I., 1955; H. Staub, Laterna magica, 1960.

Inreim, Form des →Reims durch Gleichlaut e. Wortes im Versinneren mit dem Versende: ›Eine starke, schwarze Barke / segelt trauervoll dahin / Die verstummten und vermummten / Leichenhüter sitzen drin‹ (HEINE), Form des →Binnenreims, oft auch für →Mittelreim.

Inschriften mit meist farbig nachgezogenen Buchstaben in Stein, Metall, auf Holz (→Album), Hauswänden (Bau-I. an Kirchen, öffentl. und privaten Bauten), Gräbern und Gebrauchsgegenständen (z. B. Waffen) – die →Ostraka werden meist zu den Papyri gerechnet – sind häufig älteste Denkmäler e. Sprache und gehören, da das Schreibmaterial keinen Unterschied begründen darf, in weiterem Sinne auch zur Lit., sind jedoch selten von lit. Wert (Grabgedichte, →Epigramme, Reden), meist für rein prakt., außerkünstler. Zwecke verfaßt: Weih-, Triumph- und Ehren-I. (*Monumentum Ancyranum:* Taten des Augustus), Gesetze (*Tabula Bantina* u. a.), Bekanntmachungen, Staatsurkunden und -verträge, Kalender, Rechenschaftsberichte (Ägypten, Babylonien) u. ä.; sie sind daher mehr Quellen für Geschichte, Kultur und Alltagsleben früherer Zeit und – bes. da meist in Dialekt gehalten – wertvoll für die Sprachgeschichte. Ihre weite Verbreitung und große Bedeutung im Alten Orient und der Antike erklärt sich aus dem Fehlen anderer Möglichkeiten zu weitreichender Veröffentlichung und der relativ größeren Öffentlichkeit des antiken Lebens überhaupt. Auswertung und Ordnung der I. ist Aufgabe der →Epigraphik. →Runen.

F. Panzer, I.kunde, in ›Aufriß‹ I; A. G. Woodhead, *The Study of Greek Inscriptions*, Lond. 1959.

Inspiration (lat. = Einhauchen), die dem künstlerischen Schaffensprozeß vorausgehende, ihn z.T. auch dauernd leitende Eingebung. Der irrationale und teils abgelehnte Begriff wurde in Antike und MA. oft mit der religiösen I. verglichen oder gleichgesetzt und durch →Anrufung der Götter oder Musen erfleht, ab 18. Jh. dem Genie als innere I. zugeschrieben, im 20. Jh. von der Psychologie aus dem Wirken des Unbewußten abgeleitet, das durch individuell unterschiedl. Arbeitsmethoden in produktive Zustände überführt werden kann. →Intuition.

G. Kleiner, D. I. d. Dichters, 1949; C. M. Bowra, *I. and Poetry*, Lond. 1955; R. Harding, *An anatomy of i.*, Lond. ²1948; J. Press, *The fire and the fountain*, Lond. 1966; E. Barmeyer, D. Musen, 1968; K. Koch, *I. and work*, CLS 17, 1980; H. J. Baden, Geist u. Buchstabe (Warum noch lesen?, hg G. K. Kaltenbrunner 1983).

Inspizient (lat. *inspicere* = ansehen, beaufsichtigen), Spielwart, hinter den Kulissen tätige Aufsichtsperson beim Theater, die für Durchführung der Regieanweisungen sorgt: Szenenaufbau, rechtzeitiges Vorhangziehen und Auftreten der Schauspieler, Geräusch- und Lichteffekte u. ä.

Institutio (lat. = Anweisung), zusammenfassende, systemat. Einführung in e. Wissensgebiet (Recht, Rhetorik, Grammatik, Arithmetik, Theologie) für Anfänger; weitverbreiteter Zweig der röm. Lit., der sich durch erzieherisch geschickte Darstellung, stoffreiche Mannigfaltigkeit bei selbständigem Denken und Forschen von den steifen →Kompendien unterschied und erst im 3. Jh. n.Chr. zu diesen absank (→Isagoge); am bekanntesten die *I. oratoria* des QUINTILIAN.

Inszenierung (griech. *skene* = Bühne), die gesamten vorbereitenden Maßnahmen zur Aufführung e. Theaterstückes unter Leitung des Regisseurs: →Bühnenbearbeitung durch Dramaturg oder Regisseur, Rollenbesetzung, Entwurf und Herstellung der →Dekoration durch Bühnenbildner oder -maler, der Kostüme durch den Kostümbildner und der technischen Hilfsmittel durch den Bühnentechniker, Einstudierung (→Proben) des Regisseurs mit den Schauspielern u.a.m., das der theatral. Verwirklichung e. dramat. Dichtung vorausgeht.

C. Kaulfuß-Diesch, D. I. d. dt. Dramas an der Wende d. 16./17. Jh., 1905; C. Hagemann, D. Kunst der Bühne, 1922; H. Hilpert, Formen d. Theaters, 1943; I. u. Regie barocker Dramen, hg. M. Bircher 1976; D. Drama u. seine I., hg. E. Fischer-Lichte 1985. →Theater.

Integration (lat. *integratio* = Wiederherstellung, Erneuerung, zu *integer* = ganz, vollständig), allg. die Verbindung inhaltl. gedankl. oder sprachkünstler. Art zu e. geschlossenen, durchkomponierten und sinnvollen Ganzen von einheitl. Stimmungslage. Insbes. als ›ep. I.‹ die Orchestrierung der Haupthandlung durch Parallel- oder Kontrastmotive in Erzähl- oder Liedeinlagen, Träumen, Visionen, Erinnerungen der Figuren, die wiederum durch Leitmotive, Dingsymbole oder Schlüsselwörter mit der Haupthandlung verklammert sind. Sie dient der themat. Ausweitung ins Allgemeingültige.

H. Meyer, Z. Probl. d. ep. I. (in: Zarte Empirie, 1963).

Intelligenzblätter (engl. *intelligence* = Nachricht, Auskunft), Bz. des 18. Jh. für periodisch, meist wöchentlich erscheinende Nachrichtenblätter, meist mit Geschäftsanzeigen (Angebot und Nachfrage) und geringem redaktionellem Teil; zuerst die Pariser *Gazette* (1631 ff.). Sie erschienen in Dtl. seit 1722 als amtl. Publikationen und erhielten durch das Anzeigenverbot für andere Zeitungen das Monopol für Inserate als staatl. Erwerbsquelle; nach Aufhebung des Monopols 1848 in Zeitungen und Zss. übergegangen.

H. Max, I. (Hdb. d. Zeitgswiss., 1942); K. d'Ester in ›Aufriß‹ III; M. Lindemann, D. dt. Presse bis 1815, 1969; H. Böning, D. I. als Medium prakt. Aufkl. (Intern. Archiv f. Sozialgesch. d. dt. Lit. 12, 1987).

Intendant (lat. *intendere* = seine Bemühungen auf etwas richten), vom Staat oder der Stadt angestellter verantwortl. Organisator und repräsentativer Leiter e. Theaters in künstler. und geschäftl. Hinsicht, der, durch e. festes Gehalt nicht an Massenerfolgen und damit an der Aufführung von Kassenreißern interessiert (im Ggs. zum früheren Prinzipal), für einen wertvollen Spielplan Sorge trägt. Die I.en der früheren →Hoftheater waren meist vom Fürsten ernannte Adlige, Offiziere oder Beamte (Frh. v. DALBERG in Mannheim, Graf v. BRÜHL in Berlin), die ihm für den Geist der Bühne verantwortlich waren und selbst wiederum kunstverständige Bühnenleiter beschäftigen mußten; die jetzigen Staats- und Stadttheater dagegen erstreben durch Berufung künstlerisch hervorragender Persön-

lichkeiten (Regisseure, Dramaturgen, berühmte Schauspieler oder Kritiker) die Erhöhung des künstler. Niveaus.

RL¹.

Intentional fallacy (engl. = Trugschluß der Absicht), der Fehlschluß des Kritikers, von einem vermeintl. besseren Verständnis der vermuteten oder erklärten Absicht (Intention) des Autors aus das Gelingen oder Mißlingen des Werkes an dieser zu beurteilen, statt das Werk in seiner vorliegenden Gestalt ganz aus sich selbst heraus zu verstehen. Schlagwort des New Criticism zur Rechtfertigung der →werkimmanenten Methode.

W. K. Wimsatt, *The verbal icon*, Lexington 1954; E. Lobsien, *The i. f. revisited*, CC 7, 1985.

Interjektion (lat. *interiectio* = Einwurf), rhetorische Figur des in die Satzkonstruktion eingeschobenen Ausrufs: ›Habe nun, ach!, Philosophie...‹ *(Faust).*

Interlinearglosse →Glosse

Interlinearversion (lat. *inter* = zwischen, *linea* = Zeile, *versio* = Wendung, Übersetzung), zwischen den Zeilen eines fremdsprach. Textes stehende Wort-für-Wort-Übersetzung ohne Berücksichtigung anderer Wortstellung und sinngemäßer Zusammenhänge der Wiedergabe nur zum lehrhaften Zweck der Verständniserleichterung oder tatsächlich als mangelhafte Übertragungsversuche wie das *Trierer Kapitulare.* Zahlreiche ältere dt. Lit.denkmäler des 9./10. Jh. sind I.en lat. Texte wie *St. Galler Psalter* und *Benediktinerregel, Murbacher Hymnen, Tegernseer Carmen* u. a. m., die im Zusammenhang mit der Glossierungstätigkeit des Klosters Reichenau entstanden und erst später auch die dt. Inhaltsgestaltung berücksichtigen.

→Glosse.

RL; G. Baesecke, Unerledigte Vorfragen d. ahd. Textkritik, PBB 69, 1947; W. Betz, Dt. u. lat., 1949.

Interlude (engl. =) komisches →Zwischenspiel, engl. Komödiengattung des 15./16. Jh., anfangs bes. als burleske Einlage zur Unterhaltung bei höf. Banketten und Festen, später auch als selbständiger Teil des Festprogramms mit typ., nicht allegor. Figuren und Masken als Sprechern (Interlocutoren) ähnlich der antiken Komödie; in England zuerst von M. MEDWALL (*Fulgens and Lucres* 1495), bes. von J. HEYWOOD gepflegt, dessen sechs erhaltene I.s (*The Play of the Weather* 1533, *The four P's* 1545 u.a.) von der Form des Streitgesprächs ausgehen. Blütezeit in der Renaissance; später zusehends individualisiert, in Akt und Szenen aufgeteilt und nach Haupt- und Nebenfiguren gegliedert, dann Übergang zum Drama schlechthin im 16. Jh.

A. Brandl, Quellen d. weltl. Dramas i. Engl., 1898; A. W. Pollard, *Engl. Miracle Plays, Moralities and I.,* Oxf. 1923; H. Zühlsdorff, D. Technik d. kom. Zwischenspiels d. frühen Tudorzeit, Diss. Bln. 1938; T. W. Craick, *The Tudor I.,* Leicester 1958; W. Habicht, Stud. z. Dramenform vor Shakespeare, 1968.

Interludium (lat. *inter* = zwischen, *ludus* = Spiel) →Zwischenspiel. Vgl. →Interlude, Intermezzo, Entremes.

Intermedium →Intermezzo

Intermezzo (ital., v. lat. *intermedium* =) →Zwischenspiel als Einlage in e. Bühnenwerk, bes. die in Italien seit der Wiederaufnahme der PLAUTUS-Komödien im 15. Jh. beliebte Zwischenakts-Unterhaltung in den Pausen der Tragödien, ernster Schauspiele und großer Opern, zuerst im Madrigalstil, später Musikstücke, kom. Chor- und Singspiele mytholog. Charakters und bes. pompös ausgestattete Ballette,

Maskeraden, Pantomimen, burleske Typenstücke aus dem Volksleben und in der Volkssprache, meist mit erot. Beleuchtung; anfangs mit gar keinem oder nur losem Zusammenhang untereinander, ohne Sinnbezug zur eigentl. Aufführung, zu deren ernstem Inhalt sie höchstens das kom. Gegenstück bildeten, später dagegen zu e. fortlaufenden Handlung zusammengeschlossen (PERGOLESI, *La serva padrona,* 1733) und schließlich als höf. Festspiel ähnl. den Trionfi, Ballett, als Opera buffa oder komische Oper verselbständigt und vom Drama gelöst. Heute Bz. für Zwischenaktmusik oder Ballett in der Oper.

J. Mamczarz, *Les intermèdes comiques ital.,* Paris 1972.

Interpolation (lat. *interpolatio* = Aufstutzung, Verfälschung), in der Philologie die spätere Einschaltung von Worten, Sätzen und ganzen Abschnitten, Versen oder Strophen durch fremde Hand in e. feststehenden überlieferten Text, die entweder als Erklärung vom Sinn gefordert werden, daher in dem Text als ausgelassen angesehen werden müssen, oder aber sich als Fälschung bzw. Verderbnis erweisen, wie z.B. jüd. und christliche Gelehrte des Altertums durch I.en in fremden Schriften ihrer Lehrmeinung den Anschein höheren Alters und damit mehr Gewicht geben wollten. Schließlich auch in den Text aufgenommene Glossen, Modernisierungen und Aktualisierungen älterer Texte. Aufdeckung und Beseitigung erkannter I.en ist Aufgabe der →Textkritik; maßgeblich ist meist der fehlende Anschluß e. I. nach unten, d.h. zum folgenden Gedanken.

Interpretation (lat. *interpretatio* = Erklärung, Auslegung), allg. erklärende Auslegung und Deutung von

Schriftwerken nach sprachl., inhaltl. und formalen Gesichtspunkten (Aufbau, Stil, Metrik); bes. e. Methode der mod. →Literaturwissenschaft, die durch möglichst eindringl., tiefe Erfassung e. dichter. Textes in seiner Ganzheit als untrennbare Einheit von →Gehalt und →Form meist →werkimmanent rein aus sich heraus – ohne Seitenblicke auf biograph. oder literaturgeschichtl. Wissen – zu e. vertieften Verständnis des Sprachkunstwerks führen, die Dichtung als Dichtung erschließen will. Sie beginnt mit Textkritik, Feststellung des Wortsinnes, Behandlung und Aussagewert der benutzten Gattung, evtl. des Versmaßes, reflektiert die Entstehung, die sprachl. Bildwelt, die Motive und schreitet weiter zur Ausdeutung des symbol. Gehalts und der Struktur- und Formanalyse in ihrer wechselseitigen Bezogenheit, kann auch schließlich zur Einordnung e. Werkes in lit. Gattungen und Epochen führen, ist jedoch stete Voraussetzung jeder solchen Gruppierung und damit unerläßl. Ausgangspunkt der mod. Literaturwissenschaft. Gründlichkeit der Untersuchung und ständige, unmittelbare Textnähe als Voraussetzung richtiger, d. h. überprüfbarer I. fördern den Kontakt zum Dichterwort und entwickeln das Einfühlungsvermögen, dienen dabei gleichzeitig der prakt. Einführung in die Phänomene des Dichterischen, die Schaffensweise sprachl. Kräfte und die Probleme der Poetik. Ihre Grenzen liegen darin, daß schon die Frage nach dem genauen Wortgebrauch und der Vorstellungswelt, den ›Bildfeldern‹ e. Dichters, in früheren Zeiten oft e. ganzen Epoche, zur Heranziehung seiner weiteren Schriften führt. Neuere Forschungsrichtungen wie die Rezeptionsgeschichte und Hermeneutik relativieren die

Ergebnisse der Einzel-I., ohne sie ersetzen zu wollen. Auch die soziolog. Literaturwissenschaft entwickelte e. eigene Methode der – allerdings vorwiegend inhaltsbezogenen I. Dem Verständnis des komplexen Einzelwerks kommt daher ein Methodenpluralismus zugute, der entweder mehrere Aspekte des Werkes separat angeht oder die dem Werk am ehesten gemäße, kongeniale Methode der I. auswählt.

Th. Spoerri, Präludium z. Poesie, 1929; ders., D. Formwerdung d. Menschen, 1938; W. Kayser, D. sprachl. Kunstwerk, 1948 u.ö.; H. O. Burger, Method. Probl. d. I., GRM 32, 1951; Th. Spoerri, D. Struktur d. Existenz, 1951; Th. C. v. Stockum, Z. Deutg. d. Wortkunstwerks, Neophil. 35, 1951; W. H. Brudford, Lit. I. in Germany, Cambr. 1952; W. Kayser, Lit. Wertg. u. I., DU 1952; E. Trunz, Üb. d. I. dt. Dichtg. (Stud. generale 5, 1952); A. Closs, Gedanken z. Auslegg. v. Gedd., DVJ 27, 1953; H. Haeckel, ebda.; E. Trunz, Lit.wiss. als Auslegg. u. Gesch. d. Dichtg. (Fs. J. Trier, 1954); P. Böckmann, D. I. d. lit. Formensprache, DVJ 7, 1954; W. Flemming u. E. Buddeberg, ebda.; RL; E. Betti, Teoria generale della i., II Maild. 1955; H. Oppel in ›Aufriß‹, 1955; E. Staiger, D. Kunst d. I., 1955 u.ö.; W. Kramer, Inleiding tot de stilistische i. van lit. kunst, Groningen ⁴1956; W. Ross, Grenzen d. Gedicht-I., WW 7, 1956; F. Koch, Z. Kunst d. I., ZDP 77, 1958; K. May, Z. Fragen d. I., DVJ 33, 1959; E. D. Hirsch, Objective i., PMLA 75, 1960; W. Babilas, Tradition u. I., 1961; H. Kuhn, I.lehre (Unterscheidg. u. Bewahrg., Fs. H. Kunisch, 1961); K. A. Ott, Üb. e. log. I. d. Dichtg., GRM 42, 1961; Analyzing lit. works, hg. L. Steinmetz, N.Y. 1962; R. Guardini, Sprache, Dichtg., Deutg., 1962; W. Hübner, D. engl. Lit.werk, 1963; B. v. Wiese, Geistesgesch. od. I.? (Fs. F. Maurer, 1963); H. Rüdiger, Zwischen I. u. Geistesgesch., Euph. 57, 1963; G. Storz, Grundfragen d. I. v. Dichtgn. (in: Figuren u. Prospekte, 1963); W. Höllerer, Möglichkeiten d. I. lit. Werke, OL 19, 1964; Die Werk-I., hg. H. Enders 1967, ²1978; E. Betti, Allg. Auslegungslehre als Methodik d. Geisteswiss., 1967; H. Politzer, D. Handwerk d. I. (in: D. Schweigen d. Sirenen, 1968); E. Leibfried, Krit. Wiss. v. Text, 1970; P. D. Juhl, Intention and lit. i., DVJ 45, 1971; ders., ebda. 49, 1975 u. LiLi 1973; N. Mecklenburg, Krit. Interpretieren, 1972; A. Fuchs, Z. Theorie u. Praxis d. Text-I. (Dt. Weltlit., Fs. J. A. Pfeffer 1972); E. D.

Hirsch, Prinzipien d. I., 1972; W. Martin, *The hermeneutic circle and the art of i.*, CL 24, 1972; H. Lehnert, Struktur u. Sprachmagie, ²1972; W. Krauss, Grundprobleme d. Lit.wiss., ³1973; J. Hermand, Synthetisches Interpretieren, ⁴1973; P. Böckmann, Formensprache, ³1973; H. Göttner, Logik d. I., 1973; E. Leibfried, I., 1973; J. S. Petöfi u. a., Probl. d. modelltheoret. I., 1974; A. P. Foulkes, *The search for lit. meaning*, 1975; L. Spitzer, E. Methode, Lit. z. interpretieren, ²1975; G. Pasternack, Theoriebildg. i. d. Lit.wiss., 1975; G. Meggle, M. Beetz, I.theorie u. I.praxis, 1976; E. D. Hirsch, *The aims of i.*, Chic. 1976; I.analysen, hg. W. Kindt 1976; R. Haas, Theorie u. Praxis d. I., 1977; C. Eykman, Phänomenologie d. I., 1977; M. Titzmann, Strukturale Textanalyse, 1977; Methoden d. Textanalyse, hg. W. Klein 1977; W. Michel, D. Aktualität d. Interpretierens, 1978; E. Arndt u.a., Probl. d. Lit.-I., 1978; J. Pieper, Was heißt I.?, 1979; G. Pasternack, I., 1979; *Lit. and its i.*, hg. L. Nyirö, Haag 1979; Befund u. Deutg., hg. K. Grubmüller 1979; P. D. Juhl, I., Princeton 1980; L. Bredella, D. Verstehen lit. Texte, 1980; H. J. Pfister, Strategien d. I., 1981; Psychoanalyt. u. psychopath. I., hg. B. Urban 1981; Edition u. I., hg. L. Hay 1981; V. Klotz u.a., Lit. & Erfahrg. 12/13, 1983; W. Hinck, Lit.kritik-Werk-I. (in: Germanistik als Lit.kritik, 1983); K. Mueller-Vollmer, *Understanding and i.* (Yearb. of compar. crit. 10, 1983); ders., Z. Problematik d. I.begriffs i. d. Lit.wiss. (Fs. H. Lehnert, 1983); I., Poetics 12, 1983; K. Maurer, Textkritik u. I., Poetica 16, 1984; H. G. Werner, Text u. Dichtg., 1984; J. Wirrer, Textverarbeitg. u. I., 1984; J. Schutte, Einf. i. d. Lit.-I., 1985; J. Matoni, Logik d. I., 1986; K. Blandzun, Methodik u. Methodologie d. lit.-wiss. I., Bibliogr. 1986; K. M. Newton, *In defence of lit. i.*, Lond. 1986. →Analyse, →Hermeneutik, →Literaturwissenschaft.

Interpunktion (lat. *interpunctio* =) Setzung von Satzzeichen für Redepausen und Sinneinschnitte beim Vortrag sowie zur log. Durchgliederung des Satzgefüges; im dichter. Text nicht an die übl. I.sregeln gebunden, da auch sie der Aussagekraft als stilist. Akzentsetzung, gewissermaßen schon wieder eigene Deutung, untergeordnet ist, so bes. bei KLEIST, im Symbolismus, bei St. GEORGE, BINDING u. a.

J. Stenzel, Zeichensetzung, ²1970; S. Höchli, Z. Gesch. d. I. im Dt., 1981.

Intertextualität, Sammelbz. für die Wechsel- und Referenzbeziehungen e. konkreten lit. Textes zu e. Vielzahl konstitutiver und zugrundeliegender anderer Texte, Textstrukturen und allg. semiot. Codes, auf die er durch Zitate, Anspielungen u. ä. verweist und damit e. enges Netz von textl. Beziehungen ausbreitet. Typ. Großformen lit. I. sind Plagiat, Imitation, Adaption, Parodie, Travestie und Übersetzung/Nachdichtung. Auch Wechselbeziehungen zur Bildkunst werden als I. verstanden.

M. Riffaterre, *La production du texte,* Paris 1979; I., hg. U. Broich 1985; M. Geier, D. Schrift u. d. Tradition, 1985; H. Turk, I. als Fall d. Übs., Poetica 19, 1987; I. Hoesterey, Verschlungene Schriftzeichen, 1988.

Interversion →Interlinearversion

Intrige (franz. *intrigue* v. lat. *tricae* =), Komplott, Ränke, Machenschaften, Verwicklungen und Vertauschungen als absichtlich hinterlistig durch e. Intriganten herbeigeführte Komplikationen im Drama, die am moral. schwächeren Seite zur Durchsetzung ihrer Ziele verhelfen sollen. Sie führen in der Tragödie zum Untergang (SCHILLER, *Kabale und Liebe*), in der Komödie zu heiterer Lösung und glücklichem Ende (SHAKESPEARE, *The Merchant of Venice*). Bes. das roman. Drama ist häufig I.ndrama im Unterschied zum Charakterdrama, so die →comedia en capa y espada. Die Komödie ist I.nkomödie schon seit MENANDER *(Dyskolos)*, APOLLODOR, PLAUTUS und TERENZ (*Heautontimorumenos*), dann bes. CALDERÓN *(Dame Kobold)*, SHAKESPEARE *(The merry wives of Windsor)*, CONGREVE *(Love for Love)*, MOLIÈRE *(Les fourberies de Scapin)*, BEAUMARCHAIS *(Mariage de Figaro)*, SCRIBE *(Un verre d'eau)* und HOFMANNSTHAL *(Der Unbestechliche)*. Oft formale Grundlage der Ironie.

H. Knorr, Wesen u. Funktion des Intriganten, Diss. Erl. 1951.

Intrigendrama, -komödie →Intrige

Intuition (lat. = Anschauung), das
unmittelbare, spontane Gewahr-
werden von Sachverhalten und Zusammenhängen in ihren wesentl.
Zügen nicht als Ergebnis eingehen-
der, bewußter Reflexion, sondern
vom Unterbewußten her, daher als
schöpferische Eingebung empfunden und als Kennzeichen des Genies
erachtet und oft mystifiziert. In der
Kunst- und Literaturpsychologie ist
I. das Vermögen des Künstlers, seinen Absichten angemessenen sinnl.,
musikal., sprachl. oder bildl. Ausdruck zu verleihen, und damit Voraussetzung jeder echten Eigenschöpfung, die allerdings nur zustande kommt, wenn ihr das handwerkl. Können zu kongenialer Gestaltung entspricht.
J. König, D. Begriff d. I., 1926; J. Maritain, Creative I. in Art and Poetry, N.Y.
1953; A. J. Bahm, Types of I., New Mexico 1961; K. Möhlig, Die I., 1965.

In usum Delphini →ad usum Delphini

Invektive (lat. invehi = jdn. ›anfah-
ren‹), persönl. oder polit. Schmähre-
de (invectiva oratio), -schrift auf
Personen oder Abstraktionen verbreiteter Zweig antiker Lit.: ARCHI-
LOCHOS, BION, NAEVIUS, LUCI-
LIUS, SALLUST, JUVENAL, VARRO
u. a. m.; →Jamben, →Satire.
S. Koster, D. I. i. d. griech. Lit., 1980.

Inversion (lat. inversio = Umkehrung), Umstellung der üblichen, regelmäßigen Wortfolge, im engeren
Sinne nur von Subjekt und Prädikat,
im Satz zur Hervorhebung e. Wortes an ungewohnte Stelle: ›Groß‹ ist
die Diana der Epheser‹ (Apostel-
gesch. 19, 28), aus metr. Gründen
oder in schlechtem Sprachgebrauch,

bes. Geschäftsstil nach ›und‹: ›und
will ich‹ (sog. Kaufmanns-I.). Wichtig für die Sprache des 18. Jh. als
Durchbruch des Emotionellen
(HALLER, BODMER, BREITINGER,
KLOPSTOCK). Da das Dt. kein festes
Wortstellungsschema hat, die Reihenfolge vom Gewicht abhängt, das
man den Redeteilen zuerkennt, ist
die Anwendung der Bz. I. im Dt.
umstritten, das Faktum aber sehr
viel häufiger und weniger ungewöhnlich als in anderen Sprachen.
H. Henze, D. I. i. d. Poetik u. Dichtersprache d. 18. Jh., Diss. Gött. 1965.
→Stilistik.

Invokation (lat. invocatio =)
→Anrufung Gottes, Heiliger usw.
am Beginn von Epen oder als Einleitungsformel von Urkunden u. ä.

Inzision (lat. incisio = Einschnitt),
in der Verslehre = →Zäsur, bes. des
→Pentameters; in der Rhetorik der
Abschnitt e. →Kommas.

Ionikus (griech. ionikos = ioni-
scher Vers, nach dem Dialekt der
Dichtungen), viersilbiger antiker
Versfuß aus zwei Längen und zwei
Kürzen, je nach Stellung I. a maiore
($-\,-\,\cup\cup$) oder I. a minore ($\cup\cup\,-\,-$)
genannt, oft mit →Anaklasis (1)
dem →Choriambus verwandt; verwendet in griech. und lat. Lyrik
(ALKMAN, ANAKREON) und Tragödie (EURIPIDES) in Di- und Trimetern (so bildet HORAZ III, 12 e. Strophe aus 2:2:3:3 I. a minore), auch
in beliebiger Folge oder mit Anakre-
onteen vermischt oder im →Sota-
deion, in dt. Lit. etwa bei GOETHE:
›Ufm Bergli bin i gsässe‹ u. a.
Lit. →Metrik.

Irische Renaissance, 1893 mit der
Gründung der Gaelic League beginnende und bis zur Gegenwart an-
dauernde Strömung zur Wiedererweckung der alten kelt.-ir. Folklore
(Mythen, Sagen und Legenden)

durch Sammlung und lit. Neubearbeitung; Begleiterscheinung der polit. Emanzipation Irlands und seines erwachenden Nationalismus, getragen von D. Hyde, W. B. Yeats, G. Moore, J. M. Synge, S. O'Casey, Lady Gregory u. a. mit Einfluß auf J. Joyce. Haupterfolg der I. R. war die Begründung e. eigenständigen und weltlit. einflußreichen Theaterkultur in Dublin.

W. P. Ryan, The Irish Lit. Revival, 1894; L. R. Morris, The Celtic Dawn, N.Y. 1917; E. A. Boyd, Ireland's lit. Renaiss., Dublin 1916, n. 1968; D. Morton, The Renaiss. of Irish poetry, N.Y. 1929; I. R., hg. R. Skelton, Dublin 1965; U. Ellis-Fermor, The Irish Dramatic Movement, Lond. ²1967; R. Hogan, After the I. R., Minneapolis 1967; R. Fallis, The I. R., Dublin 1978.

Ironie (griech. *eironeia* = Verstellung), die kom. Vernichtung eines berechtigt oder unberechtigt Anerkennung Fordernden, Erhabenen durch Spott, Enthüllung der Hinfälligkeit, Lächerlichmachung unter dem Schein der Ernsthaftigkeit, der Billigung oder gar des Lobes, die in Wirklichkeit das Gegenteil des Gesagten meint (→Litotes) und sich zum Spott der gegnerischen Wertmaßstäbe bedient, doch dem intelligenten Hörer oder Leser als solche erkennbar ist; z.B. Antonius' stehende Wendung ›Und Brutus ist ein ehrenwerter Mann‹ in Shakespeares *Julius Caesar*, oder in der Alltagssprache ›Du bist mir e. schöner Freund‹ – im Ggs. zum →Humor weniger versöhnlich als kritisch, je nach Grad vom Heiteren bis zur Bitterkeit (›Sarkasmus‹). Objektive I. (›I. des Schicksals‹) treibt den Betroffenen unabsichtlich durch scheinbare Begünstigung und Erfolge in →Hybris und damit Vernichtung; sie trägt als trag. I. im Drama zur Steigerung der trag. Wirkung bei, indem der Zuschauer bereits das Verhängnis um den noch in völliger Sicherheit sich wiegenden, ah-nungslosen Helden schweben sieht (Sophokles' *Oidipus*, Schillers *Wallenstein:* ›Ich denke einen langen Schlaf zu tun‹). – Subjektive I. erscheint als kom. Selbstvernichtung, Selbstverkleinerung; so dient die sog. sokratische I. dem pädagog. Zweck, im Anschein eigener Unwissenheit e. eingebildeten Weisen ebenfalls seines Nichtwissens zu überführen, zu beschämen und zu echtem Wissen zu leiten (Hamann). Ihr verwandt ist die ep. I., die unvoreingenommene Erzählung von Handlungen und Personen scheinbar ohne Wissen um den weiteren Fortgang (Wieland, z.T. Jean Paul). Stärkste Ausprägung der subjektiven I. ist die sog. romant. I. als Erhebung über die eigenen Schwächen und Unfähigkeiten, entstanden aus der Erkenntnis des unüberbrückbaren Zwiespalts von Ideal und Wirklichkeit, von F. Schlegel und F. Solger im Anschluß an Fichtes Philosophie vom Ich und Nicht-Ich als Lebenshaltung und lit. Prinzip gefordert, das dem Schöpfergeist die Freiheit zugesteht, sich souverän über seine Schöpfung, sein Ideal zu erheben, diese teils wieder aufzuheben, durch I. zu durchbrechen. In dieser Form erscheint die I. in den Dichtungen von Tieck *(Der gestiefelte Kater),* Brentano, E. T. A. Hoffmann, als satir. Zerstörung der Empfindungen bei Heine und als bewußter Effekt der Illusionsstörung bei Grabbe, Immermann, Keller, Raabe und z. T. Fontane, ähnlich in allen Gattungen der Narrenliteratur *(Till Eulenspiegel, Schildbürger),* bei Ch. Morgenstern, W. Busch, Ringelnatz und E. Kästner wie auch →Epigrammendichtern. – In neuer Form dagegen verwendet sie Th. Mann als Selbsterhaltung durch Distanzierung des Geistes von der Daseinstragik. Musils ›konstruktive I.‹ beruft die automat. I. einer nichtig gewordenen Welt, Grass' I. spielt mit falscher Motivierung. →Dry Mock.

F. Brüggemann, D. I. als entwicklungsgesch. Element, 1909; M. Pulver, Romant. I. u. romant. Komödie, Diss. Freibg. 1912; J. Paulhan, *La morale de l'i.*, 1914; F. Ernst, D. romant. I., Diss. Zürich 1915; K. Friedemann, D. romant. I., ZfÄ 13, 1919; J. A. K. Thomson, *I.*, 1926; F. Turner, *The Elements of I. in Engl. Lit.*, 1926; R. Jancke, D. Wesen d. I., 1929; A. Hübner, D. mhd. I., 1930; F. Ingerslev, Romant. I. i. d. mod. Lit. (Edda 30, 1930); F. Wagener, D. romant. u. d. dialekt. I., 1932; K. P. Biltz, D. Problem d. I. i. d. neueren dt. Lit., Diss. Ffm. 1933; G. G. Sedgwick, *Of I.*, 1935; V. Jankélévitsch, *L'i.*, Paris 1936; W. T. Miermann, *Romant. I.*, N.Y. 1949; H. Hahn, D. I. i. Drama, Diss. Lpz. 1949; H. E. Hass, D. I. als lit. Phänomen, Diss. Bonn 1950; G. Vogt, D. I. i. d. romant. Komödie, Diss. Ffm. 1953; RL; R. B. Sharpe, *I. in the drama*, Chapel Hill 1959; I. Strohschneider-Kohrs, D. romant. I., 1960, ²1977; N. Knox, *The Word Irony and its Context*, N.Y. 1961; H. Boeschenstein, V. d. Grenzen d. I. (Stoffe, Formen, Strukturen, Fs. H. H. Borcherdt, 1962); R. Baumgart, Das Ironische u. d. I. i. d. Werken Th. Manns, 1964; A. E. Dyson, *The crazy fabric*, Lond. 1965; B. Allemann, I. u. Dichtg., ²1969; D. C. Muecke, *The compass of I.*, Lond. 1969, ²1980; R. Immerwahr, *Romant. i. and romant. arabesque prior to romanticism*, GQ 42, 1969; Ch. I. Glicksberg, *The ironic vision in mod. lit.*, Haag 1969; E. Behler, D. Ursprung d. Begriffs d. trag. I. (Arcadia 5, 1970); I. u. Dichtg., hg. A. Schaefer 1970; U. Karthaus, Humor, I., Satire, DU 23, 1971; W. Ingendahl, Sprachl. Grundlagen u. poet. Formen d. I. (Sprachkunst 2, 1971); E. Behler, *Techniques of i.* (Rice Univ. stud. 57, 1971); B. O. States, *I. and drama*, Ithaca 1971; E. Bahr, D. I. i. Spätwerk Goethes, 1972; E. Behler, Klass. I., romant. I., trag. I., 1972, ²1981; H. Prang, D. romant. I., 1972, ²1980; I. als lit. Phänomen, hg. H.-E. Haas 1973; R. Bourgeois, *L'i. romantique*, Grenoble 1974; J. B. McKee, *Lit. i. and the lit. audience*, Amsterd. 1974; H. Löffler, sprachl. I. (Dt. Sprache, 1975); D. H. Green, *Alieniloquium* (Verbum et signum, Fs. F. Ohly 1975); W. C. Booth, *A rhetoric of i.*, Chic. 1975; V. R. Rossman, *Perspectives of i. in ma. French lit.*, Haag 1975; W.-D. Stempel, I. als Sprachhandlung (Poetik u. Hermeneutik 7, 1976); D. H. Green, *On recognising ma. i.* (The uses of criticism, hg. A. P. Foulkes 1976); U. Gießmann, I. i. sprachwiss. Sicht (Sprachwiss. 2, 1977); A. P. Frank, Z. hist. Reichweite lit. I.begriffe, LiLi 8, 1978; W. Berg, Uneigentl. Sprechen, 1978; D. Simpson, *I. and authority in romant. poetry*, Towota 1979; D. H. Green, *I. in the medieval romance*, Cambr. 1979; U. P. Engeler, Sprachwiss. Unters. z. iron. Rede, 1980; M. Krumbholz, I. i. zeitgen. Ich-Roman, 1980; C. Kerbrat-Orecchioni, *L'i. comme trope*, Poetique II, 1980; M. Walser, Selbstbewußtsein u. I., 1981; E. Reiss, *Medieval i.* (Journal of the hist. of ideas 42, 1981); D. C. Muecke, *Irony and the Ironic*, Lond. ²1982; U. Japp, Theorie d. I., 1983; *I.*, PT 4, 1983; L. R. Furst, *Fictions of romant. i.*, Cambr./Mass. 1984; S. E. Alford, *I. and the logic of the romant. imagination*, 1984; F. Schlegel u. d. Kunsttheorie s. Zt., hg. H. Schanze 1985; H. Kubczak, I. u. Kritik (Sprachwiss. 10, 1985); G. J. Handwerk, *I. as intersubjectivity*, CC 7, 1985; N. Groeben, I. als spieler. Kommunikationstyp? (Kommunikationstypologie, hg. W. Kallmeyer 1985); P.-A. Alt, I. u. Krise, 1985; G. J. Handwerk, *I. and ethics in narrative*, New Haven 1985; D. J. Enright, *The alluring problem*, Oxf. 1986; D. Knox, *Ironia*, Leiden 1989.

Irrationalismus (lat. *irrationalis* = unvernünftig, nicht verstandesgemäß), allg. e. geistige Bewegung im Ggs. zum Rationalismus, die das vom Verstand nicht mehr Faßbare, das Gefühlserlebnis zur Aussage bringt, insbes. der Gegenstoß des Gefühls im 18. Jh. gegen die Vernunftherrschaft der Aufklärung, eingeleitet durch Ansätze in der spätma. →Mystik, die das Rationale überwindet (Überrationalismus), durch die Wiederaufnahme solcher Bestrebungen im →Pietismus und z. T. durch die →Empfindsamkeit; am schärfsten verkörpert im →Sturm und Drang und im →Göttinger Hain; Rousseau, Hemsterhuis, teilweise auch Kant und Lessing schließen sich ihm an. Die Klassik vereinigt rationale und irrationale Kräfte zu e. neuen Weltsicht, die Romantik, aber auch Neuromantik und bes. der Expressionismus und Surrealismus sind wieder-

um durch Überwiegen irrationaler Kräfte gekennzeichnet.
R. Müller-Freienfels, D. Irrationale, 1922; J. Joel, Seele u. Welt, ²1923; G. Rensi, *L'irrationale*, Maild. 1923; A. Bäumler, Irrationalitätsproblem i. d. Ästhet. u. Logik d. 18. Jh., 1923; R. Müller-Freienfels, Metaphysik d. Irrationalen, 1927; H. E. Eisenhuth, D. Begriff d. Irrationalen als philos. Problem, 1931; H. Kindermann, Durchbruch d. Seele, 1931; W. Hellpach, Schöpferische Unvernunft?, 1937; A. Konrad, I. u. Subjektivismus, 1939; H. Läubin, Stud. z. Irrationalitätsproblem, 1941; D. Brinkmann, Mensch u. Technik, 1946; W. Rosteutscher, D. Wiederkunft d. Dionysos, 1947; H. Boeschenstein, Dt. Gefühlskultur, 1954; W. Shumaker, *Lit. and the irrational*, Englewood Cliffs 1960; W. Promies, D. Bürger u. d. Narr, 1966; W. Schömel, Apokalypt. Reiter sind i. d. Luft, 1985.

Isagoge (griech. *eisagoge* = Einführung), Einleitung, Einführung in e. Wissenschaft, Kunst oder Praxis, meist in Form e. Kompendiums, im didakt. Dialogs oder Briefes, im Ggs. zur freien geistigen →Institutio; entsprechend der prakt. Veranlagung der Römer in ihrer Lit. weitverbreitet.

ISBN (Internationale Standard Buch Nummer), eindeutige und unverwechselbare Identifikationszahl für jedes Buch, bestehend aus 10stelliger Zahl in vier Zifferngruppen: 1. nationale/geograph./sprachl. Gruppenzahl, 2. Verlagszahl, 3. dessen Titelnummer und 4. Computer-Prüfziffer. 1967 in England, 1968 in den USA, 1971 in der BR eingeführt und im Buchhandel (Bestellung) wie im Bibliothekswesen (Fernleihe) verwendet.

Isokolon (griech. *isos* = gleich, *kolon* = Glied), →rhetorische Figur: gleiche oder annähernd gleiche (→Parison) Silbenzahl bei zwei oder drei koordinierten Gliedern e. Periode, drückt die Paarigkeit der Begriffe durch gleiche Satzlänge aus, oft als Parallelismus oder Antithese gebaut und durch Homoiarkton oder Homoioteleuton zus.gehalten.

Isometrie (v. griech. *isos* = gleich, *metron* →Maß), Gleichheit des Metrums bei Versen, Verspaaren, Strophen und Gedichten von genau gleicher Silben- oder Hebungszahl; auch die gleiche Silbenzahl miteinander reimender Wörter. Der Ggs. (ungleiche Silbenzahl) heißt Heterometrie.

Isoponie = →Isokolon

Iteration →Anapher

Ithyphallikos (griech. *ithyphallos* = aufrechter Phallus), antiker Kurzvers: akatalektische trochäische Tripodie: $\stackrel{\_}{\cup}\cup\stackrel{\_}{\cup}\cup\stackrel{\_}{\cup}\cup\smile$, ursprünglich katalektisches →Lekythion; oft in Verbindung von Daktylen verwendet, so z.B. im →Archilochius maior; urspr. bei Fruchtbarkeitsriten gesungen. Auch Klausel unter Trochäen.

Itinerar (lat. *itinerarium* zu *iter* = Weg), Straßen-, Wegedauer- und Stationen-Verzeichnis als Vorform des Reiseführers als röm. Kaiserzeit, bes. 4. Jh. n.Chr. Dichterisch bei Horaz, *Iter Brundisinum* (*Sat.* I, 5). Übertragen auf Aufzeichnungen über Reisen, bes. Pilgerfahrten und als Titel für Erbauungslit.
A. Elter, I.-Stud., 1908; A. u. M. Levi, *Itineraria picta*, Rom 1967.

Jägerlatein, aufgebauschte Erzählungen der Jäger von Jagderlebnissen und -erfolgen, →Lügendichtung.

Jägerlied →Jagddichtung

Jäscht →Yasht

Jagatî, ind. Versmaß von 12 Silben mit der Kadenz $\smile\smile\smile\smile\smile\smile$ / $\_\cup\_\cup\smile$, verwendet in vierzeiligen Strophen.

Jagdallegorie, verbreitete lit. Gattung des Spätma., 13.–16. Jh., aus Jagdepisoden der Heldenepen entstanden, benutzt die Jagd als Allegorie für Minne (→Minneallegorie): Dichter als Jäger, Geliebte als edles Wild, Liebe, Lust, Treue u. a. als Meute, feindliche Aufpasser als Wölfe usw. Älteste Form in der *Königsberger J.* des 13. Jh., am kunstvollsten bei HADAMAR VON LABER, *Die Jagd* (1335/40), zahlreich nachgeahmt in Peter SUCHENWIRTS *Geiaid,* LASSBERGS *Der Minne Jagd* und *Geistliche Hirsch-Jagd* e. Benediktiners aus Tegernsee. Das allegor. Motiv wirkt fort in MAXIMILIANS *Teuerdank,* zahlr. Volksliedern und schließlich zum Symbol erhoben, in GOETHES *Novelle,* mit geistl. Wendung bei F. THOMPSONS *Hound of Heaven.*

RL¹; H. Niewöhner, Jagdgedichte (Verfasserlex. II, 1936); M. Thiébaux, *The story of love,* Ithaca 1974.

Jagddichtung, durch das Motiv der Jagd bestimmte Dichtung. In Heldendichtung (Karls-, Rolandssage, Nibelungenlied) und höf. Dichtung *(Tristan, Titurel)* sowie den Artus- und Abenteuerromanen findet sich das Jagdmotiv als Unterhaltung der ritterl. Welt; im MA. entsteht als neue Ausformung die →Jagdallegorie; erst seit dem 19. Jh. wird das Jägerlied Ausdruck neuer Naturverbundenheit, bes. bei F. v. KOBELL in bayr. Mundart. Die Heimatdichtung benutzt häufig die Jagd als Nebenmotiv, bes. in Süddtl.: GANGHOFER, ROSEGGER, PERFALL, SCHÖNHERR, SKOWRONEK, RENKER, v. DOMBROWSKI, P. BUSSON u. a. Zur selbständigen und eigenwertigen Gestaltung gelangt die Jagd erst bei TURGENEV und AKSAKOV und im Anschluß daran bei LÖNS; ähnlich LILIENCRON und in Österreich Frhr. von GAGERN und E. WITTING. Im übertragenen Sinn

benutzen auch MELVILLES *Moby Dick* und HEMINGWAYS *The old man and the sea* das Jagdmotiv für symbol. Romane.

E. Bormann, D. Jagd i. altfranz. Artus- u. Abenteuerroman 1887; U. Wendt, Kultur u. Jagd, 1907; O. Wiener, D. dt. Jägerlied, 1911; RL¹; K. Lindner, Dt. Jagdschriftsteller, 1964; A. T. Hatto, *Poetry and the hunt in ma. Germany,* AUMLA 25, 1966.

Jahrbuch, periodisch erscheinende Veröffentlichungen bestimmter Gesellschaften mit Aufsätzen, Forschungsberichten, Bibliographien u. ä. zu dem betreffenden Forschungsgebiet, für die dt. Lit. bes. Brecht-, Droste-, Görres-, Goethe-, Grillparzer-, Hebbel-, Heine-, Hölderlin-, Jean Paul-, Kleist-, Lessing-, Raabe-, Schiller-J. und das J. des →Freien Dt. Hochstifts. →Annalen.

Jahresberichte, jährlich erscheinende Zss. mit e. möglichst vollständigen Bibliographie, teils kritischer Rezension wichtiger Neuerscheinungen (meist der Vorjahre) e. Fachgebietes.

Jahreszeitenmythos, Mythos, der auf dem Wandel der Natur in den Jahreszeiten beruht und sich mit bestimmten Gottheiten verbindet, in Ägypten mit Osiris, in Griechenland mit →Dionysos, in Germanien mit Baldur.

Jahrhundertwende →Fin de siècle

Jahrmarktsspiel, Theateraufführung auf Jahrmärkten, Messen, Kirchweihen durch Wandertruppen oder als →Puppen-, →Kasperl-, →Marionetten- und →Schattenspiel, bes. im SpätMA., oft außerhalb der Lit., von GOETHE im *Jahrmarktsfest zu Plundersweilern* satirisch-symbolisch ausgestaltet. Vergebl. Erneuerungsversuche im 20. Jh. im polit. →Agitprop-, →Kinder- und Straßentheater.

Jakobiner (nach dem polit. Klub der Franz. Revolution im Pariser Kloster St. Jakob) in Dtl. Sammelbz. für alle ›revolutionären Demokraten‹ und Sympathisanten der Franz. Revolution, die in deren Gefolge 1789–1806 durch lit. Mobilisierung der Massen grundlegende Reformen der Gesellschaft oder Umsturz des dt. Staatswesens erstrebten. Ihre vielfach primitiv-dilettant., formal epigonalen, oft anonymen Agitationstexte (Aufrufe, Reden, Dialoge, Briefe, Reiseberichte, Artikel, Gedichte, Lieder, Kontrafakturen, Satiren und Schauspiele) zeigen weniger lit.-ästhet. Qualitäten als progressive Gesinnung und blieben für die Entwicklung der dt. Lit. ohne Belang und gehören in das Gebiet der radikalen polit. Publizistik.

H. Voegt, D. dt. jak. Lit. u. Publizistik, 1955; H.-W. Jäger, Polit. Metaphorik i. J'ismus, 1971; Dt. revolut. Demokraten, hg. W. Grab V 1971–78; H. Segeberg, Lit. Jakobinismus i. Dtl., LuS 3, 1974; Demokrat.-revolut. Lit. i. Dtl., hg. G. Mattenklott, K. R. Scherpe 1975; I. Stephan, Lit. Jakobinismus i. Dtl., 1976; N. Merker, *Alle origini dell' ideologia tedesca,* Bari 1977; H. Reinalter, D. J'ismus i. Mitteleuropa, 1981; W. Grab, E. Volk muß s. Freiheit selbst erobern, 1984.

Jambelegos, altgriech. Vers aus dem jamb. Kurzvers (Dimeter) $\cup\stackrel{\perp}{}\cup\stackrel{\perp}{}\cup-\cup-$ und Hemiepes: $\underline{\overline{\cup}}\stackrel{\perp}{}\cup\stackrel{\perp}{}\underline{\overline{\cup}}\stackrel{\perp}{}\cup\stackrel{\perp}{}\cup\cup\stackrel{\perp}{}$; wird in der Umkehrung zum →Enkomiologos; in der →Archilochischen Strophe verwendet.

Jambendichtung (zu →Jambus), Schmähgedichte, Spott- und Schimpfverse meist in jamb. Maßen (Trimeter oder katalekt. Tetrameter), auch trochäischen Tetrametern. Ihre Vorform sind scherzhaftspött. Stegreifgedichte und -reden am griech. Demeterfest; ARCHILOCHOS von Paros (um 650 v.Chr.) schafft durch Einführung des Jambus eine Übergangsform zwischen

Lyrik und Epos und schreibt persönl. Schmähverse gegen seine untreue Braut und deren Vater Lykambes; ihm folgenden weniger kraß SEMONIDES von Amorgos (um 625), in gleicher Stärke HIPPONAX (um 540, →Choliambus), mit polit. Jamben auch SOLON und in hellenist. Zeit mit unpersönl. Spott HERONDAS und PHÖNIX von Kolophon; CATULL und bes. HORAZ in röm. Dichtung, in Dtl. u.a. F. L. v. STOLBERG (1784). Vgl. →Iambes.

Jambenfluß, Prosafehler: Auftauchen e. alternierenden Metrums im Prosarhythmus ungebundener Rede; so verbessert Th. STORM *(Ein Fest auf Haderslevhuus)* auf Hinweis P. HEYSES: ›Ich háb doch dárum nícht den Tód gefréit‹ zu ›Ich hab dárum doch nicht den Tód gefreit‹.

Jambengang, →alternierender Vers allein aus Jamben, durch OPITZ' Einfluß fast bis zu KLOPSTOCK herrschend.

Jambenkürzung, in altlat. Dichtung die prosod. Freiheit, ein Wort jamb. Struktur ($\cup-$, z.B. *benē*) mit der in der gesprochenen Sprache übl. Kürzung der Auslautlänge (als $\cup\cup$) zu verwenden.

H. Drexler, D. J., 1909.

Jambograph (v. griech. *graphein* = schreiben), Vertreter der →Jambendichtung.

Jambus (griech. *iambos* v. *iaptein* = schleudern?), 3zeitiger und 2teiliger antiker Versfuß im Ggs. zum Trochäus, aus e. kurzen mit folgender langen bzw. unbetonten mit betonten Silbe bestehend: $\cup\stackrel{\perp}{}$ (in griech. Metrik immer als Dipodie, d.h. doppelt gemessen: $\underline{\smile}-\cup-$), z.B. ›Herbéi‹. Urspr. in altgriech. volkstüml. Spottgedichten (→Jambendichtung) verwendet, von ARCHILOCHOS von Paros in die Lyrik eingeführt. Charakteristisch ist bei alleiniger →alternierender Verwendung (→Jambengang) das andrängende, schwungvoll-lebendige Element. Seine Erscheinungsformen sind bes. jamb. →Trimeter oder →Senar (6 J.), der Standardvers für den Dialog im griech. Drama, →Alexandriner (6 J.), Septenar (7 J.) und Oktonar oder Tetrameter (8 J.). Als alternierender Vers mit Auftakt auch in dt. Dichtung das Grundgerüst des Verses, 3-, 4-, bes. aber 5hebig gebraucht (ungereimt: →Blankvers); ital. Strophenformen wie Sonett, →Stanze, →Terzine und →Kanzone mit 5füßigen gereimten J. →Choliambus.

B. Bjorklund, *A study in compar. prosody*, 1978. →Metrik.

Jarcha →Kharǧa

Jargon (franz. = unverständliche Redeweise), ›Soziolekt‹, Sondersprache, Rede- und Ausdrucksweise e. bestimmten Berufs- oder Standeskreises bzw. Milieus (Theater-, Künstler-, Schüler-, Studenten-, Börsen-J.), künstl. Sondersprache bes. der Gauner und Verbrecher (Rotwelsch) oder verdorbener, vermischter Dialekt z.B. e. Grenzvolkes (Neger-Englisch). Literarisch z.B. in PLENZDORFS *Die neuen Leiden des jungen W.*

J. Draskau, *Toward a clarification of the concept of j.* (Fachsprache 5, 1983).

Jâtaka, rd. 500 buddhist. Erzählungen um Ereignisse aus den früheren Lebensläufen BUDDHAS, früh beliebt als belehrend-erbaul. Einschub in Predigten, später unter Einbeziehung auch anderer Geschichten, Fabeln, Erzählungen und bes. der volkstüml. Märchendichtung als J. zuerst im *Pâli-Kanon*, später bes. von ÂRYASHÛRA (*Jâtakamâlâ*) gesammelt, bilden den Schatz ind. Erzähllit., meist in Prosa mit Verseinlagen (Gâthâs), die älter sind als die Prosa und allein zum Kanon gehören, während der Prosatext sich als Kommentar um sie rankend entstanden gedacht wird.

Jean Potage (franz. = Hans Suppe), Name der franz. →komischen Person.

Jenseitsführer →Totenbuch

Jeremiade, nach den bibl. sog. Klagliedern des JEREMIAS allg. Bz. für ein wortreich jammerndes Klagelied um ein geschehenes und insbes. zukünftiges, prophezeites Unheil.

Jesuitendichtung, als international verbreitete, meist lat. Zweckdichtung Ordensangehöriger von 1550 bis ins 18. Jh. einesteils Gelegenheitsdichtungen (Begrüßungs- und Festdichtung, bes. Oden), andererseits bewußte und wirksame Waffe im Dienst der Ordensaufgaben (Beichte, Schule, Predigt) und bes. der Gegenreformation in den roman. Ländern (Spanien, Italien, Frankreich), Dtl., Österreich, Polen und den Niederlanden jeweils im Anschluß an die landesübl. Formen, oft mit relig. Umdeutung weltl. Stoffe. Hauptformen sind neben Hirtendichtung, Oper, Ballett und Pantomime bes. →Jesuitendrama und →geistliches Lied, so in lat. Sprache J. BALDES (1604–1668) Marienoden und polit.-moral. Gedichte von streng männl. Selbstbeherrschung, seel. Ausgeglichenheit und Genügsamkeit, des Wieners AVANCINI Oden gegen Sittenverrohung und Fremdtümelei, bei den Polen M. K. SARBIEWSKI (1596–1640), in dt. Sprache bes. die Lyrik F. v. SPEES (*Trutznachtigall* 1649, *Güldenes Tugendbuch* 1649) mit inniger Gottesliebe und relig. Naturbeseelung in volkstümlichem Ton, doch barocker Bilderfülle. Bedeutend auch der Einfluß der Jesuitenschulen und -universitäten auf die Ausbildung der Rhetorik.

B. Duhr, Gesch. d. Jesuiten, IV 1907–28;
R. Eckart, D. Jesuiten i. d. Dichtg. u. i.
Volksmund, 1906; RL; H. Weisweiler, D.
Jesuitenorden, ²1928; H. Becher, D. Je-
suiten, 1951; M. P. Harney, *The Jesuits
in history*, Chic. ʼ1962, Ch. Hollis, *A
hist. of the Jesuits*, Lond. 1968; B. Bauer,
Jesuit. ars rhetorica, 1986. →Barock,
→Jesuitendrama.

Jesuitendrama, dramat.-theatral.
Erscheinungsform der Gegenreformation von der Mitte des 16. bis ins
18. Jh., bes. des Barock und höchste
Entfaltung des barocken Theaters:
religiös werbende Bühnenstücke in
lat. Sprache, für Laien mit dt. Programmheften (Synopsen, →Perio-
chen), meist von Lehrern an Jesuitenschulen verfaßt und von den
Schülern zur Übung in rednerischer
und gesellschaftl. Gewandtheit in
der Schulaula, Sälen, an Höfen, nur
anfangs im Freien (München
1570–1600, Aachen bis 1772) aufgeführt, somit gleichzeitig im Dienst
pädagog.-didakt. und religiös-pro-
pagandist. Zwecke, weniger dichter.
Kunstform. Das J. bearbeitet Stoffe
aus der gesamten Weltlit., vorzugsweise aber der Bibel (AT.), Kirchengeschichte, Heiligen- und Märtyrer-
legenden, später auch antike Vorwürfe; bes. beliebt: Esther, Herodes, Abraham, Achab, Jakob, Joseph, Samson, Saul, Judith, Makkabäer, Verlorener Sohn, Genoveva,
Don Juan, Das Leben ein Traum,
Konradin u. a. m., die an die Hinfälligkeit und Verführung des Welttreibens den Verweis auf Tod und Jenseits sowie den Triumph der Kirche
anschließen lassen, daneben auch
Stoffe aus der Lokalgeschichte wie
die Ludi Caesarei in Wien anläßlich
von Fürstenbesuchen. Als Bühne
dient anfangs die kub. Simultanbühne, später die Guckkastenbühne
mit gemalten Kulissen, Telari, Prospekt, Versatzstücken und Requisiten, oft durch e. Mittelvorhang von
der dekorationslosen Vorderbühne

getrennt. Jede Jesuitenschule besaß
e. festen Bestand von Dekorationen
(Thronsaal, Garten, Wildnis, Meer,
Marktplatz). Auf einzelne während
des Schuljahres klassenweise aufgeführte kleinere Übungsstücke (de-
clamationes) mit szen. Ausstattung
folgt bei Schulschluß jeweils e. große Prunkaufführung oft im eig.
Theatersaal. Da die meisten Zuschauer den (bis auf die zur Belebung eingestreuten kom. Zwischenspiele in Mundart) lat. Text nicht
verstehen, liegt die Betonung auf
vielfarbiger Sinnenkunst mit Streben zum →Gesamtkunstwerk. Musik, Ballett, e. Massenaufgebot von
meist über 100 Darstellern und
Prunkdekoration mit allen denkbaren Theatermaschinen (Versenkung,
Meeresdekoration, Flugvorrichtungen) und Effekte der ital. Verwand-
lungsbühne wie der Barockoper entsprechen der theatral. Grundgebär-
de des Barock und sollen die schau-
lustige Menge fesseln: das J. ist Bildkunst, nicht Wortkunst, sein Pathos
zielt nicht auf künstler. Erhebung,
sondern auf moral. Endzwecke:
Stärkung und Festigung des kathol.
Glaubens, Erschütterung der Gemü-
ter und Abschreckung vor bösen
Taten durch Grauen- und Schau-
derszenen. – Nach Vorgang Spaniens, von wo jedoch wenige Übersetzungen erfolgten, beginnt die dt.
Entwicklung in engem, auch formalem Anschluß an das humanist.
→Schuldrama (Versform, Chöre,
Fünfakter) und an SENECA zunächst
1565 in Wien und Köln mit in Kirchen aufgeführten theatral. Dialogen (später A. BRUNNERS *Bauernspiele* in Innsbruck 1644–48). Das
erweiterte geistl. Lehrdrama verbreitet sich von dort über die süddt.
(bes. bayr.) und rhein. Ordensnie-
derlassungen bis zur Auflösung des
Ordens 1772. Die ersten Stücke
werden aus Italien und Belgien

übernommen. Wichtigste Autoren in Dtl. sind J. BIDERMANN (*Belisar* 1607, *Cenodoxus* 1602), N. AVANCINI (*Pietas victrix* 1659), S. RETTENBACHER, P. ALER und J. GRETSER, Theoretiker daneben J. PONTANUS, J. MASEN und F. LANG. – Nach Vorbild des J. entstehen auch bei anderen Orden, bes. Piaristen und Benediktinern in Österreich, ähnl. Schaustellungen; auch ev. Schultheater und schles. Barocktheater (GRYPHIUS, LOHENSTEIN) werden beeinflußt. Um Mitte des 17. Jh. verliert das J. seinen Rang an ital. und franz. Schauspieltruppen und die Oper.

J. Zeidler, Stud. u. Beitr. z. Gesch. d. J.komödie, 1891, n. 1977; P. Bahlmann, D. Drama d. Jesuiten, Euph. 2, 1898; N. Neßler, Dramaturgie d. Jesuiten, Progr. Brixen 1905; L. Pfandl, Einf. i. d. Lit. d. J. i. Dtl., GRM 2, 1910; A. Happ, D. Dramaturgie d. Jesuiten, Diss. Mchn. 1923; W. Flemming, Gesch. d. J.theaters, 1923; RL; J. Müller, D. J., 1930; N. Scheid, D. lat. J. i. dt. Sprachgebiet, LJb 5, 1930; E. Haller, D. österr. J., 1931; K. Fischer-Neumann, D. Dramentheorie d. Jesuiten, Diss. Wien 1937; W. Flemming, Ordensdrama (DLE Rhe. Barockdrama, 1930); H. Becher, D. geist. Entwicklungsgesch. d. J., DVJ 19, 1941; K. Adel, D. J. i. Österr., 1957; ders., D. Wiener J.theater u. d. europ. Barockdramatik, 1960; L. van den Boogerd, *Het J. in de Nederlanden*, Groningen 1961; E. M. Szarota, Versuch e. neuen Periodisierg. d. J., Daphnis 3, 1974; dies., D. J. als Vorläufer mod. Massenmedien, Daphnis 4, 1975; P.-P. Lenhard, Rel. Weltanschaug. u. Didaktik i. J., 1976; N. Griffin, *J.school drama*, Bibl., Lond. 1976; J.-M. Valentin, D. J. u. d. lit. Tradition (Dt. Barocklit. u. europ. Kultur, hg. M. Bircher 1977); J.-M. Valentin, *Le théâtre des Jésuites dans les pays de langue allem.*, III 1978; ders., dass., Répertoire, II 1983f.; ders., Gegenref. u. Lit., Histor. Jb. 100, 1980; E. M. Szarota, D. J. i. dt. Sprachgebiet, IV 1979–87; dies., J. u. Bibel (Vestigia 1, 1979); dies., Konversionen auf d. J'bühne (Fs. R. Brinkmann 1981); F. Rädle, D. J'theater i. d. Pflicht d. Gegenref. (Daphnis 8, Beih. 3, 1979); ders., Gottes ernstgemeintes Spiel (Theatrum Mundi, hg. F. Link 1981); R. Wimmer, J'theater, 1982; W. H. McCabe, *An introd. to the J'theatre*, St. Louis 1983.

Jesuitentheater →Jesuitendrama

Jeune France (franz. = Junges Frankreich), exzentr.-bohemehafter Dichterkreis der zweiten franz. Romantikergeneration um Th. GAUTIER um 1830; von diesem in *Les Jeune-France* (1833) persifliert.

Jeu parti →Tenzone

Jeux floraux (franz. =) →Blumenspiele

Jig (engl., v. ital. *gigue* = rascher Tanz), im Elisabethan. Theater e. kurze, von Komikern aufgeführte Posse in Versen mit Gesang, Tanz und derben Scherzen als Abschluß e. Theateraufführung; z.T. wegen Derbheit verboten, Vorform der →Ballad opera. Zur Restorationszeit nur noch kurze Gesangs- und Tanzszenen nach Komödien vor deren Epilog.

Ch. R. Baskervill, *The Elizabethan J.*, Chic. 1929.

Joc partit →Tenzone

Jokulator (lat. *ioculari* = scherzen), mlat. Bz. sowohl für den Gaukler und Possenreißer als auch für den fahrenden Dichter und Sänger, →Jongleur, →Spielmann.

Jongleur, franz. Bz. der berufsmäßigen →Spielleute in der Provence und Nordfrankreich im Ggs. zu den aus Gesellschaftskreisen hervorgegangenen →Trouvères und →Troubadours der höf. Dichtung. Sie waren im 5.–15. Jh. die Nachfahren der spätantiken Jokulatoren, Enkel des Mimus, unterhielten die Vornehmen durch Gesang, Musik, Erzählung (Lais, Chansons de geste, Fabliaux), Mimik, Akrobatik und Tanz, erst später Gaukelspiel und Possenreißerei, retteten somit, stets auf Effekt ihrer Darbietungen bedacht, Elemente des antiken Mimus durch das MA., oder zogen mit Troubadours, die selbst nicht sangen, und trugen deren Gedichte zu

eigener (Saiteninstrument-)Beglei-
tung vor. Als selbstdichtende J.s im
Dienste nordfranz. Fürsten hießen
sie Menestrels. Ab 15. Jh. ging der
Stand unter den Schauspielern auf.

E. Faral, *Les J. en France au MA.*, 1910;
R. Menéndez Pidal, *Poesía juglaresca y
juglares*, 1924; A. Jeanroy, *J.s et troubadours gascons*, 1925.

Jonikus →Ionikus

Jornąda (span. eigtl. = Tagereise),
der →Akt im span. Drama.

Jôruri, das volkstüml. japan.
→Puppenspiel mit kostbaren,
durchschnittl. 1,50 m hohen, oft bis
zu lebensgroßen Figuren, die von
bis zu drei Spielern je Puppe auf der
Bühne sichtbar geführt werden. Den
balladenartigen Text mit eingestreuten Dialogen, Verschmelzung von
Nô und Kabuki mit romant.-histor.
oder bürgerl. Motiven, liest ein Rezitator zu (Samisen-)Musikunter-
malung, so daß Spiel, Dialog bzw.
Rezitation und Musik e. Einheit bilden. Blütezeit im 18. Jh.; nach Erneuerung durch UEMURA BUNRA-
KUKEN unter der Bz. ›Bunraku‹ Fortbestehen bis zur Gegenwart (Theater ›Bunrakuza‹ in Osaka). Die bekanntesten J.-Texte schrieb CHIKA-
MATSU MONZAEMON.

C. Glaser, *Japan. Theater*, 1930; F. Bowers, *The Japanese Theatre*, N.Y. ²1959;
A. C. Scott, *The Puppet Theatre of Japan*,
Rutland/Tôkyô 1963; Shuzaburo Hiro-
naga, *Bunraku*, Tôkyô 1964.

Journąl (franz., v. mlat. *diurnale* =
Tagebuch), 1. in Frankreich seit
1669, in Dtl. seit dem 18. Jh. geläufige Bz. für urspr. täglich erscheinende →Zeitung, dann auch periodische →Zeitschriften, bes. gelehrte
Wochen- und Monatsschriften, z.B.
J. des savants (Paris 1665 ff.), BER-
TUCHS *J. des Luxus und der Moden*
(1786–1827). – 2. im Ggs. zum be-
kenntnishaft verinnerlichenden
→Tagebuch die mehr nüchterne Art

der Aufzeichnung tatsächlicher Geschehnisse der Außenwelt (und des
tägl. Klatsches) in unpersönl. Kürze
und geschäftsmäßiger Sachlichkeit,
z.B. GOETHES spätere Tagebücher,
J.e von STENDHAL, GONCOURTS,
GIDE, BRECHT *(Arbeits-J.)*.

Journalismus (zu →Journal), das
gesamte →Zeitungs-, →Zeitschrif-
ten- und Pressewesen, im weiteren
Sinne unter Einschluß von Rundfunk und Fernsehen; im engeren
Sinne das zwischen reiner, unge-
formter Nachrichten- und Anzei-
genvermittlung und unterhaltenden
Beiträgen liegende, Tagesfragen und
-geschehnisse kritisch behandelnde
und erläuternde Schrifttum in period. Organen, meist in kurzer und
prägnanter, doch leicht eingängiger
Formulierung und Bezugnahme auf
allg. Interesse, ohne tiefere Durchdringung, daher oft abwertend gebraucht, und stets in uneingestande-
ner, doch bewußt subjektiver bis
tendenziöser Färbung zum Zwecke
soz., polit., kultureller oder künstler. Meinungsbeeinflussung. Die
Richtung der zu erstrebenden Anschauung wird bestimmt durch die
Besitzer-, Verleger- und Herausge-
berkreise des jeweiligen Organs,
durch Leserkreis und öffentl. Meinung, eingeschränkt dagegen zeitweise durch →Zensur. Die Verbindung von J. und Lit. durch Beteiligung hervorragender Autoren war
in Frankreich und England stets enger als in Dtl.

D. B. Baumert, *D. Entsteh. d. J.*, 1928;
RL¹; E. Dovifat, *J.* (Hdb. der Zeitgswiss.,
1942); E. Hartl, *D. lit. Problem d. J.*
(Wiener lit. Echo 3, 1949); F. L. Mott,
American J., N.Y. ²1950; H. Herd, *The
March of J.*, Lond. 1952; E. H. Butler,
An Introduction to J., Lond. 1955; T. E.
Berry, *J. Today*, Philadelphia 1958; W.
C. Price, *The Lit. of J.*, Minneapolis 1959
(Bibliographie); F. F. Bond, *Introduction
to J.*, N.Y. ²1961; *The Practice of J.*, hg.
J. D. Dodge u. G. Viner, Lond. 1962;
Enciclopedia del periodismo, Barcelona

[4]1966; J. Enkemann, J. u. Lit., 1983. →Zeitung.

Jüngstes Deutschland, von H. und J. HART 1878 geprägter Sammelname für die fortschrittl. Dichterkreise bes. des →Naturalismus zu Ausgang des 19. Jh., die in den Großstädten versammelt e. traditionslose neue Dichtung proklamierten, jedoch nach radikalen Anfängen infolge Stilwandels teils in die bodenständige Heimatdichtung (CONRAD), teils in relig. Dichtung (H. BAHR) oder e. gemäßigten Naturalismus übergingen. Hauptzentren waren Berlin (Brüder HART, A. HOLZ, CONRADI, HAUPTMANN, SUDERMANN, HENCKELL, KRETZER, BRAHM, SCHLENTHER), München (M. G. CONRAD, KIRCHBACH, BIERBAUM, HARTLEBEN) und →Jung-Wien.

A. von Hanstein, D. j. D., 1900.

Jugendgefährdende Schriften im Sinne des Gesetzes über die Verbreitung j. S. sind solche Druckschriften, die vom sozial-eth. Standpunkt aus eine – im weitesten Sinne – sittl. Gefährdung der Jugend bedeuten und deren Verbreitung bei Jugendlichen unter 18 Jahren daher, soweit für sie nicht der Kunstvorbehalt geltend gemacht werden kann, durch die →Bundesprüfstelle für jugendgefährdende Schriften untersagt wird: unsittl., grobsexuelle und unzüchtige Schilderungen, brutalisierende und verrohend wirkende Schriften, die den Krieg oder Verbrechen verherrlichen, zu Rassenhaß anreizen, falschem Heldentum oder gar einem Führerkult huldigen und dadurch zu gesteigerter, mißgeleiteter Aggressivität und Gewalttätigkeiten anregen, und schließlich Schriften mit verfassungsfeindl. Tendenzen.

Jugendlicher Held →Held

Jugendliteratur, in Problemstellung, Inhalt, Stoff und Form der Welthaltung dem Interesse der Jugend auf versch. Altersstufen angemessenes Schrifttum teils dichter., unterhaltenden, belehrenden und meist indirekt erzieher. Charakters, das gleichzeitig durch ästeht. ansprechende Formgebung der künstler. Geschmacksbildung dienen soll. Der Umfang der J. (nur die dt. Terminologie differenziert gelegentl. Kinder- und J.) reicht vom Bilderbogen und Bilderbuch über Volks- und →Kinderlieder, Märchen, Schwänke, Götter- und Heldensagen, Volksbuch, Jugendzss. und speziell für die Jugend geschriebenen, frei erfundenen Erzählungen bis zu Bearbeitungen von Werken der Weltlit., die durch Kürzung, Erleichterung und Bereinigung anstößiger Stellen wegen ihrer künstler. und erzieher. Werte schon der Jugend zugänglich gemacht werden *(Simplicissimus, Gulliver, Don Quijote, Robinson, 1001 Nacht).* Daneben stehen als sog. ›Jugendlektüre‹ nicht speziell für jugendl. Leser verfaßte, aber unverändert von ihnen rezipierte Werke aus dem allg. Literaturangebot. Ch. Bühler unterscheidet als versch. altersbedingte Entwicklungsstufen Märchen-, Sagen-, Balladen-, Robinson-Alter usw., wobei jeweils Mädchen e. geordnetes, Jungen e. abenteuerlich-erlebnisreiches Weltbild vorziehen. – Schon PLATON *(Staat* II) fordert e. geeignete Lektüre für die Jugend; in Antike und MA. gelten ÄSOPS u.a. Fabeln als J., im MA. daneben KONRADS VON HASLAU *Der Jüngling* und die Lehrgedichte *Winsbeke* und *Winsbekin,* im 16./17. Jh. J. WICKRAMS *Knabenspiegel* (1554), B. WALDIS Fabeln *Esopus* (1557) und Beispielslgn. wie ROLLENHAGENS *Froschmeuseler,* die Prosaromane, COMENIUS' *Orbis sensua-*

lium pictus (1658) und Chr. WEISES *Der grünenden Jugend überflüssige Gedanken* (1668 ff.). Die eigentliche J. beginnt mit den erzieher. Tendenzen der Aufklärung, entweder belehrend, religiös-moral. oder patriot.: FÉNELONS *Télémaque* 1717 in Frankreich und DEFOES *Robinson Crusoe* 1719 in England, von ROUSSEAU *(Emile)* als Vorbild empfohlen. In Dtl. folgen als Jugendzss. ADELUNGS *Wochenblatt für Kinder*, Lpz. 1772–74, Chr. F. WEISSES und ROCHOWS *Kinderfreund* 1775–82, als Jugendbücher J. CAMPES Bearbeitung *Robinson d. J.* 1779 und weitere 37 Werke, ferner BASEDOWS *Elementarbuch* 1770, A. MUSÄUS' *Moralische Kinderklapper* 1788, J. F. BERTUCHS *Bilderbuch für Kinder* 1790 ff. und SALZMANNS *Unterhaltungen für Kinder und Kinderfreunde* 1811. Mit der Wendung zu volkstüml. Dichtungen (Ballade, Sage, Märchen) um 1800 wächst, bes. in Romantik und Biedermeier, das Verständnis fürs Kind. BRENTANO, FOUQUÉ, HEBEL, CHAMISSO, HAUFF, MÖRIKE und STORM schreiben Märchen und Novellen; religiös bestimmte J. verfassen auf kath. Seite der Augsburger Domherr Chr. v. SCHMID, auf ev. Seite KRUMMACHER und W. HEY *(Fabeln,* 1833); ferner H. HOFFMANN *(Struwwelpeter)*, F. W. GÜLL, R. REINICK, S. WÖRRISHÖFER, POCCI, F. HOFFMANN *(Neuer dt. Jugendfreund,* 1846 ff.), G. NIERITZ, W. O. v. HORN, daneben e. Reihe erfolgreicher Schriftstellerinnen wie A. SCHOPPE, O. WILDERMUTH, Thekla von GUMPERT *(Töchteralbum,* 1854), J. SPYRI *(Heidi, Gritli)*, A. SAPPER, H. WEILER, E. v. RHODEN *(Trotzkopf)*, E. URY; in neuerer Zeit bes. die Dichter der Heimatkunst, LÖNS und FRENSSEN, ferner W. BONSELS, E. KÄSTNER, G. FOCK, T. SONNLEITHNER, M. KYBER, W. SPEYER, F.

SCHNACK, W. BERGENGRUEN, H. BAUMANN, H. zur MÜHLEN, O. PREUSSLER, M. ENDE, H. Ch. KIRSCH, W. SCHNURRE, G. HERBURGER, P. HÄRTLING, I. TETZNER und J. KRÜSS; in Italien J. COLLODI *(Pinocchio)*, in England und Amerika Ch. LAMB *(Tales from Shakespeare)*, E. LEAR, L. CARROLL, HAWTHORNE, KINGSLEY, KIPLING, L. M. ALCOTT *(Little Women)*, F. H. BURNETT *(Little Lord Fauntleroy)*, E. NESBITT, F. BAUM, R. HAGGARD, B. POTTER, L. M. MONTGOMERY, J. BARRIE *(Peter Pan)*, H. LOFTING, J. LONDON, F. MARRYAT, R. L. STEVENSON, P. L. TRAVERS, A. A. MILNE, A. RANSOME, R. ADAMS, TOLKIEN und E. BLYTON, in Frankreich PERRAULT, Mme d'AULNOY, Mme de GENLIS, ST. EXUPÉRY und die Kinderbücher MALOTS *(En famille, Sans famille)*, im Norden dagegen bes. Frauen: in Schweden Selma LAGERLÖF *(Nils Holgerson* 1906 f.) und A. LINDGREN, in Dänemark K. MICHAELIS *(Bibi)* und H. ANDERSEN, in Norwegen M. HAMSUN *(Langerudkinder)*, in Amerika bes. R. SAWYER und D. CORNFIELD mit Mädchenbüchern. In der Nachfolge des Abenteuer- und Schelmenromans und der Robinsonade stehen teils exot. Erzählungen wie COOPERS *Lederstrumpf*, J. VERNES Utopien, Ch. SEALSFIELDS, F. GERSTÄCKERS und K. MAYS Abenteuerromane, ferner W. BUSCH *(Max und Moritz* 1856), Mark TWAIN *(Tom Sawyer* 1876 ff.), R. L. STEVENSON *(Treasure Island* 1883), KIPLING *(Jungle Book* 1894), E. KÄSTNER *(Emil und die Detektive* 1929 u. a.). Als Bearbeiter von Volksüberlieferungen für die Jugend traten hervor K. F. BEKKER *(Erzählungen aus der alten Welt* 1801 ff.), G. SCHWAB *(Sagen des klass. Altertums* 1838 ff. und Dt. *Volksbücher* 1836 ff.), BECH-

STEIN mit Märchen- und Sagenbüchern, MUSÄUS, SIMROCK, bes. aber GRIMMS Märchen. Daneben stehen schließlich belehrende Werke wie zahlr. histor. Erzählungen, Reise- und Naturbeschreibungen und Problembücher zur Gegenwart. Die herkömml. lit. J. findet starke Konkurrenz in Science fiction, Comics, Fantasy-Lit. und den elektron. Medien. Die über die Pädagogik hinausgehende wiss. Untersuchung der J. als Parallele zur Erwachsenenlit. und im Hinblick auf Kindheits- und Erziehungsideale, Sozialisationstendenzen sowie projizierte Familien- und Gesellschaftsbilder ist im Gange.

H. Wolgast, D. Elend unser. J., 1896, [7]1950; ders., Vom Kinderbuch, 1906; L. Göhring, D. Anfänge d. dt. J. i. 18. Jh., 1904, n. 1967; H. L. Köster, Gesch. d. dt. J., 1906, [4]1927, n. 1972; E. Ackerknecht, Jugendlektüre u. dt. Bildungsideale, 1914; J. Antz, Führung d. Jugend z. Schrifttum, [2]1950; F. Seyforth, Führer durch d. dt. J., 1928; F. J. H. Darton, Children's Books in Engl., Lond. 1932, n. 1974; J. Prestel, Gesch. d. dt. J., 1933; E. S. Smith, A Hist. of Children's Lit., Chic. 1937; A. Rühmann, Alte dt. Kinderbücher, 1937; I. Graebsch, Gesch. d. dt. Jugendbuches, 1942 (Dyhrenfurth-Graebsch [3]1967); D. Kraut, D. Jugendbücher i. d. dt. Schweiz bis 1850, 1945; J. de Trigon, Hist. de la lit. enfantine, Paris 1950, [2]1960; P. Hazard, Kinder, Bücher u. gr. Leute, 1952; B. P. Adams, About Books and Children, N.Y. 1953; L. H. Smith, The unreluctant years, Chic. 1953; P. Muir, Engl. Children's Books, Lond. 1954; A. Krüger, D. Buch – Gefährte deiner Kinder, [2]1955; R. Bamberger, D. Jugendlektüre, [2]1965; RL; K. Friesicke, Hdb. d. Jugendpresse, 1956; E. Weissert, V. Abenteuer d. Lesens, 1959; B. Hürlimann, Europ. Kinderbücher i. 3 Jhh., 1959, [2]1964; T. Rutt, Buch und Jugend, [2]1960; Hdb. d. Dt.-Unterr., hg. A. Beinlich Bd. 2, [2]1961; M. Fisher, Intent upon reading, Leicester 1961, [4]1969; M. Valeri, E. Monaci, Storia della lett. per i fanciulli, Bol. 1961; G. Klingberg, Barnboken genom tiderna, Stockh. 1962; M. Crouch, Treasure seekers and borrowers, Lond. 1962; V. Stybe, Fra askepot til anders and, Koph. 1962; M. F. Thwaite, From primer to pleasure, Lond. 1963; K. E. Maier, Jugendschrifttum, 1964, u. d. T. J. [8]1980; Jugendlit. heute, hg. K. Doderer 1965; H. Kunze, Schatzbehalter, [2]1965; B. Hürlimann, D. Welt i. Bilderbuch, 1966; V. Haviland, Children's lit., Wash. 1966; P. Aley, J. i. Dritten Reich, 1967; A critical approach to children's lit., hg. S. I. Fenwick, Chic. 1967; G. Klingberg, D. Gattungen d. Kinder- u. Jugendbuches, WW 17, 1967; J. R. Townsend, Written for children, N.Y. 1967, n. 1977; J. P. Colby, Writing, illustrating and editing children's books, N.Y. 1967; J. Krüss, Naivität u. Kunstverstand, 1968; A. Pellowski, The world of children's lit., N.Y. 1968; A. Ellis, A hist. of children's reading and lit., Oxf. 1968; R. Whitehead, Children's lit., N.Y. 1968; C. Meigs u.a., A critical hist. of children's lit., N.Y. [2]1969; I. Jan, Essai sur la lit. enfantine, Paris 1969; A. C. Baumgärtner, Perspektiven d. Jugendlektüre, 1969; K. Doderer, Klass. Kinder- u. Jugendbücher, 1969, [3]1975; M. Dahrendorf, D. Mädchenbuch, 1970, [4]1980; R. Gollmitz, D. Kinderbuch, 1971; F. Eyre, Brit. children's books in the 20. cent., Lond. 1971; J. i. e. veränd. Welt, hg. K. E. Maier, 1972; S. Köberle, J. z. Zt. d. Aufklärg., 1972; Bilderbuch u. Fibel, hg. K. Doderer 1972; G. Klingberg, Kinder- u. J.forschg. 1973; D. polit. K., hg. D. Richter 1973; Kinder- u. J., hg. G. Haas 1974, [3]1984; Dt. Jugendbuch heute, hg. A. C. Baumgärtner 1974; Histor. Aspekte z. J., hg. K. E. Maier 1974; D. Jugendbuch als Medium lit. Kommunikation, hg. K. L. Lingelbach 1974; B. Nauck, Kommunikationsinhalte v. Jugendbüchern, 1974; B. Hurrelmann, J. u. Bürgerlichkeit, 1974; E. Schmidt, D. dt. Kinder- u. J. v. d. Mitte d. 18. Jh. bis z. Anfg. d. 19. Jh., 1974; H. Bertlein, D. geschichtl. Buch f. d. Jugend, 1974; Zum Kinderbuch, hg. J. Drews 1975; D. Bilderbuch, hg. K. Doderer 1975; Lexikon d. Kinder- u. J., hg. K. Doderer IV 1975–82; M. Soriano, Guide de la lit. pour la jeunesse, Paris 1975; Phantasie u. Realität i. J., 1976; Umstrittene J., hg. H. Schaller 1976; R. Bamberger, Jugendschriftenkunde, [2]1976; Kinder- u. J., hg. G. Haas [2]1976, [3]1984; G. Ebert, Ansichten z. Entw. d. ep. Kinder- u. J. i. d. DDR, 1976; Lit. f. Kinder, hg. M. Lypp (LiLi, Beih. 7, 1977); C. Bravo-Villasante, Weltgesch. d. Kinder- u. J., 1977; B. Nauck, Jugendbuch u. Sozialisation, 1977; Sozialist. Kinder- u. J. d. DDR, hg. F. Wallesch, 1977; A. Kuhn, J. Merkel, Sentimentalität u. Geschäft, 1977; F. Caradec, Hist. de la lit. enfantine, Paris 1977; H. Wegehaupt, Vorstufen u. Vorläufer d. dt. Kinder- u. J., 1977; M. Marquardt, Einf. i. d. Kinder- u. J., 1977, [6]1986; W. Scherf, Strukturanalyse d. Kinder- u. J., 1978; Weltlit. d. Jugend, hg. L. Binder 1978; Zw. Utopie u. heiler Welt, hg. C. Oderfeld 1978; Didaktik d. J., hg.

J. Grützmacher 1979; Kinder- u. J., hg.
M. Gorschenek 1979; B.-J. Thiel, D. rea-
list. Kindergesch., 1979; H. Wegehaupt,
Alte dt. Kinderbücher, Bibl. III 1979–85;
M. Dahrendorf, Kinder- u. J. i. bürgerl.
Zralter, 1980; M. Lange, Z, ep. Kinder-
u. J. d. BRD, 1980; Kinderlit. u. Rezep-
tion, hg. B. Hurrelmann 1980; A. Krüger,
D. erz. Kinder- u. J. i. Wandel, 1980;
Ansätze histor. Kinder- u. J.-forschg., hg.
A. C. Baumgärtner 1980; C. Pressel,
Schöne alte Kinderbücher, 1980; D. Es-
carpit, La lit. d'enfance et de jeunesse en
Europe, Paris 1981; Ästhetik d. Kinder-
lit., hg. K. Doderer 1981; D. Grenz,
Mädchenlit., 1981; H. Göbels, 100 alte
Kinderbücher, 1981; G. Humbert, Jeu-
nesse et lit., 1981; W. Pape, D. lit. Kin-
derbuch, 1981; Österr. Kinder- u. J., hg.
L. Binder 1982; W. Freund, D. zeitge-
nöss. Kinder- u. Jugendbuch, 1982; Lit.-
Rezeption b. Kindern u. Jugendl., hg. A.
C. Baumgärtner 1982; Hb. z. Kinder- u.
J., hg. Th. Brüggemann III 1982ff.; C.
Cardi, D. Kinderschauspiel d. Aufklzt.,
1983; Das Kinderbuch, hg. R. Gollmitz
1983; S. Zahn, Textorleben, 1983; C.
Kamenetsky, Children's lit. in Hitler's
Germany, Athens 1984; B. Neuhaus,
Kindergeschn. zw. Erwachs. u. Kindern,
1984; G. Summerfield, Fantasy and reason, Lond. 1984; Kinder- u. Jugendme-
dien, hg. D. Grünewald 1984; The Oxford companion to children's lit., Oxf.
1984; Abc u. Abenteuer, hg. A. C. Baumgärtner II 1985; F. Jakob, Z. Wertg. d.
Mädchenbuchs, 1985; M. Dahrendorf, J.
u. Politik, 1986; J. i. d. BRD, hg. W.
Kaminski 1986; Aufklärg. u. Kinderbuch, hg. D. Grenz 1986; R. Wild, D.
Vernunft d. Väter, 1987; R. Steinlein, D.
domestizierte Phantasie, 1987; Zw.
Trümmern u. Wohlstand, hg. K. Doderer
1987; G. Ottevaere-van Praag, La lit.
pour la jeunesse en Europe occidentale
1750–1925, 1987; Kinder- u. J., hg. J.
Eckhardt 1987; E. Seibert, J. i. Übergang
v. Josephinismus z. Restauration, 1987;
B. Kuehn, Kindergesch., Spiel u. Parabel,
1988.

Jugendschutz, literarischer, die gesetzl. Verordnungen und Maßnahmen zum Schutz der Jugendlichen
unter 18 Jahren vor →jugendge-
fährdenden Schriften. Ihre Durchführung obliegt der →Bundesprüf-
stelle für jugendgefährdende
Schriften.

Jugendstil, auch Sezessionismus,
Art nouveau, Richtung der bildenden Kunst um 1895–1905, die

durch eigenartig stilisierte Pflanzen-
und Naturformen in schwungvoll-
ornamentaler, arabeskenhaft fläch-
ger Linienführung dem historisierenden Akademismus der Gründerzeit entgegentrat (Zs. Jugend,
1896ff.) und bes. für Architektur,
Kunst, Kunstgewerbe, Inneneinrich-
tung, Schmuck und – im Anschluß
an die engl. Präraffaeliten – Buchschmuck bedeutsam wurde. Bedeutendster Vertreter ist der Architekt
Henry van de VELDE. Die Übertragung des Begriffes auf die Lit. ist
umstritten; SCHNITZLER, HOF-
MANNSTHAL, WILDGANS, BIER-
BAUM, WOLZOGEN, A. HOLZ, WE-
DEKIND, LILIENCRON, DEHMEL,
DAUTHENDEY, BEER-HOFMANN,
SCHAUKAL, L. von ANDRIAN,
HARTLEBEN, VOLLMOELLER, LAS-
KER-SCHÜLER, R. HUCH, STUCKEN,
E. HARDT und GINZKEY, auch RIL-
KE, GEORGE und SPITTELER, bes.
aber die Dichter der Neuromantik
weisen in Einzelwerken, bes. lit
Kleinformen und Lyrik von erstarr-
ter sprachl. Ornamentik, zeitweilig
ähnliche Stilzüge auf, die auf eine
Abkehr vom Naturalismus und auf
eine flächenhafte, idealisierende Sti-
lisierung eines schönen, alltagsfer-
nen Lebens durch die Kunst ins
leicht Erotische oder Feierlich-Sym-
bolische zielen. Im Ausland stehen
Vertreter des Ästhetizismus wie M.
MAETERLINCK, O. WILDE, G.
D'ANNUNZIO dem J. nahe.

F. Schmalenbach, D. J., 1935; F. Ahlers-
Hestermann, Stilwende, ³1956; D. Sternberger, Üb, d, J., 1956, ²1977; E. Rathke,
J., 1958; E. Klein, J. i. dt. Lyrik, 1958; J.,
hg. H. Seling, 1959; V. Klotz, J. i. d.
Lyrik (in: Kurze Kommentare, 1962); J.
Hermand, J., 1965; J. R. Taylor, The Art
Nouveau Book, Lond. 1965; I. Cremona,
D. Zeit d. J., 1966; S. T. Madsen, J.,
1967; R. Hamann, J. Hermand, Stilkunst
um 1900, 1967, n. 1977; D. Jost, Lit.J.,
1969, ²1980; H. Fritz, Lit.J. u. Expressionismus, 1969; E. Hajek, Lit.J., 1971; J.,
hg. J. Hermand 1971; J., Stil d. Jugend,
hg. H. Glaser 1971; E. Melichar, Stud. z.

lit. J., Diss. Wien 1974; R. Gruenter u. a.
(Jb. d. Dt. Akad. f. Sprache u. Dichtg.
1976); H.-U. Simon, Sezessionismus,
1976; RL: Sezessionismus; W. Kohl-
schmidt, Impressionismus u. J. als lit.hist.
Termini (in: Konturen u. Übergänge,
1977); H. Müller, J., 1978; R. Campe,
Ästh. Utopie-J., Sprachkunst 9, 1978; P.
Por, D. Bild i. d. Lyr. d. J., 1983; H.
Scheible, Lit.J. in Wien, 1984; J. W.
Storck, J. – e. lit. Epochenbegr.? (Fs. J.
Steiner, 1986).

Jugendtheater, Kindertheater,
Theateraufführungen vor und von
Kindern und Jugendlichen, seit dem
→Schuldrama des 16./17. Jh. zu-
meist erzieherisch ausgewertet, bes.
mit dem Verlorenen-Sohn-Stoff, im
18. Jh. von Chr. WEISE, PFEFFEL,
BODMER, WEISSE, SALZMANN,
SCHUMMEL u. a., im 19. Jh. bei K.
KANNEGIESSER, A. FRANZ und in
den →Puppenspielen des Grafen
POCCI, als →Märchenoper bei
HUMPERDINCK. Im 20. Jh. geht das
für Jugendliche geschriebene J.
weitgehend in den →Laienspielbüh-
nen auf. Dagegen findet das reine
Kindertheater entweder auf der
Ebene surrealist. Nonsenseszene
oder – seit der russ. Oktoberrevolu-
tion 1917 – im Gefolge vielfach radikaler oder antiautoritärer Strömungen als Mittel staatsbürgerl. Erziehung und Indoktrination oder
sozialer Bewußtseinsbildung stärkere Pflege (J. wie ›Grips‹, ›Rote Grüt-
ze‹, ›Birne‹).

M. Eickemeyer, D. Kindertheater, 1910;
G. Dieke, D. Blütezeit d. Kinder-Th.,
1934; H. Schultze, D. dt. J., 1960; J. H.
Davis u. M. Watkins, *Children's theatre,*
N.Y. 1960; *Children's theatre and creative dramatics,* hg. G. B. Siks, Wash.
²1967; Y. Howard, *The Compl. Book of
children's theatre,* N.Y. 1969; E. Baur,
Theater f. Kinder, 1970; M. Schedler,
Kindertheater, 1972; ders., Schlachtet
den blauen Elefanten, 1973; J. D. Zipes,
Kindertheater (Popularität u. Trivialität,
hg. R. Grimm 1974); M. Jahnke, V. d.
Komödie f. Kinder z. Weihnachtsmär-
chen, 1977; A. Paul, Kindertheater als
krit. Volkstheater, DD 8, 1977; S. Schrie-
gel, J. als Medium polit.-päd. Praxis,
1978; K. W. Bauer, Emanzipator. Kinder-

theater, 1980; J. – Theater für alle, hg. R.
Dringenberg 1983; C. Cardi, D. Kinder-
schausp. d. Aufklzt., 1983; Kinder- u. J.
d. Welt, hg. C. Hoffmann 1983; W.
Schneider, Kinderth. nach 1968, 1984; R.
Kayser, V. d. Rebellion z. Märchen,
1985; J. H. Davis, *The happy island,*
1987.

Junges Deutschland (Bz. zuerst in
L. WIENBARGS *Ästhetischen Feldzü-
gen,* 1834), lit. Bewegung in Dtl. rd.
1830–50, deren einzelne Vertreter
(GUTZKOW, WIENBARG, LAUBE,
MUNDT, KÜHNE, HERWEGH; nahe
BÖRNE und HEINE) nur in sehr losem Kontakt zueinander standen
und erst durch das auf Anregung
W. MENZELS und des österr. Ge-
sandten am 10. 12. 1835 (in Preußen schon 14. 11. 1835) erlassene
Verbot ihrer Schriften als staatsge-
fährdend öffentlich zusammengefaßt wurden, doch auch innerlich
von den gleichen Ideen erfaßt waren: Ablehnung des absolutist. Staates, der orthodoxen Kirche, moral.
und gesellschaftl. Konvention wie
jeden Dogmas; dafür Individualismus, Gedanken- und polit.
Meinungsfreiheit, Diesseitsglaube,
Sozialismus, Demokratie, Republik, Frauenemanzipation (Gräfin
HAHN-HAHN, F. LEWALD) und Bindungslosigkeit der Geschlechterbe-
ziehungen; Forderungen, die z. T.
auf eth. Vernunftnormen der Aufklärung und der Humanität LES-
SINGS und HERDERS, der Frühromantik und HEGELS Geschichtsphilosophie, teils auf den Liberalismus,
die franz. Julirevolution u. a. franz.
Vorbilder (SAINT-SIMON, George
SAND) zurückgehen und in ihrer Radikalität bereits an kollektivist.
Ideengut anklingen. Das J. D. entstand im Zusammenhang der europ. Jugendbewegung (MAZZINIS
›Giovine Italia‹, →›Jeune France‹,
›Das junge Europa‹ um 1834 in der
Schweiz). Im Ggs. zum weltanschaulich wie künstlerisch für rück-

ständig, weil unpolit. angesehenen Idealismus in Klassik und Romantik suchte man die derzeitige Gefahr der Stagnation für die Lit. im unpolit. →Biedermeier zu überwinden durch e. neuen Kontakt zum politisch-sozialen Leben und der Wirklichkeit (Realismus), nicht ideale Zeitlosigkeit, sondern bewußte Zeitnähe und direkte, tendenziöse Beeinflussung. Am radikalsten und ästhetisch am nachteiligsten wirkte sich die Forderung aus, Dichtung habe in den Dienst des Tageskampfes und der Politik zu treten, da sie notwendig e. Vergröberung und Radikalisierung der eth. Ziele zur Folge hatte. Zahlr. Zeitungen und Zss. vertreten die neuen Ideen. Es verbindet sich daher realist. Kunstauffassung mit journalist. Stil: streng konzentrierte Prosa, doch stets subjektiv und tendenziös getönt, geistreich wandelbar, pointiert-paradox und auch vor saloppen Ausdrücken nicht zurückscheuend. Beliebte Formen sind das stilistisch Zeitkritik verhüllende Feuilleton (HEINE, BÖRNE), das zeitsatir. und -krit. Reisebild (HEINE) wie andeutende Fragmente und Aphorismen. Nur wenige Werke haben durch bleibende lit. Werte das Zeitbedingte überdauert; literarhistor. Bedeutung gewinnt das J. D. bes. durch die Entwicklung e. realist. Stils und journalist. Feuilletons. Wichtigste theoret. Schriften waren WIENBARGS Ästhetische Feldzüge 1834, BÖRNES Briefe aus Paris 1832ff. und HEINES Romantische Schule 1836. Die Lyrik des J. D. behandelt freiheitl. polit. Themen in traditionellen Formen: HERWEGH, FREILIGRATH, HOFFMANN VON FALLERSLEBEN, WEERTH, PRUTZ. Der Roman des J. D. ist der umfangr. Zeit- und Gesellschaftsroman, Darstellung und Erörterung von Tendenzen, oft durch Reflexion und Kritik zersetzt.

LAUBE gestaltete schon 1833 im Roman Das junge Europa das von allen Bindungen befreite Weltbild; ebenso GUTZKOWS Romane Wally die Zweiflerin (Frauenemanzipation, Geschlechterfreiheit, gegen kirchliche Ehe) und Maha Guru (gegen Orthodoxie), MUNDT und WILLKOMM. Ausdruck der relig. Skepsis ist auch D. F. STRAUSS' Leben Jesu 1835. Nach dem Verbot 1835 ging BÖRNE nach Paris, wo HEINE seit 1831 weilte; GUTZKOW, der drei Monate Gefängnis erhielt, und LAUBE schlossen sich anderen Richtungen an und ließen nur in versteckten Anspielungen die polem. Haltung erkennen. Um 1840 steigt das Drama des J. D. als strengste und am längsten überdauernde Form auf: GUTZKOWS Zopf und Schwert, Urbild des Tartüff, Uriel Acosta, LAUBES Graf Essex und Die Karlsschüler, WILLKOMMS hist. Dramen, daneben ab 1850 breite zeitkrit. Romane wie GUTZKOWS Ritter vom Geist 1850/51 mit Darstellung des zeitl. Nebeneinander und Der Zauberer von Rom (1858–1861, gegen Papsttum), ferner →Frauenromane (HAHN-HAHN). Die Lit.kritik des J. D. ist als polit. Gesinnungskritik nicht an Formfragen, nur an Inhalten interessiert. Vgl. →Vormärz.

J. Proelß, D. J. D., 1892; V. Schweizer, Beitr. z. e. j.-dt. Ästhet., 1897; H. Friedrich, D. rel.-philos., soziolog. u. polit. Elemente i. d. Prosadichtg. d. J. D., Diss. Lpz. 1907; L. Geiger, D. J. D., 1907; H. H. Houben, J.-dt. Sturm u. Drang, 1911; F Kainz, Stud. üb. d. J. D., Euph. 26, 1925; H. v. Kleinmayr, D. Welt- u. Kunstanschauung d. J. D., 1930; H. Förster, Stud. z. Begriff d. j.-dt. Dramas, Diss. Bresl. 1930; P. Malthan, D. J. D. u. d. Lustspiel, 1930; E. Gamper, Dichter u. -tum z. Zt. d. J. D., Diss. Zürich 1934; E. Jenal, D. Kampf geg. d. j.-dt. Lit., ZDP 58, 1934; W. Suhge, Saint-Simonismus u. J. D., 1935; E. A. Greatwood, Dichterische Selbstdarstellg. i. Roman d. J. D., 1935; H. Bessler, Stud. üb. d. hist. Drama d. J. D., Diss. Lpz. 1935; H. G. Keller, D.

jge. Europa, 1938; G. Schüler, D. Novelle d. J. D., Diss. Bln. 1941; G. Weydt, Biedermeier u. J. D., DVJ 1951; C. P. Magill, *Young Germany* (Fs. L. A. Willoughby, Oxf. 1952); M. Greiner, Zw. Biedermeier u. Bourgeoisie, 1953; RL; W. Dietze, J. D. u. dt. Klassik, 1957, ⁴1981; H. Koopmann, D. J. D., 1970; H. Denkler, D. Drama d. Jungdt., ZDP 91, 1972; U. Köster, Lit. Radikalismus, 1972; Polit. Avantgarde 1830–40, hg. A. Estermann II 1972; J. L. Sammons, *Six essays on the Young German novel*, Chapel Hill 1972; W. Hömberg, Zeitgeist u. Ideenschmuggel, 1975; W. Wülfing, J. D., 1978; H. Burchardt-Dose, D. J. D. u. d. Familie, 1979; G. Kurscheidt, Engagement u. Arrangement, 1980; W. Wülfing, Schlagworte d. J. D., 1982; H. Steinecke, Lit.-kritik d. J. D., 1982; M. Windfuhr, D. J. D. als lit. Opposition, Heine-Jb. 22, 1983; Romane u. Erzn. zw. Romantik u. Realismus, hg. P. M. Lützeler 1983; U. Köster, Lit. u. Ges. i. Dtl 1830–48, 1984; D. J. D., hg. J. A. Kruse 1987. →Vormärz.

Junges Österreich, Sammelbez. für die freiheitlich gesinnten österr. Dichter des Vormärz, bes. M. HARTMANN, A. MEISSNER und H. ROLLETT.

J. Ö., hg. M. Rietra, Amsterd. 1980.

Junges Polen *(Młoda Polska),* lit. Bewegung in Polen um die letzte Jahrhundertwende, Gegenbewegung gegen den poln. →Positivismus, die unter dem nationalen Aspekt des Befreiungskampfes die Lyriker, Erzähler und Dramatiker der verschiedensten, von Symbolismus, Dekadenzdichtung, Ästhetizismus u.a. beeinflußten Richtungen zusammenschloß: WYSPIAŃSKI, PRZYBYSZEWSKI, TETMAJER, KASPROWICZ, STAFF, ZEROMSKI, REYMONT u.a. Grundzüge waren ein dem L'art pour l'art-Gedanken nahestehender, an NORWID und SŁOWACKI geschulter Schönheitskult und eine gegen jede Tendenzlit. gerichtete Auffassung von der Freiheit der Kunst und der Phantasie. Zss. des J. P. waren *Zycie* und *Chimera.*

J. Lorentowicz, *Młoda Polska,* III 1908–13; S. Bzozowski, *Legenda Młodej*

Polski, Lemberg 1919; J. Lajarre, *La Jeune Pologne et la tradition romant.,* RLC 50, 1976.

Jungrömische Dichterschule
→Neoteriker

Jung-Tirol, Tiroler Dichterkreis um Adolf PICHLER um 1900: H. v. SCHULLERN, F. KRANEWITTER, F. LECHLEITNER, H. POVINELLI, A. v. WALLPACH u.a.; Zss.: *Der Scherer, Der Föhn,* Almanach *J.-T.* 1899 von H. v. GREINZ und H. v. SCHULLERN.

Nagl-Zeidler-Castle, Österr. Lit.gesch. IV, 1937; C. Schwaighofer, J. (Mitt. a. d. Brenner-Archiv 3, 1984).

Jung-Wien, Wiener Dichter- und Kritikerkreis um H. BAHR 1891–97, lehnte den norddt. Naturalismus ab und schloß sich dem Symbolismus, Impressionismus, der Neuromantik, teils auch der Dekadenzdichtung an. Weitere Vertreter: A. SCHNITZLER, H. v. HOFMANNSTHAL, P. ALTENBERG, R. BEER-HOFMANN, F. SALTEN, F. DÖRMANN, O. STÖSSL, R. AUERNHEIMER, L. v. ANDRIAN und P. WERTHEIMER; Zss.: *Moderne Rundschau* 1890–91, *Wiener Rundschau* 1896ff., *Die Zeit* 1894–1904, *Österr. Rundschau* 1904–24.

A. Möller-Bruck, D. J. W., 1902; Nagl-Zeidler-Castle, Österr. Lit.gesch. IV, 1937; E. Rollett, D. Männer d. letzten Aktes (Wort i. d. Zeit 5, 1959); D. Junge Wien, hg. G. Wunberg II 1976; D. Wiener Moderne, hg. ders. 1981; G. M. O' Brien, *The coinage J.-W.,* MAL 15, 1982; J. Rieckmann, Aufbruch i. d. Moderne, 1985; ders., J.-W., MAL 18, 1985.

Junimea (rumän. = Jugend), 1863 von T. MAIORESCU in Jassy gegründeter rumänischer Schriftsteller- u. Philosophenkreis zur Pflege der rumän. Sprache (Reinerhaltung des Wortschatzes, Festigung der Orthographie, Bildung e. Lit.-sprache), Förderung der originalen, bodenständigen Lit., Ablehnung der Nachahmung westl. Vorbilder und

Bekämpfung des Pseudoliteratentums. Mitglieder des um die 1867 gegründete Zs. *Convorbiri Literare* gescharten J.-Kreises waren u. a. CREANGA, CARAGIALE, CONTA, EMINESCU, GANE, NEGRUZZI, SLAVICI und XENOPOL.

Juoigos, meist improvisierte, kurze Lieder der Lappen.

A. Launis, Lapp. J.-Melodien, Helsinki 1908.

Juvenįlia (lat. = jung), Jugend- und Frühwerke e. Autors.

Kabarętt (franz. *cabaret* = Schenke), Kleinkunstbühne zum Vortrag von Gedichten, Liedern, Balladen, Moritaten, Couplets, →Chansons, Parodien, Satiren, Pantomimen, Conférencen, Sketches, Tänzen u. a. lit.-musikal.-theatral.-artist. Darbietungen meist in themat. lockerem Nummernprogramm, teils durch Berufsschauspieler und Amateure, teils durch die Verfasser selbst und stets witzigen, satir., aktuellpolit. oder besinnl. Inhalts und von scharf pointierter Form, stets kritisch bis oppositionell zur herrschenden Gesellschaftsordnung, die es in ihren (auch erot.) kleinen und großen Schwächen mehr andeutend-frivol als massiv verspottet, daher geringe Entfaltungsmöglichkeiten in totalitären Staaten wie gut funktionierenden Demokratien. Zuerst in dem vom Maler R. SALIS 1881 auf dem Montmarte in Paris gegr. K. ›Chat noir‹ als Unterhaltungsstätte für Bohemiens und verkannte Genies, die sich an gegenseitigen Geistesprodukten ergötzten, ähnlich in anderen Künstlerkneipen, dann allmählich zum festen Bühnenunternehmen ausgebildet

(A. BRUANTS ›Le Mirliton‹), nach dem Vorbild in BIERBAUMS Roman *Stilpe* (1897) in Dtl. zuerst durch E. v. WOLZOGENS 1901 in Berlin gegr., →›Überbrettl‹ nachgeahmt, dann in schneller Folge ›Die Brille‹, Entstehungsort von Chr. MORGENSTERNS *Galgenliedern,* MAX REINHARDTS ›Schall und Rauch‹ 1901, die Münchner ›Elf Scharfrichter‹ 1901, der ›Simplicissimus‹ 1903, das Wiener ›Nachtlicht‹ 1906, ›Die Fledermaus‹ 1907, das Berliner ›Neopathetische Cabaret‹ 1910 und K. HILLERS ›Gnu‹ 1911, in Zürich das ›Cabaret Voltaire‹ 1916 (→Dadaismus), W. SCHAEFFERS ›K. der Komiker‹ 1924, W. FINCKS ›Die Katakombe‹ 1929 und ›Die vier Nachrichter‹ 1931, als Emigranten-K. E. und K. MANNS ›Die Pfeffermühle‹ 1933 in Zürich, W. ROSENS ›Theater der Prominenten‹, in Paris ›Die Laterne‹, in der Nachkriegszeit bes. ›Die Amnestierten‹, das Düsseldorfer ›Kommödchen‹ 1947, W. FINCKS ›Mausefalle‹ 1948 in Hamburg und K. G. NEUMANNS ›Insulaner‹ 1947 sowie ›Die Stachelschweine‹ 1949 in Berlin, E. KÄSTNERS ›Schaubude‹ 1945, R. ROLFS ›Die Schmiere‹ (Frankfurt), das Stuttgarter ›Kleine Renitenztheater‹ und die ›Münchner Lach- und Schießgesellschaft‹ 1955, in der DDR die Berliner ›Distel‹ 1953 und die Leipziger ›Pfeffermühle‹ 1954. Trotz der Beteiligung oft bedeutender Dichter wie LILIENCRON, BIERBAUM, L. THOMA, M. DAUTHENDEY, R. A. SCHRÖDER, O. E. HARTLEBEN, W. MEHRING, WEDEKIND, HILLE, F. BLEI, A. POLGAR, P. ALTENBERG, C. MORGENSTERN, E. MÜHSAM, KLABUND, BRECHT, TUCHOLSKY, RINGELNATZ, DEHMEL, K. HOLLÄNDER, H. v. GUMPPENBERG, F. ENDRIKAT, E. FRIEDELL, F. VALENTIN, H. H. EWERS, G. H. MOSTAR, E. KÄSTNER, E. WEINERT, W.

BORCHERT, G. KREISLER, H. QUALTINGER, F. HOHLER bleibt es meist bei kurzlebigen Unternehmungen, denen in Revuen, Varietés und Protestsongs Konkurrenz erwuchs.

A. Möller v. d. Bruck, D. Varieté, 1902; H. H. Ewers, D. K., 1904; G. Meerstein, D. K., Diss. Mchn. 1938; RL; O. Osthoff, D. lit. K., 1946; W. Schumann, Unsterbl. K., 1948; K. Budzinski, D. Muse m. d. scharfen Zunge, 1961; S. Kühl, Dt. K.s, 1962; L. Ríhová, The Origin, development and present state of c. (Theatre Research 5, 1963); J. Henningsen, Theorie d. K., 1967; H. Mandl, Literary C., MAL 2, 1969; R. Höch, K. v. gestern u. heute, II 1969–72; H. Greul, Bretter, die die Zeit bedeuten, II ²1971; K. Riha, Lit. K. u. Rollengedicht (D. dt. Lit. i. d. Weimarer Republik, hg. W. Rothe 1974); G. Zivier u.a., K. mit K, 1974; L. Appignanesi, D. K., 1976; G. Hofmann, D. polit. K. als gesch. Quelle, 1976; F. Scheu, Humor als Waffe, 1977; R. Otto u.a., K.gesch., 1977, ²1981; R. Hippen, K. zw. d. Kriegen (D. lit. Leben i. d. Weimarer Rep., hg. K. Bullivant 1978); H.-P. Bayerdörfer, Überbrettl u. Überdrama (Lit. u. Theater i. Wilhelm. Ztalter, hg. ders. 1978); K. Budzinski, Pfeffer ins Getriebe, 1981; V. Kühn, D. K. d. frühen Jahre, 1984; K. Budzinski, D. K., 1985; M. Strauß, Dt. K'lyrik vor 1933, Diss. Zürich 1985; J. Pelzer, Kritik durch Spott, 1985; R. Hippen, K.geschichte(n), XV 1986ff.

Kabartschuk →Karagöz

Kabel oder Programma, barockes Zahlenspiel, Gleichung von Wörtern, deren Buchstaben den Zahlenwert ihrer Stellung im Alphabet (A = 1, B = 2 usw.) erhalten.

Kabuki (japan. = Singtanzstück, eig. Verrenkung), japan. Dramenform im Ggs. zum adligen →Nô-Spiel, auf ähnl. Bühne ohne Maske und mit Männern in Frauenrollen, mit prächtiger Ausstattung gespielt; im 17. Jh. aus kom. Volkstänzen, Singtanzpantomimen und Zwischenspielen entstanden, als Frauen-K. 1629 wegen erot. Züge verboten, 1652 als Knaben-K. erneuert, scheidet es sich unter Einwirkung der Puppenspiele im 18. Jh. in drei

Hauptformen: Shosagoto = Tanzdrama, Jidaimono = Geschichtsdrama und Sewamono = bürgerl. Zeitstück. Bedeutendste Dramatiker waren CHIKAMATSU MONZAEMON und KAWATAKE MOKUAMI. Trotz hochentwickelter Bühnentechnik (Drehbühne), konventioneller Gestik und Schminkmasken erstarrte das K. durch Reihung >großer Szenen< aus versch. Stücken zu artist. Virtuosentum. Einfluß auf das antiillusionist. europ. Drama.

Z. Kinkaid, The Popular Stage of Japan, London 1925; A. E. Jakovlev u. S. Elisseeff, Le théâtre japonais, Paris 1933; A. C. Scott, The K. Theatre of Japan, Lond. 1955, ²1956; A. u. G. Halford, The K. Handbook, Tôkyô 1956; E. Ernst, The K.Theatre, Lond. 1956; S. Kawatake, K., Tôkyô 1958; S. Miyake, K., 1965; B. Ortolani, Das K.theater, Tôkyô 1964; T. Senzoku, K., 1964; R. M. Shaver, K. Costume, Tôkyô 1967; Y. Toita, K., N.Y. 1970; S. L. Leiter, K. Encyclopedia, N.Y. 1979; T. Nakamura, D. Entdeckg. d. K. durch d. Westen, MuK 27, 1981. →Nô.

Kadenz (v. lat. cadere = fallen), metrisch-rhythm. Form des Versausgangs in akzentuierender Dichtung; im allg. →männl. und →weibl. Reim, auch →Katalexe und →Klausel. Die Stabreim-K. umfaßt den ganzen 2. Takt des 2. Kurzverses und ist oft weniger silbenreich als die Auf- und Innentakte; bes. Pflege benötigt die K. erst im →Reimvers, wo allg. zwischen männl. (stumpfer, einsilb.) K. auf Hebung und weibl. (klingender, zweisilb.) K. auf Hebung und Senkung zu differenzieren ist. Für den mhd. →Reimpaarvers unterscheidet LACHMANN ebenfalls stumpfe K. (auf Hebung endigend, statt dessen auch Auflösung zu zwei Kürzen) und klingende K. (auf Senkung endigend); HEUSLER dagegen unter Zugrundelegung der gesamten Verszeile, deren metr. Aufbau durch die K. bestimmt wird, unterscheidet 1. volle K. mit durchgeführtem 4. Takt, einsilbig: >Sáfran mácht den

Kúchen géel‹ oder zweisilbig: ›Wér will gúten Kúchen bácken‹; bei zwei Silben wiederum männlich voll mit kurzer, weiblich voll mit langer, reimfähiger Hebungssilbe; 2. stumpfe K. mit Ausfall der 4. Hebung und Ersatz durch e. Pause: ›Fällt er ín den Súmpf‹, wobei die 3. Hebung auch zweisilbig sein kann; 3. klingende K. als Schluß auf e. für den Reim ungenügenden, sprachlich schwachen Nebenhebung, die den 4. Takt verwirklicht, während die 3. oft e. ausgehaltene Länge bildet, so daß keine Senkung zwischen den beiden letzten Hebungen liegt: ›Bácke, bácke Kúchèn‹. – Die höf. Blütezeit beschränkt sich meist auf (einsilbig und männlich) volle oder auf klingende K.
RL. →Metrik.

Kaempeviser (dän. = Heldenlieder), in Skandinavien zum Tanz gesungene Volksballaden mit Stoffen aus Mythologie und Heldensage; Blüte in Dänemark um 1500. Vgl. →Folkeviser.

Kaeshi-uta →Hanka

Kagura (japan. = Gottesmusik), altjapan. pantom. Tänze sakralen Charakters, die zu primitiver Orchestermusik bei shintoist. Kultfeiern bes. im 9.–12. Jh. zur Ergötzung der Götter aufgeführt wurden; durch pantom. Darstellung myth. Stoffe Ursprungsform des japan. Theaters.

Kagura-uta, einfache, volkstüml. Lieder der japan. shintoist. Kultfeiern in regelloser Form von meist 5–7silbigen Versen, von denen nur ein Hauptvers (hon) und ein Schlußvers (matsu) festgelegt sind; sie behandeln relig. ebenso wie weltl. Themen und bes. die Liebe.

Kahlschlag, von W. WEYRAUCH (*Tausend Gramm*, 1949) geprägtes Schlagwort für die wünschenswerte Reinigung der dt. Sprache von Nazi-Relikten und völligen Neubeginn in der Nullpunkt-Situation der dt. Lit. nach 1945, am besten belegt in G. EICHS Gedicht *Inventur*.
K., hg. R. G. Feucht III 1977–81; V. K. z. movens, hg. I. Drews 1980.

Kailyard School (engl. = Kohlgarten-Schule), spött. Bz. e. Gruppe schott. Heimatdichter 1880–1914, die mit Dialekt und Sentiment schott. Landleben beschrieben: J. M. BARRIE, J. MacLAREN, S. R. CROCKETT.
G. Blake, *Barrie and the K. S.*, 1951.

Kaisersagen, →Sagen von der Wiederkehr volkstüml. und berühmter Herrscher, die meist in Bergen verzaubert schlafen, um in Zeiten der Not entscheidend hervorzubrechen und mit der Wiederherstellung der alten Reichsmacht e. neues goldenes Zeitalter heraufzuführen; in Dtl. bes. um ma. Kaiser (Kyffhäusersage um Barbarossa); vielfach dichterisch verwertet.
R. Schröder, D. dt. K., 1893; F. Kampers, D. dt. Kaiseridee, 1896; ders., V. Werdegang d. abendländ. Kaisermystik, 1924; F. Pfister, D. dt. K., 1928; E. F. Ohly, Sage u. Legende i. d. Kaiserchronik, 1940.

Kakawins, altjavan. Kunstdichtungen nach Vorbild der ind. →Kâvyas, behandeln Stoffe der ind. Epen in vorgeschriebenem ind. Versmaß, daher oft gekünstelt und für hohe intellektuelle Ansprüche.

Kakophonie (griech. *kakos* = schlecht, *phone* = Klang), Mißklang, im Ggs. zur →Euphonie als häßlich empfundene Lautverbindung, Silben- oder Wortfolge, z.B. häufiger Gleichlaut: ›Jetztzeit‹.

Kakozelon →Katachrese (2)

Kalauer, Berliner Eindeutschung des franz. →Calembour in Anlehnung an die Stadt Calau: fauler Wortwitz aus z.T. gewaltsam-gesuchten Ähnlich- oder Gleichklängen.

E. Heyk, Witz u. K. (Gaja, 1928).

Kalender (lat. *Calendae* = Monatserster), Verzeichnis der Tage, Wochen und Monate e. Jahres mit Angabe kirchl. u.a. Festtage, evtl. auch astronom. und meteorolog. Daten. Seit Erfindung des Buchdrucks (1. gedruckter K. 1448, vorher 1439 Holzschnitt) treten daneben Maß- und Gewichtstabellen und belehrende Aufsätze (Ratschläge, Anweisungen, Rezepte, Praktiken), später auch volkstüml. Erzählungen, Schwänke, Legenden, Sagen, Anekdoten, Fabeln, Rätsel, Satiren, die den eigtl. K.teil überwuchern, zu e. beliebten und weitverbreiteten Lektüre niederer Volksschichten umgestalten und seit dem 18. Jh. auch durch Übermittlung von Wissen belehrende Zwecke verfolgen (*Lahrer Hinkender Bote* 1801 ff. u.a. bis in die Gegenwart). Besinnliche K.geschichten um unterhaltend-nachdenkl. Begebenheiten aus dem Volksleben meist in lehrhaft-volkstüml. Ton schrieben u.a. P. GENGENBACH (1520), GRIMMELSHAUSEN (*Ewigwährender K.* 1670, *Wundergeschichten-K.* 1669–1673) und dann bes. süddt. Autoren des 18./19. Jh.: J. P. HEBEL (1802), GOTTHELF *(Elsi)*, B. AUERBACH, L. ANZENGRUBER, H. FEDERER, A. STOLZ, HANSJAKOB, P. ROSEGGER, neuerdings O. M. GRAF (1929), H. WAGGERL, B. BRECHT (1949) und E. STRITTMATTER (1967). Im 20. Jh. löst sich die K.geschichte vom K. und wird zur eigenständigen Gattung volkstüml. Kurzprosa. Daneben seit dem 19. Jh. versch. K. für Berufs- und Standeskreise: Bauern-, Gelehrten-, →Literatur-, Philologen-, Ärzte-, Chemiker-, Ingenieur-,

Adels-K. als jährl. erscheinende Nachschlagewerke meist ohne Kalendarium. →Almanach, →Cisiojanus, →Fasti, →Praktik.

W. Uhl, Unser K., 1893; W. Wislicenus, D. K., 1910; V. v. Sievers, K. u. Almanache (Zs. f. Bücherfreunde 18, 1926); H. Gauch, K. u. Brauchtum, 1939; RL; H. Rosenfeld, K. (Bayr. Jb. f. Volkskunde, 1962); K. G. Irwin, *The 365 days*, Lond. 1966; H. Kaletsch, Tag u. Jahr, 1970; A. Dresler, K.-Kunde, 1972; J. Knopf, Gesch.n zur Gesch., 1973; H. Pongs, D. Bild i. d. Dichtg. 4, 1973; L. Rohner; K.gesch. u. K., 1978; H. Härtl, Z. Tradition e. Genres, WB 24, 1978; H. Sührig, K., AGB 22, 1981; U. Brunold-Bigler, D. rel. Volksk. d. Schweiz i. 19. Jh., 1981; J. Knopf, D. dt. K.gesch., 1983; I. Wiedemann, D. Hink. Bote u. s. Vettern, 1984; Lit. u. Volk i. 17. Jh., hg. W. Brückner 1985; K. Franz, Greul. Taten u. nützl. Lehren (Fs. A. Weber, 1987).

Kalendergeschichte →Kalender

Kalliope (griech. = die Schönstimmige), 9. und älteste der →Musen, Mutter des Orpheus; mit den Attributen Wachstafel und Griffel Vertreterin der ep. Dichtung, teils auch der Poesie und Rhetorik allg.

Kammerspiele, im Ggs. zum großen Schauspielhaus für Klassikeraufführungen u.ä. urspr. e. kleinerer Theaterbau für rd. 300–500 Zuschauer ohne Orchester und Galerie, wie er im Symbolismus und der Neuromantik für intimer wirkende, nuancenreiche Bühnenstücke eingeführt wurde: STANISLAVSKIJS Moskauer Künstlertheater 1900, Max REINHARDTS K. des Dt. Theaters Berlin 1906 (Eröffnung mit IBSENS *Gespenster*), O. FALCKENBERG in München; seither auch Frankreich und Österreich: so das Josefstädter Theater, Leon EPPS ›Insel‹, Wien. Danach auch Bz. für (meist psycholog.) Dramen intimeren Charakters mit geringerer Personenzahl und Betonung der Sprachwirkung, die sich für K.-Aufführungen eignen; so nannte STRINDBERG seine Dramen *Wetterleuchten, Brandstätte, Ge-*

spenstersonate und *Scheiterhaufen*
K., doch auch Stücke von WEDE-
KIND, SCHNITZLER, MAETERLINCK,
TARDIEU, Jugenddichtungen HOF-
MANNSTHALS oder K.-Inszenierun-
gen anderer Dramen (ARISTOPHA-
NES *Lysistrata* durch REINHARDT).
→Zimmertheater.
RL¹; A. Delius, Intimes Theater, 1976.

Kampfschrift   →Streitschrift,
→Pamphlet.

Kanevas (franz. *canevas* = gitterar-
tiges Gewebe als Untergrund für
Stickereien), in Stegreifkomödien,
bes. der →Commedia dell'arte das
im Aufbau festgelegte, in Akte und
Szenen eingeteilte, jedoch nicht dialogisierte äußere Handlungsschema,
auch →Szenarium.

Kanon (griech. = Richtschnur,
Maßstab), festgesetzte Regel,
Norm: 1. die anerkannten heiligen
Schriften e. Religion, so die in die
Bibel aufgenommenen und als glau-
benswahr bestätigten Bücher im
Ggs. zu den →Apokryphen. – 2. die
als authentisch geltenden Werke e.
Autors. – 3. in der Lit. e. als allge-
meingültig und dauernd verbindlich
gedachte Auswahl vorbildlicher
dichter. oder redner. Leistungen, K.
mustergültiger Autoren. Solche
K.bildung exemplar. Autoren und
Werke mit individuellen Abweichungen liegt im Grunde aller lit.-
gesch. Forschung und Lehre, bes.
auch dem Lit.unterricht ungeschrie-
ben zugrunde; er bedarf wegen seiner histor. Bedingtheit steter Überprüfung. In der Spätantike stellen
bes. alexandrin. und byzantin. Gelehrte im Gefolge der Grammatiker
ARISTOPHANES von Byzanz und
ARISTARCHOS von Samos K.es aller
Literaturgattungen für die Schullektüre auf: 3 Tragiker (AISCHYLOS,
SOPHOKLES, EURIPIDES), 9 Lyriker
(ALKMAN, STESICHOROS, IBYKOS,

SIMONIDES, BAKCHYLIDES, PINDAR,
ALKAIOS, SAPPHO, ANAKREON), 10
attische Reder (ANTIPHON, ANDO-
KIDES, LYSIAS, ISOKRATES, AISCHI-
NES, ISAIOS, DEMOSTHENES, HYPE-
REIDES, LYKURGOS, DEINARCHOS).
In röm. Lit. geschah Ähnliches für
10 Palliatendichter und Redner.
Dem Auswahlverfahren ist die
zahlr. Überlieferung der betroffenen
Autoren (bzw. deren ausgewählter
Stücke), aber auch die Vernachlässi-
gung der anderen (z. B. zahlr. Tragi-
ker) zuzuschreiben.
H. Rüdiger, Lit. ohne Klassiker? (Wort u.
Wahrheit 14, 1959); D. alte K. neu, hg.
W. Raitz 1976; R. Geißler, Arbeit am lit.
K., 1982; G. Buck, Lit. K. u. Geschicht-
lichk., DVJ 57, 1983; G. Gaiser, Z. Empi-
risierg. d. K.begriffs, SPIEL 2, 1983;
Lit.K'bildg., Komparatist. Hefte 13,
1986; K. u. Zensur, hg. A. u. J. Assmann
1987.

Kantate (ital. *cantata* =) kurzes,
formal geschlossenes Singstück für
Solo- oder Chorstimmen, später
auch beides abwechselnd, mit Musikbegleitung, im Ggs. zur nur in-
strumentalen Sonate; besteht aus
Arien, Rezitativen und Ritornellen,
doch im Ggs. zu den dramat. Partien der Oper und den erzählenden
des Oratoriums meist von lyr. Charakter. In der Renaissance entwik-
kelt (Texte von PETRARCA, BEMBO,
GUARINI, TASSO), im Barock bes.
als Fest- und Hochzeits-K.n (AL-
BERT, ZESEN, HOFMANNSWALDAU,
WEISE, HUNOLD), als kirchl. K.
höchste Entfaltung unter J. S. BACH
(Texte von E. NEUMEISTER); in der
Dichtung als bürgerl. Fest- oder Ge-
legenheitsdichtung, so GERSTEN-
BERGS K. *Ariadne auf Naxos*, GEL-
LERT, RABENER, J. E. SCHLEGEL,
RAMLER, GOETHES K.n, BRENTA-
NOS K. auf die Gründung der Uni-
versität Berlin (15. 10. 1810).
E. Schmitz, Gesch. d. K., 1914, n. 1966;
RL; M. Lange, D. Anfänge d. K., Diss.
Lpz. 1938; R. Jakoby, D. K., 1968; K.
Conermann, D. K. als Gelegenheitsged.

(Gelegenheitsdichtg., hg. D. Frost u.a. 1977).

Kanzelrede, Ersatzwort des rationalist. 18. Jh. für →Predigt

Kanzleisprache, die im Schriftverkehr der geistl., fürstl. und bes. kaiserl. Kanzleien seit dem 13. Jh. gepflegte dt. Sprachform, die allmählich das Lat. verdrängte; wird durch Streben nach Allgemeinverständlichkeit in Anlehnung an ober- und mitteldt. Lautstand sowie Vermeidung mundartl. Formen neben den Bestrebungen der Druckersprachen die Grundlage der nhd. Schriftsprache. Für LUTHER wurde die kursächs. K. verbindlich.

G. Kettmann, D. kursächs. K., ²1969; E. C. Tennant, *The Habsburg chancery lang.,* Berkeley 1985.

Kanzleistil, das formelhaft-schwerfällige Behördendt. der Kanzleien, Ämter und Dienststellen, gekennzeichnet durch papierene, d.h. von der natürl. mündl. Sprechart abweichende, teils auch altertüml. oder fremdsprachl. Redewendungen und überlieferte, verbindl. Formeln für die stehenden Amtshandlungen; Titel, Anrede und Schluß (sog. Kurialen), wie sie die seit den Habsburgern von Lat. auf Dt. umgestellte königliche Kanzlei unter Ludwig dem Bayern und Karl IV. regelte.

Kanzone (ital. *canzone,* provenzal. *canso,* lat. *cantio* = Gesang), roman. lyr. Gedichtform aus 5–10 gleichgebauten Strophen von beliebiger Zeilenzahl, später meist 13zeilig. Diese zerfallen ähnl. der →Meistersangstrophe in →Aufgesang (fronte), wiederum gegliedert in zwei nach Metrum, Zeilen und Melodie symmetr. →Stollen (piedi) und →Abgesang (coda, sirima), länger als der Stollen, mit neuer Melodie und gegliedert in Volten. Beide Teile sind durch kunstvoll verknüpfte Reimfolge verbunden. Vers ist meist der Elfsilber, später auch 13-Silber, in der 7. und 10. Zeile durch 7-Silber ersetzt. Den Abschluß bildet e. ungleiche, kürzere Strophe, das Geleit (cauda, tornada, envoi). Die K. stammt aus der nordfranz. und provenzal. Troubadourdichtung des 12. Jh., wurde vom dt. Minne- und Meistersang frei variiert und bes. von den Italienern im 13./14. Jh. (PETRARCA, DANTE, TASSO) zu hoher, virtuoser Kunstform für feierlich-erhabene Inhalte entwickelt und bildete auch den Ausgangspunkt für Sonett und Ottaverime. Wiederbelebung der klass. K. durch ALFIERI, FOSCOLO, MANZONI, CARDUCCI und D'ANNUNZIO, freirhythm. K. bei GUIDI und LEOPARDI. Durch A. W. SCHLEGELS PETRARCA-Übersetzung in dt. Dichtung eingeführt, wurde sie von den Formkünstlern RÜCKERT *(Canzonetten),* PLATEN, bes. WERNER, ZEDLITZ, DINGELSTEDT, HAMERLING und BECHSTEIN nachgebildet.

O. Floeck, D. K. i. d. dt. Dichtg., 1910; K. Vossler, D. Dichtgs.formen der Romanen, 1951; W. Th. Elwert, Ital. Metrik, 1968.

Kanzonenstrophe →Kanzone

Kanzonette, ital. Gedichtform, urspr. im 14. Jh. eine →Kanzone volkstüml. Inhalts in kurzen Versen zu 7–8 Silben, im 15. Jh. Gedichtform von versch. langen Versen in Nachahmung anakreont. Lieder (Sizilianische Schule, CHIABRERA), dann Bz. für ein kurzstrophiges Liebesgedicht, so bei den Mitgliedern der Arcadia und bei METASTASIO.

W. Dürr, D. ital. K. u. d. dt. Lied i. Ausg. d. 16. Jh. *(Studi in onore di L. Bianchi,* Bologna 1960).

Kapitale (v. lat. *caput* = Haupt), Capitalis, antike lat. Schriftart in Großbuchstaben (→Majuskeln), zunächst ohne Worttrennung. In ihr sind die ältesten erhaltenen, aus dem 4.–6. Jh. stammenden Codices lat. Schriftsteller geschrieben. Man unterscheidet die C. monumentalis für Steininschriften, die C. quadrata mit runden Formen (4.–7. Jh., 4 Hss. erhalten) und die spätere C. rustica mit schmäleren Buchstaben (23 Hss. erhalten). Beide werden seit dem 5. Jh. durch die →Unzialen abgelöst.

Kapitel (lat. *capitulum* = Köpfchen), urspr. stichwortartige Inhaltsangabe e. Überschrift e. Abschnittes oder Buches, dann nach Vorbild der *Bibel* Abschnitt e. Schrift (›Hauptstück‹) selbst. Geschlossenheit, innere Abrundung und annähernd gleichmäßige Ausdehnung der K. (G. Grass, *Die Blechtrommel*) zeugen oft für tekton. Aufbau e. Werkes; im 16.–18. Jh. setzt man den Gehalt gern als →Motto voran. Humorist. Romane ziehen aus der K.einteilung und -reihenfolge bewußte kom. Effekte (Sternes *Tristram Shandy*, Immermanns *Münchhausen*). Die K.-Überschrift, seit 4. Jh. v. Chr. bekannt, soll, wo sie über bloße Numerierung hinausgeht, die Lesererwartung wecken, steuern oder iron. irreführen, sachl. den Inhalt skizzieren oder abstrakt das Thema andeuten. Ausführl. Resümes bleiben seit dem 17. Jh. der volkstüml. Lit. vorbehalten (Döblin, *Berlin Alexanderplatz*).

E. P. Wieckenberg, Z. Gesch. d. K.überschrift i. dt. Roman, 1969; P. Stevick, *The chapter in fiction*, Syracuse 1970; M. Schnitzler, D. K.überschrift i. ffz. Roman d. 19. Jh., 1983.

Kapuzinade, Kapuzinerpredigt, derb-volkstüml. Strafpredigt, z.B. von Abraham a Sancta Clara oder in Schillers *Wallensteins Lager*.

Kapuziner, 1525 gegr. Mönchsorden, Zweig der →Franziskaner, übt

wie diese Einfluß auf die dt. Lit. aus: Martin von Kochem, Prokop von Templin u. a.

K. Menze, Stud. z. spätbarock. K.-dichtg., Diss. Köln 1954.

Karagöz (türk. = Schwarzauge), nach der Hauptfigur, dem Narren, benannte türk. →Schattenspiele mit bunten, transparenten Lederfiguren, die das Abbildungsverbot des Islam umgehen, und mit Stoffen insbes. aus dem Volksleben der Stadtviertel Istanbuls. Typenhafte Volksbelustigung mit Witz, Humor und deftiger Satire, wohl chines. Herkunft, in Kleinasien seit 14. Jh. belegt. Auch in anderen (Balkan-)Ländern des früher osman. Reiches einschl. Griechenland verbreitet.

G. Jacob, D. türk. Schattentheater, 1900; R. Roussel, K., Athen II 1921; H. Ritter, K., III 1924–53 (Slg.); S. E. Sivavusgil, K., Istanbul; H. Aigner, D. neugriech. Schattentheater, 1963.

Karikatur (ital. *caricare* = überladen, -treiben), Zerrbild, das durch Übertreibung einzelner, dennoch erkennbarer Charakterzüge kom. oder satir. wirkt, dient durch die einseitige Verzerrung neben dem Spott oft auch der Kritik mit der Absicht, durch Aufdeckung verurteilenswerter Schwächen und Mißstände auf polit., soz. oder sittl. Gebiet zu deren Abstellung anzuregen. Neben der zeichnerischen K., bes. vertreten durch Carracci, Callot, Hogarth, Daumier, Grandville, Cruikshank, Gillray, Rowlandson, Goya, Doré, Gavarni, W. Busch, Toepffer, Th. Th. Heine, H. Zille, G. Grosz, P. Flora, Gulbransson, Matejko, A. Weber und Low sowie die Zss. *Münchner Fliegende Blätter* (1844 ff.), *Kladderadatsch* (1848 ff.), *Simplicissimus* (1896 ff.), *Charivari* (Frankr., 1832 ff.) und *Punch* (Engl. 1841 ff.), meist mit polit. u. persönl. K.en, steht die lit. K.

als Fortentwicklung von THEOPHRASTS und LA BRUYÈRES ›Charakteren‹, witzige und groteske Überzeichnung in Parodie, Satire und Komödie. Sie erscheint als Typen-K. in der Komödie MOLIÈRES, in SHAKESPEARES *Falstaff*, JONSONS *Volpone*, CERVANTES' *Don Quijote*, GOZZIS Tartaglia, RAIMUNDS *Menschenfeind* oder BÖLLS *Dr. Murke*, als Standes-K. im *Bramarbas, Maître Pathelin*, GOGOLS *Revisor*, H. MANNS *Untertan* und STERNHEIMS bürgerl. Helden, als National-K. in John Bull, Uncle Sam u. ä., als unpersönlich-unpolit.   Charakter-K. bei W. BUSCH und als groteske K. des Menschlichen im →absurden Drama.

Th. Wright, *Hist. of C. and Grotesque in Lit. and Art*, Lond. 1875; J.-F.-F. Champfleury, *Hist. de la c.*, Paris V 1865–80; E. Bayard, *La c.*, Paris 1900; G. Hermann, D. dt. K. i. 19. Jh., 1901; E. Fuchs, D. K. d. europ. Völker, ⁴1921; B. Lynch, *A Hist. of C.*, Lond. 1926; C. R. Ashbee, C., Lond. 1928; L. Refort, *La c. litt.*, Paris 1932; Th. Heuß, Z. Ästhetik d. K., 1954; W. Hofmann, D. K., 1959; E. G. Gianeri, *Storia della caricatura*, Mail. 1959; A. Sailer, D. K. 1969; R. Searle, *La c.*, Genf 1974; M. Molot, D. K., 1975; W. Feaver, *Masters of C.*, Lond. 1981.

Karmen →Carmen

Karolingische Minuskel →Minuskel

Karolingische Renaissance, mißliche Bz. für die durch ir. Mönche angeregten Bestrebungen des Kreises um Karl den Großen (ALKUIN, PAULUS DIACONUS, THEODULF VON ORLEANS, ANGILBERT, EINHARD, PETRUS VON PISA u. a. m.) um Lektüre, Sammlung, Abschrift und Kommentierung von lat. Klassikern, auf die e. Großteil der erhaltenen Hss. röm. Lit. zurückgeht.

S. Singer, D. K. R., GRM 13, 1921; E. Patzelt, D. K. R., 1924, n. 1965; G. Baesecke, D. K. R., DVJ 23, 1949 (auch in: Kl. Schriften, 1966); L. Wallach, *Alcuin and Charlemagne*, Ithaca 1959; P. v. Polenz, Karlische R. (Mitteilungen, Univ.-

Bund Marb. 1959); P. Lehmann, Erforschung des MÁ. II., 1959; *Poetry of the Carol. R.*, hg. P. Godman, Lond. 1985.

Karsa (korean. = Liedwörter), korean. Vers aus Achtsilbern, die in zwei Viersilber zerfallen; monostichisch in beliebiger Zahl, seit 15. Jh. in korean. Lyrik.

Kasperletheater, →Puppenspiel, nach seiner kom. Hauptfigur benannt, die der Wiener Komiker J. LAROCHE 1781 im Wiener Leopoldstädter Theater (daher K. genannt) als Nachfahren des →Hanswurst schuf: naiv-fröhlicher Bauernbursche mit e. auf dem Brustflecken aufgenähten roten Herzen als Abzeichen, beliebte Volksgestalt voll Mutterwitz und Humor, um Mitte des 19. Jh. als →komische Person des Handpuppenspiels und Marionettentheaters für Kinder in die Rolle des schlauen, doch ständig mißverstehenden Begleiters abgesunken, der in e. primitiv schwarz-weißen Märchenwelt der hierarch. Gesellschaftsordnung der Guten mit König, Prinzessin usw. zum Sieg über die Bösen (Teufel, Zauberer, Hexen usw.) verhilft. Stücke u. a. von PLATEN, POCCI, STRINDBERG, SCHNITZLER, BENJAMIN, M. KOMMERELL (*Kasperlespiele für große Leute*, 1949).

G. Gugitz, D. weiland Kasperl, 1920; RL¹; T. Keller, D. Kasperlspiel, 1954; R. Rall, Kasperl (Z. Kinderbuch, hg. J. Drews 1975).

Kasside (arab. *qasída*), in arab., türk., pers. und Urdu-Lit. Zweckgedicht in Form des →Ghasel mit rd. 30–200 Versen, beschränktem Motivschatz und stereotyp dreigliedr. Aufbau: 1. Einleitung, Trennungsklage, 2. Wüstenritt, Preis des Pferdes, 3. Lob des Krieges, Kampfes, Sieges, des eig. Stammes oder Totenklage, auch beides vereint, indem sich an die Klage der Preis e. Erhabenen, Lob des Dichters oder Verhöhnung des Feindes anschließt. Älteste, vorislam. arab. Dichtform seit den *Muʿallaqât* aus dem 6. Jh. Nachahmungen in dt. Lit. bei RÜCKERT und PLATEN, engl. bei TENNYSON.

D. Balke, Westöstl. Gedichtformen, Diss. Bonn 1952.

Kastalia, Apoll und den Musen heilige Quelle am Südhang des →Parnaß bei Delphi nahe dem Heiligtum der Nymphe K., galt den hellenist. und bes. röm. Dichtern als Quelle und Sinnbild dichter. Begeisterung.

Kasualdichtung (v. lat. *casus* = Fall, Zufall) →Gelegenheitsdichtung, ebenso Kasualreden und -predigten solche zu bes. Anlässen (Taufe, Trauung, Tod).

Kasus (lat. *casus* = Fall), aus Jurisprudenz und Morallehre entlehnter Begriff für e. vorlit. →einfache Form: Beurteilung e. Falles nach e. zugehörigen Norm, Erwägung und Messung des Wechselverhältnisses von Norm und Tat in beiden Richtungen als Anreiz zur Überlegung, doch ohne eigene endgültige Entscheidung.

A. Jolles, Einfache Formen, 1930, ⁶1982; R. Koch, Der K. (Fabula 14, 1973).

Katʿa = →Qita

Katabasis (griech. = Abstieg), 1. nach ARISTOTELES (*Poetik* X und XI) auf die Peripetie folgende, ›absteigende‹ d.h. fallende →Handlung. – 2. als Motiv der Abstieg des Helden in die Unterwelt in Mythos, Heldensage und bes. Epos (*Odyssee*, VERGILS *Aeneis*, DANTES *Divina Commedia*).

Katachrese (griech. *katachresis* = Mißbrauch), Gebrauch e. Wortes in uneigentl. Bedeutung: 1. notwendige →Metapher zur Ausfüllung e. sprachl. Lücke, d.h. e. fehlenden

Begriffsbezeichnung, bes. Abstrakta durch e. aus anderen bildlichen (metaphor. K.) oder verwandten (metonym. K.) Bereichen übertragenes Wort, z.B. ›Bart‹ e. Schlüssels. Allg., des Bildes unbewußter Gebrauch und Mangel des eigentl. Ausdrucks unterscheiden sie von der →Metapher, so daß aus e. okkasionellen eine habituelle Verwendung wird. – 2. in antiker Rhetorik ›Kakozelon‹, d.h. schlecht Nachahmendes: Bildermengung, Verstoß gegen die Einheit e. Bildes durch Vermischung nicht zusammenpassender Metaphern und Worte aus versch. Bereichen, meist als unfreiwilliger und lächerlich wirkender Stilfehler – die häufigste Form der →Stilblüte – auf Verflachung und Nichtachtung der schwülstigen Metapher bei übertriebener Neigung zu ihrer Anwendung zurückzuführen und erst bei genauem gedankl. Nachvollziehen des sprachl. Bildes auffällig, z.B. ›Der Zahn der Zeit, der schon so manche Träne getrocknet hat, wird auch über diese Wunde Gras wachsen lassen‹, doch auch mit dichter. Absicht in kühnen Stilformen und gewollten Disharmonien bis zum →Oxymoron gesteigert, wenn aus dem scheinbar Sinnlosen, gedanklich wie stimmungsmäßig Widerspruchsvollen, in höherer Überschau ein sinnbildender Stilwert hervorgeht: ›welkes Licht‹. – 3. schlechthin fehlerhafte Verwendung von dem Sinn nicht genau entsprechenden Ausdrücken.

Katalekten (griech. *katalegein* = aufhören), Bruchstücke, →Fragmente.

Katalektisch (griech. *katalektikos* = aufhörend, unvollständig) heißt in antiker Metrik e. Verszeile, deren letztem Fuß eine oder mehrere Silben fehlen, so daß er nur aus einer Silbe (k. in syllabam) oder zwei (k.

in bisyllabam) besteht, wie z.B. der Hexameter u.a. fallende Maße. Die Erscheinung heißt →Katalexe, in german. Metrik besser →Kadenz.

Katalexe (griech. *katalexis* = Aufhören), Abbrechen der sprachl. Füllung e. Verses vor dem Ende der rhythm. Reihe, bewirkt e. Stillstand am Versende durch Pause oder Dehnung. →katalektisch, →brachy-, →di-, →hyper- und →akatalektisch.

Katalog (griech. *katalogos* =) Verzeichnis, bes. von Büchern, Bildern einer wiss. Sammlung u.ä. Gegenständen, im Unterschied zur Bibliographie stets mit Standortnachweis. Als gedruckter K. Verlags-, Barsortiments-, Sortimenter-, Antiquariats-, Auktions-K. u.ä., als Band-, Zettel-, Blatt-, Mikrofilm-, Mikrofiche- oder Computer-K. nach versch. Gesichtspunkten geordnet, so im Bibliothekswesen alphabet. K. nach Autoren, bei anonymen Werken Titeln, systemat. Sach- oder Real-K. nach sachlicher Zugehörigkeit der behandelten Themen, Schlagwort-K. nach Schlagwörtern, Kreuz-K. als Verbindung dieser drei Formen und Zugangs- oder Akzessions-K. nach der Reihenfolge der Anschaffung. Zentral-K. vereinigt die K.e wiss. Bibliotheken e. Bundeslandes, Gesamt-K. die e. Staates zur besseren Erschließung der Bestände.

K. Löffler, Einführg. i. d. K.kunde, 1935, ²1956; B. Hack, D. Bücher-K., 1955; L. Jolley, *The principles of cataloguing*, Lond. 1960; H. Fuchs, Kommentar z. d. Instruktionen f. d. alphabet. K. d. Preuß. Bibliotheken, ⁴1966.

Katalogvers, metr. gebundene listenartige Aufzählung von Personen, Orten, Dingen oder Begriffen, die einem gemeinsamen Oberbegriff zuzuordnen sind; in allen Literaturen verbreitet, urspr. mit pädagog. Zielsetzung als →Denkvers z.B. für Inseln, Flüsse, Herrscherlisten und Geschlechter-K., dann mit künstler. Absicht, um anstelle e. Sammelbegriffs die Weite seines Begriffsumfangs vorzuführen, so im antiken Epos (Schiffskatalog *Ilias* II, 484; APOLLONIOS RHODIOS, *Argonautika;* VERGIL, *Aeneis* VII, 641 u. X, 163), schließlich in mod. Lit. als Ausdruck für die Einheit des Universums (WHITMAN, RILKE, GEORGE, AUDEN, WERFEL).

Kata metron (griech. =) nach Metren gebaut, heißen Verse oder Perioden, die durch beliebig häufige Wiederholung eines und desselben Metrums gebildet werden, z.B. jamb. Hexameter.

Katastase (griech. *katastasis* = Aufstellung, Zustand), nach J. C. SCALIGER (Poetik 1561) im Drama der scheinbare Stillstand der Handlung auf dem Höhepunkt der Verwicklung; er führt nach →retardierenden Momenten zur →Katastrophe.

Katastrophe (griech. = Wendung, Umsturz), in der Dramaturgie bes. der →Tragödie (ARISTOTELES, *Poetik* 10) entscheidender Wendepunkt meist am Abschluß der →Handlung, bringt die mit der →Peripetie eingeleitete Lösung des Konflikts und bestimmt das Schicksal des Helden zum Schlimmen (Untergang in der Tragödie) oder zum Guten (humorvolle Lösung der Verwicklung in der Komödie). Im Ideendrama gibt sie der Idee höchste Leuchtkraft. Sie entwickelt sich mit innerer Notwendigkeit aus den Charakteren, den Verkettungen der äußeren Ereignisse und Situationen oder wird, bes. im Mysterienspiel, im antiken, Barock- und Jesuitendrama, durch e. →deus ex machina als Eingriff höherer Mächte herbeigeführt. G. FREYTAGS Dramentheorie

(→Akt und →Fünfakter) verlegt die K. in den Schlußakt, doch ist grundsätzlich e. Ausdehnung der K. bis über das ganze Drama möglich, so im →analytischen Drama, das nur die K. einer vor Einsatz des Dramas liegenden Handlung darstellt, oder in zahlr. griech., Renaissance-, Schicksals- und neuromant. Dramen wie auch bei SENECA und IBSEN, wo durch Verkürzung der aufbauenden Handlung die K. breiteren Raum gewinnt; selten ist Fehlen e. eigtl. K. (z. B. HAUPTMANNS *Weber*) als Frage an die Zuschauer.

H. Fiedler, D. Darstellg. d. K. i. d. griech. Tragödie, Diss. Erlangen 1914; R. Petsch, Drei entscheidende Punkte i. Drama, GRM 24, 1922; ders., Wesen u. Formen d. Dramas, 1945; O. Mann, Poetik d. Tragödie, 1958.

Kata triton trochaion (griech. = nach dem 3. Trochäus), weniger häufige weibliche →Zäsur im Hexameter nach der 1. Kürze des 3. Fußes.

Kata-uta (japan. = Strophenfragment), Kurzform des →Tanka, bestehend aus 3 Zeilen zu 5, 7 und 7 Silben.

Katechismus (v. griech. *katechein* = mündlich belehren), relig. Unterweisungsschrift meist in Dialogform (Frage und Antwort), schon im MA. üblich, am bekanntesten LUTHERS *Großer* und *Kleiner K.* (1529), *Heidelberger K.* (1563) und C. *Romanus* (1566); schließlich allg. kürzeres Lehrbuch (H. v. KLEIST, *K. der Deutschen,* 1809).

Katena, 1. →Catenen, 2. →Epiploke

Kathakali, Dramenform in Malabar, bei der ein Rezitator den Text singt, während die Schauspieler ihn durch Tanz, Gesten und Mimik illustrieren.

A. Meerwarth, Les K. du Malabar (*Journal Asiatique,* 1926).

Katharsis (griech. = Reinigung). ARISTOTELES (*Poetik* 6, 1449b) definiert die Wirkung der →Tragödie als Erregung von Mitleid (*eleos,* Jammer) und Furcht (*phobos,* Schauder) und dadurch Reinigung (›K.‹) solcher (oder: von solchen) Leidenschaften. Die Deutung des lapidaren Satzes und damit die Rechtfertigung des Urhebers wie des Gegenstandes sind durch die christianisierende Übersetzung erschwert und hinsichtlich der Zielgruppe (K. der Figuren oder Zuschauer?) heute noch umstritten. Der Barock verstand K. als eth. Abschreckung oder Erziehung zu stoischer Haltung (OPITZ), CORNEILLE und der franz. Klassizismus als Reinigung der Leidenschaften im Zuschauer durch Schrecken, LESSING (*Hamburgische Dramaturgie* 74–83) in moral. Sinn als Umwandlung von Mitleid (mit den Leiden des Helden) und Furcht (für uns selbst, im Ggs. zum ›Schrecken‹) in ›tugendhafte Fertigkeiten‹ und vereinigt die Gemütsregungen, HERDER (*Adrastea* 4) e. heilige Vollendung, myst. Reinigung des Menschen; GOETHE (*Nachlese zu Aristoteles' Poetik,* 1827) bezieht K. nicht auf die Zuschauer, sondern auf das Drama und schreibt ihr e. ästhetische Abrundung (›Ausgleichung‹) des Kunstwerks zu; J. BERNAYS (*Grundzüge der verlorenen Abhandlung des Aristoteles über die Wirkung der Tragödie,* 1858) faßt sie psycholog.-materialist. als ›erleichternde Entladung‹ von Gemütsaffekten im Zuschauer. Neuere Deutungsversuche von Th. LIPPS, Th. GOMPERZ, A. v. BERGER, J. VOLKELT, R. PETSCH und A. PERGER lassen allg. die Läuterung der Seele von Affekten zu e. klaren, vernunftgeleiteten Leben durch Verstummen der Ich-Gefühle vor dem trag. Bühnenvorgang und Einsicht in das teleolog. Gefüge des Kosmos gelten, während W. SCHADEWALDT die Übersetzung ›Jammer und Schauder‹ als psych. Erregungszustände im Sinn einer Schocktherapie zu befreiender Affektentladung im Zuschauer erneut rechtfertigt; doch hat sich die Diskussion vom Wesen der K. mehr auf das der →Tragik verlagert.

P. Manns, D. Lehre d. Aristot. v. d. trag. K., 1883; Th. Lipps, D. Streit üb. d. Tragödie (Beitr. z. Ästh. 2, 1891); Th. Gomperz, Aristot. Poetik, 1897; A. v. Berger, Wahrheit u. Irrtum i. d. K.-Theorie d. Aristot., ebda.; F. Knoke, Üb. d. K. d. Tragödie b. Aristot., Progr. Osnabrück 1908; H. Otte, Kennt Aristot. d. sog. trag. K.?, 1912; M. J. Wolff, Zur K. d. Aristot. (Zs. f. franz. u. engl. Unterr. 13, 1914); J. Volkelt, Ästhet. d. Tragischen, 1917; K. Tischendorf, D. wahre Sinn d. griech. K. (D. neue Schaubühne I, 1919); H. Otte, Neue Beitr. z. aristot. Begriffsbestimmg. d. Tragödie, 1928; H. Kuhn u. R. Petsch, ZfÄ 1929; F. Dirlmeier, K., Hermes 75, 1940; M. Kommerell, Lessing u. Aristot., 1940, ³1960; K. H. Volkmann-Schluck, D. Lehre u. d. K. i. d. Poetik d. Aristot. (Fs. K. Reinhardt, 1952); E. P. Papanoutsos, La C. des passions, Athen 1953; W. Schadewaldt, Furcht u. Mitleid?, Hermes 83, 1955; C. W. van Boekel, K., Utrecht 1957; O. Mann, Poetik d. Tragödie, 1958; RL; P. Michelsen, D. Erregung d. Mitleids durch d. Trag., DVJ 40, 1966; T. Brunius, Inspiration and K., Stockh. 1966; H. Wagner, Einiges z. Lehre d. Arist. üb. d. Wirkg. d. Trag. (Fs. W. Perpeet, 1980); B. Garbe, D. Komposition d. arist. Poetik u. d. Begr. d. K., Euph. 74, 1980; H.-J. Schings, D. mitleidigste Mensch…, 1980; K. Hamburger, Mitleid u. Furcht (Ehrenpromotion K. H., 1981); dies., D. Mitleid, 1985; M. Schenkel, Lessings Poetik d. Mitleids, 1984; W. Wittkowski, K., GoetheJb. 104, 1987.

Kauderwelsch (oberdt. kaudern = wuchern, welsch = ausländisch, oder verdorben aus Churwelsch nach der roman.-german. Mischsprache des Kantons Chur), unverständl., durch fremdsprachl. Elemente und falsche Formen verworrene Sprache.

Kaufmannsroman, milieubestimmte Romanart, →Familien- oder (meist) Generationsroman im Kaufmannsmilieu um den Auf- oder Abstieg von Familie und Firma aus vorwiegend konservativer Sicht; beliebt im bürgerl. Realismus: BALZAC *César Birotteau,* DICKENS *Dombey and Son,* FREYTAG *Soll und Haben,* KIELLAND *Garman und Worse,* Th. MANN *Buddenbrooks* u. a.

W. Kockjoy, D. dt. K., 1932; H. Obendiek, Konturen d. Kaufmanns, 1984.

Kâvya, der bilder- und figurenreiche, durch Wortballung, Vokalfülle und Lautmalerei raffiniert ausgebaute Stil der klass. ind. Kunstdichtung rd. 300 bis 1300 sowie die in diesem Stil verfaßten Kunstepen und Werke höf. Panegyrik.

Kehrmotiv →Leitmotiv

Kehrreim, dt. Übers. von G. A. BÜRGER 1793 für →Refrain, in stroph. Dichtung regelmäßig wiederholte Laute (Ton-K.: Interjektion, Klangmalerei, Jodler), Worte, Wortgruppen oder Sätze (Wort-K. von einem oder mehreren Versen), meist am Schluß, doch auch an anderer gleichmäßiger Stelle der Strophe (Anfangs-, Binnenrefrain) oder noch e. gleichmäßigen Strophengruppe (period. K.), oft als Rundgesang vom Chor gesungen. Man unterscheidet festen K. mit unverändertem und flüssigen K. mit variierter, der Strophe angepaßter Form (z. B. GOETHES *Ballade, Johanna Sebus*). K. erscheint häufig schon in antiker Dichtung, im Tagelied, relig. Dichtung, Preislied und bes. Tanz-, Kinder- und Volkslied, doch auch im Kunstlied (GOETHE, BRENTANO, ROSSETTI, F. GARCÍA LORCA, BRECHT) zumal in festen Gedichtformen wie Triolett, Rondel, Rondeau, Ballade. Er entstand aus Wechselgesang von Vorsänger und Chor, ist somit urspr. Kunstmittel der Gemeinschaftsdichtung, dabei teilweise ohne nähere Beziehung zum Inhalt, ablösbar und austauschbar, in Kunstlyrik dagegen meist zur Verstärkung und Rundung des Strophenabschlusses, Intensivierung, Harmonisierung und Zusammenfassung des Stimmungsgehalts. →Gegenrefrain.

Starck, D. K. i. d. dt. Lit., Diss. Gött. 1886; R. M. Meyer, Üb. d. Refrain (Zs. f. vgl. Lit.gesch. 1, 1886); ders., D. Formen d. Refrains, Euph. 5, 1898; H. Freericks, D. K. i. d. mhd. Lit., Progr. Paderborn 1890; G. Thurau, D. Refrain i. d. frz. Chanson, 1901; Ö. Schreiber, D. K. als dichter. Ausdrucksmittel (Zs. f. dt. Unterr. 30, 1916); F. Ruhrmann, Stud. z. Gesch. u. Charakteristik d. Refrains i. d. engl. Lit., 1927; RL; J. Wiegand, Abriß d. lyr. Technik, 1951; R. Hausner, Spiel m. d. Identischen (Sprache, Text, Gesch., hg. P. K. Stein 1980); G. Streicher, Minnesangs Refrain, 1984.

Keilschrift, die aus versch. Kombinationen senkrechter, waagerechter und schräger Keilstriche zusammengesetzten und in Stein gemeißelten oder in weiche Tontafeln eingedrückten rechtsläufigen Schriftzeichen der Sumerer, Assyrer, Babylonier, Hethiter, Perser und des gesamten vorderen Orients; älteste Schrift der Menschheit, urspr. seit dem 4. Jt. v.Chr. als Bilderschrift wie die Hieroglyphen, dann allmählich zu e. Silbenschrift (assyr. ›Syllabare‹, 3spaltige K.-Listen für den Unterricht), bei den Persern zur Lautschrift entwickelt und bis in hellenist. Zeit in Gebrauch. Erst ihre Entzifferung 1802 durch G. GROTEFEND erschloß die zahlr. erhaltenen Inschriften von Persepolis, Ninive, Babylon, das *Gilgamesch-Epos* u.a. Literaturdenkmäler.

L. Messerschmidt, D. Entzifferg. d. K., ²1910; A. Dümel, K.paläographie, II 1930f.; H. Jensen, D. Schrift, 1935; E. Unger, K.-Symbolik, 1940; E. Chiera, Sie schrieben auf Ton, ²1941; B. Meißner, D. K., ³1967; R. Borger, Hb. d. K.lit., III 1967–75.

Kellertheater, österr. Bz. für →Zimmertheater.

Keltische Renaissance, seit Ende des 18. Jh. in England einsetzende vorromant. Strömung, die sich im Rahmen nationaler Selbstbesinnung um Wiedererweckung der altkelt. Volksdichtungen bemüht: GRAYS Nachahmungen altisl. Epik, MACPHERSONS *Ossian,* PERCYS *Reliques,* BLAKE u.a.m. Vgl. →Irische Renaissance.

Kene →Qenē

Kengeki (japan.), das mod. japan. Schwerter-Theater, Bühnenstücke mit Stoffen aus der nationalen Geschichte, insbes. um Outlaw-Gestalten, die reiche Anlässe zu den beim Publikum beliebten Schwertkämpfen bieten.

Kenning (altnord. *kenna* = kenntlichmachen: Kennzeichnung; Mz. Kenningar), die Metapher in altnord. Stabreimdichtung der Skalden (→Drápa, →Dróttkvaett u.a.), im Ggs. zum eingliedrigen →Heiti die mehrgliedrige (Substantiv + Subst. im Genitiv) bildl. Umschreibung von alltägl. Hauptwörtern: Lindwurmlager = Gold, Walstraße = Meer, Burghirte = König, oft kunstvoll und kühn zur gekünstelten Manier übersteigert, bes. im Preislied, weniger im Helden- und Erzähllied, daher nur für aristokrat. Zuhörer bestimmt, denen die Anspielungen auf Mythen und Sagenstoffe verständlich waren, dem Uneingeweihten dagegen schwülstig erscheinend. Auf der Suche nach Alliterationen übernimmt auch die westgerman. Dichtung die K., z.T. bis in die Gegenwart erhalten: Rebenblut, Wogenroß.

R. Meißner, D. K.ar d. Skalden, 1921, n. 1984; W. Krause, D. K., 1930; W. Mohr, K.stud., 1933; M. Marquardt, D. altengl. K.ar., 1938; L. Mittner, Wurd, 1955; T. Gardner, The old Engl. K. (Mod. Philology 67, 1969/70); ders., (Neophil. 56, 1972); B. Fidjestøl, K.systemet (Maal og Minne, 1974); E. Marold, K.kunst, 1983.

Kernmotiv, den Gang der Handlung bestimmendes →Motiv, Zentralmotiv.

Kettengedicht →Renga

Kettenmärchen, alte (oriental.?) Märchenform, die dasselbe Motiv in mehreren Episoden abwandelt.
M. Haavio, K.stud., Helsinki II 1929–32.

Kettenreim, 1. →äußerer Reim. – 2. innerer K., verbindet nach kunstvollem, festem Schema Wörter im Versanfang, Versinneren und Versende (Schema a...b...a/c... b...c), z.B. bei KONRAD VON WÜRZBURG, G. NEUMARK u. a.

Keulenverse, Sonderart meist des Hexameters, besteht aus Wörtern, deren folgendes stets eine Silbe mehr zählt als das vorhergehende: ›Weit bahnlos ausschweifet verheerende Wasserbeflutung‹. Griech. bei HOMER, lat. bei AUSONIUS.

Khamsa (arab. = fünf), in pers. Lit. e. Slg. von fünf ep. Gedichten, bei NEZĀMĪ u. a.

Kharǧa, urspr. der in vulgärarab. Dialekt verfaßte Schlußvers des →Muwaššaha, also letzte ›simt‹ oder letzte ›vuelta‹ im →Zéjel. Da diese Schlußverse arab. und bes. hebräischer Gedichte seit dem 11. Jh. teilweise in span. (mozarab.) Sprache erscheinen, stellen sie die ältesten Zeugnisse für den Gebrauch e. roman. Volkssprache in der Lyrik oder überhaupt als Lit.sprache dar und sind für die Entstehung der roman. Lyrik überhaupt und bes. der Troubadourlyrik interessant.
S. M. Stern, Les chansons mozarabes, Palermo 1953; K. Heger, D. bisher veröff. Hargas u. ihre Deutgn., 1960; E. García Gómez, Las jarchas romances, Madrid 1965.

Kidungs, altjavan. Versdichtungen bes. des 12. Jh. mit gegenüber den →Kakawins freieren, eigenständig javan. Versformen und mehr javan. Stoffen: myth. Erzählungen und histor. Romane in lebendiger Darstellung.

Kiltlied, Volkslied, oft dialog. Erzähllied, um heitere oder ärgerl. Ereignisse beim Kiltgang (Fensterln) mit Aufbruch, Einlaß und Trennung, z.T. volkstüml. Abart des →Tageliedes.
G. Rösch, D. dt. K., Diss. Tüb. 1957; ders., K. u. Tagelied (Hb. d. Volksliedes I, 1973).

Kiltsprüche (ahd. chwilt = Abend), Sprüche, die der Einlaß begehrende Bursche beim Kiltgang (alemann.; bayr. = ›Fensterln‹) vor dem Fenster der Geliebten aufsagt.

Kinädenpoesie (griech. *kinaidos* = unzüchtig), erot. bis rein sexuelle Dichtung der alexandrin. Griechen. An die Trinklieder des Ioniers PYTHERMOS und die unzüchtigen Tänze der alten Ionier anknüpfend, mit denen unflätige Possenreißer (Kinäden) bei Weingelagen die Zechgenossen belustigten, dichteten SOTADES, ALEXANDER AITOLOS, PYRES, TIMON u. a. im Versmaß des →Sotadeus und nachgeahmten ion. Dialekt entsprechende parodist., meist schlüpfrige Texte, oft auch mit netten Sentenzen durchsetzte Schwänke und Plaudereien, die ENNIUS als *Sota* ins Lat. übersetzte.

Kinderbuch, der Zweig der →Jugendliteratur, der sich vorwiegend an Kinder im Alter von 4–12 Jahren wendet und daher in bes. Maß der kindl. Psyche und kindl. Verständnis angepaßt ist, auch durch weitgehende und z.T farbige Illustration das Leseinteresse fördert: →Bilderbücher, Märchen, Sagen, Fabeln, Erzählungen, Liederbücher u. ä.
Lit. →Jugendliteratur.

Kinderlied, durch oder für Kinder gesungenes Lied, das in schlichtester

Form (kurze Strophen und Verse, einfacher Reim) unter Vermeidung alles Lehrhaft-Verstandesmäßigen die gemüthafte Welt des Kindes nachschafft und, meist aus mündlicher Überlieferung stammend, dem Kinde gefühlshaltige Vorstellungen und Unterhaltung bietet: Wiegen- und Koselieder, Neckverse, Lieder zum Spiel (Kniereiter, Kuchenbakken, Ballspiel, Reigenverse und →Abzählreime), Heilsprüche, Tierverse, Sommersprüche, Abendlieder, Gebete, auch Zungenbrecher, Nonsenseverse u. ä., ferner bis zur Unkenntlichkeit zersungene Volks- und Kunstlieder mit willkürl., lautmalendem Kehrreim (›Eia popeia‹), deren Reim und Rhythmus bei einfachster Assoziation den Sinnzusammenhang teilweise übergehen. Neben diesen teils aus dem Volksmund überlieferten K. stehen bewußte Kunstschöpfungen der ›Kinderlyrik‹, die in herzensnaher oder gewollter Einfalt auf die paradies. Kinderwelt zurückgreifen, etwa schon LUTHERS ›Vom Himmel hoch‹ und Lieder von GELLERT, HÖLTY, VOSS, M. CLAUDIUS, bes. aber in Romantik und Biedermeier: ARNIMS und BRENTANOS *Des Knaben Wunderhorn* enthält e. Gruppe K., ferner E. M. ARNDT, A. KOPISCH, RÜCKERT, HOFFMANN von FALLERSLEBEN (›Alle Vögel sind...‹), Luise HENSEL (›Müde bin ich...‹), R. REINICK, W. HEY, POCCI, G. H. KLETKE, J. STURM, G. Ch. DIEFFENBACH, G. SCHERER, J. TROJAN, in Mundart bes. J. P. HEBEL und K. GROTH; im 20. Jh. R. und P. DEHMEL, RINGELNATZ, MORGENSTERN, E. KÄSTNER, J. KRÜSS, P. HACKS, H. BAUMANN, C. BUSTA.

F. M. Böhme, Dt. K. u. Kinderspiel, 1897, n. 1967; K. Wehrhan, K. u. Kinderspiel, 1909; J. Lewalter u. G. Schläger, Dt. K. u. Kinderspiel, 1911; H. Hetzer, D. volkstüml. Kinderspiel, 1927; J. Wenz, D.

dt. K. i. 18. Jh., Diss. Kiel 1935; L. Boeckheler, D. engl. K., 1935; RL; B. Kürth, D. dt. K. d. 19. Jh., Diss. Halle 1955; R. Lorbe, D. Welt d. K., 1971; E. Gerstner-Hirzel, K. (Hdb. d. Volksliedes I, 1973); U. Baader, Kinderspiele u. Spiellieder, II 1979; K. Franz, K'lyrik, 1979; ders., K., NKL 1984; M. Motté, Mod. K'lyrik, 1982; Volksüberlieferg. u. Jugendlit., hg. A. C. Baumgärtner 1983; R. Lorbe, K'lyrik (Kinder- u. Jugendlit., hg. G. Haas ³1984); H.-B. Ernst, Z. Gesch. d. K., 1985.

Kinderliteratur →Jugendliteratur

Kinderlyrik →Kinderlied

Kinderreim →Kinderlied

Kindertheater →Jugendtheater

Kinderzeitschrift →Jugendliteratur

Kino →Film

Kirchenlehrer →Kirchenväter

Kirchenlied, für den gottesdienstl. Gebrauch als Gemeindegesang bestimmtes volkssprachiges und stroph. →geistliches Lied, Ausdruck christl. Frömmigkeit und Glaubensbewußtseins im Welterfahren; bis zu LUTHER nur beschränkt verwendet und ohne liturg. Funktion. Die ersten christl. Gemeinden übernahmen jüd. Psalmen und Hymnen; die kath. Hymnen und Sequenzen des MA. sind als lat. Teil der Liturgie wiederum kein Gemeindegesang. Bischof AMBROSIUS von Mailand, JACOPONE DA TODI (›Stabat mater‹) und THOMAS VON CELANO (›Dies irae‹) sind Hauptvertreter dieser Gattung, deren beliebteste Dichtungen auch in die Volkssprache übersetzt wurden und weithin Inhalt und Rhythmus der K.er bestimmen; außerhalb des kirchl. Gebrauchs entstehen vielgestaltige relig. Volksgesänge, teils in Mischsprache (›In dulci jubilo‹); an das nach Predigt und Vesper vor der Gemeinde gesungene ›Kyrie eleison‹ schließen sich dt. Lieder, sog. →Leisen, an; ferner entstehen Wiegenlieder Christi, →Kreuz- oder Pilger-, →Geißler-, →Heiligenlieder, selbst relig. Schlachtlieder. E. Aufschwung bringt das 14./15. Jh., teils im Gefolge des Volkslieds als →Kontrafaktur, teils als weitere Übersetzung lat. Hymnen und Sequenzen (HERMANN VON SALZBURG, HEINRICH VON LAUFENBERG) und durch Vermehrung relig. Feste, bes. die Liedeinlagen der →geistlichen Dramen. Dagegen werden die innigen geistl. Lieder der Mystik nicht volkstümlich. Die ersten Sekten (böhm. und mähr. Brüder, Wiedertäufer, Hussiten) entwickeln ein volkssprachl. K., oft für das ganze Kirchenjahr und teils früh gedruckt. Erst die Reformation führt das – somit schon früher vorhandene – K. als Gemeindegesang, Anteil des Volkes am Gottesdienst, in die Liturgie ein, sammelt das Liedgut in →Gesangbüchern und beeinflußt durch sprachgewaltige Neuschöpfungen in Anlehnung an ältere Tradition, bes. Psalmen (LUTHER: ›Ein feste Burg‹, ›Aus tiefer Not‹, ähnlich in Frankreich Clément MAROT 1543) und geistl. Volkslieder auch stark die kath. K.-Dichtung, welche bes. im 18. Jh. zahlr. protestant. K.er umdichtet (doch auch umgekehrt: ›Großer Gott wir loben dich‹) und seit Georg WICEL 1541 bes. in ANGELUS SILESIUS und F. v. SPEE PROKOP VON TEMPLIN bedeutende Vertreter fand. LUTHERS Vorbild (seit 1523) folgen auf ev. Seite Paul SPERATUS (1484–1551, ›Es ist das Heil uns kommen her‹), plattdt. N. DECIUS (1525), N. HERMANN (1560), B. RINGWALDT (1530–99), in der Brüdergemeine das Gesangbuch des Pfarrers M. WEISE 1531 mit z.T. tschech. Vorlagen, unter den Reformierten J. ZWICKS Schweizer Gesangbuch 1536, später MELISSUS, und – trotz ZWINGLIS Abneigung gegen Gemeindegesang

– Übernahme von LUTHERS K. und LOBWASSERS Bearbeitung franz. Psalmen. Gegenüber diesem glaubens- und bekenntnisfreudigen, von siegesbewußter Kampfstimmung getragenen ersten K. des jungen Protestantismus erwächst in der Notzeit der Gegenreformation (SELNECKER, HERBERGER, P. NICOLAI, J. HEERMANN, J. RIST, J. FRANCK) und in den Wirren des 30jährigen Krieges eine Fülle bedeutender K.er von verinnerlichter Glaubenshaltung, bes. auch relig. Trostlieder: größte Höhe bei P. GERHARDT (1607–76: ›O Haupt voll Blut und Wunden‹; ›Befiehl du deine Wege‹; ›Nun ruhen alle Wälder‹, ferner Martin RINCKART (›Nun danket alle Gott‹, 1630), Michael SCHIRMER (1606–73), Paul FLEMING und Georg NEUMARK, unter den Reformierten bes. NEANDER (1650–80, ›Lobe den Herrn‹). Starke Verinnerlichung bringt wieder der Pietismus mit ARNOLD, TERSTEEGEN, ZINZENDORF und den →Gesangbüchern von FREYLINGHAUSEN (1705) und PORST (1713). Unter den K.-Dichtern der Aufklärung ragt GELLERT hervor (›Die Himmel rühmen‹, ›Jesus lebt‹); es folgen KLOPSTOCK und CLAUDIUS, kath. M. DENIS. Von Wiederbelebung des relig. Gefühls in der Romantik zeugen die K.er von NOVALIS, E. M. ARNDT, im 19. Jh. RÜCKERT, GEROK, STURM, SPITTA, KNAPP, Luise HENSEL mit mehr →geistlichen Liedern als K.; auch die gegenwärtigen Bestrebungen um Neubelebung des K. (R. A. SCHRÖDER, J. KLEPPER u.a. mit neuem Liedgut) laufen z.T. nur auf Wiedereinführung der alten Originaltexte und -melodien durch die Liturgische Bewegung hinaus. →Oster- und →Pfingstlied.

F. A. Cunz, Gesch. d. dt. K., II 1855, n. 1969; A. H. Hoffmann v. Fallersleben, Gesch. d. dt. K. bis auf Luthers Zeit,

¹1861; P. Wackernagel, Bibliogr. z.
Gesch. d. dt. K. i. 16. Jh., ²1961; ders., D.
dt. K. v. d. ältest. Zeit bis z. Anfg. d. 17.
Jh., V 1864–77, n. 1964; E. E. Koch,
Gesch. d. K., VIII 1866–77, n. 1973; K.
A. Beck, Gesch. d. kath. K., 18/8, Λ. F.
W. Fischer, K.-Lex., III 1878f., n. 1967;
W. Bäumker, J. Gotzen, D. kath. dt. K.,
IV 1883–1911, n. 1962; J. Zahn, D. Me-
lodien d. dt. ev. Kirche, V 1887–93; O.
Wetzstein, D. dt. K. i. 16.–18. Jh., 1888;
T. Odinga, D. dt. K. d. Schweiz i. Refor-
mationszeitalter, 1889; R. Wolkan, D. dt.
K. d. Böhm. Brüder, 1891; E. Wolff, D.
dt. K. d. 16./17. Jh., 1894; J. Westphal,
D. ev. K., 1901; A. Fischer/W. Tümpel,
D. dt. ev. K. d. 17. Jh., VI 1902–16, n.
1963; P. Dietz, D. Restauration d. ev. K.,
1903; A. Benzinger, Beitr. z. kath. K. i. d.
Schweiz, 1910; F. Spitta, D. dt. K., 1912;
G. Erlemann, D. Einheit d. kath. dt. K.,
1911; F. A. Hunich, D. Fortleben d. älteren Volkslieder i. K. d. 17. Jh., 1911; P.
Sturm, D. dt. Gesangbuch d. Aufklärung,
1923; M. Bertheau, 400 Jahre K., 1924;
G. Müller, Gesch. d. dt. Liedes, 1925; K.
Böhm, D. dt. ev. K., 1927; W. Nelle,
Gesch. d. dt. ev. K., ⁴1962; R. Gießler, D.
geistl. Lieddichtg. d. Katholiken i. Zeitalter d. Aufklärg., 1929; P. Gabriel, D. dt.
ev. K., 1935, ³1956; K. Fellerer, D. dt. K.
i. Ausld., 1935; Th. Humpert, kath. K.,
1935; R. A. Schröder, Dichter und
Dichtg. d. Kirche, 1936; ders., D. Kirche
u. ihr Lied, 1937; R. Fink, D. protest. K.
d. 30jähr. Krieges (Neue Jhrb. 13, 1937);
P. Sturm, Grundfragen e. neuen K., 1938;
Th. Goldschmidt, D. Lied uns. ev. Kirche,
1941; W. Bräutigam, D. Wiedergeb. d.
ev. K. i. 20. Jh., Diss. Marb. 1952; W.
Blankenburg, P. Gabriel, Gesch. d. K.,
1957 (Hdb. z. ev. Kirchengesangbuch);
RL; J. Pfeiffer, Dichtkunst u. K., 1961;
W. Kiefner, Z. ev. K., DU 15, 1963; C.
Palmer, Ev. Hymnologie, 1965, ²1978; K.
C. Thust, D. dt. K. d. Gegenw., 1976; D.
Gutzen, Lied od. Gesang?, Euph. 71,
1977; J. Henkys, D. K. in s. Zeit, 1980;
G. Hahn, Evangelium als lit. Anweisg.,
1981; Liturgie u. Dichtg., hg. H. Becker
II 1983; W. I. Sauer-Geppert, Sprache u.
Frömmigkeit i. dt. K., 1984; P. Veit, D. K.
i. d. Reformation M. Luthers, 1986; D.
prot. K. i. 16. u. 17. Jh., hg. A. Dürr
1986. →geistl. Lied.

Kirchenschriftsteller, im Ggs. zu
→Kirchenväter von der allg. zeitge-
nöss. oder späteren Lehrmeinung
abweichende   christlich-theolog.
Schriftsteller des Altertums: ORIGE-
NES, TERTULLIAN, EUSEBIUS.

Kirchenväter, lat. *Patres,* zusammenfassende Bz. für die großen

kirchl. Schriftsteller aus frühchristl.
Zeit (bis 600 n. Chr.). Griech. K.:
JUSTIN, CLEMENS ALEXANDRINUS,
IRENAEUS, HIPPOLYT, ATHANASIUS,
BASILIUS d. Gr., GREGOR v. Na-
zianz, JOHANNES CHRYSOSTOMUS
u. a., röm. K.: LAKTANZ, CYPRIAN,
AMBROSIUS von Mailand, HIERO-
NYMUS, AUGUSTINUS und GREGOR
d. Gr.; später von den orthodoxen
auch auf die häretischen altchristl.
→Kirchenschriftsteller ausgedehnt
(ORIGENES, TERTULLIAN).

A. Harnack, Gesch. d. altchristl. Lit., II
²1958; B. Altaner, Patrologie, ⁷1963; H.
v. Campenhausen, Griech. K., ³1961;
ders., Lat. K., 1960; H. Kraft, D. K.,
1966; ders., K.-Lexikon, 1966.

Kit-Cat-Club, nach den Kit-cats
genannten Pasteten des Pasteten-
bäckers Ch. Katt, dessen Haus den
ersten Versammlungsort bildete, benannter Klub liberaler engl. Aufklärer 1700–1720 um den Verleger Jacob TONSON. Ihm gehörten ADDI-
SON, STEELE, CONGREVE, WAL-
POLE, VANBRUGH, GARTH u. a. an.

Kitharodie (griech. = Gesang zur
Kithara), Vortrag urspr. ep. (hexa-
metr.) Dichtungen zur Kithararbe-
gleitung. Berühmtester Vertreter der
alten K. war TERPANDER; von
PHRYNIS durch Verwendung freier
lyr. Metren erneuert. →Nomos.

Kitsch (um 1870 entstellt aus engl.
sketch = Skizze, billiges Bild für
engl.-amerik. Käufer in München),
leichtverkäufl., dem breiten Geschmack angepaßte, d. h. also ge-
schmacklose und innerlich unwahre
Scheinkunst ohne künstler. Wert,
die aus vergröbernd-entstellender
Nachahmung e. Anerkannten mit
verstärktem Gefühlsappell scheinbare Ansprüche auf Aussagekraft
ableitet und dem Besitzer die Teilhabe an Höherem vortäuscht: Mas-
sen-›Kunst‹ im Zeitalter der billigen

techn. Reproduzierbarkeit zur unmittelbaren Gefühlsbefriedigung e. Publikums, dessen Mittel seine Bedürfnisse übersteigen, daher bedarfsorientiert dem Käufergeschmack entgegenkommend. Lit. K. im Ggs. zur unprätentiösen →Schundlit. bedient sich daher der Formen und Aussageweisen hoher Lit., jedoch nicht aus innerer Notwendigkeit, sondern um mit Hilfe aufgesetzter, gemachter Symbolik, falscher Metaphorik und gekünstelter pseudolyr. Sprache äußerlich e. Kunstwert vorzutäuschen, der einem blassen, innerlich unwahren, mit Pseudoidealen verbrämten Stoff Kunstwirklichkeit geben soll. Inhaltl. Charakteristika sind dabei pseudoromant. oder biedermeierliche, unzeitgemäße Idyllik, Süßlichkeit (im Ggs. dazu arbeitet der sog. ›saure‹ K. mit gekünstelter Schwarzmalerei), Vermeidung jeder echten trag. Erschütterung, Entdämonisierung des Weltbildes, Schwarzweißzeichnung der Charaktere, banales Happy-End, triviale Schönfärberei und Verbrämung mit vorgeprägten und aufgesetzten, klischeehaften Idealen.

H. Karpfen, D. K., 1925; H. Reimann, D. Buch v. K., 1936; E. Ackerknecht, D. K. als kultureller Übergangswert, 1950; H. Rieder, Volkstümlichkeit u. K. (Zeit im Buch 4, 1950); W. Wunnenberg, Kulturgesch. d. K. (Begegnung 5, 1950); H. Broch, Essays I, 1955; H. Kellerer, Weltmacht K., 1957; K. Deschner, K., Konvention u. Kunst, 1957, n. 1980; R. Egenter, Kunst u. K. i. d. Lit., 1958; F. Taucher, E. Versuch üb. d. K. (in: D. wirkl. Freuden, 1958); L. Giesz, D. Phänomen d. K. (Dt. Lit. i. 20. Jh., hg. H. Friedmann, O. Mann, 4 1961); W. Killy, Dt. K., 1901, 8 1978; A. Fröhlich, K. in soziolog. Sicht (Mutterspr. 72, 1962); H. Sauter, D. K. i. d. Lit. (Saarbrücker Hefte 18, 1963); C. Baumann, Lit. u. intellektueller K., 1964; U. Beer, Lit. u. Schund, 2 1965; M. Durzak, D. K. (Deutschunterr. 19, 1967); J. Elema, D. K. als Randerscheing. d. Kunst (Orbis literarum 21, 1967); P. Beylin, D. K. (Poetik u. Hermeneutik 3, 1968); G. Dorfles, D. K., 1969; L. Giesz, Phänomenologie d. K., 2 1971; J.

Schulte-Sasse, D. Kritik an d. Triviallit., 1971; H. Schüling, Z. Gesch. d. ästhet. Wertg., 1971; H. Breloer u.a., K. als Kriterium lit. Wertg. (Literaturdidaktik, hg. J. Vogt 1972); Das Triviale i. Lit., Musik u. bild. Kunst, hg. H. de la Motte-Haber 1972; A. A. Moles, Psychologie d. K., 1972; G. Ueding, Glanzvolles Elend, 1973; O. F. Best, D. verbotene Glück, 1978; Literar. K., hg. J. Schulte-Sasse 1979; O. F. Best, D. weinende Leser, 1985; K., hg. H. Pross 1985.

Kiue-kiu, chines. Gedichtform aus vier Zeilen oder Strophen zu vier Zeilen von je fünf oder sieben Silben.

Kladde (m.-niederld. = Schmutz), Schmierheft, dann erster, vorläufiger Entwurf e. Schriftwerkes ›ins Unreine‹, Brouillon.

Klagelied, gekennzeichnet durch schwermütige Stimmungshaltung gegenüber e. sich lösenden Vergangenheit, etwa der eigenen Jugend (WALTHERS Altersklage), der früheren Heimat (OVIDS Tristia), e. abreisenden Geliebten (→Propemptikon) oder bes. der Verstorbenen (→Totenklage, →Epikedeion, →Threnos, →Nänie), so schon seit Gilgamesch. Hauptformen des K. sind neben der →Elegie im MA. →Minneklage und →Sündenklage, im Barock K. auf die Vergänglichkeit und Vanitas (OPITZ, FLEMING, GRYPHIUS u.a.), die →Gräberpoesie und Ossian. Melancholie der Empfindsamkeit, schließl. Elegien GOETHES, SCHILLERS, HÖLDERLINS.

Klang, die phonet.-akust. Elemente der Dichtung. Dichtung als gesprochenes Wort besitzt neben Rhythmus als prosod. und Melodie als musikal. Gliederung e. Klangleib mit eigenen mag. Stimmungs- und Ausdruckswerten, die freilich erst in der naheliegenden Verbindung mit der Wortbedeutung wirksam werden, doch gerade beim Fehlen begrifflicher Klarheit, etwa in der Lyrik, durch gesteigerte Ausdrucksgehalte der Stimmungshaftigkeit dienen. E. absolute Aussagekraft der Klänge und Laute dagegen ist e. beliebte Täuschung; auch scheinbar sinnfreie Lautverbindungen in Kinderlied oder →Lautgedicht zeigen Anlehnung an dumpfe Vorstellungs- und Bedeutungsgehalte oder werden wertlos; im Sinnzusammenhang dienen sie der →K.malerei, →K.-symbolik, →K.musikalität oder sog. →K.figuren, im Vers der sprachl. Bindung durch →Reim, →Alliteration und →Assonanz.

W. Schneider, Üb. d. Lautbedeutsamkeit, ZDP 63, 1930; H. Werner, Grundfragen d. Lautphysiognomik, 1932; H. Lützeler, D. Lautgestaltg. i. d. Lyrik, ZfÄ 29, 1935; J. Pfeiffer, Ton u. Gebärde i. d. Lyrik (Dichtg. u. Volkstum 37, 1936); K. Knauer, D. klangästhet. Kritik d. Wortkunstwerks, DVJ 15, 1937; F. Kainz, D. Sprachästhetik d. jg. Romantik, DVJ 16, 1938; R. Petsch, Z. Tongestalt d. Dichtg. (Festschr. J. Petersen, 1938); V. Mönckeberg, Der Klangleib d. Dichtg., 1946, ²1981; F. Lockemann, D. Ged. u. seine K.gestalt, 1953; P. Böckmann, Bild u. K. (Festschr. R. Benz, 1954); K. Wagner, D. Stimme d. Dichters, 1958; F. Berry, Poetry and the physical voice, Lond. 1962; U. Gaier, Form u. Information, 1971.

Klangfarbe, die allg., durch mitschwingende Obertöne naturbedingte oder durch Augenblicksstimmung des Sprechenden wie seine Seelenhaltung bedingte Aussprachetönung einzelner Laute oder Worte.

Klangfiguren →rhetorische Figuren

Klanggedicht →Lautgedicht

Klangestalt, die lautl.-akust. Elemente e. Dichtung, →Klang.

Klangmalerei, Lautmalerei, Onomatopöie, die Wiedergabe oder Nachahmung von nichtsprachl. Gehörs- (und Gesichts-)Eindrücken durch sprachl. Bildungen (Wort und Satz), die im Leser bzw. Hörer die gleichen Sinnesvorstellungen erwecken wollen und oft über die bloße Nachbildung der Natur- bzw. Kunstlaute hinaus durch die akzentuierte und artikulierte Sprachgestaltung zu geistiger Ausdeutung fortschreiten. Beispiele: Einzelworte wie ›Kuckuck, klatschen, summen‹ u. a., auch lautmalende Neubildungen: ›Das Krüppels Krückenstock krackt, grackelt, humpt und zackt‹ (KLAJ). E. genaue Schallimitation wird auch durch Neubildungen weder erreicht noch innerhalb der gegebenen Möglichkeiten erstrebt. Vielfach entsteht K. durch klangl.-rhythm. Zusammenstellung urspr. nicht klangmalender Wörter. Ohne Bedeutungsinhalt, etwa in unbekannten Sprachen, bleibt die K. daher unverständlich; die gleichen Laute dienen bei versch. Völkern zu versch. Wirkung; gleiche Geräusche, z.B. Hahnenkrähen, werden in versch. Sprachen grundverschieden wiedergegeben. Durch →Synästhesie kann die K. auch andere Sinneseindrücke erfassen, z.B. ›blitzen, flimmern‹. Stilwerte sind stets die Einbeziehung neuer Ausdrucksmöglichkeiten durch affektisches Erfassen irrationaler Eindrücke, daher unmittelbare Frische der Sprachgebung. Bereits die antike Lit. kennt K. (→Onomatopöie bei VERGIL, OVID u.a.). OPITZ befürwortet klangmalende Neubildungen zur Bereicherung der Ausdrucksmöglichkeiten; in seinem Gefolge entsteht in der Barocklit., bes. bei den Nürnberger Pegnitzschäfern (BIRKEN, HARSDÖRFFER, KLAJ) e. übersteigerte Anwendung; neuaufgenommen wird sie in der aufblühenden Volksdichtung als schlichtere Form, bes. BÜRGERS *Lenore* u.ä., in den Balladen der Klassiker, bei SCHILLER kraftvoll-akustisch *(Der Taucher),* bei GOETHE meist feiner abgetönt auch mit Lichtreizen, erst im Alter hervorgehoben *(Der To-*

tentanz), dann wiederum in der Romantik, bes. seit BERNHARDIS *Sprachlehre* (1801), von BRENTANO über MÖRIKE und DROSTE-HÜLSHOFF zu R. WAGNER, bei anderen z.T. überspitzt ausgewertet, von den Impressionisten für neue Ziele verwendet, als →Klangsymbolik bei LILIENCRON und A. HOLZ, zu kom. Effekten bei MORGENSTERN, im →Lautgedicht bei E. JANDL u.a. Die roman. Sprachen sind ärmer an K. als die german., dagegen ist die K. überall häufig in Mundart und Kindersprache.

J. G. Kohl, Üb. K., 1873; E. Reinhardt, Z. Wertg. d. rhythm.-melod. Faktoren i. d. nhd. Lyrik, Diss. Lpz. 1908; RL¹; W. Kaiser, D. K. b. Harsdörffer, 1932, ²1962; F. Sommer, Lautnachahmg., 1933; B. Snell, D. Aufbau d. Sprache, 1952; H. Wissemann, Unters. z. Onomatopoiie, 1954; G. Kahlo, D. Irrtum d. Onomatopoetiker (Phonetica 5, 1960); U. Gaier, Form u. Information, 1971. →Klang.

Klangmusikalität, im Ggs. zur →Klangsymbolik nicht die gedankl., sondern melod. Wirkung der Laute e. Gedichts, bes. durch Vokale oder Häufung von stimmhaften Konsonanten (l und Nasale) als Beitrag zur seel. Gesamtstimmung. →Klang.

J. Tenner, Üb. Versmelodie, ZfÄ 8, 1913; R. Peacock, Probleme d. Musikal. i. d. Spr. (Fs. F. Strich, 1952); S. P. Scher, *Verbal music in German lit.,* New Haven 1969.

Klangreim, 1. Reim aus Gliedern, die versch. Wortklassen angehören z.B. acht/Macht/gedacht/ (Zahlwort, Substantiv, Verb) u.ä. – 2. vorzügl. des Klangeffekts wegen gewählter Reim bes. bei Reimkünsteleien.

Klangsymbolik, im Ggs. zur →Klangmalerei nicht die Nachahmung von äußeren Klängen durch Laute, sondern die symbol. Verkörperung der Bedeutung e. Begriffs, e. Außeneindrucks oder e. Vorstellung

durch Laut und Artikulationsart, bes. bei Lauthäufungen. Die Resultate im einzelnen sind sehr umstritten; Widersprüche in der individuellen Auffassung erklären sich u.a. auch aus den versch. →Klangfarben der unter einem Schriftzeichen zusammengefaßten Laute. Kurze und lange Laute, helle und dunkle Vokale, harte und weiche Konsonanten werden subjektiv empfunden. Erst vom Autor intendierte Lauthäufung für bestimmte Stimmungsbereiche kann als Versuch zur K. gewertet werden. Verfechter der K. sind RIMBAUD (Sonett *Voyelles*), BRENTANO *(Ehegeheimnis der Diphthonge)* und E. JÜNGER (*Lob der Vokale* in *Blätter und Steine,* 1934).

P. Beyer, Üb. Vokalprobleme u. -symbolismus i. d. neuen dt. Lyrik (Fs. B. Litzmann, 1920); A. Debrunner, Lautsymbolik i. alter u. neuer Zt., GRM 14, 1926; W. Schneider, Üb. d. Lautbedeutsamkeit, ZDP 63, 1938; RL: Lautsymbolik; S. Ertel, Psychophonetik, 1969; A. A. Hill, *Sound symbolism* (Fs. G. L. Trager, 1972).

Klappentext, der den eingefalteten Schutzumschlagklappen aufgedruckte Werbetext des Verlags, soll dem präsumtiven Käufer einen ersten Eindruck von Verfasser, Inhalt, Thema und Darstellungsweise e. Werkes geben und sein Interesse zu erwecken suchen.

H. Gollhardt, D. K., 1966.

Klapphornverse, Form der →Nonsense-Verse; scherzhafte Vierzeiler mit dem Eingang ›Zwei Knaben...‹ (in deren einem das ›Klapphorn‹ erwähnt wird), erschienen seit 1878 in den Münchner *Fliegenden Blättern.*

Klarismus, lit. Strömung in Rußland zu Anfang des 20. Jh., proklamiert 1910 von M. A. KUZMIN, der nach Ausklingen des Symbolismus im Ggs. zum herrschenden Mystizismus e. Rückkehr zur ästhet. Klarheit, objektiver Darstellung ird. Themen und formaler Übersichtlichkeit im Sinne der franz. Lit. des 18. Jh. forderte. Der K., dem sich auch V. Brjusov anschloß, fand durch die Oktober-Revolution ein rasches Ende.

Klassik (lat. *classicus* = zur 1., höchsten Steuerklasse gehörig, nach der Vermögensstufung der röm. Bürger durch Servius Tullius, daher = materiell und geistig hervorragend; seit Gellius, 2. Jh. n.Chr., erscheint ›scriptor c.‹ als mustergültiger Schriftsteller ›1. Ranges‹) bezieht sich seit der Anerkennung des antiken Vorbildes in der Renaissance auf Kultur, Kunst und Lit. des griech.-röm. Altertums (noch heute: klass. Sprachen, klass. Philologie), dann erweitert auf den Charakter des Mustergültigen, Vorbildlichen als Normbegriff; schließlich übertragen auf die kulturellen (lit. und künstler.) Höchstleistungen e. Volkes und damit zur lit.-geschichtl. Epochenbezeichnung geworden: Höhepunkt der Entfaltung, Reifeu. Blütezeit e. Nationallit., in neueren Litt. meist durch e. bes. Verhältnis zur Antike gekennzeichnet. Zeiten der K. sind in Griechenland das Zeitalter des Perikles, in Rom das unter Augustus, in Italien die Renaissance um die Wende vom 15./16. Jh. oder von Dante bis Tasso, in Spanien das goldene Zeitalter Calderóns und Cervantes', in England das elisabethanische Zeitalter (Shakespeare), in Frankreich das Zeitalter Ludwigs XIV. (17. Jh.) von Corneille bis Racine und in Dtl. die sog. Weimarer K. oder Goethezeit, daneben auch die sog. ›mhd. K.‹ oder ›stauf. K.‹. – Die dt. K. bringt den Abschluß des seit Renaissance, Humanismus und Barock während Ringens um Aneignung der antiken Bildungswerte,

doch nunmehr nicht so der bisherigen röm. als histor. Erinnerung, sondern – seit Winckelmann – bes. der griech. Elemente als Gegenwart, in harmon. Kunstvollendung und -begrenzung unter gleichem Anteil von Verstand und Gefühl, Geist und Natur, daher nicht das ›Dionysische‹ im Sinne Nietzsches, sondern das apollinische Schönheitsideal aus Winckelmanns Harmoniestreben. Synthese von griech. und dt. Welterfahrung, Bildungsideal und Kunstanschauung ist die Grundlage, der dt. →Idealismus der geistige Hintergrund; die vorbereitenden Strömungen sind rationale Aufklärung als diesseitsbetonte Verweltlichung der Dichtung, Seeleninnerlichkeit des Pietismus und der Empfindsamkeit und Sturm und Drang als dynam. Durchbruch des Irrationalen, freie Entfaltung der Gemütskräfte jenseits mechan. Formgesetze. Erst in Bändigung des jugendl. Gefühlsüberschwangs und seiner Reifung von der Darstellung des Charakteristischen zu der des Allgemeinen (Symbolsprache) liegen die Voraussetzungen der K. Ihr eigtl. Zeitraum reicht von Goethes ital. Reise bis nach Schillers Tod, also rd. 1786–1805, und umfaßt in engerem Sinne nur das Schaffen dieser beiden großen →Klassiker während dieser Zeit; wogegen die gleichzeitigen Werke von Jean Paul, Kleist und Hölderlin als Zeugnisse e. bereits gebrochenen Menschenbildes e. Sonderstellung einnehmen. Daneben stehen Ausläufer der Aufklärung und des Sturm und Drang, teils ins Trivialschrifttum abgesunken, und Ansätze der entgegenlaufenden Romantik, ebenso die Spätwerke Herders. – Gemeinsame Merkmale des höchst bewußten, weil reifen Kunstschaffens der K. sind das Streben nach Gestaltung von Typi-

schem, Urbildern als höchsten Erscheinungsformen von Welt und
Mensch, Welterfassung im Symbol,
sittl. Ordnung, Größe und Klarheit
bei Anerkennung e. sinngebenden
Polarität; Ruhe und Ebenmaß der
Persönlichkeitsbildung, →Humani-
tät, nicht die Aussicht ins Unendliche, sondern diesseitige Vollendung
in geschlossener, harmonisch ausgewogener Kunstform als Ausdruck e.
tiefen Harmonie des Welt- und
Menschenbildes. Der Unterschied
von Schiller und Goethe bleibt
davon unberührt: Einfügung des
Welterlebens und des darin als tragisch anerkannten Menschen in ein
harmon. All, in die Gesetze des Kosmos, Ausgleichung von Gefühlsüberschwang und Wirklichkeitsfor-
derung in Selbstzucht bei Goethe
gegen Schillers dualistisches Menschenbild als Polarität von Freiheit
und Form, Bändigung größter Gegensätze nicht im Kompromiß, sondern als gegenseitige Ergänzung in
dynam., lebenserhöhender Spannung, doch innerlich ausgewogener
Form, die in gesetzmäßiger Wandlung und Entfaltung die Einheit in
der Vielheit der Erscheinungen und
damit den Symbolwert des Daseins
erspürt und für die künftige Generation Vorbilder reinen, tiefen
Menschentums und plast., schöner
Kunstgestalt von überzeitlich-zeitlo-
ser Gültigkeit errichtet. – Das Drama der K. gestaltet Grundfragen des
Daseins um Menschsein und Menschenwürde, Seelengröße in innerer
und äußerer Freiheit sowohl in den
reifen Dramen Goethes *(Egmont,
Iphigenie, Tasso, Faust I)* als auch
den →Ideendramen Schillers
*(Wallenstein, Maria Stuart, Jung-
frau von Orleans, Braut von Messina, Wilhelm Tell)*. Seine Sprache ist
gebunden an den Vers und zeigt in
allgemeingültigen Formulierungen
die Neigung zur Sentenz. Beschrän-

kung der Figurenzahl und der
Schauplätze dient der dramaturg.
Konzentration auf die Grundlinien.
Das Epos des K. entsteht in *Hermann und Dorothea.* Der Roman,
von Schiller nur als ›Halbbruder
der Poesie‹ betrachtet, wird zum
symbol. Bildungsroman *(Wilhelm
Meister)*. Die Lyrik erscheint bei
Schiller als →Gedankenlyrik, bei
Goethe als geklärte und geläuterte
Darstellung der geordneten
menschl. Gesellschaft und der Gesetzlichkeit des Weltlebens, von e.
verantwortungsbewußten Ich gesehen. Dem Geiste nach gehören auch
noch Karl Philipp Moritz (*Von der
bildenden Nachahmung des Schönen,* 1788) und Wilhelm von Humboldt zur dt. K.

O. Harnack, D. dt. Klassizismus i. Zeitalter Goethes, 1906; E. Cassirer, Freiheit u.
Form, 1917; ders., Idee u. Gestalt, 1921;
F. Strich, Dt. K. u. Romantik, 1922,
⁵1962; V. Klemperer, Franz. K. (Fs. O.
Walzel, 1925); H. Hettner, Gesch. d. dt.
Lit. d. 18. Jh., ⁷1925; E. v. Sydow, D.
Kultur d. K., 1926; H. A. Korff, Üb.
d. Wesen d. klass. Form (Zs. f. dt. Unterr.
40, 1927); O. Walzel, Dt. Dichtg. v. Gottsched bis z. Gegw. I, 1927; M. Kommerell, D. Dichter als Führer i. d. dt. K.,
1928, ³1982; W. Schadewaldt, Begriff u.
Wesen d. antiken K. (D. Antike 6, 1930);
W. Jäger, Z. Problem d. Klassischen u. d.
Antike, 1931; R. Unger, Klassizism. u. K.
i. Dtl. (Neue Jhrb. 8, 1932); W. Weisbach, D. klass. Ideologie, DVJ 11, 1933;
A. Körte, D. Begr. d. Klass. i. d. Antike,
1934; H. A. Korff, Geist d. Goethezt.,
Bd. 2, 1930, ¹¹1966; A. Bettex, D. Kampf
um d. klass. Denkform d. Abendlandes,
1937; E. Busch, D. Erlebnis i. Antikebild
d. dt. K., DVJ 18, 1940; F. Neubert, D.
franz. K. i. Europa, 1941; F. Usinger, K.
u. Romantik, 1941; E. Busch, D. Verhältnis d. dt. K. z. Epos, GRM 1941; E.
Busch, D. Idee d. Tragischen i. d. dt. K.,
1942; H. Peyre, *Qu'est-ce que le classicisme?,* Paris ²1942; G. Fricke, Vollendung
u. Aufbruch, 1943; Concinnitas. Beitr. z.

Probl. d. Klassischen (Fs. H. Wölfflin, 1944); H. E. Lauer, D. dt. K., 1944; R. Buchwald, D. Vermächtnis d. dt. K.er, 1946; K. Scheffler, Späte K., 1946; M. Turnell, *The class. moment*, Lond. 1947; K. H. Halbach, Zu Begriff u. Wesen d. K. (Fs. P. Kluckhohn, 1948); K. Toggenburg, D. Werkstatt d. dt. K., 1948; K. Reinhardt, D. Klass. Philologie u. d. Klass. (in: V. Werken u. Formen, 1948); V. Tornius, D. klass. Weimar, 1949; W. v. d. Steinen, D. Zt.alter Goethes, 1949; F. Martini, D. Goethezt., 1949; H. Kindermann, Theatergesch. d. Goethezt., 1949; H. H. Borcherdt, D. Roman d. Goethezt., 1949; A. Heussler, K. u. Klassizismus i. d. dt. Lit., 1952; W. Muschg, Dt. K., tragisch geschr., 1952; R. Benz, D. Zt. d. dt. K., 1953; W. Kohlschmidt, Form u. Innerlichkeit, 1955; P. H. Frye, *The terms classic and romantic* (in: *Romance and tragedy*, 1961); RL; W. H. Bruford, Dt. Kultur d. Goethezt., 1965; ders., Kultur u. Gesellschaft i. klass. Weimar, 1966; L. A. Willoughby, *The class. age of German lit.*, N.Y. 1966; Die K.-Legende, hg. R. Grimm, J. Hermand, 1971; M. Fontius, Classique i. 18. Jh. (Fs. W. Krauss 1971); E. Schmalzriedt, Inhumane K., 1971; Begriffsbestimmung d. K. u. d. Klassischen, hg. H. O. Burger 1972; G. Storz, K. u. Romantik, 1972; D. Secretan, *Classicism*, Lond. 1973; M. Windfuhr, Kritik d. K.begriffs, EG 29, 1974; J.-F. Angelloz, *Le classicisme allem.*, Paris 1975; K. L. Berghahn, Ansichten z. K., 1975; T. Gelzer, K. u. Klassizismus (Gymnasium 82, 1975); W. Wittkowski, D. Drama d. Weimarer K., 1977; D. dt. Lit. z. Zt. d. K., hg. K. O. Conrady 1977; D. Weim. K., hg. K. L. Berghahn 1978; D. Borchmeyer, D. Weim. K., II 1980; Klass. Modelle i. d. Lit., hg. Z. Konstantinović 1981; T. J. Reed, D. klass. Mitte, 1982; V. Lange, D. klass. Zeitalter d. dt. Lit., 1983; G. Schulz, D. dt. Lit. zw. Frz. Revolution u. Restauration I, 1983; W. Müller-Seidel, D. Geschichtlichk. d. dt. K., 1983; K. u. Moderne, hg. K. Richter 1983; Beschädigtes Erbe, hg. H. Clausen 1984; R. Zuber, *Le classicisme*, Paris 1984; Franz. K., hg. F. Nies 1985; Verlorene K.?, hg. W. Wittkowski 1986; H. Schlaffer, K. u. Romantik, 1986; G. Ueding, K. u. Romantik, 1987; Üb. d. Klassische, hg. R. Bockholt 1987; Literar. K., hg. H.-J. Simm 1987.

Klassiker, die Vertreter der →Klassik oder allg. die größten Dichter e. Nation, die in die Weltlit. hineinragen und deren Werke durch vollendete Gestalt mustergültig sind; in dt. Lit. noch ausgedehnt auf die her-

vorragenden Dichter des 18. Jh. als Wegbereiter der Klassik, also neben GOETHE und SCHILLER noch KLOPSTOCK, HERDER, WIELAND und LESSING infolge ihrer gemeinsamen Rückbeziehung auf die Antike. Heute ist der Begriff bes. durch die billigen ›K.‹-Ausgaben fast aller druckfreien Dichter sehr ungenau geworden und bezeichnet je nach dem Kontext: 1. Autoren der antiken griech. und röm. Lit., – 2. an den antiken Mustern, Themen und Ideen orientierte mod. Autoren, – 3. Autoren der jeweils nationalen →Klassik, – 4. erstrangige mod. Autoren allg. oder – 5. bahnbrechende, mustergültige Autoren e. Gattung (›K. des Kriminalromans‹, und übertragen – 6. mustergültige, wegweisende Künstler anderer Bereiche: K. des Rock, des Stummfilms usw., fälschlich auch auf die Werke selbst.

J. E. Fidac-Justiniani, *Qu'est-ce q'un classique?*, Paris 1929; RL; H. Rüdiger, Lit. ohne K.? (Wort u. Wahrheit 14, 1959); T. S. Eliot, Was ist ein K., 1963; W. Brandt, D. Wort K., 1976; Warum K., hg. G. Honnefelder 1985. →Klassik.

Klassisch →Klassik, →Klassiker

Klassizismus, (engl. auch *neoclassicism*), jeder →antikisierende Kunststil in Architektur, Skulptur, Malerei und Lit., der durch Überwiegen der rezeptiven, mehr epigonalen Einstellung über die produktive von der →Klassik selbst geschieden wird. Beide können jedoch wie im franz. 17. Jh. zusammenfallen. Die neuformende Nachahmung antiker Formen, Stoffe und Motive bewegt sich in festen, später als drückend empfundenen Normen, die vielfach nicht auf direktem Wege, sondern durch Mittlerschaft anderer Nationen abgeleitet werden und z.T. zu glatter Formkunst führen. Entscheidend ist eine stark verstandesmäßige Kunstauffassung der führenden

Gesellschaft als geschmackbildendes Element. Der K. setzt im Italien der Renaissance ein und erreicht seine Blüte dort im 18. Jh. (ALFIERI, V. MONTI), gleichzeitig im Frankreich LUDWIGS XIV. und des gesamten 18. Jh. höchste Entwicklung und von dort Einfluß auf ganz Europa; Nachklänge in England (DRYDEN, POPE) und Dtl., wo sein erstes Einsetzen mit OPITZ (›vorbarocker K.‹) durch die Entwicklung des Barock abgebrochen war. Der dt. K. umfaßt die gesamte →Aufklärungslit. und bildet zunächst unter GOTTSCHED e. rationale Gegenströmung gegen den Schwulst des Spätbarock, wobei nicht die Antike, sondern der franz. K. (BOILEAU, CORNEILLE, RACINE, MOLIÈRE) das Vorbild bietet, auf das sich die Theoretiker berufen. Einfachheit und fast nüchtern kühle Klarheit bei antiker Formstrenge sind die Hauptzüge, bis Anakreontik und Rokoko (WIELAND) Schönheit und Zierlichkeit einführen. LESSING verstärkt die Formstrenge durch Erkenntnisse vom Wesen der Gattungen, bahnt andererseits durch Aufdeckung der falschen ARISTOTELES-Auslegung durch die Franzosen, Rückgang auf ARISTOTELES und SHAKESPEARE den Weg zu e. inneren Formerfüllung. WINCKELMANN schließlich eröffnet durch sein neues, persönl. Verständnis und tiefes Erleben von Kunst und Menschenbild des Griechentums den Weg zur dt. Klassik, deren Vorbereitung der K. war. Im 19. Jh. folgt eine epigonale Nachblüte des K. als Nachahmung der dt. Klassik im →Münchner Dichterkreis; im 20. Jh. klassizist. Bestrebungen in →Neuklassik, Expressionismus und Existentialismus.

O. Harnack, D. dt. K. i. Ztalter. Goethes, 1906; C. H. C. Wright, French C., 1920; F. Ernst, D. K. i. Italien, Frankr. u. Dtl., 1924; RL; E. v. Sydow, Kultur d. dt. K., 1926; O. Walzel, Dt. Dichtg. von Gottsched bis z. Gegenw., 1927; E. Spranger, D. dt. K. u. Bildungsleben d. Gegenw., 1927; F. Schultz, D. Mythos d. dt. K. (Zs. f. dt. Bildg. 4, 1928); O. Walzel, K. u. Romantik (Propyläen-Weltgeschichte 7, 1929), n. 1981; S. Vines, The Course of Engl. Classicism, Lond. 1930; R. Unger, K. u. Klassik (Neue Jhrb. f. Wissen u. Jugendbildg. 8, 1932); W. Rehm, Röm.-franz. Barockheroismus, GRM 1934; A. Heussler, Klassik u. K., 1952; G. E. v. Grunebaum, W. Hartner, K. u. Kulturverfall, 1960; R. Alewyn, Vorbarocker K. u. griech. Trag., ²1962; R. Wellek, D. Wort u. d. Begriff K. i. d. Lit.gesch. (Schweizer Monatshefte 45, 1965 u. ders., Grenzziehungen, 1972); G. Stratmann, Engl. Aristokratie u. klassizist. Dichtg., 1966; French Classicism, hg. J. Brody, 1966; J. W. Johnson, The formation of Engl. neoclassical thought, Princeton 1966; M. Praz, On neoclassicism, Lond. 1968; D. Secretan, Classicism, Lond. 1973; D. theatral. Neo.-K. um 1800, hg. R. Bauer 1986.

Klausel (lat. *clausula* = Schluß), 1. auf dem Wechsel versch. Quantitäten beruhender rhythm. Satzschluß in antiker Rhetorik und Kunstprosa, gibt jedem Kolon, stellenweise auch Komma, am Abschluß nachdrücklichere Wirkung und feierl. Wohlklang. Die K. besteht aus Basis (meist Kretikus — ∪ — oder Varianten wie Päon — ∪ ∪ ∪ oder Molossus — — —) und trochäischer Kadenz (einfach oder ditrochäisch, letzteres auch katalektisch), deren letzte Silbe anceps ist. Hauptformen sind daher: 1. — ∪ — | — ∪, z.B. *non haberemus* (Kretikus + Trochäus = →Cursus planus); 2. — ∪ — | — ∪ — ∪, z.B. *cessit audaciae* (Kretikus + katalektischer Ditrochäus = Doppelkretikus, = →Cursus tardus); 3. — ∪ —|— ∪ — ∪, z.B. *consules perveremus* (Kretikus + Ditrochäus = →Cursus velox), seltener mit Ersatz des 1. Trochäus durch e. Spondeus: — ∪ — | — — — ∪, z.B. *impetu compilavit* und vereinzelt 4. — ∪ — ∪ — →Hypodochmius. Verpönt ist dagegen der Hexameterschluß — ∪ ∪ — ∪. Von der griech.

Sophistik und Rhetorik des 5. Jh. v. Chr. ausgebildet, durch ISOKRATES und seine Schule verbreitet und mit dem →Asianismus von den Römern, bes. CICERO, übernommen und in die vier festen Schemata gebracht, ist der K.rhythmus durch seine beherrschende Stellung in der griech. und lat. Kunstprosa gleichzeitig in der Textkritik wesentliches Kriterium für evtl. Korruptelen. Mit dem Verfall des Gefühls für Quantitäten im 4. Jh. geht er in den spätlat. →Cursus des MA. über, der auf Wortlänge, -grenze und Betonung aufbaut. – 2. In der Metrik lyr. Dichtung die Schlußverse von Perioden und Strophen, oft die katalekt. oder hyperkatalekt. Formen der jeweiligen Metra (so enden z. B. Jamben auf Bacchius, Glykoneen auf Pherekrateus, Anapäste auf Parömiakos).

E. Norden, Antike Kunstprosa, II ²1923; H. Lausberg, Elemente d. lit. Rhetorik, 1949; ders., Hdb. d. lit. Rhetorik, 1960; K. D. Thieme, Z. Problem d. rhythm. Satzschlusses i. d. dt. Lit. d. SpätMA., 1965.

Kleftenlied (neugriech. *kleftis* = Räuber), neugriech. histor. Volksliedtyp seit 18. Jh., Heldenlieder und Totenklagen der christl. Kleften, Outlaws unter der türk. Oberhoheit, in typisierten Situationen.

A. Steinmetz, Unters. z. d. K.ern, Diss. Mchn. 1926.

Kleinepik →Kurzepik

Kleinkunstbühne →Kabarett

Kleio →Klio

Kleist-Preis, von der dazu gegründeten Kleist-Stiftung 1912–32 jährl. und seit 1985 wieder durch e. von e. Jury gewählte Vertrauensperson vergebener Förderpreis für junge dt. Autoren; polit. oft heftig angegriffen.

Der K.-P., hg. H. Sembdner 1968.

Klephtenlied →Kleftenlied

Klimax (griech. = Leiter), →rhetorische Figur: Anordnung e. Wort- oder Satzreihe nach stufenweiser Steigerung in Aussageinhalt (vom weniger Bedeutenden zum Wichtigen) oder Aussagekraft (vom schwachen zum starken Wort), z. B. ›veni, vidi, vici = ich kam, sah, siegte‹, ›Heute back' ich, morgen brau' ich, übermorgen hol' ich der Königin ihr Kind‹ *(Rumpelstilzchen);* dient der Verstärkung des Erzählfortganges. In antiker Rhetorik als →Gradation bezeichnet, verlangt sie die Wiederholung des jeweils vorhergehenden Begriffs (→Epiploke), erscheint auch stellenweise nach dem Gesetz der wachsenden und steigenden Glieder mit zunehmender Silbenzahl der Schlußglieder. Ggs.: →Anti-K.; die Verbindung der beiden heißt Doppel-K.: ›Tapfer ist der Löwensieger, tapfer ist der Weltbezwinger, tapfrer, wer sich selbst bezwang‹ (HERDER).

Lit. →Rhetorik, →Stil.

Klingender Reim →weiblicher Reim

Klingender Versschluß →Kadenz

Klinggedicht, Lehnübersetzung des Barock für →Sonett (OPITZ, *Poeterey*).

Klio (griech. *Kleio* = Verkünderin), →Muse der Geschichtsschreibung und vergangener Ruhmestaten, daher auch z. T. des Epos.

Klischee (franz. *cliché*), vorgefertigter Druckstock für Abbildungen, dann übertragen vorgeprägte Wendungen, abgegriffene, durch allzu häufigen Gebrauch verschlissene Bilder, Ausdrucksweisen, Rede- und Denkschemata, die ohne individuelle Überzeugung einfach unbedacht übernommen werden.

E. Partridge, *A Dictionary of Clichés,* Lond. 1947, ⁵1966; L. D. Lerner, *Clichés and Commonplaces (Essays in Criticism*

6, 1956); A. J. Zijderveld, *On clichés,*
Lond. 1979.

Klopfan, witzige Verschen oder
Wechselgespräche von 4–10 Zeilen
mit Paarreim, die im süddt. Raum
an den drei letzten Donnerstagen im
Advent von Burschen, die von Haus
zu Haus ziehen, als Neujahrsgruß
und Heischeverse z.T. aus dem
Stegreif aufgesagt werden; seit dem
15. Jh. belegte Sitte; lit. bei H.
FOLZ, H. ROSENPLÜT und H.
KRUG.

Klosterromane, Romane mit Motiven und Problemen aus dem Klo-
sterleben als e. unnatürl. Lebensweise zeigen entweder freisinnige
Tendenzen oder Neigung zum Erotischen und beeinträchtigen dadurch die künstler. Höhe; bedeutend dagegen: D. DIDEROT, *La réli-
gieuse,* E. T. A. HOFFMANN, *Die
Elixiere des Teufels,* C. F. MEYER,
Die Hochzeit des Mönchs, H. HES-
SE, *Narziß und Goldmund.*

H. Strauß, D. K., Diss. Mchn. 1921.

Klucht (niederl. = Posse), kurzes
possenhaftes Bühnenstück, erot. Satire im Ggs. zur polit.-soz. Farce; als
Nachspiel der ernsten →Abelespe-
len beliebt im spätma. Holland, entsprechend den span. Entremeses
und den Schwänken des H. SACHS,
in Frankreich den Stücken RUTE-
BEUFS und ANTOINES DE LA HALE;
im 16. Jh. als soz. Satire; trotz zahlr.
Vertreter (A. de ROOVERE, C.
EVERAERT, M. de CASTELEIN, G. A.
BREDERO u.a.) im 17. Jh. verfallen
und durch die klass. Komödie abgelöst. Vgl. →Esbattement, →Sot-
ternie.

J. van Vloten, *Het nederl. k.spel tot de
18e eeuw,* 1881; van Moekerken, *Het
nederl. k.spel in de 17e eeuw,* 1899; H.
van Dijk, *The structure of the Sotternieën
(The theatre in the M.A.,* hg. H. Braet,
Löwen 1985).

Kneiplied →Trinklied

Knickerbockers, nach e. Pseudonym W. IRVINGS benannte, locker
verbundene amerikan. Schriftstellergruppe in New York 1. Hälfte
19. Jh., später um die Zs. *Knicker-
bocker Magazine* (1833–65), geeint
in Fragen lit. Geschmacks und im
Bestreben, New York lit. Relevanz
zu geben: W. IRVING, W. C. BRY-
ANT, J. K. PAULING, J. F. COOPER
u.a.

K. B. Taft, *Minor K.,* 1947; J. T. Callow,
Kindred spiritis, Chapel Hill 1967.

Knittelvers (Knüttelvers, auch
Klippel-, Klüppel-, Knüppelvers),
vierhebiger Vers des 15./16. Jh., entweder alternierend-akzentuierend
(strenger K., 8–9silbig, bei H.
SACHS u.a.) oder mit freier, unregelmäßiger Senkungsfüllung (freier K.,
6–16silbig, bei ROSENPLÜT u.a.),
teils auch quantitierend und stets im
Paarreim mit männl. oder weibl.
Kadenz; zurückgehend auf das
altdt. →Reimpaar seit OTFRIED,
doch da infolge fehlenden rhythm.
Feingefühls die Hebung nicht mit
der sinntragenden Silbe zusammen-
fällt, von e. gewissen schwerfälligen
Holprigkeit, die ihm in der Poetik
des 17./18. Jh. den abschätzigen
Namen einbrachte. Verwendet in
ep., dramat., satir. und didakt.
Dichtung von SACHS, FOLZ, BRANT,
MURNER, GENGENBACH, FISCHART,
HUTTEN, ALBERUS, FRISCHLIN.
Von OPITZ bekämpft und durch
den Alexandriner verdrängt, von
GRYPHIUS *(Peter Squentz)* spöttisch
verwendet, lebte er zunächst nur in
volkstüml. Dichtung fort, von
GOTTSCHED in alternierender Form
für kom. Dichtung empfohlen (Beispiele in *Critische Dichtkunst,* sen-
kungsfreier K. im *Nötigen Vorrat*),
dadurch im 18. Jh. für volkstüm-
lich-naive Wirkungen, auch Parodien und Satiren, wieder aufgenommen, so als freier Vierheber mit

beliebiger Senkungszahl bei GOE-
THE seit der Leipziger Zeit, z.B. in
den Farcen (*Jahrmarktsfest zu Plun-
dersweilern, Satyros* u.a.), in *H.
Sachsens poetischer Sendung*, dem
Urfaust u.a., parodistisch bei
SCHILLER in *Wallensteins Lager* und
bei KORTUM *(Jobsiade)*, ferner bei
WIELAND, ZACHARIÄ, UHLAND,
später W. BUSCH, WEDEKIND,
HOFMANNSTHAL *(Jedermann)*,
HAUPTMANN *(Festspiel in dt. Rei-
men)*, M. MELL und P. WEISS aus
dem Streben nach Volkstümlichkeit.
→Doggerel.

O. Flohr, Gesch. d. K. v. 17. Jh. bis z.
Jugend Goethes, 1893; E. Feise, D. K. des
jg. Goethe, 1909; RL; H.-J. Schlütter, D.
Rhythmus i. strengen K. d. 16. Jh., Euph.
60, 1966; H. Heinen, D. rhythm.-metr.
Gestaltg. d. K. b. H. Folz, 1966; D. Chisholm, *Goethe's K.*, 1975.

Knüller, →Bestseller auf dem Buchmarkt, bes. spannender Kriminalroman.

Koda →Coda

Kodex →Codex

Kölner Schule, Schriftstellerkreis
der dt. Nachkriegslit. Anfang der
60er Jahre, bemüht um einen neuen
Realismus der sinnl. konkreten Erfahrung in der Alltagswelt mit präzisen Details, begrenzter Perspektive
und gesellschaftskrit. Akzenten: D.
WELLERSHOFF, G. HERBURGER, R.
D. BRINKMANN, G. SEUREN, R.
RASP, N. BORN u.a.

C. Merkes, Wahrnehmgsstrukturen i.
Wkn. d. Neuen Realism., 1982.

Königsberger Dichterkreis, auch
›Kürbishütte‹, 1636 gegr. Vereini-
gung relig. volkstüml. Lyriker und
Komponisten des Barock in der 1.
Hälfte des 17. Jh. in Königsberg um
das geistige Haupt R. ROBERTHIN
(1600–48) unter dem Emblem des
Kürbis; pflegt meist relig. getönte
Gelegenheitsdichtung, Kirchen- und
Gesellschaftslieder, doch auch zu
allg. Themen, bes. Liebe und Tod,
Natur und Freundschaft durchsto-
ßend. Die Dichtungen wurden im
Freundeskreis, meist in ALBERTS
Garten, vorgetragen, kritisiert, von
den Komponisten (ECCARD, STO-
BAEUS, bes. H. ALBERT) liedartig
vertont, gemeinsam gesungen und
in H. ALBERTS *Arien* (1638–50)
und *Musikalische Kürbishütte*
(1641) gesammelt. Mitglieder, meist
12 und mit Schäfernamen oder
Anagramm benannt, waren ferner:
A. ADERSBACH, Chr. KALDENBACH,
G. MYLIUS, J. P. TITZ, V. THILO,
bes. Simon DACH; auch OPITZ weilte 1638 im K. D. Bekanntestes Lied
des K. D.: *Anke von Tharau* (AL-
BERT?).

RL; A. Schöne, Kürbishütte u. Königsberg, 1975, ²1982; L. Kretzenbacher, Zur
Kürbishütte in Alt-Königsberg (Jb. f.
ostdt. Volkskde. 20, 1983).

Königsnovelle, altägypt. Erzählform des Mittleren und Neuen Reiches zwischen Geschichtsschreibung und Novelle, in deren Mittelpunkt der Pharao als typ. Figur
steht: irgendein Anlaß führt ihn zu
einem Entschluß, dessen Verkündigung und Ausführung die K. schildert.

A. Hermann, D. ägypt. K. (Leipziger
ägyptolog. Stud. 10), 1938; E. Otto in
Hdb. d. Orientalistik, I, 2, Leiden 1952.

Körner, in mhd. Lyrik Verszeilen,
deren Reim nicht in der eigenen
Strophe sondern erst in der (den)
folgenden seine Entsprechung hat
und die einzelnen Strophen und
deren Aussagen miteinander durch
Reimklang umschlingt. Vgl.
→Waise.

Kogge, ›Die K.‹, 1924 gegr.
Schriftstellerkreis der Gegenwart in
Minden/Westfalen mit gewählten
Mitgliedern; pflegt bes. die Bezie-
hungen zu niederländ., belg. und
franz. Autoren.

Kokkeibon (japan. = komische Bücher), in japan. Lit. der kom. Roman in Umgangssprache, der mit Humor das Alltagsleben der kleinen Leute beschreibt. Blütezeit als Ersatz des →Sharebon 1. Hälfte des 19. Jh.: Jippensha Ikku und Shikitei Samba.

Kollaborationsliteratur, die deutschfreundl.-faschistoide, z. T. antisemit. und stets rechtsextreme franz. Lit. z. Z. der dt. Okkupation Frankreichs 1940–44, polit. engagierte Propagandalit. rechter Kreise und der Sympathisanten mit dem Nationalsozialismus, z. T. aus Erfahrungen des 1. Weltkriegs und der →Action française gespeist. Die generelle Ächtung und Diskreditierung ihrer Vertreter (P. Drieu la Rochelle, R. Brasillach, L.-F. Céline, J. Chardonne, L. Rebatet) durch die →Resistance und die Nachkriegsentwicklung hat e. differenzierende Untersuchung der Motive und ideolog. Voraussetzungen der K. und e. Aufarbeitung der vielfach autobiograph. Erzähllit. lange verzögert.

B. M. Gordon, *Collaborationism in France,* Ithaca 1980; Lit. d. Résistance u. K. i. Frkr., hg. K. Kohout III 1982–84; G. Loiseaux, *La lit. de la défaite et de la coll.,* Paris 1984; H. R. Kedward, *Occupied France,* Oxf. 1985.

Kollage →Collage

Kôlam, eine Art alter dramat. Maskentänze als kult. Darbietung in der singhales. Lit. Ceylons.

Kollation (lat. *collatio* = Zusammentragen), 1. in der →Textkritik Vergleich e. Abschrift mit dem Original zur Überprüfung der Genauigkeit oder versch. Hss. bzw. Druckausgaben zur Feststellung von Varianten (→Lesarten), bes. bei der Herausgabe von krit. Ausgaben. – 2. Im Antiquariat das Prüfen e. Exemplars auf Vollständigkeit der Seiten, Tafeln, Beilagen usw.

Kollektaneen (lat. *collectaneus* = angesammelt), Sammelhs., →Lesefrüchte, Auszüge aus Werken versch. Schriftsteller, bes. als Material zur Lösung e. Frage, im Barock als →Blütenlese Handwerkszeug fast aller Dichter. →Analekten.

Kollektivroman (v. lat.), Gemeinschaftsroman mehrerer Autoren, dessen einzelne Teile von versch. Verfassern stammen und daher die Vorausdisposition e. Erzählers unterlaufen. Als Formexperiment zuerst in der Berliner Romantik (*Die Versuche und Hindernisse Karls* 1808, von K. A. Varnhagen, Fouqué u. a.), dann im *Roman der Zwölf* (1909), der frühen Sowjetlit. (*Die großen Brände,* 1927: 25 Autoren) und im →Literarischen Colloquium Berlin (*Das Gästehaus,* 1965).

H. Rogge, D. Doppelroman d. Blner. Romantik, II 1926.

Kolombine →Colombina

Kolometrie (v. griech. *kolon* = Glied, *metrein* = messen), Messung der →Kola, 1. Zerlegung von hs. fortlaufend ohne Zeilenfall aufgezeichneten Gedichten (z. B. antike Lyrik) in sichtbare Verszeilen (Zeichen: /), evtl. Aufteilung in Strophen usw. 2. Darstellung der Gliederung e. Abschnitts nach seinen log. Bestandteilen.

Kolon (griech. = Glied), ›Wortfuß‹ (Klopstock), Sprechtakt als Gliederung in Prosa oder Vers, durch leichte Atempausen oder merkliche Einschnitte beim Sprechen begrenzte rhythm. Elementareinheit von einem oder mehreren Worten; in ungebundener Rede die Unterteilung der →Periode, die noch e. gewisse abgeschlossene und selbständige Sinneinheit darstellt und wiederum in kleinste, unselbständige Sprechtakte (→Komma) zerfällt; nach antiken Rhetorikern rd. 7–16 Silben umfassend; in gebundener Rede (Vers) die kleinste rhythm. Einheit aus mehreren (bis zu 6) Versfüßen, enthält meist einen Haupt- und eine oder mehrere Nebenhebungen. Länge oder Kürze der einzelnen Kola bedingen den Prosarhythmus bzw. den Schwung, Fluß oder Nachdruck des Verses. Da gleichmäßiger Bau oft monoton wirkt, bringt Variation in Lage und Form der Kola lebendigere Sprache. Ständig wiederkehrende, herrschende K.-Formen bezeichnet man als rhythm. →Leitmotiv.

A. du Mesnil, Begriff d. 3 Kunstformen d. Rede: Komma, K., Periode, 1894.

Kolonialliteratur, 1. die Lit. in europ. Sprachen in den jeweiligen Kolonien in Übersee, z.B. Spaniens, Portugals (Südamerika), Englands (z.T. USA, Kanada, Australien, Neuseeland, Indien) und Frankreichs (Quebec, Afrika) bis zu deren polit. Selbständigkeit, Abschwächung der ausschließl. Orientierung am Mutterland und Entfaltung eigener lit. Identität. Gemeinsamkeit der Sprache und der lit. Tradition ›klass.‹ Autoren verbindet die Übersee-Literaturen bzw. die engl. Commonwealth-Literaturen weiterhin untereinander und mit dem Mutterland. – 2. in stofflicher Sicht diejenigen Werke, die unabhängig von Herkunft und Wohnsitz des Autors die Kolonien zum Schauplatz haben und deren Probleme thematisieren, vorwiegend im Kolonialroman (z.B. H. GRIMM). Sie sind z.T. →exotische Dichtung.

J. Warmbold, ›Ein Stückchen neudt. Erd‹, Dt. K., 1982; Lit. u. Kolonialismus, hg. W. Bader 1983; S. Benninghoff-Lühl, Dt. K'romane, 1983.

Kolophon (griech. = Gipfel, Spitze, lat. *subscriptio*), Schlußvermerk ma. Hss. (→Explicit) und Früh-

drucke, enthält ähnlich dem →Impressum Titel, Verfasser, Schreiber bzw. Drucker, Druckjahr und -ort.

Kolportage (franz. *col* = Nacken, *porter* = tragen: hausieren), meist anonyme, auf billige Spannung und Sensation berechnete, lit. wertlose Massenprodukte der →Trivialliteratur, die durch Hausierer (heute: im Zeitschriftenhandel) an anspruchsloses Publikum verkauft werden: →Hintertreppenromane, →Groschenhefte, z.T. →Schundliteratur.

K. M. Michael, Z. Naturgesch. d. Bildung (in: Trivialliteratur, hg. G. Schmidt-Henkel 1964); G. Ueding, Glanzvolles Elend, 1973.

Kolportageroman →Kolportage, →Trivialliteratur, →Trivialroman

Kolumne (lat. *columna* = Säule), untereinandergeschriebene Buchstaben- oder Zahlenreihe, – 1. im Buchdruck Druckseite oder Spalte, daher K.-Titel: am Kopf der Seite stehende stichwortartige Inhaltsangabe (lebende K.-Titel von Seite zu Seite wechselnd, tote über mehrere Seiten gleichlautend nach den Kapitelgliederung oder gar dem Buchtitel). Auch längere antike Inschriften und die Texte der →Papyrusrollen erscheinen in K.n. – 2. In der Publizistik: feststehende, an gleicher Stelle e. Zeitung oder Zs. erscheinende Spalte, die einem oder mehreren Journalisten (Kolumnisten) regelmäßig offensteht zu Meinungsäußerungen, Kommentar, →Glossen oder Klatsch (Klatschspalte).

Komik (zu griech. *komos* = nächtl. Umzug fröhl. Zecher unter Musikbegleitung; Gelage), die der →Tragik entgegengesetzte Weise des Welterlebens, e. zum Lachen reizende, harmlose Ungereimtheit, beruhend auf e. lächerl. Mißverhältnis von erstrebtem, erhabenem Schein und wirkl., niedrigem Sein von Personen, Gegenständen, Worten, Ereignissen und Situationen, also auch dem Mißverhältnis von Stil und Inhalt. Der innere Widerspruch zwischen Schein u. Sein, Ideal u. Wirklichkeit, Anspruch u. Wert, Zweck u. Mittel, Gehalt u. Form kann von vornherein offensichtlich sein oder plötzlich verblüffend zutage treten und ruft e. leichtes Unlustgefühl hervor, das im Lachen abgewendet und in Überlegenheitsgefühl, oft verbunden mit selbstkrit. Erkenntnis, gelöst wird. Ästhet. Werte erreicht die K., indem ihr Objekt nicht vollständig dem Lächerlichen anheimfällt und abgewertet wird, sondern seine Werte selbst der K. gegenüber bewahrt (z.B. MOLIÈRES Misanthrop) oder wenn die K. selbst als Wert erscheint (KLEISTS Zerbrochener Krug). Ihre lit. Erscheinungsformen sind neben der oft mehr dem Humor offenen Epik (→komisches Epos, Schwank, Tierdichtung) bes. das Drama (→Komödie, →Tragikomödie, Mimus, Fastnachtsspiel, Farce, Posse). Je nach den ihr zugrunde liegenden lächelnd verstehenden, gemüthaften oder beißend krit. Haltungen ragt die K. in →Humor oder →Satire hinein und bildet die übergreifende Haltung der beiden Ausformungen wie auch von Parodie, Travestie, Karikatur und Witz. Man unterscheidet ferner: nach der Darstellung: objektiv-anschauliche (im Drama: der Wirt in LESSINGS Minna von Barnhelm) und subjektiv-sinnhafte K. (→Witz); nach der Feinheit: derbdrast., handgreifl. und feine K.; nach der Wirkung: drollige und groteske K.; nach der Ursache: freiwillige und unfreiwillige K., und nach der Grundlage: →Situations- und Charakter-K. – Die Empfindung für das Komische ist abhängig von bestimmten Werthaltungen und Lebensauffassungen e. Volkes bzw. e. Gesellschaft und damit national

unterschiedlich, bes. als Temperaments-K. oft anderen Nationen verschlossen; dagegen sind die höchsten lit. Ausprägungen (ARISTOPHANES, PLAUTUS, SHAKESPEARE, MOLIÈRE, CERVANTES, GOLDONI, HOLBERG, GOGOL, NESTROY, RAIMUND, B. SHAW) allgemein-menschlich und -verständlich. – Eine der versch. Entwicklungslinien der K. reicht vom antiken →Mimus über die Spielmannsepen und die kom. Einlagen in den geistl. Dramen des MA. bis zur Minnesang-Parodie, Schwanklit. (Eulenspiegel, Lalebuch = Schildbürger, Finkenritter u.a. Lügenbücher mit drastischer Wort- und Situations-K.) und Fastnachtsspiel; e. andere, kultiviertere von PLAUTUS und TERENZ über die Dramen der HROTSVITH VON GANDERSHEIM zur Renaissance-Komödie und bis ins 18. Jh. (LESSING, LENZ), während im Barock die Englischen Komödianten auf engl., franz. und holländ. Vorbilder zurückgehen, ebenso GRYPHIUS. Aus dem Barocktheater entfaltet sich bes. in Österreich erst im 19. Jh. das Volksstück (RAIMUND, NESTROY, ANZENGRUBER). Die K. der Aufklärung ist meist Charakter-K., die des Rokoko Liebes-K. (WIELANDS kom. Erzählungen mit franz. Vorbildern), doch auch Travestie (BLUMAUER). Im Ggs. zur Empfindsamkeit der Tugendromane RICHARDSONS entsteht in England um 1750 der kom. Roman (FIELDING, SMOLLETT, STERNE) und verbreitet sich über Europa (KNIGGE, G. MÜLLER, LAFONTAINE, LANGBEIN), ähnlich WIELANDS Abderiten und die →Münchhauseniaden. Die der Klassik greift zurück auf die antike Komödie, bes. des ARISTOPHANES, erreicht jedoch selten originale Wirkungen (Wallensteins Lager im Gefolge von ABRAHAM A SANCTA CLARA, während die K. des Mephistopheles im *Faust* an Ironie und Tragikomödie grenzt). Bürgerl. K. entwickelt sich im 19. Jh. im Lustspiel der IFFLAND und KOTZEBUE, später BENEDIX und L'ARRONGE wie in ep. Großform bei JEAN PAUL als Welt der schrulligen Käuze und Sonderlinge. Die Romantik pflegt die phantastisch-ausgelassene Grotesk-K. (TIECK, BRENTANO, KLEIST), die über E. A. POE in der Neuromantik wieder aufgenommen wird und in MORGENSTERN gipfelt; der Realismus lenkt seit IMMERMANN und GRABBE wie der fast idyll. K. des Biedermeier (MÖRIKE, CASTELLI, STELZHAMER, GRILLPARZER) in e. behäbigen Humor ein: KELLER, RAABE, ANZENGRUBER, FREYTAG, ROSEGGER, REUTER, O. LUDWIG, DAUDET, M. TWAIN, DICKENS bis zur liebenswürdigen K. der Heimatkunst (P. FEDERER, FEDERER, GREINZ, SCHÖNHERR). K. wiederum erscheint bei W. BUSCH. Die Satire dagegen blüht im Jungen Dtl., in den Komödien des Naturalismus (HAUPTMANNS *Biberpelz* u. a., THOMA) und des Expressionismus (WEDEKIND, STERNHEIM, G. KAISER). – Um die theoret. Bestimmung der K. von der philosoph. Seite oder des Lachens von der psycholog. Seite bemühten sich u. a.: KANT, JEAN PAUL, SCHOPENHAUER, F. Th. VISCHER, VOLKELT, LIPPS, BERGSON, FREUD, PLESSNER.

K. Flögel, Gesch. d. kom. Lit., IV 1784–87, n. 1976; ders., Gesch. d. Grotesk-Komischen, 1788, 1914; ders., Gesch. d. Burlesken, hg. v. Smith 1794; F. W. Ebeling, Gesch. d. kom. Lit. i. Dtl., III 1865–69, n. 1971; O. Speyer, D. Komische, 1877; G. Meredith, *On Comedy and the Uses of comic spirit*, 1877; A. W. Bohtz, Üb. d. Komische u. d. Komödie, 1884; K. Überhorst, D. Komische, 1896–1900; J. Ziegler, D. Komische, 1900; F. Jahn, D. Problem d. Komischen, 1904; H. Bergson, D. Lachen, 1914, n. 1948; R. Roetschi, D. ästhet. Wert d. Komischen u. d. Wesen d. Humors, 1915; H. Sommerfeld, Versuch e. Theorie d. Komischen, Diss. Lpz. 1917; W. Süß, D. Problem d. Komischen i. Altert. (Neue Jahrb. f. d. klass. Altert. 23, 1920); E. Roellenbeck, Beitr. z. Theorie d. Komischen, Diss. Köln 1922; Th. Lipps, K. u. Humor, ²1922; F. G. Jünger, Üb. d. Komische, 1936, ³1948; Ch. Janentzky, Üb. Tragik, K. u. Humor, JFDH 1936 bis 1940; P. Hofmann, D. Komische, ZfÄ 9, 1940; C. Saulnier, *Le sens du comique*, 1941; H. Plessner, Lachen und Weinen, 1941, ²1950; H. Meyer, D. Typ d. Sonderlings i. d. dt. Lit., Diss. Amsterdam 1943; O. Rommel, D. wiss. Bemühungen, um d. Analyse d. Komischen, DVJ 21, 1944; R. Müller-Freienfels, D. Lachen u. d. Lächeln, 1948; C. P. Magill, *The comic muse in Germany* (*Philological Quarterly* 31, 1949); RL; M. T. Herrick, *Comic Theory in the 16th cent.*, Urbana 1950; A. Plebe, *La teoria del comico*, Turin 1952; F. Janson, *Le comique et l'humeur*, Brüssel 1956; D. Joannu, Ontologie d. K., 1959; J. Borew, Üb. d. Komische, 1960; W. Hirsch, D. Wesen d. Komischen, Amsterd. 1960; S. M. Tave, *The Amiable Humorist*, Chicago 1960; M. C. Swabey, *Comic Laughter*, New Haven 1961; H. Fromm, K. u. Humor i. d. Dichtg. d. dt. MA., DVJ 36, 1962; T. Vater, D. Komische u. d. Humor, DU 14, 1962; M. Ramondt, Stud. üb. d. Lachen, Groningen 1962; G. Müller, Theorie d. K., 1964; B. N. Schilling, *The comic spirit*, Detroit 1965; F. Forster, Stud. z. Wesen v. K., Tragik u. Humor, 1968; B. Schoeller, Gelächter u. Spannung, 1971; P. Haberland, *The development of comic theory in Germany*, 1972; L. Thomas, *The comic spirit in 19th cent. German Lit.*, Hull 1972; P. Jung, Strukturtypen d. K., DU 25, 1973; R. A. Müller, K. u. Satire, 1973; P. C. Giese, Das Gesellschaftlich-Komische, 1974; J. Suchomski, Delectatio u. utilitas, 1975; M. Gurewitch, *Comedy*, Ithaca 1975; Wesen u. Formen d. Komischen i. Drama, hg. R. Grimm 1975; Das Komische, hg. W. Preisendanz u. a. 1976; R. M. Torrance, *The comic hero*, Cambr./Mass. 1978; F. Apel, Kom. Melancholie, STZ 70, 1979; E. Kern, *The absolute comic*, N.Y. 1980; B. Ekmann, Wieso... lachen wir, TeKo 9, 1981; G. Mc Fadden, *Discovering the comic*, Princeton 1982; Zw. Satire u. Utopie, hg. R. Grimm 1982; K. Jurzik, D. Stoff d. Lachens, 1985; Comic relations, hg. P. Petr 1975. →Humor.

Komische Alte, Rollenfach auf dem Theater.

H. G. Oeri, D. Typ d. k. A. i. d. griech. Komödie, 1948.

Komische Figur →Komische Person

Komische Oper →Oper

Komische Person, auch komische Figur, lustige Person/Figur, Sammelbz. für alle histor. und nationalen Ausprägungen e. Theaterfigur zur Belustigung der Zuschauer, ihrer Einbeziehung und Verbindung – durch direkte Anrede – mit dem Bühnengeschehen oder als niedere Kontrastfigur des Helden zur Relativierung der Bühnenhandlung (comic relief) und Durchbrechung der Illusion mit Hilfe gesunden Menschenverstandes; urspr. weniger durch Charakter- oder Situationskomik als durch eingestreute Stegreifscherze (Verrenkungen, Posen, Witze, Beiseitesprechen). Als Liebling des breiten Publikums heißt er gern nach dem Lieblingsgericht der Masse: →Hanswurst, →Pickelhering, →Jean Potage, Hans Stockfisch, Jack Pudding, Maccaroni u. ä. und zeichnet sich durch Gefräßigkeit, Triebhaftigkeit, Angeberei, aber auch Intrigantentum aus. – Die antike Komödie (ARISTOPHANES, PLAUTUS, TERENZ) wie der →Mimus bilden feste Typen, meist Diener- bzw. Sklavenrollen heraus. Erste dt. k. P. ist der Salbenkrämer-Gehilfe Rubin im ma. Passionsspiel, dann der geprellte Teufel im geistl. Drama, wohl unter Einfluß von Gauklerdarbietungen entstanden. Das Überhandnehmen seiner Rolle führt zur Entfernung des geistl. Dramas aus der Kirche. Die Fastnachtsspiele des 15./16. Jh. entwickeln den derben und geilen Bauerntölpel zur stehenden k. P. (H. SACHS); die Wanderbühnen des 16./17. Jh. führen mit dem Berufsschauspieler stereotype k. P.en in ganz Europa ein: →Gracioso, Arlecchino, Dottore, Truffaldino, Brighella u. ä. landschaftlich bestimmte Typen der →Commedia dell'arte, →Pickelhering der Englischen Komödianten, der von den Italienern übernommene →Harlekin oder Guignol der franz. Bühne u. a. Figuren beeinflussen die Entstehung der dt. Narrentypen des Barockdramas und um 1700 die von STRANITZKY geschaffene →Hanswurst-Figur der Wiener Bühne, e. Salzburger Bauerntyp, der unter RAIMUND, NESTROY und ANZENGRUBER mit vielerlei Namen und wandelbarer Gestalt bis ins 19. Jh. hinein fortleben sollte. Seit Auflösung der streng trag. Stils dagegen hatte die k. P. als Verkörperung des gesunden Menschenverstandes auch in die Tragödie Eingang gefunden. SHAKESPEARE benutzt die Narrenfigur noch als Ersatz des antiken Chors, in den Haupt- und Staatsaktionen dagegen verflacht ihre Ironie die ernste Höhe der trag. Darstellung zum platten Theaterspiel und sprengt die Wirkung des Tragischen. Unter Einfluß GOTTSCHEDS, der in seinem Bemühen um Hebung und Besserung der dt. Bühne die k. P. schroff ablehnt, erfolgte daher 1737 die feierliche Verbannung der k. P. von der Bühne in e. allegor. Spiel der NEUBERIN in Leipzig, die freilich nur in Nord- und Mitteldtl. Nachfolge fand. LESSING, MÖSER und auch der junge GOETHE nahmen dagegen Stellung und erkannten den Wert des in der k. P. verkörperten Volkswitzes. Sie erhielt sich – häufig unter anderen Namen wie Harlekin, Staberl, Thaddädl u. ä. – auf der süddt., bes. österr. Bühne, ging im 19. Jh. vom improvisierten Typus zur kom. Charakterrolle – meist in bürgerl. Beruf – über und lebt als Kasperl, Hanswurst, Bajazzo u. ä. im Volksschauspiel, als Typ in der kom. Oper (MOZART, ROSSINI, R. STRAUSS, *Ariadne*, WOLF-FERRARI) und unabhängig von der Bühne im Zirkusclown weiter.

G. Reuling, D. k. Figur i. d. wichtigst. dt. Dramen bis z. Ende d. 17. Jh., 1890; X.

Flock, Hanswurst u. seine Erben, 1892;
F. v. Radler, D. Wiener Hanswurst, 1894;
E. Eckhard, D. lustige P. i. d. älteren engl.
Dramen, 1902; O. Driesen, D. Urspr. d.
Harlekin, 1904, n. 1977; C. Beaumont,
The Hist. of Harlequin, Lond. 1926; W
Gottschalk, D. humorist. Gestalt i. d. frz.
Lit., 1928; W. Meyer, Wesen u. Werden
d. Wiener Hanswurst, Diss. Lpz. 1932;
H. M. Flasdieck, Harlekin (Anglia 61),
1937; L. Sainéan, La Mesnie Hellequin,
Paris 1939; H. Hohenemser, Pulcinella,
Harlekin, Hanswurst, 1940; W. Krog-
mann, Harlekins Herkunft (Volkstum u.
Kultur d. Romanen 13, 1940); G. Obzy-
na, D. Nachkommen d. lust. Pers. i.
österr. Dr. d. 19. Jh., Diss. Wien 1941; O.
Rommel, D. gr. Figuren d. Wiener Volks-
komödie, 1946; ders., Harlekin, Hans-
wurst u. Truffaldino, 1950; Th. Niklaus,
Harlequin, N.Y. 1957; S. Melchinger,
Harlequin, 1959; A. Nicoll, The World of
Harlequin, Cambr. 1963; H. Steinmetz,
D. Harlekin, 1965 u. Neophil. 50, 1966;
W. Zitzenbacher, Hanswurst u. d. Feenwelt, 1965; E. Catholy, Kom. Figur u.
dramat. Wirklichkeit (Fs. H. de Boor,
1966); W. Promies, D. Bürger u. d. Narr,
1967; G. Stieg, Versuch e. Philos. d.
Hanswurst (Austriaca 5, 1979); J. W. van
Cleve, Harlequin besieged, 1980; H. G.
Asper, Hanswurst, 1980; R. Rieks, Com-
media dell'arte, 1981; R. Bauer, Götter,
Helden u. lust. Personen, LJb., Sonderb.
1981; U. Riss, Harlekin, 1984; P. Haida,
V. d. kom. Figur z. Komödie, DU 36,
1984.

Komisches Epos erzielt kom. Kontrastwirkung durch Behandlung e.
verhältnismäßig geringfügigen Gegenstandes oder e. unbedeutenden
Persönlichkeit in der feierlich-erhabenen, formelhaften Kunstform des
großen Epos, parodiert somit wechselseitig Form und Inhalt und dient
allg. der Erheiterung. Die Anfänge
sind Parodien des Heldenepos: der
Ilias in der HOMER zugeschriebenen
Batrachomyomachia (= Froschmäusekrieg) und der höf. Epen in
WITTENWEILERS Ring (Bauernhoch-
zeit mit Turnierkämpfen) und der
Tierepik. E. feste Tradition des k. E.
entsteht erst mit dem Selbstgefühl
der Renaissance, zuerst in Italien,
nach Ansätzen schon in ARIOSTS
Orlando furioso 1516ff., bes. in
TASSONIS La secchia rapita (Der ge-

raubte Eimer, 1614) um e. miß-
glückte Belagerung. In Frankreich
folgt BOILEAUS Le Lutrin (Das
Chorpult, 1764), Kampf der Präla-
ten um e. Chorpult, im Anschluß
daran in England POPES The Rape
of the Lock (Der Lockenraub,
1712). Beide finden in den dt.
›scherzhaften Heldengedichten‹ des
18. Jh., meist wohl naiver und mit
Parodie der antiken Mythologie,
weite Nachahmung: ZACHARIÄS
Renommiste 1744 und sechs andere
k. E., DUSCH, SCHÖNAICH, WEP-
PEN, Uz, bes. geglückt THÜMMELS
Wilhelmine in Prosa, als Meisterstück des rokokohaften k. E. auch
ins Franz., Ital., Russ., Holländ.
übersetzt. Auf die Blütezeit des k. E.
in Europa 1760–70 folgte in rascher
Ausklang, Übergang entweder in
Parodie und Travestie wie BLUMAU-
ERS Aeneis und KORTUMS Jobsiade
oder in echten Humor wie WIE-
LANDS kom. Erzählungen und IM-
MERMANNS Tulifäntchen und seit
dem 19. Jh. in humorist. Roman,
seltener Novelle oder Erzählung;
kaum jedoch erreicht er die Komik
der Jobsiade, am meisten noch bei
W. BUSCH, dessen k. E. durch seine
enge Verbindung mit dem Bild eher
e. neue Form begründet. In die kom.
Prosaepik des 19. u. 20. Jh. (JEAN
PAUL, G. KELLER, W. RAABE, F.
REUTER, K. KLUGE) mündet auch
die von den Volksbüchern (Eulenspiegel, Lalebuch) über REUTERS
Schelmuffsky und WIELANDS Abderiten führende Entwicklung ein.

H Kind, D. Rokoko u. seine Grenzen i.
dt. k. E., Diss. Halle 1945; K. Schmidt,
Vorstudien z. e. Gesch. d. k. E., 1953;
RL; L. Beeken, D. Prinzip d. Desillusionierung i. k. E. d. 18. Jh., Diss. Hbg.
1954; U. Broich, Stud. z. kom. Epos,
1968; W. M. Bauer, Beob. z. k. E. i. d.
österr. Lit. (D. österr. Lit. i. 19. Jh., hg.
H. Zeman 1982).

Komma (griech. = abgehauenes
Stück, ›Abschnitt‹), kleinere rhyth-

mische Unterteilung der Periode, kurzer Sprechtakt aus 1–3 Wörtern, rd. 2–6 Silben, doch bei fließenden Grenzen im Unterschied zum →Kolon ohne selbständige Sinneinheit; meist bilden mehrere K.ta e. Kolon.

Kommentar (lat. *commentarius* = Notizen, Tagebuch, Denkschrift), in röm. Lit. entsprechend den griech. →Hypomnemata: 1. Chroniken und Memoiren als Material für e. spätere Geschichtsschreibung wie die K.e CAESARS über den gallischen und den Bürgerkrieg. – 2. fortlaufende sprachliche (grammat., stilist., metr.), ästhet. und sachl.-histor. Erläuterung e. Textes in Anmerkungen oder gesondertem Anhang. Anfangs auf Gesetzestexte und Heilige Schriften beschränkt, seit dem alexandrin. Philologen auch lit. Texte, so bes. der CICERO-K. des AUSONIUS aus dem 1. Jh. n.Chr., Blüte im Humanismus und Positivismus, doch immer noch weitgehend auf Klassiker, Schultexte und histor.-krit. Ausgaben beschränkt, obwohl e. sachl. solider K. eigentl. Voraussetzung jeder Interpretation sein sollte. – 3. In der Publizistik subjektiver Meinungsbeitrag zu e. aktuellen polit., soz., kulturellen oder ökonom. Ereignis.
Probleme d. Kommentierg., hg. W. Frühwald 1975; J. Volmert, Polit. K. u. Ideologie, 1979.

Kommersbuch (lat. *commercium* = Verkehr), Slg. der bei den Kommersen u.a. geselligen Zusammenkünften gesungenen →Studentenlieder; älteste von KINDLEBEN in Halle 1781 (›Gaudeamus igitur‹ u.a. Kneip- und Liebeslieder, oft mit Kehrreim), NIEMANN in Kiel 1782; erstes mit dem Titel ›K.‹ in Heidelberg 1810; bes. Blüte in der Zeit des Biedermeier als Ausgleich für die polit. Ausschaltung (Verbot der Burschenschaften), auch patriot.

(Freiheitskriege) und Gesellschaftslieder, u.a. von HÖLTY, LESSING, BÜRGER, CLAUDIUS, GOETHE, SCHILLER, NOVALIS, KERNER, ARNDT, KÖRNER, RÜCKERT: G. SCHWABS K. *Germania* 1815; weiteste Verbreitung und zahlreiche Ausgaben fand das *Lahrer K.* von 1858 mit rd. 900 Liedern, unter Patronanz von ARNDT hg. von SILCHER und ERK, mit Liedern von W. MÜLLER, HOFFMANN V. FALLERSLEBEN, HEINE, GEIBEL, SCHEFFEL u.a.; für kath. Verbindungen das *Dt. K.*, ab 7. Auflage seit 1896 durch REISERT textkritisch bearbeitet; mit Musikbearbeitung M. FRIEDLÄNDERS *K.*

Kommissionsverlag, ein →Verlag, der Vertrieb und evtl. Herstellung e. Druckwerks nur im Auftrag und auf Rechnung e. Dritten, meist des Verfassers, übernimmt, am finanziellen Risiko also nicht und am Umsatz durch e. vertraglich fixierten Anteil für Werbung, Lager und Versand beteiligt ist.

Kommos (von griech. *koptein* = schlagen), von leidenschaftl. Gebärden (Schlagen des Hauptes und der Brust) begleitete rituelle Totenklage der alten Griechen, in die att. Tragödie eingegangen als fester Bestandteil: jamb., von Klagerufen unterbrochene Toten-Wechselklage zwischen Chor oder Chorteilen und Schauspieler(n) (AISCHYLOS, *Perser*).

Komödianten, →Englische und →Holländische Komödianten

Komödie (griech. *komos* = Umzug beim Zechgelage, *ode* = Gesang), kom. Bühnenstück als dramat. Gestaltung e. oft nur scheinbaren Konflikts (→Komik), der nach Entlarvung der Scheinwerte und Unzulänglichkeiten des Menschenlebens mit heiterer Überlegenheit über menschl. Schwächen gelöst wird;

damit im Ggs. zu Tragödie und ernstem Schauspiel. Nach den der Wirkung zugrunde liegenden Elementen unterscheidet man Situations-K. (z.B. KLEISTS *Zerbrochener Krug*, häufig in Nähe zum Schwank) und →Charakter-K. oder Typen-K. (MOLIÈRE), nach der herrschenden Grundstimmung zerfallen diese wiederum in iron. und satir. K.n oder das mehr übermütig-humorige →Lustspiel. Es ergeben sich daher: satir. Situations-K.: Selbstbehauptung und innerl. Triumph des vernünftigen, von der törichten Welt verlachten Menschen über seine Spötter (MOLIÈRES *Misanthrop*); iron. Situations-K.: Selbstauflösung e. ad absurdum geführten Konflikts oder e. Verwicklung in e. für den Helden glücklichen Ausgang (SHAKESPEARES *Comedy of Errors;* LESSINGS *Minna von Barnhelm*); satir. Charakter-K.: Bloßstellung und Preisgabe des Toren an die Lächerlichkeit (MOLIÈRES *L'avare*); iron. Charakter-K.: Bekehrung des Toren durch die Wirkung seiner Torheit (SHAKESPEARE, *The Taming of the Shrew*). Weitere Sonderformen sind Intrigen-, Konversations- und Boulevard-K. – Die griech. K. ging hervor aus spött. Gesängen der Phallosprozessionen und entwickelte sich bes. bei den dor. Megarern zu fester Form; sizil. Vorstufen in lit. Prägung sind die mim. Possenspiele des EPICHARMOS um 500 v.Chr. und die →Mimoi des SOPHRON. Die Blüte der att. K. begann erst mit ihrer Einführung in die →Dionysien als Wettkampf von fünf K.n und Ausstattung mit e. Chor (486 v.Chr.) ähnlich der Tragödie. Als Teil der Dionysien will sie Lachlust, Heiterkeit erregen und Mißstände der Zeit verhöhnen. Hauptvertreter dieser sog. alten K. sind KRATINOS, KRATES, EUPOLIS u. bes. ARISTOPHANES von dem 11 K.n erhalten sind. Nach anfänglich persönl. Spott wendet sich die Komödie späterhin der schonungslosen Kritik und Satire öffentl., polit. wie lit. Verhältnisse zu, oft in ausgelassener Groteske und phantast. Karikatur. Ihr Aufbau ist ähnlich der Tragödie mit Prolog, Parodos und Agon, nur daß sich vor die Akte (Epeisodia) die →Parabase einfügt, in der sich der Chor im Namen des Dichters ans Publikum wendet. Das Ende der Demokratie um 400 brachte neue Formen: allg. Verarmung ließ den wesenlos gewordenen Chor meist entfallen, die Schauspielerrollen wurden weiter ausgebaut, aktuelle Anspielungen auf polit. Personen mußten aufgegeben werden; die K. wandelte sich zur Parodie von Tragödien- und Mythenstoffen oder zur Typensatire (Hetären, Parasiten, Renommisten, Philosophen). Hauptvertreter waren ALEXIS und ANTIPHANES. Um 336 beginnt die sog. neue K., Nea, die Stoffe aus dem Alltagsleben des Stadtbürgers aufnahm und in typ. Gestalten verkörperte (schlauer Sklave, Bauerntölpel, geiziger Vater, leichtsinnige Söhne, Adelsstolze, Parvenü). Glückl. Ende und Zusammenfinden der Geliebten nach langer Trennung und gefährl. Verwicklung bilden den stehenden Rahmen, Züge wie →Anagnorisis u.ä. werden aus der Tragödie bes. des EURIPIDES entlehnt. PHILEMON, MENANDER und DIPHILOS sind Hauptvertreter. Die Stoffe und Typen der jüngeren att. K. lebten seit 240 v.Chr. in der röm. K. (→Palliata) des PLAUTUS und TERENZ fort und haben sich in vielen Variationen über die Jahrtausende erhalten. Röm. Vorstufen waren in Unteritalien im 4./3. Jh. die unlit. →Phlyakenposse, →Mimus und →Atellane; letztere beide erst ab 1. Jh. v.Chr. und bes. in der Kaiserzeit bei der Unterschicht beliebt, daneben durch AFRANIUS ausgebildet die →Togata. Die röm. K. kennt keinen Chor, nur Flötenmusik für Zwischenakte, dagegen zahlr. gesungene Einlagen: →Cantica. – Das MA. kennt TERENZ nur als Schulautor, sonst nur derbkom. volkstüml.-weltl. Spiele wie Farcen, Sottien, Kluchten und Fastnachtsspiele. – Die ital. Renaissance nimmt in der →commedia erudita die Formen von PLAUTUS und TERENZ in Übersetzung, Bearbeitung und Nachahmung wieder auf (MACHIAVELLI, BIBBIENA, ARIOST, GELLI, CECCHI, ARETINO). Daneben läuft seit dem 15. und bes. im 16. Jh. die aus dem Mimus über Farce und Fastnachtsspiel entwickelte Volks- und Typen-K. in Dialekt (RUZZANTE, CALMO, GIANCARLI), die in Anlehnung an die Atellane im 16./17. Jh. zur →Commedia dell'arte fortschreitet und sich auch über Frankreich und das übrige Europa verbreitet, im 18. Jh. durch GOLDONI vom Stegreif zu lit. Form erhoben wird und über GOZZI bis in die Moderne reicht, wo PIRANDELLO und D. Fo im 20. Jh. neue Formen entwickeln. – Die franz. K. geht von der Farce zur Nachahmung der Italiener (LARIVEY) und Spanier (CORNEILLES Menteur) über und schafft damit die Charakter- oder Typen-K. MOLIÈRES, die von der franz. Klassik aus für ganz Europa Vorbild wird (REGNARD; in Dänemark HOLBERG). Im 18. Jh. entstehen gleichzeitig die →Comédie larmoyante DIDEROTS und neue Formen bei LESAGE, MARIVAUX, GRESSET und PIRON, bes. die Salon- und Intrigen-K. der BEAUMARCHAIS und SCRIBE, die soziale K. der LABICHE, AUGIER und DUMAS Fils und die mod. Gesellschaftskritik bei PAILLERON und SARDOU, die bis in die Gegenwart bei COURTELINE, JARRY, FEYDEAU, J. ROMAINS, GIRAUDOUX und AN-OUILH herrscht. – Die engl. K. steigt von der PLAUTUS- und TERENZ-Nachahmung zu den K.n und Tragik.n LYLYS, SHAKESPEARES und Ben JONSONS (→Comedy of humours) an, nimmt im 17. Jh. unter franz. Einfluß die Wendung zum witzigen Dialog, in der Aufklärung zum Tugendideal (DRYDEN, STEELE, CIBBER und die Empfindsamkeit: GOLDSMITH, SHERIDAN) und führt schließlich über die →Comedy of manners (ETHEREDGE, WYCHERLEY, CONGREVE, FARQUHAR, VANBRUGH) unter Einfluß der franz. K. und KOTZEBUES zum Konversationsstück (S. MAUGHAM, O. WILDE, G. B. SHAW). – Die span. K. erreicht ihre Blütezeit unter LOPE DE VEGA, CALDERÓN, TIRSO DE MOLINA, RUIZ DE ALARCÓN und MORETO. Die K. der slaw. Völker entsteht erst um Mitte des 18. Jh.: in Rußland SUMAROKOV, KATHARINA II., FONVIZIN, KNJAŽNIN, KAPNIST, GRIBOEDOV, GOGOL, OSTROVSKIJ, PISEMSKIJ, MAJAKOVSKIJ, KATAEV, ŠVARC; in Polen A. FREDRO, LUBOWSKI, NARZYMSKI, BALUCKI, K. ZALEWSKI, SWIETOCHOWSKI, BLIZINSKI, MROZEK u.a.; bei den Tschechen KLICPERA, TYL, JEŘÁBEK, BOZDĚCH, in Ungarn F. MOLNAR, in Rumänien CARAGIALE u.a. – Die dt. K. kommt infolge Fehlens e. festen Gesellschaftsordnung und -kultur (deren Kritik die K. bildet) bis ins 19. Jh. nicht zu voller Entfaltung; die Versuche der HROTSVITH VON GANDERSHEIM und die humanist. K. (REUCHLIN, WIMPFELING) bleiben unoriginell und nachfolgelos; das Fastnachtsspiel endet in den Wirren der Reformation und des 30jährigen Krieges; im 17. Jh. ragt allein GRYPHIUS hervor; der Klassizismus des 18. Jh. begnügt sich mit Nachahmung der ital., franz. und dän. Vorbilder bei der GOTTSCHEDIN, WEISSE, GELLERT,

J. E. SCHLEGEL und dem jungen
LESSING wie dem →weinerlichen
Lustspiel. Auch nach der bahnbre-
chenden Höhe von LESSINGS *Minna
von Barnhelm* gleitet die K. bei
KOTZEBUE u. a. wieder zum bühnenwirksamen, doch platten
→Rührstück ab. Die Klassik findet
nicht zur K.; die Romantik verfehlt
durch Nichtachtung der Formgeset-
ze die dramat. Wirkung, und PLA-
TENS K.n bleiben Literatursatiren.
Die wichtigsten K.n des 19. Jh. sind
KLEISTS *Zerbrochener Krug*, TIECKS
Märchen-K.n, BÜCHNERS *Leonce
und Lena*, GRABBES *Scherz, Satire,
Ironie*, GRILLPARZERS *Weh dem,
der lügt*, GUTZKOWS und LAUBES
histor.-zeitkrit. K.n, die Konversa-
tionsstücke der BAUERNFELD und
BENEDIX, FREYTAGS *Journalisten*,
ANZENGRUBERS Dorf-K.n, RAI-
MUNDS →Zauberpossen, NESTROYS
Volks-K.n u. a. Im Naturalismus ge-
lingt G. HAUPTMANN mit soz. K.n
wie *Biberpelz* und *Kollege Cramp-
ton* e. neue Höhe; im Impressionis-
mus WEDEKIND, SCHNITZLER und
HOFMANNSTHAL, im Expressionismus kommen STERNHEIM, KAISER,
TOLLER und HASENCLEVER zu gro-
tesk-satir. Formen, ferner H. BAHR,
SCHÖNHERR, C. GÖTZ, H. J. REH-
FISCH, P. KORNFELD, F. WERFEL,
C. ZUCKMAYER. Die Gegenwart ver-
meidet das befreiende Lachen durch
gesellschaftskrit. Volkstücke oder
groteske und absurde Formen der
K.: W. HILDESHEIMER, M. FRISCH,
F. DÜRRENMATT, HORVÁTH,
HACKS, HOCHHUTH, SPERR u. a. –
Die Theorie der K. ist weniger um-
stritten als die der Tragödie (→Ko-
mik). PLATON im *Symposion* hält es
für die Sache desselben Dichters,
Tragödien und Komödien zu schrei-
ben. Von der Renaissance bis zum
Aufkommen des →bürgerlichen
Trauerspiels dagegen gilt für beide
Formen die →Ständeklausel unter

umstrittener Berufung auf ARISTO-
TELES und HORAZ.

J. Mähly, Wesen u. Gesch. d. Lustspiels,
1862; J. Denis, *La c. greque*, II 1886; F.
Bettingen, Wesen u. Entw. d. kom. Dra-
mas, 1891; W. Harlan, Schule des
Lustsp., 1903; K. Hille, D. dt. K. unter d.
Einwirkung d. Aristophanes, 1907; K.
Holl, Gesch. d. Lustspiel-Theorie v. Ari-
stot. bis Gottsched, 1911, n. 1976; M.
Pulver, Romant. Ironie u. romant. K.,
1912; A. Körte, D. griech. K., 1914; H.
Prutz, Z. Gesch. d. polit. K. i. Dtl., 1919;
F. Bouquet, D. Problem d. echten K.,
Diss. Freibg. 1921; K. Holl, Gesch. d. dt.
Lustspiels, 1923, n. 1969; W. Plehnt, Er-
scheinungsformen d. Komischen i. dt.
Lustspiel, Diss. Kiel 1924; E. Beutler,
Forschgn. u. Texte z. frühhumanist. K.,
1927; A. Pickard-Cambridge, *Dithy-
ramb, Tragedy, C.*, Lond. 1927; M. Bea-
re, D. Theorie d. K. v. Gottsched bis Jean
Paul, 1928; F. W. Bateson, *Engl. Comic
Drama*, 1929; P. Malthan, D. junge Dtl.
u. d. Lustspiel, 1930; RL: Lustspiel; G.
Norwood, *Greek C.*, N.Y. ²1963; W.
Bardeli, Theorie d. Lustsp. i. 19. Jh.,
1935; E. Winkler, Z. Gesch. d. Begriffs
comédie i. Frankr., 1937; F. Güttinger, D.
romant. K. u. d. dt. Lustspiel, 1939; H.
T. E. Perry, *Masters of Dramatic Comedy
and their Social Themes*, 1939; J. Feible-
man, *In Praise of Comedy*, Lond. 1939;
B. Aitkin-Sneath, *The Comedy in Germa-
ny*, 1940; O. Rommel, Komik u. Lustsp.-
Theorie, DVJ 20, 1943; A. Seyler u. S.
Haggard, *The Craft of Comedy*, 1943;
H. Herter, V. dionys. Tanz z. kom. Spiel,
1947; M. Pohlenz, D. Entstehg. d. att. K.,
1949; L. J. Potts, *Comedy*, Lond. 1949;
H. Mahler, D. Tragische i. d. K., Diss.
Mchn. 1950; O. Rommel, D. Altwien.
Volks-K., 1952; H. Kindermann, Meister
d. K., 1952; G. E. Duckworth, *The Na-
ture of Roman C.*, Princeton 1952; T. B.
L. Webster, *Stud. in later Greek Comedy*,
1953; W. K. Wimsatt, *Engl. stage c.*,
N.Y. 1955; H. Wetzel, D. empfindsame
Lustsp. d. Frühaufklärg., Diss. Mchn.
1956; W. Sypher, *Comedy*, 1956; P.
Yershov, *C. in the Soviet theatre*, Lond.
1957; H. Friederici, D. dt. bürgerl.
Lustsp. d. Frühaufklärg., 1957; K. Lever,
The art of Greek comedy, Lond. 1957;
N. N. Holland, *The first modern come-
dies*, Cambr./Mass. 1959; H. Hartmann,
D. Entw. d. dt. Lustspiels v. Gryphius bis
Weise, Diss. Potsd. 1960; J. Loftis, *Come-
dy and society from Congreve to Fielding*,
Stanford 1960; M. T. Herrick, *Italian
Comedy in the renaissance*, Urbana
1960; T. H. Fujimura, *The restoration
comedy of wit*, Princeton 1960; J. W.
Krutch, *Comedy and conscience after the
restoration*, N.Y. 1961; F. M. Cornford,

The origin of Attic comedy, N.Y. 1961; J. L. Styan, *The dark comedy*, Cambr./ Mass. 1962; M. C. Bradbrook, *The growth and structure of Elizabethan comedy*, Harmondsworth 1963; G. Kluge, Spiel u. Witz i. romant. Lustsp., Diss. Köln 1963; K. Bräutigam, Europ. K.n, 1964; P. Voltz, *La comédie*, Paris 1964; W. Hinck, D. dt. Lustsp. d. 17. u. 18. Jh. u. d. ital. K., 1965; *Comedy*, hg. R. W. Corrigan, San Francisco 1965; C. V. Aubrun, *La comédie espagnole 1600–1680*, Paris 1966; B. Gibbons, *Jacobean city comedy*, Lond. 1967, ²1980; G. Wicke, D. Struktur d. dt. Lustsp. d. Aufklärg., ²1968; E. Catholy, D. dt. Lustsp. v. MA. bis z. Ende d. Barockzt., 1968; H. Arntzen, D. ernste K., 1968; H. Prang, Gesch. d. Lustsp., 1968; D. dt. Lustsp., hg. H. Steffen II 1968 f.; E. Olson, *The theory of comedy*, Bloomington 1969; I. Donaldson, *The world upside down*, Oxf. 1970; D. Brüggemann, D. sächs. K., 1970; W. G. McCollom, *The divine average*, Cleveland 1971; S. D. Feldman, *The morality-patterned comedy of the renaiss.*, Haag 1971; B. Schoeller, Gelächter u. Spannung, 1971; W. M. Merchant, *Comedy*, Lond. 1972; E. H. Mickhall, *Comedy and tragedy*, N.Y. 1972; R. Urbach, D. Wiener K. u. ihr Publikum, 1973; P. Haida, K. um 1900, 1973; K. u. Gesellschaft, hg. N. Altenhofer 1973; F. Martini, Lustspiele u. das Lustsp., 1974, ²1979; M. Thalmann, Provokation u. Demonstration i. d. K. d. Romantik, 1974; P. C. Giese, D. Gesellschaftlich-Komische, 1974; H.-J. Knobloch, D. Ende d. Expressionismus, 1975; Wesen u. Formen d. Komischen i. Drama, hg. R. Grimm 1975; M. Gurewitch, *Comedy*, Ithaca 1975; D. dt. K. i. 20. Jh., hg. W. Paulsen 1976; D. dt. K., hg. W. Hinck 1977; G. Brereton, *French comic drama*, Lond. 1977; H. Steinmetz, D. K. d. Aufklärung, ³1978; H. J. Schrimpf, K. u. Lustsp., ZDP 97, 1978, Sonderh.; *Comedy*, hg. M. Charney, N.Y. 1978; R. B. Heilmann, *The ways of the world*, St. Louis 1978; *Comic drama*, hg. W. D. Horwarth, Lond. 1978; F. Apel, Kom. Melancholie, STZ 1979; J. W. van Cleve, *Harlequin besieged*, 1980; V. Klotz, Bürgerl. Lachtheater, 1980, ²1984; J. Hein, D. K., FLE, 1981; E. Catholy, D. dt. Lustsp. v. d. Aufkl. b. z. Romant., 1982; R. Grimm u.a., Zw. Satire u. Utopie, 1982; K.-H. Bareiß, Comoedia, 1982; H. Blau, *Comedy since the absurd* (*Mod. drama* 25, 1982); H. v. d. Heyde, D. frühe dt. K., 1982; K. Schoell, D. franz. K., 1983; W. Trautwein, K.theorie u. K., SchillerJb. 27, 1983; K.nsprache, hg. H. Arntzen 1988; Absurda comica, hg. H. Wagener, Amsterd. 1988; M. Charney, *Comedy high and low*, 1988.

Komödienroman, Sonderform des →galanten Romans im Frührokoko als Ergebnis der Erotisierung des →heroisch-galanten Romans mit komödienhaften Stoffen. Verkörpert in Hunolds *Die liebenswürdige Adalie* (1702), am reinsten in Melissus, *Des glückseligen Ritters Adelphico Lebens- und Glücksfälle* (1715), ausklingend mit J. G. Schnabels *Der im Irrgarten der Liebe herumtaumelnde Cavalier* (1738).

H. Singer, D. galante Roman, 1961; ders., D. dt. Roman zwischen Barock u. Rokoko, 1963.

Komparatistik →vergleichende Literaturwissenschaft

Komparse (ital. *comparsa* = Erscheinen), Statist, stumme Person auf der Bühne und im Film; deren Gesamtheit, Auftreten und Anordnung in Massenszenen heißt Komparserie.

Kompendium (lat. = Ersparnis), Handbuch, kurzer, zusammenfassender Abriß e. Wissenschaft mit Beschränkung auf allg. Tatsachen, Daten u. ä., meist für Nachschlagezwecke.

Kompilation (lat. *compilare* = zusammenplündern), das Zusammentragen unverarbeiteter und geistig nicht durchdrungener Materialien aus anderen Schriften zu bloßer Stoffslg., auch das derart entstandene lit. Produkt, oft ohne geistigen Eigenwert: Spätantike und ma. Enzyklopädien, ma. Artusroman-K. Quellenangabe unterscheidet die K. vom →Plagiat.

A. J. Minnis, *Late-medieval discussions of compilatio*, PBB 101, 1979.

Komplimentierbuch (franz.), Form der →Anstandsliteratur, Lehrbuch der Galanterien, Zeremonien u. Komplimente im höf. Leben; bes. im Barock beliebte Slg. von höfisch-gesellschaftl. Formeln, Redensarten und Briefwendungen aus Romanen u. ä. zur Wiederverwendung im Rokoko ins Zierliche umgeformt, vom bürgerl. 18. Jh. trotz erkannter Heuchelei fortgeführt. Autoren: G. GREFLINGER 1645, C. WEISE 1677, J. RIEMER 1681, A. BOHSE 1692, C. F. HUNOLD 1710, J. C. BARTH 1730.

B. Zaehle, Knigges Umgang mit Menschen u. s. Vorläufer, 1933; RL; K.-H. Göttert, Legitimationen f. d. Kompliment, DVJ 61, 1987.

Komposition (lat. *compositio* = Zusammensetzung), ältere Bz. für den formalen →Aufbau e. Sprachkunstwerks als Zuordnung der Einzelteile nach gewissen Ordnungsprinzipien wie Einheitlichkeit, Gegensatz, Steigerung, wie er allenfalls auf die K. einer Gedichtsammlung anwendbar ist. Das Wort erweckt die falsche Vorstellung vom dichter. Schaffensprozeß als e. verstandesmäßig-mechan. Zusammensetzung der einzelnen vorgefertigten Bestandteile (Form und Inhalt), gegen die sich schon GOETHE (zu ECKERMANN 20. 6. 1831) wendet und die Dichtung als organisch gewachsenes schöpferisches und unzerlegbares Ganzes erkennt. PLATON (*Phaidros* 47) hatte in der Gliederung des Ganzen und der Verhältnisbeziehung der Einzelteile e. Kunstprinzip erkannt. In diesem Sinne bezeichnet ›äußere K.‹ den architekton. Aufbau: Gliederung in Akte, Kapitel, Strophen, Gesänge usw., der in untrennbarer Einheit und ständiger Wechselbeziehung zur ›inneren K.‹ steht und zu deren Erhellung beiträgt, im Ggs. zu der meist unbewußt in der Konzeption eingeschlossenen inneren K. vom Kunstverstand vorgenommen wird und weniger für den Schöpfer selbst als für die wiss. Beschäftigung mit der Schöpfung aufschlußreich ist. Vgl. →Form, →Struktur.

B. Seuffert, Beobachtg. üb. dichter. K., GRM 1 u. 3, 1909 u. 1911; O. Walzel, D. künstler. Form d. Dichtwerks, 1916; ders., Wechselseitige Erhellung der Künste, 1917; ders., Gehalt und Gestalt, 1923; RL.¹; B. A. Uspenskij, Poetik d. K., 1975.

Konfiguration (lat.), die Anordnung, das wechselseitige Aufeinanderbezogensein der Einzelteile, etwa der Figuren und ihrer Konflikte im Drama als dichter. Struktur.

K. K. Polheim, D. dramat. K. (Beitr. z. Poetik d. Dramas, hg. W. Keller 1976).

Konflikt (lat. *conflictus* = Zusammenstoß), der äußere Kampf, Streit, meist jedoch innerer Widerstreit gegensätzl. Werthaltungen und Kräfte: Pflicht und Neigung, Wille und Aufgabe, auch zwei versch. Pflichten oder zwei versch. Neigungen; bildet den Angelpunkt jedes →Dramas, Zeugnis e. als dualistisch aufgefaßten Welt, und endet als trag. K. mit dem Untergang oder Scheitern des Helden (ähnl. Liebe und Auftrag in SCHILLERS *Jungfrau von Orleans*), in Komödie und ernstem Schauspiel mit der Lösung der meist aus e. ungleichgewichtigen K. resultierenden Spannungen (z. B. Liebe und Ehre in LESSINGS *Minna von Barnhelm*). Das in früher Euphorie aufgestellte Dogma des →sozialistischen Realismus von der ›K.losigkeit‹ e. klassenlosen Gesellschaft nach Beseitigung aller soz. Gegensätze mußte aufgegeben werden.

G. Stolpmann, Wesen u. Funktion d. K. (Dt. Zs. f. Philos. 12, 1964); H. Marnette, Z. Problem d. lit. K. (Wiss. Zs. d. Päd. Hochsch. Potsdam 9, 1963).

Konjektanen (lat. *coniectanea* =) Slg. von Einzelbemerkungen.

Konjektur (lat. *coniectura* = Vermutung), in der →Textkritik e. auf subjektives Empfinden des Herausgebers über Stil, Wortwahl, Vers- u. Reimtechnik des Autors und s. Zeit gegen den Befund der Überlieferung gegründeter Eingriff zur Verbesserung oder Ergänzung einer Lesart in schlecht überliefertem, lückenhaftem oder verderbtem Text (→Korruptele), die e. bessere Sinnentsprechung versucht.

Konklusion (lat. *conclusio* = Schluß), in lat. Rhetorik der Abschluß e. Rede oder von deren Schlußteil (→Peroration) mit Zusammenfassung der Argumente und deren Schlußfolgerung.

Konkordanz (lat. *concordare* = übereinstimmen, in Einklang stehen), 1. alphabet. Zusammenstellung aller in e. Schriftwerk oder bei e. Schriftsteller vorkommenden Wörter und Ausdrücke (Verbal-K.) oder Sachen und Begriffe (Real-K.) mit Stellenbeleg, dient dem Überblick über Wortgebrauch, Ideen- und Begriffsgehalt des Werkes und der Auffindung von Zitaten; häufig schon seit dem MA. für die *Bibel* (u.a. *Calwer K.* nach LUTHERS Übersetzung ²1905), später für den *Koran* und die Werke großer Dichter: DANTE-K., CHAUCER-K., SHAKESPEARE-K., GOETHE-K.; ähnlich Lexika zu antiken Schriftstellern. – 2. auch Conspectus paginorum, Vergleichstabelle für Seitenzahlen desselben Textes in versch. Ausgaben zur Verifizierung von Belegen und Zitaten.

T. H. Howard-Hill, *Literary concordances*, Oxf. 1979.

Konkrete Poesie (v. lat. *concretus* = gegenständlich), internationale Strömung der modernen Lyrik, die von den sprachl. Elementen (Wörtern, Silben, Buchstaben) als konkretem Material ausgeht, sie von ihrer Funktionalität als Sinnträger und den Fesseln der Syntax zu erlösen sucht und sie gemäß ihrem Klangcharakter nach rein klangl.

Gesetzen unter Verzicht auf jede Aussage oder Mitteilung neu kombiniert, so daß eine alogische, sinnfreie, optisch-akustisch ornamental wirkende Anordnung entsteht. Ähnliche Bestrebungen in Frankreich (→Lettrismus), USA, Japan, Brasilien (Noigandres-Gruppe), in Dtl. zuerst bei Chr. MORGENSTERN und den Dadaisten (BALL, ARP, SCHWITTERS), später etwa H. HEISSENBÜTTELS *Topographien*, F. MON, E. GOMRINGER, G. RÜHM, E. JANDL, O. WIENER, F. MAYRÖKKER, R. DÖHL, K. MARTI, D. ROT. Vgl. →abstrakte Dichtung, →visuelle Poesie.

STZ 15, 1965; P. Garnier, *Spatialisme et poésie conc.*, Paris 1968; Conc. Poetry, hg. M. E. Solt, Bloomington 1970; K. P., TuK 25, 1970 u. 30, 1971; S. J. Schmidt, Ästhet. Prozesse, 1971; R. Döhl, K. Lit. (D. dt. Lit. d. Gegenw., hg. M. Durzak 1971, ²1981; K. P. hg. E. Gomringer 1972; K. Dichtg., hg. S. J. Schmidt 1972; M. Butler, *Conc. Poetry and the crisis of language* (New German Stud. 1, 1973); D. Brüggemann, D. Aporien d. k. P., Merkur 28, 1974; R. Wiecker, K. P. TeKo 2, 1974; Theoret. Positionen zur k. P., hg. T. Kopfermann 1974; H. Hartung, Experimentelle Lit. u. k. P., 1975; G. Henniger, Reduktion, STZ 53, 1975; D. Kessler, Unters. z. konk. Dichtg., 1976; L. Gumpel, *Conc. poetry from East and West Germany*, New Haven 1976; D. Schmieder, Kreativer Umgang m. k. P., 1976; H. Brög u.a., Konkrete Kunst, k. P., 1977; M. Faust, Bilder werden Worte, 1977; M. Wulff, K. P. u. Sprachimmanente Lüge, 1978; S. Barni, *Sulla p. conc. tedesca* (Studi Germanici 16, 1978); K. Weiss, Theorie u. Ästh. k. P., LJb. 20, 1979; U. Kindl, D. Experiment m. d. Spr., AG 11, 1979; M. Beetz, I. d. Rolle d. Betrachters, SchillerJb. 24, 1980; T. Kopfermann, K. P., 1981; D. W. Seaman, *Conc. P. in France*, Ann Arbor 1981; J. M. Tolman, D. Pignatari in PT 3, 1982; R. Krechel, K. P. i. Unterr. des DaF, 1983, ²1988; G. Rückert, Experimentelle Lyrik, K. P., NKL, 1984; K. P., Linguistik u. Sprachunterr., hg. B. Garbe 1987.

Konnotation (v. lat.), die emotionale Sekundärbedeutung (Obertöne, Beiklang, Beigeschmack) e. bestimmten Wortes oder einer Wendung für eine Sprachgemeinschaft,

e. bestimmte Gruppe oder ein Individuum je nach Weltsicht, Kollektiv- oder Einzelerfahrung, die nicht dem rein begriffl. Wortinhalt per se (Denotation) anhaftet, sondern sich assoziativ einstellt. Sie wird bes. für die poet. Sprache und die Lyrik aktiviert.

Konsequente Dichtung, Bz. von K. SCHWITTERS für →Konkrete Poesie.

Konstellation (v. lat.), Bz. E. GOMRINGERS für die Struktur der →visuellen Poesie.

Konstruktivismus, vom →Futurismus ausgehende Gruppe der Sowjetlit. 1924–30, theoretisch begr. von K. L. ZELINSKIJ und vertreten bes. von I. SELVINSKIJ, V. INBER, E. G. BAGRICKIJ und V. A. LUGOVSKOJ; forderte e. zielbewußt ›motivierte Kunst‹ der Arbeiterklasse und die Unterordnung (›Lokalisation‹) aller Formen (Stil, Wortgefüge, Bilder, Rhythmus) unter das Thema, meist die Bewunderung der Technik und der bolschewist. Revolution.
G. Struve, Gesch. d. Sowjetlit., ²1958.

Kontakion, die Form der frühbyzantin. gesungenen Hymne theolog. Charakters (Heilige, Feste), bes. bei ROMANOS MELODOS im 6. Jh., bestehend aus einer Anfangsstrophe (Kubuklion, Kukulion), die als Vorlage für alle folgenden 20–30 mehr oder weniger gleichmäßig gebauten Strophen (Oikoi) mit gleichem Refrain dient.
E. Wellesz, *A Hist. of Byzantine Music and Hymnography,* Oxf. 1949.

Kontamination (lat. *contaminare* = beflecken, verschmelzen), 1. in der Grammatik Verschmelzung zweier formal und inhaltlich verwandter Worte, Wendungen, Konstruktionen, die dem wählenden Bewußtsein gleichzeitig erscheinen, zu e. neuen (Misch-)Form: rauschen + rascheln = rauscheln; gehört mir + ist mein = gehört mein. – 2. in der Literaturwissenschaft die Verschmelzung, Ineinanderarbeitung von zwei versch. Quellen, Vorbildern, zu e. neuen Werk, wie man sie z.B. für zahlr. Komödien des PLAUTUS und TERENZ nachgewiesen hat, die mehrere Werke der griech. neuen Komödie (MENANDROS, DIPHILOS, PHILEMON) zu e. neuen Stück zusammenziehen. – 3. in der →Textkritik Verschmelzung mehrerer gleichzeitig nebeneinander als Vorlage benutzter Hss. zu e. neuen Text bei der Herstellung e. Abschrift.
G. Jachmann, Begriff u. Wesen d. K. (in: Plautinisches u. Attisches, 1931).

Kontext (lat. *contextus* = Verknüpfung), der Zusammenhang e. Wortes oder Zitats mit seiner Umgebung im Schriftwerk, die erst eindeutig seinen Sinn erschließt.

Kontrafaktur (lat. *contra* = gegen, *factura* = Verfertigung), geistl. Umdichtung e. weltl. Liedes, seltener umgekehrt, unter Beibehaltung der Melodie, doch Ersetzung der inhaltlich wichtigen Wörter durch entsprechende andere (LUTHER: ›Vom Himmel hoch‹ aus: ›Aus fremden Landen komm ich her‹) bis entgegengesetzte (→Palinodie), so daß die Beziehung nur locker ist. Älteste K.en sind aus dem 13. Jh. für zwei Lieder WALTHERS bezeugt, später bes. für Volkslieder; höchste Blüte in der Mystik (HEINRICH VON LAUFENBERG u.a.) und weiter bis ins 16., stellenweise 17. Jh. (ZESEN). Da viele frühere Volkslieder nur als K. erhalten sind, ermöglicht diese Rückschlüsse auf deren urspr. Gestalt, Beliebtheit und Verbreitung, daher wertvoll für die Volksliedforschung. Auch polit. Agitationsdichtung bedient sich vielfach d. K. gängiger Lieder.

K. Henning, D. geistl. K. i. Jh. d. Reformation, 1909; L. Berthold, Beitr. z. geistl. K. vor 1500, Diss. Marburg 1920; F. Gennrich, Lat. K. altfranz. Lieder, ZRP 50, 1930; ders., Lied-K. i. mhd. u. ahd. Zt., ZDA 82, 1948 (erw. in: D. dt. Minnesang, hg. H. Fromm 1961); ders., D. K. im Liedschaffen d. MA., 1965; RL; H. Jantz, K., Montage, Parodie (Tradition u. Ursprünglichkeit, hg. W. Kohlschmidt 1966); W. Braun, D. evangel. K. (Jb. f. Liturgik u. Hymnologie 11, 1966); H.-H. S. Räckel, Lied-K. i. frühen Minnesang (Probleme ma. Überlieferg. u. Textkritik, hg. P. F. Ganz 1968; I. Pelnar-Zaiko, Dt. Lied-K. i. 15. Jh. (Lyrik d. ausgeh. 14. u. 15. Jh., hg. F. V. Spechtler, Amsterd. 1984); T. Verweyen u.a., D. K., 1987.

Kontrast (ital. →*contrasto* v. lat. *contra stare* = entgegenstehen), auffallender Gegensatz nebeneinandergelegter Elemente, so K.-Figuren im Drama als Verkörperung extrem gegensätzl. Ideen, die entweder den →Konflikt herbeiführen (Karl u. Franz Moor in SCHILLERS *Räubern*) oder der Hauptfigur stärkeres Profil geben, indem der Ggs. e. Eindruck verstärkt (Weislingen und Götz). Gefahr allzu einseitiger K.e ist die Schwarz-Weiß-Zeichnung.

J. Wiegand, D. Ggs. als Mittel d. Aufbaus i. lyr. Gedicht, ZfÄ 31, 1937.

Kontroverse (lat. *controversia* =) Streit, -frage, bes. wiss. Auseinandersetzung. Vgl. →Literaturfehden.

Kontur (franz. *contour* = Umrißlinie), die deutliche Abgrenzung, Profilierung der Figuren und Eindrücke in realist. Lit. im Unterschied zu Vision und Traum.

Konversation (lat. *conversatio* = Verkehr, Umgang), →Gespräch, →Dialog, Unterhaltung; K.ssprache = Umgangssprache im Ggs. zur Schrift- und Dichtersprache.

D. Kunst d. Gesprächs, hg. C. Schmölders 1979; Lit. u. K., hg. E. Hess-Lüttich 1980.

Konversationskomödie →Konversationsstück

Konversationslexikon, Sonderform der →Enzyklopädie für weitere Benutzerkreise, gibt in alphabet. Anordnung Aufschluß über alles nach dem Bildungsstand der Zeit Wissenswerte, urspr. alles für e. gebildete Konversation Unerläßliche, dann ausgeweitet auf das Gesamtwissen der Zeit, bearbeitet von e. Stab von Fachleuten, meist mit großem Stichwortreichtum und Literaturangaben; in Dtl. eigtl. erst seit 1808 BROCKHAUS (begr. von R. G. LÖBEL 1795–1811, 6 Bde.), später H. A. PIERER 1822–36, 26 Bde.; J. MEYER 1840–55, 46 Bde. und HERDER 1853 ff. (kath.) mit zahlr. Neuauflagen.

M. Berger, D. K., 1931; E. H. Lehmann, Gesch. d. K., 1934; B. Wendt, Idee u. Entwicklungsgesch. d. enzyklopäd. Lit., 1941; H. Brockhaus, Aus d. Werkstatt e. großen Lex., 1953; G. Zischka, Index lexicorum, 1959.

Konversationsstück, auch Salonstück, Gesellschaftskomödie, leichteres Schau- oder Lustspiel aus dem Alltagsleben der höheren Gesellschaft, das weniger Wert legt auf Charakter- und Handlungsentwicklung als auf Wiedergabe e. gepflegten, geistvollen und durch Witz, Charme und Pointen leicht unterhaltenden Dialogs aller Bühnenfiguren, im 19./20. Jh. mit Nähe zum →Boulevardstück: SCRIBE, SARDOU, DUMAS, BAUERNFELD, P. LINDAU, WILDE, GUITRY, MOLNAR, H. BAHR, C. GOETZ, z.T. auch A. SCHNITZLER und HOFMANNSTHAL.

H.-P. Bayerdörfer, Non olet, Euph. 67, 1973; A. Doppler, D. K. b. Schnitzler u. Hofmannsthal (Sprachthematik i. d. österr. Lit., 1974); A. Barth, Mod. engl. Gesellschaftskomödie, 1987.

Konvolut (lat. *convolutum* = Zusammengerolltes), Sammelband, mehrere in einem Einband zusammengebundene oder auch nur zusammen   verkäufliche   Bücher, Schriften usw.

Konzept (lat. *conceptum* = kurz Abgefaßtes, Gedachtes), Entwurf einer Rede oder Schrift.

Konzeption (lat. *conceptio* = Zusammen-, Erfassen), der auf e. meist unbewußtes Vorstadium der ›produktiven Stimmung‹ folgende und für das künstler. Schaffen entscheidende Augenblick, in dem sich das Kunstwerk plötzlich, oft im Anschluß an e. vorangegangenes →Erlebnis, vor die Phantasie seines bisher passiven Schöpfers stellt; somit das visionäre Anfangsstadium der Dichtung, deren Realisierung wiederum den Übergang von der Passivität der K. zur Aktivität des bewußten Schöpfertums und techn. Fähigkeiten hierzu voraussetzt. Vgl. →Intuition.

J. Reicke, ZfÄ 10, 1915; R. Müller-Freienfels, Psychologie d. Kunst, 1923; RL.

Konzeptismus (span. *conceptismo*), der beziehungsreich zugespitzte Stil der →Konzetti im span. Barock, bes. bei Gracián und Quevedo.

Konzetti (ital. *concetto* = Einfall, Begriff), geistreich zugespitzte Gedankenspiele, gekünstelte →Wortspiele, witzige, überraschende Einfälle und weithergeholte Bilder und Metaphern in verschnörkelter Redeform, bes. oft durch →Zeugma, finden sich als absichtl. Verrätselung der Aussage zum Nachteil des einfach-klaren Stils gelegentlich bei zahlr. Schriftstellern, wurden aber bes. seit der ital. Spätrenaissance (Tasso, Marini) im →Manierismus und bes. im Barock in allen europ. Litt. zum Schmuck der Dichtung (Marinismus, Euphuismus, Gongorismus, Konzeptismus, Schwulst), bes. in Spanien (Gracián, Góngora, Quevedo, Cervantes); von

Shakespeare in *Love's Labour's Lost* verspottet.

K. M. Lea, *Conceits* (*Mod. Lang. Review* 20, 1925); M. Praz, *Studi sul concettismo*, Florenz 1946; K. K. Ruthven, *The conceit*, Lond. 1969.

Konzinnität (v. lat. *concinnus* = ebenmäßig, harmonisch), im Ggs. zu →Inkonzinnität in Stilistik und Rhetorik die gleichartige syntakt. Konstruktion gleichwertiger oder korrespondierender Sätze bzw. Kola; bes. bei Cicero.

Kopialbuch (zu →Kopie), Sammelband für Abschriften, Urkunden, Privilegien, histor. Quellen u. ä.

Kopie (lat. *copia* = Menge), Abschrift, Vervielfältigung e. Schriftwerkes, auch dessen Nachahmung.

Korn →Körner

Korrektur (lat. *corrigere* = verbessern, berichtigen), im Buchdruck die Verbesserung der vom Setzer verursachten Satzfehler in e. Schriftsatz (Druckabzug, K.bogen), zuerst der gröbsten Versehen durch den Korrektor in der Druckerei (Hauskorrektur), dann vom Verfasser (→Autorkorrektur) auf K.-Fahnen (Fahnenkorrektur), schließlich auf umbrochenen Bogen (Umbruch- oder Bogen-K.) mit Hilfe feststehender K.-Zeichen (s. Duden). Nach der letzten K. erteilt der Verfasser für den fehlerfreien Satz das →Imprimatur. – In Antike und MA. erfolgte die K. nach Abschrift e. Rolle durch e. Korrektor, nicht den Schreiber selbst.

W. Kreutzmann, D. Praxis d. K.lesens, 1957, ²1962; E. L. Grieshaber, Wider d. Druckfehler, 1961.

Korrespondenz (franz. *correspondance* v. lat. *respondere* = antworten), 1. Briefwechsel, Schriftverkehr; →Brief. – 2. Übereinstimmung, Einheitlichkeit und Wechselbezogenheit der Teile e. Dichtwerks, z.B. der Strophen und Zeilen e. Gedichts, der Kola in Prosa (→Isokolon). – 3. in der Publizistik K.-Büro, das die Presse regelmäßig mit polit., kulturellen und lokalen Nachrichten, Informationen, Bildern und teils Unterhaltungsbeiträgen versorgt, teils durch eigene K.blätter.

Korrigenda →Corrigenda

Korruptęle (lat. *corruptus* = verdorben), verderbte Textstelle in hsl. überlieferten antiken und ma. Texten, wird durch →Konjektur verbessert oder als →Crux gekennzeichnet.

Koryphąios (griech. =) Chorführer, Vorsänger und Sprecher des →Chors im antiken Drama, der mit den Schauspielern den Dialog führt; auch im lyr. Chor.

Kosmiker (griech. *kosmos* = Welt[ordnung]), themat. Bz. für eine Richtung der dt. Lyrik um 1900/1910, die sich nicht auf die gegenständl. Wirklichkeit und Gefühlswelt des Menschen konzentriert, sondern seine Stellung im Weltall, in kosm. Bezügen oft spekulativ und teils mythenbildend umkreist, bes. C. SPITTELER, T. DÄUBLER, A. MOMBERT, z.T. C. MORGENSTERN, nahestehend der →Charon-Kreis und dem →George-Kreis.

Kosmisten, 1920 aus dem →Proletkult hervorgegangene Gruppe junger Schriftsteller der Sowjetliteratur, in Moskau als ›Kuznica‹ (= Die Schmiede), in Petersburg als ›Kosmist‹ bezeichnet, um V. KIRILOV, V. KAZIN, V. ALEKSANDROVSKIJ, S. OBRADOVIČ u.a.; erstrebte in ekstat. freirhythm. Hymnen unter Verwendung kosm. Terminologie und übertriebener Bilder die Verherrlichung von Revolution, Industrialisation, Maschine, Arbeiterklasse und Kollektivsystem.

A. Kaun, *Soviet Poets and Poetry,* Berkeley 1943; G. Struve, Gesch. d. Sowjetlit., ²1958.

Kosmogonie (v. griech. *kosmos* = Ordnung, *goné* = Geburt), die Lehre von der Entstehung der Welt, fand bei allen Völkern myth.-poet. Behandlung und Deutung: altägypt. Mythos, babylon. Weltschöpfungsepos, bibl. Schöpfungsgeschichte (Genesis), ind. Veden, HESIODS *Theogonie* u.a.

S. A. Arrhenius, D. Vorstellg. v. Weltgebäude i. Wandel d. Zeiten, ⁷1921; C. F. Troels Lund, Himmelsbild u. Weltanschaug. i. Wandel d. Zeiten, ⁵1929; F. Lämmli, V. Chaos z. Kosmos, 1962.

Kostüm (franz.-ital. *costume* = Gewohnheit), die besondere Kleidung der Bühnendarsteller, kennt schon das antike Theater und das geistl. Drama des MA.: für hohe Personen wurde von der Geistlichkeit die kirchl. Amtstracht zur Verfügung gestellt: Alba (langes Hemd), Stola, Dalmatika und Casula, teils aus Seide und Brokat, dazu seit dem 12. Jh. Pluviale (Festmantel) und Mitra (spitze Mütze); für kleinere Rollen angemessenes eigenes K. Bildl. Darstellungen der Zeit ergeben für das – freilich nicht historisch echte – K. versch. Symbolfarben: Maria mit blauem Mantel, Judas gelb, der Auferstandene rot usw., ferner differenzierende und stilisierende Attribute: die Hl. Drei Könige mit Kronen und buntem K., Herodes mit Zepter, Teufel mit zottigem Fell und Masken; bis ins 15. Jh. mit zunehmender Prachtentfaltung. Das Fastnachtsspiel dagegen benutzt das Zeitkostüm. Seit dem 16. Jh. vollzieht man e. ethnograph. Scheidung der K.e: jüd., heidn., türk., span. usw., bes. seit Sigismund HELDTS großem K.werk mit 867 Abb. (Nürnberg 1570) u.a. Die ital.

Commedia dell'arte bildet zu ihren Typen feste K.e aus, die sich rasch verbreiten und z.T. auf Maskenbällen bis in die Gegenwart fortleben (Pierrot), und führt Verkleidungs- und Umkleidungsszenen auf offener Bühne ein. Die Barockoper bringt große Prachtentfaltung in K. und Dekoration, doch im zeitgenöss. oder nach der Hoftracht stilisierten K.: alttestamentl. und antike Helden der tragédie classique erscheinen mit Reifrock und Perücke nach Versailler Mode. Das Streben nach histor. und natürl. K. beginnt in Frankreich seit 1750: Mlle. CLAIRON tritt 1755 in chines. K., Mme. FAVART 1753 als Bäuerin in Holzschuhen auf. In Dtl. bemühen sich GOTTSCHED und die NEUBERIN um echte K.e. Erste Ansätze, etwa Charlotte BRANDES' nach WINCKELMANNS Beschreibung angefertigtes griech. K. in BRANDES-BENDAS *Ariadne auf Naxos* 1775 und H. G. KOCHS Berliner Inszenierung des *Götz* 1774 mit Hilfe des Kupferstechers MEIL, blieben ohne große Wirkung, zumal GARRICK in England im Zeit-K. spielte und die K.-forschung noch kaum genügend brauchbare Vorlagen lieferte. Erst der realist. Historismus um Mitte des 19. Jh. ersetzt das halbechte durch das bis ins Kleinste treue K.; nach Vorgang von IFFLAND und Graf BRÜHL in Berlin forderten die →Meininger um 1870 e. fast sklav. histor. Treue, die auch der Naturalismus für seine Zwecke aufnahm, bis M. REINHARDT in freierer Auffassung e. stilechtes, doch nur andeutendes K. verwendete, das mit Licht, Symbol und Farbe arbeitet. Gegenüber dem extremen Stil-K. im russ. Impressionismus und Expressionismus ohne histor. Anlehnung streben mod. Bühnenbildner, meist bedeutende Künstler, ebenfalls nach e. stilisierten K. mit Echtheitsanschein, das doch Farb- und Lichtwirkung als wesentlich berücksichtigt.

M. v. Boehn, D. Bühnen-K., 1921; J. Gregor, D. Bühnen-K. (Wiener szen. Kunst 2, 1925); RL[1]; W. Klara, Schauspieler-K., 1931; R. Colas, *Bibliogr. générale du costume*, Paris II 1932 f.; Laver, D. K., 1951; W. Bruhn, M. Tilke, K.gesch. i. Bildern, [2]1955; L. Zirner, *Costuming for the mod. stage*, Urbana 1957; F. P. Walkup, *Dressing the part*, Lond. [2]1959; L. Barton, *Historic c. for the stage*, Lond. 1961; J. Brooke, *C. in Greek Class. drama*, Lond. 1962; F. Tröster, K.entwürfe f. d. Bühne, 1962; M. Braun-Ronsdorf, Modische Eleganz, 1963; M. C. Linthicum, *C. in the drama of Shakesp.*, N.Y. [2]1963; C. Bradley, *A hist. of world c.*, Lond. [4]1964; J. Laver, *Costume in the theatre*, London 1964; B. Prisk, *Stage c.handbook*, N.Y. 1966; J. Brooke, *Medieval theatre c.*, Lond.1967; A. Bradshaw, *World c.s*, Lond. [6]1967; M. Lister, C., Lond. 1967; E. Thiel, Gesch. d. K., [3]1968, n. 1987; R. T. Wilcox, *The dictionary of c.*, N.Y. 1968; N. Bradfield, *Costume in detail*, Lond. 1968.

Kostumbrismus →Costumbrismo

Kothurn (griech *kothornos*), von AISCHYLOS für die Schauspieler der griech. Tragödie eingeführter hochgeschnürter Halbstiefel mit bes. dikken Sohlen, seit dem 2. Jh. v.Chr. mit Holzsohlen und bis zur Kaiserzeit fast stelzenartig angewachsen; gab den Schauspielern e. den großen Räumen des Theaters und ihrer erhabenen Rolle entsprechende größere Erscheinung und Monumentalität; dann auf den erhaben-pathet. Stil der Aufführung übertragen. Vgl. →Soccus.

Kraftgenies, B7 für die Sturm- und Drang-Dramatiker und deren Helden.

Kranzlied, mhd. Volksliedform des 15./16. Jh. zu e. Spiel: beim Wechselgesang erhält der Sieger in e. Kreis von Mädchen für richtig gelöste Rätselfragen e. Kranz.
RL.

Krasis (griech. = Mischung), Verschmelzung zweier getrennter Vokale zu einem einzigen, etwa aus
metr. Gründen, z. B. mhd. ›daz ist‹
zu ›deist, dêst‹.

Kratineion, nach dem griech. Komödiendichter Kratinos (5. Jh.
v. Chr.) benannte Versform in der
att. Komödie, bestehend aus 1. Glykoneus und katalekt. trochäischem
Dimeter:

$$- \cup \cup - | \underset{\cup}{\cup} - \cup - || \underset{\cup}{\cup} \cup - \underset{\cup}{|} - \cup \underset{\cup}{\cup}.$$

Kreis von Médan →Médan

Kreis von Münster →Münster

Kretikus, fünfzeitiger antiker Versfuß, sog. →Amphimacer: − ∪ −,
dessen Längen auch durch je zwei
Kürzen aufgelöst werden können:
∪∪ ∪ ∪∪, meist als eigener Sinn-
abschnitt; in griech. Lyrik (Bakchylides) und griech. wie röm. Komödie (Aristophanes, Plautus)
beliebt, auch bei Ennius und Livius
Andronicus, meist als Tetrameter.
→Klausel.
Lit. →Metrik.

Kreuzfahrerlied, Kreuzlied, Gattung der provenzal. und mhd. höf.
Lyrik, die mittelbar oder unmittelbar propagandistisch zum Kreuzzug
aufruft: Aimeric, Bertran de
Born, Giraut de Bornelh, Marcabru, Friedrich von Hausen,
Hartmann von Aue, Walther,
Albrecht von Johannsdorf,
Heinrich von Rugge u. a.; seltener sind direkte Pilgerlieder erhalten, meist handelt es sich um e. Verbindung mit dem Minnelied, indem
der Dichter auf der Kreuzfahrt an
die Geliebte denkt, sich des tiefen
Konflikts zwischen Minne- und
Kreuzzugspflicht bewußt wird, oder
es geht um polit. Mahnungen und
Kritik: Freidanks Buch von Ak-
kers, Tannhäuser.
Lit. →Kreuzzugsdichtung.

Kreuzreim, auch Wechselreim,
paarweise gekreuzte Reimstellung,
so daß der 1. Vers mit dem 3., der 2.
mit dem 4. usw. reimt: Reimfolge
ababcdcd; in Volkslied und volkstüml. Lyrik beliebt.

Kreuzzugsdichtung, Dichtung, die
den Kreuzzug thematisiert, entstand
aus der inneren Aufbruchsstim-
mung, den Erlebnissen und Eindrücken der Kreuzzugszeit (12.–13.
Jh.) wie allg. der Heidenkämpfe bei
den Zeitgenossen. Vorläufer sind
die franz. *Chanson de Roland,* das
Rolandslied des Pfaffen Konrad
u. a. Die Epik erscheint teils auf histor. Grundlage wie *Ludwigs des
Frommen Kreuzfahrt* (14. Jh.), teils
in phantasievollen Spielmannsepen
und Romanen wie *Herzog Ernst*
und das Fragment um *Graf Rudolf*
von Arras oder als Episode in anderen Romanen *(Orendel, Wolfdietrich, König Rother).* Histor. Dichtung hält die Ereignisse aus der Perspektive der Teilnehmer im Stil der
Reimchronik fest: Richard le Pè-
lerin, *Chanson d' Antioche;
Kreuzfahrt Ludw. d. Frommen,*
Metellus von Tegernsee, *Expedi-
tio Ierosolimitana.* Die lyr. Form der
K. ist das →Kreuzlied. Die romant.
Freude an Zauber und Abenteuern
des Orients wirkte befruchtend auf
e. Reihe anderer Dichtungen von
Lamprechts *Alexander* zu *Salman
und Morolf, Oswald* und auch
Wolframs *Willehalm* mit dessen
Fortsetzern, bes. aber auf die Volks-
bücher des 16. Jh., und fand in der
Romantik neue Aufnahme.

G. Wolfram, Kreuzpredigt u. -lied, ZDP
30, 1886; Schindler, D. Kreuzzüge i. d.
altprovençal. u. mhd. Lyrik, Progr.
Dresd. 1889; K. Lewent, D. altprov.
Kreuzlied (Roman. Forschgn. 21, 1908);
I. Bédier, *Les chansons de croisade,* Paris
1909; A. Hatem, *Les poèmes épiques des
croisades,* 1932; C. Erdmann, D. Entstehg. d. Kreuzzugsgedankens, 1935; M.
Colleville, *Les chansons allemandes de
croisade,* Paris 1936; F. W. Wentzlaff-

Eggebert, Kreuzzugsidee u. ma. Weltbild,
DVJ 30, 1956; ders., Gesch. u. dichter.
Wirklichk. i. d. dt. K. (Fs. f. Lortz II,
1958); ders., K. d. MA., 1960; RL; H.
Ingebrand, Interpret. z. K.lyrik, Diss.
Ftm. 1966; M. Böhmer, Unters. z. mhd.
K.lyrik, Rom 1968; K., hg. U. Müller
1969, ³1985; U. Müller, Tendenzen u.
Formen. Vers. üb. mhd. K. (Fs. W. Mohr,
1972); P. Hölzle, Kreuzzug u. K. (Fs. K.
H. Halbach, 1972); G. Spreckelmeyer, D.
K.lied d. lat. MA., 1974; F. W. Wentzlaff-
Eggebert, Belehrung u. Verkündg., 1975;
P. Hölzle, D. Gattungsproblem K.lied
(Akten d. 5. Intern. Congr. 1975,
1976; E. v. Reusner, K'lieder (Stauferzeit,
hg. R. Krohn 1978); P. Hölzle, D. Kreuz-
züge i. d. okzitan. u. dt. Lyrik d. 12. Jh.,
II 1980; M. Dobozy, The structure of the
crusade epic, Neophil. 67, 1983; R. Wis-
niewski, K., 1984; K'lyrik, hg. K.-H. Ben-
der 1985; H.-P. Naumann, Nord. K. (Fs.
O. Bandle, 1986); R. Schnell, K'lyrik
(Spuren, Fs. T. Schumacher 1986).

Kriegsdichtung, lit. Behandlung
des Krieges, ist bei allen Völkern
verbreitet und umfaßt neben der
eigtl. für den Kampf und aus seinem
Erlebnis heraus geschaffenen Dichtung vom Schlachtruf über das
→Landsknechts- und →Soldaten-
lied bis zur Totenklage auch die
Epik und Dramatik, die den Krieg
bes. vergangener Zeiten durch innere Anverwandlung als Motiv benützt: die Epen seit HOMER und
VERGIL, ferner TYRTAIOS, SOLON,
XENOPHON, die Formen der →Hel-
dendichtung und e. Teil der histor.
Romane und Dramen. Ihr eignet die
ganze Skala der vom bevorstehenden, während oder vollendeten
Kampf hervorgerufenen Empfindungen, von Haß, Mut, Kampfes-
lust, Vaterlandsliebe und Gefolg-
schaftstreue bis zur religiösen Erhebung einerseits, Trauer über Zerstörung und Tod, Sehnsucht nach Heimat und Frieden und Ablehnung
des Mordens andererseits. – Älteste
Vorstufen dt. K. sind der bei TACI-
TUS bezeugte →Barditus und das
Absingen von Arminiusliedern; erhalten ist allein das *Ludwigslied* auf
den Normannensieg Ludwigs III.

881, gleichzeitig geistl. Gottespreis.
Auch die K. der Völkerwanderungszeit spiegelt sich nur im →Helden-
lied. Erst seit dem 13. Jh. beginnt in
der Schweiz mit den →historischen
Volksliedern und →Landsknechts-
liedern e. kunstmäßige K., bes. dann
in der →Kreuzzugsdichtung, im ma.
→Heldenepos und im Barock unter
dem Eindruck des 30jährigen Krieges: OPITZ *Poema Germanicum
Laudes Martis* 1628 und *Trostge-
dichte in Widerwärtigkeit des Krieges* 1633; J. RIST *Kriegs und Friedens Spiegel* 1640 und das Spiel *Das
Friede wünschende Teutschland*
1647, J. VOGEL ›Kein selgrer Tod ist
in der Welt…‹ (in D. MORHOFS *Dt.
Gedichte*) u.a.m.; LOGAUS Epigramme und GRIMMELSHAUSENS
Simplicissimus und *Courage* schildern das Wüten des Krieges und die
Auswüchse des Soldatenlebens. Die
Zeit Friedrichs II. schafft preuß.-
nationale K.: GLEIMS *Preuß. Kriegslieder* 1758; E. v. KLEISTS *Ode an
die preuß. Armee* 1757; RAMLERS
Kriegslieder 1758 und zahlr. Volkslieder. Im Gefolge des 7jährigen
Krieges entstehen als mittelbar
Spiegelung LESSINGS Dramen *Philotas* und *Minna von Barnhelm,* aus
der nationalen Bewegung erwächst
die →Bardendichtung e. Die junge
SCHILLER schreibt 1781 e. Schilderung *Die Schlacht* und gibt später in
Wallensteins Lager ein Bild des Soldatenlebens (›Wohlauf Kameraden!‹). Die vaterländ. Gesinnung
zeigt sich in den →Befreiungskrie-
gen, bes. in KLEISTS Haßgesängen
und der *Hermannsschlacht.* 1831
entstehen GRABBES Napoleondra-
men, 1839 STENDHALS *Chartreuse
de Parme,* seit 1849 SCHERENBERGS
Schlachtenepen, 1864–69 TOLSTOJS
Krieg und Frieden und 1867, rück-
blickend auf die böhmische Geschichte, STIFTERS *Witiko;* →Phil-
hellenismus und →Polenlit. wenden

sich den Freiheitskämpfen anderer Völker zu. Der Krieg 1870/71 ruft die Kriegslyrik der GEIBEL, FREILIGRATH, GEROK hervor, nimmt SCHNECKENBURGERS *Wacht am Rhein* und das *Kutschke-Lied* auf, bietet aber bes. den Anlaß zu ZOLAS *La débacle* 1892, FONTANES *Vor dem Sturm* 1879, den impressionist. Kriegsnovellen von LILIENCRON und WILDENBRUCHS histor. Dramen. Ricarda HUCHS Gemälde des 30jährigen Krieges leitet unbewußt zur ausgedehnten →Weltkriegsdichtung über, die bis zu den Zeugnissen des 2. Weltkrieges reicht. Eine Trivialform der K. ist das →Landserheft.

R. Neumann, D. dt. K. 1870/71, 1911; H. Stümcke, Theater u. Krieg, 1915; M. Scherrer, Kampf und Krieg i. dt. Drama v. Gottsched bis Kleist, 1919; O. Herpel, D. Frömmigkeit d. dt. Kriegslyrik, 1917; J. Bab, D. dt. Kriegslyrik 1914–18, 1920; RL¹; C. Falls, *War Books*, Lond. 1930; B. v. Wiese, Polit. Dichtg., 1931; H. Pongs, Krieg als Volksschicksal i. dt. Schrifttum, 1934; K. Hildebrandt, D. Idee d. Krieges b. Goethe, Hölderlin, Nietzsche, 1941; K. Pfeiler, *War and the German mind*, N.Y. 1941; I. Weithase, D. Darstellg. v. Krieg u. Frieden i. d. dt. Barockdichtg., 1953; K. Betzen, Deutg. u. Darstellg. d. Krieges i. d. dt. Epik d. 20. Jh., DU 14, 1962; P. H. Hoffmann, D. österr. Kriegs-, Soldaten- u. histor.-polit. Dichtg. i. 18. Jh., Diss. Wien 1964; H. Zimmer, Auf d. Altar d. Vaterlandes, 1971; E. Neis, D. Krieg i. dt. Gedicht, 1971; W. J. Schwarz, *War and the mind of Germany*, 1975; R. Flatz, Krieg i. Frieden, 1976; W. Falk, D. kollektive Traum v. Krieg, 1977; Ares u. Dionysos, hg. H.-J. Horn 1981; J. Vogl, Kriegserfahrg. u. Lit., DU 35, 1983; H. Ehrke-Rotermund, D. nat.-soz. Kriegsroman, LfL 1984; C. Klotz, D. Kriegsthema i. d. früh. soz. Lyrik, LfL 1985; I. Elsner Hunt, Krieg u. Frieden i. d. dt. Lit., 1985; P. Toper, Wie klingt d. Name Frieden jetzt, 1985; A. Rutherford, *The lit. of war*, Lond. ²1988.

Kriminalroman, -novelle (v. lat. *crimen* = Verbrechen), behandelt ein Verbrechen im Hinblick auf psycholog. Anstoß, Ausführung, Entdeckung und Aburteilung des Verbrechers. Neben den wegen ihrer willkürlich-zufälligen und auf Überraschungseffekte berechneten Tatsachenverknüpfung dichterisch wertlosen und nur durch stoffl. Spannung die Abenteuerlust befriedigenden Werken der Trivialliteratur steht e. Reihe künstlerisch bedeutsamer K.e großer Dichter, denen das rein Stoffliche willkommenen Anlaß zu e. Einblick in die Seele des zum Verbrechen getriebenen Menschen und die soz. Bedingtheit seines Handelns bot. – Vorstufen sind teils Motive der Volkslieder, span., franz., engl. und dt. Schelmenromane des 17. Jh., Kalendergeschichten und die im Anschluß an SCHILLERS *Räuber* zahlreich entstandenen →Räuberromane teils verurteilender, teils verstehend-romantisierender Art. Stoffquelle der ersten K.e ist bes. die Slg. von Kriminalfällen des franz. Rechtsgelehrten F. G. de PITAVAL *Causes célèbres et intéressantes* (20 Bde. 1734 ff., später erw.) – Die Aufklärung zeigt psycholog. Interesse am Verbrecher ohne heroische oder trag. Verklärung seiner Tat als Grundlage e. Besserung (DEFOE, FIELDING). Der erste dt. K. dieser Art ist SCHILLERS *Verbrecher aus verlorener Ehre* 1786 und sein K.-Fragment *Der Geisterseher* 1789. Auch das 19. Jh. gestaltet zunächst den Leidens- und Irrweg des Menschen als Anlaß zum Verbrechen: KLEISTS *Michael Kohlhaas, Der Zweikampf,* BRENTANOS *Geschichte vom braven Kasperl,* E. T. A. HOFFMANNS *Das Fräulein von Scuderi* u.a., DROSTE-HÜLSHOFF *Die Judenbuche,* FONTANE *Unterm Birnbaum, Quitt,* RAABE *Stopfkuchen,* H. KURZ *Der Sonnenwirt,* DOSTOEVSKIJ *Schuld und Sühne,* BALZAC, HUGO, E. SUE, DICKENS, POE, W. COLLINS, späterhin HAUPTMANN *(Phantom),* A. DÖBLIN, H. FALLADA, C. VIEBIG u.a.

Seit rd. 1840 verlagert sich das Interesse von Täter auf das tatsächlich begangene Verbrechen, so bei den zahlr. K.en von J. TEMME nach Aktenberichten. Lit. bedeutsame K.e des 20. Jh. sind u.a. R. HUCH *Der Fall Deruga,* J. WASSERMANN *Der Fall Mauritzius,* W. BERGENGRUEN *Der Großtyrann und das Gericht,* Romane von G. GREENE, W. FAULKNER *Light in August* und T. CAPOTE *In cold blood,* ansonsten überwiegt der →Detektivroman, als Grenzfall zur Triviallit. der →Agentenroman.

F. W. Chandler, *The lit. of roguery,* Boston II 1907; A. Schimmelpfennig, *Beitr. z. Gesch. d. K.,* 1908; A. Lichtenstein, D. K., 1908; H. Roehl, D. K. als Kunstwerk (Schaubühne 12); A. Ludwig, *Kriminaldichtg. u. ihre Träger,* GRM 18, 1930; E. Birkhead, *The Tale of Terror,* Lond. 1932; F. Fosca, *Histoire et technique du roman policier,* Paris 1937; Th. Würtenberger, D. dt. K.erzählg., 1941; R. Cailois, *Le roman policier,* Buenos Aires 1941; H. Haycraft, *Murder for Pleasure,* Lond. 1942; *The art of the mystery story,* hg. H. Haycraft 1946; Th. Narcejac, *Esthétique du roman policier,* Paris 1947; R. Chandler, *The simple art of murder,* Boston 1950; F. Wölcken, D. lit. Mord, 1953; F. Hoveyda, *Petite histoire du roman policier,* Paris 1956, ²1966; RL; S. Radine, *Quelques aspects du roman policier psychologique,* Genf 1960; W. Haas, *Mysteries* (Imprimatur 2, 1960); W. Eickhorst, *The mod. German criminal story* (*Arizona Quarterly* 16, 1960); H. Pfeiffer, D. Mumie i. Glassarg, 1961; G. Schmidt-Henkel, K. u. Triviallit., STZ 1, 1962; A. del Monte, *Breve storia del romanzo poliziesco,* Bari 1962; H. Heißenbüttel, Spielregeln d. K. (Trivialliteratur, hg. G. Schmidt-Henkel 1964); G. Schmidt-Henkel, D. Leiche am Kreuzweg, ebda.; D. Naumann, Der K., DU 19, 1967; R. Gerber, Verbrechensdichtg. u. K., NDH 13, 1966; T. La Cour, H. Mogesen, *Mordbogen,* Koph. 1969; K. Schönhaar, Novelle u. Kriminalschema, 1969; H. Mager, Krimi u. crimen, 1969, ²1979; J. J. Tourteau, *D'Arsène Lupin à San Antonio,* Paris 1971; J. Barzun, W. H. Taylor, *A catalogue of crime,* N.Y. 1971; P. Nusser, Aufklärg. durch d. K., NDH 18, 1971; Der K., hg. J. Vogt II 1971, ²1980f.; Der wohltemperierte Mord, hg. V. Žmegač 1971; E. Marsch, D. K.erzählung, 1972, ²1983; J. Symons, Am Anfang war der Mord, 1972; D.

Wellershoff, Lit. u. Lustprinzip, 1973; A. Dworak, D. K. der DDR, 1974; J. Dupuy, *Le roman policier,* Paris 1974; F. Lacassin, *Mythologie du roman policier,* Paris 1974; U. Schulz-Buschhaus, Formen u. Ideologien d. K., 1975; W. Freund, D. dt. K.novelle, 1975, ²1980; K. Hickethier u.a., D. K. (Trivalalit., hg. A. Rucktäschel u.a., 1976); W. Schiffels, Z. Typologie d. K.gesch. (Lit. für viele I, 1976); R. Champigny, *What will have happened,* Bloomington 1977; Reclams K.führer, 1978; Z. Aktualität d. K., hg. E. Schütz 1978; H. Kircher, Schema u. Anspruch, GRM 28, 1978; I. Tschimmel, K. u. Gesellschaftsdarstellg., 1979; P. Nusser, D. K., 1980; H. Hippe, K'lit., 1980; S. Knight, *Form and ideology in crime fiction,* Lond. 1980; D. u. A. Skene Melvin, *Crime, detective...* Bibl., Westport 1980; W. u. R. Albrecht, K. u. Lit.wiss., LWU 13, 1980; V. Ott, D. K., FLE, 1981; Sherlock Holmes auf d. Hintertreppe, hg. A. Arnold 1981; W. Albrecht, Krimi, ZfG 2, 1981; P. Nusser, Neuansätze d. dt. K. d. Ggw., WW 31, 1981; S. Benvenutti u.a., *Le roman criminel,* Nantes 1982; Lit. u. Kriminalität, hg. J. Schönert 1983; U. Suerbaum, Krimi, 1984; R. Albrecht, Lit. Unterhaltg. als polit. Aufgabe, RG 14, 1984; *Autopsies du roman policier,* hg. U. Eisenzweig, Paris 1984; J.-P. Colin, *Le roman policier franç. archaïque,* 1984; W. Woeller, Illustr. Gesch. d. K'lit., 1985; H. Pfeiffer, Phantasiemorde, 1985; D. neue dt. K., hg. K. Ermert 1985; K.-D. Walkhoff-Jordan, Bibl. d. K'lit., 1985; D. Gelbhaar, Warum K'lit. erforschen?, WB 32, 1986; J. Grimm, Unterhaltg. zw. Utopie u. Alltag, 1986; U. Eisenzweig, *Le récit impossible,* Paris 1986; E. Mandel, E. schöner Mord, 1987; L. Senelick, *The prestige of evil,* N.Y. 1987; K. Hickethier u.a., D. K., GW 62, 1987; I. Claßen, D. Darstellg. v. Kriminalität i. d. dt. Lit., 1988. →Detektivroman.

Kriminalspiel, dramatisches Gegenstück zum →Kriminal- bzw. →Detektivroman und vielfach dessen Bühnenfassung, seltener von vornherein als Theaterstück konzipiert. Das K. ist fast durchgängig aus der Sicht des Detektivs geschildert und findet mit der Ermittlung und Verhaftung des Täters seinen naturgemäßen Abschluß. Vom Bedarf der Boulevardtheater angeregt, eroberte es als Kriminalhörspiel den Rundfunk und als Fernsehspiel, dann vielfach auf Serienproduktionen nach gleichem Schema und mit denselben Detektiven angelegt, den Bildschirm. Verfasser von K. sind u.a. A. CHRISTIE und F. DUR-BRIDGE.

E. August, Dramaturgie d. K.stückes, Diss. Bln. 1966.

Krippenspiel, das →Weihnachtsspiel des →geistl. Dramas im MA.; im 20. Jh. erneuert durch Max MELLS *Wiener Kripperl von 1919* (1921).

Krisis (griech. = Entscheidung), im geschlossenen, streng gebauten klass. und klassizist. Drama der Höhepunkt des Konflikts, der dem Helden eine Entscheidung abverlangt. Diese führt den Umschwung (→Peripetie) der Handlung herbei, nimmt dem Helden aber die Handlungsfreiheit und führt in der Tragödie notwendig zur →Katastrophe.

Kritik, literarische (griech. *kritike* = Kunst der Beurteilung), Beurteilung zeitgenöss. Literaturwerke im Ggs. zur referierenden Literaturwissenschaft und regelsetzenden früheren Poetik, verfolgt prakt. Zwecke e. Vermittlerstellung zwischen Dichtung und Publikum: Aufdeckung der Werte und Schwächen e. Werkes und Analyse seiner Wirkungsursachen. Sie fördert die Verbreitung und Wirksamkeit e. Werkes, indem sie den Boden für angemessene Aufnahme der Werte vorbereitet, und dient dem Publikum, indem sie auf solche Werte verweist und durch Empfehlung oder Ablehnung zu eigener Stellungnahme und krit. Durchdringung anregt. Neben diesem doppelseitigen Verantwortungsbewußtsein vor Dichter und Leser verlangt sie vom Kritiker umfassende Belesenheit, Spürsinn für das Neue, selbstkrit. Enthusiasmus, Offenheit für Konträres, tiefe und

richtig angemessene Erlebnisfähigkeit, Einfühlungsgabe in das Objekt, gesunde Geschmackslage und die Ausdrucksfähigkeit für die gewonnenen und zu verteidigenden Erkenntnisse. Die Darstellungsarten der lit. K. wechseln im Laufe ihrer Geschichte von Gedicht, Impression, Essay, Charakteristik, Glosse, Dialog, Polemik, Satire bis zur Rezension und wiss. Abhandlung. Ungeachtet der evtl. eindringlichen und ansprechenden Form subjektiver Eindruckswiedergabe kann nur die objektive K. nach festen, gerechtfertigten Maßstäben unter möglichst weitgehender Ausschaltung des eigenen Standpunktes und polit.-soz., eth.-moral. oder relig. Vorurteile wiss. Wert beanspruchen. Wertvolle Wirkung aber entfaltet sie erst dann, wenn sie über den evtl. rein negativen Nachweis der Unzulänglichkeit e. Werkes zur Darstellung der erstrebenswerten Eigenschaften aufsteigt. – Die Geschichte der K. als ständiger Begleiterscheinung jeder Lit. reicht bis in die Anfänge des Schrifttums zurück. Die dt. lit. K. beginnt im MA.: OTFRIED, GOTTFRIED VON STRASSBURG (*Tristan* 4643 ff.), RUDOLF VON EMS (*Alexanderlied* 3156 ff.), KONRAD VON WÜRZBURG und HUGO VON TRIMBERG fügen ihre K. und Charakterisierung anderer Dichter, auch Abwehr erfolgter oder Vorwegnahme künftiger K., ihren Werken ein; sonst wurde sie selten schriftlich festgehalten. Im Humanismus und Barock erscheint die K. oft als persönl. Angriff versteckt in Epigramm (LOGAU), Satire (SCHUPP, LAUREMBERG, Chr. WEISE, RACHEL, CANITZ, bes. SAGER, *Reime dich oder ich fresse dich* 1673) und Roman (GRIMMELSHAUSEN), meist jedoch in Vorreden der Werke (HOFMANNSWALDAU, NEUKIRCH, Chr. GRYPHIUS, WERNICKE) oder in Poetiken (BEBEL, SCALIGER *Hypercriticus*, J. P. TITZ, MORHOF, NEUMEISTER) als formale, Sprach- und Vers-K. Die eigtl. Begründung der großen Zeit der K. als Macht im lit. Leben bringt die Aufklärung, zuerst unter der Geschmacksdiktatur BOILEAUS, dann GOTTSCHEDS. Neben Broschüren und Büchern bilden sich die literaturkrit. Zss. zu Zentren theoret., doch das Schaffen beeinflussender Auseinandersetzungen u. Förderern der lit. Geschmacksbildung heraus; NICOLAIS *Bibliothek der schönen Wissenschaften und freien Künste* 1759 ff., *Allg. dt. Bibliothek* 1768 ff.; *Briefe, die neuste Lit. betreffend* 1759 ff.; WIELANDS *Teutscher Merkur* u. a. GOTTSCHEDS rational-starren Wertprinzipien der Deutlichkeit und Wahrscheinlichkeit (*Critische Dichtkunst*, 1730) begegnen die Schweizer BODMER und BREITINGER durch den Verweis auf das Recht der Phantasie und auf die Bedingtheit des Dichtens durch Zeitumstände (Rechtfertigung MILTONS und DANTES). Ihnen folgen PYRA, F. G. MEIER u. a. Chr. LISCOW und J. E. SCHLEGEL bereiten e. neue Phase vor, die gegenüber der bisherigen aufräumenden K. nunmehr aufbauend und fruchtbar wird. Die von NICOLAI kommerziell betriebenen Literaturbriefe geben M. MENDELSSOHN, SULZER, RAMLER und LESSING (auch *Hamburgische Dramaturgie*) die Möglichkeit zu krit. Äußerung. LENZ und VOSS, in Österreich J. v. SONNENFELS und T. SATTLER eifern diesem größten Kritiker der Zeit nach. Gegenüber LESSINGS rationaler, scharfer K. führen GERSTENBERG, HAMANN und HERDER irrationale Elemente ein und erstreben stärker e. direkte Kunsterziehung. Die Stürmer und Dränger (SCHUBART, LENZ) wehren sich gegen e. analysierende K. und liefern

teils eigene K. in dichter. Form: →Farcen (GOETHE *Götter, Helden und Wieland*), persönl. Satiren und Dramen. Ihr größter Kritiker ist J. H. MERCK. Auch die K. der Klassik in den Zss. *Horen, Propyläen, Kunst und Altertum* bleibt beurteilend und fördernd durch Aufzeigen der ewigen Gesetzlichkeiten: Dichtertum, Kunst, Humanität. Abrechnung mit den lit. Gegnern bringen die →*Xenien*. SCHILLERS K.en (*Über Bürgers Gedichte*) messen an e. strengen, idealist. Kunstauffassung. Rationale Elemente brechen noch einmal bei SCHREYVOGEL (Wiener *Sonntagsblatt*) durch. – Den lit. Strömungen des 19. Jh. ist gemeinsam, daß sie die K. als werbendes Mittel zur Verbreitung ihrer eigenen Kunstanschauung und -maßstäbe benutzen. Die K. der Romantik betrachtet Charakteristik des Werkes als ihre Hauptaufgabe: K. ist Kunst, ihre Form daher Kunstform: neben den Vorlesungen der Brüder SCHLEGEL und A. MÜLLERS, bes. Aphorismus und Essay: TIECK, NOVALIS, SOLGER, GÖRRES, EICHENDORFF. Die K. des jungen Dtl. stellt sich in den Dienst der Zeittendenz und Politik, gerät damit in die Hände des Journalismus und wird programmatisch tendenziös, teils übereilt im Urteil, von zersetzendem Witz, doch geistreicher Form- und Stilgebung: BÖRNE, HEINE. Zeitschriftenaufsätze erscheinen später meist in Buchform gesammelt: L. WIENBARGS *Ästhetische Feldzüge*, A. LAUBES *Moderne Charakteristiken*, Th. MUNDTS *Kritische Wälder*, bes. K. GUTZKOW, K. A. VARNHAGEN, A. RUGE, H. MARGGRAFF und A. JUNG. Der scharfe Ton der Stellungnahme dringt bisweilen zum Pasquill vor. Im Realismus erfolgte e. Annäherung von K. und Literaturwiss. z. B. bei H. HETTNER, F. Th. VISCHER und R. Prutz; dagegen treten Grabbe, Keller, Hebbel, Kürnberger, G. Freytag, Th. Fontane und K. Frenzel weiterhin als Kunstrichter auf. E. neue programmat. Welle der K.en und Manifeste beginnt mit dem Naturalismus: die *Kritischen Waffengänge* der Brüder Hart, Nietzsches *Unzeitgemäße Betrachtungen* als K. von Epigonentum und Dekadenz, ferner Leo Berg, F. Mauthner, A. Holz, führend bes. O. Brahm und P. Schlenther. In der folgenden Generation des Impressionismus ragen A. Kerr, J. Hofmiller und H. Bahr hervor; in der Neuklassik P. Ernst, W. v. Scholz, O. Stoessl und S. Lublinski, im Expressionismus B. Diebold, H. Ihering und K. Edschmid. Auch die Gegenwart ist reich an krit. Stimmen zum lit. und bes. Theaterleben, z.T. aus den Reihen der Autoren selbst: Th. Mann, R. Schröder, A. Schmidt, W. Jens, M. Walser, H. M. Enzensberger; ihre höchsten Vertreter suchen ebenfalls über die Tageserörterung vorzudringen, auch macht die steigende Bedeutung der Presse den Erfolg e. Buches nicht zuletzt von seiner K. abhängig, die z.T. marktschreierische Werbekampagnen korrigiert. Der krit. Sichtung der Neuerscheinungen dienen kritische →Literaturzss. der jeweiligen Richtungen und die überregionalen Tages- und Wochenzeitungen sowie die Medien Rundfunk und Fernsehen. – Führende Kritiker in Frankreich waren im 18. Jh. Boileau und Diderot, im 19. Jh. Sainte-Beuve, Taine und Brunetière, im 20. Jh. Sartre und Barthes; in England im 18. Jh. Addison, Pope, Young und Shaftesbury, im 19. Jh. M. Arnold und W. Pater, im 20. Jh. T. S. Eliot, V. Woolf, W. P. Ker, E. Wilson und R. Williams; im marxist. Bereich F. Mehring, G. Lukács, W. Benjamin, P. Rilla. →Literatursatire. →Wertung.

Anm.: In den roman. Ländern wird ›critique littéraire‹, in engl. ›literary criticism‹ oft mit →Literaturwissenschaft gleichgesetzt.

K. Borinski, D. Poetik d. Renaiss. u. d. Anfge. d. lit. K. i. Dtl., 1886, ²1967; G. Saintsbury, *Hist. of Criticism and Lit. Taste in Europe*, III 1900–04; R. Petsch, Z. Gesch. d. lit. K. i. Engl., GRM 3, 1911; F. Michael, D. Anfänge d. Theater-K., 1918; S. v. Lempicki, Gesch. d. dt. Lit.-wiss., 1920; ders., Üb. d. Anfge. lit. K. u. d. Probleme ihrer Erforschg., Euph. 25, 1924; H. Knudsen, Theater-K., 1928; M. Sommerfeld, Z. Problem d. lit. K., DVJ 1929; RL; W. Milch, Lit. K. u. Lit.gesch., GRM 18, 1930; A. Thibaudet, *Physiologie de la C.*, 1930; K. F. Müller, D. lit. K. i. d. mhd. Dichtg., 1933, ²1967; T. S. Eliot, *The Use of Poetry and the Use of Criticism*, 1933; E. v. Jan, Wandlgn. d. lit. K. i. Frankreich, GRM 11, 1933; A. v. Grolman, Wesen u. Problematik d. lit. K. (D. neue Lit. 34, 1933); F. Melzer, Gesch. d. ev. Lit.-K., 1933; H. Knudsen, Wesen u. Grundlagen d. Theater-K., 1935; C. W. Sauermann, K. und Publikum, 1935; G. Boas, *A Primer for Critics*, Baltimore 1937; L. Beriger, D. lit. Wertg., 1938; A. Polgar, Hdb. d. Kritkers, 1938; H. W. Häusermann, Stud. z. engl. Lit.-K. 1910–1930, 1938; D. Andreae, Liberale Lit.-K., Diss. Göteb. 1940; A. Reyes, *La critica en la Edad Ateniense*, Mexico 1941; S. C. Pepper, *The basis of criticism in the arts*, Cambr./Mass. 1945; S. E. Hyman, *The armed vision*, 1948; P. Wiegler, Gesch. d. K., 1948; C. H. Garbo, *The Creative Critic*, Chicago 1948; *Lectures in Criticism*, hg. E. Coleman, N.Y. 1949; G. Boas, *Wingless Pegasus*, Baltimore 1950; H. T. Levin, *Perspectives of Criticism*, Cambr. 1950; P. Rilla, Lit. K. u. Polemik, 1950; W. Kayser, Lit. Wertg. u. Interpretation, DU 4, 1952; J. W. Atkins, *Lit. Criticism in Antiquity*, II ²1952; ders., *Engl. Lit. criticism*, III 1952; R. S. Crane, *Critics and Criticism*, Chicago 1952; W. Shumaker, *Elements of Critical Theory*, Berkeley 1952; W. v. O'Connor, *An Age of Criticism*, Chicago 1952; E. Jordan, *Essays in Criticism*, Chicago 1952; R. B. West, *Essays in mod. lit. criticism*, N.Y. 1952; J. E. Springarn, *A hist. of lit. criticism in the renaissance*, ²1954; F. Stovall, hg., *The development of American lit. criticism*, Chapel Hill 1955; J. P. Pritchard, *Criticism in America*, Oklahoma 1956; D. Daiches, *Critical Approaches to lit.*, N.Y. 1956;

H. Wutz, Z. Theorie d. lit. Wertung,
1957; W. K. Wimsatt, C. Brooks, *Lit.
Criticism. A short hist.*, Lond. ²1959; I.
A. Richards, *Principles of lit. criticism*,
Lond. ¹⁵1959, dt. 1972; R. Wellek,
Gesch. d. Lit.-K., III 1959–77; S. Melchinger, Keine Maßstäbe?, 1959; V. Giraud, *La crit. lit.*, Paris 1959; G. Blöcker
u.a., K. i. uns. Zeit, 1960; I. A. Richards,
Practical Criticism, ¹¹1960; P. Moreau, *La crit, lit. en France*, Paris 1960,
²1967; S. H. Monk, *The sublime*, Ann
Arbor 1960; C. S. Lewis, *An experiment
in criticism*, Cambr. 1961; H. J. Lang,
Stud. z. Enstehg. d. neueren am. Lit.-K.,
1961; B. Weinberg, *A hist. of lit. criticism
in the Italian renaissance*, II Chicago
1961; I. B. Walde, Unters. z. Literatur-K.
u. poet. Kunstanschauung i. dt. MA.,
Diss. Innsbr. 1961; W. Höllerer, Z. lit. K.
i. Dtl., STZ 1, 1962; Y. Winters, *The
function of criticism*, Lond. 1962; G.
Watson, *The lit. critics*, Harmondsworth
1962; H. Gardner, *The business of Criticism*, Oxf. ²1963; V. Hall, *A short hist. of
lit. criticism*, N.Y. 1963; J. C. Carloni, J.-
C. Filloux, *La critique lit.*, Paris ⁴1963;
A. Carlsson, D. dt. Buch-K., 1963; R.
Molho, *La crit. lit. en France au 19.
siècle*, Paris 1963; R. A. McCanse, *The
art of book review*, Madison 1963; N.
Frye, Analyse d. Lit.-K., 1964; R. Fayolle,
La crit. lit., Paris 1964; R. Wellek,
Grundbegriffe d. Literatur-K., 1965; G.
Blöcker, Z. Situation d. lit. K. (Jhrb. d.
Dt. Akad. f. Spr. u. Dichtg. 1965); R.
Wellek, *A hist. of modern criticism*, vol.
4, Lond. 1966; K. Tober, *The meaning
and purpose of lit. criticism*, CG 1, 1967;
H. Reinitzer, Grundz. d. dt. Lit.-K. i. MA.,
Diss. Graz 1967; H. Peyre, *The failures of
criticism*, Ithaca 1967; M. Krieger, *The
play and place of criticism*, Baltimore
1967; L. L. Duroche, *Aspects of criticism*,
Haag 1967; K., hg. P. Hamm 1968; H.
Mattauch, D. lit. K. d. frühen frz. Zss.,
1968; *Criticism*, hg. L. S. Dembo, Madison 1968; P. Glotz, Buchk. i. dt. Zeitungen, 1968; J. T. Reed, *Crit. consciousness
and creation* (*Oxf. Germ. stud.* 3, 1968);
A. Carlsson, D. dt. Buchk., 1969; R.
Mühlher, Strömgn. d. dt. Litk. i. 19. Jh.
(Jb. d. Wiener Goethe-Vereins 74, 1970);
M. C. Beardsley, *The possibility of criticism*, Detroit 1970; W. Erzgräber, Mod.
engl. u. am. Lit.K., 1970; H.-D. Weber,
Üb. e. Theorie d. Literaturk., 1971; H. F.
Nöhbauer, D. Situation d. Buchk. (Tendenzen d. dt. Lit. seit 1945, hg. T. Koebner 1971); W. Hinderer, Z. Situation d.
westdt. Literatur. (D. dt. Lit. d. Gegenw., hg. M. Durzak 1971); G. Poulet,
La conscience crit., Paris 1971; R. Wellek, Grenzziehungen, 1972; Kritik d. Literaturk., hg. O. Schwencke 1973; P. U.
Hohendahl, Literaturk. u. Öffentlichk.,
1974; K. Aschenbrenner, *The concepts of
criticism*, Dordrecht 1974; H. S. Daemmrich, Literaturk. i. Theorie u. Praxis,
1974; B. Rollka, V. Elend d. Literaturk.,
1975; K. Jarmatz, Z. Gesch. d. Literaturk. d. DDR (in ders.: Forschungsfeld
Realismus, 1975); H. Winter, Lit.theorie
u. Lit.k., 1975; E. Keller, Krit. Intelligenz,
1976; W. Hinderer, Elemente d. Literaturk., 1976; Literaturk. – Medienk., hg.
J. Drews 1977; P. Brunel, *La crit. litt.*,
Paris 1977, ²1984; J. Strelka, Werk,
Werkverständnis, Wertg., 1978; M. Pala-
dini Musitelli, *La critica e i suoi metodi*,
Palermo 1979; F. Foti, *La critico lett.*,
Rom II 1980–83; J. Drews, D. Entw. d.
westdt. Lit.k. s. 1965 (Dt. Lit. i. d. BR.,
hg. P. M. Lützeler 1980); D. Hoeges, Lit.
u. Evolution, 1980; Lit.k. u. lit. Wertg.,
hg. P. Gebhardt 1980; F. Schonauer,
Lit.k. i. d. BRD (Dt. Gegenwartslit., hg.
M. Durzak 1981); G. Gaiser, D. Stelle d.
Lit.k. i. lit. System, LWU 14, 1981; G.
Graf, Lit.k. u. ihre Didaktik, 1981; H.
Steinecke, D. Lit.k. d. Jg. Dtl., 1982; H.
Koopmann, Lit. K. i. Dtl. (Textsorten u.
lit. Gattgn., 1983); W. Hinck, Germanistik als Lit.k., 1983; R. A. Berman, *Between Fontane and Tucholsky*, 1983; A. P.
Frank, Einf. i. d. brit. u. am. Lit.k. u.
-theorie, 1983; T. Todorov, *Critique de
la critique*, Paris 1984; R. Shusterman,
The object of lit. criticism, Amsterd.
1984; Gesch. d. dt. Lit.k., hg. P. U. Hohendahl 1985; Gründlich verstehen, hg.
F. J. Görtz 1985; *The crisis of criticism*,
hg. E. Schlaeger 1986.

Kritische Ausgabe, nach den
Grundsätzen mod. →Textkritik und
→Editionstechnik veranstaltete
Ausgabe e. Schriftwerks in kritisch
durchgesehenem, authent. Wortlaut
der →editio princeps oder der
→Ausgabe letzter Hand, bei ma.
und antiken Texten die nach Über-
lieferungsbefund und Sinngehalt
wahrscheinlichsten Lesarten oder
Konjekturen mit Anfügung aller
hiervon abweichenden →Lesarten
in Hss. und älteren Drucken im krit.
→Apparat. Eine k. A. enthält meist
auch Editionsbericht, Textgeschichte, Register und evtl. Sachkommentar. Im Unterschied zur →histo-
risch-kritischen Ausgabe rekonstruiert sie nicht die Genese des Werkes.

Kritischer Apparat →Apparat

Kritischer Realismus, in der marxist. Literaturkritik derjenige →Realismus, dem zwar sozialkrit. Einstellung eignet, dem aber im Ggs. zum →sozialist. Realismus das marxist.-leninist. Bewußtsein für den wahren Sozialismus fehlt.

Krokodil →Münchner Dichterkreis

Kryptogramm (griech. *kryptos* = verborgen, *gramma* = Schrift), lit. Versteckspiel: bes. hervorgehobene oder nach e. System zu ermittelnde Buchstaben innerhalb e. Textes (meist Verse) ergeben zusammen e. neues Wort, e. Namen oder e. Widmung. Von der Spätantike über MA. und Barock bis zur Anakreontik beliebt. Vgl. →Akrostichon, →Telestichon, →Akroteleuton.

J. V. Reed, *Fun with c.s,* N.Y. 1968.

Kryptonym (griech. *kryptos* = verborgen, *onoma* = Name), Form des →Pseudonyms, entsteht durch bloße Setzung der Anfangsbuchstaben oder -silben des Autorennamens (H. D. = Hilda DOOLITTLE) oder deren Zusammenziehung zu neuen Namen (Kuba = Kurt BARTELS). Auch in e. Reihe von Wörtern oder in e. Satz versteckter Name, →Kryptogramm.

Kubismus, literarischer, Nebenströmung zur gleichnamigen Richtung in der mod. Kunst seit 1908, die die Naturformen in geometr. Gebilden (Rechteck, Kreis, Rhombus, Würfel, Zylinder, Kegel usw.) zu erfassen und wiederzugeben sucht (PICASSO, BRAQUE). Dem gebrochenen Verhältnis zur Realität und der Ablehnung aller Naturnachahmung zugunsten reduzierter, auf geometr. Grundmuster gebrachter Formen entsprechen Stilkennzeichen e. Gruppe von Dichtern, die den Künstlern des K. z. T. nahestanden: G. APOLLINAIRE, P. REVERDY,

B. CENDRARS, L.-P. FARGUE, M. JACOB und A. SALMON.

G. Lemaître, *From C. to Surrealism in French Lit.,* 1941; W. Sypher, *Rococo to C. in Art and Lit.,* 1960; E. Fry, D. K., 1967; P. W. Schwartz, C., Lond. 1971; P. Daix, D. K., 1982.

Kubo-Futurismus →Futurismus

Kudrunstrophe, nach ihrer Verwendung im *Kudrun*-Epos benannte und der Titurelstrophe ähnl. Abwandlung der →Nibelungenstrophe in vier Langzeilen mit Paarreim, von dieser unterschieden durch klingende Kadenz der 3. und 4. sowie meist zusätzl. Hebungen in der 4. Langzeile (6. Kurzzeile daher 4hebig klingend, 8. 6hebig klingend), erreicht teils getragen-heroischen, teils lyr.-weichen Klang.

Küchenlatein, seit rd. 1500 Bz. für das durch Aufnahme volkssprachl. Worte, Formen und Konstruktionen arg verdorbene, barbarisierte Mönchslatein des MA., von den Humanisten in den *Epistulae obscurorum virorum* verspottet.

P. Lehmann, MA. u. K. (Histor. Zs. 137, 1928); R. Pfeiffer, K. (Philologus 86, 1931).

Künste, die sieben Freien K. →Artes liberales.

Künstlerdrama, Bühnendichtung um e. Maler, Bildhauer, Musiker, Sänger, Schauspieler, Dichter (→Dichterdrama) usw. Neben der dramatisierten Künstlerbiographie als anekdotenhafter Aneinanderreihung überlieferter Episoden ohne tieferes Eingehen auf die Probleme des Künstlertums, tagesgebundenen Unterhaltungsstücken ohne dauernde Werte, die dem Interesse an Künstlernamen den evtl. Erfolg verdanken und dennoch vom Schaffen des betreffenden Künstlers keine Vorstellung zu geben vermögen, steht das wahre dichter. K., in e.

verwandte Natur eingekleidetes Selbstbekenntnis eigener Schaffensnöte und Lebensproblematik, die zum dramat. Konflikt führt: Spannung zwischen Innerlichkeit, Gedankenflug des Genies und amusisch-philiströser Umwelt, zwischen leidenschaftl. Gefühlsüberschwang und maßgebietender Vernunft, innerer Widerstreit, der die Künstlergabe als Segen oder Fluch empfindet. Erst seit dem Sturm und Drang ermöglicht durch das aufkommende Verständnis für seel. Eigenart und zwischenmenschl. Sonderstellung des Künstlers: auf GOETHES Frühdramen *(Künstlers Erdenwallen, Künstlers Apotheose)* folgt das vollendetste K., *Tasso,* die ›Disproportion des Talents mit dem Leben‹, Zusammenprall künstler. Illusion mit der Gesellschaft, die, selbst als Wert verstanden, trotz allen Verständnisses seine Entfaltung hemmt. Die Romantik läßt nur den Künstler als wahren Menschen gelten: MUSSETS *Lorenzaccio,* ÖHLENSCHLÄGERS *Correggio* und F. KINDS *Van Dyks Landleben.* E. ebenbürtiges K. bildet GRILLPARZERS *Sappho* als innerer Konflikt zwischen Selbstbewahrung zur Erfüllung der Sendung und Selbstaufgabe im Verzicht auf das Leben, beeinflußt von BYRON und Mme de STAËLS *Corinna.* Es folgen A. de VIGNYS *Chatterton* mit Einfluß auf das jungdt., teils polem. K. LAUBES und GUTZKOWS, die in histor. Spiegelung Zeitfragen beantworten, HOLTEIS *Lorbeerbaum und Bettelstab,* IMMERMANNS *Petrarca* HEBBELS *Michelangelo,* DEINHARDSTEINS K.en, u.a. *Hans Sachs* als Vorbild für R. WAGNERS *Meistersinger,* sein *Tannhäuser.* Der Naturalismus beginnt mit Milieuschilderungen der Bohème bei E. v. WOLZOGEN, A. HOLZ *(Sonnenfinsternis),* WEDEKIND *(Der Kammersänger)* und HIRSCHFELD; G.

HAUPTMANN gestaltet in *Kollege Crampton, Michael Kramer, Gabriel Schillings Flucht* und *Die versunkene Glocke* das Los des übersensiblen Künstlers. F. LIENHARD greift in die Vergangenheit zurück, ebenso PFITZNERS musikal. Legende *Palestrina.* Im Expressionismus beschwört KAISER versch. Künstler, JOHST die düstere Welt GRABBES *(Der Einsame),* HRASTNIK schafft e. surrealist. Lebensbild des *Maler Vincent* van Gogh. →Künstlerroman.

W. Krimnitz, D. dt. K. i. d. 1. Hälfte d. 19. Jh., Diss. Lpz. 1922; H. Goldschmidt, D. dt. K. v. Goethe bis R. Wagner, 1925, n. 1978; RL¹; E. Levy, D. Gestalt d. Künstlers i. dt. Drama v. Goethe bis Hebbel, Diss. Ffm. 1929; K. Laserstein, D. Gestalt d. bildenden Künstlers i. d. Dichtg., 1931; L. Rausch, D. Gestalt d. Künstlers i. d. Dichtg. d. Naturalismus, Diss. Gießen 1932; R. S. Collins, *The Artist in modern German drama,* Baltimore 1940; D. Gerber, Stud. z. Problem d. Künstlers i. d. mod. dt.-schweiz. Lit., 1948, n. 1975.

Künstlerroman, -novelle, Erzählung um die Schicksale e. Künstlers, entwickelt sich parallel zum →Künstlerdrama, erfaßt jedoch weniger die einzelne Konfliktsituation als die künstler. Entfaltung im Lebenslauf (→Entwicklungsroman) oder auf wenige Szenen konzentriert (Novelle). Auch hier steht neben der historisch gebundenen und oft sentimental verflachten Künstlerbiographie der bildenden Unterhaltungslit. e. höhere Form, die an erfundenen, nachgefühlten oder angedeuteten Gestalten Probleme oft der eigenen künstler. Sendung und der Stellung zur Gesellschaft aufweist und die Frage nach dem Wesen ihres Schaffens stellt. Den Einsatz bringt der Sturm und Drang: HEINSES *Ardinghello* 1787 fordert für den Künstler als Sonderwesen Ungebundenheit durch Norm und Gesetz, auch moral. Freiheit des nur im Rausche schaffenden Genies, ähnlich in *Hildegard von Hohenthal*. Anders und tiefer faßt GOETHES *Wilhelm Meister* das Problem: aus der im Fragment *Wilhelm Meisters theatralische Sendung* geplanten Gestalt des großen Theaterdichters wird im Zuge der eigenen Entwicklung später die Einordnung des Künstlers in das praktisch-tätige Leben, da nach Auffassung der Klassik ein nur künstler. Mensch unzulänglich ist. Die Romantik bringt den Gegenschlag: fast alle ihre Romanhelden stehen als Künstler im Ggs. zum Bürger. WACKENRODER *(Berglinger)* und TIECK *(Franz Sternbald)* fordern echte Kunstfrömmigkeit; F. SCHLEGELS *Lucinde* gibt dem Künstler das Recht zur Überschreitung bürgerl. Sittlichkeitsnormen. NOVALIS' *Heinrich von Ofterdingen*, in bewußtem Ggs. zum *Wilhelm Meister* geschrieben, löst alle Realität ins Dichterische auf, ähnlich der poetisierten schwärmer. Welt der K.e EICHENDORFFS *(Ahnung und Gegenwart, Dichter und ihre Gesellen)*. E. T. A. HOFFMANN zeigt die dämon. Zerrissenheit des Künstlers als Tragik *(Kreisleriana, Das Fräulein von Scuderi* u. a.). MÖRIKE verwendet in seinem *Maler Nolten* wie G. KELLER in der 1. Fassung des *Grünen Heinrich* autobiograph. Züge; in dem Zwiespalt von Künstlertum und Bürgertum liegen Nachklänge der Romantik, während die 2. Fassung des *Grünen Heinrich* gleich dem *Wilhelm Meister* ins prakt. Leben mündet, Ideal und Wirklichkeit vereinend. Im Realismus beginnt mit H. KURZ' *Schillers Heimatjahre* 1843 der kulturhistor. biograph. Roman, über MÖRIKES Skizze *Mozart auf der Reise nach Prag*, KELLERS *Hadlaub*, oft reichlich sentimentale Darstellungen (BRACHVOGELS *Friedemann Bach*), HOLTEIS *Vagabunden* und

C. HAUPTMANNS *Einhart der Lächler* zu MOLOS 4bändigem SCHILLER-Roman. Im 20. Jh. behandelt neben BARTSCH, EULENBERG, SÖHLE, R. HOHLBAUM, H. NÜCHTERN, KOLBENHEYER, H. HESSE, F. HUCH, WASSERMANN, K. KLUGE, FEUCHTWANGER *(Goya)* und WERFEL *(Verdi)* bes. Th. MANN das Problem des Künstlertums als Entartung, Verfallserscheinung im Sinne des Bürgertums: *Buddenbrooks, Tonio Kröger, Tod in Venedig, Dr. Faustus*. Die Gegenwart bringt e. Renaissance des Dichterromans: P. HÄRTLING, *Hölderlin*, D. KÜHN, *Ich, Wolkenstein*. Vertreter des franz. K. sind BALZAC, die GONCOURTS, H. MURGER, GAUTIER, NERVAL, MAUPASSANT, ZOLA, ROLLAND *(Jean-Christophe)*, ARAGON u. a., engl. H. JAMES, J. JOYCE *(Portrait)* u. a. →Malerroman.

C. Helbling, D. Gestalt d. Künstlers i. d. neueren dt. Dichtg., 1922; H. Marcuse, D. dt. K., Diss. Freibg. 1922, n. 1978; H. Heckel, D. Bild d. Künstlers i. neuen dt. Roman (Fs. F. Koch, 1926); ders., D. Gestalt d. Künstlers i. d. Dichtg. d. Romantik, LJb 2, 1927; RL¹; K. Laserstein, D. Gestalt d. bild. Künstlers i. d. Dichtg., 1931; H. F. Menck, D. Musiker i. Roman, 1931; K. J. Obenauer, D. Problematik d. ästhet. Menschen i. d. dt. Lit., 1933; M. Deibl, D. Gestalt d. bild. Künstlers i. d. romant. Dichtg., Diss. Wien 1955; G. C. Schoolfield, *The Figure of the musician in German lit.*, Chapel Hill 1956; H. Riedel, Musik u. -erlebnis i. d. erz. dt. Dichtg., 1959; H. Granzow, Künstler u. Gesellsch. i. Roman d. Goethezeit, Diss. Bonn 1960; M. Z. Shroder, *Icarus: The image of the artist in French romanticism*, Cambr./Mass. 1961; E. Bloch, Ansicht d. K. (in: Verfremdungen, 1962); J. Mittenzwei, D. Musikalische i. d. Lit., 1962; H. Pütz, Kunst u. Künstlerexistenz b. Nietzsche u. Th. Mann, 1963; M. Beebe, *Ivory towers and sacred founts*, N.Y. 1964; C. Karoli, Ideal u. Krise enthus. Künstlertums i. d. dt. Romant., 1968; R. Noll-Wiemann, D. Künstler i. engl. Roman d. 19. Jh., 1977; R. Geißler, Kunst u. Künstler i. d. bürgerl. Ges., LfL 1978; B. Jeffares, *The artist in 19. cent. Engl. fiction*, Gerrards Cross 1979; W. Hofmann, D. Künstler als Kunstwk., (Jb. d. dt. Akad. f. Spr. u.

Dichtg. 1982); F. Loquai, Künstler u. Melancholie i. d. Romantik, 1984; P. M. Pasinetti, *Life for art's sake*, N.Y. 1984; U. R. Mahlendorf, *The wellsprings of lit. creation*, Columb. 1985; E. Cheauré, D. Künstlererz. i. russ. Realismus, 1986; S. Hausdörfer, Rebellion 1. Kunstschein, 1987; H. Mundt, ›Doktor Faustus‹ u. d. Folgen, 1988.

Kürbishütte →Königsberger Dichterkreis

Kürenbergstrophe →Nibelungenstrophe

Kürze, im Ggs. zur →Länge schwaches rhythm. Element der antiken Metrik, entsprechend der dt. Senkung; →Quantität.

Kürzestgeschichte, Kleinform mod. Erzählprosa in knappster, z. T. bewußt kom. Diktion: H. v. DODERER, G. EICH, G. B. FUCHS.

A. Datta, Kleinformen i. d. dt. Erzählprosa seit 1945, 1972.

Kuhreihen, Schweizer Alpengesang, entstanden aus den Treib- und Lockrufen beim Eintreiben und Zusammenhalten der Kühe auf der Alm, indem zur Namensnennung der Kühe versch. lyr. und satir. Einlagen traten; urspr. auf den Alpen geblasen, dann volksliedartig gesungen, gehen sie evtl. bis auf NOTKERS Sequenzen zurück, sind jedoch erst seit Mitte 16. Jh. nachweisbar und erlangten durch die Hirtendichtung des 18. Jh. weite Verbreitung. RL.

Kulisse (v. franz. *couler* = gleiten, schieben), beweg. Seitenwand der Bühnen→dekoration, perspektivisch bemalte flache Leinwand, in beliebiger Zahl hintereinander aufgestellt, auf Gleitschienen fahrbar und bei Dekorationswechsel früher aufgerollt, später hängend auf den Schnürboden hochgezogen, ermöglicht dadurch vielfältigere und raschere Verwandlungen und bes.

größere Prachtentfaltung als die schwerfälligen →Telari, die sie im Barock seit 1620 von Italien aus Aleotti im Teatro Farnese in Parma) verdrängte, in Dtl. zuerst 1659 im Wiener Jesuitentheater, bis ins 19. Jh. herrschend.

Kultismus →Gongorismus

Kultlegende, →Legende von den Wundertaten e. Gottheit oder e. Religionsstifters, die zur Einrichtung e. Kults geführt haben.

Kultlied (lat. *cultus* = Pflege, Verehrung), Sammelbz. für alle relig. Kulthandlungen und Rituale begleitenden Lieder inbes. außerchristl. Kulte wie Chorlied, Hymne, Dithyrambus, →Opferlied, Prozessionslied (→Prosodia), →Carmen u. ä. In vorlit. archaischen Formen meist mit Musik und Tanz zur Verstärkung der mag. Wirkung verbunden und eine der Urformen der Dichtung.

Kulturgeschichtlicher **Roman** →historischer Roman

Kulturmythisches Drama, Sammelbz. für e. Gruppe romant. Dramen und deren neuromant. Entsprechungen, die den Übergang ihres Volkes von einer urtüml., mehr oder weniger unzivilisierten Frühphase zum Christentum darstellen, und zwar nicht als Geschichtsbruch oder Epochengegensatz wie bei HEBBEL, sondern als organ. Ausweitung der bereits im Keim angelegte Möglichkeiten. Die formale Übereinstimmung dieser meist von CALDERÓN angeregten k. D. (Verwendung von Heiligenfiguren, Zeichen und Wundern; Verseinlagen; Figuren als typ. Epochenvertreter; Neigung zum Gesamtkunstwerk) gestattet ihre Zusammenfassung: TIECKS *Heilige Genoveva,* BRENTANOS *Gründung*

Prags, Z. WERNERS *Kreuz an der Ostsee,* BYRONS *Manfred,* später HOFMANNSTHALS *Turm* und CLAUDELS *Seidener Schuh.*

W. Kayser, Formtypen d. dt. Dramas um 1800 (in: Die Vortragsreise, 1958).

Kung-ti (chines. = Palast-Stil), Stil der altchines. Lyrik, der in sentimentaler Liebeslyrik die Schönheit der Hof- und Haremsdamen beschreibt.

Kunst- →ballade, -→drama, -→dichtung, -→epos, -→lied, -→märchen im Ggs. zur →Volks-Ballade usw. sind Dichtungen, deren Verfasser nach Namen und Eigenart bekannt sind, sich in ihren nach zielbewußtem Plan individuell gestalteten Werken spiegeln, keine Grenzen der Stoffwahl kennen und selbst bei Anlehnung an die Form der Volksdichtung deren Eigenheiten vermeiden. Sie entstehen stets nach diesen und als Produkte e. bewußt schaffenden Kunstverstandes.

Kunstperiode, polem. Bz. H. HEINES (zuerst in der Rezension von W. MENZELS *Die deutsche Literatur,* 1828) für die Goethezeit, insbes. Klassik und Frühromantik als Gipfelpunkt e. vorgebl. weltfremden Kunstautonomie ohne Eingehen auf die wirklichen, d. h. polit. Belange der Zeit und Gesellschaft. Der von marxist. Lit.wiss. z. T. adoptierte Begriff ist in seiner Einseitigkeit weder auf diese Zeit allein noch auf die Zeit als Ganzes anwendbar und als Epochenbz. ungeeignet.

H. R. Jauss, D. Ende d. K. (Fs. W. Krauss 1971); M. Fontius in WB 23, 1977 u. 29, 1983; K., hg. P. Weber 1982; U. Köster, Lit. u. Ges. i. Dtl. 1830–48, 1984; T. Namowicz, H. Peitsch, H. G. Werner in WB 31, 1985; Stud. z. Ästhetik u. Lit.-gesch. d. K., hg. D. Grathoff 1985; L. Calvié (*Le texte et l'idée* 1, 1986).

Kunstprosa, im Ggs. zur ungeformten Umgangssprache einerseits und der durch Reim oder Metrum festgelegten Sprache des Gedichts andererseits die lockere Form der durch Gliederung (→Kolon), Rhythmus (→Klausel), Ausdruck und Schmuckmittel (→rhetorische Figuren) →gebundenen Rede; in antiker Rhetorik ausgebildet, in Reden, Briefen und Geschichtswerken der Antike gepflegt, in Dtl. seit der Renaissance und bes. dem 17. Jh. die Erscheinungsform der Epik, welche die pathet. Erhöhung und Gefügeeinheit des Verses als beengend empfand und in größere geistige Freiheit und Weiträumigkeit vorstieß. Den Übergang zur Lyrik bildet das →Prosagedicht. →Prosa.

E. Norden, Antike K., II 1898, n. 1968; Prosakunst ohne Erzählen, hg. K. Weißenberger 1985.

Kurialen (v. lat. *curia* = Rat, -haus) →Kanzleistil

Kuriosa (lat. = Seltsames), als bibliophiles Sammelgebiet merkwürdige, seltsame, aufgrund ihres Inhalts außergewöhnl. Bücher.

Kurrentschrift (lat. *currere* = laufen), fortlaufende d. h. die Buchstaben nicht einzeln absetzende Schreibschrift im Ggs. zur Druckschrift.

K. Gladt, Dt. Schriftfibel, 1976.

Kursive (mlat., zu *cursus* = Lauf: laufend, schräg), schrägliegende lat. Druckschrift im Ggs. zur aufrechten, dient oft als Auszeichnungsschrift zur Hervorhebung bes. Wörter, Sätze usw. (bes. Zitate und Titel) im Druck.

Kursorische Lektüre (lat. *cursus* = Lauf), im Ggs. zur →statarischen das fortlaufende, nicht durch eingehendere Erklärung, Interpretation und Würdigung unterbrochene Lesen.

Kursus →Cursus

Kurutzenlieder (ungar. *kuruc),* anonyme ungar. patriot. Freiheitslieder der militanten Unabhängigkeitsbewegung gegen die polit. und kulturelle Oberhoheit Österreichs bes. im frühen 18. Jh.

Kurzepik, auch Kleinepik, im Ggs. zur Großepik (Epos und Roman) alle ep. Kleinformen wie Märchen, Sage, Legende, Schwank, Anekdote, Novelle, Erzählung, Kurzgeschichte usw. in Vers oder Prosa.

Kurzgeschichte, urspr. Übersetzung des amerikan. →short story, doch in Europa wegen Vorherrschaft der Novelle e. Sondergattung, kurze ep. Prosa-Zwischenform von Novelle, Skizze und Anekdote, charakterisiert durch zielstrebige, lineare, straffe und bewußte Komposition auf eine unausweichl. Lösung hin (vom Schluß her geschrieben), die auf Erschütterung abzielt oder einen Lebensbruch bringt oder den Ausgang offenläßt. Zusammendrängung e. in sich gerundeten Geschehens auf e. entscheidenden Moment mit unvermuteter Pointe auf engstem Raum, Summe eines Menschenlebens, bes. e. Außenseiters, aus dem Augenblick belebt, realist. Tatsachenwiedergabe, provozierende Erkenntnis, Umschlag ins Surreale oder impressionist. Stimmungsbild bilden die Skala ihrer Möglichkeiten, die in ständiger Erweiterung begriffen ist. Aus Vorstufen etwa der Fazetien- und Schwanklit. und HEBELS →Kalendergeschichten sowie Ansätzen bei H. v. KLEIST, E. T. A. HOFFMANN und HEBBEL entstanden sie in Dtl. um 1920 im Zusammenhang mit den Erfordernissen der Zeitschriften- und Magazinform, die statt der für geselliges Lesen gedachten Novelle eine kurze Lektüre für den eiligen Einzelleser braucht, und dann bes. nach amerikan. Vorbild

in der frühen Nachkriegszeit als Auseinandersetzung mit der Vergangenheit, der Gegenwartsnot, dem Wirtschaftswunder oder existentiellen Fragen, gefördert durch neue Medien, neues Leseverhalten, Einfachheit und Eignung zu Experimenten. Hauptvertreter P. ERNST, H. FRANCK, P. ALTENBERG, G. MEYRINK, W. SCHÄFER, E. LANGGÄSSER, O. DODERER, G. WEISENBORN, E. KREUDER, K. KUSENBERG, W. BORCHERT, G. GAISER, H. BÖLL, W. SCHNURRE, H. RISSE, M. L. KASCHNITZ, G. EICH, H. BENDER, A. GOES, S. LENZ, M. WALSER, W. HILDESHEIMER, I. AICHINGER, P. BICHSEL, G. KUNERT, H. KANT u. a. Ausländische Vorbilder waren etwa ČECHOV, KIPLING, K. MANSFIELD, W. S. MAUGHAM, A. MUSSET, A. DAUDET und MAUPASSANT.

G. Fritz, D. Anfänge d. K. (Weltlit. d. Gegenw. I., hg. Schuster u. Wieser, 1931); H.-A. Ebing, D. dt. K., Diss. Münster 1936; F. Güttinger (Hg.), Amerikan. Erzähler, Einl., 1946; K. Zierott, D. K. in Lit. u. Presse, Diss. Mchn. 1952; K. Doderer, D. angelsächs. short story u. d. dt. K. (Neuere Sprachen 1953); ders., D. K. i. Dtl., 1953, ⁶1980; ders., D. K. als lit. Form, WW 8, 1957/58; R. Lorbe, D. dt. K., DU 9, 1957; H. Motekat, Gedanken z. K., DU 9, 1957; A. Behrmann, So schreibt man K.n, ²1959; H. Bender, Ortsbestimmung d. K. (Akzente 9, 1962); RL; K. Kusenberg, Üb. d. K. (Merkur 19, 1965); H. M. Damrau, Stud. z. Gattungsbegriff d. dt. K., Diss. Bonn 1966; H. Brustmeier, D. Durchbruch d. K. i. Dtl., Diss. Marb. 1966; R. Kilchenmann, D. K., 1967, ⁵1978; P.-O. Gutmann, Erzählweisen i. d. dt. K. (Germanist. Stud. 2, 1970); J. Kuipers, Zeitlose Zeit. D. Gesch. d. dt. Forschg., Groningen 1970; A. Datta, Kleinformen i. d. dt. Erzählprosa seit 1945, 1972; D. amerikan. K., hg. K.-H. Göller 1972; D. engl. K., hg. ders. 1973; L. Rohner, Theorie d. K., 1973, ²1976; H. Pongs, D. mod. dt. K. (ders., D. Bild i. d. Dichtg. 4, 1973); G. Jäckel, U. Roisch, Große Form in kleiner Form. Z. sozialist. K., 1974; P. Freese, D. amerikan. K., 1974; E. Brandenberger, D. span. K., 1974; V. Hell, L'art de la brièveté, RLC 50, 1976; E. Kritsch Neuse, D. dt. K., 1980; M. Durzak, D.

dt. K. d. Gegenw., 1980; G. Ahrends, D. amerikan. K., 1980; H. Meyerhoff, D. K., FLE, 1981; *The teller and the tale*, hg. W. M. Aycock, Texas 1982; D. Giloi, Short story u. K., 1983; M. Durzak, D. Augenblick als strukturbild. Element d. K. (Augenblick u. Zeitpunkt, hg. C. W. Thomsen 1984); L. Marx, D. dt. K., 1985; M. Durzak, D. parabol. K. d. Ggw. (D. Parabel, hg. T. Elm 1986). →short story.

Kurzprosa, die Prosaformen der →Kurzepik

Kurzroman, nicht genauer abgegrenzte Zwischenform von Roman und Novelle, etwa romanhafter Stoff in knapper Ausführung oder novellist. Stoff in romanhafter Breite, z. B. bei E. Hemingway *(Der alte Mann und das Meer)*, A. Schmidt u. a.

Kurzvers, -zeile, Vers von durchschnittlich acht Silben mit vier Hebungen (im dipod. Stabreimvers zwei Haupt- und zwei Neben-Hebungen, im monopod. mhd. Reimvers vier theoretisch gleichwertige Hebungen), oft als K. geschrieben und aus der Schreibgewohnheit herzuleiten oder je zwei zu einer →Langzeile zusammengefaßt, bei Otfried, in der höf. Dichtung, später als →Knittelvers.

Kusa-zōshi (japan. = vermischte Bücher), volkstüml. japan. Bilderbücher des 17./18. Jh.: Erzählungen, deren lit. wenig belangvoller Text mehr oder weniger nur die Erklärung zu der Fülle beigegebener Holzschnitt-Illustrationen gibt und den bildfreien Raum der illustrierten Seiten einnimmt. Hauptvertreter dieser Gattung, die vom Kindermärchen bis zum Roman reicht, war Tanehiko. →Yomihon.

Ku-shih oder **Ku-t'i-shih** (chines. = alter Stil), chines. Gedicht mit beliebiger Anzahl von Zeilen zu je fünf oder sieben Silben und frei behandelter Metrik, entstanden aus der Volkspoesie. Blütezeit bes. in der Tang-Zeit (7.–9. Jh.).

Kustọde (lat. = Hüter), in älteren Büchern ab 1470 das auf einer Seite unten links oder rechts angegebene Anfangswort der folgenden Seite, dient der Kontrolle der richtigen Reihenfolge der Blätter bzw. Lagen und der Erleichterung des Übergangs bei der Lektüre; im mod. Buchdruck durch die Bogensignatur abgelöst. In ma. Hss. heißt der K. Reklamante.
Ch. Wagenknecht, E. P. Wieckenberg, D. Geheimspr. d. K., DVJ 50, 1976.

Ku-wên (chines. = alte Prosa), die schmucklose, knappe leichtverständl. und sachlich klare Prosa der altchines. Zeit (bes. Han-Zeit), die später im 9. Jh. zeitweilig wieder als Stilvorbild aufgenommen wurde.

Kviðuháttr (altnord. = Liedmaß), altnord. Stabreimvers ähnlich dem →Fornyrðislag, doch nicht mit regelmäßig vier, sondern mit alternierend jeweils drei Silben in An- und vier im Abvers, verwendet zuerst im *Ynglingatal* (vor 900), dann bei Egill Skallagrímsson u. a.

Kykliker, altgriech. Dichter aus der ion. Schule des 8. Jh. v. Chr., die kurz nach Homer Stoffe und Motive seiner und damit zusammenhängender Götter- und Heldensagen von Uranus und Gäa bis zum Tod des Odysseus bearbeiteten. Ihre Epen, später zu e. ›epischen Kyklos‹ (= Kreis) zusammengeschlossen, wurden von den Rhapsoden neben den Homerischen Epen zitiert und Ansehens halber meist Homer zugeschrieben (die echten Verfassernamen sind umstritten), konnten sich jedoch neben den echten Werken nicht behaupten. Sie dienten der Tragödie als Stoffquelle, sind jedoch nur in Bruchstücken erhalten. Aus dem trojanischen Sagenkreis stammen die *Kypria, Aethiopis, Iliu Persis, Kleine Ilias, Nostoi* und *Telegonie*, aus dem thebanischen Kreis die *Thebais, Epigonen* und *Oidipodie*, aus anderen Sagenkreisen die *Theogonia, Titanomachia* und *Danais*.

Kyklos (griech. = Kreis), 1. →rhetorische Figur: Wiederholung des Anfangswortes e. Satzes (Verses) an das Schlußwort desselben Satzes (Verses, wobei Versende nicht = Satzende zu sein braucht) in unveränderter oder flektierter Form (→Polyptoton); ›Ein Pferd, ein Pferd, mein Königreich für'n Pferd‹ (SHAKESPEARE). – 2. Werkgruppe, →Zyklus, →Kykliker.

Kyōbun (japan. = verrückte Aufsätze), in japan. Lit. kleine Prosastücke kom. Inhalts, doch in Stoff und Sprache mehr niedrig-komisch und vulgär.

Kyōgen →Nô-Spiele

Kyoka (japan. = Tollgedichte), japan. Scherz- und Spottgedichte, vormals seit 12. Jh. aus dem →Uta hervorgegangen und wie dieses aus 31 Silben bestehend, inhaltlich jedoch dessen kom. Gegenstück mit Parodie, Satire, Groteske, Doppelsinn, Wortspiel und selbst Unsinn.

Kyoku (japan. = Tollvers), japan. Scherz- und Spottgedicht als satirisch-komisch-burleskes Gegenstück zum Hokku und wie dieses aus 17 Silben bestehend; seit 2. Hälfte des 18. Jh. gepflegt.

Kyrielle (franz. Diminutiv von ›Kyrie‹), franz. Gedichtform: achtsilbige Verse in Reimpaaren oder Vierzeilern mit der Reimfolge aabb, deren letzte Zeile (Halbzeile, Wort) von Strophe zu Strophe als Refrain wiederkehrt.

Länge, in antiker →quantitierender Metrik die lange, daher einzig als Betonungsträger mögliche Silbe von zwei Moren Wert, entweder Natur-L. (langer Vokal oder Diphthong) oder →Positionslänge. Sie entspricht in →akzentuierender Dichtung der →Hebung, die jedoch auch kurz sein kann. →Kürze.

Läuterungsdrama →Besserungsstück

Lage oder Heft, bei e. Hs. zusammengeheftete Doppelbogen; nach deren Zahl als Binio (2 Doppelbogen = 4 Blätter = 8 Seiten), Ternio (3), Quaternio (4), Quinternio (5), Sexternio (6) usw. unterschieden.

Lai (breton., v. ir. *laid* = Lied), urspr. Lieder der breton. Harfner, dann franz. und provenzal. lyr. Gedichte (l.s lyriques) mit oder ohne oder mit von Strophe zu Strophe wechselnder Strophengliederung und mit Bindung durch Assonanz, ab 12.–15. Jh. Reim. Bei Freizügigkeit des Metrums kennt jede Strophe nur zwei Reime. Beliebte Form des individuellen Liebeslieds im 14. Jh. (GUILLAUME DE MACHAUT, E. DESCHAMPS, J. FROISSART, CHRISTINE DE PISAN); im 15. Jh. mit relig. Thematik. Aus der bei den Bretonen übl. erzählenden Einleitung zum Vortrag e. Musikstückes, die den Ursprung der Melodie angab, entwickeln sie sich, in altfranz. Lit. übernommen, zu volksmäßigen epischen L., dichter. Kurzerzählungen (l.s narratifs) mit Motiven aus Lokalsage, Volksmärchen und Episoden der Helden-(Artus-)Sage, ähnlich den Fabliaux, später oft zu weiten, z. T. schwankartigen oder legendenhaften Versnovellen in 100 bis über 1000 paarweise gereimten Achtsilbern ausgesponnen. In mhd. Lit. entsprechend durch →Leich übersetzt, wo diese Form den L. an-

genähert wurde. Wichtigste L.-
Dichterin war MARIE DE FRANCE.
Vgl. →Lay.

F. Wolf, Üb. d. L., Sequenzen u. Leiche,
1841; J. Maillard, *Evolution et esthétique du l. lyrique*, Paris 1963; H. Baader,
Die L.s, 1966; J. M. Donovan, *The Breton Lay*, Notre Dame 1969; K. Ringger,
Die L.s, 1972; C. Bullock-Davies, *The
form of the Breton Lay* (Medium Aevum
42, 1973); H. Spanke, Stud. z. Sequenz,
L. u. Leich, 1977; R. Kroll, D. narrative
L., 1984.

Laienspiel (griech. *laikos* = zum
Volke, *laos*, gehörig), nicht von Berufsschauspielern veranstaltete
volkstüml. Bühnenaufführung und
das hierzu verfaßte Stück, im Ggs.
zum →Liebhabertheater nicht der
Zerstreuung, sondern e. künstle-
risch-eth. Sendung (relig. Erbauung,
soz. Bindung, nationale Erhebung)
dienend. L. sind in gewissem Sinn
die Passions-, Mysterien- und Fastnachtsspiele des Spätma., Schul-
und Jesuitendrama, lokalpatriot.
Volksschauspiele wie die Schweizer
Tell-Spiele, Spiele der Gilden und
Zünfte (Meistersinger, Rederijker,
Basoche) und das →Bauern- und
→Handwerkertheater, nicht mehr
dagegen wegen Beteiligung halbpro-
fessioneller Kräfte das Jugend- und
Studententheater und das polit. agi-
tierende Straßentheater. In der aus
der Jugendbewegung um 1912
(Pfadfinder, Wandervogel) bes.
durch M. LUSERKE und R. MIRBT
erneuerten L.bewegung vereinen
sich Schüler, Studenten, Bürger, Arbeiter oder Bauern zu gemeinschaftl. Gruppen und verbreiten die
Idee in weihevollen, den Fest- und
Passionsspielen verwandten (meist
Freilicht-)Aufführungen als echte
Gemeinschaft zwischen Künstlern
und Zuschauern. Häufig Erneuerung der ma. Bühnenform, der Mysterienspiele u. a. alter Stücke meist
relig. Inhalts (›Spielleute Gottes‹),
doch auch klass. und lit. Texte, Sa-

gen und Märchen wie z. T. moderne
Dramatiker (bes. MAX MELL); Aufschwung bes. nach dem 1. Weltkrieg und im Expressionismus;
zahlreiche Dachorganisationen zur
Betreuung einzelner L.-Gruppen.

E. K. Fischer, D. L.-Bühne, 1920; M.
Luserke, Jugend u. Laienbühne, 1927;
ders., Betrachtg. z. heutigen Jugend- u.
Laienbühne, 1928; ders., D. L., 1930; R.
Beitl, Taschenbuch f. L.er, 1928; J. Gent-
ges, D. L.-Buch, 1928; Conradt-Lei-
brandt, Ratgeber f. L.-Scharen, II
1929–31; R. Mirbt, Münchner L.führer,
1930; R. Beitl, D. weltl. Volksspiel, 1933;
K. Ziegler, D. volksdt. L., Diss. Erl. 1937;
E. Eichert, D. geistl. Spiel d. Gegenw. i.
Dtl. u. Frkr., 1941; T. Budenz, L., 1947;
J. Gentges u. a., L.ratgeber, 1949; ders.,
Bibliogr. d. L. seit 1945, 1952; P. Leonhardt, L.-Hb., 1949; H. Haven, L.,
²1954; R. Mirbt, L. u. -theater, 1960;
ders., D. Bärenreiter-L.-Berater, ²1965;
RL; P. Wolfersdorf, Stilformen d. L.,
1962; R. Drenkow, C. Hoerning, Hdb. f.
Laientheater, 1968.

Laisse (frz. = Lied, Leine), in der
Zahl (rd. 5–30) der Verse (meist
8–12-Silber, Tiraden) ungleich lange, durch gleichen Versbau, Assonanz, später Reim, verbundene
Sinnabschnitte in altfranz. Heldenepen (Chansons de geste).

Laissenstrophe →Laisse

Lake Poets (engl. = Seedichter),
auch ›Lake School‹ (Seeschule),
1809 eingeführte, urspr. spöttische
Bz. für einen lockeren Freundeskreis
engl. romant. Dichter, benannt nach
den Seen von Cumberland und
Westmorland als Sitz der Hauptvertreter (Lakisten, Lakers); WORDS-
WORTH, COLERIDGE und SOUTHEY,
die trotz aller Verschiedenheiten in
naturnaher und sentimental-eleg.
Stimmungslyrik zusammentreffen,
ohne deswegen eine lit. Schule zu
bilden.

N. Nicholson, *The Lakers*, Lond. 1955.

Lakon (indones. = Handlung), die
Repertoirestücke des javan.

→Wayang-Spiels, urspr. wohl Ahnenkult, dann unter ind. Einfluß ind. Mythen, Sagen und Epen *(Râmâyana, Mahâbhârata)*, seit islam. Zeit auch selbständige Werke. Die Texte sind nur selten vollständig schriftlich fixiert, meist nur knappe Inhaltsangaben als Gerüst für die Improvisation des →Dalang. Festes Gliederungsschema: Einleitungsmusik, Beschreibung von Ort und Personen durch den Dalang. Einleitung ($21-24^{\circ\circ}$), Intrige ($0-3^{\circ\circ}$) und Lösung ($3-6^{\circ\circ}$).

Lakonismus (v. Lakonien, Landschaft um Sparta), kurzbündige und treffende, dabei objektiv-unbeteiligte Sprechweise. Vgl. →Understatement.

Lambang, für die indones. Lit. bezeichnende Form des Wortspiels, die auf dem Mitklingen e. symbolisch übertragenen Begriffs von ähnlicher Lautgestalt als ständige inhaltliche Assoziation beruht, z.B. padi = Reis und hati = Herz.

Lamentation (lat. =) Wehklage, →Klagelied (→Threnos), bes. die bibl. Klagelieder des JEREMIAS; als Gattung in HEINES *Romanzero.*

Landestheater, vom Land oder Staat subventionierte Bühne als festes Staatstheater oder als Wanderbühne für Orte ohne festes Theater.

Landjuweel (niederländ., nach dem Preis), dramat. Wettstreite urspr. der Brabanter Handwerkergilden im 15. Jh., dann der →Rederijkers im 16. Jh. mit Aufführungen von Kluchten, Esbattements und Sinnespielen. 1922 als Laienspiel-Wettstreite erneuert.

G. J. Steenbergen, *Het L. van de Rederijkers,* Löwen 1950.

Landlebendichtung, 1. im weitesten Sinn alle Dichtungen, die sich thematisch mit dem Leben auf dem Lande im Ggs. zu Stadt oder Hof befassen, ob aus bäuerl., bürgerl. oder adeliger Perspektive, z.B. Bukolik, Georgik, Idylle, Pastorale, Hirtendichtung, Schäferroman, Dorfgeschichte und Bauerndichtung. – 2. Im engeren Sinne ein Lob des Landlebens mit den Topoi des glückl. Landmannes und des Goldenen Zeitalters aus nichtbäuerl., zumeist adliger Perspektive des Gutsbesitzers oder Landedelmannes; im Anschluß an HORAZ *(Beatus ille)* und neulat. Humanistendichtung europ. verbreitet im 17./18. Jh. bes. in England (COWLEY, MILTON, POPE, THOMSON, GOLDSMITH) und fortwirkend bis in Romantik und kritischen ins 19. Jh. (IMMERMANN, FONTANE) als Genrebild e. heileren Welt; trivialisiert im →Heimatroman.

O. Brunner, Adeliges Landleben, 1945; M. S. Røstvig, *The happy man,* Oslo ²1962; R. Gill, *Happy rural seat,* Yale 1972; K. Garber, D. locus amoenus, 1974; W. A. McClung, *The country house in Engl. Renaiss. poetry,* Berkeley 1977; A.-M. Lohmeier, Beatus ille, 1981; E. Sagara, *Lit. of peasant life in 18. cent. Germany,* MLR 78, 1983; I. Weber-Kellermann, Landleben i. 19. Jh., 1987.

Landschaftslyrik →Naturlyrik

Landschaftstheater →Freilicht-, →Hecken- und →Naturtheater

Landserheft, -roman, →Groschenheft der →Kriegsdichtung auf dem Niveau der →Trivialliteratur, schildert, an der Realität des Krieges und polit. moral. Überlegungen vorbeigehend, den Kampf als Schicksal und Bewährungsprobe des Mannes und mündet gelegentl. in elitären Heldenkult oder die Rehabilitation der angebl. unpolit. dt. Wehrmacht.

K. F. Geiger, Kriegsromanhefte i. d. BRD, 1974; D. Kühn, Luftkrieg als Abenteuer, 1975; W. Nutz, D. Krieg als Abenteuer und Idylle (Gegenwartslit. u. 3. Reich, hg. H. Wagener 1977).

Landsknechtslied, →historisches Volkslied des 15.–17. Jh., das Leiden und Freuden der unter MAXIMILIAN I. seit 1486 aufgekommenen, 1620 durch stehendes Heer abgelösten Landsknechte besingt, häufig von ihnen selbst gedichtet und bis auf Jörg GRAFF zumeist anonym. Ihr Inhalt spiegelt Lebenskreis und Gesinnung der Söldnertruppen; Realismus der Weltauffassung, Rauheit und Sucht nach Augenblicksgenuß mit Wein, Weib, Gesang, Karten- und Würfelspiel, Lob eigener Tüchtigkeit und Standesbewußtsein in Schlachtliedern, Preisliedern auf den Feldherrn, Totenliedern usw., bes. vollendet in *Auf den Tod des Franz von Sickingen* 1523, auf die Schlacht bei Pavia 1525 und auf Georg von Frundsberg. Meist Standeslieder zum Einzelvortrag mit chor. Refrain, kaum Marschlieder. Nach dem Absterben dieser Volksdichtung im 30jährigen Krieg erfolgt im 19. Jh. bei E. M. ARNDT, HOFFMANN VON FALLERSLEBEN und in der Jugendbewegung des 20. Jh. e. Erneuerung ihrer Tonlage.

W. Böckel, Hdb. d. Volksliedes, 1908; RL.

Landstreicherroman, Vagabundenroman, nach der romant. Vorform etwa in EICHENDORFFS *Taugenichts* beliebte Form des modernen →Abenteuerromans um e. positiv gesehenen antibürgerl. und antiintellektuellen Helden mit Nähe zum →Schelmenroman und meist in lyr. Naturnähe: K. HAMSUN, H. BAHR *(O Mensch),* W. BONSELS, H. HESSE *(Knulp),* KLABUND *(Bracke),* M. HAUSMANN *(Lampioon),* G. WEISENBORN, H. RISSE u. a.

G. Bollenbeck, Armer Lump, 1978.

Langgedicht, 1. →Poem, – 2. engl. *long poem* als mod. Formtyp des philos. Epos z. B. bei LONGFELLOW, WHITMAN, JEFFERS, POUND u. a.

K. H. Köhring, D. Formen d. long poem i. d. mod. amerik. Lit., 1967.

Langvers, -zeile, aus zwei rhythm. unselbständigen, e. Einheit bildenden →Kurzversen (An- und Abvers) bestehender, meist viertaktiger Vers (4 × ¼) als syntakt. und inhaltl. Einheit der german. Stabreimdichtung und, in Strophenformen mit Endreim, der mhd. Heldenepen (z. B. →Nibelungenstrophe), des frühen Minnesangs und WOLFRAMS *Titurel,* später im höf. Epos durch den vierhebigen Reimpaarvers ersetzt. Im weiteren Sinn in mhd. Metrik ist Langvers jeder Vers von mehr als vier Hebungen. L. sind auch der lat. →Saturnier, ind. →Śloka und der akkad. Vers des *Gilgamesch-Epos.*

H. de Boor, Langzeilen u. lange Zeilen i. Minnesangs Frühling, ZDP 58, 1933; F. Maurer, Üb. Langzeilen u. -strophen (Fs. f. E. Ochs, 1951); ders., Langzeilenstrophen u. fortlaufende Reimpaare, DU 1959; C. Minis, Z. Probl. d. frühmhd. Langzeilen, ZDP 87, 1968; A. Manyoni, Langzeilentradition i. Walthers Lyrik, 1980.

Laokoon-Problem, die durch LESSINGS Abhandlung *Laokoon* (1766) aufgeworfene Frage vom grundsätzl. Unterschied der Darstellungsweisen von Dichtung als zeitl. Nacheinander e. Handlung und bildender Kunst als räuml. Nebeneinander e. fruchtbaren Moments. →Beschreibung.

T. A. Meyer, D. Stilgesetz d. Poesie, 1901; H. Keller, Goethe u. d. L.-P., 1935; J. H. Hagstrum, *The sister arts,* Chic. 1958; M. Bieber, L., Detroit 1967; H. Althaus, Laokoon, 1968; P. Böckmann, D. L.-P. (Bild. Kunst u. Lit., hg. W. Rasch 1970); H. B. Nisbet, *L. in Germany (Oxf. Germ. Stud.* 10, 1979); D. E. Wellberg, *Lessing's L.,* Cambr. 1984; D. L.-Projekt, hg. G. Gebauer 1984.

Lapidạrium (v. lat. *lapis* = Stein), Steinbuch, beliebte Gattung ma. Lehrdichtung ähnlich dem →Bestiarium, Beschreibung und z. T. allegor. religiös-eth. Deutung von Eigenschaften der Edelsteine und ihrer vermeintlichen schützenden oder heilenden Kräfte. Am weitesten verbreitet die Schrift *De gemmarum lapidumque praetiosarum formis atque virtutibus* von MARBOD VON RENNES (11. Jh.), das L. von PHILIPPE DE THAON (12. Jh.) und der Traktat *Delle pietre* von F. SACCHETTI, im 13. Jh. von ARNOLD DEM SACHSEN, ALBERTUS MAGNUS und dt. VOLMAR.

L. Pannier, *Les lapidaires français*, Paris 1882; A. Pazzini, *Le pietre preziose nella storia della medicina e nella leggenda*, Rom 1939; U. Engelgen, D. Edelsteine i. d. dt. Dtg. d. 12. u. 13. Jh., 1978.

Lapidarstil (v. lat. *lapis* = Stein), nach den in Stein gehauenen lat. Inschriften, meist Unzialen und ihrer wuchtigen Wirkung und knappen, bündigen Ausdrucksweise Bz. für eine entsprechende Stilform.

Lapsus calami (lat. = Ausgleiten der Rohrfeder), Schreibfehler.

L'art pour l'art (franz. = die Kunst um der Kunst willen), zuerst von B. CONSTANT (*Journal*, 10. 2. 1804) formulierte, von Victor COUSIN (*Sur le fondement des idées...*, 1818) wiederaufgenommene, von T. GAUTIER im Vorwort zu seinem Roman *Mademoiselle de Maupin* (1835) entwickelte Forderung einer zweckfreien, nicht von äußeren (moral., relig., polit., soz.) Anlässen beeinflußten und zu verstehenden, eigengesetzlichen Kunst als Selbstzweck allein aus der Idee des Schönen, das nutzlos, überflüssig, über prakt. Bedürfnisse und eth. Werte erhaben sei; seine Wirkung beruhe auf der ästhet. Gestaltung, nicht dem inhaltl. Material. Bes. in der Dichtung aufgegriffene These (Symbolismus, Parnassiens, BAUDELAIRE, FLAUBERT, LECONTE DE LIS-

LE, BANVILLE, Brüder GONCOURT, J.-K. HUYSMANS, W. PATER, O. WILDE, T. GAUTIER, St. GEORGE). Symptomat. für Selbsteinschätzung und Unabhängigkeit des Künstlers im 19. Jh., führt die Doktrin zur Distanzierung und Isolierung des Künstlers im →Elfenbeinturm und in der Übersteigerung zu ästhetizist. Formenspielerei. →Poésie pure, →Ästhetizismus, Ggs.: →engagierte Lit.

A. Cassagne, *La théorie de L'a. p. l'a. en France*, Paris 1906, ²1960; K. Scheffler, L'a. p. l'a., 1929; L. Rosenblatt, *L'idée de l'a. p. l'a. dans la lit. anglaise*, Paris 1931; R. Mühlher, Dichtg. d. Krise, 1951; H. Herrigel, *L'a. p. l'a.* (Sammlung 9, 1954); F. M. Gatz, D. Theorie des l'a. p. l'a., ZfÄ 29, 1955; K. Heisig, L'a. p. l'a. (Zs. f. Relig.- u. Geistesgesch. 14, 1962); A. L. Guérard, *Art for art's sake*, N.Y. 1963; E. Heftrich, Was heißt L'a. p. l'a. (Fin de siècle, hg. R. Bauer 1977); N. Kohl, L'a. p. l'a. i. d. Ästhetik d. 19. Jh., LiLi 8, 1978.

Latinismus (v. lat. *latinus* = lat.), in andere Sprachen übertragene Besonderheit der lat. Sprache in Syntax oder Stilistik (bes. Wortstellung), so die Voranstellung des Subjekts vor e. Nebensatz: ›Der Frosch, als er...‹ oder das dt. Gerundivum. Häufig in Übersetzungen, Formeln, Kanzlei- und Wissenschaftssprache.

Latinität (lat. *latinitas*), die mustergültige lat. Ausdrucksweise. Vgl. →Goldene L., →Silberne L.

Lauda (ital.) →Laudes

Laudatio funebris (lat. =) →Leichenrede, Lobrede auf Verstorbene, im antiken Rom seit 3. Jh. v. Chr. von befähigten Verwandten oder bei Staatsbegräbnissen von bestellten Rednern auf dem Forum gehalten, früh schriftlich aufgezeichnet und aus den Familienarchiven in die Öffentlichkeit verbreitet. Sie verkündeten neben dem Ruhm des Verstorbenen, seiner Tugenden und Taten auch das Lob seiner Vorfahren und waren daher e. wichtige Quelle antiker Biographie. →Epitaph.

F. Vollmer, *L.um f.ium Romanarum hist. et reliquiarum editio* (Fleckeis. Jhrb. Suppl. 18, 1892).

Laudes (lat. = Lob, ital. *lauda*, Pl. *laude*), Lobgedicht, -lied, bes. Gottes oder Marias, der Heiligen oder Tugenden, als volkstüml. geistl. Lied in Form der Ballata im Italien (Lauda) des 13.–16. Jh. unter Einfluß von FRANZISKUS VON ASSISI *(Laudes creaturarum)* entstanden, um 1260 durch die Geißler als Prozessionslied in ganz Italien verbreitet und in jeder Stadt Bruderschaften (Laudesi) zu seiner Pflege; Dichter bes. JACOPONE DA TODI, L. GIUSTINIANI, LORENZO DE MEDICI und SAVONAROLA. Ausgangspunkt für das italien. geistl. Drama, in dem die dialogisierte Lauda drammatica, anfangs ohne jeden szen. Apparat, von mehreren Sprechern wechselweise vorgetragen bzw. dargestellt wurde.

G. Ippoliti, *Dalle sequenze alle laudi,* 1914; K. Jeppesen, D. mehrstimmigen ital. L. um 1500, 1935; F. Liuzzi, *La Lauda,* 1935; E. H. Kantorowicz, L. Regiae, 1946; V. de Bartholomaeis, *Origini della poesia drammatica italiana,* Turin 1952.

Laureat →Poeta Laureatus

Lausavísa (isländ. = lose, d.h. Einzelstrophe), lyr. Kurzform der altnord. Dichtung auf Island mit Stab-, Binnen- oder Endreim im Dróttkvaett-Maß zum Ausdruck persönl. Empfindungen u. Erlebnisse aus dem Stegreif, vielfach in Prosaerzählungen eingestreut.

Laut- →Klang-

Lautgedicht, phonetische Poesie, ›Verse ohne Worte‹, experimentelle Form der Lyrik, die nicht Wortbedeutungen und Sätze, sondern ästhet. gefilterte, rhythm. und z.T. ge-

reimte Lautfolgen aneinanderreiht und über dem rein musikal.-melod. Wohlklang auf Aussageinhalt oder Sinngebung fast oder gänzlich verzichtet; damit Nähe zur →Nonsense-Dichtung: J. H. Voss *Klingsonate,* J. L. RUNEBERG *Höstsång,* Ch. MORGENSTERN *Das große Lalulā,* P. SCHEERBART *Kikakokú,* O. NEBEL, J. WEINHEBER, bes. im →Dadaismus (H. BALL, K. SCHWITTERS, R. HAUSMANN), →Lettrismus, →akustischer Dichtung und →konkreter Poesie (E. JANDL, *Laut und Luise,* 1966).

A. Liede, Dichtg. als Spiel, II 1963; K. Riha, Üb. L., STZ 55, 1975; P. Demetz, *Varieties of phonet. poetry,* MH, Sonderbd. 2, 1982.

Lautschrift gibt im Ggs. zur →Bilderschrift jeden Einzellaut durch e. bes. Zeichen wieder; dann auch genaue phonet. Schrift.

Lay (engl., v. breton. →Lai), engl. Bz. für jede Art kurzen sangbaren Erzählgedichts, Ballade oder Lied. Nach ma. Erzählliedern wiedererweckt im MA.-Kult der engl. Romantik, z.B. MACAULAYS *L.s of Ancient Rome,* W. SCOTTS *L. of the Last Minstrel.*

Layout (engl.), Entwurf für die graph. Gestaltung e. Druckerzeugnisses, e. Buchseite usw. hinsichtlich der Anordnung von Illustrationen, Überschriften, Zwischentiteln, Text, Bildlegenden usw.

Lazarettpoesie, Ausdruck GOETHES (zu ECKERMANN 24. 9. 1827) für Weltschmerz-Dichtung, die unzufrieden von Leiden und Jammer der Erde spricht, anstatt dem Menschen Kraft und Mut zu ihrem Ausgleich zu geben.

Lazzi (ital., v. *le azioni* = die Handlungen), die Gags, kom. Einlagen, Tricks, Späße und mim. Improvisationen der Schauspieler, insbes. der kom. Person, in der →Commedia dell'arte, die im Stegreifspiel tote Punkte und stockenden Spielfluß überwinden halfen.

Lebende Bilder, die Darstellung von Szenen aus bibl. Geschichte, antiker Sage oder neuerer Geschichte, schließlich auch von bekannten Werken der Malerei und Plastik oder anspielungsreicher Allegorien durch lebende, aber stumm und bewegungslos verharrende Personen auf e. Bühne, z.T. mit Musikuntermalung. Sie begann nach Vorläufern in der Antike als selbständiger Kunstzweig im MA. mit relig. Darstellungen etwa von Krippenszenen, Einlage in Prozessionsspielen, Festakten der Renaissance, barocken Festzügen und Trionfi, wurde im 18. Jh. bes. in Frankreich durch die Comtesse de GENLIS wieder aufgenommen und in den ›Attitüden‹ der Lady E. HAMILTON und den L. B. der Schauspielerin M. HENDEL-SCHÜTZ fortgeführt, im 19. Jh. (vgl. GOETHES *Wahlverwandtschaften* II, 6 und *Bilder-Szenen*) später auch bei Vereinsfesten weit verbreitet und lebt etwa in den tableaux vivants der ›Folies bergère‹ in Frankreich bis heute fort.

K. Gram Holmström, *Monodrama, Attitudes, Tableaux vivants,* Stockh. 1967; N. Miller, Mutmaßungen üb. l. B. (Das Triviale i. Lit., Musik u. bild. Kunst, hg. H. de la Motte-Haber 1972); A. Langen, Attitüde u. Tableau i. d. Goethezt. (in: Ges. Stud., 1978).

Lebensbeschreibung, -bild, -erinnerung →Autobiographie, →Biographie, →Memoiren

Lebenslehre →Weisheitslehre

Leberreim, improvisierte Gesellschaftsdichtung des 17. Jh.; zweizeiliges scherzhaftes Tischgedicht ähnlich dem Schnadahüpfel: beim Zutrinken wird die – ohne Rücksicht auf den Inhalt – stereotype Anfangszeile ›Die Leber ist von einem Hecht und nicht von einem…‹ durch e. Tiernamen vollendet und e. 2. Zeile dazu reimend improvisiert. Unbekannten Ursprungs, wird der L. seit Beginn des 17. Jh. mit Vorliebe für Sprichwörter und Sprüche verwendet: J. JUNIORS niederdt. *Rhythmi mensales* 1601, hochdt. von J. SOMMER (THERANDER) *Epatologia hieroglyphica rhythmica* 1605, ferner G. GREFLINGER 1665; schon 1620 Slgn. in Schweden, seit rd. 1640 in zahlreichen Komplimentierbüchern, erst um 1720 abflauend, doch stellenweise, bes. in bäuerl. Kreisen, bis ins 19. Jh. erhalten – auch in HOFFMANNS VON FALLERSLEBEN *Weinbüchlein* 1829 und FONTANES *Wanderungen* 1882.

H. Brandes, Z. Gesch. d. L. (Niederdt. Jhrb. 11, 1888); RL.

Lectio difficilior →Textkritik, 2a.

Lectionarium →Lektionar

Lectori salutem →L.s.

LEF (Abkürzung von russ. Levji Front Iskusstva, d.h. Linke Kunstfront), avantgardist. russ. Literatenkreis, von V. V. MAJAKOVSKIJ 1923 in Moskau gegründet, mit Mitgliedern aus dem Kreis der Futuristen u.a. revolutionären, antikonservativen Richtungen (N. N. ASEEV, B. PASTERNAK, S. TRETJAKOV, V. CHLEBNIKOV, A. FADEEV u.a.). Von der offiziellen Kritik wegen seiner Revolte gegen die bürgerl. Ästhetik und seines Eintretens für eine Lit. der Tatsachen anfangs als positiv gefördert, 1929 stark kritisiert und im Zuge der Unterdrückung des Formalismus aufgelöst. Zs. der Gruppe war die Zs. *Lef* (1923–25), später als *Novyj Lef* (1927–28).

Legendar(ium), seit dem 7. Jh. übliche Slg. von →Legenden in kalendar. Ordnung für die Lesung an Heiligenfesttagen.

W. Williams-Krapp, D. dt. u. niederl.
L. e d. MA., 1986.

Legende (lat. *legenda* = das zu Lesende), urspr. Lesung ausgewählter
Stücke aus dem Leben e. Heiligen
an seinem Festtag bei Gottesdienst
oder Klostermahlzeit, dann auf den
Lesestoff übertragen, religiös erbauliche, volkstüml. Erzählung in Vers
oder Prosa um den vorbildl., gottge-
fälligen ird. Lebenslauf e. Heiligen
(Jesus, Maria, Apostel, Märtyrer,
Anachoreten, Ordensstifter u. a.)
oder einzelner Wunder und Geschehnisse daraus, bes. den Kampf
glaubensstarker Menschen mit der
Umwelt, Erleuchtung ird. Geschehens durch himml. Mächte zu symbol. Gehalt, vorwiegend in zwei
Formen: Heiligen-L. zu theol.-mo-
ral. Erbauung und Belehrung und
Volks-L. zur Unterhaltung als geistl.
Volkssage (→einfache Form), dann
nicht auf den christl. Glauben beschränkt. Sinngebung und Stimmungsgehalt heben nicht auf Fak-
tentreue, sondern auf Vorbildlich-
keit ab und reizten früh zu lit. Gestaltung, bes. in ep. Form oder als
→L.nspiel, wobei ausschmückende
Dichterphantasie und das Streben
nach größerer Wirkung den histor.
Kern überwucherten; häufige Quellen sind neben den Apokryphen und
der mündl. Überlieferung auch
buddhist. und oriental. Erzählungen. Wichtigste ma. Slgn.: *Dialogi
Gregors I.* (um 600), *Legenda aurea* (um 1270) des Jacobus de Voragine, Erzbischof von Genua, *Vä-
terbuch* und *Passional* (um 1300) e.
unbekannten Geistlichen aus dem
Deutschordenskreis. Größte und offizielle kath. Slg. sind die *Acta sanc-
torum* der Bollandisten (Gruppe der
Jesuiten) in Antwerpen und Brüssel,
1643–1794 in 70 Bdn., bis in den
November des Kalenderjahres fortgesetzt, enthaltend die Lebensbe-
schreibungen der kanonisierten
Heiligen bis in die Gegenwart mit
rd. 25 000 L. – Die dichter. Gestaltung bei einzelnen Völkern beginnt
mit Prudentius (um 403), Gregor
von Tours und Venantius Fortunatus; in Dtl. folgten in lat. Sprache Walahfrid Strabo aus
Reichenau (9. Jh.) und Hrotsvith
von Gandersheim (10. Jh., 8. L.n)
mit Verherrlichung ihrer Klosterhei-
ligen u. a. Mit *Eulaliasequenz* und
Alexiuslied beginnt die altfranz.,
mit dem *Georgslied* (um 900) beginnt die dt.-sprachige L.ndichtung,
die im ma. Marien- und Heiligen-
kult wurzelt, mit der cluniazens. Reform und den Kreuzzügen Verinnerlichung und stoffl. Erweiterung erfährt, seit dem 11./12. Jh. auch bibl.
Motive einbezieht und um Mitte des
12. Jh. zu voller Blüte kommt.
L.nzüge dringen in die *Kaiserchronik* und das *Annolied* ein. Seit
Heinrichs von Veldeke *Servatius*
greifen die höf. Dichter L.nstoffe
auf: Hartmann *Gregorius* und *Armer Heinrich*, Gundacker von Judenburg *Marienleben*, Konrad
von Fussesbrunnen *Kindheit Jesu*,
Konrad von Heimesfurt *Himmelfahrt Mariä*, *Die Urstende*,
Reinbot von Durne *St. Georg*
und, als Ausklang dieser Blütezeit,
die großen Epigonen: Rudolf von
Ems *Der gute Gerhard*, *Barlaam
und Josaphat* und Konrad von
Würzburg *Silvester, Alexius, Pan-
taleon*. Im 14. Jh. erfolgt mit dem
Heiligenleben Hermanns von
Fritzlar der Übergang zur Prosa-
L., die sich im 15. Jh. bes. seit dem
Buchdruck schnell verbreitet. Trotz
ihrer Ablehnung durch die Reformation (Luther: ›Lügenden‹) lebt
sie in der Unterhaltungslit., vielfach
humoristisch fort (H. Sachs'
Schwänke von St. Peter), taucht im
Barock bes. als L.nspiel des Jesui-
tendramas, doch auch als Märtyrer-

erzählung wieder auf und dringt als
Stoff auch in weltl. Dichtungen ein
(Genoveva-L. aus MARTINS VON
KOCHEM *Auserlesene History-
Buch*). In der Aufklärung wie vor=
her bereits im Humanismus tritt die
L.ndichtung zurück, wird teils sogar
durch Satire und Travestie verspottet (WIELAND); ihre Neubelebung
beginnt im Sturm und Drang, als
HERDER (in *Adrastea* und *Zerstreu-
te Blätter*) auf ihren dichter. Gehalt
verweist und in Neuschöpfungen
für sie eintritt. Auch GOETHE (Huf-
eisen-L., *Der Gott und die Bajade-
re*, Rochus-, Siebenschläfer- und Pa-
ria-L.) wie die Romantik (KOSE-
GARTEN, ARNIM, BRENTANO,
TIECK, FOUQUÉ, auch KLEIST) und
das Biedermeier (UHLAND, KER-
NER, MÖRIKE) pflegen sie erneut
wegen ihrer Idyllik. Im realist. 19.
Jh. vom Jungen Dtl. bis zum Naturalismus findet sie keinen Raum.
Als einzige bedeutende Ausnahme
neben HEINES *Wallfahrt nach Keve-
laer* stehen G. KELLERS *Sieben Legenden*, bei aller realist. Diesseitsfreude und leichten, humorvollen
Ironie e. dichter. Meisterwerk; im
Ausland BALZAC, FLAUBERT,
BJÖRNSON, LAGERLÖF, LESKOV,
TOLSTOJ, TIMMERMANNS. Erst Neu-
romantik und Expressionismus, die
auf Vereinfachung und dichter. Vertiefung des Weltbildes abzielenden
Strömungen des 20. Jh., bringen
neue Formmöglichkeiten vom Wunderbaren her: WERFEL, VOLLMÖL-
LER, HESSE, St. ZWEIG, R. SCHAU-
MANN, W. BERGENGRUEN, E. SCHA-
PER, R. SCHNEIDER, M. MELL, G. v.
LE FORT u.a. Beispiele mod. psycho-
log.-iron. Umdeutung der L. geben
G. HAUPTMANNS *Der arme Hein-
rich*, R. G. BINDING, J. ROTH und
Th. MANN (*Der Erwählte*, 1951).

H. Delehaye, *Les lég. hagiograph.*, Brüs-
sel 1905, ⁵1927; P. Merker, Stud. z. nhd.
L.dichtg., 1906; A. H. Guerber, *Myths
and L.s of the MA.*, Lond. 1906; H.
Günter, L.studien, 1906; F. Wilhelm, D.
L.n u. Legendare, 1907; E. Ackerknecht,
Moderne L.nkunst (Eckart II, 1907/08);
L. Zöpf, D. Heiligen-L. i. 10. Jh., 1908;
H. Günter, D. christl. L., d. Abendl.,
1910; A. Schmitt, D. dt. Heiligen-L.,
Diss. Freibg. 1929; RL; R. Günther, D.
abendld. Heiligen-L. (Theol. Rundschau,
1931); G. Eis, Ncuc Quellen f. d. ma.
L.ndichtg. (Forschg. u. Fortschritt 10,
1934); J. Dubrock, D. christl. L. u. ihre
Gestaltg i. d. mod. dt. Dichtg., Diss.
Bonn 1934; H. Hansel, Neue Quellen z.
ma. L.ndichtg., ZDP 60, 1935; G. Eis,
Beitr. z. mhd. L. (Germ. Stud. 161, 1935);
T. Ittner, *The christ. l.s in German lit.
since romanticism*, Urbana 1937; H.
Hansel, D. Nachleben d. Heiligen i. d.
Dichtg. (Volk u. Volkstum 3, 1938); H.
Rosenfeld, D. Wesen d. L. als lit. Gattg.
(Neues Abendld. 8, 1938); J. Merk, D.
lit. Gestaltg. d. altfranz. Heiligenleben,
1946; H. Günter, Psychologie d. L.,
1949; H. Rosenfeld, D. L. als lit. Gattg.,
GRM 33, 1951/52; A. Jolles, Einfache
Formen, ⁴1968; T. Gad, *L.n i dansk mid-
delalder*, Koph. 1961; H. Rosenfeld, L.,
1961, ⁴1982; T. Wolpers, D. engl. Heili-
genl. d. MA., 1964; G. Kranz, D. L. als
symbol. Form, WW 17, 1967; B. H. Lermen, Mod. L.dichtg., 1968; RL; K. Brinker, Formen d. Heiligkeit, Diss. Bonn
1968; G. Strunk, Kunst u. Glaube i. d.
lat. Heiligen-L., 1970; R. Schulmeister,
Aedificatio u. imitatio, 1971; U. Wyss,
Theorie d. mhd. Leg.epik, 1973; S. Ringler, Z. Gattg. L. (Würzb. Prosastud. 2,
1975); A. Masser, Bibel- u. Lepik d. dt.
MA., 1976; L. Kretzenbacher, L. u. So-
zialgeschehen, 1977; W. Woesler, D. L.,
FLE, 1981; U. Wyss, L.n (Ep. Stoffe d.
MA., hg. V. Mertens 1984); H. Walz, L.,
1986.

Legendenepos, epische Gestaltung
legendenhafter Stoffe, Gattung der
ma. Dichtung z.B. in *Sankt Oswald,
Orendel* u.a. Vgl. →Legende.

Legendenspiel, →geistliches Drama nach e. Stoff aus der →Legende
mit →Mirakeln und →Deus ex machina oder ohne Wunderwirkung
als →Moralität, im 13.–15. Jh. als
Darstellung vom Heiligenleben (Nikolaus, Katharina, Dorothea, Georg u.a.) im MA., als Darstellung
meist der Märtyrerleiden im →Je-
suitendrama häufig. Im 19. Jh.
nimmt SCHILLER den Stoff *Jungfrau*

von Orleans auf, im 20. Jh. Erneuerung der L.e aus Streben nach laienhafter Schlichtheit und Einfachheit; G. HAUPTMANN *Kaiser Karls Geisel, Der arme Heinrich,* HOFMANNSTHAL *Jedermann,* VOLLMÖLLER *Das Mirakel,* M. MELL *Apostelspiel,* ferner L. WEISMANTEL, DIETZENSCHMIDT, P. CLAUDEL, T. S. ELIOT u. a.

H. Biermann, D. dtspr. L.e, Diss. Köln 1977.

Lehrbuch, leichtverständliche, systemat. aufgebaute, sachl. einführende Darstellung e. Wissenschaft, die in klarer, einprägsamer Form e. Überblick über die Disziplin bietet und deren einzelne Gegenstände beschreibt.

M. Fuhrmann, D. systemat. L., 1960.

Lehrdichtung, lehrhafte oder didakt. Dichtung, vermittelt Wissen um subjektive oder objektive Wahrheiten (Lehren, Wissen, Erkenntnisse) in sprachkünstler. Form: Religion, Philosophie, Moral (Sittenspiegel, Fürstenspiegel, Minnelehre, Ehe- und Anstandslit., Tischzucht), Natur, Landwirtschaft, Jagd, Fischzucht, Standeslehre, Schachbücher, Poetik, Arteslit. u. a. Lehrhaften Charakters sind auch angrenzende Gattungen wie dramatische: Tendenzdrama, Lehrstück, epische: Fabel, Parabel, Legende, lyrische: Gnome, Priamel, Spruch und die Sonderform des Epigramms, ferner alle deskriptive Dichtung; erst das ausdrückliche Überwiegen der belehrenden Tendenz über die Kunst ergibt die Form des Lehrgedichts. Die umstrittene, vom ästhet. Standpunkt noch z. T. übl. Einstufung der L. als Unpoesie entspricht nicht der Auffassung des Altertums und MA., wo prakt. Nützlichkeit als gleichberechtigt galt (→prodesse et delectare). Der Ursprung der L. liegt bei allen Völkern auf e. Kulturstufe, auf der die Wissenschaft noch nicht selbständig war, sondern nur zusammen mit dem Künstlertum gepflegt wurde, bes. da in schriftloser Zeit der Vers (Hexameter) als Gedächtnisstütze diente, so z. B. die Sûtras bei den Indern, bes. aber die griech. L. um alle Wissensgebiete: Götterlehre und Landbau (HESIOD), Philosophie (PARMENIDES, EMPEDOKLES, XENOPHANES), dann in hellenist. Zeit: Bienenzucht (MENEKRATES), Astronomie und Meteorologie (ARATOS *Phainomena*), Medizin (NIKANDROS), Geographie (SKYMNOS, DIONYSIOS), Grammatik (HERAKLEIDES PONTIKOS), Jagd und Fischerei (OPPIANOS), selbst ep. Kochbücher. Sie wirken auf die Entstehung der röm. L.: ENNIUS' Übersetzung e. Kochbuchs *(Hedyphagetika)*, seine philos. L.en *Epicharmos* und *Euhemeros,* LUKREZ' philos. Lehrgedicht *De rerum natura,* HORAZ' *Ars poetica,* VERGILS *Georgica* und die pseudovergilsche *Aetna,* OVIDS *Ars amatoria, Remedia amoris, De medicamine faciei* (Schönheitsmittel!) und →*Fasti,* GRATTIUS über Jagdhunde, Übersetzung des ARATOS durch CICERO, GERMANICUS und AVIENUS, MANILIUS' Lehrgedicht über Astronomie und -logie, SERENUS SAMMONICUS über Medizin und TERENTIANUS MAURUS über Grammatik. COMMODIANUS brachte die Lehre des Christentums in Verse, doch wird die Form seit der vollen Entwicklung der Wissenschaften fragwürdig, da die Neigung zur bloßen Lehre als Hauptzweck die künstler. Formung hemmt. L.en des MA. sind etwa die →Spruchdichtung WALTHERS, die FRAUENLOBS, THOMASINS VON ZERKLAERE *Welscher Gast* (Morallehre), *Winsbecke,* HUGOS VON TRIMBERG *Der Renner,* FREIDANKS *Bescheidenheit,* die Allegorie der Minnegrotte in GOTTFRIEDS *Tristan* und

STRICKERS →Bispel. Es folgen auf weniger hoher Kunststufe die L.en der Meistersinger, des Humanismus (NAOGEORG, VIDA) und die stark tendenziösen, doch wirksamen Fabeln und Satiren der Reformationszeit (BRANT, FISCHART, MURNER, WALDIS), im 17. Jh. nach antikem und franz. Vorbild OPITZ' *Vesuvius* und LOGAUS Epigramme. E. neue Blüte beginnt mit der franz. Klassik (RACINE, BOILEAU, DORAT, LACOMBE, DELILLE) und der Aufklärung sowohl in England (DAVIES, DYER, AKENSIDE, DRYDEN, POPE, THOMSON, YOUNG, E. DARWIN) und Frankreich (VOLTAIRE) als auch in Dtl.: BROCKES, HALLER, DUSCH, GLEIM, UZ, ZACHARIÄ, BODMER, CRONEGK, GISEKE, LICHTWER, E. v. KLEIST bis zu GELLERT und ihrer Vollendung an der Wendung zum Idealismus bei WIELAND, LESSING und TIEDGE *(Urania)*, in der Klassik bei GOETHE *(Metamorphose der Pflanzen)* und SCHILLER *(Der Spaziergang)*. Im 19. Jh. von A. W. SCHLEGEL als Verbindung von Dichtung und Philosophie empfohlen, findet sie nur noch vereinzelte Vertreter wie L. SCHEFER *(Laienbrevier)*, SALLET *(Laienevangelium)* und bes. RÜCKERT *(Weisheit des Brahmanen)*. Radikale Strömungen des 19./20. Jh. benutzen die lit. Formen als L. zu polit. Agitation. Das 20. Jh. entwickelt in der Sowjetunion, in Dtl. bei B. BRECHT, das →Lehrstück und →Agitprop. Vgl. GOETHE, *Über das Lehrgedicht.*

R. Eckart, D. L., ²₁₃₁₀; W. Vontobel, V. Brockes bis Herder, 1944; K. Spitteler, Vom Lehrged. (Ästhet. Schr., 1947); W. Ulrich, Stud. z. Gesch. d. dt. Lehrged. i. 17. u. 18. Jh., Diss. Kiel 1959; B. Fabian, D. didakt. Dichtg. i. d. engl. Lit.theorie d. 18. Jh. (Fs. W. Fischer, 1959); RL; L. L. Albertsen, D. Lehrged., Aarhus 1967; B. Fabian, D. Lehrged. als Problem d. Poetik (Poetik u. Hermeneutik 3, 1968); H.-W. Jäger, Z. Poetik d. L. i. Dtl., DVJ 44, 1970; L. L. Albertsen, Z. Theorie u. Praxis d. didakt. Gattungen i. dt. 18. Jh.,

DVJ 45, 1971; B. Sowinski, Lehrhafte Dichtg. i. MA., 1971; Ch. Siegrist, D. Lehrged. d. Aufkl., 1974; E. Leibfried, Philos. Lehrged. u. Fabel (Neues Hb. d. Lit.wiss. 11, 1974); B. Effe, Dichtg. u. Lehre. Unters. z. Typol. d. antiken L., 1977; B. Boesch, Lehrhafte Lit., 1977; Europ. L., hg. H. G. Rötzer 1981; D. Wuttke, Didakt. Dichtg. als Probl. (Fs. L. Forster, 1982).

Lehrgedicht, von HARSDÖRFFER 1646 geprägte, unscharfe und unterschiedl. angewandte Bz. für alle Formen der →Lehrdichtung in Versen, umfaßt im antiken Sinn (VERGIL, HORAZ) die epischen Großformen der Darstellung e. Wissensgebiets, neuerlich auch die lyriknahen Kurzformen wie das philos. Gedicht.

Lit. →Lehrdichtung.

Lehrstück, als Form der →Lehrdichtung Sonderart des →Thesenstückes innerhalb der →Tendenzliteratur: Drama mit der Aufgabe, die Zuschauer für e. bestimmtes polit. oder soz. Ideal zu gewinnen; abstrakt-parabelhafte Verdeutlichung e. Lehre, der die durch Projektionen, Spruchbänder, Songs u. a. Verfremdungseffekte aufgelockerte Kunstform nur noch als Mittel zur Demonstration von falschen oder richtigen Zuständen und Verhaltensweisen dient, das die L. sowohl unter den Aufführenden wie den Zuschauern an Modellsituationen zur Diskussion stellt. Verwirklicht bes. von B. BRECHT in kleineren Stücken der Zeit 1929/30: *Der Ozeanflug, Das Badener L., vom Einverständnis, Der Jasager, Der Neinsager, Die Maßnahme, Die Ausnahme und die Regel* u. a. und seinen Nachahmern (P. HACKS, G. v. WANGENHEIM, F. WOLF, H. BAIERL, H. MÜLLER). Indem das L. das Theater als Mittel soz. Erkenntnis und Ansporn polit. Veränderung benutzt, ist es →episches Theater.

R. Steinweg, Das L., 1972, ²1976; Brechtdiskussion, hg. J. Dyck, 1974; Brechts Modell d. L.e, hg. R. Steinweg 1976; P. v. Bawey, Rhetorik d. Utopie, 1981; G. Mahal, Auktoriales Theater, 1982; R. Kamath, Brechts L.-Modell, 1983; B. Ruping, Material u. Methode, 1984.

Leich (got. *leiks* = Spiel, Tanz), in mhd. Zeit = Melodie, Weise, auch ohne Text, dann durchkomponiertes vokales Musikstück, als lit., rhythm. oder chor. Form der mhd. Lyrik vom Lied schon seit NOTKER LABEO geschieden, bes. durch unregelmäßigen Strophenumfang und -bau, Freiheit der – dennoch meist korrespondierenden – Reim- und Versformen, 2-gliedrigen Strophenbau (statt 3-gliedrigen des Liedes) und durchkomponierte Musikbegleitung statt wiederholter Melodie. Die Entwicklung greift auf die lat. →Sequenzen des Kirchengesangs zurück und führt zu e. Wort- und Tondichtung hymn. Form. Inhaltlich unterscheidet man Tanz-, relig. und – im Rittertum – Minne-L. Seit Ende des 12. Jh. häufig überliefert als Bz. für Dichtungen zahlreicher Minnesänger: HEINRICH VON RUGGE (Kreuz-L.), ULRICH VON GUTENBERG (Minne-L.), WALTHER (Marien-L.), ULRICH VON LICHTENSTEIN, REINMAR VON ZWETER, TANNHÄUSER, KONRAD VON WÜRZBURG, HADLAUB u. a., bes. auch als Tanz-L.; seit dem 14. Jh. nur noch in geistl. Dichtung (→Leis). Im 13.–16. Jh. steht L. daneben als Übersetzung für franz. →Lai.

F. Wolf, Üb. Lais, Sequenzen u. L.e, 1841; O. Gottschalk, D. dt. Minne-L., Diss. Marbg. 1908; RL; K. H. Bertau, Sangverslyrik, 1964; I. Glier, D. Minne-L. i. späten 13. Jh. (Werk, Typ, Situation, hg. dies. 1969); H. Spanke, Stud. z. Sequenz, Lai u. L., 1977.

Leichenrede, über griech. →Epitaph, →Enkomion, lat. →Laudatio funebris bis zu den *Oraisons funebres* des franz. Kanzelredners Bos-

suet (17. Jh.) beliebte lit.-rhetor. Gattung.

E. Winkler, D. Leichenpredigt i. dt. Luthertum bis Spener, 1967; Trauerreden d. Barock, hg. M. Furstenwald 1973; L.predigten als Quelle hist. Wiss., hg. R. Lenz III 1975–84; S. Rusterholz, L.n (Internat. Arch. f. Soz.gesch. d. dt. Lit. 4, 1979); R. Lenz, L.predigten, 1980; ders., Stud. z. dt. spr. L.predigt, 1981; N. Loraux, *L'invention d' Athènes*, Haag 1981.

Leihbücherei →Bibliothek

Leimon-Literatur (griech. *leimon* = Wiese, lat. *prata*) nach dem bunten Inhalt e. Sammelwerkes über versch. Gegenstände gewählter Titel, z. B. bei PAMPHILOS u. a. griech. Grammatikern, in lat. Lit. SUETONS *Prata* u. a. →Satire, →Silvae.

Leipogramm (griech. *leipein* = weglassen, *gramma* = Buchstabe), e. Text, der bewußt einen oder mehrere Buchstaben meidet, aus lit. Spielerei oder unbewußt als →Klangmalerei. Häufig in ind. Lit., z. B. bei DANDIN, in griech. Lit. bei LASOS, TRIPHIODOR (*Odyssee,* deren jeder Gesang e. Buchstaben meidet), NESTOR von Laranda (*Ilias* ebso.), im MA. bei FULGENTIUS und PETRUS VON RIGA, im barocken Manierismus: portug. ALCALA Y HERRERA, span. CASTILLO SOLÓRZANO, F. NAVARETE Y RIBERA, im DA. HARSDÖRFFER, BROCKES, im Dadaismus und bei J. WEINHEBER *(ohne e).* F. RITTLERS Roman *Die Zwillinge* (1813) meidet das R, G. PERECS Roman *La disposition* (1969) das E.

E. Schulz-Besser, Dt. Dtgn. ohne den Buchstaben R. (Zs. f. Bücherfreunde, 1910); A. Liede, Dichtg. als Spiel, II 1963; K. Riha, Texte mit Handicap, STZ 76, 1980; E. Kuhs, Buchstabendichtung, 1982.

Leis, nach dem von der Gemeinde gesungenen Refrain ›Kyrie eleison‹ (= Herr, erbarme dich) benannte älteste Form des dt. →geistlichen Volksliedes, Anfang des Gemeindegesangs (→Kirchenlied), aus der Litanei entwickelt bei kirchl. Festen und Prozessionen, Wallfahrten, Geißlerfahrten, Kreuzzügen, dann auch vor der Schlacht und in Gefahr gesungen, schon im *Ludwigslied* enthalten; ältestes das *Petruslied* (um 885), später auch Weihnachts-, Oster-L. (Krist ist erstanden, 12. Jh.), Himmelfahrts-L. (Krist fur gen himel) und Marienrufe.

W. Mettin, D. ältest. dt. Pilgerlieder, 1896; RL¹; J. Janota, Stud. z. Funktion u. Typus d. dt. geistl. Liedes i. MA., 1968.

Leitartikel, der wichtigste, meist auf der Titelseite befindl. und oft vom Chefredakteur verfaßte Artikel e. Tages- oder Wochenzeitung zur Erörterung polit., wirtschaftl. oder soz. Tagesfragen. Seit Aufkommen der Meinungspresse bekundet er die polit.-weltanschaul. Stellung des Blattes, bes. seit 1848 meist in parteipolit. Sinne. Bedeutend als Verfasser von L.n war z.B. GÖRRES im *Rheinischen Merkur* 1814–16.

C. Gentner, Z. Gesch. d. L. (Publizistik i. Dialog, Assen 1965); H. Heigert, D. L. (Jb. d. dt. Akad. f. Spr. u. Dichtg. 1974); M. Pfeil, Z. sprachl. Struktur d. polit. L., 1977.

Leitfaden, seit Mitte 18. Jh. übliche Bz. für e. kurze, zusammenfassende Einführung in e. Wissensgebiet bes. für Studenten.

Leithandschrift, in der →Textkritik die wichtigste(n) Handschrift(en) der Werküberlieferung, die nach der Kollation als bes. autorennah gelten dürfen und deren Lesarten gegenüber sekundären Quellen Vorrang haben können.

F. V. Spechtler, Überlieferg. ma. dt. Lit. u. krit. Text (Fs. A. Schmidt, 1976).

Leitmotiv, 1. in der Musikwissenschaft charakterist. Melodieteil in größeren Musikwerken mit symbol. Bedeutung, bes. bei Wiederkehr inhaltlich wesensverwandter Stellen (Gedanken, Gefühle) oder als Thema e. Person, z.B. bei WEBER und R. WAGNER verwendet; 2. daher in der Lit.wissenschaft entlehnt als formelhaft wörtl. oder ähnl. wiederkehrende einprägsame Bild- oder Wortfolge mit gliedernder und verbindender Funktion, die auf Zusammenhänge voraus- oder zurückweist, auf gleiche Figuren, Situationen, Gefühle, Ideen verweist; teils →Motiv, z.B. →Dingsymbol, →Falke, stehende Redewendung bestimmter Personen, wiederholte Handlungsteile oder sprachl. Bilder, Farben, teils nur stilist. oder ornamentaler →Zug. Bes. bei GOETHE *(Wahlverwandtschaften)*, DICKENS, ZOLA, RAABE, FONTANE, ČECHOV, IBSEN, PROUST, BÖLL und bes. Th. MANN ausgebildet; in der Lyrik auch u. a. rhythm. Motiv. 3. fälschlich gebraucht für die durchgehende Haltung e. Dichtung, z.B. Jenseitssehnsucht u.ä.

L. Hotes, D. L. i. d. neueren dt. Romandichtg., Diss. Ffm. 1931; R. Peacock, D. L. b. Th. Mann, 1934; E. Frenzel, Stoff-, Motiv- u. Symbolforschg., 1963, ⁴1978; dies., Stoff- u. Motivgesch., 1966, ²1974; P. G. Klußmann, D. Struktur d. L. i. Th. Manns Erzn. (in: Th. Mann, Erzn. u. Novn., 1984).

Leitwort, auch Reizwort, bes. in der Lyrik e. zentral stehendes, klanglich u. sinnhaft aufgeladenes Wort, das Assoziationen auslöst und lenkt.

V. L. Ziegler, The L. in Minnesang, Lond. 1975.

Lektion (lat. *lectio* = Lesung), 1. ursprüngliche Schriftlesung im Gottesdienst, dann der entsprechende Bibelabschnitt; vgl. →Lektionar. 2. übertragen auf die allg. Lit. Lernabschnitt e. Lehrbuchs, bes. im Unterricht.

Lektionar(ium), seit der Karolingerzeit übliche Zusammenstellung der bei der kath. Messe zu lesenden Bibelstellen (→Perikopen, →Lektion) in der Reihenfolge ihrer Verlesung im Kirchenjahr, auch getrennt als →Epistolar und →Evangelistar; umfaßt bei Vollständigkeit fast den ganzen Text des NT.

Lektor (lat. = Leser), lit. und wissenschaftlich ausgebildeter, belesener Prüfer eingesandter Werke bei e. Verlag, bestimmt durch seine Konzeption und seine Ideen oft wesentlich Gesicht und Programm desselben mit, indem er aus seiner Kenntnis des Buchmarkts, der lit. Qualität und der Absatzchancen heraus dem Verlag zu Annahme oder Ablehnung e. Werkes rät, neue Richtlinien erarbeitet und aus seinem antizipierenden Bewußtsein für künftige Entwicklungen heraus seine Auswahl trifft, neue Konzepte ausarbeitet und realisiert. Für den schöngeistigen Autor ist er Talentsucher, Entdecker, Förderer, oft vielfach erster Leser und Kritiker des Manuskripts, Berater für sprachl. und inhaltl. Umarbeitungen, Verdeutlichungen, Kürzungen u. a. und überhaupt erster Widerpart, dem der Autor seine Absichten verdeutlichen muß. Die wachsende Industrialisierung und Hektik der Buchproduktion läßt den Beruf oft zum Organisator, Verkaufsstrategen und Produktmanager entarten. Bedeutende L. und zugleich Schriftsteller waren z. B. O. LOERKE, H. KASACK, M. TAU, P. HÄRTLING, D. WELLERSHOFF u. a.

D. Struss, D. L. (Lit.betrieb i. d. BRD, hg. H. L. Arnold, ²1981).

Lektüre (franz. *lecture*), 1. Lesestoff; 2. das Lesen e. Textes entweder →kursorisch oder →statarisch. Der Leseprozeß wird unter sprachl., wahrnehmungs-, erkenntnis- und verstehenspsycholog. Aspekt untersucht, als Teil der Rezeptions- und Wirkungsforschung betrachtet u. durch Lesererziehung gesteuert. →Leser.

B. Arens, D. L., 1911; E. Ackerknecht, D. Kunst d. Lesens, ⁴1949; H. G. Göpfert, Traktat üb. d. Lesen, ²1958; A. Quiller-Couch, *On the art of reading*, Lond. 1958; Ö. Lindberger, R. Ekner, *Att läsa poesi*, Stockh. ²1960; R. A. Brower, *The fields of light*, Oxf. 1962; F. G. Jennings, *This is reading*, N.Y. 1965; Lesen, e. Hb., hg. A. C. Baumgärtner 1973; W. Iser, D. Akt d. Lesens, 1976; Leser u. Lesen i. 18. Jh., hg. R. Gruenter 1977; K. Maurer, Formen d. Lesens, Poetica 9, 1977; V. Roloff, D. Begriff d. L. (Romanist. Jb. 29, 1978); H. Willenberg, Z. Psychol. lit. Lesens, 1978; R. T. Segers, *Het lezen van literatuur*, Baarn 1980, Groningen ²1984; E. Gibson, H. Levin, D. Psychol. d. Lesens, 1982; N. Groeben, Leserpsychol., 1982; W. Killy, Schreibweisen, Leseweisen, 1982; R. Wittmann, Buchmarkt u. L. i. 18. u. 19. Jh., 1982; Warum noch lesen, hg. G.-K. Kaltenbrunner 1983; E. R. Kintgen, *The perception of poetry*, N.Y. 1983; H. Aust, Lesen, 1983; P. Raabe, Bücherlust u. Lesefreuden, 1984; Lesen historisch, LiLi 57/58, 1985; J. Stephan, Lesen u. Verstehen, 1985.

Lekythion (griech. = Fläschchen), von den antiken Metrikern, nach dem stereotyp wiederholten kom. Trimeterteil ›lekythion apolesen‹ (ARISTOPHANES, *Frösche* 1208 ff.) gebildete Bz. des katalektischen trochäischen Dimeters: ‒∪‒∪‒∪‒, bei ALKMAN *(Partheneion),* EURIPIDES u. a.

Lemma (griech. = Empfangenes, Aufgegriffenes), 1. Stichwort (Merkwort oder Satzanfang), das bei den Anmerkungen e. Kommentars oder den Lesarten des krit. Apparats auf die Bezugstelle im Text des Autors verweist oder zur weiteren Behandlung herausgehoben ist. – 2. Titel, Motto oder (Kapitel-)Überschrift als thesenhafte Charakteristik des themat.-gedankl. (nicht ästhet.-dichter.) Gehalts e. lit. Werkes. 3. Stichwort in e. Nachschlagewerk oder zum →Emblem.

H. E. Wiegand, Was ist eigtl. e. L., GL 80, 1982.

Lenäen (griech. *Lenaia*), ion.-att. Dionysosfest in Athen im Jan./Febr., seit 450 v. Chr. mit Wettkämpfen von anfangs nur Komödien, später auch Tragödien gefeiert. →Dionysien.

L. Deubner, Att. Feste, 1932; A. Pickard-Cambridge, *The Dramatic Festivals of Athens*, Oxf. 1953.

Leoninische Verse, nach dem Dichter LEONINUS (12. Jh.) oder (in Parallele zum →Cursus leoninus) nach Papst LEO I. benannte Hexameter und Pentameter mit (meist zweisilbigem) →Zäsurreim von Penthemimeres und Versende; schon in lat. (z. T. OVID, VERGIL), spätlat. (SEDULIUS) und frühma. Dichtung vereinzelt (Legenden der HROTSVITH, *Waltharius, Ecbasis captivi, Ruodlieb,* 10./11. Jh., Lehninische Weissagung, 13. Jh., z. B. ›His replicans clare tres causas explico quare / more Leonino dicere metra sino.‹) In dt. Dichtung zuerst bei EBERHARD VON CERSNE und Joh. ROTHE (14./15. Jh.), später bei FISCHART; freier bei TENNYSON *(The Revenge)* und ARAGON.

C. Erdmann, Leonitas (Fs. K. Strecker, 1941).

Lesart (lat. *lectio*), Variante, vom Dichter selbst oder aus der Überlieferung (durch Redaktoren, Schreiber oder Kopisten) herrührende bzw. durch →Emendation oder →Konjektur entstandene Abweichung e. Textes. Ihre Feststellung durch →Kollation ist Aufgabe der →Textkritik, in →kritischen Ausgaben erscheinen sie im →Apparat.

D. German, Z. Frage d. Darbietg. v. L.n i. d. Ausg. neuerer Dichter, WB 8, 1962; Texte u. Varianten, hg. G. Martens 1971; K. Kanzog, Variante u. Textentscheidg., SchillerJb. 22, 1978.

Lesebuch, Slg. lit.-dichterischer (Vers und Prosa) u. a. Texte, teils Auszüge für Unterrichtszwecke (Lese-, Sprach- und Sachunterricht), teils als →Chrestomathie oder →Anthologie (z. B. HOFMANNS-THALS *Dt. L.* 1922, W. KILLY

1958 ff.), auch außerhalb des Schulgebrauchs, teils, mit der →Fibel beginnend und durch Sprüche und relig. Lesestücke erweitert, jeweils dem Schulalter angepaßt. Sie entstehen im 18. Jh. (SULZERS *Vorübungen* 1768, ROCHOWS *Kinderfreund* 1776), zunächst nach dem moral. Wert der häufig erst zu diesem Zweck verfaßten Lesestücke ausgerichtet, später nach dem grammat.-stilist. Wert und dem Bildungswert zusammengestellt, seit Ph. WACKERNAGELS *Dt. L.* (1845) bes. als Auswahl der größten Dichter und Denker e. Volkes u. aller Gattungen als Einführung in seine Lit. oder als Beispielslg. zur Aufsatzlehre; je nach der Zeitströmung und dem Bildungsideal humanist., moralist., patriot., kosmopolit., chauvinist. oder liberal, z. T. als Gesinnungs-L. zum Instrument e. Ideologie herabgewürdigt und z. T. bis heute von einer erschütternden, provinziell antiquierten, pseudoromant. Zivilisationsferne, die in der Darbietung einer heilen Welt weder der gewandelten polit., wirtschaftl. und soz. Wirklichkeit noch dem Wandel der sprachl. Gestaltung gerecht wird. Die L.-Reform der 70er Jahre brachte neue, ihrerseits teils wieder einseitige didakt. Konzeptionen als lit. Arbeitsbuch, als sozialkrit. Bewußtseinsbildung, als Sprachbuch oder Kommunikationsmodell, schließl. als provozierendes Anti-L. über bisher unterdrückte Themen.

P. M. Roeder, Z. Gesch. u. Kritik d. L., 1961; G. Grüder u. a., D. L., DU 18, 1966; W. Killy, Z. Gesch. d. dt. L. (Nationalismus i. Germanistik u. Dichtg., hg. B. v. Wiese 1967); J. Ehni, D. Bild d. Heimat i. Schul-L., 1967; D. Diskuss. um d. dt. L., hg. H. Helmers 1969; ders., Gesch. d. dt. L., 1970; Neue L.er, hg. P. Braun 1972; P. Hasubek, D. dt. L. i. d. Zeit d. Nat.soz., 1972; H. L. Arnold, D. dt. L. d. 70er Jahre, 1973; N. Griesmayer, L. u. Gegenw.lit., 1975; A. C. Baumgärtner, Lit.-Unterr. m. d. L., 1975; L.diskussion 1970–75, hg. H. Geiger 1977; J.

Krogoll, L'forschg. (Mitt. d. Dt. Germ.-
Verb. 25, 1978); K.-J. Siegfried, D. dt. L.
i. d. Zt. d. NS, DD 10, 1979; H. Schanze,
Lit.gesch. u. L., 1981; H. Kroeger, D. dt.
L., DD 14, 1983.

Lesebühne →Lesung

Lesedrama →Buchdrama

Lesefrüchte, bei der Lektüre ›ange-
lesene‹ Erkenntnisse und Kenntnisse, die z. T. wieder zu eigener Gestaltung anregen oder als →Remi-
niszenzen Verarbeitung finden.

Lesegesellschaft, Organisations-
form lit. Interessierter im 17.–19.
Jh. zum gemeinsamen Bezug der für
den einzelnen oft preislich unerreichbaren Zeitungen, Zss. und Bücher, die entweder wie beim heutigen Lesezirkel unter den Mitgliedern zirkulierten (Umlaufgesell-
schaft) oder in örtl. Lesekabinetten
(Genf seit 1725) zur Einsicht ausla-
gen. Die stets lokal, z. T. auch sozial
(obere Schichten) begrenzten L.en
entwickeln sich aus dem bürgerl.
Bildungsenthusiasmus ab rd. 1850
und werden später zu allg. lit.-kul-
turellen und geselligen Klubs, z. T.
mit polit. Ambitionen. Mit der
Massenproduktion billiger Zss. und
Bücher Ende 19. Jh. erlöschen sie
oder werden durch kommerzielle
Leihbüchereien abgelöst.
K. Gerteis, Bildg. u. Revolution (Archiv f.
Kulturgesch. 53, 1971); M. Prüsener,
L.en i. 18. Jh., AGB 13, 1972; B. M.
Milstein, *Eight 18th cent. reading societies*, 1972; U. Herrmann, L.en a. d. Wen-
de d. 18. Jh. (Archiv f. Kulturgesch. 57,
1975); H. G. Göpfert, L.en i. 18. Jh.
(Aufklärg., Absolutismus u. Bürgertum i.
Dtl., hg. F. Kopitzsch 1976); M. Prüse-
ner, H. G. Göpfert, L.en (Buchkunst u.
Lit., hg. E. L. Hauswedell 1977); O.
Dann, D. L.en d. 18. Jh. (Buch u. Leser,
hg. H. G. Göpfert 1977); H. G. Göpfert,
V. Autor z. Leser, 1977; Buch u. Sammm-
ler, 1979; L.en u. bürgerl. Emanzipation,
hg. O. Dann 1981; F. Parent-Lardeur, *Les
cabinets de lecture*, Paris 1982; R. Galitz,
Lit. Basisöffentlichkeit als lit. Kraft,
1986; Aufklärungsges.n, hg. H. Reinalter
1987.

Lesekabinett →Lesegesellschaft

Lesen →Lektüre, →Leser, →Rezep-
tion

Leser, 1. der einzelne, reale Aufneh-
mende e. lit. Werkes. Er bildet in
Gemeinschaft mit seinesgleichen die
Gesamtheit des →Publikums, ist als
Konsument der Lit. (→Rezeption)
mitbestimmendes Endglied des lit.
Kommunikationsprozesses und als
solcher Untersuchungsgegenstand
der →Literatursoziologie. – 2. der
irreale, fiktive L. als eine aus dem
lit. Werk durch Anreden, Niveau
der Darstellung und der Anspielungen, Zitate u. a. Eigenarten der Erzähltechnik sich ergebende, gleich
dem →Erzähler erdichtete Rolle des
inhärenten Adressaten. Er wird
durch Kommentare gelenkt, durch
rezeptionssteuernde Signale in seiner Erwartung bestimmt, eine in das
Werk ästhetisch eingeplante Rolle
und wird durch erzähltechn. Reflexionen zum Teilhaber am lit. Schaffensprozeß, kann sogar selbst als
Figur im Werk auftreten. Dieser ›in-
nerästhetische‹ oder ›implizite‹ L.
tritt erst mit der Entwicklung einer
subjektiven, persönlich gefärbten
Erzählweise eigtl. seit dem 18. Jh.
(STERNE, FIELDING, WIELAND,
HOFFMANN, POE) in Erscheinung
und in Korrelation zu dem fiktiven
Erzähler, fehlt dagegen bei objektiv-
unpersönl. Erzählstil (KLEIST) und
bei den erzählerlosen Formen der
→erlebten Rede und des →inneren
Monologs bzw. Bewußtseinsstroms.
A. Nisin, *La litt. et le lecteur*, Paris 1959;
R. Escarpit, D. Buch u. d. L., 1961; M.
Naumann, Lit. u. L., WB 16, 1969; P. E.
Schramm, Z. Lit.gesch. des Lesenden (Fs.
W. Schadewaldt, 1970); E. Wolff, D. in-
tendierte L., Poetica 4, 1971; D. L. als
Teil d. lit. Lebens, 1971, ²1972; H. Wein-
rich, Für L., 1971; Dichter u. L., hg.
F. van Ingen, Groningen 1972; W. Iser,
D. implizite L., 1972; H. Steinmetz, D. L.
als konstituierendes Element lit. Texte
(Duitse Kroniek 24, 1972); Lesen, e. Hb.,
hg. A. C. Baumgärtner 1973; R. Engel-

sing, Analphabetentum u. Lektüre, 1973; V. Lange, *The reader in the strategy of fiction* (Proceedings of the 12. congr. of the Internat. Federation for Mod. Lang. and Lit., 1973); ders., D. Interesse am L. (Historizität i Spr - u Lit.wiss., hg. W. Müller-Seidel 1974); B. Zimmermann, D. L. als Produzent, LiLi 4, 1974; R. Engelsing, D. Bürger als L., 1974; G. Erning, D. Lesen u. d. Lesewut, 1974; M. Głowiński, D. potentielle L., WB 21, 1975; Lit. Rezeption, hg. H. Heuermann u.a. 1975; M. Naumann u.a., Ges., Lit., L., ³1976; L. u. Lesen i. 18. Jh., hg. R. Gruenter 1977; Text, L., Bedeutg., hg. H. Grabes 1977; Buch u. L., hg. H. G. Göpfert 1977; L. M. Rosenblatt, *The reader, the text, the poem*, Carbondale 1978; D. Coste, *Three concepts of the reader*, OL 34, 1979; M. G. Scholz, Hören u. Lesen, 1980; R. Albrecht, D. L. als Objekt (Lit. wiss. u. empir. Method., hg. H. Kreuzer 1981); W. D. Wilson, *Readers in texts*, PMLA 96, 1981; W. Müller-Seidel, D. Erforschg. d. dt. Lit. u. ihre Leser, SchillerJb. 26, 1982; N. Groeben, L.psychologie, 1982; M. Nøjgaard, *Le lecteur dans le texte*, OL 39, 1984; M. Naumann, Blickpunkt L., 1984; N. H. Platz, D. Beeinflussg. d. L., 1986; E. Bracht, D. L. i. Roman d. 18. Jh., 1987; D. A. Foster, *Confession and complicity in narrative*, Cambr. 1987. →Lektüre, →Rezeption, →Literatursoziologie.

Lesering →Buchgemeinschaft

Leserschaft →Publikum (2)

Le style est l'homme même (franz. = Der Stil ist der Mensch selbst), Ausspruch aus der Antrittsrede BUFFONS vor der Pariser Akademie 1753, urspr. in der Bedeutung gemeint, ›Was zur Sache hinzukommt, ist das eigtl. Menschliche‹, heute beliebtes Schlagwort der Stilforschung. →Individualstil.

W. G. Müller, D. Topos L. s. e. l'h. m., Neophil. 61, 1977.

Lesung, der öffentliche, halböffentliche oder private Vortrag e. bereits erschienenen, noch ungedruckten oder unvollendeten Literaturwerks oft durch den Autor oder e. geübten Rezitator, beim Drama auch mit verteilten Rollen durch Schauspieler (Lesebühne). Die Ur-L. oder erste L. bezeichnet den Rezeptionsbeginn e. Werkes.

Letrilla (span. = Briefchen), kurze burlesk-satir. Versepistel über relig. oder erot. Themen in Kurzversen, oft vertont und mit e. die Pointe wiederholenden Refrain z. B. von L. GÓNGORA und F. QUEVEDO, später B. de los HERREROS, J. R. JIMÉNEZ und A. REYES.

Letterkehr →Anagramm

Lettrismus (v. franz. *lettre* = Buchstabe, also: Buchstabismus), franz. Form der avantgardist. →konkreten Poesie bzw. →akust. Dichtung, erstrebt die Atomisierung der Worte zu isolierten Buchstaben oder Zeichen und deren Neuzusammensetzung zu sinnfreien Lautgebilden unter Einbeziehung selbst neuerfundener Laute oder Geräusche und erreicht, wenigstens beim Vortrag seiner Gedichte durch Sprechchöre, gekonnte rhythm. Effekte. Letzte Konsequenz des schon in den sinnlosen Lautkehrreimen des Volksliedes und dann vom Dadaismus aufgegriffenen sinnfreien →Lautgedichts. Begründer (1946) und Hauptvertreter: Isidore IDOU.

Lever de rideau (frz. = Vorhangheben), kurzes, meist anspruchsloses →Vorspiel, z. B. Proverbe dramatique, vor einem nicht abendfüllenden Theaterstück. Im franz. Theater des 19. Jh. Vorspiel zur Unterhaltung des Publikums bis zum (oft verspäteten) Eintreffen adliger Zuschauer und eigtl. Aufführungsbeginn, z. B. von E. DUPRÉ, F. CARRÉ, E. BLUM.

Lever-Szene (franz. *lever* = Aufstehen), seit der antiken Komödie beliebte Eingangsszene im Lustspiel mit dem morgendl. Erwachen und Aufstehen, oft bedingt durch die →Einheit der Zeit, z. B. KLEISTS *Zerbrochener Krug.*

Lexikographie, das Verfassen e. →Wörterbuches sowie dessen Theorie und Praxis.

Lexikon (zu griech. *lexis* = Wort, Ausdrucksweise: das Wort betreffendes Buch) →Wörterbuch, →Konversations-, →Literaturlexikon, →Enzyklopädie.

Ley →Lai

Libell (lat. *libellus* = Büchlein), kleine, bes. Schmäh-, Schrift.

Librettist, Verfasser e. →Librettos.

Libretto (ital. = Büchlein), Textbuch für →Oper, →Operette, →Singspiel, Musical, Oratorium, Kantate (auch Ballett- u. Pantomimenszenarium), das dem Komponisten vom Librettisten oft als Auftragsarbeit geliefert wird, gänzlich dem Gesang untergeordnet, daher oft lit. anspruchsloses Machwerk, das nur der Musik sein Bestehen und Fortleben verdankt, doch als dramat.-gedankl., bühnenwirksames Handlungsgerüst oft auch für den Erfolg e. Musikwerkes entscheidend (Mißerfolg von WEBERS *Euryanthe*), wo glückl. Wahl oder hohe Ansprüche und Fähigkeiten des Komponisten e. Einheit von Wort u. Musik schaffen. Erst die neuere Zeit schafft L.i, in denen sich Wort u. Musik gegenseitig durchdringen und die dank ihres dichter. Wertes auch unabhängig von der Musik bestehen könnten: WIELANDS Singspiele, GRILLPARZERS *Melusine,* WAGNERS →Musikdramen, HOFMANNSTHALS Dichtungen für R. STRAUSS *(Der Rosenkavalier, Elektra, Ariadne auf Naxos, Frau ohne Schatten)*, S. ZWEIGS *Die schweigsame Frau,* PFITZNERS *Palestrina.* Auch P. CORNELIUS, LORTZING, BERLIOZ, SCHÖNBERG, BERG, HINDEMITH, G. v. EINEM, ORFF, KLEBE, KRENEK und EGK schreiben ihre eigenen Texte in Ermangelung geeigneter L.i. Als Librettisten waren ferner bedeutend in Italien O. RINUCCINI *(Dafne,* von OPITZ für SCHÜTZ übersetzt), A. ZENO, P. METASTASIO, C. GOLDONI, R. CALZABIGI, LORENZO DA PONTE *(Figaro* nach BEAUMARCHAIS, *Don Juan, Cosi fan tutte),* A. BOITO und F. M. PIAVE (für VERDI), in Frankreich Ph. QUINAULT, MOLIÈRE, ROUSSEAU, FAVART, SCRIBE, HALEVY, P. CLAUDEL, J. COCTEAU und M. BUTOR, in England J. GAY *(Beggar's Opera),* H. W. AUDEN und J. B. PRIESTLEY, im dt. Sprachraum HUNOLD, HARSDÖRFFER, POSTEL, C. F. WEISSE, SCHIKANEDER *(Zauberflöte),* KIND *(Freischütz),* B. BRECHT, G. KAISER, H. v. CRAMER, I. BACHMANN, P. HACKS. Vgl. →Literaturoper.

E. Istel, D. L., 1914, ²1915; M. Ehrenstein, D. Operndichtg. d. dt. Romantik, 1918; A. Scherle, D. dt. Opern-L., Diss. Mchn. 1955; A. Heriot, *Lives of the librettists,* Lond. 1959; RL; U. Weisstein, *The l. as lit. (Books abroad* 35, 1960); K. Honolka, Der Musik gehorsame Tochter, 1962, u. d. T. Kulturgesch. d. L., ²1979; E. A. Dworak, D. dt.sprachige Opern-L. i. d. 1. Hälfte d. 20. Jh., Diss. Wien 1966; E. Thiel, L.i., Bibliogr. 1970; J. D. Lindberg, *The German Baroque opera l.* (*The German Baroque,* hg. G. Schulz-Behrend 1972); L. Baldacci, *L.i d'opera,* Florenz 1974; K. G. Just, D. dt. Opern-L., *Poetica* 7, 1957; K.-D. Link, Lit.Perspektiven d. Opern-L., 1975; G. Schmidgall, *Lit. as opera,* N.Y. 1977; K. Achberger, Lit. als L., 1980; Oper u. Operntext, hg. J. M. Fischer 1985.

Liebesbrief →Liebesgruß

Liebesdichtung, im Unterschied (bei fließenden Übergängen) zur begrifflich eingeengten →erotischen Lit. themat. Oberbegriff für jede Form der Dichtung in Vers oder Prosa, die nicht in erster Linie die sexuell-körperliche, sondern die gefühlhafte und seel.-geistige Beziehung zwischen Liebenden (z.T. auch, wie im Orient, solche sinnlich-erot. Art) zum Zentralthema nimmt. L. erscheint in allen Gattungen, bis im 18. Jh. jedoch kaum als Erlebnisdichtung, sondern als Rollenaussage, vorwiegend in der Lyrik, gipfelnd im ma. →Minnesang, in Prosa meist in der Novelle oder als Seitenthema im Roman, in der Triviallit. im →Liebesroman.

H. Brinkmann, Gesch. d. lat. L. i. MA., 1925, ²1979; I. Frings, D. Anfge. d. europ. L. i. 11. u. 12. Jh., 1960; M. Bowra, Mediaeval Love-Song, Lond. 1962; J. B. Broadbent, Poetic love, Lond. 1963; H. M. Richmond, The school of love, Princeton 1964; Patterns of Love and Courtesy, hg. J. Lawlor, Lond. 1966; L. Pollmann, D. Liebe i. d. hochma. Lit. Frankreichs, 1966; P. Dronke, Medieval Latin and the rise of European love-lyric, Oxf. II ²1968; S. Minta, Love poetry in 16. cent. France, Manch. 1977; H. Kuhn, Liebe u. Ges., 1980; Liebe als Lit., hg. R. Krohn 1983; Liebe, Ehe, Ehebruch i. d. Lit. d. MA., hg. X. v. Ertzdorff 1984; J. Goheen, Ma. Liebeslyr., 1984; U. Eisenbeiß, Zeitgenöss. Liebeslyr., NKL 1984; A. J. Smith, The metaphysics of love, Cambr. 1985; R. Schnell, Causa amoris, 1985; D. Sittig, Vyl wonders machet minne, 1987; B. Sax, The romantic heritage of marxism, 1987; Liebe i. d. dt. Lit. d. MA., hg. J. Ashcroft 1987.

Liebesgruß, e. Lied, das man der Geliebten vorsang bzw. singen ließ oder als Briefgedicht in Reimpaaren (→Minnebrief) schickte; aus ma. Dichtung seit e. dt.-lat. L. im Ruodlieb mehrfach überliefert und erscheint als Motiv in zahlr. mhd. Epen. Schon die karoling. Kapitularien verbieten den Nonnen das Schreiben und Senden von →›wineleodos‹ (Buhlenlieder) für Verwandte. Unter Einfluß des provenzal. →Salut d'amour und Minnebriefen in der höf. Epik entsteht e. dt. lit. Gattung seit dem Leich ULRICHS VON GUTENBURG bes. in den →Büchlein der mhd. Blütezeit (HARTMANN VON AUE, ULRICH VON LICHTENSTEIN) oder bei HUGO VON MONTFORT als poet. Liebesbrief. Im 14. Jh. entstehen Musterbriefe in Briefstellern.

E. Meyer, D. gereimten Liebesbriefe d. dt. MA., Diss. Marbg. 1898; RL¹; E. Ruhe, De amasio ad amasiam, 1975.

Liebeshöfe, Minnehöfe, franz. Cours d'amour, ma. Hofgesellschaf-ten im Südfrankreich des 11. Jh., in denen als e. Art gesellschaftl. Unterhaltung vor e. fiktiven Gerichtshof von Rittern und Hofdamen Streitfragen um Liebesprobleme in e. dem Jeu parti ähnl. Form, z.T. mit allegor. Figuren, vorgetragen und entschieden wurden. Beispiele dazu lieferten u.a. Traktate von ANDREAS CAPELLANUS und MARTIAL D'AUVERGNE.

J. Laffite-Houssat, Troubadours et cours d'amour, Paris 1950; P. Rémy, Les cours d'amour (Revue de l'Univ. de Bruxelles, 1955); U. Peters, Cour d'amour, ZDA 101, 1972.

Liebeslied, Liebeslyrik →Liebesdichtung, →Liebesgruß, →Minnesang

Liebesroman, 1. unter stoffl. Aspekt jeder Roman, dessen zentrales Thema die Liebe bildet, so etwa vom (allerdings auch stark abenteuerhaften) spätantiken Roman (LONGOS, HELIODOR) bis zu L. DURRELL, V. NABOKOV, E. SEGAL u.a. – 2. im engeren Sinne die häufigste Gattung der →Trivialliteratur für weibl. Leser, die meist aus der Sicht e. klischeehaft idealisierten Heldin in typisierten Figuren und Geschehnissen, mit e. kitschigen falschen Innerlichkeit und e. preziös gespreizten, dem Banalen poet. Anstrich verleihenden Sprache die Geschichte e. Liebe bis zum stereotypen, unvermeidl. und unrealist. happy end erzählt. Aus der breiten Fülle der trivialen L. unterscheidet man nach Gewohnheit der Konsumenten Arzt-, Berg-, Frauen-, Gesellschafts-, Heimat- und Sittenroman. Der triviale L. entstand nach Ansätzen im Trivialroman des 18. Jh. insbes. aus den franz. Feuilletonromanen des 19. Jh. und den entsprechenden Romanen der dt. Gartenlaube.

D. Bayer, Falsche Innerlichkeit (Trivialit., hg. G. Schmidt-Henkel 1964); L. Brodbeck, Roman als Ware, 1975.

Liebhaber, 1. allg. →Amateur, →Dilettant; 2. als Rollenfach im Theater: trag., jugendl., sentimentaler usw. L.

Liebhaberausgabe, besonders geschmackvolle und kostbare →Ausgabe e. Buches (korrekter Text, typograph. Schönheit, handgeschöpftes Papier, kunstvoller Buchschmuck und Einband nach Zeitgeschmack) für →Bibliophile, meist in beschränkter, numerierter Auflage hergestellt.

Liebhabertheater, im Ggs. zum Berufsschauspielertum einerseits wie zum sendungsbewußten →Laienspiel andererseits e. private Bühnenvereinigung, deren Mitglieder als Nichtfachleute Interesse und Liebe an der Aufführung von Theaterstücken finden. Vorform etwa im bürgerl. Fastnachtsspiel, Ausbildung später bes. an Höfen unter Förderung und Beteiligung fürstl. Personen: Paris, Stuttgart, Heidelberg, Dresden, Wien (meist Opern und Ballette), Berlin und Weimar unter GOETHE. Im 19. Jh. Verbürgerlichung zum (oft ständischen) Vereinstheater an Orten ohne stehende Bühne, entweder mit unkommerziellem Kunstanspruch oder mit trivialen Repertoirestücken.
R. Falck, Z. Gesch. d. L., 1887; D. Schulz, Katechismus f. L., 1898; RL; E. Bradwell, *Play production for amateurs,* Lond. 1953; V. H. Cartmell, *Amateur theatre,* Princeton 1961; A. Rendle, *Everyman and his theatre,* Lond. 1968.

Lied, schlichteste sangbare Form der →Lyrik zum reinen und unmittelbaren Ausdruck menschl. Gefühle und Empfindungen in ihrer Wechselbeziehung zur Natur, durchgestaltet von Rhythmus und Melodie der zugrunde liegenden Stimmung, daher in nahem Verhältnis zur Musik und strebend nach kongenial einfühlsamer Vertonung (SCHUBERT, SCHUMANN, BRAHMS H. WOLF, P. CORNELIUS, REGER, PFITZNER, R. STRAUSS) als Vollendung seines Wesens. Die Form ist einfache, regelmäßige stroph. Gliederung oft in Vierzeiler mit Reimbindung (mhd. *liet,* Einzahl = Strophe, einstrophiges L., daher bei Mehrstrophigkeit *diu liet,* Mz.); spezifisch dt., daher ›L.‹ auch als Fremdwort ins Engl., Franz., Ital. übernommen. – Die Unterteilung der Fülle an L.ern erfolgt 1. nach dem Inhalt: weltl. und →geistl. L., darunter wieder nach Anlässen, 2. nach Thema (Liebes-, Trink-, Abend-L.) und Träger: →histor., →Helden-, →Gesellschafts-, →Studenten-, →Vaganten-, →Soldaten-, →Kinder-, →Kirchen-, →Stände-L. usw. 3. nach der Entstehung: →Kunst- und →Volks-L., wobei e. strenge Trennung infolge gegenseitiger Beeinflussungen und Übernahmen unmöglich ist: Volks-L. als zersungenes, umgestaltetes oder nachgeahmtes Kunst-L., dieses wiederum aus Motiven und Ton des Volks-L. erneuert. – Die Geschichte des L. beginnt im Frühma.: formaler Ursprung aus der christl.-lat. Hymne, Marienlyrik und älteren roman. Versformen, durch gleichbleibende Strophenform und Wiederholung der Melodie vom →Leich und durch die gesungene Form vom rezitator. →Spruch unterschieden. Lit. Entwicklung zunächst als primitive Gemeinschaftslyrik: Tanz-, →Arbeits-, Toten- und Liebes-L., bis zum KÜRENBERGER meist einstrophig, erst im Minnesang mehrstrophig. Schon in den Vagantenliedern des 13./14. Jh. *(Carmina burana)* herrscht echte Stimmung in Liebesund Natur-L.ern; auch in Österreich gleichzeitig das geistl. L. *(Melker Marien-L.).* Weniger persönl. Erlebnis als konventionelle Rollenlyrik bringt die höf. →Minnesang, bes. in den beiden aus der Provence übernommenen Formen Minne-L. und →Tage-L., von Minnesangs Frühling über REINMAR, HEINRICH VON MORUNGEN und WALTHER bis zu WOLFRAM und OSWALD VON WOLKENSTEIN, um volkstüml. Töne bereichert in der →dörperlichen Dichtung. Im Spätma. und 16. Jh. steht neben dem starr schematisierten und regeltreuen Meistersanglied e. Fülle von ungebundenen →Volksliedern und Gemeinschaftsliedern, die bei ihrer Auflösung im 17. Jh. durch die von J. REGNART eingeführten strengen und rationalen Formen des →Gesellschafts-L. abgelöst wurden (Villanellen usw.). Im Barock folgen OPITZ, HOECK und SCHELLENBERG, individueller bei FLEMING und dem →Königsberger Dichterkreis, als reines Gesellschaftslied bei GREFLINGER und FINKELTHAUS, galant und spieler.-erot. bei HARSDÖRFFER, v. BIRKEN, SCHIRMER, ZESEN und STIELER wie HOFMANNSWALDAU, als geistl. L. dagegen bei GERHARDT, v. SPEE und ANGELUS SILESIUS. Sowohl im Zusammenhang mit der höf. Kultur als mit der relig. Anschauung bleibt das L. des Barock wie später das der Anakreontik (GLEIM, UZ, HAGEDORN) unpersönlich, typen- und rollenhaft. Erst mit Chr. GÜNTHER und dem Pietismus (TERSTEEGEN, ZINZENDORF) beginnt subjektiv-innerlicher Gefühlsausdruck und reicht über die Anakreontik hinweg zu den *Freundschaftlichen Liedern* PYRAS und LANGES (1745) und KLOPSTOCKS Oden. Damit beginnt die hohe Entfaltung der volkstüml. Gefühlslyrik: →Göttinger Hain (bes. CLAUDIUS und HÖLTY), BÜRGER, SCHUBART, LENZ und der junge GOETHE, der auch im Alter (*Westöstl. Divan*) im Ggs. zur gedankl. Dichtung SCHILLERS verinnerlichte Liedtöne findet und den

Bezugspunkt aller weiteren L.dichtung bildet: von der gefühlvollen Schwärmerei der Frühromantik (NOVALIS, TIECK) zur eigtl. L.dichtung der Hochromantik (BRENTANO, EICHENDORFF, UHLAND) als der verinnerlichten, sehnsuchtsvollen und volksliednahen (*Des Knaben Wunderhorn*) Blüte der Gattung in der bürgerl. Gefühlskultur und Geselligkeit des 19. Jh.; bei MÖRIKE schon individueller abgetönt, während bei HEINE starke persönl.-iron., bei LENAU weltschmerzliche Züge den allg.-gültigen Charakter des L. einschränken. Neben Tendenz (HOFFMANN VON FALLERSLEBEN, DINGELSTEDT), Exotik (FREILIGRATH) und oft bloßer Formkunst (RÜCKERT, HEYSE, GEIBEL, GROSSE, LEUTHOLD) führen G. KELLER, DROSTE und bes. STORM im Realismus zu neuen, zartherben Formen. Auch der Impressionismus begünstigt die L.dichtung (LILIENCRON, RILKE), während Georgekreis und Expressionismus dem L. fernstehen. Die Wandervogelbewegung u. ä. führen zu neuer Volksliedpflege, doch findet die Gegenwart nur vereinzelt individuelle, echt l.hafte Töne (R. SCHAUMANN, CAROSSA, R. A. SCHRÖDER, M. HAUSMANN), während über die Massenmedien Schlager, Chansons und Songs in die Breite dringen.

A. Reissmann, Gesch. d. dt. L., 1874; J. Meier, Kunstlieder i. Volksmunde, 1906; M. Friedländer, D. dt. L. i. 18. Jh., II ²1908, n. 1970; H. Kretzschmar, Gesch. d. neuen dt. L., 1911, n. 1966; H. Naumann, Primitive Gemeinschaftskultur, 1921; G. Müller, Gesch. d. dt. L., 1925, ²1959; RL; F. Gennrich, Grundriß e. Formenlehre d. ma. L., 1932, ²1970; E. Duméril, Le l. allemand, Paris 1934; G. Müller, Grundformen dt. Lyrik (V. dt. Art i. Sprache u. Dichtg. V, 1941); G. Raynaud, Bibliogr. d. altfranz. L., 1955 f.; R. Stephan, L., Tropus u. Tanz i. MA., ZDA 87, 1956; M. Beaufils, Le l. romant. allem., Paris 1956; D. Stevens, A hist. of song, Lond. 1960; H. Moser, L. u. Spruch i. d. hochma. dt. Dichtg., WW, 3.

Sonderh. 1961; A. Sydow, D. L., 1962; C. M. Bowra, *Primitive song*, Lond. 1962; R. H. Thomas, *Poetry and song in the German Baroque*, Oxf. 1963; W. Wiora, D. dt. L., 1971; J. M. Stein, *Poem and music in the German l.*, Cambr., Mass. 1971; C. Petzsch u.a., ZDP 90, 1971, Sonderh.; J.-L. Backès, *De la poésie à la musique*, RLC 45, 1971; E. Brody, R. A. Fowkes, *The German L. and its poetry*, N.Y. 1971; A. Riemen, L., WW 22, 1972; J. J. Wilhelm, *Medieval Song*, Lond. 1972; W. Suppan, Dt. Liedleben, 1973; W. Oehlmann, Reclams Liedführer, 1973; D. L., hg. H. Kreuzer, LiLi 9, 1979; Weltl. u. geistl. L. d. Barock, hg. D. Lohmeier, Amst. 1979; E. Rapp, L., FLE 1981; K. Whitton, *Lieder*, Lond. 1984; M. Stoljar, *Poetry and song in late 18. cent. Germany*, Lond. 1985; J. W. Smeed, *German song and its poetry*, Lond. 1987. →Lyrik, →Volkslied.

Liederbuch, hs. oder (seit 1512) gedruckte Liederslg., im MA. als →Liederhs., noch 1477 gewerbsmäßig hergestellt von Klara HÄTZLERIN in Augsburg, meist jedoch persönlich angelegte Sammelhs. für Fürsten, Studenten, Soldaten, Handwerker usw. mit meist städt. Gesellschaftsliedern: *Lochamer L.* (1452–1460), *Augsburger L.* (1454), *Rostocker L.* (Ende 15. Jh.), *Weimarer L.* (1515/50), *Antwerpener L.* (1544). Bei den für den Druck bestimmten L.ern ist oft die Melodie wichtiger als der Text: G. FORSTERS *Frische Teutsche Liedlein* 1539–56, Zwickauer →Bergreihen, 1531 und *Frankfurter (Ambraser) L.* 1582, Quelle für UHLAND mit zahlr. Volksliedern; Studenten-L.er dagegen von Petrus FABRICIUS 1603, NARCISSUS 1611, SCHWEHLE 1658 und bes. Paul von AELST, Quelle GOETHES.

Liederhandschriften, Sammelhss. der Lyrik im MA. als Vereinigung zahlr. Einzelhss., so schon die mlat. *Cambridger L.* (um 1045), dann die *Carmina Burana* (Anfg. 13. Jh.) aus dem Kloster Benediktbeuren als Slg. meist anonymer lat. u. mhd. →Vagantenlyrik, bes. aber die L. des →Minnesangs, die im Auftrag bürgerl. oder adl. Mäzene, oft mit Melodien, seit seinem Abklingen bes. im SW. des dt. Sprachgebiets entstehen: *Kleine Heidelberger L.* aus Straßburg Ende 13. Jh. (A); *Weingartner* oder *Konstanzer L.* um 1310–20 (B), jetzt in Stuttgart; *Große Heidelberger,* sog. *Manessische L.* aus Zürich 1. Hälfte 14. Jh. (C); *Würzburger L.* um 1350 und *Jenaer L.* Ende 14. Jh. mit mhd. Spruchdichtung und rhythm.-musikal. Bzz. (J). Ihre Gedichte sind meist nach Verfassern geordnet, diese nach ihrem gesellschaftl. Rang. Die L. sind von kostbarem Material und wertvoller Ausstattung, mit reichen Illustrationen versehen: Bilder der Minnesänger, bei C auch einzelne Szenen. Die Dichtung des Meistersang sammelt die *Colmarer L.* (1546). Dichterische Darstellung der Entstehung e. L.: G. KELLERS *Hadlaub.* Ab 1400 auch Slg. der Lyrik e. einzelnen Autors (NEIDHART, OSWALD VON WOLKENSTEIN). Den rd. 30 dt. L. stehen an 100 provenzal. L. gegenüber.

Liedermacher, in Anlehnung an B. BRECHTS Prägung ›Stückeschreiber‹ von W. BIERMANN geprägte Bz. für den Verfasser/Komponisten/Interpreten in Personalunion aktueller, meist zeit- u. sozialkrit. Songs, Chansons u. bes. →Protestsongs, die das Gemachte und Machbare der Produktion betont, z.B. F. J. DEGENHARDT, D. SÜVERKRÜP, R. MEY, U. JÜRGENS, H. D. HÜSCH.

T. Rothschild, L., 1980; ders., L. (Polit. Lyrik, TuK ³1984).

Liederspiel, Abart des Singspiels als Übertragung der franz. →Vaudevilles, seit dem 16., bes. im 19. Jh. als Schauspiel mit Gesangseinlagen nach bekannten Melodien (J. F. REICHARDT, L. SCHNEIDER, K. v.

HOLTEI), später zur Gesang- oder Tanzposse abgesunken.

L. Kraus, D. L. 1800–30, Diss. Halle 1923.

Liedertheorie, die vom klass. Philologen F. A. WOLF (*Prolegomena ad Homerum*, 1795) für HOMER, von seinem Schüler K. LACHMANN für das *Nibelungenlied* (*Über die ursprüngliche Gestalt des Gedichts*, 1816) und HOMER (*Betrachtung über Homers Ilias*, 1846) aufgestellte Entstehungstheorie für die →Volksepen: aus e. Zahl von feststehenden, durch Rhapsoden verbreiteten und tradierten Einzelliedern (*Nibelungen* 20, *Ilias* 16) um Episoden des Sagenkreises fügte e. Hauptredaktor ohne große dichter. Qualitäten (bei HOMER angebl. PEISISTRATOS) nach e. flüchtigen Plan mit Hilfe von →Diaskeuasten das große →Heldenepos zusammen. Die L., von MÜLLENHOFF unterstützt, von J. GRIMM, HOLTZMANN, ZARNCKE u.a. scharf abgelehnt, entfachte im 19. Jh. einen langen wiss. Streit, der für die schwierige ›homerische Frage‹ beigelegt, wenn nicht endgültig entschieden ist, während für das *Nibelungenlied* A. HEUSLER aus e. Rekonstruktion die Entstehung als bewußte Kunstschöpfung weniger anonymer Einzeldichter bewies (*Nibelungensage und -lied*, 1920).

Liedpredigt, protestant. Predigtform über e. nichtliturg. Text, der anstelle e. Bibeltextes e. Kirchenlied zugrundelegt; von der Reformation bis Mitte 18. Jh. üblich.

M. Rößler, D. L., 1976; ders., Bibliogr. d. dt. L., Nieuwkoop 1976.

Lieferung, im Buchhandel aus mehreren Bogen bestehender Teil e. Fortsetzungswerkes, das zur Erleichterung des Bezuges für die Subskribenten und zur Einschränkung

verleger. Investitionen in Teilen ausgeliefert wird: meist große Enzyklopädien und Sammelwerke, aber im 19. Jh. auch Romane von DICKENS.

Lien-chü (chines.), Kettengedichte aus altchines. Zeit (1. Jh. v.Chr.), die beim Dichterwettstreit entstanden, indem jeder Dichter den Versen seiner Vorgänger einen neuen, in Ton und Inhalt passenden Vers hinzufügte.

Ligatur (lat. *ligare* = binden), Verbindung einzelner Buchstaben miteinander zur Raumersparnis; aus antiken und ma. Hss. auch in den Buchdruck übernommen: æ.

Limerick (nach e. ir. Gesellschaftslied des 19. Jh. mit dem Kehrreim ›Will you come up to L.?‹), volkstüml. engl. →Nonsenseverse von humorvoll-iron. Inhalt mit groteskkom. oder unsinniger Endzeile; meist anapäst. Fünfzeiler mit 3, 3, 2, 2, 3 Hebungen nach dem Reimschema aabba. Ursprung ungeklärt, meist Stegreifverse in mündl. Umlauf, seit 1820 nachweisbar, auch durch Dichter wie TENNYSON, SWINBURNE, ROSSETTI, RUSKIN, GILBERT, BENNETT, E. LEAR, R. L. STEVENSON, O. W. HOLMES, L. CARROLL, J. GALSWORTHY, KIPLING, C. AIKEN, O. NASH und M. BISHOP gepflegt und dt. nachgeahmt. Der L. beginnt oft mit Personen- u. Ortsangabe, schildert e. kom. Situation, steigert sie, läßt sie ins Groteske umschlagen und endet mit e. Pointe, die die Anfangszeile wieder anklingen läßt.

W. Baring-Gould, *The lure of the L.*, Lond. 1967. →Nonsense-Verse.

Lindenschmidstrophe →Morolfstrophe

Linksläufig, d.h. von rechts nach links laufend, sind die Schriftzeichen der Araber und Hebräer, früher auch die der Griechen und Römer, die dann von der →Bustrophedonschreibung im 6. Jh. v. Chr. zur rechtsläufigen Schrift übergingen.

Lipogrammatisch →Leipogramm

Lira (span. = Leier; Name nach GARCILASO DE LA VEGAS Cancion ›Si de mi baja lira‹), 5-, seltener 6zeilige span. Gedichtform, Sonderform der Kanzone, Verbindung von Siebensilber (1. 3. 4. Zeile) und Elfsilber (2. 5. Zeile) mit der Reimfolge ababb; dazu zahlr. Abarten. Vermutlich ital. Ursprungs (B. TASSO, 16. Jh.), von GARCILASO im Span. nachgeahmt und bes. von Luis de LEÓN gepflegt.

Lisette (franz. Koseform für Elisabeth), Name und Rolle der →Soubrette in der franz. Komödie, zumeist Dienstmädchenrolle.

Litanei (griech. *litaneia* = Beten, Flehen), kirchl. Bittgesang, Wechselgebet zwischen Priester und Gemeinde, beginnt und endigt mit ›Kyrie eleison‹ (vgl. →Leis) und besteht aus e. großen Zahl von Anrufungen der Dreieinigkeit, Marias, der Engel und Heiligen, wobei auf die Namensnennung durch den Priester die Gemeinde mit e. jeweils feststehenden Bittruf antwortet. Im MA. bei allen Prozessionen üblich. Bis ins 12. Jh. bedeutet L. = Bittgesang allg., bis 17. Jh. im liturg. kath. Gottesdienst nur als Allerheiligen-L., dann schnelle Vermehrung der Zahl der Angerufenen, heute vom Papst auf vier weitere beschränkt; von LUTHER in der Türkengefahr auch in den ev. Gottesdienst als Fürbitte übernommen. Zahlreiche poet. Umschreibungen der L. seit dem 9. Jh.: HRABANUS MAURUS in lat. Distichen, NOTKER der Stammler, RATPERT, Abt HARTMANN von St. Gallen u. a., im 12. Jh. *Heinrichs-L.*, im 14. Jh. volkstümliche L.gesänge

(MÖNCH VON SALZBURG u. a.); schließlich auch allg. für weltl. Klagelieder gebraucht.
RL; L. Eisenhofer, Hdb. d. kath. Liturgik, II 1941.

Literalsinn (lat. *litera* = Buchstabe), buchstäblicher, wörtlicher Sinn e. Schriftstelle im Ggs. zur allegor., metaphor. oder interpretierenden Auslegung. →Schriftsinn.

Literarhistorie →Literaturgeschichte

Literarhistorische Biographie →Dichterbiographie

Literarische Fälschungen →Fälschungen

Literarische Geschmacksbildung →Geschmack

Literarische Gesellschaften →Gesellschaft

Literarische Kritik →Kritik

Literarischer Agent →Agent

Literarisches Colloquium Berlin, 1963 von der Ford Foundation gestiftete, vom Berliner Senat und durch Industriestiftungen getragene, von W. HÖLLERER initiierte und geleitete Institution für lit.-künstler. Begegnungen (Seminare, Gemeinschaftsarbeiten, Erfahrungsaustausch, Veröffentlichungen, Vortrags- und Veranstaltungsreihen) und Experimente unter Einschluß von Theater, Film und Massenmedien.
Autoren im Haus, hg. W. Höllerer 1982.

Literarisches Eigentum →Urheberrecht

Literarische Zeitschriften →Literaturzeitungen, →Zeitschriften

Literat (lat. *literatus* = schriftkundig, gelehrt), urspr., der eigtl. wissenschaftlich Gebildete, Gelehrte (→homme de lettres) im Ggs. zu

Literator = Sprachgelehrter; dann ab 18. Jh. der mit Lit. Befaßte, Lit.-kenner oder der hauptberufliche →Schriftsteller, wie er als Stand mit dem Aufblühen des europ. Zeitungswesens im 18. Jh. aufkam und bes. Ende des 19. Jh. weiten Einfluß auf das nationale Geistes- und Kulturleben gewann; seit rd. 1840 oft im abwertenden Sinne des geistig unproduktiven, lebensfern ästhetisierenden Schreibers gegenüber dem schöpferischen →Dichter und dem mehr intellektuell-kritisch oder unterhaltend (journalistisch, feuilletonistisch) arbeitenden →Schriftsteller; heute wertneutral synonym mit diesem gebraucht.

J. Wassermann, D. L., 1910; F. Goldmann, L.enstücke, 1910; T. Curti, L.en stand u. Presse, 1911; RL.

Literatur (lat. *literatura* = Buchstabenschrift), urspr. Buchstabenlehre, Lese- und Schreibkunst, Schriftgelehrsamkeit, bis ins 18. Jh. = Wissenschaft, Gelehrsamkeit, heute: ›Schrifttum‹, dem Wortsinn nach der gesamte Bestand an schriftl. Aufgezeichnetem und Schriftwerken jeder Art einschließl. wiss. Arbeiten über alle Gebiete (lit. wiss.: →Sekundär.-lit.) vom Brief bis zum Wörterbuch und von der jurist., philosoph., geschichtl. oder relig. Abhandlung bis zur polit. Zeitungsnotiz. Gegenüber diesen von äußeren Anlässen und Gegenständen ausgehenden, nichtfiktionalen, ›sachbezogenen‹ L. faßt ›L.‹ seit der Verselbständigung der Einzelwissenschaften im engeren Sinne als Gegenstand der →Literaturwissenschaft mehr die sog. schöne L., →Belletristik, die nicht zweckgebundene und vom Gegenstand ausgehende Mitteilung von Gedanken, Erkenntnissen, Wissen und Problemen ist, sondern aus sich heraus besteht und e. eigene Gegenständlichkeit hervorruft, durch bes. Gestaltung des Rohstoffs Sprache zum Sprachkunstwerk wird und in der →Dichtung ihre höchste Form erreicht. Als solche umfaßt sie andererseits über den Wortsinn des schriftlich Niedergelegten hinaus auch das vorlit., mündlich Überlieferte (Mythos, Sage, Märchen, Sprichwort, Volkslied) und in anderen, nichtschriftlichen Medien (Film, Funk, Fernsehen, Ton- und Wortträger) festgehaltene Sprachwerke. Nicht alle L. ist Dichtung, nicht alle Dichtung L. im Wortsinn. Engere Begriffsbestimmungen gibt B. CROCE, weitere dagegen J. NADLER, LANSON u. a. – Die Gliederung der →Welt-L. erfolgt sprachlich in verschiedene →National-L., zeitlich in →Epochen, formal in →Gattungen, wertmäßig in →Dichtung, →Belletristik, →Unterhaltungs-, →Trivial-, →Gebrauchs-L., inhaltlich nach Themen, Motiven, →Stoffen usw. Über Möglichkeiten der L.-Betrachtung →Dichtungs- und →Literaturwissenschaft.

F. Baldensperger, *La l.*, Paris 1913; R. Ingarden, D. lit. Kunstwerk, 1931, ³1965; T. C. Pollock, *The nature of l.*, Princeton 1942; C. Du Bos, *Qu'est-ce que la l.?*, Paris 1945; J. Maass, D. Geheimwiss. d. L., 1949; E. Wagenknecht, *Preface to l.*, N.Y. 1954; H. Seidler, D. Dichtg., 1959, ²1965; R. Wellek, A. Warren, Theorie d. L., 1959; S. Barnet u.a., *An introduction to l.*, Boston 1961; H. Ischreyt, Welt d. L., 1961; R. Escarpit, *La définition du terme l.* (*Actes du 3. Congr. de l'Association Internat. de lit. comp.*, 1961); P. Goodman, *The structure of l.*, Chicago 1962; R. Mayhead, *Understanding l.*, Cambr. 1965; J. Tortel, Clefs pour la l., Paris 1965; R. Ingarden, Vom Erkennen d. lit. Kunstwerks, 1968; D. Daiches, *A study of l.*, Lond. 1968; J. J. Gielen, *Taalkunst*, Groningen 1968; C. Guillén, *L. as system*, Princeton 1972; L. u. Dichtg., Vers. e. Begriffsbestimmung, hg. H. Rüdiger 1973; H. Seidler, D.L.begriff i. gesch. Wandel (Sprachthematik i. d. österr. Lit. d. 20. Jh., 1974); B. Gray, *The phenomenon of l.*, Haag 1975; H. Kreuzer, Verändergn. d. L.begriffs, 1975; H. D. Zimmermann, V. Nutzen der L., 1977; A. Horn, D. Literarische, 1978; *What is l.?*, hg. P. Hernadi, N.Y. 1978;

D. Hintzenberg u.a., Z. L'begriff i. d.
BRD, 1980; H. G. Gadamer u.a., Was ist
L., 1981; A. Kibedi-Varga, *Théorie de la
l.*, Paris 1981; H. Arntzen, D. L'begriff,
1984; Z. ma. L'begriff, hg. B. Haupt
1985; Erkundungen. Fs. H. Kreuzer
1987; Wandlgn. d. L.begriffs, hg. G. P.
Knapp, Amsterd. 1988.

Literaturagent →Agent

Literaturarchiv →Archiv

Literaturatlas, 1. geograph. Kar-
tenwerk, das durch Bezeichnung der
Herkunft, Heimatzugehörigkeit
oder Wirkungsorte einzelner Dichter bzw. Dichtungen und lit. Zentren die landschaftl. Gliederung der
Lit. in den versch. Epochen veranschaulicht. – 2. Slg. von Bildmate-
rial (Dichterporträts, Faksimiles, Illustrationen, Stätten u.ä.) zur Lit.-
geschichte.

1.: A. Schleusinger, Lit.karte, 1903; K.
Ludwig, Heimatkarte d. dt. Lit., 1906; C.
Lüdtke, L. Mackensen, Dt. Kulturatlas,
VI 1928–42; H. D. Schlosser, dtv-Atlas z.
dt. Lit., 1983. 2.: G. Könnecke, Bilderat-
las z. Gesch. d. dt. Nat.lit., 1887, ³1926
als Dt. L.; G. v. Wilpert, Dt. Lit. i. Bildern, 1957, ²1965; G. Albrecht u.a., Dt.
Lit.gesch. i. Bildern, II 1969–71.

Literaturbriefe, fingierte Briefe als
(oft period.) Form der lit. →Kritik
im 18. Jh.: Nicolais *Briefe, die
neueste Lit. betreffend* 1759 ff.
(Mitarbeit Lessings) und Gerstenbergs *Briefe über Merkwürdigkeiten der Lit.* 1766 f., J. J. Bodmer,
H. P. Sturz, Herder, im 19. Jh.
Heine, Börne.

Literaturfehden, auf breiter Front
zwischen versch. lit. Stilrichtungen,
Theorien u.a. Auffassungsgruppen
ausgefochtene Streite, spielen sich
vor allem in Zeiten lit. Umbruchs
zwischen den Vertretern der alten,
konservativen und der jungen Generation ab und bedienen sich zur Polemik vorzugsweise der →Parodie,
der Satire (→Literatursatire), der
→Streitschrift, des →Streitgedichts
(→Tenzone) oder des →Pamphlets.

Nach den auf Exkurse in Werken
beschränkten lit. Auseinandersetzungen im MA. (Reinmar/Wal-
ther, Wolfram/Gottfried) beginnen die L. in der neueren dt. Lit.
mit der Kritik Ch. Wernickes am
Schwulststil des Hochbarock, werden fortgeführt in der L. zwischen
Gottsched und den Schweizern,
zahlreichen L. der Aufklärung (um
Lessing, Wieland, Nicolai) und
Klassik (Herder, Goethe, Schiller), gipfelnd in den *Xenien*, sowie
der Romantik (Tieck, Platen) und
dem Jungen Deutschland (Heine,
Freiligrath, Herwegh) und finden nach Fontane ihren Höhepunkt im 20. Jh. in K. Kraus. Die
bedeutendsten franz. L. zentrierten
sich um einzelne Werke: die →Que-
relle des anciens et des modernes,
andere um Corneilles *Cid*, um V.
Hugos *Hernani* und G. Flauberts
Madame Bovary. Fiktive L. sind etwa der Sängerwettstreit im *Wartburgkrieg*.

H.-D. Dahnke, Debatte, Streit, Fehde,
WB 33, 1987.

Literaturgeschichte, der reale geschichtliche Verlauf der (meist belletrist.) Lit. e. Stammes, Landes, Volkes, e. Sprache bzw. der Weltlit.
oder e. Zeit mit Einzelwerken,
Dichtern und umgreifenden lit.
Strömungen sowie dessen lit. Darstellung in chronolog. Rahmen und
z.T. im Zusammenhang der polit.-
soz., kulturellen, künstler., ideolog.
u. geistesgesch. Gesamtentwicklung
unter Aufzeigung der Gesetze, Ursachen und Folgen lit.histor. Wandels.
L. als Geschichte e. Kunstform, ihrer Stile, Formen u. Themen ist jedoch nur eine von vielen Betrach-
tungsmöglichkeiten der Dichtung
und sieht die Dichtung vom histor.
Standpunkt als e. geschichtlich Ge-
wordenes, indem sie auch das Vergangene für erforschens- und aufbe-
wahrenswert hält. Sie strebt über

die Fülle von Einzelwerken hinweg nach e. Einblick in umgreifende Zusammenhänge der Entfaltung. Dabei ordnet sich das einzelne Sprachkunstwerk, mit Hilfe der Interpretation künstlerisch erfaßt, dem induktiv errichteten Bild geschichtl. Bewegkräfte unter und empfängt wiederum Wert und Ausdeutung deduktiv vom Sinn des Ganzen. Hinsichtlich dieses übergeordneten Prinzips aber, des möglichen oder richtigen Blickpunktes der Betrachtung, gehen die Meinungen auseinander: stoffgeschichtlich kann nach den versch. künstler. Gestaltungen e. Stoffes oder den bevorzugten Stoffen gefragt werden, ohne daß damit e. Veräußerlichung zur Inhaltsangabe eintritt, gattungsgeschichtlich nach der Entfaltung und Erfüllung vorgegebener Formen; die Aufteilung kann nach Räumen, Völkern und Sprachen oder →Epochen in ihrer Eigenart und Sonderentwicklung oder ihren gemeinsamen geistigen und künsterl. Grundanschauungen erfolgen oder diese sowie die Einzelwerke und Dichter in ihren Gemeinsamkeiten und Wechselbeziehungen darstellen (→vergleichende L.). In jedem Fall bedingt die Stoffülle e. strenge Auswahlmethode nach implizierter Wertung und damit e. Kanonbildung, die ihrerseits wieder zeitgebunden sind und die Rezeptionsgeschichte spiegeln.

Erste Ansätze zur L., eng verbunden mit der lit. →Kritik, gehen von den alexandrin. und pergamen. Philologen aus, die überkommene Dichterbiographien verarbeiten und Schriften- und Schriftstellerverzeichnisse (→Pinakes, →Kanon) anlegen (KALLIMACHOS), →Didaskalien und Inhaltsangaben abfassen, jedoch kaum über biograph. Studien und krit. Wertung zu histor. Zusammenhängen vorstoßen. Auch die Römer

sammeln Viten der Schriftsteller (SUETON) und verfassen →Indices, daneben lit. Studien bei VARRO, VELLEIUS PATERCULUS und QUINTILIAN (*Institutio* 10) und →Kommentare. Im Frühma. beherrscht das Bildungsinteresse der Kirche die literarhistor. Tätigkeit; man scheidet seit HIERONYMUS das heidn. Schrifttum der Antike als ›literatura‹ von der christl. ›scriptura‹ und sammelt Namen und Biographien christl. Autoren nach dem Vorbild SUETONS in Schriftstellerkatalogen und literarhistor. Querschnitten der Chroniken, daneben als Schul-L. nach dem Vorbild von CASSIODORS *Institutiones* oder stärker geistesgeschichtlich interessiert nach Vorbild des DIOGENES LAERTIUS, alles Formen, die sich teils von der Antike bis ins 18. Jh. erhalten haben, hier jedoch nur bibl. und christl. Schriften umfassen und das dt.sprachige Schrifttum übergehen – erst HUGOS VON TRIMBERG Lehrgedicht *Registrum multorum auctorum* (1280) spiegelt die ges. Lit.kenntnis. OTFRIED blickt (I, 1) auf die lat. Dichtung zurück. Die dt. Lit. erfährt krit. Musterung in den Lit.Exkursen der höf. Epen: GOTTFRIEDS *Tristan* und RUDOLFS VON EMS *Alexander* (Vorrede), den Totenklagen mhd. Dichter um ihre Genossen und dem *Ehrenbrief* des PÜTERICH VON REICHERTSHAUSEN (1462). Der Humanismus schafft aus nationalem Ehrgeiz systemat. Überblicke über die dt. Lit. als Beweis ihres Wertes gegenüber der roman. und lat.-antiken: WIMPHELING, C. CELTIS, VADIANUS (= Joachim WATT: 1. Vorlesung über L. Wien 1518: *De poetica et carminis ratione*), Joh. TRITHEMIUS (1. L. mit Einschluß der Humanisten: *Catalogus illustrium virorum Germanorum* 1486), FLACCIUS ILLYRICUS u.a. bringen die Werke HROTSVITHS VON GANDERS-

HEIM und OTFRIEDS erneut zur Geltung und geben erste Interpretationen. Seit C. GESNER und bes. im Barock entstehen riesige polyhistor.-bibliograph. Stoffslgn., die bis ins 19. Jh. fortwirken. Karl ORTLOB periodisiert 1657 als erster die dt. Lit.; OPITZ (*Poeterey*) und HOFMANNSWALDAU ziehen die Verbindung zu zeitgenöss. und vergangener antiker und ausländ. Dichtung; MORHOF (*Unterricht von der dt. Sprache und Poesie* 1682) beschreibt zuerst die Aufgaben der L. und im *Polyhistor litterarius* (1688–92) die Weltlit. Mit dem Erwachen krit. Geistes (NEUMEISTER, LEYSER) zu Beginn der Aufklärung erfolgt die Wendung von der L. zur allg. →Poetik, die durch Erforschung von Wesen und Gesetzen der Dichtung Maßstäbe zur Lit.betrachtung und Urteilsbildung liefert und so den Grund zur ersten wiss.-systemat. L. legt. Dabei dient der Blick in die Vergangenheit bei GOTTSCHED der Bestätigung des eigenen Standpunktes durch neue Beispiele; bei den Schweizern (BODMER und BREITINGER) dagegen, die Minnesang, *Nibelungenlied* und die Lit. der Hans-Sachs-Zeit wiederentdeckten, führt er um die Jh.mitte zur Erklärung der Dichtung aus ihren Quellen, ihrem Werden und ihrer Epoche. LESSING verbindet philolog. Scharfsinn mit krit.-ästhet. Urteil. Die eigtl. Überwindung der rationalen Sphäre bringt neben GERSTENBERG bes. erst HERDER, der von der individuellen Schöpferkraft des Genies und der Einmaligkeit und Individualität der Werke ausgehend, in ihnen den individuellen Ausdruck der Völker und Zeiten sieht, durch die sie bedingt sind; die einzelnen Nationallitt. erscheinen ihm als Organismen, zu Wachstum und Untergang bestimmt, doch untereinander zum Chor der Weltlit.

vereinigt. Die Romantik übernimmt HERDERS Anschauung und gibt ihr histor. Perspektive durch den Geschichtssinn, die Einfühlung und Freude am Vergangenen und seine Einordnung in größere Zusammenhänge (A. NASSER, A. MÜLLER, J. G. EICHHORN). A. W. SCHLEGELS Berliner Vorlesung ordnet die gesamte europ. Lit. in e. an die antike anknüpfende und e. selbständige Gruppe: klassisch und romantisch; seine Wiener Vorlesung *Über dramatische Kunst und Lit.* gibt ebenfalls e. universalhistor. Überblick. F. SCHLEGEL dagegen, anfangs der Betrachtung von Individual-, Epochen- und Gattungsstil zugewandt, faßt in der Wiener Vorlesung *Geschichte der alten und neuen Lit.* die Weltlit. in ihrer nationalen Bedingtheit als Ausdruck e. Volkes und leitet damit aus der universalhistor. Betrachtung HERDERS zur nationalen über, die in der Volksgeistlehre der Heidelberger Hochromantik gipfelt. Auch EICHENDORFF schreibt im Alter lit.-histor. Werke über Roman, Drama und bes. e. *Geschichte der poetischen Lit. Dtl.s* (1857). Vorangegangen sind 1827 als erste reine L.n die Werke von W. MENZEL und A. KOBERSTEIN. Die erste große wiss. Leistung aber erwächst z. Z. des Jungen Dtl. (H. LAUBE, L. T. MUNDT) aus der sog. ›Historischen Schule‹: G. G. GERVINUS' *Geschichte der poetischen Nationallit. der Dt.* (1835–42). GERVINUS betrachtet ähnlich der späteren geisteswiss. L. die einzelnen Dichterpersönlichkeiten ohne Sinn für ihren individuellen Wert als Vertreter der Ideen, untermischt die objektive Darstellung mit kritisch wertenden Bemerkungen, die jedoch nicht vom ästhet., sondern ethisch-polit. Standpunkt aus erfolgen, und schreibt aus der Überzeugung, die Zeit der poet. Leistungen sei vergangen und werde durch die Politik abgelöst. Trotz dieser problemat., gegen den Geist der Dichtung gerichteten Grundhaltung erlangt sein Werk als geschichtl. Rückschau und Verbindung der Lit. mit dem polit. und Volksleben große Bedeutung und macht die L. zu e. Angelegenheit allg. Interesses. Es folgen SCHERR (Weltlit.), VILMAR, J. SCHMIDT, H. KURZ und WACKERNAGEL (objektive dt. L.) sowie CHOLEVIUS (Gesch. d. dt. Poesie nach ihren antiken Elementen). H. HETTNER entwirft in seiner L. des 18. Jh. (1855 ff.) ein Gesamtbild der Epoche bis zur Klassik einschließlich auf europ. Basis und im Zusammenhang mit den polit., philos. und relig. Strömungen. R. HAYMS Romantische Schule (1870) gibt e. erste Würdigung der bisher als Niedergang betrachteten Frühromantik und erkennt die Einzelpersönlichkeit als Träger der Geistesgeschichte. Mit dem Aufblühen der empir. Naturwissenschaften entsteht die positivist. L., die nur auf Tatsachenforschung unter Verzicht auf Spekulation und Metaphysik abzielt und nach naturwiss. Methoden der strengen Kausalität, nahezu Naturgesetzlichkeit, arbeitet. Ihr repräsentatives Werk ist W. SCHERERS Gesch. d. dt. Lit. (1883), die, auf genauer Quellenforschung und -kenntnis fußend, danach die Dichtung unter den drei Aspekten des Ererbten, Erlernten und Erlebten analysiert. Trotz der zergliedernden Methode gelingen umfassende Zeitbilder und Charakteristiken, die der ›nationalen Ethik und Erziehung‹ dienen sollen. Auch der biograph. und rein philolog. Richtung des →Positivismus um die Jh.-Wende verdankt die spätere L. und →Literaturwissenschaft bes. hinsichtlich der Quellenerschließung wertvolles Material (E. SCHMIDT, HEINZEL,

MINOR, R. M. WERNER, SEUFFERT u. a.) – ihre Grenzen fanden sie, wo in der heutigen L. die Deutung anfängt. SCHERERS Werk war der letzte große Versuch, die ges. dt. Lit.-entwicklung nach allen mögl. Gesichtspunkten aus der Hand e. einzelnen darzustellen – abgesehen von den nunmehr zahllosen populären und Schul-Darstellungen. Zunehmende Stoffülle und method. Spezialisierung verwehren dem modernen Gelehrten gleichmäßige Kenntnis aller Epochen und führen zu Sammelwerken versch. Lit.historiker, die durch vertiefte Sachkenntnis im einzelnen die universale Überschau ersetzen. Seit Beginn des 20. Jh. tritt unter dem Einfluß von DILTHEY (Das Erlebnis und die Dichtung u. a.) e. Krise der L. ein, die zu e. Annäherung der L. an die Geisteswiss. führt. Sie will, auf dem soliden Grund positivist. Forschungsergebnisse, von der analyt. zur synthet. Forschungsmethode fortschreiten und führt in notwendiger Erweiterung des Forschungsfeldes zur →Literaturwissenschaft. Aus ihr entstanden im 20. Jh. im Gefolge ihrer weltanschaul. und wiss. Tendenzen e. Reihe gleichwertiger Richtungen der Lit.betrachtung, die einander befehden, überlagern oder ablösen. Als wichtigste sind zu unterscheiden: 1. biograph. L. (→Dichterbiographie): ERMATINGER, 2. soziolog. L., betrachtet die Lit. als Funktion des gesellschaftl. Entwicklungsprozesses und sieht das Werk mehr als Dokument oder Illustration der Sozialgeschichte: LUBLINSKI, G. LUKÁCS, 3. stammestümliche L., betrachtet die lit. Entwicklung der Einzelstämme und ihre Wechselbeziehungen: SAUER, NADLER, 4. kunstgeschichtl. L.: F. STRICH, 5. kulturgeschichtl. L.: R. BENZ, 6. problemgeschichtl. L.: R. UNGER, 7. geistesgeschichtl. L. fragt nach philos.-weltanschaul. Hintergrund, gedankl. Gehalten und ideengeschichtl. Zusammenhängen der Dichtung, wobei das Sprachkünstlerische zurücktritt: H. A. KORFF, 8. strukturanalyt. L., stellt in Monographien einzelne Schöpferpersönlichkeiten oder Epochen als vielschichtig strukturierte Gebilde in Wechselbeziehung zur Sprachgemeinschaft dar: GUNDOLF, BERTRAM, F. SCHULTZ, 9. gattungsgeschichtl. L.: Monographien der einzelnen Dichtarten (vgl. →Ode, →Lied, →Ballade, →Elegie, →Tragödie, →Roman, →Novelle usw.), 10. rein von künstlerischer Gestaltung, Stil, Form und Dichterkraft ausgehende L.: O. WALZEL, VOSSLER, formgeschichtlich bei P. BÖCKMANN, 11. L. unter dem Aspekt der →Rezeptions- und Wirkungsgeschichte, 12. annalist. L. mit Betonung von Gleichzeitigkeit und Überlagerung der Strömungen: BURGER, FRENZEL. Entsprechende Blickrichtungen kehren in der →Literaturwissenschaft wieder. Aufgeben des Fortschrittsglaubens, Geschichtsmüdigkeit, Ausweitung des Literaturbegriffes auf Triviallit. und Medien, darstellerische Unvereinbarkeit ästhet.-formaler Analyse und umgreifender hist. Sicht, zunehmende Spezialisierung u. wiss. Methodenpluralismus haben die L., einst Hausbuch traditionsbewußten Bildungsbürgertums, durch z. T. inkohärente Sammelwerke mit z. T. method.-ideolog. Voreingenommenheit abgelöst, so daß schließl. weniger die Darstellung der L. als die Reflexion über Methodik u. Theorie der L. und die Geschichtlichkeit der Lit. überwiegen.

A. Sauer, L. u. Volkskunde, 1907ff.; J. Petersen, L. als Wiss., 1914; J. Nadler, D. Wiss.lehre d. L., Euph. 21, 1914; A. Morize, *Problems and methods of Lit. Hist.*, Boston 1922; R. Unger, L. als Problemgesch., 1924; G. Lanson, *La méthode de l'hist. lit.*, Paris 1924; H. Cysarz, L. als Geisteswiss., 1926; R. Unger, Aufsätze z. Prinzipienlehre d. L. (in: Ges. Stud. I, 1929); F. Schultz, D. Schicksal d. dt. L., 1929; Philos. d. Lit.wiss., hg. E. Ermatinger 1930; RL¹: L., Literarhistoriker; P. v. Tieghem, *Tendances nouvelles en hist. litt.*, Paris 1930; W. Mahrholz, L. u. Lit.-wiss., ²1932; M. Ertle, Engl. L.schreibg., 1936; J. v. Dam, L. als Stilgesch., Neophil. 22, 1939; K. Rossmann, Üb. nationalist. L. (Wandlg. 10, 1946); W. Milch, Üb. Aufgaben u. Grenzen d. L., 1950; J. Dünninger, Gesch. d. Dt. Philol. (in: Aufriß, 1951); R. H. Five, *The basis of lit. hist.*, PMLA, 1951; P. Kluckhohn, Lit.-wiss., L., Dichtg.wiss., DVJ 1952; G. B. Parks, *Writing literary hist.*, YCGL 8, 1959; R. Wellek, A. Warren, Theorie d. Lit., 1959; R. Wellek, *Lit. theory, criticism and hist.* (*Sewanee Rev.* 68, 1960); F. Sengle, Aufgaben u. Schwierigkeiten d. heut. L.schreibg., Archiv 200, 1963; M. Janssens, D. Dämmerungsjahre d. geistesgesch. Methode (*Leuvense Bijdragen* 52, 1963); *Literary history and lit. criticism*, hg. L. Edel, N.Y. 1964; Probleme d. L.schreibg., hg. L. Forster, JIG 2, 1970; W. Kohlschmidt, Method. Erwäggn. b. Abfassen e. L., Sprachkunst 1, 1970; H. R. Jauss, L. als Provokation, 1970; C. Guillén, *Lit. as system*, Princeton 1971; J. Pérus, *Méth. et techn. de travail en hist. lit.*, Paris 1972; C. Cristin, *Aux origines de l' hist. lit.*, Grenoble 1973; R. Wellek, *The fall of lit. hist.* (Poetik u. Hermeneutik 5, 1973); H. A. Glaser, Methoden d. L.schreibg. (Grundzüge d. Sprach- u. Lit.-wiss. I, 1973); K.-H. Götze, D. Entstehg. d. dt. Lit.wiss. als L., LuS 2, 1974; Über L.schreibg., hg. E. Marsch 1975; J. Söring, L. u. Theorie, 1976; Lit.wiss. u. Lit.gesch., hg. T. Cramer u.a. 1975; L. J. Goldstein, *Lit. history as history*, NLH 8, 1976/77; C. Uhlig, Lit. als Gesch., Arcadia 12, 1977; Probleme d. L'schreibg., hg. W. Haubrichs 1979; M. Wehrli, L'schreibg. heute (Fs. K. Ruh, 1979); V. Žmegač, L. als Problem (Fs. H. Himmel, 1979); F. Sengle, L'schreibg. ohne Schulungsauftrag, 1980; U. Japp, Beziehungssinn, 1980; N. Frye, *Lit. hist.*, NLH 12, 1980/81; *Teorie e realtà della storiografia lett.*, hg. G. Petronio, Rom 1981; H.-D. Weber, L. als Sozialgesch.?, DU 33, 1981; R. Rosenberg, 10 Kap. z. Gesch. d. Germanistik, 1981; C. Uhlig, Theorie d. Lit.-historie, 1982; R. Schober, D. Geschichtlichk. d. Lit. als Probl., WB 28, 1982; Lit. u. Sprache i. hist. Prozeß, hg. T. Cramer II 1983; K. Bertau, Üb. L., 1983; H.-J. Simm, Abstraktion u. Dichtg., 1984; G. Rusch u.a., Poetics 14, 1985; M. S. Batts, Wer schrieb d. 1. dt. L.?, Seminar 12, 1985; Neue Wege d. L'schreibg., 1985; B. Zimmermann, D. Wendg. z. Gesch., CG

18, 1985; Hist. u. aktuelle Konzepte d. L'schreibg., hg. W. Vosskamp 1986; K.-H. Hucke, H. Korte, L., 1986; C. Uhlig, *Current models and theories of lit. historiogr.*, Arcadia 22, 1987; J. Fohrmann, L'schreibg. als Darstellg. v. Zus.hang, DVJ 61, 1987; M. S. Batts, *A hist. of histories of German lit.*, 1987.

Literaturkalender, period. Verzeichnis der lebenden Schriftsteller und Dichter mit biblio- und biograph. Angaben: *Kürschners Dt. L.* seit 1879, 59. Jahrg. 1984; dazu Nekrologe 1936 und 1973.

Literaturkritik →Kritik

Literaturlexikon, alphabetisch geordnetes Nachschlagewerk der Fakten aus der nationalen oder allg. Literaturgeschichte nach Stichwörtern. Zu unterscheiden sind reine Autorenlexika mit Biographie, Charakteristik und Werkregister (A), reine Reallexika der Fachterminologie (Sachwörterbücher: S), vorzüglich →bibliographische Lexika (B), Lexika der Werke mit Daten, Inhalt und Kurzinterpretationen (W) und Mischformen (M). Wichtigste:

F. Brümmer, Lex. dt. Dichter u. Prosaisten, ⁶1913 (A); H. A. Krüger, Dt. L., 1914 (M); J. Gross, Biogr.-lit. Lex. d. dt. Dichter u. Schriftsteller, 1922 (A); L. Magnus, *Dictionary of European Lit.*, N.Y. 1926 (M); RL, IV 1925-31, ²1955-84 (SB); W. Kosch, Dt. L., II 1930, XV ³1968ff. (AB); H. Röhl, Wb. z. dt. Lit. ²1931 (M); W. Stammler (Hg.), D. dt. Lit. d. MA., V 1933-55, VI ²1978ff. (AB); G. Grente u.a., *Dictionnaire des lettres franç.*, Beauchesne V 1939-72 (M); W. J. Burke, W. D. Howe, *American Authors and Books 1640-1940*, N.Y. 1943 (AB); F. B. Millett, *Contemporary American Authors*, N.Y. 1944 (A); *Dizionario del cupuluvori della lett del teatro e delle arti*, hg. A. Gabrieli, Maild. 1945 (W); *Dizionario letterario Bompiani*, IX + II Maild. 1947ff. (W); H. Smith, *Columbia Dictionary of modern European lit.*, N.Y. 1947, ²1980 (M); J. Hart, *The Oxford Companion to American lit.*, N.Y. 1941, ⁵1983 (M); St. J. Kunitz, *American Authors 1600-1900*, N.Y. ³1949 (A); ders., *20. century Authors*, II N.Y. ³1950 (A); K. A. Kutzbach, Autorenlex. d. Gegenw., 1950, kl. Ausg. 1952 (A); P. Harvey, *Oxford Companion to Class. Lit.*, Oxf. ⁴1951 (M); E. Frauwallner, D. Weltlit., III + I 1951ff. (MB); W. Kayser, Kl. lit. Lex., II 1948, IV ⁴1966-73 (M); H. Steinberg, *Cassell's Encyclopedia of Lit.*, Lond. II 1953, III ²1973 (M); H. Kindermann, M. Dietrich, Lex. d. Weltlit., ⁴1954 (M); C. Sainz de Robles, *Ensayo de un diccionario de la lit.*, Madrid III ²1953-56, II ⁴1982 (M); H. R. Keller, *The Reader's digest of books*, N.Y. ²⁰1964 (W); H. Pongs, D. kl. Lex. d. Weltlit., 1954, ⁷1984 (M); C. Buddingh, *Encyclopedie vor de wereldlit.*, Utrecht 1954 (M); F. N. Magill, *Cyclopedia of World Authors*, N.Y. 1954 (A); DWL, ²1955 (S); L. H. Hornstein u.a., *The Reader's Companion to world lit.*, N.Y. 1956 (M); E. M. Fusco, *Scrittori e idee*, Turin 1956 (M); M. Newmark, *A dictionary of Spanish lit.*, N.Y. 1956 (A); *The New Century Handbook of Engl. Lit.*, hg. C. L. Barnhart, N.Y. 1956 (M); M. H. Abrams u.a., *A glossary of literary terms*, N.Y. 1957 (S); F. Lennartz, Dichter u. Schriftsteller uns. Zeit, I (Dt.), ⁷1957, ¹¹1978, II (Ausl.) 1955, ³1960 (A); Laffont-Bompiani, *Dictionnaire des Auteurs*, II Paris 1957 (A); B. Deutsch, *Poetry Handbook*, Lond. 1958 (S); W. E. Harkins, *Dictionary of Russian Lit.*, Lond. 1958 (M); D. C. Browning, *Dictionary of literary biography, Engl. and American*, Lond. ²1962 (A); P. Harvey, *Oxford Companion to Engl. Lit.*, ⁴1967 (M); ders., *Oxford Companion to French Lit.*, ³1961 (M); U. Renda, P. Operti, *Dizionario storico della let. italiana*, Turin ⁴1959 (M); *Dizionario universale della let. contemporanea*, Maild. V 1959-63 (M); K. Beckson, A. Ganz, *A Reader's Guide to literary terms*, N.Y. 1960 (S); Lex. d. Weltlit. i. 20. Jh., 1960f. (M), kl. Ausg. 1964 (A); Laffont-Bompiani, *Dictionnaire des personnages*, Paris 1960 (lit. Figuren); Laffont-Bompiani, *Dictionnaire universel des lettres*, Paris 1961 (M); *Dictionnaire des auteurs franc.*, Paris 1961 (A); H. Morier, *Dictionnaire de poétique et de rhétorique*, Paris 1961, ²1975 (S); W. R. Benét, *The Reader's Encyclopedia*, N.Y. ²1962, ³1987 (M); M. J. Herzberg, *The Reader's encyclopedia of American lit.*, N. Y. 1962 (M); *Dictionnaire de lit. contemporaine*, 1900-1962, hg. P. de Boisdeffre, Paris 1962 (A); A. D. Dickinson, *The world's best books*, N.Y. ³1962 (W); O. Bantel, *Grundbegriffe d. Lit.*, 1962, ¹¹1984 (S); W. Kosch, Dt. L., 1963 (A); Lex. d. Weltlit., hg. G. Steiner 1963 (A); G. Albrecht u.a., Lex. dt.sprach. Schriftsteller, 1960, II ⁷1972-74, n. 1987 (A); Lex. sozialist. dt. Lit., 1963 (M); Tusculum-Lex. d. griech. u. lat. Lit., ²1963, ³1982 (A); *The concise encyclopedia of modern world lit.*, hg. G. Grigson, N.Y. 1963 (M); *The concise encyclopedia of Engl. and American poets and poetry*, hg. S. Spender u. D. Hall, N.Y. 1963 (M); F. N. Magill, *Cyclopedia of literary characters*, N.Y. 1963 (lit. Figuren); ders., *Masterpieces of world lit. in digest form*, IV N.Y. ³1963 ff. (W); *Moderne encyclopedie der wereldlit.*, IX Gent 1963–77 (M); E. Frenzel, *Stoffe d. Weltlit.*, 1962, ⁶1983; G. v. Wilpert, Dt. Dichterlex., 1963, ³1988 (A); Lex. d. Weltlit., hg. G. v. Wilpert, II 1963–68, ³1988ff. (A, W); *Thesaurus of Book Digests*, hg. H. Haydn, E. Fuller, N.Y. ¹¹1963 (W); H. Giebisch, G. Gugitz, Biobibliogr. L. Österreichs, 1964 (A); *The Encyclopedia of Poetry and Poetics*, hg. A. Preminger, Princeton 1965, ²1975 (S); Handbuch d. dt. Gegenwartslit., hg. H. Kunisch 1965, III ²1969f., ³1987 (A), kl. Ausg. 1967; Kindlers L., VII 1965–72, XX ²1988ff. (W); J. van Geelen, *Auteurs von de 20e eeuw*, Utrecht 1966 (A); *Diz. encicl. della let. ital.*, hg. G. Petronio, Bari VI 1966–70 (M); *Encyclopedia of World Lit. in the 20th century*, III N.Y. 1967ff., IV ²1981ff. (M); *Dictionnaire des littératures*, hg. P. v. Tieghem, Paris III 1968ff., IV ²1984 (M); W. F. Thrall u.a., *Handbook to lit.*, N.Y. ²1968 (S); W. N. Hargreaves-Mawdsley, *Dictionary of European writers*, Lond. 1968 (A); A. C. Ward, *Longman Companion to 20th cent. lit.*, Lond. 1970, ³1981 (A); Meyers Hb. üb. d. Lit., ²1970 (A, S); *A Dict. of lit. in the Engl. language*, hg. R. Myers, Oxf. II 1970 (A); Lit.lex. 20. Jh., hg. H. Olles III 1971 (A); R. Hess u.a., Lit.wiss. Wörterb. f. Romanisten, ²1972 (S); H. Shaw, *Dictionary of lit. terms*, N.Y. 1972 (S); O. F. Best, Hb. lit. Fachbegr., 1972, ⁸1982 (S); P. Kroh, Lex. d. antiken Autoren, 1972 (A); W. Engler, Lex. d. franz. Lit., 1975, ²1984 (M); E. Endres, Autorenlex. d. dt. Ggw.lit., 1975 (A); Handlexikon zur Lit.wiss., hg. D. Krywalski ²1976 (S); E. Frenzel, Motive d. Weltlit., 1976, ³1988; H. u. M. Garland, *The Oxf. Companion to German lit.*, Oxf. 1976, ²1986 (M); *Diz. critico della let. tedesca*, hg. S. Lupi, Turin II 1976 (M); W. Kasack, Lex. d. russ. Lit. ab 1917, 1976 (M); J. A. Cuddon, *A Dictionary of lit. terms*, Lond. 1977, ²1979; Lex. fremdspr. Schriftsteller, hg. G. Steiner III 1977–80 (A); *The Oxford Companion to Spanish lit.*, Oxf. 1978 (M); Krit. Lex. z. dtspr. Gegenwartslit., hg. H. L. Arnold 1978ff. (A); Knaurs Lex. d. Weltlit., 1979 (M); D. dt. Lit., hg. H.-G. Roloff 1979ff. (A, B); *Dictionnaire internat. des termes lit.*, hg. R. Escarpit, 1979ff. (S); H. W. Drescher, Lex. d. engl. Lit., 1980 (M); W. V. Ruttkowski, *Nomenclator litterarius*, 1980 (S); Weltlit. i. 20. Jh., hg. M. Brauneck V 1981 (A); *Diz. Motto della let.*

contemporanea, Maild. V 1982 (M); *A glossary of German lit. terms*, hg. E. Herd, Dunedin 1983 (S); M. Stapleton, *The Cambr. Guide to Engl. lit.*, Cambr. 1983 (M); Krit. Lex. d. fremdspr. Gegenwartslit., hg. H. L. Arnold 1983ff. (A); Metzler L., 1984 (S); F. Lennartz, Dt. Schriftsteller d. 20. Jh., IV 1984 (A); Autorenlex. dtspr. Lit. d. 20. Jh., hg. M. Brauneck 1984, ²1988 (A); *Dict. des litt. de langue franç.*, hg. J.-P. de Beaumarchais u.a., Paris III 1984 (M); *The Harper handbook to lit.*, N.Y. 1985 (S); *Dict. histor., thématique et technique des litt.*, hg. J. Demougin, Paris II 1985 (M); Wb. d. Lit.wiss., hg. C. Träger 1986 (S); Meyers kl. Lex. Lit., 1986 (S); Metzler Autoren Lex., 1986 (A); Lex. d. franz. Lit., hg. M. Naumann 1987 (M); *Longmans Dict. and handbook of poetry*, Lond. 1987 (S); R. Simek, H. Pálsson, Lex. d. anordl. Lit., 1988 (M); Lit.-Brockhaus, III 1988 (M); BI-Schriftstellerlex., hg. H. Gärtner 1988 (A); L., hg. W. Killy XV 1988ff. (A, S).

Literaturoper,

→Oper nach einem vorgeprägten lit., meist, jedoch nicht unbedingt dramat. Stoff wie z.B. VERDI/SCHILLER *Don Carlos*, STRAUSS/WILDE *Salome*, STRAWINSKY/SOPHOKLES *König Ödipus*, BERG/BÜCHNER *Woyzeck*, BERG/WEDEKIND *Lulu*, HENZE/GOZZI *König Hirsch*, HENZE/KLEIST *Prinz von Homburg*, FORTNER/GARCÍA LORCA *Bluthochheit*, KLEBE/SCHILLER *Die Räuber*, v. EINEM/BÜCHNER *Dantons Tod*, v. EINEM/SCHILLER *Kabale und Liebe*, EGK/GOGOL *Der Revisor*, EGK/KLEIST *Die Verlobung in San Domingo*, ZIMMERMANN/LENZ *Die Soldaten*, REIMANN/SHAKESPEARE *Lear*, BRITTEN/MELVILLE *Billy Budd*, BRITTEN/MANN *Tod in Venedig*, DESSAU/BÜCHNER *Leonce und Lena*, die zahlr. KAFKA-Veroperungen der letzten Jahre.

G. Schmidgall, Lit. as opera, 1977; K. F. Dörr, Opern nach lit. Vorlagen, 1979; Für u. wider d. L., hg. S. Wiesmann 1982; C. Dahlhaus, V. Musikdr. z. L., 1983.

Literaturpolitik,

die Gesamtheit aller staatl. oder parteipolit. Maßnahmen, die das lit. Leben beeinflussen:

Förderungen, Stipendien, Preisverleihungen, gelenkte Kritik für systemkonforme und akzeptable Richtungen; negative Kritik, Besprechungs-, Aufführungsverbote, →Zensur, →Bücherverbrennung, Ausbürgerung von Autoren, →Exil für unliebsame, krit. oder dissidente Strömungen, zumal in autoritär regierten Staaten, wo L. e. Sektor der allg. Kulturpolitik ist.

D. Strothmann, Nat.-soz. L., 1960, ²1963; B. Mayer-Burger, Entw. u. Funktion d. L. d. DDR, 1983; P. Zimmermann, L. i. d. DDR (Tendenzen d. dt. Gegenw.lit., hg. T. Koebner ²1984).

Literaturpreise, Geldbeträge, die aus staatl., städt., akadem., Landes-, Institutions-, Verlags-, Vereins-Mitteln oder Stiftungen in meist jährl. Abständen für das Gesamtwerk oder für einzelne Werke an Schriftsteller verliehen werden, neben dem Ehrenpreis z.T. auch Förderungspreise für vielversprechende junge Autoren. Die Praxis, im Grunde so alt wie die griech. Dionysien und die →Dichterkrönung, soll das öffentl. Interesse an Lit. fördern und z.T. kulturpolit. steuern. Sie gerät in jüngster Zeit durch eine Flut belangloser Kleinpreise, die Unübersichtlichkeit der versch. Usancen der Wahl und die an L. geknüpften verleger. Spekulationen zusehends in Mißkredit, so daß nur noch wenige L. eine echte Auszeichnung bedeuten, so etwa auf internationaler Ebene →Nobelpreis, →Balzan-Preis, Prix Formentor und Internationaler Verleger preis, in Dtl. Büchner-, Droste-, Fontane-, Goethe-, Hauptmann-, Hebel-, Heine-, Immermann-, Kleist-, Lessing-, Raabe-, Schiller-, R. A. Schröder-Preis, Friedenspreis des dt. Buchhandels und Hörspielpreis der Kriegsblinden, in Österreich Staatspreis, in der Schweiz Keller-, Schiller- und Charles-Veillon-Preis, in Frankreich Prix Goncourt, Prix Renaudot, Prix Fémina, Prix Médicis und Prix Interallié, in Italien Premio Viareggio, Premio Strega, in Spanien Premio Nadal und Premio Planeta, in den USA National Book Reward, Books Abroad und →Pulitzer-Preis.

A. J. Richter, Lit. Prices and their winners, N.Y. 1946; Guide des prix litt., Paris ⁴1961; J. Clapp, International dictionary of lit. awards, N.Y. 1963; Dokumentation dt.sprachiger Verlage, ³1968; O. S. Weber, Lit. and Library Prices, N.Y. ⁶1967; C. Martini, Dizionario dei premi lett., Mail. 1969; Foreign lit. prizes, hg. E. C. Bufkin, N.Y. 1980; Hdb. d. Kulturpreise, hg. K. Fohrbeck 1985; L.e i. Dtl., 1986.

Literaturproduktion, materialist. Sammelbegriff für die Ursachen, Anregungen, Entstehungsbedingungen und Vermarktungswege u.a. Faktoren des lit. Schaffens im Zeitalter der Massenmedien.

H. Schwenger, L., 1979; B. J. Warneken, Lit. Produktion, 1979.

Literaturpsychologie als Teilgebiet der Kunstpsychologie befaßt sich einerseits mit den psycholog. Voraussetzungen des lit. Schaffensprozesses (→Dichter, Inspiration, Talent, Genie, Erlebnis, Phantasie usw.) und der psychologisierenden Interpretation des Werkes, seiner Charaktere, Handlungsmotivationen und Motive (Archetypen, Träume, Visionen, Konflikte, z.B. Narzißmus, Doppelgänger, Ichspaltung u.a.), andererseits mit der psych. Wirkung des Dichtwerks (Klangwirkung usw.) auf den Erlebenden (Hörer, Leser) und dessen →Rezeption, Geschmack und Verständnis des Werkes und verbindet sich dann mit der →Ästhetik. Vgl. →psychoanalyt. Literaturwissenschaft.

L. Cazamian, Étude de psychologie litt., 1913; R. Müller-Freienfels, Psychologie d. Kunst, 1921; ders. (Hdb. d. vergl. Psychologie, hg. G. Kafka 1922); D. Sayers, Homo creator, 1953; L. Edel, Lit. and psychology (Comparative lit., hg. N. P.

Stallknecht, Carbondale 1961); G. Bekkers, Versuche z. dichter. Schaffensweise dt. Romantiker, Koph. 1961; N. Kiell, *Psychoanalysis, Psychology, and Lit.*, a *Bibliogr.*, Madison 1963, II ²1982; N. Groeben, L., 1972; W. Salber, L., 1972; M. S. Lindauer, *The psychol. study of lit.*, Chic. 1974; *Lit. criticism and psychol.*, hg. J. P. Strelka, YCC 7, 1976; Lit.psych. Stud. u. Analysen, hg. W. Schönau, Amst. 1983; Psych. d. Lit., hg. R. Langner 1986; Phantasie u. Deutg., hg. W. Mauser 1986; A. M. Reh, Lit. u. Psych., 1986.

Literaturrevolution, unscharfe Sammelbz. für alle lit. Umwälzungen seit der →Moderne um die Jh.wende: 1. Naturalismus, 2. Symbolismus/Impressionismus, 3. Futurismus/Expressionismus, 4. Dadaismus, 5. Surrealismus, 6. experimentelle, konkrete und abstrakte Dichtung u. a. m. Die Gemeinsamkeiten dieser oft heterogenen und gegensätzl. Strömungen u. Tendenzen liegen in der Ablehnung von Tradition und Ästhetik, Suche nach neuen Ausdrucksmöglichkeiten in Experimenten und antibürgerl. soz. Engagement bis zur ideolog. Radikalisierung in beide Extreme.
L. 1910–1925, hg. P. Pörtner II 1960f.

Literatursatire, Sonderform der →Satire: Verspottung lit. Werke, Persönlichkeiten, Stilrichtungen und Moden durch Übertreibung oder →Parodie, gleich der →Kritik Waffe im lit. Kampf, doch in sprachkünstlerischer Form (Epigramm, Dialog, Brief, Gedicht, Komödie, kom. Epos, Roman), meist in Zeiten lit. Umwälzungen, an Wendepunkten und Überlagerungen der Epochen, wo die Ausläufer der früheren Epoche in sachl. oder persönl. Angriffen verhöhnt, die Neuansätze gehoben werden; bes. wirksam bei allg. Interesse an den lit. Vorgängen. – In der Antike ist die Komödie bevorzugtes Mittel der L. (ARISTOPHANES). TANNHÄUSER und die →dörperliche Dichtung NEIDHARTS verspotten die Übertreibungen des Minnesangs, WITTENWEILERS *Ring* das höf. Epos. Blüte der L. im Humanismus, bes. die von CROTUS RUBEANUS und HUTTEN anonym verfaßten *Epistulae obscurorum virorum* 1515–17, absichtlich in primitivem Küchenlatein gehaltene Angriffe gegen die Humanisten zur Verspottung der Scholastiker als angebl. Verfasser, ferner N. GERBELS Dialog *Eccius dedolatus* gegen ECK und die Gegner der Reformation. Im Barock parodiert GRYPHIUS das →Handwerkertheater der Meistersinger im Schimpfspiel *Peter Squentz* (nach SHAKESPEARE), MOSCHEROSCH lit. Moden, LOGAU, LAUREMBERG und WERNICKE verspotten in Epigramm und Scherzgedicht die Entartungen der Zeit. In der Aufklärung kämpft GOTTSCHED durch L. gegen die Hofdichter, SCHÖNAICH *(Neologisches Wörterbuch)* gegen KLOPSTOCK, die NEUBERIN schließlich gegen GOTTSCHED. Auch LESSINGS Polemiken zeigen satir. Unterton. Erneute Blüte der L. bringt erst die Goethezeit: der Sturm und Drang bekämpft mit ihr die ausklingende, doch noch anmaßende Aufklärung und Empfindsamkeit: KLINGER, LENZ, H. L. WAGNER *Voltaire am Vorabend seiner Apotheose*, GOETHES Farcen, bes. *Götter, Helden und Wieland* (1774). Später sind die Modedichter und Rousseauisten Zielscheibe der L. In der Klassik rechnen SCHILLERS und GOETHES →Xenien (1797) mit lit. Gegnern ab. Die ältere Romantik, bes. TIECK *(Der gestiefelte Kater)* und die Brüder SCHLEGEL, doch auch FICHTE, SCHLEIERMACHER und BERNHARDI richten die L. in Zss. und Komödien gegen NICOLAI, KOTZEBUE und IFFLAND; KOTZEBUE antwortet mit e. Cento aus F. SCHLEGELS *Lucinde (Hyperboreischer Esel)*, A. W. SCHLEGEL pariert mit *Ehrenpforte und Triumph-*

bogen für den Theaterpräsidenten von Kotzebue. In der Hochromantik führen BRENTANO und GÖRRES die L. gegen J. H. Voss und die Trivialit. Auf GRABBES L. des Schriftstellers *Scherz, Satire, Ironie und tiefere Bedeutung,* die als Meisterwerk bereits in realist. Bereich vorstößt, folgte e. unerfreuliche persönl. lit. Fehde zwischen IMMERMANN, PLATEN und HEINE; PLATENS Lit.komödien nach Muster des ARISTOPHANES verfehlten z. T. e. geeignetes Objekt. HEINE führt scharfen Gegenangriff in *Die Bäder von Lucca;* daneben greifen HEINES *Atta Troll* und IMMERMANNS *Münchhausen* von versch. Seiten das ganze kulturelle und lit. Leben an. GRILLPARZER unterzieht in – erst postum veröffentlichten – bissigen Epigrammen, scheinbaren Buchberichten und dramat. Skizzen das laue lit. Leben der Metternichzeit scharfer Kritik. Erst der erneute Umschwung zum Naturalismus gibt Anlaß zu L.n, teils Schlüsselromanen, teils Polemiken (WEDEKIND) oder Parodien (E. v. WOLZOGEN, BIERBAUM, H. MANN, am bedeutendsten A. HOLZ' *Blechschmiede* 1924). Seither zieht sich die L., durch Stilpluralismus verunsichert, auf Exkurse, Karikaturen und Parodien innerhalb größerer Werke zurück.

RL; H. Hüchting, D. L. d. Sturm- u. Drangbewegung, Diss. Mchn. 1942; S. Hilling, D. L. d. dt. u. franz. Klassik, Diss. Marbg. 1950. →Satire.

Literatursoziologie oder soziologische Literaturwissenschaft

untersucht die soz. Interaktion aller an Lit. Beteiligten, d.h. die vielfältigen ökonom. und soz. Voraussetzungen der Lit. und die Wechselbeziehungen zwischen Lit. und Gesellschaft im weitesten Sinne als unentbehrliche Hilfe für das Verständnis der Lebenszusammenhänge, aus denen die Lit. hervorgeht. Sie untersucht

die Stellung des Schriftstellers in seiner Zeit (soz. Herkunft, Stand, Umwelteinflüsse, Zeiterscheinungen, →Geschmack) und seine wirtschaftl. Situation und soziale Stellung in der Gesellschaft (→Mäzenatentum, Schriftstellerverbände, Literaturpreise), die Abhängigkeit von deren Geschmack, Ansichten und Bildungsstand und seine Wirkung auf das →Publikum, Zeitgenossen, spätere Generationen, Ausland. Sie betrachtet ferner die soziolog. Struktur des Publikums und der lit. Kommunikation und →Rezeption, das Leseverhalten (Lesererwartung, Lesemotivation) als Grundlage für die wiss. Erforschung des Büchermarktes, seine Vorlieben für bestimmte Bucharten und Gattungen als Voraussetzungen der Bucherfolge (→Bestseller) und für die Buchentleihungen in den Bibliotheken. Sie wertet schließlich im Zusammenhang mit dem →Buchhandel das Buch als Handelsware und untersucht die einzelnen Buchtypen und ihre Verbreitung, die Gepflogenheiten des Buchhandels und die Auswirkungen der öffentl. Meinung (Massenmedien, →Kritik, →Rezension, →Literaturpreise, →Zensur) und der Werbung auf den Vertrieb und die Weiterverarbeitung in Theater, Film und Fernsehen. Die dialekt. L. untersucht die Widerspiegelung gesellsch. Strukturen in lit. Werken und die gesellsch. Bedingtheit aller Lit. Als Wiss. um 1900 entstanden; bes. ausgeprägt in der →Literaturwissenschaft der sozialistischen Länder und den USA, in der BR seit den 70er Jahren.

L. L. Schücking, Soziologie d. lit. Geschmacksbildung, 1923, ³1961; P. Sakulin, D. soziol. Methode i. d. Lit. wiss. (russ.), 1925; A. Kleinberg, D. dt. Dichtg. i. ihren soz., zeit- u. geistesgesch. Bedingungen, 1927; A. L. Guerard, *Lit. and Society,* 1935; D. Daiches, *Lit. and Society,* 1938; F. Hodeige, D. Stellg. v. Dichter u. Buch i. d. Gesellsch., Diss. Marb.

1949; C. Lessing, D. method. Problem d. L., Diss. Bonn 1950; A. Hauser, Sozialgesch. d. Kunst u. Lit., 1953, ³1967; K. Freisitzer, D. L., Diss. Graz 1957; R. Escarpit, Das Buch u. d. Leser, 1961, ²1966; J. Klein, Ästhet. u. soziolog. Lit.-Betrachg. (Arch. f. Sozialgesch. I, 1961); G. Lukács, Schriften z. L., 1961, ⁵1972; Lit. and society, hg. B. Slote, Lincoln 1964; H. N. Fügen, Hauptrichtgn. d. L., 1964, ⁶1974; E. K. Bramstedt, Aristocracy and the middle-classes in Germany, Chicago 1964; H. Meyer, Grundlagen d. L. (Stud. generale 17, 1964); L. Löwenthal, Lit. u. Gesellschaft, 1964; G. Linz, Lit. Prominenz i. d. BR., 1965; Lit. et société, hg. L. Goldmann, Brüssel 1966; H. Hiller, Z. Sozialgesch. v. Buch u. Buchhandel, 1967; P. Stöcklein, L. (Fs. H. O. Burger, 1968); H. N. Fügen, Wege d. L., 1968, ²1971; H. Oswald, Lit., Kritik u. Leser, 1969; K.-P. Philippi, Method. Probl. d. L., WW 20, 1970; L. Goldmann, Soziol. d. mod. Romans, 1970, ²1972; C. Albrecht u.a., The sociol. of art and lit., Lond. 1970; S. Sarkany, Essai sur la sociol. de la litt., RLC 45, 1971; J. Strelka, D. gelenkten Musen, 1971; R. Ulshöfer u.a., DU 23, 1971; J. Leenhardt, Introd. à la sociol. de la lit. (Mosaic 5, 1971f.); D. T. Laurenson, A. Swingewood, The sociol. of lit., Lond. 1972; H.-D. Göbel, Meth. u. Ziele d. L., DD 3, 1972; R. Williams, Gesellschaftstheorie als Begriffsgesch., 1972; H. N. Fügen, Dichtg. i. d. bürgerl. Ges., 1972; Ch. I. Glicksberg, Lit. and society, Haag 1972; V. Žmegač, Probleme d. L. (Zur Kritik lit.wiss. Methodologie, hg. ders. 1973); D. Steinbach, D. hist.-krit. Sozialtheorie d. Lit., 1973; Lit. criticism and sociology, hg. J. P. Strelka, YCC 5, 1973; Sociol. of lit. and drama, hg. E. u. T. Burns, Harmondsworth 1973; U. Jaeggi, L. (Grundzüge d. Sprach- u. Lit.wiss., hg. H. L. Arnold I, 1973); L., hg. J. Bark, II 1974; A. Hauser, Soziol. d. Kunst, 1974; D. H. Miles, Lit. sociol., GQ 48, 1975; M. J. Böhler, Soz. Rolle u. ästhet. Vermittlg., 1975; L. Löwenthal, Notizen z. L., 1975; P. E. Sörensen, Elementare L., 1976; J. Scharfschwerdt, Grundprobl. d. L., 1977; R. Escarpit, Elemente e. L., 1977; J. L. Sammons, Lit. sociol. and pract. crit., Bloomington 1977; A. Luzi, Soc. della lett., Mail. 1977; H. Kiesel u.a., Ges. u. Lit. i. 18. Jh., 1977; The soc. of lit., hg. J. Routh, Keele 1977; P. V. Zima, Kritik d. L., 1978; Funktion u. Wirkg., hg. D. Sommer 1978; The soc. of lit., hg. D. Laurenson, Keele 1978; Seminar: Lit.- u. Kunstsoz., hg. P. Bürger 1978; J. Hall, The soc. of lit., Lond. 1979; H. Gaus, The function of fiction, Gent 1979; J. Link u.a., Lit.soz. Propädeutikum, 1980; P. V. Zima, Textsoziol.,

1980; H. Sanders, Institution Lit. u. Roman, 1981; A. Silbermann, Einf. i. d. L., 1981; B. Vanheste, L., Assen 1981; R. Wittmann, Buchmarkt u. Lektüre i. 18. u. 19. Jh., 1982; L. Goldmann, Soz. d. Romans, 1984; A. Viala, Naissance de l' écrivain, Paris 1985.

Literatursprache →Schriftsprache

Literaturstreit →Literaturfehden

Literaturtheorie, 1. die prinzipiellen theoret. Überlegungen e. Schriftstellers, e. Dichterkreises, e. lit. Epoche (Naturalismus, Expressionismus, Futurismus), die dem Werkschaffen zugrundeliegen, sich implizit im Werk vorfinden oder optimal zu e. theoret. System runden, das in Manifesten u. Programmen veröffentlicht wird. – 2. (aus russ. *teorija literaturij*), unscharfes Modewort für alle nichthistor. Disziplinen der →Literaturwissenschaft, bes. Poetik und Literatursoziologie, und diese kombinierende theoret. Systeme oder Versuche zur Frage der Aufgaben und Funktionen der Lit. innerhalb der Gesellschaft, zumal aus marxist. Sicht. – 3. im Westen, wo L. vielfach unreflektierte Übs. des engl. *literary theory* (= Literaturwissenschaft) ist, Oberbegriff für alle Disziplinen der →Literaturwissenschaft unter Ausschluß von Literaturgeschichte und Literaturkritik, jedoch oft im Sinn e. theoret. Überbaus als abstraktes Philosophieren über Seinsweise und Funktion der Lit. ohne Bezug auf prakt. Erscheinungen.

Positionen, hg. W. Mittenzwei 1969; M. L. Gansberg, Methodenkritik d. Germanistik, ²1970; H. Gallas, Marxist. L., 1971; H. J. Heinrichs, Spielraum Lit., 1973; M. Jurgensen, Dt. L. d. Gegenw., 1973; H. Winter, L. u. Lit.krit., 1975; H. Göttner, J. Jakobs, D. log. Bau v. L.n, 1976; H. Turk, L., 1976; M. Hüttel, Marxist.-leninist. L., 1977; K. Weimar, Anatomie marxist. L.n, 1977; F. Nemec, Materialist. L. (Lit.wiss. heute, hg. ders. 1979); D. Naumann, L. u. Geschichtsphilos., 1979; H. Siegel, Sowjet. L., 1981; W. Haug, L. i. dt. MA., 1985; S. H.

Olsen, *The end of lit. theory*, Cambr. 1987.

Literaturverfilmung →Film

Literaturwissenschaft (Ausdruck zuerst bei Th. Mundt, Einleitung zur *Gesch. d. Lit. d. Gegenw.*, 1842), Oberbegriff für alle Arten, Methoden u. Aspekte der wiss. Beschäftigung mit e. nationalen oder allg. der →Literatur als e. method. vielseitigen, nur im Streben nach Erkenntnis gleichlaufenden und nur im Idealfall einheitl. u. systemat. Disziplin. Ihre Forschungsaufgaben und Methoden differieren je nach der engeren oder weiteren Definition des Gegenstandes Lit. von der eigtl. Dichtung, die stets im Kernbereich der L. steht, bis zu Gebrauchs- u. Sachtexten, mündl. Dichtung, Triviallit. und den Massenmedien (Film, Funk, Fernsehen) und entsprechenden Prämissen über den spezif. Charakter lit. Texte, sowie nach dem leitenden, vorgefaßten Erkenntnisinteresse. Histor. wie prakt. ist die L. daher jederzeit gekennzeichnet durch e. heterogenen Methodenpluralismus aus nebeneinander bestehenden Schulen, Lehrmeinungen, Doktrinen und Methodenlehren, über deren Anwendbarkeit lediglich die damit erbrachten Forschungsergebnisse entscheiden. Bereits in der Definition von Lit. oder Dichtung und ihrer Wirkungsweise greift die L. auf die →Ästhetik als Disziplin der Philos. aus. Philolog. Voraussetzungen der L. sind →Textkritik bzw. →Editionstechnik und Quellenkunde, Hilfswissenschaften Epigraphik, Handschriftenkunde, Buchwiss., Bibliographie und Biographie. Auf die Ebene lit. Inhaltsforschung (Thematologie) führt die Untersuchung der Stoffe, Motive, Symbole und Bilder e. Werkes oder e. Werkgruppe. Formale Aspekte der Lit. erschließen die tra-

ditionellen Unterdisziplinen Metrik (Vers, Metrum, Rhythmus, Reim, Klang), Stilistik (Stil, Topoi, rhetorische Figuren) und Poetik (Gattungsprobleme und -techniken wie Aufbau u. Perspektive). Der Erschließung des Gemeinten und der Deutung des Werkes dienen →Hermeneutik und werkimmanente oder werktranszendente →Interpretation.

Werkübergreifende Methoden und Forschungsrichtungen bringen die Einzelergebnisse in umfassende Zusammenhänge und bedienen sich biograph. bzw. autorenmonograph. Methoden (→Dichterbiographie), psycholog. bzw. psychoanalyt. Deutungswege (→Literaturpsychologie, →psychoanalyt. L.); sie sehen Werk und Autor im Zusammenhang von →Geistesgeschichte, Philosophie oder Religion oder heben als →Literatursoziologie auf gesellschaftl. Zusammenhänge ab; sie wenden linguist. Methoden auf die L. an (Semiotik, Strukturalismus, Dekonstruktion), sehen die Werke in histor. Zusammenhängen (→Literaturgeschichte) bzw. im übernationalen Kontext (→vergleichende L.), untersuchen Wechselwirkungen von Lit. und Kunst oder Musik (→wechselseitige Erhellung) oder gehen der →Rezeption bzw. Wirkung e. Werkes oder Autors nach. Der Urteilsbildung und Relativierung der Standpunkte dienen Untersuchungen zur ästhet. →Wertung und zur lit. →Kritik.

Innerhalb der Geschichte der L. entfalten sich diese Methoden und Aspekte, die auch in der →Literaturgeschichte Niederschlag fanden, in chronolog. Abfolge oder im zeitl. Nebeneinander. Auf die Vorarbeiten der Romantik und der sog. Historischen Schule gestützt, erfolgt im letzten Drittel des 19. Jh. die Loslösung der L. als wiss. anerkannte eigene Disziplin von der Germanistik. Der →Positivismus des 19. Jh. fördert die Arbeit nach philolog. und histor. Methoden und legt durch seine Arbeiten zur Textkritik, Entstehungsgeschichte, Quellenanalyse und Biographik die feste Grundlage späterer Entwicklung. E. ELSTER (*Prinzipien der L.*, II 1897–1911) verwendet den Begriff L. zuerst im Ggs. zur philolog. Methode des Positivismus für e. psycholog. auf das dichter. Schaffen gerichtete Lit.forschung, Zurückführung des Einzelwerks auf zeitlose menschl. Verhaltensweisen. Gegen die voraussetzungslose Tatsachendarstellung des Positivismus entstand im Gefolge der Selbstbesinnung der Geisteswissenschaften e. Gegenströmung, die auf den Unterschied zwischen nomothet. Naturund ideograph. Geisteswissenschaft verweisend, die Lit. nicht mehr nach biograph. Detail, Quellenforschung, philolog. Bestandsaufnahme und rationaler Tatsachenfeststellung zergliedert, sondern Dichterpersönlichkeit, Strömung und Einzelwerk in geistesgesch. Entwicklungszusammenhänge eingeordnet, oft nur als Ausdruck ideengeschichtl. Ringens sieht. Zahlr. Richtungen erforschen die Lebenszusammenhänge der Lit. u. soziolog. Fragestellungen nach den gesellschaftl. Verflechtungen der Dichter und ihrer Werke bis zur marxist. L., die den ästhet. Wert der polit.-soz. Aussage unterordnet. Gegenüber den bisher betrachteten Richtungen, gemeinsam gekennzeichnet durch ständige Heranziehung außerdichter. Gesichtspunkte und histor. Perspektive bis zu reinem Subjektivismus, Veräußerlichung u. Vernachlässigung des eigtl. Dichterischen, wandte sich e. neue Richtung der L., indem sie aus der Besinnung auf ihren eigtl. Gegen-

stand die Dichtung selbst wieder in den Mittelpunkt der Betrachtung hob und zu e. engeren Kontakt mit dem Wort der Dichtung selbst führt, nämlich die von der →Dichtungswissenschaft entwickelte Methode der →Interpretation, die in bewußter Wendung zum Einzelwerk am Phänomen selbst erneut die Grundfragen der L. stellt, das Werk als Formgebilde erschließt und es in seinem Wesen deutet. Neuere Strömungen konzentrieren sich auf poetolog. Probleme der L. wie die Erzählforschung, die lit. Inhaltsforschung nach Stoffen, Motiven, Symbolen, Topoi, linguist. Aspekte der L., oder gehen in Rezeptionsästhetik und Wirkungsgeschichte der Aufnahme des lit. Werkes nach.

S. v. Lempicki, Gesch. d. dt. L., 1920, ²1968; H. Maync, Entwicklg. d. dt. L., 1927; O. Benda, D. gegenw. Stand d. dt. L., 1928; K. Schultze-Jahde, Z. Gegenstandsbestimmung v. Philol. u. L., 1928; A. Hirsch, Soziologie u. L., Euph. 1929; E. Ermatinger, Philos. d. L., 1930; W. Mahrholz, Lit.gesch. u. L., ²1932; H. Oppel, D. L. d. Gegenwart, 1939; G. Müller, D. Gestaltfrage i. d. L., 1939; J. Petersen, D. Wissenschaft v. d. Dichtg. l, 1939; R. Petsch, Dt. L., 1940, n. 1969; A. Reyes, *El Deslinde*, Mexiko 1941; H. Oppel, Morphologie, L., 1947; K. May, Üb. d. gegenw. Situation e. dt. L. (Trivium 5, 1947); St. E. Hyman, *The Armed Vision*, 1948; W. Kayser, D. sprachl. Kunstwerk, 1948 u.ö.; R. Newald, Einführg. i. d. Wiss. d. dt. Sprache u. Lit., ²1949; A. Mulot, Z. Neubesinnung d. L., GRM 32, 1950; H. Oppel, Methodenlehre d. L. (in: Aufriß, 1951); P. Kluckhohn, L., Lit.gesch. u. Dichtgs.wiss., DVJ 1952; E. Lunding, Strömgn. u. Strebgn. d. mod. L., Kopenh. 1952; H. Oppel, Z. Situation d. allg. L., NS 1, 1953; C. F. P. Stutterheim, *Problemen d. L.*, Antwerp. 1953; E. Trunz, L. als Auslegg. u. Gesch. d. Dichtg. (Fs. f. J. Trier, 1954); H. Kuhn, Sprach- u. L. als Einheit, ebda.; W. K. Wimsatt, C. Brooks, *Lit. criticism*, N.Y. 1957; RL²; R. Wellek, A. Warren, Theorie d. Lit., 1959, n. 1985; B. v. Wiese, Geistesgesch. oder Interpretation (Fs. F. Maurer, 1963); W. Flemming, Bausteine z. systemat. L., 1965; K. O. Conrady, Einf. i. d. neuere dt. L., 1966; P. Hallberg u.a., *Litteraturvetenskap*, Stockh. 1966; H. Seidler, Dichtkunst u. L., 1966; K.

Hanneborg, *The study of lit.*, Oslo 1967; B. u. W. Flach, Z. Grundlegg. d. Wiss. v. d. Lit., 1967; W. Krauss, Grundprobleme d. L., 1968, ²1973; J. Hermand, Synthet. Interpretieren, 1968, ²1969; *The disciplines of criticism*, hg. P. Demetz u.a. New Haven 1968; R. Ingarden, V. Erkennen d. lit. Kunstwerks, 1968; H. Adams, *The interests of criticism*, N.Y. 1969; M. Wehrli, Allg. L., ²1969; Ansichten e. künft. Germanistik, hg. J. Kolbe II 1969–73; *Contemporary criticism*, Lond. 1970; J. Strelka, Vergl. Lit.kritik, 1970; L. u. Lit.kritik i. 20. Jh., hg. F. P. Ingold 1970; P. Salm, Drei Richtgn. d. L., 1970; E. Leibfried, Krit. Wiss. v. Text, 1970, ²1972; M. Maren-Grisebach, Methoden d. L., 1970, ⁸1982; Methoden d. dt. L., hg. V. Žmegač 1971; J. Strelka, D. gelenkten Musen, 1971; L. Pollmann, Lit. u. Methode, II 1971, ²1973; W. Binder, Lit. als Denkschule, 1972; I. A. Richards, Prinzipien d. Lit.kritik, dt. 1972, ²1984; M. H. Abrams, *In search of lit.theory*, Ithaca 1972; R. Hess, Erkenntnis u. Methode i. d. L., GRM 22, 1972; Methodenfragen d. dt. L., hg. R. Grimm, J. Hermand 1973; Z. Konstantinović, Phänomenologie u. L., 1973; Grundzüge d. Lit.- u. Sprachwiss., hg. H. L. Arnold I, 1973; H. Stauch, Kritik d. klass. L., 1973; L. – e. Einf., hg. D. Breuer u.a. 1973; Z. Kritik lit.wiss. Methodologie, hg. V. Žmegač 1973; Propädeutik d. L., hg. D. Harth 1973; *Directions in lit. criticism*, hg. S. Weintraub u.a., Lond. 1973; J. M. Ellis, *The theory of lit. criticism*, Berkeley 1974; J. Link, Lit.wiss. Grundbegriffe, 1974, ³1985; N. Mecklenburg, H. Müller, Erkenntnisinteresse u. L., 1974; F. C. Maatje, *Lit.wetenschap*, Utrecht ³1974; P. M. Wetherill, *The lit. text*, Berk. 1974; S. J. Schmidt, L. als argumentierende Wiss., 1975; K. Stierle, Text als Handlg., 1975; G. Pasternack, Theoriebildg. i. d. L., 1975; R. Ingarden, Gegenstand u. Aufgaben d. L., 1975; K. Eibl, Krit.-rationale L., 1976; D. Gutzen u.a., Einf. i. d. neuere dt. L., 1976, ⁶1988; J. Reichert, *Making sense of lit.*, Chic. 1977; A. P. Frank, L. zwischen Extremen, 1977; H. Fricke, D. Sprache d. L., 1977; J. Schulte-Sasse u.a., Einf. i. d. L., 1977, ³1985; D. Fokkema, *Theories of lit. i. the 20. cent.*, Lond. 1977; H. Brackert, E. Lämmert, Grundkurs L., II 1978; J. Strelka, Methodologie d. L., 1978, ²1982; J. Gomez, Entw. u. Perspektiven d. L. i. d. DDR, Paris 1978; T. Eagleton, *Criticism and ideology*, Lond. 1978; D. Freundlieb, Z. Wissenschaftstheorie d. L., 1978; H. Seidler, Grundfragen e. Wiss. v. d. Sprachkunst, 1978; W. C. Booth, *Critical understanding*, Chic. 1979; F. Nemec u.a., L. heute, 1979; L., hg. G. N. Pospelow, 1980; C. F. Köpp,

L., 1980; L., hg. V. Bohn 1980; K. Weimar, Enzykl. d. L., 1980; S. J. Schmidt, Grundriß d. empir. L., II 1980–82; C. Radford u.a., *The nature of criticism*, N.Y. 1981; Erkenntnis d. Lit., hg. D. Harth 1982; J. Scharfschwerdt, Lit. u. L. i. d. DDR, 1982; R. Wild, Lit. i. Prozeß d. Zivilisation, 1982; U. Charpa, Methodologie d. Wiss., 1983; P. H. Fry, *The reach of criticism*, N.Y. 1983; F. Lentricchia, *After the New Criticism*, Lond. 1983; R. Shusterman, *The object of lit. criticism*, Amst. 1984; Analyt. L., hg. P. Finke 1984; W. Ray, *Lit. meaning*, Oxf. 1984; Wege d. L., hg. J. Kolkenbrock-Netz 1985; H. Felperin, *Beyond deconstruction*, Oxf. 1985; *Mod. lit. theory*, hg. A. Jefferson, Lond. 1986; S. H. Olsen, *The end of lit. theory*, Cambr. 1987; Z. Terminologie d. L., hg. C. Wagenknecht 1988; T. Eagleton, Einf. i. d. Lit.theorie, 1988.

Literaturzeitungen oder -zeitschriften, Periodika lit. Inhalts, umfassen, oft mit fließenden Übergängen, drei versch. Typen: 1. sog. ›literarische →Zeitschriften‹ mit Originalbeiträgen schöngeist. Texte, z.T. Auszüge und Vorabdrucke. – 2. im engeren Sinne Referatenorgane, die in Form von Buchanzeigen oder Rezensionen über die lit. Neuerscheinungen aller oder einzelner Wissenschaften unterrichten. Sie sind seit dem 18. Jh. üblich: *Acta eruditorum* 1682–1776 und die noch bestehende *Göttinger Gelehrten Anzeigen*, in der Aufklärung bes. Nicolais Zss. zur lit. →Kritik, die →Literaturbriefe, seit 1850 Zarnckes *Lit. Zentralblatt*, seit 1880 als wichtigste die *Dt. L. für Kritik der internationalen Wissenschaft*, hg. von den Dt. Akademien, für die dt. Lit.wiss. *Germanistik*. – 3. literaturwiss. Fachorgane mit Forschungsbeiträgen, Forschungsberichten und ausgewählten Rezensionen. In ihnen spiegelt sich e. großer Teil der lit. Forschung: *Arcadia, CG, Daphnis, DVJ, Euph., GLL, GQ, GR, GRM, LiLi, MAL, MH, Neophil., OL, PBB, Poetica, PMLA, Seminar, STZ, WW, ZDA, ZDP* u.a.m. →Jahresberichte →Zeitschrift.

Zusammenstellung aller L. →Bibliographie, →Zeitschrift, ferner: C. Diesch, Bibliogr. d. germanist. Zss., 1927, n. 1970; A. Estermann, D. dt. Lit.-Zss. 1815–1850, X 1977–81; ders., D. dt. Lit.-Zss. 1850–1880, V 1988 ff.

Litotes (griech. = Einfachheit), →rhetorische Figur: verstärkte Hervorhebung e. Begriffs durch Untertreibung (→Understatement), näml. Verneinung des Gegenteils; uneigentl. Sprechweise: ›nicht übel‹, oft ironisch: ›nicht gerade einer der Tapfersten‹ = feig; häufig bei mhd. Dichtern. →Meiosis.

A. Hübner, D. mhd. Ironie u. d. L. i. Altdt., 1930; C. Weymann, Stud. üb. d. Figur d. L. (Jhrb. f. klass. Philol., 15. Suppl.); W. Berg, Uneigentl. Sprechen, 1978.

Littérature engagée →engagierte Literatur

Liturgie (griech. *leiturgeia* = Leistung an die Öffentlichkeit), 1. im antiken Athen den reichsten Bürgern auferlegte Ehrenpflichten, so u. a. die →Choregie, Ausstattung und Einstudierung e. Chors bei Tragödien- oder Komödienaufführung. – 2. in der christl. Kirche die Ordnung des Gottesdienstes, in der röm.-kath. und orthodoxen Kirche streng geregelte Abfolge der von bestimmten Amtspersonen vorgenommenen Handlungen: Gebete, Messen, Sakramente, Prozessionen, Exorzismen und Horen, niedergelegt in den liturg. Büchern: Brevier und Missale, ev. Agende. Sie bildet teils selbst in →Gebeten, →Sequenzen, →Hymnen und →Tropen dichter. Formen, teils ist sie aus selbständiger Umgestaltung ihrer Teile unerschöpfl. Quelle dichter. Gattungen und Formen: Kirchenlied, Litanei, geistl. Drama, Legende u. a. m. Auch Otfrieds 4-hebiger Reimvers entstammt der L.

R. Stoppel, L. u. geistl. Dichtg. (Dt. Forschgn. 17, 1927); O. Cargill, *Drama and l.*, 1930; H. Brinkmann, Liturg. For-

men i. geistl. Spiel d. MA., 1932; R. Pascal, *On the origins of the liturg. drama of the MA.*, MLR 36, 1941; RL; H. Brinkmann, Z. Urspr. d. liturg. Spieles (in: Stud. z. Gesch. d. dt. Spr. u. Lit. II, 1966); J. Hennig, Z. lit.wiss. Betrachtg. d. L., LJb 7, 1966; L. u. Dichtg., hg. H. Becker II 1983; K.-H. Ringel, D. Wortschatz d. L., 1987.

Liu-che →Lü-shih

Liverpool Poets, engl. Dichterkreis der 60er Jahre in Liverpool, die gleichzeitig mit den Anfangserfolgen der Beatles ihre witzig-freche Poplyrik in Slang publizierte und in Kneipen vortrug: R. McGough, B. Patten.

The L. scene, hg. E. Lucie-Smith, Lond. 1967.

Living Newspaper (engl. = lebende Zeitung), Form des engl. dramat. Lehrstücks und →Dokumentartheaters aus den 30er Jahren des 20. Jh. entsprechend dem russ. →Agitprop., gepflegt bes. im amerikan. Federal Theatre Project: Dramatisierung von aktuellen soz. und wirtschaftl. Problemen und ihrer Bewältigung in oft experimenteller Form mit Episoden- oder Stationentechnik, typenhaften und symbol. Figuren, eingefügten Leitartikeln, Reden, Tanz und Film. Im 2. Weltkrieg auch für Volkserziehungs- und Propagandazwecke benutzt.

Livre d'heure (franz. = Stundenbuch), seit 15. Jh. von Frankreich aus verbreitete, kostbar ausgestattete Form des →Gebetbuchs für Laien, enthält Evangelienanfänge, Passion, Offizien Marias, des hl. Kreuzes und hl. Geistes, Bußpsalmen, Allerheiligenlitanei, Totenoffizien u. a. Einzelgebete. Zeugnis d. Laienfrömmigkeit; im 14./15. Jh. bes. reich illuminiert (Duc de Bery).

H. Bohatta, Versuch e. Bibliogr. d. L. d'h. d. 15. u. 16. Jh., 1907; J. Harthan, *Books of Hours,* Lond. 1977; D. christl. Gebetbuch im MA., hg. G. Achten 1980; H.

Köstler, Stundenbücher (Philobiblon 28, 1984); F. Unterkircher, D. Stundenbuch d. MA., 1985.

Lizenz →Dichterische Freiheit

Lizenzausgabe, jede nicht vom Originalverleger, doch in der Originalsprache herausgebrachte Ausgabe e. Werkes (z. B. Taschenbuch- oder Buchgemeinschaftsausgabe), für die der Lizenznehmer durch Lizenzvertrag mit dem Originalverlag befugt ist.

Ljōðahāttr (altnord. =) →Spruchton, vierzeilige Strophe der *Edda* aus je zwei vierhebigen Langzeilen mit Stabreim und Zäsur im Wechsel mit zwei zwei- bis dreihebigen Zeilen ohne Stabreim und Zäsur. Verwendung bes. in Dialog- u. Merkdichtung. Eine Variante mit unregelmäßiger Zeilenfolge heißt Galdralag.

Loa (span. = Lob), Lobgedicht, als Prolog e. span. Dramenaufführung (L. sacramental vor e. →Auto, L. humana vor e. →Comedia) vorangestelltes kleines Vorspiel, meist in losem Zusammenhang mit dem Stück, bereitet darauf vor oder enthält Lob des Autors, des Publikums, der Stadt usw. als →Captatio benevolentiae; anfangs in Prosa, später in Vers: Oktave, Romanze u. ä., bald stofflich vom Hauptdrama abgelöst. Später Bz. für e. kurzes Festspiel.

J. A. Meredith, *Introito and l.,* Phil. 1925.

Lobgedicht, lyr. oder ep. Gedicht zum Lob von Personen oder Sachen (Gott, Christus, Maria, Heilige, Freunde, Frauen; Länder, Orte, Flüsse, Landschaften; Wein, Natur, Sonne, Frühling usw.) und Idealen (Liebe, Freiheit, Freundschaft), im engeren Sinn ein ausgesprochen dem Lobe einer individuellen zeitgenöss. Person gewidmetes Gedicht als weltl. Huldigung, Gattung der Gelegenheits- und Auftragsdichtung. Ältere Vorläufer des L. sind die antiken →Enkomien, →Elogien, →Hymnen und →Epinikien und die german. →Preislieder. Volle Ausbildung erfuhr das L. in Form der Elegie im dt. Humanismus (BEBEL, HUTTEN, BALDE) und in Alexandriner- und Odenform im Barock (WECKHERLIN, OPITZ, KUHLMANN, ROMPLER, →Hofpoeten). Mit dem Schwinden des rein rhetor. Elements in der jüngeren Dichtung bleibt das L. auf vereinzelte Gelegenheitsdichtungen bes. auf Fürsten und Landesherren beschränkt und fand nur wenige Vertreter; erst autoritären Staaten blieb es vorbehalten, den polit. ›Führer‹ wieder zum Gegenstand schmeichlerischer L. zu machen.

RL²; O. B. Hardison, *The enduring monument,* Chapel Hill 1962; A. Georgi, D. lat. u. dt. Preisged. d. MA., 1969.

Lobpreis, -rede →Panegyrikos, →Eloge, →Enkomion

Lobspruch, Spruch zum Preis e. Stadt oder e. Landes, bes. bei H. SACHS und W. SCHMELTZL; →Städtegedichte.

Locus amoenus (lat. = lieblicher Ort), bekannter lit. →Topos der Natur- und Idyllendichtung: eine fiktive liebl. Landschaft aus festen stereotypen Elementen (Wiese, Blumen, Bach/Quelle, Vögel) nicht individuellen Naturgefühls, sondern traditionelle Versatzstücke; gelangte aus antiker Bukolik (THEOKRIT, VERGIL) und christl. Paradiesvorstellungen in die ma. Dichtung (Minnesang, Pastourelle, Minnegrotte in GOTTFRIEDS *Tristan*) in die barocke Landleben- u. Schäferdichtung, Anakreontik u. Romantik. Ggs. ist der ›locus terribilis‹ (schreckl. Ort).

D. Thoss, Stud. z. l. a. i. MA., 1972; K. Garber, Der l. a. u. der l. terribilis, 1974; J. Heidenreich, Natura delectat, 1985.

Locus communis (lat. =) →Gemeinplatz

Lösung →Katastrophe

Lösung, franz. *dénouement,* 1. allg. die Auflösung e. Konflikts, e. Problems, e. Intrige, als Handlungsmotiv in Epik wie Drama Gegenbewegung zur ›Schürzung des Knotens‹ oder ›Ausgang‹ schlechthin. – 2. im ernsten →Drama nach der klass. Dramaturgie die auf Peripetie und Moment der letzten Spannung folgende untrag. Beilegung oder Auflösung des sich tragisch zuspitzenden Konflikts, z.B. durch →Deus ex machina oder Wandlung der Figuren (→Lösungsdrama), die eine →Katastrophe kurz vor ihrem Eintritt vermeiden, die →Tragödie ins ernste →Schauspiel umbiegen. Entsprechend in der Komödie die Beilegung der kom. Widerstände. Die normative Dramaturgie verlangt von der L. Glaubwürdigkeit, Wahrscheinlichkeit und e. Verbindlichkeit, die den Zuschauer über das weitere Schicksal der Hauptfiguren beruhigt. Mod. Formen wie ep. Theater und absurdes Drama verweigern die befriedigende, beruhigende L.
Lit. →Drama.

Lösungsdrama, Tragödie, die vor Eintritt der trag. Katastrophe in e. überraschende →Lösung des Konflikts umbiegt, meist äußerl. durch Eingriff einer numinosen, göttl. (→deus ex machina) oder höheren (königlichen) Macht oder innerl. durch Wandlung (Läuterung) der Figuren. KLEISTS *Prinz Friedrich von Homburg,* GOETHES *Iphigenie.* →Schauspiel.
P. Kluckhohn, D. Arten d. Dr., DVJ 19, 1941.

Logaödische Verse (griech. *logos* = Rede, *aoide* = Gesang), frühere Bz. der →äolischen Versmaße wegen ihrer scheinbar die Mitte zwischen Prosa und Vers haltenden Form.

Logograph (griech. *logos* = Wort, *graphein* = schreiben), 1. älteste griech., meist ion. Geschichtsschreiber vor der mit HERODOT einsetzenden eigtl. Geschichtsschreibung, aus der Zeit, als der Vers des Epos durch die Prosaerzählung verdrängt wurde: seit 7., bes. 6. und 5. Jh. v.Chr.; verfaßten unkrit. Ortschroniken, Beschreibungen der durch den Handelsverkehr erschlossenen fremden Länder und Völker, legendäre Städtegründungen und myth. Stammbäume der Götter und Heroen. Wichtigste: KADMOS von Milet, HEKATAIOS von Milet, PHEREKYDES von Leros, CHARON von Lampsakos, XANTHOS von Lydien und HELLANIKOS von Mytilene. – 2. in Athen Redner und Rechtsanwälte, die – teils als Ausländer oder wegen körperl. Gebrechen – nicht selbst vor Gericht auftraten, sondern für die streitenden Parteien Reden verfaßten, welche diese dann vortrugen: ANTIPHON und bes. LYSIAS.

Logogriph (griech. *logos* = Wort, *griphos* = Netz, Rätsel), Buchstaben→rätsel, bei dem durch Versetzung (→Anagramm), Auslassung oder Hinzufügung einzelner Buchstaben e. Wortes ein neues entsteht, die beide zu erraten sind, z.B. Leiche-Eiche.
E. Kuhs, Buchstabendichtung, 1982.

Lokalkolorit →Ortskolorit

Lokalposse →Lokalstück

Lokalsage (lat. *locus* = Ort), an bestimmte Örtlichkeiten (Burg, Fels, Insel, Quelle) untrennbar gebundene →Sage, z.B. Lorelei (BRENTANO).

Lokalstück, heiter-realist. →Volksstück, das Typen, Verhältnisse und

Sitten e. Gegend oder e. bes. Stadt meist in Mundart auf der Bühne darstellt, teils als rein kom. oder parodierende Lokalposse, teils als moralisierendes Sittenstück oder sozial betontes →Volksstück, meist aus lokalbezogenen Zwischenspielen der Theater im 18. Jh. entstanden, und selten von höherem lit. Wert und über die Grenzen des Entstehungskreises hinauswirkend. In Italien entstanden landschaftl. Sondertypen im Zusammenhang mit der →Commedia dell'arte, in Frankreich neben der Pariser Lokalposse meist soziale L.e in Südfrankreich und der Provence; im dt. Sprachraum bilden einzelne Großstädte Zentren zur Pflege des L.: am reichsten Wien, wo im Zusammenhang mit der Zauberposse e. lokales →Zauberstück entsteht; daneben die von Ph. Hafner aus dem Stegreifspiel des →Hanswurst (Stranitzky, Prehauser, Kurz-Bernardon) entwickelte soz. Typenkomödie und burleske, charakterkomische Lokalposse, von Perinet ins Singspiel umgeformt, späterhin teils Satire soz. Spannungen, Modeunsitten und lokaler Charaktertypen, teils mytholog. Karikatur (weanernde Götter), teils lit. Parodie der Schwächen großer Dichter (Nestroy). Das Münchner L. ist reines →Volksstück (L. Thoma). Das Hamburger L. beginnt nach Vorformen in den Zwischenspielen der Barockopern 1741 mit Borkensteins *Bookesbeutel* zuerst als Ständesatire, im 19. Jh. auch als lit. Parodie, schließlich als bäuerl.-kom. L., um die Jh.wende dann wieder als soz. Satire oder allg. Volksstück (J. Stinde). Das Frankfurter L. ist Typenkomik; in Darmstadt ragen Niebergalls Charakterkomödien über den Rahmen des L. hinaus. Das von L. Angely begr. Berliner L., ursprünglich nahe dem Wiener

Vorbild, verwendet seit Holtei eigene Berliner Typen, wird im Jungen Dtl. um D. Kalisch zur polit. Satire und schließlich mit L'Arronge zum sentimentalen Volksstück. Das rheinische L. gipfelt in H. Müller-Schlössers *Schneider Wibbel;* das L. im Elsaß ist seit Arnolds *Pfingstmontag* Mundarttheater.

F. Stadtfeld, D. karoling. Ortskomödie, 1977; V. Klotz, Enge u. Weite d. L'posse, STZ 69, 1979.

Longseller (engl. *long* = lang, *to sell* = verkaufen) = →Steadyseller.

Losbuch, Sammlung von Orakelsprüchen und Morallehren zum Zweck der Schicksalsbefragung, Belehrung und Unterhaltung, nach Vorgang antiker Orakelbücher seit 14./15. Jh. hsl. erhalten, ab 1483 gedruckt, obwohl von der Kirche bekämpft. Literarisch in J. Wickrams *Weltlich L.* (1539).

H. Rosenfeld, L., AGB 1962.

Lost generation (engl. = verlorene Generation), von G. Stein geprägte Sammelbz. für die Generation nordamerikan. Schriftsteller der 20er Jahre, die als Teilnehmer im 1. Weltkrieg ihre Illusionen eingebüßt hatten und sich durch ihre eigenen neuen Probleme, ihre skept. negative Weltanschauung, Zynismus, Bindungslosigkeit und ihre selbstbewußte Gleichgültigkeit von der Tradition abhoben. Bes. der Kreis um G. Stein: E. Hemingway, Dos Passos u.a., weiter E. E. Cummings, M. Cowley und F. S. Fitzgerald.

M. Cowley, The L.g., 1931; ders., A second flowering, N.Y. ²1973.

Losung →Devise

L. s. (lat. *lectori salutem* = dem Leser einen Gruß), Einleitungsformel alter Bücher.

Ludlamshöhle, nach A. G. Oehlenschlägers Drama benannter, 1817 gegr. Wiener Schauspieler-, Musiker- u. Dichterkreis, dem neben Zedlitz, Castelli, Holtei, Bauernfeld auch Grillparzer angehörte; 1826 verboten; nach dem 2. Weltkrieg erneuert.

O. Zausmer, D. L. (Jhrb. d. Grillparzer-Ges., 1933); K. Wache, Neue Kunde v. d. alten L. (in: Jahrmarkt d. Wiener Lit., 1966).

Ludus (lat. = Spiel), 1. in Rom öffentl. Spiele ähnl. den griech. →Dionysien: ludi Romani (Anfg. Sept.), zu denen seit 240 v. Chr. auch ludi scaenici, Dramenaufführungen, gehörten. Nach dem Vorgang von Livius Andronicus mit Latinisierung griech. Stücke vermehrt sich mit der Zahl der Dramendichter auch die der Spiele: ludi Plebeii (Anfg. Nov.), Apollinares (Anfg. Juli), Megalenses (Anfg. April), Florales (Anfg. Mai) u.a. von urspr. zwei Tragödien und zwei Komödien jährlich auf 55 Spieltage im Jahr in der spätrepublikan. Zeit und noch mehr in der Kaiserzeit. – 2. das →geistliche Drama des MA. sowie spätere geistl. Spiele (16. Jh.), so L. paschalis = →Osterspiel u. ä.

Lügendichtung, weitverbreitete volkstüml. Dichtart: Erzählung phantast., gänzlich unmöglicher oder an sich möglicher, doch bis zur Unwahrscheinlichkeit übertriebener Begebenheiten, deren Unwahrheit der Leser/Hörer trotz der Beglaubigung durch die Ich-Form durchschauen soll; Nähe zu Schwank, Märchen, Abenteuer-, Schelmen- und →Reiseroman. Seit der Antike, bes. dem hellenist. Roman (Lukians *Wahre Geschichte*) zahllose Aufschneiderfiguren, die bes. im Barock wiederkehren: Miles gloriosus, Bramarbas, Vincentius Ladislaus, Horribilicribrifax (Gryphius) und Schelmuffsky (Reuter), dazu oriental. Einflüsse aus *1001 Nacht*, z. B. Sindbad der Seefahrer, ferner *Talmud,* Legenden, Märchen u. a.; im dt. MA. Fabeln der Schwabenstreiche, e. *Modus Liebinc,* dann bes. in der Spielmannsdichtung ausgebildet, schließlich in den Lügenschwänken der Volksbücher im 15./ 16. Jh.: *Finkenritter* 1560, *Eulenspiegel* 1515 gesammelt; im 18. Jh. z. T. unter den →Münchhauseniaden vereinigte Jagd-, Reise-, Kriegs-Lügen und -anekdoten. Meister des oft episod. Lügenromans mit dem Aufschneider als Hauptfigur sind Rabelais, Fischart, Grimmelshausen, Cyrano de Bergerac, Swift und Daudet *(Tartarin).* Im 20. Jh. M. Walsers *Lügengeschichten* (1964).

C. Müller-Fraureuth, D. dt. L. bis auf Münchhausen, 1881, ²1965; A. Ludwig, D. Lügner (Lit. Echo 23); J. Minor, Wahrheit u. Lüge auf d. Theater u. i. d. Lit., Euph. 3, 1896; O. Lipmann, P. Plaut, Die Lüge, 1927; H. Weinrich, Linguistik d. Lüge, 1966; ders., Lit. für Leser, 1971.

Lü-shih (chin. = regelmäßiges Gedicht), chines. Gedicht aus 8 Versen oder Strophen zu je 8 Versen mit je 5 oder 7 Silben, wobei der 3. und 4., 5. und 6. Vers parallel laufen; seit 5./6. Jh. aufgekommen.

Lukubration (lat. *lucubratio*) = gelehrte Nachtarbeit und deren lit. Produkt.

Lullaby, engl. Wiegenlied (urspr. Marias), Abart der →Carols, benannt nach ihrem Kehrreim ›Lully my child‹.

Lustige Person →komische Person

Lustspiel, seit 1536 belegtes, doch erst mit Gottsched durchgesetztes Ersatzwort für →Komödie und meist synonym verwendet. Die Existenz zweier Begriffe im Dt. gab Anlaß zu Versuchen, sie terminolog. zu differenzieren, die als subjektiv begründet nicht einhellig aufgenommen wurden. L. bedeutet dann im Unterschied zu der aus der →Komik abgeleiteten →Komödie die aus der Haltung des →Humors entstandene Dramenform; sie bezweckt nicht Lächerlichkeit durch Aufdeckung der Unzulänglichkeiten, sondern reines Lachen der Heiterkeit, entstanden aus der Überlegenheit des Wissens um menschl.-ird. Bedingtheit und getragen von e. fröhlich verzeihenden weil verstehenden Liebe zu Mensch und Natur, welche die Gegensätzlichkeit der Welt anerkennt, aber nicht richten oder ändern will. – Die Antike und die roman. Völker pflegen mehr das kom.-drast. Element in Mimus und Komödie; SHAKESPEARES L.e dagegen zeigen die charakteristische ungebrochene Lebensfreude, wie sie auch in der dt. Lit. sich in e. Reihe bedeutender L.e verkörpert, während die Komödie hier keine feste Tradition aufweist. Im Barock wirkt e. Fülle von ausländ. Anregungen: Englische Komödianten, ital. Commedia dell'arte, holländ. →Kluchten und →Rederijkerspiele wie die Komödie MOLIÈRES. Sie werden erst langsam zu eigenen Gestaltungen verwertet, so den L.en von Herzog HEINRICH JULIUS von Braunschweig, GRYPHIUS *(Die geliebte Dornrose)*, Chr. WEISE und Chr. REUTER. Im 18. Jh. gewinnt das mim. Stegreifspiel Überhand, bis GOTTSCHED durch Verbannung des Hanswurst e. llt. L. erstrebt, jedoch gleichzeitig viel volksnahen und ursprüngl. Witz ausschließt. KRÜGER und J. E. SCHLEGEL beziehen Anregungen durch den Dänen HOLBERG; die franz. comédie larmoyante aber führt bei GELLERT u. a. zum →weinerlichen L. der Empfindsamkeit, das, schon bei H. SACHS vorgeformt, auf der Rührung

als ›Lachen unter Tränen‹ beruht und weiterhin auf die Entstehung des bürgerl. Trauerspiels wirkte. Auf die bühnenwirksamen L.e Chr. F. WEISSES folgt in LESSINGS *Minna von Barnhelm* das erste und klass. dt. L. Dem Irrationalismus des Sturm und Drang stand die Komödie näher als die humorist. Weltweisheit des L.; der Ernst und das Bewußtsein der hohen Sendung gaben ihr in der Klassik keinen Raum; daneben entstand jedoch e. Fülle tagesgebundener Repertoirestücke, die ihre Erfolge weniger dem lit. Wert als der theatralischen Wirksamkeit zuschreiben, zumal die Verfasser, meist selbst Schauspieler, Bühnenwirkungen geschickt ausnutzen: IFFLAND, SCHRÖDER, GROSSMANN, BRANDES, bes. KOTZEBUE, dessen oft ins Komische oder Schwankhafte übergreifende L.e durch ganz Europa ziehen. Die Romantik schult sich an der Übersetzung der L.e SHAKESPEARES; während ihr satir. Märchen-L. (TIECK) theaterfern bleibt, gelingen BRENTANO *(Ponce de Leon)* und später BÜCHNER *(Leonce und Lena)* übermütig leichte L.e voll sprühenden Wortwitzes, doch mit Nähe zur Satire, die auch GRABBES *Scherz, Satire, Ironie und tiefere Bedeutung* bestimmt. Aus romant. Einflüssen und barocker Tradition entsteht das österr. →Volksstück F. RAIMUNDS, dessen freilich auch dem Mimus nahestehende Form die innere Überwindung des Leides zu gelöster Heiterkeit spiegelt und sich mit NESTROY zur Satire und Komödie wandelt, wie auch KLEISTS *Zerbrochener Krug* reine Komödie ist. Aus ähnlichen tieftrag. Weltanschauung entsteht GRILLPARZERS L. *Weh dem, der lügt.* Allzu starke gedankl. Belastung kennzeichnet das L. HEBBELS. Überwindung des Leides zu gültiger Heiterkeit zeigt auch die Gestalt des H. Sachs in WAGNERS *Meistersingern*. Das Gesellschafts- und Salon-L. erscheint bei BAUERNFELD und BENEDIX und gipfelt in der Kunstform von FREYTAGS *Journalisten*, während die Flut der nichts als Lachlust erregenden Stücke bruchlos in die →Posse übergeht. Der Naturalismus neigt zur Komödie, der auch H. BAHR und SCHNITZLER nahestehen, während der Expressionismus (WEDEKIND, KAISER, STERNHEIM) das L. mit freierer Entfaltung der intellektuellen Satire verknüpft. Die Gegenwart bringt nach HOFMANNSTHAL bezeichnenderweise nur e. Fülle theaterfester Komödien gewandter Praktiker hervor.

Lit. →Komödie.

Lyoner Dichterschule, heterogene Gruppe in Lyon ansässiger franz. Renaissancedichter des 16. Jh. zwischen Petrarkismus und Pleiade: M. SCÈVE, Pontus de TYARD, L. LABÉ, A. HÉROËT, P. DU GUILLET u. a.

Lyrik (zu griech. *lyra* = Leier), die subjektivste der drei Naturformen (→Gattungen) der Dichtung; sprachl. Gestaltung seelischer Vorgänge im Dichter, die durch erlebnishafte Weltbegegnung (→Erlebnis) entstehen, in der Sprachwerdung aus dem Einzelfall ins Allgemeingültige, Symbolische erhoben werden und sich dem Aufnehmenden durch einfühlendes Mitschwingen erschließen. Die Unmittelbarkeit des Ausdrucks läßt die L. als Urform der Dichtung erscheinen (franz. *poésie* = L.). Sie verzichtet auf Objektivierung in erzählten Ereignissen (Epik) oder handelnden Figuren (Drama) und bietet daher, abgesehen von formalen Reim- und Versregeln, wenig Ansatzpunkte zu Formentheorie und normativer Poetik, führt aber dennoch zu ästhet.

Formprägung im Sprachkunstwerk – freilich in verschiedenem Grade vom ausströmenden Seelenlied bis zur bewußtesten und durchgeistigten Kunstform, ohne die Affinität zur Musik je ganz zu verlieren. Nicht die Intensität des verdichteten Gefühls, die Erlebnisstärke und die Tiefe der Empfindungen allein, auch die Durchdringung und Bewegung des Sprachmaterials zu sprachkünstler. Gestaltung sind wesentl. Kriterien der L., denn sie erst geben der einmaligen Empfindung zeitlos-gegenwärtige Form und lösen das Gedicht vom Schöpfer zu erfülltem Eigenleben. Die ungestaltete, aus bloßem Einfall und Augenblicksstimmung herausströmende Aussage gerät in die Gefahr des Zerfließens und konkretisiert sich daher zu sinnverdichtender Kürze an Bildern, Symbolen und Chiffren. Grundlage der sprachl. Bindung bildet der →Rhythmus, auch als sog. freier Rhythmus, zu dem e. →metrisches Schema und →Reim, als Gliederung →Vers und →Strophe dazutreten können. Das zugrunde liegende stimmungshafte Welterleben kann selbsterfahren oder aus fremder Erfahrung anverwandelt und im eigenen Ich gespiegelt sein; es umfaßt sowohl seel. Gestimmtheiten (Freude-Leid in allen Variationsmöglichkeiten) als auch das Verhältnis vom Ich zum Mitmenschen (Einsamkeit-Gemeinschaft, als Liebe, Freundschaft, Verehrung) und schließlich von Seele und Welt (Natur, Schöpfung, Vergänglichkeit, Religion, Gott). Im einzelnen lassen sich dabei wieder alle Stufen möglicher Haltungen feststellen: von dem an keine Kausalzusammenhänge, Ort und Zeit gebundenen, rein im Einsgefühl mitschwingenden, kaumgeformten Urlaut im musiknahen Naturlied mit dem Ton des Naiv-Herzlichen über das intuitivdunkle Ahnen um elementare Urbilder, die geistige Vision des Symbols und die allegorisierend-deduktive Meditation bis zum streng gedanklich sichtenden Gegenüber (→Gedanken-L.) oder von der Priorität der artifiziellen Kunstform bis zum Vehikel weltanschaul. Beeinflussung – Haltungen, die mit Epochengeist und individuellem Lebensgefühl wechseln und als deren Extreme G. MÜLLER Lied und Ode erkannt hat. In den einzelnen Zeiten und Völkern entstehen daraus zahllose Abarten und Untergattungen der L., teils in formaler Hinsicht – wobei jeweils die Form auch die Aussageweise mitbestimmt – teils in inhaltl. und gedankl. Hinsicht. Entwicklung und Arten der L. bei den versch. Völkern variieren nach Volkseigenart und Epochen; ihnen gemeinsam ist der Charakter als tiefste kunstgeformte Aussage letzter menschl. Belange überhaupt, die überall und immer gleich sind. Die Chinesen pflegen seit 1500 v.Chr. das Volkslied, als Jagd-, Liebes-, Familien- und Opferlied, oft mit lehrhaftem Charakter *(Shih-ching)*; die Ägypter bes. Hymnen und Totenklagen (Isis und Osiris), die Hebräer enthusiast.-hymn. Formen im Psalm (DAVID), Spruch (SALOMON), Liebeslied *(Hohelied)* und Kriegsgesang (Deborah), die Inder anfangs relig. L. *(Rigveda),* später lehrhafte Spruchdichtung und erot. L. (JAYADEVA), die Iranier Lehrdichtung *(Awesta),* im MA. dann als myst. und moral. Kontemplation (RŪMĪ, SAʿDĪ) und schließlich farben- und formenfrohe Wein- und Liebesl. voll Sinnen- und Lebenslust (HĀFEZ, DJĀMĪ), die Araber im MA. Totenklagen, dann Liebes- und Spottlieder *(Hamāsa,* IMRAʿALQAIS), Spruchdichtung nach dem Vorbild des *Koran* (alMUTA-NABBĪ) und wieder reiche Liebes-L. Die abend-

länd. Entwicklung beginnt mit den Griechen, wo sich zuerst das Epos entwickelt hatte, und zwar in enger Verbindung mit der Musik: L. im engeren Sinne war nur das zur Musikbegleitung gesungene Lied (nicht →Jamben, →Elegie, →Epigramm), teils monod., subjektive und stroph. sog. äolische L. für den Einzelvortrag (TERPANDER, ALKAIOS, SAPPHO, später ANAKREON), teils in Strophe und Antistrophe gegliederte →Chorlyrik der Dorier (ALKMAN, STESICHOROS, IBYKOS, SIMONIDES, PINDAR und BAKCHYLIDES). Beliebte Formen sind Ode, Hymne, Skolion und Elegie. Letztere tritt in hellenist. Dichtung wieder hervor, während seit rd. 450 v.Chr. die lyr. Dichtung sich nach d. frühen Blüte auf die Choreinlagen der Dramen beschränkt hatte. Die Römer übernehmen erst spät die griech. Formen, so HORAZ die äol. Odendichtung und die Jamben, CATULL, TIBULL, PROPERZ und OVID bes. die Elegie, MARTIAL das Epigramm; ihnen liegt z.T. weniger unmittelbare Gefühlsaussprache als die vollendete Formkunst. – Aus vermutl. heidn. Volksliedern der Germanen, Kelten, Romanen und Slawen entwickelt sich im christl. MA. teils e. →geistliche L. als künstler. Verarbeitung christl. Gedankenguts, deren gemeinsame Züge nach der kath. Kirche bestimmt werden; →Marienl., geistl. Kampflieder (→Kreuzlied) als Ermutigung zum Kampf gegen die Ungläubigen, auch Bestrafung Unwürdiger in den eigenen Reihen (bei WALTHER) und bes. das Sündenlied *(Dies irae* des THOMAS VON CELANO); teils e. weltl. L. unter Einfluß der höf. Kultur des Rittertums, seit der Begegnung mit dem Orient (Mohammedaner in Spanien, Kreuzzüge) auch der arab. L. Sie verbreitet sich als →Minnesang der →Troubadours aus der Provence über das ganze christl. Abendland, ebenso die →Spruchdichtung. Mit der Auflösung des Rittertums im Spät-MA. erstarrt die äußere Form des streng regelgebundenen Minnesangs im →Meistersang. Erst die Reformation bringt Erneuerung des Volksliedgutes mit dem kraftvollen →Kirchenlied und legt den Grund zur lyr. Verinnerlichung; mit ihr beginnt e. stärkere nationale Differenzierung des lyr. Schaffens.

Voran geht Italien mit der Bildung neuer Formen seit der Renaissance: Sonett, Kanzone, Sestine, Triolett, Madrigal (DANTE, PETRARCA, MICHELANGELO, TASSO). Für die weitere Entwicklung der italien. L. sind Dichter wie METASTASIO, MONTI, FOSCOLO, PINDEMONTE, LEOPARDI (Weltschmerz), CARDUCCI (Oden), D'ANNUNZIO, UNGARETTI, MONTALE und QUASIMODO entscheidend. – Die franz. L. des 16.–18. Jh. nach VILLON geht teils von röm. (RONSARD, Pléjade, BOILEAU), teils von griech. Vorbildern aus (A. CHÉNIERS Oden) und mündet mit VOLTAIRE in die anakreont. Poésie fugitive; nach der Revolution folgt BÉRANGER mit der Chanson-Form; größere Mannigfaltigkeit bringt erst die Romantik (LAMARTINE, V. HUGO); im Realismus des 19. Jh. folgen A. MUSSET, de VIGNY, MURGER (soziale L.), die →Parnassiens (Formkunst), als Vertreter des →L'art pour l'art BAUDELAIRE, MALLARMÉ, VERLAINE und RIMBAUD, schließlich im fortgeschrittenen Symbolismus VALÉRY, LAFORGUE, VERHAEREN, ferner APOLLINAIRE, R. CHAR, P. ELUARD, SAINT-JOHN PERSE u. a. – Die engl. L. entwickelt sich nach ital. Vorbildern (SPENSER, SHAKESPEARE, DONNE, MILTON) aus der franz. beeinflußten Gedankenlyrik des 18. Jh. (POPE, GAY, THOMSON) zur empfindsamen L. (GRAY, COLLINS,

AKENSIDE), greift bes. in der Romantik (BURNS, →Lake Poets, in Irland Th. MOORE) ins Volksliedhafte über, erreicht bei BYRON und SHELLEY große kosmopolit. Züge und klingt im 19. Jh. mit der schwermütig-feinnervigen Dichtung von TENNYSON, BROWNING und SWINBURNE ab, um im 20. Jh. mit J. MASEFIELD, F. THOMPSON, W. DE LA MARE, E. SITWELL, W. H. AUDEN und bes. T. S. ELIOT neue Formen zu suchen, vorbereitet durch die nordamerikan. Dichter E. A. POE, LONGFELLOW, Bret HARTE, C. AIKEN, E. POUND, bes. Walt WHITMAN (naturalist. L.).

Die dt. L. greift auf e. weite Volkslied-Tradition zurück, die nach der gelehrten lat. Humanistenul. durch die Reformation verstärkt und auch – teils durch →Kontrafaktur – in relig. Bahnen gelenkt wurde, so daß in der Folgezeit zunächst das →geistliche Lied beherrschend bleibt. Der Barock führt mit der Besinnung auf die dichter. Kunstmittel aus seiner Antithetik heraus zu e. erhöhten, teils manierierten und bilderreichen Sprache, entwickelt nach ausländ. Vorbild e. reiche →Gesellschaftsdichtung (OPITZ, HOECK, WECKHERLIN, →Königsberger Dichterkreis, HARSDÖRFFER, FLEMING, ZESEN, K. STIELER, LOGAU, HOFMANNSWALDAU, LOHENSTEIN), daneben jedoch aus tiefstem Bedürfnis e. relig. L. (CZEPKO, ANGELUS SILESIUS, GRYPHIUS, SPEE, GREIFFENBERG, KUHLMANN, P. GERHARDT). Vereinzelt und vorerst ohne Nachfolge steht an seinem Ausgang die Erlebniston J. Chr. GÜNTHERS. Der Optimismus der Aufklärung verdrängt die barocke Gespaltenheit zunächst mit Gedankenl. von logisch-nüchterner Linienführung (BROCKES, HALLER, E. v. KLEIST). Es folgt die →Anakreontik (HAGEDORN, GLEIM, UZ) und die Empfindsamkeit (GELLERTS geistl. Lieder), schließlich der Durchbruch des Gefühls in KLOP-STOCKS Oden, die die leidenschaft-lich-gefühlsstarke Sprachform des →Göttinger Hain und des →Sturm und Drang einleitet (HERDER und HAMANN: Volkslieder, der junge GOETHE, LENZ, CLAUDIUS, HÖLTY, SCHUBART, BÜRGER). Über sie führt der Weg zur Harmonie von Gefühl und Verstand in der ausgeglichenen, seelentiefen Erlebnis-L. GOETHES und sog. Gedanken-L. SCHILLERS und HÖLDERLINS, der zur L. der Romantik überleitet. Sie beginnt mit der relig. und ideellen L. der Frühromantik (NOVALIS, Brüder SCHLEGEL) und steigt in der natur- und gottnahen Stimmungs-L. der Hochromantik (ARNIM, BRENTA-NO, EICHENDORFF, UHLAND) auf e. Stufe der Gefühlseindringlichkeit, die weit bis in den Realismus hinein und z.T. bis in die Gegenwart die Idealvorstellung der L. verkörpert. Vielfarbig ist die weitere Entfaltung im 19. Jh., von zunehmender Ge-danklichkeit (MÖRIKE, GRILLPAR-ZER, PLATEN, RÜCKERT), Zynismus und Tendenz (HEINE), Weltschmerz (LENAU) zur polit. L. des Vormärz (A. GRÜN) und von der Freude an der neuentdeckten, vielfarbigen Realität (DROSTE, HEBBEL, STORM, KELLER) und Symbolgestaltung (C. F. MEYER, →Dinggedicht) zur anti-kisierenden Formkunst des →Münchner Kreises. Gegen sie re-belliert der Naturalismus, teils mit sozialer L. (CONRADI, A. CHRISTEN), teils mit Prosa-L. nach dem Vorbild W. WHITMANS (J. SCHLAF) und neuen rhythm. Formen (A. HOLZ). Neue Klänge bringen →Ar-beiterdichtung, →Impressionismus (LILIENCRON, DEHMEL, WILD-GANS), Neuromantik (HOFMANNS-THAL, DAUTHENDEY) u. →Expres-sionismus (→Charon, magische L.

bei STADLER, WERFEL, BECHER, DÄUBLER, BENN, →Sturmkreis, E. LASKER-SCHÜLER). Die bleibenden Richtungen im 20. Jh. sind die der relig.-secl. Verinnerlichung u. der Vorstoß zu letzten Seinsfragen: GE-ORGE, RILKE, TRAKL; daneben ste-hen liedhafte Züge (CAROSSA) und bewußte Formkunst (WEINHEBER, R. A. SCHRÖDER). Ferner entsteht als Gebrauchs-L. bei MORGEN-STERN, RINGELNATZ, KÄSTNER e. oft satir. Karikatur des Bürgertums. Die dt. L. nach 1945 folgt teils traditio-nellen Formen (BERGENGRUEN, GOES, HAGELSTANGE, HOLTHUSEN, KASCHNITZ, BUSTA), z.T. auch in der Naturlyrik (LOERKE, LEH-MANN, BRITTING, EICH, KROLOW, HUCHEL, BOBROWSKI), oder greift ins Metaphysische und Hermetische (HÖLLERER, CELAN, SACHS, I. BACHMANN); sie geht ins Surreal-Groteske über (ARP, HÄRTLING, RÜHMKORF, GRASS, MECKEL), neigt zur →konkreten Poesie (HEISSEN-BÜTTEL, GOMRINGER, MON, RÜHM, JANDL, MAYRÖCKER), zur Pop-Art (R. D. BRINKMANN), zur Neuen Subjektivität (J. THEOBALDY) oder trägt als polit. L. zur Meinungsbil-dung bei (BRECHT, HERMLIN, KU-NERT, BIERMANN, REINIG, ENZENS-BERGER, FRIED).

R. M. Werner, L. u. L.er, 1890; H. Spiero, Gesch. d. L. seit Claudius, 1908; H. Be-the, Griech. L., 1920; P. Witkop, D. dt. L.er v. Luther bis Nietzsche, II ²1921–25; E. Ermatinger, D. dt. L. seit Herder, II 1921, III ²1925; H. Werner, D. Ursprün-ge d. L., 1924; M. Thalmann, Gestaltgs-fragen d. L., 1925; A. Jeanroy, Les origi-nes de la poésie lyr. en France, Paris 1925; H. Brémond, Prière et poésie, Paris 1926; F. Brunetière, L'évolution de la poésie en France au 19. siècle, II ¹⁰1929; RL; J. Pfeiffer, D. lyr. Gedicht als ästhet. Gebil-de, 1931; Ph. S. Allen, Medieval Latin L., Chic. 1931; E. Voege, Mittelbarkeit u. Unmittelbarkeit i. d. L., 1932, ²1968; H. Goertz, D. Wesen d. dt. L., 1935; H. O. Burger, Wesen u. Ursprung d. dt. L., 1936; A. Closs, The Genius of German L., Lond. 1938, ²1962; R. Petsch, D. lyr. Dichtkunst, 1939; H. Piwonka, Hdb. d.

dt. L., 1940; G. Müller, Grundformen dt. L. (V. dt. Art i. Sprache u. Dichtg. V, 1941); E. Hederer, Mystik u. L., 1941; H. O. Burger, Gedicht u. Gedanke, 1942, ³1943; M. Kommerell, Gedanken üb. Gedichte, 1943, ⁴1985; H. Gregory u. M. Zaturenska, A hist. of American poetry 1900–1940, N.Y. 1946; J. Pfeiffer, Zwischen Dichtg. u. Philos., 1948; W. van O'Connor, Sense and Sensibility in Modern Poetry, Chic. 1948; J. Wiegand, Abriß d. lyr. Technik, 1951; M. Geilinger, V. lyr. Dichtkunst, 1951; K. Berger, Dichter u. Leser. Erleben d. lyr. Dichters, 1951; S. S. Prawer, German l. poetry, Lond. 1952; F. Lockemann, D. Ged. u. s. Klanggestalt, 1952; F. G. Jünger, Rhythmus u. Sprache i. dt. Ged., 1952, ²1966; R. Ibel, Gestalt u. Wirklichkeit d. Ged., 1952, ³1964; J. R. Kreuzer, Elements of poetry, N.Y. 1955; H. Friedrich, D. Struktur d. mod. L., 1956, ⁶1962; R. N. Maier, D. Ged., 1956, ³1963; V. Klemperer, Mod. franz. L., 1957; K. Leonhard, Silbe, Bild u. Wirklichkeit, 1957; J. Klein, Gesch. d. dt. L., 1957, ²1960; J. Pfeiffer, Was haben wir an e. Ged., 1955, ³1966; B. v. Wiese, D. dt. L., II 1957; R. P. Blackmur, Form and value in mod. poetry, N.Y. 1957; R. Kienast, A. Closs in ›Aufriß‹, ²1958; W. Killy, Wandlgn. d. lyr. Bildes, 1956, ⁶1971; M. Gilman, The idea of poetry in France, Cambr./Mass. 1958; M.-H. Kaulhausen, D. gesprochene Gedicht u. s. Gestalt, 1959; E. Drew, Poetry, N.Y. 1959; R. N. Maier, D. mod. Gedicht, 1959, ²1963; M. Oakeshott, The voice of poetry, Lond. 1960; F. C. Prescott, The poetic mind, Oxf. 1960; G. Highet, The powers of poetry, Oxf. 1960; M. L. Rosenthal, The mod. poets, Oxf. 1960; M. Bowra, Greek lyr. Poetry, Lond. ²1961; C. Heselhaus, Dt. L. d. Moderne, 1961; K. Krolow, Aspekte zeitgenöss. L., 1961; N. Friedmann u.a., Poetry, N.Y. 1961; J. Reeves, A short hist. of Engl. poetry, Lond. 1961; R. Haas, Wege z. engl. L., 1962; E. Muir, The estate of poetry, Cambr./Mass. 1962; K. O. Conrady, Lat. Dichtungstradition u. dt. L. d. 17. Jh., 1962; K. Hopkins, Engl. poetry, Lond. 1963; H. Adams, The contexts of poetry, Boston 1963; K. Leonhard, Mod. L., 1963; D. Hasselblatt, L. heute, 1963; H. Friedrich, Epochen d. ital. L., 1964; H. Hinterhäuser, Mod. ital. L., 1964; J. Miles, Eras and modes in Engl. poetry, Berkeley ²1964; A. Thwaite, Contemp. Engl. poetry, Lond. ³1964; G. Cambon, The inclusive flame, Bloomington ²1965; H. Gross, Sound and form in mod. poetry, Ann Arbor 1965; D. Bush, Engl. poetry, Lond. ²1965; C. Brooks, Mod. poetry and the tradition, Oxf. ²1965; R. D. Gray, An introduction to German poetry, Cambr. 1965; G. Sie-

benmann, D. mod. L. i. Spanien, 1965; Theorie d. mod. L., hg. W. Höllerer, 1965; W. Naumann, Traum u. Tradition i. d. dt. L. 1966; P. L. Henry, The early Engl. and Celt. l., Lond. 1966; H. Lehnert, Struktur u. Sprachmagie, 1966, ²1972; G. Jean, La poésie, Paris 1966; J. M. Cohen, Poetry of this age, Lond. ²1966; W. P. Ker, Form and style in poetry, Lond. ²1966; D. Peterson, The Engl. lyric, Princeton 1967; M. C. Bowra, Poesie d. Frühzeit, 1967; D. mod. engl. L., hg. H. Oppel 1967; R. Haller, Gesch. d. dt. L., 1967; Versdichtung d. engl. Romantik, hg. T. A. Riese u. D. Riesner, 1968; H. Galinsky, Wegbereiter d. mod. amerikan. L., 1968; D. engl. L., hg. K. H. Göller, II 1968; M. Boulton, The anatomy of poetry, Lond. ⁵1968; Interpretationen mhd. L., hg. G. Jungbluth 1969; W. Müller, Formen heutiger L., 1969; H. Müller, Formen mod. dt. L., 1970; K. Pestalozzi, D. Entstehg. d. lyr. Ich, 1970; S. Vietta, Sprache u. Sprachreflexion i. d. mod. L., 1970; O. Knörrich, D. dt. L. d. Gegenw., 1971, ²1978; G, Laschen, L. i. d. DDR, 1971; J. Flores, Poetry in East Germany, New Haven 1971; R. M. Browning, German Baroque poetry, Phil. 1971, dt. 1980; H. W. Wittschier, D. L. d. Pléiade, 1971; G. Gillespie, German Baroque poetry, N.Y. 1971; U. Klein, L. nach 1945, 1972; H.-G. Werner, Gesch. d. polit. Gedichts i. Dtl. 1815–40, ²1972; M. Hamburger, D. Dialektik d. mod. L., 1972; B. Asmuth, Aspekte d. L., 1972, ⁶1984; K. Richter, Lit. u. Naturwiss., 1972; D. amerikan. L., hg. M. Christadler 1972; W. Raible, Mod. L. i. Frankr., 1972; W. Killy, Elemente d. L., ²1972; P. Dronke, D. L. d. MA., 1973, ²1977; Dt. Barock-L., hg. M. Bircher 1973; D. amerikan. L., hg. K. Lubbers 1973; L. Wiesmann, D. mod. Gedicht, 1973; G. Hoffmeister, Petrarkist. L., 1973; R. Paulus u.a., Bibliogr. z. dt. L. nach 1945, 1974, ²1977; Z. L.-Diskussion, hg. R. Grimm ²1974; L. Büttner, V. Benn zu Enzensberger, ³1975; H. Domin, Wozu L. heute, ³1975; D. franz. L., hg. H. Hinterhäuser 1975; C. Bonnefoy, La poésie franç., Paris 1975; R. Sabatier, Hist. de la poésie franç., Paris VI 1975–82; K. Büchner, D. röm. L., 1976, ²1983; Sprachen d. L., Fs. H. Friedrich 1975; J. Schütte, L. d. dt. Naturalism., 1976; J. Theobaldy, Veränderg. d. L., 1976; R. Gray, German Poetry, Cambr. 1976; D. mod. franz. L., hg. W. Pabst 1976; J.-L. Joubert, La poésie, Paris 1977; W. H. Rey, Poesie d. Antipoesie, 1978; A. Welsh, Roots of the l., Princeton 1978; M. Anderle, Dt. L. d. 19. Jh., 1979; U. Herzog, Dt. Barockl., 1979; M. Beetz, Rhetor. Logik, 1980; D. dt. L. 1945–1975, hg. K. Weissenberger 1981; L. v. allen Seiten, hg. L. Jordan 1981; C.

H. Sisson, *Engl. poetry, 1900–1950*, Lond. 1981; E. Austermühl, Poet. Sprache u. lyr. Verstehen, 1981; M. Zeller, Gedichte haben Zeit, 1982; O. Sayce, *The medieval German l.*, Oxf. 1982; P. Bekes u.a., Dt. Gegenw.-L., 1982; L. d. MA., hg. H. Bergner II 1983; Gesch. d. dt. L., hg. W. Hinderer 1983; B. Sorg, D. lyr. Ich, 1984; E. Etkind, Russ. L., 1984; NKL., 1984; F. V. Spechtler, L. d. ausgeh. 14. u. d. 15. Jh., Amst. 1984; G. Haefner, Impulse d. engl. L., 1985; W. Pabst, Frz. L. d. 20. Jh., 1985; O. Knörrich, Lyr. Texte, 1985; H. Hartung, Dt. L. seit 1965, 1985; Amerikan. L., hg. R. Haas 1986; M. Kammermeier, D. L. d. Neuen Subjektivität, 1986; V. Meid, Barockl., 1986; E. Neis, Struktur u. Thematik d. klass. u. mod. L., 1986; H.-G. Kemper, Dt. L. d. frühen Neuzeit, VI 1987ff.; G. Kaiser, Gesch. d. dt. L., III 1987ff.; F. H. Link, Gesch. d. amerik. Verskunst bis 1900, 1988; D. Lamping, D. lyr. Gedicht, 1988.

Lyrisch, 1. der Gattung →Lyrik zugehörend. – 2. eine der drei möglichen Grundhaltungen der Dichtung (→dramatisch, →episch). Ihr Wesen bezeichnet E. STAIGER als ›Erinnerung‹ (›Verinnerung‹, W. KAYSER), d.h. Ineinsfließen von Welt und Ich, Zeit und Raum zu wechselseitiger Durchdringung, Unschärfe der gegenständl. Konturen und Sachverhalte zugunsten e. wirksamen Eigenlebens von Klang und Rhythmus der Sprache, und findet es im →Lied am reinsten ausgeprägt. Die Erscheinungsform des L. ist nicht an die →Lyrik gebunden, sondern kann auch als durchgehender oder in einzelnen Szenen hervortretender Grundton – abgesehen von lyr. Einlagen im Drama (antiker Chor) oder im Epos (SCHEFFELS *Trompeter von Säckingen*) – in den anderen Gattungen erscheinen. So gelten etwa GOETHES *Werther*, HÖDERLINS *Hyperion*, EICHENDORFFS Versepos *Julian* und Romane von RILKE, KELLERMANN, HESSE, GIDE, V. WOOLF u.a. als ›lyr. Epik‹, Dramen HÖLDERLINS, GRILLPARZERS *Des Meeres und der Liebe Wellen*, die Frühdramen HOFMANNSTHALS und Büh-

nendichtungen MAETERLINCKS als ›lyr. Dramen‹.

E. Staiger, Grundbegriffe d. Poetik, 1946, ⁸1968; F. Hassenstein, Sprachphil. Beitr. z. Stilproblem d. L., Diss. Gött. 1954; R. Freedman, *The lyrical novel*, Princeton 1963; P. Szondi, D. lyr. Drama d. Fin de siècle, 1975. →Lyrik.

Lyrischer Roman →lyrisch

Lyrisches Drama, 1. Im 18. Jh. allg. Textvorlage zur Vertonung als Oper, Singspiel, Kantate, Oratorium, insbes. um 1775–80 beliebte Gattung →melodramat. Bühnenstücke, die in Monolog und Dialog musikal. untermalte Gefühlsergüsse darstellen: ROUSSEAUS ›scène lyrique‹ *Pygmalion*, WIELANDS *Wahl des Herkules*, HERDERS *Brutus*, GOETHES *Proserpina*, SCHILLERS *Semele*, ferner Werke von BRANDES, GOTTER, SCHINK, RAMLER, MEISSNER u.a. →Monodrama, →Duodrama. – 2. Allg. ein stark →lyrisch geprägtes Bühnenstück, meist kurzer, figurenarmer (Vers-)Einakter ohne Musik um innere Konflikte der Hauptfigur in gehobener Sprache, so l. D. des Symbolismus (früher HOFMANNSTHAL, MAETERLINCK) und lyr.-ekstat. Szenen des Expressionismus (WALDEN, STRAMM, KOKOSCHKA, WOLFENSTEIN, MOMBERT u.a.), im weiteren Sinn auch engl. →Versdramen des 20. Jh. (ELIOT, YEATS, FRY).

A. Köster, D. l. D. i. 18. Jh. (Preuß. Jhrb. 68, 1891); RL; P. Szondi, D. l. D. d. Fin de siècle, 1975.

Lyrisches Epos →lyrisch

Lyrisches Ich, das Ich, 1. Pers. Sing., in lyr. Gedichten das erlebende, empfindende u. aussagende Subjekt. Es kann persönl. auf den Verfasser bezogen sein und autobiograph. →Erlebnisse artikulieren, muß aber, z.B. in der →Rollenlyrik, keineswegs mit der Dichterpersönlichkeit identisch sein, und seine unreflektierte Gleichsetzung mit dem Autor, z.B. in erot. Lyrik (Ovid, Minnesang) führt zu biograph. Fehlinterpretationen.

K. Pestalozzi, D. Entstehg. d. l. I., 1970; K. H. Spinner, Z. Struktur d. l. I., 1975; W. G. Müller, D. l. I., 1979; A. Stephens, Überleggn. z. l. I. (Fs. U. Fülleborn, 1982); H. Gnüg, Entstehg. u. Krise lyr. Subjektivität, 1983; B. Sorg, D. l. I., 1984; A. Doppler, D. Abgrund d. Ichs, 1985; U. Charpa, D. poet. Ich, Poetica 17, 1985.

Lysiodie (griech.), nach dem griech. Dichter Lysis genannte lasziv-kom. Form des →Mimus, dessen Schauspieler zu Flötenbegleitung auch Frauenrollen in Männerkleidung spielten, dann auch dessen Lieder. Vgl. →Magodie.

Maccaronische Dichtung, Maccheronische Poesie →Makkaronische Dichtung

Madrāshā, in der syr. Lit. Lieder und Strophen für Solovortrag mit Kehrreim für Chorgesang und Musikbegleitung, meist lyr.-didakt. Mischformen hymn. oder balladesken Charakters von metrisch einfachem Bau (Langstrophen), z.B. bei Ephräm dem Syrer.

Madrigal (ital. *madriale* = Schäfergedicht, zu *mandra* = Herde), urspr. in Italien seit 1313 belegtes, von Hirten gesungenes Lied; seit dem 14. Jh. von ital. Lyrikern (Petrarca, Sacchetti, Donati) zu kurzen, ländlich-idyll. und satir.-moral. Kunstliedern umgestaltet, ohne feste sprachl. und musikal. Formregeln, meist jamb. 8–11-Silber, seit dem 16. Jh. (bes. Tasso) auch 7-Silber in freier Abfolge der Verszeilen und Reime, auch Waisen, einstrophig 2–3 Terzette und 1–2 Reimpaare und bis zu 13 Verse umfassend, bei über 15 Zeilen Madrigalon genannt. Nach e. Zeit großer Formfreiheit im 16. Jh. entwickelt sich e. festere Formtradition: drei Terzette und zwei abschließende Reimpaare in der Reihenfolge abb/cdd/eff/gg/hh; in Italien anfangs mit, später ohne Musikbegleitung gesungen. Seit dem 16./17. Jh. erweitert sich die Bz. auch auf philos. Betrachtungen, bes. aber satir.-epigrammat. und witzig-tändelnde Inhalte, die mit e. zierl. Kompliment schließen. Durch das ital. Singspiel des Barock auch nach Frankreich (de Montreuil, Lainez, Moncrif, Marot, Voiture, Benserade, Fontenelle, Rousseau, Voltaire, Musset) und seit H. L. Hasslers Slg. 1596 auch in Dtl. verbreitet, wo sich seit K. Ziegler (*Von den M.en,* 1653) durch die Barockpoetik e. verbindl. epigrammat. zugespitzte Formtradition entwickelt (Neukirch, Neumeister, Günther), dann in dt. Lyrik bes. in Anakreontik und Romantik nachgebildet: Hagedorn, Götz, Gotter, Gellert, Voss, Goethe (Leipziger Lieder, Singspiele und *Faust I*), A. W. Schlegel, Platen, Uhland, Eichendorff; dabei nähert sich das M. bei einsilbiger Senkungsfüllung den →freien Versen.

L. Stümpell, D. franz. M., 1873; Ph. Spitta, D. Anfge. madr. Dichtg. i. Dtl., 1894; K. Voßler, D. dt. M., 1898, ²1972; RL¹; E. H. Fellowes, *The Engl. M.,* 1925; J. B. Trend, Beitr. üb. d. span. M. (Lütticher Kongreß-Bericht, 1930); C. K. Scott, M. u. Villanella (Neuphilol. Monatsschr., 1932); E. Kiwi, Z. Gesch. d. ital. Lied-M., Diss. Hdlbg. 1937; H. Schultz, D. M. als Formideal, 1939; E. H. Fellowes, *The Engl. M. composers,* Oxf. ²1948; A. Einstein, *The Italian M.,* Princeton III 1949; K. Voßler, Dichtungsformen d. Romanen, 1951; J. Kerman, *The Elizabethan M.,* Lond. 1963; *Chanson and M. 1480–1530,* hg. J. Haar, Cambr./Mass. 1964; E. H. Fellowes, *Engl. M.verse,* Oxf. ³1968; U. Schulz-Buschhaus, D. M., 1969.

Madrigạlvers →Freie Verse

Mädchenbuch, leserbezogene Sonderform der →Jugendliteratur, im 18. Jh. emanzipatorisch auf Gleichberechtigung abzielend, im 19. Jh. vielfach am traditionellen Frauenbild orientiert und den sozialen Anpassungsprozeß fördernd, bes. als →Backfischroman.

M. Dahrendorf, D. M. u. seine Leserin, 1970, ⁴1980; ders., D. M. (Kinder- u. Jugendlit., hg. G. Haas 1974, ³1984); ders., D. mod. M. (in: ders., Lit.didaktik i. Umbruch, 1975); D. Grenz, Mädchenlit., 1981; S. Zahn, Töchterleben, 1983; F. Jakob, Z. Wertg. d. M., 1985.

Mädchenlied, neue Form des Minnesangs seit WALTHER VON DER VOGELWEIDE 1197 *(Under der linden...)*: nicht an die unzugänglich hohe Dame der Gesellschaft, sondern – unter Einfluß der Vagantendichtung – an ein lebensvollschlichtes Mädchen (wîp, maget) gerichtet und somit Abweichen von der hohen Minne im streng konventionellen Sinne REINMARS zu sog. niederer Minne, doch echter, zarter Herzensneigung und Hingabe aus bewegter Seele; einflußreich auf die spätere Entwicklung.

U. Pretzel, Walthers M.er (ders., Kl. Schrr. 1979).

Männlicher Reim, im Ggs. zum →weiblichen der einsilbige, auf e. Hebung endende Reim: Not – Brot.

Männlicher Versschluß →Kadenz

Männer, Zornige →Zornige junge Männer

Mär →Märe

Märchen (zu mhd. *maere* = Kunde), kürzere volksläufig-unterhaltende Prosaerzählung von phantast.-wunderbaren Begebenheiten und Zuständen aus freier Erfindung ohne zeitl.-räuml. Festlegung: Eingreifen übernatürl. Gewalten ins Alltagsleben, redende und Menschengestalt annehmende Tiere und Tier- oder Pflanzengestalt annehmende, verwunschene Menschen (→Metamorphosen), Riesen, Zwerge, Drachen, Feen, Hexen, Zauberer u.a. den Naturgesetzen widersprechende und an sich unglaubwürdige Erscheinungen, die jedoch dem Geist des M. heraus glaubwürdig werden, indem e. gedanklich mitvollzogene Unwahrscheinlichkeit die andere schon wahrscheinlich macht. Der eth. Grund ist e. denkbar einfache schwarz-weiße Weltordnung: Abenteuer und Prüfung der Helden durch gute oder böse Mächte, Belohnung des Guten, Bestrafung des Bösen, je nach dem Grad an Sympathie oder Antipathie für die Hauptgestalt Wendung zum Guten oder Schlechten entsprechend den Wünschen des naiv moralisierenden, kindl. Aufnahmekreises als idealist., weltfremdes Wunschbild ausgleichender Gerechtigkeit. Das M. ist →einfache Form, bes. das anonyme, auch bei Naturvölkern gemeine Volks-M. aus mündl. Überlieferung des Volkes auch in vorlit. Zeit, geprägt von seiner von Formeln, Redensarten und Sprichwörtern durchsetzten, formalisierten Erzählweise nach Wiederholung (oft Dreizahl) und Steigerung mit Variationen und Umdichtungen, im Ggs. zum lit. Kunst-M., das als geschichtl. eigenartige Schöpfung e. Dichterindividualität Erzählweise und Motive des Volks-M. übernimmt und mit bewußtem Kunstverstand gestaltet, dabei jedoch teils das unbewußte Phantasiespiel durch allegor. Verkleidung von Gedanken, Tendenzen und Meinungen zerbricht. Es wird dabei oft zu e. aus Not und Sehnsucht gespeisten utop. Gegenbild zum Alltag: rückblickende Flucht in e. Idylle, gegenwärtig progressive

Satire oder vorausblickende Wunschwelt. – Das Volks-M., entweder unabhängig bei versch. Völkern oder aus gemeinsamem idg. Erbgut entstanden, entstammt urspr. dem Orient (Alter Orient, Ägypten, Indien: *Pañcatantra*, SOMADEVA), gelangt jedoch schon weit vor den Kreuzzügen ins Abendland. In der Antike (HOMER: KIRKE, HERODOT, PLATON: Ring des Gyges, OVID, PETRONIUS, APULEIUS: *Amor und Psyche*) und im MA. (*Kaiserchronik*) ist es noch keine selbständige Gattung, sondern Bestandteil anderer ep. Dichtungen. Auch märchenhafte Bestandteile der german. Heldensage lassen auf frühes Vorhandensein der – evtl. bei der Völkerwanderung am Schwarzen Meer von den Persern übernommenen – Märchenform (Ur-M.) schließen. Erste M.-Slgn. in Italien: STRAPAROLAS *Tredici piacevoli notti* 1550, G. BASILES *Pentamerone* 1634–36, schon seit Mitte des 14. Jh. die *Gesta Romanorum;* in Frankreich erst seit PERRAULTS *Contes de ma mère l'Oye* 1697 und Mme d'AULNOYS *Les illustres fées* 1698 aus echten Volks-M. GALLANDS franz. Übersetzung (1704–17) von *1001 Nacht* eröffnet den ganzen Reichtum oriental. Erzählfreude (seit 9. Jh. gesammelt) dem Abendland. In England, Schottland und Irland wird reiches kelt. M.gut verarbeitet; auch die Slawen verfügen über große Fülle; während das skandinav. M. dem dt. verwandt ist, mischen sich im Alpengebiet bodenständige mit dt., roman. und slaw. Überlieferungen. Die ersten dt. Slgn. von MUSÄUS (*Volksm.*, 1782), B. NEUBERT und E. M. ARNDT werden durch starke lit. Umstilisierung von Volkssagen im romant. Sinne zu Kunst-M.; die erste planmäßige und wiss. Volksm.-Slg. sind die durch BREN-

TANO 1805 angeregten *Kinder- und Hausmärchen* (I 1812, II 1815) von J. u. W. GRIMM. Schon J. GRIMM verweist auf Motivzusammenhänge zum german. Heldenepos, der Tierfabel und dem roman. M.; BECHSTEIN (*Dt. M.buch* 1845, *Neues dt. M.buch* 1856) u.a.m. setzen die schriftl. Fixierung der Volksmund-Überlieferung fort. Die seit HERDER entstandene Theorie des Volks-M. verweist auf seine tiefe Ursprünglichkeit als Wesensmerkmal und gibt zahlreiche Entstehungstheorien, anthropolog., mytholog. Deutungen u.ä. Die 1910 von K. v. KROHN in Helsinki gegr. finn. Gesellschaft treibt vergleichende M.forschung aller Länder und Erdteile und untersucht die ausgebreiteten M.wanderungen, Abwandlungen, Motivkombinationen und Typenbildungen: Zauber-, Wunder-, Tier-, Schwank-, Lügen-, Ketten-M. u.a. (Organ: *Folklore Fellows Communications*). – Das Kunst-M. dagegen, ebenfalls auf die im höf. Epos, Tierepen und Volksbüchern des MA. verarbeitenden M. zurückgehend, beginnt im franz. Rokoko als witzige, iron., satir. Kunstform selbständig in Vers oder Prosa (*Cabinet des Fées*) zur geistreichen Unterhaltung der aufgeklärten Gesellschaft durch phantasievolle Geschehensverknüpfung, überlegene Distanz gegenüber den naiven Erfindungen e. überwundenen Vorzeit und durchscheinende Moral (MUSÄUS, WIELAND). Erst seit HERDERS Eintreten fürs Volksm. und der Erkenntnis vom Wert des Naiven, Ursprünglichen, wird es ihm angeglichen, seine mag. Wunderwelt als tiefste und reinste Poesie aus der Seele des Volkes erkannt. TIECKS frühe M. sind noch satirisch; auf der Höhe der Romantik erfolgt der Umschlag zum M. als ›bewußte Poetisierung der Welt‹ mit Durchbrechung der Wirklichkeit, Erfahrung und Kausalität, Loslösung von Zeit und Raum: TIECK, GOETHE *(M.),* BRENTANO, FOUQUÉ, CONTESSA, CHAMISSO, später HAUFF und UNGERN-STERNBERG. Doch spielen in diese volkstüml. Formen auch philos. (NOVALIS) wie dämon. Elemente (E. T. A. HOFFMANN) hinein und belasten die Form durch erstrebte Symbolik und subjektive Problematik des Schöpfers. Im Realismus folgen MÖRIKE, RAIMUND (M.- und Zauberspiele), KELLER, STORM, O. LUDWIG, M. von EBNER-ESCHENBACH. Vorbild neuerer M.dichtung wird der Däne H. Ch. ANDERSEN *(Eventyr* 1847, vermehrt bis 1876) in seiner Verbindung von Realistik und behäbigem Humor: R. REINICK, VOLKMANN-LEANDER *(Träumereien an franz. Kaminen),* H. SEIDEL, V. BLÜTGHEN, K. GINZKEY, M. GRENGG, S. WALDECK, M. KYBER, v. HOFMANNSTHAL, Ö. von HORVÁTH, R. WALSER, H. HESSE, K. SCHWITTERS, H. F. BLUNCK, E. WIECHERT, A. KRIEGER, C. MECKEL, F. FÜHMANN, I. MORGNER; in England DICKENS, THACKERAY, MACDONALD, RUSKIN, KINGSLEY, WILDE, CARROLL; in Italien C. COLLODI *(Pinocchio),* in Frankr. A. HAMILTON, CAZOTTE, NODIER, NERVAL, GAUTIER und St. EXUPÉRY.

F. Panzer, M., Sage u. Dichtg., 1905; H. Todsen, Üb. d. Entw. d. romant. Kunstm., Diss. Mchn. 1906; R. Benz, D. M.dichtg. d. Romantiker, 1908, ²1926; A. Thimme, D. M., 1909; H. Buchmann, Helden u. Mächte d. romant. Kunstm. 1910; A. Aarne, Verzeichn. d. M.typen, Helsinki 1910; ders., Leitfaden d. vergleich. M.forschg., 1913; F. v. d. Leyen, D. M., 1911, ⁴1958; ders., D. dt. M., 1917, ³1974; K. Spiess, D. dt. Volksm., 1917; E. Bethe, M., Mythos, 1922; E. Müller, Psychologie d. Volksm., 1928; Ch. Bühler, D. M. u. d. Phantasie d. Kindes, ³1929, ⁴1977; A. Jolles, Einfache Formen, 1929, ⁶1986; K. Krohn, Übersicht üb. einige Resultate d. M.forschg., 1931; A. Wesselski, Versuch e. Theorie d. M., 1931, n. 1974; Bolte-Mackensen, Hdwb. d. dt. M., II 1931–40; H. Honti, Volksm. u. Heldensage, Helsinki 1931; S. Thompson, *Motif index to folk lit.,* Koph. VI 1932–36, ²1955–58; M. I. Jehle, D. mod. dt. Kunstm., JEGP 33, 1934; L. Mackensen, D. dt. Volksm., 1935; R. Petsch, D. Kunstform d. M. (Zs. f. Volkskunde 45, 1935); M. I. Jehle, D. dt. Kunstm. v. d. Romantik z. Naturalismus, Urbana 1935; F. Ranke, M.forschg., DVJ 14, 1936; R. Petsch, Wesen u. innere Form d. Volksm. (Niederdt. Zs. f. Volkskde. 15, 1937); D. Bäuerle, D. nachromant. Kunstm., Diss. Hbg. 1937; H. Parr, D. mod. dt. Kunstm., Diss. Wien 1938; W. E. Peuckert, Dt. Volkstum i. M. u. Sage, 1938; W. Spamer, D. M. als Gattung, 1939; G. Wegmann, Stud. z. Bedeutg. d. M. i. d. dt. Romantik, 1944; M. Ninck, Ältest. M. v. Europa, 1945; E. Koechlin, Wesenszüge d. dt. u. franz. Volksm., 1945; S. Thompson, *The Folktale,* N.Y. 1946, ²1951; M. Lüthi, D. europ. Volksm., 1947, ⁸1985; ders., M. u. Sage, DVJ 25, 1951; E. Pröbstl, Neuromant. Prosa-M.dichtg., Diss. Mchn. 1950; W. E. Peuckert, Volkskunde, 1951; ders. in ›Aufriß‹; H. v. Beit, Symbolik d. M., 1952, ⁵1975; F. v. d. Leyen, D. Welt d. M., 1953f.; G. Mudrak, D. Kunstm. d. 19. Jh., Diss. Wien 1953; J. Bieringer-Eyssen, D. romant. Kunstm., Diss. Tüb. 1953; G. Dippel, D. Novellenm. d. Romantik, Diss. Ffm. 1953; J. de Vries, Betrachtgn. z. M., Helsinki 1954; G. Kahlo, D. Wahrheit d. M., 1954; H. Bausinger, L. Röhrich u.a., DU 8, 1956; U. Hasselblatt, D. Wesen d. Volksm. u. d. mod. Kunstm., Diss. Freibg. 1956; L. Röhrich, M. u. Wirklichk., 1956, ⁴1979; F. v. d. Leyen, M. u. Mythos, DVJ 33, 1959; K. J. Obenauer, D. M., 1959; I. Schneeberger, D. Kunstm. i. d. 1. Hälfte d. 20. Jh., Diss. Mchn. 1960; W. Liungmann, D. schwed. Volksm., 1961; M. Thalmann, D. M. u. d. Moderne, 1961, ²1967; M. Lüthi, Volksm. u. Volkssage, 1961, ³1975; ders., Es war einmal, 1962, ⁶1983; ders., M., 1962, ⁷1980; M., Mythos, Dichtg., Fs. F. v. d. Leyen 1963; L. Santucci, D. Kind, s. Mythos u. s. M., 1964; R. Steffens-Albala, Darstllg. u. Tendenz i. d. Kunstm. d. 20. Jh., Diss. Tüb. 1964; F. v. d. Leyen, D. dt. M. u. d. Brüder Grimm, 1964; O. Stumpfe, D. Symbolspr. d. M., 1965, ⁵1982; H. v. Beit, D. M., 1965; B. Ewe, D. Kunstm. i. d. Jugendlit. d. 20. Jh., Diss. Mchn. 1965; E. Voerster, M. u. Novellen i. klass.-romant. Roman, ²1966; RL; G.-L. Fink, *Naissance et apogée du conte merveilleux en Allemagne 1740–1800,* Paris 1966; Ch. Federspiel, V. Volksm. z. Kinderm., 1968; M.forschg. u. Tiefenpsychologie, hg. W. Laiblin, 1969, ²1975; H. E. Giehrl, Volksm. u. Tiefenpsychol.,

1970; F. Lenz, Bildsprache d. M., 1971; K. Hellwig, Engl. Volksm., 1971; V. Propp, Morphologie d. M., 1972; V. Mönckeberg, D. M. u. uns. Welt, 1972; Wege d. M.forschg., hg. F. Karlinger 1973; M. Lüthi, D. Volksm. als Dichtg., 1975; B. Bettelheim, *The uses of enchantment*, N.Y. 1976; L. Röhrich, Sage u. M., 1976; M. Lüthi, So leben sie noch heute, ²1976; A. Nitschke, Soz. Ordnungen i. Spiegel d. M., II 1976f.; H. Schumacher, Narziß an d. Quelle. D. romant. Kunstm., 1977; J. Tismar, Kunstm., 1977, ²1983; Enzykl. d. M., hg. K. Ranke XII 1977ff.; B. Bettelheim, Kinder brauchen M., 1977, ²1980; F. Apel, D. Zaubergärten d. Phantasie, 1978; J. Zipes, *Breaking the magic spell*, Austin 1979; V. Menschenbild i. M., hg. J. Janning 1980; Und wenn sie nicht gestorben sind, hg. H. Brackert 1980; B. Paukstadt, Paradigmen d. Erzähltheorie, 1980; D.-R. Moser, Theorie- u. Methodenprobleme d. M.forschg. (Jb. f. Volkskde. 3, 1980); T. Poser, D. Volksm., 1980; dies., M., FLE, 1981; D. Petzold, D. engl. Kunstm. i. 19. Jh., 1981; *Fairy tales as ways of knowing*, hg. M. Metzger 1981; J. Tismar, D. dt. Kunstm. d. 20. Jh., 1981; H. G. Rötzer, M., 1982; W. Scherf, Lex. d. Zauberm., 1982; F. Karlinger, Grundzüge e. Gesch. d. M. i. dt. Sprachraum, 1983; J. Zipes, *Fairy tales and the art of subversion*, Lond. 1983; D. Welt i. M., hg. J. Janning 1984; P.-W. Wührl, D. dt. Kunstm., 1984; V. Klotz, D. europ. Kunstm., 1985; C.-M. Fontaine, D. romant. M., 1985; D. selbstverständl. Wunder, hg. W. Solms 1986; M. i. Erziehg. u. Unterr., hg. O. Dinges 1986; W. Scherf, D. Herausforderg. d. Dämons, 1986; V. Propp, D. hist. Wurzeln d. Zauberm., 1987; M. Grätz, D. M. i. d. dt. Aufklärg., 1988.

Märchendrama, Bühnenstück um märchenhaft-phantast. Begebenheiten meist in e. zeit- u. ortlosen, unwirkl. Gegenwelt zur Realität, teils Dramatisierung von Märchenstoffen oder deren Parodie: Gozzi, *Turandot*, Tieck, *Der gestiefelte Kater*, Kleist, *Käthchen von Heilbronn*, Grillparzer, *Der Traum ein Leben*, Raimunds →Zauberpossen und dramatisierte →Märchen, Hebbels *Rubin*, G. Hauptmann, *Die versunkene Glocke*, *Und Pippa tanzt*, E. Švarc, *Der Drache*, *Der Schatten* u.a.

M. Kober, D. M., 1925, n. 1973; W. S. Denewa, D. österr. M. d. Biedermeier, 1940.

Märchenmotiv →Motiv

Märchennovelle →Novellenmärchen

Märchenoper, beliebte Opernform mit märchenhaftem Vorwurf, musikal. Art des →Märchendramas; schon im Singspiel in Gestalt des Zauberers, ferner Länder usw. angedeutet; nach Vertonung fremder Märchen zuerst einheimische bei J. F. Reichardt 1772 *Hänsel und Gretel*, G. Benda 1775 mit dem Märchen von den drei Wünschen als Singspiel, zahlr. Oberon- und Undine-Opern; Mozarts *Zauberflöte;* romantische M. (Weber, *Der Freischütz*, Marschner), R. Wagners Mythenopern, Puccinis *Turandot*, in der Neuromantik R. Strauss *Die Frau ohne Schatten*, Humperdinck *Hänsel und Gretel* und bes. Pfitzner.

L. Schmidt, Z. Gesch. d. M., Diss. Rostock 1895; RL.

Märe (mhd. *daz maere* = Kunde, Nachricht, meist in Mz.: *diu maere*), 1. in mhd. Dichtung die mündl. vorgetragene Erzählung im Ggs. zum gesungenen →Lied, doch urspr. als ›Bericht‹ auch dies umgreifend; erst im 13. Jh. Bedeutungswandel von M. als ›neue Kunde‹, Stoff und glaubhafte Quelle der Erzählung zu ›Erdichtung‹, im späteren Diminutiv →Märchen. – 2. Als Gattung des 13. bis 15. Jh. kleine schwankhafte, galante oder exemplar. Reimpaarerzählung in rd. 100–2000 Versen oft nach franz. →Fabliaux, Versnovelle mit weltl. Stoffen u. menschl. Figuren. Rd. 220 erhalten: Stricker, Heinrich der Teichner, Suchenwirt, H. Folz. Nachwirkung in Meistersingerschwänken und Fastnachtspiel.

J. Schwietering, Singen und Sagen, 1908; RL; A. Mihm, Überlieferg. u. Verbreitg. d. M.dichtg. i. Spätma., 1967; H. Fischer, Stud. z. dt. M.dichtg., 1968, ²1983; K.-

H. Schirmer, Stil- und Motivunters. z. mhd. Versnovelle, 1969; G. Köpf, M.ndichtg., 1978; J. Heinzle, M.begriff u. Novellentheorie, ZDA 107, 1978; M.-Dichtg., hg. T. Cramer II 1979; Das M., hg. K.-H. Schirmer 1983; H, J. Ziegeler, Erzählen i. SpätMA., 1985.

Märtyrerdrama, abgesehen vom →geistlichen Drama und →Legendenspiel bes. im →Jesuitendrama und Barock beliebte Dramenform, die Leiden der Glaubenszeugen oder auch weltl. standhafter Charaktere als Beispiele christl. Stoizismus stark rhetor. und mitleiderregend schildert, jedoch innere Konflikte und trag. Verschulden vermissen läßt: CORNEILLES *Polyeucte,* MASSINGERS *Virgin Martyr,* LOPE DE VEGAS *Lo fingido verdadero,* CALDERÓNS *Il principe constante,* BIDERMANNS *Philemon Martyr,* GRYPHIUS' *Leo Armenius, Carolus Stuardus, Papinian,* LOHENSTEINS *Epicharis,* häufig mit Frauen als Heldinnen: GRYPHIUS *Catharina von Georgien,* HALLMANN *Sophia, Marianne,* HAUGWITZ *Maria Stuarda* u. a., im 20. Jh. ähnlich bei KAISER, BARLACH, HAUPTMANN.

E. M. Szarota, Künstler, Grübler und Rebellen, 1967; H. Heinze, D. dt. M. d. Moderne, 1985.

Mätopie (griech. *mä* = daß nicht, *topos* = Ort) = →Anti-Utopie, vgl. →Utopie.

Mäzen, nach Gaius MAECENAS (1. Jh. v. Chr.), dem Freund, Gönner und Förderer von HORAZ, VERGIL, PROPERZ u. a., Bz. für jeden Förderer der Künste und Wissenschaft, bes. seit MARTIAL: ›Gebt uns Mäzenaten, dann wird es auch Vergile geben‹. Bis zum Aufkommen des Buchdrucks und eigtl. erst des →Honorars war der mittellose Dichter auf die Unterstützung durch kunstverständige Gönner wie HIERON von Syrakus, ARCHELAOS VON Mazedonien, die MEDICI, MAXIMI-

LIAN I., FOUQUET, RICHELIEU, COLBERT oder LOUIS XIV. angewiesen – bes. in der ma. Blütezeit –, die ihrerseits Freundschaft, Prestige und Ehre (Widmungen) gewannen und Aufträge vergaben. In der Neuzeit übernehmen z. T. Staaten, Städte, Stiftungen, Literaturpreise, Großfirmen, Industrie, Banken, Aufträge durch Anstalten öffentl. Rechts (Rundfunk, Fernsehen), Stipendien, Pensionen, Zuschüsse und Ehrentitel (poet laureate) ähnliche Funktion.

K. J. Holzknecht, *Lit. patronage in the MA.,* Phil. 1923, n. 1967; W. F. Schirmer u. U. Broich, Stud. z. lit. Patronat i. Engl. d. 12. Jh., 1962; W. C. McDonald, *German medieval literary patronage,* Amsterd. 1973; D. Netzer, The subsidized Muse, Cambr. 1978; J. Bumke, M.e i. MA., 1979; Lit. M.atentum, hg. ders. 1982; *L'âge d'or du mécénat,* Paris 1985; K. Daweke u. a., D. Mission d. M., 1986; *Patronage, art and soc. in Renaiss. Italy,* hg. F. W. Kent, Oxf. 1987.

Magazin (ital. *magazzino* von arab. *machsan* = Warenlager), im Bibliothekswesen der den Benutzern unzugängliche Aufbewahrungsort der Bücher, danach seit 18. Jh. auch Titel für period. Zss. gemischten Inhalts, im 18. Jh. populärwiss. oder kritisch (*Gentleman's M.,* 1731, *Wiener M. der Kunst und Lit.,* 1793–97), im 19. Jh. unterhaltend-belehrend, in der Gegenwart entweder polit. Nachrichten-M. *(Time, Spiegel)* oder noch mehr zur reich illustrierten Unterhaltungs-Zs. teils erot. Inhalts abgesunken. Die engl.-amerikan. ›little magazines‹ (*Criterion, Horizon, Scrutiny, Poetry*) boten das Forum für ein Großteil avantgardist. Lit.

F. L. Mott, *A Hist. of American M.s,* V Cambr./Mass. 1930–68; R. Whittemore, *Little M.s,* Minneapolis 1963; T. Peterson, *M.s in the 20th century,* Urbana ²1964; R. E. Wolseley, *Understanding m.s,* Iowa 1965; W. Haacke, Genesis u. Stil d. M. (Publizistik 11, 1966); L. N. Richardson, *A. hist. of early American m.s,* N.Y. ²1967; J. L. C. Ford, *M.s for* *millions,*Carbondale 1969; J. Tebbel, *The American m.,* N.Y. 1969; W. Haacke, D. M., AGB 11, 1970.

Magierspiele →Dreikönigsspiel

Magischer Realismus, 1. die bei J. und F. G. Jünger, H. Kasack, E. Langgässer, E. Kreuder, H. E. Nossack u.a. im 2. Weltkrieg aus Neuer Sachlichkeit und Surrealismus ausgebildete moderne Form des →Realismus, die die konkreten Erscheinungen, Bilder und Figuren der Wirklichkeit als Chiffren e. geheimen Sinnes, Symbole des Elementaren auffaßt und den realistisch hergestellten Befund ins Innere umschlagen läßt zu e. seltsamen metaphys. Angsttraum-Transparenz. – 2. Strömung der mod. hispanoam. Lit., die im Neben- und Ineinander versch. Wirklichkeitsebenen polit.-soz. Probleme behandelt: M. A. Asturias, M. Roa, Bastos, J. Cortázar, G. García Márquez u.a.

L. Forster, Üb. d. m. R., Neophil. 34, 1950; H. Rieder, D. m. R., 1970; D. Janik, D. mag. Wirklichkeitsauffassg. i. hisp.am. Roman, 1976; J. Weisgerber, *Le réalisme mag.* (*Rivista di letterature mod. e comp.* 35, 1982); A. Chanady, *Mag. R. and the fantastic,* N.Y. 1984.

Magnum opus (lat. = großes Werk), Haupt- und Meisterwerk eines Autors, einer Richtung, einer Gattung.

Magodie (griech. *magos* = Gaukler, *ode* = Gesang), niedere, unlit. Art des altgriech. →Mimus, kom. Darstellung einzelner Typen (z.B. betrunkener Liebhaber) durch e. Schauspieler zu Musikbegleitung. E. annähernd ähnl. Libretto bildet das alexandrin. Gedicht *Des Mädchens Klage.*

P. Maas, Simodoi (RE, 2. Rhe. III, 159f.) 1927.

Mahâkâvya (ind. = großes Gedicht), Bz. für das Epos, bes. das Kunstepos, in der Sanskrit- und ind. Lit.

Mahâpurânas →Purânas

Maikäferbund, nach seinem Abzeichen benannter rheinischer Dichterbund in Bonn um J. u. G. Kinkel, K. Simrock, J. Burckhardt 1840–1846.

F. Wiegand, D. Verein d. M. (Dt. Rundschau 160, 1914); D. Maikäfer, hg. U. Brandt 1982.

Majuskeln (lat. *maiusculus* = etwas größer) oder →Versalien: Großbuchstaben ohne Ober- und Unterlängen im Ggs. zur späteren →Minuskel, Schriftart der älteren lat. und griech. Codices (→Kapitalis, →Unziale); seit 16./17. Jh. in Dtl. für Anfangsbuchstaben der Substantiva.

Makame (arab. *maqâma* = Zusammenkunft, Aufenthalt), arab. Versammlung von Philosophen, Gelehrten u.a. lit. Interessierten an Fürstenhöfen, bei deren Disputationen, meist über Fragen der Grammatik, Schlagfertigkeit, witzige Wortspielerei und Einfallsreichtum den Sieg über die Gesprächsgegner davontrugen. Aus solchen Stilformen bildete sich bei den Kunstdichtern e. unterhaltende soz.-krit. Stegreifdichtung in Form kunstvoller rhythm. Reimprosa, durchsetzt mit Wortspielen, Sprichwörtern, Zitaten, witzigen Anspielungen, Sprachkünsteleien u. durch lyr. Verseinlagen unterbrochen. Mehrere Erzählungen werden zusammengehalten durch den gemeinsamen Helden, e. Witzbold, der von Stadt zu Stadt ziehend in verschiedensten Masken und Situationen durch Schlagfertigkeit und Mutterwitz seine Mitwelt unterhält. Vorbild des pikar. Romans und Quelle des arab. Dramas im 19./20. Jh. Begründer war al-

HAMADHĀNĪ (gest. 1007, *Maqā-māt*), ihr Vollender al-HARĪRĪ (1054–1122), dessen 50 M.n F. RÜCKERT 1826 als *Die Verwandlungen des Abu Seïd von Serug* übersetzte.

L. Jacoby, D. dt. M., 1883; RL; O. Rescher, Beitr. z. M.dichtung, Istanbul 1913.

Makkaronische Dichtung, ursprünglich lat. Gedichte mit Einmischung griech., bes. aber volkssprachl. Wörter und Wendungen mit lat. Flexionsendungen, schließlich Gedichte aus Mischung zweier Sprachen überhaupt, Sprachspielerei zur Erzielung kom. oder parodist. Wirkungen. Nach vereinzelten spätantiken und ma. Vorläufern (4. Jh.: AUSONIUS, *ep.* 12), die in Zeiten ständiger Kulturübergänge und Völkermischungen nicht auffallend und ungewöhnlich waren, erfolgt die Entwicklung der m. D. bes. durch die Humanisten in Italien zuerst TIFI DEGLI ODASI, dessen *Carmen macaronicum* 1490, nach den ital. Makkaroni, der Gattung den Namen gab; wirksamer T. FOLENGO (= Merlin COCCAI, 1517 mit *Baldus, Maccaronea, Zanitonella* und *Moschaea*, dt. von H. FUCHS 1580) und C. ORSINI; in Dtl. die Satiren von S. BRANT, Th. MURNER (*Ketzerkalender*, 1527), FISCHART (als ›Nuttelverse‹ entsprechend von Nudel), H. SACHS (Fastnachtsspiele) u.a. Anonyme Gedichte wie die Vergilparodie *Floia, cortum versicale* (Hamburg 1593) erfahren zahlr. Bearbeitungen, ebenso das kleine Epos *Cortum carmen de Rotrockis atque Blaurockis*, 1600. Im Barock entstehen m. Studentenzeitungen (*Gaudium Studenticum*, 1693), MOSCHEROSCHS satir. Burleske *Fahrimus in Schlittis* und zahlr. Hochzeitscarmina bis ins 18. Jh. In Frankreich benutzen R. BELLEAU und MOLIÈRE (3. Zwischenspiel zu

Malade imaginaire), in England SKELTON und A. GEDDES, in Schottland W. DRUMMOND, m. Formen. Beispiel aus neuer Zeit: ›Totschlago vos sofortissime nisi vos benehmitis bene‹ (B. v. MÜNCHHAUSEN). →Poesia Fidenziana.

F. W. Genthe, Gesch. d. m. Poesie, ²1836, n. 1970; J. A. Morgan, M. Poetry, 1872; C. Blümlein, Die ›Floia‹, 1900; RL; U. E. Paoli, *Il latino maccheronico*, Florenz 1959; J. Dahl, Maccaron. Poetikum, 1962.

Málaháttr (anord. ›Redeton‹), altnord. Stabreimstrophe der *Edda* aus vier →Langzeilen zu je zwei durch Zäsur getrennten Halbzeilen zu je zwei betonten und drei bis vier unbetonten Silben, z.B. im *Atlamál*.

Malapropismus (v. frz. ›unpassend‹), Verwendung e. unpassenden Fremdworts aus Unbildung oder Scherz, lit. personifiziert in Mrs. Malaprop in SHERIDANS *The rivals* (1775).

Malerdichter, künstlerische Doppelbegabung bes. bei visuell Veranlagten, bei denen auch die Dichtung von optischen Elementen gestaltet wird. Häufig fällt erst nach langem innerem Schwanken und Ringen ihre Entscheidung für die Dichtung als Hauptaufgabe, während die Malerei Nebenbeschäftigung bleibt (WICKRAM, MANUEL, GESSNER, Maler MÜLLER, BLAKE, GOETHE, E. T. A. HOFFMANN, GAUTIER, MUSSET, V. HUGO, KERNER, MÉRIMÉE, GRILLPARZER, MÖRIKE, STIFTER KELLER, RAABE, POCCI, W. MORRIS, GONCOURTS, STRINDBERG, GARCÍA LORCA, COCTEAU, KAFKA, LASKER-SCHÜLER, HESSE, R. SCHAUMANN, WEINHEBER, WAGGERL, M. GRENGG, F. HARTLAUB, F. DÜRRENMATT, G. von der VRING, W. MEHRING, H. MICHAUX, L. DURRELL, H. MILLER, R. ALBERTI, M. FRISCH, E. PEN-

ZOLDT, W. HILDESHEIMER, G. GRASS, Ch. MECKEL, W. SCHNURRE, G. B. FUCHS, P. WEISS, G. KUNERT), seltener für die bildende Kunst unter Hintansetzung der Dichtung (MICHELANGELO, RUNGE, →Präraffaeliten, W. BUSCH, HRASTNIK, K. KLUGE, BARLACH, KUBIN, KOKOSCHKA, ARP als dichtende Maler bzw. Bildhauer).

B. Ruettenauer, Maler-Poeten, 1899; H. Günther, Künstlerische Doppelbegabungen, 1938, ²1960; D. Aubin, D. Probl. d. Doppelbegabung, Diss. Wien 1950; E. Scheidegger, Malende Dichter – dichtende Maler, 1957; Katalog ›Dichtende Maler, malende Dichter‹, St. Gallen 1957; H. Platschek, Dichtg. mod. Maler, 1956; D. Tschičevskij, Russ. Dichter als Maler, 1960; K. Böttcher, J. Mittenzwei, Dichter als Maler, 1980.

Malerroman, häufigste Sonderform des →Künstlerromans mit e. Maler als Helden; wie dieser seit dem Ende des 18. Jh. beliebt: zuerst HEINSES *Ardinghello* 1787, voll Leidenschaft und Sinnlichkeit, die sich unter dem Einfluß von Roms Plastiken entfaltet, mit zahlr. Kunstgesprächen und -beschreibungen. Blütezeit in der Romantik: WACKENRODERS *Herzensergießungen eines kunstliebenden Klosterbruders* 1797 und TIECKS *Franz Sternbalds Wanderungen* als Bekenntnisse zu Dürer, F. SCHLEGELS *Lucinde* 1799 als Entwicklung des Malers Julius und der Malerin Lucinde, Dorothea SCHLEGELS *Florentin* 1801; im Biedermeier MÖRIKES *Maler Nolten* 1832 und im Realismus KELLERS *Grüner Heinrich* (1855, neu 1872) schildern mehr das Wesen des Malers als der Malerei. Im 20. Jh. führen C. HAUPTMANN *(Einhart der Lächler)*, H. HESSE, W. SCHÄFER *(Karl Stauffers Lebensgang)*, E. STICKELBERGER (Holbein-Romane), S. LENZ *Deutschstunde* u. a. die Gattung fort.

W. Waetzold, M.e u. Gemäldegedichte, 1914; RL; K. Harnisch, Dt. Malerer-

zählg., 1938; Th. R. Bowie, *The Painter in French Fiction*, Chapel Hill 1950; C. Laurich, D. frz. M., 1985.

Malinî (ind. = Mädchen mit Girlande), ind. Strophenform aus vier Versen von der Form

‿‿‿‿‿‿‿--/‿◡‿--◡‿◡.

Malke' (äthiop. = Bild), äthiopische Gedichtart, gibt eine genaue Personenbeschreibung, für jedes Körperglied eine gesonderte Strophe zu je fünf Zeilen.

Mandâkrântâ (ind. = Langsamschreiter), ind. Versmaß etwa bei KĀLIDĀSA: ————/◡◡◡◡◡◡—/ —◡—◡—◡‿.

Manier (franz. *manière* = Handhabung, Art und Weise), künstlerische Eigenart, spezif. Stil; in der lit. Kritik die dauernde, gewohnheitsmäßige Wiederholung oder geistlose Nachahmung, schablonenhaft erstarrte und gekünstelte Anwendung e. urspr. eigenartigen und wertvollen Stils.

S. Dresden, *La notion de m.*, RLC 51, 1977.

Manierismus (zu →Manier), urspr. Stilrichtung der bildenden Kunst des späten 16. Jh. zwischen Renaissance und Barock; durch E. R. CURTIUS auf die Lit. des Barock übertragen als Bz. für den sog. →Schwulststil, wo er bei den großen dichter. Vertretern aller gegenklass. Strömungen als echter Stil erscheint, der in subjektiv-willkürl. Abwandlung der überlieferten Formeln und Formen mit Neigung zu esoterisch-spieler. Verzerrungen, →Konzetti, Abstrusem und Groteskem das Weltgefühl der Zeit ausspricht und der Darstellungsfreude wie dem Streben nach Kunstformung für alle Lebensäußerungen Raum gibt. Die histor. Ausprägungen des barocken M. sind insbes.

die hohen rhetor. Prunkstile: →Gongorismus, →Marinismus, →Euphuismus. Im weiteren Sinne Bz. für ähnliche esoter., obskure und verschlüsselte Stilformen in den Spätphasen fast aller lit. Epochen und der modernen Lyrik.

E. R. Curtius, Europ. Lit. u. lat. MA., 1948, ⁸1973; G. Melchiori, *The tightrope walkers*, Lond. 1956, ²1957; R. Scrivano, *Il m. nella lett. del cinquecento*, Padua 1959; G. R. Hocke, M. i. d. Lit., 1959; G. Weise, *M. e litteratura* (*Rivista di lett. mod.* 13, 1960, –27, 1974); H. Hartmann, *Barock od. M.?*, WB 7, 1960; H. Kunisch, Z. M.-Problem, LJb 2, 1961; A. M. Boase, *The definition of mannerism* (*Actes du 3. Congr. de l'Association Internat. de lit. comp.*, 1961); M. Thalmann, Romantik u. M., 1963; A. Hauser, D. M., 1964, u. d. T. D. Ursprung d. mod. Kunst u. Lit., 1973; K.-P. Lange, Theoretiker d. lit. M., 1968; D. lit. Barockbegriff, hg. W. Barner 1975; W. Drost, Strukturen d. M., 1977; P. Schwind, Schwulst-Stil, 1977; C. G. Dubois, *Le m.*, Paris 1979; *M.s*, RLC 56, 1982; J. V. Mirollo, *M. and Renaiss. poetry*, Yale 1984; A. de Bosque, *Mythologie et maniérisme*, Paris 1985; J. Shearman, M., 1988.

Manifest (lat. *manifestus* = offenkundig), kurze öffentl. Grundsatzerklärung, programmat. Zusammenfassung der Ziele e. philos., polit. Kunst- oder Lit.strömung, beginnt mit Kritik des Bestehenden, artikuliert das neue Selbstverständnis, steckt den Erwartungshorizont ab und endet in oft utop. Zukunftsprojektionen. M.e inaugurierten fast alle Richtungen der Avantgarde (Naturalismus, Vortizismus, Surrealismus, Futurismus, Expressionismus, Dadaismus u. a.).

Mantel- und Degenstück →Comedia en capa y espada

Mantra, heilige Worte und mag. Formeln der ind. *Veden*, enthalten in den →*Samhitâs*.

Manuskript (lat. *manu scriptum* = mit der Hand Geschriebenes), im Buchwesen jede Druckvorlage,

in Handschrift (→Autograph), in Maschinenschrift (Typoskript) oder auch e. (evtl. korrigierter) Drucktext früherer Auflage. Die vor oder z. T. auch nach Erfindung des Buchdrucks handgeschriebenen Bücher dagegen werden als →Handschrift bezeichnet. Der Vermerk ›Manuskriptdruck‹ oder ›als M. gedruckt‹ bezeichnet ein im Auftrag des Verfassers nur für ihn oder e. engen, von ihm bestimmten Personenkreis in geringer Zahl angefertigte Druckschrift, die als Privatdruck nicht im Buchhandel allg. zugänglich ist (Festgedichte, Familienchroniken, Theaterstücke u. ä.), urheberrechtl. als nicht veröffentlicht gilt und für die der Verfasser Eigentums-, Zitier- und gegebenenfalls Aufführungsrechte vorbehält.

O. Schumann, D. M., ²1960; K. Poenikke, D. wiss. M., 1964; G. Bangen, D. schriftl. Form germanist. Arbeiten, ⁷1975.

Manuskriptdruck →Manuskript

Maqame →Makame

Marginalien (lat. *margo* = Rand), 1. hsl. eingetragene Randbemerkungen zu e. Text: Übersetzung, →Glossen, krit. Stellungnahmen u. ä. – 2. gedruckte Hinweise auf dem Rand der Buchseite: stichwortartige Inhaltsangabe, Gliederung, Quer- u. Quellenverweis, Abbildungshinweis u. ä. zur Erleichterung von Übersicht und Handhabung.

Mariendichtung, poet. Behandlung des Maria-Stoffes in ep., lyr. oder dramat. Form, dient der Darstellung und Verherrlichung von Gestalt und Leben Marias und dem Ausdruck ihrer Verehrung. Sie bildet den Übergang von der bibl. zur Legendendichtung, setzt schon früh im Christentum ein, doch bis ins 12. Jh. ausschließlich lat. (dt. nur OTFRIED I, 11, 39–54): SEDULIUS, EN-

NODIUS, HRABANUS MAURUS' Hymnen, NOTKERS Sequenzen, HROTSVITHS VON GANDERSHEIM Marienleben und die Legende *Theophilus*, CAESARIUS' VON HEISTERBACH *Dialogus miraculorum* mit Marienlegenden; daneben lat. Hymnen: ›Ave praeclara maris stella‹, ›Salve regina‹, JACOPONE DA TODI: ›Stabat mater‹ u.a., seit dem 12. Jh. auch volkssprachlich als ep. Marienleben nach apokryphen Evangelienberichten und dichterisch gestaltete Marienlegenden. In Frankreich Marienleben von WACE, HERMANN VON VALENCIENNES, *Miracles de Nostre Dame* von GAUTIER DE COINCY, JEHAN LE MARCHANT; in Spanien ALFONSO X. von Kastilien *Cantigas de St. Maria* (um 1250); in Dtl. das *Grazer Marienleben* und das des Bruder WERNHER (1172) PHILIPP und HEINRICH VON ST. GALLEN (14. Jh.), die *Himmelfahrt Mariä* des KONRAD VON HEIMESFURT (1220), 25 Legenden im *Passional;* seit der Intensivierung der Marienverehrung durch Zisterzienser und Prämonstratenser (Feier der unbefleckten Empfängnis) ab 1140 auch dt. Marienlyrik, meist in Form des →Leich und im Anschluß an lat. Vorbilder: *Melker* und *Arnsteiner Marienlied,* Mariensequenzen von St. Lamprecht und Muri u.a., WALTHERS Leich. Um 1276 vereinigt KONRAD VON WÜRZBURG *(Die goldene Schmiede)* den in der ganzen christl. Welt ausgeprägten festen Formelkanon von Epitheta, allegor. Bildern und Umschreibungen für Maria zu e. Preisgedicht. Seit dem 13. Jh. erscheinen auch dramatisierte Marienlegenden im →geistlichen Drama als →Mirakelspiele. Sie erreichen später, bes. im span. Barock, ihren Höhepunkt. Das lyr. Marienlob entfaltet sich bes. am Rhein, später auch als Kontrafaktur weltl. Liebeslieder, im 15. Jh. als

volkstüml. Marienlyrik bei HEINRICH VON LAUFENBERG. Der Meistersang (FRAUENLOB, HEINRICH VON MÜGELN, MUSKATPLÜT, Hans FOLZ) übernimmt das Marienthema von späthöf. Spruchdichtern (REINMAR VON ZWETER u.a.). Sonderformen sind die Mariengrußdichtung nach dem lat. Ave Maria, Marienklagen (dramatisierte Klagegesänge um den Tod des Sohnes) am Karfreitag in der Kirche in Form von Sequenzen, die später vom Monolog zum Dialog zwischen Maria und Jesus oder Johannes erweitert, ins →Passionsspiel übergehen. Seit der Reformation beschränkt sich die M. – meist Lyrik – vorwiegend auf kath. Gebiete, erneuert bes. im Barock (BALDE, AVANCINI, SPEE, ANGELUS SILESIUS) und in der Romantik (SCHLEGELS, NOVALIS, BRENTANO, EICHENDORFF), später bei A. v. DROSTE und im Neukatholizismus (CLAUDEL *Annonce faite à Marie,* 1901, 2. Fassung 1912), im 20. Jh. bes. G. von LE FORT, R. SCHAUMANN, S. WALDECK, R. M. RILKE *(Marienleben),* R. A. SCHRÖDER, R. J. SORGE, K. WEISS, F. WERFEL, R. SCHNEIDER.

A. Schönbach, D. dt. M.klagen, 1874; A. Mussaffia, Stud. z. ma. M.legenden, 1889; E. Wechssler, D. roman. M.klagen, 1893; P. Küchenthal, D. Mutter Gottes i. d. altdt. Lit. d. 12./13. Jh., Diss. Gött. 1898; H. Thien, Üb. d. engl. Marienklagen, Diss. Kiel 1906; St. Beissel, Gesch. d. Verehrung M. i. Dtl. i. MA., 1909; A. Kober, Gesch. d. dt. M. (Zs. f. dt. Unterr. 28, 1914); RL; St. Eustratiades, D. Gottesmutter i. d. Hymnologie, Paris 1931; W. Lipphardt, Stud. z. dt. M.klagen, PBB 58, 1934; M. E. Goenner, M.*verse of the teutonic knights,* Wash. 1943; H. Gaul, Wandel d. Marienbildes, Diss. Marbg. 1948; M. Hendricks, D. Madonnendtg. d. 19. u. 20. Jh., Diss. Marbg. 1948; Th. Wolpers, Gesch. d. engl. M.lyrik d. MA., Anglia 69, 1950; G. Seewald, D. M.klage, Diss. Hbg. 1953; K. Büse, D. M.bild i. d. dt. Barockdtg., 1956; T. Meier, D. Gestalt Marias i. geistl. Schausp. d. MA., 1959; H. Bühler, D. Marienlegenden als Ausdruck ma. Marienverehrung, Diss. Köln 1965; P. Kesting, Maria – Frouwe,

1965; RL; M. Bindschedler, Gedanken z. M.lyrik d. MA. u. d. Romantik (Fs. W. Kohlschmidt, 1969); P. Appelhans, Unters. z. spätma. M., 1970; D. Lorenz, Stud. z. Marienbild i. d. dt. Dichtg. d. hohen u. spaten MA., Diss. Mchn. 1970; G. M. Schäfer, Unters. z. dtspr. M.lyrik d. 12. u. 13. Jh., 1971; P. Kern, Trinität, Maria, Inkarnation, 1971; H. Schottmann, D. isländ. M., 1973; G. Taubert, D. M.klagen i. d. Liturgie d. Karfreitags, DVJ 49, 1975; A. Edelmann-Ginkel, D. Loblied auf Maria i. Meistersang, 1978; K.-J. Kuschel, Maria i. d. dt. Lit. d. 20. Jh. (Hb. d. Marienkunde, hg. W. Beinert 1984).

Mariengruß →Mariendichtung

Marienklage →Mariendichtung

Marienleben →Mariendichtung

Marienlied →Mariendichtung

Marienlob →Mariendichtung

Marienlyrik →Mariendichtung

Marienpreis →Mariendichtung

Marinismus, nach seinem Schöpfer und theoret. Begründer Giambattista MARINO (1569–1625) benannter →Schwulststil der ital. Barocklit., gekennzeichnet durch dunkle Worte, gesuchte Bilder (→Conzetti) und überkünstelte, überladene Sprache. Das Streben nach immer neuen Reizen, die Staunen und Verwunderung erregen sollen, führt zu e. forcierten Virtuosität der Formen, zu süßlich überströmender Weichheit des Stils. MARINOS Hauptwerke *Adone* 1623 und *La strage degli innocenti* 1633 wirken stark auf die ital. Lit. des 17. Jh. und den →Manierismus der dt. Barockdichtung. →Euphuismus, →Gongorismus.

S. Fillipon, *Il M.o nella letteratura tedesca,* Florenz 1910; W. Krauß, Marino, GRM 33, 1934; A. Meozzi, *Il seicentismo europeo,* Pisa 1936.

Marionettentheater (franz. Diminutiv von Marie), Art des →Puppenspiels: durch Drähte oder Schnüre von oben her bewegliche Gliederpuppen.
Lit. →Puppenspiel.

Marivaudage, nach dem franz. Dramatiker Pierre de MARIVAUX (1688–1763) Bz. für den preziösen, sorgfältigen und empfindsamen Ausdruck belangloser Gedanken und Gefühle in wohlgesetzten Worten, etwa in MARIVAUX' *Jeu de l'amour et du hasard.*

F. Deloffre, *Une preciosité nouvelle. M. et le m.,* Paris ²1967; J. Lacant, *Marivaux en Allemagne,* Paris III 1975 ff.; B. Alvensleben, Marivaux u. d. dt. Bühne d. 18. Jh., 1977.

Marschlied →Soldatenlied

Martelliano, 14silbiger italien. Vers aus Verbindung von zwei Septenaren, vom Dichter P. J. MARTELLI zu Anfang des 17. Jh. als Ersatz des franz. Alexandriners geschaffen.

Martinslied, zu Ehren des Hl. Martin von Tours (4. Jh.) an seinem Beisetzungstag (11. Nov.) gesungenes Lied, seit dem 14. Jh. als Gesellschaftslied zu den dabei übl. Trinkgelagen – Martin galt in Frankreich als Patron der Winzer und der von Zechern verehrte Weinheilige – formal von kirchl. Hymnen, Bacchanten- und Vagantendichtung abhängig; als Kinderlied auch in den Niederlanden und Norddtl. bis Thüringen beim Holzsammeln für das Martinsfest-Feuer gesungen oder als Heischelied beim Gabensammeln unter Hinweis auf seine legendäre Mildtätigkeit.

W. Jürgensen, M., 1910; RL; D. Sauermann, M. (Hdb. d. Volksliedes I, 1973).

Maschinenkomödie, Sondertyp des Wiener →Volksstücks im 18. Jh. ähnl. dem →Zauberstück und oft gleichbedeutend gebraucht. Die Bz. unterstreicht den vielfältigen Einsatz von Bühnenmaschinerie für techn. Effekte wie Flugvorrichtungen, Versenkungen, Verwandlungen u.ä. zur Betonung des überrealist. Zauber- und Märchenhaften: J. F. von KURZ-BERNARDON, P. HAFNER, E. SCHIKANEDER u. a.

O. Rommel, D. M., 1935 (DLE, Barock I); ders., D. Alt-Wiener Volkskomödie, 1952.

Maske (arab. *maskharat* = Possenreißer, mlat. *masca*), künstl. Hohlform zur Gesichtsverkleidung zwecks eigener Unkenntlichkeit, Identifikation von Darsteller und Dargestelltem oder Schreckwirkung für andere; kult. Ursprungs als Schreckbild zur Dämonenverscheuchung (Abwehr von Unglück), bei fast allen Völkern durch Maskenumzüge und -tänze: Chinesen, Naturvölker Nord- und Südamerikas, Australiens, Afrikas, german. und kelt. Frühlingsfeier, Winter- und Krankheitsvertreibung; heute noch als Mohrentänze in England, Perchtenlaufen in Tirol; im antiken Griechenland Medusenhaupt als abwehrendes Schildzeichen, Toten-M.n in Mexiko, Ägypten, Gold-M.n in den Gräbern von Mykenä und Kertsch schützen den Toten vor Begegnung mit Dämonen. Das aus dem religiös-mag. Kult der →Dionysien entstandene griech. Drama behielt für die trag. wie kom. Schauspieler und Satyrn die M. bei. Sie bestand aus Baumrinde, Leder, Holz, später meist stuckierter Leinwand mit fest angefügter Perücke, seit AISCHYLOS buntbemalt und mit trichterförmiger, schallverstärkender Mundöffnung, bedeckte den ganzen Kopf und ermöglichte die Darstellung mehrerer Nebenrollen durch denselben Schauspieler wie die Wiedergabe von Frauenrollen durch Männer, da Frauen nicht spielen durften. Man unterschied trag. M.n mit ernst-erhabenen Zügen, kom. M.n mit burlesk-drolligen, verzerrten Zügen und orchestrische M.n mit schönen Gesichtszügen für Tänzer, jedoch durchweg von feststehender Typik ohne individuelle Züge, erst später in reicherer Typenausgestaltung für Charaktere, Leidenschaften, Temperamente und Stände, schließlich auch M.nwechsel innerhalb e. Stückes. Die Römer übernahmen die konventionellen griech. M.n zunächst nur (da unfreien Schauspielern M.tragen verboten war) für die Typen der von freien Bürgern dargestellten →Atellane und – nachdem erste Versuche zu ihrer Einführung durch NAEVIUS gescheitert waren – vom 1. Jh. v. bis 4. Jh. n. Chr. auch für Tragödie und Komödie; dagegen begnügte man sich z. Z. des PLAUTUS und TERENZ allein mit Perücken, ebenso im →Mimus, der schließlich auch zum Aufgeben der M. im klass. Drama führte und dieses bald ganz verdrängte. Die →Commedia dell'arte und ihre Nachahmungen dagegen verwenden seit dem 15. Jh. für ihre Typen wiederum die M., ebenso die →Maskenspiele, Ballette, Pantomimen und die jap. Nô-Spiele mit künstler. M.n. Mit der Ausbildung individueller Schauspielkunst ging ihr Gebrauch zurück, von LESSING (*Hamburgische Dramaturgie* 56) sehr bedauert und auch von GOETHE bei e. Aufführung von TERENZ' *Adelphoi* (Weimar 1801) erfolglos wieder zu beleben versucht. BRECHT (*Der kaukasische Kreidekreis*) und das absurd-groteske Drama (GENET, IONESCO) schreiben gelegentl. M. vor, und historisierende Aufführungen antiker Dramen wählen z. T. M.n. – In moderner Theatersprache bezeichnet M. (Schmink-M.) das gesamte nach Maßgabe e. bestimmten Rolle umgestaltete Äußere des Schauspielers, Sängers, Tänzers durch →Kostüm, Bart, Perücke, Schminke einschließlich der Bewegungen, meist im Ggs. zur starren gleichbleibenden Typen-M. e. freiere →Charakter-M. je nach Rolle oder Stand.

H. Reich, D. Mimus, 1903; C. Robert, D. M. d. neueren att. Komödie, 1911; B. Diebold, D. Rollenfach i. dt. Theaterbetrieb d. 18. Jh., 1913; M. Bieber, Denkmäler z. Theaterwesen i. Altertum, 1920; dies., *The Hist. of the Greek and Roman Theatre,* ²1960; F. Perzynski, Jap. M.n, 1925; H. Doerry, D. Rollenfach i. dt. Theaterbetrieb d. 19. Jh., 1926; RL; R. Stumpfl, Schauspiel-M.n d. MA. (Neues Archiv f. Theatergesch. 5, 1931); K. Meuli, M. (Hdwb. d. Aberglaubens V, 1931); A. Nicoll, *M., Mimes and Miracles,* Lond. 1931; W. Klingbeil, Kopfm.n u. M.ierungszauber i. antiken Hochkulturen, 1935; H. Emmel, M.n i. volkstüml. dt. Spielen, 1936; J. Gregor, D. M.n d. Erde, 1936; K. Meuli, Schweizer M.n, 1943; O. Bihalji-Merin, M.n d. Welt, 1971; W. Sorell, *The other face,* Lond. 1973.

Maskenspiel, -zug, aus Volksbräuchen (Karneval, Mummenschanz) erwachsene, theatralisch angeordnete und vielfach prunkvolle Festzüge und Aufführungen von allegor. Bedeutung, seit der ital. Renaissance an europ. Fürstenhöfen, bes. im England des 17. Jh. (→Masques) beliebte Art des Hoffestes, dessen Teilnehmer der oft mytholog.-allegor. Thema des M. entsprechende Kostüme trugen und es mithilfe von Pantomime, Tanz und Musik in lose verbundenen, revueartigen Szenen gestalteten (vgl. →Wirtschaften); am Weimarer Hof in GOETHES *M.n* wiederaufgelebt.

H. A. Evans, *Engl. masques,* 1900; R. Brotanek, Engl. M.e, 1902; P. Reyher, *Les masques anglais,* 1909; M. S. Steele, *Plays and masques at court,* Lond. 1926; E. Welsford, *The court masque,* Cambr. 1927, ²1962; A. Nicoll, *Stuart masques,* 1937, n. 1964; S. Orgel, *The Jonsonian masque,* Cambr./Mass. 1965; *A book of masques,* hg. T. J. B. Spencer, Cambr. 1966; W. Hecht, Goethes Maskenzüge (Fs. L. Blumenthal, 1968); *Fêtes de la Renaiss.,* hg. J. Jacquot, Paris II 1968.

Maskierte Literatur →verkleidete Literatur

Maskulinus (lat. *masculinus* = männlich) →männlicher Reim

Masques (engl.), die engl. →Maskenspiele des späten 16. u. frühen 17. Jh., theatralische Aufführungen und Aufzüge nach Stoffen aus Mythologie und Legende oder Hirten-, Feen- und Märchenwelt mit reichem Dekorations- u. Kostümprunk sowie szen. und musikal. Effekten, Gesang, Ballett und Maschinerie (I. JONES). Die bei Hofe sehr beliebten M. wurden z. T. von bedeutenden Dramatikern der Zeit (Ben JONSON, SHIRLEY, CAREW, DAVENANT, SIDNEY, CHAPMAN, CONGREVE, auch MILTON) verfaßt und anfangs von der Hofgesellschaft, später zunehmend Berufsschauspielern dargestellt. Der Beginn des Bürgerkrieges 1642 und die Schließung der Theater brachten der Form ein vorübergehendes Ende, doch setzte sich der Brauch nach der Restoration bis ins 18. Jh. fort. Vgl. →Anti-Masque.

Lit. →Maskenspiel.

Maß (Versmaß) →Metrum

Massendrama, Drama, das an Stelle von Einzelmenschen e. Gruppe oder Masse in den Mittelpunkt stellt: HAUPTMANNS *Weber, Florian Geyer,* GOERING, TOLLER. →Massenszenen.

Massenliteratur, in Buchgemeinschaften, Taschenbüchern, Groschenheften, Zss. u. a. massenhaft verbreitete Lit., vorwiegend →Bestseller, →Unterhaltungs- und →Trivialliteratur, die in totalitären Staaten vielfach zur polit. Indoktrination mit manipulierten Leitbildern oder als anti-aufklärerische Fluchtlit. benutzt wird.

K. Ziermann, Romane v. Fließband, 1969; R. Schenda, Volk ohne Buch, 1970; K. Riha, M. i. 3. Reich (D. dt. Lit. i. 3. Reich, hg. H. Denkler 1976); *Letteratura di massa,* hg. G. Petronio, Rom

1979; *Triviallit.-letteratura di massa,* Triest 1979.

Massenszenen, Bühnenszenen mit größerer Anzahl namenloser, nur nach ihrer Standeszugehörigkeit hin charakterisierter Personen, die kollektiv handeln; im klass. Drama *(Egmont, Wilhelm Tell)* meist mit individuell gekennzeichneten Sprechern durchsetzt, doch stets als Summe gedacht; im 19. Jh. seit Vorgang von BÜCHNER, GRABBE und HEBBEL bes. in HAUPTMANNS *Webern,* im ekstat. Kollektivdrama des Expressionismus (TOLLER) und der russ. Revolutionsdramatik wie im sozialist. Drama (BRECHT, F. WOLF) und Dramen nach histor. und nationalen Stoffen erscheinen M. nach der Massenpsychologie durchgestaltet. – Seit der Barockoper ließ man M. durch Dilettanten und Soldaten darstellen; allein das Jesuitentheater versuchte z. Vorstoß zu ihrer künstler. Durchdringung und Gliederung. GOETHE verlangte ihre Darstellung nicht durch gedrillte Statisten, sondern durch gute Schauspieler, die die natürl. Bewegung der Volksmasse wirkungsvoll gestalten konnten; doch erst seit den →Meiningern, die GOETHES Forderung in die Tat umsetzten (z. B. SHAKESPEARES Römerdramen, Chöre der *Braut von Messina,* antike Chordramen) trotz der wenig dankbaren Rollen von geschulten Kräften verkörpert. Meister der M. wurde M. REINHARDT mit den Zirkusaufführungen von *König Ödipus* und VOLLMÖLLERS *Mirakel.*

W. Lohmeyer, D. M. i. ält. dt. Drama, Diss. Hdlbg. 1912; ders., Dramaturgie d. Massen, 1913; A. Neuweiler, Massenregie, 1919; RL; E. Harnapp, Masse u. Persönlichkeit i. Drama, Diss. Mchn. 1933; Massenspiele, hg. H. Eichberg 1977; H. Wolff, Volksabstimmung auf d. Bühne, 1985.

Materialer Text (zu lat. materia =

Stoff), Form des →reduzierten Textes, der das Sprachmaterial der Worte, Silben, Laute und Wortbilder nicht als Sinnträger e. Mitteilung, sondern als akust. oder visuelles Rohmaterial zu hör- und sichtbaren Effekten benutzt, bes. in →Lautgedichten der →akust. Dichtung und den typograph. Experimenten und Konstellationen der →visuellen Poesie. Vgl. →abstrakte, →konkrete Dichtung.

Mathnawi, pers. Dichtform aus einzelnen, jeweils grammatisch und inhaltlich in sich geschlossenen Reimpaaren (→Distichen), in mittelpers. oder islam. Zeit entstanden und später von den Türken übernommen; bes. geformt bei RŪDAKĪ, FERDAUSĪ *(Shāh-Nāmé),* NEẒĀMĪ und DJALĀLO 'D-DĪN RŪMĪ.

Mauerschau →Teichoskopie

Maxime (lat. *maxima,* sc. *regula* oder *propositio* =) oberster Grundsatz als allg. Lebensregel und Richtschnur des Wollens und Handelns, zugespitzt formulierte Erfahrung, oft auch im Sinne von Denkspruch, →Aphorismus: GOETHE *M. und Reflexionen,* LAROCHEFOUCAULD *M.s,* VAUVENARGUES *Sentences et M.s.*

A. H. Fink, M. u. Fragment, 1934; M. Kruse, D. M. i. d. frz. Lit., 1960; C. Rosso, *La m.,* Neapel 1968; S. Meleuc, Struktur d. M. (Lit.wiss. u. Linguistik, hg. J. Ihwe III 1972).

Médan, Kreis von, Freundeskreis franz. Naturalisten um E. ZOLA, der seit 1877 häufig in dessen Landhaus in M. bei Paris zusammentraf; maßgebl. für die Entwicklung der naturalist. Ästhetik in Manifesten und der dokumentar. Novellenslg. *Les soirées de M.* (1880): P. ALEXIS, H. CÉARD, L. HENNIQUE, J.-K. HUYSMANS, G. de MAUPASSANT.

L. Deffoux, E. Zavie, *Le groupe de M.,* Paris 1920.

Mediävistik (lat. *medium* = mittel, *aevum* = Alter), Mittelalterkunde, Sammelbz. für die Wiss. von Sprache, Geschichte, Kultur, Religion, Folklore, Lit., Kunst, Musik u.a. des →Mittelalters in nationalem oder gemeineurop. Rahmen.

Meeresdichtung, vom Motiv des Meeres, der Seefahrt usw. bestimmte Dichtung. Sie hat ihre Wurzeln in antiker Epik (HOMER, VERGIL) und dem Reise- und Abenteuerroman, erscheint daher in der fast ausschließlich in Süddtl. beheimateten mhd. Dichtung nur vereinzelt: *Kudrun,* Volkslieder von Störtebecker und den zwei Königskindern. Den poet. Wert des Meeres entdeckt erst das 19. Jh.: HEINES *Nordseezyklen,* GEIBELS *Ostseelieder,* Einzelwerke von LENAU, FREILIGRATH, MÜGGE, STRACHWITZ, Th. STORM, LILIENCRON, ALLMERS, FALKE, FRENSSEN, LÖNS, A. MIEGEL, Otto ERNST u.a., bes. in der Heimatkunst der Küstenländer, gipfelnd in Gorch FOCKS *Seefahrt ist not;* in England SMOLLETT *(Roderick Random)* u. J. CONRAD, in Amerika MELVILLE und HEMINGWAY *(Der alte Mann und das Meer).*

A. Schneider, D. Entw. d. Seeromans i. Engl., Diss. Lpz. 1901; H. M. Tomlinson, *Great Sea Stories,* N.Y. 1917; RL; G. Müller, Meer u. Mensch im Spiegel neuerer Dichtg., 1930; H. F. Watson, *The sailor in Engl. fiction and drama,* N.Y. 1931; C. L. Lewis, *Books of the sea,* Annapolis 1943; E. C. Ross, *The development of the Engl. sea novel,* Ann Arbor o.J.; A. Carlsson, D. Meeresgrund i. d. neueren Dichtg., DVJ 28, 1954; I. Schaefer, D. Meermotiv i. d. neuen dt. Dichtg., Diss. Bonn 1955; F. Knight, *The Sea Story,* Lond. 1958; T. Philbrick, *J. F. Cooper and the development of American sea fiction,* Cambr./Mass. 1961.

Mehrdeutigkeit →Ambiguität

Meininger, die Schauspieltruppe des ›Theaterherzogs‹ GEORG II. von Sachsen-Meiningen (1826–1914),

der, selbst fachkundiger Regisseur und Bühnenmaler (Schüler des Münchner Historienmalers LINDENSCHMITT), an seinem →Hoftheater eine entscheidende Bühnenreform einführte, die z.T. bei Charles KEAN, E. DEVRIENT und DINGELSTEDT Vorläufer hatte. Hauptziele waren: 1. Einheitlichkeit und Geschlossenheit des Ensemblespiels bei Wahrung der schauspielerischen Einzelleistung als Gegenschlag gegen das Virtuosentum der Zeit. Ihr fügten sich auch große Schauspieler wie KAINZ, BARNAY, MATKOWSKY, 2. bewegte Organik der →Massenszenen, 3. stilvolle Einheit des Bühnenbildes (feste Wände und Decken statt Kulissen und Soffitten), 4. histor. Treue des →Bühnenbildes, der →Kostüme und Requisiten (aus echtem Material) bis an die Grenze des Möglichen, als Übertragung histor. Erkenntnisse auf die Bühnendekoration, ferner naturalist. Geräusche und Anfänge der Lichtregie. – 80 große Gastspielreisen in Dtl., Europa und Amerika 1874–90 unter Leitung des Herzogs oder seines Regisseurs L. CHRONEGK verbreiteten in epochemachenden Vorstellungen die völlig neue Bühnenauffassung und beeinflußten weitgehend nicht nur das dt. Theater, meist mit neuartigen Klassikeraufführungen, daneben auch IBSEN, BJÖRNSON, ANZENGRUBER. Max REINHARDT führte die Bestrebungen erfolgreich weiter, daneben aber auch flache, veräußerlichte Nachahmung, ›Meiningerei‹. Das Verdienst der M. ist es, den Sinn für →Ausstattung der Bühne geweckt zu haben.

C. W. Allers, D. M., 1890; H. Herrig, D. M., 1879; M. Grube, D. M., 1904; ders., Gesch. d. M., 1926; RL; D. M., hg. J. Osborne 1980; A. M. Koller, *The theater duke,* 1984; J. Osborne, *The Meiningen court theatre,* Cambr. 1988.

Meiosis (griech. = Verkleinerung),

→rhetorische Figur des iron. →Understatement: parteil. Verharmlosung u. Erniedrigung e. Tatsache, e. Leistung durch Verwendung von Worten, die weniger ausdrücken, als sie bedeuten, ›Übertreibung nach unten hin‹, die den gegenteiligen Eindruck beim Hörer verstärkt (→Litotes). – Bei QUINTILIAN auch = ›fehlerhafte Wortauslassung‹.

Meister, 1. im 13./14. Jh. der bürgerl. Künstler oder Dichter im Ggs. zum adligen Herrn; 2. →Meistersang.

Meistergesang →Meistersang

Meisterlied →Meistersang

Meister(ge)sang, Fortsetzung des späten Minnesangs, zumal der einstrophigen Sangspruchdichtung (→Meistersangstrophe) in Kreisen bürgerl. Zunfthandwerker. Die Gründung des M. 962 (!) durch die →Zwölf Alten Meister (WALTHER V. D. VOGELWEIDE, FRAUENLOB u.a.) und der ersten Singschule 1315 durch FRAUENLOB in Mainz sind nachträgl. Legende. Bis Mitte 15. Jh. gab es nur einzelne, von handwerkl. Zunftgenossenschaften veranstaltete Singschulen, d.h. Konzerte; die frühesten zunftmäßig organisierten Meistersingergesellschaften erscheinen gegen Ende 15. Jh. (Straßburg 1492, Augsburg, Donauwörth, München, Nürnberg, Freiburg 1513). Zu den Alten Nürnberger Meistern zählen Fritz KETTNER, Hans FOLZ, Fritz ZORN und Lienhard NUNNENBECK, Lehrer von Hans SACHS, der ihre Lieder in e. 1517/18 geschriebenen Hs. aufbewahrt. Neubelebung und Blütezeit des M. folgen der Parteinahme H. SACHS' für die Reformation um 1523, die zur Unterscheidung e. vor- und nachreformator. M. führt, und der Verbreitung über süddt.

Gebiete (außer Schweiz): Elsaß (Straßburg, 1545 Kolmar mit J. WICKRAM), Franken (Nördlingen), Schwaben (1534 Augsburg, Ulm), Österreich (Schwaz/Tirol, 1532 Steyr, Eferding, Wels), Mähren (1571 Iglau und Schlesien (Breslau). Letzte Ausläufer erhalten sich bis ins 19. Jh. (Ulm 1839, Memmingen 1875). Kern der schulmäßigen Kunstübung sind die M.-Strophe, bis Anfang 16. Jh. ›lied‹, danach ›Gesätz‹ genannt, und das Meisterlied, ›Bar‹, prinzipiell mehrstrophig mit ungleicher Strophenzahl (meist 3, 5 oder 7) nach silbenzählendem, streng alternierendem (jamb.) Versbau. Es wurde nach e. bestimmten ›Ton‹ (auch ›Weise‹) gedichtet, der Reim-, Versstruktur und Melodie vereint. Nach anfängl. Festhalten an überlieferten Tönen (außer in Nürnberg) ging man zur Erfindung neuer Töne über, die durch höchst merkwürdige Namen e. Art Musterschutz erhielten (z.B. abgeschiedene Vielfraßweis) und in das Schularchiv eingingen. Rd. 1500 Töne sind überliefert. Ihr Vortrag erfolgte als einstimmiger Gesang ohne Musikbegleitung bei regional unterschiedl. Wett- und Freisingen. Die Kunst galt als erlernbar, es bildeten sich feste Regeln und Vorschriften, die seit 1494 in der →Tabulatur zusammengefaßt wurden und deren Einhaltung die →Merker überwachten. Der Inhalt der Meisterlieder war meist erbaul.-belehrend mit geistl. und bibl. Themen, ab 16. Jh. daneben weltlich, auch ›Buhllieder‹ und Erzählgedichte. Beim Zechsingen in Gasthöfen trug man auch oft derbe Schwänke, Spruchreden, Spottverse und Rätselstrophen vor. Die schulmäßige Sangesübung am Feierabend trieb die Künstlichkeit der übernommenen späthöf. Form auf die Spitze und erfüllte sie mit gelehrtem Wissensprunk. Der zunftmäßigen Herkunft des M. entsprechen regional unterschiedl. Organisationsformen mit Rangordnungen und festen Titeln. Rd. 130 Sammelhss. sammeln seit 1420 den M. (bes. Kolmarer Hs. von 1460); rd. 13 500 nachreformator. Meisterlieder sind erhalten. Frühe Quellen sind PUSCHMANNS *Gründlicher Bericht des dt. M.*, 1571, und WAGENSEILS *Buch von der Meistersinger holdseligen Kunst*, 1697. Der naivtreuherzigen, bürgerl.-pedant. Dichterei mit ihrem handwerksmäßigen Betrieb und der Ausrichtung auf rein formale Kunsterfüllung fehlt es zwar weitgehend an ästhet. Hochleistungen, doch ist sie e. kulturgeschichtl. wichtiges Zeugnis für e. geistig-künstler. Bedürfnis der Zeit (vgl. R. WAGNERS *Meistersinger von Nürnberg*) und e. von Gönnern unabhängigen Kunst. →Gaia Sciencia, →Rederijkers.

O. Plate, D. Kunstausdrücke d. Meistersinger, 1888; C. Mey, D. M. i. Gesch. u. Kunst, ²1901, n. 1973; H. Lütcke, Stud. z. Philos. d. M., 1911; W. Stammler, D. Wurzeln d. M., DVJ 1, 1923; RL; K. Unold, Z. Soziologie d. dt. M., 1932; H. O. Burger, D. Kunstauffassung d. frühen Meistersinger, 1936; A. Taylor u. F. H. Ellis, *A bibliogr. of M.*, Bloomington 1936; A. Taylor, *The Lit. Hist. of the M.*, N.Y. 1937; R. Weber, Z. Entwicklg. u. Bedeutg. d. dt. M. i. 15./16. Jh., Diss. Bln. 1951; B. Nagel, D. dt. M., 1952; ders., M., 1962, ²1971; ders. (hg.), D. dt. M., 1967; H. Rosenfeld, Vor- u. nachreformator. M. (Fs. H. Moser, 1974); H. Brunner, D. alten Meister, 1975; Ch. Petzsch, Singschule, ZDP 95, 1976; H. Kugler, Handwerk u. M., 1977; I. Stahl, D. M'singer v. Nürnberg, 1982; F. Schanze, Meisterl. Liedkunst, II 1983 f.; R. Hahn, D. löbl. Kunst, Bresl. 1984; dies., M., 1985; Repertorium d. Sangsprüche u. Meisterlieder, hg. H. Brunner XIV 1985 ff.

Meistersangstrophe, dreiteilige, altdt., Kanzonen-, Stollen- oder Minnesangstrophe, die schon im Hochma. aus arab. in roman.-provenzal. Lyrik eingeführte, von dort in mhd. Dichtung (KÜRENBERGER)

übernommene, im Meistersang fortgepflegte und mit Bezeichnungen versehene Strophenform AAB aus einem →Aufgesang zu zwei gleichgereimten →Stollen (AA) und einem anders gereimten, gleichwiegenden →Abgesang (B). Der regelmäßige Bau entspricht der Musikbegleitung: beide Stollen haben dieselbe Melodie, der auch in der Form abweichende Abgesang e. neue. Gegenüber der von A. HEUSLER vertretenen Auffassung der Dreigliedrigkeit, wie sie auch im Sonett und z. T. im Kirchenlied erscheint, hält SARAN die M. für 2-teilig, indem der Abgesang dem 2-teiligen Aufgesang nach metr. Bau die Gegengewicht hält. Die Länge der M. schwankt zwischen 5 u. 100, meist aber 20–30 Versen, das Meisterlied besteht aus mindestens drei M.n.

Lit. →Metrik.

Meistersinger →Meistersang

Meistersingerbühne →Bühne

Meistersonett →Sonett

Meiuros (griech. = mit gestutztem Schwanz), Hexameter mit Kürzung der vorletzten Silbe:
$$\cup\cup\;-\cup\cup\;-\cup\cup\;-\cup\cup\;-\cup\cup\;-\cup\breve{\cup}\times.$$

Melancholie (griech. *melas* = schwarz, *cholos* = Galle: Schwarzgalligkeit), im überlit. Sinn die Stimmung der Trauer, Schwermut und Bedrücktheit angesichts von Leid, Verfall, Sinnleere, Vergeblichkeit und Begrenztheit des Daseins. Seit der Antike (HIPPOKRATES) als e. der vier Temperamente betrachtet, von R. BURTON (*Anatomy of m.*, 1621) analysiert, bz. M. in der Lit. gegenüber dem mehr erfahrungsbedingten →Pessimismus bzw. Weltschmerz e. psycholog. bedingte düstere Grundgestimmtheit, z. T. aus dem Ungenügen am Wort und dem Wissen um die Vergeblichkeit alles

Strebens nach letzter Vollkommenheit.

C. Kahn, D. M. i. d. dt. Lyr. d. 18. Jh.,
1932; G. Mattenklott, M. i. d. Dramatik
d. Sturm u. Drang, 1968, ²1985; B. G.
Lyons, Voices of m., N.Y. 1973; K. Ober-
müller, Stud. z. M. i. d. dt. Lyr. d. Barock,
1974; H.-G. Schmitz, D. M.problem
(Sudhoffs Archiv 60, 1976); H.-J.
Schings, M. u. Aufklärg., 1977; H. Wata-
nabe-O'Kelly, M. u. d. melanch. Landschaft, 1978; L. Völker, Muse M., 1978;
H. Mehnert, M. u. Inspiration, 1978; F.
Loquai, Künstler u. M. i. d. Romantik,
1984; M. u. Enthusiasmus, hg. K. Sauerland 1988.

Melik, melische Dichtung (griech.
melos = Lied), die eigtl. gesungene
→Lyrik in griech. Sinne; bes. Lied,
Ode und Hymne.

Melodie →Sprachmelodie

Melodrama (griech. *melos* = Lied,
drama = Handlung), allg. jede Verbindung von gesprochenem Wort
mit untermalender Musik, die den
Ausdruck verstärkt, so schon in antiker Lyrik (ARCHILOCHOS), Tragödie und Komödie. – 1. gesungenes
oder gesprochenes, auf oder nach
den Höhepunkten zur Gefühlsstei-
gerung von Musik untermaltes
→Monodrama, aus dem dramat.
Ballett J. NOVERRES um 1750 entstanden: J. ROUSSEAU *Pygmalion*
1762, G. BENDA *Ariadne auf Naxos*
1774, *Medea* 1775, GOETHES *Proserpina* u. a. – 2. gesprochener Monolog mit Orchesterbegleitung, entstanden aus dem ›recitativo accompagnato‹ bei NEEFE, REICHARDT,
Abbé VOGLER, auch in die Oper
übernommen: BEETHOVEN *Fidelio*
(Anfang 2. Akt), C. M. v. WEBER
Freischütz (Wolfsschlucht), H.
MARSCHNER, Schluß von GOETHES
Egmont mit BEETHOVENS Musik. –
3. Konzert-M., gesprochenes Gedicht (bes. Ballade) mit Musikbegleitung als zwitterhafte Konzert-
form zwischen Drama und Oper,
oft unbefriedigend durch Dishar-

monie von Sprach- und Instrumen-
talmelodie, doch bei guter Ausführung teils sehr wirkungsvoll: ZUM-
STEEG, SCHUMANN, LISZT, SCHIL-
LERS *Siegesfest* und WILDENBRUCHS
Hexenlied von M. SCHILLINGS, R.
STRAUSS *Enoch Arden*, HONEGGER
König David. – 4. in engl. und
franz. Lit. das populäre Schauer-,
Sensations- u. Rührstück der Triviallit. Ende 18./1. Hälfte 19. Jh.
mit stereotypen Figuren, unwahrscheinl. Handlung, aufwendiger
Inszenierung (ma. und exot. Szenerie) um Leiden und Belohnung der
Guten, Strafe der Bösen, z. B. von G.
de PIXÉRÉCOURT, D. BOUCICAULT
und T. HOLCROFT, oft dramatisierte Schauer- und Trivialromane. Daher melodramatisch = übertrieben
sentimental-pathetisch, larmoyant,
bes. auch im Film der 30er Jahre.

A. Solerti, Le origine del m., Turin 1903;
E. Istel, D. Entstehg. d. M., 1906; P.
Ginisty, Le m., Paris 1910; R. Austen,
Les premiers m. français, Paris 1912; M.
Steinitzer, Z. Entwicklgs.gesch. d. M.,
1918; C. v. Bellen, Les origines du M.,
Utrecht 1927; H. Martens, D. M., 1932;
H. Clesius, Z. Ästhetik d. M., Diss. Bonn
1944; M. W. Disher, Blood and thunder,
Lond. 1949; ders., M., Lond. 1954; J.
van der Veen, Le m. musical, Haag 1955;
F. Sinfonia, Storia del m., Bari 1961; M.
Booth, Engl. m., Lond. 1966; F. Rahill,
The World of M., Philadelphia 1967; R.
B. Heilman, Tragedy and m., Seattle
1968; D. Grimsted, M. unveiled, Chic.
1968; J. Smith, M., Lond. 1973; P.
Brooks, The melodramatic imagination,
Yale 1976; P. Thomasseau, Le m., Paris
1984; J. N. Schmidt, Ästhetik d. M.,
1986; W. Schimpf, Lyr. Theater, 1988.

Melodramatisch →Melodrama (4)

Melopöie (griech. =) Liederdich-
tung, Tonsetzung, in der Lit. =
→Klangmusikalität.

Melos (griech. = Lied, Melodie),
allg. = →Sprachmelodie, in der Lit.
bes. →Klang, →Klangmusikalität.
R. Görner, D. M. (Sprachkunst 13,
1982).

Melpomene (griech. = die Singende), →Muse der Tragödie mit den Attributen der trag. Maske in der Hand oder auf dem Scheitel, Keule, Efeu- oder Weinlaubkranz.

Memoiren (franz. *mémoires* =) Denkwürdigkeiten, Lebenserinnerungen, Darstellung selbsterlebter histor. Tatsachen verbunden mit e. Rechtfertigung des eigenen Verhaltens; bei zusammenhängendem Lebensbild in zeitl. Abfolge mit fließenden Grenzen zur →Autobiographie, doch meist stärker auf die Umweltgeschehnisse und -zustände ausgerichtet, an denen der Verfasser handelnd und leidend teilhat, auch sorgloser, detailfreudiger plaudernd und unverbindlicher als diese, bes. durch die subjektive Färbung, die in Auswahl und Ausdeutung des Erzählten oft tendenziöse Zwecke verfolgt und nicht zuletzt unwillkürlich ein uneingestandenes Wunschbild des Vergangenen, wie es hätte sein sollen, wiedergibt. Vor wiss. Verwertung des in M. überlieferten, oft wichtigen biograph., polit.-histor. und kulturgeschichtl. Materials bedarf es daher e. krit. Untersuchung über die Zuverlässigkeit des Verfassers. – Antike M. sind erhalten in den *Memorabilien* XENOPHONS und den →Kommentaren CAESARS, ma. M. z.B. von Marco POLO und der Kottannerin. Größte Beliebtheit erreicht die M.lit. in Frankreich seit dem 14. Jh.: JOINVILLE, FROISSARD, COMMYNES. Die M. des 16. Jh. spiegeln die Religionskämpfe der Zeit: MARGUERITE DE VALOIS (Schilderung des Hoflebens), ferner BRANTÔME (erot. Zeitbild der Wende 16./17. Jh.) und SULLY (Gesellschaftsbild). Im Zeitalter Ludwigs XIII. folgen BASSOMPIERRE, RICHELIEU, unter Ludwig XIV. LAROCHEFOUCAULD, RETZ, SAINT-SIMON u.a.m. Über das Revolutionszeitalter schreiben BEAUMARCHAIS, NECKER, LAFAYETTE, Mme de STAËL, MIRABEAU und DESMOULINS, über die Napoleonzeit LAS CASES, CONSTANT, LAVALETTE und Mme de RÉMUSAT; im 19. Jh. CHATEAUBRIAND, George SAND, BROGLIE, im 20. Jh. MALRAUX, SARTRE, BEAUVOIR, C. GOLL u.a.m. Franz. geschrieben sind auch die pikant-erot. M. des Italieners G. J. CASANOVA. Die engl. M.lit. beginnt im Elisabethan. Zeitalter: J. MELVILLE, Th. BIRCH, D. CRAWFORD of Drumsey, umspannt die Kämpfe des 17. Jh.: RUSHWORT, LUDLOW, CLARENDON, WHITELOCK, TEMPLE, die Herrschaft Cromwells und den Fall der Stuarts: PECK, J. DALRYMPLE, PEPYS, BRUNET und MARLBOROUGH, schließlich die Zeit Georgs I.: BOLINGBROKE, WALPOLE, J. KER. Im dt. Schrifttum überwiegt die Neigung zur →Bekenntnislit., weniger M.: zuerst Götz von BERLICHINGEN, daneben im 16. Jh. VIGILIUS VAN ZWIECHEM, S. SCHÄRTLIN VON BURTENBACH, Graf Wolrad von WALDECK, SASTROW, Ritter von SCHWEINICHEN u.a. Bedeutend sind erst die M. von FRIEDRICH II., von DOHM und M. v. GENTZ; im 19. Jh. VARNHAGEN, ARNDT und bes. BISMARCK, in Österreich HORMAYR und METTERNICH, für die Lit. wichtig M. v. WOLFF, J. J. MOSER und IMMERMANN; der weitaus größte Teil ist reine →Autobiographie. Die Wirren der Weltkriege und das Streben e. neuen Lesepublikums nach Einsicht in die Hintergründe polit. Geschehnisse haben im 20. Jh. e. unabsehbare Fülle von teils wertvollen, teils reine Konjunktur ausnutzenden M. entstehen lassen, meist jedoch rein polit. Art (CHURCHILL, DE GAULLE, ADENAUER). →Tagebuch.

M. Westphal, D. besten dt. M., 1923, ²1971; M. N. Young, *Bibliography of memory*, Phil. 1961. →Autobiographie.

Memorabile (lat. = erinnerungswürdig), nach JOLLES e. →einfache Form: e. in allen unverwechselbaren Einzelheiten erzähltes und als histor. einmalig hingestelltes Ereignis im Ggs. zum verallgemeinernden →Kasus.

A. Jolles, Einf. Formen, 1929, ⁶1986; O. Görner, V. M. z. Schicksalstragödie, 1931; L. Bødker, *Folk lit.*, Koph. 1965.

Memorabilien (lat. *memorabilis* = erinnerungswürdig), Denkwürdigkeiten, Titel der →Memoiren von XENOPHON *(Apomnemoneumata)*, IMMERMANN u. a.

Memorandum (lat. = zu Erinnerndes) →Denkschrift

Memorialdichtung →Merkdichtung

Mēmrā, in syr. Lit. ein Gedicht didakt.-ep. Inhalts in gebundener Rede und von beliebiger, oft großer Länge zur Lektüre oder Rezitation.

Menestrels (altfranz.) →Jongleure und →Minstrels

Menippea, satira menippea, menippeische Satire, nach ihrem Begründer MENIPPOS von Gadara (3. Jh. v. Chr.) benannte und von QUINTILIAN (10, 1, 95) als Sonderform anerkannte antike →Satire allg.-menschl. Schwächen und Torheiten ohne persönl. Bezüge, stellt das inhaltlich Lächerliche in ernstem Dialog, in e. Mischung von Prosa und Versen dar; in LUKIANS Dialogen, lat. von VARRO und HORAZ, SENECA *(Apocolocyntosis),* PETRONIUS, MARTIANUS CAPELLA u. a. nachgeahmt, in Frankreich in der *Satyre Ménippée* (1593/94) fortlebend.

R. Helm, Lukian u. Menipp, 1906; J. W. Duff, *Roman Satire,* 1937; S. Peters, L. Holbergs men. Sat., 1987. →Satire.

Merkdichtung, auch Memorialdichtung, Verse als Gedächtnisstütze, z. B. →Denkvers, →Katalogvers.

Merker (mhd. merkaere), 1. im Minnesang seit dem KÜRENBERGER ständig wiederkehrende fiktive Aufpasser, teils ›unholde Verwandte‹, die hindernd zwischen die Liebenden treten, sie aufspüren, umschleichen, verraten oder ihre Zusammenkunft vorbeugend verhindern; seit HEINRICH VON VELDEKE die Bösen, Mißgünstigen, Neider schlechthin, auch im Epos (Zwerg Melot im *Tristan*); im provenzal. Minnesang als ›lauzengier‹, und auch in arab. Liebeslyrik als typ. Figur vorhanden. – 2. im Meistersang die Schiedsrichter, Zensoren und Kritiker beim Preissingen, meist vier, die im ›Gemerk‹ den Blicken entzogen unerbittlich die Verstöße des Vortragenden gegen die Tabulatur in Form und Vortragsweise ›merken‹ – meist auch ein Geistlicher, der die dogmat. Richtigkeit überwacht – und den Meisterpreis (›Kranz‹ oder ›Gehänge‹) verleihen.

E. Wechssler, Kulturproblem d. Minnesangs, 1909; RL; L. Seibold, Stud. üb. d. Huote, 1932; W. Hofmann, Die Minnefeinde, Diss. Würzb. 1974.

Merkvers →Denkvers

Merzdichtung, Merzkunst, nach e. frühen →Collage von K. SCHWITTERS, die das Wort [kom]merz[iell] enthielt, von ihm 1919 geprägte Bz. für die von ihm in Bild und Wort *(Anna Blume,* 1919) vertretene, in seiner Zs. *Merz* (1923–32) publizierte Kunstrichtung des →Dadaismus aus vorgefundenen Fertigteilen (objet trouvé).

Mesnewi →Mathnawi

Mesodos (griech. = Zwischengesang), im Chorlied der att. Tragödie gelegentlich zwischen Strophe und Antistrophe eingeschobenes lyr. System ohne Responsion. →Epode, →Proodos.

Mesostichon (griech. *mesos* = mitten, *stichos* = Vers), Figur ähnlich dem →Akrostichon und →Telestichon, bei der die hervorgehobenen, zusammenzulesenden Buchstaben in der Versmitte stehen.

Meßbuch →Missale

Messiade (zu Messias), →geistliches Epos zur Darstellung von Leiden und Leben Christi: *Heliand*, OTFRIEDS *Krist*, HELLES *Jesus Christus*, bes. im Gefolge von KLOPSTOCKS *Messias* (LAVATER, RÜCKERT, HELLE), nicht jedoch die mod. Jesus-Romane. →Evangelienharmonie.

Messianismus, von J. HOENE-WROŃSKI geprägte Bz. für den Glauben an e. neue, von e. Werkzeug Gottes herbeigeführte Geschichtsepoche, meist in Verbindung mit der Vorstellung von e. ›auserlesenen Volk‹. Als Erscheinung in versch. Völkern und Zeiten wiederholbar: Perser, Juden, Araber u. a. Im engeren Sinn e. poln. Geistesströmung rd. 1840–63, getragen von KRASIŃSKI, MICKIEWICZ und SŁOWACKI sowie den Philosophen A. TOWIAŃSKI und B. TRENTOWSKI, die in religiös-myst. und phantast. Zukunftsträumen vom Exil aus e. neues Sendungsbewußtsein des poln. Volkes hervorrief und die bisherige Unterdrückung in metaphys. Sinne als Voraussetzung für die Wiedergeburt aller Völker auslegte. Nach dem Scheitern des Aufstandes von 1863 vom →Positivismus abgelöst.

J. Kleiner, D. poln. Lit., 1929; K. Krejči, Gesch. d. poln. Lit., 1958; J. L. Talmon, Polit. M., 1963.

Meßkatalog, Verzeichnis aller auf e. →Buchmesse angebotenen buch-

händler. Neuerscheinungen, oft auch Ankündigung der in Vorbereitung befindl. Bücher im In-, z. T. auch Ausland; erster M. 1564 von G. WILLER in Augsburg, dann seit 1574 zu jeder Oster- und Michaelis-Messe in Frankfurt a. M., bis 1598 in Privathand, seit 1595 auch in Leipzig, das mit dem Abnehmen der internationalen lat. Lit. um 1680 die Führung im Buchwesen übernahm; seit 1860 durch Halbjahreskataloge, Bücherlexika, das in der BR. zweimal, in der DDR einmal wöchentlich erscheinende *Börsenblatt für den dt. Buchhandel*, den Lagerkatalog u. ä. ersetzt, doch lit.-historisch wichtig für die Beurteilung des Schrifttums e. Zeit und seine Aufteilung nach Sachgebieten sowie für Datierungsfragen. Der M., nach Sachgebieten geordnet, trennte bis um 1720 das dt. und lat. Schrifttum und gab außer den ohnehin sprechenden, weitläufigen Titeln kurze Inhaltsangaben.

M. Fontius, Z. lit. Bedeutg. d. M. i. 18. Jh., WB 7, 1961; B. Fabian, D. M. e d. 18. Jh. (Buch u. Buchhandel i. Europa i. 18. Jh., hg. G. Barber 1981); Bücherkataloge als buchgesch. Quellen, hg. R. Wittmann 1985.

Mester de clerecía →Cuaderna via

Metabole (griech. = Wechsel, Änderung), 1. in Metrik, Stilistik und Rhetorik allg. jeder unerwartete Wechsel in Wortwahl, Rhythmus oder Stil: →Inkonzinnität. – 2. = →Polyptoton.

Metafiktion (griech. *meta* = nach, →Fiktion), Sammelbz. für erzählende Texte, die selbst bewußt die Erzählfiktion bzw. Leserillusion durchbrechen, den Kunstcharakter des Werkes spielerisch bloßstellen und ihrerseits durch Analysen und Kommentare des fingierten Erzählprozesses thematisieren, das Unzureichende der Erzählkonventionen aufdecken und die Frage nach dem Verhältnis von Fiktion zur Realität neu stellen, wobei der Leser zugleich Nachvollzieher des fiktiven Textes und von dessen Selbstreflexion ausgeschlossen ist. Beispiele L. Sternes *Tristram Shandy* 1760 und im 20. Jh. J. Barth, J. L. Borges, I. Calvino, J. Fowles, P. Handke, D. Lessing, V. Nabokov, A. Robbe-Grillet.

M. A. Rose, *Parody, M.,* Lond. 1979; R. Scholes, *Fabulation and m.,* Urbana 1979; L. McCaffery, *The metafictional muse,* Pittsburgh 1982; P. Wangh, *M.,* Lond. 1984; L. Hutcheon, *Narcissistic narrative,* Lond. 1984.

Metalepsis (griech. = Vertauschung), umstrittene Wortfigur der antiken Dichtersprache, Form der →Metonymie, setzt 1. den erzeugenden Gegenstand (Ursache) anstelle der Wirkung: Zunge = Sprache, Hand = Schrift, 2. anstelle e. mehrdeutigen Wortes das Synonym seines (im Kontext nicht gemeinten) Homonyms: Homer *Il.* 8, 164: statt *kore* (Mädchen) *glene* (Augapfel), da *kore* sowohl Mädchen als auch Augapfel bedeutet.

Metamorphose (griech. *metamorphosis* =) Verwandlung in e. andere Gestalt, z.B. Menschen in Tiere, Pflanzen, Steine u.ä.; im Anschluß an die Mythologie oder aitiologisch als Erklärung von Ähnlichkeiten häufig in griech. Dichtung seit Homer (Kirke) und bes. in röm. Dichtung: Ovid, Apuleius; später im →Märchen, im Barock (Marino, Lohenstein), bei Goethe, Tieck und E. T. A. Hoffmann, in der Gegenwart Kafka *Die Verwandlung,* D. Garnett *Lady into Fox,* Ionesco *Les rhinocéros.*

C. Heselhaus, M.-Dichtgn., Euph. 47, 1953; S. Jannacone, *La letteratura greco-latina delle metamorfosi,* Messina 1953.

Metanoia (griech. = Meinungsänderung) = →Correctio

Metapher (griech. *metaphora* = Übertragung), die dichterischste der →rhetor. Figuren, uneigentliche, bildl. Redeform: bildl. Ausdruck für e. Gegenstand (oft zur Verlebendigung und Veranschaulichung von abstrakten Begriffen), e. Eigenschaft oder e. Geschehen; entsteht nach Quintilian aus e. abgekürzten Vergleich, indem e. Wort(gruppe) aus dem eigtl. Bedeutungszusammenhang auf e. anderen, im entscheidenden Punkt vergleichbaren, doch ursprünglich fremden Vorstellungsbereich übertragen wird, doch ohne formale Ausführung des Vergleichs im Nebeneinander der Werte (›so – wie‹) unmittelbar und komplex anstelle desselben tritt: es steht nicht in eigtl. Bedeutung, sondern ›übertragen‹. Die antike Figurenlehre (Quintilian) unterscheidet semantisch die Übertragung von Belebtem auf Belebtes (Fuchs = listiger Mensch), von Leblosem auf Lebloses (Fluß*bett*), von Leblosem auf Belebtes (Schiff der Wüste = Kamel) und am häufigsten von Belebtem auf Lebloses (*Fuß* des Berges); modernere Theorie scheidet wesensgemäßer in Veranschaulichung des Geistigen durch Sinnliches und Beseelung des Sinnlichen durch Geistiges. Mod. Linguistik untersucht die semiot., psych./psychoanalyt. und kommunikativen Aspekte der M. nach Assoziation, Dissoziation und Destruktion herkömml. Vorstellungen. – Die Umgangssprache besitzt unzählige verblaßte M.n (Ex-M.n), die z.T. aus Sprachtabus oder mangels eigtl. Benennung entstanden und nicht mehr mit Bewußtsein als solche empfunden werden: konventionalisierte Sprachbilder. Die dichter. und bes. die lyr. Sprache dagegen lebt nicht zuletzt von dem Bildgehalt der bewußt gesetzten M., indem sie die über die bloße Bedeutung hinausgehenden Ausdruckskräfte des Wortes freilegt, die einfache Beziehung von Namen und Gegenstand aufhebt, neue Zusammenhänge und Bezüge zwischen versch. Wirklichkeits- und Vorstellungsbereichen herstellt und im Bild den Gehalt des Wortes für den Leser nachvollziehbar von neuem faßt. Dabei reicht die Skala je nach dem Sprachgefühl des Dichters von der intellektuellen Verwendung der M. als äußeres Schmuckmittel über geistreich bebildertes Sprechen und spannungsvolle Widersprüche bis zur tiefen Durchdringung des →Bildes, das nicht mehr intellektueller Vergleich, Stellvertretung der Werte, sondern letzte Wesenserfassung der Dinge ist und eine neue, bildhafte und unmittelbar sinnlich erfahrbare Vorstellungsebene schafft. Die M. gewinnt der Sprache neue Ausdrucksmöglichkeiten, Erfahrungen und Erkenntnisse im Wort hinzu; ihre Stilwerte steigern sich von der stereotypen M. (→Epitheton ornans) über die kühne M. des Barock und Expressionismus bis zur absoluten M. oder Chiffre mod. Lyrik, die auf das tertium comparationis verzichtet. →Allegorie, →Katachrese, →Kenning, →Heiti, →Chiffre, →Personifikation.

F. Brinkmann, D. M.n, 1878; A. Biese, D. M.orische i. d. dichter. Phantasie, 1889; ders., D. Philos. d. M.orischen, 1893; J. G. Jennings, *An Essay on M. in Poetry*, 1915; H. Werner, D. Ursprünge d. M., 1919; RL; H. Pongs, D. Bild i. d. Dichtg., III 1927–69; P. J. Flesch, Metaphysik d. Symbols u. d. M., Diss. Bonn 1934; H. Konrad, *Etude sur la M.*, 1939, ²1958; H. Adank, *Essai sur les fondements de la m.*, Genf 1939; C. F. P. Stutterheim, *Het begrip M.*, Amsterd. 1941; C. Day Lewis, *The poetic image*, Lond. 1947, ⁶1951; H. J. Newiger, *M. u. Allegorie*, 1957; C. Brooke-Rose, *A Grammar of M.*, Lond. 1958, ²1965; *M. and Symbol*, hg. L. C. Knights u. B. Cottle 1960; P. Wheelwright, *M. and reality*, Bloomington 1962; C. M. Turbayne, *The myth of m.*, New Haven 1962; G. Söhngen, Analogie u. M., 1962; H. Meier, D. M., 1963; E. Sewell, *The human m.*, Notre Dame 1964; H. H. Lieb, D. Umfang d. histor. M.begriffs, Diss. Köln 1964; ders., Was bezeichnet d. herkömml. Begriff M.?, Muttersprache 77, 1967; H.-H. Krummacher, Das ›als ob‹ i. d. Lyrik, 1965; L. Kohrich, Gebärde, M., Parodie, 1967; H. Weinrich u.a., D. M., Poetica 2, 1968; ders., Semantik d. M. (Folia Linguistica 1, 1967); M. B. Hester, *The meaning of poetic m.*, Haag 1967; H. Henel, *M. and meaning* (*The disciplines of criticism*, hg. P. Demetz, New Haven 1968); D. C. Allen, *Image and meaning*, Baltimore ²1968; J. Sinnreich, D. Aristotel. Theorie d. M., Diss. Mchn. 1969; H. Jürgensen, D. antike M.begriff, Diss. Kiel 1969; T. Gardner, Z. Problem d. M., DVJ 44, 1970; G. Neumann, D. absolute M., Poetica 3, 1970; W. A. Shibles, *An analysis of m.*, Haag 1971; ders., *M., an annotated bibliogr.*, Whitewater 1971; W. Ingendahl, D. metaphor. Prozeß, 1971; J. Helmer, *M.*, Linguistics 88, 1972; T. Hawkes, *M.*, Lond. 1972; M. le Guern, *Sémantique de la m.*, Paris 1972; G. Lüdi, D. M. als Funktion d. Aktualisierg., 1973; W. Abraham, Z. Linguistik d. M. (Jb. d. Inst. f. dt. Sprache 1973); H. A. Pausch, D. M., WW 24, 1974; H. Pilch, Theorie d. M. (Fs. H. Viebrock, 1974); W. A. Shibles, D. metaphor. Methode, DVJ 48, 1974; J. Derrida u.a., NLH 6, 1974/75; W. Köller, Semiotik u. M., 1975; W. Abraham u.a., *Theory of m.*, Poetics 4, 1975; P. Ricoeur, *La m. vive*, Paris 1975, dt. 1986; Kommunikative Metaphorik, hg. H. A. Pausch 1976; G. Kurz u.a., M., 1976; J. J. A. Mooij, *A study of m.*, Amsterd. 1976; C. Normand, *M. et concept*, Paris 1976; J. Nieraad, Bildgesegnet u. bildverflucht, 1977; H. Seidler, Vers. üb. d. M. (Fs. R. Henz, 1977); L. R. Levin, *The semantics of m.*, Baltimore 1977; H. Kubczak, D. M., 1978; G. Kurz, D. schwierige M., DVJ 52, 1978; W. Berg, Uneigentl. Sprechen, 1978; R. Rogers, M., 1978; *Critical inquiry on m.*, hg. S. Sacks, Lond. 1979; J. M. G. Aarts u.a., *M. and non-m.*, 1979; *M. and thought*, hg. A. Ortony, Cambr. 1979; C. Stoffer-Heibel, M.nstudien, 1981; G. Kurz, M., Allegorie, Symbol, 1982, ²1988; M., hg. D. S. Miall, Lond. 1982; Theorie d. M., hg. A. Haverkamp 1983; W. Kügler, Z. Pragmatik d. M., 1984; F. Keller-Bauer, Metaphor. Verstehen, 1984; B. Hrushovski, *Poetic m.*, PT 5, 1984; L. Gumpel, *M. reexamined*, Bloomington 1984; V. Borsò-Borgarello, M., 1985; J.-P. van Noppen, *M., a bibliogr.*, Amsterd. 1985; *The ubiquity of m.*, hg. W. Paprotté, Amsterd. 1985; H. Emonds, M.nkommunikation, 1986; G. Schöffel, Denken in M.n, 1987; B. Allert, D. M. u. ihre Krise, 1987.

Metaphorik (zu griech. *metaphora* = Übertragung), Sammelbz. für alle uneigentl. Formen des dichter. →Bildes sowie deren Technik und Verwendung im Einzelwerk, bei e. Autor, e. Epoche.

Metaphrase (griech. *metaphrasis* = Umschreibung), 1. Übertragung e. Versdichtung in wortgetreue Prosa. →Paraphrase. – 2. lockere Form der →Anapher, die statt des wiederholten Wortes e. Synonym setzt.
C. Martindale, *Unlocking the word-hoard*, CC 6, 1984.

Metaphysical poets (engl. = metaphysische Dichter), Bz. bes. John DRYDENS für die theologisch-spekulativen engl. Dichter des frühen 17. Jh.: J. DONNE, A. COWLEY, T. CAREW, G. HERBERT, R. CRASHAW, H. VAUGHAN und A. MARVELL, die in religiös orientierter, ins Metaphysische strebende, paradox-manierist. und bilderreicher Gedankenlyrik und Epik letzte Probleme behandeln.
J. Bennett, *Four M. P.*, Cambr. 1934, ³1964; J. B. Leishmann, *M. P.*, Oxf. 1934; H. C. White, *M. P.*, N.Y. 1936, ³1962; J. E. Duncan, *The Revival of M. Poetry*, Minneapolis 1959; F. J. Warnke, *European m. poetry*, New Haven 1961; M. Willy, *Three m. p.*, Lond. 1961; J. Hunter, *The M. P.*, Lond. 1965; G. Williamson, *A Reader's Guide to six m. p.*, Lond. 1967; *The M. P.*, hg. F. Kermode 1969; E. Miner, *The M. P.*, Princeton 1969; P. Beer, *Introd. to the m. p.*, Lond. 1972; G. Hammond, *The m. p.*, Lond. 1974.

Metaplasmus (griech. *metaplasmos* = Umformung), Form des →Barbarismus: die in antiker und roman. Dichtersprache erlaubte Umgestaltung der Lautnorm e. Wortes aus Gründen des Wohlklangs, z.B. im archaisierenden Stil, oder des metr. oder Reim-Zwanges. Die entsprechenden Mittel sind entweder Vorsetzung (→Prothese), Einfügung (→Epenthese), Anhängung (→Paragoge) von Buchstaben oder Silben oder →Aphärese, →Synkope und →Apokope, ferner Qualitätsänderungen: Längung, Kürzung von Vokalen, →Diärese, →Synizese und →Synalöphe.

Metathese (griech. *metathesis* = Umstellung), Lautumstellung innerhalb e. Wortes, bes. r-Umsprung: Born und Brunnen.

Methnewi →Mathnawi

Methode (griech. *methodos* = Nachgehen), die Arbeitstechnik planmäßigen wiss. Vorgehens zur Untersuchung und Darstellung e. Problems in Forschung und Lehre. Sie ist bedingt u.a. durch das vorhandene Textmaterial, die jeweilige Problemstellung, den zugrunde liegenden Literaturbegriff und weitgehend auch durch zeitbedingte und personale (z.B. weltanschauliche) Konstituenten, so daß der herrschende Methodenpluralismus in der Lit.wissenschaft wohl zu intensiver Methodendiskussion, nicht jedoch zu e. einheitlichen Methodenlehre (Methodologie) gelangen kann.
Lit. →Literaturwissenschaft.

Metonomasie (griech. *meta* = nach, *onoma* = Name), die Übersetzung e. Eigennamens in e. andere Sprache als schwach verkleidete Form des →Pseudonyms, bes. als Latinisierung und Gräzisierung bei Humanisten.

Metonymie (griech. *metonymia* = Namensvertauschung, Umbenennung), →rhetorische Figur (Trope) zwischen →Metapher und →Synekdoche, uneigentliche Redeweise: Ersetzung des eigtl. Wortes durch e. anderes, das zu ihm in realer Beziehung steht, also in e. zeitl., räuml., ursächl., log. oder erfahrungsgemäßen Zusammenhang im Ggs. zum bloßen Vergleich bei der →Metapher. Nach QUINTILIAN können eintreten: 1. Erzeuger für Erzeugnis, Erfinder für Erfindung, Autor statt Werk (›im Schiller lesen‹), Gottheit für ihren Funktionsbereich (mythologische Umschreibung: Amor für Liebe, Mars für Krieg), homerische Helden für ihre Tugenden und Fehler, Ursache für Wirkung (→Metalepsis), 2. Erzeugnis für Erzeuger: ›Wunden abschießen‹ (statt: Pfeile, VERGIL, *Aen.* 10, 140), 3. Rohstoff für Fertigware: Eisen = Dolch, 4. Besitzer für Besitztum (›unser Nachbar ist abgebrannt‹), Person für die Sache, Feldherr für die Truppe (›Caesar marschierte…‹), 5. Kollektivabstraktum für Konkretum in Mz. (Jugend = junge Leute), 6. Gefäß, Ort, Land, Zeit für Inhalt bzw. Person (Ein Glas trinken, England fürchtet…, London meldet…, Das 18. Jh. glaubte…, Köpfchen = Verstand, Himmel = Gott) und 7. Sinnbild für Abstraktum: Lorbeer = Ruhm.

M. le Guern, *Sémantique de la métaphore et de la m.,* Paris 1972; W. Berg, Uneigentl. Sprechen, 1978; A. Gelley, M., NLH 11, 1979; H. Bredin, M., PT 5, 1984.

Metrik (griech. *metrike techne* = die das Silbenmaß, →Metrum, betreffende Kunst), Lehre von den Versmaßen, →Strophen, im weitesten Sinne auch →Reim und →Rhythmus als Gliederung der dichter. Sprache, meist gleichbedeutend mit systemat. Verslehre überhaupt, obwohl die metr. Gliederung nur ein Element des Verses – wenngleich das wesentlichste – neben anderen (→Klang, →Sprachmelodie, Sprachschmuck, Versästhetik) ist. Sie erforscht als vergleichende M. die dem Geist der versch. Sprachen entsprechenden vier Gliederungsprinzipien: →alternierend, →akzen-

tuierend, →quantitierend und tonal (nach Tonhöhe), verhindert durch die grundsätzliche Erkenntnis der Verschiedenheit die unbedachte Übertragung metr. Begriffe auf wesenhaft andere Systeme, zeigt z.B. die Problematik der Übernahme von antiken Versmaßen in akzentuierende Sprachen (dt. Hexameter- und Oden-Nachbildungen) und weist auf Möglichkeiten zu ihrer Lösung. Sie erfaßt als systemat. M. die versch. Gliederungsgefüge (z.B. →Länge und →Kürze, →Hebung und →Senkung, →Takt, →Versfuß, →Dipodie, →Vers, →Strophe), die größeren Gedichtformen (Sonett, Ode, Triolett usw.), bestimmt sie nach ihren wesensgemäßen Eigenheiten und beachtet dabei auch die gliedernde Klangfunktion des Reims in versch. Reimschemata. Sie stellt schließlich als histor. M. oder Versgeschichte die zeitl. Entwicklung und Abfolge versch. metr. Prinzipien dar: in Dtl. die Ablösung des altgerman. →Alliterationsverses um 870 durch den Reimvers, der in drei Entwicklungsstufen (altdt. bis rd. 1400, frühnhd. bis rd. 1600, nhd. bis in die Gegenwart) beibehalten wurde. – Die theoret. Beschäftigung mit der M. begann in Griechenland etwa seit der Loslösung der Dichtung von Musik und Tanz zu e. eigenen Kunstform im Zeitalter Alexanders d. Gr., also in verhältnismäßig großem Abstand von der lit. Blütezeit, so daß e. durchgehende Tradition angezweifelt werden kann, Hauptvertreter sind die sog. Grammatiker, in Griechenland bes. ARISTOXENOS, ARISTOPHANES von Byzanz, PHILOXENOS, HEPHAISTION, HELIODOROS und ARISTIDES QUINTILIANUS sowie die Enzyklopädisten der Zeit, in Rom bes. TERENTIUS VARRO, Caesius BASSUS, TERENTIANUS MAURUS, JUBA u.a.m., in Byzanz Michael PSELLOS, die Brüder TZETZES u. a. Man unterschied zwei versch. Systeme: eins, das alle Maße aus 8 (–10) ›metra prototypa‹, Grundmaßen, ableiten will, und die sog. Derivationstheorie, die alle Metra aus Hexameter und jamb. Trimeter ableitet. Trotz des großen zeitl. Abstandes von den Quellen selbst behält die antike metr. Theorie – freilich neben den Werken selbst – heute noch aufschlußreiche und für die antike M. grundlegende Bedeutung, während sie das Aufkommen e. eigenen dt. Verslehre stark behindert hat. Die neuzeitl. Betrachtung der griech. Metrik beginnt mit den Engländern BENTLEY (1662–1742) und PORSON, in Dtl. mit G. HERMANNS *Elementa doctrinae metricae* 1816, A. BOECKHS *De metris Pindari* 1811 und den gemeinsamen Forschungen von ROSSBACH und WESTPHAL *M. der griech. Dramatiker und Lyriker*, 1854–65, schließlich U. v. WILAMOWITZ; die der röm. M. bes. mit F. RITSCHL, C. LACHMANN und M. HAUPT. Die dt. M. untersuchen außer den beiden letzten MÜLLENHOFF, BARTSCH und W. WACKERNAGEL in philolog. Hinsicht als Grundlage der Textkritik. Sie wurden abgelöst durch e. zweite Richtung, die den gesprochenen Vers bes. als akust. Erscheinung mit Verwandtschaft zur Musik betrachtet (SIMROCK, *Die Nibelungenstrophe und ihr Ursprung* 1858, R. WESTPHAL, *Theorie d. nhd. M.* 1870). SIEVERS entwickelte, auf der RUTZschen Entdeckung über den Zusammenhang von Körperbau und Sprachklang fußend, die Untersuchung von →Sprachmelodie und Sprechrhythmus in der →Schallanalyse zu großer Feinheit. F. SARAN baut darauf e. melod. Rhythmuslehre, A. HEUSLER beschränkt sich mehr auf den Rhythmus, behält e. Mittelstellung und zieht die endgül-

tigen Grenzen zwischen dt. und antikem Vers. Die dt. wiss. M. leidet dabei bes. an e. erschreckenden Verwirrtheit der Terminologie und Zeichenschrift, die jedes System neu entwirft.

Allg. M.: R. Westphal, Allg. M. d. idg. u. semit. Völker, 1893; Th. Fitzhug, *The indoeuropean superstress and the evolution of verse*, 1917; Taig, *Rhythm and Metre*, Oxf. 1930; A. W. de Groot, *Algemene Versleer*, Den Haag 1946; Hofmann-Rubenbauer, Wb. d. grammat. u. metr. Terminologie, ²1963; V. Žirmunskij, *Introduction to m.*, Den Haag 1966; ders., *Teorija sticha*, Leningr. 1975; *Versification*, hg. W. K. Wimsatt, N.Y. 1972; H. J. Diller, M. u. Verslehre, 1978; C. Küper, Sprache u. Metrum, 1988. – Antike M.: W. Christ, M. d. Griech. u. Röm., ²1879; H. Usener, Altgriech. Versbau, 1887; H. Gleditsch, M. d. Griech. u. Röm., ³1901; W. K. Hardie, *Res metrica*, Oxf. 1920; U. v. Wilamowitz, Griech. Verskunst, 1921, ²1962; W. M. Lindsay, *Early Lat. Verse*, 1922; P. Maas, Griech. M. und F. Vollmer, Röm. M. (in Gercke-Norden, Einl. i. d. Altertumswiss. I, 1923); G. Thomson, *Greek lyric metre*, N.Y. ²1961; O. Schröder, *Nomenclator metricus*, 1929; ders., Grundriß d. griechisch. Versgesch., 1930; W. J. W. Koster, *Traité de m. grecque*, ²1954; K. Rupprecht, Einf. i. d. griech. M., ³1950; ders., Abriß d. griech. Verslehre, 1949; B. Snell, Griech. M., ³1962, ⁴1982; W. Beare, *Lat. verse and Europ. song*, Lond. 1957; Th. Georgiades, Musik u. Rhythmus b. d. Griechen, 1958; E. Crusius, Röm. M., ⁸1967; D. Norberg, *Introduction à l'étude de la versification lat. ma.*, Stockh. 1958; J. W. Halporn, M. Ostwald, Lat. M., 1963; dies., *The metres of Greek and Latin poetry*, Lond. 1963; D. S. Raven, *Greek metre*, Lond. 1962; ders., *Latin metre*, Lond. 1965; A. Dain, *Traité de m. grecque*, Paris 1965; H. Drexler, Einf. i. d. röm. M., 1967, ³1980; A. M. Dale, *The Lyric metres of Greek drama*, Lond. ²1968; D. Korzeniewski, Griech. M., 1968; W. Hornig, Theorie e. systemat. lat. M., 1972; P. Klopsch, Einführg. i. d. mlat. Verslehre, 1972. – Dt. M.: A. Heusler, Z. Gesch. d. altdt. Verskunst, 1891, ²1977; J. Minor, Nhd. M., 1893, ²1902; H. Paul, Dt. M., 1893, ²1905; E. Sievers, Altgerman. M., 1905; A. Heusler, Dt. u. antiker Vers, 1917; H. G. Atkins, *A hist. of German versification*, Lond. ¹1923; F. Kauffmann, Dt. M. nach ihrer gesch. Entw., 1870, ³1925; A. Heusler, Dt. Versgesch., III 1925–29, ²1968; RL; F. Saran, Dt. Verskunst, 1934; ders., Dt. Verslehre, 1907; O. Paul,

Dt. M., 1930, ¹⁰1979; S. Beyschlag, Altdt. Verskunst, 1944, ⁶1969; U. Pretzel in ›Aufriß‹ Bd. 3, 1957; F. G. Jünger, Rhythmus u. Sprache i. dt. Gedicht, 1952; W. Kayser, Kl. dt. Versschule, 1946, ⁴⁰1980; W. P. Lehmann, *The development of German verse form*, Austin 1956; E. Arndt, Dt. Verslehre, 1959, ⁹1984; W. Kayser, Gesch. d. dt. Verses, 1960, ²1971; K. v. See, German. Verskunst, 1967; W. Hoffmann, Altdt. M., 1967, ²1981; G. Storz, D. Vers i. d. neueren dt. Dichtg., 1970; F. Schlawe, Neudt. M., 1972; C. Wagenknecht, Dt. M., 1981; D. Breuer, Dt. M. u. Versgesch., 1981; L. L. Albertsen, Neuere dt. M., 1984. – Engl. M. von P. Verrier, III Paris 1900–1910; J. W. Bright u. R. D. Miller, Lond. 1910; G. Murray, Oxf. 1927; P. F. Baum, Cambr. 1927, ³1969; E. W. Scripture, 1929; G. W. Allen, 1935; C. M. Lewis, Yale 1946; J. Thompson, Lond. 1961; J. Raith, 1962; E. Hamer, ⁵1964; P. Fussell, N.Y. 1965; J. Malof, Bloomington 1970; G. Russom, *Old Engl. meter,* Cambr. 1987; G. Saintsbury (Versgesch.), III Lond. 1906–09. – Franz. M.: Lubarsch, 1879; Tobler, 1833; P. Verrier, 1922, III Paris 1931/32; Spoerri, 1929; M. Fromont u. A. Lemerre, Paris 1937; M. Grammont, Paris III 1931f., ⁴1937; ders., ²1946; J. Subervielle, ²1946; R. Le Hir, Paris 1956; M. Burger, Genf 1957; W. T. Elwert, ²1966, ⁴1978; P. Guiraud, Paris 1970; R. Baehr, 1971; J. Mazaleyrat, Paris 1974; J. Jaffré, Paris 1983. Franz. Versgesch.: G. Lote, Paris 1949, ²1955; W. Suchier, ¹1963. – Ital. M.: T. Casini, Florenz 1900; P. E. Guenerio, Mail. 1893; F. D. Ovidio, Mail. 1910; M. M. Fubini, Mail. 1962; W. T. Elwert, 1968. – Span. M.: E. Benot, III Madrid 1902; R. Baehr, 1962; A. Quilis, Madr. 1969. – Portug. M.: A. Pimenta, Lissab. 1928; J. da Silva Corriera, ebda. 1930; Amorim de Carvalho, Porto ²1965. – Niederld. M.: G. S. Overdiep, o.J. – Russ. M.: B. O. Unbegaun, Oxf. 1956.

Metrische Dichtung →quantitierende Dichtung

Metrische Drückung, die Lagerung e. inhaltlich-akzentuellen Hebung i. e. metr. Senkung, so daß e. Widerspruch von rhythm. und metr. Gliederung entsteht, der nicht durch →›schwebende Betonung‹ oder Brechung des Metrums zugunsten der grammat. Betonung zu verschleiern ist, sondern als feines Kunstmittel der Belebung des Versrhythmus

dient, indem die Spannung zwischen Sinn- und Verston e. schwebende Doppeltonigkeit hervorruft.

Metron →Metrum

Metrum (lat. griech. *metron* = Maß), 1. Versmaß im Unterschied zum →Rhythmus, das metr. Gesetz des Versaufbaus als Gliederung der Sprache durch Akzent oder Quantität, Inbegriff der rhythm. Eigenart e. Einzeldichtung oder e. Versform, bes. e. abstraktes metr. Schema, das in seiner Erscheinungsform festliegt und für versch. Versdichtungen benutzt werden kann. Ein →freier Rhythmus hat dagegen wohl e. eigenes M., doch kein metr. Schema. – 2. Versfuß oder →Takt als kleinste rhythm. Einheit, durch dessen Wiederholung eine ›meßbare‹ Reihe entsteht, die nach der Zahl der Füße benannt wird: Monometer, Dimeter, Trimeter, Tetrameter, Pentameter, Hexameter. Dabei zählen Jambus, Trochäus sowie Anapäst nur verdoppelt, z.B. jamb. Trimeter = 6 Jamben, die übrigen einfach: daktylischer Hexameter = 6 Daktylen. – 3. im MA. der →quantitierende Vers im Ggs. zur →rhythmischen Dichtung.

RL; E. Vandvik, Rhythmus u. M., Oslo 1937; S. Chatman, *A theory of meter,* Haag 1965; G. S. Fraser, *Metre, rhyme and free verse,* Lond. 1970. →Metrik.

Migrantenliteratur →Gastarbeiterliteratur

Mikton (griech. = Gemischtes), →logaödischer oder →äolischer Vers.

Milieu (franz. = Mitte), natürl. und gesellschaftl. Umwelt des Menschen, sein Lebenskreis nach Herkunft, Wohnsitz, Beruf und Stand. Die positivist. Anschauung H. Taines von der Bedingtheit des Menschenwirkens und auch des Kunstschaffens durch die drei Faktoren Rasse, histor. Moment und M. fand – freilich nicht allzu sklavisch – Eingang in die positivist. →Literaturgeschichtsschreibung (SCHERER: Ererbtes, Erlerntes, Erlebtes) und in die Dichtung des Naturalismus, die in M.schilderung und →M.drama die Lebensanschauung, Charaktere, Geschehnisse und Zustände aus dem M. heraus erklärt.

Milieudrama, Schauspiel, das die Handlung und die Konflikte vom Einfluß äußerer Umweltbedingungen ableitet, die es als Schicksalszwang empfindet, daher Nähe zum Schicksalsdrama bes. im Naturalismus: G. HAUPTMANN *Vor Sonnenaufgang.* Eine andere Form stellt mit kaum merklicher äußerer Handlung Zustände innerhalb e. bestimmten Gesellschaftskreises dar und läßt weniger die Einzelperson als das Gesamtbewußtsein, das sich in den Zuständen, soz. Bindungen, Moral- und Verhaltensnormen dieses Kreises verrät, als Handlungsträger erscheinen, während die weitgehend passiven Charaktere nur innerhalb der gegebenen Zustände entwickelt und differenziert werden. Ansätze dieser Form schon im Sturm und Drang: GERSTENBERG *Ugolino,* LENZ *Die Soldaten,* BÜCHNER, GRABBE; Höhepunkt ebenfalls im →Naturalismus: IBSEN, ČECHOV, HAUPTMANNS *Weber* und im gesellschaftskrit. Volksstück der Gegenwart. Eine häufige Abart ist das zum Bohèmestück trivialisierte Künstlerdrama.

Militärstück, im Unterschied zum ernsten, teils trag. Drama aus soldat. Milieu (SCHNITZLER, HARTLEBEN u. a.) oder der →Kriegsdichtung im engeren Sinne der unverbindlich-triviale Schwank aus der Offiziers- und Militärwelt in Garnison, Etap-

pe und Manöver, die in wilhelmin. Zeit vielfach die Bühne beherrschten.
R. Flatz, Krieg und Frieden, 1976; A. Michel, D. M'schwank d. kaiserl. Dtl., 1982.

Mime (griech. *mimos*), in der Antike der Schauspieler des →Mimus (2), dann scherzhaft und oft abwertend für Schauspieler allg.

Mimesis (griech. =) Nachahmung, nachbildende Darstellung allg. (→Imitatio, →Ethopoeie), insbes. als Nachahmung der Natur im Sinne von Erfahrungswirklichkeit in den Künsten als Fiktion Zentralbegriff der Ästhetik und Kunsttheorie seit der Antike, bes. im Anschluß an PLATON *(Staat)* und ARISTOTELES seit der Renaissance, zumal im franz. Klassizismus, dt. Aufklärung (LESSING, *Laokoon* 1766) und Klassik (K. P. MORITZ, *Üb. d. bildende Nachahmung des Schönen,* 1788). Beim Wandel der Auffassungen sowohl von Nachahmung wie von Wirklichkeit herrscht Konsensus insofern, daß M. nicht bloße Kopie des Vorgefundenen meine, sondern kreative Nachschöpfung realer oder möglicher Vorgänge, Handlungen, Milieus, Gegenstände, Gespräche und Personen mit künstlerischen Mitteln nach den Gesetzen von Anschaulichkeit, Wahrscheinlichkeit und Glaubhaftigkeit. M. ist dann Gradmesser der Stufen von Wirklichkeitsverarbeitung über Kopie, erfundene Wirklichkeitsnähe, Übersteigerung aus produktiver Phantasie oder Idealismus. Die sozialist. Widerspiegelungstheorie greift den Begriff M. im Zusammenhang der Realismusdebatte neu auf.
A. Tumarkin, D. Überwindg. d. M.lehre (Fs. S. Singer, 1930); E. Auerbach, M., 1946, [6]1977; W. J. Verdenius, M., Leiden 1949; H. Koller, M. i. d. Antike, 1954; F. Tomberg, M. der Praxis u. abstrakte Kunst, 1968; J. D. Boyd, *The function of m. and its decline,* Cambr./Mass. 1968;

S.-A. Jørgensen, Nachahmg. d. Natur (Kopenh. Germanist. Stud. 1, 1969); Nachahmg. u. Illusion, hg. H. R. Jauß (Poetik u. Hermeneutik 1, ²1969); R. Tarot, M. u. Imitatio, Euph. 64, 1970; H. P. Herrmann, Naturnachahmg. 11. Einbildgskraft, 1970; F. Gaede, Realismus v. Brant bis Brecht, 1972; H.-W. Schaffnit, M. als Problem, 1971; W. Preisendanz, M. u. Poiesis i. d. dt. Dichtgstheorie d. 18. Jh. (Fs. G. Weydt, 1972); B. Wehrli, Imitatio u. M. i. d. Gesch. d. dt. Erzähltheorie, 1974; U. Hohner, Z. Problematik d. Naturnachahmg. i. d. Ästhetik d. 18. Jh., 1976; S. D. Martinson, *On imitation, imagination and beauty,* 1978; B. Berke, *A generative view of m.* (Poetics 7, 1978); I. v. d. Lühe, Natur u. Nachahmg. i. d. äst. Theorie, 1979; K. F. Morrison, *The mimetic tradition of reform in the West,* Princeton 1981; H. Blumenberg, Wirklichkeiten, 1981; J. Bruck, *From Aristot. m. to bourgeois realism* (Poetics 11, 1982); U. Zimbrich, M. b. Platon, 1984; *M. in contemp. theory,* hg. M. Spariosu, Amst. 1984; C. Prendergast, *The order of m.,* Cambr. 1986.

Mimiamben, in →Choliamben geschriebene kom.-satir. und realist. Alltagsszenen in Dialogform, für Aufführung, Rezitation oder Lektüre bestimmt; begründet vom Griechen HERONDAS von Kos (um 250 v.Chr.) durch Einführung des Choliambus in die Prosa-→mimus des SOPHRON, der dadurch die Gattung belebte und in Rom bei Gnaeus MATIUS (1. Jh. v.Chr.) Nachahmung fand.

Mimik (zu griech. →*mimos*), Gedanken-, Gefühls- und Willensausdruck durch Mienen und →Gebärden, als Fähigkeit und Kunst der Nachahmung von psych. und phys. Eigenheiten anderer Personen oder der Gestaltung seel. Erlebnisse wichtiges Mittel des Schauspielers zur verdeutlichenden Übertragung eigener Vorstellungen auf den Zuschauer.

K. Leonhard, D. menschl. Ausdruck, 1976.

Mimus (griech. *mimos* = urspr. Schauspieler, Possenreißer, dann

auch deren Darbietung), 1. volkstüml.-kom. Darstellungen aus dem Alltagsleben, Nachahmung e. bestimmten Situation oder Person in kurzen, realist., oft obszönen Szenen zur Belustigung der breiten Volksschichten, entstanden aus der allg. menschl. und ursprüngl. Freude an übertreibender Nachahmung. Aus Vorstufen unlit. Possen, die öffentlich an Volksfesten oder bei privaten Gesellschaften im antiken Griechenland aufgeführt wurden, entwickelte der Syrakusaner SOPHRON um 430 v.Chr. e. Lit.gattung: ›männliche‹ und ›weibliche‹ M., dialogisierte Charakterszenen aus dem Volksleben in Prosa-Umgangssprache, häufig mit Sprichwörtern durchsetzt und zum Vorlesen bestimmt – sie sind als Lieblingslektüre PLATONS bezeugt. THEOKRIT veredelt sie zu höchster Kunstform (*Adonisfest* u.a.), HERONDAS schreibt →Mimiamben. Daneben beherrscht die unlit. M. als Volkskomödie die Bühne nach dem Absterben der klass. Tragödie und Komödie. Er erreicht seine größte Ausformung im Rom der Kaiserzeit. Aus dem griech. Süditalien früh übernommen, erscheint er hier zuerst als Tanz zu Flötenbegleitung, ab 212 v.Chr. als Intermezzo (embolium) bei Theateraufführungen, verdrängt ab 46 v.Chr., durch LABERIUS und PUBLILIUS SYRUS im Anschluß an die röm. Komödie künstlerisch durchgeformt und zum lit. Mittel oft sozialer und polit. Kritik gemacht, als Exodium nach Tragödien die →Atellane. Er bildete schon früher bei den →Ludi Florales eine selbständige, aus Gesang, Tanz und Dialog gemischte, zwischen Solo- und Ensembleszenen wechselnde Posse. Nicht Schauspiel, sondern Schauspieler(in) – weibliche Rollen wurden durch Frauen dargestellt – mimus und mima erregten das Hauptinteresse der Zuschauer. Da Mimik und lebhafte – teils betont unzüchtige – Gesten den ›Sketch‹ unterstreichen mußten, trugen die Darsteller keine →Masken und Kothurn (daher ›planipes‹ genannt). Dagegen war starkes Schminken üblich; die Kleidung der Männer bildete der centunculus (Lappenjacke), für Frauen das ricinium (kurzer Überwurf). Bei den Ludi Florales erschienen letztere auf Verlangen des Volkes auch nackt, wie überhaupt ihr Stand gesellschaftlich verachtet und in berüchtigte Skandalgeschichten verwickelt war. Die Schauspieler schlossen sich unter e. archimimus (Hauptdarsteller), der die Aufführungen leitete, zusammen. Ständige Typen waren der parasitus, der kahlgeschorene stupidus (Dümmling) und der Grimassenschneider sannio. Sinn des M. ist, mit drast., derbwitzigen bis obszönen Mitteln (Ehebruchs-, Freß-Szenen u. ä.) das Lachen breitester Volkskreise zu erregen. Der nur lose geschürzte Handlungszusammenhang gab der Stegreifkunst und Improvisation freien Raum. An Beliebtheit bei der Menge übertraf die M. daher die übrigen Formen des röm. Theaters und überdauerte den Untergang des röm. Reiches. Elemente des M. (Situationen und Typen) kehren in allen Formen europ. Stegreifdichtung (Possen-, Schatten-, Puppen-, Fastnachts-, Volks-, Bauernspiel, Aufführungen ma. Spielleute kom. Szenen im geistl. Drama des MA., schließl. →Commedia dell'arte) wieder und dringen selbst in Formen des ernsten Dramas ein, weil sie dem ursprüngl. menschl. Spieltrieb und Streben nach Schaustellungen entsprechen. →Pantomime.

2. Der Schauspieler des M. In der Völkerwanderungszeit und der Übergangszeit zum MA. wird der Stand zum Wanderstand, der an german. und roman. Fürstenhöfen wie auch in Städten durch seinen mit beredten Gebärden begleiteten Vortrag von schwankhaften Erzählungen mit erot. Anspielungen und leichter Gesellschaftslyrik großen Eindruck macht. Doch gilt der wandernde Berufskomödiant, meist roman. Herkunft, weiterhin als ehrlos und hebt sich scharf vom german. Sängerstand und dem späteren adligen Hofdichter (Skop) ab, obwohl er durch seine an die Urtriebe gerichteten Darbietungen meist großen Erfolg hat und auch wegen seiner unkriegerischen, plaudernden Haltung von der Kirche bevorzugt, selbst mit dem Vortrag von Heiligenlegenden betraut wird. Auch neben dem seit dem 9. Jh. auftretenden dt. →Spielmann als Träger des Heldengeistes bleibt er Vertreter der ausgelassenen, burlesken Komik, der sinnlich getönten Schwänke und Gesellschaftslieder und wirkt auf die Entstehung neuer Bühnenformen.

H. Reich, D. M., II 1903, ²1974; A. Glock, Üb. d. Zusammenhang d. röm. M. m. d. neueren kom. Drama (Zs. f. vergl. Lit.gesch. N. F. 16, 1906); M. Bieber, Denkmäler z. Theaterwesen i. Altertum, 1920; J. R. A. Nicoll, *Masks, Mimes and Miracles*, 1931; H. Wiemken, D. griech. M., 1972.

Mimodram(a) (v. griech.), Drama ohne Worte, dessen Handlung nur →pantomimisch dargestellt wird; auch Dramenteile mit ausschließl. stummen Spiel, z. B. bei Artaud, Cocteau, Ionesco, Beckett, Arrabal und Handke.

Miniatur (v. lat. *minium* = Mennige, die im MA. zur Herstellung roter Farbe verwendet wurden); künstlerischer Buchschmuck ma. Hss. und früher Drucke durch verzierte →Initialen, Randleisten, kleinere oder größere Textbilder; schon im Altertum, bes. in Byzanz gepflegt; M.malerei daher = Buchmalerei, erst seit dem 17. Jh. für Kleinmalerei und Kleinkunst überhaupt (z.B. M.-Ausgabe) infolge fälschlicher Ableitung von lat. *minor* oder *minutus,* klein(er).

Ministerialen (nlat. = Diener), im MA. unfreie Dienstmannen der Fürsten, häufig als Kriegs- oder Verwaltungsbeamte, die sich seit 11. Jh. durch Übernahme von Lehnsgütern zum Kriegsdienst verpflichteten und im 13./14. Jh. im Rittertum aufgingen (niederer Dienstadel). Aus ihren Kreisen stammen viele Träger der mhd. Lyrik (Minnesang, Spruchdichtung) wie auch der höf. Epik: FRIEDRICH VON HAUSEN, HARTMANN VON AUE, WOLFRAM, WALTHER u.a., wenngleich ihr bisher überschätzter Anteil (in Wirklichkeit wohl unter 20%) zu falscher soziolog. Einordnung der höf. Dichtung geführt hat. Vgl. →Minstrels.
P. Kluckhohn, M.ität u. Ritterdichtg., ZDA 52, 1911; E. Molitor, D. Stand d. M., 1912; J. Bumke, Ministerialität u. Ritterdichtg., 1976.

Minneallegorie, allegorisierende →Minnelehre als lit. Modegattung des 14. Jh. Nachdem schon OTFRIED aus frühma. Bibelkommentaren die Allegorie übernommen hatte und die geistl. Minne aus dem *Hohelied* allegorisch gedeutet worden war, greift die Allegorie im 13. Jh. aus der geistl. Sphäre in die der Minne über, deutet statt der Eigenschaften Marias die der Geliebten und ersetzt Personifikationen wie Caritas und Fides durch Frou Minne, Triuwe, Aventiure u.ä., selbst heidnischen: Amor, Venus, Cupido. Die ideale, z.T. platon. Auffassung der Minne im Ggs. zur zuchtlosen Liebe schafft aus moralisierenden Absichten heraus e. Art Minnelehre als Gattung der ma. Didaktik. In

der Einleitung wird der Liebende durch Traum, Vision oder Spaziergang an allegorisch verstandenen Orte (Grotte, Garten, Burg, oft von deutlicher Farbensymbolik) versetzt und erlebt allegor. Vorgänge, die sich auf die Minne beziehen – am häufigsten in Form der →Jagdallegorie. Im Mittelpunkt stehen ebenfalls allegorisch eingekleidete theoret. Erörterungen und Belehrungen über Entstehung der Minne, Verhaltensmaßregeln, Pflichten u. Tugenden des Minnenden, teils als direkte Belehrung durch Frou Minne, teils als Streitgespräch der Tugenden, als Schlichtung von Streitfällen in Gerichtsszenen oder als echte, der Auslegung bedürftige Allegorie. Nach Vorgang der franz. und lat. M. (z.B. im *Rosenroman*) setzt die dt. M. ein mit GOTTFRIEDS *Tristan* (Minnegrotte), ALEXANDERS Minneleich und der rein didakt. Konstanzer Minnelehre. Der Haupteinsatz beginnt im 14. Jh.; die Blüte reicht bis zur Mitte des 15. Jh., meist als rein didakt.-theoret. Erörterung in der sog. Minnerede in Reimpaaren, die für Vortrag durch e. Sprecher bestimmt ist und oft e. ep. Rahmen hat, aber oft ohne Allegorie auskommt (ALTSWERT, TEICHNER, SUCHENWIRT). Sie artet jedoch von der zarten dichterischen Spielerei im 15. Jh. oft zu Manier und unfeiner Derbheit aus. Hauptwerke im Gefolge von HADAMARS *Jagd,* meist anonym: *Die Minneburg, Kloster der Minne, Minne und Gesellschaft, Schule der Ehre,* EBERHARD VON CERSNE *Der Minne Regel* (nach ANDREAS CAPELLANUS *Tractatus de amore*), Meister ALTSWERT *(Der Kittel, Das alte Schwert, Der Tugenden Schatz),* HERMANN VON SACHSENHEIM *Möhrin,* HEINZELIN VON KONSTANZ *Ritter oder Pfaffe,* RUSCHART *Der Klaffer,* EGEN VON BAMBERG u.a.

F. Ranke, D. Allegorie d. Minnegrotte, 1925; C. S. Lewis, *The Allegory of Love*, Oxf. 1936, ⁸1965; F. Ranke, Z. Rolle d. M. i. d. dt. Dichtg. (Fs. T. Siebs, 1933, ²1977 u.: Kl. Schrr., 1971); R. Gruenter, Bemerkgn. z. Probl. d. Allegor. i. d. dt. M., Euph. 51, 1957; RL; H. Kolb, Der Minnen hus, Euph. 56, 1962; T. Brandis, Mhd., mndt. u. mnl. Minnereden, 1968; W. Blank, D. dt. M., 1970; J. Glier, Artes amandi, 1971; M. Rheinheimer, Rheinische Minnereden, 1975; R. M. Schmidt, Stud. z. dt. Minnerede, 1982.

Minnebrief, Gattung des Spätma., Briefgedicht in Reimpaaren als →Liebesgruß an die Geliebte.

Minnehöfe →Liebeshöfe

Minneklage →Minnesang

Minnelehre, Minnedidaktik, lehrhafte Gattung des HochMA. oft im Anschluß an OVIDS *Ars amatoria* oder ANDREAS CAPELLANUS' lat. Prosatraktat *De amore* (um 1180). M. ist impliziert im Minnesang (REINMAR, WALTHER) und als Grundhaltung in höf. Epik (HEINRICH VON VELDEKE, *Eneit; Moriz von Craûn*), konzentriert in Exkursen und Minne-Unterweisungen von Figuren des höf. Epos (*Eneit*, WOLFRAMS *Parzival*) und schließl. eigenständige didakt. Gattung der Reimpaardichtung in Streitgesprächen, Minnereden und bes. →Minneallegorien (JOHANN VON KONSTANZ, *M.*, 13. Jh.): lehrhaft-rationale Erörterung über das Wesen der Minne mit Ratschlägen und Vorschriften für das Verhalten der Minnenden.

Minnelied, Minnelyrik →Minnesang

Minneparodie, im Verfall des Minnesangs beliebte Gattung, die mit den höf. Formen des hohen Minnesangs derbe bäuerl. Liebe oder allg. niedere Liebe der Unterschichten besingt, auch in Tageliedern von Magd und Knecht u.ä., und durch

Auseinanderklaffen von Form und Inhalt kom. Wirkung erzielt. →Dörperliche Dichtung.

W. Blank, Dt. Minnesang-Parodien (Poesie u. Gebrauchslit. i. dt. MA., 1979); H. Tervooren, D. Spiel m. d. höf. Liebe, ZDP 104, 1985.

Minnerede →Minneallegorie

Minnesänger →Minnesang

Minnesalut →Salut d'amour

Minnesang, Hauptform der höf. Lyrik des Hochma. im 12./13. Jh., die wiederum neben Volkslied und Vagantendichtung den Hauptbestandteil der weltl. Lyrik des MA. überhaupt ausmacht; zerfällt inhaltlich in →Kreuzlieder, →Tanzlieder, →Tagelieder, →Wechsel, →Pastourelle und das eigtl. Minnelied; seine Formen sind →Leich und →Lied in der kunstvollen Kanzonenform der sog. →Meistersangstrophe mit hochentwickelter Reimkunst, die feinstes akust. Zartgefühl der Hörer voraussetzt und statt des Vierhebers gepflegte Vers- und Strophenformen einführt. Die streng architekton., zuchtvolle Vers- und Strophenkunst in ständig fortschreitender Vervollkommnung entspricht dem Wesen des M., der nicht erlebnishaft ausströmende Liebesdichtung, sondern konventionelle →Rollenlyrik nach festen Formeln, also normative höf. Gesellschaftslyrik ist, zur Unterhaltung höf. Kreise und Vermittlung ritterl. eth. Werte (triuwe, mâze) vorgetragen; seine Dichter sind zugleich Komponisten und Sänger, selbst Angehörige des Ritterstandes oder →Ministerialen; der →Frauendienst, die Verehrung des weibl. Idealbildes in Gestalt der erwählten verheirateten höf. Dame, der unerreichbaren Herrin (›hohe Minne‹), als ästhet. Spiel und dichter. Gestaltung ist das von dieser Gesellschaft geformte und gebilligte Ideal eth.

Werte und damit Ritterpflicht. Dennoch kann das zugrunde liegende Gefühl des Seeleneinklangs, des Sichverlierens und der Hingabe zur Liebe führen und mit der Liebesdichtung zusammentreffen. Schon aus der Grundsituation des Minnesängers, der mit seinem Lied die höf. Dame, Gemahlin seines Herrn, unter der Gefahr der →Merker umwirbt, preist, selbst alles Irdischen entrückt, ergibt sich von selbst die Form der Minneklage: das Wissen um die Hoffnungslosigkeit, Unerfüllbarkeit eines Sehnens nach Erhörung bleibt Grundmotiv, in dessen psycholog. und künstler. Abwandlung die Kunst des M. beruht. Dt. Vorstufen des M. sind die ältere dt. Liebesdichtung, z. T. noch die Lieder des KÜRENBERGERS und zwei DIETMAR VON AIST zugeschriebene Lieder, in deren →Frauenstrophen noch die Frau als Werbende erscheint. Die eigtl. höf. Form des Frauenkults im MA. entsteht zuerst um 1100 bei den →Troubadours der Provence (WILHELM IX. VON POITOU, BERNART VON VENTADOUR, MARCABRU, ARNAUT DANIEL u. a.) aus versch. Wurzeln, die die wiss. Forschung erschlossen hat: bes. die Araber in Spanien, die e. ähnl. Erlebnis hoher Minne bereits seelisch voll ausgebildet hatten (von BODMER, HERDER, K. BURDACH und S. SINGER vermutet), ferner die Antike, bes. – trotz ihrer Andersartigkeit – OVIDS *Ars amandi* und das Christentum mit der Marienverehrung (L. WECHSSLER, J. SCHWIETERING) und die zeitgenöss. lat. Lyrik (BRINKMANN). Von der Provence aus erfolgt die Verbreitung über Nordfrankreich und die Romania, die Niederlande und Dtl. Dabei werden die übernommenen Elemente in eigene, dem dt. Wesen entsprechende Formen umgeprägt und verwirklichen eigene seel. Möglichkei-

ten: der dt. M. ist weniger galant, sinnlich und vital als der franz., zeigt mehr Spuren von Naturempfinden (→Natureingang), ist inniger und sehnsuchtsvoller, idealisiert die Frauenverehrung durch stärkere Scheidung der Wirklichkeit und gibt ihr e. eth. Bedeutsamkeit wie seel. Durchdringung. Nach der ersten, stark episch gefärbten Periode des dt. M. um 1150–70 (KÜRENBERGER, DIETMAR VON AIST, MEINLOH VON SEVELINGEN und der bayr. BURGGRAF VON RIETENBURG) vermitteln HEINRICH VON VELDEKE am Niederrhein, FRIEDRICH VON HAUSEN am Mittelrhein und der Schweizer RUDOLF VON FENIS die Idee des Frauendienstes und die franz.-provenzal. Kunstformen, deren starke Einwirkung fast bis zur Übersetzung der Vorlagen (RUDOLF VON NEUENBURG) geht. Auch Kaiser HEINRICH VI., ULRICH VON GUTENBURG u. a. werden mit diesen ersten dt. Dichtern des M. zu ›M.s Frühling‹ zusammengefaßt. Das umschreibende Naturerlebnis wird verdrängt durch das eigenständige Minneerlebnis, in breiten, selbstbewußten Strophen von eleganter Gedankenfügung, hoher Reimkunst und vollendeter künstler. Variation geschildert. Auf diese erste breite Entfaltung im Westen des Reiches 1170–90 (Barbarossas Hoffest in Mainz 1184) folgt 1190 bis 1230 die Blütezeit des M.: HEINRICHS VON MORUNGEN leidenschaftlichkunstvolle Lieder und REINMARS psychologisch differenzierte Lieder führen die roman. Form zu letzter Kunsthöhe und verbinden spielerische Form mit beseeltem Eros zu untrennbarer Einheit. WOLFRAMS VON ESCHENBACH vitale Züge, sein Preis der ehel. Liebe und WALTHER VON DER VOGELWEIDE mit dem Bekenntnis zur ›niederen Minne‹ (→Mädchenlieder) überschreiten bereits die strenge Form des M. durch Einmischung erdnaher, menschl. Elemente. Nach WAL-THER, dessen Lieder noch vor Hofe erklangen, verfällt die höf. Richtung des M. zugunsten anderer, teils wertvoller Neuerungen; er erstarrt →epigonal zur überladenen Manier und gezierten Empfindsamkeit (UL-RICH VON LICHTENSTEIN), wird in der →dörperlichen Dichtung NEID-HARTS, des TANNHÄUSERS und STEINMARS parodiert, nimmt bei diesen wie auch bei OSWALD VON WOLKENSTEIN und HUGO VON MONTFORT Persönlich-Erlebnishaftes u. volkstüml. Liedgut auf und verflacht in letzter, idyll. Nachblüte im SW. zur bürgerl., teils auch persönl. Lyrik (HADLAUB in Zürich). ULRICH VON SINGENBERG, BUR-KART VON HOHENFELS, GOTTFRIED VON NEIFFEN und FRAUENLOB bilden den Ausklang: schon um 1300 wird der M. nur noch historisch verstanden und in →Liederhss. für kommende Generationen gesammelt und aufbewahrt; seine Nachwirkung jedoch erstreckt sich noch über drei Jhh.: der durch die soziale Umschichtung bedingte Verfall ließ die Kunst in die Hand der Bürger übergehen, wo sie ohne wahren Minnedienst als wesenlose Tradition, leere Form oder Parodie, doch ohne die Formkraft der früheren Zeit fortlebt und im →Meistersang sich neu gestaltet. – Die Beschäftigung mit dem M. beginnt bereits im Humanismus als gelehrte, nationalstolze Beschreibung; seine Slg. und Erforschung setzt ein mit BODMER (*Proben der alten schwäb. Poesie des 13. Jh.*, 1748), der bereits seinen gesellschaftl. Charakter andeutet. Die Frühromantik dagegen betrachtet ihn mehr als Volksdichtung (TIECK, *Minnelieder aus dem schwäbischen Zeitalter*, 1803; A. W. SCHLEGEL, GÖRRES); die hoch-

romant. Germanistik erweitert die sachl. Kenntnis (J. GRIMM, L. UH-LAND), zu der C. LACHMANN durch historisch-krit. Ausgaben den philolog. Grund legt. In der modernen Forschung spielen die Frage nach den Ursprüngen des M. und seinen sozialen Implikationen die Hauptrolle.

E. Wechssler, D. Kulturproblem d. M., 1909, n. 1966; S. Singer, Arab. u. europ. Poesie i. MA. (Abhdlgn. d. preuß. Akad. d. Wiss., Phil.-hist. Klass., 1918); Nachträge (Zs. f. dt. Philol., 1927); G. Müller, Stud. z. Formproblem d. M., DVJ 1, 1923; F. Neumann, Hohe Minne (ebda. u. Zs. f. Dt.kunde, 1925); J. Schwietering, Einwirkg. d. Antike auf d. Entstehg. d. frühen M., ZDA 1924; G. Salomon, M. u. Spruchdichtg., 1925; H. Brinkmann, Z. geistesgesch. Stellg. d. M.er, DVJ 3, 1925; K. Burdach, Üb. d. Urspr. d. ma. M. (Vorspiel I, 1, 1925); H. Brinkmann, Entstehgs.gesch. d. M., 1926, n. 1971; G. Müller, Ergebnisse u. Aufgaben d. M.forschg., DVJ 5, 1927; F. Gennrich, Ursprungsfrage u. Formprobleme d. M., DVJ 7, 1929 u. 9, 1931; C. v. Kraus, Unsere älteste Lyrik, 1930; RL; Erckmann, Einfl. d. arab. Kultur auf d. M., DVJ 9, 1931; F. R. Schröder, D. M., GRM 21, 1933; L. Ecker, Arab., provenzal. u. dt. M., Diss. Berlin 1934; A. Jeanroy, *La Poésie lyrique des Troubadours*, II Paris 1934; E. Keller, D. geistesgesch. Ort d. dt. M., Diss. Gießen 1934; H. Naumann, Herbst d. M., 1936; K. Voßler, Dichtg. d. Troubadours u. ihre europ. Wirkg., 1937 (Aus roman. Welt I, 1948); K. Axhausen, Theorien üb. d. Urspr. d. provenzal. Lyrik, Diss. Marbg. 1937; C. v. Kraus, M.s Frühling (Unters.), 1939, n. 1981; M. Ittenbach, D. frühe dt. M., 1939; M. Lang, M. u. Volkslied, 1941; R. R. Bezzola, *Les origines et la formation de la litt. courtoise*, Paris 1944; A. R. Nykl, *Hispano-arab. poetry and its relations*, Baltim. 1946; Th. Frings, Minnesinger u. Troubadours, 1949; ders., Erforschg. d. M. (Forschg. u. Fortschritt 26, 1950); G. Amoretti, *Il m.*, Mail. 1949; A. Moret, *Le lyrisme ma. allemand*, Lyon 1950; ders., *Les débuts du lyrisme en Allem.*, Lille 1951; H. Kuhn, M.s Wende, 1952, ²1967; H. Moser, M. u. Spruchdichtg., Euph. 50, 1956; R. Zundel, Z. Minnebegriff d. M., Diss. Tüb. 1956; H. Furstner, Stud. z. Wesensbestimmung d. höf. Minne, Groningen 1956; H. Götz, Leitwörter d. M., 1957; H. Kolb, D. Begriff d. Minne u. d. Entstehen d. höf. Lyrik, 1958; D. Wiercinski, Minne, 1964; A. H. Touber, Rhetorik u. Form i.

dt. M., Groningen 1964; P. Dronke, *Medieval Latin and the rise of European love-lyric*, Oxf. 1965f., ²1968; D. provenzal. M., hg. R. Baehr 1967; F. Maurer, Sprachl. u. muskal. Bauformen d. dt. M. (Poetica 1, 1967); P. Dronke, D. Lyrik d. MA., 1968, ²1973; R. J. Taylor, *The art of the Minnesinger*, 1968; I. Lindner, Minnelyrik d. MA., 1968; H. Tervooren, Bibliogr. z. M., 1969; R. Grimminger, Poetik d. frühen M., 1969; *Formal aspects of ma. German poetry*, hg. S. N. Werbow, Austin 1969; T. Frings, D. Anfge. d. europ. Liebesdichtg. i. 11. u. 12. Jh., PBB 91, 1969–71; E. Köhler, Vergl. soziol. Betrachtgn. z. roman. u. dt. M. (Berliner Germanistentag 1968, 1970); D. dt. M., hg. H. Fromm ⁵1972, II 1985; H. Wenzel, Frauendienst u. Gottesdienst, 1974; V. L. Ziegler, *The Leitword in M.*, Univ. Park 1975; P. Wapnewski, Waz ist minne, 1975, ²1979; S. Ranawake, Höf. Strophenkunst, 1976; J. Bumke, Ministerialität u. Ritterdichtg., 1976; V. Held, D. romant. Deutg. d. M., 1977; F. C. Tubach, Struktur i. Widerspruch, 1977; R. Boase, *The origin and meaning of courtly love*, Manch. 1977; U. Liebertz-Grün, Z. Soziol. d. ›amour courtois‹, 1977; D. Kelly, *Medieval imagination*, Madison 1978; C. Gray, *Topoi of the M.*, 1979; R. Schnell, Hohe u. niedere Minne, ZDP 98, 1979; L. Salem, D. Frau i. d. Liedern d. hoh. M., 1980; O. Sayce, *The medieval Germ. lyric*, Oxf. 1982; V. Bolduan, Minne zw. Ideal u. Wirklichk., 1982; B. O'Donoghue, *The courtly love tradition*, Manch. 1982; M. i. Österr., hg. H. Birkhan 1983; J. Goheen, Ma. Liebeslyr., 1984; K.-H. Fischer, Zw. Minne u. Gott, 1985; I. Kasten, Frauendienst, 1986; S. J. Kaplowitt, *The ennobling power of love*, Chapel Hill 1986; H.-H. Räkel, D. dt. M., 1986; Liebe i. d. dt. Lit. d. MA., hg. J. Ashcroft 1987; C. Händl, Rollen u. pragmat. Einbindg., 1987; M. Eikelmann, Denkformen i. M., 1988; G. Schweikle, M., 1988.

Minstrels (engl. v. franz. →*menestrel*, nlat. →*Ministeriale* = Dienstmann), engl. Bz. für die nicht ritterbürtigen, berufsmäßigen Rezitatoren, Sänger und →Spielleute des 13.–16. Jh., die im Dienste Adliger eigene oder fremde meist ep. Lieder zu Harfenbegleitung vortrugen (im Ggs. zur Lyrik ritterl. →Troubadours). Sie erhielten durch JOHANN VON GAUNT 1381 zu Tutbury in Staffordshire e. eigenen Gerichtshof (Court of M.), der den M. der um-

liegenden Counties Gesetze gab und ihre Streitsachen schlichtete, 1469 in London e. eigene Gilde mit hatten das Recht zur Wahl e. eigenen ›Königs‹, der mit vier Beamten ihre Angelegenheiten verwaltete. Seit Ende des 16. Jh. sank der Stand in England, in Schottland etwas später, völlig ab, so daß e. Edikt von ELISABETH I. 1597 sie den Landstreichern gleichstellt. Die engl. Romantik (J. BEATTIE, *The m.*, 1771; W. SCOTT, *The lay of the last m.*, 1805) idealisierte ihre Rolle.
Lit. →Spielmannsdichtung.

Minuskeln (lat. *minusculus* = etwas klein), im Ggs. zu →Majuskeln die Kleinbuchstaben mit Unter- und Oberlängen; in den Klöstern des Frankenreichs aus der röm. →Kapitale entwickelte Schrift, zuerst in der schlanken, langschenkligen merowing. M., oft mit verschlungenen Buchstaben, dann in der gerundeten, klaren karoling. M. im 9.–13. Jh. ausgebildet, vom den Humanisten des 14./15. Jh. wieder aufgenommen, bildet die Grundlage der heutigen lat. Druckschrift (→Antiqua), während die sog. ›gotische Schrift‹ e. ma. Abwandlung der M. darstelln.

Mirakel (lat. *miraculum* = Wunder), franz. ›Miracles‹, eigtl. die in Exempla, Legenden und Mirakelbüchern zusammengefaßten Erzählberichte von Wundertaten der Heiligen und Marias, dann Bz. für das →geistliche Drama des MA. und der Folgezeit (12.–18. Jh.) mit Stoffen um Wunder aus der Heiligenlegende (Märtyrer-, Nothelfer-, Marien- u. Reliquienwunder) als didakt. szen. Exempel göttl. Wunderwirkung, im Unterschied zum mehr moral.-erbaul. →Legendenspiel und im Ggs. zu den bibl. Stoffen der →Mysterienspiele, doch häufig – so in England – gleichbedeutend mit diesen. In Frankreich *Le jeu de Saint Nicolas* von BODEL um 1200, *M. de Théophile* von RUTEBEUF 1250, *M.s de Notre-Dame*, 14. Jh., in Dtl. D. SCHERNBERGS *Spiel von Frau Jutten* 1480, in Flamland *Marieken van Nieumeghen* 1518.

U. Ebel, D. altroman. M., 1965; E. Ukena, D. dt. M.spiele d. SpätMA., II 1975.

Mirakelspiel →Mirakel

Mischdichtung →Makkaronische Dichtung

Mischformen, künstler. Ausdrucksformen aus Mischung von Wort-, Bild- und Tonkunst als experimentelle Grenzverwischungen im Kunstbereich, insbes. →akustische Dichtung, →konkrete Poesie und →visuelle Poesie.

Mischprosa, Gemenge von lat. und dt. Prosasprache bes. in Kommentaren zur Erleichterung des Verständnisses für antike Schriftsteller, im 11. Jh. von NOTKER d. Dt., später Abt WILLIRAM von Ebersberg eingeführter Übersetzungsstil: meist geistlich-gelehrte Worte und Allegorien in Lat., gewöhnl. Ausdrücke in Dt.

P. Hoffmann, D. M. Notkers, 1910; B. Grabmeyer, D. M. i. Willirams Paraphrase, 1976.

Mischspiel, →Schauspiel schlechthin ohne ausgeprägte trag. oder kom. Einseitigkeit.

K. S. Guthke (*Revue des langues vivantes* 24, 1958); ders., D. Problem d. gemischten Dramenform, ZDP 80, 1961.

Mischung →Krasis

Mise en scène (franz. =) →Inszenierung

Missale (lat. =) Meßbuch, liturg. Buch mit den für die Messe vorgeschriebenen Gebeten sowie Lesungen und Gesängen für das Kirchenjahr, gesammelt in →Lektionar und

→Graduale. 1570–1969 galt für die Römische Kirche das *M. Romanum* (13. Jh.).

A. Ebner, Quellen u. Forschgn. z. Gesch. u. Kunstgesch. d. M. Romanum im MA., ²1957.

Missingsch (plattdt. = meißnisch: die Mundart Meißens galt im 17. Jh. als Muster nhd. Schriftsprache), Sprachformen der nhd. Schriftsprache in niederdt. Mund, z.B. die Sprache des Inspektors Bräsig in F. REUTERS *Ut mine stromtid*.

Misterien →Mysterienspiel

Miszellaneen, Miszellen (lat. *miscellanea* = Vermischtes, *miscellus* = gemischt), vermischte Schriften, kleine Beiträge und Aufsätze vermischten Inhalts, zu versch. Werken e. Dichters u. ä., bes. in wiss. Zss.

Miszellanliteratur (lat. *miscellaneus* = gemischt), ›Buntschriftstellerei‹, in antiker Lit. Werke buntgemischten Inhalts mit Beiträgen zu Literatur, Mythologie, Religion, Naturkunde, Geschichte, Kuriosa usw., z.B. die *Varia historia* des AELIAN, die *Deipnosophistai* des ATHENAIOS, die *Naturalis historia* des PLINIUS d. J. und die *Noctes Atticae* des GELLIUS. Vgl. →Leimon-Lit., →Silvae.

Mitleid und Furcht →Katharsis

Mittelalter, der Zeitraum vom Untergang des weström. Reiches 476 n.Chr. bis zur Entdeckung Amerikas 1492, also rd. 6.–15. Jh., in der Literaturgeschichte bis zum Einsetzen der →Renaissance, umfaßt neben der herrschenden mittellat. Lit. die Ansätze und ersten Entwicklungen des volkssprach. Schrifttums der europ. Völker in drei Epochen: Früh-M. rd. 750 bis 1170, Hoch-M. 1170–1300, Spät-M. 1300–1500 oder die Einzelerscheinungen:

→geistliche Dichtung, →Helden-
dichtung, →höfische Dichtung,
→Minnesang, →Spielmanns-
dichtung, →Meistersang, →Mystik.

G. Gröber, Gesch. d. franz. Lit. d. M.,
1902; G. Paris, La litt. franç. au moyen
âge, ³1905; ders., Esquisse historique de
la litt. franç. au m., 1907; Gesch. d.
german. Lit. i. M. (Pauls Grundriß II)
²1919; v. Unwerth-Siebs, Gesch. d. dt.
Lit. bis Mitte d. 11. Jh., 1920; W. Golther, D. dt. Dichtg. i. M., ²1922; H.
Hecht u. L. L. Schücking, D. engl. Lit. i.
M., 1927; L. Olschki, D. roman. Litt. d.
M., 1928; H. Brinkmann, Zu Wesen u.
Formen ma. Dichtg., 1928, ²1979; W.
Stammler, Verf.-Lex. d. dt. Lit. d. M., V
1933–55, hg. K. Ruh u. a. ²1978ff.; E. R.
Curtius, Dichtg. u. Rhetorik i. M., DVJ
16, 1938; L. Wolff, D. dt. Schrifttum bis
z. Ausg. d. M., 1939; H. Schneider, Heldendichtg., Geistlichendichtg., Ritterdichtg., 1943; G. Baesecke, Vor- u. Frühgesch. d. dt. Schrifttums, ²1951; J.
Schwietering, D. dt. Dichtg. d. M., 1941;
H. Spanke, Dt. u. franz. Dichtg. d. M.,
1943; E. R. Curtius, Lat. Lit. u. europ.
M., 1948, ¹⁰1984; H. de Boor, Gesch. d.
dt. Lit. III 1949 u.ö.; H. Naumann, Dt.
Dichten u. Denken v. d. german. bis z.
stauf. Zeit, 1952; G. Ehrismann, Gesch.
d. dt. Lit. bis zum Ausgang d. M., IV
³1954; P. Zumthor, Hist. lit. de France
médiévale, Paris 1954; C. J. Stratman,
Bibliogr. of ma. drama, Berkeley 1954,
N.Y. II ²1972; M. Schlauch, Engl. ma.
lit., Warschau 1956; J. Crossland, Ma.
French lit., N.Y. 1956; L. Kukenheim, H.
Roussel, Guide de la lit. franç. du M.,
1957; J. Speirs, M. Engl. Poetry, Lond.
1957; S. Singer, German.-roman. Lit.,
1957; H. Kuhn, Dichtg. u. Welt i. M.,
1959; P. Wapnewski, Dt. Lit. d. MA.,
1960, ⁴1980; C. Grünanger, Storia della
lett. tedesca medioevale, Mail. ²1967; M.
O. Walshe, Medieval German lit., Lond.
1962; A. T. Laugesen, M. som litteratur-
historisk periode, Koph. 1962; M. Mani-
tius, Gesch. d. lat. Lit. d. M., III ²1964f.;
K. Langosch, D. dt. Lit. d. lat. MA.,
1964; ders., D. europ. Lit. d. M., 1966;
F. Neumann, Gesch. d. altdt. Lit., 1966;
A. T. Laugesen, Middelalderlitteraturen,
Koph. 1966; M. L. W. Laistner, Thought
and letters in western Europe 500–900,
Ithaca ³1966; The medieval lit. of western Europe, hg. J. H. Fisher, N.Y. 1966;
W. T. H. Jackson, D. Litt. d. M., 1967; P.
Salmon, Lit. in ma. Germany, Lond.
1967; J. Bumke, Roman.-dt. Literaturbe-
ziehgn. i. M., 1967; Grundriß d. roman.
Litt. d. MA., hg. H. R. Jauss u. E. Köhler
1968ff.; F. W. Wentzlaff-Eggebert, Dt.
Lit. i. späten MA., III 1971; W. F. Micha-
el, D. dt. Drama d. MA., 1971; K. Ber-

tau, Dt. Lit. i. europ. MA., II 1972f.; P.
Dronke, D. Lyrik d. MA., 1973; R. Axton, Europ. drama i. the early MA.,
Lond. 1974; G. Wickham, The medieval
theatre, Lond. 1974, ³1980; F. Brunn-
hölzl, Gesch. d. lat. Lit. d. MA. I, 1975;
H. Walz, D. dt. Lit. i. MA., 1976; B.
Nagel, Staufische Klassik, 1977; Lex. d.
MA., 1977ff.; Europ. SpätMA., hg. R.
Bergmann 1978; W. Berschin, Griech.-
lat. MA., 1980; Europ. HochMA., hg. H.
Krauss 1981; Lyrik d. MA., hg. H. Berg-
ner II 1983; G. Meissburger, Einf. i. d.
mediävist. Germanistik, 1983; Ep. Stoffe
d. MA., hg. V. Mertens 1984; M. Wehrli,
Lit. im dt. MA., 1984; Europ. FrühMA.,
hg. K. v. See 1985; MA.-Rezeption, hg. P.
Wapnewski 1986; J. Bumke, Höf. Kultur,
II 1986; H. Weddige, Einf. i. d. germa-
nist. Mediävistik, 1987.

Mittelreim, Klangspiel: Reimbindung von Worten im Inneren zweier
aufeinanderfolgender Verse, die jedoch inmitten e. rhythm. Reihe stehen und nicht an deren Ende, sonst
→Zäsurreim. Ferner als →Mitten-
reim.

Mittenreim, Reimbindung e. Vers-
endes mit dem Inneren des vorhergehenden oder folgenden Verses.

Mittlere Komödie →Komödie

Mittwochsgesellschaft, 1. exklusi-
ve aufklärer. Geheimgesellschaft in
Berlin um 1783–1800 um LESSING,
NICOLAI, MENDELSSOHN, SCHA-
DOW, ZELTER, QUANTZ, SUAREZ
u.a. – 2. 1824 von E. J. HITZIG
gegr. spätromant. Berliner Literatenkreis um ALEXIS, CHAMISSO, EI-
CHENDORFF, HOLTEI u.a.

Młoda Polska →Junges Polen

Modell 1, reale histor. Persönlichkeit als Vorbild/Vorlage für e. lit.
Figur, – 2. Musteraufführung nach
e. M.buch.

Moden, literarische, kurzfristige,
durch den Zeit→geschmack weniger Jahre emporgetragene lit. Richtungen, die keine zeitlose Gültigkeit
oder auch nur einen ästhetisch be-

gründbaren Anspruch aufweisen, sondern lediglich e. vorübergehenden, schnellem Wandel unterworfenen Geschmackslaune folgen.

A. M. Clark, *Studies in lit. modes*, Edinb. 1958; U. H. A. Schwarz, D. Modische, 1982.

Moderne (mlat. *modernus* = neu), unscharfer Begriff, da von vielen selbstbewußten Generationen und neuen, progressiven und avantgardist. Richtungen in Lit., Kunst und Musik in programmat.-polem. Abgrenzung vom vorgefundenen ›Alten‹ oder ›Klassischen‹ für sich beansprucht und damit histor. entwertet; sinnentleertes Modeschlagwort, das in jedem Kontext erneuter Definition bedarf, bes. in franz. und dt. Aufklärung, Romantik, Jungem Deutschland und Naturalismus (dort als ›die M.‹ von E. WOLFF 1886 und H. BAHR 1890 geprägt), von BAHR auch auf antinaturalist. Richtungen der Jh.wende (Impressionismus, Symbolismus, Neuromantik, Dekadenzdichtung, sog. ›Wiener M.‹) ausgedehnt. Entsprechend meint ›Modernität‹ die innovative Qualität jeder M., ›Modernismus‹ alle mod. Richtungen in Lit., Kunst und Musik seit dem Naturalismus oder seit 1914/19, die sich von etablierten Traditionen und Konventionen absetzen. Vgl. →Modernismo, →Postmoderne.

RL; Aspekte d. M.ität, hg. H. Steffen 1965; *Modernism*, hg. M. Bradbury, Harmondsworth 1976; P. Faulkner, *Modernism*, Lond. 1977; D. H. Malone, *Towards a hist. of modernism*, CLS 15, 1978; Z. Geschichtlichkeit d. M., Fs. U. Fülleborn 1982; M. H. Levenson, *A genealogy of modernism*, Cambr. 1984; U. Japp, Lit. u. Modernität, 1987.

Modernes Antiquariat →Antiquariat

Modernismo, Epoche der lat.-amerikan. und span. Lit. rd. 1888–1916 unter franz. Einfluß, gekennzeichnet durch Ästhetizismus, Streben nach Musikalität der Sprache in kurzen Sätzen und exot. Milieu, auf lyr. Gebiet zum →Ultraismo fortentwickelt: R. DARÍO, C. VALLEJO, L. LUGONES, R. BLANCO FOMBONA, J. HERRERA Y REISSIG, E. LARRETA, R. JAIMES FREYRE, in Spanien R. M. DEL VALLE-INCLÁN, J. R. JIMÉNEZ u. A. MACHADO. Unabhängig davon ist der brasilian. M. seit 1922 als Aufbruch zu bewußter Modernität (M. u. O. de ANDRADE).

R. Blanco Fombona, *El M.*, 1929; M. Henríquez-Ureña, *Hist. del m.*, Mexiko 1954, ³1978; R. A. Arrieta, *Introducción al m. literario*, 1956; M. da Silva Brito, Hist. do m. Brasileiro, São Paulo 1958; R. Gullón, *Direcciones del m.*, Madrid 1963, ²1971; J. M. Fein, *M. in Chilean Lit.*, Durham 1964; R. Ferreres, *Los límites del m.*, Madrid 1964; J. Nist, *The modernist movement in Brazil*, Austin 1967; *Estud. crit. sobre el m.*, hg. H. Castillo, Madrid 1968; N. Davison, *El concepto del m.*, Buenos A. 1971; R. Gullón, *El m.*, Madrid 1980.

Modernismus →Moderne

Modernität →Moderne

Modewörter, plötzlich aus einem begrenzten Sprach-, Berufs- oder Interessenkreis auf breite Bevölkerungsschichten übergreifende Wörter, die nach einer Periode häufigen Gebrauchs rasch wieder der Vergessenheit anheimfallen.

Modus (lat. = Weise, Melodie), im MA. Bz. für e. feststehende Melodie entsprechend der ›Weise‹ des späteren Meistersangs, dann von der bloßen Melodieangabe (entsprechend den heutigen Kirchengesangbüchern) übertragen auf den untergelegten Text in Form von →Sequenzen; ungleichstrophige Gedichte doch mit meist zweizeiligen Strophen. Als Modi erscheinen daher einige kleine weltlich-anekdot. Dichtungen des 10./11. Jh. in lat. Sprache: *M. Liebinc, M. Ottinc, M.qui et Carelmanninc, M. Florum.*

Mönchsdichtung →Geistlichen-
dichtung

Mönchslatein →Küchenlatein

Molossus (nach den Molossern in
Epirus), seltener antiker Versfuß aus
drei Längen: ———, z.B. mirari,
erklärt als Kontraktionsform des
→Choriambus oder →Ionikus.

Moment der letzten Spannung
→Retardation. Vgl. →erregendes
M.

Monatsreim, an einzelne oder
mehrere Monatsnamen anknüpfende und ihr Wesen charakterisieren-
de gereimte Wetterregel aus bäuerl.
Erfahrung: ›Mairegen ist e. Segen‹
u. ä. Sie erscheinen seit dem 15. Jh.
im Kalender (→Praktik).
A. Yermoloff, D. landwirtsch. Volkska-
lender, 1905; R. Walter, Wettersprüche,
1920; B. Haldy, D. dt. Bauernregeln,
1923; RL; G. Hellmann, Üb. d. Ursprung
d. volkstüml. Wetterregeln, 1925.

Monobiblos (griech. = Einzel-
buch), e. Schrift, die e. einzige Buchrolle füllte.

Monodie (griech. *monodia* =) So-
lo-, Einzelgesang, unbegleitet, durch
Instrumentalbegleitung mit gleicher
Melodieführung verstärkt oder
durch ähnl. Melodieführung um-
rankt, im Ggs. zur mehrstimm. Po-
lyphonie. M. sind alle zu Instrumentalbegleitung gesungenen Sololieder
(→Ode, urspr. →Elegie, →Jamben).
Sie erscheinen zuerst in den durch
Flötenspiel oder Kithara begleiteten
Arien der Schauspieler in der griech.
Tragödie seit EURIPIDES an den
durch letzte Steigerung von Schmerz
oder Freude gekennzeichneten lyr.
Höhepunkten und steht dort im
Ggs. zu den →Chorliedern, →Kom-
moi und →Amoibaia; wird von
dort in die röm. Tragödie und Ko-

mödie (→Cantica) übernommen.
Bis ins 9. Jh. und weiterhin im
Volksgesang bleibt aller Gesang
monodisch. Seit 1600 erscheint die
M. in der Oper, wo die Singstimme
die Begleitung überragt; Vorform
von →Rezitativ und →Arie.
W. Barner, D. M. (Bauformen d. griech.
Trag., hg. W. Jens 1971).

Monodistichon (griech. *monos* =
allein), e. einzelnes →Distichon,
meist Alexandriner-Zweizeiler, →
Epigramm, als relig. Merkvers nach
Vorgang von SUDERMANN, FRAN-
CKENBERG und TSCHECH im Barock
bei Daniel v. CZEPKO (600 M.*a sa-
pientium*, 1655) und ANGELUS SI-
LESIUS zum Ausdruck mystisch-ver-
innerlichten Seinsgefühls gemacht.
Vgl. →Xenien.
M. Lausberg, D. Einzeldistichon, 1982.

Monodrama (griech. *monos* = allein), Einpersonenstück, Drama mit
nur einer handelnden und sprechenden Person, so das griech. Drama
von AISCHYLOS als Wechselrede
zwischen Chor und einem Schauspieler, im Frankreich des 18. Jh.
äußerlich durch Auftreten stummer
Nebenpersonen erweitert (Alexis
PIRON). Mehrere Dramen der Zeit
konzentrieren die Gestaltung um
Monologe: LENZ *Katharina von
Siena,* ähnlich die Monologstellen
in SCHILLERS *Jungfrau von Orleans*
und GOETHES *Faust,* MEERHEIMBS
Psychodramen, die kom. Soloszе-
nen im 19. Jh., im Expressionismus
A. BRONNENS *Ostpolzug* 1926 mit
Bühnenbewegung durch Zuhilfenahme film. Elemente und in der
Gegenwart als Dokumente menschl.
Isolation J. COCTEAUS *La voix hu-
maine* 1930, S. BECKETTS *Krapp's
last tape* 1959, H. QUALTINGERS
Der Herr Karl 1962 und Stücke von
T. BERNHARD, P. HACKS, F. X.
KROETZ. – Die 2. Hälfte des 18. Jh.
bezeichnet mit M. über den urspr.

Sinn hinaus e. kurzes Sprechdrama als sentimentaler Monolog mit Musikbegleitung, sog. →lyr. Drama oder →Melodrama: ROUSSEAUS *scène lyrique Pygmalion* 1762 mit eigener Begleitmusik, dessen dt. Bearbeitungen und Nachahmungen – meist antike Stoffe – Glanzrollen für virtuose Schauspieler(innen) mit bühnenwirksamem Gebärdenspiel schufen: J. Ch. BRANDES *Ariadne auf Naxos* 1774 (für seine Frau), GOTTERS *Medea*, GOETHES *Proserpina* u.a.m., meist vom Komponisten G. BENDA mit musikal. Wortillustrationen und Einlagen vertont und am Ende des 18. Jh. zur Kantate umgewandelt. →Duodrama.

A. Köster, D. lyr. Drama i. 18. Jh. (Preuß. Jhrb. 68, 1891); RL; I. Raffelsberger, D. M. i. d. dt. Lit. d. 18. Jh., Diss. Wien 1955; K. Gram Holmström, M., *Attitudes, Tableaux Vivants*, Stockh. 1967; A. D. Culler, M. *and the dramatic monologue*, PMLA 90, 1975; H.-P. Bayerdörfer, *Le partenaire* (Fs. R. Brinkmann, 1981); S. Demmer, Unters. z. Form u. Gesch. d. M., 1982.

Monogatari (japan. = Erzählungen), allg. Bz. für die japan. Prosaerzählungen bes. des 9.–14. Jh. von Sammlungen von Märchen und Liebesgeschichten bis zum umfangreichen Roman (z.B. *Genji M.*), auch als Uta-M. Erzählungen mit Verseinlagen (→Tanka).

Monographie (griech. *monos* = einzig, *graphein* = schreiben), in sich geschlossene, systemat., möglichst erschöpfende Darstellung e. einzelnen wiss. Gegenstandes, e. Werkes, e. speziellen Problems oder e. Einzelpersönlichkeit.

Monolog (griech. *monos* = allein, *logos* = Rede), Selbstgespräch im Ggs. zum →Dialog, wesentliche Form der Lyrik (Ichaussprache, →Rollenlyrik, →Dramatic Monologue), Epik (→Brief-, →Tagebuch-, →Ich-Form, →innerer M.) und bes.

im Drama als Gespräch e. Figur mit sich selbst ohne direkten Adressaten, jedoch vor e. implizierten, imaginären Zuhörer; hier mit versch. Funktionen: 1. techn. Notbehelf, der bei der von GOTTSCHED übernommenen Forderung der tragédie classique, die Bühne dürfe nie leer sein, das Auf- und Abtreten der Personen ermöglicht: Brücken- oder Übergangs-M. zur Verbindung der Auftritte; 2. ›epischer M.‹ als Mittel der →Exposition (PLAUTUS, Hans SACHS), Einbeziehung nicht darstellbarer Vorgänge und Vorbereitung neuer Situationen am Aktbeginn oder Zusammenfassung des Bisherigen am Aktschluß: Rahmen-M. im Ggs. zu den folgenden sog. Kern-M.en, die anstelle des Dialogs mit dem →Confident treten und versch. Seiten innerhalb desselben Sprechers darlegen können; 3. ›lyr. M.‹, Selbstoffenbarung der Gefühle e. Helden, auch Ausdruck der persönl. Auffassung des Dichters; 4. Reflexions-M., Betrachtung und Gedanken der Figuren über die Situation, vergangene und künftige Handlung, übernimmt seit Verschwinden des antiken Chors dessen Aufgabe; 5. Konflikt-M. als dramatischste Form auf der Höhe der Verwicklung, seel. Entscheidungsringen des Helden mit sich selbst, das die Beweggründe des Handelns als innerer Dialog in Für und Wider mit Alternativen darlegt und der Lösung oder Katastrophe zutreibt. Die einzelnen Funktionen erscheinen selten rein, meist gemischt, doch unter Vorwiegen e. Hauptabsicht. In der griech. Tragödie wird der M. erst mit Zurücktreten des Chors wichtig, ebenso bes. in der Komödie, woher ihn die röm. Komödie übernimmt und dem Renaissancedrama weitergibt. Nach Vorbild von SENECA benutzen Barockdrama (GRYPHIUS) und franz. Klassizismus den M. zur

Entfaltung prunkvoller Rhetorik.
Chr. Weise entwickelt in ihm das
Intrigenspiel, Molière seine tragi-
kom. Wirkungen. Die Übernahme
und Verteidigung des M. durch
Gottsched entfacht e. Streit um
seinen Wert, den der franz. Poetiker
Hélédin aus Wahrscheinlichkeitsgründen verneint – er will ihn durch
erregt-abgehackte Sprechweise ersetzen. Nicolai, Mendelssohn, J.
J. Engel, Eschenburg und Lessing beteiligen sich, Lessing verwendet ihn nach Vorbild Shakespeares *(Hamlet)* als glaubhaften
Reflexions-M. Im Sturm und Drang
dient er häufig als Selbstanalyse der
Leidenschaft, affekt. Charakterent-
hüllung des Helden, im Ritterdrama
zu dröhnenden Effekten. In der
Klassik verwendet ihn Goethe als
lyr. Seelenanalyse, die in zarter
Form Tiefen innerer Konflikte eröffnet *(Iphigenie,* ähnlich später
Grillparzer *Des Meeres und der
Liebe Wellen),* Schiller bes. als
rhetor. Konflikt-M. *(Wallenstein).*
Bei Kleist und dann im Realismus
tritt er zurück, bes. im Naturalismus und schon bei Ibsen wird er als
unnatürlich gemieden, verpönt und
durch stummen Gebärden-M.
(schon bei Iffland) ersetzt oder in
Dialoge verteilt. Erst Neuromantik
und Expressionismus benutzen ihn
wieder als sinnvoll eingefügtes Stim-
mungsmittel. Die mod. Lit. greift
ihn im monolog. Aneinandervorbei-
reden als Zeichen der Kommunika-
tionslosigkeit und seel. Vereinsamung u. a. im →Monodrama wieder auf (Beckett). Dieselbe Situation spiegelt die M.-erzählung im
inneren M. seit Schnitzler *(Leutnant Gustl, Fräulein Else).*

F. Düsel, D. dramat. M. i. d. Poetik d.
17./18. Jh., 1897, n. 1977; L. Flatau-
Dahlberg, D. Wert d. M. i. realist.-na-
turalist. Drama, Diss. Bern 1907; F. Leo,
D. M. i. Drama, 1908; B. Lott, D. M. i.
engl. Drama vor Shakespeare, Diss.

Greifsw. 1909; H. Grußendorf, D. M. i.
Drama d. Sturm u. Drang, Diss. Mchn.
1914; E. W. Roessler, *The Soliloquy in
German Drama,* 1915; W. Schadewaldt,
M. u. Selbstgespräch, 1926; E. Walker,
D. M. i. höf. Epos, 1928; RL; E. Voll-
mann, Urspr. u. Entw. d. dram. M., Diss.
Bonn 1934; I. B. Sessions, *The Dramatic
M.,* PMLA 62, 1947; J. Hürsch, D. M. i.
dt. Drama v. Lessing bis Hebbel, Diss.
Zürich 1947; R. Langbaum, *The poetry
of experience,* N.Y. 1957; H. M. Meltzer,
D. M. i. d. Trag. d. frühen Stuartzeit,
1974; G. Baumann, Entwürfe, 1976; P.
v. Matt, D. M. (Beitrr. z. Poetik d. Dra-
mas, hg. W. Keller 1976); J. Zenke, D. dt.
M.erzählg. i. 20. Jh., 1976; F. B. Carle-
ton, *The dramatic m.,* Salzb. 1977; A.
Sinfield, *Dramatic m.,* Lond. 1977; H.-P.
Bayerdörfer, Le partenaire (Fs. R. Brinkmann, 1981); W. G. Müller, Das Ich i.
Dialog mit sich selbst, DVJ 56, 1982.

Monologerzählung →Monolog,
→innerer Monolog

Monologue intérieur →Innerer
Monolog

Monometer (griech. *monos* = einzig, *metron* = Maß), metr. Einheit
aus nur einem →Metrum, z.B.
jamb. Dipodie, selbständig als
→Klausel (Ditrochäus).

Monopodie (griech. *monos* = einzig, *pus* = Fuß), im Ggs. zur →Di-
podie der als Einzelglied betonte
und gezählte Versfuß, bes. Jambus
und Trochäus, als metr. Maßeinheit. Monopodische Verse mit
rhythmisch grundsätzlich gleichwertigen Hebungen, deren Stufung
durch die Sprachmelodie bestimmt
ist, koordinieren die einzelnen Glieder (im Ggs. zur Unterordnung bei
der Dipodie) und erzielen bei lang-
samem Gang e. ernsten, getragenen
Gleichfluß der Rhythmen, gehaltvolle, ›gleichschwebende Verse‹.
RL.

Monostichisch (griech. *monos* =
allein, *stichos* = Vers), auch stichisch im Ggs. zu distichisch heißt
e. metr. Schema aus ständiger Wiederholung derselben Verszeile, z.B.

im Hexameter, Alexandriner oder Blankvers.

Monostrophisch (griech. *monos* = allein, →Strophe), heißt e. Gedicht oder Lied aus einer einzigen →Strophe, z. B. im frühen Minnesang, sodann auch e. Gedicht oder Epos aus vielen Strophen gleicher Bauart, z. B. →Nibelungenstrophe, im Ggs. zum wechselnden Strophenbau z. B. in griech. Chorlyrik.

Montage (franz.), Begriff aus der Filmkunst: die schon im Drehbuch vorgesehene künstler. Aneinanderfügung einzelner Bildfolgen und Szenen in räumlich und zeitlich versch. Situationen, die nicht sachlich-handlungsmäßig oder gedanklich verbunden sind, durch die Assoziationsfügung etwa mithilfe einzelner konkreter Gegenstände; als Darstellungstechnik auf Roman, Lyrik und Drama übertragen für die verfremdende Zusammenfügung und Nebeneinanderstellung versch. Wirklichkeitsebenen oder Wort-, Gedanken- und Satzfragmente unterschiedl. sprachl., stilist., inhaltl. und raumzeitl. Herkunft nach rein formalen Grundsätzen zur Erzielung von Diskontinuität, Verfremdung, Überraschungseffekten, Provokation oder zum Durchlässigmachen für assoziative Parallelen und Kontraste; im weiteren Sinne auch jede Anwendung film. Techniken wie Rückblenden, Überblenden, Einblenden und szen. Gleichzeitigkeit sowie Darstellung von Traumgesichten usw. auf die Literatur. In der Lyrik bei Benn und Enzensberger, im Roman Dos Passos, Döblin *(Berlin Alexanderplatz),* Th. Mann *(Doktor Faustus, Der Erwählte),* im Drama bei F. Bruckner *(Die Verbrecher),* G. Kaiser *(Nebeneinander),* B. Brecht und P. Weiss. Vgl. →Collage.

P. Szondi, Theorie d. mod. Dramas,

1956; I. Seidler, Stat. M., MH 52, 1960; H. O. Burger u. R. Grimm, Evokation u. M., 1961; J. Leclerque, M. i. d. zeitgenöss. dt. Lyrik, Diss. Wien 1962; H. Jantz, Kontrafaktur, M., Parodie (Tradition u. Ursprünglichkeit, hg. W. Kohlschmidt 1966); V. Klotz, Zitat u. M. i. neuerer Lit. u. Kunst, STZ 60, 1976; Theorie d. Avantgarde, hg. W. M. Lüdke 1976; K.-M. Bogdal u. a. (Alternative 20, 1977); U. Weisstein, *Collage, m.,* CLS 15, 1978; O. Keller, Döblins M.roman, 1980; H. Kreuzer u. a., LiLi 12, 1982; U. Brandes, Zitat u. M. i. d. neueren DDR-Prosa, 1984; R. Durgnat, *The cinematic text,* Lond. 1986; W. Seibel, D. Formenwelt d. Fertigteile, 1988.

Mora →More

Moralische Wochenschriften, aus bürgerlich-aufklär. Geist entstandene Gruppe volkstüml. Zss., die das bürgerl. Selbstverständnis stärkten und in Form von gefühlvoll-moralisierenden kleinen Erzählungen, Typen- und Sittenschilderungen sog. ›Gemälden‹, Briefen, Essays, Satiren und fingierten Dialogen und Diskussionen zwischen Vertretern der Gesellschaftsklassen und Temperamente die verschiedensten Fragen des geistigen oder des prakt. Alltagslebens behandeln (Tabakrauchen, Kartenspiel, Erziehung, Todesfurcht, Aberglaube, Ehe, Frauenbildung, Kunst, Lit., Ästhetik). Das erfolgreiche Vorbild der – übrigens täglich erscheinenden – M. W. der englischen →Essayisten Steele und Addison *(The Tatler* 1709–11, *The Spectator* 1711–12, *The Guardian* 1713), die aus puritan. Geiste gegen das franz.-galante Treiben des Hofes und Adels Stellung nahmen und der Sittenlosigkeit durch breite Moralerziehung steuern wollten, fand zuerst breite Nachahmung im benachbarten und durch Handelsbeziehungen verknüpften Hamburg: Matt-hesons *Vernünftler* 1713 f. schneidet die engl. Quellen auf Verhältnisse des Hamburger Bürgertums zu; in Hamburg folgen allein 91 M. W. (Brockes *Der Patriot*

1724–26 u. a.), im gesamten dt. Sprachgebiet bis Ende des Jh. 511 (gegen 200 engl. und 28 franz.), davon wiederum zwischen 1770 und 1780 114 gleichzeitig. In der Schweiz erscheinen als erste originale Neugründung BODMERS und BREITINGERS *Discourse der Mahlern* 1721–23, 1746 *Mahler der Sitten*, auf empirisch-sensualist. Basis, rein rationalistisch dagegen GOTTSCHEDS *Die vernünfftigen Tadlerinnen* (mißverstanden nach *Tatler*) 1725–27 und *Der Biedermann* 1727–29 in Leipzig, die *Spectator*-Übersetzung der GOTTSCHEDIN 1739 ff. (9 Bde.), PYRAS *Gedanken der unsichtbaren Gesellschaft* 1741, CRAMER-EBERT-GISEKE-RABENER *Der Jüngling* 1747 f., J. E. SCHLEGELS skandinav. *Der Fremde*, Kopenhagen 1745 f., S. G. LANGES *Der Gesellige* 1748–50 und *Der Mensch* 1751–56, CRAMERS *Nordischer Aufseher* 1758–61, WEGENERS 1. mundartliche M. W. *De Plattdütsche* 1772 u. a. m., auch pietist. und kathol. Prägung, bis ins 19. Jh. (J. SCHREYVOGELS *Wiener Sonntagsblatt* 1807), wo die M. W. schließlich im →Familienblatt aufgehen. Die dt. M. W. erschienen teils mehrmals wöchentlich, teils monatlich oder in unregelmäßigen Abständen und waren ausgesprochen kurzlebig. Ihr Hauptziel war sittl. Erziehung aus dem Glauben an e. Verbesserung der Welt durch e. vernünftig-tugendhaftes und daher unbedingt glückl. Leben. Daneben gewinnen bes. in den dt. M. W. – im Ggs. zu den engl. politischen – lit. und ästhet. Betrachtungen wie Auseinandersetzungen Raum, zumal alle bedeutenderen Schriftsteller der Zeit befristet mitarbeiteten: KLOPSTOCK (im *Nordischen Aufseher*), der junge LESSING (in den M. W. seines Vetters MYLIUS), HALLER, GLEIM, WEISSE, UZ, CRONEGK, J.

A. SCHLEGEL, RABENER, MÖSER, PESTALOZZI, SALZMANN, SONNENFELS, KÄSTNER, LICHTENBERG, LAVATER, HÖLTY, Maler MÜLLER, MILLER, KOTZEBUE u. a. m. Somit besteht ihr Hauptverdienst für die Lit. in der Erfassung weiter Kreise des Bürgertums und Vermittlung zwischen Leser und Lit., indem sie aus dem Alltagsleben heraus die zerrissene Verbindung zwischen Leben und Lit. wiederherstellen und den empfindsamen Roman vorbereiten.

E. Milberg, D. M. W., 1880; M. Kawczynski, M. W., 1880; O. Lehmann, D. M. W. als pädag. Reformschriften, 1893; L. Keller, D. dt. Gesellsch. d. 18. Jh. u. d. M. W., 1900; M. E. Umbach, D. dt. M. W. u. d. Spectator, Diss. Straßb. 1911; M. Stecher, D. Erziehungsbestrebgn. d. M. W., Diss. Lpz. 1914; RL; W. Oberkampf, D. zeitgs.-kundl. Bedeutg. d. M. W., 1934; M. Gaus, Idealbild d. Familie i. d. M. W., Diss. Rostock 1937; I. Fuhrmann, D. Entstehg. u. Entwicklg. d. M. W. i. Engl., Diss. Wien 1958; W. Martens, D. Botschaft d. Tugend, 1968; P. Currie, *Moral weeklies and the reading public in Germany*, (Oxf. Germ. Stud. 3, 1968); H. Lengauer, Z. Sprache d. M. W., 1975; U. Schneider, D. moral. Charakter, 1976; J. Jacobs, Prosa d. Aufkl., 1976; F. Rau, Z. Verbreitg. u. Nachahmg. d. ›Tatler‹ u. ›Spectator‹, 1980.

Moralisten (franz. *moraliste*), Sittenlehrer und Moralphilosophen, im weitesten Sinne allg. deskriptive Sittenschilderer sowie moral. engagierte Belletristen wie THEOPHRAST, SENECA, MARC AUREL übh.; Sammelbz. insbes. für die franz. Moralphilosophen des 17.–18. Jh.: LA ROCHEFOUCAULD, LA BRUYÈRE, VAUVENARGUES, CHAMFORT, GALLIANI, RIVAROL, SAINT-EVREMOND und JOUBERT, die im Anschluß an MONTAIGNE in stilist. brillanten Essays, Aphorismen, Tagebüchern, Satiren u. a. lit. Formen die aus scharfer Beobachtung gewonnenen pessimist.-skept. Erkenntnisse über die menschl. Psyche und das sittlich-soziale Verhalten des Menschen niederlegen.

L. A. Prevost-Paradol, *Etudes sur les m. franç.*, [7]1890; G. Bauer, *Les m.*, 1945; A. Levi, *French m.*, Oxf. 1964; B. Willey, *The Engl. m.*, Lond. 1964; *The Engl. mind*, hg. H. S. Davies, Cambr. 1964; F. Schalk, D. franz. M., II 1938, [5]1973 f.; J. v. Stackelberg, Franz. Moralistik, 1982; L. van Delft, *Le m. class.*, Genf 1982; D. Steland, Moralistik u. Erzählkunst, 1985.

Moralitäten (franz. *moralités*, engl. *moralities*), relig.-allegor. Schauspiele des Spät-MA. seit 1400 mit moralisierender Tendenz, in denen abstrakte Eigenschaften (Tugenden und Laster, Gut und Böse, Leben und Tod u. ä.) personifiziert als allegor. Figuren auftreten und meist um die Seele des Menschen kämpfen (Psychomachie), bes. beliebt in Frankreich (*Bien avisé, Mal avisé*, 1439) als allegor.-myst., parabol. oder moralisierend-weltl. M., in England und Schottland *The King of Life* 1400, *The Castle of Perseverance* 1425, *Mankind* 1473, bes. *Everyman* 1500, nach der Reformation als theolog.-polem. Spiele und erst unter CROMWELL verboten, auch in den Niederlanden (*Elckerlijc*, um 1495) und Italien; in Dtl. dagegen durch das →Schuldrama (GENGENBACH, MACROPEDIUS, NAOGEORG) seit dem 15. Jh. vertreten. Im 20. Jh. Erneuerung bei HOFMANNSTHAL, ELIOT und BORCHERT.

R. Genée, D. engl. Mirakelspiele u. M., 1878; A. W. Pollard, *Engl. Miracle Plays, M. and interludes*, [5]1909, [7]1923; W. R. Mackenzie, *The Engl. M.*, 1914; H. H. Borcherdt, D. europ. Theater in MA. u. Renaissance, 1935; W. Habicht, Stud. z. Dramenform vor Shakespeare, 1968; S. D. Feldman, *The m.*, Haag 1971; P. J. Houle, *The Engl. m.*, Lond. 1972; R. Potter, *The Engl. m. play*, Lond. 1975; W. Helmich, D. Allegorie i. frz. Theater d. 15. u. 16. Jh., 1976; A. E. Knight, *Aspects of genre in late medieval French drama*, Manch. 1982.

Moralsatire →Satire

Mọre (lat. *mora* = Verweilen, Zeitlänge, Bz. von G. HERMANN),

›Grundzeit‹, metr. Einheit in quantitierender Dichtung: der Zeitwert (Aussprachedauer) e. kurzen Silbe (→Kürze); e. →Länge entspricht zwei M.n usw.

Mọritat, wohl gesanglich gedehnte Form zu dt. ›Mordtat‹, nach dem wesentl. Inhalt Bz. für die Lieder des →Bänkelsangs.

Mọrolfstrophe, nach ihrem ersten Auftreten im Spielmannsepos *Salman und Morolf* (vor 1200) benannte Strophe aus fünf Vierhebern im Reimschema a a b w b (w = Waise) und mit versch. Versschluß, im Volkslied das 2. Reimpaar meist klingend, die anderen Verse voll (→Landsknechtslied auf Sickingens Tod), die Waise z. T. dreihebig; neben Nibelungen- und Titurel-Strophe wichtigste Strophenform der mhd. Epik, verwandt mit →Tirol- und Winsbekenstrophe, im ganzen MA. verbreitet, ab 15./16. Jh. auch im volkstüml. und Volkslied als Lindenschmidtstrophe.

C. Colditz, Üb. d. Anwendg. d. M. (Modern Philolog. 31, 1943). →Metrik.

Morphologische →Literaturwissenschaft versteht im Anschluß an GOETHES morpholog. Studien und seinen Gestaltbegriff die Dichtung als von innen heraus gewordene Gestalt und die Dichterkraft als eine lebendige Schöpferkraft ähnlich der organ. Natur, die durch das Zusammenwirken der Teile ein neues Ganzes hervorbringt. Vertreten durch G. MÜLLER und H. OPPEL und ohne Nachwirkung.

G. Müller, D. Gestaltfrage i. d. Lit.wiss. u. Goethes Morphologie, 1944; ders., Morpholog. Poetik, 1968; H. Oppel, M. L., 1947, [2]1967.

Mọte (span.), span. Gedichtform: ein 1–2 Verszeilen umfassender Gedanke wird von demselben Dichter oder anderen Dichtern in Versen glossiert. Das ganze Gedicht heißt ebenfalls M. oder auch Glosa, Letra, Villancico. Beliebt im 15. Jh.

Motet (v. franz. *mot* = Wort), Form der franz. Sangverslyrik im 12.–14. Jh.: Siebenzeiler auf zwei Reime mit der Reimfolge abab/aba, wobei der 6. Vers kürzer ist als die anderen (meist Dreisilber gegenüber Zehnsilbern). In dieser Form M. écartelé, bei Wegfall des 5. Verses M. imparfait genannt. Blütezeit im 13. Jh. in Nordfrankreich; später, als der Text Nebensache und die Melodie Hauptsache wurde, zur mehrstimmigen musikal. Form entwickelt.

Motiv (nlat. *motivus* = antreibend), 1. in der Psychologie ›Beweggrund‹ für e. Willensentscheidung, so z. B. der handelnden Personen im Drama, dessen Handlungsgefüge durch strenge →Motivation (Veranlassung durch Motive) verknüpft ist. – 2. ideeller Beweggrund (Motivation) des Dichters für das Aufgreifen e. bestimmten Stoffes, zu künstler. Gestaltung anregender Gegenstand, der die genauere Stoffwahl bestimmt. – 3. strukturelle inhaltl. Einheit als typ., bedeutungsvolle Situation, die allg. themat. Vorstellungen umfaßt (im Ggs. zum durch konkrete Züge festgelegten und ausgestatteten →Stoff, der wiederum mehrere M.e enthalten mag) und Ansatzpunkt menschl. Erlebnis- und Erfahrungsgehalte in symbol. Form werden kann: unabhängig von e. Idee bewußt geformtes Stoffelement, z. B. das Ans-Licht-Drängen e. ungesühnten Mordes (Ödipus, Ibykus, Raskolnikov). Zu unterscheiden sind Situations-M. mit konstanter Situation (Verführte Unschuld, Heimkehrer, Dreiecksverhältnis) und Typus-m. mit konstanten Charakteren (Geiziger,

Menschenfeind, Intrigant, Gespenst) sowie Raum-M. (Ruine, Wald, Insel) und Zeit-M. (Herbst, Mitternacht). Der eigene Gehaltswert des M. begünstigt seine Wiederkehr und oft die Formung in e. bestimmten Gattung. Es gibt vorwiegend lyr. M.e (Nacht, Abschied, Einsamkeit), Dramen-M.e (feindliche Brüder, Verwandtenmord), Balladen-M.e (Lenore-M.: Erscheinen des verstorbenen Geliebten), Märchen-M.e (Ringprobe), psycholog. M.e (Fliegen, Doppelgänger) usw., daneben ständig wiederkehrende M.e (M.konstanz) einzelner Dichter, einzelner Schaffensperioden desselben Dichters, traditionelle M.e ganzer lit. Epochen oder ganzer Völker, auch unabhängig voneinander gleichzeitig auftretende M.e (M.gemeinschaft). Die M.geschichte (P. MERKER und seine Schule) untersucht histor. Entwicklung und geistesgeschichtl. Bedeutung traditioneller M.e und verfolgt die grundverschiedene Bedeutung und Gestaltung der gleichen M.e bei versch. Dichtern und in versch. Epochen. In Drama und Epik unterscheidet man nach der Wichtigkeit für den Handlungsverlauf: Zentral-M. oder Kern-M. (oft = Idee), anreicherndes →Neben-M. oder Rand-M., →Leit-, untergeordnetes, detailbildendes →Füll- und ›blindes‹ M. (d. h. ablenkendes, für den Handlungsverlauf irrelevantes M.) sowie →Zug.

H. Sperber, L. Spitzer, M. u. Wort, 1918; J. Körner, Erlebnis, M., Stoff (Fs. O. Walzel, 1924); W. Dilthey, D. Einbildungskraft d. Dichters (Ges. Schr. 6, 1924); ders., D. Erlebnis u. d. Dichtg., ¹³1957; RL; W. Krogmann, M.übertragg. (Neophil. 17, 1937); R. Petsch, M., Formel u. Stoff (in: Dt. Lit.wiss., 1940); K. Burke, *A Grammar of motives*, N.Y. 1945; E. Frenzel in ›Aufriß‹, ²1956; E. Frenzel, Stoff-, M.- u. Symbolforschg., 1963, ⁴1978; A. Beiss, Nexus u. M., DVJ 36, 1963; E. Frenzel, Stoff- u. M.gesch., 1966, ²1974; H. Levin, *Thematics and criticism* (*The disciplines of criticism*, hg. P. Demetz, New Haven 1968); W. Freedman, *The lit. m.* (*Novel* 4, 1970f.); A. J. Bisanz, Stoff, Thema, M. (Neophil. 59, 1975); E. Frenzel, M.e d. Weltlit., 1976, ³1988; F. A. Schmitt, Stoff- u. M.gesch. d. dt. Lit., Bibliogr. ³1976; H. S. Daemmrich, Wiederholte Spiegelungen, 1978; Elemente d. Lit., Fs. E. Frenzel 1980; E. Frenzel, V. Inhalt d. Lit., 1980; S. Elkhadem, *The York companion of themes and motifs of world lit.*, Fredericton 1981; T. Ziolkowski, *Varieties of lit. thematics*, Princeton 1983; H. S. Daemmrich, *Themes and motifs in lit.*, GQ 58, 1985; ders., Themen u. M.e i. d. Lit., 1987.

Motivation (v. lat.), 1. die psycholog. oder sachl. Begründung des Handlungsgangs in Drama oder Erzählkunst durch bewußte oder unbewußte Antriebe, Beweggründe, Interessen, Umstände, Charakterzüge, Gewohnheiten oder Verhaltensweisen, d. h. die Unterlegung der für jede Handlungsweise in e. gegebenen Situation bestimmenden Motive. Die M. bestimmt Schlüssigkeit und einleuchtende Folgerichtigkeit des Geschehensablaufs in den traditionellen ep. und dramat. Bauformen und ist unabdingbare Voraussetzung für die psychologisch-realist. Darstellungsweise. Sie entspricht dem Bedürfnis des Lesers oder Zuschauers, nachzuempfinden, daß ein bestimmt angelegter Charakter unter gegebenen Umständen nur in dieser Weise und nicht anders handeln kann. Das Maß der M. schwankt allerdings für die versch. Gattungen: genaueste M. erfordern die Tragödie – damit die Tragik als zwingend erkannt wird und die trag. Wirkung sich einstellt – und der gute Kriminal- oder Detektivroman, während heitere Formen wie Schwank, Schelmenroman oder Komödie sich oft mit schwächerer M. begnügen können. Beim →acte gratuit und im absurden Drama kann die M. fehlen. – 2. →Motiv (2).

Motivgeschichte →Motiv

Motivierung →Motivation, →Motiv (2)

Motto (ital. = Wort, Spruch), 1. allg. Denk-, Leit- und Wahlspruch, →Devise. – 2. Überschrift beim →Emblem. – 3. einer Schrift (Dichtung oder wiss. Werk) oder deren Einzelteilen vorangestellter, Stimmung und Gehalt des Folgenden andeutender Sinnspruch, Prosaausspruch, Gedichtstrophe u. ä. – im bürgerl. Stil meist Zitate bekannter Autoren. Das M. zeigt oft den tekton. Aufbau des Abschnittes als sinngeschlossene Einheit, konditioniert den Leser und steckt dessen Erwartungshorizont ab, kann aber auch bewußt irreführen.

R. Böhm, D. M. i. d. engl. Lit. d. 19. Jh., 1975; K. Segermann, D. M. i. d. Lyrik, 1976.

Movement, The (engl. = Bewegung), Richtung der engl. Lyrik der Jahre nach 1950 mit empir.-rationalen Gedichten in traditionellen Formen fern allem Experiment: K. Amis, D. Davie, D. J. Enright, T. Gunn, E. Jennings, P. Larkin, J. Wain u. a., die nach 1960 meist eigene Wege fanden.

B. Morrison, *The M.*, Oxf. 1980.

Muckrakers (engl. = Mistharker), von Th. Roosevelt 1906 in Anlehnung an eine Figur in Bunyans *The Pilgrim's Progress* gebildete Sammelbz. für eine Gruppe amerikan. Autoren und Journalisten der Jahre 1902–17, die die Korruption in der amerikan. Politik und Wirtschaft der Zeit aufdeckten und grundlegende soz. Reformen forderten, meist in Form von Zeitungs- und Zss.kampagnen, aber auch in naturalist.-sozialkrit. Romanen, Erzählungen und Autobiographien. Hauptvertreter waren L. Steffens, I. Tarbell, C. Creel, T. W. Lawson, R. S. Baker, M. Sullivan und S. H. Adams, von Erzählern bes. U.

SINCLAIR *(The Jungle)* und D. G. PHILLIPS.

C. C. Regier, *The Era of the M.,* Chapel Hill 1932; *The M.,* hg. A. u. L. Weinberg, N.Y. 1961; *Years of Conscience; The M.,* hg. H. Swados, N.Y. 1962, ²1971; D. M. Chalmers, *The soc. and polit. ideas of the M.,* N.Y. 1964, ²1970; F. J. H. Cook, *The M.,* Garden City 1972; L. Filler, *Appointment at Armageddon,* Westport 1976; K. W. Vowe, Ges. Funktionen fiktiver u. faktograph. Prosa, 1978; A. Hornung, Narrative Struktur u. Textsortendifferenzierung, 1978.

Münchhaus(en)iade, Sonderform der →Lügendichtung, an die Person des Freiherrn K. F. H. v. MÜNCH-HAUSEN (1720–97) in Bodenwerder anknüpfend, der den russ.-türk. Krieg an hervorragender Stelle mitgemacht hatte und nach der Heimkehr viele und humorvoll pointierte Kriegs-, Reise- und Jagdabenteuer berichtete. Die ersten 17 Erzählungen erschienen 1781–83 im *Vademecum für lustige Leute,* sie wurden von den wegen Veruntreuung nach England geflohenen Prof. R. E. RASPE 1785 ins Engl. übertragen und ergänzt; diese Oxforder Ausgabe übersetzte G. A. BÜRGER im gleichen Jahr ins Dt. zurück, erweiterte sie um 8, in der 2. Aufl. 1788 um 5 weitere Geschichten und gab ihnen die Volkstümlichkeit, den humorist. und satir. Einschlag, der sie zum Volksbuch machte und dennoch die Gestalt des Barons durch sein rokokohaft-kavaliersmäßiges Auftreten über die derben Gestalten früherer Lügendichtungen erhob. IMMER-MANN erneuerte den Lügenbaron 1838/39 in seinem satir. Roman gegen den Schwindelgeist der Zeit; es folgen SCHEERBART, HAENSEL und die Dramen von LIENHARD, EULENBERG, GUMPPENBERG und HASEN-CLEVER sowie das Filmdrehbuch von E. KÄSTNER 1943. Börries v. MÜNCHHAUSEN verfolgt in *Geschichten aus der Geschichte* 1934 das Leben seines Ahnherrn.

W. Schweizer, D. Wandlungen Münchhausens, 1921; C. v. Klinckowström, M.n vor Münchhausen (Börsenbl. 13, 1957); W. R. Schweizer, Münchhausen u. M.n, 1969; E. Wackermann, Münchhausiana, Bibliogr. 1969, Suppl. 1978.

Münchner Dichterkreis, gleichstrebende Vereinigung der von MA-XIMILIAN II. seit 1852 nach München gerufenen und dort geförderten meist norddt. Dichter, die neben den offiziellen Zusammenkünften im königl. ›Symposium‹ nach Vorbild des Berliner ›Tunnel über der Spree‹ in der privaten ›Gesellschaft der Krokodile‹ (1856–83, nach LINGGS Gedicht) zusammenkamen und dort lit. Fragen und neue Werke erörterten: GEIBEL, HEYSE, LINGG, GROSSE, Graf v. SCHACK, BODEN-STEDT, HERTZ, LEUTHOLD, DAHN, RIEHL, KOBELL, DINGELSTEDT. Ihnen gemeinsam ist ein klassizist., unpolit. Kunstideal (GOETHE, Italien), das sie gegenüber dem aufkommenden Realismus in die Rolle von →Epigonen drängt, e. bewußte Überbetonung der Formkunst durch Ausschaltung, Glättung alles Häßlichen und die Betonung der Künstlerwürde und künstler. Verantwortungsbewußtseins gegenüber deren Vernachlässigung bei den Zeitgenossen. GEIBELS Lyrik und bes. HEYSES Novellen sind die bedeutendsten Leistungen des M. D.

A. Helbig, E. Geibel u. d. M. D., Progr. Aarau 1912; RL; F. Burwick, D. Kunsttheorie d. M. D., Diss. Greifsw. 1932; W. Sieber, D. M. D. u. d. Romantik, Diss. Bern 1937; V. de la Giroday, D. Übs.tätigkeit d. M. D., 1978; Die Krokodile, hg. J, Mahr 1987.

Mündliche Dichtung →Oral Poetry

Münster, Kreis von, orthodox kathol., an pädagog. Fragen interessierter und der dt. Mystik verhafteter Intellektuellenkreis in Münster rd. 1765–1826 um den Minister Franz von FÜRSTENBERG, A. M.

SPRICKMANN, F. K. BUCHOLTZ, B. OVERBERG und die Fürstin GALLITZIN. Ihm nahe standen F. H. JACOBI, J. G. HAMANN, F. L. Graf zu STOLBERG, C. BRENTANO und L. HENSEL. GOETHE weilte 1792 im K. v. M., und die junge A. von DROSTE-HÜLSHOFF wurde von hier angeregt. Bedeutend als Vorspiel kathol. Romantik.

P. Brachin, *Le cercle de M.*, Paris 1952; Der K. v. M., hg. S. Sudhof 1962–64; ders., V. d. Aufklärg. z. Romantik, 1973; Goethe u. d. K. v. M., hg. E. Trunz 1971, ²1974; RL.

Muiderkring, holländ. Dichterkreis in der 1. Hälfte des 17. Jh. in Muiden um P. C. HOOFT, C. BARLAEUS, J. BAECK, VOSSIUS, REAEL, HUYGENS u. z. T. VONDEL mit allsommerl. Tagungen seit 1621; wichtig für die niederl. Renaissancekultur.

J. F. M. Sterck, *Van Rederijkerskamer tot M.*, Amsterd. 1928; P. Leendertz, *Uit den M.*, Haarlem 1935.

Munazare, pers. Streitgedicht in Form eines moral. Streitgesprächs von zwei Partnern entsprechend der roman. →Tenzone.

Mundart →Dialekt

Mundartdichtung →Dialektdichtung

Musammat, arab. Gedichtform, einreimige Distichen mit gleichem Binnenreim, also b/b-b/b, und einer Endzeile, die in jeder Strophe den gleichen Reim trägt; bbbba, cccca, dddda usw.

Musen, in griech. Mythologie Töchter des Zeus und der Mnemosyne mit dem Sitz auf dem Berg →Helikon oder in Pierien, Göttinnen der Wissenschaft und aller nicht handwerkl. Künste (Musik, Gesang, Dichtung, Tanz); urspr. drei, seit HESIOD, der auch zuerst die Namen überliefert (*Theogonie* 75 ff.) neun: →Kalliope, →Klio, →Euterpe, →Melpomene, →Terpsichore, →Erato, →Polyhymnia, →Urania, →Thalia. Sie sangen beim Göttermahl auf dem Olymp und gaben dem Dichter auf dem Helikon die Dichterweihe, sie bittet er in der →Anrufung um Inspiration. Erst in spätgriech. Zeit erhalten sie einzelne Funktionsgebiete zugewiesen, zuerst Urania die Astronomie nach dem Lehrgedicht des ARATOS. Seit DANTES Beatrice und PETRARCAS Laura geraten die M. in Konkurrenz zu mehr ird., privaten ›Musen‹.

E. R. Curtius, Europ. Lit. u. lat. MA., 1948, ¹⁰1984; W. F. Otto, D. M., 1955, ²1956; E. Barmeyer, D. M., 1968.

Musen→almanach, nach dem Vorbild spätbarocker Anthologien und des Pariser *Almanach des Muses* 1765 (für die besten im Vorjahr erschienenen Gedichte) in der 2. Hälfte des 18. Jh. beliebte Form jährlich (meist vordatiert) erscheinender Anthologien von – im Ggs. zum Vorbild – bisher ungedruckten Gedichten, Dramen- und Epenauszügen usw. mit beigefügten Kompositionen, Kupferstichen sowie oft e. Kalendarium. Sie entstammten meist e. festen Kreis von Mitarbeitern, deren Beiträge oft anonym oder pseudonym erschienen, hatten gewöhnlich Duodez-Format und brachten manches wichtige Stück dt. Lit. zum 1. Abdruck. Wichtigste: 1. *Göttinger M.*, 1770–1804, zuerst von GOTTER, bis 1774 BOIE, bis 1775 VOSS, bis 1778 GÖCKING, bis 1794 BÜRGER, Organ des →Göttinger Hain, 2. *Leipziger M.* 1770, 3. *Wiener M.* 1776–1796, von RATSCHKY begr., für österr. Dichter, 4. *Hamburger M.*, 1776–1800 von VOSS, 5. SCHILLERS *Anthologie auf das Jahr 1782*, 6. SCHILLERS M. 1796–1800, an dem neben GOETHE bedeutendste Dichter teilhatten:

1797: *Xenien,* 1798: *Balladen,* 1800: *Lied von der Glocke,* 7. SCHLEGEL-TIECKS M. Jena 1802f., 8. CHAMISSO und VARNHAGEN, HITZIG und KOREFF. *Grüner M.,* 1804–06, 9. *Linzer M.,* 10. KERNERS *Poetischer Almanach* 1812. 11. CHAMISSO und SCHWAB, *Dt. M.* 1832–39 (1830–1832 *Wendts M.*), ferner zahlr. regionale M.e des 19. Jh. von MÖRIKE, PICHLER, G. FREYTAG u.a., daneben durch die Konjunktur begünstigt viele seichte Produkte, schließlich nach Cottas M. 1891 zahlr. Verlags- →Almanache und nach Vorgang Göttingens 1896 versch. Universitäts-M.e. Zeitweise wurden die M.e durch die anspruchslosere Form des →Taschenbuchs verdrängt.

RL. – Bibliogr.: R. Pissin, Almanache d. Romantik, 1914; F. Lachèvre, *Bibliogr. de l'A. des M.,* 1765–1833, Paris 1928; M. Zuber, Dt. M.e u. schöngeist. Taschenb. 1815–1845; AGB 1, 1956–58; Y.-G. Mix, D. dt. M.e d. 18. Jh., 1987. →Almanach.

Musical (engl. *musical play* = musikalisches Schauspiel), populäre Nachfolgeform der →Operette, der kom. →Oper, der →Revue und des →Singspiels: musikal. Komödie mit meist undramat., teils iron. Stoffen aus Geschichte und Gegenwart, witzigem Sprechdialog und Gesangseinlagen, z.T. auch Chor und Ballett, riesigem Ausstattungsaufwand und Libretti, die meist nach lit. Vorlagen entstehen (Romane und Dramen von SHAKESPEARE, SHAW, DIKKENS u.a.) und in enger Zusammenarbeit von Librettist, Komponist, Arrangeur, Regisseur, Sängern, Tänzern und Schauspielern zu Glanzleistungen des Schaugeschäfts hochgezüchtet werden. Entstand in seiner heutigen Form um 1925 in den USA, bes. am Broadway, und gelangte nach 1945 über England auf den Kontinent. Bekannteste M.: J. KERNS *Show Boat* 1929; G.

GERSHWINS *Porgy and Bess* 1935; R. RODGERS' und O. HAMMERSTEINS *Oklahoma* 1943 und *South Pacific* 1949, I. BERLINS *Annie get your gun* 1946, C. PORTERS *Kiss me Kate* 1948, F. LOEWES *My Fair Lady* 1956, L. BERNSTEINS *West Side Story* 1957, M. STEWARTS *Hello Dolly* 1964, J. BOCK/J. ROBBINS *Fiddler on the Roof* 1964, G. McDERMOT *Hair* 1967, A. LLOYD WEBBERS *Jesus Christus Superstar* 1971, M. HAMLISCHS *A Chorus Line* 1975, ferner *Irene, Man of La Mancha, Evita* 1978, *Cats* 1982.

Q. Eaton, M. USA, 1949; C. Smith, M. *Comedy in America,* 1950, ²1981; J. Burton, *The Blue Book of Broadway M.,* 1952; D. Ewen, *The Story of America's M. Theater,* Philadelphia 1961; S. Schmidt-Joos, D. M., 1965; T. Vallance, *The American m.,* N.Y. 1970; S. Green, *Encyclopedia of the m.* London 1977; G. M. Bordmann, *The American m. theatre,* N.Y. 1978; H. Bez, M., ²1981; G. Bartosch, D. gze. Welt d. M., 1981; S. Pflicht, M.-Führer, 1985; J. Sonderhoff, M., 1986.

Musikdrama, von Th. MUNDT 1833 geprägte Bz. für e. musikal. Bühnenwerk von betont dramat. Struktur in Text und Vertonung, im Ggs. zu der nach Gesangsnummern abgeteilten, oft auch bei schlechtem →Libretto rein aus der Musik lebenden →Oper e. arienloses, durchgehend vertontes Werk, dessen dichter. und musikal. Elemente (Wort und Ton) sich gleichwertig gegenseitig ergänzen und zu e. Einheit durchdringen. In gewissem Sinn gilt schon das antike Drama als M., →Gesamtkunstwerk. Seine Renaissance am Ausgang des 16. Jh. in Florenz ordnete anfangs ebenfalls die Musik als Begleitung dem Wort, der Handlung, unter (PERI *Dafne* 1590, *Eurydice* 1600, MONTEVERDI *Orfeo* 1608), doch führte die Entwicklung der Oper zum Überwiegen der Musik, bis zu locker durch Handlung verbundenen Arien. Erst vor deren Auseinanderfall erfolgte die Besinnung auf den dramat. Ursprung und die Form des M.: so bei GLUCK, der mit *Orfeo* 1762 u. a. die Erneuerung der antiken Tragödie mit antiken Stoffen im musikal. Geiste erstrebte. R. WAGNER griff zu Stoffen der german. Mythologie, um aus dem nationalen Denken seiner Zeit heraus e. den antiken Festspielen gleichwertiges, doch arteigenes M. zu schaffen; auch R. STRAUSS und PFITZNER nähern sich dem M. Die dabei entstehenden Probleme der geistigen Einheit von Wort und Musik lösen WAGNER und PFITZNER durch selbstverfaßte →Libretti; GLUCK fand in CALSABIGI, R. STRAUSS in HOFMANNSTHAL e. kongenialen Librettisten. Die jüngere Entwicklung tendiert zur →Literaturoper.

M. Seidel, Oper u. Drama, 1923; C. Dahlhaus, R. Wagners M.n, 1971; C. Dahlhaus, V. M. z. Lit.oper, 1984; A. Ingenhoff, Drama od. Epos?, 1987. →Oper.

Musikerdichter, künstler. Doppelbegabungen als Dichter und Komponisten, im dt. Sprachbereich z. B. M. LUTHER, A. KRIEGER, J. H. SCHEIN, Chr. D. SCHUBART, H. W. WACKENRODER, R. SCHUMANN, P. CORNELIUS, B. v. ARNIM, E. T. A. HOFFMANN, A. v. DROSTE-HÜLSHOFF, F. GRILLPARZER, O. LUDWIG, F. HALM, R. WAGNER, F. NIETZSCHE, E. v. WOLZOGEN, C. ORFF, E. KRENEK u. a.

Musikerroman →Künstlerroman

Musiktheater, 1. Sammel- und Oberbegriff für sämtl. Verbindungen Wort, Handlung und Musik auf der Bühne: Oper, Operette, Singspiel, Musikdrama, Musical, Melodrama, Zarzuela, Ballett u. a. m. – 2. alle musikal. Bearbeitungsformen urspr. selbständiger lit. Vorlagen versep., erzähler. oder dramat.

Form; jüngst durch die Bz. →Literaturoper ersetzt. – 3. programmat. Bz. für einen im 20. Jh. entwickelten musikal.-szen. Gestaltungsstil, der im Ggs. zur traditionellen Oper zu e. neuen Synthese von Text, Schauspiel und Musik als gleichberechtigten Elementen des M. strebt und weder das Überwiegen des einen Elements noch die Indienstnahme der Musik als bloße Untermalung oder Gefühlsausdruck duldet.

W. Felsenstein, S. Melchinger, M., 1961; W. Felsenstein, J. Herz, M., ²1976; M. Vogel, M., III 1980–85; M. heute, hg. J. Kühn 1982; G. Friedrich, M., 1986; Pipers Enzykl. d. M., VIII 1986 ff.

Musteraufführung, von B. BRECHT eingeführte Methode zur Verbreitung seiner Inszenierungsformen eigener Dramen: von e. exemplarischen Aufführung (M.) werden die kritischen und bezeichnenden Situationen in Photoserien festgehalten und in den ›Modellbüchern‹ des ›Berliner Ensembles‹ mit Beschreibung, Materialien, Anmerkungen und Erläuterungen publiziert. Die M. sollen nicht Kopiervorlagen für andere Inszenierungen, sondern Denkanstöße für bessere Lösungen sein.

B. Brecht, Theaterarbeit, 1952.

Mutaqârib, das Versmaß der alt- und mittelpers. Versepik, Elfsilber der Form ◡ — — / ◡ — — / ◡ — — / ◡ —; meist in Reimpaaren verwandt; in neupers. Zeit allein dem großen Epos, etwa FERDAUSĪS *Shāh-Nāmé,* vorbehalten.

Muwaššaha, arab. Gedichtform: Strophengedicht mit zweizeiligen, meist reimgebundenen Einleitungsversen (markaz) und zwei Strophen zu je vier Zeilen, von denen die ersten drei (gusn) untereinander reimen, die vierte (simt) den Reim des Einleitungsverses aufgreift. Reimfolge: AA (oder xA) bbbA cccA

dddA usw.; bei Verwendung mundartl. Verse (→Karǧas) in vulgärarab. oder mozarab. Dialekt →Zé-
jel genannt. In Spanien entstanden,
in nachklass. arab. Lit. (IBN QUZ-
MAN) verbreitet, dann auch bei provenzal. Troubadours.

M. Hartmann, D. arab. Strophengedicht
I, 1897; S. Fiore, Üb. d. Beziehgn. zw. d.
arab. u. d. frühital. Lyrik, 1956.

Mysterienbühne, vermeintl. Rekonstruktion der Bühne ma. →My-
sterienspiele durch O. DEVRIENT
1876. Er folgerte aus der Tatsache,
daß Gott und die Engel im franz.
Mysterienspiel auf e. erhöhten Podest Platz hatten, e. dreistöckige M.
(Himmel, Erde, Hölle) und inszenierte entsprechend 1876 den *Faust.*
L. TRAUBE erwies 1880 die Auffassung als irrig.

L. Traube, Z. Entw. d. M., 1880.

Mysterienspiel (lat. *mysteria* = mit
gottesdienstl. Gebräuchen verbundene Geheimlehre), in England (mystery) und Frankreich (mystère) seit
dem 14. Jh. übl. Bz. für das aus der
Liturgie entwickelte →geistliche
Drama des MA. mit Stoffen aus
dem Leben Christi, insbes. →Pas-
sionspiel.

E. Prosser, *Drama and religion in the
Engl. mystery plays,* Stanford 1961; R.
Woolf, *The Engl. mystery play,* Lond.
1972. →geistl. Drama.

Mystifikation (griech.-lat.), allg.
verkleidende Täuschung (→Ver-
kleidete Lit.), bes. die Formen der
irreführenden Verfasserangabe
durch →Pseudonym, →Kryptonym,
→Allonym oder ›Anonymität‹, ferner lit. →Fälschungen und →Pseud-
epigrapha sowie irreführende Angaben über vermeintl. (fingierte) Quellen, Vorlagen (angebl. ›Übersetzungen‹), Verlag, Druckort und Erscheinungsjahr. Ihre Ursachen sind
polit. oder moral. Gründe zur Vermeidung von Verfolgung, mutwilli-
ges Versteckspiel, Herausforderung

an die Kritiker oder mißgeleitetes
Erfolgsstreben.

Mystik (griech. *mystikos* = geheimnisvoll, zu *myein* = die Augen schließen), interkonfessionelle
Frömmigkeitsform, die durch Abkehr von der Sinnenwelt und Versenkung in das eigene Sein die Trennung zwischen irrationaler Gottheit
und eigenbewußter, reiner Seele
schon im Diesseits überwindet und
zu vollkommener Einswerdung von
Menschenseele und persönl. Gott,
bzw. pantheistisch dem All, der
Weltseele, dem absoluten Sein führt
(unio mystica). Nach den seel.
Grundverhaltensweisen des Fühlens, Wollens und Denkens unterscheidet man überwiegend gefühlsbetonte, ›sensitive‹, willensstarke,
›voluntaristische‹ und gedankliche,
›spekulative‹ M. Ihnen gemeinsam
ist e. pantheistisch oder spirituali-
stisch ausgerichtete, auf dem Welt-
geheimnis aufbauende Weltanschauung. Die M. tritt als solche in
allen großen Religionsgemeinschaf-
ten der versch. Völker und Zeiten in
versch. Formen als umfassende,
auch geistesgeschichtl. bedeutsame
Bewegung auf und strebt nach Verinnerlichung des Glaubenslebens
unter Abstreifung äußerl. Formen:
in China (Taoismus), Indien (Natur-
M., Buddhismus, Brahmaismus), im
Islam und dem pers. Sufismus, in
der Antike von den Sieben Weisen
über die →Orphik bis zum Neuplatonismus (PLOTIN). Die frühchristl.
M. beginnt mit der *Offenbarung Johannis,* der Gnosis und dem Mani-
chäismus, ihre Ausbildung im
Abendland im Anschluß daran mit
AUGUSTINUS, der durch Entgrenzung des Menschlichen den Ausgleich zwischen Ich und Gott sucht.
DIONYSIOS AEROPAGITA und BOE-
THIUS *(Tröstungen der Philosophie)*
führen die M. auf dem Boden des

Neuplatonismus fort, und im ganzen MA. läuft neben der dogmat. Scholastik, Philosophie und Methodenlehre als deren großer Gegensatz e. myst. Strömung, die unmittelbares, visionäres Gotterleben und echtes relig. Gefühl aus dem übersteigerten Sakramentalismus freizulegen sucht: Papst GREGOR d. Gr. (Pastoralregeln), ANSELM VON CANTERBURY. Die vom dt. Theologen HUGO VON ST. VICTOR gegr. Pariser Schule (12. Jh.) schafft c. systemat. Stufenleiter von Meditation über das Göttliche bis zur Gottesschau, während ALBERTUS MAGNUS, THOMAS VON AQUINO und DANTE die unio mystica verstandesgemäß als Sehnsuchtswirkung Gottes auf den Menschen erklären. Als glühendster M.er jenseits bloßen Wissens wirkt BERNHARD VON CLAIRVAUX durch das ganze MA. bis zu LUTHER. — Die dt. M., die trotz roman. und spätantiker Einflüsse immer wieder zu eigendt. Frömmigkeit durchbricht und als geschlossene, oft von Laien getragene Bewegung bis ins 19. Jh. reicht, entsteht im 12. Jh. zuerst bes. in den Frauenklöstern Mitteldtls. (HILDEGARD VON BINGEN, MECHTHILD VON MAGDEBURG), den Bettelorden und Beginenhöfen. Den Höhepunkt nach DAVID VON AUGSBURG und BERTHOLD VON REGENSBURG bildet Meister ECKHART (1260–1327), der neben seiner stark philos.-spekulativen M. bes. als Sprachschöpfer für die Lit. Bedeutung gewinnt. Seinem Streben nach verinnerlichtem Selbst- und Gottesverständnis auf suprarationaler Basis folgen die ›Gottesfreunde‹, J. TAULER und H. SEUSE, dessen Autobiographie und *Büchlein der ewigen Weisheit* e. empfindungsstarke, lyr. dt. Kunstprosa ausbilden. Daneben stehen J. v. RUYSBROECK, G. GROOTE, THOMAS VON KEMPEN, GANSFORT und

LUDOLF VON SACHSEN, der die im Barock aufflammende, ekstat. und erot. eingekleidete M. der roman. Länder, bes. Spaniens (TERESA VON AVILA, JUAN DE LA CRUZ, IGNATIUS VON LOYOLA *Exercitia spiritualia*) beeinflußt. LUTHER hat anfangs Beziehungen zum franziskan. M.er BONAVENTURA und zu TAULER und gibt die myst. *Theologia deutsch* des FRANKFURTERS (Ende 14. Jh.) heraus. Nach der Reformation folgen Th. MÜNTZER und die Wiedertäufer, im Späthumanismus der protestant.-relig. Individualismus S. FRANCKS und die Naturphilosophie des PARACELSUS, von Valentin WEIGEL in e. System gebracht. E. neue Blüte brachte der Barock auch in Dtl.: Jakob BÖHMES spiritualist.-myst. Weltbild findet in seinem Kreis bei A. v. FRANCKENBERG, bes. aber D. CZEPKO, ANGELUS SILESIUS, Q. KUHLMANN und F. v. SPEE dichter. Gestaltung und wirkt schließlich auf die Ausbildung des →Pietismus. Nach e. Neubelebung im Sturm und Drang (HAMANN) und der Romantik (NOVALIS, BRENTANO) mündet die M. im dt. Idealismus. — Ihre Bedeutung für die Dichtung liegt in der Erschließung neuer seel. Bereiche für die sprachl. Gestaltung, die einerseits die Gemütskräfte und den Bilderreichtum der Sprache und andererseits den Erlebnisgehalt der Dichtung (um das Thema ›gottsuchende Seelen‹) bereichert.

W. Preger, Gesch. d. dt. M. i. MA., III, 1874–93, n. 1962; Ch. Janentzky, M. u. Rationalismus, 1922; J. Bernhart, D. philos. M. d. MA., 1923, ²1980; E. Lehmann, M. i. Heiden- u. Christentum, ³1923; J. Grabmann, D. Kulturwerte d. dt. M. d. MA., 1923; E. A. Peers, *Span. mysticism*, Lond. 1924; E. L. Schellenberg, D. dt. M., ²1924; L. Naumann, Dt. M., 1925; Van der Leeuw, M., 1925; H. Bornkamm, M., Spiritualismus u. d. Anfge. d. Pietismus i. Luthertum, 1926; G. Müller, Z. Bestimmg. d. Begriffs, ›altdt. M.‹, DVJ 4, 1926; O. Clemen, Dt. M.,

1926; J. Schuck, Dt. Frauen-M. d. MA.,
1926; G. Luers, D. Sprache d. dt. M. d.
MA., 1926, ²1966; R. Otto, Westöstl.
M., ³1971; E. Underhill, M., 1928; E.
Wechssler, Dt. u. franz. M., Euph. 30,
1929; RL; W. Muschg, D. M. i. d.
Schweiz, 1935, A. Stolz, Theologie d. M.,
1936; E. Hederer, M. u. Lyrik, 1941; F.
Meier, V. Wesen d. islam. M., 1943; F.
W. Wentzlaff-Eggebert, Dt. M. zwisch.
MA. u. Neuzt., ³1969; S. Cheney, V.
myst. Leben, 1946; W. R. Inge, *Christian
Mysticism*, Lond. ⁸1948; J. Tyciak, Mor-
genld. M., 1949; J. M. Clark, *The great
German mystics*, Oxf. 1949; H. S. Denif-
le, D. dt. M.er d. 14. Jh., 1951; E. A.
Peers, *Stud. of the Span. mystics*, Lond.
III 1951–60; H. A. Hatzfeld, *Estud. lit.
sobre mistica espan.*, Madrid 1955; G.
Walther, Phänomenologie d. M., ²1960;
G. Scholem, D. jüd. M., 1957; I. Behn,
Span. M., 1957; D. T. Suzuki, *Mysticism,
Christian and Buddhist*, N.Y. 1957; H.
Schlötermann, M. i. d. Rel. d. Völker,
1958; H. Kunisch, D. Wesen d. M., 1958;
R. C. Zaehner, M., 1960; T. Andreae,
Islam. M.er, 1960; J. Seyppel, M. als
Grenzphänomen u. Existenzial, DVJ 35,
1961; D. Baumgardt, *Great Western My-
stics*, N.Y. 1961; R. C. Zaehner, *Hindu
and Moslem Mysticism*, Oxf. 1961; H.
Silberer, Probleme d. M. u. ihrer Symbo-
lik, ²1961; W. T. Stace, *Mysticism and
philos.*, Lond. 1961; J. Schwietering, M.
u. höf. Dichtg. i. Hochma., ³1972; Altd.
u. altniederl. M., hg. K. Ruh 1964; J.
Bizet, D. geistesgesch. Bedeutg. d. dt. M.,
DVJ 40, 1966; H. Kunisch, D. ma. M. u.
d. dt. Sprache, LJb 6, 1966; K. H. Reng-
storf, Östl. Meditation u. christl. M.,
1966; L. A. Govinda, Grundlagen tibet.
M., ²1966; R. A. Nicholson, *The M. of
Islam*, Lond. ³1966; H. Dumoulin, Östl.
Meditation u. christl. M., 1966; D.
Knowles, Engl. M., 1967; S. Spencer, *Mysticism in world religion*, Lond. 1967; F.-
D. Maaß, M., 1972; S. E. Ozment, *Mysticism and dissent*, 1973; W. Beierwaltes,
Grundfragen d. M., 1974; F. Staal, *Exploring mysticism*, Berk. 1975; G. Parrinder, M., Oxf. 1976; B. Gorceix, *Flambée
et agonie*, Sisteron 1977; W. Riehle, Stud.
z. engl. M. d. MA., 1977; Epochen d.
Naturm., hg. A. Faivre, R. C. Zimmermann 1979; A. M Haas, Sermo mysti-
cus, 1979; A. Schimmel, Myst. Dimensionen d. Islam, 1980; G. Wehr, Dt. M.,
1980; Das einig Eine, hg. A. M. Haas
1980; R. C. Zaehner, M., 1981; P. C.
Almond, *Myst. experience and rel. doctrine*, Haag 1982; P. Grant, *Lit. of mysticism in Western tradition*, N.Y. 1983;
Große Mystiker, hg. G. Ruhbach 1984;
A. M. Haas, Geistl. MA., 1984; Frauen-
M. i. MA., hg. P. Dinzelbacher 1985;
Abendl. M. i. MA., hg. K. Ruh 1986; P.
Wacker, D. Geheimnis d. M., 1987; U.

Peters, Rel. Erfahrg. als lit. Faktum,
1988; G. J. Lewis u.a., Bibliogr. z. dt.
Frauen-M. d. MA., 1988; Gnosis u. M. i.
d. Gesch. d. Philos., hg. P. Koslowski; W.
Nigg, D. myst. Dreigestirn, 1988.

Mythe (griech. *mythos* = Fabel), 1.
→Mythos. – 2. als →einfache Form
die schlichte Nacherzählung myth.
Ereignisse oder aitiolog. Mythen
und Sagen.

A. Jolles, Einfache Formen, 1929, ⁶1982.

Mythographen (griech. →*mythos,
graphein* = schreiben), die (bes.
griech./lat.) Sammler und Aufzeich-
ner des →Mythos, vgl. →Mytho-
logie.

Mythologie (griech. →*mythos, lo-
gos* = Lehre), 1. Gesamtheit der
Mythen (→Mythos) e. Volkes. – 2.
Wissenschaft, die sich mit systemat.
Slg., Erforschung, Vergleichung und
Sinndeutung der Mythen befaßt
und daraus u. a. Aufschlüsse über
Wesen, Denkformen und Alter der
Kulturen gewinnt. Nach unkrit. An-
fängen bei antiken Mythographen
(HESIOD, KALLIMACHOS, APOLLO-
DORUS, PARTHENIOS, HYGINUS) ge-
winnt sie durch Vorgang von Giam-
battista VICO (*Scienza nuova 1725*)
ersten Auftrieb um 1800, bes. in der
Romantik: SCHELLING *Über My-
then, hist. Sagen und Philosopheme
der alten Welt* 1793. Chr. G. HEYNE
untersucht die antike philolog., F.
SCHLEGEL (*Über die Sprache und
Weisheit der Inder* 1808) und
BACHOFEN von der religionsphilos.,
K. P. MORITZ (*Götterlehre*, 1791)
von der poet. Seite, ferner CREUZER
Symbolik und M. der alten Völker
1810–12. Mit K. O. MÜLLERS *Prolegomena zu e. wiss. M.* 1825 beginnt e. mod. M. mit vergleichender
Mythenforschung, die auch Ergebnisse der Völkerkunde heranzieht:
A. KUHN und J. GRIMM *Dt. M.*
1835, M. MÜLLER. Die psychoanalyt. M. S. FREUDS erkennt im My-

thos die Gestaltung verdrängter Wünsche, die C. G. JUNGS Erfahrungen des kollektiven Unbewußten und Archetypen der Psyche. Die strukturale M. (G. DUMÉZIL, M. ELIADE, C. LÉVI-STRAUSS) sieht M. als symbol. Zeichensystem zur Erkenntnis und Strukturierung der Wirklichkeit.

Lit.: F. Strich, D. M. i. d. dt. Lit. v. Klopstock bis Wagner, II 1910, ²1970; J. J. Bachofen, D. Mythus v. Orient u. Occident, hg. M. Schröter 1926; H. J. Rose, *Modern Methods in Class. M.*, 1930; K. Kerényi, C. G. Jung, Einf. i. d. Wesen d. M., 1941, ⁴1951; G. Mensching, Gesch. d. Rel.wiss., 1948; J. de Vries, Forschsgesch. d. M., 1961; C. Ramnoux, M., Paris 1962; *M.s of the ancient world*, hg. S. N. Kramer, N.Y. 1962; E. B. Hungerford, *Shores of darkness*, Cleveland 1963; D. Bush, *M. and the renaiss. tradition of Engl. poetry*, N.Y. ²1963; J. E. Harrison, M., N.Y. 1963; N. Frye, *Fables of identity*, N.Y. 1963; C. S. Littleton, *The new comparative m.*, Berkeley 1966; K. S. Guthke, D. M. d. entgötterten Welt, 1971; J. J. White, *M. in the mod. novel*, Princeton 1971; H. Freier, D. Rückkehr d. Götter, 1976; R. Weimann, Lit.gesch. u. M., 1977; M. Wehrli, Antike M. i. christl. MA., DVJ 57, 1983; J. Fried, D. Symbolik d. Realen, 1985; Mythos u. M. i. d. Lit. d. 19. Jh., hg. H. Koopmann 1979. – Darstellungen d. german. M.: W. Golther 1895; E. H. Meyer 1903, J. v. Negelein 1912, J. H. Schlender, ⁶1937, H. Schneider 1938, F. v. d. Leyen 1938, W. Erbt 1941, J. de Vries (Altgerm. Rel. gesch. II) ²1957, R. Simek 1984. – Antike M.: Darstellgn.: Stoll-Lamer ⁷1885, K. Kerényi II 1951–58, H. J. Rose ³1969, F. Pfister 1956, R. Graves 1960, F. Graff 1985. – Lexika: W. H. Roscher 1884–1937, ²1965, H. Hunger 1953, ⁶1969, P. Grimal, Paris 1958, M. Grant 1964, A. R. A. Van Aken, N.Y. 1965, E. Tripp 1974. – Allg.: *Larousse Encycl. of m.*, hg. F. Guiraud N.Y. 1959, J. Campbell, *The masks of God*, Lond. IV 1962–68; E. Sykes, *Dictionary of nonclassical m.*, Lond. 1962, Wb. d. M., hg. H. W. Haussig 1962 ff.; *Asiatic m.*, hg. J. Hackin, Lond. ²1963, Mythen d. Völker, hg. P. Grimal III 1967, H. Gottschalk 1973. →Mythos.

Mythologische Umschreibung
→Metonymie

Mythopoiesis (griech. →*mythos, poiein* = schöpfen), Mythenschöpfung (→Mythos), die lit. Schöpfung neuer Mythen als poet. Weltdeutung, bes. in und seit der Romantik: GOETHE *(Faust)*, HÖLDERLIN, NOVALIS, engl. BLAKE, BYRON, KEATS, M. SHELLEY *(Frankenstein)* u.a.

M. Schlochower, M., Detroit 1970; K. Weissenberger, *M. in German lit. crit.*, YCC 9, 1980; P. A. Cantor, *Creature and creator*, Cambr. 1985; K. J. Skrodzki, Mythopoetik, 1986.

Mythos (griech. = Wort, Erzählung), Erzählung von Göttern, Dämonen und Helden, Ereignissen der Ur- und Vorzeit als ganzheitl. Weltaneignung und symbol. Verdichtung der allg. Urerlebnisse zu relig. Weltdeutung in der vorwiss. Frühzeit aller Völker mit enger Beziehung zu Kult und Ritual, oft bei gegenseitiger Berührung der Völker verschmolzen, verdrängt oder umgewandelt (dadurch Entstehung der Götterkämpfe u.ä.). Man unterscheidet drei Arten: 1. eigtl. M., den naive Einbildungskraft an Erfahrungstatsachen ableitet, so kosmogon. oder →Schöpfungs-M. (theogon. M.: Götterentstehung, anthropogon. M.: Menschenschaffung, eschatolog. M.: Weltende) und →aitiolog. Natur-M. als Erklärung von Naturerscheinungen (Donner, Ursprung und Eigenart der Tiere und Pflanzen) oder relig. Bräuchen, oft aus anthropomorpher Sicht, indem Naturgewalten in übermenschl. begabten, doch von menschl. Gestalt abgeleiteten Personen verkörpert werden, die später neben phys. auch eth. Kräfte erhalten. 2. halbgeschichtl. M. um früheste Kriege und Heroen, oft mit Götter-M. verschmolzen und durch phantast. Ausmalungen entstellt. 3. aus reiner Phantasiefreude entstandene, unbezogene M.en. – Die Deutung kennt zwei gegensätzliche Möglichkeiten: a) rational-allegor. aus unbeteiligter Distanz, z.B. die Unschädlichmachung griech. M.en im Frühchristentum durch allegor. Auslegung, b) irrational mit gefühlsmäßiger Annäherung: M. als Urdichtung und unerschöpfl., vorbildl. Quell der Poesie. In dieser Form begegnet auf späteren Kulturstufen voll Sehnsucht nach dem irrationalen, einheitlich gerundeten und dichterisch anschaul. Weltbild gegenüber der rationalen, differenzierten Zivilisation immer wieder der Versuch zur Mythisierung gewisser Bilder und Vorstellungen, die nach Durchgang durch das rationale Denken und die wiss. Erkenntnis dennoch als rational unfaßbare, ehrfürchtig hinzunehmende Symbole erkannt werden, den gefühlsmäßigen Untergrund ins Überwirkliche steigern und im erlebbaren Bild den relig. Gehalt verlebendigen. Die Beziehungen des M. zur Lit. führen zu deren beständiger Befruchtung als unerschöpfl. Stoffreservoir für die Lesbarkeit der Welt, indem sie nicht nur einzelne myth. Symbole verwendet, sondern auch ganze Mythen übernimmt, anreichert, kombiniert, aktualisiert und dichterisch ausformt (griech. Tragödie, Epen HOMERS, OVIDS Metamorphosen, Edda) oder neuschafft, selbst neue Mythen kreiert (Mythopoiesis: Faust, Don Juan), der rationalen Entzauberung der Welt Einhalt bietet und damit das Werk in alltagsferne, religiös-werthaltige Bereiche erhebt: GOETHES Faust II, die Romantik mit wiss. Forschung und Versuchen zur Wiederbelebung des M., WAGNERS Gestaltung german. M.en, HEBBELS Moloch, M.-Bestandteile in G. HAUPTMANNS Werk als Überwindung des Allzumenschlichen, GEORGE-Kreis, Expressionismus (BARLACH), J. JOYCE, H. BROCH, Th. MANN (Josephsromane) als Psychologisierung des M.

C. M. Gayley, The classic M.s in Engl.

Lit. and in Art, Boston ²1939; W. Nestle, V. M. z. Logos, 1940, ³1975; A. Bäumler, V. Winckelmann z. Bachofen, 1937; P. Philippson, Unters. üb. d. griech. M., 1944; E. Ruprecht, D. Aufbruch d. romant. Bewegg., 1948; R. Mühlher, Dichtg. d. Krise, 1951; E. Howald, D. M als Dichtg., 1951; D. S. Norton, P. Rushton, Classical m.s in engl. lit., N.Y. 1952; W. Emrich, Symbolinterpretation u. M.enforschg., Euph. 47, 1953; J. L. Seifert, Sinndeutg. d. M., 1954; M., hg. T. A. Sebeok, Bloomington 1955; E. Grassi, Kunst u. M., 1956; Myth and mythmaking, hg. H. A. Murray, N.Y. 1960; E. M. W. Tillyard, Some mythical elements in Engl. lit., Lond. 1960; H. Musurillo, Symbol and m. in ancient poetry, N.Y. 1961; J. de Vries, D. M., DU 13, 1961; W. F. Otto, M. u. Welt, 1962; E. Ternoo, De mythe in de lit. (Handelingen van het 27. Nederl. Filologencongres, Groningen 1962); N. Frye, Myth and symbol, Lincoln 1963; RL; J. Kleinstück, M. u. Symbol i. engl. Dichtg., 1964; M. Hochgesang, M. u. Logik i. 20. Jh., 1965; H. Moser, M. u. Epos, 1965; J.-P. Vernant, Mythe et pensée chez les Grecs, Paris 1965; H. Rahner, Griech. Mythen i. christl. Deutg., ³1967; G. Schmidt-Henkel, M. u. Dichtg., 1967; D. Hoffmann, Barbarous knowledge, Oxf. 1967; J. B. Vickery, M. and lit., Nebraska 1967; H. Dickinson, M. on the mod. stage, Urbana 1969; G. S. Krik, M., Berkeley 1970; H. Schlochower, Mythopoesis, Detroit 1970; H. Weinrich, Erzählstruktur d. M. (in ders.: Lit. f. Leser, 1971); N. Frye, Lit. and m. (Poétique 2, 1971); B. A. Beattie, Patterns of m. in medieval narrative (Symposium 25, 1971); B. Ostendorf, D. M. i. d. Neuen Welt, 1971; Terror und Spiel, hg. M. Fuhrmann 1971; R. Caillois, Le m. et l'homme, Paris 1972; H. Hatfield, Clashing m.s in German lit., Cambr., Mass. 1974; W. Righter, M. and lit., Lond. 1975; K. K. Ruthven, M., Lond. 1977; N. Frye, Lit. u. M. (Interdisziplinäre Perspektive d. Lit., 1977); A. Horstmann, D. M.begriff v. frühen Christentum b. z. Gegenwart, AfB 23, 1979; M. u. Mythol. i. d. Lit. d. 19. Jh., hg. H. Koopmann 1979; H. Blumenberg, Arbeit am M., 1979; O. Huber, M. u. Groteske, 1979; W Haug, 7, Verh., u. Lit. (Dt. Lit. i. MA., hg. C. Cormeau 1979); G. Durand, Figures myth. et visages de l'œuvre, Paris 1979; A. Cook, M. and language, Bloomington 1980; T. R. Spivey, The journey beyond tragedy, Orlando 1980; H. Gockel, M. u. Poesie, 1981; E. Gould, Myth. intentions in mod. lit., N.Y. 1981; R. Trousson, Thèmes et m., Brüssel 1981; C. Petersen, M. im AT., 1982; M. Eigeldinger, Lumières du m., Paris 1983; M. u. Moderne, hg. K. H. Bohrer 1983; H. Fisch, A remembered *future,* Bloomington 1984; Mythographie d. frühen Neuzt., hg. W. Killy 1984; G. Febel, M. u. Verdacht, 1984; R. Panikkow, Rückkehr z. M., 1985; K. Hübner, D. Wahrh. d. M., 1985; G. Picht, Kunst u. M., 1986; M. Palencia-Roth, *M. and the mod. novel,* N.Y. 1987; G. v. Graevenitz, M., 1987; *M. and m.making in the French theatre,* hg. E. Freeman, Cambr. 1988; M. Eliade, M. u. Wirklichkeit, 1988. →Mythologie.

Nachahmung der Natur →Mimesis, der lit. Tradition →Imitation, e. Einzelwerkes →Pastiche

Nachdichtung, 1. freiere →Übersetzung als Versuch e. kongenialen Nachschöpfung mit inhaltl., gehaltl. und formalen Freiheiten wie Transponierung des Milieus, Aktualisierung von Details, versch. Sprachebene oder gehaltl. Akzente, z.B. mhd. Artusepen, HÖLDERLINS SO-PHOKLES-, GEORGES DANTE- und SHAKESPEARE-N. – 2. lit. Nachschöpfung aufgrund e. wortwörtl. Übersetzung des Originals aus e. dem Nachdichter unzugängl. Fremdsprache. – 3. Übersetzung aus zweiter Hand nach e. Übersetzung e. dem Übersetzer nicht zugängl. (z.B. ind., chines., japan.) Originals in e. dritte Sprache.
W. Poethen, Grenzen d. N. (Neuphil. Zs. 3, 1951); K. Wais, Übs. u. N. (Komparatistik, hg. H. Rüdiger 1973); ders., Üb. d. Kunst d. N., WB 19, 1973. →Übersetzung.

Nachdruck, 1. →Emphase. – 2. unveränderte Neuauflage (→Reprint) oder Zwischenauflage (Nachschußauflage) e. Schriftwerkes durch den berechtigten Verleger oder e. urheberrechtsfreien älteren Werks (bes. Standardwerks) zum Zweck allg. Zugänglichkeit. – 3. unberechtigte Vervielfältigung durch Abdruck e. bereits gedruckten Schriftwerkes zur unrechtmäßigen Teilhabe am Absatzerfolg vielgefragter Bücher, bis zur gesetzlichen Regelung des →Urheberrechts, bes. in der 2. Hälfte des 18. Jh. (›N.-Zeit‹) häufige und gefürchtete Plage der Autoren und Verleger, zumal die N.-Exemplare honorarfrei und daher billiger auf den Markt kamen als die Originalausgaben, deren Absatz beeinträchtigten, z.T. aber auch verstümmelt und entstellt waren, so daß sie für die Textkritik belanglos bleiben. Die unberechtigten ›Raubdrucke‹ geschützter Werke durch linke Gruppen um 1970 zeigen ähnliche Mißachtung geistigen Eigentums.
H. Rosenfeld, Z. Gesch. v. N. u. Plagiat, AGB 21, 1970.

Nacherzählung →Paraphrase

Nachgelassene Werke →Nachlese

Nachgesang, an e. Lied angehängte, oft übermütige bis sinnlose, alberne Strophe, die auf die gleiche Melodie gesungen wird, bes. bei Wander- und Kommersliedern.

Nachklassiker, allg. Bz. für die Dichter nach der klass. Epoche (mhd. oder Goethezeit), doch im Ggs. zu →Epigonen die bedeutenderen derselben.

Nachlaß →Nachlese

Nachlese, →postume Slg. einzelner Werke eines Dichters, die nicht zu Lebzeiten in die gesammelten Werke aufgenommen wurden, teils anderweitig erschienen waren oder sich als sog. nachgelassene Werke unveröffentlicht bzw. unvollendet im Nachlaß fanden.
D. Nachlaßedition, hg. L. Hay 1979; Nachlaß- u. Editionsprobleme, hg. M.-L. Roth 1981.

Nachrede →Epilog

Nachruf, →Echo, →Nekrolog

Nachschöpfung →Nachdichtung

Nachschrift, 1. abgekürzt N. S. (lat. *post scriptum, P. S.*), nachträglicher Zusatz zu e. Brief oder Schriftwerk. – 2. heimliche hs. Abschrift e. Werkes als Grundlage e. unrechtmäßigen →Nachdrucks.

Nachspiel, kurzes selbständiges, meist einaktiges und oft heiter-burleskes, volkstüml.-drast. Spiel (auch Pantomime oder Ballett) zur Aufführung im Anschluß an ein größeres, abendfüllendes ernstes Stück, doch ohne Bezug zu dessen Handlung. Als ›comic relief‹ der unterdrückten Lebensfreude in allen Epochen bis zum 19. Jh. vertreten: das →Satyrspiel der griech. Tetralogien, das röm. →Exodium (meist →Atellane), die →Sotternien und →Kluchten des MA., die schwankhaften N.e der humanist. Schuldramatiker und Rederijkers und als 1. dt. N. das vom *Bauern Mopsus* (1581), ferner die gesungenen →Jigs der Englischen Komödianten und die Pickelhering-Possen des 16. Jh. sowie die →Hanswurstspiele des 17./18. Jh. im Anschluß an die →Haupt- und Staatsaktionen. Nach Vorbild der holländ. Kluchten, der N.e MOLIÈRES und der Commedia dell'arte nahm in Dtl. die Wandertruppe des Magister VELTEN N.e in ihren Spielplan auf. Im 18. Jh. schufen u.a. J. U. KÖNIG, J. T. QUISTORP und die GOTTSCHEDIN regelmäßige einaktige N.e, oft Schäferspiele, zum Ersatz des Hanswurstspiels. Um 1800 erlischt die Mode, N.e aufzuführen.

RL.

Nachkritik, die unmittelbar nach Schluß der Vorstellung geschriebene, am Morgen darauf bereits in der Zeitung verbreitete Theaterkritik. Sie wurde in der 2. Hälfte des 19. Jh. bei zunehmendem Aktualitäts-

streben konkurrierender Zeitungen die Regel, der sich auch FONTANE, K. FRENZEL, P. SCHLENTHER u.a. unterwarfen. Vielfach angegriffen, weil der Zeitdruck ein ausgereiftes Urteil unmöglich mache und einem bloßen geistreich- epigrammat. Geplänkel Vorschub leiste, wurde sie z.T. durch einen Vorbericht ersetzt, dem tags darauf eine ausführlichere, abgewogene Hauptkritik folgte, dann durch Goebbels 1936 ganz verboten und lebte nach 1945 nur z.T. wieder auf.

Nachtrag, aktualisierende Ergänzung eines Werkes im Hinblick auf Ereignisse während der Herstellungs- oder Verbreitungszeit in Form von Anhängen, Beiheften oder →Supplement-Bänden.

Nachtstück, in der Malerei die Nachtszene in Helldunkel bei Mond- oder Kunstlicht (CARAVAGGIO, REMBRANDT); danach in der Lit. kurze Erzählform der Romantik (E. T. A. HOFFMANN, *N.e,* 1817, BONAVENTURAS *Nachtwachen,* 1804 u.a.), die sich in nächtl. Szene teils mit Spuk- und Geistererscheinungen, teils mit seltsamen seel. Erscheinungen und psych. Erkrankungen, also den abnormen ›Nachtseiten‹ der Natur und des Menschen befaßt, Phantastisches und Realistisches mischt und vielfach ins Groteske mündet.

J. Leopoldseder, Groteske Welt, 1973.

Nachtwächterlied, volkstüml. Lied des Nachtwächters mit Stundenausruf, Festtagsankündigung und allg. sittl. Ermahnungen; von F. DINGELSTEDT (*Lieder eines kosmopolitischen Nachtwächters,* 1841) zur Verspottung biedermeierl. Untertanengeists parodiert.

Nachwort, dem Hauptwerk nachgestellte Bemerkungen des Verfassers zum vorangegangenen Text oder erläuternde Betrachtungen eines Herausgebers meist mit ähnlicher Funktion wie das →Vorwort.

Lit. →Vorwort.

Nâdagama, singhalesische musikalische Volksdramen in West-Ceylon, im 18. Jh. entwickelt und im 19. Jh. weit verbreitet.

Nadal-Preis →Literaturpreise

Nadrealismus (serb. = Überrealismus), jugoslaw. Form des →Surrealismus, von seinem franz. Vorbild durch bewußt klassenkämpferischkommunist. Haltung unterschieden und daher bis heute nachwirkend. 1930 in Belgrad durch e. Gruppe junger Schriftsteller gegründet: A. Vučo, D. Matić, M. Dedinac u. a.

Nänie (lat. *nenia* = Leichengesang), in der Frühzeit des antiken Rom Trauer-, Preis- und Klagelied auf Verstorbene von deren weibl. Verwandten oder gemieteten Klageweibern unter Anführung der ›praefica‹ beim Leichenbegräbnis vor dem Trauerhause, während der Prozession an der Totenbahre als mag. Beschreien zu Flötenbegleitung, später erstarrt, schon bei Naevius, Plautus und Lucilius in Verruf und Verachtung geraten und durch die →Laudatio funebris verdrängt, nicht lit. und daher nicht erhalten; in augusteischer Zeit als Stück alter Volksfrömmigkeit beim Tode großer Persönlichkeiten vergeblich wieder zu beleben versucht; schließlich lit. Grabgedicht allg. Ovids N. auf Messala ist verloren, nicht dagegen die Parodie der N. in Senecas *Apocolocyntosis* 12, Klaganapäste auf Kaiser Claudius. In der Neuzeit z. B. Goethes *Euphrosyne,* Schillers *N.* →Epikedeion, →Threnos.

H. de la Ville de Mirmont (*Revue de philol.* 26, 1902); RE; O. Brinkmann (D. humanist. Gymnas. 43, 1932).

Nagauta (japan. = Langgedicht) oder Chōka, frühjap. Gedichtform bis zum 8. Jh., besteht im Ggs. zum →Tanka aus mehr als fünf Versen von anfangs unregelmäßiger, später zwischen 5 und 7 regelmäßig wechselnder Silbenzahl mit e. Siebensilber als Abschluß (5-7-5-7-5-7-7) und ist durch komplexe Epitheta ausgeschmückt; auch für ep. Stoffe.

W. P. Malm, *N.,* N.Y. 1962.

Naive (franz. *naïf* = kunstlos), allg. der Typ des unreflektiert Handelnden aus innerer Harmonie u. natürl. Grazie; im Bühnenfach: Jungmädchendarstellerin.

H. Schlüchtern, D. Typus d. N. i. Drama d. 18. Jh., 1910, n. 1976; W. Donner, D. naive Typus als dramat. Figur, Diss. Köln 1967.

Naive und sentimentalische Dichtung (franz. *naïf* v. lat. *nativus* = angeboren; franz. *sentimental* = empfindsam, gefühlvoll). Schillers Abhandlung *Über n. u. s. D.* in den *Horen* 1795/96 entwickelt unter dem Eindruck des Wesensunterschiedes zwischen ihm und Goethe, den er schon im Brief an Goethe vom 23. 8. 1794 in das Gegensatzpaar intuitiv-spekulativ gefaßt hatte, die erste umfassende Typologie der Dichtung: der naive Dichter ist Natur, Genie, steht im Einklang mit der ursprüngl. Schöpfung und strebt unbekümmert als Realist nach ›möglichst vollständiger Nachahmung des Wirklichen‹, Erfüllung im Irdischen, in der ›Kunst der Begrenzung‹ (Antike, Shakespeare, Goethe); der sentimentalische Dichter dagegen sucht aus der Distanz nach der – durch Kultur und Zivilisation verlorenen – Einheit mit der Natur und sieht in ihr e. erstrebenswertes Ideal, das er als Idealist in der Darstellung der Idee verkörpert: ›Kunst des Unendlichen‹; Satire, Elegie, Idylle sind seine typ. Gattungen (SCHILLER selbst und die neueren Dichter). Beide schöpferische Grundhaltungen schließen einander nicht aus, sondern ergänzen sich zum Ideal schöner Menschlichkeit durch innige Verbindung von Natur und Kunst, wie sie die dt. Klassik erreicht. – SCHILLERS Abhandlung verdrängt die antike Theorie der drei →Stilarten und bestimmt in seiner antithet. Erfassung des Schöpferwesens weithin die nachfolgende Kunsttheorie: Frühromantik (Brüder SCHLEGEL): klassisch-romantisch, objektiv-interessant; NIETZSCHE: appollinisch-dionysisch, statisch-dynamisch usw.

RL; H. Meng, Schillers Abh. ›Üb. n. u. s. D.‹, 1936; P. Weigand, A Study of Schiller's ›Üb. n. u. s. D.‹, N.Y. 1952; W. Binder, D. Begriffe n. u. s., SchillerJb. 4, 1960; J. Hermand, Schillers Abhandlg., PMLA 1964; P. Szondi, D. N. ist das S., Euph. 66, 1972; H. Jäger, Naivität, 1975.

Namengebung, dichterische bzw. literarische Onomastik, die Benennung fiktiver lit. Figuren, dient als lit. Mittel der zusätzl. signalisierenden Charakterisierung oder Typisierung derselben und der Evokation von Gefühlen, indem sie etwa 1. auf existierende bekannte (verkörperte) Namen und deren Assoziationen zurückgreift (Faust, Kohlhaas, Woyzeck; bes. in der Tragödie), 2. durch klassifizierende Namen auf nationale, relig., kulturelle u.a. Gruppenzugehörigkeit verweist (Nathan, Lady Milford; bes. im 19. Jh.), 3. durch klangsymbol. Namen verspottet (Daradiridatumtarides, Siebenkäs; bes. Jean Paul, Romantik) oder 4. durch sprechende (redende) Namen mit durchsichtiger oder assoziativer Etymologie bestimmte Eigenschaften des Trägers suggeriert (Wurm, Grünlich, Leverkühn; bes. in Komödie und Lehrdichtung). Namensverzicht dagegen, wo nicht aus vorgeblicher Dezenz (Marquise von O***), schafft

Gesichtslosigkeit (Josef K.) oder Anonymität (Nouveau Roman). Sprechende Namen, die schon in der Namenwahl Charaktere und Typen andeuten, kennt bereits die ›neue Komödie‹ der Antike, indem sie Bürger, Verliebte, Sklaven und Hetären durch bestimmte Namen in ihrer Standes- und Charakterzugehörigkeit kennzeichnet. E. Reihe antiker Namen, so bes. die der Schäfer- und Liebesdichtung (Daphnis, Chloe, Corydon) bleiben bis ins 18. Jh. für die Gattungen verbindlich. Die Namen der klass. Dichtungen, bes. bei GOETHE und HÖLDERLIN, sind ebenfalls großenteils aus der Antike entlehnt (Hyperion, Bellarmin, Diotima), verbinden sich jedoch mit dem Wesen der bezeichneten Persönlichkeiten (Mignon, Jarno, Werther). Schon Lustspiel und Roman des 18. Jh. liebten sprechende Namen. Das realist. 19. Jh. (KELLER, FONTANE, RAABE) verwendet große Sorgfalt auf wesensgemäße N., meisterhaft, weil am wenigsten auffällig und am tiefsten eingängig bei G. HAUPTMANN, R. HUCH und Th. MANN, deren Namen sich ohne Widerstand den dichter. Gestalten anfügen.

Ch. Sennewald, D. N. b. Dickens, Diss. Bln. 1936; E. Berend, D. N. b. Jean Paul, PMLA 57, 1942; F. Dornseiff, Redende Namen (Zs. f. N'forschg. 16, 1940); B. Boesch, Üb. d. N. mhd. Dichter, DVJ 32, 1958; R. Gerber, Z. N. b. Defoe (Fs. W. Hübner, 1964); H. Kunstmann, Sprechende Namen d. poln. Avantgarde-Dramatik (Welt d. Slaven 10, 1965); G. Eis, V. Zauber d. Namen, 1970; H. P. Schwake, Z. Frage d. Namensymbolik i. höf. Roman, GRM 20, 1970; S. Tyroff, Namen b. Th. Mann, 1975; E. M. Rajec, Literar. Onomastik, Bibliogr. 1977; dies., The study of names in lit., II 1978–81; H. Birus, Poet. N., 1978; H. Thies, Namen i. Kontext v. Dramen, 1978; P. L. Bodman, N. Wolterstorff u.a., Poetics 8, 1979; W. F. H. Nicolaisen, Üb. Namen i. d. Lit. (Namenkundl. Inform. 38, 1980); W. Seibicke, D. Personennamen i. Dt., 1982; D. Lamping, D. Name i. d. Erzählg., 1983; W. Wittstruck, D. dichter. Namengebrauch i. d. dt. Lyr. d. SpätMA., 1987;

H. Birus, Typologie lit. Namen, LiLi 17, 1987.

Nandî, einleitender Segensspruch und Preis Shivas als Eröffnung des klass. ind. Dramas.

Nani, polynes. Liebeslieder.

Narọdniki (russ. *narod* = Volk) oder Populisten, ›Volkstümler‹, e. Gruppe russ. Schriftsteller um 1860–90, die im Gefolge der vorrevolutionären sozialist. Bewegung aus eigener Anschauung das Leben des einfachen Volkes (Bauern, Kleinbürger) in meist skizzenhaften Erzählungen und Romanen darzustellen versuchten, teils in idealist. Schönfärbung des Gemeinschaftsgeistes, teils auch mit aufklärender Aufzeigung der Rückständigkeiten und Verdorbenheiten: N. G. POMALOVSKIJ, G. USPENSKIJ, V. A. SLEPCOV, A. I. SEVITOV, P. V. ZASODIMSKIJ, N. N. ZLATOVRATSKIJ u. a. F. Venturi, *Il populismo russo,* Turin II 1952 (engl.: *Roots of revolution,* N.Y. 1960); R. Wortman, *The crisis of Russian populism,* Cambr. 1967.

Narodnost (russ. = Nationalcharakter), Forderung des →sozialistischen Realismus, daß die Literatur typ. nationale und volkstüml. Gedanken und Charaktere in eigenständigen Formen wiederzugeben habe, im Ggs. zu wurzellosem Kosmopolitismus.

Narr →Narrenliteratur

Narratịvik, Narratologie (lat. *narrare* = erzählen), neue Bz. für die mod. allg. Erzählforschung und linguist.-semiot. Erzähltextanalyse als Untersuchung der Gattungspoetik der →Epik allg., Erzähltheorie (→Erzähler, →Erzählzeit, →Perspektive) und typ. Erzählsituationen im kommunikativen Prozeß.

Narrator (lat. =) →Erzähler, heute insbes. der Erzähler oder Ansager im modernen →epischen Theater, der mit seinen Kommentaren und Reflexionen die Handlung auf anderer Ebene unterbricht bzw. die einzelnen Episoden der Handlung erst deutend zu einem Ganzen zusammenfügt.

Narrenliteratur, satir.-didakt. Dichtung, die menschlich-geistige Schwächen, moral. Fehler und öffentl. Mißstände der Zeit in Verkleidung des Närrischen als Krankheiten des Geistes lächerlich darstellt und scharf geißelt oder andererseits gerade in den Mund des Narren Wahrheiten legt, die e. anderer verschweigen müßte. Das unterscheidet sie von den törichten Narren der Schwankbücher (Klaus Narr, Lalebuch = Schildbürger). Im AT., Antike und MA. vorgebildet, tritt die N. häufig auf in Zeiten großer geistiger Umwälzung, bes. im Zeitalter des Humanismus und der Reformation im alemann. Raum. Als Personifizierung der Narrheit verdrängt seit S. BRANT der ›Narr‹ den früheren ›tôre‹ oder ›gouch‹ und erscheint als solcher auch in Fastnachtsspiel, Schwank, →Sottie, bes. aber in der Moral- und Kultursatire, daneben in kirchl. Satire (festum stultorum = Narrenfest unter Vorsitz e. Narrenpapstes als ma. Volksfest in der Weihnachtszeit, anknüpfend an uralte Fastnachtsbräuche teils myth. Herkunft) und den scherzhaften akadem. Quodlibetquästionen, z.B. JODOCUS' *Monopolium et societas vulgo des Lichtschiffs,* 1489. Einkleidungsformen der N. sind teils die der Narrenzunft, Gerichtsverhandlungen, Narrenmühlen, -fresser, -schneider u. a., bes. das Narrenfahrzeug: Narrenkarren oder -schiff. Die Einleitung der Hochblüte bildet S. BRANTS *Narrenschiff* (1494), als Geißelung menschl. Schwächen und Torheiten von den Humanisten hochgefeiert, von J. LOCHER 1497 ins Lat. übersetzt und von größtem Einfluß auf das Geistesleben, die Predigtlit. und bes. die Satiren der Zeit: ERASMUS *Encomium moriae (Lob der Torheit*, 1511), dt. von S. FRANCK, FLAYDERS *Moria rediviva*, MURNERS *Narrenbeschwörung, Schelmenzunft, Gäuchmatt, Von dem großen Lutherischen Narren*, FISCHART, GEILER VON KAISERSBERG, GENGENBACH, H. SACHS u.a., als letzte große Nachfahren am Ausgang des Barock ABRAHAM A SANCTA CLARA *(Judas der Ertzschelm* 1686, *Der Narrenspiegel)*, Chr. WEISE *(Ertz-Narren*, 1672) und J. BEER *(Narren-Spital*, 1681). Im Ggs. zu dieser Verkehrung der Torheit ins Narrenkostüm steht die seit dem 14. Jh. an Fürstenhöfen eingeführte Rolle der Hofnarren als der weisen Narren. Auch sie sollen anfangs den Hofstaat unter der Maske des Narren unterhalten, und ihre Erzählungen und Schwänke finden im *Pfaffen von Kalenberg*, im *Klaus Narr* u.a. (später in den Narrenbüchern F. v. d. HAGENS gesammelt) lit. Niederschlag, doch gewinnen sie bis zu ihrer Abschaffung seit Übernahme der franz. Hofetikette oft großen polit. Einfluß auf ihre Herren und dürfen als einzige unter der Maske der Narrheit die Wahrheit sagen. In dieser Gestalt – als weiser Narr in törichter Welt – leben sie in SHAKESPEARES Narrengestalten (bes. *König Lear)* und GRIMMELSHAUSENS *Simplicissimus* 1668 wie in den →komischen Personen der Engl. Komödianten, Commedia dell'arte und Wiener Volkskomödie fort. Der weise Narr feiert Auferstehung in der Romantik (TIECK, BRENTANO, EICHENDORFF, BÜCHNER, *Leonce und Lena*, MUSSET, *Fantasio*, NESTROY), bei G. HAUPT-

MANN *(Schluck und Jau)* und J. HASEK *(Schwejk)*, im grotesken Drama des 20. Jh. (BRECHT, PRIESTLEY, *Take the fool away*, BECKETT, *Warten auf Godot*, DÜRRENMATT, *Die Physiker)* und der Narr als Tor bei WIELAND *(Abderiten)*, JEAN PAUL, IMMERMANN und in K. A. PORTERS *Ship of fools*.

C. F. Flögel, Gesch. d. kom. Lit., IV 1784–87; ders., Gesch. d. Hofnarren, 1789; A. F. Nick, D. Hof- u. Volksnarren, II 1861; O. Monkemöller, Narren u. Toren i. Satire, Sprichwort u. Humor, 1912; O. M. Busby, *Studies in the development of the fool in Elizabethan drama*, Lond. 1923; RL; W. Gaedick, D. weise Narr i. d. engl. Lit. v. Erasmus bis Shakesp., 1928; B. Swain, *Fools and Follies*, N.Y. 1932; E. Welsford, *The fool*, Lond. 1935, ²1968; H. Goldsmith, *Wise fools in Shakespeare*, ²1958; H. Wyss, D. Narr i. schweiz. Drama d. 16. Jh., 1959; E. H. Zeydel, *The ship of fools*, ²1962; W. Kaiser, *Praisers of folly*, Cambr./ Mass. 1963; W. Welzig, Beispielhafte Figuren, 1963; R. Klein, *The theme of fool and humanist irony (Archivio di filosofia* 3, 1963); K. J. Northcott, *The fool in early new high German lit. (Essays in German lit.* I, hg. F. Norman, Lond. 1965); K. G. Knight, *17th century views of human folly* (ebda.); W. Promies, D. Bürger als Narr, 1966; B. Könneker, Wesen u. Wandlg. d. Narrenidee i. Zeitalter d. Humanismus, 1966; A. Pompen, *The Engl. versions of the ship of fools*, N.Y. 1967; J. Lefebvre, *Les fols et la folie*, Paris 1968; C. Träger, Üb. d. soz. Wesen d. lit. Narrenbeschwörg. (in ders.: Stud. z. Lit.theorie, 1970); G. Hess, Dt.-lat. Narrenzunft, 1971; G. Baumgaertel, Formen d. Narrenexistenz in d. dt. Lit. d. 50er u. 60er Jahre *(Revue des langues vivantes* 38, 1972); A. Bodensohn, D. Provokation d. Narren, III 1972–75; H. Rosenfeld, Brants Narrenschiff (Fs. H. Widmann, 1974); W. Deufert, Narr, Moral u. Gesellsch., 1975; G. Baschnogel, Narrenschiff u. Lob d. Torheit, 1979; H.-J Mähl, Narr u. Picaro (Fs. A. Beck, 1979); D. Kartschoke, N. (Einf. i. d dt. Lit. d. 12.–16. Jh., 1981); K. Manger, D. Narrenschiff, 1983; S. Billington, *A social hist. of the fool*, Lond. 1986.

Nasīb (arab.), die erot. Einleitung der →Kasside oder des Ghasel.

Nâtaka, verbreitete Gattung des ind. Dramas mit e. Stoff aus der heiligen Überlieferung und e. Gott, Heiligen oder König als Helden.

Nationalbibliographie →Bibliographie

Nationalbibliothek, Zentral→bibliothek e. Staates mit der Aufgabe, das gesamte im In- und Ausland erschienene Schrifttum in der Nationalsprache, ggf. auch das fremdsprachige Schrifttum über die Nation, zu sammeln und bibliographisch zu erschließen, daher meist Entstehungsort der National→bibliographie und Sammelstelle für →Pflichtexemplare. Sie entstanden als staatl. Gründungen (British Library, →Deutsche Bibliothek, → Deutsche Bücherei) oder durch Verstaatlichung ehem. Fürstenbibliotheken (Bibliothèque Nationale, Paris, aus der Bibliothek der franz. Könige, Österr. N. aus der ehem. Hofbibliothek).

Nationalepos (lat. *natio* = Volk, griech. →*epos*), dasjenige → Heldenepos e. Volkes, das wegen seiner dem Volkswesen angepaßten Grundhaltung und seiner Behandlung national bedeutsamer Ereignisse aus der Zeit der Volkwerdung bei e. Nation weiteste Verbreitung und Beliebtheit gefunden hat. Als Mythisierung der Frühgeschichte und Reflexion des histor. Selbstverständnisses und Nationalcharakters gehört es zum Bildungskanon und bietet späteren Generationen ein allerdings fragwürdiges, weil ahistor. Identifikationsmuster: babylon. *Gilgameschepos,* ind. *Mahâbhârata* und *Râmâyana,* pers. *Shâh-Nâmé,* griech. *Ilias,* röm. *Aeneis,* dt. *Nibelungenlied,* franz. *Chanson de Roland,* span. *Cid,* portugies. *Lusiaden,* engl. *Beowulf,* russ. *Igorlied,* georg. *Der Mann im Pantherfell,* finn. *Kalevala,* estn. *Kalevipoeg* usw.

Nationalhymne (lat. *natio* = Volk, griech. →*hymnos*), allg. bekanntes und bei patriot.-festl. Gelegenheiten im Chor gesungenes vaterländ. Lied als Symbol der Zusammengehörigkeit e. Volkes. Die Bz. →Hymne ist unzutreffend, die dichterischen und musikal. Werte der N. sind infolge des Massenappells gering, werden jedoch durch e. unwillkürl. Gefühlsgehalt aus der Bedeutung der N. ersetzt; meist aus großem nationalem Anlaß heraus entstanden und im Zuge der Begeisterung übernommen; zuerst in Holland: *Wilhelmus von Nassauen* 1581, England *God save the King (Queen)* 1743 von H. CAREY, Frankreich *Marseillaise* 1792 von C. J. ROUGET DE LISLE, Polen *Jeszcze Polska* (= Noch ist Polen nicht verloren) 1797 von J. WYBICKI, Dänemark *König Christian* 1780, Schweden *Du gamla* (Volkslied von R. DYBECK), Preußen *Heil dir im Siegerkranz* 1793, ab 1871 dt. N., gleichzeitig Österreich *Gott erhalte Franz den Kaiser* 1797 von HASCHKA mit Melodie von HAYDN, zu der HOFFMANN VON FALLERSLEBEN am 26. 8. 1841 auf Helgoland den neuen Text *Dtl., Dtl. über alles* dichtete, der durch Verordnung des Reichspräsidenten vom 11. 8. 1922 und wiederum des Bundespräsidenten 1952 zur N. erklärt wurde.

B. Herter, D. N., 1958–65; M. F. Shaw, H. Coleman, *National anthems,* Lond. 1960; U. Ragozat, D. N.n d. Welt, 1982.

Nationalliteratur, von L. SPIES 1780 geprägte, von HERDER und WIELAND diskutierte, dann seit Erwachen des Nationalismus im Gefolge der Romantik und Napoleons eingeführte Bz. für die gesamten dichterischen und belletrist. Leistungen e. Sprache oder e. Volkes (→Literatur) seit Entfaltung e. eigenen Literatursprache als Spiegel der nationalen Selbstreflexion, obwohl schon von GOETHE durch den Begriff der →Weltliteratur im Zeitalter des schrankenlosen geistigen Austausches verdrängt. Heute daher ohne nationalist. Nebensinn als Sammelbz. für die Lit. e. Sprache/e. Volkes im Unterschied zur allg. Lit. gebraucht.

K. Vossler, N. u. Weltlit. (Zeitwende 4, 1928); H. Rüdiger, N. u. europ. Lit. (in ders.: Definitionen, 1963); B. Allemann, Was heißt eigtl. N.? (Jb. d. dt. Akad. f. Spr. u. Dichtg. 1980); V. Niseov, Bemerkgn. üb. d. Dialektik d. Begriffs N., Synthesis 10, 1983; B. Spies, Z. vorklass. Theorie e. N., LfL 1986; Nation u. Lit. i. Europa d. Frühen Neuzt., hg. K. Garber 1988.

Nationalsozialismus. Der Einfluß des N. und die dirigist. Maßnahmen des totalitären Regimes im Dritten Reich 1933–45 haben der dt. Lit. im 20. Jh. einen schweren Schaden zugefügt, der erst dann zu ermessen ist, wenn man das Niveau der verbleibenden innerdt. Lit. am gleichzeitigen Weltniveau mißt. Die Literaturpolitik des N. zielte im wesentlichen auf: 1. Ausschaltung unliebsamer Schriftsteller und -gruppen aus dem lit. Leben durch →Bücherverbrennung (1933), Herausgabe von Listen auszusondernder Lit. an öffentl. Bibliotheken, Gleichschaltung der →Schriftstellerverbände durch Zusammenschluß in der Reichsschrifttumskammer, deren nichtar. Mitglieder ausgeschieden wurden und wie alle Nichtmitglieder automatisch Schreibverbot erhielten, sowie durch die Neuordnung der Preuß. Dichterakademie, 2. Reglementierung des lit. Lebens durch das Reichskulturkammergesetz, durch Zensur (Amt für Schrifttumspflege; parteiamtl. Prüfungskommission) und (seit 1936) Kritikverbot, 3. Förderung des NS-Schrifttums durch Aufnahme in die NS-Bibliographie und entsprechende Steuerung der Preise und Ehrun-

gen. Die Folgen dieser Maßnahmen waren das Entstehen einer für das freie Deutschland allein repräsentativen →Exilliteratur, eine →innere Emigration der weniger Engagierten und ein Verharren der geduldeten und geförderten Lit. auf niveaulosem Epigonentum nach dem ästhetisch unhaltbaren Geschmack des Regimes. Die Themen der NS-Lit. sind völkisch-national im Sinne eines überholten, engstirnigen Chauvinismus. Die sog. →Blut- und Bodendichtung mit ihrer naturrelig. Verherrlichung der Scholle und ihrer idyll. Verklärung eines gegenwartsentrückten Daseins in bäuerl. Welt mit betont antizivilisator. Affekt erweist sich für eine Industrienation als von höchst fragwürdiger Wirklichkeitsnähe. An die Stelle sozialer Lit. tritt die Verherrlichung der Gemeinschaft in Volk und Nation mit der anti-individualist. Tendenz zur Entpersönlichung durch Aufgehen in der Gemeinschaft. Die heroisierende Geschichtsdichtung erneuert in blindem Atavismus als vermeintlich german. Bluterbe nord. Mythos und german. Schicksalsglauben, huldigt in pseudohistor. Geschichtsromanen dem Reichsgedanken und dem Führerkult, indem sie Gefolgschafts- und Fahnentreue als erstrebte Gegenwart in die Vergangenheit projiziert, ohne der histor. Situation Rechnung zu tragen, und verbrämt als →Weltkriegsdichtung in falscher Idealisierung Opfersinn und Kameradschaft mit aktuellen Durchhaltephrasen. Schon gänzlich außerhalb lit. und ästhet. Maßstäbe steht die reine NS-Kampfdichtung mit dem Ziel polit. Massenbeeinflussung. Unter den formalen Aspekten überwiegt ein epigonales Verharren in traditioneller Ästhetik, in dekorativem Sprachpathos (bis zum Kitsch), eine betonte Volkstümlichkeit mit anti-intellektuellem Affekt, die Ausschaltung jedes Experiments, der Ratio und des unverbindlichen sprachl. Spiels als vorantreibender Impulse zugunsten einer Fortsetzung emotionsbetonter, doch vielfach nur phrasenhafter Gefühls- und Erlebnisdichtung, deren Unechtheit sich darin offenbart, daß die technisierte Umwelt vom Gemüthaften her nicht bewältigt werden kann. Die Lyrik bleibt pseudoromant.-volkstümlich, neigt zum Pathos der Selbstfeier und greift in Sprechchören und Kantaten wie Chorspielen kult. und pseudorelig. Formen auf. Ihre Aggressivität im Dienste der Wehrertüchtigung gipfelt in pathetisch-kitschigen Marsch- und Kampfliedern. Auch das Drama, weitgehend epigonal neuromantisch, entwickelt in Weihespielen und Freilichtspielen (→Thingspiel) pseudokult. Formen von pathet. Belanglosigkeit. Im Roman dominiert neben den traditionellen Erziehungsromanen und altertümelnd-manierierten Versuchen im Sagastil der Gottsucher- und Eigenbrötler-Roman als verkappter Führerkult, in der Novellistik anstelle menschl. Probleme heroische Konflikte. Die Kapitulation von 1945 bereitete allen diesen Erscheinungen, die nicht den Anspruch erheben können, das Lit. Dtl. zu vertreten, ein rasches Ende.

Des dt. Dichters Sendung i. d. Ggw., hg. H. Kindermann 1933; ders., D. dt. Gegenwartsdichtg., 1936; H. Langenbucher, NS-Dichtung, 1935; K. Köhler, Einf. i. d. Schrifttum d. Ggw., 1937; H. Gerstner u. K. Schworm, Dt. Dichter uns. Zeit, 1939; N. Langer, D. dt. Dichtg. seit d. Weltkrieg, ²1941; A. Mulot, D. Dichtg. uns. Zeit, ²1941; H. Langenbucher, Volkhafte Dichtg. d. Zeit, ¹⁰1944. – D. Strothmann, Nationalsozialist. Lit.politik, 1960, ³1968; F. Schonauer, Dt. Lit. im 3. Reich, 1961; H. Brenner, D. Kunstpolitik d. N., 1963; J. Wulf, Lit. u. Dichtg. i. 3. Reich, 1963; ders., Theater u. Film i. 3. Reich, 1964; R. Geißler, Dekadenz u. Heroismus, 1964; ders., Dichter u. Dichtg. d. N. (Hdb. d. dt. Gegenwartslit., hg. H. Ku-

nisch 1965); A. Schöne, Üb. polit. Lyrik i. 20. Jh., 1965; O. J. Hale, Presse i. d. Zwangsjacke, 1965; P. Aley, Jugendlit. i. 3. Reich, 1967; E. Loewy, Lit. unterm Hakenkreuz, 1966, ³1977; U.-K. Ketelsen, Heroisches Theater, 1968; J. Hagemann, D. Presselenkg. i. 3. Reich, 1970; U.-K. Ketelsen, V. heroischen Sein u. völk. Tod, 1970; D. Aigner, D. Indizierg. ›schädl. u. unerwünscht. Schrifttums‹ i. 3. Reich, 1971; NS-Literaturtheorie, hg. S. L. Gilman 1971; A. Hamilton, The appeal of fascism, Lond. 1971; L. Richard, Nazisme et lit., Paris 1971; K. Vondung, Magie u. Manipulation, 1971; ders., Völk.-nationale u. ns. Lit.theorie, 1973; H. Orłowski, Literatura w III Rzesy, Posen 1975; G. Schweizer, Bauernroman u. Faschism., 1976; F. Futterknecht, D. 3. Reich i. dt. Roman d. Nachkriegszt., 1976; B. Fischli, D. Deutschen-Dämmerg., 1976; U.-K. Ketelsen, Völk.-nationale u. ns. Lit. i. Dtl., 1976; D. dt. Lit. i. 3. Reich, hg. H. Denkler 1976; Gegenwartslit. u. 3. Reich, hg. H. Wagener 1977; R. Stollmann, Ästhetisierg. d. Politik, 1978; Kunst u. Kultur i. dt. Faschismus, hg. R. Schnell 1978; N. u. Lit., TeKo 8, 1980; F. Aspetsberger, Lit. Leben i. Austrofaschism., 1980; Intellektuelle i. Bann d. N., hg. K. Corino 1980; E. Bresslein, Völk.-faschistoid. u. ns. Drama, 1980; H. D. Schäfer, D. gespaltene Bewußtsein, 1981; L. Richard, Dt. Faschism. u. Kultur, 1982; J. Ryan, The uncompleted past, Detroit 1983; J. M. Ritchie, German lit. under N., Lond. 1983; G. Hartung, Lit. u. Ästhetik d. dt. Faschism., 1983; H. Siefken, N. and German lit., GLL 38, 1984f.; D. K. Reed, The novel and the Nazi past, 1985; P. Epp, D. Darstellg. d. N. i. d. Lit., 1985; Das war ein Vorspiel nur, hg. H. Denkler 1985; Österr. Lit. d. 30er Jahre, hg. K. Amann 1985; G. Renner, Österr. Schriftst. u. d. N., 1986; Nazisme et antinazisme, hg. A. Combes 1986; Leid d. Worte, hg. J. Thunecke 1987; N. Schaffeld, D. Darstellg. d. ns. Dtl. i. engl. Roman, 1987; P. Roessler, Stud. z. Auseinandersetzg. m. Faschism. u. Krieg i. österr. Drama, 1987; J. Hermand, D. alte Traum v. neuen Reich, 1988; K. Amann, D. Anschluß österr. Schriftst. an d. 3. Reich, 1988; K. Dussel, E. neues, e. heroisches Theater?, 1988.

Nationaltheater, Bz. für Bühnen, die der Pflege insbes. der einheim. Dicht- und Schauspielkunst dienen und nationales Wesen vorbildlich darstellen wollen; entstanden im 18. Jh. nach dem Vorbild des Théâtre français und der Comédie française aus der Erkenntnis von der starken Zusammengehörigkeit von Theater und Nation als Spiegelung der nationalen Kultur, Selbstdarstellung der eigenen Art in festlich-repräsentativem Bühnenrahmen; 1747 von J. E. SCHLEGEL in seinen *Gedanken zur Aufnahme des dän. Theaters* gefordert. Der erste dt. Versuch, das 1767 von LÖWEN mit Hilfe LESSINGS und EKHOFS gegr. Hamburgische N., dessen Leistungen LESSING in der *Hamburgischen Dramaturgie* kritisch betrachtete, scheiterte 1769 an unzureichenden Mitteln und fehlerhaften Voraussetzungen: die eigene dt. Dramatik und das dt. Berufsschauspielertum waren der franz., engl., ital. und span. Dramatik noch nicht gewachsen, und e. Mäzenatentum bestand nicht. Es folgten 1776 das von Kaiser JOSEPH II. in ›N.‹ umbenannte Wiener Burgtheater ›zur Verbreitung des guten Geschmacks, zur Veredelung der Sitten‹, später bes. unter SCHREYVOGEL, 1779 das Mannheimer N. unter Kurfürst KARL THEODOR mit Hilfe DALBERGS und IFFLANDS, berühmt durch die Aufführung der Jugenddramen SCHILLERS, der dort →Bühnendichter war, und 1786 das Berliner Hoftheater als N. unter IFFLAND. Maßgebend für die Entwicklung e. volkhaften dramat. Leistung wurde außer den obigen bes. das europ. Bedeutung erreichende Weimarer Theater unter GOETHE, das jedoch erst 1918 mehr in Erinnerung an die ruhmreiche Vergangenheit in ›Dt. N.‹ umbenannt wurde. Doch durch das ganze 19. Jh. lebt der Gedanke an e. nationales Festspiel von DINGELSTEDT bis WAGNER auch an anderen Bühnen fort – Streben nach kultureller Einigung an Stelle der versagten politischen. Auch der Norden (Oslo, Kopenhagen, 1962 London) und bes. Süd-

osten Europas (Warschau, Lemberg, Prag, Agram, Sofia, Belgrad) folgen dem Vorbild.

E. Devrient, D. N., 1848, ²1919; J. Petersen, D. dt. N., 1919; J. Kittenberg, D. Entw. d. Idee d dt. N., Diss. Mchn. 1925; RL; W. Feustel, N. u. Musterbühne, Diss. Greifsw. 1954; J. Body, *Sur l'idée et sur les projets de théâtre nat.*, RLC 54, 1980; Ende d. Stegreifspiels, d. Geburt d. N., hg. R. Bauer 1983; R. Krebs, *L'idée de théâtre nat. dans l'Allemagne des lumières*, 1985.

Natürliche Schule (russ. *Natural'naja Škola*), von F. V. BULGARIN 1846 geprägt, von V. G. BELINSKIJ aufgegriffene Bz. für e. Richtung der frührealist. russ. Erzähllit. rd. 1842–48, die in Abkehr von der idealist. Romantik natürl., einfache Menschen im realen Alltag darstellte und soz. Übel wie die Unterdrükkung der Bauern und die Leibeigenschaft bloßstellte, z. T. mit grotesker Überzeichnung und Karikatur der Helden aus der unteren Mittelklasse. Vorbilder waren der franz. realist. Roman (G. SAND) und GOGOL', Hauptvertreter N. A. NEKRASOV, I. TURGENEV, D. V. GRIGOROVIČ, A. I. HERZEN und frühe DOSTOEVSKIJ.

Naturalismus, allg. jeder durch naturgetreue Abbildung der Wirklichkeit unter Ausschaltung jeder Stilisierung und aller geistigen Faktoren gekennzeichnete Kunststil; bes. e. gesamteurop. lit. Strömung rd. 1870–1900. Ihre geistesgeschichtl. Grundlagen sind die Evolutionslehre DARWINS, die Physiologie C. BERNARDS und der auf den naturwiss. Erkenntnissen aufbauende, jeder Metaphysik abholde Positivismus (A. COMTE, H. TAINE): Der in die Natur als sinnl. Erscheinungswelt eingefügte Mensch ist wie diese naturwiss. zu verstehen als Produkt der Faktoren Erbe (Rasse), →Milieu und geschichtl. Situation. Die Dichtung muß demnach das naturwiss. Mittel des Experiments übernehmen (ZOLA, *Le roman expérimental,* 1880). ZOLA, der DIDEROT, BALZAC und die GONCOURTS als seine Vorgänger betrachtet, definiert: ›Die Kunst ist e. Stück Natur, gesehen durch e. Temperament‹ und fügt dadurch noch e. subjektives Moment ein. Aufgabe des Dichters sei obendrein die Aufdeckung von Kausalzusammenhängen, die er in seinem Hauptwerk *Les Rougon-Macquart* (1871–93) mit wiss. Exaktheit aus der materialist. Milieu- und Vererbungstheorie ableitet. Strenger formuliert A. HOLZ die Theorie des ›konsequenten N.‹: ›Die Kunst hat die Tendenz, wieder die Natur zu sein. Sie wird sie nach Maßgabe ihrer jeweiligen Reproduktionsbedingungen und deren Handhabung‹ und schaltet damit jede subjektive Phantasie aus. Der dt. N. entsteht aus starken ausländ. Anregungen: in Frankreich der Roman ZOLAS, auf dessen Bedeutung M. G. CONRAD und O. WELTEN schon frühzeitig hinweisen; in Rußland die Romane TOLSTOJS und DOSTOEVSKIJS; in Skandinavien bes. das Drama IBSENS, dessen Gesellschaftsstücke die Brüchigkeit bürgerl. Weltordnung aufdecken, BJÖRNSONS heiter-relig. Dichtung und STRINDBERGS Dramen. Auch der dt. Realismus, dessen Übersteigerung die N. darstellt, bot im Drama HEBBELS und BÜCHNERS wie den Romanen FONTANES erste Ansätze. – E. scharfe Kritik des zeitgenöss. Epigonentums in den *Kritischen Waffengängen* von J. und H. HART, in der Zs. *Die Gesellschaft* (1885 ff.), hg. von M. G. CONRAD, und in K. BLEIBTREUS *Revolution der Litteratur* (1886) räumt mit der Vergangenheit und der Lit. der Gründerzeit auf und bereitet den Weg für die Programmschriften des

N.: W. BÖLSCHES *Naturwissenschaftliche Grundlagen der Poesie* (1887) und A. HOLZ' *Die Kunst. Ihr Wesen und ihre Gesetze* (1891) sowie CONRADIS und HENCKELLS Anthologie *Moderne Dichtercharaktere* (1885). Von der formalen Theorie weniger betont wird die inhaltl. Seite des N.: Hier erweist sich das soziale Mitgefühl, Mitleid mit den Armen und Geknechteten, der unter der zunehmenden Industrialisierung leidenden Arbeiterschaft als ausschlaggebend nicht nur für die Stoffwahl – freilich ließ sich ›Wirklichkeit‹ am eindrucksvollsten im äußerl. und moral. Elend der Großstadtquartiere, unter Kranken, Geistesgestörten, Alkoholikern und Dirnen gestalten – sondern auch für die sozialrevolutionären Tendenzen gegen Saturiertheit, Gleichgültigkeit und doppelte Moral des Bürgertums, für das menschl. Ethos der Dichtung wie für den Stil des N., der die präzise Wirklichkeitsgestaltung übersteigert bis zu Stammeln, Stottern, Anakoluthen, grammatisch falscher Umgangssprache, Vermeidung des unnatürl. →Monologs und Wiedergabe kleinster Erfahrungseinzelheiten in exakt geordneter Unmittelbarkeit (→Sekundenstil). Die Präzision der schriftsteller. Technik nähert sich der Reportage, dem Dokumentarfilm und der wiss. Arbeitsmethode, enthält sich der Deutung der wiedergegebenen Zustände und konnte bei festgelegter Arbeitsmethode zur Zusammenarbeit zweier Dichter am gleichen Werk führen (HOLZ-SCHLAF). Doch peinliche Wahrhaftigkeit und unmittelbare Lebensnähe ersetzen nicht die künstler. Vollendung. Die größten Leistungen des N. zeigt das Drama und seine Inszenierung (auf der →Freien Bühne). Es ›hat vor allem Charaktere zu zeichnen. Die Handlung ist nur Mittel‹ (A.

Holz). Daraus erklärt sich die Vorliebe für geringe Personenzahl, ausführl. → Bühnenanweisungen, →analytischen Handlungsaufbau, Wahrung der Orts- und Zeiteinheit aus Wahrscheinlichkeitsgründen, doch Auflösung der geschlossenen Dramenform in Stimmungsbilder. Zola, Goncourt und H. Becque, in Rußland Tolstoj *(Macht der Finsternis)* und bes. die skandinav. Naturalisten gehen mit drastischdüsteren Zustandsschilderungen voran. Unter dem Eindruck von A. Holz/J. Schlafs Novellenskizzen *Papa Hamlet* folgt G. Hauptmann mit *Vor Sonnenaufgang* 1889, dann *Friedensfest, Einsame Menschen, Die Weber,* und, als Anwendung naturalistischer Prinzipien auf das historische Drama, *Florian Geyer.* Wenngleich Hauptmann durch Einbeziehung des Märchenhaften in *Hanneles Himmelfahrt* (1894) und *Die versunkene Glocke* (1896) die Grenzen des N. zugunsten neuromant.-symbol. Elemente überschreitet, kehrt er doch im *Fuhrmann Henschel* (1898) und *Rose Bernd* (1903), selbst im Spätwerk bei *Dorothea Angermann* (1926) und *Vor Sonnenuntergang* (1932) immer wieder zum N. zurück. Stärker im N. verhaftet ist das dramat. Schaffen von A. Holz, anfangs zusammen mit J. Schlaf *(Familie Selicke),* M. Halbe, H. Sudermann, G. Hirschfeld, O. E. Hartleben und F. Stavenhagen. – Der Roman des N. erreicht bes. Bedeutung im Ausland: Zola, Maupassant, Dostoevskij, Tolstoj. Er ist meist psycholog. oder gesellschaftskrit. Großstadtroman und bemüht sich um die Erfassung der neuen sozialen Strukturen in minutiöser Beschreibung der Zustände: M. Kretzer, M. G. Conrad, H. Conradi, K. Bleibtreu, K. Alberti, H. Bahr, C. Viebig, W. v. Polenz, H. Böhlau und bes. Sudermann, während Liliencrons Novellen trotz des Sekundenstils in den Impressionismus übergehen. – In der Lyrik wird der Bruch mit den traditionellen Formen am deutlichsten. Ihre Inhalte sind ebenfalls Technik und Großstadt. Während Liliencron auch hier in den Impressionismus übergeht, erstrebt A. Holz im *Phantasus* e. Form, ›die auf jede Musik durch Worte als Selbstzweck verzichtet und, rein formal, lediglich durch e. Rhythmus getragen wird, der nur noch durch das lebt, was durch ihn zum Ausdruck ringt‹. Holz verzichtet auf Reim, Strophen und freie Rhythmen und geht zu e. um e. rhythm. Mittelachse geordneten Prosalyrik über. Gemäßigter und z. T. traditionell bleiben W. Arent, K. Henckell, J. und H. Hart, J. H. Mackay und H. Conradi. Als Gegenströmung zu dem großstädtisch-international orientierten N. (München, Berlin) erscheinen seit 1890 →Heimatkunst und →Neuromantik, als seine Fortsetzung in anderen sozialen Schichten die →Arbeiterdichtung. Die literarhistor. Bedeutung des N. lag in der Erschließung neuer Objekte und Erlebnisbereiche für die dichter. Darstellung, in der Entwicklung neuer Gestaltungsarten und in der ungeheuren Bereicherung der Sprache durch prägnante Ausdrucksmöglichkeiten komplexer Gemütsstrukturen. Die Annäherung der Literatur- an die Umgangssprache und der naturkopierende Darstellungsstil finden Nachahmung in England (A. Bennet, G. Moore, G. Gissing), Spanien (Pérez Galdós, Pardo Bazán), Portugal (J. M. Eça de Quelrós) und Lateinamerika und bes. Anwendung in der amerikan. Erzählkunst des 20. Jh. (Crane, Norris, Dreiser). →Verismus.

F. Brunetière, *Le Roman n.*, [2]1895; V. Valentin, D. N., 1891; L. Benoist-Hanappier, *Le drame n. en Allemagne*, 1905; St. A. Brooke, *N. in Engl. poetry*, Lond. 1920; P. Martino, *Le n. franç.*, Paris 1923, [6]1966; J. Bab, D. N. (in R. F. Arnold, D. dt. Drama, 1925); A. Fejes, *Le théâtre n. en France*, Lausanne 1925; H. Röhl, D. N., 1927; L. Deffoux, *Le N.*, Paris 1929; RL; L. Fischer, Kampf um N., Diss. Rostock 1931; R. Hartogs, Theorie d. Dramas i. dt. N., 1931; R. König, D. n. Ästhetik i. Frkr., 1931; H. Claus, Stud. z. Gesch. d. dt. Früh-N., 1933; L. Niemann, Zur Soziologie d. n. Romans, 1934; I. Günther, D. Einwirkg. d. skand. Romans auf d. dt. N., Diss. Gießen 1934; W. R. Gaede, Z. geistesgesch. Deutg. d. Früh-N., GR 11, 1936; W. H. Root, *Optimism in the n.* Weltanschauung (ebda. 12, 1937); L. Deffoux, *Le N.*, Paris 1939; C. Beuchat, *Hist. du n. français*, Paris II 1949; J. Weno, D. Theaterstil d N., Diss. Bln. 1951; P. Cogny, *Le N.*, Paris 1953, [6]1978; R. Dumesnil, *Réalisme et n.*, Paris [2]1955; C. C. Walcutt, *American literary n.*, Minneapolis 1956; L. Ähnebrink, *The beginnings of n. in Americ. fiction*, N.Y. [2]1961; Lit. Manifeste d. N., hg. E. Ruprecht 1962; W. T. Pattison, *El n. español*, Madrid 1965; G. Ara, *La novela nat. hispanoam.*, Buenos Aires 1965; R. Hamann, J. Hermand, N., [2]1968; U. Münchow, Dt. N., 1968; S. Hoefert, D. Drama d. N., 1968, [3]1979; G. Voswinkel, D. lit. N. in Dtl., Diss. Bln. 1970; J. Osborne, *The n. drama in Germany*, Manchester 1971; L. R. Fürst, N., Lond. 1971; W. R. Maurer, *The n. image of German lit.*, 1972; K. Günther, Lit. Gruppenbildg. i. Berliner N., 1972; R. C. Cowen, D. N., 1973, [3]1981; E. McInnes, D. nat. Dramentheorie, ZDP 93, 1974; M. Brauneck, Lit. u. Öffentlichk. i. ausgeh. 19. Jh., 1974; N., hg. H. Scheuer 1974; G. Schmidt, D. lit. Rezeption d. Darwinismus, 1974; G. Mahal, N., 1975, [2]1982; *American lit. n.*, hg. Y. Hakutani u. a., 1975; R. Daus, Zola u. d. frz. N., 1976; L. López Jiménez, *El n. y España*, Madr. 1977; J. Schutte, Lyrik d. dt. N., 1976; G. Kluge, D. verfehlte Soziale, ZDP 96, 1977; H.-G. Brands, Theorie u. Stil d. sog. konsequenten N., 1978; H. J. Neuschäfer, D. N. i. d. Romania, 1978; N., Ästhetizism., hg. C. Bürger 1979; G. Schulz, Z. Theorie d. nat. Dramas (Dt. Dramentheorien, hg. R. Grimm 2, [3]1981); J. Kolkenbrock-Netz, Fabrikation, Experiment, Schöpfg., 1981; H. Möbius, D. N., 1982; Y. Chevrel, *Le n.*, Paris 1982; K. Poenicke, D. am. N., 1982; V. I. Moe, Dt. N. u. ausländ. Lit., 1983; *Le n. dans les litt. de langues europ.*, Nantes 1983; N., Manifeste, hg. M. Brauneck 1987.

Natureingang, Naturschilderung als Einleitung zu e. Liebeslied in Minnesang oder Volkslied, als Einbeziehung der Natur in die Liebesstimmung seit DIETMAR VON AIST toposartig weitverbreitet, entstanden nicht aus echtem, urspr. Naturgefühl, sondern als abgeleiteter Ausdruck menschl. Gefühls an den herkömml. Requisiten: Frühling, Bäumen, Blumen und Vögeln.

B. v. Wulffen, D. N. i. Minnesang u. frühem Volkslied, 1963.

Naturformen der Dichtung, Bz. GOETHES (*Noten und Abhandlungen*, 1819) für die drei Grund-→Gattungen Epik, Lyrik und Drama, deren überzeitl. Wesen er als ›erzählend‹, ›enthusiastisch aufgeregt‹ und ›persönlich handelnd‹ charakterisiert und die in e. Werk zusammenwirkend (Ballade, att. Tragödie) oder rein (HOMER) auftreten können. Im Ggs. dazu nennt er ›Dichtarten‹ die themat.-stofflich, formal-stilist. oder histor. ausgeprägten Unter-Gattungen der normativen Gattungspoetik des 18. Jh. wie Elegie, Epigramm, Fabel, Idylle, Ode u. a. E. STAIGERS *Grundbegriffe der Poetik* (1946) greift diese Unterscheidung wieder auf.

Naturgedicht →Naturlyrik

Naturgefühl als seelisch-erlebnishaftes Beteiligtsein des Dichters, bes. Lyrikers, an Naturerscheinungen (Jahreszeit, Klima, Landschaft, Pflanzen und Tiere) kennt schon die Antike, bes. in →Idyll und Elegie (THEOKRIT, VERGIL, PROPERZ, TIBULL), deren myth. Bilder später Metaphern werden, vereinzelt der Minnesang (→Natureingang; WALTHER, später NEIDHART) und das ma. Volkslied sowie z. T. die relig. Lyrik des 17. Jh. (GERHARDT), wobei jedoch Nachwirkung antiker Topoi hineinspielt, so daß lit. Tradi-

tion die eigene Beobachtung überwiegt. Der eigtl. Durchbruch wahrer Naturverbundenheit in der
Dichtung erfolgt erst seit BROCKES
und KLOPSTOCK, dem Göttinger
Hain und GOETHE, bes. in Romantik (TIECK, BRENTANO, EICHEN-
DORFF) und Biedermeier (MÖRIKE,
DROSTE), Realismus und Impressionismus, während in rationaler gestalteten Epochen wie Aufklärung,
Naturalismus und Expressionismus
das Naturerlebnis durch andere Er-
lebnisgehalte verdrängt wird. →Na-
turlyrik.

J. Adam, D. N. i. d. dt. Dichtg., II
1906–08; G. Stockmayer, N. i. Dtl. i.
10.–11. Jh., 1910; S. Schultze, D. N. d.
Romantik, ²1911; B. Q. Morgan, Nature
in mhd. lyrics, 1912; W. Ganzenmüller,
D. N. i. MA., 1914; A. von der Heide, D.
N. i. d. engl. Dichtung i. Zeitalter Miltons, 1915; E. Pons, Le thème et le sentiment de la nature dans la poésie anglosa-
xonne, Straßb. 1925; A. Biese, D. N. i.
Wandel d. Zeiten, 1926; G. Bieder, Natur
u. Landschaft i. d. Barocklyrik, Diss. Zürich 1927; E. Blunden, Nature in Engl.
lit., Lond. 1929; M. Greiner, D. frühromant. N., 1930; K. Wührer, Romantik im
MA., 1930, n. 1978; W. Flemming, D.
Wandel d. dt. N. v. 15.–18. Jh., 1931; E.
R. Curtius, Rhetor. N.schilderg. i. MA.
(Roman. Forschgn. 56); G. Schütze, D.
N. um d. Mitte d. 18. Jh., Diss. Lpz.
1933; J. W. Beach, The concept of nature
in 19th-century poetry, 1936; L. Schneider, D. N.dichtg. d. dt. Minnesangs,
1938; K. O. Schmidt, D. Wandel d. N. i.
d. erzähl. Dichtg. d. Gegenw., 1940; H.
Mittelbach, Natur u. Landsch. i. klass.
höf. Epos, 1941; S. Korninger, D. Natur-
auffassg. i. d. engl. Dichtg. d. 17. Jh.,
1956; H. Schneebauer, Stud. z. Naturauf-
fassg. i. d. geistl. Lyrik d. Barockzeital-
ters, Diss. Wien 1956; N. Foerster, Nature in Americ. lit., N.Y. ²1958; G. Atkinson, Le sentiment de la nature
1690–1740, Genf 1960; P. v. Tieghem,
Le sentiment de la nature dans le Préromantisme Europ., Paris 1960; G. R. Roy,
Le sentiment de la nature dans la poésie
canad., Paris 1961; J. Arthos, The lang.
of nat. description in 18th. cent. poetry,
N.Y. ²1966; M. Ammermann, Gemeines
Leben, 1978; The feeling for nature, hg.
P. Hallberg, Göteborg 1980; Natura loquax, hg. W. Harms 1981.

Naturismus, von Saint-George de
BOUHÉLIER 1897 geprägte Bz. für

die von ihm gegründete lit. Richtung, die den franz. Symbolismus
versinnlichen, den Naturalismus
bes. im Drama poetisieren und spi-
ritualisieren, materialist. und poet.
Elemente verbinden wollte und das
Leben als Ganzes betrachtete. Weitere Anhänger der Richtung waren
E. MONTFORT und M. LE BLOND;
Einfluß auf A. de NOAILLES und F.
JAMMES.

Naturlänge →Länge

Naturlyrik, stoffbestimmte Sammelbz. für alle Formen der →Lyrik,
deren Zentralmotive Naturerscheinungen (Landschaft, Wetter, Tier-
und Pflanzenwelt) sind und die auf
dem Erlebnis der Natur (→Natur-
gefühl) aufbauen; in Antike und
MA. vorwiegend als traditioneller
Topos der Ineinssetzung, im MA.
und Barock auch mit theolog. Bezügen, im 18. Jh. rationalist. (BROK-
KES, HALLER), dann als subjektive
Naturmystik und -mythologie mit
poet. Chiffren und Metaphern
(KLOPSTOCK, CLAUDIUS, GOETHE,
HÖLDERLIN), relig. Naturbegeiste-
rung (Romantik, bes. BRENTANO,
EICHENDORFF) oder Schwermut
(MÖRIKE, LENAU), als Projektion
freiheitl. Wunschbilder oder dämon. Stimmungsmaterial (DROSTE,
KELLER, MEYER, STORM), im 20. Jh.
als Gegenbild zu Großstadtdichtung, Urbanisierung und Industrialisierung mit der Gefahr naiver Idyllik, als Naturmagie (BRITTING,
LOERKE, LEHMANN, HESSE, CA-
ROSSA, EICH, KROLOW) oder Anstoß zur Selbsterfahrung (BO-
BROWSKI, HUCHEL, ARENDT, S.
KIRSCH, KUNZE) und schließl. seit
rd. 1960 als nostalg. Produkt des
neuen Umweltschutz-Bewußtseins.

C. V. Deane, Aspects of 18th. cent. natu-
re poetry, Lond. 1935; K. M. Scoular,
Natural magic, Oxf. 1964; A. Reininger,
Natur als Gehalt d. Lyrik v. Brockes bis

Heine, Diss. Wien 1966; A. v. Bormann, Natura loquitur, 1968; K. Riha, D. Naturgedicht (Tendenzen d. dt. Lit. seit 1945; hg. T. Koebner 1971); U. K. Ketelsen, N. Naturpoesie d. norddt. Frühaufklärg., 1974; N. u. Gesellschaft, hg. N. Mecklenburg 1977; G. Fritsch, D. dt. Naturgedicht, 1978; Natur u. Natürlichk., hg. R. Grimm 1981; H.-J. Heise, Natur als Erlebnisraum d. Dichtg., 1981; U. Heukenkamp, D. Sprache d. schönen Natur, 1982; S. Volckmann, Zeit d. Kirschen, 1982; W. Ertl, Natur u. Landsch. i. d. Lyrik d. DDR, 1982; B. Boie, Wörter, Landschaften (Fs. C. David, 1983); J. Haupt, Natur u. Lyrik, 1983; W. Gebhard, N., NKL 1984; Motive u. Themen romant. Naturdichtg., hg. T. Wolpers 1984; A. Goodbody, Natursprache, 1984.

Naturmythos →Mythos

Naturnachahmung →Mimesis

Natursagen, an landschaftl. Besonderheiten (z. B. Roßtrappe im Harz) oder klimat. Erscheinungen (z. B. der wilde Jäger) anknüpfende und sie aitiologisch ausdeutende Sagen, meist zugleich →Lokalsagen.

O. Dähnhardt, N., III 1907–12; L. Bødker, Folk lit., Koph. 1965.

Naturtheater →Freilicht-, →Hekkentheater; im engeren Sinne auch davon unterschieden e. Theater, bei dem der stimmungsmäßige Einfluß der Natur zur Mitwirkung bei der Aufführung benutzt wird, seit der Empfindsamkeit, dem Sturm und Drang, bes. ROUSSEAU und den engl. Naturdichtern üblich.

B. Schöpel, N., 1965.

Naumachia (griech. = Seeschlacht), theatral. Seeschlachten, häufig Rekonstruktionen histor. Gefechte (Salamis), beliebtes Schauspiel zur Volksbelustigung im antiken Rom; in der unter Wasser gesetzten Arena des Amphitheaters, zu diesem Zweck eigens errichteten Bassins (›N.‹ des AUGUSTUS auf dem rechten Tiberufer) oder selbst Binnenseen veranstaltet. Als Schiffsmannschaften der beiden feindl. Flotten dienten Gefangene und Verbrecher, die bis zum Tode kämpfen mußten oder vom Kaiser für bes. gute Darstellung begnadigt wurden. Zuerst 46 v. Chr. von CAESAR eingeführt; berühmt die N. auf dem Lacus Fucinus 52 n. Chr. von zwei Flotten zu je 12 Trieren mit 19 000 Teilnehmern; später auch in Provinzstädten. Wiederaufleben im höf. Barocktheater.

L. Friedländer, Sittengesch. Roms, 1959.

Nâyanâr (ind. = Führer), ind. relig. Dichter des 7.–9. Jh. n. Chr., shivait. Sänger der Gottesliebe. Die wichtigsten der 63 überlieferten sind AP-PAR, SHAMBANDAR und SHUNDA-RAR; ihre Werke sind in den ersten 7 Büchern des Tamil-Veda zusammengefaßt (Tirumurai).

Nea →Komödie

Nebenhandlung, im Drama eine →Handlung, die nicht für den Verlauf der Haupthandlung und damit des Stückes entscheidend ist, sondern als Kompositionselement und organ. Teil des Werkganzen die Haupthandlung variiert, paraphrasiert, ausdeutet, kommentiert, in ihrer Bedeutsamkeit abgrenzt, relativiert und damit die Grenzen der Allgemeingültigkeit des Einzelfalles sichtbar macht. Sie entstand im neueren Drama, z. B. in der elisabethan. Tragödie, vielfach aus gegenläufigen Zwischenspielen, die auf die Haupthandlung bezogen und anfangs nur locker mit ihr verknüpft wurden. Beispiel: Werner und Franziska in LESSINGS Minna von Barnhelm.

G. Reichert, D. Entwicklg. u. d. Funktion d. N. i. d. Tragödie vor Shakespeare, 1966.

Nebenmotiv →Motiv

Nebenrechte, im Verlags- und Urheberrecht alle diejenigen Nutzungsrechte, die neben dem Hauptnutzungsrecht in Betracht kommen, für eine Buchpublikation z.B. Rechte für Vorabdruck, Zeitungs- und Zeitschriftenabdruck, Dramatisierung, Aufführung, Rundfunksendung, Verfilmung, Übersetzung und Lizenzausgaben (Taschenbuch- und Buchgemeinschaftsausgabe). Sie werden in Dtl. zumeist vom Verlag, in den USA, wo das →Copyright beim Autor verbleibt, von diesem oder dessen Agenten verwaltet.

Nebenrolle, im Drama jede nicht tragende, d.h. für den Ausgang der Handlung entscheidende →Rolle.

Nebentitel, ein nicht sprachlich, doch sinngemäß mit dem Haupttitel eines Werkes identischer →Titel, etwa verkürzte Fassung desselben als Umschlag-, Vor- oder Kupfertitel.

Negativer Held, im Ggs. zum →positiven Helden sozialist. Prägung und in feinem Unterschied zum unheroischen, nur passiven →Antihelden die Hauptfigur (→Held) e. Dramas oder Erzählwerks, die nicht durch Passivität oder Willensschwäche, sondern betont selbstzerstörer. Charakterzüge an Umwelt und Gesellschaft nach herkömml. Maßstab scheitert, z.B. in BÖLLS *Ansichten eines Clowns.*
P. Zeindler, D. n. H. i. Drama, Diss. Zürich 1969.

Neger = →Ghostwriter

Négritude (franz. = Neger-Sein), von A. CÉSAIRE 1939 geprägte Bz. für das neue kulturelle Selbstbewußtsein der Afrikaner und Afroamerikaner, das zur Aufwertung afrikan. Kulturtraditionen, Ablehnung des Kolonialismus, der Verwestlichung und Leugnung europ. Hegemonie führte und dem afrikan. Kulturschaffen als Ausdruck afri-

kan. Identität neue Impulse gab, bes. in der neoafrikan. Literatur 1939–48: L. DAMAS, A. CÉSAIRE, L. S. SENGHOR, von letzterem zur polit. Ideologie e. dem Europäertum teils überlegenen Afrikanertums ausgebaut, seit den 70er Jahren jedoch als fragwürdige Sackgasse umstritten.
J. Jahn, Muntu, 1958; T. Mélone, *De la n.,* Paris 1962; R. Piquion, *Les trois grands de la n.,* Port au Prince 1964; C. Wauthier, *L'Afrique des Africains,* Paris 1964, ²1977; J. Jahn, Gesch. d. neoafr. Lit., 1966; L. S. Senghor, N. u. Humanismus, 1967; S. Adotevi, *N. et négrologues,* Paris 1972; G. Michaud, *N.,* Paris 1979; R. Depestre, *Bonjour et adieu à la n.,* Paris 1980; A. Yaba, N., 1982.

Negro Spirituals →Spirituals

Neidhartspiele, e. Gruppe anonymer ältester weltl. Spiele (Dramen) in dt. Sprache seit Mitte 14. Jh., die Schwankerzählungen um NEIDHART von Reuental als Bauernfeind (→dörperliche Dichtung) dramatisieren, vielleicht auf vorlit. Jahreszeitenspiele zurückgehen und schließlich im Fastnachtspiel aufgehen. Überliefert sind: *St. Pauler N.* um 1350, *Sterzinger N.* 15. Jh., *Großes N.* 15. Jh. und *Kleines N.* Ende 15. Jh.
N., hg. J. Margetts 1982; P. Herrmann, Karnevaleske Strukturen i. d. Neidhart-Tradition, 1984; M. Siller, Anm. z. d. N.n, ZDP 104, 1985.

Nekrolog (griech. *nekros* = Leichnam, *logos* = Rede), Nachruf auf e. kürzlich Verstorbenen in Form e. Darstellung und Würdigung seines Lebenslaufs und -werks, auch Slg. solcher →Biographien; im MA. Nekrologien: kirchl. Totenregister oder Verzeichnisse der Toten, derer man im Gebet zu gedenken hatte. Vgl. →Leichenrede.
G. v. Graevenitz, Gesch. a. d. Geiste d. N., DVJ 54, 1980.

Nemesis (griech. = Unwille, Tadel), in griech. Mythologie Rachegöttin, Göttin der Bestrafung für Missetat und bes. der gerechten Vergeltung der Selbstüberschätzung und des Übermuts (→Hybris) im Glück. E. bes. für SCHILLERS Dramen bedeutsame Vorstellung.

C. Heselhaus, D. N.-Tragödie, DU 5, 1952.

Nenia →Nänie

Neogongorismo →Gongorismus

Neologismus (griech. *neos* = neu, *logos* = Wort), sprachl. Neubildung zur Bz. neuer Sachen oder Begriffe, in der Lit. zu expressiven, emotionalen oder iron. Wirkungen, häufig mit dem Nebensinn des Fehlerhaften, krampfhaft Gewagten, Überflüssigen.

A. Heberth, Neue Wörter, 1977; M. Riffaterre, *La production du texte,* Paris 1979.

Neorealismus (ital. *neorealismo* = neuer Realismus), auch Neoverismus, d.h. neuer →Verismus, herrschende Stilrichtung der ital. Erzähllit. und des ital. Films (ROSSELLINI, de SICA, VISCONTI) der 1940er Jahre als Reaktion gegen den elitären Hermetismus unter Einfluß der amerikan. und russ. Lit. (FAULKNER, DOS PASSOS, HEMINGWAY, STEINBECK), erstrebt ein ungeschminktes, kraßrealist. Bild der sozialen, polit. und eth. Verhältnisse im faschist. Italien, in der Widerstandsbewegung, in Krieg und Nachkriegszeit, in Süditalien/Sizilien und allg. im ital. Proletariat in volkstümlich derber, teils dialektgefärbter Umgangssprache, teils dokumentar.-reportagehaften Formen und meist eindeutig antifaschist., antibürgerl. linksorientiertem Engagement der Autoren: V. BRANCATI, I. CALVINO, C. LEVI, C. MALAPARTE, A. MORAVIA, C. PAVESE, V. PRATOLINI, D. REA, I. SILONE, E. VITTORINI, F. JOVINE, B. FENO-

GLIO, C. BERNARI, die später z.T. zu komplexen myth.-allegor. und manierist. Gestaltungsweisen übergehen. – Eine ähnl. gleichzeitige Strömung in Portugal (A. REDOL, F. NAMORA, A. RIBEIRO, M. de FONSECA) steht unter zusätzl. Einfluß des brasil. Regionalismus.

F. Gianfranceschi, *Il n.,* Rom 1955; B. Rondi, *Il n. ital.,* Parma 1956; H. Hinterhäuser, Italien zw. Schwarz u. Rot, 1956; O. Lombardi, Narratori neor., Pisa 1960; D. Schlumbohn, D. ital. N. (Roman. Forschgn. 80, 1968); C. Lehmann, N. i. Ital. (Beitr. z. roman. Philol. 1982).

Neoteriker (griech. *neoteroi* = die Neueren, Modernen), 1. ›jungröm. Dichterkreis‹ um Mitte des 1. Jh. v.Chr., der dem hellenist.-alexandrin. Stil bes. des EUPHORION folgte, sich daher auf kleine Gedichte, mytholog. Epyllien, Schmähgedichte, Epigramme, →Elegie und Liebeslied beschränkte und auf Feinheit im einzelnen, subtile und saubere Technik, geschliffene Zuspitzung, Konzinnität und Symmetrie der Sprache wie gelehrten Inhalt größten Wert legte, gleichzeitig jedoch e. subjektiv-individualist. röm. Lyrik ins Leben rief. Als Führer dieser Opposition gegen die herkömml. Dichtung – daher auch von CICERO angegriffen – erscheinen VALERIUS CATO und LICINIUS CALVUS; die Anregung gab wohl der Grieche PARTHENIOS an CINNA; es folgten FURIUS BIBACULUS, C. MEMMIUS, Q. CORNIFICIUS und als genialste Begabung des Kreises Valerius CATULLUS. – 2. sog. ›poetae novelli‹ im 2. Jh. n.Chr.: SEPTIMIUS SERENUS, ANNIANUS, TERENTIANUS MAURUS und ALPHIUS AVITUS, denen Formkünsteleien, metr. Spielereien und gelehrte Inhalte gemeinsam sind.

J. Granarolo, *L' époque néotérique* (Aufstieg u. Niedergang d. röm. Welt, hg. H. Temporini 3, 1973); R. O. A. M. Lyne, *The n. poets* (Class. Quarterly 28, 1978).

Neoverismo →Neorealismus

Neuauflage, im Unterschied zum Ab-, Nach- und Neudruck meist e. inhaltl. veränderte neue →Auflage e. Werkes.

Neubildung →Neologismus

Neudruck, →Abdruck, meist von unveränderter Satzeinrichtung oder auf photomechan. Wege: →Reprint, oft jedoch auch Bz. für e. mit Textkorrekturen, Einleitung, Forschungsbericht, Bibliographie usw. versehenen Wiederabdruck.

Neue Komödie →Komödie

Neuer Realismus →Kölner Schule

Neue Sachlichkeit, Bz. von G. F. HARTLAUB 1925 für die künstler. u. lit. Gegenbewegung gegen den idealist.-pathet. Spät→Expressionismus (in der Malerei gegen die abstrakte Kunst) seit rd. 1920, Rückkehr zur Wirklichkeit und klarer Erfassung der objektiven Formen und Gegenstände unter Verzicht auf subjektive Bewertung; e. naturhafte Dinglichkeit, in der allein der Dichter seine Visionen gestalten könne und ohne die die Kunst zerfliege. Der Inhalt der Dichtung gewinnt wieder erhöhte Bedeutung, die Form wird von ihm abhängig, Prosaformen, bes. der Roman, Tatsachenbericht zwischen wiss. Quellen verarbeitender Biographie, desillusionierendem Geschichtsroman und Gegenwartsreportage der soz. und wirtschaftl. Probleme, stehen obenan; die Lyrik veroachlichrt in e. unposierten Durchschnittsgefühl im Alltagsleben und geht in Naturlyrik wie iron. Chanson (KÄSTNER, MEHRING, RINGELNATZ) z.T. in schlichte, unauffällig rhythmisierte Prosa über; das Drama desillusioniert geschichtl. und aktuellere Stoffe und wird z.T. erzählende Bilderfolge, ›ep. Theater‹, Dokumentar- und Lehrstück oder Hörbericht. Ausländ. Vorbild ist bes. der Amerikaner Upton SINCLAIR. Die wichtigsten dt. Theoretiker sind E. DIESEL, E. UTITZ, H. KENTER und H. J. WILLE. Auch ehemals führende Expressionisten wenden sich der S. zu, voran ZUCKMAYER *(Der fröhliche Weinberg),* ferner I. GOLL, P. KORNFELD, F. WERFEL, K. EDSCHMID u.a.; denn ›Tatsachen brechen den ganzen Zauber e. verlogenen Gefühlslyrik, wirken erlebter, erschütternder als alle Einfälle der Dichter‹ (KENTER). Dabei ergeben sich für die Epoche schlechthin zwei versch. Wege der dichter. Welterfassung: einerseits erbarmungslose Skepsis und desillusionierende Ironie, oft mit Verwendung psychoanalyt. Erkenntnisse (E. KÄSTNER, H. KESTEN, F. BRUCKNER, R. NEUMANN, L. FEUCHTWANGER, A. BRONNEN, A. ZWEIG, A. DÖBLIN, H. FALLADA, E. E. KISCH, L. RENN, E. GLAESER, A. SEGHERS, M. FLEISSER, Ö. v. HORVÁTH, I. KEUN, z.T. B. BRECHT, H. BROCH, J. ROTH), andererseits hoffnungsvolle und leicht idealisierende Verklärung der dargestellten Gegenständlichkeit in undoktrinärem Abstand zur N. S. (M. HAUSMANN, M. MELL, O. HEUSCHELE, R. BILLINGER, A. LERNET-HOLENIA, R. SCHAUMANN, H. CAROSSA, E. WIECHERT).

E. Diesel, D. Weg durch das Wirrsal, 1926; E. Utitz, D. Überwindg. d. Expressionismus, 1927; H. Kindermann, V. Wesen d. N. S., JFDH 36, 1930; ders., Idealismus u. S. i. d. dt. Gegenw.dichtg., GRM 1933, L. Mittner, La N. S. (in· *la lett. tedesca del novecento,* 1960); H. Denkler, Sache u. Stil, WW 18, 1968; H. Lethen, N. S., 1975; ²1975; K. Prümm, N. S., ZDP 91, 1972; A. V. Subiotto, N. S. (Fs. K.-W. Maurer, Haag 1973); V. Klotz, Forcierte Formen (Fs. J. Kunz 1973); D. dt. Lit. i. d. Weimarer Republik, hg. W. Rothe 1974; J. Hermand, Einheit i. d. Vielfalt (D. lit. Leben i. d. Weim. Rep., hg. K. Bullivant 1978); H. Olbricht, D. N. S., WB 26, 1980; J. Willett, Explosion d. Mitte, 1981; K. Petersen, N. S., DVJ 56, 1982. →Weimarer Republik.

Neue Subjektivität, Bz. von M. REICH-RANICKI für e. neue Richtung der dt. Lit. nach der Tendenzwende der frühen 70er Jahre von engagiert ideolog. Lit. zu neuer, subjektiver Innerlichkeit, Selbsterfahrung, Innenschau des Individuums, bei der das polit.-soz. Moment nur Hintergrund und eher Bedrohung darstellt. Bevorzugt Lyrik, Erinnerung, Autobiographie, Selbstbefragung: P. HANDKE, J. THEOBALDY, B. VESPER, P. HÄRTLING, R. KUNZE, S. KIRSCH, T. BERNHARD, C. WOLF, U. PLENZDORF, P. SCHNEIDER u.a.

H. Gnüg, Was heißt N. S. (Merkur 32, 1978); B. Beicken, N. S. (Dt. Lit. i. d. BRD, hg. P. M. Lützeler 1980); G. vom Hofe u.a., D. Elend d. Polyphem, 1980; H. Kreuzer, N. S. (Dt. Gegenw.lit., hg. M. Durzak 1981); H. Gnüg, Entstehg. u. Krise lyr. Subjektivität, 1983; M. Kammermeier, D. Lyrik d. N. S., 1986; L. C. DeMeritt, *New s. and prose forms of alienation,* 1987.

Neue Zeitungen, oft Titel für Nachrichten→Flugblätter als Vorläufer der periodischen →Zeitungen um 1500.

Neugongorismus →Gongorismus

Neuhumanismus, Geistesströmung seit 1750 und bes. der Zeit des dt. →Idealismus, verstand sich als Vollendung des →Humanismus in erneutem, verstehendem Studium der Antike und Streben nach →Humanität als Mittelpunkt der Menschenbildung mit dem Ideal der Ganzheitlichkeit und Einheit von Leib u. Seele, Natur u. Kunst usw. für die harmon. Entfaltung der Persönlichkeit; setzt mit SHAFTESBURY ein und findet zuerst in der klass. Philologie (J. M. GESNER, J. A. ERNESTI, Chr. G. HEYNE) seine Ausprägung, erreicht den Höhepunkt

unter WINCKELMANN, LESSING, HERDER, GOETHE, SCHILLER und W. von HUMBOLDT. Zum am. N. →New Humanism.

H. Fischer, D. N. i. d. dt. Lit., 1902; A. Becker, D. N., 1924; A. Rehm, N. einst u. jetzt, 1931.

Neuidealismus, zusammenfassende Bz. für →Neuklassik und →Neuromantik als Gegenströmungen des Naturalismus. In der Philosophie der wiedererstandene Idealismus (Neukantianismus, Neuhegelianismus) als Reaktion auf Materialismus und Positivismus: EUCKEN, NATORP.

Neukatholizismus →Renouveau catholique

Neuklassik, Neuklassizismus, lit. Gegenströmung zum Naturalismus und Impressionismus wie der Dekadenzdichtung um 1905, die sklav. Naturwiedergabe wie übertriebene Seelenergründung bei Relativierung ästhet. Maßstäbe ablehnt und in e. Neubesinnung auf die ältere klass. Stiltradition bes. die Zucht der Sprache, Verskunst, Formstrenge und ideellen Gehalt der Dichtung hervorhebt: erst der Geist bemächtigt sich zur Aussage der Stoffwelt und prägt sie zur Form; nicht Nachzeichnung, sondern Darstellung der Werte ist seine Aufgabe. Diese neuen Bestrebungen finden Niederschlag weniger in e. Reihe von Dichtungen als bes. in theoret. Schriften bei P. ERNST (*Der Weg zur Form* 1906, *Credo* 1912), W. v. SCHOLZ (*Gedanken zum Drama* 1904) und S. LUBLINSKI (*Bilanz der Moderne* 1905, *Ausgang der Moderne* 1905); nahe stehen G. R. BINDING und I. KURZ. Den Mittelpunkt der Erörterungen bildet die Besinnung auf die Gattungsgesetze bes. der Tragödie und des Tragischen weniger nach dem Vorbild der Klassiker selbst als dem HEBBELS (bei W. v. SCHOLZ) und der Novelle als Erneuerung der strengen und präzisen altital. Renaissance-Novellistik (bei P. ERNST). Neben den theoret. Schriften erscheinen die eigenen Dichtungen weniger überzeugend, wie überhaupt der N. für die Dichter nur e. Durchgangsstadium war.

R. Müller-Freienfels, D. N. (Lit. Echo 15); R. Faesi, P. Ernst u. d. N., 1913; RL¹; D. neuklass. Bewegg. um 1905, hg. K. A. Kutzbach 1972; A. Wöhrmann, D. Programm d. N., 1979.

Neulieder, jüngere (eddische) Bearbeitungen der alten (→Ur-) →Heldenlieder um rd. 1150–1250, die mit den geprägten und eingeführten Figuren der Sagenkreise (bes. Nibelungen) abgeleitete Fabeln bilden und sie mit jüngerer – wenngleich nicht weniger wertvoller – Gestaltung erfassen.

Neunsilber →Alkäische Strophe

Neu→philologie, Wissenschaft der neueren (dt., engl., franz., ital., span. usw.) Sprachen und Litt.

Neurealismus →Neorealismus

Neuromantik, umstrittene Sammelbz. für die lit. Gegenströmungen zum materialist. Naturalismus mit Ausnahme der →Neuklassik, 1890–1920; umfaßt sehr verschiedene und nur lose zusammenhängende Gruppen, die nur z. T. an die durch Neuausgaben und Untersuchungen (R. HUCH) aktuelle Romantik anknüpfen (Nichtalltägliches, Wunderbares oder Geheimnisvoll-Magisches als Gegenstand, Verachtung der Gegenwart, Erneuerung von Sage, Mythos, Legende und Mystik, Wendung zur Geschichte, bes. dem MA., zur Metaphysik und Exotik), sich in freier Entwicklung noch weiter differenzieren und die ursprüngl. Gemein-

samkeiten (Gefühlsbetontheit, Musikalität, Formstreben, Bildungsgehalt, Schönheitskult, Ästhetizismus, Freiheit der Phantasie als Dichtungsmacht, nicht zuletzt Neigung zur Schwäche, Müdigkeit und Reizbarkeit) schließlich als für die Fortentwicklung unwichtige Randströmungen erscheinen lassen, aus denen sich selbständigere Kunstschöpfer nach episod. Übergangsstadium bald befreiten. Von den zahlreich empfangenen Anregungen waren die des franz. →Symbolismus am wirksamsten, so daß man neuerdings die maßgebl. literaturgeschichtl. Entwicklungen auch in Dtl. unter diesen Begriff faßt. Andere Züge gehen in →Impressionismus, →Fin de siècle, →Dekadenzdichtung und →Jugendstil über. Die Leistungen der N. liegen weniger auf dem Gebiet des Dramas (E. HARDT, H. EULENBERG, K. VOLLMÖLLER, L. GREINER, R. BEER-HOFMANN, W. SCHMIDTBONN, der junge HOFMANNSTHAL, bes. G. HAUPTMANN mit *Die versunkene Glocke, Der weiße Heiland* und *Hanneles Himmelfahrt*) als in Roman (E. STUCKEN, R. HUCH, F. HUCH, A. SCHAEFFER, S. ZWEIG, H. HESSE, J. WASSERMANN, H. STEHR, F. K. GINZKEY) und Ballade (A. MIEGEL, B. v. MÜNCHHAUSEN, L. v. STRAUSS und TORNEY). Die unbedingte Zuordnung anderer Dichter der Zeit zur N. bereitet Schwierigkeiten einerseits durch die individuelle Abtönung, andererseits durch den episod. Anteil der N. am Schaffen der größten wie schließlich bes. zufolge des zeit- und tendenzlosen Charakters der Strömung im Ggs. zum Expressionismus und Naturalismus, die durch Zuordnung aller weniger einseitigen Strömungen der Zeit zu e. Verunklarung des Begriffs geführt hat, die seine Vermeidung wünschenswert macht. In

Skandinavien stehen K. GJELLE-
RUP, S. LAGERLÖF und K. HAMSUN
der N. nahe.

L. Coellen, N., 1906; I. A. Thomèse,
Romantik u. N., Haag 1923; RL; E. Seil-
lière, Le néoromantisme en Allemagne,
Paris III 1928–31; W. Muschg, D. dichte-
rische Charakter, 1929; H. Vetter, For-
menerneuergs.versuche a. d. dt. Dtg. i. 9.
Jahrzehnt d. 19. Jh., 1931; O. Miller, D.
Individualismus als Schicksal, 1933; A.
Kimmich, Krit. Auseinandersetzg. m. d.
Begriff N., Diss. Tüb. 1936; K. Hilzhei-
mer, D. Drama d. dt. N., Diss. Jena 1938;
P. Kluckhohn, D. Wende v. 19. z. 20. Jh.
i. d. dt. Dichtg., DVJ 29, 1955; G. H.
Barfuss, Bühne u. Musik i. d. N., Diss.
Köln 1955; R. Hamann, J. Hermand,
Stilkunst um 1900, 1967; D. Nachleben
d. R., hg. W. Paulsen 1969; J. Aler, Sym-
bolisme als N. (Duitse kroniek 30, 1979).

New Criticism (engl. = Neue Kri-
tik), von J. E. SPINGARN 1910 geprägte Bz. für e. von B. CROCE ausgehende rein formalästhet. wertende Form der Literaturwissenschaft
in den USA und z.T. England bes.
1930–1960, die in erster Linie
werkimmanent von der Autonomie
des lit. Kunstwerks als organ.-äs-
thet. Einheit ausgeht, durch ›close
reading‹ Form- und Stilfragen,
Rhythmus und Bild untersucht und
jede ideolog., soziolog., psycholog.-
biograph., hist. oder philos. Ausdeutung der Dichtung nur vom Thema her verbietet. Hauptvertreter
sind meist zugleich Dichter: I. A.
RICHARDS, W. EMPSON, C.
BROOKS, A. TATE, J. C. RANSOM,
Y. WINTERS, R. P. BLACKMUR, R.
P. WARREN, K. BURKE, W. K.
WIMSATT, F. R. LEAVIS. Der N. C.
wirkte stark auf die →werkimma-
nente →Interpretation als Methode
der dt. Nachkriegs-Literaturwissen-
schaft. Vgl. →Formalismus.

J. C. Ransom, The N. C., N.Y. 1941; R.
B. West, Modern lit. criticism, N.Y.
1952; W. van O'Connor, An age of criti-
cism, Chicago 1952; A. Closs, N. C., NS
4; 1955; W. Stedtfeld, Aspects of the N.
C., Diss. Freib. 1956; R. Foster, The New
Romantics, Bloomington 1962; R. Wei-
mann, N. C., 1962, ²1974; L. Lesage,
The French N. C., Penns. 1967; U. Half-
mann, D. am. N. C., 1971; A. Behrmann,
D. anglo-am. N. C. (Kritik d. lit.wiss.
Methodologie, hg. V. Žmegač 1973); R.
Lüthe, N. C. u. idealist. Kunstphilos.,
1975; F. Lentricchia, After the N. C.,
Chic. 1980.

New Humanism (engl. = Neuhu-
manismus), konservative philosoph.-lit. Bewegung in den USA um
1915–1933, getragen von I. BAB-
BITT, P. E. MORE, N. FOERSTER
und T. S. ELIOT. Reaktion gegen
die Auswüchse von Romantik, Realismus und Naturalismus, betonte
sie wieder die ethisch-humanen
Werte und stellte den Menschen
nicht als Teil der Natur, sondern im
Gegenteil als in seinem Willensent-
scheid freies Wesen dar, das gemäß
seinen Erfahrungen und den eth.
Maßstäben großer Vorbilder frei
und verantwortlich handeln solle.

Humanism and America, hg. N. Foerster,
N.Y. 1930; The Critic of Humanism, hg.
C. H. Grattan, N.Y. 1930; L. Samson,
The N. H., N.Y. 1930; G. Santayana,
The Genteel Tradition at Bay, N.Y.
1931; B. Lücking, D. am. N. H., 1975.

Nibelungenstrophe, nach der Ver-
wendung im Nibelungenlied benannte wichtigste Strophenform des
dt. Heldenepos (im Ggs. zur Reim-
paarform des höf. Epos), besteht
aus vier paarweise reimenden Langzeilen zu je zwei Kurzzeilen, von
denen gewöhnl. die erste vierhebig
ist und klingende Kadenz aufweist,
so daß die beiden letzten Hebungen
demselben Wort angehören, während die zweite Kurzzeile jeweils die
4. Hebung durch e. Pause ersetzt
(stumpfe Kadenz), und nur in der
Schlußzeile (8. Kurzzeile) mit voller
Kadenz, d.h. der verwirklichten 4.
Hebung als schwererem Abschluß,
Gegengewicht zu den vorigen, aus-
klingt. Schema der Grundform:

I. 1. _́ _ _́ _ _́ _ _́ _|_ _́ _ _́ _ _́ ⏓a
   2. _́ _ _́ _ _́ _ _́ _|_ _́ _ _́ _ _́ ⏓a
II. 1. _́ _ _́ _ _́ _ _́ _|_ _́ _ _́ _ _́ ⏓b
   2. _́ _ _́ _ _́ _ _́ _|_ _́ _ _́ _ _́ _b

Im Auftakt oder als freie Senkungsfüllung können zwei Kürzen, im
Innentakt Senkungsausfall (beschwerte Hebung, oft im 2. Takt der
8. Kurzzeile) eintreten, so daß zwei
Hebungen nebeneinander stehen,
stellenweise auch mit Zäsurreim,
dann in der Reimfolge (der Kurzzeilen) ababcdcd. Enjambement und
Strophensprung sind häufig. Die
modernisierte N. (= →Hilde-
brandston) TIECKS *(Kaiser Octavianus)* und UHLANDS *(Des Sängers
Fluch)* führt den stumpfen Versschluß auch in der 8. Kurzzeile
durch, ähnl. das Kirchenlied (P.
GERHARDT, *O Haupt voll Blut...*).
– Die N. ist aus der alten Langzei-
lenstrophe hervorgegangen und begegnet auch in der Lyrik des von
KÜRENBERG (Kürenbergstrophe)
und WALTHERS; ihre Kurzverse bilden die Grundlage des mhd. Reim-
paarverses; dazu kamen zahlreiche
Abarten der N.: →Bernerton,
→Hildebrandston, →Kudrun-,
→Titurel-, →Waltherstrophe u. a.

F. Draeger, D. Bindgs- u. Gliedergsverhh.
d. Strophen d. Nibelungenliedes, 1923,
²1967; RL¹; A. Heusler, Dt. Versgesch. II,
1927, ²1956; A. Eegholm, Metr. Beob-
achtgn., 1936; H. de Boor, Z. Rhythmik
d. Strophenschlusses im Nibelungenlied
(Fs. U. Pretzel, 1963); U. Hennig, Z. d.
Anversen i. d. Strophe d. Nibelungenliedes, PBB 85, 1963; R. M. Wakefield,
Nibelungen prosody, Haag 1976; E.
Stutz, D. N'zeile (Fs. R. Kienast, 1978).

Nichtaristotelisches Drama →ari-
stotelisches Drama

Niedere Minne →Minnesang

Niederländische Schauspieler
→Holländische Komödianten

Nihilismus (von lat. *nihil* = nichts),
als philosoph. Begriff die absolute
Verneinung aller Werte und Ordnungen und der Möglichkeiten
wahrer Erkenntnis, daher als
Grundlage des Kunstschaffens, das
zumindest den Kunstwert aner-

kennt, nicht möglich. Als Prägung
von F. H. JACOBI (*Sendschreiben an
Fichte*, 1799) und JEAN PAUL in der
Lit. durch TURGENEVS *Väter und
Söhne* 1862 verbreitet. ›Nihilisten‹
war Bz. der drei russ. Kritiker und
Schriftsteller ČERNYČEVSKIJ, DO-
BROLJUBOV und PISAREV und ihrer
Nachfolger um 1850–70, die mit
krassem Utilitarismus, grobem Materialismus und der Forderung sozialer Interessen gegen ideale Kunst-
werte, bes. gegen die Erscheinungen
des Irrationalen wie Mystik, Romantik und Religion zu Felde zogen; Einfluß auf NEKRASOV und
TURGENEV.

H. Rauschnigg, D. Revolution d. N.,
1938; ders., Masken u. Metamorphosen
d. N., 1955; A. Coquart, D. *Pisarev et
l'idéologie du n. russe*, 1946; R. Pann-
witz, D. N., 1951; H. Thielicke, D. N.,
1951; E. Mayer, Kritik d. N., 1958; W.
Hof, Stufen d. N., GRM, N. F. 13, 1963;
F. Leist, Existenz im Nichts, 1961; D.
Arendt, D. N., DVJ 43, 1969; N., hg.
ders. 1970; W. Hof, Pessimist.-nihilist.
Strömgn. i. d. dt. Lit. v. Sturm u. Drang
bis zu Jg. Dtl., 1970; D. Arendt, D. poet.
N. i. d. Romantik, II 1972; W.-H.
Schmidt, N. u. Nihilisten, 1973; W. Hof,
D. Weg z. heroischen Realismus, 1974;
D. N. als Phänomen d. Geistesgesch., hg.
D. Arendt 1974; C. I. Glicksberg, *The lit.
of n.*, Lewisburg 1975; W. Emrich,
Freiheit u. N. i. d. Lit. d. 20. Jh., 1981; E.
Severino, V. Wesen d. N., 1983; B. Hille-
brand, Lit. Aspekte d. N. (Nietzsche-
Stud. 13, 1984).

Nihil obstat (lat. = es steht nichts
entgegen), Druckerlaubnisformel
der kath. Buchzensur.

Nikki (japan.), Tagebuch, Kopfkissenbuch, intime Aufzeichnungen
über Begegnungen, Erlebnisse, Reisen und Abenteuer; als Gattung der
japan. Lit. im 8.–11., bes. 10. Jh.
sehr beliebt und bes. unter den Damen des kaiserl. Hofes weit verbreitet; lieferte interessante Dokumente
für Denkweisen und Auffassungen
der Zeit und der japan. Lit. überhaupt und im poet. Tagebuch (uta-
nikki) auch Gedichte und Dichtun-

gen. Am bekanntesten das *Tosa-N.* von Ki no Tsurayuki und das *Kagero-N.*

Nikolausspiele, folklorist. Umzugsspiele und Volksschauspiele bes. der Alpenländer von Ankunft und Umzug des Hl. Nikolaus und seiner Begleiter; vermutl. im Zuge der Gegenreformation im 17. Jh. aus älteren Umzugsspielen neu geformt, z. T. für den Tourismus erneuert. 66 Texte erhalten.

H. Schuhladen, D. N. d. Alpenraumes, 1984.

Nil Volentibus Arduum (lat. = Nichts ist den Wollenden schwer), 1669 von L. Meyer in Amsterdam gegründete niederländ. lit. Gesellschaft, die sich unter ihrem Gründer zum Geschmacksrichter aufwarf, die klass. Dramen von Hooft und Vondel ebenso ablehnte wie die romant. von J. Vos und Blasius und schließlich das klassizist. franz. Drama nach Vorschrift Boileaus zum Vorbild erhob. Die Gesellschaft, der auch A. Pels angehörte, löste sich 1681 auf.

A. J. Kronenberg, *Het kunstgenootschap N. V. A.,* Deventer 1875; J. Bauwens, *La tragédie franç. et le théâtre hollandais au 17e s.,* Amsterd. 1921.

Ninjô-bon (japan. = sentimentale Bücher), japan. Erzählform der 1. Hälfte des 19. Jh.: rührselige Liebesgeschichten, die unter dick moralisierendem Geschwätz oft kaum verkleidete Pornographie enthalten. Ihr Druck wurde 1842 verboten, und ihr Hauptvertreter Tamenaga Shunsui endete im Gefängnis.

Nivola, von Miguel de Unamuno scherzhaft geprägtes Kunstwort aus Zusammenziehung der Worte novela (= Roman) und niebla (= Titel eines eigenen Romans von 1914) als Gattungsbezeichnung für diesen Roman.

Nô →Nô-Spiele

Nobelpreis, aus e. Stiftung des schwed. Erfinders des Dynamits, Alfred Nobel, für hervorragende Leistung in Physik, Chemie, Medizin, Wirtschaft, Frieden und Lit. (→Literaturpreis) ohne Rücksicht auf die Nationalität seit 1901 jährlich durch versch. Komitees, für Lit. durch die Schwedische Akademie verliehene und jeweils am 10. Dez. durch den schwed. König überreichte Preise von je anfangs rd. 150 000, 1987 rd. 2 175 000 Schwedenkronen.

N.träger für Lit. waren: 1901 Sully Prudhomme, 02 Th. Mommsen, 03 B. Björnson, 04 F. Mistral u. J. Echegaray y Eizaguirre, 05 H. Sienkiewicz, 06 G. Carducci, 07 R. Kipling, 08 R. Eucken, 09 S. Lagerlöf, 10 P. Heyse, 11 M. Maeterlinck, 12 G. Hauptmann, 13 R. Tagore, 14 nicht verliehen, 15 R. Rolland, 16 V. v. Heidenstam, 17 K. Gjellerup u. H. Pontoppidan, 18 nicht verliehen, 19 C. Spitteler, 20 K. Hamsun, 21 A. France, 22 J. Benavente, 23 W. B. Yeats, 24 W. S. Reymont, 25 G. B. Shaw, 26 G. Deledda, 27 H. Bergson, 28 S. Undset, 29 Th. Mann, 30 S. Lewis, 31 E. A. Karlfeldt, 32 J. Galsworthy, 33 I. A. Bunin, 34 L. Pirandello, 35 nicht verliehen, 36 E. O'Neill, 37 R. Martin du Gard, 38 P. S. Buck, 39 F. E. Sillanpää, 40–43 nicht verliehen, 44 J. V. Jensen, 45 G. Mistral, 46 H. Hesse, 47 A. Gide, 48 T. S. Eliot, 49 W. Faulkner, 50 B. Russell, 51 P. F. Lagerkvist, 52 F. Mauriac, 53 W. Churchill, 54 E. Hemingway, 55 H. Laxness, 56 J. Ramón Jiménez, 57 A. Camus, 58 B. Pasternak (abgelehnt), 59 S. Quasimodo, 60 Saint-John Perse, 61 I. Andrić, 62 J. Steinbeck, 63 G. Seferis, 64 J.-P. Sartre (abgelehnt), 65 M. Šolochov, 66 N. Sachs u. J. Agnon, 67 M. A. Asturias, 68 Y. Kawabata, 69 S. Beckett, 70 A. Solženicyn, 71 P. Neruda, 72 H. Böll, 73 P. White, 74 E. Johnson u. H. Martinson, 75 E. Montale, 76 S. Bellow, 77 V. Aleixandre, 78 J. B. Singer, 79 O. Elytis, 80 C. Miłosz, 81 E. Canetti, 82 G. García Márquez, 83 W. Golding, 84 J. Seifert, 85 C. Simon, 86 W. Soyinka, 87 I. Brodskij, 88 N. Mahfúz.

F. Henrikson, *The N. and their founder,* Stockh. 1938; E. Meier, A. Nobel, 1954; L. J. Ludovici, *N. Winners,* Westport 1957; W. Haas, N.träger d. Lit., 1962; H. Schuck u. a., *Nobel, the man and his prizes,* Amsterd. ²1962; *The Nobel Prize,*

Stockh. 1964; D. Lit.-N.-träger, hg. G. Wilhelm 1983; R. Sohlman, *The legacy of A.Nobel*, Lond. 1983; K. Espmark, D. N. f. Lit., 1988.

Noëls (franz. =) franz. Weihnachtslieder aus Volkstradition u. Tropen der Liturgie in schlichter, einfach gläubiger Grundhaltung, entsprechend den engl. Christmas →Carols, gingen z. T. über die Dialogform in geistl. →Weihnachtsspiele über. Seit 12. Jh. bezeugt, seit 15. Jh. volkssprachl., z. B. v. MAROT.

N. Hervé, *Les n. français*, 1905; J. G. R. de Smidt, *Les n. et la tradition populaire*, Amsterd. 1932.

Nogaku = →Nô-Spiele

Nokturnale (lat. *liber nocturnalis* = Nachtbuch), im MA. liturg. Buch mit den Psalmen, Lesungen und Gebeten des Nacht-Offiziums im Ggs. zum Diurnale; heute Matutin.

Nô-kyôgen →Nô-Spiele

Nom de guerre (franz. = Kriegsname) und **Nom de plume** (Federname), →Pseudonym eines Schriftstellers.

Nomenklatur (lat. *nomenclatura* =) 1. Benennung von (wiss.) Gegenständen, 2. Methode zu deren Klassifikation, 3. Namen-, Sach- oder Stichwort-Verzeichnis, Liste oder Gesamtheit der Fachausdrücke (Terminologie) e. Wissenschaft.

Nominalstil (lat. *nomen* = Name, bes. Hauptwort), Hauptwortstil, der durch häufige Verwendung substantivischer Konstruktionen und Zusammenziehungen gekennzeichnete Stil im Ggs. zum →Verbalstil. Bes. der oft trockene oder phrasenhafte Papierstil in Wiss., Politik und Publizistik, ironisiert z. B. bei Th. MANN.

Nomos (griech. = Gesetz, Tonart), urspr. nach feststehenden Kunstre-

geln gebauter, hymn. Melodietyp der altgriech. Musik, anfangs allein Instrumentalmusik, später als Kultlied an die Götter vor dem Altar von e. Einzelsänger zu eigener Kitharabegleitung (kitharodischer N.), später mit e. Flötenspieler (aulodischer N.) vorgetragen, in versch., bes. feierl. Maßen (Spondeen, Hexameter, bei aulodischem N. bes. das bewegte Elegeion). Seit TERPANDER, der im 7. Jh. v. Chr. dem N. seine typ. Form und feste Gliederung in sieben Teile gab, wurden ihm Texte aus den Heldenepen, Hymnen HOMERS oder eigene Verse unterlegt, die spärlich erhalten sind; im 5./4. Jh. unter PHRYNIS und bes. TIMOTHEOS infolge Überhandnehmens der kunstvollen musikal. Elemente umgeformt zu e. Art Dithyrambos mit eingefügten Chorsätzen, in TIMOTHEOS' *Persai* dann unstroph. Komposition mit wechselnden Rhythmen. →Kitharodie.

H. Reimann, Stud. z. griech. Musikgesch. I, D. N., 1882; O. Crusius, Üb. d. N. (Verhandlgn. d. 39. Philol.-Verslg., 1882); H. Grieser, D. N., 1937.

Nonarime (ital. = Neunreim), um e. Schlußzeile, die auf die 2. reimt, erweiterte →Stanze; Reimfolge ababccb.

Non-fiction →Sachbuch

Nonsense-Verse (engl. = Unsinn), Unsinnspoesie, Verse, die im Ggs. zu bloß scherzhaften oder satir. Versen nicht auf Witz, Humor, Komik oder Ironie beruhen, sondern auf bloßer Absurdität und der unlog. Verbindung paradoxer Vorstellungen, z. T. auch auf bloßen Klangspielen, mit der Absicht verblüffender Wirkung und Unterhaltung oder aus grotesk-phantast. Spieltrieb, Lockerungsübungen der Sprache, die ihre eigene (Un)Logik hat. N. sind vorgebildet in einigen Kinderliedern (Abzähl- und Wiegenliedern) wohl als Endstufe e. Zersingungsprozesses und den Reden von Shakespeares Narren; selbständig erscheinen sie seit Mitte 19. Jh. in der Lit. bes. bei Chr. Morgenstern, J. Ringelnatz, H. Erhardt, P. Scheerbart, H. Arp, K. Valentin, Klabund, K. Schwitters, P. Härtling, E. Jandl, engl. bei G. K. Chesterton, W. S. Gilbert, O. Nash und bes. E. Lear und L. Carroll, Futuristen (Majakovskij), Surrealisten und Dadaisten (Arp, Tzara). Vgl. →Clerihew, →Klapphornvers, →Limerick.

E. Sewell, *The Field of N.,* 1952; L. Forster, *Poetry of significant nonsense,* Cambr. 1962; A. Liede, Dichtg. als Spiel, II 1963; R. Hildebrandt, Nonsense-Aspekte d. engl. Kinderlit., 1970; A. Schöne, Engl. Nonsense- u. Gruselballaden, 1970; dies., Vorklänge surrealist. Dichtg., ZfA 17, 1972; D. Petzoldt, Formen u. Funktionen engl. N.-Dichtg. i. 19. Jh., 1972; K. Reichert, L. Carroll, 1974; R. Tabbert, Z. lit. Nonsense, DU 27, 1975; G. Angeli, *Il senso del non-senso* (Paragone 27, 1976); P. C. Lang, Lit. Unsinn i. spät. 19. u. früh. 20. Jh., 1982; *Explorations in the field of nonsense,* hg. W. Tigges, Amst. 1987; ders., *An anatomy of lit. nonsense,* Amst. 1988.

Nordsternbund, spätromant. Berliner Dichterkreis rd. 1800 bis 1810 um den *Grünen Almanach* (→Musenalmanach) und um die Berliner Vorlesungen A. W. Schlegels: Chamisso, Fouqué, Varnhagen, J. E. Hitzig, F. W. Neumann, D. F. Koreff.

Norito oder Norigoto, japan. Gebete aus dem Ritual des Shinto-Glaubens seit dem 7./8. Jh., die in Vers oder Prosa mit Zauberformeln die Gnade der Götter beschwören; von den Priestern bei kult. Hoffeiern z. T. noch heute rezitiert und durch ihr feierl. Pathos einflußreich auf die Dichtung der Zeit und die spätere Literatursprache.

D. L. Philippi, *N.,* Tokyo 1959.

Nô-Spiele (japan. = Fertigkeit, Kunst), älteste feierliche japan. Bühnensingspiele der aristokrat. Kriegerkaste (Samurai); entstanden wie das griech. Drama aus kult. Aufführungen mit Tanz, Chor und Gesang (Gigaku und Bugaku) als Darstellungen des Sonnenmythos vom abnehmenden und zunehmenden Licht im 14./15. Jh., seither in streng traditioneller Entwicklung und, bes. seit 17. Jh., kunstvoller Stilisierung, die jede kleinste pantomim. Bewegung und jedes Wort genauestens festlegt, zu e. Einheit von Wort, Tanz, Gesang, Musik und Gestik als Darstellung seel. Zustände. Der Hauptdarsteller (Shite) allein trägt e. kunstvoll nuancierte Gesichtsmaske (Men), deren Wirkung im Spiel, der Haltungs- und Bewegungstechnik hervortritt. Seine expressive Darstellungskunst – nicht Handlung oder Situationssondern Seelendramatik – muß auch die fehlenden Dekorationen und Requisiten auf der nach drei Seiten offenen Symbolbühne ersetzen; nur die Rückwand zeigt e. gewaltige Kiefer als Symbol langen Lebens. Die Nô-Spieler, von Fürsten und Mäzenaten verehrt und unterstützt, lebten allein ihrer Kunst. Neben dem Shite, der einziger Träger der Handlung ist, erscheint als Nebenrolle zur Ermöglichung des Dialogs sein Partner Waki, der in unbeschäftigten Szenen – z. B. der großen Solotanzszene des Shite – an der Seite des Chors Platz nimmt, und wiederum dessen Helfer (Tsure), auch e. kom. Person, welche die trag. Handlung durch Stegreifeinlagen unterbricht. Auch Frauenrollen werden von Männern gespielt. Der musikal. Untermalung und Umrahmung der Dialoge dient, von e. kleinen Orchester begleitet (1 Flöte, 1 Trommel, 2 Tamburins), der kleine Chor, der neben dem Orchester

Platz hat und sich, wenn nicht benötigt, in den Hintergrund, doch stets sichtbar, zurückzieht. Er bringt die Handlung erzählend in Gang, greift jedoch weiterhin nicht wie der antike Chor in das Geschehen ein. Waki und Tsure geben im Expositionsdialog das Thema, Grundmotiv der Handlung. Der Shite erscheint im 1. Teil des Spiels in ird. Gestalt; im 2. Teil dagegen naht er feierlich-schicksalhaft über den ›Blumenweg‹ (Verbindung von Bühne und Publikum) in prunkvollem Kostüm zu e. feierl., gesungenen und getanzten Arie, in e. Gott oder e. relig. Numen verwandelt: Offenbarung des Überweltlichen in der Welt als myst. Erfahrung. Die Pausen zwischen den jeweils fünf aufgeführten N. füllen possenhafte Intermezzi (Nô-Kyôgen) ohne Chor und Musik, doch ebenfalls der Kulthandlung zugehörige realist. Dialoge. Als Stoffe wählt das N. Mythos, Legende, Sage; seine lyr.-ep. Singspielform verzichtet auf dramat. Konflikte und konzentriert alles auf seel. Stimmung, die unter Vermeidung der trag. Katharsis zu innerer Ergriffenheit führen soll. Die Mehrzahl der 264 noch heute gespielten Stücke geht unter dem Namen des ZEAMI MOTOKIYO (15. Jh.) und s. Vaters KANAMI KIYOTSUGU, der Begründer der ersten N.-Schule. Im 20. Jh. erneuerte Yukio MISHIMA das in der Überlieferung erstarrte N. mit mod. Gehalten. Die Dramaturgie des N. wirkte nachhaltig auch auf das lyr. und didakt. Drama des Abendlandes (E. POUND, W. B. YEATS, B. BRECHT, P. CLAUDEL, Th. WILDER).

M. Piper, D. Schaukunst der Jap., 1927; K. Glaser, Jap. Theater, 1930; N. Peri, Le N., Tokyo 1944; P. G. O'Neill, A guide to N., Tokyo 1954; H. Bohner, Gestalten u. Quellen d. N., Tokyo 1955; ders., N., Tokyo II 1956–59; P. G. O'Neill, Early N. Drama, N.Y. 1958; E. Pound, E. Fenollosa, N., 1963; J. Barth, Nôkyôgen (Mitteil. d. dt. Ges. f. Natur- u. Völkerkde. Ostasiens XL IV, 2, 1963); E. Hesse, D. N. u. d. poet. Theater (Merkur 17, 1963); N., hg. E. Hesse 1963; D. Keene, N., N.Y. 1966, ²1973; J. Barth, Japans Schaukunst, 1972; S.-K. Lee, Auswirkgn. d. N., MuK 22, 1976; S.-K. Lee, Nô u. europ. Theater, 1983; M. Oba, Brecht u. d. Nô-Theater, 1984.

Notae (lat. = Zeichen, griech. *semeia*), bei der Kommentierung und Herausgabe antiker Schriftsteller durch alexandrin. Philologen (ZENODOTUS, ARISTOPHANES, ARISTARCHOS) und bis ins MA. hinein verwendete textkrit. Zeichen zur Kenntlichmachung von Stellen falscher oder angezweifelter Überlieferung, bes.: Obelos (= Spieß: –, waagerechte Linien an beiden Seiten der Zeile) für Unechtheit, Asteriskos (= Sternchen: *) für fehlenden, unvollständigen Sinn oder anderwärts falsche Wiederholung, Keraunion (= Donnerkeil: T) für e. Reihe unechter Zeilen, →Interpolationen, Antisigma (= umgekehrtes Sigma: Ɔ) für irrtüml. Wiederholung oder falsche Wortreihenfolge und Diple (= doppelt: >) für andere bemerkenswerte Stellen. Der Asteriskos verwies auch auf Anmerkungen und wurde bei längeren, selbständigen Kommentaren durch →Lemmata ersetzt.

Notarikon, →Kryptogramm, bei dem bestimmte hervorgehobene Anfangsbuchstaben eines Textes ein neues Wort ergeben: »*L*iebe, *U*nschuld, *I*nbrunst, *S*itte, *E*hre« (F. RÜCKERT)

Nouveau roman (franz. = Neuer Roman), auch ›Dingroman‹, ›Antiroman‹, avantgardist. franz. Romanform nach 1945 in radikalem Ggs. zur Tradition des psychol.-illusionist.-chronolog. Romans mit den Kategorien Fabel, Held, Charakter, Kausalität, Perspektive, Zeit und

Raum. Der N. r. thematisiert die Erzählfiktion selbst. Er ist entstanden aus dem Streben nach ›objektiver Lit.‹ durch Ausschaltung vorgeplanter Handlung, individueller Figuren, moral.-polit. Engagements und des Erzähler-Subjektivismus. Umständlich genaue, kühlsachl. Beschreibung der wahrnehmbaren gegenständl. Gegebenheiten als objektive Entzifferung der Umwelt und ihrer sichtbaren Veränderungen aus der Perspektive e. Hauptfigur oder e. anonymen Sehorgans; fast drehbuchartige geometr.-physikal. Darstellung der Oberflächenwelt, deren bedeutungsleere, von Kausalität befreite Realität mit Sinn zu erfüllen dem Leser überlassen bleibt (daher mißverständlich ›gegenstandsloser Roman‹ genannt). Stilexperiment zur Verschlüsselung der z. T. auch hier implizite vorhandenen Handlung. Hauptvertreter der Blütezeit des N. rd. 1950–1970 sind A. ROBBE-GRILLET (La jalousie), N. SARRAUTE, M. BUTOR, C. SIMON, nahe stehen J. CAYROL, R. PINGET, C. OLLIER, S. BECKETT, ferner z. T. M. BLANCHOT, M. DURAS, C. MAURIAC, Ph. SOLLERS, J.-M. LE CLÉZIO und G. PEREC. In Dtl. Wirkung auf P. HANDKE, J. BECKER, D. WELLERSHOFF, T. BERNHARD u. a., in Engl. J. BARTH, J. FOWLES. Eine Weiterentwicklung um 1970, der ›Nouveau N. R.‹, erprobt das Sprachmaterial des Romans.

R. Barthes, Am Nullpunkt d. Lit., 1959; G. Zeltner-Neukomm, D. Wagnis d. franz. Ggw.-romans, 1960; L. Lesage, The French New Novel, Pennsylvania 1962; Un n. r.?, hg. J. H. Matthews, Paris 1964; G. Zeltner-Neukomm, D. eigenmächtige Sprache, 1965; L. Janvier, Lit. als Herausforderung, 1967; A. Raasch, Gedanken z. N. R., NS 66, 1967; J. Ricardou, Problèmes du n. r., Paris 1967; L. Pollmann, D. Neue Roman i. Frankr. u. Lateinamerika, 1968; G. Zeltner-Neukomm, D. Ich u. d. Dinge, 1968; J. Sturrock, The French new novel, Lond. 1969; K. Wilhelm, D. N. R., 1969; Plädoyer f. e. neue Lit., hg. K. Neff 1969; V. Mercier,

The New Novel, N.Y. 1971; J. Ricardou, Pour une théorie du n. r., Paris 1971; K. Netzer, D. Leser d. N. R., 1971; S. Heath, The N. R., Lond. 1972; J. Wilhelm, N. R. u. antithéâtre, 1972; W. Wehle, Franz. Roman d. Ggw., 1972; J. Ricardou, Le n. r., Paris 1973; G. Zeltner-Neukomm, D. Augenblick d. Ggw., 1974; A. Arnaudies, Le n. r., Paris II 1974; N. R., hg. W. Wehle 1980; A. Jefferson, The n. r. and the poetics of fiction, Cambr. 1980, ²1984; B. Burmeister, Streit um den N. R., 1983.

Nouvelle Critique (franz. = Neue Kritik), Strömung der franz. Literaturwiss. seit rd. 1960 in Opposition zur akadem. histor.-positivist.-biograph. Methode, forderte unter Einfluß des →New Criticism e. mehr werkimmanente und strukturalist. Analyse des autonomen Wortkunstwerks und bes. seiner Symbolsprache. Ihre Hauptrichtungen sind Psychokritik (C. MAURON), themat. Kritik (J. STAROBINSKI, G. POULET, J.-P. RICHARD, J.-P. WEBER, G. BACHELARD), soziolog. Kritik (L. GOLDMANN, C. DUCHET) und linguist. Kritik (R. BARTHES, Semiotik).

Novas rimadas (provenzal. = gereimte Erzählung), in provenzal. Lit. ein erzählendes oder didakt. Gedicht in achtsilbigen Paarreimen.

Novela picaresca →Schelmenroman

Novelle (lat. novella sc. lex = Nachtragsgesetz, ergänzende Rechtsverordnung, zu lat. novus = neu; dann ital. = Neuigkeit, seit der Renaissance lit. Begriff), kürzere Vers- oder meist Prosaerzählung e. neuen, unerhörten, doch im Ggs. zum Märchen tatsächl. oder mögl. Einzelbegebenheit mit e. einzigen Konflikt in gedrängter, geradlinig auf e. Ziel hinführender und in sich geschlossener Form und nahezu objektivem Berichtstil ohne Einmischung des Erzählers, ep. Breite und

Charakterausmalung des Romans, dagegen häufig in Gestalt der →Rahmen- oder →chronikalischen Erzählung, die dem Dichter e. eigene Stellungnahme oder die Spiegelung des Erzählten bei den Aufnehmenden ermöglicht und den streng tekton. Aufbau der N., den sie mit dem Drama gemeinsam hat, betont. Die Verwandtschaft zum Drama (Storm: ›Schwester des Dramas‹) ist größer als die zum Roman, wie aus den erfolgreich dramatisierten Novellen (Shakespeare) und der Vereinigung von Dramen- und N.dichter (Kleist) hervorgeht. Beide Formen verlangen geraffte Exposition, konzentriert herausgebildete Peripetie und e. Abklingen, das die Zukunft der Figuren mehr ahnungsvoll andeuten als gestalten kann. Die Auseinandersetzung mit den Gattungsgesetzen beginnt in der Romantik. Von den wesentlichen Theoretikern der N. zeigt F. Schlegel (*Nachricht von den poetischen Werken des J. Boccaccio*, 1801) den symbol. Charakter und die objektiv gestaltete Subjektivität der N. wie die gesellschaftl. Formeigenart als thematisch verbundene Unterhaltungskunst auf; A. W. Schlegel und bes. Tieck betonen bei aller stoffl. Vielseitigkeit neben dem Symbolcharakter das Auftreten e. völlig unerwarteten, doch natürlich entwickelten und scharf herausgearbeiteten Wendepunktes in der psychologisch bruchlos gestalteten Charakterentwicklung; Goethe definiert die N. (zu Eckermann 29. 1. 1827) als ›e. sich ereignete unerhörte Begebenheit‹. Er betont in beiläufigen Bemerkungen der Figuren in den *Unterhaltungen deutscher Ausgewanderten* den Wert des Neuen, Ungewöhnlichen, Interessanten, ›weil es ohne Zusammenhang Verwunderung erregt und unsere Einbildungskraft e. Augenblick in Bewegung setzt, unser Gemüt nur leicht berührt und unseren Verstand völlig in Ruhe läßt‹. P. Heyse entwickelt am Vorbild Boccaccios die →Falkentheorie und stellt der Formauflösung der Zeit die strengen Formgesetze der Renaissance-N. gegenüber, an die in der →Neuklassik auch P. Ernst (*Der Weg zur Form*, 1906) wieder anknüpft. Die neue Literaturwissenschaft führt die Erörterung der N.form mit bes. Interesse fort. – Vorläufer der knappen, architektonisch aufgebauten und pointierten Erzählform waren in der Antike die sog. Milesischen Geschichten des Aristides von Milet (2. Jh. v. Chr.), oft ausgelassene Abenteuer- und Liebesgeschichten, die sich auch in Rom größter Beliebtheit erfreuten (Gyges, Witwe von Ephesus u. ä.) und im MA. die →Fabliaux, →Lais und die →Novas rimadas der Troubadours, in Nordfrankreich als →Fablels oder Contes fortgebildet. Eine weitere Wurzel sind die →Exempel vom Typ des Petrus Alfonsi, die noch im ital. *Novellino* (Ende 13. Jh.) und in Juan Manuels *Conde Lucanor* (um 1330) nachwirken. Die eigtl. Entwicklung der N. beginnt in den roman. Ländern als ausgesprochene Gesellschaftsdichtung: in Italien Boccaccios *Decamerone* (1348–1353), das als Rahmenerzählung – einzelne Mitglieder einer Gesellschaft erzählen Erlebnisse – schon den Grundcharakter der N. enthält: man erzählt natürlich unbekannte und merkwürdige, nicht ›typische‹ und dennoch glaubhafte Ereignisse in spannungsreicher Form von ihren Ursachen bis zum Abschluß der Handlung mit allen für das Verständnis notwendigen Zügen. Es folgen zahlr. Nachahmungen in der ital. Renaissance, T. Guardatis *Novellino* (1476), später bes. Bandello (*Novelle*) und G. Basile (*Il*

Pentamerone, 1634), in England CHAUCERS *Canterbury Tales* 1391–99, in Frankreich die *Cent nouvelles nouvelles* (1440), das *Heptameron* der MARGUERITE DE NAVARRE (1559) und N.n von DES PÉRIERS, SCARRON und LA FONTAINE, in Spanien die *Novelas ejemplares* (1612) von CERVANTES – meist pointierte Erzählberichte, die teils erot. Vorfällen e. überraschende Wendung geben. An diese Form und die *Contes et nouvelles en vers* von LA FONTAINE knüpfen die Vers-N.n WIELANDS an, der sie aus der Gesellschaftsstruktur des franz. Rokoko übernimmt und in Dtl. einführt, während die frühere dt. Erzählprosa bis auf einige N.-Übersetzungen der Humanisten (als rhetor. Musterbeispiele) nur unpersönl. Volksbücher, Schwänke, →Mären und moral. Erzählungen kannte. Nach ersten, zunächst nachfolgelosen Versuchen durch H. P. STURZ erneuert GOETHE in den *Unterhaltungen dt. Ausgewanderten* (1795) und den in die *Wahlverwandtschaften* und *Wanderjahre* eingelegten Erzählungen die ursprüngl. Form mit geradliniger, strenger Architektur, vertieft aber gleichzeitig stark den seel. Hintergrund und Wendepunkt der Handlung und wendet sich schließlich in der N. vom Realen ins Symbolische, Ideale; H. von KLEIST erreicht in seinen N.n den geschlossensten Aufbau bei tiefer Tragik der Welterfassung; in der vorbildlichen, oft vergeblich nachgeahmten Formstrenge folgen ihm von den Romantikern ARNIM, freier TIECK, EICHENDORFF, BRENTANO, später HAUFF; bei E. T. A. HOFFMANN wie auch schon bei KLEIST bahnt sich die vertiefte Menschengestaltung an, die in Biedermeier und Realismus des 19. Jh. zu e. bes. Höhe der N. führt: MÖRIKE, GRILLPARZER, STIFTER, DROSTE,

KELLER, O. LUDWIG, C. F. MEYER, STORM, H. KURZ, F. v. SAAR, P. HEYSE, M. v. EBNER-ESCHENBACH, W. RAABE u. a. Gleichzeitig stößt die N.kunst der Franzosen (MUSSET, VIGNY, MÉRIMÉE, STENDAHL, DAUDET, FLAUBERT, MAUPASSANT, BOURGET, LOTI), Russen (PUŠKIN, GOGOL', LERMONTOV, TOLSTOJ, LESKOV, TURGENEV, DOSTOEVSKIJ, ČECHOV) und Dänen (J. P. JACOBSEN, H. BANG) über den realist. in den psycholog. Bereich vor. Noch während der großen N.Slg. von HEYSE und KURZ vollzieht sich in den Epochen seit dem Naturalismus, bes. im Impressionismus und Expressionismus, e. Umschwung von der gerundeten und sprachgewandt-glatten zur gelockerten, selbst abrupten und fragmentarischen, teils zerfließenden Handlung, die ihren Gehalt aus dem Seeleninneren schöpft und nur in der Handlungseinheit die Straffung erkennen läßt (SCHNITZLER, STERNHEIM, G. HEYM, EDSCHMID, KAFKA). Andererseits bemühen sich nach Vorgang von FONTANE und LILIENCRON bes. H. und Th. MANN, St. ZWEIG, E. v. KEYSERLING, H. v. HOFMANNSTHAL, H. SUDERMANN, P. ERNST, R. HUCH, H. GRIMM, E. STRAUSS, I. KURZ, H. HESSE, R. BINDING, R. MUSIL, G. von LE FORT, W. BERGENGRUEN, E. WIECHERT, A. SEGHERS, F. FÜHMANN und St. ANDRES um e. neue Geschlossenheit der Form. In neuester Zeit daneben bei W. BORCHERT, S. LENZ u. a. Übergang zur →Kurzgeschichte und →Anekdote, bei G. GRASS *(Katz und Maus)* Ausweitung zum Roman hin. Im angloam. Bereich, wo der Begriff N. fehlt, stehen R. L. STEVENSON, R. KIPLING, D. H. LAWRENCE, K. MANSFIELD, W. S. MAUGHAM, POE, HAWTHORNE, MELVILLE, CRANE, H. JAMES, E. HEMINGWAY u. a. der Form nahe, in

Frankreich SARTRE und CAMUS, in Italien PIRANDELLO, SVEVO, MORAVIA und CALVINO. Vgl. →Versnovelle.

R. Fürst, D. Vorläufer d. mod. N. i. 18. Jh., 1897; M. Goldstein, D. Technik d. zykl. Rahmenerz., Diss. Bln. 1906; E. Walser, D. Theorie d. Witzes u. d. N., 1908; P. Bastier, *La nouvelle individualiste en Allemagne de Goethe à Keller*, 1910; E. Rohde, D. griech. Roman, ³1914; R. M. Mitchel, *Heyse and his predecessors in the theory of n.*, 1915; H. Mielke-Homann, D. dt. Roman i. 19. u. 20. Jh., ⁵1920; E. Auerbach, Z. Technik d. Frührenaissance-n. i. Italien u. Frkr. 1921, ²1971; L. Bianchi, V. d. Droste bis Liliencron, 1922; M. A. Raynal, *La nouv. franç.*, Paris 1926; H. Weißer, D. dt. N. i. MA., 1926; H. H. Borcherdt, Gesch. d. Romans u. d. N. i. Dtl., 1926; H.-F. Rosenfeld, Mhd. N.studien, 1927, ²1967; A. Hirsch, D. Gattgs.begriff N., 1928, n. 1967; RL; A. v. Grolman, D. strenge N.form u. d. Problematik ihrer Zertrümmerg. (Zs. f. Dt.kunde, 1929); H. Pongs, Grundlagen der dt. N. des 19. Jh., JFDH 1930; I. Wortig, D. Wendepunkt i. d. dt. N., Diss. Ffm. 1931; H. Pongs, Möglichkeiten d. Tragischen i. d. N., 1932; J. Klein, Wesen u. Erscheings.-form d. dt. N., GRM 24, 1936; H. Steinhauer, D. dt. N. GRM 24, 1936; H. Steinhauer, D. dt. N. 1880–1933, 1936; G. Schüler, D. N. d. Jg. Dtl., Diss. Bln. 1941; E. K. Bennett, *A History of the German N.*, Cambr. ²1961; H. Beyer, D. moral. Erzählg. i. Dtl., 1941; W. Krauss, Novela-N. (Ges. Aufs., 1949); H. Lang, Z. Entw. d. mhd. Versn., Diss. Mchn. 1951; H. O. Burger, Theorie u. Wissensch. i. d. dt. N., DU 1951; A. Mulot, D. N. u. ihre Interpretation, ebda.; J. Kunz in ›Aufriß‹; W. Pabst, N.theorie u. N.dichtg., 1953, ²1967; B. v. Arx, N.istisches Dasein, 1954; I. Jens, Stud. z. Entw. d. express. N., Diss. Tüb. 1954; W. Silz, *Realism and Reality*, Chapel Hill 1954; J. Klein, Gesch. d. dt. N., 1954, ⁴1960; B. v. Wiese, D. dt. N. v. Goethe bis Kafka, II 1956–62; N. Erné, Kunst d. N., ²1961; F. Lockemann, Gestalt u. Wandlungen d. dt. N., 1957; S. Trenkner, *The Greek N. in the Class. Period.*, Lond. 1958; K. Koskimies, D. Theorie d. N., OL 14, 1959; W. Silz, Gesch., Theorie u. Kunst d. N., DU 11, 1959; F. Martini, D. dt. N. i. bürgerl. Realismus, WW 10, 1960; J. Müller, N. u. Erzählg., EG 16, 1961; H. Tiemann, D. Entst. d. ma. N. i. Frankr., 1961; B. v. Wiese, D. N., 1963, ⁸1982; H. Himmel, Gesch. d. dt. N., 1963; E. Hermes, D. 3 Ringe, 1964; K. K. Polheim, N.theorie u. N.forschg., 1965; H. Remak, Wendepkt. u. Pointe i. d. dt. N. (Fs. E. M. Fleissner,

1965); E. Voerster, Märchen u. N. i. klass.-romant. Roman, ²1966; H. H. Malmede, Wege z. N., 1966; R. Blauhut, Österr. Novellistik d. 20. Jh., 1966; F. Deloffre, *La n. en France à l'âge class.*, Paris 1968; W. Baum, Bedeutg. u. Gestalt. Üb. d. sozialist. N., 1968; R. Thieberger, *Le genre de la n. dans la lit. allemande*, Paris 1968; H.-J. Neuschäfer, Boccaccio u. d. Beginn d. N., 1969; R. Schönhaar, N. u. Kriminalschema, 1969; R. Godenne, *Hist. de la n. franç. au 17. et 18. siècles*, Genf 1970; J. Kunz, D. dt. N. i. 19. Jh., 1970, ²1978; H. Seidler, Österr. N.kunst i. 20. Jh., 1970; R. Schröder, N. u. N.ntheorie i. d. frühen Biedermeierzeit, 1970; D. LoCicero, N.theorie, Haag 1970; J. D. Johansen, *Novelleteorie efter 1945*, Koph. 1970; H. Steinhauer, *Towards a definition of the n. (Seminar 6*, 1970); D. N., hg. F. G. Ryder, N.Y. 1971; J. Kunz, D. dt. N. zw. Klassik u. Romantik, ²1971; E. Leube, Boccaccio u. d. europ. N.ndichtg. (Neues Hdb. d. Lit.wiss 9, 1972); H. Remak, D. Rahmen i. d. dt. N. (Fs. F. Jantz 1972); W. Krömer, D. franz. N. i. 19. Jh., 1972; K. A. Blüher, D. franz. N., 1972, ²1985; P. Brockmeier, Lust u. Herrschaft, 1972; N., hg. J. Kunz ²1973; U. Eisenbeiß, D. Idyllische i. d. N. d. Biedermeierzt., 1973; W. Krömer, Kurzerzn. u. N n i. d. roman. Litt. des 1700, 1973; J. M. Ellis, *Narration in the German N.*, Lond. 1974; R. Godenne, *La nouv. franç.*, Paris 1974; J. Leibowitz, *Narrative purpose in the n.*, Haag 1974; A. Weber, Dt. N.n d. Realismus, 1975; L. Sozzi, *La nouv. franç. de la Renaiss.*, Turin 1975; D. franz. N., hg. W. Krömer 1976; L. Köhn, Dialektik d. Aufklärg. i. d. dt. N., DVJ 51, 1977; J. Kunz, D. dt. N. i. 20. Jh., 1977; H. Wetzel, D. roman. N. bis Cervantes, 1977; D. roman. N., hg. W. Eitel 1977; M. Swales, *The German N.*, Princeton 1977; E. Edler, D. Anfge. d. soz. Romans u. d. soz. N. i. Dtl., 1977; R. J. Clements, J. Gibaldi, *Anatomy of the n.*, N.Y. 1977; J. H. E. Paine, *Theory and criticism of the n.*, 1979; Dt. N.n v. Goethe bis Walser, hg. J. Lehmann II 1980; Hdb. d. dt. Erzählg., hg. K. K. Polheim 1981; D. russ. N., hg. B. Zelinsky 1982; U. Eisenbeiß, Didaktik d. novellist. Erzählens i. bürgerl. Realism., 1985; H. Henel, Anfge d. dt. N., MH 77, 1985; H. Herbst, Frühe Formen d. dt. N. i. 18. Jh., 1985; R. Paulin, *The brief compass*, Oxf. 1985; J. M. Ritchie, D. strenge N'form i. 20. Jh. (Fs. R. Frommholz, 1986).

Novellenkranz →Novellenzyklus

Novellenmärchen, volkstüml. Erzählung um e. klar definierten Konflikt mit romant.-surrealen Zügen auf ansonsten realem Hintergrund, z.B. A. v. CHAMISSOS *Peter Schlemihl*.

Novellenroman, Roman, dessen Handlung sich aus e. Anzahl innerlich zusammengehöriger, e. Entwicklung aufzeigender Novellen zusammensetzt (A. ZWEIG, A. DÖBLIN, *Hamlet*).

W. Düsing, D. N., SchillerJb. 20, 1976.

Novellenzyklus, locker um ein gemeinsames Thema oder eine Zentralfigur als Held oder Erzähler komponierten Zyklus von Novellen, z.B. bei A. ZWEIG, J. WASSERMANN, L. FRANK, F. NABL, W. BERGENGRUEN u.a.

Novellẹtte (ital. *novelletta* =) kurze →Novelle, engl. auch allg. ›Novelle‹.

Nudelverse   →Makkaronische Dichtung

Nürnberger Dichterkreis der ›Pegnitzschäfer‹ oder ›Pegnesischer Blumenorden‹, 1644 von HARSDÖRFFER und KLAJ gegr. lit. Vereinigung dt. Barockdichter in Nürnberg; weitere Mitglieder: v. BIRKEN, RIST, SCHOTTEL, MOSCHEROSCH; schließt sich in seinen Bestrebungen den →Sprachgesellschaften an, pflegt aber selbst mehr heitere Hirten- und Gesellschaftsdichtung, Bilderlyrik und Klangmalerei.

J. Tittmann, D. N. D., 1847, n. 1965; RL; B. L. Spahr, *The Archives of the Pegnes. Blumenorden,* Berkeley 1960; J. O. Newman, *Institutions in the pastoral,* Diss. Princeton 1983.

Nullpunkt, lit. Schlagwort für die (umstrittene) Theorie, die dt. Lit. der Nachkriegszeit habe nach dem Zusammenbruch des Dritten Reiches 1945 mit einer tabula rasa beginnen müssen, da infolge der Pervertierung aller Kulturbereiche

durch den Nationalsozialismus keinerlei fortwirkende Traditionen als Basis für den Neuaufbau des lit. Lebens vorhanden gewesen wären (›totaler Ideologieverdacht‹).

F. Trommler, D. N. (Basis 1, 1970); ders., D. zögernde Nachwuchs (Tendenzen d. dt. Lit. seit 1945, hg. T. Koebner 1971); V. C. Wehdeking, D. N., 1971.

Nụmerus (lat. = Zahl), in antiker Metrik die Zahl der →Moren e. Verses; in antiker Rhetorik die geregelte Abfolge der Kürzen und Längen, im Vers durch die Zahl und Anordnung der Versfüße festgelegt, in Kunstprosa als →Klausel erscheinend; schließlich auch der durch Pausen, Sprechmelodie und Akzente bestimmte Klangcharakter und Prosarhythmus e. Satzes.

Nyland-Kreis, eigtl. nach e. westfäl. Bauernhof ›Bund der Werkleute auf Haus Nyland‹ genannt, 1912 in Bonn gegr. rhein. Dichterkreis um J. WINCKLER, W. VERSHOFEN, J. KNEIP und die Zs. *Nyland* (1918, urspr. 1912–14 *Quadriga*); dem Expressionismus weniger geistig als sprachlich nahestehend und durch Einbeziehung des Maschinenzeitalters, der Technik, des Wirtschaftslebens und der Arbeitswelt die →Arbeiterdichtung fördernd.

F. A. Hoyer, D. Werkleute auf Haus N., Diss. Tüb. 1941.

Obelos →Notae

Oberbühne, bei der →Shakespeare-Bühne die über der Vorderbühne befindliche, als erhöhter Ort (Erker, Mauer, Hügel) dienende Galerie.

Objektive Literatur →Nouveau roman

Objektive Lyrik, mißverständliche Bz. für lyr. Gedichte, in denen die Gegenständlichkeit nicht in der Stellungnahme e. aufnehmenden Ich gespiegelt, sondern gewissermaßen selbst Stimme wird. Vgl. →Dinggedicht.

Obszönität (v. lat. *obscoenus* = schmutzig, unzüchtig), gemäß Gesetz alles, ›was geeignet ist, das Scham- und Sittlichkeitsgefühl eines normalen Menschen zu verletzen‹, hier die moral. Anstößigkeit einzelner sexueller oder erot. Schilderungen in der Lit., wie sie in den Werken fast aller Zeiten und Völker anzutreffen sind. Sie gilt in der populären quietist. Literaturbetrachtung mit ihrer empfindl. Schamhaftigkeit, die zwar gegen die Darstellung von Mord und Brutalität keine Hemmungen hat, wohl aber gegen jede Betonung der Sinnenfreude und Körperlichkeit des Menschen, noch immer als Tabu und als Verstoß gegen die guten Sitten. Für den lit. Kunstwert einer Dichtung ist die Frage der evtl. O. völlig irrelevant; für die →Zensurbehörden wird sich jedoch immer die Frage stellen, ob ein Buch seinen Erfolg eigentlich seinem lit. Kunstwert oder vorwiegend seiner O. verdanke und damit zur ausschließlich auf sexuelle Stimulierung abzielenden →Pornographie gehöre. Der Begriff der O. wird immer im Spiel bleiben, solange die moderne Lit. dem Moralkodex ihrer Zeit mit seinen veralteten Tabus um eine Länge voraus ist und solange es menschl. Prüderie beliebt, lit. Werke mit außerlit. Maßstäben zu messen.

T. Schroeder, *Obscene lit.,* 1911; D. H. Lawrence, *Pornography and obscenity,* 1929; E. T. Atkinson, *Obscene lit.,* 1939; J. N. C. Paul u. M. L. Schwartz, *Federal censorship,* N.Y. 1961; L. Marcuse, Obszön, 1962; A. Craig, *Suppressed books,* Cleveland 1963; H. Giese, D. obszöne Buch, 1965; C. Rembar, *The end of o.,*

N.Y. 1968; W.-D. Stempel, Ma. O. als lit. Problem (Poetik u. Hermeneutik 3, 1968); P. Gorsen, D. Prinzip Obszön, 1969; E. Mertner, H. Mainusch, Pornotopia, 1970; P. Brockmeier, Lust u. Herrschaft, 1972; P. Gorsen, Sexualästhetik, 1972, ⁴1977; Wollüstige Phantasie, hg. H. A. Glaser 1972; W. Witte, *The lit. uses of o.,* GLL 28, 1974; R. Krohn, D. unanständige Bürger, 1974. →Pornographie.

Occupatio →Paralipse

Ode (griech. = Gesang), 1. in der griech. Tragödie wie auch die Antode im regelmäßigen Wechsel mit Sprechteilen (Epirrhemata) stehende Chorgesänge. – 2. lyr. Form des Weihevollen, Feierlich-Erhabenen und Schwungvoll-Gedanklichen; in der Antike auch sangbar, doch im Gegensatz zur Einheit von Erlebnis und Erlebendem im heutigen →Lied gekennzeichnet durch ein ›richtendes Gegenüber‹ (häufig als Du-Anrede), eine kühle Distanz und dennoch tiefe Ergriffenheit vom Erlebnis, die sich in strenger, getragener Formgebung bändigt, meist reimlos und strophisch, im Stil des gezügelten Pathos, dadurch – freilich fließend – abgegrenzt gegen →Hymne und →Dithyrambus. Als Stoffe, die mit den durch sie ausgelösten Gefühlen, teils jäh assoziativen Übergängen, doch stets beziehungsklar und konturenfest, von gedankl. Helle, in e. dem erhabenen Gegenstand angemessenen, gehobenen Sprache dargestellt werden, erscheinen bes.: Gott, Religion, Staat, Vaterland, Natur, Kunst, Wahrheit, Freundschaft, Geselligkeit, Liebe, Lebensgenuß, Gelassenheit, Nachruhm u. ä., auch entsprechende Anlässe der Gelegenheitsdichtung. – Als erste Vorstufe könnten die Psalmen DAVIDS gelten. Die griech. O.dichtung beginnt im 7. Jh. v.Chr. mit monod.-stroph. O.n von ALKAIOS, SAPPHO, ALKMAN und erreicht ihren Höhepunkt, z.T. mit

Nähe zur Hymne, bei PINDAR *(Olympische O.n)* im dreigliedr. Aufbau der Chorlyrik (Ode, Antode, Epode). Für die Nachwelt bedeutender waren bes. die lat. O.n des HORAZ, die freilich erst von den Kommentatoren der Kaiserzeit (PORPHYRIO) als O.n benannt, von ihm selbst als ›carmina‹ bezeichnet wurden – wie O. bei den Griechen auch allg. jedes sangbare Lied (→Melik) hieß, das zur Musikbegleitung, zuerst bei den Doriern und Äoliern, vorgetragen wurde. Daher erklärt sich e. gewisse Öffentlichkeit, Einschränkung des Individuellen in den antiken O.n. Die Beschränkung des Gattungsbegriffs erfolgt erst in der Renaissance, seitdem christl. Altertum und MA. (CLEMENS, FRANZ VON ASSISI, JACOPONE DA TODI, THOMAS VON CELANO, THOMAS VON AQUINO) mehr das liedhafte oder hymn. Element pflegten. C. CELTIS führt mit seinen *Libri odarum quattuor* 1513 den Begriff O. als vertontes und gesungenes Kunstlied in die Renaissancelit. ein; zahlreiche neulat. Gelegenheits- (Lob-, Liebes-, Freundschafts-, Landschaft-) Gedichte der Humanisten folgen: E. HESSUS, BRANT, HUTTEN, MURMELIUS, MELISSUS, dessen geistl. O.n *(Melitemata pia,* 1595) die geistl. O.ndichtung der Jesuiten; bes. J. BALDES, im 17. Jh. anregen. Die lat. O.ndichtung endet im 18. Jh., nachdem schon früh die weltliche begann: in Frankreich RONSARD und die Pléjade nach Vorbild von PINDAR und HORAZ, im franz. Klassizismus, bei BOILEAU, der Erhabenheit in Stil und Gehalt sowie ›beau désordre‹ als bewußten Kunsteffekt fordert, bei J. B. ROUSSEAU, LA MOTTE, MALHERBE, freilich mehr nach dem Vorbild der Psalmen und PINDARS; im 19. Jh. folgen A. CHÉNIER, V. HUGO, A. de MUSSET, LAMARTINE und BANVILLE mit europ. Einfluß, neuerdings VALÉRY und CLAUDEL. In Italien folgen auf die o.nartigen Laudes des MA. im 16. Jh. B. TASSO und L. ALAMANNI; im 17. Jh. G. CHIABRERA mit barocker, plast. Form, in neuerer Zeit V. da FILICAJA, V. ALFIERI, A. MANZONI *(Il cinque Maggio),* CARDUCCI und d'ANNUNZIO. In Spanien ragen PONCE DE LEON (16. Jh.), F. de HERERA und J. B. de ARRIAZA *(Cantos patrioticos)* hervor, in Chile P. NERUDA. Aus England wirkten die O.n von A. COWLEY, J. DRYDEN *(Alexander's Feast),* MILTON, GRAY und A. POPE auch auf den Kontinent, später bes. BYRON, SHELLEY und KEATS; in Rußland waren DERŽAVIN, PUŠKIN und LERMONTOV bedeutend. – Die dt. O.ndichtung beginnt nach Vorbild Frankreichs im Barock mit WECKHERLIN (stoischmoralische und gesellige O.n), bes. OPITZ und FLEMING als streng stroph., sangbare Lieder gesellschaftl. Charakters, oft dem Lied gleichgesetzt. GRYPHIUS dagegen übernimmt zum Ausdruck geistiger Inhalte den dreiteiligen Aufbau (Strophe, Antistrophe, Epode) und den grandiosen Schwung der pindar. O. Zu Beginn der Aufklärung folgen GÜNTHER mit persönl. Note und die →Hofpoeten mit Gelegenheits-O.n. Nach Vorbild der franz. Klassik pflegen GOTTSCHED und sein Kreis die heroische O. zur Verherrlichung von Herrschern und Helden; CRAMER und LANGE fassen die neuentdeckte dichter. Schönheit der Psalmen in O.nform. Die Aufklärung bringt oft nüchterne philos.-moral.-lehrhafte O.n bei HALLER, v. CREUTZ, UZ, E. v. KLEIST, GEMMINGEN, doch nicht ohne hymn. Töne und bleibende Werte (GELLERT: ›Die Himmel rühmen‹, vertont von BEETHOVEN); PYRA und LANGE erneuern um die Jh.mitte reimlose horazische O.n zum Ausdruck erhabener Gesinnung, doch gleichzeitig pietist. Innigkeit und Empfindsamkeit, die sie in der Anakreontik Freundschaft, Geselligkeit, Liebe, Wein und Lebensgenuß besingen läßt. Den Höhepunkt der dt. O.ndichtung aber bildet KLOPSTOCK. Durch ihn erfuhr die O. e. Wendung ins Enthusiastische; Schwung und Erhabenheit des Stils, der das Große besingt, gehen bei ihm oft ins Hymnische über; sowohl in der Nachahmung horazischer Maße als in freien Rhythmen erschien die O. bei ihm als naturgegebene Ausdrucksform für Begeisterung, Gefühl und Berufung; seine Anregung geht über zahlreiche, teils freirhythm. Nachahmungen (CRAMER, DENIS, MASTALIER, LEON, HASCHKA, KRETSCHMANN), die mehr gefühlvollen als gedankl., daher der Elegie nahestehenden O.n des Göttinger Hain (Voss, HÖLTY, HAHN, MILLER, Grafen STOLBERG) und die vermeintl. präzise Nachbildung antiker Metren bei RAMLER bis zur irrealen Dynamik der Sturmund Drang-O.n des jungen GOETHE und SCHILLER – freilich mehr Hymnen. Einen zweiten Gipfel erreicht die O. in strenger antiker Form bei HÖLDERLIN als myth., dialekt. oder trag. O., Objektivation der Spannungen seines Geists zwischen Ideal und Wirklichkeit, seiner Griechensehnsucht und Einsamkeit, Ausdruck e. myth. Weltbildes und des Wissens um die hohen Seinsmächte, anfangs in der Strophe Schillerscher Gedankenlyrik, ab 1798 in streng antiker Form, auch Hexametern und Distichen, schließlich ins Hymnische mündend. Nach ihm bricht im 19. Jh. die O.ndichtung ab; Versuche des Münchner Kreises (GEIBEL, LEUTHOLD, bes. PLATEN) bringen keine echte Erneuerung; erst im 20. Jh. entsteht e. neue ekstat. O.

bei R. A. SCHRÖDER, BECHER, WERFEL, HASENCLEVER, R. BORCHARDT und F. G. JÜNGER, in der DDR E. ARENDT und J. BOBROWSKI. Den Anschluß an KLOPSTOCK und HÖLDERLIN in der strengen klass. Form findet erst wieder WEINHEBER. →Odenmaße.

A. Lehnhardt, D. dt. Horazdichtgn. d. 17./18. Jh., 1882; E. R. Keppler, D. pindar. O. i. d. Poesie d. 17. u. 18. Jh., Diss. Tüb. 1911; R. Shafer, The Engl. O. to 1660, 1918; K. Viëtor, Gesch. d. dt. O., 1923, ²1961; RL; G. N. Shuster, The Engl. O. from Milton to Keats, 1940; G. Swoboda, Wesen u. Gestalt d. dt. O. d. Ggw., Diss. Wien 1943; H. W. Fischer, D. O. b. Voß u. Platen, Diss. Köln 1960; C. Maddison, Apollo and the Nine, Lond. 1960; R. Hossfeld, D. dt. horazische O. v. Opitz bis Klopstock, Diss. Köln 1961; K. Schlüter, D. engl. O., 1964; D. Janik, Gesch. d. O. u. Stances v. Ronsard bis Boileau, 1967; J. D. Jump, The o., Lond. 1974; K.-G. Hartmann, D. humanist. O.komposition i. Dtl., 1976; O. Knörrich, O., FLE, 1981; U. Schöllbauer, O'form u. freier Vers, LJb 23, 1982; W. Brand, D. Ende d. O. (Romanist. Zs. 8, 1984); W. Fitzgerald, Agonistic poetry, Berk. 1988.

Odelette (franz. = kleine Ode), bei RONSARD u. a. Dichtern der Pléiade Bz. für leichte anakreont. Verse.

Odenmaße, die metr. Systeme der →Ode, insbes. →alkäische, →archilochische, →asklepiadeische, →hipponakteische, →pindarische und →sapphische Strophe.

Odeon (griech. *odeion,* lat. *odeum*), in der griech.-röm. Antike große und – im Ggs. zum Amphitheater – überdachte (meist Rund-) Bauten für musikal. Gesangs- und deklamator. Aufführungen, so zuerst in Athen von PERIKLES für die Panathenäen, später von AGRIPPA und HERODES ATTIKOS (170 n. Chr., noch gut erhalten) und in Rom von DOMITIAN. – Heute allg. Konzertsaal.

Öffentliche Bücherei →Bibliothek

Ökolyrik (Kunstwort, v. griech.), ökologische Lyrik, mod. Form der engagierten →Naturlyrik im Sinne des Natur- und Umweltschutzes.
Im Gewitter der Geraden, hg. P. C. Mayer-Tasch, 1981; G. Reus, Gegen uns geht es, DD 13, 1982; H.-J. Heise, E. Galgen f. d. Dichter, 1986.

Offenbarungsliteratur →Vision

Offene Form im Ggs. zur geschlossenen →Tektonik (z. B. Anekdote, Novelle) sind die lit. Formen von →atektonischem, d. h. weniger kunstvollem streng architekton. Bau wie Brief, Dialog, Diatribe, Essay. – Im engeren Sinne unterscheidet man dann innerhalb von Gattungen, die an sich eine architekton. Bauform verlangen (Roman, bes. Drama) selbst wiederum o. F. und geschlossene Form als Extrempunkte in der Spannweite der Aufbaumöglichkeiten, zwischen denen Aufbauanalyse und Interpretation den jeweils individuellen Standort e. Werkes zu ermitteln haben. Für das Drama bedeutet o. F. dann breitausgreifende, lockere, ep. Handlungsführung mit häufigem Ortswechsel und hoher Figurenzahl (z. B. SHAKESPEARE) im Ggs. zur geschlossenen Form des sog. aristotel. Dramas mit straffem, figurenarmem Aufbau an wenigen Schauplätzen (z. B. RACINE) mit Wahrung der →Einheiten. Beide Bauformen sind an sich wertfrei; o. F. herrscht vor in den mehr emotionalen, irrationalen, weniger normativen Epochen wie Sturm und Drang, Romantik, Expressionismus.
M. Peppard, The poetics of the open form, MH 55, 1963; V. Klotz, Offene u. geschl. Form i. Drama, 1960; E. Faas, O. F., 1976. →Dramaturgie, →episches Theater.

Offizin (lat. officina = Werkstätte), Buchdruckerei.

Oktameter (lat. octo = acht), Verszeile von acht Metra; selten, da sie den zulässigen Höchstumfang des Verses sprengt.

Oktastichon (v. lat. octo = acht, griech. stichos = Vers), Achtzeiler, Gedicht, Versgruppe oder Strophe von acht Zeilen, = →Huitain. Vgl. →Oktett.

Oktav (lat. octavus = der achte), häufigstes Buchformat, bei dem der dreimal gefaltete Bogen acht Blatt = 16 Seiten ergibt; Abkürzung: 8°; Höhe bei Klein-O. bis 18,5 cm, (Mittel-)O. bis 22,5 cm, Groß-(Lexikon-)O. bis 25 cm.

Oktave →Stanze

Oktett (ital., v. lat. octo = acht), Strophe von acht Zeilen, bes. auch die beiden Quartette des →Sonetts, als Einheit gesehen.

Oktobergruppe →Vorpostler

Oktodez (lat. octodecim = 18), kleines Buchformat des in 18 Blatt = 36 Seiten gefalteten Bogens, meist für Liebhaberausgaben.

Oktonar (lat. octonarius = aus acht bestehend), antiker Vers aus acht Füßen: 1. bes. jamb. akatalekt. → Tetrameter: ∪ _́ ∪ _́ ∪ _́ ∪ _́ ∪ _́ ∪ _́ ∪ _́ ∪ _́, meist durch Zäsur in zwei Dimeter oder nach der 5. Senkung in ungleiche Teile geteilt. – 2. akatalekt. trochäischer Tetrameter, der katalektisch →Septenar heißt. – 3. seltener auch anapäst. O. – Versformen der röm. Komödie; in dt. Übersetzungen aus dem Lat. und in PLATENS Literaturkomödie nachgeahmt.

Omphalos (griech. = Nabel), 1. Mittel- und Hauptteil des altgriech. →Nomos, diente der Verherrlichung des Gottes. – 2. der mit e. Knauf versehene Stab, um den die antike Buchrolle gewickelt wurde.

Onegin-Strophe, nach ihrer Verwendung in PUŠKINS *Eugen Onegin* benannte, auch von LERMONTOV u.a. benutzte 14zeilige Strophe aus vierfüßigen Jamben: 9silbig-weibl. oder 8silbig-männl. Verse in festgelegter Reihenfolge: w/m w/m w/w m/m w/m m/w m/m und dem vorbestimmten Reimschema ababccddeffegg. Die Untergliederung der O. zu versch. syntakt. oder Sinneinheiten gestattet große Lebendigkeit, Geschmeidigkeit und Vielgestaltigkeit der Form, indem die Zeilen etwa folgende Verhältnisse bilden können: 4:4:6, 4:6:4, 4:4:4:2, 4:2:2:4:2, 6:2:4:2, 6:6:2, 4:2:6:2, 6:2:6, 4:2:2:6.

Onomastik (griech. *onoma* = Name), Namenkunde, Lehre und Wissenschaft von den Eigennamen. Literar. O. = →Namengebung.

Onomastikon (griech. = Nenner), 1. alphabetisch geordnetes Namenoder Wörterbuch mit sachl. Erklärungen; verbreitete Gattung der Kompilationslit. in alexandrin. Zeit, so von dem Sophisten GORGIAS und das erhaltene – freilich sachlich geordnete – des Julius POLLUX (2. Jh. n.Chr.), Vorläufer des Konversationslexikons. – 2., auch carmen o., Gedicht auf e. Namenstag.

Onomatopöie (griech. =) Wortschöpfung zum Zwecke der →Klangmalerei.

Oper (ital. *opera in musica* =) Musikwerk, urspr. jedes Musikstück; seit dem 17. Jh. Bz. für musikal. Bühnenwerke als komplexe dramat. Kunstgattung, deren Text durch die instrumental begleitete menschl. Gesangstimme interpretiert wird. Das 18. Jh. unterschied vier Gattungen: trag. O. (Opera seria), musikal. Schäferspiel (Pastorale), mytholog.

Allegorie (Serenata, Festa teatrale) und kom. O. (Opera buffa), die mehr bürgerl., lebensnah-volkstüml. Typen gestaltete und aus den Zwischenspielen der opera seria entstand; ferner: grande opéra = durchkomponierte Oper mit heroischen Stoffen und Massenszenen und opéra comique oder Spiel-O. als gesprochener Dialog mit reinen Musik- oder Gesangsnummern. Über Einleitung, Zwischenaktmusik und Ausklang bes. durch den Chor verbreitet sich die Musik allmählich über das ganze Drama und läßt die dichter. und dramat. Werte des →Librettos zurücktreten. Urspr. eingeführt zur Verdeutlichung der Stimmungen und seel. Zustände, für die dem gesprochenen Wort der letzte Ausdruck fehlt, verwischt die Melodie bei Überhandnehmen des rein Gesanglich-Virtuosen den gedankl. Gehalt des Dramas und beeinträchtigt Klarheit des Ausdrucks und Aufnahmemöglichkeiten durch erschwerte Verständlichkeit des gesungenen Wortes. Die Geschichte der O. ist – abgesehen von der musikal. Entwicklung, die der Musikgeschichte angehört – das Ringen von Wort und Musik um den Vorrang, denn leider stehen nur allzuoft beide im Verhältnis des Gegensatzes anstelle der erstrebenswerten gegenseitigen Ergänzung.
Schon die griech. Tragödie (Chöre, Rezitative mit Kithara-Begleitung) und die röm. Komödie (→Cantica) zogen die Musik als Wirkungsmittel heran. Die mod. O. entstand um 1600 in Florenz aus dem Streben nach Wiedererweckung des antiken Dramas. Dementsprechend wählte man e. homophone Instrumentalbegleitung für den Sprechgesang, die ohne Kontrapunkt und der Rede ähnlich war und sich dem Psalmengesang der Kirche näherte: Stile rappresentativo oder recitativo. Aus

der Zusammenarbeit der beiden Musiker G. CACCINI und Jacopo PERI mit dem Dichter Ottavio RINUCCINI entstand 1594 die erste O. *Dafne.* Der Florentiner Emilio DEL CAVALIERE baute die neugeschaffene und erfolgreiche Form in Richtung des Mysterienspiels (*Rappresentazione di anima e di corpo*, 1600), AGGAZARI nach der Pastoral-O. hin aus *(Eumelio).* War die Musik bisher noch Dienerin des Bühnenwerks, so überwog seit MONTEVERDIS *Orfeo* (1607) das musikal. Element zuungunsten des Wortes. Erweiterung der szen. Gestaltung, der Lobgesänge zu 3teiligen →Arien, Einführung von selbständig in die Handlung eingreifenden Chorgesängen und Ausbau des Kompositionssystems führen bei M. ROSSI, ST. LANDI, V. LORETO, MAZZOCHI, GAGLIANO um 1625 zur Überwindung des strengen florentin. Form. Die Gründung des 1. O.nhauses in Venedig durch B. FERRARI 1637 löst die O. aus dem höf. Rahmen und nähert sie dem zeitgenöss. Theater durch Einschränkung der Chöre. In der venezian. Schule entsteht bei F. CAVALLI (42 O.n) und bes. bei M. A. CESTI (*Il pomo d'oro*, 1665 in Wien aufgeführt) die barocke Prunkoper, die durch sinnl. Szenenführung und hohe Arienkunst als die ihrer Zeit angemessene Form des Dramas das ganze Kulturleben beherrscht und auch die Dichtung beeinflußt, jedoch letztlich mehr Mal- und Maschinenkunst als Dichtung ist. Sie findet in allen Residenzstädten und Kulturzentren Europas weite Aufnahme, bes. in Wien, bescheidener in Dresden und mitteldt. Höfen; dichter. Vertiefung des →Librettos erreicht nach Vorgang von STAMPIGLIA und ZENO erst METASTASIO im 18. Jh. Die 1. dt. O. spielte 1618 im Hellbrunner Park in Salzburg; e. eigenständige

dt. Entwicklung, die mit der 1627 in Torgau aufgeführten O. *Dafne* (Text von OPITZ nach RINUCCINI, Musik von H. SCHÜTZ) einsetzt und in der in Hamburg gegr. O. (1678–1740) erstrebt wird, scheitert an der Vorherrschaft der ital. O. Dagegen geht die von H. PURCELL Ende 17. Jh. eingeleitete engl. National-O. seit 1719 unter HÄNDELS machtvoller und selbständiger Leitung eigene Wege; sie fand ihr volkstüml. Gegenstück in der →Ballad opera. In Frankreich traf die ital. O. im 17. Jh. auf erhebl. Widerstand beim Begründer der Pariser National-O. (Académie Royale de musique), CAMBERT, dem in Frankreich wirkenden Florentiner J. B. LULLY und später J. P. RAMEAU, die das Recht der Dichtung gegen die überwuchernde Melodie vertreten. Ihnen schließt sich in Dtl. GLUCK an, der architekton., dramat. und musikal. Strenge fordert und e. wirkliches Kunstwerk als →Musikdrama erstrebt, bei dem das Wort zur Geltung kommt und der Gesang auf bloße Zurschaustellung virtuoser Stimmkünste verzichtet. In Italien entsteht nunmehr die opera buffa (PERGOLESI), in Frankreich aus dem franz. Singspiel (→Vaudeville) die opéra comique, in Dtl. e. bürgerliches →Singspiel (DITTERS VON DITTERSDORF, HILLER, W. MÜLLER). MOZART verbindet ital. und franz. Elemente zu e. dt. Eigenleistung, kann jedoch nicht die Vorherrschaft der ital. und franz. O.n bes. in Süddtl. brechen, die mit der neuen opera buffa und der franz. grande opéra (ROSSINI, CHERUBINI, BELLINI, DONIZETTI und bes. MEYERBEER *Hugenotten*) als zwar szenisch strengeren, doch betont höf. Ausstattungsstücken die Spielpläne bis um Mitte des 19. Jh. beherrscht und die Neuschöpfungen beeinflußt. Einzeln ragt in seel. und gedankl. Verinnerlichung BEETHOVENS *Fidelio* über das zeitgenöss. Opernschaffen als →Musikdrama hinaus. Von ihm und von MEYERBEER führt die Reihe der selbständigen dt.-romant. O. (SPOHR *Faust*, v. WEBER *Der Freischütz*, MARSCHNER *Hans Heiling* und K. KREUTZER) mit europ. Wirkung zum →Musikdrama WAGNERS als →Gesamtkunstwerk, das dem leidigen Zustand der Libretti durch Gleichstellung von Musik und Wort e. Ende zu machen sucht – e. Ziel, das WAGNER freilich, da der Musiker in ihm den Dichter überwog, nicht ganz erreichte, das jedoch bis heute verbindl. Forderung der O. bleibt. Neben ihm steht noch die kom. Spiel-O. von BOÏELDIEU, ADAM und LORTZING als Fortentwicklung von MOZART und ROSSINI und die Nachfolge der romant. O.n bei GOUNOD und THOMAS, doch WAGNERS Einfluß beherrscht die neue O. selbst im Frankreich des 19. Jh. und in Italien, wo der von der venezian. Richtung her einsetzende VERDI sich schließlich *(Aida)* seinem Einfluß nicht entziehen kann. Während die direkten Nachahmer WAGNERS heute vergessen sind, gelangten P. CORNELIUS, HUMPERDINCK und die verist. O. aus dem Alltagsleben (BIZET, MASCAGNI, LEONCAVALLO, PUCCINI, d'ALBERT) zu eigenen Formen, ebenso die stimmungsvoll.-lyr. O. des franz. Impressionismus (MASSENET, SAINT-SAENS, DEBUSSY) und der letzte große Italiener der O., PUCCINI, mit Nachwirkung auf WOLFF-FERRARI. Von WAGNER ausgehend finden auch R. STRAUSS (mit dichter. Libretti von HOFMANNSTHAL) und PFITZNER, SCHREKER, F. SCHMIDT, N. von REZNICEK und P. GRAENER zu eigenem Persönlichkeitsstil in musikdramat. Form. In expressionist. Bereiche kommt die O. mit BRAUNFELS, WELLESZ und

Alban BERG *(Wozzeck);* sie wie auch die Werke von HINDEMITH, W. EGK, ORFF und SCHOECK streben erneut nach strengsten Formen des Musikalischen wie der gedankl.-intellektuellen Durchdringung; ähnlich KLEBE, FORTNER, HENZE, SUTERMEISTER, REUTTER, ZIMMERMANN sowie G. von EINEMS visionär-ekstat. O. *(Danton)*, in Italien MENOTTI, DALLAPICCOLA und NONO, und in England B. BRITTEN. Von zunehmender Bedeutung für den mod. Spielplan wird die slaw. O., die trotz ihrer volksnahen, fast liedhaften Form weite Wirkung über ganz Europa erreicht: in Rußland GLINKA, MUSSORGSKIJ *(Boris Godunov)*, RIMSKIJ-KORSAKOV, BORODIN, RUBINŠTEIN, ČAJKOVSKIJ und STRAWINSKY, in der Tschechoslowakei SMETANA *(Die verkaufte Braut)* und DVOŘÁK. Mehr im Bereich des Literarischen und des →epischen Theaters liegen die O.n von B. BRECHT (Musik: K. WEILL, P. DESSAU). Vgl. →Literaturoper, →Musiktheater.

H. Riemann, O.-Handbuch, II 1887–93 (Suppl.); R. Rolland, *Histoire de l'opéra en Europe avant Lully et Scarlatti*, ²1931; E. Hanslick, D. moderne O., 1895–1900; H. Bulthaupt, Dramaturgie d. O., II ²1902; A. Solerti, *Le origini del melodrama*, 1903; O. Bie, D. O., 1913, n. 1988; H. Kretzschmar, Gesch. d. O., 1919, n. 1970; W. Zenter, D. dt. O., 1922; E. Istel, D. mod. O., ²1923; RL; P. Bekker, Wandlgn. d. O., 1934; L. Schiedermair, D. dt. O., ²1940; J. Gregor, Kulturgesch. d. O., ²1944; W. L. Crosten, *French grande o.*, N.Y. 1948, ²1972; E. J. Dent, O., Harmondsworth 1951; U. Manferrari, *Dizionario universale delle opere melodrammatiche*, III 1954 f.; Kobbè's *Complete Opera Book*, Lond. ¹1941 A. Loewenberg, *Annals of O.*, Genf ²1955; S. Skraup, D. O. als lebendiges Theater, ²1956; B. Jarustowski, D. Dramaturgie d. klass. russ. O., 1957; P. Hope-Wallace, *A Picture History of O.*, N.Y. 1959; D. Ewen, *Encycl. of the O.*, Lond. 1959; J. Kerman, *O. as drama*, N.Y. 1959; H. Graf, Aus d. Welt d. O., 1960; Q. Eaton, *O. Production*, Minneapolis 1961; F. L. Moore, *Hdb. of World O.*, N.Y. 1961; W. Brockway u. H. Weinstock, *The world of O.,* Lond. 1963; G. R. Marek, *O. as theater,* N.Y. 1962; K. Pahlen, O. der Welt, 1963; H. Schmidt-Garre, O., 1963; R. Leibowitz, *Hist. de l'opéra,* Paris 1964; H. H. Stuckenschmidt, O. in dieser Zeit, 1964; R. Brockpähler, Hdb. z. Gesch. d. Barock-O. i. Dtl., 1964; J. Müller-Blattau, O. u. Dichtg., 1965; R. Kloiber, Hdb. d. O., ⁷1966; D. J. Grout, *A short hist. of o.,* Lond. II ²1966; M. Robinson, *O. before Mozart,* Lond. 1966; H. Ch. Worbs, Welterfolge d. mod. O., 1967; Friedrichs O.-Lexikon, 1969; H. Krause-Graumnitz, V. Wesen d. O., 1969; W. Zentner, Reclams O.führer, ²⁶1973; S. Goslich, D. dt. romant. O., 1975; P. Conrad, *Romant. O. and lit. form,* Berk. 1977; G. Flaherty, *O. in the development of German critical thought,* Princeton 1978; O. heute, hg. H. Seeger 1978; K.-F. Dürr, O.n nach lit. Vorlagen, 1979; H. Mayer, Versuche üb. d. O., 1981; C. Dahlhaus, V. Musikdrama z. Lit.o., 1983; W. Oehlmann, O. in 4 Jhh., 1984; O. u. O.ntext, hg. J. M. Fischer 1985; T. Bauman, *North German o. in the age of Goethe,* Cambr. 1986.

Opera buffa →Oper

Opéra comique →Oper

Opera seria →Oper

Operative Literatur, Sammelbz. für alle Formen engagierter Lit. mit dem Ziel der Massenbeeinflussung und Agitation zu Opposition, Protest, direkter Aktion im polit.-soz. Zusammenhang: Jakobinerlit., Agitprop, Lehrstück, Protestsong, Straßentheater u. a. m.

U. Hahn, Lit. i. d. Aktion, 1978.

Operette (ital. Diminutiv zu →Oper, = kleine Oper), musikal. Lustspiel, urspr. kurze Oper ohne volle Entfaltung der musikal. Möglichkeiten (Arie, Rezitativ, Finale), →Singspiel, dann aus Parodien der Schwächen in der opera seria (LULLY, HÄNDEL, DUFRESNES *L'opéra de campagne* 1692, J. GAY *Beggar's opera,* →Ballad opera) und der opéra comique in Frankreich (HERVÉ, LECOCQ) von OFFENBACH in den *Bouffes parisiens* (1855) geschaffe-

ne Form der heiteren, kom. oder parodist. Oper; in *Hoffmanns Erzählungen* mit Beziehungen zur Lit., mit graziöser, leichter und eingängiger Musik, schwungvoll und melodiereich, von gutmütig-volkstüml. Humor, doch lit. meist wertlos und z.Zt. oft klischeehaft erstarrt, hielt sie lange die Spitze der Provinztheater-Spielpläne. Bes. Pflegestätten sind: Wien (J. STRAUSS, v. SUPPÉ, MILLÖCKER, ZELLER, LEHÁR, L. FALL, O. STRAUS, EYSLER, STOLZ, JARNO), Berlin (mit typ. Berliner Lokalnote: P. LINCKE, W. KOLLO, N. DOSTAL, J. GILBERT, E. KÜNNEKE), Böhmen (NEDBAL, J. WEINBERGER, J. BENEŠ), Ungarn (E. KÁLMÁN) und England (SULLIVAN *Mikado,* Sidney JONES). Fortentwicklung im →Musical.

E. Rieger, Offenbach u. seine Wiener Schule, 1921; A. Neisser, V. Wesen u. Wert d. O., 1923; O. Keller, D. O. i. ihrer gesch. Entw., 1926; RL; K. Westermeyer, D. O., 1931; F. Hadamowsky, D. Wiener O., 1948; A. M. Rabenalt, O. als Aufgabe, 1948; S. Czech, D. O.buch, ⁴1954; G. Hughes, *Composers of O.,* Toronto 1961; B. Grun, Kulturgesch. d. O., 1961; J. Bruyr, *L'O.,* Paris 1962; M. Lubback, D. Ewen, *The complete book of light opera,* Lond. 1962; A. Würz, Reclams O.führer, ¹³1973; V. Klotz, Bürgerl. Lachtheater, 1980; L. L. Albertsen, Z. Ästhetik d. O. (Augias 12, 1983); D. Zimmerschied, O., 1988.

Opferlied, in heidn. Zeit von den Germanen bei rituellen Opfern zum Tanz gesungene, mag. beschwörende chor. Dichtung. Texte sind nicht überliefert; erst in weiterem Sinne gehören die Völsistrophen und der angelsächs. Flursegen mit Anrufung der Erce als ›der Erde Mutter‹ hierher, doch lassen Andeutungen nord. und lat. (TACITUS) Quellen sicher auf die Existenz solcher O. schließen.

A. Heusler, Altgerman. Dichtg., ²1943; RL.

Opisthographon (griech. *opisthen* = hinten, *graphein* = schreiben),

entgegen der Gewohnheit aus Sparsamkeitsgründen beiderseitig beschriebene →Papyrusrolle. Meist
wurde die Rückseite (›verso‹ im
Ggs. zur Vorderseite, ›recto‹, auf der
die Fasern horizontal liefen) von
veralteten Akten und für wertlos
erachteten Schriftstücken erst später
mit neuem Text versehen; äußerst
selten setzt die Rückseite den Text
der Vorderseite fort; O.a erscheinen
meist für Privatgebrauch oder evtl.
als billige Marktware.

Opojaz (russ. Akronym zu ›Gesellschaft zur Erforschung der poet.
Sprache‹), Vereinigung russ. Formalisten in Petersburg 1916–27: V.
Šklovskij, B. Ejchenbaum, R. Jakobson, J. Tynjanov, B. Tomaševskij, O. M. Brik, L. P. Jaku-
binskij u. a. Vgl. →Formalismus.

Opposition (lat. = Entgegenstel-
lung), 1. = →Antithese, 2. Verbindung von →Litotes mit der entsprechenden vor- oder nachgestellten
positiven Aussage, also Negation e.
Eigenschaft und Affirmation des
Gegenteils: ›Er ist nicht alt, er ist
jung‹. In hebr. und griech., seit dem
MA. auch in lat. Lit. beliebte →rhe-
tor. Figur zur Verstärkung.

Optimus codex (lat. = der beste
→Codex), diejenige Hs. bei der
Überlieferung e. lit. Textes, welche
in den meisten Fällen die besten Lesarten enthält, doch ebenso an anderen Stellen von Korruptelen durchsetzt sein kann, da e. jüngere Hs.
aus besseren, teils älteren Quellen
geschöpft haben kann. Die Methode der →Textkritik im 19. Jh., dem
o. c. mehr oder weniger blind zu
folgen, führte zur Nichtbeachtung
mancher wesentl. Varianten und be-
quemer Textgestaltung; im letzten
Sinne gibt es keinen o. c.

Option (lat. = Wahl), im Verlagswesen ein durch schriftl. O.svertrag
einzuräumendes Vorkaufsrecht, das
der Autor für ein noch zu schaffen-
des Werk oder ein Verleger für eine
Übersetzung einem Verlag zuge-
stehen.
M. Brandi-Dohrn, D. urheberrechtl. O.s-
vertrag, 1967.

Optische Poesie →Visuelle Poesie

Opus (lat. =) Werk, Mz.: Opera.

Opusculum (lat. =) kleines Werk,
Mz.: Opuscula: kleine Schriften.

Oral poetry, Oral literature, (engl.
=) mündliche Dichtung bzw. Lyrik,
eingeführte engl. Bz. für die Dichtung der schriftlosen Kulturen und
für die mündl. Tradition von Epen,
Erzählliedern und z. T. improvisierten Gesängen in halbschriftl. Kulturen, meist in gesungener Form oder
zu Instrumentalbegleitung, als z. T.
noch lebendige Vorstufe zur lit.
Aufzeichnung in Afrika, Asien,
Ozeanien, Südamerika, aber auch
Europa: Finnland, Estland, Rußland (→Bylinen), Jugoslawien
(→Guslar), Mazedonien, Griechenland, Türkei, Sizilien. Formale
Kennzeichen sind: Formelhaftigkeit,
stereotype Topoi, Wiederholungen,
einfache, wiederholte Melodien, inhaltliche: Abenteuer, Heldenleben,
Brautwerbung, histor. Begebenheiten und myth.-relig. Themen. Die
meist interdisziplinäre O.p-For-
schung untersucht Überlieferungs-
wege, Strukturen, Formen und Themen der o. p. im Vergleich mit den
Epen Homers, *Beowulf, Nibelungenlied* u.a. mhd. Heldenepen, für
die ebenfalls Phasen mündl. Tradierung vorausgesetzt werden, und die
soz. Voraussetzungen und Rezeptionsbedingungen mündl. Dichtung
allg. unter anthropolog., volks-
kundl., soziokulturellem, linguist.,
strukturalist.-semiot. und poetolog.

Aspekt. Als O. l. mod. Hochkulturen gelten gelegentlich auch die (anscheinend schriftlosen) Sendungen mod. Massenmedien.

A. B. Lord, *The singer of tales*, Cambr. 1960, dt. 1965; R. Finnegan, *O. L. in Africa*, Lond. 1970; A. Parry, *The making of Homeric verse*, Oxf. 1971; E. Haymes, Mündl. Epos i. mhd. Zeit, 1975; J. J. Duggan, *O. L.*, Lond. 1975; R. Finnegan, *O. P.*, Cambr. 1977; *Patterns in O. L.*, hg. H. Jason, Haag 1977; E. R. Haymes, D. mündl. Epos, 1977; *On structure in O. L.*, Haag 1977; O. P., hg. N. Voorwinden 1979; P. Buchholtz, Vorzeitkunde, 1980; P. Zumthor, *Présence de la voix*, Paris 1983; *Oral and written tradition in the M. A.*, NLH 16, 1984f.; W. J. Ong, Oralität u. Literalität, 1987; P. Zumthor, *La lettre et la voix*, Paris 1987; Mündlichkeit u. Schriftlichkeit, hg. W. Raible 1987.

Oratio funebris (lat. =) →Leichenrede, →Laudatio funebris

Oratio obliqua (lat. = schräge, abhängige Rede), →indirekte Rede im Ggs. zu *oratio recta* (lat. = gerade Rede), →direkte Rede.

Oratorium (v. ital. *oratorio* = Betsaal, nach dem Ort der ersten Aufführungen), aus teils ep.-lyr., teils dramat. Elementen zusammengesetztes Tonstück für Solostimmen (Arien, Rezitative), Chöre mit Orgel- oder Orchesterbegleitung, urspr. auf Grundlage e. zusammenhängenden geistl., später auch weltl. Textes, musikalisch der Oper ähnlich, doch meist ohne sichtbare Szene; entstanden Ende 16. Jh. in Italien als Musikbegleitung zu den Andachten und Vorträgen über bibl. Geschichte der von F. Neri in Rom 1564 gegr. Weltpriesterkongregation der Oratorianer, anfangs Lob- und Bittgesänge hymn. Art (laudi spirituali) von Animuccia und Palestrina, auch Cavalieres Mysterium *Rappresentazione di anima e di corpo* 1600, das sich wie auch Händels O. der →Oper nähert. Allegor. O.en als Darstellungen von Begriffen oder bibl. Geschichten (Kapsberger, Landi) setzen szen. Darstellungen voraus, die meisten jedoch verzichten auf die Schaubühne, so Anerios *Teatro armonico spirituale* 1619, weltlich Monteverdis *Combattimento di Tancredi e di Clorinda* 1624, wo das Wort des Erzählers die Schau ersetzt, ähnlich Bachs →Passionen. Blütezeit des O. ist das 18. Jh. mit Händels *Messias* 1741, Haydns *Schöpfung* 1798 und *Jahreszeiten* 1800; im 19. Jh. (Spohr, Mendelssohn-Bartholdy, Schumann, Liszt) läßt das Schaffen nach und verstummt im 20. Jh. (Honegger, Strawinsky, Hindemith) fast ganz.

A. Schering, Gesch. d. O., ²1965; W. Flemming, O., Festspiel, 1924; RL; H. Kretzschmar, Führer durch d. Konzertsaal, II ⁵1939; F. Rougel, *L'oratorio*, Paris 1948.

Orchestra (griech. = Tanzplatz), im altgriech. Theater der anfangs kreisrunde, später ovale oder halbrunde Raum zwischen Bühnenhaus und ansteigenden Zuschauerreihen, auf dem der →Chor seine Gesänge und Tänze vorführte und sich während des Spiels aufhielt. Urspr. erinnerte wohl e. in seiner Mitte stehender Altar, wie er auf dem ebenfalls O. genannten kult. Tanzplatz vor dem Dionysostempel stand, an die relig. Herkunft des Dramas (neuerdings umstritten). Im röm. Theater enthielt die stets halbkreisförmige O. die Magistratssitze. Bei der Wiederbelebung des antiken Theaters in der Renaissance, die zur Entstehung der Oper führte, diente der Raum zuerst der Hofgesellschaft, die bei den Ballettszenen der Zwischenspiele z. T. selbst mitmachte und dann von dort aus über Treppen die Bühne ersteigen konnte (daher der bis ins 18. Jh. übliche Mißbrauch dieses Rechtes, indem adlige Besucher während der Vorstellung auf die

Bühne gehen und dort der Vorstellung beiwohnen konnten). Im 17. Jh. erhielt die urspr. hinter dem Bühnenraum verdeckte Musikkapelle den Platz im Halbkreis vor der Bühne (seit WAGNERS Bayreuther Festspielen verdeckt unter dieser), und auf sie ging der Name O. über.

Ordensdichtung →Deutschordensdichtung, →Jesuitendichtung, →Freimaurerdichtung.

Ordensdrama, Ordenstheater, das →Schuldrama bzw. Schultheater der kathol. relig. Orden, bes. Jesuiten (→Jesuitendrama) und Benediktiner, im Dienste der Gegenreformation.

Orientalisierende Dichtung entsteht in der 1. Hälfte des 19. Jh. im Anschluß an GOETHES *Westöstlichen Divan* (1819) und sucht neben der Verwendung oriental. Themen, Stoffe und Formen (→Ghasel, →Kasside, →Makame) auch Wesen und Geist des Orients sich anzueignen und produktiv das Erworbene in heim. Dichtung zu fassen. Die nur stofflich vom Orient abhängigen Dichtungen der Kreuzzüge u. allg. des MA. *(Alexanderlied, König Rother, Herzog Ernst)* und Barock (GRYPHIUS, ZIGLER, HAPPEL), die Reiseberichte von Marco POLO bis OLEARIUS oder die nur aus Tarnungsgründen im Orient angesiedelten zeitkrit. und Staatsromane der Aufklärung (MONTESQUIEU, VOLTAIRE, HALLER, WIELAND) gehören demnach nicht hierher. Erst HERDER erkennt die Bedeutung oriental. Geistes für das Abendland in Untersuchungen und Abhandlungen, bes. didakt.-moral. Art; es folgt F. SCHLEGEL, in schöpfer. Eigengestaltung zuerst GOETHES *Divan* unter Einfluß von HAMMER-PURGSTALLS Übersetzung des HAFEZ (1812), weiterhin die o. D. bei RÜK-

KERT, PLATEN, DAUMER, BODENSTEDT *(Lieder des Mirza Schaffy* 1851), FALLMERAYER, STIEGLITZ, SCHACK, BETHGE, KEYSERLING, DAUTHENDEY, KLABUND, HOFMANNSTHAL, WERFEL, LASKER-SCHÜLER, DÖBLIN, BRECHT, Th. MANN und H. HESSE *(Siddhartha).* In England schreiben KIPLING und S. MAUGHAM, in Italien GOZZI *(Turandot),* in Frankreich V. HUGO, NERVAL, RIMBAUD, LOTI, MALRAUX und CLAUDEL o. D. Vgl. →exotische Dichtung.

P. Martino, *L'orient dans la lit. franç. au 17e et au 18e siècle,* Paris 1905; P. Th. Hoffmann, D. ind. u. dt. Geist, Diss. Tüb. 1915; M. E. de Meester, *Oriental influences in the Engl. lit. of the 19. cent.,* Lond. 1915, n. 1967; RL; P. Hutsch, D. Orient i. d. dt. Barocklit., Diss. Bresl. 1938; M.-L. Dufrenoy, *L'orient romanesque en France,* Montreal 1946; O. Spies, D. Orient i. d. dt. Lit., 1949; F. Babinger in ›Aufriß‹; R. Gérard, *L'orient et la pensée romantique allemande,* Paris 1963; N. A. Daniel, *The mirror of Islam,* Edinb. 1964; H. Szklenar, Stud. z. Bild d. Orients i. vorhöf. dt. Epen, 1966; M. P. Conant, *The oriental tale in Engl. in the 18. cent.,* Lond. 1967; V. Ganeshan, D. Indienbild dt. Dichter um 1900, 1975; M. Maher, D. Motiv d. oriental. Landsch., 1979; E. W. Said, *Orientalism,* Lond. 1979; E. Rose, Blick n. Osten, 1981; *Images et signes de l'orient dans l'occident médiéval,* Aix 1982; A. Fuchs-Sumiyoshi, Orientalismus i. d. dt. Lit., 1984; M. Tilcher, D. oriental. Traum, 1985.

Original (lat. *originalis* = ursprünglich), 1. das ursprünglich und selbständig Schöpferische, in einmaligem Schaffensprozeß Hervorgebrachte, daher Eigenartige, Unverwechselbare, ›Originelle‹ im Ggs. zur epigonenhaften Kopie oder Nachbildung, oft auch im Sinne der ästhet. u. lit. Konventionen, themat. u. formale Normen sprengenden Innovation; im Abendland seit 18. Jh. als Wert anerkannt. – 2. jede zur Reproduktion bestimmte Vorlage; bei Schrift: →Manuskript. – 3. Urbild, z.B. einer lit. Figur, →Modell.

– 4. authent., vom Urheber selbst stammende Fassung/Niederschrift e. Werkes im Ggs. zur Abschrift, Kopie, Fälschung, Bearbeitung, Zweitfassung u. a. – 5. O.-text im Ggs. zur Übersetzung. – 6. allg. in Lit. u. Leben: eigenartiger Mensch, Sonderling.

R. Mortier, *L'originalité*, Genf 1983.

Originalausgabe im Ggs. zum →Nachdruck, teils auch im Unterschied zur →Erstausgabe, die etwa durch Eingriffe der Zensur, des Druckers oder Verlegers verkürzt oder entstellt sein kann, die Ausgabe eines Werkes in der vom Verfasser bestimmten Form (Originaltext im Ggs. zu späteren Überarbeitungen, Bearbeitungen, Schulausgaben usw.), doch meist = →Erstausgabe, Sammelgegenstand der →Bibliophilen.

Originalgenie, Bz. für die Dichter des →Sturm und Drang, die im Streben nach bes. Ursprünglichkeit die Kritik verachteten. Vgl. →Genie.

Originalität →Original

Originaltext →Originalausgabe

Originaltitel, der vom Verfasser selbst bestimmte →Titel im Ggs. zum Verlegertitel oder der Umbenennung e. Neuausgabe, Übers. bzw. Verfilmung.

Ornatus (lat. = Schmuck), in der →Rhetorik und Stilistik der über die bloße Verständlichkeit und Klarheit als Zugabe hinausgehende Schmuck der Rede durch →rhetorische Figuren, →Tropen, selbst allg. als Sprachfehler anerkannte Bildungen und Wendungen, wenn sie dem Schmuck und der Angemessenheit des Ausdrucks dienen und die Rede angenehmer, interessanter und überzeugender gestalten. Nach der Dichte des O. unterscheidet man drei bzw. zwei →Stilarten.

Orphische Dichtung, e. Reihe von 88 griech. Hymnen, Sagen und myst.-theolog. Dichtungen *(Theogonie, Argonautika, Lithica)*, die dem sagenhaften altgriech. Sänger Orpheus (rd. 600 v. Chr.) zugeschrieben wurden, jedoch in der vorliegenden Form endgültig erst im 2. Jh. v. Chr. entstanden und pantheist. Weltgefühl und Mythologie (Kult des Dionysos Zagreus) der Orphik, e. griech. →Mystik seit dem 6. Jh. v. Chr. spiegeln. GOETHE umschreibt in *Urworte. Orphisch* 1820 ihre fünf stufenweise geordneten Lebensgesetze als Weltmächte.

O. Kern, Orphik, 1920; W. Willi, D. o. Mysterien, Eranos 1944; R. Böhme, Orpheus, 1953; F. Graf, Eleusis u. d. o. D. Athens, 1974.

Orta oyunu (türk. = Spiel der Mitte), Form des türk. Volkstheaters: aus den Armeeunterhaltungen der Janitscharen nach 1825 entwickeltes Wandertheater mit Stücken nach den →Karagöz-Spielen, z. T. Imitationen herkömml. Stoffe und improvisierte Parodien auf das zeitgenöss. Leben mit altertüml. Sprache, gereimtem Dialog und zahlr. Wortspielen. Auch Frauenrollen wurden von Männern gespielt; die Hauptfigur, Kavuklu oder Qavuqlu, trug die alte rote Offiziersuniform; auch die Schauspieltechnik wurde vom Karagöz übernommen. Seit 1908 wurde das bisher volkstüml. O. mehr und mehr durch das mod. türk. Theater, später durch das Kino verdrängt.

Orthographie (griech. *orthos* = richtig, *graphein* = schreiben) →Rechtschreibung

Orthonym (griech. *orthos* = richtig, *onoma* = Name), der richtige, unverkleidet angegebene Verfassername im Ggs. zum →Pseudonym.

Ortskolorit (lat. *color* = Farbe),

auch Lokalkolorit, franz. *couleur locale*, Bz. von CHATEAUBRIAND (1811) für die Berücksichtigung von Natur, Wesensart, Sozialgefüge, Sitten, Trachten, Kulturstand und Dialekt versch. Völker, Landschaften und Zeitepochen in der künstler. Darstellung in Malerei, Dichtung und Theater. Die Forderung war im MA. und Barock weitgehend unbekannt, und statt realist. Milieuwiedergabe griff man meist zu einer Darstellung im Stil der eigenen Zeit (→Anachronismus). Erst 18. und 19. Jh. entwickeln mit dem Sinn für histor. Denken die Forderung nach O. als Mittel größerer Lebenswahrheit (V. HUGO, W. SCOTT). In der bühnenmäßigen Wiedergabe durch wahrheitsgemäße Dekoration, Kostüme usw. wurde sie erst seit den →Meiningern konsequent durchgesetzt, versank aber dann in vordergründigen Historizismus. Im weiteren Sinn auch die sprachl. Lokalisierung e. Textes durch Dialekt, Jargon und lokal begrenzte Ausdrücke, bes. im →Naturalismus.

S. Ullmann, *Style in the French novel*, Cambr. 1957; B. L. O. Richter, *Genesis and fortunes of the term couleur locale*, CLS 3, 1966; M. Potet, *Couleur locale*, RLC 49, 1975.

Ortssage →Lokalsage

Oskische Spiele →Atellane

Ossianische Dichtung, die im Anschluß an die lit. →Fälschung des *Ossian* durch J. MACPHERSON 1760–63 im Sturm und Drang entstehende ep.-lyr. Dichtung, die Ossian als Gegenbild zu franz. Regel und antiker Form empfindet und Empfindsamkeit, Sturm und Drang und Frühromantik beeinflußt: neben e. großen Zahl von Übersetzungen (DENIS 1768f., HERDER 1782, GOETHE im *Werther* 1774, STOLBERG 1806), bes. in der →Bardendichtung und bis in die Triviallit.

hinein nachgeahmt; kennzeichnend sind die im schroffen Ggs. zur Anakreontik stehende irrationale myth.-legendäre, trag.-heroische Stimmung und düster-rauhe Natur- und Landschaftsschilderung (Herbsstürme, Winterstimmung, Wettertannen, zerklüftete Fels- und fahle Mondlandschaft). Vgl. HERDER, *Über Ossian*, 1773.

A. Nutt, *Ossian and the O.ic lit.*, 1899; R. Tombo, *Ossian in Germany*, Diss. N.Y. 1901; O. Leo, Ossian i. Dtl., 1909; P. v. Tieghem, *Ossian en France*, 1917; ders., *Le Préromantisme*, 1924; R. Horstmeyer, D. dt. O.-Übersetzg. d. 18. Jh., Diss. Greifsw. 1926; RL; J. Weisweiler, Hintergrund u. Herkunft d. O. D., LJb N. F. 4, 1963; A. Grewe, Ossian u. s. europ. Wirkg. (Neues Hb. d. Lit.wiss. 15, 1982).

Osterfeier, die noch liturg. gebundene, im Wort durch den Text des Ostertropus festgelegte Form der szen. Vergegenwärtigung des Osterevangeliums in der ma. Kirche als e. Form belebter, dargestellter Liturgie. Sie entfaltet sich aus dem einfachen Ostertropus in drei versch. Grundtypen zu den ausgebildeten Versfeiern: zuerst der bloße Besuch der Marien am Grabe (Visitatio), dann erweitert durch den Wettlauf der Apostel zum Grabe, schließlich unter Einbeziehung der Erscheinung Jesu vor Maria Magdalena. Die liturg. O. bildet Voraussetzung und Vorstufe des durch Einbeziehung weiterer realist. Details (Salbenkrämerszene u. ä.) und durch bewußte Verkleidung szenisch verselbständigten ma. →Osterspiels

H. de Boor, D. Textgesch. d. lat. O., 1967; W. Flemming, D. Gestaltg. d. liturg. O. in Dtl., 1971. →Osterspiel.

Osterlied, liturg. Gesang aus der Freude über die Auferstehung Christi, schon im MA. verbreitete und beliebteste Form des →Kirchenliedes zum Osterfest, so in lat. Ostersequenzen von WIPO (11. Jh.), dem Hofkaplan Kaiser KONRADS II.: ›Victimae paschali laudes‹, die noch heute zur Meßliturgie gehört und deren Jubelvers ›Surrexit Christus, spes mea‹ den Anstoß zum 1. dt. O., ›Krist ist erstanden‹ gab, das, bei kirchl. Anlässen, bes. Auferstehungsfeiern vom Volk selbst gesungen, zum beliebtesten Kirchenlied des MA. wurde. Es fand in zahlr. Abwandlungen (›Wär er nicht erstanden‹ 1531, ›Erstanden ist der hl. Christ‹, LUTHER: ›Christ lag in Todesbanden‹) weiteste Verbreitung in ev. wie kath. Gesangbüchern und bildet auch in anderen Volkssprachen den Kern der Osterverkündigung. Im 17. Jh. folgen zahlreiche individuellere O.er von J. HEERMANN (›Frühmorgens, da die Sonn aufgeht‹ 1630), P. GERHARDT (›Auf, auf mein Herz mit Freuden‹ 1647, ›Sei fröhlich alls‹ 1653), J. RIST (›Lasset uns den Herren preisen‹ 1641), SCHADE (›Lebt Christus‹ 1692), ANGELUS SILESIUS (›Nun ist dem Feind zerstöret seine Macht‹, ›Nun danket Gott‹ 1657). Eine Verinnerlichung bringt der Pietismus des 18. Jh.: B. JUST, H. BÖHMER, K. NAUMANN, B. SCHMOLCK, J. NEUNHERZ, GELLERT (›Jesus lebt‹) und KLOPSTOCK (›Preis dem Todesüberwinder‹ 1769); im 19. Jh. GEIBEL.

RL; J. Kothe, D. dt. O.er d. MA., Diss. Bresl. 1939. →Kirchenlied.

Ostermärlein, wohl in Verbindung mit alten Osterspielen stehende Sitte im Süddtl. des 15.–17. Jh., daß der Pfarrer zu Ostern lustige Predigtmärlein (→Exempel) erzählt, um die durch die Fastenzeit trauernde Gemeinde zu erheitern (risus paschalis).

A. Freybe, Ostern i. dt. Sage, Sitte u. Dichtg., 1893.

Osterspiel, älteste Hauptform des →geistlichen Dramas im MA. zur Darstellung des Heilsgeschehens, aus der Liturgie, dem Oster→tropus (TUOTILO, ›Quem quaeritis‹, 10. Jh.), Wechselgesang des Engels und der drei Frauen am Grabe Christi, im 10. Jh. entstanden (Limoges, St. Gallen) und am Morgen des Ostersonntags in der Kirche an dem das Grab bezeichnenden Altar gesungen. An diese Kernszene des O., die ›visitatio‹, schließt sich später der dialog. Teil von WIPOS Sequenz ›Victimae Paschali‹ (→Osterlied) und die Begegnung Christi als Gärtner mit Maria Magdalena an. Bis zu diesem Punkt der Entwicklung heißt das O. wegen der liturg. Gebundenheit der Aufführungsweise an den Tropus →Osterfeier. Seit Beginn des 13. Jh. wird auch die Auferstehung selbst dargestellt. Gleichzeitig werden Wächterszenen und Höllenfahrt Christi mit der Besiegung des Teufels ins Spiel aufgenommen. Wichtig wurde gleichzeitig der Übergang von der lat. (O. von Origny, Klosterneuburg, Ripoll) zur dt. Sprache, der den Zuschauern das Verständnis des Sprechtexts ermöglichte und die Handlung in ihre Umwelt versetzte. Vor allem in Süddtl. wurden die volkstüml. Szenen, insbes. die Salbenkrämerszene (→komische Person) und der Wettlauf von Petrus und Johannes zum Grab, drast.-kom. dargestellt. Durch Aufnahme immer weiterer Szenen (Jesus der Gärtner, Emmaus-Gang, ungläubiger Thomas, Abendmahl), die das Heilsgeschehen von der Schöpfung bis zum Endgericht darstellen, weitet sich das O. zum oft mehrere Tage dauernden →Passionsspiel, löst sich zugleich vom Evangelientext und wird freier und volkstümlicher. Wichtigste O.e: O. von Muri (13. Jh., Schweiz, höfisch, außerhalb der Entwicklung stehend), *Innsbrucker O.* (14. Jh., mitteldt., mit gut durchstrukturiertem Krämerspiel), *Redentiner O.* (1464, Lübeck, mit humorvollem Teufelsspiel und Stände→satire), *Rheinisches O.* (15. Jh., Mainz, ernster Grundton, auch in den kom. Szenen gemäßigt), *Erlauer O.e* (15. Jh., süddt., teils drastisch), ferner O.e aus Trier, Regensburg, Breslau, Wien, Berlin, München, Wolffenbüttel, Osnabrück, Bozen, Sterzing u.a. E. Erneuerung der im 16. Jh. abbrechenden Tradition versucht C. ORFFS *Ludus de resurrectione Christi* 1956.

J. Klapper, D. Urspr. d. lat. O.feiern, 1923; RL: Drama, ma.; H. Ruff, Beitr. z. Gesch. d. dt. O. (Abhdlg. d. Ges. d. Wiss., Göttingen 1927 u. 1935); P. Huppert, Osterfeiern u. O.e i. Dtl., 1929; H. Niedner, Dt. u. franz. O.e, 1932; H. de Boor, D. lat. Grundlage d. dt. O.e (Hess. Bll. f. Volkskde. 41, 1950); W. Werner, Stud. z. d. Passions- u. O.en des dt. MA., 1963; S. Grosse, Ursprung u. Entwicklg. d. österl. Spiele d. MA., DU 17, 1965; R. Steinbach, D. dt. O. u. Passionsspiele d. MA., 1970; R. Wimmer, Dt. u. Lat. i. O., 1974; A. Roeder, D. Gebärde i. Dr. d. MA., 1974; B. Thoran, Stud. z. d. österl. Spielen d. dt. MA., ²1976; J. H. Kuné, D. Auferstehg. Christi i. dt. rel. Dr. d. MA., Amst. 1979; J. Nowé, Kult od. Drama (*The theatre in the m.a.*, hg. H. Braet, Leuwen 1985). →geistl. Drama, →Osterfeier.

Ostraka (griech. =) Tonscherben als billiges Schreibmaterial neben Papyrus und Pergament im alten Griechenland und bes. in Ägypten seit 3. Jh. v.Chr.; meist nur für tagesgebundene Aufzeichnungen (Steuerquittungen, Rechnungen, Schreibübungen, Listen, Sprüche, Notizen), doch auch für rel. und lit. Texte (z.B. e. 1937 entdecktes Gedicht der SAPPHO, Zeilen aus HOMER, EURIPIDES, MENANDER, *Bibel*), Briefe, selbst für ganze Archive verwendet, mit Tinte beschrieben oder mit dem Messer eingekratzt. Bedeutende Fundorte sind Theben in Oberägypten und Fayum; Slgn. in der Bodleian Library, Oxford,

Britisches Museum, Louvre und Berliner Museum. Als Zeugnisse weniger für die Lit. als für Wirtschaftsgeschichte, Dialektforschung und Topographie der Antike wichtig.

Ottạva, Ottaverịme (ital. = Achtreim) = →Stanze.

Ovatiọn (lat. *ovatio* = Huldigung), begeisterter →Applaus, auch Huldigungsgedicht.

Ovị, Strophenform der ind. Marâthî-Lit., umfaßt drei gereimte Verse von versch. Länge (meist an 10 Silben) und einen noch kürzeren, halben Schlußvers ohne Reimbindung zu den vorigen; als Erzählform der Epik der rhythm. Prosa nahestehend.

Oxymoron (griech. *oxys* = scharf, *moros* = dumm), als →rhetorische oder Stilfigur die sinnreich pointierte Verbindung zweier einander scheinbar widersprechender, sich gegenseitig ausschließender Begriffe zu e. Einheit in →addierender Zusammensetzung oder →Contradictio in adjecto: ›traurigfroh (HÖLDERLIN), helldunkel, bittere Süße, beredtes Schweigen, alter Knabe‹, oft wirkungsvoll mit Paronomasie verbunden: ›concordia discors, sinnvoller Unsinn‹. Bei tatsächl. Widerspruch Übergang zum →Paradoxon. Zum Ausdruck des Gefühlsmäßigen, Komplexen, Unsagbaren oder e. gebrochenen Weltgefühls häufig in der Sprache antiker Rhetorik, der →geblümten Rede des MA., der Mystik und dem Manierismus (MARINO, GONGORA), bei SHAKESPEARE, HÖLDERLIN, KEATS, HEINE und BORGES. →Aprosdoketon.

W. Freytag, D. O. b. Wolfram, Gottfried u.a., 1972.

Paarformel →Alliteration

Paarreim, einfachste und populärste Form der Reimbindung von jeweils zwei aufeinanderfolgenden Versen: aa bb cc usw., bes. im mhd. →Reimpaar, auch erweitert zu →Dreireim oder →Reimhäufung.

Pāda (ind. = Fuß), ind. Versfuß, Vers und kurzes Gedicht.

Päan (griech. *paian* nach dem gemeinsam gesungenen Kehrreim ›ie Paian‹, ›Helfer, Retter‹, als Anruf Apolls), feierl. altgriech. Chorlied wohl kret. Ursprungs und über Delphi und Sparta in ganz Griechenland verbreitet; urspr. formal nicht festgelegte Jubel-, Dank- und Bitthymne an Apoll als Nothelfer und Heilgott, z.T. mit Begleitung von Zitherspiel, später Flöten und Tanz, doch bes. in der Schlacht zur Versöhnung des Götterzornes und nach dem Sieg oder glücklich bestandener Gefahr (Seuche, Krankheit und Unternehmungen), beim Symposion nach dem Trankopfer von allen Gästen gemeinsam oder bei öffentl. Angelegenheiten wie Friedensschlüssen von allen Anwesenden angestimmter Lob- und Siegesgesang, später auch zu Ehren anderer Götter wie Zeus, Poseidon, Ares, Artemis, Asklepios, Hygieia und Dionysos (dessen Lied als →Dithyrambos ursprünglich vom P. streng geschieden war) und in hellenist. Zeit selbst erfolgreicher Menschen und Helden (LYSANDER, TITUS FLAMINIUS) gesungen; schließlich chor. Lob-, Dank- und Siegeslied schlechthin im Ggs. zum Threnos. Älteste P.dichter waren THALETAS und XENODAMOS; P.e von SOPHOKLES (an Asklepios) und SOKRATES (an Apoll) sind verloren, erhalten nur Fragmente von SIMONIDES, PINDAR und TIMOTHEOS in kurzen Strophen und einfacherer Rhythmik und Sprache als die →Epinikien.

A. Fairbanks, *A study of Greek P.*, N.Y. 1900; A. Deubner, P. (Neue Jb. 22, 1919).

Pägnium, griech. **Paignion** (= Spiel), in der Antike kleine und leichte Gedichte spielerisch-tändelnden Inhalts, auch erotisch (Eroto-P.), von PHILETAS, THEOKRIT, MONIMOS, KRATES, LAEVIUS u.a. →Techno-P.

Päon, griech. **Paion,** nach der Verwendung im →Päan benannter, 5zeiliger griech. Versfuß aus drei Kürzen und einer Länge; nach deren Stellung unterschieden in 1. P. $-\cup\cup\cup$, 2. P. $\cup-\cup\cup$, 3. P. $\cup\cup-\cup$, 4. P. $\cup\cup\cup-$. Da praktisch nur 1. und 4. P. vorkommen, 2. und 3. nur theoretisch, gilt der P. als Kretikus mit einer Längenauflösung. Verwendet als akatalekt. Tetrameter aus 4 P. oder 3 P. und einem Kretikus bei den griech. Komikern und in Chor- und Einzelliedern mit enthusiast., ungestümlebhaftem Rhythmus.

Pageants (engl. =) die einzelnen Szenen des engl. geistl. Dramas im MA., die den einzelnen Korporationen (Gilden) zur Aufführung und Ausstattung auf Wagenbühnen überlassen und vom P.master zum Mysterien- oder Mirakelspiel zusammengefügt wurden, deren Ertrag wiederum den Gilden zugute kam; später auch die Bühnenwagen der Wagenmysterien und schließlich allg. große histor. Schau- oder Festspiele und prunkvolle Schauzüge mit myth., histor. oder allegor. Themen.

E. K. Chambers, *The ma. stage,* Lond. 1903; R. Withington, *Engl. pageantry,* N.Y. II 1918, ²1963; H. H. Borcherdt, D. europ. Theater d. MA. u. d. Renaissance, 1935.

Paian →Päan

Paignion →Pägnium

Pai-lü, chines. Gedicht in strengem Tonmaß, aber von beliebiger Länge; oft auch ein langes →Lü-shih.

Paion ›Päon

Paitan, Peitan (neuhebr., v. griech. *poietes,* Mz. Paitanim), jüd. Dichter des MA., Verfasser zahlr. synagogaler Hymnen, lyr. und didakt. Gedichte (→Pijut) zum gottesdienstl. Gebrauch, die z.T. in die Gebetsordnung Eingang fanden.

Paläographie (griech. *palaios* = alt, *graphein* = schreiben), Wissenschaft und Lehre von den Schriftformen (→Keilschrift, →Majuskel, →Minuskel, →Kursive, →Unziale, →Kapitale), Beschreibstoffen (Wachstafeln, →Ostraka, →Papyrus, →Pergament, →Papier), Schreibmitteln, -gewohnheiten (→ Abbreviaturen, →Ligaturen, →Interpunktion, Worttrennung, →Kolophon, →Subskription, →Miniaturen) und den versch. Buchformen (→Blockbuch, Faltbuch, →Buchrolle, →Codex) im Altertum und MA. im weiteren Sinne unter Einschluß der →Epigraphik; dient bes. der Echtheitsbestimmung, Datierung und regionalen Einordnung (nach dem Herkunftsort) der Schriftstücke, ferner der Erklärung von Verschreibfehlern bei der Textkritik und entstand im 15./16. Jh., wissenschaftlich erst im 17. Jh. im Zuge der Streitigkeiten um die Echtheit kirchl. Dokumente bei den Benediktinern von St. Maur (Jean MABILLON, *De re diplomatica,* 1681).

W. Wattenbach, D. Schriftwesen im MA. ³1896; V. Gardthausen, Griech. P., II ²1911–13; E. M. Thompson, *Introduction to Greek and Lat. P.,* Lond. 1912; A. Mentz, Gesch. d. griech.-röm. Schrift, 1920; W. Schubart, Griech. P. (Hb. d. Altertumswiss., 1925); B. Bretholz, Lat. P., ³1926; K. Löffler, Einf. i. d. Hss.kunde, 1929; F. Steffens, Lat. P., 1929, ²1964; B. L. Ullman, *Ancient Writing,* Lond. 1932; H. Fichtenau, Mensch u. Schrift i. MA., 1940; H. Foerster, Abriß d. lat. P., 1949, ²1963, n. 1981; J. Kirchner, Germanist. Hss.praxis, 1950; K. Löffler, Allg. Hss.kunde (Hdb. d. Bibliothekswiss. I, ²1952); J. Mallon, *P. romaine,* Madrid 1952; R. Devreesse, *Intr. a lecture des manuscr. grecs,* Paris 1954; B. Bischoff, P. (in: Aufriß I, 1952); ders., P., ²1970; ders., 1978, ²1986; B. A. v. Groningen, *Short manual of Greek P.,* Leiden ³1963; O. Mazal, P. u. Paläotypie, 1984.

Palillogie = →Epanalepse

Palimbacchius →Antibacchius

Palimpsest (griech. *palin* = zurück, *psestos* = geschabt, lat. *codex rescriptus* = wiederbeschrieben), Pergament-, seltener Papyrus-Hs., deren urspr. Text aus Sparsamkeitsgründen durch Waschen, Auslaugen mit Milch, Reiben mit Bimsstein oder Schaben mit dem Messer getilgt und durch e. anderen ersetzt ist; schon im Altertum übl. Form der Wiederverwendung des wertvollen Beschreibstoffes, bes. aber von ma. Mönchen des 7.–9. Jh., als Pergament sehr rar und teuer war, gepflegte Praxis, der nicht nur heidn.-antike, sondern auch weniger wichtige oder in mehreren Exemplaren vorhandene christl. Schriften – mit Vorliebe umfangreichere, daher lohnendere – zum Opfer fielen. Heute versucht man den urspr. und meist weitaus wertvolleren Text wieder lesbar zu machen. Nachdem Versuche der ersten P.-Entdecker bes. des Kardinals Angelo MAI, der zahlr. aus dem Kloster Bobbio bei Genua stammende P.e entdeckte, mit Chemikalien das Pergament so zerstörten, daß e. Nachprüfung angezweifelter Lesarten heute nicht mehr möglich ist, erreicht man neuerdings z.T. bessere Erfolge mit Infrarot-Photographie, Durchleuchtverfahren und Fluoreszenzmethode. Zahlreiche für verloren gehaltene antike Schrift-

werke sind als P., wenngleich z.T.
nur fragmentarisch, wiederaufge-
funden worden, so EURIPIDES
(Phaeton), PLAUTUS, CICEROS *De re
publica* und Fragmente seiner Reden, GAIUS' *Institutiones*, LICINIA-
NUS, Briefe FRONTOS, das 91. Buch
des LIVIUS, e. got. Bibelübers. u.a.
Dt. P.-Institut der Erzabtei Beuron.
A. Dold, Üb. P.-Forschung (Jb. d. Görres-
Ges. 50, 1924–26); ders., P.-Hss. (Gutenberg-Jb. 25, 1950); ders., P.-Studien, II
1955–57. →Paläographie.

Palindrom (griech. *palindromos* =
rückläufig), Wort, Vers, Satz oder
Text, der vor- und rückwärts gelesen das gleiche Metrum und den
gleichen oder doch e. Sinn ergibt
(→anazyklisch, versus cancrinus =
Krebsvers), z.B. die sog. Teufelsver-
se ›Signa te, signa, temere me tangis
et angis‹ oder ›Otto tenet mappam,
madidam mappam tenet Otto‹, dt.
›Ein Neger mit Gazelle zagt im Regen nie‹. Urspr. wohl sprachmag.
Ritual, schon seit der Antike
schwieriges artist. Wort- und Buchstabenspiel: die Buchstabenfolge
der 2. Wort- oder Satzhälfte muß
sich spiegelbildlich zur 1. verhalten:
›Reliefpfeiler‹, in weiterem Sinne
auch Verse, in denen nicht die einzelnen Buchstaben, sondern die geschlossenen Wörter in umgekehrter
Reihenfolge e. Sinn ergeben; angeblich von SOTADES (3. Jh. v.Chr.)
erfunden, doch weniger in griech.
als bes. in (mittel-)lat. Lit. häufig,
selbst e. ganzes Gedicht von J. H.
RIESE (†1669), ein Gedichtband
von A. PAMPERIS (1802).
F. Dornseiff, D. Alphabet i. Mystik u.
Magie, 1922, ²1925, n. 1980; E. Kuhs,
Buchstabendichtg., 1982; H. Pfeiffer
(Sprachkunst 16, 1985; Sprachwiss. 10,
1985; Arcadia 22, 1987).

Palinodie (griech. *palinodia* = Gegengesang, Widerruf), dichter. Widerruf e. vorangegangenen krän-
kenden Gedichts, bei strengster

Form unter Benutzung der gleichen
Worte und Reime; drückt die gegenteiligen Gefühle aus und kann nur
durch iron. Übersteigerung des Lobes zur Satire werden. Die erste P.
stammt (nach PLATONS *Phaidros*)
von STESICHOROS (7./6. Jh.), der,
zur Strafe für den Tadel Helenas
geblendet, dadurch sein Augenlicht
wiedererhielt; bes. gepflegt in neulat. (Humanisten-) und Barockdichtung (OPITZ: ›Asterie mag bleiben‹)
als Lob und Absage an Liebe, Weltlust (DACH) u.ä.; am seltensten als
Ausdruck von Charakterlosigkeit
und sklav. Abhängigkeit des Schreibers von der Konjunktur (teils LE-
BRUN und MONTI) meist erwachsen
aus antithet. Lebensgefühl oder innerlich unbeteiligter Gedankenspie-
lerei. P. im weitesten Sinne waren
z.B. auch OVIDS *Remedia amoris*
nach der *Ars amatoria*.
F. W. Hoffmann, D. P., Diss. Gött. 1956;
T. Verweyen, Parodie, P. (Dialogozität,
hg. R. Lachmann 1982).

Palliata (lat. *pallium* = Griechen-
mantel) oder →Fabula p., die röm.
Ausformung der griech. ›neuen
→Komödie‹ mit griech. Kostüm
und aus dem griech. Leben oder
griech. Lit. entlehntem Stoff, so bei
NAEVIUS, PLAUTUS, CAECILIUS,
STATIUS, TERENZ, Sextus TURPILIUS
u.a.; Ende 2. Jh. v.Chr. durch die
→Togata abgelöst.
A. Hugh, Einflüsse d. P. auf d. dt. u. lat.
Dramen d. 16. Jh., Diss. Hdlbg. 1921.
→Komödien.

Palmenorden →Sprachgesellschaf-
ten

Pamphlet (franz., wohl von *Pam-
philet, Pamphilus de amore*, e. Lied
des 12. Jh.), Flugschrift in Vers oder
(meist) Prosa, Streit- und Schmähschrift auf aktuelle polit., relig., soz.
oder lit. Ereignisse und Zustände
von aggresiver Polemik, beißendem
Witz und bes. scharfem, zwar nicht

unbedingt persönl. Ton, jedoch dazu bestimmt, die angegriffene Person und ihr Werk öffentl. zu verun-
glimpfen und zu vernichten. Als
Pamphletist (= Verfasser e. P.) ragt
der Venezianer Pietro ARETINO hervor, der für das Schreiben bzw. auch
Nichtschreiben von bestellten P.en
hohe Bezahlung erhielt. Engl. P. =
allg. e. kleine Schrift von unter fünf
Bogen Umfang. →Satire, →Litera-
tursatire, →Invektive, →Libell.

Panegyrikos, urspr. im alten Griechenland auf e. Festversammlung
(panegyris) gehaltene öffentl.
Prunkrede hohen Stils zur lobenden
Verherrlichung des Anlasses, der
Taten der Vergangenheit, öffentl.
Einrichtungen, e. Stadt u. ä.; sobald
e. Einzelperson Gegenstand des Festes wurde, bes. bei den Römern zur
überschwengl. persönl. Lobrede
ausgestaltet. GORGIAS, LYSIAS und
ISOKRATES weisen im P. auf die Notwendigkeit e. griech. Einigung hin,
ISOKRATES im *Panathenaikos* auf
den Ruhm Athens. Nach dem Vorbild von P. PLINIUS' d. J. auf Kaiser
Trajan (100 n. Chr.) schreibt CLAU-
DIAN P.i auf Kaiser Honorius und
entstehen im 3./4. Jh. in Gallien 11
zu e. Slg. zusammengefaßte P.i
auf die zeitgenöss. röm. Kaiser
als schmeichlerisch-überschwengl.
Lobreden und Dank für erwiesene
Würden. Die antike rhetor. Kunstübung setzt sich im Christentum als
P. auf Heilige u. Märtyrer (BOS-
SUET, MASSILLON) fort und lebt in
Renaissance und Barock auf. →Elo-
ge, →Enkomion.
H. Gärtner, Einige Überlegn. z. kaiser-
zeitl. P., 1968; A. Georgi, D. lat. u. dt.
Preisgedicht d. MA., 1969.

Pangrammatisch →Tautogramm

Panorama-Roman, Form des Zeitromans, die in der Technik des Nebeneinanders ein Panorama der

Epoche in allen soz. Schichten zu
geben versucht: GUTZKOWS *Ritter
vom Geist,* SEALSFIELD, GERSTÄK-
KER u. a.
G. Friesen, *The German panoramic novel
of the 19th cent.,* 1972.

Pansophie (v. griech.), ›Allwissen‹,
myst.-relig.-philos. Bewegung, er-
wuchs aus neuplaton.-alchemist.
Gedankengut und begann mit PA-
RACELSUS; fortgesetzt durch die Ro-
senkreutzer. A. COMENIUS, weiter
in relig.-naturphilos. Sinn durch J.
BÖHME, V. WEIGEL und ANGELUS
SILESIUS; Nachwirkung bis ins 18.
Jh.
W.-E. Peuckert, P., III 1955–73.

Pantalone, e. der stereotypen
Hauptfiguren der →Commedia
dell'arte, der spitzbärtige, geschäfti-
ge, geldgierige, argwöhnische, von
Liebe verblendete und oft hinter-
gangene venezian. Kaufmann in ro-
tem Gewand mit roten, nach ihm
benannten Hosen und türk. Schna-
belschuhen. Erst GOLDONI macht
ihn zum menschl. harmlosen, ehren-
werten Bürger.

Pantomime (griech. *pantomimos* =
alles nachahmend), völlig unlit.
Theater- oder Tanzvorführung als
Darstellung ep.-dramat. Szenen;
mim. Ausdruck von Eindrücken,
Gefühlen, Gedanken usw. nur in
stummen Gebärden- und Mienenspiel, meist zu Chor- oder Musikbegleitung bei vereinfachend-stilisier-
ter Handlungsgestaltung, Grenz-
form zur Tanzkunst. In Griechenland und Rom seit dem 4. Jh. v. Chr.
heimisch; in der Kaiserzeit um 22
v. Chr. als Nachfolge des →Mimus
durch PYLADES in wirksamerer tragischer und durch BATHYLLUS in mehr
kom. Weise ausgestaltet und, meist
mit mytholog.-erot. Vorwürfen, zur
Kunstgattung erhoben, blieb die P.
trotz zahlr. Verbote wegen Unsitt-

lichkeit die ganze Kaiserzeit hindurch sehr beliebt, wenngleich dauernd vom Christentum bekämpft und schließlich 526 n.Chr. unter Justinian endgültig verboten. Ihre Entstehung ist weniger auf die schwere Verständlichkeit der Worte in den riesigen Theaterräumen als auf e. Verabsolutierung der allg.-verständlichen mim. Ausdruckskunst zurückzuführen. Der einzige, stets männliche Schauspieler (›P.‹) tanzte oder spielte seine Rollen, bis zu fünf nacheinander, in versch. entsprechenden Masken schweigend zu den von e. Einzelsänger – seit Pylades von e. großen Chor – gesungenen oder von Orchester begleiteten, doch stets zweitrangigen (oft griech.) Worten und evtl. erläuternden Zwischentexten (Libretti u.a. von Lukian und Statius). Ausstattung und Szenerie waren revueartig. Erst die spätere Einführung von Frauenrollen ließ die Darstellung des Sinnlichen bis zur äußersten Grenze gehen. Die Beliebtheit der röm. P. bes. beim Volk – hier neben dem Mimus –, weniger als Kunstgattung der höheren Stände, führte zu seiner Verbreitung über das ganze röm. Reich und trug viel zum Verfall der Tragödie bei. Im MA. setzen die →Jongleure die P. fort; Mysterienspiele, Humanisten- und Schuldramen haben P.-Szenen. Im 16. Jh. entstand in Italien die →Commedia dell'arte mit stehenden, typ. Masken, die sich in anderen Ländern bes. als symbol. P.-Festzug für Hoffeste (Trionfi) oder in Intermedien verbreitete. Das 18. Jh. bringt die Erneuerung der P. in Frankreich durch J. G. Noverre, in England durch Lady Hamilton und Garrick, in Dtl. durch Henriette Hendel-Schütz und auch in Rußland. Im 20. Jh. übernehmen Ballett, Revue, Zirkus, Varieté und Stummfilm Elemente der P.; im Theater behält sie als stummes Mienen- und Gebärdenspiel eine wichtige Funktion und behält als Solo-P. (M. Marceau u.a.) unveränderte Geltung. →Christmas-P., →Dumb Show.

J. R. Broadbent, *A hist. of p.*, Lond. 1901, ³1961; M. W. Disher, *Clowns and p.*, Lond. 1925; L. F. Friedländer, Sittengesch. Roms, 1959; K. G. Simon, P., 1960; J. Soubeyran, D. wortlose Sprache, 1963, ²1984; J. Dorey, P., 1963; D. Mehl, D. P. i. Drama d. Shakespearezeit, 1964; RL²; H. Bollmann, Unters. z. Kunstgattg. d. P., Diss. Hbg. 1968; A. E. Wilson, *The story of p.*, Wakefield 1974.

Pantoun →Pantun

Pantragismus (v. griech.), Alltragik, die Anschauung von der umfassenden trag. Verstrickung des Lebens mit jeder Regung des individuellen Willens (Individuation als Schicksal), begründet in der mit dem Leben selbst schon vorgegebenen trag. Weltverfassung; ausgeprägt bes. in der Tragödie F. Hebbels.

F. Fehér, *The pan-tragic vision*, NLH 11, 1979 f.

Pantun, malaiische Versform: Strophe aus vier Zeilen zu je vier Hebungen, von denen die 1. und 2. Zeile Natur- oder Lebensbilder skizzieren und die 3. und 4. Zeile diese didaktisch oder emotional auslegen. Alle vier Zeilen werden durch Parallelismus und mindestens vier →Lambangs gebunden, die am Zeilenende stehen. Neben der vorwiegend selbständigen Form des P. können die Strophen auch im Wechselgesang zu sog. P.berkait zusammengebunden werden, wobei nach dem Schema abab bcbc cdcd jeweils 2. und 4. Zeile der vorigen in der folgenden Strophe als 1. und 3. Zeile wiederholt werden. Blütezeit des malaiischen P. ist das 17. Jh.; heute hat es sich über die ganze malai. Halbinsel und die Malaien Indonesiens ausgebreitet; ähnliche und verwandte Versformen erscheinen bei anderen indones. Völkern. Die europ. Nachahmungen des P. – auch Pantum genannt – bei A. v. CHAMISSO, V. HUGO, T. GAUTIER, Th. de BANVILLE, LECONTE DE LISLE, BAUDELAIRE, R. GHIL, A. DOBSON u.a. übernahmen lediglich die Form der Zeilenwiederholung für eine Reihe von Vierzeilern mit Kreuzreim abab bcbc cdcd usw. in mehr oder weniger freier Form, wobei die 2. und 4. Zeile der letzten Strophe von den Zeilen 3 und 1 der ersten Strophe gebildet werden, so daß das P. mit der Anfangszeile schließt.

J. R. Wilkinson, R. O. Winstedt, *P. Melayu*, Singapur ²1923; H. Heiss, D. P. malais (Fs. O. Walzel, 1924); H. Overbeck, *The Malay P. (Journal of the Royal Asiatic Society. Straits Branch*, 85, 1922); G. Kahlo, D. ersten beiden Zeilen d. malai. P. (Wiss. Zs. d. Karl-Marx-Univ. Lpz. IV, 12, 1954).

Paperback, die Buchform des im Lumbeckverfahren klebegehefteten und kartonierten, meist glanzfolienkaschierten Einbands von etwas größerem Format als das →Taschenbuch; dient verbilligten Ausgaben teurerer Werke, Studien-Textbücher und aktuellen Themen, die für ein Taschenbuch nicht die nötige Auflagehöhe erreichen würden.

Papier (nach →Papyrus), durch Verfilzung von Flachs-, Hanf-, Baumwoll- und Lumpenfasern oder Ersatzstoffen wie Holz und Stroh entstehender Beschreibstoff von versch. Herstellungsarten (Bütten- und Maschinenpapier) und Qualitätsgraden. Um 100 v.Chr. in China erfunden, von dort im 8. Jh. nach Bagdad und durch die Araber im 12. Jh. nach Spanien gelangt; in Italien seit 1250 und Dtl. seit 1300 als Ersatz des teuren →Pergaments, bes. seit Erfindung des Buchdrucks

und damit Massenverbrauch, doch erst seit rd. 1800 maschinell hergestellt.

P. Klemm, Hb. d. P.kunde, 1923; A. Linhardt, P.kunde, 1932; A. Blum, *Les origines du p.*, Paris 1935; F. Hoyer, Einf. i. d. P.kunde, 1941; D. Hunter, *Papermaking*, N.Y. ²1947; A. Renker, D. Buch v. P., ³1950; K. Keim, D. P., 1951; E. Sutermeister, *The story of papermaking*, N.Y. ²1962; A. Basanoff, *Itinerario della carta*, Mail. 1965; M. Veber, *Le p.*, Paris 1969; G. Martin, *Le p.*, Paris ³1976; W. Schlieder, P., ²1985. →Buch, →Buchdruck.

Papyrologie, die Wissenschaft vom →Papyrus als Spezialfach der →Paläographie.

Papyrus, bis zu 3 m hohe Wasserstauden im alten Ägypten (heute dort ausgestorben und nur noch im Sudan und auf Sizilien), deren Mark in Streifen geschnitten und in zwei Schichten neben- und kreuzweise (Vorderseite längs-, Rückseite querlaufend) übereinandergelegt, feucht geleimt, getrocknet, gepreßt und geglättet, in Ägypten seit Anfang des 3. Jt. v.Chr. hergestellt, bis zum Aufkommen des →Pergaments (3./4. Jh.) den hauptsächl. Beschreibstoff im Altertum, seit dem 7. Jh. v.Chr. auch in Griechenland, lieferte. P.-Fabrikation war ägypt. Staatsmonopol. Einzelne Blätter von gewöhnlich 25 × 20, höchstens 40 × 30 cm, für Briefe u.ä., zu e. Streifen von rd. 6–10 m (maximal bis zu 40 m) aneinandergeklebt und um e. Holz- oder Elfenbeinstab (→Omphalos) gerollt, ergaben die antike Buchrolle (Kollema, →volumen), seit der Kaiserzeit auch einzelne durchlochte Blätter zu e. →Codex zusammengebunden; das 1. Blatt mit dem →Kolophon hieß Protokollon. E. kleiner, hervorstehender Zettel (Sillybos, →Index) mit Verfasser- und Titelangabe erleichterte das Auffinden der meist in runden Körben zu je rd. sechs Stück aufbewahrten Rollen; eine Rolle enthielt

etwa ein Buch des Thukydides oder
drei Bücher der *Ilias;* längere, unhandl. Werke wurden in Bände zerlegt. Der Text stand meist nur auf
der Vorderseite (→Opisthogra-
phon) und quer in je nach Länge der
Verse (Hexameter), bei Prosa meist
5–10 cm breiten, durch Rand getrennten und von der Ober- und
Unterkante weiter abgesetzten Ko-
lumnen zu je nach Breite der Rolle
und Schriftgröße 25–45 Zeilen von
je 18–25 Buchstaben; man las, indem man die e. Seite mit der rechten
Hand ab-, die andere mit der linken
aufrollend, gerade die zu lesende
Kolumne offenhielt. Lesehilfen sind
selten: kaum Worttrennung, selten
Akzente und Interpunktion, nur bei
längeren Pausen, Absätzen oder
Rollenwechsel im Drama (ohne
Sprecherangabe) steht e. kurzer
Strich (paragraphos) unter der Linie. Auch beim Nachschlagen und
Zitieren höchst unbequem, wurden
sie später, bes. nachdem der Verfall
der P.-Fabriken im 4./5. Jh. dem
Pergament zum Siege verhalf, in
→Codices umgeschrieben. Nicht in
dem feuchten Klima Italiens und
Griechenlands, wohl aber im ver-
schütteten Herculaneum und bes.
im trockenen Ägypten (Oxyrhyn-
chus) erhielten sich zahlr. P.i auf
Schutthaufen oder als zu Mumien-
särgen verwendete Makulatur,
meist Gesetze, Urkunden, Briefe
u. ä., die wertvolle Aufschlüsse über
das Alltagsleben der Antike geben,
doch auch schon verloren geglaubte
lit. Texte wie Aristoteles *Politeia,*
Herondas, Hypereides, Sappho,
Alkaios, Pindar, Corinna, Menander *(Dyskolos),* Timotheos
(Persai, ältester größerer griech. P.,
aus dem 4. Jh., vielleicht noch zu
Lebzeiten des Verfassers), seltener
lat. Werke; daneben ältere Fassungen bereits bekannter Werke, die für
die Textkritik höchst wichtig sind,

da sie die Richtigkeit der Überlieferung in vielen Fällen zeigen und die
Vorstellung e. Fülle von Abschreibe-
fehlern aus dem Laufe der Jhh. wi-
derlegen, auch z. T. richtige Konjek-
turen bestätigen. L. Mitteis, U. Wilcken, Grundzüge u.
Chrestomathie d. P.kunde, IV 1912; W.
Schubart, Einf. i. d. P.kunde, 1918; K.
Preisendanz, P.funde u. P.forschg., 1933;
A. Calderini, *Manuale di papirologia,*
1938; W. Schubart, D. P. als Zeugen
antiker Kultur, 1949; M. David, B. A. v.
Groningen, *Papyrological Primer,* Leiden
⁴1965; E. G. Turner, *Greek P.i,* Princeton
1967; R. Seider, Paläographie d. griech.
P.i, III 1967 ff.; ders., Paläographie d. lat.
P.i, III 1972 ff. →Paläographie.

Par →Bar

Parabase (griech. *parabasis* = Da-
nebentreten, Abschweifung), in der
att. ›alten →Komödie‹ urspr. der –
unter Zerstörung der dramat. Illusion – ans Publikum gerichtete oder
die Götter anflehende Epilog des
Chors, der sich dabei ohne Masken
unmittelbar den Zuschauern zu-
wandte, als Sprachrohr des Dichters
dessen Absichten erklärte, die Götter pries und bes. Rivalen, unliebsame Zeitgenossen und Einrichtungen
angriff, kritisierte und verspottete
(polit.-soz. Satire); wohl entstanden
aus dem Schlußteil kom. phall. Festzüge (›Komos‹) mit Neckereien der
Zuschauer, später in die Mitte der
Komödie nach dem ersten Epeisodion verlegt als außer Zusammenhang mit der (verdeckt fortschrei-
tend gedachten) Handlung stehende, launig ernste Ansprache oder
Gesang des Chorführers bzw. Chors
an die Zuschauer in würdevoller
Sprache; bestand meist aus sieben
Teilen, von denen die ersten drei
dem Chorführer, der Rest den beiden Chorhälften zufiel: 1. Komma-
tion, gesungene lyr. Einleitung, 2.
eigtl. P. oder ›Anapäste‹, Ansprache
des Chorführers in tänzer. Rhythmen (Tetrameter), 3. →Pnigos oder

Makron, e. lange Sentenz in anapäst. Hypermetern, die in einem Atemzuge gesprochen wurde. 4. Ode, Anruf an die Götter als relig. Lied des ersten Halbchors, 5. →Epirrhema des 1. Halb-Chorführers satir. Zeitanspielungen, Neckereien der Zuschauer in beliebig vielen Vierzeilern von trochäischen Tetrametern, 6. Antode, Gegenstück zur Ode vom zweiten Halbchor und 7. Antepirrhema, Abschluß durch den 2. Halb-Chorführer. Auch freiere Formen (*Vögel, Lysistrata*) und doppelte P., Neben-P. in den sechs ältesten Stücken des ARISTOPHANES (z. B. *Frieden*) erscheinen. Unterdrückung der freien Kritik unter der späteren spartan. Oberherrschaft führte um 400 v. Chr. zum Verfall der P. Mod. dt. Nachahmungsversuche in RÜCKERTS *Napoleon 1815* (doch von einzelnen Schauspielern wie: Geist der Zeit, Ohnehose, Napoleon gesprochen) oder in PLATENS Literaturkomödien, ebenfalls in abgewandelter Form nach Vorbild des ARISTOPHANES, blieben vereinzelt.

C. Agthe, D. P., 1866–68; RL; E. Burkardt, D. Entstehg. d. P., Diss. Marb. 1956.

Parabel (griech. *parabole* = Vergleichung, Gleichnis), lehrhafte Erzählung, die e. allg. sittl. Wahrheit oder Erkenntnis durch e. analogen Vergleich, also Analogieschluß, aus e. anderen Vorstellungsbereich erhellt, der nicht ein in allen Einzelheiten unmittelbar übereinstimmendes Beispiel gibt wie die →Fabel, sondern nur in einem Vergleichspunkt mit dem Objekt übereinstimmt, und die im Ggs. zum allgemeingültigen Regelfall im →Gleichnis keine direkte Verknüpfung (so: wie) mit dem zu erläuternden Objekt enthält, wenngleich sie das Beziehungsfeld erkennen läßt, sondern vom Gegenstand abgelöst zur selb-

ständigen Erzählung e. prägnanten Einzelfalls in bildhafter Anschaulichkeit wird. Besonders in buddhist. und hebr. Lit. häufig; am berühmtesten die P.n des *NT*. (Verlorener Sohn) und die des MENENIUS AGRIPPA (LIVIUS II, 33), die das Verhältnis von Senatoren und Bürgern durch die P. vom Magen und den Gliedern erläutert; dt. P.n von LESSING, HERDER, GOETHE, RÜCKERT und KRUMMACHER. Vgl. auch LESSINGS P. von den drei Ringen (*Nathan* III, 7) nach BOCCACCIO und SCHILLERS P. im *Fiesko* II, 8. In der mod. Dramatik, Erzählkunst u. Balladendichtung wird parabol. Dichten vielfach zur einzig mögl. Aussage menschl. Befindlichkeit, im absurden Drama als Verrätselung ohne Dekodierung (Erzählungen KAFKAS, P.stücke von BRECHT, FRISCH *Andorra, Biedermann*, DÜRRENMATT *Der Besuch der alten Dame*, LENZ, HANDKE, IONESCO, KUNNERT, KUNZE, S. BECKETT, H. PINTER, MROZEK, KOHOUT).

J. Jülicher, D. Gleichnisreden Jesu, ²1910; l. K. Madsen, D. P.n d. Evangelien, Koph. 1936; N. Miller, Mod. P.? (Äkzente 6, 1959); L. MacNeice, *Varieties of P.*, Lond. 1965; RL; K.-P. Philippi, Parabol. Erzählen, DVJ 43, 1969; W. Brettschneider, D. mod. dt. P., 1971, ²1978; E. Wäsche, D. verrätselte Welt, 1976; K.-D. Müller, D. Ei des Kolumbus? (Beitr. z. Poetik d. Dr., hg. W. Keller, 1976); W. Jeske, D. P., FLE, 1981; Dt. P.n, hg. J. Billen 1982; T. Elm, D. mod. P., 1982; D. P., hg. ders. 1986; D. dt. P., hg. J. Billen 1986.

Parabelstück (zu →Parabel, Bz. B. BRECHTS für e. Reihe seiner Stücke, deren Handlung als →Parabel gemeint ist, also von der Idee einer Darstellung menschl.-soz. Befindlichkeit her konzipiert und konstruiert ist und als Modell menschl.-soz. Verhaltensweisen vereinfacht und verallgemeinert: *Mann ist Mann, Die Rundköpfe und die Spitzköpfe, Der aufhaltsame Aufstieg des Ar-*

turo Ui, Der gute Mensch von Se-zuan und *Turandot.* Die Ausdehnung der Bz. auf Werke anderer mod. Dramatiker (DÜRRENMATT, FRISCH, HACKS, BRAUN) von weniger ausschließl. Lehrhaftigkeit ist umstritten.

H. Kaufmann, B. Brecht, 1952.

Parachoregem (griech. = Zusatzleistung des Choregen), über die festgesetzte Leistung des →Choregen hinausgehende Stellung eines episod. Nebenchores oder eines 4. Schauspielers (bes. für Kinderrollen).

Parade (franz. = Schaustellung), urspr. Akrobatenakte und Jahrmarktsschaustellungen, dann kurze, farcenartige, derbdrast. Stegreifstücke in Frankreich im 17./18. Jh., aus Stoffen der Jahrmarktspossen und Typen der Commedia dell'arte entwickelt und zur Anlockung des Publikums vor dem Theatersaal improvisiert; beim Eindringen in die Salons der aristokrat. Gesellschaft als Privatvorstellung Anfang 18. Jh. entschärft und literarisiert. Texte von MONCRIF, PIRON, VOLTAIRE, NIVELLE DE LA CHAUSSÉE und bes. BEAUMARCHAIS.

Paradiesspiel (zu griech. *paradeisos*), aus dem →Prophetenspiel zu Sonderentwicklung losgelöste und z. T. bis heute fortlebende späte Form des ma. →geistlichen Dramas um Erschaffung des Menschen, Sündenfall von Adam und Eva und Vertreibung aus dem Paradies, als selbständiges Spiel seit 16. Jh. (H. SACHS, 1548) und bes. in franz. Lit.

C. Klimke, D. volkstüml. P., 1902, n. 1977; E. Peters, Quellen u. Charakter d. Paradiesvorstellungen d. dt. Dichtg. v. 9. bis 12. Jh., 1915.

Paradigma (griech. *paradeigma* = Beispiel), heute svw. →Exempel; in antiker Rhetorik gelten auch Fabel

und Parabel in der Argumentation als P.

Paradoxon (griech. = Unerwartetes), scheinbar widersinnige und zunächst nicht einleuchtende, da der allg. Meinung, Erfahrung und Logik widersprechende Behauptung, z. B. Vereinigung gegensätzl. Begriffe und Aussagen über e. Objekt (→ Antithese, →Oxymoron), die sich jedoch bei näherer Betrachtung als richtig erweist: ›Das Leben ist der Tod, und der Tod ist das Leben‹. Urspr. Bz. für solche didaktisch formulierte Sätze der Stoiker, die durch eigentümlich schillernde, vieldeutige Formulierung der Erfahrung zu widersprechen scheinen. Stilform der absichtl. Verrätselung, der Emphase, des Witzes und der Blasphemie bes. in Aphorismus und Sentenz. Nach ROUSSEAU sind P.a große Wahrheiten, die 100 Jahre zu früh erscheinen. Die Form des P. erscheint bes. in religiös bestimmter Lit. und in Renaissance, Manierismus, Mystik, Barock, Expressionismus, Hermetismus: ERASMUS, SHAKESPEARE, J. DONNE, S. FRANCK (*280 P.a aus der Hl. Schrift,* 1534), LUTHER, ANGELUS SILESIUS, MARVELL, CONGREVE, HAMANN, KLEIST, RILKE, KAFKA, KIERKEGAARD, SHAW, CHESTERTON.

R. Heiß, Logik d. Widerspruchs, 1932; K. Schilder, Z. Begriffsgesch. d. P., Diss. Erl. 1933; C. Brooks, *The Well Wrought Urn,* 1947; R. L. Colie, *Paradoxia Epidemica,* Princeton 1966; *Le p. au temps de la Renaiss.,* hg. M. T. Jones-Davies, Paris 1982.

Paränese →Parainese

Paragoge (griech. = Vorüberführen), Form des →Metaplasmus, Umgestaltung einer Wortform durch Nachschaltung, d. h. Hinzufügung weiterer Buchstaben aus metr. Gründen, z. B. ital. ›virtute‹

für ›virtù‹, franz. ›avecque‹ für
›avec‹, bes. in der älteren span. Lyrik und zumal den Romanzen durch
die mundartlich bedingten Alternativen weit verbreitet, bisweilen auch
parodistisch.

Paragramm (griech. = Zusatz, Verschreibung), scherz- oder spotthafte
Ersetzung e. Buchstabens durch e.
anderen, so statt Claudius Tiberius
Nero; Caldius (= der vom Weine
Glühende) Biberius (= Trunken-
bold) Mero (= Weinsäufer) bei SUE-
TON. Als scherzhaftes Wortspiel
z.B. bei J. JOYCE, E. IONESCO.

Paragraph (griech. *paragraphos*),
urspr. griech. für alle →Notae in
Hss., dann nur das Zeichen § zur
Kennzeichnung e. neuen Schriftab-
schnitts, Sprechers (im Drama), Liedes oder e. neuen Strophe; von daher auf Sinnabschnitte unterschiedl.
Länge selbst, z.B. in Gesetzestexten,
übertragen.

Parainese (griech. *parainesis* = Zuspruch), Ermahnung, ermunternde
Mahnrede oder -schrift (z.B. von
HESIOD und THEOGNIS in poet.
Form, ISOKRATES in Kunstprosa),
ermunternder Teil e. Briefes (PAU-
LUS) und ermahnende Nutzanwendung e. Predigt; →Erbauungs-
schrift.

Parakataloge (griech. = die gesprochene Rede streifend), zwischen Rede und Gesang stehende rezitative
Vortragsform antiker Lyrik, die
nach der Einführung durch ARCHI-
LOCHOS (→Jamben) bes. in der att.
Tragödie gepflegt wurde, um starkes Pathos auszudrücken.

Paraklausithyron (griech. ›bei ver-
schlossener Tür‹), antike Gattung
der Liebeslyrik, Klagelied des ausge-
schlossenen Liebhabers vor der Tür
der spröden Geliebten, altgriech.

volkstüml. Gattung (ALKAIOS, ARI-
STOPHANES in der Komödie), in
alexandrin. und hellenist. Zeit wie-
der belebt (KALLIMACHOS, THEO-
KRIT), dann bei den röm. Elegikern
(CATULL, PROPERZ) und HORAZ
(*Ode* III, 10).
O. Garte, *P.i historia*, Diss. Lpz. 1924.

Parakletikos (griech. =) trostreich-
ermunternde und stark erbauliche
Rede oder Predigt in antiker und
frühchristl. Rhetorik.
J. Albertus, D. P.i i. d. griech. u. röm. Lit.,
1908.

Paralipomena (griech. = Übergan-
genes, Ausgelassenes), Nachträge,
Zusätze und Ergänzungen zu e. früher erschienenen lit. Werk, die während der Abfassung zunächst als
nicht zur Veröffentlichung bestimmt ausgeschieden wurden, z.B.
Chronik im AT. als P. der *Bücher
Samuels* und der *Könige*, GOETHES
P. zu *Faust*, SCHOPENHAUERS *Parerga u. P. (Die Welt als Wille und
Vorstellung)*.

Paralipse (griech. *paraleipsis* =
Auslassung, lat. *occupatio* = Abhal-
tung oder *praeteritio* = Vorbeigehen), →rhetorische Figur, besteht
darin, daß der Redner etwas als zu
gering, unwichtig oder selbstverständlich zu übergehen vorgibt, um
zum wichtigeren Gegenstand übergehen zu wollen, jedoch die Sache
dennoch erwähnt und dadurch teils
heraushebt und die Aufmerksamkeit auf sie lenkt (Abart der Ironie),
teils auf die größere Wichtigkeit des
Folgenden aufmerksam macht.

Parallelausgabe, jede neben die
Originalausgabe e. Werkes im Originalverlag tretende →Ausgabe desselben Textes als →Lizenzausgabe
oder in anderer Ausstattung (Lu-
xus- oder Volks-, Taschenbuch-,
Studienausgabe).
H. Grundmann, P.n, 1962ff.

Paralleldrucke →Doppeldrucke

Parallele (griech. *parallelos* = gleichlaufend), Schilderung von zwei Dingen, Geschehnissen und Personen, die so nebeneinandergeordnet sind, daß der Vergleich beider möglich ist, z. B. die P.viten des PLUTARCH (je ein Grieche und ein Römer). P.-Handlung: im Ggs. zum Kontrast e. gleichlaufende Handlung im Märchen *(Drei Wünsche, Der Fischer und seine Frau)*, im Abenteuerroman (P.-Episoden) und im Drama, bes. im Lustspiel zur Verstärkung der Wirkung, z. B. die beiden Paare in LESSINGS *Minna von Barnhelm* oder KLEISTS *Amphitryon*.

Parallelismus (griech. *parallelos* = gleichlaufend), im Ggs. zum →Chiasmus die Wiederkehr derselben Wortreihenfolge, übereinstimmende, symmetr. syntakt. Konstruktion bei ungefähr gleicher Wortanzahl (etwa gleichlange Kola: →Isokolon, →Parison) in zwei oder mehreren aufeinanderfolgenden Sätzen, Satzgliedern oder Versen: ›Heiß ist die Liebe, kalt ist der Schnee‹. Der zweite und evtl. folgende Aussageteil lenken die Gedanken wieder in dieselbe Richtung und bringen die Vertiefung des Ausgesagten durch andere Formulierung; Form der →Konzinnität, meist bei strengster inhaltl. Beziehung oder Sinneinheit gedanklich durch Antithese oder Klimax, äußerlich oft durch Anapher, Epiphora oder Homoioteleuton verbunden; bes. in Sakralsprachen: Bewußtes Stilmittel des gehobenen Ausdrucks in chines., babylon., ägypt., arab. und bes. hebr. Poesie und Prosa, hier als ›P. membrorum‹ (= Gleichlauf der Glieder, Gedanken-P.), Wiederholung und Umschreibung desselben Gedankens

mit versch. Auffassungs- und Ausdrucksweise (→Tautologie) im folgenden Halbvers, z. B. *Psalm* 27, 2–3, *Klagelieder* 4,5, 1. *Kor.* 13, 11; auch in griech. Lit. und Rhetorik, von dort in die *Paulusbriefe* und die lat. Lit., bes. ma.-patrist. Schrifttum eingedrungen; in german. sakraler Stabreimdichtung (Zaubersprüche, *Beowulf*) als Sprachbindung, in ahd. Dichtung als Ersatz des Reims, in frühmhd. *(Anno-, Rolandslied, Kaiserchronik, Orendel)* und späthöf. Dichtung, ferner der Prosa der Renaissance (meist 3teilig im Anschluß an antike Rhetorik: W. LANGLAND, *Ackermann aus Böhmen*, JOHANNES VON NEUMARKT, ALBRECHT VON EYB u. a.), späterhin im Rückgriff auf bibl. Formen im Barock (GRYPHIUS, SCHOTTEL), in BÜRGERS *Lenore* und GOETHES Dramen; im 19./20. Jh. bei W. WHITMAN, E. POUND, T. S. ELIOT, P. CLAUDEL u. a. Vom stilist. P. zu unterscheiden ist die strukturell-inhaltl. →Parallele. Vgl. →Variation.
R. Stümpell, D. P. als stilist. Erscheinung i. frühmhd. Dichtg., PBB 49, 1925; H. de Boor, Brechg. i. Frühmhd. (Fs. E. Sievers, 1925); E. A. Kock, Altgerman. P. (Fs. G. Ehrismann, 1925); RL¹; J. L. Kugel, *The idea of bibl. poetry*, New Haven 1981.

Parallelstellen, nach Inhalt oder Ausdruck (Wortgebrauch) ähnliche oder gleiche Textstellen e. oder versch. Schriftsteller. In der *Bibel* durchweg angegeben, sonst evtl. durch Konkordanzen erschließbar.

Paramythetikos = →Consolatio

Paramythie (griech. *paramythia* = Zuspruch, Ermunterung, Ermahnung), von HERDER mit *Kind der Sorge* und *Lilie und Rose* in den *Zerstreuten Blättern* 1785 begründete Gattung der Lehrdichtung in Vers oder Prosa, die e. Mythos ethisch deutet und an ein ihm entnommenes Thema relig.-moralphilos. Belehrung anknüpft. Auch bei F. A. KRUMMACHER 1809, F. GLEICH 1815, GOETHE *(Nektartropfen)* und RÜCKERT *(Die gefallenen Engel).*

Paraphrase (griech. *paraphrasis* = Hinzufügung zu e. Rede), erweiternde und erläuternde, verständlich machende Umschreibung e. Wortes (z.B. in der Lexikographie), Satzes oder e. Schriftwerks, etwa e. Versvorlage in Prosa (→Metaphrase) oder e. Prosatextes in Versen, auch die Umsetzung in e. andere (jüngere bzw. einfachere) Sprachform oder e. freie, nur sinngemäße Übersetzung, →Nachdichtung – bes. der *Psalmen* und des *Hohenliedes* (WILLIRAM).
L. R. Glutman, *Phrase and p.,* N.Y. 1970; R. Nolan, *Foundations for an adequate criterion of p.,* Haag 1970.

Parasit (griech. *parasitos* = Gast), Typenfigur der antiken Komödie bes. seit der mittleren Komödie (ANTIPHANES, ALEXIS, DIPHILOS, MENANDER, TERENZ): der dank seiner Schmeicheleien beliebte und als Gast gern geduldete Schmarotzer, bes. als Begleiter des Bramarbas-Typs. Fortleben im europ. Drama des 18. Jh. und pervertiert in M. FRISCHS *Biedermann.*
M. Serres, *Le p.,* Paris 1980.

Parataxe (griech. *parataxis* = Danebenstellen), im Ggs. zur →Hypotaxe die Beiordnung, d.h. (syndetische oder asyndetische) Nebeneinanderstellung gleichberechtigter Hauptsätze bes. in mündl., einfacher, volkstüml. Sprache und Dichtung (Märchen, Lied), doch keineswegs immer Symptom geistiger Primitivität, sondern oft aus dem Wunsche nach klarer Überschaubarkeit der in einfachen Satzbildern fortschreitenden Gedankenentwicklung (z.B. NOVALIS, Expressionismus,

BORCHERT, BRECHT) oder gehetzter Aktion.

Parechese (griech. *parechesis* = Lautnachahmung), griech. Bz. für →Alliteration oder →Paronomasie bei etymologisch verschiedenen Wörtern.

Parekbasis (griech. = Seitenweg), 1. in der antiken Rhetorik = →Exkurs – 2. bei F. SCHLEGEL = →Parabase

Parenthese (griech. *parenthesis* = Einschub), →rhetorische Gedankenfigur: Durchbrechung der zusammengehörigen Konstruktion e. Satzes in der Mitte durch unverbundene Einschaltung e. anderen, grammatisch selbständigen, oft beiläufigen, doch durch die Stellung hervorgehobenen Gedankens, der syntaktisch nicht eingeordnet wird und äußerlich durch Gedankenstriche oder Klammern (P.n) gekennzeichnet wird: ›Eduard – so nennen wir einen reichen Baron im besten Mannesalter – Eduard hatte…‹ (GOETHE). Schließt sich die auf die P. folgende Satzhälfte deren Konstruktion an, so entsteht e. →Anakoluth. →Hyperbaton.
E. Schwyzer, D. P. (Abhdlg. d. Preuß. Akad. d. Wiss., Phil.-hist. Klasse), 1939.

Parergon (griech. =) Nebenwerk, Mz. Parerga = Kleine Schriften, Sammlung vermischter Schriften. →Paralipomena.

Parison (griech. = fast Gleiche) = →Isokolon, bes. bei nicht völliger, sondern nur annähernd gleicher Wort- oder Silbenzahl der Kola (meist längeres Schlußkolon).

Parlando (ital. = sprechend), der Sprechstil im Rhythmus der Notenwerte mit ganz leichter Tongebung bes. beim Vortrag der Arien in der kom. Oper.

Parnaß, Apoll, Dionysos und den →Musen heiliges Gebirge in Mittelgriechenland; übertragen: Reich der Dichtung allg., bes. als Buchtitel (→Gradus ad P.). Vgl. →Kastalia →Parnassiens.

E. Schröter, D. Ikonographie d. Themas P. vor Raffael, 1977.

Parnassiens (franz., zu →Parnaß), École parnassienne, franz. Dichterkreis um Th. GAUTIER und LECONTE DE LISLE in der 2. Hälfte des 19. Jh.: Opposition gegen die Romantik und deren metr. Freiheiten wie dunkle Ausdrucksweise, doch stofflich von ihr abhängig, dabei betont regelgebunden und formgewandt in artist. Variationen (→l'art pour l'art) und realistisch beschreibender Dichtung unter Hintansetzung des eigenen Erlebnisses und persönl. Gefühlsgehalts. Als Vorbilder gelten Th. GAUTIER, P. VERLAINE, SULLY-PRUDHOMME und BANVILLE sowie BAUDELAIRE; in der Stoffwahl werden Motive aus MA. und Orient bevorzugt. Organ ist die 1866–76 von C. MENDÈS und Xavier de RICARD herausgegebene Anthologie *Le Parnasse contemporain;* Mitglieder sind außer den obigen: A. LEMOQUE, L. BOUILHET, G. LAFENESTRE, E. DES ESSARTS, J. LAHOR, A. MÉRAT, L. DIERX, VILLIERS DE L'ISLE-ADAM, L. MÉNARD, F. COPPÉE, J. M. DE HÉRÉDIA, J. AICARD, A. SAMAIN, A. GIRAUD und Ch. GUÉRIN.

P. Martino, *Parnasse et symbolisme,* Paris 1925, ¹²1970; G. Walch, *Le Parnasse,* 1926; A. Thérive, *Le Parnasse,* 1929; M. Souriau, *Hist. du Parnasse,* Paris 1929; A. Schaffer, *Parnassus in France,* 1930; F. Vincent, *Les P.,* Paris 1933; M. G. Rudler, *P.,* Paris 1938; A. Schaffer, *The genres of P. poetry,* Baltimore 1944; F. Petralia, *Il Parnasso,* Bari 1967; A. Racot, *Les P.,* Paris 1968; *La poésie p.,* hg. L. Decaunes, Paris 1977.

Parodie (griech. = Gegengesang), urspr. in griech. Musik die Verzer-

rung. In der Lit. die verspottende, verzerrende oder übertreibende Nachahmung e. schon vorhandenen ernstgemeinten Werkes (auch e. Stils, e. Gattung) oder einzelner Teile daraus unter Beibehaltung der äußeren Form (Stil und Struktur), doch mit anderem, nicht dazu passendem Inhalt – im Ggs. zur →Travestie: Form der krit., antithemat. Textverarbeitung. Beide Gattungen erreichen Komik durch die Diskrepanz zwischen Form und Inhalt und durch die nur vom Original aus verständl. Abwandlung derselben. Ihr Zweck ist entweder Aufdeckung der Schwächen und Unzulänglichkeiten e. Werkes durch karikierende Imitation (krit. P.), scharfer, fanat. und schmähender Angriff auf Verfasser und Werk mit dem Ziel, sie der Lächerlichkeit preiszugeben und das eigene Überlegenheitsgefühl zu stärken (polem. P.), oder einfach harmloses Spiel aus Lust an kom. Abwandlung des Stoffes (kom. P.). Als Objekte der P. können alle lit. Gattungen (episch, lyrisch, dramatisch, oft Einlagen ernster Werke), Richtungen und Werke, auch nur als möglich angenommene (z.B. in den *Epistulae obscurorum virorum,* zahlr. Festreden-P.n), selbst die größten der Weltlit., dienen, soweit sie dem Publikum bekannt sind. Oft bringt gerade erst der Ruhm des großen Werkes der P., die ihm nicht schaden kann, sondern Ventil gegen erhabenen Anspruch ist, eigenen Glanz, während die zeitgebundenen P.n ohne eigenen Gestaltungswert längst vergessen und nur noch von kulturhistor. Interesse sind. Die Lit.-geschichte zeigt, daß P.n bei allen Völkern und Zeiten erscheinen, meist jedoch als Verteidigungswaffe der älteren Generation gegen die jüngere, neuaufkommende, welche wiederum mit →Literatursatire und →Satire allg. angreift.

Die antike P. beginnt mit dem →komischen Epos: *Margites* und *Batrachomyomachia* im 8./7. Jh. v. Chr. als Seitenstücke zu HOMER; dem Altertum galten freilich erst HIPPONAX und HEGEMON *(Gigantomachia)* als Erfinder der Gattung. Hochform der P. wird die alte att. Komödie bei HERMIPPOS und bes. ARISTOPHANES in seinen meisterhaften P.n des EURIPIDES, die Mythen-P.n der mittleren Komödie (ALEXIS), später EUBULOS, DIPHILOS und MENANDER, PLATONS P.n des Stils einzelner Dichter und Redner und schließlich LUKIANS P.n der Mythologie. Die röm. P. verspottet in der Komödie den pathet. Tragödienstil und erreicht in Nachahmung der Griechen eigene Formen bei LUCILIUS, in der *Appendix Vergiliana,* den *Antibucolica* des NUMITORIUS und PETRONIUS' P. des LUKAN; später oft ins Derbe ausartend, reicht sie bis ins MA. Bei den Franzosen, denen die P. besonders liegt, geht sie bis zur Predigtp. und Verspottung der Messe (Eselsmessen) und erlebt ihren Höhepunkt mit SCARRON (VERGIL-P. 1648), de BEY (HORAZ-P. 1653) und RIMBAUD. CERVANTES parodiert die Ritterromane. Engl. Parodisten sind CHAUCER, SHAKESPEARE, POPE, SWIFT, FIELDING *(Shamela),* J. GAY, BYRON, SHELLEY, J. AUSTEN, W. M. THACKERAY, SWINBURNE, SHAW, L. CARROLL, M. BEERBOHM *(A Christmas garland* 1912), J. JOYCE, S. GIBBONS, C. DAY LEWIS, A. HUXLEY, T. S. ELIOT, T. I. PEACOCK u. a. – Im dt. SpätMA. sind Minnesang und höf. Epik, Frauendienst und Turnierwelt als Übertreibungen höf. Lebensformen ebenso Zielscheibe der P. wie das Bauerntum: →Vagantendichtung, →dörperliche Dichtung und →Grobianismus (NEIDHART VON REUENTHAL, HEINRICH WITTENWEILER). Blütezeiten der P. sind Humanismus *(Epistulae obscurorum virorum),* Reformation (MURNERS →Narrendichtung, FISCHARTS P. der Kalenderprophezeiungen *Aller* →*Praktik Großmutter)* und Barock, bes. der →Alamode-Kampf: MOSCHEROSCHS *Gesichte Philanders von Sittewald,* NEUMARK, LAUREMBERG und die →Sprachgesellschaften, deren übertriebenen Purismus wiederum Chr. WEISES *Lustspiel von einer zweifachen Poetenzunft* 1680 geißelt, schließlich WERNICKES *Überschriften* 1701 als P. des spätbarokken Manierismus und schon vorher GRYPHIUS' P. des Meistersangs *(Peter Squentz).* In der Aufklärung bot der Streit GOTTSCHEDS mit den Schweizern reichen Anlaß zu P.n. Bes. BODMER wendet sich in e. Reihe geschickter P.n gegen die Gottschedianer. Ihm antwortet TRILLER im Heldengedicht *Wurmsamen* gegen den von BODMER geförderten *Messias* KLOPSTOCKS. SCHÖNAICH parodiert KLOPSTOCKS Oden, und BODMER verspottet SCHÖNAICHS Dichterkrönung durch GOTTSCHED im Pamphlet *Arminius Schönaich* 1756. Gegen GOTTSCHED wenden sich schließlich auch die NEUBERIN und e. anonyme P. *Gottsched* (Zürich 1765). BODMER parodiert weiterhin auch LESSINGS *Philotas* und *Emilia Galotti,* WEISSES *Romeo* und GERSTENBERGS *Ugolino.* Im Rokoko wenden sich HÖLTY und VOSS gegen NICOLAI; WIELAND begründet die Form der kom. Legende, die fortwirkt bis zu KELLERS *Sieben Legenden,* W. BUSCHS *Heiligem Antonius* und R. HUCHS *Lebenslauf des Hl. Wonnebald Puck,* daneben zahlreichen →komischen Epen und →Romanzen sowie im letzten Viertel des 18. Jh. bes. →Travestien. Die Spätaufklärung macht Front gegen den Sturm und Drang in MUSÄUS' *Grandison der Zweite* (1760–

1762), bes. gegen die Volkslieder Bürgers (Nicolai *Kleyner feyner Almanach,* Lichtenberg, Blumauer) und gegen Goethes *Werther* (Nicolai *Freuden des jungen Werther,* 1775, H. G. Bretschneider, 1775). Gegen Millers Empfindsamkeit wendet sich Bernritter *(Siegwart),* gegen Lavaters Übertreibungen Lichtenberg, Musäus *(Physiognomische Reisen)* und Knigge, daneben bes. zahlr. P.n antiker Werke (P. Michaelis *Aeneis).* Goethe und Schiller, selbst Gegner der P., fallen ihr in bes. Maße zum Opfer: Schillers *Lied von der Glocke* ist wohl das meistparodierte Gedicht überhaupt; die Klassiker wehren sich in den →*Xenien.* Die Romantiker setzen den Kampf gegen die Aufklärung fort mit Tiecks *Prinz Zerbino* und *Der gestiefelte Kater,* bes. aber gegen die Trivialdramatik Ifflands und Kotzebues: dessen *Hyperboreischen Esel* (1799) aus unsinnig verwendeten Zitaten aus F. Schlegels *Lucinde* beantwortet A. W. Schlegel mit *Ehrenpforte und Triumphbogen für den Theaterpräsidenten von Kotzebue* (1800); gegen Ifflands sentimentale Familienstücke richtet sich Bernhardis *Seebald, der edle Nachtwächter* (1800), und gegen Schiller wenden sich Schlegel und Eichendorff; Goethes *Faust* parodiert gekonnt F. Th. Vischer (1862), die Heidelberger Romantik Jens Baggesen *(Karfunkel,* 1810), die Deutschtümeleien Fouqués u.a. Eichendorff *(Krieg den Philistern,* 1824). Zur →Literatursatire werden Platens Komödien *Der romantische Ödipus* gegen Immermann und *Die verhängnisvolle Gabel* (1826) gegen das Schicksalsdrama. Neben Nestroys →Travestien auf Hebbel *(Judith und Holofernes),* Meyerbeer und Wagner ent-

steht e. Fülle von Travestien und P.n über alle Anlässe des lit.-kulturellen Lebens, bes. in Wien bei Perinet, Gleich, Meisl und Bäuerle. Gegen Heine, die Münchner und die philiströse Gelegenheitsdichtung des 19. Jh. wenden sich L. Eichrodt und A. Kussmaul *(Biedermeier-P.n),* gegen die historisierende Epigonendichtung von Scheffels Vischer und Mauthner *(Nach berühmten Mustern* 1878–80), der auch die Marlitt parodiert wie H. Reimann die Courths-Mahler, Meyrink Frenssen, Hartleben und Gumpenberg *(Das Teutsche Dichterroß* 1901), Ibsen, Fontane sich selbst *(James Monmouth);* im 20. Jh. Ch. Morgenstern, A. Holz, R. Dehmel, F. Wedekind, W. Mehring, K. Tucholsky, J. Ringelnatz, H. Arp, B. Brecht, E. Kästner, H. v. Twardowski, R. Neumann *(Mit fremden Federn,* 1927 u.a.), A. Eichholz, F. Torberg, H. Weigel, E. Friedell, F. Rexhausen, P. Rühmkorf, H. Reimann, M. Bieler, D. Saupe, H. C. Artmann, K. Bartsch, K. Hoche, R. Gernhardt und G. Grass (Heidegger-P. in den *Hundejahren).* Auch Th. Mann bekennt sich im Spätwerk zur P. als Formstruktur der Dichtung *(Doktor Faustus, Der Erwählte).* Vgl. →Pastiche.

J. O. Delepierre, *La P.,* Lond. 1870; E. Grisebach, D. P., 1872; H. Schneegans, Gesch. d. grotesken Satire, 1894; A. S. Martin, *On P.,* 1896; C. Stone, *P.,* Lond. 1915; P. Lehmann, D. P. i. MA., 1922, ²1963; RL; F. Guglielmino, *La P. nella commedia Greca antica,* Catania 1928; G. Kitchin, *A Survey of Burlesque and P. in Engl.,* Lond. 1931; W. Steinecke, D. P. i. d. Musik, Diss. Kiel 1934; H. Kleinknecht, D. Gebets-P. i. d. Antike, 1937; F. W. Householder, P. *(Class. Philol.* 39, 1944); H. Walther, Z. lat. P. d. MA., ZDA 84, 1952; H. Koller, D. P. (Glotta 35, 1956); E. Rotermund, D. P. i. d. mod. dt. Lyrik, 1963; W. Hempel, P., Travestie u. Pastiche, GRM 15, 1965; J.-P. Cèbe,

La caricature et la p. dans le monde romain, Paris 1966; RL²; H. Markiewicz, *On the definition of lit. p.* (Fs. R. Jakobson, 1967); L. Röhrich, Gebärde, Metapher, P., 1968; Scharf geschossen, hg. H. R. Schaffer 1968; D. respektlose Muse, hg. W. Dietze 1968; Y. Ikegami, *A linguist. essay on p.* (*Linguistics* 55, 1969); M. Sera, Utopie u. P. b. Musil, Broch u. Th. Mann, 1969; J. v. Stackelberg, Lit. Rezeptionsformen, 1972; R. Ahrens, Engl. P.n, 1972; T. Verweyen, E. Theorie d. P., 1973; K. Riha, Durch diese hohle Gasse, GRM 23, 1973; H. Kuhn, Was parodiert d. P., NR 85, 1974; S. L. Gilman, *The parodic sermon,* 1974; M. A. Rose, D. P., 1976; W. Freund, Z. Theorie u. Rezeption d. P., STZ 62, 1977; W. Karrer, P., Travestie, Pastiche, 1977; B. Anton, Romant. P.ren, 1979; M. A. Rose, P., *Metafiction,* Lond. 1979; W. Blank, Dt. Minnesang-P.n (Poesie u. Gebrauchslyr., hg. V. Honemann 1979); T. Verweyen u.a., D. P. i. d. neueren dt. Lit., 1979; W. Freund, D. lit. P., 1981; D. Lamping, D. P., FLE, 1981; R. Wehse, P.-e. Einfache Form? (Jb. f. Volksliedforschg. 27/28, 1982); T. Verweyen, P., Palinodie... (Dialogizität, hg. R. Lachmann 1982); H. Goebel, D. P. i. d. engl. Hirtendichtg., 1982; Dt. Lyrik-P.n, hg. T. Verweyen 1983; M. Schiendorfer, Ulr. v. Singenberg, Walther u. Wolfram, 1983; D. Kiremidjian, *A study of mod. p.,* N.Y. 1984; *Comic relations,* hg. P. Pavel 1985; H. Tervooren, D. Spiel m. d. höf. Liebe, ZDP 104, 1985; L. Hutcheon, *A theory of p.,* Lond. 1985; G. Witting u.a., DU 37, 1985; A. Höfele, P. u. lit. Wandel, 1986.

Parodos (griech. = Vorbeizug), im Ggs. zur →Exodos im altgriech. Drama Auftrittslied des Chors beim Einzug in die Orchestra am Anfang des Dramas oder (später) nach dem Prolog, dann Fortsetzung der Exposition; in der Tragödie gelegentlich noch anapästisch, meist in lyr. Maßen, in der Komödie jambisch oder trochäisch mit vier regelmäßigen Teilen: Ode, Antode, Epirrhem, Antepirrhem; bei evtl. 2. Auftritt nach zeitweiliger Entfernung: Epi-P., bei Auftritt e. 2. (Neben-)Chors: Neben-P. Auch der seitliche Zugang zur Orchestra, durch den der Chor feierl. einzog, hieß P.

Parömiakos (griech. *paroimia* =

Sprichwort), nach dem häufigen Gebrauch in Sprichwörtern benannter griech. Vers: katalekt. anapäst. Dimeter: ⏑⏑ ‒́ ⏑⏑ ‒́ ‖ ⏑ ⏑ ‒́ ⏑̲, meist Schlußglied e. anapäst. Systems, doch auch refrainartig eingeschaltet; e. der ältesten griech. Versformen und Vorläufer des Hexameters, dem →Prosodiakos verwandt.

Paroimia (griech. =) →Sprichwort

Paroimiographie (griech. =) Sprichwörtersammlung, die Sammeltätigkeit und wiss. Untersuchung der →Sprichwörter unter philolog.-histor. oder systemat.-klassifizierendem Aspekt durch die griech. Paroimiographen (Sprichwörtersammler).

Paromoiosis (griech. =) Gleichklang mehrerer Wortteile von versch. semant. Herkunft, entweder an den Wortanfängen als →Alliteration oder an den Wortenden als →Homoioteleuton oder →Homoioptoton.

Paronomasie (griech. *paronomasia* = Wortumbildung zur Erreichung e. Nebensinnes, lat. *annominatio*), →rhetorische Figur, →Wortspiel durch Zusammenstellung gleichlautender oder ähnl. Wörter von versch. oder entgegengesetzter Bedeutung, teils gleichen Stammes (→Figura etymologica: ›betrogene Betrüger‹), teils pseudoetymologisch zugehörige oder fast unmerklich zum Gleichklang abgeänderte Wörter (→Parechese): ›Eile mit Weile‹. ›Der Rheinstrom ist worden zu einem Peinstrom, die Klöster sind ausgenommene Nester, die Bistümer sind verwandelt in Wüsttümer...‹ (SCHILLER, *Wallensteins Lager*). In griech. Rhetorik früher häufiger als in lat. (ENNIUS, PLAUTUS), übers Mittellat. ab 1300 auch

in den Volkssprachen, dt. bes. bei
ABRAHAM A SANCTA CLARA.

Parteilyrik, lyr. Form der →politi-
schen Dichtung zur Propaganda der
Ziele e. bestimmten (z. B. sozialde-
mokrat., kommunist.) Partei, bes. in
totalitären Systemen wie →Natio-
nalismus und z. T. sozialist. Staaten.
Vgl. →Partijnost.

Pars pro toto (lat. = Teil für das
Ganze), uneigentl. Redefigur, die e.
Teil des Gegenstandes als Bz. des
Ganzen nimmt, Form der →Synek-
doche: 100 ›Seelen‹ statt ›Men-
schen‹, 7 ›Lenze‹ statt ›Jahre‹. Vgl.
→Metonymie.

Parteilichkeit →Partijnost

Parthenien (griech. *partheneia* =
Jungfrauenlieder, zu *parthenos* =
Jungfrau), in Altgriechenland, bes.
Sparta, lyr., halb relig., halb weltl.
Hymnen, die bei Götterfesten u. ä.
von Jungmädchenchören zu Spiel
und Tanz gesungen wurden; weniger feierlich-erhaben als Päan und
Hyporchem. P. dichteten u. a. ALK-
MAN (z. T. erhalten: Mythos des Herakles mit anschließendem Neck-
reim), SIMONIDES, BAKCHYLIDES
und PINDAR.

Particula pendens (lat. = hängende
Partikel), die ohne Korrespon-
sion gebliebene Partikel beim →Anapo-
doton.

Partijnost (russ. =) Parteigeist,
›Parteilichkeit‹ (LENIN, LUKÁCS),
die Durchdrungenheit des Autors
und des lit. Werkes von den Prinzipien des Marxismus/Leninismus
und seine Identifikation mit den
Zielen und Methoden der Kommu-
nistischen Partei; Forderung des
→sozialistischen Realismus. Im
Grunde Ersatzwort für marxist.
→Tendenz und →Engagement ohne
deren Bewußtheit.

Parteilichkeit d. Lit. oder Parteilit., hg. H.
C. Buch 1972; D.-I. Michels, Parteilichkeit u. Realism., 1981.

Partimen →Tenzone

Parvas (javan. = älteste), früheste
javan. Prosawerke, Bearbeitungen
von Stoffen aus den großen ind.
Epen, um 1000 n. Chr.

Paso (span. = Schritt), in Spanien
urspr. die Passionsprozession mit
Darstellung der Leiden Christi,
dann seit 16. Jh. kurzes, dramat.
Stück von einfacher, schwankhafter
Handlung aus dem Volksleben in
volkstüml. Prosadialog zur Aufführung als kom. Zwischen- oder
Nachspiel bzw. Episode in e. längeren Spiel (z. B. bei Lope de RUEDA).
Vorläufer der →Entreméses und
fortlebend im →género chico.

Pasquill oder **Pasquinade,** anonyme oder pseudonyme Schmäh- oder
Spottschrift, →Satire auf e. Person
in Wort oder Bild. Der Name entstammt e. 1501 von Kardinal CA-
RAFFA ausgegrabenen und vor seinem Palazzo Braschi in Rom aufgestellten antiken Torso des Aiax oder
Menelaos, den die spottlustigen Römer des 16. Jh. nach e. gegenüber-
wohnenden Schneider Pasquino
(Diminutiv: Pasquillo) nannten und
an den sie wie eben jener Schneider
solche Schmähschriften, bissige Satiren und Epigramme auf Zeitereignisse und -zustände anhefteten, die
z. T. unter dem Titel P. gesammelt
herausgegeben wurden.
W. Pfeiffer-Belli, Antiromant. Zss. u. P.,
Euph. 26, 1919.

Pasquillant, Verfasser e. →Pas-
quills.

Passatismo oder **Passéismus** (ital.
passato, franz. *passé* = vergangen),
Bz. der ital. →Futuristen für die
Kultur-, Kunst- und Lit.werke der

Vergangenheit, die nach ihrer Meinung der Vernichtung anheimfallen sollten, da sie den Weg in die Zukunft erschwerten.

Passion (lat. *passio* = Leiden), musikal. Ausgestaltung der Leidensgeschichte Christi in Form e. →Oratoriums; im 13.–15. Jh. als Choral-P. mit verteilten Rollen, seit OBRECHT motettisch mit chormäßiger Behandlung der Reden, seit H. SCHÜTZ Orchesterbegleitung (*Auferstehungshistorie*, 1623), seit SELLE mit betrachtenden Choreinschüben (*Johannes-P.*, 1643), bei J. SEBASTIANI mit Einführung kontemplativer Choräle; Höhepunkt bei J. S. BACH. Die Texte umschreiben das Karwochenevangelium. Libretti von BROCKES, HENRICI und POSTEL für BACH, BROCKES für HÄNDEL, RAMLER für GRAUN.

Passional, 1. ma. Slg. von Heiligen- und Märtyrer→legenden als liturg. Buch, bes. die *Legenda aurea* des JACOBUS DE VORAGINE und das *P.*, Werk e. unbekannten Deutschordenspriesters um 1300. – 2. in frühnhd. Zeit Darstellung der Leidensgeschichte Christi, bes. als Erklärung zu Holzschnitten (DÜRER u. a.).
RL.

Passionsbrüder, Passionsbruderschaften, im Spätma. meist bürgerl. Vereinigungen zur Organisation, Finanzierung und Aufführung von Passions- und Mysterienspielen; im dt. Sprachraum bes. im Wien des 15. Jh. um den Holzschnitzer und Inszenator W. ROLLINGER, der auch Fürsten angehörten, und in anderen Städten; in Frankreich berühmt die Pariser ›Confrérie de la Passion et de la Résurrection de Notre Seigneur‹ seit rd. 1380, urkundlich zuerst 1398 in St. Maurles-Fossés bei Paris aufgetreten, seit 1402 von Karl VI. mit e. Privileg für die Bannmeile von Paris ausgestattet und meist im Hôpital de la Trinité, dann ab 1539 im Hôtel de Flandres auftretend. Seitdem 1548 das Parlament unter Druck der Reformation die Aufführung relig. Spiele verbot und nur ›mystères profanes‹ gestattete, spielte sie im Hôtel de Bourgogne, löste sich jedoch 1607 wegen mangelnder Anteilnahme auf und wurde 1676 durch Edikt aufgehoben. Ihr berühmtestes Stück, das *Grand Mystère* des Bischofs J. MICHEL, bestand aus 174 Akten und dauerte aufgeführt mehrere Tage. Während der Pausen brachte e. andere Vereinigung, die →›Enfants sans souci‹, kom. Zwischenspiele zur Volksbelustigung.
E. Rigal, *Esquisse d'une histoire des théâtres à Paris de 1548 à 1635*, 1887; H. Rupprich, D. ma. Schauspiel in Wien (Jhrb. d. Grillparzer-Ges. 1947); H. Kindermann, W. Rollinger, 1950.

Passionslied, dt. oder lat. →geistliches Lied zum Gedächtnis der Leidensgeschichte Christi, urspr. Teil der Liturgie, seit dem 12. Jh. übersetzt und seit Ausgang des MA. auch selbständige dt. Dichtung, bes. als Marienklagen (→Mariendichtung) und →Kirchenlied im 17. Jh. (A. GRYPHIUS, P. GERHARDT, HEERMANN, RIST, SPEE, ANGELUS SILESIUS).

Passionsspiel, häufigste Form des →geistlichen Dramas im Spätma., entstanden aus Erweiterung des →Osterspiels durch Einbeziehung der gesamten Leidensgeschichte Christi; ab 13. Jh. belegt, ab 14. Jh. gänzlich dt., anfangs liturg. Aufführungen in der Kirche am Osterfest, in der Blütezeit des 15./16. Jh. auf den Marktplatz verlegt und durch Aufnahme possenhafter Bestandteile der Fastnachtsspiele (Engels- und Teufelsszenen) zur Unterhaltung des

Publikums zum Riesenschauspiel mit an 1000 Mitwirkenden und e. Spieldauer von oft mehreren Tagen erweitert und von Bürgern, Studenten und Spielleuten unter e. Spielleiter an Hand e. →Dirigierrolle, die den Wortlaut in großen Zügen umriß, aufgeführt. Unter dem Einfluß von Reformation, Berufsschauspielertruppen und Schuldrama Ende des 16. Jh. erloschen. Das *Oberammergauer Passionsspiel,* seit e. Gelübde aus der Pestzeit 1634 alle 10 Jahre von der Dorfgemeinde wiederholt, beruht auf e. Augsburger P. um 1460, das jedoch 1680, 1750, 1811 und 1860 mehrfach modernisiert wurde und dem ma. Spiel wenig ähnlich sieht; ebenso die noch heute bestehenden, wohl durch Vermittlung der Jesuiten entstandenen P.e in den Alpen (Brixlegg, Erl und Thiersee). Ma. Texte, die z. T. unabhängig voneinander nach bibl. und liturg. Quellen entstanden, sind erhalten im Benediktbeurer (13. Jh.), Wiener (Anf. 14. Jh.), Kreuzensteiner, St. Galler (frühes 14. Jh.), Egerer, Donaueschinger (Villinger, 2. H. 15. Jh.), Frankfurter (um 1350 u. 1493), Alsfelder (1501), Sterzinger, Heidelberger (1513), Bozener (1495 u. 1514) und Luzerner P. (1534). Während die Tiroler P.e im Leiden Christi die dramatische Einheit sahen, wurden andere P.e zu Darstellungen der ganzen Heilsgeschichte erweitert. Vgl. →Passionsbrüder.

G. Milchsack, D. Oster- u. P., 1880, n. 1971; A. Rohde, Passionsbild u. -bühne, 1926; W. Müller, D. schauspielerische Stil im P., 1927; H. P. Goodman, *Original elements in the French and German P.,* 1951; M. Müller, Trag. Elemente i. dt. P., Diss. Gött. 1952; G. Högl, D. P.e i. Niederbayern u. d. Oberpfalz i. 17./18. Jh., Diss. Mchn. 1958; W. Werner, Stud. z. d. Passions- u. Osterspielen des dt. MA., 1963; S. Sticca, *The origins and development of the Latin passion play,* N.Y. 1969; R. Steinbach, D. dt. O.- u. P. d. MA., 1970; R. Bergmann, Stud. z.

Entstehg. u. Gesch. d. dt. P. d. 13./14. Jh., 1972; Tiroler Volksschauspiel, hg. E. Kühebacher 1976. →geistl. Drama.

Passus (lat. = Schritt), kurzer, themat. geschlossener Abschnitt e. Schriftwerks, Gedichts, Briefs oder e. Rede.

Pasticchio →Pastiche

Pastiche (franz. v. ital. *pasticcio* = Pastete), urspr. ein aus Motiven e. Malers in dessen Manier zusammengeflicktes Bild, dann im 18./19. Jh. die aus Stücken nach (meist versch.) Komponisten zusammengesetzte Flickoper mit eigenem Libretto oder ein entsprechendes Dramen-Potpourri; in der Lit. genaue Nachahmung des Stils e. Autors, e. Stilrichtung oder Gattung in Formen- und Phrasenschatz unter Vermeidung e. Individualstils, unabsichtl. aus Mangel an eigenem Persönlichkeitsbewußtsein, Originalität, in betrügerischer Absicht als →Fälschung oder →Plagiat, absichtl. als iron. Stilübung (Th. MANN) oder bes. zum Zwecke der Karikatur oder →Parodie, z.B. die *P.s et mélanges* (1919) von M. PROUST, die *Exercices de style* (1947) von R. QUENEAU, Romane von A. DRACH und K. HOFF.

L. Deffoux, *Le p. litt.,* 1932; W. Hempel, Parodie, Travestie u. P., GRM 15, 1965; L. L. Albertsen, D. Begriff P., OL 26, 1971; W. Karrer, Parodie, Travestie, P., 1977.

Pastoraldichtung →Hirtendichtung

Pastorale (lat. *pastor* = Hirt), Schäferspiel, ländl. Szene; vor Erfindung des stile rappresentativo in der →Oper Bz. für kleine opernartige, idyll. Bühnenstücke und Singspiele mit Stoffen aus dem idealisierten Hirtenleben, ähnlich GOETHES *Laune des Verliebten,* auch Tonidylle zum Preis des Landlebens für

Instrumentalmusik. →Pastorelle, →Hirtendichtung.

Pastorẹlle, Pastourẹlla, provenzal. **Pastorẹta,** Form der ma. europ. →Hirtendichtung: Schäferlied in Dialogform; in altfranz. und provenzal. Lyrik des 13. Jh. kurzes Erzählgedicht mit Natureingang, gefolgt von e. Liebesgespräch in alternierenden Strophen zwischen werbendem Ritter oder Schäfer und Schäferin, meist mit festen Namen Robin und Marion benannt und evtl. Verführung. Nach Vorbild antiker →Bukolik auch allg. Szenen aus dem Hirtenleben, in anmutig verfeinerter, recht freier und betont naiv-erot. Sprachform und in lebhaftem Rhythmus; gelegentl. mit Liedern zu Musikbegleitung zum Singspiel ausgestattet (ADAM DE LA HALLE, *Le jeu de Robin et de Marion,* 1283). Stereotyper Unterhaltungsstoff des nordfranz. Bürgertums, in Frankreich von MARCABRU, Jean BODEL, THIBAUT DE CHAMPAGNE, GIRAUD RIQUIER, Jean ESTÈVE DE BEZIER, MARRIOT DE PARIS, BOULET DE MARSEILLE und FROISSART, in Dtl. ähnliche Formen bei HEINRICH VON VELDEKE, NEIDHART VON REUENTHAL, idealisiert zum Traum- und Wunschbild bei TANNHÄUSER, ferner GOTTFRIED VON NEIFFEN und ULRICH VON WINTERSTETTEN; vergröbernd in OSWALDS VON WOLKENSTEIN →Graserliedern.

K. Bartsch, Altfranz. Romanzen u. P., 1870; G. Gröber, D. altfranz. P. u. Romanzen, 1872; A. Pillet, Stud. zur P., 1902; W. Greg, *Pastoral poetry and pastoral drama,* Lond. 1906; J. Marsal, *La P. dramatique en France,* Paris 1906; M. Delbouille, *Les origines de la p.,* Brüssel 1926; E. Piguet, *L'évolution de la p.,* Basel 1927; W. P. Jones, *The P.,* Cambr./Mass. 1931; J. W. Powell, *The P.,* 1931; RL; M. I. Gerhardt, *Essai d'analyse lit. de la p.,* 1950; W. Jackson, D. ma. P. als satir. Gattg. (Mittellat. Dichtg., hg. K. Langgosch 1969); M. Zink, *La p.,* Paris 1972; S. C. Brinkmann, D. dt.sprachige

P., 1985; dies., Mhd. P'dichtg. (D. dt. Minnesang, hg. H. Fromm II, 1985).

Pataphysik (franz. pataphysique), von A. JARRY 1894 geprägte scherzhafte Bz. für e. absurde Metaphysik, aufgegriffen in seinen *Gestes et opinions du Dr. Faustroll, pataphysicien* (1911) und von späteren Surrealisten wie A. ARTAUD, C. VILDRAC, R. QUENEAU, B. VIAN u.a. zu e. absurden Parodie pseudowiss. Systeme ausgebaut, gipfelnd 1948 in der Gründung e. ›Collège de Pataphysique‹.

T. M. Scheerer, Phantasielösungen, 1982.

Patavịnitas, der Dialekt von Padua (lat. Patavium), dem Geburtsort des LIVIUS, den ASINIUS POLLIO u.a. Römer am LIVIUS tadelten. Da e. solcher bis auf geringe Nuancen im Wortgebrauch keineswegs herrscht, vermutet man e. Beanstandung des poet.-romant. und deklamatorisch-moral. Tones oder den Horizont e. kleinstädt. Bildung in dem Vorwurf.

J. Whatmough, *Quemadmodum Pollio reprehendit in Livio P.tem* (Harvard Studies 44, 1933).

Pathetic fallacy (engl. = pathet. Täuschung), von J. RUSKIN 1856 geprägte Bz. für die von ihm als Fehler betrachtete, in der Lit. jedoch seit jeher als Zug der →Personifikation geübte Zuschreibung menschl. Gefühle an Unbelebtes als poet. Anthropomorphisierung.

J. Miles, *P. f. in the 19. cent.,* 1942; J. D. Thomas, *Poetic truth and p. f.* (Texas Stud. in Lit. and Lang. 3, 1961).

Pạthos (griech. = Unglück, Leid, Affekt, Leidenschaft), 1. der Gemütszustand bes. leidenschaftl. Erregtheit und Ergriffenheit (z.B. in der Tragödie) und der sprachl. Ausdruck hierfür in emotionaler, gehobener, überindividueller Sprache von erhabenem Schwung, feierl. Glut und begeisternder Kraft aus moral. Anspruch im Ggs. zur künstl. Rhetorik, doch mit der ständigen Gefahr des Abgleitens in bloße, innerlich hohle Deklamation, geheuchelte Glut und affektierte Emphase. Pathetisch ist die Sprache der Psalmen, der griech. Hymnen PINDARS, der christl. des MA., der att. Tragödie, der Oden des HORAZ, KLOPSTOCKS und HÖLDERLINS, des Heldenepos, der Tragödie SHAKESPEARES wie des franz. Klassizismus (RACINE, CORNEILLE), der dt. Barockdichtung und bes. der Lyrik und Dramen SCHILLERS, der es in *Über das Pathetische* (1793) begründet. Erst die Romantik bringt die Abwendung vom P. und verlacht SCHILLERS *Lied von der Glokke;* Ironie ist ihr Gegen-P. Realismus und Naturalismus meiden es als epigonenhaft gänzlich. NIETZSCHE erkannte den Stilwert des P. in aristokrat. Abwendung von der Masse und verwendet es in *Also sprach Zarathustra;* ähnlich das P. St. GEORGES. Der Expressionismus sah in der ungebändigten, ekstat. Sprache des P. ein Zeichen dichterischer Stärke. Die Gegenwart vermeidet das e. durch Wilhelminismus und Nazizeit begründeten Mißtrauen gegen alles Erhabene und Hochgespannte größtenteils das P. in der Erkenntnis, daß das Große auch wortkarg und schlicht ausgedrückt werden kann und auch ohne Lautstärke e. größere Tiefenwirkung erreicht. – 2. nach ARISTOTELES Thema der Tragödie, das zur →Katharsis führt. – 3. in antiker Rhetorik Affekt und Effekt des ›genus grande‹, →Stilarten.

E. Staiger, Vom P. (Trivium 2, 1944); J. de Romilly, *L'évolution du pathétique d'Eschyle à Euripide,* Paris 1961; W. Hegele, Z. Problem d. pathet. Stils i. d. Dichtg. d. 20. Jh., DU 15, 1963; W. Keller, D. P. i. Schillers Jugendlyrik, 1964.

Patriarchade (griech. *patriarches* = Stammvater), breitausgesponnene ep. Dichtung um Stoffe des *AT.,* bes. 1. Buch MOSE, aus der Zeit der bibl. Urväter mit Vorliebe für patriarche Verhältnisse und Naturschwärmerei, entstand im 18. Jh. im Anschluß an MILTONS *Paradise Lost* (1667, übersetzt von BODMER 1724, Druck 1732) und KLOPSTOCKS *Messias* zuerst in BODMERS *Noah* 1750ff., *Jacob und Joseph* 1751, *Synd-Flut* 1751 u.a., gleichzeitig WIELANDS *Der geprüfte Abraham,* MICHAELIS' *Moses* und NAUMANNS *Nimrod,* sämtlich in Hexametern; seit GESSNERS idyll. P. *Tod Abels* 1758 in Prosa, ferner bei ZACHARIÄ, LAVATER, F. MÜLLER, F. K. von MOSER. Die P. ist moral. Gegenstück zum Rokoko.

RL.

Patriotische Dichtung (griech. *patriotes* = Landsmann), Dichtung, die in dichterischer Form nationales Empfinden zum Ausdruck bringt oder in Kriegs- und Notzeiten patriot. Begeisterung wecken will und dann das nationale Selbstgefühl stärkt oder glanzvolle Leistungen der Vergangenheit beschwört, so schon WALTHERS ›Ir sult sprechen‹, die Dichtung des Humanismus und HOFFMANN VON FALLERSLEBENS →Nationalhymne als Nationalstolz, die Dichtung der →Befreiungskriege bis zu KLEISTS *Hermannsschlacht,* Dichtung im Gefolge des Krieges 1870/71 (SCHNEKKENBURGER, SCHERENBERG, GREIF, v. WILDENBRUCH) und die →Kaisersagen u.ä. als Mahnung zur Einigkeit in Zeiten innerer Zerrissenheit. Sie erlischt mit der Verbindlichkeit des Vaterland-Begriffes. Abarten →Kriegs- und z.T. →politische Dichtung.

M. Jähns, D. Vaterlds.gedanke i. d. dt. Dichtg., 1896; G. Drinkwater, *Patriotism in lit.,* Lond. 1924; R. Normand, *Le patriotisme allemand,* Paris 1910; R. Michel, D. Patriotismus, 1929; RL¹; Vaterländische Dichtung; L. Hunter, *A sociological analysis of certain types of patriotism*, N.Y. 1932; G. Kaiser, Pietism. u. Patriotism. i. lit. Dtl., ²1973; K. Siblewski, Ritterl. Patriotism. u. romant. Nationalismus i. d. dt. Lit. 1770–1830, 1981; L. Prignitz, Vaterlandsliebe u. Freiheit, 1981.

Patristik, Patrologie (lat. *pater* = Vater), Lehre von Leben und Schriften der →Kirchenväter und →Apologeten, also die gesamte Geschichte der altchristl. Lit. als Parallele, Erläuterung und Ergänzung der Kirchengeschichte.

O. Bardenhewer, P., 1910; B. Altaner, P., 1931, ⁷1966; J. Quasten, *Patrology*, Utrecht III 1950–63; F. Overbeck, D. Anfge. d. pat. Lit., 1954; H. v. Campenhausen, Griech. Kirchenväter, 1955, ⁴1967; ders., Lat. Kirchenväter, 1960; *Bibliographia patristica*, 1959 ff.

Patronat →Mäzen

Pause (griech. *pausis* = Aufhören), 1. in der Metrik ein oder mehrere rhythmisch erforderliche Takte oder Taktteile (Hebung und Senkung), die nicht durch e. Teil des Rhythmizomenon dargestellt werden, d.h. auf die keine gesprochene Silbe fällt, sondern die als P. empfunden werden; bes. am Ende eines rhythm. Abschnitts, so in den ersten drei Langzeilen der →Nibelungenstrophe. Zeichen je nach Länge der P.: ∧, ⩋, ⩋, ⩋. – 2. Bz. des Minne- und Meistersangs für den Reim des ersten mit dem letzten Wort e. Verses, e. Periode oder Strophe (Binnenreim): ›tuot mir dîn lîp wol, so bist du guot‹.

Pausenreim, Reimform, bei der eine Zeile am Ende reimlos ist und das Reimwort sich am Anfang der nächstfolgenden Zeile findet. Vgl. →Pause 2.

Pawlatschentheater (v. tschech.), spezifisch Wienerische Form des Volkstheaters: halb improvisiertes Spiel von Wanderbühnen mit meist pseudohistor. Stoffen auf Brettergerüsten in den Höfen der Innenstadt.

Pedant (ital. = Erzieher), Typenfigur der Komödie vom Humanistendrama über die Commedia dell'arte (→Dottore) bis ins 18. Jh.: der schulmeisterliche Kleinigkeitskrämer und gespreizt redende Fachspezialist.

Pedantesca poesia, pedanteske Dichtung →Poesia fidenziana

Pegasos, in griech. Mythologie das geflügelte Wunderroß des Bellerophon, entsprang aus dem Blute der von Perseus enthaupteten Medusa. Erst später ist es das Roß der Eos und der Musen: den beim Gesang der Musen vor Begeisterung himmelwärts strebenden →Helikon brachte es durch e. Hufschlag zur Ruhe und schuf dabei den begeisternden Musenquell →Hippokrene. Bellerophon fing und zähmte es, als es an der Quelle Peirene trank, besiegte mit ihm die Chimära, Amazonen und Solymer, wurde jedoch, als er auf ihm zum Olymp zu fliegen versuchte, abgeworfen, während P. den Flug fortsetzte und im Olymp als Roß des Zeus Donner und Blitz trug, nach anderer Sage auch unter die Sterne versetzt wurde. Die Vorstellung von P. als Dichterroß, auf dem sich der Dichter in Begeisterung emporschwingt, ist nicht antik, sondern neuzeitlich (seit M. Boiardo).

N. Yalouris, P., 1987.

Pegnitzschäfer, pegnesischer Blumenorden →Nürnberger Dichterkreis und →Sprachgesellschaften.

Peitan →Paitan

PEN-Club (engl. Abkürzung aus poets, playwrights, essayists, editors, novelists, auch ›pen‹ = Feder), von C. A. Dawson Scott 1921 in

London gegr. internationaler Dichter- und Schriftstellerverband als völkerverbindende Vereinigung zur Pflege freundschaftl. geistiger Zusammenarbeit von Schriftstellern aller Länder, Förderung lit. Belange, der Meinungsfreiheit und internationalen Verständigung mit z.Zt. rd. 9000 Mitgliedern in rd. 80 nationalen Gruppen (PEN-Zentren) in allen Erdteilen und Ländern, Bundesrepublik (rd. 460 Mitglieder) und Deutsche Demokratische Republik seit 1952 gesondert. Anstelle des 1924 gegr. dt. Zentrums, das 1937–49 ausgeschlossen war, trat 1934 ein dt. Exil-Zentrum in London. Als Mitglied kann ohne Einschränkung durch Nationalität, Rasse oder Religion jeder bedeutende Schriftsteller gewählt werden, der sich zur PEN-Charta bekennt, die gegen Rassen-, Klassen- und Völkerhaß, Presse- und Meinungsunfreiheit aufruft. Der neben jährl. Tagungen der Zentren jährl. jeweils in e. anderen Land stattfindende internationale PEN-Kongreß vereinigt stets mehrere Hunderte von Schriftstellern versch. Herkunft in gemeinsamer Diskussion lit. Themen. Außerdem erscheint monatlich die *PEN News,* hg. vom Internationalen Sekretariat mit Nachrichten über die Arbeit einzelner Zentren und seit 1950 in Gemeinschaftsarbeit mit der UNESCO ein *PEN Bulletin of selected books,* das die lit. Neuerscheinungen bes. kleinerer Staaten allg. bekanntmachen und zu ihrer Übersetzung anregen will. Erster internationaler Präsident war J. GALSWORTHY, weitere seit 1933 H. G. WELLS, 1936–41 J. ROMAINS, 1947 M. MAETERLINCK, 1949 B. CROCE, 1953 Ch. MORGAN, 1956 A. CHAMSON, 1959 A. MORAVIA, 1965 A. MILLER, 1969 P. EMMANUEL, 1971 H. BÖLL, 1974 V. PRITCHETT, 1976 M. VARGAS LLOSA, 1979 P. WÄSTBERG, 1986 F. H. KING, in der BR E. KÄSTNER, B. E. WERNER, 1964 D. STERNBERGER, 1970 H. BÖLL, 1972 H. KESTEN, 1974 W. JENS, 1982 M. GREGOR-DELLIN, 1988 W. JENS.

PEN BRD, hg. M. Gregor-Dellin 1978; D. dt. P. im Exil, 1980; Internat. P.-Zentrum dtspr. Autoren i. Ausl., Lond. 1982; PEN-Schriftstellerlex. BRD, hg. M. Gregor-Dellin 1982; K. Amann, P.E.N., 1984; PEN International, hg. G. E. Hoffmann 1986.

Pentameter (griech. *pente* = fünf, *metron* = Maß), allg. jeder Vers als fünf →Metra, praktisch insbes. der sog. eleg. P., der trotz des Namens eigentlich aus sechs Daktylen besteht (zwei katalekt. Tripodien, da dem 3. und 6. die Senkung fehlt):

$$\text{—}\cup\cup\ \text{—}\cup\cup\ \text{—}\ \|\ \text{—}\cup\cup\ \text{—}\cup\cup\ \text{—}$$

z.B.: ›Was ihr hinein nicht gelegt, ziehet ihr nimmer heraus‹ *(Xenien).* Die antike Metrik zählte fünf Metra entweder durch falsche Messung über die Diärese hinweg als zwei Daktylen + ein Spondeus + zwei Anapäste oder als 2 × 2½ Daktylen = zwei →Hemiepes; in akzentuierender Dichtung hat er jedoch sechs Hebungen. Die beiden in der Mitte zusammenstoßenden Hebungen werden durch e. unveränderliche Diärese getrennt; Auflösung der Daktylen in Spondeen ist nur im 1. Teil statthaft, in der 2. Hälfte werden Daktylen gefordert. Der P. zeigt nicht den fortlaufenden, gleichmäßigen Schwung des Hexameters, sondern erhält durch den abreißenden Rhythmus der zweimaligen Katalexe größere Bewegtheit, die ihn zum Ausdruck von Unruhe und Erregung, starker Gemütsbewegung, Kummer und bes. Antithesen (in Form des Parallelismus) geeignet macht. Er erscheint höchst selten monostichisch und wirkt dann monoton (spätlat.: MARTIANUS CAPELLA, ARION, AUSONIUS), praktisch nur mit vorausgehendem Hexameter im →Distichon, bes. in Epigramm und Elegie.

M. Halle, D. jamb. P. (Lit.wiss. u. Linguistik, hg. J. Ihwe 3, 1972); B. Bjorklund, *A study in comparat. prosody*, 1978; A. Easthope, *Problematizing the p.*, NLH 12, 1980f.

Pentapodie (griech. *pente* = fünf, *pous* = Fuß), Fünffuß, Folge oder Zeile von fünf Versfüßen.

Pentastichon (griech. *pente* = fünf, *stichos* = Vers), Versgruppe, Strophe oder Gedicht von fünf Verszeilen, = →Cinquain, →Quintett.

Penthimeres (griech. *pente* = fünf, *hemi* = halb, *meros* = Teil; lat. *semiquinaria*), bes. im jamb. Trimeter, Hexameter und Pentameter die männl. →Zäsur nach der 3. Hebung (= 5. Halbfuß); gibt dem 1. Glied kräftigen Abschluß und dem ganzen Vers große rhythm. Mannigfaltigkeit, indem die 1. Hälfte bei fallendem Rhythmus mit Hebung, die 2. bei steigendem Rhythmus mit Senkung anlautet. Vgl. →leoninische Verse.

Percontatio →Correctio

Pereval (russ. = Gebirgspaß), 1924 gegründeter sowjet. Schriftstellerkreis bes. junger Lyriker aus der Jungen Garde und der →Oktobergruppe (I. Kataev, A. Platonov, G. Glinka u.a., ferner Prišvin und Klyčkov). Die P.-Gruppe bemühte sich um eine Wiederannäherung der proletar. Schriftsteller und der Mitläufer und trat für die realist. humanist. Tradition ein; wegen ihrer Nähe zum Trotzkismus wurde sie in den frühen 30er Jahren z.T. verfolgt und 1932 aufgelöst.

Pergament, dünngeschlagene oder -geschabte und geglättete ungegerbte Schafs-, Kalbs- und Ziegenhaut als Beschreibstoff; nach vereinzel-

tem Gebrauch im Orient (Mesopotamien und Palästina) bes. vervollkommnet im 2. Jh. v. Chr. in Pergamon (daher Name), als die ägypt. Ptolemäer die Ausfuhr von →Papyrus dorthin sperrten, um den Aufstieg Pergamons zu e. mit Alexandria rivalisierenden Bibliothek und Bildungsmacht zu hemmen, und als man für die Reichsverwaltung wie Bildungszwecke große Mengen Schreibmaterial benötigte. Die dort rasch aufblühende Industrie blieb jedoch räumlich und zeitlich beschränkt und nahm trotz der Vorteile des P. (doppelseitige Beschreibbarkeit, bessere Haltbarkeit) erst seit dem 2. Jh. n. Chr. zu, bis in der 1. Hälfte des 4. Jh. n. Chr. der Verfall der ägypt. Papyrusfabriken dem P. zum allg. Sieg verhalf. Da sich das P. nicht so gut rollen ließ, wurde es umgebrochen und in →Codices gefaßt; im 4./5. Jh. n. Chr. wurden die Papyrusrollen der antiken Schriftsteller in diese Buchform umgeschrieben; dabei ging das weniger Geschätzte verloren. Aus dieser Zeit stammen die ältesten P.-Codices antiker Lit. (Vergil, Cicero, Terenz, Livius). P. blieb der eigtl. Beschreibstoff des MA., bis es seit rd. 1300 durch das billigere →Papier ersetzt wurde, das seit dem Buchdruck fast ausschließlich Verwendung fand (wenige P.-drucke); später bes. für Bucheinbände (Schweinsleder) und wertvolle Dokumente benutzt oder durch e. Imitation (P.-Papier) ersetzt.

K. Lüthi, D. P., 1938; Gesch. d. Textüberlieferg. I, 1961.

Periakten →Telari

Periegese (griech. *periegesis* = Herumführen), altgriech. Beschreibungen von Ländern, Kunstdenkmälern u.a. antiquar. Merkwürdigkeiten einzelner Landschaften und Städte mit mytholog. u. a. Exkursen im Stil

e. Reiseführers. Literaturgattung seit 3. Jh. v. Chr.: HEKATAIOS, HERAKLEIDES, DIONYSIOS, POLEMON; AVIENUS; erhalten: PAUSANIAS' *Periegesis tes Hellados* um 170 v. Chr. Die Verfasser hießen Periegeten (›Fremdenführer‹).

Perikope (griech. = Behauen), Abschnitt, 1. zusammengehörige Strophengruppe, die in e. Dichtung in geregelter Folge wiederholt wird, z. B. Strophe und Antistrophe (a a' b b' oder a b a' b') oder drei versch. Strophen, z. B. Strophe, Antistrophe, Epode (a b c); größte Gliederungseinheit der Metrik: More, Versfuß, Kolon, Periode, System, P. – 2. nach der Gottesdienstordnung festgelegte, sonntäglich zur Verlesung kommende Evangelien- oder Epistelabschnitte, die als Grundlage der Predigt dienen; oft dichterisch bearbeitet (GRYPHIUS, HARSDÖRFFER). Ein P.nbuch ist demnach →Evangelistar, →Epistolar oder →Lektionar.

Perioche (griech. = Umfang), Inhaltsangabe als Kurzfassung großer, bes. geschichtl. Werke in antiker Lit.; erhalten für LIVIUS. Auch die Programmhefte mit dt. Inhaltsangabe im lat. →Jesuitendrama. Vgl. →Epitome, →Synopse.

Periode (griech. *periodos* = Herumgehen, Kreislauf), 1. in der Lit.-geschichte →Epoche. – 2. in der Metrik die Verbindung von rd. 2–4 →Kola mit mehreren gleichwertigen Haupthebungen oder beliebig langer Reihen des gleichen Metrums zu e. in sich geschlossenen Einheit, die durch Pause, Hiat, Anceps oder Klauseln voneinander abgesetzt sind. – 3. in der Stilistik durch →Hypotaxe von Haupt- und Nebensätzen kunstvoll aufgebautes und gegliedertes, langes und logisch

verdichtetes Satzgefüge in Prosa, bestehend aus mehreren Kola (→Kolon) zu je mehreren Kommata (→Komma) und mit e. gewissen →Prosarhythmus (→Klausel). ARISTOTELES definiert P. als ›e. Gedanken, der an und für sich genommen Anfang und Ende und einen wohlübersehbaren Umfang hat‹. Sinneinheit, Übersichtlichkeit, Konzinnität, Proportion und Wohllaut gelten als notwendige Eigenschaften der P. Eine nur aus zwei gleichgeordneten Hauptsätzen oder aus je einem Haupt- und Nebensatz bestehendes Gefüge heißt einfache P.; sie besteht aus spannungschaffender →Protasis (Vordersatz) und spannunglösender →Apodosis (Nachsatz), die syntakt. koordiniert (wie – so, zwar – aber) oder subordiniert (wenn – dann) sind. Sind andere Sätze eingeflochten, entsteht die zusammengesetzte P., geht der Hauptsatz voran: sinkende P., ist das Gefüge auf den Schluß hin komponiert und gipfelt – wie meist – im Hauptgedanken: steigende P. Ferner unterscheidet man histor. P., welche e. Begebenheit mit allen näheren Umständen erfaßt, und orator. P., welche mehreren zu e. Einheit zusammengeordneten Sätzen e. Gedanken ausdrückt und bes. auf Verwendung →rhetor. Figuren als Schmuckmittel angewiesen ist.

Periodika (griech. *periodikos* = wiederkehrend), alle in regelmäßigen Abständen erscheinenden Veröffentlichungen (Zeitungen, Zss., Wochen-, Monats-, Vierteljahresschriften, Jahrbücher usw.).

Periodisierung →Epoche

Peripetie (griech. *peripeteia* = plötzliches Umschlagen), Glückswechsel, unerwartet plötzl. Wendung im Schicksal des ep. oder bes. dramat. Helden, die ihm die Handlungsfreiheit entzieht; entscheidender Umschwung, welcher der durch die Exposition begründeten Handlung die Wendung zum Guten (Komödie) oder Schlimmen (Tragödie) gibt; seit ARISTOTELES (*Poetik* Kap. 10 und 11) Begriff der Poetik, insbes. des →Dramas für den (oft im Mittelakt liegenden) Höhepunkt des inneren Aufbaus, auf den die steigende Handlung hinstrebt, der e. wegen der Spannung überraschende, jedoch nicht zufällig erscheinende Schürzung des Knotens – oft durch →Anagnorisis – enthält und nach dem Umschlag selbst in die fallende →Handlung (→Katabasis) und schließl. die →Katastrophe übergeht.

R. Franz, D. Aufbau d. Handlg. i. d. klass. Dramen, ²1898; RL; R. Petsch, Wesen u. Formen des Dramas, 1945; O. Mann, Poetik d. Tragödie, 1958.

Periphrase (griech. *periphrasis*, lat. *circumlocutio* =) erweiternde Umschreibung e. Begriffs, Gegenstandes, e. Person, e. Eigenschaft oder Handlung (d.h. jeder Wortart) durch mehrere Wörter (Eigenschaften, Tätigkeiten, Umgebung, Verhältnis, Wirkung), teils auch ungewöhnl. Ausdrücke oder ganze Sätze anstelle der einfachen Namensnennung; beliebte dichter. und →rhetor. Figur, dient als uneigentl. Redeweise zur Vermeidung anstößiger oder tabuisierter Wörter (→Euphemismus), abgegriffener, alltägl. Ausdrücke (→Preziosität), Wiederholungen (›jenes höhere Wesen, das wir verehren‹ statt ›Gott‹; BÖLL, *Dr. Murke*) oder Neologismen, auch zum Zwecke größerer Ausführlichkeit (→Amplifikation) und bildhafter oder poet.-rhetor. Ausschmückung der Rede, z.B. ›Auge des Gesetzes‹. Sonderformen sind ferner →Adynaton, →Antonomasie, →Kenning, →Metonymie und →Synekdoche, negative Abarten

→Pleonasmus und →Tautologie. Kom. Wirkung erzielt die P. im Amtsdeutsch (A. DRACH) und redegewandten Komödientypen (Dottore, Pedant). Rätsel und Definition benutzen die Form der P. Zur P. gehört auch die Ersetzung e. Substantivs durch dessen Eigenschaft, zu der das Substantiv als Attribut tritt: ›Zu Aachen... saß König Rudolfs heilge Macht‹ (SCHILLER).

Periplus (griech. = Umschiffung, Mz. *periploi*), Gattung der antiken →Reiselit. seit 5. Jh. v.Chr.: teils katalogartige Beschreibung von Meeresküsten, Häfen, Inseln, Ländern für die Seefahrer mit naut. und wirtschaftl. Angaben u.a. Exkursen und Forschungsberichten: SKYLAX, PYTHEAS von Marseille, ARRIAN, AVIENUS, NEARCHOS, POMPONIUS MELA, PATROKLES.

A. E. Nordenskiöld, P., Stockh. 1897; R. Güngerich, D. Küstenbeschreibg. i. d. griech. Lit., 1950, ²1975.

Permutation (lat. = Veränderung, Vertauschung), ein Verfahren der →konkreten Poesie und allg. experimenteller Dichtung: die systemat. oder unsystemat. Vertauschung der Reihenfolge der Teile e. Wortes, Worte e. Satzes oder Verses, Verse e. Gedichts u.ä., deren Platzwechsel alle mögl. Kombinationen durchspielt. Aus Sprachmagie, Sprachmystik und Kabbalistik hervorgegangen, seit der Spätantike (ATHENAIOS, 3. Jh. n.Chr.) bekannt und durch J. C. SCALIGER 1561 →Proteusvers benannt. Häufig im Barock (HARSDÖRFFER, KUHLMANN), in Nonsensedichtung (CHAMISSO) und konkreter Poesie (C. BREMER, E. GOMRINGER, E. WILLIAMS, L. HARIG, A. MOLES); am bekanntesten die beliebig kombinierbaren Verszeilen in R. QUENEAUS *Cent mille milliards de poèmes* 1961.

C. Wagenknecht, Proteus u. P., TuK 30, 1971.

Peroration (lat. *peroratio* =) 1. Abschlußteil e. Rede, bestehend aus kurzer Zusammenfassung der Hauptpunkte und pathet., an das Gefühl der Zuhörer gewandtem Schlußwort. – 2. bei mehreren Reden: Schlußrede.

Persiflage (franz. *siffler* = pfeifen), versteckte Form lit. Polemik durch geistreiche Verspottung und Lächerlichmachen des Gegners mittels nachahmender Übertreibung seiner Gedankengänge oder Stilmanieren, z.B. Naphta und Peeperkorn in Th. MANNS *Zauberberg* als P. von G. LUKÁCS bzw. G. HAUPTMANN. Vgl. →Pastiche, →Parodie.

W. Krauss, Z. Wortgesch. v. P. (in: Perspektiven u. Probleme, 1965).

Persischer Vierzeiler →Rubâi

Persona (lat. = Maske), urspr. der Schauspieler und seine Maske sowie die von ihm verkörperte Rolle oder Figur (vgl. →dramatis personae); als lit. Bz. der Sprecher in Lyrik oder Epik, also das →lyrische Ich bzw. der →Erzähler (2) oder →Narrator.

Personalbibliographie, auch Bio- oder Monobibliographie, →Bibliographie speziell der Primärlit. von und der Sekundärlit. über eine bestimmte Persönlichkeit.

M. Arnim, Internat. P., III ²1952–63, n. V 1981 ff.; J. Hansel, P. z. dt. Lit.gesch., 1967, ²1974; J. Prohl, Elemente u. Formen d. P. n z. dt. Lit.gesch., 1979; ders., P.n d. dt. Lit.gesch., JlG 13, 1981; H.-A. Koch, P.n (Beitrr. z. bibliogr. Lage, hg. H.-H. Krummacher 1981); R. Blum, D. Lit.verzeichng. i. Altert. u. MA., AGB 24, 1983.

Personales Erzählen, im Unterschied zum →auktorialen Erzählen e. einsinnige Erzählstruktur, die das Geschehen aus der →Perspektive einer mehr oder weniger (Zentral- oder Randfigur) selbst daran beteiligten Figur und damit in subjekti-ver, relativer und fragmentar. Sicht, schildern läßt und den Leser zum Miterleben und krit. Mitdenken anregt, oft in szen. Gestaltung, bei Bewußtseinsprozessen in →erlebter Rede oder →innerem Monolog. Vorherrschende Erzählform des 20. Jh., bes. im →Nouveau Roman, oft gemischt mit auktorialem Erzählen, kompliziert im multiperspektiv. Erzählen aus widersprüchl. Sicht versch. Figuren (G. GAISER, *Schlußball;* L. DURRELL, *Alexandria Quartet*).

F. K. Stanzel, Typ. Formen d. Romans, 1964, ¹⁰1981; ders., Theorie d. Erzählens, 1979, ³1985.

Personalstil →Individualstil

Personifikation, (lat. *persona* + *facere* = machen), häufige →rhetorische Figur, Art der →Metapher: Vermenschlichung, Einführung abstrakter Begriffe, Eigenschaften, Naturerscheinungen (Nacht, Mond) u.a. lebloser Dinge, in antiker Rhetorik auch Toter oder Abwesender, in menschlich beseelter Darstellung als sprechende und handelnde Personen zur Belebung der Rede oder Erzählung; häufig in antiker Rhetorik (z.B. die Gesetze in PLATONS *Kriton,* das Vaterland bei CICERO, *Catilina* I, 7, 18), im griech. Mythos (Ananke, Nike, Nemesis), der Fabel (Tiere für Eigenschaften), in mhd. Dichtung (z.B. →Minneallegorien, Frau Welt), Barockdichtung und Klassik (›Schwager Chronos‹, GOETHE), den Typenkomödien MOLIÈRES *(L'avare).* Berühmte P. von SCHILLER: *Das Mädchen aus der Fremde* (= Musenalmanach). Abgesehen von der vollständigen ausmalenden Darstellung kann e. P. auch ausgedrückt sein im Verbum: ›Der Glaube besiegt die Furcht‹, im Adjektiv: ›blinder Zufall‹ oder im Substantiv: ›Mutter Natur‹. →Allegorie.

R. Galle, D. P. i. mhd. Dichtg., Diss. Lpz. 1888; L. Petersen, Z. Gesch. d. P. i. griech. Dichtg., 1939; C. F. Chapin, *P. in 18th-century Engl. poetry*, 1955; K. Reinhardt, P. u. Allegorie (in: Vermächtnis d. Antike, 1959); I. Glier, P. i. dt. Fastnachtspiel d. SpätMA., DVJ 39, 1965.

Perspektive (lat. *perspicere* = durch-, hineinsehen), 1. beim Theater die Erzeugung des Eindrucks räuml. Tiefe durch nach hinten zu sich verjüngend gemalte, in Größenverhältnissen abgestufte →Kulissen; rd. 1450 in Italien zuerst in der Bildkunst ausgebildet (MASACCIO, MANTEGNA), im Theater zuerst bei der Aufführung von ARIOSTS *Cassaria* 1508 in Ferrara angewandt, dann 1510 in Rom, 1513 Urbino, bes. reich im Teatro Olimpico in Vicenza 1587; später durch die GALLI-BIBIENA mit Übereckstellung der →Dekoration; durch die ital. Oper über ganz Europa verbreitet; zeigt im Ggs. zum heilsgeschichtl. Raum der früheren Simultanbühne durch die Dreidimensionalität das menschl. Handeln an Raum und Zeit gebunden, daher, aber als geistiges Prinzip von ungeheurer Kraft wesentlich für die Entwicklung des Sprechdramas im 18. Jh. – 2. In der Lit., bes. der Epik, z. T. auch der Lyrik, der Standpunkt, von dem aus e. Geschehen aufgefaßt und erzählt wird, das Verhältnis des →Erzählers, der nicht mit dem Autor identisch ist, als Medium zu den Vorgängen im Werk als Mittel der Erzählstrategie (Erzählhaltung, point of view, point de vue). Man unterscheidet mit fließenden Übergängen a) räumlich-zeitlich: die Fern-P. des unbeteiligten, objektiven Beobachters im nachhinein (Er-Form) und die Nah-P. des unmittelbar Beteiligten während der Handlung oder im Rückblick (Ich-Form); b) nach der breitenmäßigen Staffelung: auktoriale P. des allwissenden, sich gelegentlich einmischenden und kommentierenden Erzählers, der sich frei zwischen Schauplätzen, Gefühlen und Gedanken der Figuren bewegt, das Teilwissen des bloßen Augenzeugen, die Außen-P. des am Rande involvierten Ich-Erzählers, der weniger weiß als die Figuren, und die personale P. der erlebenden Figur, bei der der Erzähler hinter der Figur zurücktritt, so daß der Leser durch sie erlebt (→erlebte Rede, →innerer Monolog), wobei ihre P. wiederum durch ihren Charakter und ihre Vorurteile gebrochen sein kann (A. SCHNITZLER, *Leutnant Gustl*); c) P.-Wechsel oder Multi-P. teilt die P. zwischen versch. mithandelnde Figuren und/oder beobachtende Außenstehende auf: in der Symposion-Form durch gegenseitiges Widersprechen und Infragestellen, das den Leser zur Entscheidung aktiviert, im Briefroman durch Wechsel versch. Sichtweisen Mithandelnder, im sog. Archivroman nach fiktiven Dokumenten durch deren Mehrstimmigkeit, in →Rahmenerzählung und →chronikalischer Erzählung durch Wechsel zwischen Erzähler- bzw. Herausgeber-P. und erlebender P., im mehrschichtigen Bewußtseinsroman (→stream of consciousness, H. JAMES, W. FAULKNER) durch symphon. Gliederung. Die nach Ansätzen in der frühen Novellistik erstmals im Briefroman des 18. Jh. bewußt entfaltete P. wurde von der Romantik zum Stilprinzip der Subjektivität gemacht (E. T. A. HOFFMANN), führte im 19. Jh. zur Einsicht in die Relativität jeder Erkenntnis und wird im 20. Jh. zum Darstellungsmittel des unbegreiflich gewordenen Daseins. Die Geschichte der P. ist damit ein Hauptaspekt der Formgeschichte des Erzählens. – 3. in marxist. Literaturwiss. des →sozialistischen Realismus der

Ausblick auf e. optimist. gesehene Zukunft.

G. Scheele, D. psycholog. P.ismus i. Roman, Diss. Bln. 1933; J. Pouillon, *Temps et roman*, Paris 1946; E. Lämmert, Bauformen d. Erzählens, 1955, ⁷1980; N. Friedman, *Point of view in fiction*, PMLA 70, 1955; W. Jens, D. P. i. Roman (Jahresring 61/62, 1962; R. Weimann, Erzählerstandpunkt u. point of view (Zs. f. Anglistik 10, 1962); F. K. Stanzel, Typ. Formen d. Romans, 1964, ⁹1979; F. van Rossum-Guyon, *Point de vue (Poétique* 4, 1970); C. Guillén, *On the concept and metaphor of p.* (in: *Lit. as system*, Princeton 1971); R. Weimann, Kommunikation u. Erzählstruktur im Point of View, WB 17, 1971; V. Neuhaus, Typen multiperspektiv. Erzählens, 1971; L. Doležel, D. Typologie d. Erzählers (Lit.wiss. u. Linguistik, hg. J. Ihwe 3, 1972); J. M. Lotman, *Point of view in a text*, NLH 6, 1974/75; U. Hansen, Segmentierung narrativer Texte, TeKo 3, 1975; W. H. Schober, Erzähltechniken i. Roman, 1975; L. Hönnighausen, Maske u. P., GRM 26, 1976; F. K. Stanzel, Theorie d. Erzählens, 1979; L. Hönnighausen, *Point of view*, CC 2, 1980; S. S. Lanser, *The narrative act*, Princeton 1981; J. Lintvelt, *Essai de typologie narrative*, Paris 1981. →Erzähler, →Epik, →Roman.

Pessimismus (v. lat. *pessimus* = der schlechteste, Bz. von LICHTENBERG 1776) beruht auf dem Zweifel am letzten Sinn der Welt und des Menschenlebens, auf der Anschauung von der Sinnlosigkeit alles Seienden u. der unverbesserlich schlechten, nur zu schlimmsten Erwartungen berechtigenden Welt; pessimist. Lit. zeichnet daher voller Skepsis und Unzufriedenheit die dunklen und leidvollen Seiten des Daseins; sie ist bes. reich in ind. und dt. Lit. und german. Mythologie. Nur bedingt hierher gehört die pessimist. Bewertung des Irdischen gegenüber e. optimistisch betrachteten Jenseits, die Weltklagen, Weltverachtung und Weltflucht des MA., die geistl. Dichtung, die Bußpredigten, →Sündenklagen und →Totentänze des Spätma., die alle hinter der Diesseitsnot z. T. ein Jenseits aufleuchten lassen. Auf die Diesseitsfreude

in Renaissance und Humanismus folgt die Vanitasstimmung des Barock; auf den selbstzufriedenen Optimismus und Fortschrittsgedanken der Aufklärung ROUSSEAUS empfindsamer Kultur-P. In →Melancholie mündet die Dichtung der Empfindsamkeit. Selbst dem jugendl. Sturm und Drang fehlen nicht Züge des trotzig-genialen P.; die Romantik neigt stark zum P. (damals Byronismus gen.), JEAN PAUL, dessen beste Gestalten aus dem P. entstanden, prägt in *Selina* den Begriff ›Weltschmerz‹, für den BYRON, LEOPARDI *(Canzoni, Canti)*, MUSSET *(Confessions d'un enfant du siècle*, 1856), der depressive LENAU wie die Ironie HEINES, aber auch PLATENS Schwermut, BÜCHNERS und GRABBES Anklage und Lebensüberdruß bezeichnend sind durch ihren Subjektivismus, Weltekel, Nihilismus und skept. Blasiertheit, die die ganze europ. Dichtung von 1815 bis 1840 erfaßt und in HEBBELS →Pantragismus Ausdruck findet. Das Junge Dtl. fügt den Zug des blasierten Zerrissenen und des ›Europamüden‹ (HEINE, WILLKOMM 1838) hinzu. Als philos. System dieses P. gelangen SCHOPENHAUERS *Die Welt als Wille und Vorstellung* (1819) und KIERKEGAARD *Entweder-Oder* (1843) in der 2. Hälfte des 19. Jh. zu breiter Wirkung. Vom franz. und russ. P. (BALZAC, FLAUBERT, ZOLA, TOLSTOJ, DOSTOEVSKIJ) und IBSEN geht der soziale P. in der ›Armeleutedichtung‹ des Naturalismus aus. VERLAINE, MAUPASSANT, HUYSMANS, MAETERLINCK und STRINDBERG wirken auf den P. der →Dekadenzdichtung und des →Fin de siècle. Die neuere Dichtung, z. B. F. KAFKA, zeigt oft e. bedrohliche Selbstverständlichkeit des P., wenngleich auch Suche nach e. vermeintl. Lösung. Die reinste Form des P. bringen der →Existentialismus J.-P. SARTRES und das →absurde Drama.

E. v. Hartmann, Z. Gesch. u. Begründg. d. P., ²1892; A. Lenzi, *La problema del dolore*, 1893; G. Monte, *La poesia del dolore*, 1893; M. Wentscher, D. P., 1897; W. A. Braun, *Types of Weltschmerz in German poetry*, N.Y. 1905; A. Vögele, D. P., 1910; G. Häusler, Schopenhauers u. Nietzsches P., 1910; H. Diels, D. antike P., 1921; W. Rose, *From Goethe to Byron*, Lond. 1924 (Auszug: GRM 12, 1924); RL¹; K. Wais, D. pess. Lit.generation v. 1880, GRM 19, 1928; W. Imhoof, D. Europamüde i. d. dt. Erzählungslit., 1930; I. Kraus, Stud. üb. Schopenhauer u. d. P. i. d. dt. Lit., 1931; C. Hentschel, *The Byronic Teuton, aspects of German p.*, Lond. 1931; L. Marcuse, D. P., 1952; W. Martens, Bild u. Motiv i. Weltschmerz, 1957; L. Babb, *The Elizabethan malady*, Mich. ²1965; G. Sagnes, *L'ennui dans la lit. franç.*, Paris 1969; W. Hof, Pess.-nihilist. Strömgn. i. d. dt. Lit. v. Sturm u. Drang bis z. Jg. Dtl., 1970; W. Hof, D. Weg z. heroischen Realismus, 1974; R. Kuhn, *The demon of noontide*, Princeton 1976; R. Hollinrake, *Nietzsche, Wagner and the philos. of p.*, Lond. 1982; G. Hoffmeister, Byron u. d. europ. Byronismus, 1983.

Petrarkismus, auf PETRARCA und seinen ungeheuren Einfluß zurückgehende Stilform der abendländ. Liebesdichtung vom 14. bis 17./18. Jh., nach dem ma. Minnesang das zweite erot. System der europ. Kultur im Zeitalter der Renaissance und des Humanismus; entstanden, indem aus den ursprüngl. und einmaligen Dichtungen PETRARCAS, teils mit Erweiterungen oder Weglassungen, e. verbindl. Formel- und Formenkanon ausgebildet wurde, der die urspr. Begabung zu genormter Virtuosität erstickte. Gefordert werden formale Schönheit, bestrickender Wohllaut, geistige Pointierung mit Metaphern und Antithesen, auch Übergriffen in kosm. Bezüge als Preis der Liebesmacht, dabei ein fester Motivkreis: Frauenpreis, Beschreibung der körperl. Schönheit (Augen, Gesicht), Liebesklage, Todeswunsch, Schwanken zwischen ird. Leidenschaft, Lust,

Leid und himml. Verklärung, doch Betonung des Leides (im Ggs. zum Dolce stil nuovo). Vertreter sind bes. Neulateiner wie PONTANUS, MORULLUS, VALERIANUS, SCALIGER, BUCHANAN, HEINSIUS, GROTIUS, MELISSUS, BARTH. Durch diese wird der P. auch in die Volkssprachen vermittelt: in Italien A. TEBALDEO, ARIOSTO, MICHELANGELO, G. STAMPA, V. COLONNA, T. TASSO, GUARINI und BEMBO, in Spanien BOSCÁN, GARCILASO DE LA VEGA, QUEVEDO, GÓNGORA und MONTEMAYOR, in Portugal CAMÕES, in Frankreich C. MAROT, M. SCÈVE, L. LABÉ, RONSARD, DU BELLAY und die Pléiade, in England WYATT, SURREY, SPENSER, SIDNEY und SHAKESPEARE, in Dtl. WECKHERLIN, OPITZ, RIST und SCHWIEGER; bei FLEMING z. T. überwunden. Als Gegenbewegung gegen pathet. u. formale Übersteigerung des P. wirkte seit 17. Jh. d. Anti-P. mit Parodien.

W. Söderhjelm, Petrarka i. d. dt. Dichtg., Helsingfors 1886; J. Vianey, *Le P. en France au 16.e siècle*, Montpellier 1909; J. M. Berdan, *A Definition of P.*, PMLA 24, 1909; M. Vinciguerra, *Interpretazione del P.*, Turin 1927; C. Ypes, *Petrarca i. d. Nederl. letterkunde*, Amsterd. 1934; H. Pyritz, Flemings dt. Liebeslyrik, 1932, ²1963; A. Meozzi, *Il P.*, Pisa 1934; L. Pacini, Petrarca i. d. dt. Dichtgs.lehre, 1936; E. Kanduth, D. P. i. d. Lyrik d. dt. Frühbarock, Diss. Wien 1953; F. Neubert, D. Probl. d. P. i. Europa (Fs. f. Vasmer, 1956 u. in: Franz. Literaturprobleme, 1962); L. Baldacci, *Il p. italiano nel cinquecento*, Mail. 1957; M. Praz, *The flaming heart*, N.Y. 1958; G. Spagnoletti, *Il P.*, Mail. 1959; J. G. Fucilla, *Estudios sobre el p. en España*, Mail. 1960; H. Pyritz, Petrarca u. d. dt. Liebeslyrik d. 17. Jh. (in: Schr. z. dt. Lit.gesch. 1962); G. Mazzacurati, *Il probl. storico del p. ital.*, Neapel 1963; J.-U. Fechner, D. Anti-P., 1966; G. Watson, *The Engl. Petrarchans*, Lond. 1967; G. Hoffmeister, Petrarkist. Lyrik, 1973; ders., Barocker P. (Europ. Tradition u. dt. Lit.barock, hg. ders. 1973); L. Keller, Übs. u. Nachahmg. i. europ. P., 1974; L. Forster, D. eiskalte Feuer, 1976; S. Minata, *Petrarch and p.*, Manch. 1980.

Petruschka (russ. = Peterle), entsprechend →Pierrot die →komische Person des russ. Theaters.

Pfingstlied, zu Anrufung, Verherrlichung und Dank Gottes für die Ausgießung des Hl. Geistes am Pfingstfest gesungenes →geistliches Lied, doch seltener als Oster- und Weihnachtslied; zuerst lat. liturg. Hymnen: ›Veni creator spiritus‹, HRABANUS MAURUS zugeschrieben (9. Jh.), dann als Sequenz bei NOTKER BALBULUS (9. Jh.): ›Sancti spiritus assit nobis gratia‹, als ›Gold-Sequenz‹ um 1200: ›Veni sancte spiritus‹; 1. protestant. P. von LUTHER ›Nun bitten wir den Hl. Geist‹ nach Vorlage aus dem 12. Jh.; im Barock M. SCHIRMER: ›O Hl. Geist kehr bei uns ein‹ u.a.; im 20. Jh. bei F. WERFEL: ›Komm, Hl. Geist‹ (*Einander,* 1915); daneben oft verweltlicht. RL¹.

Pflichtexemplar, Pflichtstück, vom Verleger oder Drucker aufgrund gesetzl. oder freiwill. Verpflichtung an National- oder Landesbibliotheken abzulieferndes Exemplar e. Druckschrift, anfangs zwecks →Privilegien (Nachdruckschutz), dann aus Zensur-, später aus bibliogr. Gründen.

Phaläkischer Vers, auch Phalaikeion, nach dem alexandrin. Dichter PHALAIKOS benannter 11silbiger antiker Vers: um ein gekürztes jamb. Metrum erweiterter Glykoneus: ⏓⏑–⏑⏑–⏐⏑–⏑–⏔, verwendet bei SAPPHO, ANAKREON, KALLIMACHOS, CATULL (sein häufigstes Versmaß, z.B. c. I), ferner MARTIAL, STATIUS, PRUDENTIUS, SIDONIUS, BOETHIUS und MARTIANUS CAPELLA.

Phantasie (griech. *phantasia* = Vorstellung, Erscheinung), Einbildungskraft, die Gabe zusammenhängender Gestaltung früherer sinnl. Wahrnehmungen oder allg. innerer Erlebnisse und Bilder in e. neues, von der Wirklichkeit unabhängiges Verhältnis in Kunst und Dichtung, von der abstrakten Denktätigkeit durch die Bildhaftigkeit der Vorstellungsinhalte geschieden. Man unterscheidet passive, d.h. nachvollziehende P., z.B. bei der Rezeption von Lit. (→Leser), bei Kindern und Naturvölkern in der Mythenbildung, und aktive P. als Begriff der Kunst- u. Lit.psychologie, d.h. schöpferische (produktive) P. als e. der Voraussetzungen des →Dichters schlechthin, die nur durch die Vernunft reguliert und die Darstellungsmöglichkeiten beschränkt wird. Der Begriff P. wird bes. seit den Poetiken und Lit.-Diskussionen des 18. Jh. entwickelt (BODMER, WIELAND, K. P. MORITZ).

W. Dilthey, D. Einbildgs.kraft d. Dichters (Ges. Schr. 6, 1924); R. Müller-Freienfels, D. Denken u. d. P., 1916; M. Nussberger, D. künstler. P., 1935; R. Kaßner, V. d. Einbildgs.kraft, 1936; E. Staiger, D. Zeit als Einbildgs.kraft d. Dichters, 1939; H. Kunz, D. anthropolog. Bedeutg. d. P., II 1946; A. Vetter, D. Erlebnisbedeutg. d. P., 1950; K. Heymann, D. P., 1956; S. C. Sen Gupta, *Towards a Theory of the Imagination,* Bombay 1960; D. G. James, *Scepticism and Poetry,* Lond. ²1960; A. W. Levi, *Lit., Philos. and the Imagination,* Bloomington 1962; Ch. Dedeyan, *L'imagination phantast. dans le romantisme europ.,* Paris 1965; G. K. Lehmann, P. u. künstler. Arbeit, 1966, ²1976; W. Muschg, D. dichter. P., 1969; R. L. Brett, *Fancy and imagination,* Lond. 1970; Seminar: Theorie d. künstler. Produktivität, hg. M. Curtius 1976; H. Hillmann, Alltags-P. u. dichter. P., 1977; J. Marx, *Le concept de l'imagination au 18e siècle* (Fs. R. Mortier, Genf 1980); S. Vietta, Literar. P., III 1986ff.

Phantasmagorie (griech. *phantasma* = Trugbild), Vorspiegelung von Trugbildern und Gespenstererscheinungen auf der Bühne durch opt.-techn. Mittel; so bezeichnete GOETHE den Helenaakt des *Faust II* als ›klassisch-romantische P.‹.

M. Milner, *La fantasmagorie,* Paris
1982.

Phantastische Literatur, 1. im weitesten Sinne Sammelbegriff für alle
Literatur außerhalb relig.-myth.
Kontexts, die die realist. Ebene
überschreitet zugunsten des Irrealen, Surrealen, Wunderbaren, Über-
natürlichen, Zauberhaften, Un-
heimlichen, Bizarren, Grotesken,
Okkulten, Traumhaften, Unbewußten, Halluzinatorischen, Visionä-
ren, Gespenstisch-Geisterhaften
oder deren versch. Kombinationen.
Sie geht dabei oft vom Realen aus
und eröffnet plötzlich oder allmählich e. phantast. Gegenwelt, die die
Realität verfremdet und übernatürl.
Mächte und Wesenheiten postuliert,
teils als märchenhafte Fluchtwelt
vor der als unerträgl. empfundenen
Alltagswelt, als Öffnung des Lebens
zu den dunklen Seiten, als reines
Gedankenspiel der Phantasie oder
Ausgeburt der Daseinsangst. P.L.
umfaßt daher endlose Sonderformen von Schauerroman, Gothic
Novel, Gespenstergeschichte und
→Fantasy bis zur Science Fiction. –
2. im engeren Sinne die lit. Darstellung des Wunderbaren/Unheimli-
chen in einer Weise, die Leser und
Figuren zwischen Realität und Ima-
gination unschlüssig werden läßt
und aus dem Schwebezustand äs-
thet. Werte zieht. – Nach Ansätzen
in Antike, MA. und Renaissance
blüht die p.L. vor allem im 18. Jh.
(Romantik und Vorromantik) und
im 20. Jh. Hauptvertreter sind: CA-
ZOTTE, BECKFORD; TIECK, ARNIM,
E. T. A. HOFFMANN, E. A. POE, J.
POTOCKI; M. SHELLEY, A. BEARD-
LEY, B. STOKER, H. JAMES, H. P.
LOVECRAFT, D. BARTHELME, J. L.
BORGES, I. CALVINO, S. LEM; A.
KUBIN, H. H. SWERS, G. MEYRINK,
P. SCHEERBART, L. PERUTZ, F.
KAFKA, K. KUSENBERG, I. MORG-
NER u. a.

D. Scarborough, *The supernatural in
mod. Engl. fiction,* Lond. 1917; H. P.
Lovecraft, *Supernatural horror in lit.,*
N.Y. 1945; P.-G. Castex, *Le conte fantastique en France,* Paris 1951; P. Penzoldt,
The supernatural in fiction, Lond. 1952;
L. Vax, *L'art et la lit fantastique,* Paris
1960; P. Mabille, *Le miroir du merveilleux,* Paris 1962; Ch. Dédeyan, *L'imagination fantast. dans le romant. europ.,*
Paris 1964; A. Zolla, *Storia della fantasti-
care,* Mail. 1964; M. Schneider, *La lit.
fantastique en France,* Paris 1964; R.
Caillois, *Au coeur du fantastique,* Paris
1965; L. Vax, *La séduction de l'étrange,*
Paris 1965; D. Schurig-Geick, *Stud. z.
mod. conte fantastique,* 1970; T. Todorov, *Einf. i. d. fantast. Lit.,* 1972; Phaï-
con, *Jb.* 1974ff.; E. S. Rabkin, *The fantastic in lit.,* Princeton 1975; H. Lück, Fantastik, Science Fiction, Utopie, 1977; G.
Haas, Struktur u. Funktion d. p. L., *WW*
28, 1978; A. Carlsson, Teufel, Tod u.
Tiermensch, 1978; S. Prickett, *Victorian
Fantasy,* Lond. 1979; J. Kagarlizki, Was
ist Phantastik, ¹1979; A. Mercier, *Le
fant. dans la poésie franç.,* Crécy 1969;
Phantastik i. Lit. u. Kunst, hg. C. W.
Thomsen 1980; R. Campra, *Il fantastico*
(Strummenti critici 15, 1981); J. Finné,
La lit. fant., Brüssel 1981; Phantast. Kin-
der- u. Jugendlit., 1982; H. Heidtmann,
Utop.-p. L. i. d. DDR, 1982; M. Milner,
La fantasmagorie, Paris 1982; Fantasy,
hg. R. Giesen 1982; F. F. Marzin, D. p.
L., 1982; *The aesthetics of fantasy,* hg. R.
Schlobin, Notre Dame 1982; P. Cersows-
ky, P. L. i. 1. Viertel d. 20. Jh., 1983; N.
A. Zondergeld, Lexikon d. p. L., 1983;
C. Brooke-Rose, *A rhetoric of the unreal,*
Cambr. 1983; N. N. Bloch, Bibliogr. d.
utop.-p. L. 1750–1950, 1984; T. Sie-
bers, *The romant. fantastic,* Ithaca 1984;
Bibl. Lex. d. utop.-p. L., hg. J. Kröber II
1984ff.; A. B. Chanady, *Mag. realism
and the fantastic,* N.Y. 1985; W. Freund,
D. anstößige Angst (Anstöße 34, 1987);
Phantastik i. Lit. u. Film, hg. W. Buddek-
ke 1987; U. Döring, Reisen ans Ende d.
Kultur, 1987; *Spectrum of the fantast.,*
hg. D. Palumbo, Lond. 1988.

Pherekrateus, nach dem altatt. Komödiendichter PHEREKRATES benannter katalekt. Glykoneus, 7silbi-
ger antiker Vers aus zwei Trochäen
und einem Daktylus, nach dessen
Stellung man 1. P.: $\cup\cup\cup\swarrow\cup\smile$
und 2. P.: $\smile\swarrow\cup\cup\cup\swarrow\smile$ unterscheidet; urspr. wohl aus daktyl.
Trimeter mit Spondeen entstanden,
meist in Verbindung mit Glykoneen

als deren Klausel gebraucht, so in der →Asklepiadeischen Strophe bei HORAZ, monostichisch bei MARTIANUS CAPELLA. →Priapeus.

Philhellenismus (v. griech. *philia* = Liebe: Griechenfreundschaft), im Gefolge des neugriech. Freiheitskampfes gegen die Türkenherrschaft 1821–28 entstandene europ. Hilfsbewegung, die sich neben polit., militär. und finanziellen Unterstützungen auch in der Lit., in Liedern, Gedichten, Romanen und Berichten äußerte: in England Lord BYRON und P. B. SHELLEY, in Frankreich V. HUGO, LAMARTINE, BÉRANGER und CHATEAUBRIAND, in Spanien ESPRONCEDA, in Dtl. CHAMISSO, W. WAIBLINGER, J. P. FALLMERAYER und W. MÜLLERS *Lieder der Griechen* (1821–24) mit Unterstützung LUDWIGS I. von Bayern, z. T. als verschlüsselte Freiheitsdichtung unter Umgehung der Zensur.

R. F. Arnold, D. dt. P. (Euph.-Ergz.-Heft 2, 1896); C. Erler, D. P. i. Dtl., 1906; A. Heisenberg, D. P., 1913; G. Caminade, *Les chants des Grecs et le P. de W. Müller*, Paris 1913; W. Büngel, D. P. i. Dtl., Diss. Marbg. 1917; RL; E. Rothpelz, Beitr. z. Gesch. d. dt. P., 1931 f.; K. Dieterich, Dt. Philhellenen i. Griechenld., 1929; B. H. Stern, *The Rise of Romantic Hellenism in Engl. Lit.*, 1940; B. Vonderlage, D. Hamburger P., 1940; H. O. Siegburg, D. Erwachen d. polit. Bewußtseins i. Dtl., Diss. Münster 1941; R. Canat, *L'hellénisme des romantiques*, III 1952–56; W. Barth u. M. Kehrig-Korn, D. Philhellenenzeit, 1960; J. Irmscher, D. P. i. Preußen, 1966; D. Kramer, D. P. (Fs. G. Heilfurth, 1969); C. M. Woodhouse, *The Philhellenes*, Lond. 1969; R. C. Holub, *Heine's reception of German Grecophilia*, 1981; N. Miller, Europ. P. (Propyläen Gesch. d. Lit. 4, 1983); L. Mygdalis, D. P. i. Dtl., GW 58, 1984; H. Eideneier, Hellenen-Philhellenen (Arch. f. Kulturgesch. 67, 1985).

Philippika, allg. leidenschaftlich angreifende Rede, polem.-iron. Strafpredigt; Bz. nach den Reden des DEMOSTHENES gegen PHILIPP II. von Mazedonien, z. B. CICEROS P. gegen MARCUS ANTONIUS.

Philologie (v. griech. *philos* = Freund, *logos* = Wort: ›Liebe zum Wort‹), die Wissenschaft von Sprache und Lit., die den Zusammenhang von Wort und Sinn, damit die Leistung der Dichter in der Sprache und Geist und Kultur e. Volkes in Wort und Wesen erforscht, im weitesten Sinne auch über den lit. Niederschlag hinaus, Altertums- und Volkskunde, Philosophie, Musik, Rechtswesen, Religion, Sitte, Kunst, Volksüberlieferung (Sage, Märchen, Rätsel, Sprichwort, Mythos) usw. Als Teilwissenschaften dienen ihr Rhetorik, Poetik, Metrik, Stilistik, Phonetik, Grammatik, Lexikographie, Epigraphik, Paläographie, Textkritik, Interpretation/Hermeneutik und bes. Literaturgeschichte, Literaturwissenschaft und Sprachwissenschaft. – Die Anfänge der P. gehen auf die Antike, zumal die Griechen, zurück. In Alexandria entstand um die Bibliothek (Museion) eine lebhafte philolog. Tätigkeit, die sich bes. mit Ermittlung der Verfasser (z. B. bei Fragmenten), deren Lebenslauf und Wirkungszeit, ferner Gattungsgeschichte, Glossographie, Echtheitsfragen (→Notae), Grammatik (bes. Erklärung von Archaismen), Kommentierung (→Scholien) usw. befaßte. Hauptvertreter waren ZENODOTOS und KALLIMACHOS im 4., ERATOSTHENES und ARISTOPHANES im 3., ARISTARCHUS im 2. Jh. v. Chr., in Rom VARRO. Im MA. setzten ISIDOR VON SEVILLA (*Etymologiae*, um 600), EUSTATHIOS (Homerkommentar, 12. Jh.) und bes. die Byzantiner solche Bestrebungen fort, bis der →Humanismus (ERASMUS, SCALIGER) einen Aufschwung auf dem gesamten Gebiet brachte und zur Entdeckung zahlr. Hss. führte. Seine durch mühevolle Kleinarbeit um Textherstellung, Wortforschung und Sacherklärung, die P. im engeren Sinne, unterstützten Bestrebungen führten auf höherer Ebene zu einer Kulturwissenschaft von Geist und Wesen der Antike. In der ital. Renaissance (DANTE, PETRARCA, BOCCACCIO) wie im dt. Neuhumanismus (LESSING, GOETHE, SCHILLER, HERDER, VOSS) führt die sog. ›Dichter-P.‹ zu e. vertieften Verständnis antiker Dichtung und Kunstanschauung. Im 18. Jh. ragen bes. HEYNE und F. A. WOLF (→Liedertheorie) als klass. Philologen hervor. Im 19. Jh. begründen die Brüder GRIMM und C. LACHMANN auf Grundlage der in der klass. P. oder Altp. erprobten Methoden die →Germanistik. Gleichzeitig entstanden aus der Romantik zahlr. separate Neu-P'n (Romanistik, Anglistik, Slavistik usw.). Zunehmende Spezialisierung bei stets wachsendem Textvolumen führte im 19. Jh. zur Aufspaltung der Hauptbereiche in →Literaturwissenschaft und Linguistik, und zeitweilig wurde die Bz. P. auf bloße Textkritik und Kommentierung eingeengt; dennoch bleibt sie Oberbegriff für viele Spezialwissenschaften und umfassende Wiss. von der sprachkulturellen Leistung e. Volkes.

Einführungen: R. Newald ²1949; G. Rohlfs, Roman. P., 1950 ff.; E. Schwarz 1951; F. v. d. Leyen 1952; E. Auerbach, *Introduction aux études de philologie romaine*, ³1964; G. Müller-Schwefe, Einf. i. d. Stud. d. engl. P., ²1968; C. Tagliavini, Einf. i. d. roman. P., 1973. Grundrisse: H. Paul, Grundr. d. german. P., III ²1900–09, XVIII ³1911–43; A. Matthias, Hdb. d. dt. Unterrichts, 1906 ff.; F. Stroh, Hdb. d. german. P., 1952; W. Stammler, Dt. P. i. Aufriß, ³1955; L. E. Schmitt, III 1969 f.; G. Gröber, Grundr. d. roman. P., ²1914 ff. Geschichte: J. E. Sandys, *History of class. scholarship*, Lond. III 1906/08, n. 1967; A. Gudemann, Grundr. d. Gesch. d. klass. P., ²1909; U. v. Wilamowitz, Gesch. d. P. (Gercke-Norden, Einl., ²1921), n. 1959; K. Burdach, D. Wissenschaft i. dt. Spr., 1934; J. Dünninger in ›Aufriß‹; H. Kuhn, Germanistik als Wiss. (in: Dichtg. u. Welt i. MA., 1959); R. Pfeiffer, Gesch. d. klass. P., I, 1970, ²1978, II 1982.

Philosophische Lyrik →Gedankenlyrik

Phlyakenposse (griech. *phlyax* = Geschwätz, Posse) oder Hilarotragödie, derbe dorische Volksposse in Sizilien, Unteritalien (Tarent) und Alexandria im 4./3. Jh. v.Chr.: die Schauspieler (›Phlyaken‹) spielten mit obszön ausgepolstertem Kostüm (Dickbauch, Gesäß, Phallus) und grotesken Masken derbkom. Szenen aus dem Alltagsleben oder Mythentravestien und Tragödienparodien. Entstanden aus der ital. Freude am Possenspiel, von RHINTON (300 v.Chr.), SKIRAS BLAISOS und SOPATER von Paphos literarisiert, doch außer Titeln nur in sehr wenigen Fragmenten erhalten. Szenen der P. finden sich oft auf ital. Vasenbildern dargestellt.

L. Breitholtz, D. dor. Farce i. griech. Mutterl., Göteborg 1960.

Phosphoristen, 1807 von P. D. A. ATTERBOM in Uppsala zuerst als ›Musis amici‹, 1808 als ›Auroraförbundet‹ gegr. schwed. romant. Dichterkreis zu Beginn des 19. Jh., der sich im Anschluß an dt. Sturm und Drang und Romantik gegen den seit GUSTAV III. in Schweden herrschenden franz. Geschmack wendet. Mittelpunkt war die von ATTERBOM gegr. Zs. *Phosphorus* (1810–13), Mitglieder ferner bes. PALMBLAD und DAHLGREN.

Photoroman →Comics

Phrase (griech. *phrasis* = Redensart, Ausdruck), 1. in antiker Rhetorik die sprachl.-stilist. Formulierung e. Gedankens oder e. Gedankenfolge (lat. *elocutio*). – 2. Wortgruppe, Satz (so franz.) im Ggs. zum Einzelwort (*lexis*). – 3. jetzt bloße, nichtssagende und inhaltsleere Redensart, →Gemeinplatz.

Phraseologie (v. griech. *phrasis* =

Redensart, *logos* = Lehre), Lehre oder Slg. der gesamten für e. Sprache, e. Fachsprache, Epoche oder e. Einzelmenschen eigentüml. Redewendungen, oft als normative Stilschule, früher im Fremdsprachenunterricht.
K. D. Pilz, P., 1978; ders., P., 1982; H. Burger, Hb. d. P., 1982.

Phraseonym (griech. *phrasis* = Redensart, *onoma* = Name), Redewendung als →Pseudonym: ›von e. Großdeutschen‹.

Phrenonym (v. griech. *phren* = Gemüt, *onoma* = Name), →Pseudonym, das anstelle des Namens e. Gemütszustand oder e. Charaktereigenschaft angibt: ›von einem Liebhaber der langen Weile‹ (HAMANN).

Picareske, Picarischer Roman, Picaro-Roman, nach der Gestalt des Picaro (= Spitzbube), dem abenteuernden Gegenstück aller bürgerl. Weltordnung, Bz. des →Schelmenromans.

Picaro →Picareske, →Schelmenroman

Pickelhering (engl. *pickle* = Pökel, Salzbrühe), stereotype →komische Person der →Englischen Komödianten, von Robert REYNOLDS 1618 geschaffen (*Engl. Comedien und Tragedien sampt P.*, 1620), entstand aus dem Teufel und Vice der Moralitäten und den engl. Hofnarren, auch unter Einfluß von SHAKESPEARES Narrenfiguren, wo er als Narr die Funktion des Chors übernahm, und der gröberen seiner Vorgänger, empfing unterwegs holländ. Anregungen und griff bald selbst in die Handlung ein – in dt. Nachahmung bei Chr. WEISE, der ihm bewußt die ›allg. satyrische Inclination‹ des Chors übertrug. Im 18. Jh. in Dtl. durch Harlekin und Hans-

wurst verdrängt. P.-spiele waren im 17. Jh. vorwiegend Nachspiele.

Pictura poesis →Ut pictura poesis

Pièce (franz. = Stück), Theaterstück, insbes. *P. à spectacle:* Melodrama, *P. à thèse:* →Thesenstück, *P. à tiroirs:* Episodenstück, *P. bien faite:* glattes, routiniertes Gebrauchs- und Konversationsstück (well-made play).

P'ien-wên (chines. = parallele Prosa), auch Ssu-liu-wên genannt, die elegante, gehobene chines. Kunstprosa mit Parallelismen, rhythm. Kadenzen und stilistisch-sprachl. Feinheiten, blühte bes. im 4.–9. Jh. n.Chr.; seit dem 17. Jh. epigonal erstarrt.

Pie quebrado, →Coplas de P. q. (span. = gebrochener, d.h. Halb-Vers), span. Versform bes. des 14./15. Jh.: Verbindung von Achtsilbern mit regelmäßig eingefügten 4- oder 5-Silbern, z.B. im *Libro de buen amor* von Juan RUIZ. Schließlich allg. jede Verbindung e. Langzeile (8-, 10-, 12-, 14-Silber) mit e. Kurzzeile von deren halber Silbenzahl (4-, 5-, 6- bzw. 7-Silber).

Pieriden, Beiname der →Musen nach der Küstenlandschaft Pierien am Nordhang des Olymp, die gleich dem →Helikon als Sitz der Musen galt – nach der Überlieferung wurde der Musenkult durch eine Koloniegründung in vorhistor. Zeit von hier zum Helikon verpflanzt.

Pierrot (franz. = Peterle), Typenfigur der Comédie italienne in Paris (seit 1673) und der franz. Pantomime, gekennzeichnet durch e. weißes, locker fallendes Kostüm, e. weiße Gesichtsmaske und dümmlich-zaghaftes Wesen. Träumerisch-melanchol. Dienerrolle. Sein weibl. Gegenstück heißt Pierrette, sein russ. Bruder Petruschka.

K. Dick, P., Lond. 1960; R. F. Storey, P., Princeton 1978.

Pietismus (lat. *pietas* – Frömmigkeit), relig. Bewegung des dt. Protestantismus mit Höhepunkt von rd. 1670 bis 1740 und weitreichender Nachwirkung; bringt in Opposition gegen die im Institutionalismus und Dogmatismus erstarrte protestant. Orthodoxie die Rückwendung zu Gefühl und Phantasie im prakt.-relig. Leben, Erneuerung der Mystik durch Steigerung der individuell-subjektiven Frömmigkeit, des inneren Gotteserlebnisses im eigenen Zugang zur *Bibel,* Belauschung der Seelenregungen, die als erste in die subjektiven Tiefen der Einzelseele führt und einen teils bis zur Rührseligkeit gehenden Seelen- und Freundschaftskult (Konventikel-Wesen) einleitet. Der Weg zu Gott führt über die Wiedergeburt der gotterfüllten Seele, nicht Buchstabengläubigkeit und Dogmatismus, sondern e. prakt. Herzenschristentum. Trotz dieses Gegensatzes zum Rationalismus der etwas später einsetzenden Aufklärung berührt er sich mit dieser in der Ablehnung der Orthodoxie und der Forderung nach Toleranz (LAVATER, JUNG-STILLING). Vorläufer des P. ist J. ARNDT (*Vier Bücher vom wahren Christentum,* 1605–09) mit Betonung des Gefühls in der Religion; eigentl. Begründer ist Philipp Jakob SPENER (1635–1705), der sich in seinem Hauptwerk *Pia desideria* (1675) und ab 1670 in seinen Frankfurter *Collegia pietatis* (Erbauungsstunden) an die Herzen wandte. Wertvolle Ergebnisse prakt. Menschenliebe zeitigte der P. in den Halleschen Stiftungen (Waisenhaus) A. H. FRANCKES (1663–1727), der SPENERS Bestrebungen lehrmäßig ausbaute. Zahlr. Kon-

ventikel entstanden in Württemberg (J. A. BENGEL, F. C. OETINGER), bes. aber der Zusammenschluß der Herrnhuter Brüdergemeine auf dem Besitz des Grafen ZINZENDORF in Schlesien. Von hier geht trotz der allg. Kunstfeindlichkeit vieler pietist. Richtungen die →geistliche Lieddichtung des P. aus, der außer dem Grafen ZINZENDORF selbst und SPENER bes. TERSTEEGEN, NEANDER, G. ARNOLD, der →Hallesche Dichterkreis (1) und z. T. GELLERT angehören. Trotz glänzender Naturschilderungen und erlebnishafter relig. Begeisterung, echter Gebärden und e. an der Mystik geschulten schlichten Sprache voll lyr. Frömmigkeit artet sie z. T. leicht in süßl. und langatmige Schwärmereien und Erbauungslit. aus, die den Übergang zur →Empfindsamkeit zeigt. Eine zweite und bes. zukunftsweisende lit. Form entwickelte der P. in der →bekenntnishaften, verinnerlichten →Autobiographie (SPENER, FRANCKE, bes. vollendet JUNG-STILLING), die späterhin zur Entwicklung des Tagebuch- und Briefromans führte. Die stille und breite Wirkung des P. durch christl. Liebesdienst, bes. von Herrnhut aus, reicht durch die Aufklärung hindurch und tritt bes. im Sturm und Drang wieder hervor: (JUNG-STILLING und LAVATER); sein Einfluß reicht bis auf GOETHE (*Bekenntnisse einer schönen Seele* im *Wilhelm Meister,* Einfluß Susanne von KLETTENBERGS und LAVATERS), KLOPSTOCK, CLAUDIUS, SCHUBART, WIELAND, LENZ, HERDER, HAMANN, Göttinger Hain, PESTALOZZI, SCHILLER, NOVALIS, HÖLDERLIN und SCHLEIERMACHER, iron. gebrochen bei K. P. MORITZ (*Anton Reiser*), T. v. HIPPEL (*Lebensläufe*) und Th. MANN (*Buddenbrooks*). Die literaturgeschichtliche Bedeutung des P. liegt in der ersten Entfesselung des Gefühls in der Dichtung und in der Verinnerlichung der Außenwelterlebnisse.

A. Ritschl, Gesch. d. P., III 1880–86, ²1966; K. Reinhardt, Mystik u. P., 1925; H. R. Günther, Psychologie d. dt. P., DVJ 4, 1926; H. Kindermann, Durchbruch d. Seele, 1928; RL; H. Sperber, D. Einfl. d. P. auf d. Sprache d. 18. Jh., DVJ 8, 1930; W. Schlatter, P., 1931; K. S. Pinson, *P. as a factor in the rise of German nationalism*, N.Y. 1934, ²1967; H. Pleiyel, D. schwed. P. u. seine Beziehgn. z. Dtl., Lund 1935; A. Lang, Puritanismus u. P., 1941; A. Reiche, D. P. u. d. dt. Romanlit. d. 18. Jh., Diss. Marb. 1947; A. Langen, D. Wortschatz d. dt. P., 1954, ²1968; G. Kaiser, P. u. Patriotism. i. lit. Dtl., 1961, ²1973; H. Weigelt, P.-Studien, 1965; F. E. Stöffler, *The rise of evangel. p.*, Leiden 1965; M. Schmidt, W. Jannasch, D. Zeitalter d. P., 1965; M. Schmidt, Wiedergeburt u. neuer Mensch, 1969; ders., D. P., 1972; G. Mälzer, D. Wke. d. württ. Pietisten d. 17./18. Jh., Bibliogr. 1972; P. u. Neuzeit, Jb. 1974 ff.; H. Leube, Orthodoxie u. P., 1975; D. P. i. Gestalten u. Wirkungen, Fs. M. Schmidt, hg. H. Bornkamm u. a. 1975; Z. neueren P.forschg., hg. M. Greschat 1977; E. Beyreuther, Gesch. d. P., 1978; P. u. Reveil, hg. J. v. d. Berg, Leiden 1978; M. Scharfe, D. Religion d. Volkes, 1980; P., Fs. E. Beyreuther, hg. D. Meyer 1982; M. Maier-Petersen, D. Fingerzeig Gottes, 1984; W. E. Petig, *Lit. anti-p. in Germany*, 1984; H.-J. Schrader, Lit.produktion u. Büchermarkt d. radikalen P., 1988.

Pikarischer bzw. **pikaresker Roman** →Schelmenroman

Pilgerlied →Kreuzlied

Pinakes (griech. =) Verzeichnisse der Autoren und ihrer authent. Schriften mit genauer Angabe des Titels und der Zeilenzahl der einzelnen Bücher (Schutz gegen Pseudepigraphen und Interpolationen), früheste Form der literarhistor. Erfassung, so von KALLIMACHOS (300 v. Chr.) für die alexandrin. Bibliothek, nach acht Lit.gattungen geordnet angelegt, insges. 120 Bde., als Bibliothekskatalog.

Pindarische →Ode, nach dem griech. Dichter PINDAR benannte Odenform mit freierem, versch. lan-

gem Strophenbau – bei PINDAR selbst meist daktylo-epitrit. Metren – und späterhin freier Reimabfolge, doch festem triad. Aufbau aus stetigem Wechsel von gleichgebauter Strophe und Antistrophe, die von e. dritten, freier gestalteten, metr. abweichenden →Epode überwölbt werden; im griech. Chorlied, bei HORAZ, in Renaissance und Barock (franz. Pléiade, ital. →Pindaristen, CELTIS, OPITZ, GRYPHIUS), bei HÖLDERLIN, FOSCOLO, CARDUCCI und PARINI beliebt. Der engl. Klassizismus dagegen bezeichnet als P. O. e. von COWLEY eingeführte, in Strophen-, Zeilenbau und Reimverteilung sehr freie Form, oft mit Übergang zu Freien Rhythmen.

E. R. Keppeler, D. p. O. i. d. Poesie d. 17. u. 18. Jh., Diss. Tüb. 1911.

Pindaristen, nach ihrer metr. Nachahmung der griech. Lyriker PINDAR und ANAKREON benannte Bz. ital. Dichter des 16./17. Jh.: G. G. TRISSINO, L. ALAMANNI, G. CHIABRERA und seine Schüler F. TESTI, A. GUIDI und I. FRUGONI mit Einfluß auf die franz. →Pléiade.

Pijut, Piut (neuhebr., Mz. Pijutim), die hymn., lyr. und didakt. Dichtungen der ma. Paitanim (→Paitan) auf jüd. relig. Feier- und Festtage. Z. T. in die Liturgie aufgenommen, bilden sie wertvolle Dokumente für die Geistigkeit des Judentums im MA.

L. Zunz, Lit.gesch. d. synagogalen Prosa, II 1865–67; ders., D. synagogale Poesie d. MA., ²1928; I. Elbogen, D. jüd. Gottesdienst, ³1931.

Piktographie (v. lat. *pictum* = Gemaltes, griech. *graphein* = schreiben) = →Bilderschrift

Pilgerliteratur, das Schrifttum der Jerusalempilger bes. des SpätMA., vorwiegend Reisebeschreibungen.

D. R. Howard, *Writers and pilgrims*, Berkeley 1980; C. Zrenner, D. Berichte d. europ. Jerusalempilger 1475–1500,

1981; D. Huschenbett, D. Lit. d. dt. Pilgerreisen n. Jerus. i. spät. MA., DVJ 59, 1985.

Plagiat (franz., zu lat. *plagium* = Menschenraub), Diebstahl geistigen, bes. lit. Eigentums durch unbewußte oder unerlaubte Wiedergabe von Werken, Teilen daraus, Motiven und Gedanken e. anderen ohne Nennung des Urhebers als eigenes Produkt, auch Mißbrauch des Zitatrechts ohne Kennzeichnung und →Quellenangabe; früher straflos, da der Begriff des geistigen Eigentums erst im 18./19. Jh. erscheint; heute ist für vorsätzl. Verletzung des →Urheberrechts der Plagiator (= Verfasser e. P.) auf Antrag schadenersatzpflichtig und strafbar, wobei die unbefugt hergestellten Exemplare vernichtet werden. P.e in Form von stoffl., gedankl. und sprachl. Übernahmen finden sich schon in griech. Lit., z.B. bei den Tragikern, auch als Selbst-P. (d.h. Wiederverwendung e. eigenen sprachl. Prägung in mehreren Werken, z.B. KLEISTS Schluß der *Penthesilea* aus seiner *Familie Schroffenstein*) oder als unbewußtes P. bei treffenden Formulierungen, die im Gedächtnis haften geblieben sind (Reminiszenz). Das MA. kannte kein geistiges Eigentum am Stoff, sondern nur an der Form. Im Elisabethan. Drama war P. häufig. Wohl keines der großen Literaturwerke blieb ohne Nachahmung oder P., doch zeigt die allzu genaue Aufdeckung aller Abhängigkeiten – z.D. die Nachweise von P. ALBRECHT über *Lessings P.e* (6 Bde. 1890f.) – die Sinnlosigkeit solchen Vorgehens, das in allem e. P. sieht; e. P. begeht eigentlich nur der kleine Geist, der sich mit fremdem Geistesgut Ansehen verschafft, während der Große Anleihen bei anderen in e. fest geschlossenes Weltbild übernimmt, Anregungen

eigenständig verarbeitet und einordnet, sie dadurch z.T. erst der Vergessenheit entreißt und wertvoll macht (B. BRECHTS P. an der VILLON-Übersetzung von K. L. AMMER für die Songs der *Dreigroschenoper*, Th. MANNS Collagetechnik in *Dr. Faustus*). Nicht als P. gelten intertextuelle Formen wie →Pastiche, →Parodie, →Travestie, →Cento, →Collage, →Kontrafaktur, →Imitation. Eine bes. verwerfliche Form des P. entwickelte sich im Dritten Reich, als kleinere d. Autoren verbotene und daher z.T. nicht zugängl. Werke jüd. Autoren durch oberflächl. Bearbeitung unter ihrem Namen arisierten.

E. Stemplinger, D. P. i. d. griech. Lit., 1912; ders., D. P. i. d. antiken Lit., GRM 6, 1914; E. Stranik, Üb. d. Wesen d. P. (Dt. Rundschau 211, 1927); H. M. Paul, *Literary Ethics*, 1928; P. Englisch, Meisterstücke d. P., 1933; M. Dessoir, D. schriftsteller. P. (Berliner Hefte 1, 1946); H. W. Backer, Vom Segen u. Unsegen d. P. (Zwiebelfisch 25, 1946); A. Lindey, *Plagiarism and Originality*, N.Y. 1952; H. Abramowski, D. urheberrechtl. Begriff d. P., Diss. Kiel 1952; H. Eich u.a., Falsch aus d. Feder geflossen, 1964; H. O. White, *Plagiarism and imitation during the Engl. Renaissance*, N.Y. ²1965; RL; H. Rosenfeld, Z. Gesch. v. Nachdruck u. P. (Börsenbl. 25, 1969).

Planctus (lat. =) Klage, →Totenklage, →Klagelied in der lat. Lit. des MA. in Nachfolge des →Threnos.

Planh (provenzal., v. lat. →*planctus* = Klage), in der provenzal. Troubadourlyrik Klagelied auf Todesfälle, Katastrophen und Liebestrauer, Unterart der →Sirventes und von ähnl. Form, u.a. bei CERCAMON, BERTRAN DE BORN, AIMERIC DE PÉGUILHAN, GAUCELM, FAIDIT, GIRAUT DE BORNELH. Vgl. →Complainte.

H. Springer, D. altprovenzal. Klagelied, 1895.

Planipes (lat. *planus* = flach, *pes* = Fuß) →Mimus

Platitude (franz. =) Plattheit, Niveaulosigkeit, Banalität in Gedanke und Ausdruck.

Plattdeutsche Literatur →Dialektdichtung

Pléiade, Kreis von sieben franz. Renaissancedichtern zu Ausgang des 16. Jh., die e. durch die Begegnung mit der Antike und ital. Lit. veredelte, doch volkssprachl. franz. Dichtung nach klass. Vorbild erstreben, die ma. Tradition beiseite schieben und die franz. Sprache durch Neologismen literaturfähig machen. Ihr Führer war P. RONSARD, der seit 1543 mit A. de BAÏF bei J. DORAT im Collège Coqueret in Paris alte Sprachen studierte; ihnen schlossen sich E. JODELLE (der Begründer der klass. franz. Bühne) und R. BELLEAU, später auch P. de TYARD und 1548 J. DU BELLAY an, der mit seiner Schrift *Défense et illustration de la langue française* 1549 die Anregung zur Gründung und – neben RONSARDS Poetik – das Programm des Dichterkreises gab, der sich 1552 mit elf Mitgliedern militärisch ›La Brigade‹, durch RONSARD 1556 nach Vorbild der →Pleias ›La Pléiade française‹ nannte. Die bedeutendsten Dichtungen sind RONSARDS Oden, Hymnen und Liebessonette mit Einfluß auf OPITZ. – Als weniger bedeutsame Dichterkreise faßt man unter dem Namen P. auch gern die Häupter der →karoling. Renaissance, sieben Toulouser Troubadours des 14./15. Jh. und sieben neulat. franz. Dichter des 17. Jh. zusammen, ebenso die Puškinsche →Plejade.

Ch. Marty-Lavaux, *La langue de la P.,* Paris II 1896–98, n. 1965; G. Wyndham, *Ronsard and la P.,* 1906; J. Vianey, *Le pétrarquisme en France au 16.e siècle,* Montpellier 1909; H. Hatzfeld, D. franz. Renaissancelyrik, 1924; F. Strowski, *La P.,* Paris II 1933; H. Chamard, *Hist. de la P.,* IV Paris 1939f., ²1960–63; R. J. Clements, *Critical theory and practice of the P.,* Cambr./Mass. 1942; G. D. Castor, *Pléiade poetics,* Cambr. 1964; H. W. Wittschier, D. Lyrik d. P., 1971; Y. Bellenger, *La P.,* Paris 1978.

Pleias (griech. = Siebengestirn), griech. Dichterkreis der sieben Tragiker in Alexandria am Hof des PTOLEMAIOS II. (285–247 v.Chr.). Als Namen werden meist überliefert: ALEXANDROS AITOLOS, PHILISKOS von Kerkyra, LYKOPHRON von Chalkis, HOMEROS von Byzanz, SOSITHEOS aus Alexandreia Troas, SOSIPHANES aus Syrakus, DIONYSIADES aus Tarsos. Werke sind außer dem Gedicht *Alexandra* des LYKOPHRON nur sehr fragmentarisch erhalten.

Plejade, Puškinsche oder russische, nachträgl. Bz. für e. recht heterogenen Kreis adliger russ. Dichter um A. PUŠKIN in Petersburg um 1830 mit Treffpunkt im Salon seines Freundes Baron DELVIG. Geeint im Streben nach gutem Geschmack, L'art pour l'art, Pflege ausschließl. der Versdichtung und Verbindung klassizist. Sprache mit romant. Motiven: E. A. BARATYNSKIJ, N. M. JAZYKOV, V. K. KÜCHELBECKER, K. F. RYLEEV, D. V. VENEVITINOV, P. A. VJAZEMSKIJ, im weiteren Sinn die russ. romant. Lyrikergeneration übh.

Plenar (v. lat. *plenus* = voll), 1. liturg. Buch als Zusammenstellung aller für die Lesung e. Messe in Betracht kommenden u.a. Texte, →Lektionar; 2. Meßerklärung als ma. Vorläufer der →Postille.

W. Kämpfer, Stud. z. d. gedruckten mnd. P., 1954.

Pleonasmus (griech. *pleonasmos* = Überfluß), übertriebene und daher unnütze Anhäufung oder Verbindung von Worten gleicher oder ähnlicher Bedeutung, die keine neuen Merkmale hinzufügen (→Synonyme), z.B. Setzung selbstverständlicher →Epitheta: ›weißer Schimmel, alter Greis‹, als unnötige Doppelaussage, Abundanz sprachl. Formen als Redeschmuck, bes. zu nachdrücklicherer Wirkung: ›Ich habe es selbst mit meinen eigenen Augen gesehen‹. Ggs.: Ellipse. →Tautologie.

Plot (engl. = Komplott), die →Handlung oder →Fabel in Roman, Novelle usw., bes. der →Konflikt im Drama und zumal dessen kausal streng verknüpfte und rational überzeugende Form.
E. Dipple, *P.*, Lond. 1970; K. Egan, *What is a p.?*, NLH 9, 1977/78; J. L. Smarr, *Some considerations on the nature of p.* (Poetics 8, 1979); R. L. Caserio, *P., story, and the novel*, Princeton 1979.

Pluralis majestatis (lat. = Mz. der Majestät) als erhabene Selbstbz. Hochgestellter (›Wir haben geruht...‹) erscheint auch in der Lit. als Selbstbz. des Autors aus Bescheidenheit, Zurückdrängung des selbstherrlichen ›Ich‹ *(p. modestiae)*.

Pnigos (griech. = Ersticken), in der att. Komödie ein im beschleunigten Tempo gesprochener, hypermetrischer Teil der →Parabase oder als Abschluß von Epirrhem und Antepirrhem (›Anti-P.‹) im Agon.

Pocket-Book (engl. =) →Taschenbuch (2).

Poem (griech. *poiema* = Dichtung), im Dt. heute meist abfällige Bz. für (bes. längeres) Gedicht; im Engl. und Franz. *(poème)* Gedicht oder Versdichtung allg.; im Russ. jede längere Versdichtung erzählenden (→Verserzählung) oder gedankl. Inhalts (Puškin, Lermontov, Blok u.a.).

Poème en prose →Prosagedicht

Poesia Bernesca, vom ital. Dichter F. Berni (16. Jh.) begründete Art der satirisch-burlesken Dichtung in Form von Capitoli (elfsilbigen Terzinen) und Sonetten mit dem iron. Lob unangenehmer Dinge (Pest, Schulden u.ä.) und der erhabenen Andichtung gewöhnl. Gegenstände sowie der parodist. Verteidigung des Abzulehnenden, alles in starker Überzeichnung mit grotesken Details, z.B. bei G. Francesco, M. Franzesi, F. M. Molza u.a. Nachahmung in franz. Lit. bei Régnier und Sygognes.

Poesia Fidenziana oder **pedantesca** (nach dem Schulmeister Fidenzio Glottocrisio, dem von der Liebe zu seinem Schüler singenden Helden einer 1565 veröffentlichten Petrarca-Parodie des ital. Grafen Camillo Scrofa), Ende 16. Jh. ausgebildete, volkssprachl. (ital.) Texte mit lat. Einsprengseln vermischende Form burlesker Dichtung, in einseitiger Auslegung als Ironisierung der lat. Fremdwortsucht zeitgenöss. Gelehrter (Pedanten) auch ›poesia pedantesca‹ genannt; im Prinzip als lit. Sprachmengung, witzig verhüllendes, Atmosphäre evozierendes Sprachspiel, von der Antike bis zur Gegenwart zu verfolgen. Umkehrung der →Makkaronischen Dichtung.

Poesie (griech. *poiesis*, von *poiein* = machen), →Dichtung allg., im engeren Sinne die in (rhythmisch) gebundener Rede: Versdichtung im Ggs. zur →Prosa, so stets als engl. und franz. Bz.

Poesiealbum →Album, →Stammbuch

Poésie engagée (franz.) →engagierte Literatur, →Tendenzdichtung

Poésie fugitive (franz. = flüchtige Dichtung), auch *poésie légère* (= leichte Dichtung), die tändelnden

Kleinformen der franz. →Rokoko-
dichtung zum Preis heiteren Lebens-
genusses und Epikuräertums im Sinne der Bukolik und →Anakreontik,
teils auch frivol-erot.: GRÉCOURT,
PIRON, GRESSET u. a.

Poésie légère →Poésie fugitive

Poésie pure (franz. = reine Dichtung), im Ggs. zur →Poésie engagée
die tendenz- und ideologiefreie
Dichtung, bes. in der franz. Lit. des
19. Jh. (→Symbolismus, →L'art
pour l'art) die Idealform einer
musiknahen Lyrik, die sich selbst
thematisch wird und den poet. Akt,
das zweckfreie Spiel der Laute und
Wortbedeutungen als ästhet. Gebilde und Selbstzweck in den Mittelpunkt stellt, dem gegenüber Stoffe
und Ideen zurücktreten. Vorgeprägt
von SAINTE-BEUVE und POE, vertreten durch BAUDELAIRE, MALLARMÉ,
VERLAINE, RIMBAUD, HEREDIA,
VALÉRY, dt. RILKE, GEORGE, BENN,
ital. →Hermetismus.

H. Bremond, *La p. p.*, Paris 1926; V.
Klemperer, *La p. p.* (in: Vor 33, nach 45),
1956; W. Weidle, D. p. p. u. d. mediterra-
ne Geist (Hefte f. Lit. u. Kritik 1, 1960);
H. W. Decker, *P. p.*, Berkeley 1962; A. J.
Arnold, *La querelle de la p. p.* (*Revue d'
hist. litt. de France* 70, 1970); D. J. Mos-
sop, *Pure poetry*, Oxf. 1971.

Poet (lat. poeta =) →Dichter

Poeta doctus (lat. = gelehrter Dichter), in der Renaissance auch →*poeta eruditus* (= gebildet) gen., seit
der hellenist.-alexandrin. Epoche
der griech. Dichtung geforderdes
Ideal e. ›gebildeten‹ Dichters, der in
verfeinerter Form und von reichem
Wissen zeugendem Inhalt für e. ge-
bildetes Publikum schreibt. Er steht
im Ggs. etwa zum Genie, zum Vates
oder zum naiven Naturtalent, und
sein Werk zeugt von differenzierter
Bewußtheit der Probleme des künstler. Schaffens, ist von Reflexion
durchsetzt, die andeutungsweise

den reichen Wissenshorizont durchscheinen läßt. Beispiele des p. d.
sind EURIPIDES, dann die Alexandriner, die röm. Neoteriker, die
Frühhumanisten, viele Aufklärungs-
dichter und im 20. Jh. Th. MANN,
MUSIL, BROCH, BENN, ELIOT,
POUND. →Gelehrtendichtung.

J. Nettesheim, P. d., 1975; W. Barner, P.
d. (Lit.wiss. u. Geistesgesch., Fs. R.
Brinkmann 1981); G. E. Grimm, Lit. u.
Gelehrtentum i. Dtl., 1983.

Poetae novi →Neoteriker

Poeta eruditus →Poeta doctus

Poeta laureatus (lat. =) gekrönter
Dichter, →Dichterkrönung, →Poet
laureate.

Poetaster (neulat.), verächtliche
Bz.: Dichterling, Reimeschmied.

Poeta vates →Vates

Poète maudit (franz. = verfemter
Dichter), nach P. VERLAINES Essay-
sammlung *Les poètes maudits*
(1884, über CORBIÈRE, RIMBAUD,
MALLARMÉ u. a.) Schlagwort für die
Außenseitersituation des seiner Zeit
vorauseilenden, klarsichtigen, nach
Wahrheit suchenden genialen, aber
nicht anerkannten Dichters gegenüber der durch seine Existenz brüs-
kierten etablierten, repressiven Gesellschaft.

Poetik (griech. *poietike techne* =
Dichtkunst), die Lehre und Wissenschaft von Wesen, Gattungen und
Formen der Dichtung sowie den ihnen eigenen Gehalten, Techniken,
Strukturen und Darstellungsmit-
teln; als Theorie der Dichtung Kern-
stück der →Literaturwissenschaft
und Teil der →Ästhetik, doch
ebenso Voraussetzung für →Litera-
turgeschichte und →Kritik. Mit der
Auffassung von der Dichtung wandelt sich die Form der P.: aus der

programmatisch-deduktiven, regelsetzenden P. als Lehrbuch für eine
vermeintlich lernbare Technik des
Dichtens, die zugleich nach allg.
formalen Kriterien wertet, wird seit
Ausgang des 18. Jh. und eigtl. erst
im 20. Jh. die beschreibend-indukti-
ve P., die aus vergleichender Beobachtung des Einzelwerks zur Feststellung der Formeigenheiten und
Gattungsgesetze führt.
Die ältesten P.en sind die im 14. Jh.
wiederentdeckte P. des ARISTOTE-
LES, die nur in Bruchstücken über
die Tragödie und das Epos erhalten
ist und den Begriff der →Mimesis
durchsetzt, und die versifizierte *Epistula ad Pisones* des HORAZ, seit
QUINTILIAN *De arte poetica* genannt, die Schlichtheit, rechte Stoffwahl und Formenstrenge betont
(→*prodesse et delectare*) beide von
grundlegendem Einfluß auf die weitere abendländ. Entwicklung, die im
MA. auch auf CICEROS rhetor.
Schriften, die *Institutio oratoria*
QUINTILIANS und Werke anderer
spätantiker Rhetoriker und Grammatiker sowie Kommentatoren zurückgreift. – Auch die strenge
Kunstform der dt. ma. Dichtung
setzt überlieferte Normen voraus,
doch treten – mit Ausnahme lehrhafter Stellen in den Epen – theoret.
Schriften erst in der →Tabulatur des
→Meistersangs zutage, die als reine
Anweisung zum richtigen Dichten e.
lehrbare Dichtkunst als gestaltete
Wissensvermittlung ohne individuellen Anteil voraussetzt und deren
allgemeingültige Formgesetze aufzeigt. Die Überbewertung der Regeln und Freude an künstler. Gesetzgebung führt in engem Anschluß an die Antike in Humanismus und Renaissance zu e. Fülle
von P.en, die sich als Teil der Rhetorik verstehen. Die wichtigsten lat.
P.er sind L. VALLA, C. CELTIS
1487, H. VIDA 1520, A. VIPERA-

NUS 1558, A. S. MINTURNO (*De
poeta*, 1559), A. RICCOBONUS
1587, J. PONTANUS 1594, der Nie-
derländer HEINSIUS 1611, G. J.
VOSSIUS 1647, BEBEL, FABRICIUS
und am bedeutendsten J. C. SCALI-
GERS *Poetices libri septem* 1561,
dessen Aristotelesinterpretation bis
LESSING nachwirkt. Die erste volks-
sprachl. P. schrieb in Italien TRISSI-
NO 1529; es folgten A. S. MINTUR-
NO mit *Arte poetica* 1563, CASTEL-
VESTRO 1570, T. TASSO (*Discorsi
dell'arte poetica* 1587), schließlich
MURATORI 1705/07 und G. V.
GRAVINA 1708; in Frankreich E.
DESCHAMPS (14. Jh.), T. SEBILLET
1548, DU BELLAY 1549, J. PELLE-
TIER 1555, RONSARD 1565, VAU-
QUELIN DE LA FRESNAYE 1605, Jules
de LA MESNARDIÈRE 1640; in Spa-
nien L. PINCIANO 1596, LOPE DE
VEGA 1609, F. CASCALES 1617 und
GRACIÁN 1648; in England G. PUT-
TENHAM 1589, Ph. SIDNEY 1595
und J. DRYDEN 1668.
Die erste dt. P. war OPITZ' *Buch
von der dt. Poeterey* (1624) nach
Vorbild von SCALIGER, HEINSIUS
und RONSARD. Er überträgt die ganze Tradition humanist. Sprach- und
Dichtungsanschauung ins Dt., gibt
auch Anweisungen zur Technik des
Dichtens, zur Versgestaltung und
Scheidung der Gattungen, setzt jedoch angeborene Begabung voraus
und erstrebt bes. die Einführung des
Dt. als Dichtersprache auch für höhere Gattungen. Er findet überrei-
che Nachfolge in den barocken P.en
mit rein vordergründigen Ge-
brauchsanweisungen zur Verbindung traditioneller Formen und Gehalte im Regelkanon: Ph. v. ZESEN
1640, J. P. TITZ 1642, J. KLAJ
1645, G. Ph. HARSDÖRFFER 1647
(*Poetischer Trichter*, Nürnberg), A.
TSCHERNING 1658, A. BUCHNER
1663, D. MORHOF 1682, NEU-
MARK, OMEIS, BIRKEN u.a. In der

Aufklärung wird die P. Sache des reinen Intellekts; ihr Regelkanon und die klare Scheidung der Gattungen beruhen auf der Nachahmungstheorie; franz. Vorbilder sind BOILEAUS versifizierte *Art poétique* 1674 mit ihrer Betonung von Vernunft, Wahrscheinlichkeit und Angemessenheit und später BATTEUX (*Les beaux arts réduits à un même principe* 1746, *Cours des belles lettres* 1747); in Dtl. folgen WEISE und GOTTSCHED (*Critische Dichtkunst* 1730), SULZER 1771, ENGEL, ESCHENBURG u.a., die meist Geschmack, Esprit und Vernunft fordern; die Schweizer BODMER und BREITINGER (*Critische Dichtkunst* 1740) treten für das Recht des Wunderbaren, die Phantasie und das Gefühl ein. Mit J. A. SCHLEGELS Übersetzung des BATTEUX beginnt der Streit um die Nachahmungstheorie bei NICOLAI, MENDELSSOHN und LESSING, bes. in den →Literaturbriefen. LESSING zeigt die Grenzen zwischen Dichtkunst und Malerei (*Laokoon*) und befreit sie damit von der Bevormundung durch die Bildkunst seit dem horazischen →ʾut pictura poesisʿ. Er erhellt in der *Hamburgischen Dramaturgie* die dramat. Gattungsgesetze aus der Auffassung von der Dichtung als Organ des Weltverständnisses. Gleichzeitig entsteht die →Ästhetik als eigene Disziplin. Der Sturm und Drang überwindet endgültig die Nachahmungstheorie und die regelsetzende und lehrende P. zugunsten der Deutung aus dem Geniebegriff (engl. SHAFTESBURY, POPE, YOUNG, dt. HERDER, HAMANN und LENZ), da der Künstler aus der Eingebung e. eigene, einmalige und aus sich heraus wachsende Welt schafft, nicht nachahmt. Diese Erkenntnis bleibt Grundlage der sich nunmehr nur noch mit den Stilrichtungen wandelnden P. Die P. der dt. Klassik beruht weniger auf dem franz. Klassizismus als auf dem Antike-Erlebnis WINCKELMANNS als e. überzeitlichen und allg. gültigen Kunstideal mit dem Streben nach Maß, Harmonie und Abrundung. Sie findet Niederschlag in SCHILLERS theoret. Schriften (*Über Anmut und Würde*, *Über →naive und sentimentalische Dichtung*) und Rezensionen (*Über Bürgers Gedichte*), in GOETHES Aufsätzen (*Einfache Nachahmung, Üb. ep. u. dram. Dichtg., Noten u. Abh.*), K. Ph. MORITZ' Schrift *Über die bildende Nachahmung des Schönen* 1786 und den Schriften Wilhelm v. HUMBOLDTS (*Ästhetische Versuche, Über Goethes Hermann und Dorothea*) mit Forderung dichter. Objektivität. Gegenüber der strengen Gattungstrennung der Klassik erstrebt die Romantik e. ʾprogressive Universalpoesieʿ und hebt die Grenzen der Künste und Dichtarten auf zugunsten e. einzig Werdenden, dem Stimmung und Eingebung mehr bedeuten als das Werk selbst (Aphorismen der Brüder SCHLEGEL im *Athenäum*, deren Berliner Vorlesungen, NOVALIS, JEAN PAUL). Die P. des Jungen Dtl. strebt bewußt nach Tendenz und Aktualität der Dichtung im Ggs. zur Zeitlosigkeit des Idealismus: WIENBARG, BÖRNE, MUNDT. Seit dem Realismus, der wieder von der Tagesgebundenheit der Dichtung abrückt, erhält die P. die Neigung zu philosoph. Spekulation und wiss. Untermauerung der Gattungen und der Kunst überhaupt. E. Reihe großer Dichter treibt die Besinnung über Wesen und Aufgaben der Dichtung voran: HEBBEL, O. LUDWIG, R. WAGNER bemühen sich um das Wesen des Tragischen, die P.er des Naturalismus (ZOLA, K. BLEIBTREU, W. BÖLSCHE, A. HOLZ) fordern unter Eindruck des Positivismus präzise Wirklichkeitskopie als letzte Verfeinerung dichter. Technik, Neuklassizismus und Symbolismus dagegen erneuern die Formenstrenge, der George-Kreis gibt dem formstrengen und alltagsfernen Dichtertum e. priesterl. Weihe; in Frankreich verkünden die Parnassiens das Prinzip des →L'art pour l'art, und auch der Expressionismus schafft sich e. eigene P. Neben diesen Bemühungen der Dichter selbst um Darstellung von Wesen und Gesetzen ihrer Kunst, im 20. Jh. fortgeführt bei BENN, BRECHT, BECHER, KROLOW u. a., steht seit dem 19. Jh. die wiss. P. (gelegtl. auch Poetologie) als allg. theoret. Teil der Literaturwissenschaft, zuerst empirisch bei W. SCHERER 1888, dann mehr geisteswissenschaftlich bei W. DILTHEY, O. WALZEL, E. ERMATINGER, W. KAYSER u. a.; hierbei ergeben sich ähnl. Richtungen wie in der →Literaturwissenschaft. Russ. Formalismus und New Criticism, mod. Linguistik, Strukturalismus und Semiotik geben der wiss. P. als Formenlehre des Literarischen neue Impulse. Ihr Aufgabenbereich ist etwa: Abgrenzung des Begriffs Dichtung in der Sprache allg., ihre Beziehungen zu anderen Künsten (Theater, Malerei und Musik) und Geisteshaltungen (Religion, Philosophie), schließlich Brauchtum als Grundlage e. Wesensbestimmung, Stoff-Form-Problem, immanente Gattungsgesetze, Eigenleben und Wirkung der Dichtung in der Gesellschaft, Kommunikationsstrategien (Erzähler, Perspektive, Zeitstruktur), Semiotik der Zeichen und Symbole u. a. m.

K. Borinski, D. P. d. Renaissance, 1886, ²1967; K. Voßler, Poet. Theorien i. d. ital. Frührenaissance, 1900; T. A. Meyer, D. Stilgesetz d. Poesie, 1901; H. Roetteken, P. I., 1902; G. Saintsbury, A History of Criticism, Lond. III 1900–04, ²1949; R. Lehmann, Dt. P., 1909, ²1919; T. Kellen, D. Dichtkunst, 1912; K. Borinski, D. An-

tike i. Kunsttheorie u. P., II 1914–24, n. 1965; ders., Dt. P., 1916; R. Müller-Freienfels, P., ⁴1921; E. Faral, Les Arts poétiques du 12./13. siècle, Paris 1923, n. 1971; J. E. Spingarn, A History of lit. Criticism in the Renaiss., N.Y. 1925; R. Bosch, D. Problemstellung d. P., 1928; RL; C. S. Baldwin, Medieval rhetoric and p., N.Y. 1928, n. 1959; R. Müller-Freienfels, Psychologie d. Kunst, 1933; W. F. Patterson, Three centuries of French p. theory, N.Y. III 1935, n. 1966; B. Boesch, D. Kunstanschauung d. mhd. Dichtg., 1936; H. H. Glunz, D. Literarästhetik d. europ. MA., 1937, ²1962; B. Markwardt, Gesch. d. dt. P., V 1937–67, n. 1964, 1971; C. S. Baldwin, Renaiss. lit. theory, N.Y. 1939, n. 1959; G. Storz, Gedanken üb. d. Dichtung, 1941; J. W. H. Atkins, Engl. Lit. Criticism, Cambr. 1943; E. Staiger, Grundbegriffe der P., 1946, ⁸1968; W. Kayser, D. sprachl. Kunstwerk, 1948, ¹³1968; E. R. Curtius, Europ. Lit. u. lat. MA., 1948, ¹⁰1984; ders., in DVJ 1938 und Zs. f. roman. Philol., 1938; E. Staiger, Z. Problem d. P. (Trivium 6, 1948); J. Körner, Einf. i. d. P., 1949, ³1968; J. Elema, P., Haag 1949; F. Flora, Saggi di poetica moderna, Messina 1949; F. Martini, P., in 'Aufriß', 1951; P. Kluckhohn, Lit.wiss., DVJ 1952; A. Buck, Italien. Dichtgs.lehren v. MA. bis z. Ausgang d. Renaissance, 1952; G. Storz, Spr. u. Dichtg., 1957; K. Hamburger, D. Logik d. Dichtg., 1957, ²1968; R. Wellek, A. Warren, Theorie d. Lit., 1958; S. Møller Kristensen, Digtningens teori, Kopenh. 1958; H. Seidler, D. Dichtg., 1959, ²1965; A. Nivelle, Kunst- u. Dichtgs.-theorien zw. Aufklärung u. Klassik, 1960; Poetik, hg. Bayr. Akad. d. Schönen Künste, 1962; L. Anceschi, Le poetiche del novecento in Italia, Mail. 1962; ders., Le poetiche del barocco, Bologna 1963; H. Villiger, Kleine P., 1964; I. Braak, P. i. Stichworten, 1964, ⁶1980; W. Höllerer, Theorie d. mod. Lyrik, 1965; G. Wolandt, Philos. d. Dichtg., 1965; Encyclopedia of poetry and poetics, hg. A. Preminger, Princeton 1965, ²1975; Ars poetica, hg. B. Allemann 1966; J. Dyck, Ticht-Kunst, dt. Barockp. u. rhetor. Tradition, 1966, ²1969; H.-P. Bayerdörfer, P. als sprachtheoret. Problem 1967; F. Sengle, D. lit. Formenlehre, 1967; G. Müller, Morpholog. P., 1968; K. R. Scherpe, Gattungs-P. i. 18. Jh., 1968; W. Muschg, D. dichter. Phantasie, 1968; A. Nivelle, Frühromant. Dichtungstheorie, 1970; H. P. Herrmann, Naturnachahmg. u. Einbildungskraft, 1970; T. Todorov, P. de la prose, Paris 1971; E. Vinaver, À la recherche d'une p. médiévale, Paris 1971; P. Zumthor, Essai de p. médiévale, Paris 1972; J. M. Lotman, Vorlesgn. z. strukturalen P., 1972; T. A. van Dijk, On the foundations of p. (Poetics 5, 1972);

A. Buck, Dichtgs.theorien d. Renaiss. u. d. Barock (Neues Hb. d. Lit.wiss. 9, 1972); R. Jakobson, *Questions de p.*, Paris 1973; M. Fuhrmann, Einf. i. d. antike Dichtungstheorie, 1973; R. Kloepfer, P. u. Linguistik, 1975; H.-J. Gerigk, Entwurf e. Theorie d. lit. Gebildes, 1975; J. Culler, *Structuralist. p.*, Lond. 1975; R. Datheil, P., Paris 1975; M. Hardt, P. u. Semiotik, 1976; C. Kuper, Linguist. P., 1976; H. Wiegmann, Gesch. d. P., 1977; F. Gaede, P. u. Logik, 1978; O. Mann, D. klass. u. d. romant. Auffassg. v. d. Wesen u. d. Form d. Dichtg., 1978; H. Seidler, Grundfragen e. Wiss. v. d. Sprachkunst, 1978; V. Šinemus, P. u. Rhetorik i. frühmod. dt. Staat, 1978; R. Schmidt, Dt. Ars Poetica, 1980; P. Klopsch, Einf. i. d. Dichtgslehre d. lat. MA., 1980; H. Frikke, Norm u. Abweichg., 1981; V. N. Toporov, D. Urspr. d. indoeurop. P. (Poetica 13, 1981); T. Todorov, *Introd. to p.*, Brighton 1981; J. B. Allen, *The ethical p. of the later MA.*, Toronto 1982; R. Baur, Didaktik d. Barockp., 1982; U. Möller, Rhetor. Überlieferg. u. Dichtgs.theorie i. früh. 18. Jh., 1983; M.-M. Münch, *Recherches sur l'hist. de la p.*, 1985; P., hg. H. Schlosser 1988.

Poetische Erzählung →Verserzählung

Poetische Gerechtigkeit, der in der Dichtung oft erscheinende, in der Wirklichkeit vermißte Kausalzusammenhang von Schuld und Strafe bes. in der Komödie: Belohnung der Guten, Bestrafung der Bösen. Doktrin des 17./18. Jh., schon von CORNEILLE und ADDISON abgelehnt, in der Triviallit. weiterhin gültig.

N. Müller, D. p. G. i. dt. Lsp. d. Aufkl., Diss. Mainz 1969; W. Zach, *Poetic justice*, 1985.

Poetische Lizenz →dichterische Freiheit

Poetische Prosa →Prosagedicht

Poetischer Realismus →Realismus (2)

Poetismus, von K. TEIGE und V. NEZVAL 1924 begr. tschech. Avantgardeströmung in Richtung auf eine ideologiefreie →poésie pure nach Vorbild von RIMBAUD, APOLLI-

NAIRE, MARINETTI unter Einfluß des Futurismus, Kubismus, Dadaismus und später des Surrealismus (A. BRETON), in den sie z. T. 1934 mündete. Keimzelle war die Gruppe →Devětsil, Hauptvertreter TEIGE, NEZVAL, J. SEIFERT, F. HALAS und K. BIEBL. Der auf die mod. tschech. Lyrik einflußreiche P. wurde 1950–58 von der KP als Formalismus bekämpft.

K. Chvatík, Z. Pešat, P., Prag 1967; P. Drews, Devětsil u. P., 1975; M. Brousek, D. P., 1975; V. Müller, D. P., 1978.

Poetizität, Bz. des →Formalismus für den spezif. poet. Charakter und Ausdruckswert e. Wortes, Satzes oder e. Sprache im Vergleich zu syntakt. und inhaltl. gleichen Varianten; Gradmesser für den poet. Wert und Basis e. formalist. Poetik auf sprachl. Ebene, die zwischen der rein kommunikativen, prakt., rationalen oder emotionalen Sprache alltägl. Mitteilung und e. nicht praxisbezogenen poet. Sprache unterscheidet, deren lautl./klangl. und sprachl. Verbindungen Eigenwert haben und nicht auf Außersprachliches verweisen.

W. A. Koch, P., 1981; ders., Poetica 10, 1978 u. 14, 1982; P. Hoffstaedter, P. aus d. Sicht d. Lesers, 1986.

Poet laureate (engl. = mit Lorbeer gekrönter Dichter), vom engl. König zusammen mit e. Stipendium verliehener Titel urspr. für den Hofdichter, der die höf. Festgedichte und bis 1820 nationale Festtagsoden verfaßte, heute nur als Auszeichnung; der Titel gilt auf Lebenszeit und wird erst nach dem Tode seines Trägers weiterverliehen. Erster p.l. war 1616 B. JONSON, danach 1670–1688 J. DRYDEN, 1688 T. SHADWELL, später neben vielen mittelmäßigen Autoren u. a. 1813 R. SOUTHEY, 1843 W. WORDSWORTH, 1850 A. TENNYSON, 1930–67 J. MASEFIELD, 1968–72

C. DAY LEWIS, 1972–84 J. BETJE-MAN, 1984 T. HUGHES. Vgl. →Dichterkrönung.

E. K. Broadus, The Laureateship, 1921.

Poetologische Lyrik, Gedichttyp der poetolog. Reflexion über Wesen und Existenzberechtigung von Dichtung und Dichter, Sprache und Handwerk des Dichters, lit. Formen, Dichten und Schweigen u.ä., die das dichter. Vorgehen selbst thematisieren und problematisieren oder das Selbstverständnis des Dichters artikulieren. Beispiele aus Antike, Barock, Klassik (GOETHE, SCHILLER, HÖLDERLIN), Romantik, HEINE, GEORGE, BACHMANN, EICH, CELAN. Vgl. →Dichtergedicht.

U. M. Oelmann, Dt. p. L. nach 1945, 1980; W. Hinck, D. Gedicht als Spiegel der Dichter, 1985.

Point-de-vue-Technik (franz. = Blickpunkt), die Verwendung der →Perspektive (2) eines oder mehrerer →Erzähler und der Zeitgestaltung in der Erzählung; bei STERNE, FIELDING, SMOLLETT, DICKENS, RAABE, Th. MANN, H. JAMES, J. CONRAD, M. PROUST, A. DÖBLIN, H. v. DODERER u.a., in jüngster Zeit bes. durch L. DURRELLS Alexandria Quartett wesentlich ausgebaut.

Pointe (franz. = Spitze), der eigentliche, unerwartete Sinn, in den ein →Witz ausläuft; entsteht durch überraschende Umwendung des Gesagten.

Th. Erb, D. P., 1928; H. Stroszeck, P. u. poet. Dominante, 1970; N. Neumann, V. Schwank z. Witz, 1986.

Point-of-view-Technik →Perspektive, →Point-de-vue-Technik

Polarer Ausdruck, Verbindung von zwei entgegengesetzten (positivem und negativem) Begriffen, von denen nur der erste sachlich zutrifft: ›alles Mögliche und Unmögliche‹.

Polemik (v. griech. polemos = Krieg), ›Federkrieg‹, scharfe, nicht unbedingt sachl., bis zum persönl. Angriff gehende Kontroverse, etwa auf polit., eth., relig., wiss., philos. oder lit. Gebiet; daher polemische Lit.: →Streitschriften jeder Art.

H. Plavius, D. Kunst d. P., SuF 33, 1981.

Polenliteratur, die durch den bald gescheiterten Aufstand der Polen gegen die russ. Herrschaft 1830/31 veranlaßte anfeuernde u. emanzipator. Lit. Nach dem Aufstand, der zahlr. Flüchtlinge westwärts führte, schwillt der Chor der mitleidvollen und anfeuernden Polenlieder in Frankreich, England, Dtl. und Österreich an, in denen oft das eigene unerfüllte Streben des dt. Liberalismus Ausdruck fand; künstlerisch am wertvollsten in den Polenliedern PLATENS (1830), am bekanntesten die 1835 in HOLTEIS Singspiel Der alte Feldherr eingestreuten; ferner bei Z. WERNER, GRILLPARZER, A. GRÜN, UHLAND, O. FREILIGRATH, HEBBEL, LAUBE, O. LUDWIG, G. FREYTAG, N. LENAU, A. v. CHAMISSO, H. HEINE u.a., in England COLERIDGE, WORDSWORTH, BYRON, in Frankreich V. HUGO, in Italien MAZZINI.

R. F. Arnold, Gesch. d. dt. P., 1900; H. Delbrück, Dt. Polenlieder, 1917; J. Müller, D. Polen i. d. öffentl. Meinung Dtls. 1830–32, 1923; A. Bodmann, D. poln. Bewegg. v. 1830 u. d. Blütezeit d. dt. Polenlyrik, Diss. Münster 1926; RL; G. Bianquis, La Pologne dans la poésie allemande 1772 à 1832, RLC 1949; M. Häckel, Skizze z. e. Gesch. d. dt. P., Diss. Jena 1954; A. Gerecke, D. dt. Echo auf d. poln. Erhebung v. 1830, 1964; H.-G. Werner, D. Bedeutg. d. poln. Aufstandes 1830/31 f. d. Entw. d. polit. Lyrik i. Dtl., WB 16, 1970; M. Jaroszewski, D. Novemberaufstand v. 1830/31 i. d. dt. P'lyrik, GW 45, 1981; ders., D. poln. Novemberaufstand v. 1830/31 i. d. europ. Lyrik (Parallelen u. Kontraste, hg. H.-D. Dahnke 1983).

Polichinelle, franz. Abwandlung der →Pulcinella-Figur aus der ital.

→Commedia dell'arte als e. hakennasiger, buckliger, spöttisch-prahlerischer Querulant, z. B. in dem Zwischenspiel von MOLIÈRES *Malade imaginaire,* fortlebend im Puppentheater.

Politische Dichtung, im Ggs. zur außenpolitisch ausgerichteten →patriotischen (bis nationalen und chauvinist. u. →Kriegs-)Dichtung und zur gesellschaftlich ausgerichteten →sozialen Dichtung solche Dichtung, die mit der Absicht direkter ideolog. Beeinflussung meist innenpolit. Probleme in dichterisch werbende Form kleidet. Sie unterscheidet sich jedoch oft nicht von den obigen Formen und ist →engagierte Lit. und oft →Tendenzdichtung, die den Machtwillen und die geistig-moral. Kräfte e. Volkes aufruft und stärkt gegen wirkl. oder vermeintl. Bedrohungen von innen und außen zur Verteidigung und Erhaltung althergebrachter oder Schaffung neuer, menschenwürdigerer Ordnungen. P. D. kommuniziert öffentl. polit. Thematik bewußt parteilich, mit volkstüml. eingängigen propagandist. Mitteln, für oder wider Herrschaftsformen, -verbände und Machtinteressen, sie ist aktuelle Gebrauchslit., veraltet als verderbl. Tagesware bei Erreichung ihrer Ziele oder polit. Umschwüngen und bleibt dann e. nur noch histor. zu verstehendes Dokument einstiger Unruhen, Erregungen und Beeinflussungstaktiken. Sie bevorzugt lyr.-didakt. und kleinep. Formen mit aggressivem satir.-polem.-parodist. Stil, z. B. Kontrafaktur, Lied, Spruch, →Zeitgedicht, Chanson, →Protestsong, Moritat, Ballade, Fabel, Epigramm, in Prosa Flugblatt, Flugschrift, Traktat, Pamphlet, Streitschrift, Dialog, Essay, Reportage. In der Antike dienen Geschichtsschreibung (THUKYDIDES, SALLUST, CAESAR, LIVIUS, TACITUS), die Anfänge des Staatsromanes (XENOPHON), die polit. Lyrik (TYRTAIOS, HORAZ' Römeroden) und die Komödie (ARISTOPHANES) der polit. Meinungsbildung. Aus dem MA. gehören hierher die 1198 von WALTHER begründete polit. →Spruchdichtung im Kampf zwischen Kaiser und Papst, die von REINMAR VON ZWETER und dem MARNER, seit 1220 bes. von den Fahrenden fortgeführt wird (Meister STOLLE, Bruder WERNHER, HARDEGGER, Meister KELIN, der MEISSNER, KONRAD VON WÜRZBURG, WALTHER VON KLINGEN, FRIEDRICH VON SUNNENBURG, RUMZLANT, der SCHULMEISTER VON ESSLINGEN u. a. m.), ferner das *Tegernseer* →Antichristspiel und die Lyrik des ARCHIPOETA aus dem Gefolge BARBAROSSAS. Die p. D. des Humanismus und der Reformationszeit verbindet sich mit relig. Tendenzen zu teils konservativer (MURNERS Satiren), teils nationaler Haltung (HUTTENS →Dialoge). Der Barock verherrlicht die Fürstenhäuser durch →Hofdichter und in →Festspielen und schafft polit. Lieder aus den Türkenkriegen, entwickelt aber bes. in England e. breite polit. Versdichtung (DRYDEN, *Absalom and Achitophel,* BUTLER, *Hudibras,* MILTON u. a.). Das Zeitalter des Absolutismus ist – bis auf die →Staatsromane – unpolitisch in dem Sinn, daß das aufstrebende Bürgertum mehr soz. Probleme thematisiert; der 7jährige Krieg ruft e. mehr national-propagandist. Lyrik hervor (E. v. KLEIST, J. W. L. GLEIM, A. L. KARSCHIN). Erneuten Durchbruch der p. D. bringt erst der Sturm und Drang in seinem Kampf gegen Aufklärung, franz. Bevormundung und bes. gegen die Willkürherrschaft des Absolutismus. Das durch ROUSSEAU geweckte

Freiheitsstreben bringt e. neuen, pathet. Ton in die Dichtung, die die unmenschl. sozialen Vorurteile und Zustände der Zeit, bes. die Fürstenwillkür des Absolutismus, anklagt und bessern will: SCHUBART und SCHILLER (*Die Räuber* ›in tyrannos‹, *Kabale und Liebe*), LENZ und WAGNER mit menschheitlich-revolutionären Tendenzen stehen gegen e. mehr patriot. Dichtung im Göttinger Hain (BÜRGER, Brüder STOLBERG). Die Probleme der anfangs freudig begrüßten (→Jakobiner), später meist entsetzt verabscheuten Franz. Revolution finden Niederschlag und dichter. Verklärung im Werk GOETHES in mißtrauischer und allem Umsturz abgeneigter Haltung *(Venezianische Epigramme, Reineke Fuchs, Die natürliche Tochter, Hermann und Dorothea)*. Die Ereignisse um NAPOLEON rufen die p. D. der →Befreiungskriege (KLEIST, KÖRNER, ARNDT) hervor; doch ihre hohen Hoffnungen wurden enttäuscht: während in Italien und Frankreich (BÉRANGER, V. HUGO) der Liberalismus als Nachwirkung revolutionärer Ideen im Vordergrund bleibt und die p. D. hervortritt, siegen in Dtl. Reaktion und Kleinstaaterei, und die wahre nationalliberale Meinung muß angesichts von Zensur und Demagogenverfolgungen Auswege suchen in Burschenschaftsliedern, →Polenlit. und →Philhellenismus, selbst in der Verherrlichung NAPOLEONS als Befreier (F. GAUDY *Kaiserlieder,* HEINE, v. ZEDLITZ). Erst im →Vormärz kommt es zu offener polit. Meinungsäußerung, so bei A. GRÜN, der in *Spaziergängen e. Wiener Poeten* die Metternichherrschaft geißelt, in GRILLPARZERS postumen Gedichten und Epigrammen, HEINES *Dtl., e. Wintermärchen,* in R. PRUTZ' Komödie *Die politische Wochenstube,* LENAUS *Savonarola* und

Albigensern, bes. aber in der polit. Lyrik des →Jungen Dtl. und von HEINE, BÖRNE, HERWEGH *(Gedichte eines Lebendigen),* FREILIGRATH, HOFFMANN VON FALLERSLEBEN, KINKEL, DINGELSTEDT und G. KELLER. Nach der Revolution von 1848 verstummt die p. D. weitgehend im bürgerl. Frieden des 2. Reiches. Nur SPIELHAGENS Roman *Problematische Naturen* verherrlicht noch die Märzrevolution, sonst neigt man wie auch G. FREYTAGS *Journalisten* zu Kompromissen. Der Naturalismus erneuert als rein →soziale Dichtung die Anklagen und Forderungen HEINES, HERWEGHS und FREILIGRATHS. Erst die Auswüchse des Wilhelminismus und die Krise des 1. Weltkrieges geben der p. D., bes. in Lyrik und Drama, e. neuen Aufschwung, doch in radikal entgegengesetzten Richtungen: teils international und pazifistisch im Expressionismus und bes. Aktivismus (v. UNRUH, TOLLER, H. MANN, E. MÜHSAM, L. FRANK, J. R. BECHER, F. WERFEL, B. BRECHT, K. TUCHOLSKY), teils streng national, chauvinistisch, einseitig und dem pathet.-heroischen Kitsch nahe in der p. D. des →Nationalsozialismus, humanist.-eth. ausgerichtet in der polit. →Exillit. Eine neue Form der p. D. entsteht im →sozialistischen Realismus mit dem Prinzip der Parteilichkeit (→Partijnost), und auch er entgeht nicht der Gefahr, die Verführungskraft des Wortes für polit. Ziele und sozialist. Hagiographie auszunutzen und mißliebige Dissidenten auszubürgern. Hauptthemen der polit. Lyrik der Gegenwart sind Aufrufe zu polit. Mündigkeit, zu verantwortlichem Handeln, Proteste gegen Atombombe, Vietnamkrieg, Auswüchse des Wirtschaftswunders, Probleme der Vergangenheitsbewältigung und der deutschen Teilung (BIENEK, BO-

BROWSKI, ENZENSBERGER, GRASS, HUCHEL, KROLOW, SCHNURRE, WEYRAUCH, ZWERENZ, W. BIERMANN, F. J. DEGEGENHARDT, E. FRIED, Y. KARSUNKE, F. C. DELIUS, P. O. CHOTJEWITZ). Die dramat. Formen der p. D. reichen vom →polit. Theater der russ. Revolution und E. PISCATORS über →Agitprop-Stücke und →Living Newspapers bis zum →Lehrstück BRECHTS und zum →Dokumentartheater von HOCHHUTH, GRASS, KIPPHARDT, WEISS, KROETZ u.a. Der polit. Roman greift immer über den abstrakt polit. in den menschl. Bereich über und gestaltet, soweit er nicht →Schlüsselroman, →Staatsroman oder →Utopie ist, das Ausgesetztsein des Menschen gegenüber anonymen oder übermächtigen polit. Kräften (H. BROCH, T. DÉRY, BÖLL, GRASS, U. JOHNSON, J. BREITBACH, *Bericht über Bruno*, u.a.).

Chr. Petzet, D. Blütezeit d. dt. p. Lyrik, 1903; V. Pollak, D. polit. Lyrik u. d. Parteien d. Vormärz, 1911; O. Rommel, D. p. Lyrik d. Vormärz, 1912; RL; B. v. Wiese, P. D. Dtls., 1931; H. Gent, D. mhd. p. Lyrik, 1938; H. Bechtoldt, Lit. u. Politik, 1948; J. L. Blotner, *The political novel*, Garden City 1955; C. V. Wedgwood, *Poetry and politics under the Stuarts*, Lond. 1960; E. Gürster, D. Schriftsteller i. Kreuzfeuer d. Ideologien, 1962; H. M. Enzensberger, Poesie u. Politik (in: Einzelheiten, 1962); R. Nevo, *The dial of virtue*, Princeton 1963; H. Pross, Lit. u. Politik, 1963; W. Jens, Lit. u. Politik, 1963; H. Eisenreich, Lit. u. Politik (in: Reaktionen, 1964); K. H. Kischka, Typologie d. polit. Lyrik d. Vormärz, Diss. Mainz 1964; C. Savage, *Malraux, Sartre and Aragon as pol. novelists*, Florida 1965; A. Schöne, Üb. pol. Lyrik i. 20. Jh., 1965, ³1972; M. E. Speare, *The pol. novel*, N.Y. ²1966; G. Milne, *The American pol. novel*, Norman 1966; K. G. Just, Zw. Verlorenem Paradies u. Utopie (in: Übergänge, 1966); W. Rothe, Schriftsteller u. totalitäre Welt, 1966; C. M. Bowra, *Poetry and politics*, Cambr. 1966; T. Karst, Polit.-soziale Gedichte, DU 19, 1967; J. Blotner, *The mod. American pol. novel*, Austin 1967; H. Bender, Üb. pol. Gedd. (Jahresring 1968/69); E. Ploss, D. Beginn p. D. i. dt. Sprache, ZDP 88,

1969; A. Mädl, P. D. i. Österr. 1830–48, Budapest 1969; A. v. Bormann, Pol. Lyrik i. d. 6oer Jahren (D. dt. Lit. d. Gegenw., hg. M. Durzak 1971); W. Hinderer, V. d. Grenzen mod. pol. Lyrik (Akzente 18, 1971); K. W. Klein, *The partisan voice. Pol. Lyr. in France and Germany 1180–1230*, Haag 1971; I. Girschner-Woldt, Theorie d. mod. pol. Lyrik, 1971; P. Stein, Pol. Bewußtsein u. künstler. Gestaltungswille i. d. pol. Lyrik 1780–1848, 1971; H.-W. Jäger, Pol. Metaphorik i. Jakobinismus u. i. Vormärz, 1971; D. Schiller, Plädoyer f. d. pol. Ged., WB 18, 1972; A. Binder, Kategorien z. Analyse pol. Lyrik, DU 24, 1972; U. Jaeggi, Lit. u. Politik, 1972; W. Hinderer, Sprache u. Methode (Revolte u. Experiment, hg. W. Paulsen 1972); Lechzend nach Tyrannenblut, hg. H. D. Zimmermann 1972; H.-G. Werner, Gesch. d. polit. Ged. i. Dtl., ²1972; H. J. Skorna, Z. didakt. Erschließg. p. D., 1972; Poesie u. Politik, hg. W. Kuttenkeuler 1973; G. Lübbe-Grothues, Z. Situation d. pol. Ged., NR 84, 1973; Theorie d. p. D., hg. P. Stein 1973; U. Müller, Unters. z. pol. Lyr. d. dt. MA., 1974; Polit. Lyrik, hg. B. Lecke 1974; H.-P. Reisner, Lit. unter Zensur, 1975; B. H. Lermen, Mod. pol. Lyrik (Stimmen d. Zeit 194, 1976); E. Röhner, Politik u. Lit., 1976; R. Ehnert, Möglichkeiten pol. Lyrik i. HochMA., 1976; Gesch. d. pol. Lyrik i. Dtl., hg. W. Hinderer 1978; H. Mayer, A. Grosser, D. Rolle d. pol. Schriftstellers, 1978; W. Moßmann u.a., Alte u. neue pol. Lieder, 1978; Schriftsteller u. Politik i. Dtl., hg. W. Link 1979; P. Pütz, Pol. Lyrik d. Aufkl. (Erforschg. d. dt. Aufkl., hg. ders. 1980); E. Fredsted, D. pol. Lyrik d. dt. Faschismus, TeKo 8, 1980; W. Krull, Polit. Prosa d. Expressionism., 1982; U. Otto, D. hist.-pol. Lieder u. Karikaturen d. Vormärz, 1982; F. Jameson, *The pol. unconscious*, Lond. 1983; H. Kaiser, Polit.-hist. Lyrik, NKL, 1984; Pol. Lyrik: TuK 9, ³1984; F. Vaßen, Pol. Lyrik (Lit. i. d. BRD, hg. L. Fischer 1986); R. Boyers, *Atrocity and amnesia*, N.Y. 1986.

Politischer Vers, (griech. *stichos politikos* =) ›gemeinverständlicher‹, da akzentuierender, nicht (wie noch die Gelehrtendichtung) quantitierender Vers der byzantin. und neugriech. Volksdichtung: katalekt. jamb. Tetrameter aus 15 Silben mit Zäsur nach der 8. Silbe:

∪ — ∪ —|∪ — ∪ —||∪ — ∪ —|∪
— ∪ und Hauptakzenten auf der 8. (oder 6.) und 14. Silbe. Evtl.

volkstüml. Herkunft und seit 10. Jh. in byzantin. und neugriech. Dichtung weit verbreitet.

Politisches Theater, Bühnenaufführungen, bei denen Anregung zur polit. Meinungsbildung und polit. Agitation für oder gegen die bestehenden Verhältnisse den Vorrang vor dem Kunstwert haben; zu unterscheiden vom polit. Drama (→politische Dichtung) insofern, als es nur in begrenztem Maße auf dichterisch-lit. Texte (Festspiele, histor. Dramen, Zeit- und Thesenstücke) mit polit. Tendenzen (seit AISCHYLOS' *Die Perser*) zurückgreift, z.T. unpolit. Stücke durch Adaption und Inszenierung politisiert (E. PISCATOR) und allg. die grelleren Formen der Massenansprache bevorzugt, z.T. sogar die Darbietung zur Diskussion und Agitation unterbricht: →Agitprop, →Living Newspapers, →Dokumentartheater, →Lehrstück, →Kinderund →Straßentheater.

G. Rabkin, *Drama and commitment,* Bloomington 1964; W. Knellessen, Agitation auf der Bühne, 1970; S. Melchinger, Gesch. d. p. T., II 1971, ²1974; S. Onderderlinden, Formen mod. pol. Dramas (*Duitse Kroniek* 24, 1972); M. Castri, *Per un teatro pol.,* Mail. 1973; H. J. Schrimpf, D. Schaubühne als moral. Anstalt (Fs. B. v. Wiese, 1973; F. Trommler, D. pol.-revolut. Theater (Dt. Lit. d. Weimarer Rep., hg. W. Rothe 1974); M. Goldstein, *The pol. stage,* N.Y. 1974; W. Ismayr, P. T. i. Westdtl., 1977, ²1985; K. Gleber, Theater u. Öffentlichkeit, 1979; Dt. Theatertheorien, hg. R. Grimm II, ³1981; J. Willett, E. Piscator, 1982.

Polyglotte (griech. *polyglottos* = vielzüngig), urspr. vergleichendes Wörterbuch mehrerer Sprachen, dann zwei- oder mehrsprachige Inschriften oder Werkausgaben (Urtext und nebenstehende Übersetzung), bes. große Bibelausgaben des 16./17. Jh. in hebr., griech., lat. u.a. Textfassung oft mit Glossar, Grammatik und Anmerkungen. Wichtig-

ste: 1. Komplutensische P., VI 1520, 2. Antwerpener P., *Biblia Regia,* VIII 1569–72, 3. Pariser P., X 1629–45, 4. Londoner P., VI 1657 und 2 Supplementbde. 1669.

Polyhymnia oder **Polymnia** (griech. = Hymnenreiche), in griech. Mythologie die →Muse des ernsten, instrumental begleiteten Kultgesanges (auch der damit verbundenen Mimik und Tanzkunst); Erfinderin der Lyra, stets in e. Mantel gehüllt und auf e. Felsen gestützt nachsinnend dargestellt.

Polymeter (v. griech. *polys* = viel, *metron* = Maß), Bz. JEAN PAULS für rhythmisierende Prosa ohne eigentl. metr. Versgliederung. Vgl. auch P. ERNSTS *P.,* 1898.

P. H. Neumann, Streckvers u. poet. Enklave (Jb. d. Jean Paul-Ges. 2, 1961).

Polymetrie (griech. *polys* = viel, *metron* = Maß), Verwendung vieler versch. Versmaße (→Metra) in e. Gedicht, e. Strophe, so in vielen antiken und ma. Strophenformen.

Polyptoton (griech. *polys* = viel, *ptosis* = Fall), →rhetorische Figur: Wiederholung desselben Wortes innerhalb desselben Satzes (derselben Periode) in versch. Flexionsformen, gewöhnlich e. Substantivs in versch. Kasus als Wortspiel, oft in der Figur der Anapher, Epiphora, Symploke, Epanalepse, Anadiplose und Kyklos, z.B. ›Homo homini lupus‹ (= der Mensch ist dem Menschen ein Wolf, PLAUTUS), Auge um Auge; oft superlativisch: das Beste vom Besten, König der Könige.

B. Gygli-Wyss, D. nominale P. i. ält. Griech., 1966.

Polyptychon →Diptychon

Polyschematismus (griech. =) Freiheit in der Verwendung verwandter Versarten (z.B. 1. und 2.

Glykoneus oder Pherekrateus u.ä.)
in stich. oder antistroph. Responsion, bes. in der griech. Lyrik bei
ANAKREON, den Komikern und der
späteren Tragödie.

Polysyndeton (griech. *polys* = viel,
syndetos = zusammengebunden),
→rhetorische Figur im Ggs. zum
→Asyndeton: e. durch ständige, ungewöhnlich häufige Wiederholung
derselben Konjunktion verbundene,
koordinierte Wort- oder Satzreihe,
z.B. ›Und es wallet und siedet und
brauset und zischt‹ (SCHILLER),
›und wiegen und tanzen und singen
dich ein‹ (GOETHE). Das P. dient
dem Eindruck der Häufung und
Verstärkung, oft durch Hemmung
des Redefortschritts und Festhalten
e. Anschauung, der anschaul. Darstellung der Menge der versch. Gegenstände und Vorgänge, dem stärkeren Stimmungsgehalt der Aufzählung, der Würde und dem Gewicht
(Pathos) der Rede.

Pons (lat. = Brücke) →Eselsbrücke

Pop-Art (v. engl. *popular* = beliebt,
knallig, *art* = Kunst), Kunstströ-
mung der späten 50er Jahre in Amerika, der 60er Jahre in Europa, als
Protest gegen den Ästhetizismus
und das Elitär-Esoterische in der
Kunstanschauung des Establishments, unter Einfluß des Dadaismus
und der Beatniks, strebt nach e. populären Anti-Kunst oder Ge-
brauchskunst, die den Warencha-
rakter der Kunst betont und den
Gefühlsappell des Kitsch weniger
parodiert als fetischisiert. Wie die
Pop-Kunst beruht die parallellau-
fende Pop-Lit. auf dem Prinzip der
Demonstration oder Montage von
Vorgefundenem und präfabrizierten
Fertigteilen, indem sie banale Objekte des Massenkonsums durch
Isolierung oder Reihung verfremdet
und kombiniert: Comics, Triviallit.,

Krimi, Western, Science fiction,
Schlager, Reklame, Filmsequenzen
und vulgäre Mode-Redensarten.
Gegen den kommerzialisierten P.
der Unterhaltungsmagazine wendet
sich wieder e. radikal provozierende
Gegenströmung von bes. Primitivi-
tät, Obszönität u. Exzentrik.
Hauptvertreter in Amerika R.
LICHTENSTEIN, A. WARHOL, in der
Lit. Tom WOLFE, in Dtl. R. D.
BRINKMANN, P. O. CHOTJEWITZ,
H. FICHTE, B. BROCK, G. HERBUR-
GER, F. KRIWET, W. BAUER, in der
Sprachreflexion verfeinert bei P.
HANDKE, E. JANDL und W. WON-
DRATSCHEK.

L. R. Lippard, P., 1968; J. Weber, P.,
1970; J. Hermand, P. (Basis 1, 1970);
ders., Wirklichkeit als Kunst (Basis 2,
1971); ders., Pop international, 1971; H.
Hartung, P. als postmod. Lit., NR 82,
1971.

Pop-Literatur →Pop-Art

Poporanismus, lit. Bewegung in
Rumänien zu Anfang des 20. Jh.,
begründet von C. STERE und bestimmt von der Sympathie zu den
unteren Schichten bes. der Bauern,
daher auch über die Lit. hinaus nationale und politisch-soziale Tendenzen umfassend.

Populärliteratur (engl. *popular* =
beliebt) →Bestseller, →Massenlite-
ratur, →Trivialliteratur, →Unter-
haltungsliteratur

Popularphilosophen, e. Gruppe
von Schriftstellern des 18. Jh., wel-
che die Hauptlehren der Aufklärung
(LEIBNIZ, WOLFF) in verflachter
Form und mit dem prakt. Zweck
der Erziehung, Kunstübung und
Anleitung zu bescheidener Glücks-
eligkeit breiten Kreisen zugänglich
machen will. Hauptvertreter bes. F.
NICOLAI, M. MENDELSSOHN, ferner
J. J. ENGEL, Th. ABBT, Chr. GARVE,
K. F. POCKELS, J. G. SULZER. P.phi-

losophie allg. heißt jede philos. Darstellung, deren wiss. Wert unter
dem bewußten Streben nach Allgemeinverständlichkeit und Volkstümlichkeit leidet.

Populismus (franz. *populisme*),
1929 von L. LEMONNIER und A.
THÉRIVE begründete Strömung der
franz. Lit., die, angeregt von den
russ. Populisten (→Narodniki), der
meist in höheren sozialen Schichten
angesiedelten, angebl. realitätsfer-
nen Romanlit. der Zeit mit ihrem
Intellektualismus und Psychologismus bewußt Werke aus dem Leben
und Fühlen des einfachen Volkes
und für dieses Volk entgegenstellen
wollte und damit eine neue Wirklichkeitsnähe und Volkstümlichkeit
ohne Idealisierung oder Polemik erreichte. Weitere Vertreter waren A.
COULLET-TESSIER (1931 Stifterin eines Prix du Roman Populiste), E.
DABIT, M. van der MEERSCH, T.
MONNIER, T. RÉMY, H. TROYAT, J.
PRÉVOST u.a., nahestehend M.
ACHARD, M. PAGNOL.

L. Lemonnier, *Manifeste du roman populiste*, Paris 1929; ders., *P.*, Paris 1931; M.
Ragon, *Les écrivains du peuple*, Paris
1947; *Populism*, hg. G. Ionescu, Lond.
1969.

Populisten →Narodniki

Poputčiki (russ. =) Mitläufer, Sammelbz. für die sowjet. Schriftsteller
nicht proletar. Herkunft, die trotz
Sympathien zur Revolution und
trotz loyaler Haltung zum Regime
wie zur polit. Wirklichkeit nicht
Mitglieder der KPSU waren, so u.a.
BELYI, ESENIN, PILNJAK, V. IVA-
NOV, LEONOV, KATAEV, ZOŠČENKO
u.a.; sie wurden 1932 den kommunist. Schriftstellern gleichgestellt.

Pornographie (v. griech. *pornos* =
Hurer, *graphein* = schreiben), Form
der →Schundlit., unzüchtige Steigerung der →erotischen Lit. mit ästhe-

tisch, kompositorisch, stilistisch
und lit. wertlosen, unmißverständl.
Darstellungen geschlechtl. Vorgänge (Geschlechtsverkehr, Sexual-
praktiken, Perversionen), entstan
den zu dem ausschließl. Zweck sexueller Stimulierung und daher stets
unoriginell, monoton in Wiederholung und Steigerung und das schick-
liche Maß des noch vertretbaren
Geschmacks mit betontem Reiz
zum →Obszönen hin übersteigend.
P. wird fast überall außer in Dänemark gesetzlich verfolgt, in der BR.
seit 1975 neben Verkaufsbeschränkungen nur sog. ›harte P.‹ Die der
Rechtsprechung zugrunde liegende
Vorstellung, daß das Scham- und
Sittlichkeitsgefühl des (abstrakt-fik-
tiven) Durchschnittslesers vor der
Verletzung durch P. zu schützen sei,
entstammt dem prüden und restrik-
tiven 19. Jh. und geht von der unbe-
wiesenen Voraussetzung aus, P. erreichte gerade die schamhaften Leser und nicht nur diejenigen, die
sich dadurch e. zusätzlichen Lustge-
winn versprechen, den das Gesetz
gleichwohl trotz nachweisbarer Un-
schädlichkeit für die Gesellschaft
für sittenwidrig und strafwürdig erklärt. Die Problematik der P.-Geset-
ze liegt darin, daß 1. die angeblich
schädliche Wirkung der P. auf Psyche und Moral des Lesers bisher
ungenügend untersucht ist, ja im
Gegenteil manche P. als nützliches
Ventil betrachten, daß 2. zumindest
ein Teil der Wirkung auf eben der
Tabuisierung und dem gesetzl. Verbot beruht, und daß 3. die durch
zunehmende Sexualisierung des Lebens und der Lit. ständig ansteigen-
de Reizschwelle zum Unzumutba-
ren je nach Interesse, Bildung und
Stand unterschiedlich ist und keine
Durchschnittsmaßstäbe   erträgt.
Echte P. mit primitiver, umständl.
Beschreibung von Details aus dem
Geschlechtsleben evtl. noch in der-

bem Vokabular steht außerhalb der
Lit. und hat nur die soziale Funktion, an Tabus zu rütteln und durch
Unruhestiftung zu deren Überprüfung anzuregen. Sie kann nur bei
Verlust aller ästhet. Instinkte mit
echter Lit. in Zusammenhang gebracht werden, die stets ernstere
und ästhet. Zielsetzungen verfolgt.
Auch die Lit. kann sehr wohl in
kompositorisch vertretbarem Maß
und aus dem ehrl. Streben nach Erfassung des ganzen Menschen zu e.
erot. Realismus in der Darstellung
des Sexuellen gelangen, aber sie
wird die Darstellung der Sexualsphäre stets nur als Mittel zum Aufzeigen menschl. Befindlichkeit,
nicht aber als Selbstzweck oder in
nur triebsteigernder Absicht benutzen. Die problemat. Fälle der P.-
Rechtsprechung haben bisher nie
auf mangelnder jurist. Schulung der
Literaten, sondern auf mangelnder
lit. Schulung der Juristen beruht.

C. H. Rolph, *Does pornography matter?*,
Lond. 1961; E. u. P. Kronhausen, P. u.
Gesetz, 1963; M. Hyde, Gesch. d. P.,
1965; S. Marcus, *The other Victorians*,
N.Y. 1966; G. Freeman, *The under-
growth of lit.*, Lond. 1967; P. Faergeman,
Perversität, P. u. Entrüstg., 1967; P. Gorsen, D. Prinzip Obszön, 1968; L. Stre-
blow, Erotik, Sex, P., 1968; W. Emrich,
Kunst u. P. (in: Polemik, 1968); M. Peck-
ham, *Art and p.*, N.Y. 1969; H. Wolffheim, Sexualität unter Vormundschaft,
1970; E. Mertner, H. Mainusch, Pornotopia, 1970; P. Michelson, *The aesthetics
of p.*, N.Y. 1971; A.-A. Guha, Sexualität
u. P., 1971; G. Zwerenz, Bürgertum u. P.,
1971; P. Gorsen, Sexualästhetik, 1972,
²1977; H. Mayer, Obszönität u. P. i. Film
u. Theater (Akzente 21, 1974); Wollüstige Phantasie, hg. H. A. Glaser 1974;
ders., P. (Lit. für viele 1, 1975); P. Naumann, Keyhole u. candle, 1976; M. Jurgensen, Beschwörg. u. Erlösg., 1985; *Perspectives on p.*, hg. G. Day, Lond. 1988.
→Obszönität.

Porsonsches Gesetz (Lex Porson)
→Trimeter

Porträt (franz. *portrait* = Bildnis),
Charakterschilderung einer histor.
Persönlichkeit in lit. Form, z.B. bei

SAINTE-BEUVE, S. ZWEIG, E. R.
CURTIUS u.a.

F. M. Kircheisen, D. Gesch. d. lit. P. i.
Dtl. bis 12. Jh., 1904; A. Franz, D. lit. P.
i. Frankr. i. Zeitalter Richelieus u. Maza-
rins, Diss. Lpz. 1906; W. Muschg, D.
Dichter-P. i. d. Lit.gesch. (Philos. d. Lit.
wiss., hg. E. Ermatinger, 1930); P. Gan-
ter, D. lit. P. i. Frankr. i. 17. Jh. (Roman.
Stud. 50, 1938); I. Bruns, D. lit. P. d.
Griechen i. 5. u. 4. Jh. v.Chr., ²1961; E.
Meier, *The lit. p.* (Neophil. 60, 1976).

Positionslänge (lat. *positione* als
Übersetzung von griech. *thesei* =
durch Festsetzung, Übereinkunft):
in quantitierender Dichtung gilt e.
von Natur aus kurzer Vokal für das
Metrum als Länge (ohne deshalb
lang gesprochen zu werden), wenn
ihm zwei oder mehrere Konsonanten bzw. ein Doppelkonsonant folgen. Folgende Muta und Liquida (b,
d, g + l oder r) ergibt schwache
Position (positio debilis), d.h. die
Silbe ist →anceps und kann je nach
Bedarf lang oder kurz gerechnet
werden; gehören die beiden Konsonanten versch. Silben an, so tritt
stets P. ein. Man unterscheidet In-
laut-P. innerhalb e. Wortes und
Wortfügungs-P., wenn einer auf e.
Konsonanten ausgehenden Endsilbe
e. konsonantisch anlautendes Wort
folgt.

Lit. →Quantität.

Positiver Held, im Sinne des →so-
zialist. Realismus anstelle der ›zer-
setzenden‹ und zergliedernden Ro-
man- und Dramenfiguren der westl.
Lit. e. im positiven Sinne für die
Interessen des Sozialismus handelnder, statt der Selbstzergliederung
dem sozialist. Aufbauwerk sich
widmender, also unkomplizierter
und problemloser Held, als Verkörperung kommunist.-revolutionärer
Heldentums stets ›typisch‹, d.h.
übertrieben idealisiert als klassenbe-
wußter, parteitreuer, vorbildl. Charakter dargestellt im Ggs. zu den
z.T. karikierend gezeichneten nicht-

kommunist. Gegenspielern. Jüngere sozialist. Kritik stellt die unbedingte Makellosigkeit des p. H. in Frage und erlaubte z.T. den mittleren, d.h. werdenden Helden. Vgl. →negativer Held.

R. W. Mathewson, *The p. hero in Russ. lit.,* N.Y. 1958; E. Braemer, Problem ›P. H.‹, NDL 9, 1961; W. Dreher, D. p. H. histor. betrachtet, NDL 10, 1962; H. Plavius, D. p. H. (Dt. Zs. f. Philos. 9, 1963).

Positivismus (v. lat. *positivus* = gegeben), vorherrschende Strömung der →Literaturwissenschaft und →Literaturgeschichtsschreibung in der 2. Hälfte des 19. Jh. Aufbauend auf dem philos. P. A. COMTES, dem Darwinismus, der neuen exakten Naturwissenschaft und bes. angeregt durch H. TAINES *Histoire de la littérature anglaise* (1864) und dessen Ableitung der Geschehnisse aus ›race‹, ›milieu‹ und ›moment historique‹, wollte er der lit. Forschung eine feste (natur)wiss. Methode als Grundlage geben. Der P. orientierte sich, jeder Spekulation und Metaphysik abhold, an positiven Fakten und bewiesenen Tatsachen, erklärte die Lit.gesch. aus gesetzmäßigem Wechsel der Generationen, männl. und weibl. Epochen, Blüte- und Verfallszeiten und untersuchte sie nach histor.-genet. Methode nach Ererbtem, Erlerntem und Erlebtem (W. SCHERER). Streben nach objektiver Wissenschaftlichkeit, empir. Fakten und histor. Kausalitäten führte ihn zum Sammeln, Beschreiben und Klassifizieren großer Stoffmassen, zur Suche nach Einflüssen, Vorbildern und Parallelen, bes. in Stoff- und Motivgeschichten, zu exakten, faktenreichen Dichterbiographien (F. MUNCKER, E. SCHMIDT, R. HAYM, J. MINOR), großangelegten hist.-krit. Ausgaben (HERDER, GOETHE, SCHILLER, KLEIST) und Editionsreihen (KÜRSCHNER) oder zu naturwiss. Gesetzmäßigkeiten in

der Lit. (R. HEINZEL, E. ELSTER). In Frankreich vertrat G. LANSON, in Italien F. de SANCTIS den P. Nach Ablösung des P. durch die Methoden der →Geistesgeschichte und der werkimmanenten →Interpretation zeigt die Lit.wiss. in neuer Betonung des Faktischen nach 1950 z.T. neopositivist. Züge.

Positivismus, polnischer, Bz. für den nach dem Zusammenbruch des poln. Aufstandes von 1863 und der Abkehr vom →Messianismus einsetzenden →Realismus in der poln. Lit. mit dem Hauptvertreter H. SIENKIEWICZ.

Posse (franz. *ouvrage à bosse* = erhabene Arbeit, frühnhd. = Zierat, Scherzfigur, anspruchslose, volkstüml. Komödienform, die durch vordergründige, primitiv-derbe und in der Übertreibung die Grenzen des Wahrscheinlichen überschreitende niedere Komik nicht nur Lächeln, sondern Lachen erregen will, meist mit gutmütig-harmlosem Mutterwitz und gesund-natürl. Urteil auch im Übergang zur satirisch-iron. Haltung in der Ständesatire bis zur Verspottung des Welttreibens (TIECK, *Verkehrte Welt,* KRASINSKI, *Ungöttliche Komödie*). Den Mittelpunkt bildet die kom. Person in allen ihren geschichtl. Ausformungen als Träger des Humors oder Verkörperung der zu verspottenden Narrheit, die nicht selten durch e. andere Narrheit geschlagen wird (im Ggs. zur Überwindung der Narrheit durch die Klugheit im →Schwank). Allen Abarten der P., der →Zauberposse (entscheidende Wendung durch Feen, Geister und Dämonen), dem traditionellen, meist mundartl. →Lokalstück, dem Volksstück, der Situations- und Charakterposse gemeinsam sind die Vorherrschaft des Stofflichen in der einfachen Handlung und die Betonung der Improvisationskunst, dergegenüber das künstlerisch gesprochene und gestaltete Wort zurücktritt. Schon die antike Komödie zeigt possenhafte Elemente, doch die Vorläufer reichen von →Phlyaken-P., →Atellane, →Mimus über die ma. →Fastnachtsspiele, die →Commedia dell' arte, die holländ. →Kluchten im Barock und das Singspiel der Englischen Komödianten, bis bei Magister VELTEN die Bz. P. zuerst als lit. Gattungsbz. auftritt (*P. von Münch und Pickelhäring,* Dresden 1679). Als GOTTSCHEDS Verbannung des Hanswurst 1737 die Entwicklung unterbrach, suchte man in Dtl. Ersatz durch Übersetzung franz. P.n bis ins 19. Jh. (LAUBE), die nach e. bis Mitte des 19. Jh. in Frankreich und Dtl. herrschenden Brauch als Einakter jeden Theaterabend abschlossen. Klassik und Romantik neigen zur →Farce. Auch einige bürgerl. Lustspiele von KOTZEBUE und RAUPACH griffen die Bz. P. auf. In Tirol und Bayern entstand e. Bauern-P., reichste Blüte und vollste, echt volkstüml. Entwicklung aber fand die P. in Wien bei STRANITZKY, KURZ-BERNARDON, LAROCHE, HASENHUT, STEGMAYER, BÄUERLE, GLEICH, bes. RAIMUNDS →Zauberpossen und NESTROYS parodist. und satir. P.n (*Judith, Einen Jux will er sich machen, Lumpazivagabundus*) als abendfüllenden Stücken, die die P. aus dem Vorstadttheater lit. machen. Nach den drast. Bühnenschwänken von SCHÖNTHAN, BLUMENTHAL, KADELBURG, ARNOLD und BACH, franz. T. BERNARD, engl. B. THOMAS (*Charleys Tante,* 1892) greifen BRECHT (*Kleinbürgerhochzeit*) und MUSIL (*Vinzenz*) die Bz. auf. →Volksstück, →Lokalstück.

K. Holl, Gesch. d. dt. Lustspiels, 1923; RL; L. Breitholtz, D. dor. P. i. griech. Mutterland vor d. 5. Jh., Göteborg 1960; Wesen u. Formen des Kom. i. Drama, hg. R. Grimm 1975; V. Klotz, Bürgerl. Lachtheater, 1980, ²1984.

Postfiguration (lat. *post* = nach, *figurativ* = Darstellung), im Ggs. zur →Präfiguration die bewußte Annäherung und Stilisierung e. Handlung oder Figur an myth. oder bibl. Vorbilder.

Posthum →postum

Postille, urspr. volkstüml. Erklärung von Bibelstellen, deren Wortlaut abschnittweise vorangestellt war, und an die sich e. für Hausandachten (Haus-P.) oder kirchl. Gottesdienst (Kirchen-P.) bestimmte Predigt, Auslegung oder Meditation anschloß, daher ›post illa (verba textus)‹ = nach jenen Worten des Textes; allg. Predigtslg. (LUTHER, 1522), ironisch verwandt in BRECHTS *Haus-P.* (1927).

Postinkunabel, niederl. Bz. für →Frühdrucke der Jahre 1501–1540 nach den →Inkunabeln.

Postmoderne, Postmodernismus, begrifflich unscharfes mod. Schlagwort der Kulturkritik von fragl. Erkenntniswert (›Passepartoutbegriff‹, U. ECO) für Tendenzen der 2. Hälfte des 20. Jh., die sich als Umbrüche vom konventionellen esoter. Modernismus und den historisch gewordenen Avantgardismen der 1. Jahrhunderthälfte absetzen und im Zeichen der internationalen Konsumgesellschaft eine Öffnung zu einer widersprüchl. Vielzahl von neuen, spielerischen, offenen, den Rezipienten einbeziehenden Kunstformen ohne Deutbarkeit proklamieren, die z. T. zu e. Konsumkunst und Gegenkultur aus Kitsch, Klischee, Zitat, Collage, Pastiche und Travestie führen. Gegensätzl. Definitionen unterschiedlichster Art aus versch. Lagern lassen die Verwendung der Bz. bis zu e. evtl. Klärung kaum angeraten erscheinen.

I. Hassan, *The dismemberment of Orpheus*, Madison 1971, ²1982; D. W. Fokkema, *Lit. hist., modernism, and p.*, Amst. 1984; A. Huyssen, *After the great divide*, Bloomington 1986; P., hg. A. Huyssen 1986; *Approaching p.*, hg. D. Fokkema, Amst. 1986; *Postmodern fiction*, hg. L. McCaffery, N.Y. 1986; *Exploring p.*, hg. M. Calinesu, Amst. 1987; P., hg. C. Bürger 1987; I. Hassan, *The postmodern turn*, Columbus 1987; C. Jencks, D. P., 1987; W. Welsch, *Unsere p. Moderne*, 1987; E. Pacholek-Brandt, *Imagination (un)limited*, 1988; *Postmodern fiction internat.*, hg. T. D'haen, Amst. 1988; P. Koslowski, D. postmoderne Kultur, 1988; *P. and its discontents*, hg. E. A. Kaplan, Lond. 1988; L. Hutcheon, *A poetics of p.*, Lond. 1988; Technolog. Ztalter od. P.? hg. W. C. Zimmerli 1988.

Postreuter, jährlich erscheinende Periodika des 16./17. Jh., die polit. Begebenheiten und Lokalneuigkeiten in versifizierter Form, später auch in einfacher Erzählung oder Dialog mitteilen, schließlich oft tendenziöse Flugschriften, Vorläufer der Zeitung.

Postskript →Nachschrift

Postszenium, im Ggs. zum →Proszenium im Theater der Raum hinter der Bühne (Szene) mit den Umkleideräumen der Schauspieler.

Postum (lat. *postumus* = nachgeboren), nach dem Tode des Verfassers veröffentlicht, aus dem Nachlaß herausgegeben. Die p. Ausgabe e. Werkes oder Gesamtwerks kann gegenüber der →Ausgabe letzter Hand nach letzten Entwürfen verbessert oder verändert sein.

Poulter's measure (engl. = Geflügelhändler-Maß), Versmaß aus regelmäßigem oder unregelmäßigem Wechsel von Alexandrinern und jamb. Siebenhebern im Paarreim, ab 12. Jh. in engl. volkstüml. Reimchroniken, Mirakeln und Moralitä-

ten verwandt, im 16. Jh. bei SURREY, SIDNEY, WYATT, BROOKE, später bei SWIFT, COWPER, CAMPBELL und mit kom. Effekt bei THACKERAY.

Povâdâs, histor. Balladen der ind. Marâthî-Lit. des 17.–19. Jh., gereimte Lieder in unregelmäßigen Rhythmen mit zahlr. Wiederholungen, die von umherziehenden Berufssängern vorgetragen werden und meist nur mündlich überliefert sind.

H. A. Acworth u. S. F. Shaligram, *Marathi Ballads*, Bombay 1891; H. A. Acworth, *Ballads of the Marathas*, Lond. 1894.

Povest' (zu russ. *povedat'* = erzählen), in russ. Lit. e. nicht genauer zu präzisierende, vielen Arten offene Prosaerzählung mittlerer Länge zwischen →Erzählung, Novelle und Roman.

Präambel (lat. *prae* = vor, *ambulare* = gehen), →Einleitung, feierl. Einleitungsformel eines Schriftwerks (besonders bei Urkunden, Verträgen, Gesetzen) als mit dem Inhalt mehr oder weniger lose verknüpftes, ihn charakterisierendes oder die Ziele und Vorgeschichte darstellendes →Vorwort; in antiken Lit.werken bes. gepflegt (→Proömien bei XENOPHON, PLATON, CICERO, TACITUS, PLINIUS, PLUTARCH).

Praeceptor Germaniae (lat. = Lehrer Dtls.), Ehrentitel für HRABANUS MAURUS, Ph. MELANCHTHON und Ch. F. GELLERT.

Prädikation (v. lat. *praedicare* = rühmen), in Gebeten und bes. deren poet. Formung die partizipial oder relativisch angeschlossene Nennung der Eigenschaften des Angerufenen zur Begründung und Bekräftigung der Anrufung.

E. Norden, Agnostos Theos, ²1929.

Präfatio (lat. =) →Vorwort

Präfiguration (lat. *praefiguratio* = Vor-Darstellung), nach ma. typolog. Denken die Vorankündigung des christl. Heilsgeschehens durch Figuren und Ereignisse des *AT*. (Adam – Christus, Eva – Maria, Synagoge – Ecclesia), vielfach in ma. christl. Kunst (→Armenbibel, Spiegel); im ma. geistl. Drama e. andeutende, oft als lebendes Bild aufgeführte Szene aus dem *AT.*, die auf e. Ereignis des *NT.* vorausweist. Auch allg. in der Lit. die unausgesprochene →Vorausdeutung späteren Geschehens durch Symbole, Szenen, Gespräche u. ä.

T. Weber, D. P. i. geistl. Dr. Dtl., Diss. Marbg. 1919; C. W. Friedman, *P. in Meistersang*, Wash. 1943; E. Auerbach, Typolog. Motive i. d. ma. Lit., 1953.

Prägnanz (v. lat. *praegnans* = schwanger), gehaltvolle Kürze, Dichte und treffsichere Gedrängtheit des Ausdrucks.

Präliminarien (v. lat. *prae* = vor, *limen* = Schwelle), Einleitung, →Vorwort.

Präludium (lat. = Vorspiel), Einleitung zu e. größeren Werk oder Zyklus (BLAKE, WORDSWORTH, LAMARTINE), →Vorwort.

Präraffaeliten, ›Pre-Raphaelite Brotherhood‹, 1848 von D. G. ROSSETTI gegr. engl. Vereinigung von Malern (W. H. HUNT, J. MILLAIS, E. BURNE-JONES, J. F. LEWIS, J. BRETT) und Dichtern, denen die schlichte Beseeltheit, Gehaltsvertiefung und innere Ausdruckskraft der ital. Kunst der Frührenaissance vor RAFFAEL, zumal die Madonnenbildnisse BOTTICELLIS, als mustergültig galten und die in der Dichtung in Fortsetzung der Frühromantik (KEATS) nach sorgsam gewählter Sprache, Vermeidung des Abgegrif-

fenen, moral. Engagement und Symbolgehalt, bes. im Gemäldegedicht, streben: D. G. und Chr. ROSSETTI, W. B. SCOTT, C. PATMORE, A. DOBSON, Th. WOOLNER, W. MORRIS, nahestehend: J. THOMSON, J. RUSKIN, G. MACDONALD, W. ALLINGHAM und A. SWINBURNE. Von e. neuen Symbiose von Kunst und Lit. erhoffte man e. Erneuerung handwerkl. Künste. Sprachrohr der P. war die 1850 gegr. *Zs. The Germ.* Die stark archaisch-ma. bestimmte, lineare und dekorative Bildkunst der P. fand Nachwirkung im →Jugendstil, die Geisteshaltung berührt sich mit →L'art pour l'art und →Ästhetizismus.

W. Fred, P., 1900; W. H. Hunt, *P.ism*, Lond. II 1905; M. Vinciguerra, *Il preraffaellismo inglese*, Bologna ²1925; M. Jaris, D. P., 1927; F. Bickley, *The P. comedy*, Lond. 1932; W. Gaunt, *The P.tragedy*, 1942; D. S. R. Welland, *The P. in lit. and art*, 1953; W. E. Fredeman, *Pre-Raphaelitism*, Cambr./Mass. 1964; G. H. Fleming, *Rossetti and the P. Brotherhood*, Lond. 1966; J. D. Hunt, *The P. imagination*, Lond. 1968; T. Hilton, *The P.*, Lond. 1970; L. Hönnighausen, P. u. Fin de siècle, 1971; L. Stevenson, *The p. poets*, Chapel Hill 1972; R. Barilli, D. P., 1974; G. Metken, D. P., 1974; *Pre-Raphaelitism*, hg. J. Sambrook, Chic. 1976.

Präromantik →Préromantisme

Praesens historicum (lat. =) historisches Präsens, benutzt die grammatische Gegenwartsform zwecks größerer Lebhaftigkeit zur Schilderung vergangener Ereignisse bes. in packenden Szenen.

Präsenz→bibliothek (v. lat. *praesens* = gegenwärtig), →Bibliothek, deren Bücher nur im Bibliotheksraum (Lesesaal) benutzbar sind und nicht außer Haus ausgeliehen werden, so die meisten Institutsbibliotheken und zahlr. öffentl. Bibliotheken im Ausland.

Präterition (lat. *praeteritio* = Vorbeigehen) →Paralipse

Pratexta oder →Fabula p. (nach der Toga p., dem röm. Amtskleid), im Ggs. zur →Palliata in röm. Lit. e. Tragödie mit nationalen Stoffen aus der röm. Sage und Geschichte und in röm. Kostüm, doch formal in Verteilung von Gesang und Sprechvers der archaischen Tragödie gleich, Darstellung von röm. Würde und Empfindensweise, nur z. T. unter Verwendung griech. Motive; wohl von NAEVIUS zuerst eingeführt, von ENNIUS, PACUVIUS, ACCIUS, POMPONIUS SECUNDUS, CURTIATUS MATERNUS u. a. weiterentwickelt; einzige erhaltene ist die mit dem Werk SENECAS überlieferte P. *Octavia* um das trag. Schicksal der Gattin Neros. Trotz der sich darbietenden reichen Stoffülle aus röm. Geschichte kam die P. gegenüber den Übersetzungen griech. Tragödien zu keiner Blüte, sondern blieb auf einzelne Versuche beschränkt u. diente bes. zur Ausschmückung der Triumphalfeierlichkeiten.

A. Schöne, D. hist. Nationaldrama d. Römer, 1893; Boissier, *Les fabulae p.* (*Revue de philol.* 17, 1893). →Tragödie.

Prager Kreis, locker zusammenhängende, nicht schulbildende Gruppe der deutschböhm. Schriftsteller (Kritiker, Verleger) im Prag der Jahre um 1910–1938, bestehend aus dem engeren Freundeskreis von F. KAFKA, M. BROD, F. WELTSCH, O. BAUM und L. WINDER und dem ›weiteren P. K.‹ um F. WERFEL, W. HAAS, J. URZIDIL u. a., denen bei aller Vielfalt die individuellen Ausprägung ein sozial, human oder religiös getönter Realismus gemeinsam ist.

M. Brod, D. P. K., 1966, ²1979; Weltfreunde, hg. E. Goldstücker 1967; M. Pazi, 5 Autoren d. P. K., 1978.

Pragmatische Gattungen (v. griech. *pragma* = Handlung), die e. →Handlung gestaltenden →Gattungen Epik und Dramatik im Ggs.

zur nicht primär handlungsbezogenen Lyrik oder zum betrachtenden Essay.

Prahasanas (ind. = Gelächter), volkstüml. ind. Possenspiele, z. B. Satiren auf das Alltagsleben oder die Unsittlichkeit und Scheinheiligkeit der Asketen (*Die Streiche des Berauschten,* 7. Jh.); nur selten aufgezeichnet und erhalten.

Prakarana, im Ggs. zum →Nâtaka das bürgerl. Schauspiel der klass. ind. Lit. mit frei erfundenen Stoffen aus dem Leben meist der höheren Stände.

Praktik (mlat. *practica* = Ausübung, v. griech. *praktikos* = tätig), Bz. für die seit Ende d. 15. Jh. aufkommenden Anhänge zu →Kalendern mit Wetterregeln (→Monatsreime), Heilvorschriften (Unglücks- und Aderlaßtage), astrolog. u. a. Prophezeiungen u. ä., später auch selbständige und bis Ende 17. Jh. verbreitetste Lit.gattung für untere Volksschichten (Bauern-P., seit 1508). Obwohl auch PARACELSUS, KEPLER u. a. sich an der Abfassung von P.en beteiligten, meist von Nichtskönnern verfaßt und daher früh Zielscheibe zahlr. Satiren und Parodien sowie ständiger Angriffe bei ERASMUS, LUTHER, BRANT, MURNER, GENGENBACH, MOSCHEROSCH, BEBEL, RABELAIS und bes. geistreich in FISCHARTS *Aller P. Großmutter* 1572.

P.en d. 15. u. 16. Jh., hg. P. H. Pascher 1980.

Prashastis, 1. panegyr. Hofgedichte der klass. ind. Lit., meist kurze Gedichte von Hofpoeten in überladener Sprache, z. T. inschriftlich aufgezeichnet. – 2. ind. Lobgedicht am Schluß lit. Werke als Dank an den Mäzen.

Prata →Leimon-Literatur

Précieuses →Preziösität

Predigt (v. lat. *praedicare* = ver-
kündigen), mündl. Verkündigung
relig. Inhalts, insbes. der christl.
Heilsbotschaft; erste Formen schon
im A.T. (Reden der Propheten), in
Evangelien (Berg-P. u. a.), Apostel-
gesch. und -briefen aufgezeichnet;
als P.lit (Aufzeichnung gehaltener
P.n) seit 2. Jh. n. Chr. Die Entwicklung der P. schließt sich seit dem 4.
Jh. eng an die Formen der antiken
→Rhetorik an, bes. in der sog. synthet. P. (Sermo) über e. gestelltes
Thema, und setzt als Moral-P. die
→Diatribe, als Fest-P. die antike
Festrede fort, während die einfachere →Homilie (z. B. bei ORIGENES, 3.
Jh.) wenig Möglichkeiten zu rhetor.
Ausstattung aufweist und erst im 5./
6. Jh. in größerer Freiheit vom Text
zur Kunstrede wird, die dank ihres
verkündigenden Gehalts keineswegs
hinter den formalen Leistungen der
spätantiken Rhetorik – oft bloßer
Schönmalerei – zurücksteht und für
das ganze christl. Abendland als
Grundlage der Seelsorge und Meinungsbeeinflussung zu e. beherrschenden Faktor des ma. Kulturlebens wurde. Erste dt. P.en hielt u. a.
BONIFATIUS im Zuge der Heidenbe-
kehrung, doch blieb die ma. P. oft
unfrei und vom vorgeprägten Muster abhängig, bes. dem *Speculum
ecclesiae* des HONORIUS VON AU-
TUN. Abschriften, Übersetzungen
und Glossierungen von P.en berühmter Kirchenlehrer bilden e.
wichtigen Teil der ahd. Lit., doch
stehen neben den dt. P.en, wie sie e.
Regensburger Bücherverzeichnis als
›sermones ad populum teutonice‹
bezeugt und Wessobrunner, Wiener,
Münchner und Klosterneuburger
Bruchstücke sie erhalten, noch bis
zur Zeit KARLS D. GR., wie aus
seinen Erlassen hervorgeht, oft lat.
P.en. Sie zerfallen in ›sermones de

tempore‹ nach Evangelien- und Epi-
stelperikopen und ›sermones de
sanctis‹ nach Heiligenleben und
Martyrologien. Die Bettelorden des
ausgehenden MA. benutzen die P.
als Buß-P. und bes. erfolgreiches
Mittel der Ketzerbekämpfung, so
bes. der Franziskaner BERTHOLD
VON REGENSBURG. Seine P.en sind
seltene Zeugnisse e. dt. Kunstprosa
im MA., die dann bes. von den Mystikern (SEUSE, TAULER) ausgebildet
und gepflegt wurde und weitgehend
auf die dt. Dichtung wirkte, bes. seit
die Reformation die P. zum Hauptteil des ev. Gottesdienstes erhob. Im
Barock entfalten bes. die Jesuiten e.
pathet. moral. Rhetorik. Das Zeitalter der Entdeckungen entwickelt die
Missionsp. Die Bedeutung der P. für
die Entfaltung des Prosastils und ihre Abhängigkeit von Zeitmoden erweist sich bes. bei den franz. Kan-
zelrednern zumal des 17. Jh.: François de SALES, Vincent de PAUL,
BOSSUET, MASSILLON und BOURDA-
LOUE, in Engl. J. DONNE. In Dtl.
sind lit. bedeutende und einflußreiche Prediger auf kathol. Seite im 16.
Jh. GEILER VON KAISERSBERG, im
17. Jh. ABRAHAM A SANCTA CLARA,
im 18./19. Jh. SAILER und HANSJA-
KOB, auf ev. Seite bes. SPENER und
SCHLEIERMACHER.

R. Cruel, Gesch. d. dt. P. i. MA., 1879,
²1966, n. 1970; A. Nebe, Z. Gesch. d. P.,
III 1879; R. Rothe, Gesch. d. P., 1881; A.
Linsenmeyer, Gesch. d. P. i. Dtl. v. Karl d.
Gr. bis z. Ausg. d. 14. Jh., 1886, n. 1969;
F. R. Albert, Gesch. d. P. i. Dtl. bis Lu-
ther, III 1892–96; A. E. Schönbach, Stud.
z. Gesch. d. altdt. P., II 1896f.; W. F.
Mitchell, *Engl. pulpit oratory*, Lond.
1932, ²1962; T. M. Charland, *Artes
praedicandi*, Paris 1936; M. Neumayr, D.
Schrift-P. i. Barock, 1938; A. Heger, Ev.
Verkündigung, 1939; Ch. Schreiber, Auf-
klärung u. Frömmigkeit, 1940; H.
Fromm, Z. Hist. d. frühmhd. P., NM 60,
1959; D. ev. P., hg. J. Konrad 1963; G.
R. Owst, *Lit. und Pulpit in ma. England*,
Lond. ²1961; W. Rupprecht, D. P. über
alttestamentl. Texte i. d. luther. Kirchen
Dtls., 1962; RL²; R. Krause, D. P. d.

späten dt. Aufklärg., 1965; D. kathol. P., hg. R. Kliem, 1966; J. B. Schneyer, Gesch. d. kath. P., 1969; H. Caplan, *Of eloquence*, Ithaca 1970; W. Schütz, Gesch. d. christl. P., 1972; R. P. Lessenich, *Elements of pulpit oratory in 18th cent. Engl.*, 1972; S. L. Gilman, *The parodic sermon*, 1974; K. Morvay, D. Grube, Bibliogr. d. dt. P. d. MA., 1974; M. Rössler, Bibliogr. d. dt. Lied-P., Nieuwkoop 1976; W. Welzig, V. Nutzen geistl. Rede (Intern. Archiv f. Soz.gesch. d. dt. Lit. 4, 1979); V. Wendland, Ostermärchen u. Ostergelächter, 1980; Vestigia Bibliae Bd. 3, 1981; P. u. soz. Wirklichk., hg. W. Welzig, Amsterd. 1981; F. M. Eybl, Gebrauchsfunktionen barocker P'lit., 1982; So predigent eteliche, hg. K. O. Seidel 1983; J. Longère, *La prédication médiévale*, Paris 1983; U. Herzog, D. P., PoE, 1985; Rhetorik, Jb. 5, 1986.

Predigtmärlein →Exempel

Predigtspiel, Typ des spätma. →geistl. Dramas um 1500 in Italien und Südfrankreich (Perugia 1448, Laval 1507, Montélimar 1512), von den Franziskanern geschaffene Serien lebender Bilder bzw. stummer Spiele zur Verbildlichung von Kreuztragung, Kreuzigung, Marienklage, Kreuzabnahme u.a., die in die Predigt eingefügt und vom Prediger erläutert werden.

Preisausschreiben, literarische, von Institutionen, Gesellschaften, Verlegern oder Bühnen veranstaltet, sollen seit dem 18. Jh. durch ausgesetzte Geldpreise zu dichter. Produktion aufmuntern; literaturgeschichtlich nur bedeutsam im P. von F. L. SCHRÖDER, in dem 1775 KLINGERS *Zwillinge* über LEISEWITZ' *Julius von Tarent* siegten, und insofern, als G. BÜCHNERS *Leonce und Lena* wie F. HEBBELS *Diamant* durch P. angeregt wurden.
RL[1].

Preise →Literaturpreise

Preisgedicht →Lobgedicht, →Preislied

Preislied, ep.-panegyr. Einzellied in gemeingerman. Dichtung, das im Gegensatz zum Heldenlied nicht erzählend vergangene Heldentaten ins Mythische, Überzeitliche erhebt und feiert, sondern aus dem unmittelbaren Augenblicksanlaß, dem Feuer der Ereignisse heraus im Stegreif, daher oft formelhaft, e. bewunderte Leistung e. Anwesenden oder Jüngstverstorbenen (dann Berührung mit der →Totenklage) verherrlicht, meist trotz des höchst komplizierten Metrums als kunstvolle Improvisation von zwei Berufssängern im Wechselgesang in der Fürstenhalle zu Instrumentalbegleitung vorgetragen und die festl. Stimmung des Augenblicks, Bewunderung für die Taten, einfangend, daher zeitgebundener als das Heldenlied, doch neben diesem zweite Hauptform der german. Dichtung wohl seit dem 4. Jh. als stilisierte Kunstlied. Die Dichtungen selbst aus der Völkerwanderungszeit sind nicht erhalten; weiterentwickelt wurde sie bei den altnord. Skalden der Wikingerzeit (deren kunstvolle P.er nicht mehr als gemeingerman. anzusehen sind), in OTFRIEDS Lob der Franken und wohl auch dem *Ludwigslied,* später im ma. Fürsten- und Frauenpreis, doch ist die Gattung schon früh hinreichend bezeugt: bei TACITUS als altgerman. Dichtart, wohl feierlich kurze Zeilen, die e. Stammbaum höherer Wesen und den Preis der Vorfahren reihen, im Bericht des PRISCUS über Attilas Trauerfeier, wo zwei Barbaren vor dem Toten in selbstverfertigten Gedichten seine Siege und Tugenden gerühmt hätten, und durch ähnl. Vorgänge im ags. *Beowulf*-Epos. Zum P. in der Antike →Päan, →Enkomion. Vgl. →Lobgedicht.

F. Genzmer, D. eddische P., PBB 44, 1920; RL; A. Heusler, Altgerman. Dichtg., 1924, [2]1943; B. Fidjestøl, *Det norrøne fyrstediktet,* Bergen 1982.

Première (franz. = erste) →Erstauf-
führung

Prenonym (griech.), als →Pseudo-
nym gewählter eigener Vorname
statt Familienname: JEAN PAUL
(Friedrich RICHTER), Otto ERNST
(SCHMIDT).

Préromantisme (franz. =) Vorromantik, Bz. für die allg.-europ. Gegenströmungen zur Aufklärung und
zum Klassizismus im 18. Jh., insbes.
→Pietismus, →Rokoko, →Emp-
findsamkeit, →Irrationalismus,
→Sturm und Drang, die ausgezeichnet sind durch starken Subjektivismus und Individualismus, Interesse
für Landschaft, Volkskultur und
-lit. und Geschichte bes. des MA.
und gelegentl. Einbeziehung übersinnl. Erscheinungen. Mit dem
Durchbruch des Gefühls, das sich
als Naturgefühl an die Schöpfung,
als relig. Gefühl zu einem sehnsuchtsvollen Mystizismus, als Empfindsamkeit an die Individualität
des Nächsten unabhängig von Klas-
senschranken und als Nationalge-
fühl der eigenen völk. Vergangenheit zuwendet, bereitet der P. die
→Romantik vor und mündet in sie
ein. Typ. Vertreter der im nationalen Zusammenhang oft anders bezeichneten Strömung sind in England RICHARDSON und STERNE mit
empfindsamen Romanen, THOM-
SON *(The Seasons)* und YOUNG
(Night Thoughts) mit Dichtungen
aus neuem Naturgefühl, MACPHER-
SON mit den Ossian-Gedichten als
Rückwendung in kulturale Vergangenheit, H. WALPOLE, A. RAD-
CLIFFE als Vorbereiter der Schauerromantik, in Frankreich MARVIAUX,
PRÉVOST D'EXILES, NIVELLE DE LA
CHAUSSÉE und DIDEROT sowie insbes. ROUSSEAU als Vertreter e. neu-
en, gefühlsbetonten Menschenbildes, in Dtl. entsprechend etwa
KLOPSTOCK, HAMANN, HERDER,

GESSNER *(Idyllen)*, z. T. auch BOD-
MER und BREITINGER, die Dichter
des Sturm und Drang und GOETHE
(Werther).

D. Mornet, *Le Romantisme en France au
18. siècle*, 1912; P. v. Tieghem, *Le P.*,
Paris III 1924–47; A. Monglond, *Le p.
franç.*, II 1930, n. 1966; K. Guthke, Engl.
Vorromantik u. dt. Sturm u. Drang,
1958; *Le p.*, Paris 1975; B. Peucker, *Arcadia to Elysium*, 1980; K. S. Guthke, V.?
(in: ders., Erkundungen, 1983).

Presse, 1. Buchdruck-P. und danach die Herstellungsstätte bes. bi-
bliophiler Drucke, z. B. Bremer P.
u. ä. – 2. Gesamtheit der gedruckten
→Zeitungen und →Zeitschriften
wie des Nachrichtenwesens
(→Journalismus) überhaupt als
Ausdruck der öffentlichen Meinung
– 3. bis 1850: Gesamtheit aller
Druckschriften.

O. J. Hale, *The captive p. in the Third
Reich*, Princeton 1964; Dt. P. seit 1945,
hg. H. Pross 1965; K. Koszyk, Dt. P. i.
19. Jh., 1966; K. E. Olson, *The history
makers*, 1966; M. Lindemann, Dt. P. bis
1815, 1968; K. Koszyk, Dt. P. 1914–45,
1972; P. u. Gesch., 1977; P. i. Exil, hg.
H. Hardt 1979. →Zeitung, →Zeitschrift.

Pressefreiheit, eines der Menschenrechte, gestattet jedem die freie Meinungsäußerung in Wort, Schrift und
Bild, in der Bundesrepublik seit 21.
9. 1949 durch Art. 5 des Grundgesetzes gewährleistet. →Zensur.

F. S. Siebert, *Freedom of the Press in
Engl. 1476–1776*, Urbana 1952; P. Köster, D. Entw. d. P. i. Dtl., Diss. Hdlbg.
1954; H. Kolmar, Gesch. d. P., Diss.
Mchn. 1956; L. W. Levy, *Legacy of Sup-
pression*, Cambr./Mass. 1960; W. Thiele,
P., 1964; F. Schneider, P. u. polit. Öffentlichkeit, 1968; P., hg. H. Armbruster
1970; A. Huth, P. od. Censur, 1976.

Preziösität (v. franz. *précieux* =
kostbar, geziert), kulturell-lit. Richtung im Frankreich des beginnenden 17. Jh., Blüte 1625–1645, bes.
in der tonangebenden Pariser Gesellschaft, seit 1608 im ›Hôtel de
Rambouillet‹ im →Salon der Marquise de RAMBOUILLET, deren
weibl. Mitglieder sich den Ehrenti-

tel ›Les Précieuses‹ gaben und sich gegen Verrohung der Sitten und der Sprache wandten, Galanterie, Esprit, Regel und Eleganz der franz. Sprache pflegten und sich dadurch z. T. große Verdienste um Verfeinerung der Sitten und Durchformung der Dichtersprache erwarben. Dem Kreis gehörten in lockerer Bindung u. a. an: MALHERBE, VOITURE, G. de BALZAC, CHAPELAIN, SARASIN, LA CALPRENÈDE, MÉNAGE, CORNEILLE, BOSSUET, die Marquise de SABLÉ, Mme de SCUDÉRY, SCARRON, SAINT-ÉVREMOND, BENSERADE, LA ROCHEFOUCAULD, Mme de LA FAYETTE und Mme de SÉVIGNÉ. Nicht ihren eigenen Bestrebungen, wohl aber den Überspanntheiten ähnlicher, nachahmender Vereinigungen ist es zuzuschreiben, daß die P. infolge ihrer Übertreibungen zur Vermeidung alltägl. Wörter durch rätselhaft-geistreiche, teils aber auch manierierte und affektierte Metaphern (wie Wasser = ›himmlischer Spiegel‹, Tagesanbruch = ›der mit Licht schwangere Himmel‹) und die süßlich-überspannte Geziertheit in gepflegten Liebesverhältnissen bald der Lächerlichkeit verfiel und von MOLIÈRE in *Les précieuses ridicules* (1659) und *Les femmes savantes* (1672) verspottet wurde. Die Dichtung der P. bediente sich mit Vorliebe lyr. Kleinformen (Epigramm, Rätsel u. a.) und ist heute bis auf die Leistung von V. VOITURE und die histor.-galanten Romane der Mme de SCUDÉRY vergessen. – P. als allg. Stilprinzip des sorgfältig gewählten, gepflegten und betont überfeinerten Ausdrucks steht histor. im Zeichen des europ. →Manierismus oder sog. →Schwulst, ist aber unabhängig von der histor. Erscheinung in franz. Lit. bis in die Gegenwart (GIRAUDOUX) verfolgbar.

Ch. Livet, *Précieux et précieuses*, Paris 1859, ³1895; J. E. Fidao-Justiniani, *L' ésprit class. et la p.*, Paris 1914; G. Mongrédien, *Les Précieux*, Paris 1939; R. Bray, *La p. et les précieux*, Paris 1948; W. Roß, Die ›Précieux‹ (Zs. f. franz. Spr. u. Lit. 67, 1957); Y. Fukui, *Raffinements précieux*, Paris 1965; R. Lathuilière, *La p.*, Genf 1966; L. Rosmarin, *The précieux and epicureans*, New Haven 1967; W. Zimmer, D. lit. Kritik am Preziosentum, 1978.

Priamel (lat. *praeambulum* = umständliche Vorrede), eigendt., im Ausland nicht vorhandene Form kurzer, volkstüml. moraldidakt. und häufig scherzhafter →Spruchdichtung ähnlich der Gnome und dem Epigramm, die nach umständlich-spannungsreicher Vorbereitung durch steigende Anhäufung von scheinbar heterogenen Unterbegriffen im Schlußvers die pointenhaft-überraschende Auflösung in e. einheitl., oft satir. Gesamtbegriff oder gemeinsamen Nenner bringt; urspr. im Vierzeiler mit Paarreim: ›Berliner Kind / Spandauer Rind / Charlottenburger Pferd / sind alle drei nichts wert.‹ Aus der Stegreifkunst entwickelte Lit.gattung des Spätma., nach halbmerkl. Vorformen bei SPERVOGEL (12. Jh.), MARNER, FREIDANK, HUGO VON TRIMBERG u. a. als feste Gattung von Hans ROSENPLÜT, FOLZ u. a. im 15. Jh. geschaffen und z. T. auch im Fastnachtsspiel als Einlagen verwendet, später von Spruchsprechern im Zusammenhang vorgetragen und in mehreren Hss. (Donaueschinger, Wolfenbüttler) gesammelt; Nachklang im P.-Spruchbüchlein des Pritschmeisters und Spruchsprechers Hans STEINBERGER 1691, bei LOGAU und bis heute in Haus- u. a. Inschriften, doch zu selbständigem Fortleben als Weisheitsspruch infolge des gleichartigen Aufbaus nicht gelangt. Der Begriff wurde im Sinne e. rhetor. oder poet. Beispielreihung mit Schlußpointe auch auf andere Litt. übertragen.

F. W. Bergmann, *La p.*, 1868; C. Wende-
ler, *De praeambulis*, Diss. Halle 1870; W.
Uhl, D. dt. P., 1897; K. Euling, D. P.,
1905, n. 1977; RL¹; W. Kröhling, D. P.
als Stilmittel i. d. griech.-röm. Dichtg.,
1935; G. Eis, P.-Stud. (Fs. F. R. Schröder,
1959); U. Schmid, D. P. der Werte im
Griech., 1963; W. H. Race, *The class. p.*,
Leiden 1982; H. Kiepe, D. Nürnberger
P'dichtg., 1984.

Priapea, Priapeen, röm. Literaturgattung: an der derbsinnl. Gestalt
des antiken Schutz- und Fruchtbarkeitsgottes Priapus anknüpfende,
derberot. und bei allem Formempfinden und Witz oft obszöne Scherz-
gedichte und Epigramme in versch.
metr. Formen (Hendekasyllabus,
Distichen, Hinkjamben), urspr. als
Inschriften auf Priapus-Statuen
(Warnung vor Schädigung von Flur
und Garten, Abschreckung vor
Diebstahl), später als Kunstform
auch gesammelt und in e. Hs. von
85 P. (hg. Bücheler, *Petronii Satirae*,
⁶1922) erhalten, von denen 1 Ovid,
2 Tibull und 3 Vergil zugeschrieben werden; andere P. stammen von
Euphronios (3. Jh. v.Chr.), Catull (*fragm.* 1, 2), Horaz (*Satire* I,
8) und Martial (6, 16, 49, 72f.).
Nachahmungen bei S. Lemnius
(*Monachopornomachia*, 1540) und
Goethe (*Ven. Epigr.* 142, *Röm.
Eleg.* 23–24).

R. F. Thomason, *The P. and Ovid*, 1931;
M. Coulon, *La poésie priapique*, 1932;
H. Herter, De Priapo, 1932; V. Buchheit,
Stud. z. Corpus Priapeorum, 1962; P.,
hg. W. H. Parker, Lond. 1988.

Priapeus, nach dem Fruchtbarkeits-
gott Priapos benannter altgriech.
äol. Vers aus je einem (1. oder 2.)
Glykoneus und einem (1. oder 2.)
Pherekrateus mit Diärese dazwischen; häufig verwendet in leichter
Lyrik (Sappho, Anakreon), Komödie, Satyrspiel, →Priapea und
bes. bei den alexandrin. Dichtern;
stichisch nachgeahmt bei Catull
(17) in der Form:

⏤ ⏑̆ – ⏑ ⏑ – ⏑ – | ⏤ ⏑̆ – ⏑ ⏑ – ⏑̆ .

Priesterroman, Roman um Probleme und seelsorger. Konflikte e.
Pfarrers; häufig in franz. Lit.: Zola, Bernanos, Mauriac, Queffe-
lec u.a.

P. Franche, *Le prêtre dans le roman
franç.*, 1902; J. L. Prévost, *Le prêtre*,
1953; E. Trautner, D. Bild d. Priesters i.
d. franz. Lit. d. 19. u. 20. Jh., 1955.

Primärliteratur (franz. *primaire* =
zuerst vorhanden), die eigtl. originalen lit./dichter./philos. Texte
selbst im Ggs. zur wiss. erläuternden →Sekundärliteratur.

Primiz (lat. *primitae* = Erstlinge),
Erstlingswerk.

Prince des sots →Sottie

Prinzipal (lat. = erster), Theaterun-
ternehmer, Leiter einer Theater-
gruppe z.Z. der →Wanderbühne:
Neuberin, Ekhof, Ackermann,
Schröder u.a.

E. Pies, P.e, 1973.

Pritschmeister, handwerkl. Gele-
genheits- und Stegreifdichter des
16./17. Jh., die als Festarrangeure
bei höf., städt. und bürgerl. Festen
(Hochzeiten, Schützenfeste), nachdem sie sich mit der ›Pritsche‹, e.
jeden Festlärm durchdringenden
Klapperwerkzeug, Gehör verschafft
hatten, ihre lit. meist wertlosen,
selbstverfaßten Preis-, Ruhm- u.
Spottverse zur Verherrlichung der
Feier vortrugen. Sie setzten die Tradition der alten Herolds- und Wap-
pendichter fort und wurden später
durch die →Hofpoeten abgelöst. Ihre Verse, höchst selten überhaupt
gedruckt, dienen meist nur als kulturhistor. Quelle. Wichtigste P.: Leonhard Flexel (Augsburg), Heinrich Wirri und Hans Weitenfel-
der (Wien) im 16. Jh.

RL

Privatdruck, nicht für den Buchhandel bestimmtes, auf Kosten von

Privatpersonen ohne kommerzielle Ambitionen meist in sehr kleiner Auflage ›als →Manuskript gedrucktes‹ Schriftwerk.

Privilegien (lat. *privilegium* = Sonderrecht), vor Einführung des →Urheberrechts provisor. Schutz gegen →Nachdruck, der vom Landesherrn für einzelne Drucker und Verleger (nicht Verfasser) als Gewerbe-P. auf bestimmte Zeit oder auf einzelne vertriebene Werke innerhalb ihres Landes verliehen wurde.

Proben, Vorbereitungen für e. Bühnenaufführung unter Leitung des Regisseurs. Sie gehen der Erstaufführung voraus, je nach Bedeutung der Bühne und der Art des Stückes in versch. Zahl als Lese-, Arrangier-, Beleuchtungs-, Stück-, Haupt- oder →General-P. Daneben bildet die P. e. beliebten Vorwurf für Komödien selbst (GRYPHIUS *Peter Squentz,* PIRANDELLO *Sechs Personen suchen einen Autor*).

K. Schmidt, D. Bühnen-P. als Lustspieltyp i. d. engl. Lit., 1952.

Problem (griech. *problema* = Vorgelegtes), beunruhigende, ungelöste Frage oder Aufgabe des denkenden Bewußtseins, deren Lösung angestrebt wird; oft als geistiger Hintergrund Ideengehalt e. Dichtung (→Problemdrama, →Gedankenlyrik, Tendenzdichtung). Ihre Erforschung war Ziel der p.-geschichtlichen →Literaturwissenschaft, die in der philos.-geistesgeschichtl. Ausrichtung auf die großen Daseins-P.e des Menschen (Schicksal, Religion, Ich-Welt, Natur, Kultur, Liebe, Tod, Familie, Ehe, Geschlecht, Staat, Gesellschaft, Erziehung, Bildung) jedoch der Dichtung als Sprachkunst, selten gerecht werden konnte (R. UNGER u.a.).

Problemdrama, Problemstück, das

enger als das →Ideendrama nur e. einziges aktuelles (soz., polit., eth.) →Problem umspielt und oft Figuren und Handlung eindimensional auf dieses zuschneidet: CAMUS *Les justes,* FRISCH *Andorra,* jedoch die Fragen allseitig ohne Tendenz ausleuchtet. Es wird bei einseitiger Behandlung zum →Thesenstück.

Prodesse et delectare (lat. = nützen und erfreuen), entstelltes Zitat aus HORAZ, *Ars poetica* 333: ›aut prodesse volunt aut delectare poetae, aut simul et iucunda et idonea dicere vitae‹ = ›Die Dichter wollen entweder nützen oder erfreuen oder zugleich sowohl Angenehmes wie für das Leben Nützliches sagen.‹ Der Aristotelischen Einsicht in das Göttliche setzt HORAZ hier als Endzweck der Dichtung den moral. Lehrsatz und/oder ästhet. Genuß entgegen, e. Forderung, die bes. in Barock und Aufklärung wieder aufgegriffen wurde.

Prodigienliteratur (v. lat. *prodigium* = bedeutungsvolles Vorzeichen), Erzählungen über außergewöhnl. Naturereignisse und Wundererscheinungen (Kometen, Sonnenfinsternis, Himmelszeichen, Wetterkatastrophen, Steinregen, Brand- und Blutzeichen, Zauber, Monstren, Mißgeburten, Geistererscheinungen u.a.). In der Antike wurden sie als Zeichen gestörten Verhältnisses zu den Göttern aufgefaßt und forderten entsprechende Sühnehandlungen. Ihre Erwähnung in der antiken Historiographie verselbständigte sich im MA. zu ganzen P.sammlungen, die im 16. Jh. systematisch erweitert und eschatologisch als Zeichen der Endzeit gedeutet wurden. Wichtige P.slgn. von LYCOSTHENES 1557, J. FINCEL 1556–62, K. GOLTWURM 1557.

R. Schenda, D. franz. P. i. d. 2. Hälfte d.

16. Jh., 1961; ders., D. dt. P.slgn. d. 16.
u. 17. Jh., AGB 4, 1962.

Prodromus (griech. *prodromos* =
Vorläufer) = →Vorwort, -rede.

Professorenroman, im Grunde
wertfreie Bz. für e. von e. Professor
verfaßten Roman; in der Praxis abwertende Bz. für e. Reihe archäolog.-antiquar. →histor. Romane gegen Ende des 19. Jh., deren Verfasser als dichtende Professoren, bes.
Historiker, aus ihren Fachgebieten
Werke gestalteten, in denen die angeblich historisch getreue Darstellung von Leben und Sitten der Vergangenheit oder fremder Kulturkreise die eigtl., oft unwahrscheinli-
che, triviale, überspannt wirkende
Handlung überwiegt und Gelehrsamkeit die dichter. Gestaltung zurückdrängt. Hauptvertreter in dt.
Lit. waren F. DAHN (*Ein Kampf um
Rom* 1876), G. FREYTAG, W. H.
RIEHL, am erfolgreichsten wohl G.
EBERS' *Ägyptische Königstochter*
1866.

O. Krauss, D. P., 1884.

Prognostik (griech. *prognostikon*
= Vorzeichen), lat. geschriebene
→Praktik.

Programm (griech. *programma* =
öffentlicher Anschlag), 1. Verzeich-
nis von Darbietungen in zeitl. Folge
einer Veranstaltung mit Angaben
über die Beteiligten, für die Bühne
→Theaterzettel, 2. →Spielplan, 3.
Darlegung von Grundsätzen und
Zielen lit. Gruppen: →Manifest, 4.
Verlags-P. als Liste vorliegender
und geplanter Publikationen und
deren geistige Ausrichtung, 5.
Schul-P., im 19. Jh. jährlich von
höheren Schulen herausgegebene
Berichte über Lage der Schule,
Schülerzahl, Veränderungen im
Lehrkörper u.ä., denen oft e. wiss.
Abhandlung e. an der Schule tätigen
Lehrers angefügt war.

Programma →Kabel

Progymnasmata (griech. =) Vorübungen, übl. Titel für antike Ein-
leitungen in die Rhetorik.

Prokatalepsis (griech. = Zuvor-
kommen), in der Rhetorik die Vorwegnahme und Widerlegung der
mögl. Einwendungen e. gedachten
Gegners, bei DEMOSTHENES und
spätröm. Rhetoren z.Zt. QUINTI-
LIANS sehr häufig. In der Erzählkunst →Antizipation (1).

Prokeleusmatikos (griech. *proke-
leusma* = Aufforderung), antiker
Versfuß aus vier Kürzen (Brachysyllabus), häufig als Aufspaltung des
→Anapäst: ‿‿‿‿ , in lat. Komödie auch als Aufspaltung des Daktylus: ‿‿‿‿.

Prokephal (v. griech.), im Ggs. zu
→akephal ein um eine erste (kurze,
unbetonte) Silbe als →Auftakt erweiterter Vers.

Proklisis (griech. = Vorwärtsnei-
gung), im Ggs. zur →Enklise die
Anlehnung e. unselbständigen, be-
deutungsschwachen Wortes (Prokli-
tikon, z.B. alle Präpositionen und
Artikel) an das nachfolgende, wichtigere.

Prolegomena (griech. = im voraus
Gesagtes, Ez. Prolegomenon), Vor-
bemerkungen, Vorrede, Vorwort,
Einführung in Ziele und Absichten
e. (größeren wiss.) Werkes, z.B. F.
A. WOLFS *P. ad Homerum* (→Lie-
dertheorie).

Prolepse (griech. *prolepsis* = Vorwegnahme), allg. Vorwegnahme e.
noch nicht erwähnten Sache, 1.
→rhetorische Figur: →Prokatalep-
sis, 2. stilistisch: →Antizipation, 3.
im engeren Sinne grammatisch die
betont emphat. Vorausstellung e.

aus dem normalen Satz herausgelösten Wortes (Satzteils), das später durch e. Pronomen aufgegriffen wird: ›Der Kerl, wie er an ihr herumgreift!‹ (BÜCHNER, *Woyzeck*).

Proletarierdichtung →Arbeiterdichtung und →soziale Dichtung

Proletkult (russ. Abkürzung für proletarische Kultur), im Sept. 1917 gegr. Organisation zur Entwicklung und Pflege e. spezifisch proletar. Massenkultur und Lit. in Sowjetrußland, die nur von Proletariern getragen werden und ihre kulturelle Eigenständigkeit und schöpfer. Selbsttätigkeit unabhängig von der kulturellen Tradition der bürgerl. Schichten bezeugen sollte; gründete zahlr. Bildungszentren und Dichterschulen unter Leitung führender vorrevolutionärer Schriftsteller, publizierte die daraus hervorgegangenen Werke und entfaltete 1918–20 (Absonderung der →Kosmisten) e. große Aktivität, auch mit Massenschauspielen und Straßentheater, wurde aber, da der geistige Führer A. BOGDANOV die Kulturarbeit vom Kontrollmechanismus der Partei freihalten wollte, 1923 aufgelöst. Wesentliche Autoren waren nur die →Kosmisten.

R. Lorenz, Proletar. Kulturrevolution i. Rußl., 1969; P. Gorsen, E. Knödler-Bunte, P., II 1974f.; F. Botka, D. internat. P. (Internat. Lit. d. soz. Realism., hg. G. Dimow 1978).

Prolog (griech. *prologos* = Vorrede), im Ggs. zum ›Epilog im Drama die von e. eigens bestimmten Person (›Prologus‹, auch Götter- und Phantasieerscheinungen), einem der handelnden Schauspieler des Stückes oder dem Dichter selbst gesprochenen Einleitungsworte (-verse) an die Zuschauer. Er dient entweder dem Dichter zur Werbung in eigener Sache (Mitteilung und

Rechtfertigung seiner Absichten, Bezugnahme auf frühere Kritiken, Erörterung ideolog., polit.-soz. oder moral. Probleme, Bitte um Nachsicht für das neue Stück) oder allg. zur Begrüßung des Publikums, bei Festvorstellungen zum Hinweis auf den Anlaß, zur Verkündigung des Spielbeginns (vor Einführung des Vorhangs), der Bitte um Ruhe und bes. – vor Einführung des →Theaterzettels – zu Hinweisen und Mitteilungen über das folgende Stück: Titel, auftretende Figuren, Inhalt, Voraussetzungen (→Exposition der Vorgeschichte), Quellen usw. Seine Formen wechseln mit der Zeit vom einfachen Vorspruch über dialog. Ausgestaltung bis zur in sich abgeschlossenen Szene im →Vorspiel, die schon zur Handlung des Dramas überleitet (*P. im Himmel* bei *Faust*, SCHILLER, *Wallensteins Lager*). Auch die zum 1. Akt gehörigen Anfangsteile des Dramas werden z. T. P. genannt (SCHILLERS *Jungfrau von Orleans*, HEBBELS *Demetrius*, griech. Drama).

Im frühesten griech. Drama (AISCHYLOS *Die Schutzflehenden, Die Perser*) begann das Spiel mit dem Auftritt des Chors (→Parodos), der den Gegenstand erläuterte; PHRYNICHOS führte um 478 in den *Phönizierinnen* den P. zur Exposition ein, und seither bezeichnet P. im griech. Drama den ganzen Teil der Tragödie vor Einzug des Chors (ARISTOTELES, *Poetik* 12), der anfangs (AISCHYLOS) monologisch, später bei SOPHOKLES bewegt-dialogisch (oft schon Handlungsbeginn), bei EURIPIDES meist als monolog. Erzählbericht über den Mythos und die auftretenden Figuren, nicht selten mit lyr. Einlagen die Ausgangssituation darstellt, oft zur Erleichterung des Verständnisses den ganzen Gang der Handlung vorauskündend. In der att. Komödie erscheint der P.

erst spät – in der sog. neuen Komödie –, und dann meist als durch e.
bes. Kostüm gekennzeichneter P.-
Sprecher, ›Prologus‹, der für Verständnis der stets frei erfundenen
Stoffe sorgte und oft auch des Dichters persönl. Angelegenheiten dem
Publikum mitteilte. In der röm. Komödie dient der P. anfangs (bei
PLAUTUS), in Entsprechung zum
griech. Vorbild der sog. neuen Komödie, bes. MENANDERS, zur Einführung des Publikums in die Handlung (Inhalt, Figuren, Quelle) durch
e. allegorische, e. gesonderte oder e.
handelnde Person des Stückes. Er
wurde für erneute Aufführungen
umgedichtet. Erst später dient er der
Verteidigung des Dichters gegen seine Feinde und enthält bei TERENZ e.
Ansprache zugunsten des Dichters
oder Direktors, die nicht die Fabel
des Stückes (diese erschien in der
Exposition), sondern des Dichters
eigene Angelegenheiten oder Thea-
terfragen dem Publikum vorträgt
und damit die Stelle e. Vorrede des
Dichters oder die griech. →Parabase
vertritt. DONAT ordnet die versch.
Arten in empfehlende, polemische
(Verteidigung gegen die Gegner), in-
haltgebende und gemischte. Auch
SENECAS Tragödien haben P.e. –
Bes. Bedeutung erlangt der P. im
geistl. Drama des MA. seit der Verlegung aus der Kirche auf den
Marktplatz wegen der durch die
Ausdehnung des Stückes auf mehrere Tage entstandenen Unübersicht-
lichkeiten der Handlung: ein präch-
tig gekleideter ›Praecursor‹ deutete
das Spiel am Anfang, stellte die
Schauspieler in ihren Rollen vor,
sorgte humoristisch für Ruhe und
Spielraum und erläuterte auch während des Spiels die Handlung, bes.
am Anfang neuer Spieltage. Bei den
Mysterien nimmt der P. oft die
Form e. Predigt oder e. Gebetes an;
im Fastnachtspiel begrüßt ein ›Ein-

schreier‹ Wirt und Publikum und
stellt die Schauspieler vor; im Reformationsdrama spricht meist der
Narr die Quellenangabe, die Orts-
bezeichnungen zur Charakterisierung der dekorationslosen Bühne
und die ausdeutende Nutzanwendung, während das neulat. Drama
und das dt. Drama seit B. WALDIS
Verlorenem Sohn (1527) den P. von
den aus dem lat. Renaissancedrama
übernommen, von e. bekränzten
Knaben (›schryer‹) aktweise und zu
besserer Verständlichkeit in der
Volkssprache gesprochenen Argu-
menta trennt; das Schuldrama faßt
beide in Dialogform zusammen.
Das engl. Drama (SHAKESPEARE,
MARLOWES *Faust* mit Chören vor
Aktbeginn) und bes. die Engl. Komödianten, ferner LOPE DE VEGA
und CALDERÓN verwenden ebenfalls den P.; im Jesuitendrama wird
er trotz der gedruckten →Synopsen
beibehalten, ebenso im dt. Drama
des 17. Jh. Das franz. Drama (MO-
LIÈRE, DIDEROT, HÉDÉLIN) erzielt
mit dem Expositions-P. große Erfolge, während RACINE, QUINAULT
u. a. ihn zu Huldigungen an den König benutzen. LESSING (*Hamb. Dramaturgie* 7) tritt für den autonomen
P. des engl. Dramas ein. Theaterdichter und Schauspieler des 18. Jh.
erbitten in versgewandten P.en und
Dialogen zwischen Dichter und
Schauspieler, Direktor oder Zuschauer, die Gunst des Publikums,
und auch GOETHE verfaßt als Theaterdichter zahlr. P.e zu Festspielen
oder als Darlegung seiner künstler.
Absichten. TIECK führt in *Genoveva*
Bonifatius als P.- und Epilogsprecher ein und hebt die Handlung
durch solchen Rahmen ins Irreale.
Erst Realismus und Naturalismus
verzichten – außer bei festl. Anlässen – auf den als illusionsstörend
empfundenen P., während das stark
ep. Drama der Gegenwart seit WE-

DEKIND *(Lulu)* und dem Symbolismus (MAETERLINCK, HOFMANNSTHAL) und bes. bei dekorationslosen Stücken mit hohen Anforderungen an die Einbildungskraft der Zuschauer den Ansager-P. verwendet. Th. WILDERS *Unsere kleine Stadt,* CLAUDELS *Seidner Schuh,* M. HAUSMANNS *Lilofee,* T. S. ELIOTS *Mord im Dom,* T. WILLIAMS' *Glasmenagerie* u.a. erzielen durch unheimliche P.e starke Wirkung. Die P.e BRECHTS (*Der gute Mensch von Sezuan; Herr Puntila,* bes. Lehrstücke) und DÜRRENMATTS führen in die Problematik der Stücke ein. Das ostasiat. Drama verwendet stets den P. (→Nô-Spiele). – In der Epik, z.B. der Legendendichtung, Heldendichtung und höf. Epik des MA., bei HARTMANN, WOLFRAM, GOTTFRIED, später CHAUCER, erscheint der P. als einführendes Gespräch des Autors mit Hörer oder Leser.

E. Zellweker, P. u. Epilog i. dt. Drama, 1906; O. Spaar, P. u. Epilog i. ma. engl. Drama, Diss. Gießen 1913; O. Koischwitz, D. Theaterherold, 1927; H. Hirthe, Entwicklg. d. P. u. Epilogs i. frühengl. Drama, Diss. Gießen 1928; W. Nestle, D. Struktur d. Eingangs i. d. att. Trag., 1930, n. 1967; H. Schreiber, Stud. z. P. i. d. mhd. Dichtg., Diss. Bonn 1935; E. Mason-Fest, P., Epilog u. Zwischenrede i. dt. Schausp. d. MA., Diss. Basel 1949; S. Hess, Stud. z. P. i. d. att. Komödie, Diss. Hdlbg. 1954; E. M. Krampla, P. u. Epilog v. engl. Mysteriensp. bis z. Shakesp., Diss. Wien 1957; M. E. Knapp, *P.s and epilogues of the 18. cent.,* New Haven 1961; H. Brinkmann, D. P. i. MA., WW 14, 1964; C. Flügel, P. u. Epilog i. d. dt. Drr. u. Legg. d. MA., Diss. Basel 1969; RL; P. Kobbe, Funktion u. Gestalt d. P. i. d. mhd. nachklass. Epik, d. 13. Jh., DVj 43, 1969; B. Naumann, Vorstud. z. e. Darstellg. d. P. i. d. dt. Dichtg. d. 12. u. 13. Jh. (Fs. S. Beyschlag, 1970); N. Banerjee, D. P. i. Drama d. dt. Klassik, 1970; W. Hirdt, Stud. z. ep. P., 1975; E. C. Lutz, Rhetorica divina. Mhd. P'gebete, 1984.

Pro memoria (lat. = zur Erinnerung) →Denkschrift

Promptuarium (v. lat. *promptus* =

gleich zur Hand), Abriß e. Wissenschaft, Nachschlagewerk zu schnellster Orientierung in alphabet., systemat. oder chronolog. Anordnung.

Promythion (griech. = Vorspruch), im Ggs. zum →Epimythion die der Beispielerzählung vorausgehende moral. Lehre.

Proodos (griech. = Vorgesang), auch Pro-ode, allg. Gegenstück zur →Epode: responsionsloses lyr. System, das vor Strophe und Antistrophe tritt, bes. in griech. Chorlied. →Mesodos.

Proömium (griech. *prooimion* =) 1. Vorspiel, -rede, Einleitung als Vorbereitung auf den behandelten Gegenstand, bes. in antiken Epen (HOMER, HESIOD, LUKREZ, VERGIL, OVID) und Geschichtswerken (HERODOT, THUKYDIDES), oft mit →Anrufung der Musen, Angaben zu Thema, Methode, Anlaß und Zweck, Selbstvorstellung und →Captatio benevolentiae. – 2. in der Rhetorik →Exordium, von griech. Rhetoren (DEMOSTHENES) z.T. als Muster zur Wiederverwendung gesammelt. – 3. Poetische P. hießen auch die sog. *Homerischen* →*Hymnen,* da sie dem Vortrag der Rhapsoden vorangestellt wurden. →Präambel.

R. Böhme, D. P., 1937; A. Lenz, D. P. d. frühen griech. Epos, 1980.

Propemptikon (griech. *propempein* = fortschicken), Geleitgedicht für e. abreisenden Freund oder e. Geliebte; inhaltl. Gattung der antiken Lit. mit feststehenden Segenswünschen als Topoi; altgriech. und hellenist. bei SAPPHO, THEOKRIT, KALLIMACHOS, PARTHENIOS, lat. bei CINNA, TIBULL (I, 3), PROPERZ (I, 17; II, 26), OVID, bes. STATIUS (3, 2), HORAZ an VERGIL (*Carm.* I, 3; III, 27), SIDONIUS APOLLINARIS;

im Humanismus und dt. Barock nachgebildet. Vgl. →Apopemptikon.

F. Jäger, D. antike P., Diss. Mchn. 1913.

Prophetenspiel, Typ des →geistlichen Dramas im MA. als Erweiterung des →Weihnachtsspiels, das die ganze vorchristl. alttestamentar. Entwicklung, bes. den Streit der Juden und Propheten, vom Sündenfall bis auf Christi Geburt aufrollt und als Vorbereitung, →Präfiguration des Erlösers darstellt; aus e. AUGUSTINUS zugeschriebenen Predigt *Contra Judaeos* hervorgegangen. In Frankreich in Limoges, Laon und Rouen (11.–14. Jh.), dt. für Regensburg 1194 und Riga 1204 bezeugt; als Prolog zum *Benediktbeurer* (13. Jh.) und *St. Galler Weihnachtsspiel* (14. Jh.) erhalten.

M. Sepet, *Les prophètes du Christ,* Paris 1878, n. 1974.

Prophetie (griech. *propheteia* = Vorhersage), Weissagung, allg. e. Werk der Zukunftsvoraussage, Verkündung e. Gottesoffenbarung bes. in hebr. Lit. seit der assyr. (722 v. Chr.) und chaldäischen Bedrängung (597, 586 v. Chr.) durch die Propheten, die mit strengen sittl. Forderungen und oft dichterisch schwungvoller Rede als Gesandte Gottes e. Besserung des Volkes erstreben; die derwischähnlich-ekstat. Prophetenzunft (Nebiim), die 4 großen (JESAJA, JEREMIA, HESEKIEL, DANIEL) und 12 kleinen Propheten (HOSEA, JOËL, AMOS, OBADJA, JONA, MICHA, NAHUM, HABAKUK, ZEPHANJA, HAGGAI, SACHARJA, MALEACHI), deren Werke den Höhepunkt der althebräischen Lit. bilden. – Auch in Griechenland und Unteritalien entstehen in der Antike P.n, abgesehen von den Orakelsprüchen bes. VON MUSAIOS, BAKIS, ABARIS und die *Sybillinischen Bücher.*

K. Budde, D. proph. Schrifttum, 1906; H. Gunkel, D. Propheten, 1917; B. Duhm, Israels Propheten, 1922; L. Dürr, Religion u. Frömmigkeit d. AT.-Propheten, 1926; H. Junker, P. u. Seher i. Israel, 1927; N. K. Chadwick, *Poetry and P.,* 1942; A. Hübscher, D. große Weissagung, 1952; H. H. Rowley, *Prophecy and religion in ancient China and Israel,* Lond. 1956; C. Kuhl, Israels P., 1956; J. Lindblom, *Prophecy in ancient Israel,* Oxf. 1962; A. J. Heschel, *The Prophets,* N.Y. 1963; B. Vawter, Mahner u. Künder, 1963; C. F. Whitley, *The prophetic achievement,* Leiden 1963; J. Scharbert, D. Propheten Israels bis 700 v.Chr., 1965; ders., D. Propheten Israels um 600 v.Chr., 1967; G. Fohrer, Stud. z. alttest. P., 1967; H. Biesel, Dichtg. u. P., 1972; *Prophecy,* Fs. G. Fohrer 1980.

Proposition (lat. *propositio* = Vorstellung, Darlegung), Herausstellung des Themas in umfassendem Überblick, erstes Hervortreten des Erzählers und Festlegung der Stilart (Höhenlage) zu Beginn e. Epos, z.B. VERGILS ›Arma virumque cano...‹. In der Rhetorik der auf das Exordium folgende 2. Teil der Rede mit Darlegung des Themas und der Ausgangsbasis in wenigen Punkten.

Prosa (v. lat. *prorsa oratio* = die geradeausgerichtete Rede), nicht durch Metrum oder Reim →gebundene, im Akzent freie Redeweise der Umgangssprache im Ggs. zur →Poesie im engeren Sinne, doch auch z.T. rhythmisch gestaltet (→Kunstprosa, →Prosarhythmus, →Klausel) und mit der Fähigkeit zum Poetischen durch Stil, Wortwahl, Melodie, Rhythmus und Bildlichkeit (→Prosagedicht, →Reimp.). Indessen geht der Unterschiede tiefer und trifft das Wesentliche; die Poesie wendet sich mehr an die Phantasie der Zuhörer als sinnl. Einbildungskraft, die P. mehr an den Verstand als abstraktes Denkvermögen; in der Poesie herrscht das sinnenfällige Element der Darstellung mit Stilwendungen, welche die P. nicht gestattet, in der P. der gedankl. Inhalt vor, so daß diejenigen Werke, deren Bedeutung bloß auf dem Inhalt beruht, wie z.B. das fachwiss. Schrifttum (→Fachprosa) in der Literaturwissenschaft höchstens untergeordnete Aufmerksamkeit finden (vgl. den Wortgebrauch von ›prosaisch‹ = phantasiearm, trocken). Während zweifelsohne die P. der einfachen Mitteilungsrede (Gebrauchsp.) die geschichtlich ältere Form der Sprache ist und als solche bei primitiven Völkern vor der Poesie (die HAMANN und HERDER zur ›Muttersprache des Menschengeschlechts‹ erklärten, jedoch damit nur allg. ihren poet. Charakter, nicht die metrisch gebundene Form meinten) in den Märchen und Mythen der Volksdichtung erscheint, geht in der Kunstdichtung aller Völker die Poesie voran, die sich in schriftloser Zeit bei mündl. Verbreitung und Überlieferung durch Sinnenfälligkeit, klangl. und rhythm. Bindung dem Gedächtnis besser einprägt und von sich aus nach Wiederherstellung in ihrer Form strebt. Die P. dagegen setzt zu ihrem Bestand schriftl. Auszeichnungen voraus und umfaßt in den Anfängen mehr die zweck- und inhaltsbetonte Lit., in der dichter. Redeschmuck und rhythm. Satzschluß hinderlich wären: Inschriften, Chroniken, Gesetzesslgn., Verträge usw. Sie beginnt an versch. Stellen unabhängig voneinander: In Griechenland zuerst bei den ion. Philosophen (PHEREKYDES) und den →Logographen im 6. Jh. v.Chr. Über die Fragmente von HERAKLIT, DEMOKRIT und HIPPOKRATES, die teils zu lit. Durchformung und präzisem Ausdruck vordringen, über HERODOT als erste volle Entwicklungsstufe führt der Weg zur Stilkunst des THUKYDIDES, der klaren Berichtform des XENOPHON u.a. Geschichtsschreiber und erreicht

sprachkünstler. Höhe in den philos. Dialogen PLATONS und den Reden der griech. Rhetoren. GORGIAS, ANTIPHON, ANDOKIDES, LYSIAS, bes. ISOKRATES, die Sophisten und DEMOSTHENES bilden e. griech. →Kunstprosa aus, die nach der Entartung im →Asianismus zum →Attizismus zurückkehrt und im spätantiken Roman (LUKIAN) endlich auch in die Dichtung vordringt. Die lat. P. entstand relativ selbständig aus der öffentl. Rede, die im politisch ausgerichteten röm. Staat e. bedeutende Rolle spielte, fand sich zuerst um 450 v.Chr. schriftlich im *Zwölftafel-Gesetz* als Lesewerk für die Jugend, wurde, während die röm. Geschichtsschreibung mit Ausnahme der Annalen noch bis ins 2. Jh. v.Chr. meist griech. P. benutzte, als lit. Stil erst von CATO verbreitet, erreichte ihren Höhepunkt mit weitester Nachwirkung (bis zu BALZAC, BOCCACCIO, WIELAND und LESSING) in den Reden und Schriften CAESARS und bes. CICEROS, ausgezeichnet durch Klarheit, Präzision und Kürze der Diktion, wurde später unter Überhandnehmen der Rhetorik entweder künstlich-sentenziös (SENECA, PLINIUS) oder dichterisch und konzentriert in der Diktion (→Brachylogie und →Inkonzinnität des TACITUS) und kehrte seit QUINTILIAN zum Ciceronianismus zurück. Zwar versucht GREGOR I. (6. Jh.) die Befreiung der P. von den Formen antiker, weil heidn. Rhetorik, doch wirkt sie durch die Rhetorenschulen mit den drei →Stilarten durch MA. und Renaissance. – Bedeutende dt. P.denkmäler des MA. sind meist Übersetzungen, z.B. die ISIDOR-Übersetzung des 8. Jh., ferner Rechtsbücher, Chroniken und bes. geistl. Schriften. In Island bildet sich um 1000 e. eigenständige mündl. P. im →Sagastil aus; in Frankreich folgt im 13.

Jh. die Matière de Bretagne und die Auflösung der Artus- und Lanzelot-Epen in P. Für die Entwicklung e. dt. P. werden gleichzeitig bes. die →Predigten der großen volkstüml. Wanderprediger (DAVID VON AUGSBURG, BERTHOLD VON REGENSBURG) und die Schriften der →Mystiker wichtig, deren Sprache durch den relig. Gehalt vertieft und durch Streben nach Darstellung des Unsagbaren verbildlicht wird; seit dem 14. Jh. treten dazu die dt. Heiligenlegenden und P.fassungen der hochma. Epen in den →Volksbüchern, die bes. nach Erfindung des Buchdrucks in den neuaufgestiegenen soz. Schichten Verbreitung finden. Der Humanismus bringt, bes. in der Prager Hofkanzlei KARLS IV., neue Bestrebungen um dt. P. im Anschluß an antike Kunstprosa; sein erstes dichter. Meisterstück ist das Streitgespräch *Der Ackermann und der Tod* (um 1400) von JOHANNES VON TEPL. Der antike Einfluß wirkt fort, auch nachdem LUTHERS →Bibelübersetzung (1524ff.) den letzten und folgereichsten Schritt zu e. volkstüml. lit. dt. P. tat. Auch die gleichzeitige volksnahe Erzählkunst der roman. Länder (in Italien BOCCACCIOS *Decamerone,* in Spanien der →Schelmenroman) und die wiss., histor. und philos. Schriftsteller Italiens, Spaniens und Frankreichs, bes. die →Moralisten, verfeinern nunmehr die P., und mit der einsetzenden Entwicklung des Romans steht sie selbständig neben dem Vers, der freilich noch oft in der Poetik als Voraussetzung hoher Dichtung, stellenweise jeder Dichtung überhaupt, gilt. Sie gewinnt nach kurzem Niedergang im Manierismus des Spätbarock neue Höhe in der franz. und engl. Essayistik, erobert seit dem 18. Jh. ihren Platz in der Epik und verdrängt durch den Roman das Versepos; sie setzt

sich schließlich im 19. Jh. auch im Drama durch und erreicht als Erzähl-P. ihre Vollendung in der Goethezeit, die ihr durch sprachl. Reinigung und bis heute fortdauernde Differenzierung die Geschmeidigkeit, Klarheit und Ausdrucksfähigkeit für höchste Gedanken wie tiefe Gefühle und letzte Verinnerlichung und Feinheit gibt. STIFTER führt sie in *Witiko* zur Höhe des schlichtgroßzügigen Epenstils, GOTTHELF nähert sie dem Sagastil; bei Th. MANN erreicht sie die letzte Stufe psycholog. und stilist. Feinheit. Meister der nichtfiktionalen P., zu deren Formen →Essay, →Feuilleton, →Memoiren, →Biographie und →Autobiographie zählen, sind u.a. A. MÜLLER, A. SCHOPENHAUER, L. v. RANKE, J. BURCKHARDT, F. NIETZSCHE, S. FREUD.

G. Lanson, *L'art de la p.,* Paris 1908, ²1923; K. Burdach, V. MA. z. Reformation, XI 1912–34; E. Norden, D. antike Kunstprosa, II ²1923; K. Burdach, Vorspiel I, 2, 1925; K. Polheim, D. lat. Reim-P., 1925; E. Hoffmann-Krayer, Dt. P., 1926; P. Hankamer, D. Sprache, ihr Begriff und ihre Deutung i. 16./17. Jh., 1927; H. Gumbel, Dt. Sonderrenaissance i. dt. P., 1930; W. Schneider, Dt. Kunstprosa, ³1931; R. W. Chambers, *On the continuity of Engl. p.,* Lond. 1932; O. Walzel, Grenzen von Poesie und Unpoesie, 1937; W. Brauer, Gesch. d. P.-Begriffs v. Gottsched bis z. Jg. Dtl., 1938, n. 1974; L. Beriger, Poesie u. P., DVJ 21, 1943; E. L. Kerkhoff, Ausdrucksmöglichkeiten nhd. P'stils, Amsterd. 1950; G. Williamson, *The Senecan amble,* Chic. 1951; L. Borinski, Engl. Geist i. d. Gesch. s. P., 1951; W. Stammler, Ma. P. (in: Aufriß, 1952); J. D. Denniston, *Greek p. style,* Oxf. 1952; R. A. Sayce, *Style in French p.,* Lond. 1953; F. Martini, D. Wagnis d. Sprache, 1954; O. Jancke, Kunst u. Reichtum dt. P., 1955; P. M. Schon, Stud. z. Stil d. frühen frz. P., 1960; B. Wackwitz, D. Theorie d. Prosastils i. Engl. d. 18. Jh., 1962; J. R. Sutherland, *On Engl. p.,* Toronto ²1965; H. Brown, *P.styles,* Minneapolis 1966; V. Šklovskij, Theorie d. P., 1966; I. A. Gordon, *The movement of Engl. p.,* Bloomington 1967; A. Behrmann, Einf. i. d. Analyse v. P.texten, 1967; H. Küntzel, Essay u. Aufklärg., 1968; R. Adolph, *The rise of mod. p.style,* Columbia 1968; T.

Todorov, Poetik d. P., 1972; J. Anderegg, Fiktion u. Kommunikation, 1973, ²1977; C. Grawe, Sprache i. P'werk, 1974, ²1985; J. Jacobs, P. d. Aufklärg., 1976; B. Heimann, Experimentelle P. d. Ggw., 1978; A. Scaglione, Komponierte P. v. d. Antike b. z. Ggw., II 1981; M. Feldt, Ästhetik u. Artistik a. Ende d. Kunstperiode, 1982; W. Seifert, Theorie u. Didaktik d. Erzählp., 1982; W. Krull, Polit. P. d. Expressionism., 1982; P. Burgel, Lit. Kleinp., 1983; G. Lerchner, Sprachform v. Dichtg., 1984; W. Krull, P. d. Expressionism., 1984; P.kunst ohne Erzählen, hg. K. Weissenberger 1985.

Prosaauflösung, nicht die Auflösung der Prosa, sondern in Prosa, nämlich von Versdichtungen in derselben Sprache, der seit dem franz. *Prosa-Lanzelot* um rd. 1220 in Frankreich und Dtl. viele höf. Versromane verfielen, um sie als →Prosaroman oder →Volksbuch weiteren Rezipientenkreisen zugänglich zu machen.

A. Brandstetter, P., 1971.

Prosaepik, die nicht in Versen gehaltenen Formen der →Epik, bes. Roman, Erzählung und Novelle.

Prosagedicht (franz. *poème en prose*), lyr. Behandlung eines ep. Stoffes in kunstvoller rhythm., klangvoller und bildstarker Prosa, die sich von der Lyrik nur durch Fehlen von Endreim und Verstrennung unterscheidet und die Mitte zwischen rhythm. Prosa und Freien Rhythmen hält. Sie wurde nach Vorgang von FÉNELON *(Télémaque),* MARMONTEL *(Les Incas)* und CHATEAUBRIAND *(Les martyrs)* vor allem im Gefolge der franz. Romantik bei A. RABBE, A. BERTRAND *(Gaspard de la nuit)* und M. de GUÉRIN *(Le centaure)* entwickelt als Folge der romant. Auffassung von der Vermischung und Überlagerung der lit. Gattungen. Im Gefolge BERTRANDS wiederum entwickelte BAUDELAIRE seine Versuche in einer poet., musikal., lyr. Prosa ohne Rhythmus oder

Reim in den *Petits poèmes en prose* (1869); es folgen RIMBAUDS *Les illuminations* (1886) und *Une saison en enfer* (1873), ferner MALLARMÉ, LAUTRÉAMONT, JACOB, CHAR, PONGE, MICHAUX, SAINT-JOHN PERSE u. a., in England O. WILDE, E. C. DOWSON, A. LOWELL, T. S. ELIOT. – Die Übertragung des Begriffs P. auf die dt. Lit. für ähnl. Prosahymnen, Idyllen und poet. Prosa (GESSNER, WIELAND, NOVALIS, NIETZSCHE, HOFMANNSTHAL, RILKE, POETHEN, MECKEL, BACHMANN) ist bei fehlender Tradition umstritten.

F. Rauhut, D. franz. P., 1929; V. Clayton, *The prose poem in French lit. of the 18. cent.,* 1936; A. Chérel, *La prose poétique franç.,* Paris 1940; G. Díaz-Plaja, *El poema en prosa en España,* Barcelona 1956; S. Bernard, *Le poème en prose de Baudelaire jusqu'à nos jours,* Paris 1959, ²1978; F. Nies, Poesie in prosaischer Welt, 1964; F. Kemp, Dichtg. als Sprache, 1965; W. H. Fritz, Möglichkeiten d. P., 1970; U. Fülleborn, D. dt. P., 1970; W. Fuger, D. engl. P., 1973; Dt. P.e, hg. U. Fülleborn II 1976–85; A. Pool, Z. Theorie d. P. (Fs. J. Maassen, Nijmegen 1985); S. Nienhaus, D. P. i. Wien d. Jh.wende, 1986; J. Simon, *The prose poem,* N.Y. 1987.

Prosaiker, Prosaist, Prosaschriftsteller

Prosarhythmus, bewußte rhythm. Durchgliederung der →Kunst-→prosa durch bes. Anordnung der Längen bzw. Hebungen (Tonsilben) und Gliederung der Sprechtakte (Kolon) bes. am Satz- und Kolonschluß als →Klausel oder →Cursus; vom Versrhythmus unterschieden durch abwechslungsreichere, freiere und weniger regelmäßige Tonführung, von der Umgangssprache durch bewußte Prägung und Gestaltung der rhythm. Effekte. Ein durchgängig vom P. bestimmter Text heißt rhythm. Prosa (GOETHE, *Werther,* HÖLDERLIN, *Hyperion,* NOVALIS, KLEIST, MÖRIKE, RILKE).

P. Fijn v. Draat, *Rhythm i. Engl. Prose,*
1910; G. Saintsbury, *Hist. of Engl. P.,*
Lond. 1912, n. 1965; S. Behn, D. dt.
Rhythmus, 1912; W. M. Patterson, *The
Rhythm of Prose,* N.Y. 1916; A. W. de
Groot, *Handbook of antique P.,* 1919;
ders., D. antike P., 1922; H. D. Broad-
head, *Lat. P.* 1922; L. Bianchi, Unters. z.
P. b. Hebbel, Kleist, 1922; K. Burdach,
Vorspiel II, 1925; R. Blümel, D. Rhythmus i. nhd. Prosa, ZDP 60, 1935; A.
Classe, *The Rhythm of Engl. Prose,* Oxf.
1939; P. F. Baum, *The other harmony of
prose,* N.Y. 1962; W. Schmid, Üb. d.
klass. Theorie u. Praxis d. antiken P.,
1959; G. Lindholm, Stud. z. mlat. P.,
Stockh. 1963; J. Klockow, Stud. z. P.,
1974; W. Hörander, D. P. i. d. rhetor. Lit.
d. Byzantiner, 1980.

Prosaroman, im Ggs. zu den ro-
manhaften Versepen des MA., die
durch Prosaauflösung höf. Epen
entstandenen ›Romane‹ des 15. Jh.,
die wieder im Ggs. zum →Volks-
buch das höf.-ritterl. Wertsystem erhalten.

A. Brandstetter, Prosaauflösg., 1971; V.
Straub, Entst. u. Entw. d. frühnhd. P.,
Amsterd. 1974.

Prosimętrum, Mischung von Vers
(Metrum) und Prosa, z.B. in der
→Menippea, bei PETRONIUS und
BOETHIUS.

Proskenion →Proszenium

Prosodiakos, nach seiner Verwendung in den →Prosodia benannter
griech. Versfuß, scheinbar anapäst.
Trimeter, doch meist als Ionikus
+ Choriambus gerechnet: Grund-
form ⏓ − ∪ ∪ − | ∪ ∪ − (−), in
akatalekt. Form auch Enoplion genannt.

Prosodie (griech. *prosodia* = Zuge-
sang), Lehre von der Behandlung
der Sprache im Verse; vieldeutiger
Begriff der Metrik, urspr. bei den
antiken Grammatikern die Unterscheidung von Hochton, Tiefton
und Schleifton (= Hoch- und Tiefton) der Silben gemäß dem musikal.
Akzent der griech. Sprache, die
demgemäß seit den alexandrin.

Grammatikern des 3. Jh. v. Chr. mit
Akut, Gravis oder Zirkumflex versehen wurden und dann die rhapsod. Tonbewegung wiedergaben, jedoch vom geschriebenen, nicht gesprochenen Wort ausgehend; dann
die Lehre von der Aspiration, Natur
und Dauer (Quantität) sowie dem
Verhalten der Silben bei der Zusammenfügung von Wörtern und Sätzen, bes. Versen: Synizese, Elision,
Hiat, Aphärese, Diärese, Anceps,
Synalöphe, Krasis, Synkope, Apokope usw. als Teil der antiken Metrik, seit dem Humanismus als
Quantitätslehre schlechthin. Im 18.
Jh. erörterte man die Möglichkeiten
e. →quantitierenden Dichtung in dt.
Sprache, die von Natur →akzentu-
ierend ist, und verstand unter P. den
Anteil der Silbenlänge an der Vers-
gliederung. SULZER verwirrte die
metr. Theorie durch Heranziehung
der musikal. Taktlehre (Artikel
›Rhythmus‹ in der *Allgemeinen
Theorie der schönen Künste* 1773).
Auf seiner Zeitmessung fußen K.
Ph. MORITZ' *Versuch e. dt. P.,* 1786
(mit Einfluß auf GOETHE); J. H.
Voss' *Zeitmessung in dt. Sprache,*
1802 und MINCKWITZ' *Lehrbuch
der dt. Verskunst und P. und Metrik,* 1843. Heute meidet man die
Bz. wegen ihrer Vieldeutigkeit (SA-
RAN) oder versteht sie in engerem
Sinne als sprachbezogene Hilfsdiszi-
plin der →Metrik, d.h. Lehre von
denjenigen Elementen e. Sprache,
die für den →Vers konstituierend
sind.

Lit. →Metrik, →Vers.

Prosodion (griech., Mz. Prosodia
=) Prozessionslied, Gattung der
griech. Chorlyrik bei feierl. Aufzü-
gen zu Altären und Tempeln vom
langsam einherschreitenden Chor
zu Flöten-, oft auch Zitherbeglei-
tung gesungen. Sonderform: →Par-
thenien.

Prosopopöie (griech. *prosopon* =
Gesicht, Person, *poiein* = machen),
1. →Personifikation, 2. →Ethopöie.

Prospękt (lat. *prospectus* = Ausblick), 1. Ankündigung und Proben
e. in Vorbereitung befindlichen und
demnächst erscheinenden Schriftwerkes. – 2. im Theater die mit e.
Landschaft o. ä. bemalte (Lein-
wand-) Rückwand der Guckkastenbühne; täuscht im Hintergrund oft
weitreichende Tiefe vor, gesteigert
durch Kulissen, und bemüht sich
seit Entdeckung der →Perspektive
um großräumige Wirkung; bei
Szenenwechsel anfangs senkrecht
aufgerollt, später seitlich auseinan-
dergezogen; heute hängend in den
Schnürboden hochgezogen oder
versenkt. Zwischen-P. trennt Vor-
der- u. Hinterbühne. Im mod. Theater z. T. durch Rundhorizont oder
Projektionen ersetzt. Berühmte gemalte P.e von Peruzzi und Bra-
mante in der ital. Renaissance.

Prosthesis = →Prothese

Proszęnium (griech. *proskenion* =
Vorbühne), 1. im antiken Theater
die erhöhte Auftrittsfläche der
Schauspieler vor dem Bühnenhaus
(Skene), später durch dessen Seiten-
flügel (Paraskenien) seitlich begrenzt; seit Verdrängung des Chors
allg. die Hauptspielfläche entsprechend der späteren →Bühne. – 2.
bei der Guckkastenbühne vorderer
Teil der Bühne zwischen Vorhang
und Orchestergraben bzw. Rampe
mit seitlichen P.slogen.

Protagonist (griech. *protagonistes*
= erster Kämpfer), der erste Schauspieler, Hauptdarsteller im altgriech. →Drama, im Unterschied
zum →Deuteragonisten und Trita-
gonisten. Der heutige Sprachgebrauch der Literaturkritik, von ›den
P.en‹ e. Stückes zu reden, ignoriert

fälschlich die antike Unterscheidung.

Protasis (griech. = Vorspann, Voranstellung), allg. Einleitung, bes.: 1.
Vordersatz der zweigliedrigen (sti
list. oder metr.) Periode, vor dem
Hauptsatz stehender Bedingungssatz im Ggs. zur →Apodosis; 2.
nach A. Donatus (4. Jh.) die →Ex-
position und erregende Momente
enthaltender erster Teil im →drei-
aktigen Drama vor →Epitasis und
→Katastrophe.

Protęstsong, kurzlebige Form der
→polit. Dichtung: polit. Gebrauchslyrik in den 60er Jahren des
20. Jh., die mit aggressivem, provo-
kativem zeitkrit. oder polit.-sozia-
lem Engagement das Unbehagen
meist der jüngeren Generation an
den herrschenden Mißständen in
Politik und Gesellschaft zum Ausdruck bringt und ihren gezielten
Protest in einfache, eingängige Bilder, Worte und Melodien in Liedern
und Balladen, oft mit direkter Hö-
reransprache, kleidet, die freilich
mit zunehmender Kunstfertigkeit
immer mehr an agitator. Wirkung
verlieren. Entstanden aus kämpferi-
schen amerikan. Gewerkschaftslie-
dern und der Bürgerrechtsbewe-
gung der Schwarzen und über die
Collegejugend in die Konzertsäle
vorgedrungen. Texte in den USA
von Ph. Ochs, T. Paxton, B. Dylan, J. Baez, in Dtl. von H. D.
Hüsch, F.-J. Degenhardt, H.
Stütz, D. Süverkrüp, W. Biermann u. a.

K. Riha, Moritat, Bänkelsang, P.ballade,
1975, ²1979; Gesch. i. Gedicht, hg. W.
Hinck 1979.

Protęusvers (nach der Fähigkeit des
griech. Meergreises P., sich in
versch. Gestalten zu verwandeln),
entsprechend dem Wechselsatz in
Prosa ein Vers oder Gedicht, dessen

Glieder sich in der Reihenfolge nahezu beliebig vertauschen lassen, ohne den Sinn wesentlich zu ändern; mag.-myst. Sprachspielerei seit der Antike, bes. in lat. und neulat. Dichtung mit einsilbigen Wörtern, dt. im Barock (Q. KUHLMANN) und bei A. v. CHAMISSO (»Das ist die schwere Zeit der Not, / Das ist die Not der schweren Zeit, / Das ist die schwere Not der Zeit, / Das ist die Zeit der schweren Not.«), auf ganze Wechselverse ausgedehnt in R. QUENEAUS *Cent mille milliards de poèmes*, 1961.

A. Liede, Dichtg. als Spiel, II 1963.

Protreptikos (griech. = ermahnend), Prosagattung der antiken didakt. Lit.: Aufmunterung zu sittl. Besserung, zu Hinwendung zum vergeistigten Leben, bes. zum Studium der Philosophie; in Anlehnung an die ältere poet. Form der →Parainese bei den Sophisten entwickelt, von PLATON *(Euthydemos),* ARISTOTELES, POSEIDONIUS, lat. von ENNIUS, CICERO *(Hortensius* nach Vorbild der ARISTOTELES, Wirkung auf die Bekehrung des AUGUSTINUS), SENECA (verlorene *Exhortationes)* und LACTANTIUS gepflegt.

P. Hartlich, *De exhortationum a Graecis Romanisque scriptarum historia,* III 1889; W. Jaeger, Paideia, III 1937–43.

Proverb (lat. *proverbium* =) →Sprichwort

Proverbes dramatiques (franz. = dramatische Sprichwörter), Gattung kurzer, heiterer franz. Einakter mit lebhaftem, beziehungsreichem Dialog, die die Wahrheit e. Sprichwortes, prägnanten Lehrsatzes oder e. Lebenserfahrung erläutern, erweisen und beispielmäßig belegen wollen und auf dieses als Pointe zusteuern. Mangels Entfaltungsmöglichkeiten für Charakter- und Handlungsgestaltung arbeiten sie mit Genre- und Detailmalerei, oft aus dem Stegreif, so schon als scharadenhaftes Gesellschaftsspiel der Hofgesellschaft Ludwigs XIII., die das in der Aufführung gemeinte Sprichwort zu erraten hatte. Als lit. Begründer der Gattung gilt CARMONTELLE *(P. d.,* 8 Bde. 1768–81), als künstler. Meister M. T. LECLERCQ *(P. d.,* 8 Bde. 1828–33), späterhin Mme de MAINTENON (1829), Mme DURAND, GOSSE, A. de MUSSET (z. B. *On ne badine pas avec l'amour),* C. COLLÉ, A. de MOISSY, A. de VIGNY, T. GAUTIER, G. SAND, E. SCRIBE, H. de LATOUCHE, H. MONNIER, O. FEUILLET, P. BOURGET und G. d'HOUVILLE. Auch allg. aufwandlose einaktige Stücke mit zwei Personen in e. einzigen Situation heißen späterhin P. d. Nachahmungen in ital. und russ. Lit. (TURGENEV, OSTROVSKIJ).

R. Werner, Z. Gesch. d. P. d., 1887; C. D. Brenner, *Le développement du p. d. en France,* Berkeley 1937; M. Shaw, *Les p. d.* (*Revue des sciences humaines,* 1959); U. Schmidt-Clausen, M. T. Leclercq u. d. p. d., 1971.

Provinzialismus, einer Mundart eigentümlicher und nur auf deren Gebiet beschränkter, von Lautstand und Wortschatz der Schriftsprache abweichender Ausdruck (Wort, Wendung, Form, z. B. die Berliner ›Stulle, Pulle‹ u. ä.).

Provinzliteratur →Heimatdichtung

Prozessionslied →Prosodion

Prozessionsspiel, Form des →geistl. Dramas im MA., dessen Schaustellungen nicht an festem Ort, sondern im Zuge e. Prozession u. ä. feierl. Begehung vorgeführt werden, z. T. als Bilder, in Dtl. und England bes. das →Fronleichnamsspiel zumal auf der →Wagenbühne. Vgl. →Pageant.

Prthvî (ind. = Erde), Versmaß der ind. Epik, bestehend in Strophen von vier Zeilen zu je 17 Silben in der Form ⏑—⏑⏑⏑—⏑—⏑⏑⏑—⏑— —⏑⏑.

Psalmen (griech. *psalmos* = Lied zum Saitenspiel, hebr. *tehillim* = Lobgesänge, Hymnen), 150 im *Psalter* des *AT*. gesammelte relig. Lieder, Hymnen und Gebete der hebr. Lit. aus versch. Zeiten (von DAVID bis zu den Makkabäern, 10.–2. Jh. v.Chr.), die nach dem Exil als Teil des jüd. Gottesdienstes im Tempel gesungen wurden. Nach dem Gehalt unterscheidet man Lob- und Dank-P. als Preis Gottes, National-P., welche die Offenbarungen Gottes in der jüd. Geschichte verherrlichen, Lehr-P. als Ausdruck sittlich-relig. Weltanschauung und am zahlreichsten Trost-, Klage- und (sieben) Buß-P. Die Verfasser sind vielfach unbekannt; nach später entstandenen, unzuverlässigen Überschriften, die angebliche Verfasserschaft, Entstehungsursachen oder musikalisch-liturg. Bestimmungen enthalten, werden 73 P. DAVID, 12 dessen Sangmeister ASAPH, 12 den Kindern KORAH, 2 SALOMO, je 1 MOSES, den Musikmeistern HEMAN und ETHAN zugeschrieben, doch ist die Zuordnung fast überall unsicher; die Slg. wuchs erst allmählich zusammen, wurde erst im 2. Jh. v.Chr. als Ganzes betrachtet und in fünf Bücher geteilt, von denen jedes mit e. Doxologie schließt. Ihnen gemeinsam ist bei versch. Ausdrucksstärke und Gemütstiefe die Glaubensgewißheit und das Stilmittel des →Parallelismus membrorum, der an die Stelle des Metrums tritt und, durch den Wechselchor bestimmt, den P. dichter. Kraft und lyr. Vollendung gibt. Nachwirkung und Übersetzungen →Psalmendichtung.

T. Cheyne, *The origins and religious con-*

tents of the *P.*, 1891; S. Mowinckel, P.stud., Oslo II 1921–24, ²1961; A. Miller, D. P., ⁵1923; A. Posner, D. P., 1925; E. König, D. P., 1927; C. C. Keet, *A liturgical study of the P.*, 1928; W. E. Barns, *The P.*, Lond. 1931; H. Gunkel, D. P., 1933, ⁵1968; F. A. Herzog, D. P., 1946; A. Weiser, D. P., ⁴1955, ⁹1981; D. Bonhoeffer, D. Gebetbuch d. Bibel, 1953; H.-J. Kraus, P., 1961, ⁵1978; A. Arens, D. P. i. Gottesdienst d. Alten Bundes, 1961; *Studies on the P.*, Leiden 1963; H. Gunkel, J. Begrich, Einl. i. d. P., ²1966, ³1975; H. Ringgren, P., 1971; N. H. Ridderbos, D. P., 1972; Z. neueren P'forschg., hg. P. H. Neumann 1976; A. Deissler, D. P., ³1982; K. Seybold, D. P., 1986.

Psalmendichtung. Aus dem jüd. Gottesdienst in die christl. Liturgie und den Schriftbeweis in Evangelien und Briefen seit den ältesten Zeiten übernommen, wurden die →Psalmen schon seit dem 9. Jh. in die europ. Volkssprachen übersetzt und damit von großer Bedeutung für die Ausbildung der Dichtung; anfangs in Prosa, so in der St. Galler und Reichenauer Interlinearversion, e. altsächs. Psalmenübersetzung und der Übertragung mit Kommentar durch NOTKER LABEO für die Kleriker und als Erbauungsbuch für Laien; häufiger seit dem 14. Jh. und bes. seit der Reformation, die den Fortfall der lat. Liturgie durch dichter. Neubearbeitungen und Nachdichtungen der P. als →Kirchenlieder ausgleicht. An der Spitze stehen LUTHER mit der Umdichtung von 8 Psalmen in Lieder (›Ein feste Burg‹ nach Psalm 46 u.a.) und CALVIN in strengerer Form sowie alle großen Dichter der Reformation. Die erste Slg. als dt. Reimpsalter erschien 1537 durch ABERLIN. Auf diese freien Übertragungen einzelner Dichter folgt mit J. DACHSERS *Gantz-Psalter Davids* (1538) die erste einheitliche Übertragung größerer Gruppen durch e. Einzeldichter; die Zahl solcher P.en vermehrt sich bis OPITZ auf 38, am bedeutendsten die von Burkart WALDIS (1553), J. AYRER (1574) und C. SPANGENBERG (1582), während bei anderen das musikal. Interesse den Wert der Textübertragung überwiegt. Gleichzeitig entsteht in Frankreich die berühmte P. der Hugenotten Clément MAROT und Theodore BEZA (1541–63), die, ihrer volksliedhaften Melodien wegen in derselben Strophenform durch SCHEDE-MELISSUS (1572) und erfolgreicher durch A. LOBWASSER (1573) ins Dt. übertragen, bei Lutheranern und Kalvinisten lange gesungen und auch für die Entwicklung der dt. lyr. Verskunst bedeutsam wurde. Daneben stehen im 16. Jh. noch e. Reihe lat. P. für die Lektüre, so bes. das *Psalterium Davidis* von Eobanus HESSUS 1542 und die franz. Übersetzungen von BAÏF 1578 und DESPORTES 1591. Der Barock betrachtet die Psalmen in erster Linie als Dichtungen und legt weniger Wert auf Sangbarkeit als auf künstler. Formung im Zeitgeschmack, d.h. meist in Alexandrinern mit barocker Eleganz und Verschnörkelung ohne hymn. Form. Z.T. geht man auch auf die hebr. Vorlage zurück. Wichtigste P.n: VOGEL 1628, FLEMING (*10 Bußpsalmen*, 1631), OPITZ 1637, BUCHHOLTZ 1640, DEDEKIND (*Davidische Herzlust*, 1669) und Frh. v. HOHBERG (*Lust- und Artzneygarten des königlichen Propheten Davids*, 1675). Im 18. Jh. leitet S. G. LANGE (*Oden Davids*, 1746) die P. in pathet. Odenform ein, die bes. unter Einfluß KLOPSTOCKS aufblüht (J. A. SCHLEGEL, LAVATER, J. A. CRAMER 1755 ff.), während MENDELSSOHN und seine Nachfolger für die gehobene Prosaübertragung den Parallelismus nachbilden. Nach vielen anderen P.en des 19. Jh. sind im 20. Jh. bes. die Übertragung von W. STORCK in stabreimende Langzeilen

(1904) und die sehr sinngetreue von M. BUBER erwähnenswert. Auch für die Entwicklung anderer Volksliteraturen bildet oft die P. den Ausgangspunkt, so bes. in Polen die P. von J. KOCHANOWSKI (1579).

RL; H. v. Lassaulx, Übersetzungen d. Psalmen, 1928; H. Vollmer, D. Psalmenverdeutschg. v. d. Anfängen bis Luther, II 1932f.; S. Singer, Die rel. Lyrik d. MA., 1933; M. Lücker, D. frz. P.übs. d. 18.Jh., 1933; H. Lerche, Stud. z. d. dt.-ev. P.en d. 16. Jh., Diss. Bresl. 1936; P. Leblanc, *Les paraphrases franç. des psaumes à la fin de la période baroque*, Paris 1960; K. E. Schöndorf, D. Tradition d. dt. Psalmenübs., 1967; E. Trunz, Üb. dt. Nachdichtgn. d. Psalmen seit d. Reformation (Fs. J. Pfeiffer, 1967); K.-P. Ewald, Engagierte Dichtg. i. 17. Jh., 1975; Psalmen v. Express. bis z. Gegenw., hg. P. K. Kurz 1978; Liturgie u. Dichtg., hg. H. Becker II 1983. →Psalmen.

Psalter (griech. *psalterion* = Saiteninstrument), 1. in einigen Hss. der *Septuaginta* Bz. der Slg. der →Psalmen, dann allg. Slg. von Psalmen in Übersetzung und →Psalmendichtung, als Mönchs- oder Laiengebetbuch oft mit anderen relig. Texten oder Kalendergeschichten angereichert. – 2. im MA. lat. Gedichte, deren 150 Strophen nach Zahl und oft auch nach Inhalt den 150 Psalmen entsprechen.

Pseudandronym →Pseudonym

Pseudepigraphen (v. griech. *pseudos* = falsch, *epigraphein* = zuschreiben), 1. unter falschen Namen gehende Schriften, teils Art der lit. →Fälschung, teils Fehler der Überlieferung. Bes. aus der Antike sind e. Reihe von Schriften überliefert, die offensichtlich nach Stil und Inhalt nicht von dem Schriftsteller stammen, unter dessen Namen sie laufen. Man schrieb Werke irrtüml. oder absichtl. den hervorragenden Vertretern e. Dichtungsgattung zu (z.B. die →Kykliker-Epen HOMER, *Culex* und *Ciris* VERGIL, Elegien TIBULL oder OVID), um ihnen bes.

Autorität und höheres Alter zu geben. Werke der Schüler e. Philosophen galten oft als seine eigenen (PLATON, ARISTOTELES); stellenweise hielt man rhetor. Übungen (Reden, Briefe) anderer im Namen der Großen für echt (z.B. die Briefe PHALARIS aus der Feder e. Sophisten); auch Abschreibfehler verhalfen zu falschen Unterstellungen. P. sind zu den meisten bedeutenden Schriftstellern des Altertums erhalten und mit ihren Werken überliefert, so gibt es e. Pseudo-ANAKREON, -ARISTEAS, -KALLISTHENES *(Alexanderroman)*, -PLUTARCH (AETIOS von Antiochia), e. Pseudo-CATO, -VARRO, -VERGIL (e. Teil des *Katalepton*), -TIBULL, -OVID, -SENECA (die *Octavia* und e. gefälschter Briefwechsel mit PAULUS), -APULEIUS, -TERTULLIAN u.a.m.; in dt. Lit. bes. Pseudo-NEIDHARTE. – 2. die jüd. →Apokryphen und bruchstückweise erhaltene kirchl. Schriften meist der oriental. (syr., kopt.) Kirchen in deren Sprache, die mit *AT.* und *NT.* verwandt sind, ohne dazu zu gehören.

P. Lehmann, Pseudoantike Lit. d. MA., 1927; E. Holst Clift, *Latin P.,* Baltimore 1945; M. Steinschneider, Z. p. Lit. d. MA., Amsterd. 1965.

Pseudogynym →Pseudonym

Pseudonym (v. griech. *pseudos* = falsch, *onoma* = Name), e. Schriftwerk, das unter e. vom Verfasser selbstgewählten falschen, erfundenen oder veränderten Namen erscheint, und dieser →Deckname selbst. Die Ursachen zur Verbergung des eigtl. Namens können verschiedene sein: notwendige oder vermeintlich nötige Vorsicht, bes. bei polit., satir., relig. und erot. Schriften, ständisch-soziale Rücksichten, z.B. bei Adligen (PHILALETES = König Johann von Sachsen, CARMEN SYLVA = Königin Elisabeth

von Rumänien) oder eigene Nobilitierung (→Aristonym), Vermeidung häufiger, gewöhnlich oder zu bescheiden klingender Namen zugunsten wohllautender (MEYRINK = G. Meyer, EDSCHMID = Ed. Schmid), schwieriger zugunsten merkbarer (J. CONRAD = Korzienowski, G. APOLLINAIRE = Kostrowitzky), unschöner oder klangloser zugunsten besserer (KLABUND = Henschke, A. P. GÜTERSLOH = A. C. Kiehtreiber), Verschämtheit vor der Öffentlichkeit, Furcht vor der Verantwortung, stellenweise der Wunsch, jede neue Seite seines Lebens in e. Schriftwerk als gesondertes Ich mit eigenem Namen darzustellen (KIERKEGAARD), oft auch bloßer Spieltrieb, der Autoren mehrere P.e benutzen läßt (VOLTAIRE, R. GARY, VERCORS, TUCHOLSKY). Eigene Formen des Decknamens sind →Anagramm, →Ananym und →Kryptonym oder die Abkürzung auf →Initialen, Sonderformen des P. dagegen →Aristonym, →Prenonym, →Hagionym, →Phraseonym, →Geonym, →Phrenonym, →Scenonym, →Sideronym, →Titlonym, →Telonisnym, bes. häufig Pseudandronym, d.h. männl. P. für e. Frau (Emil MARRIOT = Emilie Mataja, George SAND = Aurore Dudevant, George ELIOT = Mary Ann Evans), sehr selten dagegen Pseudogynym, d.h. weibl. P. für e. Mann (Clara GAZUL = Prosper Mérimée). P.e im engeren Sinne sind für die Forschung nur solche, die nur auf den Schriften erscheinen, nicht solche, die der Autor auch im Alltagsleben führt. Ältestes dt. P. ist wohl der STRICKER (13. Jh.). Im Humanismus führt der antikisierende Geschmack zu zahlr. Latinisierungen und Gräzisierungen (→Metonomasie) der Namen, die jedoch, da wörtlich übersetzbar, kein P. im eigentl. Sinne sind, so z.B.: Neander = Neumann,

Agricola = Bauer, Faber = Schmied, Xylander = Holtzmann, Melanchthon = Schwarzert u.a.; Nachklang bis ins 19. Jh.: Corvinus = W. RAABE. Zur lit. Mode wurde das P. im 16./17. Jh. bei fast allen Schriftstellern z.B. ABRAHAM A SANCTA CLARA = U. Megerle, ANGELUS SILESIUS = J. Scheffler, bes. aber als →Anagramm, das oft erst die neue Forschung aufgelöst hat. Auch im 18./19. Jh. verdrängen viele P.e den bürgerl. Namen und sind als solche ins heutige Bewußtsein eingegangen: MOLIÈRE = Poquelin, VOLTAIRE = Arouet, BEAUMARCHAIS = Caron, NOVALIS = Hardenberg, JEAN PAUL = J. P. Friedrich Richter, GOTTHELF = A. Bitzius, LENAU = Niembsch Edler von Strehlenau, STENDHAL = H. Beyle, SEALSFIELD = Postl, HALM = Frh. v. Münch-Bellinghausen, Anastasius GRÜN = Graf v. Auersperg, W. ALEXIS = Häring, MARK TWAIN = Clemens, Ada CHRISTEN = Christiane Frederik, MARLITT = E. John, Joachim RINGELNATZ = Hans Bötticher, Knut HAMSUN = Pedersen, Anatole FRANCE = Jacques Thibaut, Alfred KERR = Kempner, J. ROMAINS = Farigole, A. SEGHERS = Radvanyi u.a.m.; teils wurden P.e sogar als bürgerl. Namen übernommen wie Martin GREIF = F. H. Frey oder Peter ALTENBERG = Richard Engländer. Seltener werden erfolgreiche P.e wieder zurückgezogen, wie ANZENGRUBER zuerst unter L. Gruber veröffentlichte oder H. v. HOFMANNSTHAL zuerst als Theophil Morren oder Loris erschien.

E. Bormann, D. Kunst d. P., 1901; G. H. Happel, D. P., jur. Diss. Marbg. 1924; RL¹; J. A. Sint, Pseudonymität i. Altertum, 1960; G. Söhn, Literaten hinter Masken, 1974. – P.enlexika →Anonym, dazu: M. Holzmann, H. Bohatta, Dt. P.lex., 1906, ²1961; E. Weller, Lex. P.orum, ²1886, n. 1977; J. V. de le Court, Essai d'un dictionnaire, 1863 (belg.); Hayne, P.s of authors, 1883 (nordame-

rik.); V. A. de la Montagne, Vlaemsche P.ien, 1884; W. Cushing, Initials and P.s, N.Y. II 1886–88 (nordamerik.); G. d'Heylli, Dictionnaire des p.s, Paris ²1887; E. Ponce de León y Freire u. F. Zamora Lucas, 1500 seudónimos modernas de la literatura española, Madrid 1942; A. Santi, Dizionario pseudonimico, Modena 1952; F. Atkinson, Dict. of lit. p.s, Lond. ³1982.

Pseudoromantik, Bz. H. A. KRÜGERS für die Unterhaltungslit. der Restaurationszeit, die auf Grundlage der Spätaufklärung sich durch romant. Stil- und Stoffelemente und Motive rein äußerlich aufputzte, bes. ausgeprägt in dem von Minister NOSTIZ-JÄNKENDORF gegr. Dresdner Liederkreis (anfangs ›Dichtertee‹ mit der von KIND hg. ›Abendzeitung‹ Vespertina als Organ, an der sich auch HOUWALD, FOUQUÉ, ALEXIS, W. MÜLLER u.a. beteiligten. Erfolgreichster Schriftsteller des Kreises war J. F. KIND, weitere Th. HELL, K. A. FÖRSTER, O. H. Graf von LOEBEN, K. A. BÖTTIGER und Helmina von CHÉZY. L. TIECK, derzeit Dramaturg des Dresdner Hoftheaters, sparte nicht mit satir. Angriffen gegen den Liederkreis und wurde schließlich verdrängt. Kurz darauf verfiel der Liederkreis völlig. H. A. Krüger, P., 1904.

Psychoanalytische Literaturwissenschaft (griech. psyche = Seele, analysis = Zerlegung), auf der Tiefenpsychologie S. FREUDS und deren Schulen (A. ADLER, C. G. JUNG) aufbauende Methode der Lit.analyse. Sie sieht in der Lit. das Wirken der unbewußten Dimensionen der Psyche: Urbilder (→Archetypen: Oedipus, Narziß) des ›kollektiven Unbewußten‹, uneingestandene Wünsche, verdeckte Konflikte u.ä., die durch die gesellschaftlich bedingten Tabus des kollektiven Bewußtseins ins Unbewußte verdrängt worden sind, und versucht, den latenten Anteil dieser unbewußten Phantasien freizulegen: in der Entstehung des Werkes (Autor), im Werkinhalt, dessen Tiefendimensionen unbewußt zugeschüttet wurden (Werk), in der lit. Form, die versch. Abwehrvorgänge enthält und durchläuft (Gestalt), in der Rezeption des Werkes, die unbewußte Steuerungsmechanismen (Abwehr, Identifikation, Projektion) umfaßt (Leser) und in der Wirkung des Werkes auf die Lebenspraxis des Lesers. Sie analysiert Stilzüge, Bilder, Symbole, Motive, Züge und Strukturen e. Werkes oder des Gesamtwerks e. Autors im Hinblick auf solche seel. Komplexe, unbewußte Wünsche und verdrängte Vorstellungen. Anfangs mehr von Psychoanalytikern ohne lit.wiss. Schulung betrieben und mehr von psycholog.-therapeut. Interesse gelenkt, schloß sie vom Werk allzu rasch auf den Verfasser und betrachtete eher psychologisch interessante als lit. bedeutende Schriftsteller und ungewöhnl., anomale Züge. Sie wurde sich jedoch bald des Anteils an bewußtem Gestaltungswillen, künstler. Erfordernissen und lit. Stil- und Formtraditionen bewußt, benutzte das Werk nicht mehr ausschließlich als Steinbruch psychoanalyt. Erkenntnisse und sieht das Verdrängte nicht mehr als alleinigen Daseinssinn des Kunstwerks und Psychoanalyse oder Psychokritik des Autors nicht mehr als letztes Ziel. Obwohl ästhet. und formkünstler. Aspekte ihr dem Forschungsansatz gemäß z.T. weiterhin zweitrangig sind, bietet p. L. heute e. wertvolle Hilfestellung bei der Entschlüsselung der lit. gestalteten Konflikte, Komplexe und Figuren und trägt zur Sensibilisierung des Instrumentariums lit. Analyse bei.

H. Sachs, D. Bedeutg. d. P. f. d. Geisteswiss., 1913; E. Aulhorn, Dichtg. u. P., GRM 10, 1922; F. L. Sack, D. P. i. mod. engl. Roman, 1930; W. Muschg, D. u. Lit.wiss., 1930; H. Pongs, P. u. Dichtg., Euph. 34, 1933; R. Hoop, D. Einfl. d. P. auf d. engl. Lit., 1934; E. Bergler, *Writer and p.*, N.Y. 1950; D. E. Schneider, *The psychoanalist and the artist*, N.Y. 1950; Zs. *Lit. and Psychology*, N.Y. 1951 ff.; *P. et litt.*, 1955; E. Heller, P. u. Lit. (Jahresring 1956/57); S. O. Lesser, *Fiction and the unconscious*, Boston 1957, ²1962; F. J. Hoffmann, *Freudianism and the lit. mind*, N.Y. ²1959; L. Fraiberg, *P. and Americ. lit. crit.*, Detroit 1960; *Art and P.*, hg. W. Philips, Cleveland 1963; *P. and Lit.*, hg. H. M. Ruitenbeek, N.Y. 1964; L. u. E. Manheim, *Hidden patterns*, N.Y. 1966; C. C. Morrison, *Freud and the critic*, Chapel Hill 1968; P. Detterming, Dichtg. u. P., II 1969–74; Psychologie i. d. Lit.wiss., hg. W. Paulsen 1971; Lit. u. P., hg. W. Beutin 1972; P. v. Matt, Lit.wiss. u. P., 1972; Schriftsteller u. P., hg. A. Mitscherlich 1972; D. Fernandez, *L'arbre jusqu'aux racines*, Paris 1972; A. Clancier, *P. et création lit.*, Toulouse 1973; J. J. Spector, Freud u. d. Ästhetik, 1973; J. Strelka, P. u. Mythenforschg. i. d. Lit.wiss. (Z. Kritik lit.wiss. Methodologie, hg. V. Žmegač 1973); P. u. Lit.wiss., hg. B. Urban 1973; J. Starobinski, P. u. Lit., 1973; H. Politzer, Hatte Ödipus e. Ödipus-Komplex, 1974; Psychoanalyt. Textinterpretation, hg. J. Cremerius 1974; G. Schrey, Literaturästhetik d. P., 1975; Psychoanalyt. Lit.kritik, hg. R. Wolff 1975; *Psicoanalisi e crit. lett.*, hg. D. Desideri, Rom 1975; J. Bellemin-Noël, *P. et lit.*, Paris 1978; J. Le Gaillot u.a., *P. et langages litt.*, Paris 1978; Perspektiven ps. Lit.kritik, hg. S. Goeppert 1978; K.-U. Pech, Kritik d. ps. Lit.- u. Kunsttheorie, 1979; H. C. u. S. Goeppert, P. interdisziplinär, 1979; Ps. Lit.interpretation, hg. J. M. Fischer 1980; M. A. Skura, *The lit. use of the ps. process*, New Haven 1981; Lit. u. P., hg. N. Bohnen 1981; M. Rutschky, Lektüre d. Seele, 1981; Ps. u. psychopatholog. Lit.interpretation, hg. B. Urban 1981; W. Achten, Ps. Lit.kritik, 1981; C. Oetjens, P. als Methode d. Lit.interpretation, 1982; *P., psychology, and lit.*, Bibliogr. hg. N. Kiell, Metuchen II 1982; Psychologie d. Kultur, hg. G. Condrau II 1982; Ps. Lit.wiss. u. Lit.soziologie, hg. H. Krauß 1982; M. Worbs, Nervenkunst, 1983; C. Pietzker, Einf. i. d. P. d. lit. Kunstwerks, 1983; P. v. Matt, D. Herausforderg. d. Lit.wiss. durch d. P. (Lit.psych. Stud. u. Analysen, hg. W. Schönau, Amst. 1983); *Lit. and p.*, hg. E. Kurzweil, N.Y. 1983; R. Marx u.a., P. u. Lit.wiss., LiLi 14, 1984; M. Bal u.a., Poetics 13, 1984; E. Wright, *Ps. criticism*,

Lond. 1984; Eingebildete Texte, hg. J. Hörisch 1985; J. Hagestedt, D. Entzifferg. d. Unbewußten, 1988; D. Gunn, *P. and fiction*, Cambr. 1988.

Psychoanalytischer Roman →psychologischer Roman

Psychodrama, 1. →Monodrama, das in bewegter Handlung das seel. Ringen e. einzelnen (im Monolog) gestaltet. – 2. außerhalb der Lit.: Von J. L. Moreno entwickelte Methode tiefenpsycholog. Gruppentherapie, bei der die Patienten ihre unbewußten Konflikte durch improvisiertes dramat. Agieren zur Katharsis führen.

J. L. Moreno, P., N.Y. II 1946–59; V. Burkart, Befreiung durch Aktion, 1972; Z.-M. Erdmann, P., 1975.

Psychologie →Literaturpsychologie

Psychologischer Roman, vage Bz. für e. Romantyp, der weniger die äußeren Handlungsvorgänge als ihre Wirkungen und Keimzellen im Seelenleben der Figuren betont, deren Empfindungen und innerseel. Reaktionen er im Zusammenhang beobachtet und wiedergibt. Da fast alle Romane auch psych. Vorgänge darstellen, ist die Bz. dehnbar und beruht auf Prävalenz. Wie stets die Darstellung der Innenwelt, so ist auch der p. R. typ. Zeichen e. verfeinerten Spätkultur; erst auf dem Zustand der Reife steigt das Interesse für Zusammenhänge, Ursachen und Reaktionen des Seelischen. Vorstufen zeigen sich schon im Epos: Vergils *Aeneis* ist (in Nachfolge des Hellenismus) psychologischer durchgestaltet als Homers typisierte Figuren; ähnlich Hartmanns, Wolframs und bes. Gottfrieds Epen gegenüber den handlungsreichen Heldenepen. Die eigtl. Entwicklung des p. R. beginnt erst im Gefolge von Pietismus und Emp-

findsamkeit mit S. Richardsons →Briefromanen und mit Rousseaus *Nouvelle Heloïse*, die in Dtl. über Wielands *Agathon*, K. P. Moritz *Anton Reiser*, Goethes *Werther, Wilhelm Meister* zu Schlegels *Lucinde* und bes. Goethes *Wahlverwandtschaften* zum →Entwicklungsroman führen. Während diese e. strengen empir. Kausalzusammenhang von Ursache und Wirkung im Seelenleben zugrunde legen, setzt die Romantik, bes. E. T. A. Hoffmann, e. dämon. Untergrund als gegeben voraus. Die eigtl. Blüte des p. R. bringt der Realismus des 19. Jh. zuerst in Frankreich bei B. Constant *(Adolphe)*, Stendhal, Chateaubriand, Balzac, Fromentin, Bourget und Maupassants p. Novellen, erst später in England (Thackeray) und Dtl.: Spielhagen *(Problematische Naturen)*, v. Saar, Ebner-Eschenbach, Ad. Christen, H. Kurz (P. →Kriminalroman *Der Sonnenwirt*) u.a., dann steigern O. Ludwig *(Zwischen Himmel und Erde)*, G. Keller und C. F. Meyer die Feinheit der Seelenanalyse, und auch in Frankreich bringt die 2. Hälfte des 19. Jh. durch inhaltlich-weltanschaul. Differenzierungen die größte Vollendung des p. R. (Flaubert). In Rußland entwickelt sich der p. R. nach dem Vorgang von Lermontov *(Ein Held unserer Zeit)* bes. in Dostoevskijs erbarmungsloser p. Kunst zu größtem Einfluß auf den westl. Naturalismus und gibt ihm die Neigung zum Pathologischen, Tiefgründigen, bes. bei G. Hauptmann, in den impressionistisch-feinnervigen p. R. Schnitzlers, Hofmannsthals, Rilkes, S. Zweigs und dem Frühwerk Th. Manns wie dem Spätwerk Fontanes, z.T. unter Verwendung der →erlebten Rede. Während von hier aus die Entwicklungsrichtung des

einfachen p. R. über STEHR, WILD-
GANS, GINZKEY, HAMSUN, R. ROL-
LAND, GALSWORTHY zu CAROSSA, I.
SEIDEL, S. UNDSET u.v.a. ausgeht,
folgt seit der Jh.wende aus FREUDS
Psychoanalyse e. Reihe europ. und
amerikan. psychoanalyt. Romane.
Sie erstreben Seelendeutung und
-zergliederung durch Gestaltung
von Komplexen, Träumen und verdrängten Wunschvorstellungen, die
wie nie zuvor zur Durchleuchtung
seel. Untiefen herangezogen werden. J. JOYCE, M. PROUST, A.
GIDE, V. WOOLF, R. MUSIL, H.
BROCH, Th. MANN, St. ZWEIG,
KAFKA und zahlreiche andere, bes.
der franz. Existentialismus, z.T.
auch SPITTELER (*Imago*) und H.
HESSE (*Demian*) sind ihr verpflichtet und entfalten die p. Erzählform
des →inneren Monologs und des
→stream of consciousness. In der
Gegenwart überdecken zeitkrit., polit. und soz. Engagement wiederum
das psycholog. Interesse und greifen
dabei vielfach auf vorgeprägte Ro-
manfiguren wie die des Schelmen
zurück, oder experimentelle Formen
wie der →Nouveau Roman verzichten auf Psychologie.

RL; L. Edel, *The psych. Novel*, N.Y.
²1959; R. Mühlher, D. mod. p. R. i.
Österr., 1964; G. Wagner, D. Entwicklg.
d. p. R. i. Dtl. v. d. Mitte d. 18. Jh. bis z.
Ausg. d. Romantik, Diss. Wien 1965; F.
J. J. Buytendijk, Psychologie d. Romans,
1966; G. O. Taylor, *The passages of
thought*, N.Y. 1969. →Roman.

Publikation →Veröffentlichung

Publikum (lat. *publicus* = öffentlich), 1. die persönl. anwesende Zu-
hörer- oder Zuschauerschaft im
Theater (ebenso bei Dichterlesungen, Rezitationen, anderen Medien
wie Film, Funk, Fernsehen); als solches konstituierendes, mitbestimmendes Element und soz. Faktor jeder Darbietung und durch seine Reaktion auf die von der Vorführung

ausgehenden opt. und verbalen Signale und Informationen maßgeblich für Erfolg, Mißerfolg, Änderung oder gar Absetzen e. Stückes
bzw. e. Serie. Dabei spielt der Faktor der soz.-weltanschaul. Homoge-
nität oder Heterogenität zwischen
Produzenten und P. oder innerhalb
des P. e. Rolle, die z.T. Geschmack,
Interesse und Mode bestimmt. Aus
der Einheit von Darsteller und P. in
allen dramat. Frühformen (indem
der Darsteller aus der Mitte des P.
heraus und in seiner Stellvertretung
spielt) entwickelt sich erst seit Aufkommen des Berufsschauspielers
die Trennung von Schauspielern als
darbietendem und P. als aufnehmendem Faktor, die jedoch nicht
passiv bleibt, sondern in der aktiven
Aufnahme und Verarbeitung des
Dargebotenen das Kunstwerk zu
Ende führt und abrundet. Noch im
ma. Marktplatzspiel drängt das P.
sich unter die Darsteller, und der
Prologsprecher muß diesen Raum
schaffen; und auch nach der äußerl.
Trennung der Bühne vom Zuschauerraum im mod. Theater bestand in
Frankreich und Dtl. bis ins 18. Jh.
die Unsitte, daß adlige Besucher
während der Vorstellung auf der
Bühne Platz nehmen durften (→Or-
chestra). Der zunehmenden Absonderung der Guckkastenbühne vom
P. suchte man im 20. Jh. durch Einführung der Arenabühne (M. REIN-
HARDT) oder der halbkreisförmig in
den Zuschauerraum vorspringenden Raumbühne zu begegnen, die e.
engeren Kontakt beider Teile herstellt. Seit dem Rückgang der Thea-
terfreudigkeit versucht man durch
→Volksbühnen u.ä. Theaterge-
meinschaften, deren Mitglieder finanzielle Vergünstigungen erhalten
und auch auf die Spielplangestaltung Einfluß haben, die Anteilnahme des P. am Theater zu verstärken
oder das P. durch Mitspiele (P.

PÖRTNER) für die Spielhandlung zu aktivieren.

2. Die Summe der →Leser lit. Werke. Sie übt durch →Geschmack, Erwartungen und Anforderungen e. großen Einfluß auf das Schrifttum und das Verlags- und Buchwesen überhaupt aus, ist jedoch erst jüngst Gegenstand tieferer Untersuchungen von seiten der →Literatursoziologie und der →Rezeptionsforschung geworden, der interessante Aufschlüsse u. a. über das Verhältnis des Autors zum P. – von dem einsamen Lyrik bis zum kalkulierten →Bestseller und Auftragswerk – zu geben verspricht.

G. Roethe, V. lit. P. i. Dtl., 1902; H. Schöffler, Protestantismus u. Lit., 1922; A. Thibaudet, *Les liseurs des romans*, 1925; B. Schöne, Schauspiel u. P., Diss. Ffm. 1927; RL; E. Auerbach, D. franz. P. d. 17. Jh., 1933; H. Riefstahl, Dichter u. P. i. d. 1. Hälfte d. 18. Jh., Diss. Ffm. 1934; C. W. S. Sauermann, Kritik u. P., 1935; W. Fechter, D. P. d. mhd. Dichtg., 1935, ²1966; V. Lange, D. Lyrik u. ihr P. i. Engl. d. 18. Jh., 1935; D. Daiches, *Lit. and society*, 1938; Q. D. Leavis, *Fiction and the reading public*, 1939, ²1965; L. Stephen, *Engl. Lit. and society in the 18. century*, 1940; F. Hodeige, Z. Stellung v. Dichter u. Buch i. d. Gesellsch., Diss. Marb. 1949 (auch Börsenbl. f. d. dt. Buchhandel 12, 1956); F. Kenyon, *Books and Readers in Ancient Greece and Rome*, Oxf. ²1951; K. Poerschke, D. Theater-P. i. Lichte d. Soziologie u. Psychol., 1951; A. Hauser, Sozialgesch. d. Kunst u. Lit., II 1953; F. Dehn, D. Dichter u. d. Leser, 1954; F. Schalk, D. P. d. ital. Humanismus, 1955; R. D. Altick, *The Engl. common reader*, Chic. 1957; E. Auerbach, Lit.sprache u. P. i. d. lat. Spätantike u. i. MA., 1958; M. Descotes, *Le public de théâtre et son histoire*, Paris 1964; M. Spiegel, D. Roman u. sein P. i. frühen 18. Jh., 1967; W. R. Langenbucher, D. P. i. lit. Leben d. 19. Jh. (Börsenbl. f. d. dt. Buchhandel 65, 1968); R. Escarpit, D. Arten d. P. (Wege d. Lit.soz., hg. H. N. Fügen 1968); Das P., hg. M. Löffler 1970; S. Melchinger, D. P. d. dt. Theaters (D. Gesellsch. i. d. BR., hg. H. Steffen 1971); H. C. Angermeyer, Zuschauer i. Drama, 1971; D. Diederichsen, Method. Probleme d. P.forschg., MuK 17, 1971; A. Ward, *Book production, fiction and the German reading public 1740–1800*, Oxf. 1974; V. Klotz, Dramaturgie d. P., 1976; D. Theater u. s. P., 1977; H. Kin-

dermann, D. Theaterp. d. Antike, 1979; ders., D. Theaterp. d. MA., 1980; R. Wittmann, Buchmarkt u. Lektüre i. 18. u. 19. Jh., 1982. →Leser, →Rezeption.

Publizist (v. lat. *publicus* = öffentlich), Schriftsteller oder Journalist, der über Tagesfragen schreibt.

Publizistik (v. lat. *publicus* = öffentlich), das zu öffentl. Tagesfragen nehmende Schrifttum, bes. →Flugblatt →Flugschrift, →Zeitung und →Zeitschrift, im weiteren Sinn auch die übrigen →Massenmedien, schließl. Zeitungs- und Medienwissenschaft. →Journalismus, →Presse.

W. Haacke, P., 1962; W. Hagemann, Grundzüge d. P., ²1966; H. Pross, Moral d. Massenmedien, 1967; Hdb. d. P., hg. E. Dovifat III 1968f.; K. Koszyk u.a., Wb. z. P., 1969; H. Pross, P., 1970; W. Haacke, P. u. Gesellsch., 1970; P., hg. E. Noelle-Neumann 1971; B. Thum, Öffentlich-machen, LiLi 10, 1980.

Pulcinella (ital. = Hähnchen), →komische Person der süditalien. Volksposse mit ironisch-intriganter Grotesk-Komik im Sinn des →Hanswurst; im 16. Jh. in die →Commedia dell'arte übernommen als Typ des heißhungrigen, bauernschlauen neapolitan. Dieners in weißen weißem Gewand mit Pluderhose, Zweispitz oder Spitzhut und vogelnasiger Halbmaske. In Frankreich als →Polichinelle, in England ab rd. 1670 als Punch (dort mit s. Frau Judy auch Hauptfigur des Puppenspiels) fortlebend.

Pulitzerpreise, vom amerikan. Journalisten und Zeitungsverleger Joseph PULITZER (1847–1911) gestiftete Preise für Bestleistungen in versch. Kategorien, Zeitungswesen (8 Preise) und Lit. der USA (5 Preise), seit 1917 jährlich durch die Columbia-Universität, N.Y., verliehen. J. Hohenberg, *The P. P.story*, N.Y. 1959.

Punch →Pulcinella

Puppenspiel, auch ›Figurentheater‹, dramat. Schaubühne, die menschl. Schauspieler durch mechanisch an Drähten oder Fäden über ein Führungskreuz von oben bewegte →Marionetten, auf die Hand gezogene und mit den Fingern von unten bewegte Handpuppen oder von unten dirigierte →Stock- oder Stabpuppen ersetzt, während ein oder mehrere Sprecher (oft gleichzeitig die Spieler) hinter der Bühne die zugehörigen Reden nachahmen oder (in Asien) ein Kommentator die Handlung beschreibt. Als Stegreifspiel, dessen Komik auf Volkswitz beruht und dessen Texte – meist volkstümliche oder Sagenstoffe in vereinfachter Dialogform teils mit Einbeziehung des Publikums und lokalen und aktuellen Impromptus – fast nie lit. fixiert und überliefert sind, dem Mimus verwandt und wie dieser meist Typenlustspiel um e. national abgetönte, meist der Commedia dell'arte entlehnte →komische Person (→Kasperletheater, ital. Pulcinella, franz. Guignol, engl. Punch, türk. →Karagöz). Abarten finden sich von alters her bei allen Völkern: China seit rd. 1000 v.Chr., Japan (→Jôruri, →Bunraku), hochkünstlerisch durchgeformt im →Wayang von Java, stark erotisch in der Türkei, kult. im alten Ägypten, bei den Mohammedanern Asiens und Afrikas (bes. in Tunis und Algerien als Volksbelustigung an den Abenden des Hl. Monats), auch bei Griechen und Römern. Vom MA aus der Spätantike übernommen, ist es in Dtl. zuerst durch e. Abbildung im *Hortus deliciarum* der HERRAD VON LANDSBERG (12. Jh.) bezeugt und wurde von den Spielleuten mit betonter Komik gepflegt im 15. Jh. auf Jahrmärkten, Marktplätzen, aber auch in Bürgerhäusern und am Hof. Aufschwung nimmt es im 16./ 17. Jh. mit relig. Stoffen (zwecks Genehmigung) und Übernahme von Stoffen aus den Haupt- und Staatsaktionen, am beliebtesten das P. vom *Dr. Faust,* das GOETHE, der es als Kind in Frankfurt vom Marionettentheaterspieler R. SCHÄFFER aufgeführt sah, die erste Anregung zum *Faust* gab. (Den nicht überlieferten Text dieses P. versuchte K. SIMROCK 1846 durch Rekonstruktion zu erschließen.) GOETHE hebt das Ansehen des P. (bes. im *Wilhelm Meister*); die Romantik pflegt es als Volkskunst, TIECK und BRENTANO schreiben P.e. KLEIST gibt ihm e. geistvolle, tiefe Deutung im Aufsatz *Über das Marionettentheater* (1810). Ende 16. Jh. entstehen in England, im 17. Jh. in Frankreich, 1802 in Dtl. erste feste P.-Theater: Christoph WINTERS Kölner ›Hänneschen-Theater‹ sowie Aufführungen von SCHÜTZ und DREHER in Berlin, GEISSELBRECHT in Frankfurt a.M. Graf POCCI erstrebten mit zahlr. guten P.-Texten erfolgreich e. lit. Veredelung und Festigung; J. SCHMID schuf 1858 in München e. Wirkungsstätte des P. für höhere Ansprüche und pädagog. Absichten und verbreitete wie auch sein Nachfolger PUHONNY die Texte POCCIS. Noch höhere künstler. Ansprüche stellte das Salzburger Marionettentheater von Anton AICHER, das auch kom. Oper und Singspiel einbezog; die Spitze erreicht Prof. TESCHNER in Wien mit dem javan. ›Figurenspiegel‹. P.-Texte schrieben im 20. Jh. u.a. W. von SCHOLZ, A. von BERNUS, E. TOLLER, M. KOMMERELL und T. DORST. Weite Pflege fand das P. auch in der Tschechoslowakei (als polit. Ventil), in der SU (S. OBRASZOW 1925) und in England. Erweiterte techn. Möglichkeiten bietet das Fernsehen. →Schattenspiel.

Ch. Magnin, *Histoire des marionettes en*

Europe, Paris ²1862; R. Pischel, D. Heimat d. Puppenspielers, 1900; É. Maindron, *Marionettes et Guignols*, Paris 1900; H. S. Rehm, D. Buch d. Marionetten, 1905; E. Ducret, *Le théâtre de Guignol*, Paris 1914; Ph. Leibrecht, Zeugnisse u. Nachweise z. Gesch. d. P. i. Dtl., Diss. Freibg. 1919; S. d'Amico, *Il teatro dei fantocci*, Florenz 1920; J. H. Haiman, *A book of marionettes*, Lond. 1920; P. R. Rohden, D. P., 1922; E. Rapp, D. Marionette i. d. dt. Dichtg. v. Sturm u. Drang bis z. Romantik, 1924; C. Niessen, D. rhein. P. (Zs. f. Dt.kde., 1925); P. Jeanne, *Bibliogr. des marionettes*, Paris 1926; A. Altherr, Marionetten, 1926; M. v. Boehn, Puppen u. P., II 1929; H. Naumann, Stud. z. P. (Zs. f. dt. Bildg. 5, 1929); L. Buschmeyer, D. ästhet. Wirkgn. d. P., 1931; RL; G. G. Ransome, *Puppets and shadows, a bibliogr.*, Boston 1931; R. Majut, Lebensbühne u. Marionette, 1931; F. Lehmann, D. Hand-P., 1934; G. Schenk, E. Hausbuch f. d. P., 1936; H. Siegel, Handpuppen u. Marionetten, 1941; L. Glanz, D. P. u. sein Publikum, 1941; M. H. Batchelder, *The Puppet Theatre handbook*, N.Y. 1947; J. Chesnais, *Hist. générale des marionettes*, Paris 1947, n. 1981; A. C. Gervais, *Marionettes et -istes en France*, Paris 1947; T. Schmidt-Ziegler, V. künstler. Hand-P., 1948; H. Merck, D. Kunst d. Marionette, 1948; P. McPharlin, *The Puppet Theatre in America*, N.Y. 1949, ²1969; F. Eichler, D. Wesen d. Handpuppen- u. Marionettenspiels, ²1949; F. Arndt, D. Hand-P., 1950; E. S. Demenij, P. auf d. Bühne, 1951; D. W. Seager, *Marionettes*, Lond. 1952; G. Speaight, *The hist. of the Engl. puppet theatre*, Lond. 1955, ²1969; A. Fedotow, Technik d. Puppentheaters, 1956; H. R. Purschke, P. i. Dtl., 1957; M. Lee, *Puppet Theatre*, Oxf. 1958; E. Li Gotti, *Il teatro dei pupi*, Florenz 1958; *Marionette e burattini*, hg. R. Leydi, Mail. 1958; P. Spies, D. türk. Puppentheater, 1959; G. Baty, R. Chavance, *Hist. des marionettes*, Paris 1959, ²1972; E. Bramall, *Puppet Plays and Playwriting*, Lond. 1961; S. Benegal, *Puppet theatre around the world*, Neu-Delhi 1961; H. R. Purschke, Liebenswerte Puppenwelt, 1962; J. E. Varey, *Historia de los titeres en España*, Madrid o.J.; P. L. Mignon, Marionettentheater, 1963; E. Rapp, D. Marionette i. romant. Weltgefühl, 1964; P. D. Arnott, *Plays without people*, Bloomington 1964; W. Meilnik, *Bibliogr. van het P.*, Amsterd. 1965; B. Baird, *The art of the puppet*, N.Y. 1965, ²1973; P. der Welt, 1966; G. Küpper, Aktualität im P., 1966; J. Malik u.a., D. P. i. d. Tschechosl., Prag 1970; R. Simmen, D. Welt i. P., 1972; P. Steinmann, Theaterpuppen, 1980; P. Fournel, *L'hist.*

véritable de Guignol, Genf 1981; A. Gilles, *Le jeu de la marionnette*, Nancy 1981; *Les marionnettes*, hg. P. Fournel, Paris 1982; H. R. Purschke, D. Entw. d. P., 1985; R. Drux, Marionette Mensch, 1986; W. Till, P'theater, 1988.

Purânas (ind. = die Alten), ind. heilige Schriften, dichterische, belehrende Erzählungen e. neuerblühten Mythologie um Weltschöpfung und -entwicklung, histor. und myth. Ereignisse, Herkunft der Helden, Götter und Heiligen, Berichte über die Geschichte der großen Patriarchen und königl. Dynastien sowie relig. Riten und philos.-wiss. Anschauungen und Weltordnung, -untergang und Weltseele; meist sehr alte Stoffe, die jedoch erst in jüngeren Fassungen des 5./6. Jh. n.Chr. überliefert sind, z.T. zu enormen Enzyklopädien auswuchsen und als anonyme Sammelarbeiten die Lit. mit ungeheuren, ständig erweiterten Stoffmassen überfluteten. Man unterscheidet 18 *Maha-P.* (d.h. große P.), am bedeutendsten das *Bhâgavata-P.* (10. Jh.), daneben 18 *Upa-P.* (Neben-P.) und *Sthala-P.s* (Lokal-P. über heilige Stätten).

Purgierte Ausgabe (v. lat. *purgare* = reinigen) →editio castigata

Purismus (lat. *purus* = rein), Streben nach Sprachreinheit durch Vermeidung von Fremdwörtern und fremden Wortformen, Neologismen und Barbarismen. Schon im griech. →Attizismus und in der klass. lat. Lit. (CICERO und CAESAR, später MESSALA und SENECA) nach Vorgang von TERENZ, SCIPIO AEMILIANUS und LAELIUS gefordert, bes. als urbane Hochsprache der städt. Nobilität unter Ausmerzung des Vulgären, im Ciceronianismus selbst durch Periphrase. Ähnl. Ziele verfolgte die Académie Française seit 1635. In dt. Lit. bes. im 17. Jh. durch die →Sprachgesellschaften und im →Alamode-Kampf gegen die franz. Überfremdung gefordert (SCHOTTEL, MOSCHEROSCH, ZESEN, HARSDÖRFFER), später durch die →Deutschen Gesellschaften, den 1885 gegr. Allg. Dt. Sprachverein, den NS-Staat, jeweils wenn das nationale Selbstbewußtsein im Begriff war, seine Dankesschuld gegenüber anderen Kulturen in Abrede zu stellen.

H. Wolff, D. P. i. d. dt. Lit. d. 17. Jh., 1888; A. Kirkness, Z. Sprachreinigg. i. Dt., II 1975; *The politics of language purity*, hg. B. Jernudd, Haag 1989.

Puspitâgrâ, ind. Strophenform, Vierzeiler von wechselnd 12 und 13 Silben je Zeile in der Form ⏑⏑⏑⏑–⏑–⏑–⏑⏑|| ⏑⏑⏑⏑ ⏑⏑–⏑–⏑–⏑⏑.

Puys (franz., v. lat. *podium* = Anhöhe), dichtende Bürgervereine in nordfranz. Städten des 13.–16. Jh. unter Leitung eines ›Prince‹ als Ablösung des Minnesangs durch die aufstrebende zunftartige Bürgerkultur der Städte (→Meistersang), gemeinschaftl. Wettbewerbe mit Dichterkrönungen in Dichtung (Frauenlied, religiöse Dichtung, Ballade) und Musik und Aufführungen von Mysterienspielen und weltl. Dramen; nach dem 12. Jh. in Nordfrankreich (Arras, Douai, Amiens, Valenciennes, Caen, Dieppe, Rouen u.a.) weit verbreitet. Aus dem P. von Arras gingen vermutlich frühe geistl. Dramen wie die *Miracles de Notre Dame* und Dichter wie Jehan BODEL und ADAM DE LA HALE hervor. →Passionsbrüder.

Pyrrhichius (griech. *pyrrhichios* = zum Waffentanz gehörig), auch →Brachys, zweiteiliger antiker Versfuß aus zwei Kürzen (Brachysyllabus): ⏑⏑ als gekürzter Jambus oder Trochäus. Von einigen antiken Metrikern nicht als selbständiger Versfuß anerkannt, da ihm der Mindestumfang von drei Moren abgeht.

Pythiambisches Maß (nach dem Hexameter als Versmaß Pythischer Orakel + Jambus), antikes Versmaß aus daktyl. Hexameter und akatalekt. jamb. Trimeter (Senar) in distichischem Wechsel, z.B. HORAZ *Epode* 16.

Qaside →Kasside

Qenē, äthiop. Hymnen liturg. Charakters, meist Lobpreisungen von Gott, Maria, Engeln, Heiligen und bibl. Gestalten, gelegentl. auch von bedeutenden zeitgenöss. Persönlichkeiten oder moral. Grundsätzen.

M. M. Moreno, *Raccolta di q.*, Rom 1935.

Qit'a (arab. = Bruchstück), arab. und pers. Kurzform des →Ghasels oder der →Kasside ohne das Anfangsreimpaar aa, daher mit der Reimfolge ba ca da usw.; bes. für Improvisation und stärker persönl. Betrachtungen philos., eth. oder relig. Inhalts.

Quadrivium →Artes liberales

Qualität (lat. *qualitas* = Beschaffenheit), im Unterschied zur meßbaren →Quantität die spezif. phonet. Eigenart, →Klangfarbe oder →Klangmusikalität e. Lautes bzw. e. Silbe.

Quantität (lat. *quantitas* = Größe), Silbendauer, d.h. Aussprachedauer einer sprachl. Einheit, nicht nur des Vokals. Die antike →Metrik und →Prosodie beruhen (ähnl. der ind., arab. und hebr.) auf dem konventionell fixierten Unterschied von

→Längen (→Naturlängen und →Positionslängen) und halb so langen →Kürzen (vgl. auch →Anceps), die als Maßstab die Zeitdauer von einer bzw. zwei →Moren erhalten, ohne Rücksicht auf die Betonung, da der altgriech. →Akzent musikalisch war, d.h. nur auf Höhe und Tiefe des Tones beruhte. Erst in byzantin. Zeit tritt mit schwindendem Bewußtsein für die Q.sunterschiede und Wandlung zugunsten des dynam. Akzents die Rücksicht auf die Wortbetonung in den Vordergrund. Die lat. Dichtung nahm anfangs stärker auf die Wortbetonung Rücksicht und erstrebte auch in der freien Nachbildung griech. Metra e. Vermittlerstellung zwischen akzentuierendem und quantitierendem Prinzip; in klass. Zeit dagegen unter griech. Einfluß und bei strenger Nachbildung der griech. Versmaße war sie rein quantitierend, ohne jedoch die Wortbetonung gänzlich zu vernachlässigen, zumal sie mehr der Rezitation als dem Gesang diente. Auch hier trat mit dem schwindenden Sinn für die Q.sunterschiede ab 3. Jh. n.Chr. ein akzentuierendes Prinzip ein, das zwar nicht in der traditionell ›metrice‹ gebauten Gelehrtendichtung, wohl in kirchl. und volkstüml. mlat. Dichtung (Hymnen, Vagantendichtung) akzentuierend-silbenzählende, d.h. ›rhythmice‹ gebaute Verse gestattet. – In den älteren german. Sprachen, so Ahd. und Mhd., modifizieren die noch z.T. beachteten Q.-unterschiede das akzentuierende Prinzip insofern, daß sie e. →beschwerte Hebung nur auf e. sprachl. Länge und Hebungsspaltung (in 2 Silben) nur bei kurzer, offener (auf Vokal endender) Tonsilbe zulassen. Im Anschluß an das antike Vorbild und unbewußt des →akzentuierenden Charakters der dt. und german. Sprache übertrug man das Q.prin-

zip auf die nhd. Sprache und versuchte hier die Nachbildung der →quantitierenden Dichtung. OPITZ führt 1624 zuerst das akzentuierende Prinzip ein, doch bleibt die Q.slehre noch bis GOTTSCHED daneben bestehen. KLOPSTOCK unterscheidet metr. und grammat. Q. Für ihn bestimmt nicht Anzahl der Laute, sondern Sinngewicht, akzentuelle Schwere, die Q. der Silben und Wörter. Dagegen versuchen die Prosodien von MORITZ, VOSS und MINCKWITZ, denen sich auch J. GRIMM anschloß, e. Annäherung an die antike Q.slehre. Im Ggs. zur bisherigen, vom Schriftbild ausgehenden Q.slehre untersuchte E. SIEVERS in phonet. Forschung den akust. Eindruck und setzte an Stelle des Gegensatzes von kurz und lang den von dehnbar und nicht dehnbar. F. SARAN kam in Verfolgung solcher Bestrebungen zur Unterscheidung von Lautzeit (Aussprachedauer der Einzellaute nach Länge und Kürze), Silbenzeit (Aussprachedauer der gesamten gesprochenen Silbe) und Kammzeit (Dauer des Silbenkerns, Vokal mit folgendem Konsonant).

E. Sievers, Phonetik, 1901; F. Saran, Dt. Verslehre, 1907; ders., D. Q.-Regeln d. Griech. u. Römer (Fs. W. Streitberg, 1924); RL¹; P. Eringa, *Het phonologische q.sbegrip,* 1948.

Quantitätslehre →Prosodie

Quantitierende Dichtung, im Ggs. zur →akzentuierenden und →alternierenden Dichtung e. solche nach dem Versprinzip der geregelten Abfolge von Längen und Kürzen (→Quantität) nach e. vorgefaßten System, d.h. nach der verschiedenen, in bestimmtem Verhältnis stehenden zeitl. Ausdehnung der sprachl. Einheiten, so daß nur die meßbare Silbendauer den Rhythmus bestimmt. Sie ist das tragende Prinzip der klass. antiken Dichtung, wobei hier offenbleiben kann, welche anderen Gestaltungsmittel dem griech. und lat. Vers weiterhin zur Verfügung standen. – In Nachahmung des antiken Vorbildes und der Franzosen (N. RAPIN, PASSERAT u.a.) und ohne Einsicht für den grundlegend anders gearteten Charakter der german. Sprachen hat man seit der Renaissance, bes. in dt. Bearbeitungen und Übertragungen antiker Dichtung, die Nachbildung des der german. Sprachgliederung widerstrebenden q. Prinzips versucht. So bildet GESNER 1555 q. Hexameter und Jamben, die eigtl. nur antiken und evtl. roman. Sprachen entsprechen, CLAJUS erörtert diese Vorstellung in seiner Grammatik 1578, und bes. J. H. Voss versucht im 18. Jh. q. Nachbildungen des antiken Hexameters. Erst KLOPSTOCK bringt endgültig die Herrschaft der →akzentuierenden Dichtung in dt. Sprache.

F. SARAN, D. Rhythmus d. franz. Verses, 1904; A. Heusler, Dt. u. antiker Vers, 1917; F. Saran, D. Quantitätsregeln d. Griech. u. Römer (Fs. W. Streitberg, 1924); A. Heusler, Dt. Versgeschichte, ²1956; RL¹.

Quantitierendes Versprinzip
→Quantität

Quart(o) (lat. *quartus* = der Vierte), Buchformat des zweimal in vier Blatt = acht Seiten gefalteten Bogens, abgekürzt 4°, für großformatige Bände, Kunstbücher, Tafelwerke und Zeitschriften.

Quartett oder **Quartine** (ital.), im Prinzip Gedicht oder Strophe aus vier Verszeilen, meist →Quatrain gen., bes. aber die ersten beiden, je vierzeiligen Strophen des →Sonetts im Ggs. zu den →Terzetten.

Quaternar(ius) (lat. *quaterni* = je vier), lat. Bz. für →Dimeter.

Quaternio (lat. *quaterni* = je vier) →Lage

Quatrain (franz. =) Vierzeiler, 4zeilige Einzelstrophe, kleinste Stropheneinheit bei (meist) Kreuzreim abab oder (noch geschlossener) umgreifendem Reim abba, doch auch in der Reimfolge xaya oder aaaa; bevorzugt in Epigramm und Gnome und in chines. und japan. Lyrik; mit gleichlangen oder unterschiedl. langen Versen (oft Alexandriner und vers communs). Zuerst als Zehnsilber im franz. *Adamsspiel* (12. Jh., ältestes franz. Drama); im 16. Jh. in franz. Moralsprüchen für die Jugenderziehung nach Vorbild der sog. *Disticha Catonis*; in dt. Dichtung des 17./18. Jh. auf Empfehlung von OPITZ bes. für Epigramme verwendet: ZESEN, LOGAU, später LESSING, PLATEN u.a. Q. heißen franz. auch die →Quartette im →Sonett.

Quattrocento (ital. = 400, gemeint: 1000 + 400), der Stil der ital. Früh→renaissance des 15. Jh. in Kunst und Lit.

Quelle, 1. →die stoffliche Vorlage e. Dichtung, die nachweislich, eingestanden oder verdeckt, vom Dichter benutzt wurde oder sein Werk direkt oder indirekt beeinflußt hat. Sie kann versch. Art sein: volksläufige mündl. Überlieferung (z.B. Mythen, Sagen, Märchen) oder wiederum bereits lit. Quellen (fremde Dichtungen, Geschichtswerke, Biographien, Tagebücher, Memoiren, Chroniken, neuerdings bes. Zeitungsnotizen), aber auch z.B. im Werk der bildenden Kunst (Skulptur, Gemälde). Die positivist. →Literaturgeschichtsschreibung des 19. Jh. bemühte sich bes. um Aufdeckung der Q. e. Dichterwerks, soweit sie nicht, wie in der Dokumentarlit., vom Dichter selbst genannt wurden (doch erscheinen hierbei schon im MA. bewußte Quellenfiktionen, indem alles ›nach franz. Quellen‹ gestaltet sein will, ähnlich später in der →chronikalischen Erzählung). Die Q.nforschung soll im Sinn lit. Inhaltsforschung die stoffl. Basis und stoffl. Abhängigkeiten der Dichtung in Handlung, Plot, Figuren, Motiven u. a. aufdecken, deren Umfang in vielen Fällen erstaunlich groß ist (bes. Drama, Epos, histor. Roman und Novelle), und durch Vergleich mit dem dichter. Ergebnis die werteschaffenden Formkräfte in ihrem Wirken aufzeigen. Sie bietet Einblick in die Genese des Werkes, stellt es in e. lit. Traditionszusammenhang, ortet es in diesem und hebt originale Züge als Eigenleistung hervor. Ihr Zweck ist nicht, dem Dichter mangelnde Originalität nachzuweisen, da diese sich höchstens auf das rein Stoffliche, nicht aber auf die sprachkünstler. Gestaltung als eigtl. Leistung bezieht. Die Praxis früherer Forschung, die sich mit dem bloßen Feststellen der Q. als Beweis der Unselbständigkeit begnügte, hat die Q.nforschung heute z. T. in Verruf gebracht, doch verspricht sie oft wesentl. Erkenntnisse und Einsichten über Schaffensweise, Kunstauffassung und geistige Zielsetzung des Dichters, z. B. in der Handhabung vorgefundener Motive. →Stoff, →Stoffgeschichte. – 2. für die wiss. Forschung alles hsl. oder gedruckte Material werkbezogener oder biogr. Art (Hss., Vorstudien, Tagebücher, Briefe, Gespräche, Interviews, Selbstäußerungen und Zeugnisse von Zeitgenossen, Kritiken, Nachlaß) über e. Autor und sein Werk als Grundlage wiss. Forschung. Seine Erschließung ist Aufgabe der →Quellenkunde.

C. Lofmark, *The authority of the source in MHG narrative poetry*, Lond. 1981.

Quellenangabe, durch Urheberrecht gesetzlich vorgeschriebener Hinweis auf die Herkunft der in e.

Schriftwerk verwendeten →Zitate, Abbildungen usw.

Quellenkunde. Primäre Quellen der Lit.wiss. sind die lit. Texte selbst; sekundäre →Quellen (2) dagegen, deren Erschließung Aufgabe der Q. ist, sind etwa Handschriften, Manuskripte, Drucke, Dokumente, Dokumentensammlungen, Nachlässe und Archivalien, selbst Autobiographien, Memoiren, Tagebücher und Briefe, Gespräche, Urkunden, Zeugnisse und Bildnisse, deren Kenntnis die eigtl. wiss. Erforschung der Werke selbst ergänzt und erweitert.

P. Raabe, Einführung i. d. Q. z. neueren dt. Lit.gesch., 1962, ³1974; ders., Quellenrepertorium z. neueren dt. Lit.gesch., 1963, ³1981.

Querelle des anciens et des modernes (franz. = Streit der Antiken und Modernen), berühmte franz. Literaturdebatte des 17. Jh. um Vorrang und Überlegenheit der klass.-antiken oder der zeitgenöss. Lit., ausgelöst am 27. 1. 1687 in der Académie française durch Ch. PERRAULT, der unter Beifall FONTENELLES die Überlegenheit der zeitgenöss. Lit. behauptete, während BOSSUET, FÉNELON, BOILEAU, LAFONTAINE, RACINE, LA BRUYÈRE u. a. die Unübertrefflichkeit der Antike verteidigten. PERRAULT begründete seine Theorie in *Parallele des anciens et des modernes* 1688. Die unentscheidbare Streitfrage entzündete sich 1711–16 erneut zwischen A. H. de LA MOTTE und A. DACIER. Sie gab Anlaß zu entwicklungsgeschichtl. Überlegungen über den Wandel menschl. Natur und die Relativität ästhet. Normen und Geschmacksideale.

H. Rigault, *Hist. de la q.*, Paris 1856; H. Gilliot, *La Q. en France*, Nancy 1914; H. G. Rötzer, Traditionalität u. Modernität i. d. europ. Lit., 1979; J. v. Stackelberg, Die Q. (Aufklärg. u. Humanism., hg. R.

Toellner 1980); P. K. Kapitzka, E. bürgerl. Krieg i. d. gelehrten Welt, 1981.

Quinar (v. lat. *quinarius*), 1. Verszeile von fünf Füßen oder fünf Hebungen. – 2. Verszeile von nur fünf Silben mit einer einzigen Hebung (Betonung) auf der 4. Silbe.

Quinternio oder **Quinio** (lat. *quini* = je fünf) →Lage

Quintett, allg. jedes Gedicht oder jede Strophe aus fünf Zeilen unabhängig von der Reimfolge (oft ababb).

Quintilla (span. = Fünfzeiler), span. Strophenform aus fünf meist je 8silbigen Zeilen mit zwei Reimen oder in volkstüml. Dichtung Assonanzen. Reimfolge abbab, ababa, abaab u. ä., z. T. mit kürzerer 2. oder 5. Zeile; vermutlich aus e. auf zehn Zeilen erweiterten und dann in zwei Q. gespaltenen Form der →Arte menor im 16. Jh. hervorgegangene, beliebte Form.
D. C. Clarke, *Sobre la q.* (Revista de filología española 20, 1933).

Quitta (ind. *Qit'a*), ind. Strophenform aus vier Halbversen, deren letzte beide miteinander reimen, häufig als Verseinlage in Prosa oder als eigene Strophe (Q.band) zusammengefügt.

Quodlibet (lat. = was beliebt), seit dem 16. Jh. Bz. für willkürliche oder willkürlich scheinende Zusammenstellung von Gedichten verschiedenster, oft widersprechendster Art und Herkunft zu e. einheitlich gemeinten Werk, ›dichterisches Allerlei‹.
K. Conermann, Scherzhafter Stil (Europ. Tradition u. dt. lit. Barock, 1973); S. Westphal-Wihl, Q.s (*Genres in medieval German lit.*, hg. H. Heinen 1986).

Rabenschlachtstrophe, die Strophenform des mhd. Heldenepos *Die Rabenschlacht* (um 1280): 6 Zeilen zu wechselnd 4 und 3 Hebungen mit 5hebiger Schlußzeile und der Reimfolge ababcc.

Rachetragödie *(tragedy of revenge)*, verbreiteter engl. Dramentyp der Elisabethan. Zeit, in dem Bluttaten und ihre Vergeltung, vielfach von mahnenden Geistererscheinungen gefordert und mit Zögern, Intrige und Täuschung ausgeführt, die dramat. Handlung bestimmen: T. KYDS *Spanish Tragedy* (1592), SHAKESPEARES *Titus Andronicus,* Stücke von WEBSTER und TOURNEUR, Höhepunkt in SHAKESPEARES *Hamlet,* später Neigung zum blutrünstigen Melodrama. Im weiteren Sinn R. sind auch Dramen von AISCHYLOS *(Orestie),* SENECA, LOPE DE VEGA, CALDERÓN, CORNEILLE *(Cid),* KLEIST, SHELLEY *(Cenci),* V. HUGO *(Hernani, Ruy Blas).*
F. T. Bowers, *Elizabethan revenge tragedy,* Princeton [2]1966.

Radjaz, aus der Reimprosa entwickeltes einfaches arab. Versmaß, e. Art jamb. Trimeters, dessen Verse alle untereinander reimen.
M. Ullmann, Unters. z. Raǧazpoesie, 1966.

Räsoneur (franz. *raisonneur* = Schwätzer), im Drama eine in die Handlung nur locker verwickelte Nebenfigur, die als Sprachrohr des Autors dient, die anderen Figuren beobachtet, charakterisiert, ihre Situation erläutert, ihre Handlungsweise motiviert oder ggf. kritisiert und sich in seinen Bemerkungen öfter →ad spectatores wendet.

Rätsel, oft versifizierte sprachl.-bildhafte Umschreibung e. nicht genannten Gegenstandes (Ding, Person, Vorgang) durch dessen Eigenschaften in knapper Form mit der inneren Aufforderung an die Intelligenz der Leser oder Hörer, als Scharfsinnsprobe die gemeinte Beziehung zur Wirklichkeit, die dem Fragesteller bekannt ist, zu erraten. Die Lösung kann durch bewußte Irreführung (→Ambiguität, Metaphern, Personifikation) erschwert werden. Nach den Arten der Umschreibung unterscheidet man: Buchstabenr. (→Logogriph), Zahlenr. (→Arithmogriph), Silbenr. (→Scharade), Bilderr. (→Rebus), →Palindrom (Umschreibung der vor- und rückwärtsgelesenen Bedeutung e. Wortes), →Homonym (zwei versch. Bedeutungen desselben Wortes), →Anagramm (Buchstabenversetzung), Rösselsprung, Schach-R. usw. Volksrätsel gehören zu den ältesten lit. Erzeugnissen der meisten Völker; in Sage und Mythe ist ihre Lösung oft mit bestimmten Bedingungen verbunden; Todesdrohung für nichtgelöste R., Freispruch des Verurteilten, falls der Richter ein von ihm aufgegebenes R. nicht löst (sog. Halslösungs-R.). – Der Ursprung des R. liegt im Orient (Indien: *Rgveda*, Persien, Arabien); als →einfache Form erscheint es in fast allen Kulturkreisen, bedeutsam bes. bei den Hebräern: R. Simsons, R.streit Salomos mit der Königin von Saba, Prophetien. Bei den Griechen entstehen sie im Anschluß an dunkle Orakelsprüche und werden als didakt. Gattung aufgenommen, beim Symposion und im Volke als beliebte Unterhaltung und geistiger Wettstreit geübt und in mehreren Slgn. zusammengefaßt. Bei ihnen sind schon fast alle Formen ausgebildet und erscheinen auch in der Lit., bes. in Epos und Drama (Ödipus und die Sphinx, *Alexandra* des Lykophron), bes. bei Homer, Hesiod, Pindar, Herodot, Heraklit, Platon; in der Kaiserzeit sind

bes. Zahlen-R. beliebt, indem man die griech. Buchstaben e. Namens oder Satzes als Zahlenzeichen addierte und dadurch Bezüge aufdeckte. Bei den Römern ist die R.dichtung geringer und steht unter Einfluß der griech.; Petronius und Gellius zitieren Volks-R., Symphosius formt im 4./5. Jh. 100 R. in dreizeilige Hexameter. Bei den Germanen sind R. aus ältester ahd. und got. Zeit bezeugt (z. B. vom *Vogel federlos*); die erste ahd. lit. Formung freilich steht unter antikem Einfluß, dagegen bewahren das altengl. *Exeter Book* (8. Jh.) und die Eddalieder vom König Heidrek altes Volksgut. In höf. Zeit entstehen R.gedichte wie das *Traugemundslied* und *Wartburgkrieg* sowie R. in Spruchdichtung (Reimar von Zweter), später im Meistersang; im Spätma. bewahren Volksbücher u. a. Volksdichtungen viele R. Unter lat. Einfluß stehen das Aenigmatum liber (7. Jh.) des Aldhelm von Malmesbury und die humanist. Slgn. von J. Camerarius, J. Pontanus und J. Reusner (*Aenigmatographia*, 1599). Als lit. Kunstform blüht die R.dichtung dann im 18. Jh. auf und wird in den Familienblättern des 19. Jh. verbreitet. Herder und Görres entdecken das Volksr. Dichterisch bedeutend sind bes. die R. Schillers (für *Turandot* nach Gozzi und *Parabeln und R.*), ferner R. von Luther, Logau, Goethe, Humboldt, Körner, Hebel, Hauff, Brentano, Schleiermacher, Schopenhauer, F. Th. Vischer, Platen, Rückert, Geibel u. a. Die erste gedruckte dt. R.-Slg. erschien 1505 in Straßburg. R.lieder der Volksdichtung liefern die Lösung mit; R.märchen führen im ep. Rahmen zu Begnadigung, Glück und Reichtum des erfolgreichen Raters.

J. B. Friedrich, Gesch. d. R., 1860, n. 1969; H. Hayn, D. dt. R.-Lit. (Bibliogr., in: Zentralbl. f. Bibliothekswesen 7, 1890); A. Bonus, R., 1907; W. Schultz, R. aus d. hellenist. Kulturkreis, 1909; K. Ohlert, R. u. Gesellschaftsspiele d. alten Griech., ²1912; F. Loewenthal, Stud. z. germ. R., 1914; R. Petsch, D. dt. Volks-R., 1917; A. Aarne, Vergl. R.forschgn., Helsinki III 1918–20; A. Jolles u. Porzig, R.forschg. (Fs. E. Sievers, 1925); E. v. Erhardt-Siebold, D. lat. R. d. Angelsachsen, 1925, n. 1973; R. F. Arnold, D. Irrgarten, 1928; ders., Z. Gesch. d. dt. Kunst-R., Euph. 29, 1929; A. Jolles, Einfache Formen, 1929, ⁶1982; B. L. Wunderling, Kind u. R., 1935; R. Petsch, Spruchdichtg. d. Volkes, 1938; A. Taylor, A bibliogr. of riddles, Helsinki 1939; A. Gérard, L'énigme poétique, Brüssel 1947; M. Hain, in ›Aufriß‹; A. Taylor, The lit. Riddle before 1600, Berkeley 1948; ders., Engl. Riddles, ebda. 1951; A. Santi, Bibliogr. della enigmistica, Florenz 1952; L. Sadnik, Südosteurop. R.studien, 1953; M. de Filippis, The lit. Riddle in Italy in the 18. cent., Berkeley 1953; J. Dünninger, DU 15, 1963; L. Bødker, The nordic riddle, Koph. 1964; M. Hain, R., 1966; RL; V. Schupp, Dt. R.buch, 1972; L. Röhrich, R.lied (Hb. d. Volksliedes I, 1973); A. Schönfeldt, Z. Analyse d. R., ZDP 97, 1978; K. Hellwig, Versuch e. Grundlegg. z. Didaktik, NS 84, 1985.

Räuberballade, stoffbestimmter Typ der Volksballade nach Räubersagen um die Figur des ›edlen Räubers‹, der Reiche beraubt und Arme beschenkt: Robin Hood in England seit 14. Jh., in Dtl. Störtebeker und Schinderhannes.

Räuberroman, an SCHILLERS Räuber mit der Gestalt des ›edlen Räubers‹ Karl Moor anknüpfende und zur Zeit der dt. Klassik beliebte Form der trivialen Erzähllit., die Züge des Schelmen- und des Abenteuerromans und abgesunkenes Ideengut des Sturm und Drang mit den Forderungen ROUSSEAUS vereint. Hauptgestalt ist meist e. Beschützer der Unterdrückten und Empörer gegen die Willkür der Machthaber und Beamten. Aus e. bis heute fortlebenden Fülle von →Triviallit. erheben sich als lit. bedeutsam nur ZSCHOKKES Aballino (1794, dramatisiert 1795), als bes.

beliebt Rinaldo Rinaldini (1798) von Goethes Schwager VULPIUS und K. G. CRAMERS Der Domschütz und seine Gesellen (1803), später als echte Dichtungen H. v. KLEISTS Erzählung Michael Kohlhaas (1810) und H. KURZ' Der Sonnenwirt (1854) mit sozialkrit. Akzenten und psycholog. Deutung und in der Gegenwart zahlr. Romane Leonhard FRANKS, bes. Die Räuberbande (1914) und Die Jünger Jesu (1950). Reiche Nachfolge als psycholog. Roman findet der R. auch in England aus der Sagentradition um Robin Hood und in DICKENS' Oliver Twist (1837 f.). Bedeutende R. der europ. Lit. sind A. DUMAS' San Felice und G. BERTOS Il brigante (1951). Der oriental. R. gipfelt in Die Räuber vom Liang Schan Moor von SHIH NAI-AN und LO KUAN-CHUNG.

Lit. →Ritter- u. R.

Räubersage →Räuberballade

Rağaz →Radjaz

Rahmenerzählung, Umschließung von einer oder mehreren Erzählungen (Binnenerzählungen) durch eine andere, umgreifende und meist selbst erzählende (Rahmen). Zu unterscheiden sind zwei Möglichkeiten: 1. zyklische R.: Zusammenfassung e. größeren Anzahl von inhaltlich zusammengehörigen Einzelerzählungen zu e. in sich geschlossenen, oft auf e. gemeinsames Rahmenziel (Unterhaltung, Belehrung) ausgerichteten und von ihm aus beleuchteten Einheit, z. B. mehrere Erzählungen desselben Erzählers (1001 Nacht) oder abwechseld e. ganzen Personenkreises (BOCCACIO, Decamerone), dann meist bezeichnend für eine bestimmte Gesellschaftsstruktur. 2. gerahmte Einzelerzählung, deren Rahmen die Glaubwürdigkeit durch e. fingierte

Quelle (→chronikalische Erzählung) unterstützt, die Einführung e. Erzählers oder die Ichform in Brief- und Tagebucherzählung motiviert und dennoch mit ihr e. organ., unlösl. Ganzes bildet (STORM, MEYER). – In beiden Fällen kann der Rahmen (Reisebekanntschaften, Bekenntnisse, Beichte, Zeitvertreib e. Gesellschaft) lediglich die Funktion der Verbindung der Einzelteile erfüllen *(Decamerone)* und sie voneinander abhebend begrenzen, dabei gleichzeitig durch die Wirkung auf die fingierten Zuhörer den vom Dichter beabsichtigten Sinn ausdeuten, oder als selbständige eigtl. Erzählung Hauptsache sein, in welche die bei aller Handlungsfülle thematisch verwandten und zum gleichen Ziel strebenden Binnenerzählungen von äußerster Konzentration und strengem Bau nur als Parallelen oder Gegenbewegung (›Thema mit Variationen‹) eingelagert sind (KELLER, *Das Sinngedicht;* GRILLPARZER, *Der arme Spielmann*); Voraussetzung ist jedoch stets der vollkommene inhaltliche wie formale Zusammenhang von Rahmen und Binnenerzählung, die wiederum durch e. spannendes Wechselverhältnis bes. Reize erhalten: a) Einführung der →Perspektive (2) und der die Einzelperspektive relativierenden perspektiv. Mehrschichtigkeit, z.B. als Spannungsverhältnis zwischen dem geringen geistigen Horizont des Erzählenden und der Bedeutsamkeit des Erzählten bedingt e. Weiterverarbeitung und geistige Auseinandersetzung mit dem Berichteten beim Zuhörer (C. F. MEYER, *Der Heilige*); umgekehrt kann die große Gestalt des eingeführten Erzählers auch dem unbedeutenden Stoff bes. wirksame Seiten abgewinnen (C. F. MEYER, *Die Hochzeit des Mönchs*). b) Der Wechsel zwischen Gegenwart der Rahmenhandlung und Vergangenheit der Binnenerzählung erhöht die Distanz zum Stoff und schafft die Atmosphäre des Historischen (C. F. MEYER, *Das Amulett*, STORM, *Der Schimmelreiter*) oder e. krit.-iron. verfremdende Haltung. c) Zahlreiche Übergänge führen von der scharfen Scheidung von Binnenerzählung und einleitendem wie abschließendem Rahmen bis zur kunstvollen gegenseitigen Durchwirkung und Durchhellung der beiden Teile (GRILLPARZER, *Der arme Spielmann*, C. F. MEYER, *Die Hochzeit des Mönchs*) und ergeben die verschiedensten Wirkungen vom architekton.-symmetr. Aufbau bis zur ständigen Parallelität der Teile. Die R. bildet e. wesentl. Bestandteil bes. der gereiften und kunstvoll entwickelten Novellendichtung, wo sie die Architektonik der Kurzform unterstreicht, die scheinbare Objektivität durch den Rahmen steigert und durch die Gestalt des Erzählers die eigtl. Ursprungssituation der Novelle: das (gesellschaftliche) mündliche Erzählen, darstellt. Daneben erscheint sie jedoch auch im Epos als großer Erlebnisbericht mit Einbeziehung früheren Geschehens (*Odyssee* 9–12, VERGIL *Aeneis* 2–3) ebenso im Roman (1. Fassung des *Grünen Heinrich* von G. KELLER, M. LUKAS *Aus der Tiefe* u.a.) und im Drama, hier teils als nachträgl. Einfügung der Vorfabel (entsprechend der Rückblende im Film: Erinnerung), teils als echter Rahmen bes. kunstvoll bei GRILLPARZER *Der Traum e. Leben* und *Weh dem, der lügt,* teils als →Spiel im Spiel.

Die Technik der R. stammt aus dem Orient; in Indien bereits in vorchristl. Zeit als rahmenhafte Einkleidung ep. Stoffe erfunden, bildet sie zunächst e. lockere Sammelform zur Reihung von Einzelfällen mit e. bestimmten Rahmenziel, so die belehrende Fabelslg. *Hitopadeśa, die Siebzig Erzählungen des Papageien,* die 25 *Geschichten des Leichendämons* und SOMADEVAS *Ozean der Märchenströme* (11. Jh.); am bekanntesten wird sie in den arab. Erzählungen *1001 Nacht,* wo Scheherezade um ihr Leben erzählt. Erste europ. Ausformungen sind im Anschluß daran die *Disciplina clericalis* des PETRUS ALFONSI (12. Jh.), die span. Novellenslg. *Conde Lucanor* von Don JUAN MANUEL (13. Jh.) und die zahlr. und in Europa weitverbreiteten Hss. der *Sieben weisen Meister* (1. dt. Druck 1470). Nach den Vorstufen in *Filocolo* und *Ameto* erreicht BOCCACCIO die erste Kunsthöhe der R. durch seine Gesellschaftskunst im *Decamerone* (1348–1353) mit der Pest als kontraststarkem Hintergrund. In England übernimmt CHAUCER in den *Canterbury Tales* (1387 ff.) die neue Form; in Frankreich folgt 1585 das *Heptameron* der MARGUERITE DE NAVARRE, in Italien G. BASILES *Pentameron* (1634–36). Die franz. Aufklärung bringt die Erneuerung der themat. gebundenen R. in CRÉBILLONS *Le sopha* (1745) und DIDEROTS *Jaques le Fataliste* (1778). Die erste dt. R., wie alle bisherigen zyklisch, ist GOETHES *Unterhaltungen dt. Ausgewanderten* (1795), durch Gespräche auf dem Hintergrund der Franz. Revolution miteinander verbunden. Die Romantik bringt e. Fülle dt. R.en: ARNIM *(Wintergarten),* BRENTANO *(Kasperl);* TIECKS *Phantasus* und E T, A. HOFFMANNS *Serapionsbrüder* u. a. behalten die Form des geistreichen Rahmengesprächs – um künstlerisch-lit. Probleme wie Musik, Theater, Kritik – bei, das jedoch nur lose die Einzelteile verbindet, während HAUFFS Märchenzyklen e. organ. Einheit bilden. Im Realismus erstrebt G. KELLER nach ersten Ver-

suchen im *Landvogt von Greifensee* und im einstimmenden Eingang der *Leute von Seldwyla* zuerst in den *Züricher Novellen* e. festen Rahmen, der zwar selbst als Novelle angelegt ist, jedoch nicht die Hauptsache bildet, und dann im *Sinngedicht* die kunstvolle Einheit von Rahmennovelle, welche eine Frage aufwirft, und sechs Binnenerzählungen, die, paarweise in These und Antithese geordnet, Variationen zur Lösung der Frage bilden. Gegenüber dem bisherigen, durchweg zykl. R.en entwickelt sich C. F. MEYER in fast allen Werken zum Meister der gerahmten histor. Einzelerzählung, die bei ihm bes. der Distanzierung des Werkes vom Dichter selbst dient und kunstvoll beide Teile verbindet *(Der Heilige, Die Hochzeit des Mönchs);* ihm folgen STORMS →chronikalische Erzählungen und e. lange Reihe dt. Novellen und Romane, u. a. bei HEYSE (fingierte Reisebekanntschaften und Reisen als Rahmen), im 20. Jh. J. WASSERMANNS *Der goldene Spiegel,* F. NABLS *Johannes Krantz,* P. ERNST, S. ANDRES, S. ZWEIG, G. v. LE FORT, W. BERGENGRUEN, A. DÖBLINS *Hamlet* und H. SCHOLZ *Am grünen Strand der Spree.* Die kunstvollste Verflechtung von Erzählerrahmen und Binnengeschichte gibt Th. MANNS *Doktor Faustus.* In engl.-am. Lit. benutzen N. HAWTHORNE und R. L. STEVENSON die R., in Frankreich führt die Übersetzung von *1001 Nacht* durch GALLAND (1704–1708) und die Bearbeitung der pers. Slg. *1001 Tag* von DELACROIX und LESAGE schon bei PRÉVOST *(Manon Lescaut* 1728–31) zur R., die in MERIMÉES *Carmen* (1845) und *Lokis* (1869) höchste Kunstform erreicht.

M. Goldstein, D. Technik d. zykl. R. Dtls., Diss. Bln. 1906; A. Waldhausen, D. Technik d. R. b. Keller, 1911; E. Auerbach, Z. Technik d. Frührenaissancenov., Diss. Greifsw. 1921; H. Bracher, R. b. Keller, Meyer, Storm, 1924; RL; O. Löhmann, D. R. des Decamerone, 1935; F. Lockemann, D. Bedeutg. d. Rahmens i. d. dt. Novellendichtg., WW 1955/56; D. Stephan, D. Problem d. novellist. Rahmenzyklus, Diss. Gött. 1960; L. E. Kurth, R. u. R.roman i. 18. Jh., SchillerJb. 13, 1969; H. Remak, D. Rahmen i. d. dt. Novelle (Traditions and transitions, Fs. H. Jantz 1972); S. Onderderlinden, D. R.n C. F. Meyers, Leiden 1974; R. u. H. Zeller, Erzähltes Erzählen, LiLi Beih. 6, 1977; E. Marz, Goethes R.en, 1985. →Novelle.

Rakushū, in der japan. Lit. satir. Gedichte von kurzer, epigrammat. Form und beißendem Sarkasmus, die sich in der Art antiker Epigramme als ›Aufschriften‹ mit Spott, Wortspielen und Doppelsinn gegen polit. Persönlichkeiten und Zustände richten, daher meist anonym.

Ramal, elfsilbiges Versmaß der pers. Epik neben dem Mutaqārib: —◡——/—◡——/—◡—. Verwendet bei Rūdakī und Rūmī.

Rambouillet, Hôtel de R., →Preziosität, →Salon

Rampe, im Theater der vordere untere Bühnenrand; vielfach Schlagwort für die (überwindenswerte) Trennung von Schauspielern und Publikum im Sinne echter Partizipation.
K. Lazarowicz, D. R. (Sprache u. Bekenntnis, Fs. H. Kunisch, 1971).

Ramsch = modernes →Antiquariat

Rand→glosse →Marginalien

Rangstreitdichtung →Streitgedicht

Rapportati →Versus rapportati

Rappresentazione, R. sacra (ital. = heilige Darstellung), Bz. der nichtliturg. ital. →geistlichen Dramen des 14./15. Jh., die teils in formaler Nachahmung antiker Dramen mit eingeschobenen weltl. Epi-

soden (Intermezzi) und Musik und Gesang Stoffe des NT. und bes. AT. behandeln und später in Tragödie oder Komödie aufgehen. Letzte Blüte in E. de Cavalieris R. di anima e di corpore, 1600.
A. Bonfantini, Le s. r. ital., Mail. 1939; S. d'Amico, Dal dramma liturgico alla s. r., Florenz 1940; A. Cioni, Bibliogr. delle s. r., Florenz 1961.

Rasa (sanskr. = Saft, Geschmack), in der altind. Poetik Bz. für Grundcharakter und Stimmung e. Dichtung, die sich beim Erlebnis derselben durch die →Identifikation des Hörers oder Lesers mit dem Helden als Echo auf das Gemüt des Erlebenden überträgt und die Grundlage für den reinen, unird., ästhet. Genuß bildet. Man unterscheidet neun R.: erot., kom., eleg., schreckl., heroische, furchtsame, abscheuerregende, märchenhafte und quietist., die in e. Werk vorherrschen oder mit anderen harmonisch verbunden erscheinen können.
H. v. Glasenapp, D. Litt. Indiens, ²1961; V. Raghavan, The number of r. s, Madras ²1967.

Rationalismus (lat. ratio = Vernunft), allg. jede Weltbetrachtung und Denkweise vom Vernunftstandpunkt als einziger Erkenntnisquelle, bes. das philosophische System der →Aufklärung.

Raubdruck, unrechtmäßiger →Nachdruck

Raumbühne, die vom Bühnenrahmen in den Zuschauerraum vorspringende, von drei Seiten einsehbare, vergrößerte Vorbühne als Spielfläche.

Raumdrama, nach W. Kayser im Unterschied zu →Figurendrama und →Handlungsdrama dritte Grundform des →Dramas, bei der sich der dramat. Konflikt vorwiegend aus der Umwelt, dem Lebensraum oder soz. Milieu ergibt.

W. Kayser, D. sprachl. Kunstwerk, 1948 u. ö.

Reader (engl. = Leser, Lesebuch), Textsammlung als Zusammendruck grundlegender oder einführender (meist bereits anderweitig publizierter) Fachaufsätze zu e. bestimmten Thema oder e. wiss. Disziplin.

Realenzyklopädie →Reallexikon

Realienbuch, faktenorientierte Zusammenfassung des Sachwissens für e. Gebiet, e. Wissenschaft, e. Berufs oder Handwerks.

Realismus (v. lat. *realis* v. *res* = Sache) 1. als stiltypolog. Begriff die wirklichkeitsgetreue Darstellung der gegebenen Tatsachen und natürl. Verhältnisse und sinnl. erfahrbaren Vorgänge mit den ihnen angemessenen einfachen sprachl. Mitteln im Ggs. zu idealisierender Verklärung und traumhaft-dämmernder romant. Phantasie, allein durch die nach künstler. Gesichtspunkten getroffene Auswahl des Dargestellten von seiner Übersteigerung in der Wirklichkeitskopie des Naturalismus unterschieden. – Der aristotelische Begriff der →Mimesis bedingt noch keine realist. Nachahmung. GOETHE erkennt in der ›einfachen Nachahmung der Natur‹ (gleichnamiger Aufsatz) e. zu hohen Kunstschöpfungen fähigen zeitlos-typ. Stil; SCHILLER stellt in seiner Abhandlung *Über* →*naive und sentimentalische Dichtung* dem Realisten den Idealisten gegenüber; DILTHEYS Weltanschauungslehre dagegen faßt den R. als ie. e. der drei zeitlosen Weltanschauungstypen; AUERBACH versteht den R. historisch und untersucht seine Darstellungsmöglichkeiten im Lauf der Jhh. Als Tendenz zu Wirklichkeitsnähe kennen auch Antike und MA., 17. und 18. Jh. e. R., bes. in Übergangsperioden und niederen Gattungen (Komödie, Schwank, Satire, Schelmenroman). Zum Dogma versteift ist der R. im →sozialistischen R.

2. bes. als sog. ›poetischer R.‹ (O. LUDWIG 1871, Prägung schon bei SCHELLING 1802) oder ›bürgerl. R.‹, nach marxist. Terminologie (mit Einschränkung auf die sozialkrit.-emanzipator. Elemente) ›krit. R.‹, gemeineurop. Literaturepoche des 19. Jh. zwischen Romantik und Naturalismus, rd. 1830–1880, im engeren dt. Sinne bei der Sonderstellung des →Biedermeier und →Jungen Deutschland die Zeit rd. 1850–90 umfassend; gekennzeichnet durch bewußte Wendung zur weltoffenen Wirklichkeitsdarstellung, unparteiische Beobachtung und Schilderung der von den Sinnen faßbaren Welt unter Ausschaltung der Gefühle und Meinungen des Dichters und der Wertung von Gut und Schlecht, Schön und Häßlich; in Abkehr von der idealisierenden, wesenhaft darstellenden Kunst der Klassik, dem phantasievollen Subjektivismus und der weltfernen Schwärmerei der Romantik (die im →Münchner Dichterkreis →epigonenhaft fortlebten) ebenso wie von der Tendenzlit. und dem Aktualismus des Jungen Dtl., das jedoch den R. kritisch wie praktisch begründete. Entscheidende Grundlagen des neuen Stils sind die Fortschritte in Naturwissenschaft, Technik, Verkehr und Industrialisierung. Doch soz. Probleme und soz. Verständnis in der Dichtung treten trotz der gleichzeitigen Schriften von PROUDHON, MARX und ENGELS nicht wie im Jungen Dtl. und im Naturalismus entscheidend in den Vordergrund, den vielmehr allgemeingültige, dauernde Daseinsfragen des Menschenlebens beherrschen: Ver-

hältnis und Einordnung des einzelnen in die Lebensnotwendigkeiten, die Umwelt und die zwischenmenschl. Beziehungen der Gemeinschaft werden mit tiefer und gütiger Einsicht behandelt, die den ird. Daseinsbedingungen eher kritisch als beschönigend, doch letztlich zuversichtlich gegenübersteht. Für das neue Weltbild waren von großem Einfluß die Auflösung der Religion in Anthropologie durch D. F. STRAUSS und L. FEUERBACH, welche die Wendung zur diesseitigen, sinnlich erfahrbaren Wirklichkeit vollzog und den bloßen Schmuck aus der Dichtung wie die metaphys. Spekulation aus der Philosophie verbannte, ferner die materialistisch-realistisch betrachtende Weltanschauungs- und Naturlehre von L. BÜCHNER (*Kraft und Stoff* 1855), die systemat. und natürl. Schöpfungsgeschichte DARWINS (*Über den Ursprung der Arten* 1859) und seines dt. Schülers E. HAECKEL, die eine kausalgesetzl. Bedingtheit des Seelenlebens anerkannte, der relig. →Pessimismus SCHOPENHAUERS und die quellentreue Geschichtswissenschaft RANKES wie die Ästhetik VISCHERS: Pessimismus, Resignation, Glaubens- und Illusionslosigkeit im metaphys. Bereich – bei aller Verehrung des Unerforschlichen – bringen als Gegengewicht das Streben nach ird. Verwirklichung der Menschlichkeit, Sinnenzugewandtheit und Diesseitsfreude, die in dieser Epoche ihren dichterisch gültigsten Ausdruck fand und erst in der pessimistisch überschatteten, abstandslosen Wirklichkeitskopie des Naturalismus das Negative bringen.
Die Entwicklung des R. ist gemeineuropäisch. Während jedoch Dtl. länger und stärker unter dem Eindruck des Idealismus stand, beginnt früh der Einfluß des Auslandes: aus

Frankreich bes. BALZAC, STENDHAL, FLAUBERT, MÉRIMÉE, MAUPASSANT, die GONCOURTS und G. SAND in der Epik, DUMAS fils, SARDOU und FEUILLET in der Dramatik (Gesellschaftsstück), aus England DICKENS, CARLYLE, MEREDITH, G. ELIOT und THACKERAY, aus Amerika der sog. ›symbol. R.‹ MELVILLES und HAWTHORNES, aus Rußland ČECHOV, DOSTOEVSKIJ, TOLSTOJ, GONČAROV und TURGENEV, aus Spanien PEREDA und PÉREZ GALDÓS, aus Portugal EÇA DE QUEIRÓS, aus Italien G. VERGA.
Als dt. Vorläufer zeigten bereits H. v. KLEIST, GRILLPARZER, GRABBE und BÜCHNER im Drama, IMMERMANN, ALEXIS und DROSTE in der Epik realist. Züge. Doch die eigentl. Unmittelbarkeit zur Erfahrungswelt in Motiven und Gestaltung, wie sie für den R. typisch ist, wird erst um 1850 erreicht; neue Weltbereiche werden der sprachl. Gestaltung erschlossen; die dichter. Technik befreit sich z. T. vom verbindl. Vorbild (z. B. SCHILLERS für das Drama) und bleibt dennoch, im Ggs. zum Naturalismus, durchgeistigt und architektonisch: ihr Mittelpunkt ist der Mensch im Alltag, in der Arbeit und in seinen natürl. gesellschaftl. Bindungen und Verhältnissen, doch bleibt die Milieuschilderung nicht Selbstzweck; die Aufmerksamkeit richtet sich auf die seel. Funktionen und ihre Beziehungen zur Körperwelt, jedoch ohne Beziehung zum Transzendenten, da die Religion keine Lösung der Dissonanzen des Daseins zu bringen scheint. Leben und Welt als umgreifende Schicksalsmächte bestimmen das Individuum nach eigenen Gesetzen, denen die menschl. Vorstellungen von Schuld und Unschuld fremd sind; ihnen unterliegt der einzelne, der schuldlos ihre Ordnungen stört, und die Masse schreitet über ihn

hinweg. So paaren sich Entsagung und Resignation mit schlichtem Humor als Waffe gegen die Bedrohung des Daseins. Die Hauptleistungen des R. liegen auf dem Gebiet der Prosaepik, bes. der Novelle (G. KELLER, Th. STORM, C. F. MEYER), oft in Form der Rahmenerzählung oder der chronikal. Erzählung. Daneben führt die Freude am Detail bei KELLER, AUERBACH, EBNER-ESCHENBACH und bes. J. GOTTHELF zur →Dorfgeschichte. Erst später tritt der Roman wieder hervor, dessen Stärke in Umweltschilderung, Detailmalerei und Charakterentwicklung unter Vermeidung alles Lyrisch-Subjektiven liegt, häufig in Form des Entwicklungsromans (KELLER, RAABE, STIFTER, O. LUDWIG, H. KURZ, Th. FONTANE), daneben z. T. in Mundart (F. REUTER). E. breite Entwicklung erleben →historischer Roman und histor. Erzählung (C. F. MEYER) bis zur Steigerung im →Professorenroman (G. FREYTAG). Auf dem Gebiet des Dramas war GRABBE vorangegangen. Während andere Dichter vergeblich um die Meisterung der Form ringen, gelingen HEBBEL in seinen Tragödien um Ich und Welt in bürgerl. oder später histor. Stoffen bleibende Kunstformen, die freilich sich in ihrer Zeit gegen die herrschende Gesellschaftsdramatik noch nicht durchsetzen konnten. Als Lyriker eigener Prägung ragen bes. STORM und C. F. MEYER hervor, während HEBBEL, KELLER und FONTANE die Lyrik mehr als Jugend- oder Nebenbeschäftigung pflegen. Für die theoret. Besinnung um die Dichtung sind Erörterungen von F. Th. VISCHER, H. HETTNER, J. SCHMIDT und G. FREYTAG (Zs. *Die Grenzboten*) und bes. die Briefwechsel von KELLER, HEYSE und STORM sowie O. LUDWIGS *Dramatische Studien* höchst aufschlußreich.

O. Walzel, D. dt. Dichtg. seit Goethes Tod, [2]1920; F. Kummer, Dt. Lit.gesch. d. 19. Jh., [16]1922; R. M. Meyer u. H. Bieber, Dt. Lit. d. 19. u. 20. Jh., [7]1923; W. L. Myers, *The later r.*, Lond. 1927; H. Bieber, D. Kampf um d. Tradition, 1928; RL; H. Cysarz, V. Schiller zu Nietzsche, 1928; S. Z. Hasan, *R.*, Lond. 1928; O. Walzel, D. dt. Dichtg. v. Gottsched bis z. Gegenw., II 1930; S. v. Lempicki, Wurzeln u. Typen d. dt. R. i. 19. Jh. (Fs. J. Petersen, 1938); B. Weiberg, *French R.*, Lond. 1938; H. Reinhardt, D. Dichtgs.-theorie d. sog. poet. Realisten, 1939; E. Staiger, Meisterwke. dt. Spr., 1943, [4]1961; E. Auerbach, Mimesis, 1946, [7]1982; W. Rehm, Experimentum medietatis, 1947; G. J. Becker, *R.*, MLQ 10, 1949; G. Lukács, D. russ. R. i. d. Weltlit., [2]1952; ders., Dt. Realisten d. 19. Jh., 1951, [5]1956; W. A. Vetterli, Gesch. d. ital. Lit. i. 19. Jh., 1950; H. C. Hatfield, *R. in the German Novel*, CL 3, 1951; H. Levin, *What is r.*, ebda.; M. Greiner, Zwischen Biedermeier und Bourgeoisie, 1953; M. Braun, Russ. Dichtg. i. 19. Jh., [2]1953; W. Silz, *R. and reality*, Chapel Hill 1954; G. Lukács, Probleme d. R., 1955, erw. III 1964–71; R. Dumesnil, *Le r. et le naturalisme*, Paris [2]1955; F. Koch, Idee u. Wirklichk., II 1956; R. Brinkmann, Wirklichkeit u. Illusion, 1957, [3]1977; W. Höllerer, Zw. Klassik u. Moderne, 1958; G. Kaiser, Um e. Neubegründg. d. R.begriffs, ZDP 77, 1958; G. Lukács, Wider den mißverstandenen R., 1958; J. Chiari, *R. and imagination*, Lond. 1960; J. M. Ritchie, *The ambivalence of ›r.‹ in German lit. 1830 to 1880*, OL 15, 1960; R. Wellek, *The concept of r. in lit. scholarship*, Groningen 1961 (auch Neophil. 45, 1961); P. Chiarini, *Romanticismo e realismo nella lett. tedesca*, Padua 1961; F. Martini, Dt. Lit. i. bürgerl. R., 1962, [4]1981; ders., Forschgs.ber. z. dt. Lit. i. d. Zeit d. R., 1962; G. J. Becker, *Documents of mod. lit. r.*, Princeton 1963; H. Levin, *The Gates of Horn*, Oxf. 1963; W. Preisendanz, Humor als dichter. Einbildungskraft, 1963, [3]1985; ders., Voraussetzungen d. poet. R. i. d. dt. Erzählkunst d. 19. Jh. (in: Formkräfte d. dt. Dichtg., 1963); J. P. Stern, *Reinterpretations*, Lond. 1964; D. Pizer, *R. and naturalism in 19th cent. Americ. lit.*, Carbondale 1966; K. Fehr, D. R. i. d. schweizer. Lit., 1965; H. Schlaffer, Lyrik i. R., 1966, [2]1973; H. Kunisch, Z. Probl. d. künstler. Lit. i. 19. Jh. (Fs. H. de Boor, 1966); C. David, Zwischen Romantik u. Symbolismus, 1966; P. Demetz, Z. Definition d. R., LuK 16/17, 1967; R. A. Symposium, MH 59, 1967; D. Tschizewskij, Russ. Lit.gesch. d. 19. Jh. II: R., 1967; E. J. Simmons, *Introduction to Russian R.*, Bloo-

mington 1967; Dt. Dichter d. 19. Jh., hg.
B. v. Wiese 1968, ²1979; E. Alker, D. dt.
Lit. i. 19. Jh., ³1969; H. Boeschenstein,
German lit. of the 19th cent., Lond.
1969; G. Kaiser, R.forschg. ohne R.be-
griff, DVJ 43, 1969; Begriffsbestimmg. d.
lit. R., hg. R. Brinkmann, 1969, ³1983; J.
Kunz, D. dt. Novelle i. 19. Jh., 1970,
²1978; J. P. Stern, *Idylls and realities*,
Lond. 1971; D. Grant, *R.*, Lond. 1971; J.
Kleinstück, Wirklichkeit u. Realität,
1971; L. Nochlin, *R.*, Harmondsworth
1971; E. Sagarra, Tradition u. Revolution, 1972; S. Grosse, Z. Frage d. R. i. d.
dt. Dichtgn. d. MA., WW 22, 1972; F.
Gaede, R. von Brant bis Brecht, 1972; H.
Widhammer, R. u. klassizist. Tradition,
1972; B. Sutschow, Hist. Schicksale d.
R., 1972; H. Kinder, Poesie als Synthese,
1973; H. Schanze, Drama i. bürgerl. R.,
1973; K. Staedtke, Stud. z. russ. R.,
1973; The age of r., hg. F. W. J. Hem-
mings, Harmondsworth 1974, ²1978; R.
u. Realität, hg. H. Knell 1975; R.-Theo-
rien in Lit., Malerei, Musik u. Politik, hg.
R. Grimm 1975; J. P. Stern, Üb. oder
eigtl. gegen e. Begriffsbestimmg. d. lit. R.,
LuK 10, 1975; R. -welcher, hg. P.
Laemmle 1976; W. Powroslo, Erkenntnis
durch Lit., 1976; U. K. Eggers, Aspekte
zeitgen. R.theorien 1976; H. Herzmann,
Z. R. i. d. dt. Lit. d. SpätMA., Daphnis 5,
1976; U. Eisele, R. u. Ideologie, 1976; W.
Preisendanz, Wege d. R., 1977; H. Widhammer, D. Lit.theorie d. dt. R., 1977;
H. Aust, Lit. d. R., 1977, ²1981; U. Eisele, R.-Problematik, DVJ 51, 1977; H.-J.
Ruckhäberle u.a., Roman u. Romantheorie d. dt. R., 1977; S. Kohl, R., Theorie u.
Gesch., 1977; R. i. d Renaiss., hg. R.
Weimann 1977; M. Larkin, *Man and society in 19. cent. r.*, Lond. 1977; G. Fuller,
R.theorien, 1977; I. Spriewald, V. Eulen-
spiegel z. Simplizissimus, ²1978; G. Bisz-
tray, *Marxist models of r.*, N.Y. 1978; M.
Anderle, Dt. Lyrik d. 19. Jh., 1979; J. T.
Medina, *Span. r.*, Potomac 1979; R.theo-
rien i. Engl., hg. W. F. Greiner 1979; K.
Heitmann, D. franz. R., 1979; R.-Proble-
me, JIG 11, 1979; G. J. Becker, *R. i. mod.
lit.*, N.Y. 1979; E. Höfner, Literarität u.
Realität, 1980; J. Nanninga, R. i. ma.
Lit., 1980; Romane u. Erzn. d. bürgerl.
R., hg. H. Denkler 1980; J. Kleinstück,
D. Erfindg. d. Realität, 1980; Europ. R.,
hg. R. Lauer 1980; R. u. Gründerzeit,
Manifeste hg. M. Bucher II 1981; C. A.
Bernd, *German poetic r.*, Boston 1981;
Bürgerl. R., hg. K.-D. Müller 1981; Dt.
Lit. Bd. 7: R., hg. H. A. Glaser 1982; E.
McInnes, D. dt. Drama d. 19. Jh., 1983;
E. Ermath, *R. and consensus in the Engl.
Novel*, Princeton 1983; W. W. Stowe,
Balzac, James and the realistic novel,
Princeton 1983; J. P. Stern, Üb. lit. R.,
1983; H.-J. Lotz, D. Genese d. R., 1984;

W. C. Zimmerli, D. vergessene Probl. d.
Neuzeit, JIG 16, 1984; Ü. Eisenbeiß, Di-
daktik d. novellist. Erzählens i. bürgerl.
R., 1985; R. Paulin, *The brief compass*,
Oxf. 1985; P. U. Hohendahl, Lit.Kultur i.
Ztalt. d. Liberalism., 1985; R. C. Cowen,
D. poet. R., 1985; *R. in Europ. lit.*, hg.
N. Boyle, Cambr. 1986; R. Tallis, *In de-
fence of r.*, Lond. 1988.

Reallexikon (v. lat. *realis* zu *res* =
Sache), Sachwörterbuch, erläutert
im Ggs. zum biographischen,
Sprach- und Namenlexikon die
Sachbegriffe und Grundlagen e.
Wissenschaft. Vgl. →Literaturle-
xikon.

Rebus (lat. = durch Dinge, sc. ausgedrückt), Bilder- und Figuren-
→rätsel, das allein durch Illustrationen, Zeichen, Zahlen oder durch
opt. Anordnung von Wörtern (Silben) über- und untereinander das
Gemeinte verschlüsselt, z. B. der angebl. Briefwechsel FRIEDRICHS II.
mit VOLTAIRE:

P   ci
  à   (= Venez souper à
venez sans

Sanssouci) und die Antwort: G a (=
J'ai grand appétit). Beliebt in ma.
Heraldik und barocker Emble-
matik.

E.-M. Schenk, D. Bilderrätsel, 1973.

Recensio →Rezension (1)

Rechtschreibung, die durch feste
Regeln einheitlich gestaltete und dadurch erhöhte Lesbarkeit anstre-
bende Schreibform; urspr. nach
dem einfachen Ziel der besten phonet. Wiedergabe des Klanges gestaltet, die ohnehin bei der geringen
Zahl der Zeichen und der Fülle der
versch. Laute nur annähernd sein
kann. Seit der Verbreitung des
Schriftwesens eignet ihr jedoch
obendrein ein traditioneller Zug zur
Konservierung des einmal angenommenen Schriftbildes, so daß die
R. trotz ständiger kleiner Veränderungen und Verbesserungen stets

ein wenig hinter dem Sprachwandel zurückbleibt, schwindende Sprachformen länger bewahrt und seit ihrer allg. Verbreitung größere Sprachveränderungen verhindert. Bestrebungen und Vereinheitlichung der R. sind seit der Spätantike bekannt; in Dtl. kamen sie erst mit der Ausbildung der nhd. →Schriftsprache zur Geltung, schieden sich jedoch noch im 19. Jh. in die historisch konservative (Jac. Grimm) und die phonet. Richtung (R. v. Raumer), die bis heute Angleichung des Schriftbildes an die Aussprache erstrebt. Grundlegend für die heutige R. sind seit 1902 die in der jeweils neuesten Auflage des Duden zusammengefaßten Vorschriften, doch weicht experimentelle Lit. oft von ihnen ab.

M. Kohrt, Theoret. Aspekte d. dt. Orthographie, 1987.

Rechtsschutz →Urheberrecht

Reconnaissance (frz. =) →Anagnorisis

Recto (v. lat. *rectus* = rechts, richtig), bei unpaginierten, nur nach Blättern gezählten Handschriften die rechts liegende Vorderseite des Blattes im Ggs. zum →Verso.

Redakteur (franz. *rédacteur* zu lat. *redigere* = eintreiben), ›Schriftleiter‹ einer Zeitung, Zs. oder anderer Periodika, auch in Verlag, Rundfunk und Fernsehen, dem die Prüfung, Auswahl und evtl. Umformung der eingesandten Manuskripte und Mitarbeiterbeiträge für den Druck, deren Einordnung und Drucküberwachung, das Verfassen eigener Artikel und Anfordern fremder Beiträge obliegt. Er steht an der Spitze e. Reihe von ihm ausgewählter Mitarbeiter und vertritt, als ›verantwortlicher R.‹ auf jedem Exemplar namentlich angegeben, das von ihm geleitete Unternehmen in jurist. Beziehung. Bei größeren Zeitungen und Zss. arbeiten mehrere Fach- und Ressort-R.e für die versch. Sparten des Blattes (Politik, Wirtschaft, Kultur, Feuilleton, Sport, Lokales, Gericht, Informationen usw.) unter e. hauptverantwortl. Chef-R.

Redaktion, 1. Schriftleitung als Arbeitsstätte oder Personenkreis der →Redakteure u. a. Mitarbeiter e. Zeitung, e. Verlags-, e. Rundfunkoder Fernsehanstalt. – 2. deren Tätigkeit: Vorbereitung der Texte für Druck oder Sendung durch Bearbeitung gemäß bestimmter Richtlinien und R.grundsätzen, Umformung, Hervorhebung, Kürzung usw., die aus den oft unvollkommenen Einsendungen mit Verständnis und Einfühlungsgabe das herausholen wollen, was keimhaft in ihnen verborgen liegt, doch infolge mangelnder Ausdruckskraft des Verfassers nicht zu voller Entfaltung kam. – 3. in der →Textkritik e. vom vermeintl. →Archetyp in bes. Weise abweichende Hs. oder Hss.gruppe, deren eigenständige →Lesarten auf e. andere →Fassung des Autors selbst oder e. selbständige Überarbeitung durch e. Redaktor zurückgehen können. Vgl. →Stemma.

Rede, 1. das tatsächlich konkret Gesprochene, Gesagte (franz. *parole*) im Unterschied zu den weiten Möglichkeiten der Sprache (franz. *langage*), ferner dessen Form: →gebundene R. in Versform, ungebundene R. in Prosa. – 2. die (einseitige) öffentl. Ansprache: spontan, vorbereitet (Stichworte) oder voll ausformuliert (Manuskript-R.), dann deren zur mündl. Kommunikation (Vortrag) bestimmter, je nach Anlaß und Gegebenheiten nur stilist. oder nach allen Regeln der →Rhetorik ausgearbeiteter Text, der im Unterschied zum wiss. Vortrag oder Referat nicht sachl. durch Argumente belehren und anregen, sondern auch durch rhetor. Kunstgriffe überreden, überzeugen, gewinnen will. Man unterscheidet nach Anlaß polit. (Propaganda-, Agitations-, Wahl-)R., Gerichtsr., Preisr. (laudatio), Fest-, Gedenk-, Grab-R. und Kanzelr. oder Predigt. Im demokrat. Athen (ISOKRATES, DEMOSTHENES) und dem republikan. Rom (CICERO) blüht die polit. R., in Spätantike, MA., Humanismus und Barock die Preis- und Huldigungsr., bei polit. Umstürzen die Agitationsr. (Bauernkrieg: MÜNZER, HUTTEN; Franz. Revolution: ROBESPIERRE, St. JUST). Später als in England und Frankreich entwickelt sich die polit. R. nach Ansätzen um 1800 erst bei BISMARCK und seinen Opponenten, dann in der Weimarer Zeit (RATHENAU, STRESEMANN, F. NAUMANN) und nach dem Mißbrauch der R. in der NS-Zeit in den polit. u. Parlamentsreden der BR. – 3. im Mhd., bes. im SpätMA. kürzere lehrhafte Reimpaardichtung: →Reimrede, →Minnerede, Ehrenr. u.a. – 4. in der Erzählkunst die (fiktiven) Äußerungen der Figuren und deren Wiedergabeform in →direkter, →indirekter oder →erlebter R., nicht dagegen die Leseransprache (auktoriale R.) des Erzählers.

H. Ganger, D. Kunst d. polit. R. i. Engl., 1952; W. Jens, V. dt. R., 1969, ²1983; G. Klaus, D. Macht d. Wortes, 1972; A. Müller, Figurenr., Diss. Gött. 1981; W. Hinderer, Üb. dt. Lit. u. Rede, 1982; M. Fuhrmann, Rhetorik u. öffentl. R., 1983; I. Klemm, Fiktionale R., 1985; *Direct and indirect speech*, hg. F. Coulmas, Haag 1986. →Rhetorik.

Redefiguren →rhetorische Figuren

Redekunst →Rhetorik

Redensart, durch alltägl. Gebrauch formelhaft erstarrte, bildhafte, doch uneigentl. Sprachwendung (›einen Kater haben‹), die jedoch im Ggs. zum Sprichwort nicht aus sich selbst heraus, sondern nur in der jeweiligen Einordnung im Satz- und Sinnganzen Bestand erhält und keine allgemeingültige Erkenntnis zum Ausdruck bringt. Vgl. →Formel, →Phrase.

L. Röhrich, Lex. d. sprichwörtl. R.en, II 1973, IV ⁴1986; W. Koller, R.en, 1977; Ergebnisse d. Sprichwörterforschg., hg. W. Mieder 1978; K. D. Pilz, Phraseologie, 1981; W. Mieder, Sprichwort, R., Zitat, 1985.

Rederijkers (holländ. volksetymolog. Umdeutung von franz. →*rhétoriqueurs* = Redner, im Spätma. = Dichter allg.), urspr. die Mitglieder der seit Ende des 14. Jh. aus den geistl. Brüderschaften in den Niederlanden hervorgegangenen Redekammern, d.h. den →Passionsbrüdern und dem →Meistersang ähnl. lit. Vereine mit dem Ziel von Mirakel- und Mysterienaufführungen, später auch der Aufführung von Moralitäten (›Sinnespelen‹), bibl. Dramen und →Kluchten, auch Refraingedichten (→Refrein) in dichter. Wettkampf (→Landjuweelen, Refereinfeesten, Haeghspelen); bedeutende R.-Kammern waren ›Violieren‹ in Antwerpen, ›Het Boeck‹ in Brüssel, ›De Fonteine‹ in Gent, am berühmtesten: ›Eglantier‹. Die Leitung der einzelnen Redekammer bestand aus mehreren ›Hoofdlieden‹ (ein Schirmherr, ein Dekan, ein Bannerträger, ein Kammernarr, ein Faktor = Dichter usw.). In Belgien entstanden die R.-Kammern im 16. Jh. und erlebten ihre Hochblüte vor dem Freiheitskrieg gegen Spanien; in Holland verschmilzt in den R. das einheim. Handwerkertheater mit Einflüssen der Englischen Komödianten und erreicht seine höchste Blüte kurz vor dem Verfall unter dem Dramatiker Joost van den VONDEL (1587–1679) mit starkem Einfluß auf GRYPHIUS. Als namhafte Dichter gingen aus ihnen hervor C. van RIJSSELE, A. de ROOVERE, Anna BIJNS, C. EVERAERT und M. de CASTELEIN. – Um 1840 neugegr. R. bildeten nur Kreise zur Pflege der Deklamation.

G. D. J. Schotel, *Geschiedenis der R. in Nederland*, II ²1871; P. van Duyse, *De R.-kamers in Nederland*, Gent II 1900–02; E. Ellerbroek-Fortuin, *Amsterdamse R.-spelen in de 16de eeuw*, 1937; J. J. Mak, *De R.*, Amsterdam 1944; W. M. H. Hummelen, *Repertorium van het r.-drama*, Assen 1968.

Redondilla (span. *redondo* = rund), R. mayor, spezifisch span. Strophenform von vier Zeilen zu je acht Silben mit der Reimfolge abba, anfangs auch abab. Entstanden im 11./14. Jh. wohl in Portugal oder durch Aufspaltung der Copla der →Arte menor und verwandt mit der →Quintilla, mit sechssilbigen Zeilen auch R. menor genannt. Blütezeit in Lyrik und Drama des 16./17. Jh.

D. C. Clarke, *R. and copla de arte menor* (*Hispanic Review* 9, 1941); R. Baehr, Span. Verslehre, 1962.

Redundanz (v. lat. = Überfluß), im Unterschied zur potentiellen →Abundanz im Ggs. zur →Brachylogie die unnötige Mehrfachsetzung desselben Vorstellungsinhalts als Stilfehler, bes. →Pleonasmus und →Tautologie.

Reduzierter Text (v. lat.), auf syntaktisch unverbundene Wortfolgen, einzelne Wörter, Buchstabenfolgen oder einzelne Buchstaben verknappter, dann oft visuell aufbereiteter Text. Nach Vorstufen in Expressionismus und Dadaismus und bei K. SCHWITTERS Stilmittel bes. der experimentellen →konkreten und →visuellen Poesie (E. GOMRINGER u. a.), die Wortzeichen und Zeichensysteme als Material (→materialer Text) benutzt. Die Bz. impliziert teils irreführend e. vorangegange-

nen vollständigen und dann durch Abbau grammat. Strukturen konzentrierten Text.

Referat (v. lat. *referre* = überbringen), mündl. oder schriftl. Berichterstattung über e. Fachgebiet, neue Forschungsergebnisse, lit. Neuerscheinungen usw. durch e. Referenten; im Ggs. zur →Rezension meist sachl. Zusammenfassung ohne persönl. Wertung; publiziert in period. erscheinenden R.organen, z.B. *Germanistik* (1960ff.).

Referein →Refrein

Reflexion (v. lat. *reflectere* = zurückbeugen), das auf die Beobachtung eigener seel. Vorgänge zurückgewandte Denken; im weiteren Sinne jedes prüfende und vergleichende Nachdenken und dessen Ergebnis. Vgl. GOETHES *Maximen und R.en*. In der Romanpoetik die unanschauliche, direkte Vermittlung von Einsichten in die Gesetze des Lebens und allg. Moralisieren des Autors über die Erzählhandlung hinweg an die Adresse des Lesers.

W. Hahl, R. u. Erzählg., 1971.

Reflexionslyrik →Gedankenlyrik

Reformationsdrama →Reformationsliteratur, →Schuldrama

Reformationsliteratur, das gesamte durch die Reformation hervorgerufene, mit ihr in Beziehung stehende Schrifttum in lat. und dt. Sprache von LUTHERS 95 Thesen (1517) bis zum Augsburger Religionsfrieden (1555), das meist in scharfer, ausgesprochen polem. Stellungnahme und Meinungsäußerung für oder gegen die Bestrebungen zur Erneuerung des kirchl. Lebens eintritt und sich dazu der verschiedensten lit. Formen bedient: →Flugschrift, Streitschrift, Streitgespräch, →

Streitgedicht in Vers oder Prosa, auch →Fastnachtsspiel und Fabel, →Satire, Pamphlet, →Schuldrama u. a. m. An dem relig. Kampf beteiligen sich fast alle Dichter der Zeit; nur Hans Sachs bleibt größtenteils im rein Dichterischen, zu dem später auch Wickram und Fischart zurückkehren. Auch die neue Buchdruckerkunst beteiligt sich mit großem Eifer, zumal es sich nie um große Werke, sondern stets um Kleinliteratur, am häufigsten Streitgespräche, handelt und die häufige Verwendung der dt. Sprache als gleichwertig neben der lat. ihnen weiteste Verbreitung sichert. – Als Vorläufer gelten die myst. *Theologia Deutsch* aus dem 14. Jh., von Luther 1516/18 herausgegeben, ferner die volkstüml. Predigten Geilers von Kaisersberg, die neulat. Satirenlit. der Humanisten *(Epistulae obscurorum virorum)* und die →Narrenlit. (Erasmus *Encomium moriae)*. Die eigtl. R. beginnt mit den Streitschriften zwischen Luther und Eck und seit dem Reichstag zu Worms mit e. Fülle von Flugschriften, in die auch Hutten mit lat. →Dialogen, die 1521 als *Gesprächsbüchlein* dt. erscheinen, eingreift. Ihm folgen Eberlin von Günzburg *(15 Bundesgenossen,* 1521), Franz von Sickingen, Styfel, u. a. auch der anonyme Dialog *Karsthans,* evtl. von J. Vadianus, in dem e. Bauer – zum erstenmal nicht wie in der zeitgenöss. Lit. kom. Figur – gegen die Überredungskunst Th. Murners seinen ev. Glauben verteidigt, e. Figur, die breiteste Nachfolge in anderen Dialogen fand. Den Höhepunkt der lat. R. bildet das satir. Drama *Eccius dedolatus* (von N. Gerbel?, 1520). Auf der kath. Gegenseite wendet Th. Murner die Narrenlit. ins Religiöse und Polemische *(Von dem großen Lutherischen Narren,* 1522); auf ev.

Seite folgen Fastnachtsspiele von P. Gengenbach, N. Manuel *(Vom Papst und seiner Priesterschaft,* 1522), später Burkart Waldis, Sixt Birk und bes. drastisch Th. Naogeorg (Kampfdrama *Pammachius* 1538, satirisches Epos *Regnum papisticum* 1553). Unter den Angriffen gegen die R. ragt später noch das lat. Pamphlet *Monachopornomachia* (1528) des Simon Lemnius hervor. Die Seite der Reformation vertreten späterhin noch Hans Sachs *(Wittenbergische Nachtigall* und Reformationsdialoge 1524), Burkart Waldis und Erasmus Alberus. Bauernkriege und Wiedertäuferbewegung bringen neue Noten in die Kampflit. Doch neben dieser ausgedehnten und oft derben Streitlit., die dichter. Formen und Werte der Tendenz opfert, für die Dichtungsgeschichte nur durch die Ausbildung der dt. Prosa wichtig und sonst höchstens von kirchen- und kulturgeschichtl. Interesse ist, steht noch e. geistl. Schrifttum in Predigten, Tischreden und bes. die →Bibelübersetzung Luthers (ganz 1534), die wesentl. Anteil an der Ausbildung der nhd. Hoch- und Schriftsprache hat. Melanchthon trägt wesentlich zur Bildung e. neuen relig. Unterweisungsschrifttums bei. Am folgenreichsten war die R. für die geistl. Dichtung selbst: das →geistliche Lied wird →Kirchenlied, glaubensstarkes und dichter. Bekenntnis der Gemeinde, und auch das neutrale, strenggeformte Humanistendrama erhielt durch die Reformation neue Gehaltstiefe. Neben der dt. R. entwickelt sich in Frankreich ebenfalls e. Hugenottenlit., von nachhaltigstem Einfluß in Marots →Psalmendichtung und Du Bartas *La semaine.* →Gegenreformation.

H. Schöffler, D. Ref., 1936; W. Stammler, V. d. Mystik z. Barock, 1927, ²1950;

Gesch. d. dt. Lit. v. 1480–1600, 1960; H. Schöffler, Wirkungen d. R., 1960; W. Pauck, *The heritage of the R.,* N.Y. 1961; V. H. H. Green, *Renaissance and Ref.,* Lond. ²1964; H. J. Grimm, *The r. era,* N.Y. 1965; J. Lortz, D. R i. Dtl., II ⁵1965; H. Bornkamm, D. Jh. d. R., 1966, ²1983; Wirkungen d. dt. R., hg. W. Hubatsch 1967; R. Stupperich, Gesch. d. R., 1967; H. O. Burger, Renaiss., Humanism., R., 1969; RL; H. Rupprich, D. Zeitalter d. R., 1973 (de Boor/Newald, Gesch. d. dt. Lit. 4, 2); Volkserz. u. R., hg. W. Brückner 1974; B. Könneker, D. dt. Lit. d. R.zeit, 1975; *The Renaiss. and R. in Germany,* hg. G. Hoffmeister, N.Y. 1977; R. W. Scribner, *For the sake of the simple folk,* Cambr. 1981; J. N. King, *Engl. R.,* Princeton 1981; W. F. Michael, D. dt. Drama d. Ref.zt., 1984; H. Walz, Dt. Lit. d. Ref.zt., 1988.

Refrain (provenzal. *refraingre* = wiederkehrendes Sichbrechen der Wellen), →Kehrreim.

Refrán (span.), span. volkstüml. Sprichwort in gereimten oder assonierenden Versen, oft mit Alliteration, im Ggs. zum prosaischen Proverbio oder zur gelehrten Sentenz. R.es werden oft den realist. Figuren in Drama und Roman in den Mund gelegt, so z. B. Sancho Pansa in CERVANTES' *Don Quijote.*

Refrein (holländ., v. franz. →*refrain*), lyr. Form der →Rederijkers um 1450–1600 für ernste, relig., didakt., erot. und kom. Inhalte: mindestens vier Strophen von beliebiger, aber gleicher Länge und Reimfolge, die auf dieselbe Schlußzeile auslaufen, und e. kurze, oft als Widmung angelegte und z. T. akrostichische Schlußstrophe. In R.feesten als Wettbewerb nach vorgegebenem Thema und vorgegebener Form vorgetragen; u. a. von Anna BIJNS.

A. van Elslander, *Het r. in de Nederlanden tot 1600,* Gent 1953.

Réfugiéliteratur (franz. *réfugié* = Flüchtling), das franz. Schrifttum der nach Aufhebung des Edikts von Nantes 1685 aus Frankreich bes. nach Holland, Brandenburg, England und der Schweiz emigrierten protestant. Hugenotten, u. a. H. BAYLE; frühe Form der →Exilliteratur.

Regeln, die von der jeweils maß gebl. Poetik oder allg. Kunsttheorie vorgeschriebenen allg. formalen, gattungsbedingten und inhaltl. Eigenschaften der Dichtung, deren Einhaltung den Charakter der ›Regelmäßigkeit‹ mit sich bringt, so z. B. die Aktzahl im Drama, die dramat. Überleitungen zur Vermeidung der leeren Bühne, die Lehre von der Reinerhaltung der Gattungen und der ihnen angemessenen Stoffe, die →Ständeklausel und die Lehre von den →Einheiten. Sie wandeln sich mit den Generationen je nach Geschmack und Kunstauffassung und gelten meist so lange, bis ein allg. anerkanntes, geniales neues Werk ihre Verbindlichkeit durchbricht und dennoch überzeugt.

Regenbogenpresse, nach den bunten Kopfleiste Bz. für triviale Wochenendblätter, die leserorientiert Themen aus der Welt des Hochadels, des Films und der Reichen ohne substantiellen Gehalt behandeln und dabei den Leserwünschen entsprechend eine unpolit., heile Märchenwelt von Glanz, Glück, Harmonie und Unschuld projizieren.

W. Nutz, D. R., 1971; C. Kodron-Lundgreen, *20 Millionen unterm Regenbogen,* 1976.

Regesten (mlat. *regesta* = Verzeichnis), zeitlich geordnete, kurz zusammenfassende Inhaltsangaben (Auszüge) bes. ma. Urkunden und unveröffentlichter Briefe (z. B. an GOETHE, von Th. MANN).

H. Steinecke, Brief-R., ZDP 101, 1982 Sonderh.

Regie (franz. *régie* = Verwaltung), ›Spielleitung‹ beim Theater (Film,

Funk, Fernsehen), Teil der →Inszenierung als Aufgabenbereich des Regisseurs (Spielleiters): die gesamten Vorbereitungen zur Bühnen-→aufführung e. Dramas, soweit sie das Zusammenwirken der einzelnen Faktoren (Schauspieler, evtl. Orchester, Bühnenbild, Kostüme, Beleuchtung, Bühnenmaschinerie u. a.) in einheitlichem →Ensemble zum Ziel haben und durch die Art der Darstellung dem Geist der dramat. Dichtung den ihm angemessenen Ausdruck und die urspr. in ihm angelegte Deutung zu geben suchen. Die Tätigkeit des Regisseurs beginnt bereits bei der Rollenverteilung und Einstudierung der einzelnen Rollen, erstrebt dann in e. Reihe von →Proben deren Einordnung und Unterordnung im Zusammenspiel und schließlich die Einfügung in den Rahmen von Bühnenbild und techn. Apparat. Folgt auf die ebenfalls vom Regisseur geleitete Premiere noch e. größere Anzahl von Wiederholungen (z. B. Serienspiel bei Wanderbühnen), so übernimmt die Aufsicht über diese e. Abend- oder Hilfsregisseur (›Stallwache‹). – Die Kunst der R. entwickelt sich als Beruf erst im 19. Jh. Im 18. Jh. und früher lag sie meist in Händen der größten Schauspieler, die oft gleichzeitig die Spielplangestaltung und die Rolle des Inspizienten übernahmen. Während der mittelmäßige Regisseur damals nur die Wahl der Kostüme und Requisiten und die rechtzeitige Abfolge der Auftritte und Abgänge auf der Bühne überwacht, bestimmt bei größeren Begabungen wie EKHOF, SCHRÖDER, IFFLAND oder dem Dramaturgen SCHREYVOGEL schon die eigene Auffassung des Stückes die Inszenierungsart. Mit der Gründung fester Theater bes. im 19. Jh. erweitert sich ihr Aufgabenbereich um Neuentdeckung von Begabungen, Pflege

des Ensemblespiels, Rollenbesetzung und Einstudierung. Einzelne Schule machende Begabungen führen die Kunst der R. zu hoher Blüte: IMMERMANN, E. DEVRIENT, LAUBE, R. WAGNER, DINGELSTEDT, Herzog GEORG VON MEININGEN, O. DEVRIENT, O. BRAHM, SAVITS, MARTERSTEIG, ZEISS und bes. M. REINHARDT. Trotz starker Ausprägung der persönl. Auffassung blieb ihre R. doch stets, wie es ihre Aufgabe ist, Dienerin am Kunstwerk; sei es als Wort-R. mit Betonung auf der kunstvollen Sprachwirkung des Dramas (LAUBE) oder als Bild-(Szenen-)R. mit Schwergewicht auf maler. Bühnenbild und Bühnengeschehen (DINGELSTEDT, →Meininger), in jedem Fall zeigte sich die R. als geniale Interpretation e. Dramas, die seinen dichter. Wert durch kongeniales Nachempfinden ungeheuer steigern konnte, und erhielt e. hervorragende Stellung im Theaterwesen. Nur kleine Geister dagegen gefielen sich in selbstherrl. Umgestaltung des Dichtwerks als bloße Vorlage zum virtuosen Brillieren mit eigener Regiekunst in sog. ›Regietheater‹. Seit Ende des 19. Jh. verlangte man vom Regisseur e. umfassende lit. und theatergeschichtl. Bildung und errichtete Lehrstühle und Institute für →Theaterwissenschaft an den Universitäten in Amerika, Dtl., Österreich, Rußland, später auch Frankreich, und nach anfänglich starker Opposition hat sich die Eigenständigkeit des R.fachs schließlich durchgesetzt. Das 20. Jh. bringt in ganz Europa starke Umwälzungen und neue Versuche der R.: in England E. G. CRAIG, P. BROOK, P. HALL, in Rußland STANISLAVSKIJ, MEIJERHOLD und TAIROV, in Italien G. STREHLER, in Frankreich A. ANTOINE, in Polen J. GROTOWSKI, in Dtl. bes. C. HAGEMANN, KAYSSLER, L. JESSNER, J.

FEHLING, HILPERT, S. SCHMITT,
GRÜNDGENS, GEORGE, KLÖPFER,
SELLNER, STROUX, PISCATOR, LIE-
BENEINER, KORTNER, BARLOG,
SCHWEICKART, ZADEK, WENDT,
STEIN. Die mod. Tendenz zur krit.,
aktualisierenden und ideolog. Um-
funktionierung ungeschützter Spieltexte, die nur noch unverbindl.
›Materialwert‹ (B. BRECHT) haben
sollen, verabsolutiert die Wirkung
der R. zugunsten der ursprüngl.
dichter. Aussage, und Mitbestim-
mungsmodelle der Schauspieler haben kaum künstler. Ergebnisse er-
bracht.

C. Hagemann, D. R., ⁵1918; M. Martersteig, D. dt. Theater i. 19. Jh., ²1924; M.
Alberti, Moderne R., 1912; H. Ihering,
Regisseur u. Bühnenmaler, 1921; C. Hagemann, D. Kunst d. Bühne, 1922; A.
Tairoff, D. entfesselte Theater, 1923; A.
Winds, Gesch. d. R., 1925; RL¹; H. Ihering, R., 1943; H. Hilpert, Formen d.
Theaters, 1943; R. Biedrzynski, Schauspieler, Regisseure, Intendanten, 1944; P.
Legband, D. Regisseur, 1947; J. E. Dietrich, Play direction, N.Y. 1953; J. Gregor, D. Theater-R. i. d. Welt uns. Jh.,
1958; H. Schwarz, R., 1965; G. M. Bergman, D. Eintritt d. Berufsregisseurs in d.
dt.-sprach. Bühne, MuK 12, 1966; K.
Walter, Spielleitung, 1966; H. Mainusch,
R. u. Interpretation, 1985.

Regieanweisung →Bühnenanwei-
sungen

Regietheater →Regie

Regionalismus (lat. *regio* = Gegend, Landschaft), 1. allg. →Hei-
matdichtung, – 2. Strömung der
franz. Lit. seit Mitte des 19. Jh., die
in Absetzung vom franz. Zentralis-
mus und der Pariser Großstadtlit,
die Eigenständigkeit und das Eigenleben der Provinzen in Landschaft,
Sitten, Gebräuchen und Traditionen
betont. Sie will bestenfalls im Ge-
genzug zu Verstädterung und Industrialisierung allg. menschl. Probleme in einer nostalgisch verklärten
bäuerl. oder kleinstädt. Heimat an-
siedeln, entgeht aber nicht immer

den Gefahren e. antizivilisator.
Ideologisierung und e. konservativen Traditionalismus. Der franz. R.
tritt am deutlichsten hervor in den
stärker profilierten Randgebieten:
Provence (F. MISTRAL und →Féli-
brige, H. BOSCO, T. MONNIER, J.
GIONO), Bretagne (A. BRIZEUX, C.
LE GOFFIC) und franz. Schweiz (C.-
F. RAMUZ). Ähnliche Strömungen
in Italien, bes. Sizilien (G. VERGA),
Sardinien (G. DELEDDA), Spanien
und Jugoslawien, in Dtl. als →Hei-
matkunst.

Lit. →Heimatdichtung.

Regisseur (franz.) →Regie

Register (mlat. *registrum* zu →*regesta*), alphabet. Namen- und Sachverzeichnis (→Index), notwendige
Beigabe jedes nicht rein schöngeistigen, sondern fachbezogenen Buches, das die Auswertung des Inhalts erst ermöglicht und damit die
wissenschaftl. Arbeit rationalisiert.
Optimale Art und Anlage des R.
vom Personenverzeichnis bis zum
kombinierten oder separaten Perso-
nen-, Orts- Sach- und Titel-R. sind
von Fall zu Fall verschieden, ebenso
die optimalen Auswahlkriterien für
e. Sach-R. vom nahezu kompletten
Wortindex, der den Benützer oft-
mals in die Irre führt, ohne ihm
entsprechende Auskunft zu geben,
zur Auswahl nur solcher Stichwörter, die am angeführten Ort eine
registrierenswerte Aussage erfahren.

S. K. Spiker, *Indexing Your Book*, Madi-
son ²1963; R. L. Collison, *Indexes and
Indexing*, Lond. ²1959; ders., *Indexing
Books*, Lond. 1961; H. Kunze, Üb. d.
R.machen, 1966; G. N. Knight, *Training
in Indexing*, Cambr./Mass. 1968.

Regression (lat. *regressio* = Rückgang), →rhetorische Figur: nachträgliche erläuternde Unterscheidung und Wiederholung der bereits
ausgesprochenen Einzelglieder e.

mehrgliedrigen Ausdrucks, z.B.:
›Beide Eltern waren ihm gestorben,
der Vater war im Kriege gefallen,
und die Mutter hatte der Kummer
aufgezehrt.‹

Reicher Reim, Gleichklang (oder
Assonanz) der letzten drei (oder
mehr, dann gleitender Reim genannt) Silben des Reimwortes, z. T.
auch vor der letzten Hebung (=
→erweiterter Reim): ›Freude dem
Sterblichen, / den die verderblichen,
/ schleichenden, erblichen / Mängel
umwandeln.‹ (GOETHE); oft in
orientalisierender Dichtung (Ghasel). Vgl. →Rime riche, →Doppel-
reim.

Reigenlied →Tanzlied

Reihen, 1. →Tanzlied, 2. →Rey-
hen, 3. rhythmische R. →Kolon und
→Kurzvers.

Reihenreim →Reimhäufung

Reihung, die verbundene oder unverbundene Aneinandersetzung von
drei oder mehr syntakt. gleichgeordneten Wörtern bzw. Satzteilen
als Stilmittel der →Worthäufung,
das aus vielen Einzeleindrücken e.
Gesamteindruck erzielt. →Akku-
mulation, →Asyndeton, →Polysyn-
deton, →Parataxe.
L. Forster, Üb. Reihen u. Gliedern (Virtus
et fortuna, Fs. H.-G. Roloff 1983).

Reim, mhd. *rîm* unter Bedeutungs-
beeinflussung von lat. *rhythmus*
und evtl. altfranz. *rime* erscheint zuerst um 1170 in ALBERS *Tnugdalus*
in der Bedeutung ›Verszeile‹, während der Endreim ›bunt‹ heißt. Das
Wort behält den urspr. Sinn in nhd.
Zusammensetzungen wie Kinder-,
Kehr-, Rund-, Leber-, Monats-,
Schüttel-R., R.paar und R.bre-
chung. Nachdem OPITZ im 17. Jh.
das Wort ›Vers‹ eingeführt hat, wird

die Bedeutung von ›R.‹ frei und bezeichnet seit Mitte des 18. Jh. ›Endreim‹: im Ggs. zur bloßen →Asso-
nanz vollständiger lautl. Gleichklang zweier oder mehrerer Wörter
vom letzten betonten Vokal an, jedoch ohne die davorstehende Kon-
sonanz (sonst →rührender R.); als
Endreim am Ende e. rhythm. Reihe
(Kolon, Vers) oder als →Binnen-
reim in der Mitte eindrucksstarkes,
mag. Klangspiel zur melod. Gliederung der Strophen, akust. Abgrenzung der Verse und deren Verbindung zu Sinn- und Klangeinheiten.
Er gehört jedoch nicht notwendig
zum Wesen der Lyrik. Man unterscheidet: 1. nach Art und Zahl der
gebundenen Silben: →männlichen,
→weiblichen, →reichen, →erwei-
terten, →Doppel-, →rührenden,
→identischen, →grammatischen,
→gebrochenen, →gespaltenen, →
reinen oder →unreinen R. 2. nach
der Stellung innerhalb des Verses:
→Schlag-, →Mittel-, →In-, →An-
fangs-, →Binnen-, →Zäsur- und
→Pausen-R., 3. nach der Stellung
zueinander: →Paar-, →Drei-R.,
→R.häufung, →Kreuz-, →Schweif-,
→umarmenden, →verschränkten,
→Ketten-R., →Waisen und
→Körner.
Während der german. Vers in der
den Rhythmus unterstreichenden
→Alliteration und der →antike
Vers im Wechsel der →Quantitäten
e. feste Form der Versbindung und
-ausschmückung besitzen, erscheint
bereits in röm. Poesie und Prosa
vereinzelt der R. in Form des →Ho-
moioteleuton mit Parallelismus, so
schon im altital. Carmen, mag. Formeln, Sprichwörtern und Redewendungen (→Reimformeln), in der
Rhetorik in Nachfolge des GORGIAS
und ISOKRATES, in den →rhetori-
schen Figuren der antiken Kunstprosa als Satzschmuck, in der Dichtung bei PLAUTUS, TERENZ, ENNIUS,

VERGIL, später bei den Archaisten
seit FRONTO, dann bes. APULEIUS,
TERTULLIAN und AUGUSTIN. Doch
ist die ausschließl. Herleitung des R.
aus der Antike zweifelhaft und evtl.
Beeinflussung aus dem Orient, der
syr. Lit. und den Gebeten der jüd.
Synagoge, wo er sich bis ins 1. Jh.
n.Chr. zurückverfolgen läßt, anzu-
nehmen. Noch im Ausgang des Altertums und im MA. erscheint er in
der lat. →Reimprosa und als →leo-
ninischer Vers. Allein entscheidend
für die Verbreitung des R. war die
lat. christl. Hymnendichtung, die
sich von der quantitierenden Dichtung löst und zur Beachtung des
Wortakzents drängt. Das älteste
Zeugnis liefern die *Instructiones* des
COMMODIANUS (um 270), wo einzelne Verse auf denselben Vokal
ausgehen; AMBROSIUS verwendet
den R. häufiger als Schmuckmittel;
SEDULIUS und VENANTIUS FORTU-
NATUS im 5. und 6. Jh. gebrauchen
ihn ausgiebiger, da er sich sowohl
mit dem quantitierenden wie auch
mit dem akzentuierenden Versbau
vereinen läßt und bes. Unregelmäßigkeiten im Bau des Versinneren
durch begrenzenden Gleichklang
am Schluß wettmacht; doch erst seit
dem 10./11. Jh. erscheint er regelmäßig in der ma. relig. Dichtung
und dringt von dort in die volkssprachl. Litt. In Dtl. führt ihn OT-
FRIEDS VON WEISSENBURG Evangelienharmonie (um 870) an Stelle des
Stabreims ein, begnügt sich freilich
z.T. mit bloßer Assonanz, wie überhaupt anfangs der bloße Gleichklang der (auch unbetonten) Endsilbe als R. genügte und er erst später
auf den ganzen Wortteil von der
letzten Hebung an ausgedehnt wurde. Nunmehr hängt die Reinheit der
Reime von der Kultiviertheit der
Dichtung e. jeden Zeitalters ab. Die
mhd. Klassik führt die R.kunst zu
höchster Vollendung und verwendet

nur →reine und rührende Reime.
Seither herrscht der R. unbeschränkt in dt. Dichtung, bis im 18.
Jh. PYRA, LANGE, die Schweizer und
bes. KLOPSTOCK als Reaktion auf
die Reimspielereien des Barock und
mit Verweis auf das antike Vorbild
seine Herrschaft anfechten, da er
das Gehör betäube und die Gedanken feßle, und dabei auf die Reimlo-
sigkeit antiker und altgerman. Dichtung zurückgreifen. Während Drama und z.T. Epos seither reimlos
sind, hat sich der R. in der Lyrik
(mit Ausnahme von →Freien
Rhythmen und Nachbildungen antiker Strophen, z.B. bei HÖLDER-
LIN) dank dem jungen GOETHE,
dem Göttinger Hain und später der
Romantik (die den R.vokalen sogar
symbol. Bedeutung zuerkannte) gehalten. Während Naturalismus (W.
WHITMAN, A. HOLZ) und Expressionismus reimfeindlich waren,
RILKE den R. durch Enjambement,
BENN durch Fremdwörter unterdrückten, hält sich der R. in populären Formen trotz wachsender Ab-
nutzung, doch bevorzugt die mod.
hermet.-experimentelle Dichtung
(POUND, ELIOT, AUDEN) reimlose
Formen. Auch in der literaturwiss.
Forschung dienen R.untersuchun-
gen der Klärung von Echtheits- und
Verfasserfragen, so etwa KÖSTERS
Untersuchung über den Dichter der
Geharnschten Venus (K. STIELER)
und die über GOETHES Josefsdich-
tung.

W. Grimm, Z. Gesch. d. R., 1852; F.
Kluge, Z. Gesch. d. R. i. Altgerman., PBB
9, 1884; A. Ehrenfeld, Stud. z. Theorie d.
R., 1897; E. Norden, Antike Kunstprosa,
II 1898, n. 1958; W. Braune, R. u. Vers,
1916; F. Neumann, Gesch. d. nhd. R. v.
Opitz bis Wieland, 1920; K. Wesle,
Frühmhd. R.-Studien, 1925; A. Heusler,
Dt. Versgesch., III 1925–29, ²1956; L.
Wolff, Z. Bedeutungsgesch. d. Wortes R.,
ZDA 67, 1930; H. Lanz, *The physical
basis of rime*, Stanford 1931; N. Törn-
quist, Z. Gesch. d. Wortes R., Lund
1935; U. Pretzel, Frühgesch. d. dt. R., I

1941; K. G. Kuhn, Z. Gesch. d. R., DVJ 23, 1949; W. Stapel, Stabr. u. Endr., WW 4, 1953; H. Brinkmann, D. R. i. früh. MA. (Fs. H. M. Flasdiek, 1960); G. Schweikle, D. Herkunft d. ahd. R., ZDA 96, 1967; R. Abernathy, *Rhymes, nonrhymes and anti-rhymes* (Fs. R. Jakobson, 1967); C. Schuppenhauer, D. Kampf um d. R. i. d. dt. Lit. d. 18. Jh., 1970; RL; R. Hasan, *Rime and reason in lit.* (*Literary styles*, hg. S. Chatman, Lond. 1971); F. Vonessen, Z. Metaphysik d. R. (Fs. H. Friedrich, 1975); H. Meyer, Erotik d. R. (Jb. d. Akad. d. Wiss. Göttingen, 1976); D. Genese d. europ. Endreimdichtg., hg. U. Ernst u. a. 1977; P. Rühmkorf, Agar agar zaurauxim, 1981; B. Nagel, D. R.problem i. d. dt. Dichtg., 1985; C. Sott, The riches of rhyme, Oxf. 1988. →Metrik.

Reimabnutzung, der Verschleiß des Reims durch Verwendung allzu abgegriffener Reime, z.B. Herz/Schmerz.

Reimbibel, unscharfe Bz. für gereimte Fassungen der Bibel, deren Teilen oder umfangreicheren bibl. Stoffen als ma. Reimpaardichtungen: OTFRIEDS →Evangelienharmonie (um 870, NT.), *Wiener Genesis* (11. Jh., aus AT.), mittelfränk. R. (Anfang 12. Jh., NT.), z.T. auch unvollendete, mit der bibl. Geschichte beginnende →Reimchroniken (→Weltchronik RUDOLFS VON EMS, um 1252). →Historienbibel.

Reimbrechung, auch Reimpaarbrechung, Sonderform der →Brechung: die Erscheinung, daß zwei durch Endreim verbundene Verse (→Reimpaar) syntaktisch voneinander getrennt werden, indem der 1. Reimvers noch zum Satz der vorangehenden Zeile, der 2. bereits zu dem der folgenden Zeile gezogen wird, also beide völlig verschiedenen Gefügen angehören. Durch LAMPRECHTS *Alexander* (um 1145) in mhd. Dichtung nach franz. Vorbild eingeführt und bes. in der Blütezeit (WOLFRAM, GOTTFRIED, KONRAD VON WÜRZBURG) wichtiges Stilmittel; im Drama des 15./

16. Jh. als →Stichreim fortlebend. →Enjambement, →Hakenstil.

H. de Boor, Üb. Brechung i. Frühmhd. (Fs. E. Sievers, 1925); RL; W. Brandt (Fs. E. L. Schmidt, 1975).

Reimchronik, im Unterschied zur lat. Prosa-Chronistik des MA. die volkssprachige versifizierte →Chronik als histor. Darstellung längerer Zeiträume, der Welt- und Schöpfungs- oder Zeitgeschichte in Reimpaarversen, oft weitausgesponnen und weniger von dichter. als histor. Wert, da sie oft heute verlorene Quellen der Zeit benutzen und auch Selbsterlebtes und mündl. Überlieferung einfügen; bis ins 14. Jh. herrschende Form volkssprach. Geschichtsdarstellung in Dtl., dichterisch noch am bedeutendsten im großen Sammelwerk der *Kaiserchronik* (beendet um 1150) als Geschichte der röm. und dt. Kaiser von CAESAR bis 1147, von Sagen, Legenden, Anekdoten und Novellen durchsetzt, ferner die →*Weltchronik* des RUDOLF VON EMS (1250/54) bis zum Tode SALOMONS, die *Österreichische R.* OTTOKARS VON STEIERMARK über die Jahre 1250–1309, JANS ENIKELS Weltchronik (13. Jh.), NIKOLAUS VON JEROSCHINS Deutschordenschronik (Mitte 14. Jh. nach der lat. Chronik PETER VON DUSBURGS), die Mecklenburgische R. des ERNST VON KIRCHBERG (1378), die des WIGAND VON MARBURG (bis 1494), die Holsteinsche, Appenzeller u. a. m., daneben auch Städtechroniken wie die Kölner Gottfried HAGENS aus dem 13. Jh.

W. Struve, Stud. z. Verh. v. R.- u. Prosachronik, Diss. Bln. 1955; L. Feuchtwanger, D. dt. R.n d. 14. u. 15. Jh. (in: Centum opuscula, 1956).

Reimfolge →Reim, →Reimschema

Reimformel oder reimende Verbindung koppelt reimende Wörter in Prosa zu stehenden Verbindungen:

›Saus und Braus‹, ›Knall und Fall‹; schon in lat. Lit. bezeugt.

Reimhäufung oder Haufenreim, die mehr als zweimalige Wiederholung des gleichen Reims durch Gleichklang vieler aufeinanderfolgender Versausgänge (über den →Dreireim hinaus meist ermüdend) oder durch Unterstützung des Endreims durch gleichen Binnenreim; schon bei OTFRIED, HARTMANN, im →Leich und bes. in späthöf. Dichtung und Meistersang (M. BEHEIM, H. FOLZ) virtuos verwendete Spielerei; Hans SACHS setzt den gleichen Reim oft 5–6mal, FISCHART am Abschluß der *Flöhhaz* 17mal. Sonderform ist der Reihen-, Ein- oder Tiradenreim mit gleichem Reim für ganze Strophen bzw. Abschnitte, bes. in mlat. und provenzal. Lyrik. Auch G. KELLERS *Abendlied* reimt jede der vierzeiligen Strophen auf denselben Reim.

Reimlexikon, Reimwörterbuch, Zusammenstellung von Wörtern gleicher Reimendung als Hilfsmittel des Dichters zur Erleichterung des Reimfindens oder zur äußerl. Normierung des Reimgebrauchs in Zeiten, in denen das Dichten als lehrbar galt, so zuerst in der ital. Renaissance; bes. im 16. Jh.: als erstes P. MORETOS R. aus DANTE und PETRARCA (1528), als bekanntestes das von G. RUSCELLI (1559), als 1. dt. R. (gleichzeitig dt.-lat. Lexikon) das von Erasmus ALBERUS, *Novum dictionarii genus,* 1540; Nachfolge im 17. Jh.: ZESENS R. im Anhang zum *Hochdeutschen Helikon* (1640), nach Reimvokalen und auslautenden Konsonanten in drei Teilen geordnet: Steigton, Fallton und daktyl. Ton. ZESENS Reimschatz erweiterte das *Poetische Handbuch* von Joh. HÜBNER (1696). Weitere von J. P. TITZ 1642, G. WERNER

1675 und M. GRUNWALD 1693. Das umfangreichste neuere R. ist mit rd. 300 000 Reimen das *Allg. dt. R.,* 1826 hg. von Peregrinus SYNTAX (= F. F. HEMPEL); leichter zugänglich sind W. STEPUTATS *Dt. R.* (1891, ⁴1982) und die von H. HARBECK (1953, ³1969), S. BONDY (1954) und K. PELTZER (1966). – Neben diesen dichterischen R.a entstanden, seit J. GRIMM (R. zu FREIDANK, 1834) und K. LACHMANN die Bedeutung des Reims für die philolog. Forschung erkannten, wiss. R.a zu Einzeldichtern oder -werken, die an Hand des Reims die Kunstentwicklung verfolgen und Verfasserfragen durch Vergleichung lösen wollen (→Reim).
RL; S. Mehring (Lit. Echo 11, 1904); R. Leclerq, Aufg., Meth. u. Gesch. d. wiss. R.graphie, Amsterd. 1975.

Reimpaar, allg. zwei durch →Paarreim verbundene Verse, insbes. vierhebige Kurzverse, Hauptvers der höf. und spätmhd. Epik und Lehrdichtung, während die Lyrik fast nur strophisch gegliederte Formen aufweist; meist aus der lat. christl. Hymnendichtung über OTFRIEDS →Reimvers (Langzeile mit Zäsurreim) abgeleitet und späterhin als beliebte Form für gelesene und vorgetragene Dichtungen und Fastnachtsspiele; als volkstüml. Vers von OPITZ verpönt und in der Kunstdichtung verdrängt durch den franz. Alexandriner, der später vom Blankvers abgelöst wird, doch im Sturm und Drang als →Knittel-, Hans-Sachs- oder Faustvers wieder verwendet und in der Volksdichtung bis heute erhalten. Das R. bildet die größte rhythm. Einheit gleich der Langzeile des Alliterationsverses; dabei ist der Rhythmus des Einzelverses in seinem Wechsel von Haupt- (/) und Nebenhebungen (\) tragende Grundlage. Von den theoretisch 16 Möglichkeiten erscheinen dabei meist sechs Typen, für die man die Bz. A-F eingeführt hat: A doppelt fallend: /\ /\ B doppelt steigend: \/ \/ C fallend steigend: /\ \/ D steigend fallend: \/ /\ E verstärkt fallend: //\\ F verstärkt steigend: \\//. Die Senkungsfüllung ist frei, doch während OTFRIED insges. 4–10 Silben je Vers zuläßt, durchbricht die frühmhd. R.dichtung das geordnete 4-Takt-Schema mit Versen von 3–18 Silben, und erst die Blütezeit bringt mit intensiver techn. Besinnung die Harmonisierung und strenge Stilisierung zu möglichst ausgeglichener Silbenzahl (durchschnittlich um 8): (x)/x́x/x́x/x́x/x́x, aber erst bei der strengen Kunst KONRADS VON WÜRZBURG erscheinen höchstens Variationen von 7–9 Silben, wogegen in der Blütezeit noch der Auftakt einige, selbst z. T. betonte Silben aufnehmen konnte. →Reimbrechung, →Kadenz. RL. →Metrik.

Reimpaarsprung, Form des →Enjambements in mhd. Versdichtung: das Übergreifen der syntakt. Einheit über ein →Reimpaar hinaus, ähnlich dem Bogen- oder →Hakenstil der Stabreimdichtung. Ggs.: →Reimbrechung.

Reimpaarvers →Reimvers

Reimpredigt, Gattung der mhd. geistl. Dichtung in Reimpaaren bes. des 11./12. Jh., die theolog. Wissen, moral. Belehrung (gegen Sünde, für Buße) und christl. Verkünden im Dienst der Laienmission vorträgt, z. B. das *Memento mori* (11. Jh.), Bußgedichte HEINRICHS VON MELK (12. Jh.).

Reimprosa, 1. stark mit Reimen (→Homoioteleuta) durchsetzte rhetor. →Kunstprosa, bes. in lat. Prosa in Spätantike und Frühma. Ähnli-

che Formen in myst. Prosa (HILDEGARD VON BINGEN, H. SEUSE), im 20. Jh. in RILKES *Cornet*, RINGELNATZ' *Reisebriefen eines Artisten*, bei STADLER, WERFEL und DAUTHENDEY. – 2. Bz. W. WACKERNAGELS für die unmetrisch scheinenden, weil durch e. außergewöhnlich hohe und schwankende Zahl von Senkungen stark gefüllten Reimverse einzelner frühmhd. geistl. Lehrdichtungen, die das Erbe des Alliterationsverses bewahren (*Merigarto* u. a.). Zur arab. R. →Makame.
K. Polheim, D. lat. R., ²1963. RL.

Reimrede, allg. didakt. oder polit. Dichtungen des dt. SpätMA. in Reimpaaren, z. B. von HEINRICH DEM TEICHNER: leserbezogene Zwecklit. zur Unterhaltung und Bildung. Themat. Gruppen sind →Minnerede, →Reimpredigt, Ehrenrede, →Heroldsdichtung, →Bîspel, Märe und →Priamel.
E. Lämmert, Reimsprecherkunst i. SpätMA., 1970.

Reimschema, die verkürzte, verallgemeinerte, schemat. Aufzeichnung der Reimfolge, d. h. der Abfolge und Korrespondenzen der Reime einer Strophe oder eines Gedichts durch gleiche Buchstaben für gleiche Reimklänge, vgl. z. B. →Sonett. Wörtlich wiederkehrende Reimworte oder Verszeilen werden dabei durch Großbuchstaben gekennzeichnet.

Reimspiel, dichterische Klangspielerei durch Verwendung bes. auffälliger und gesuchter Reimstellungen und -verbindungen wie Schlagreim, Pause (2), Reimhäufung u. ä., bevorzugt in Barock und Romantik, parodiert bei KORTUM, HEINE, BUSCH.

Reimsprecher →Pritschmeister

Reimspruch, gereimtes Sprichwort oder Denkspruch: ›Sich regen bringt

Segen‹ oder volkstüml. Kinder-, Merk- und Neckvers. Im Barock auch = →Epigramm (LOGAU).

Reimstrophe, ‹Strophe mit eigenartiger, fest vorgeschriebener Reimstellung wie Stanze oder Terzine.

Reimvers, im Ggs. zum altgerman. →Alliterationsvers der durch End-→reim bestimmte Vers, den für die dt. Dichtung OTFRIED VON WEISSENBURG 870 nach dem Vorbild lat. Hymnendichtung schuf und damit e. grundlegende Umgestaltung des dt. Versbaus bewirkte; im engeren Sinne nur die von OTFRIED selbst angewandte Form (Langzeile aus zwei durch Zäsurreim gebundenen Kurzzeilen mit je vier Hebungen und dazwischen e bis zu drei Senkungen, also insgesamt 4–10 Silben je Kurzvers), die für gesungenen und gesprochenen Vortrag geeignet war; im weiteren Sinne auch die daraus hervorgegangenen frühmhd. und höf. →Reimpaare und der Knittelvers.
E. Sievers, D. Entstehg. d. dt. R., PBB 13, 1888; K. Luick, Z. Herkunft d. dt. R. (ebda. 22, 1897); RL; W. Hoffmann, Ahd. Metrik, 1967. →Metrik.

Reimwörterbuch →Reimlexikon

Reimzwang, gesuchte und ungewöhnl. Formulierung um des Reimes willen. →Verszwang.
E. Bednara, Verszwang u. R., 1911 f.

Reine Reime im Ggs. zu →unreinen R. zeigen genaueste Übereinstimmung in Vokalen und Konsonanten; bes. in mhd. Dichtung heißen r. R. solche, die allen mundartl. Unterschieden zum Trotz stets e. genauen Gleichklang ergeben; seit HEINRICH VON VELDEKE Kunstgesetz der höf. Dichtung.

Reinheit der Sprache →Purismus

Reisebericht, als kunstlose Prosa-

form die lit. unprätentiöse, sachliche und mitunter von inhaltl. Spannung getragene Beschreibung e. Reiseerlebnisses. →Reiseliteratur.
J. Strelka, D. lit. R., JIG 3, 1971.

Reisebeschreibung →Reisebericht, →Reiseliteratur

Reisebriefe, Sonderform der →Reiseliteratur in Gestalt von Reiseberichten in Briefform, denen in der Abfolge der Erlebnisse e. gewisse Geschlossenheit und e. persönl. Nähe des Schreibers eignet, e. Beglaubigung, die wiederum fingierte R. anregte. Bedeutende R. von LICHTENBERG, GOETHE, WACKENRODER, FONTANE u. a.

Reiseführer →Periegese, →Reiseliteratur

Reiseliteratur, das gesamte dem Stoff nach von Reisen berichtende Schrifttum vom Reisehandbuch oder -führer mit sachl. Angaben und Ratschlägen für Reisende, wie es bereits im Altertum (→Periegese) und MA. zuerst bekannt war, später mit bes. Berücksichtigung der Wallfahrtswege, bekannt war, im 15. Jh. gedruckt erschien und neuerdings durch die BAEDEKER-Serie (seit 1828) fortgesetzt wird, über die wiss. Reisebeschreibung (z.B. A. v. HUMBOLDT) und die dichterisch ausgestaltete Wiedergabe von Reiseerlebnissen und -erfahrungen oder Beschreibung der Zustände in fremden Ländern als unterhaltender Reiseroman bis zum humorist.-satir., →utopische Zustände schildernden →Staatsroman oder dem der Phantasie freien Lauf lassenden →Abenteuer- und →Lügenroman. Angesichts der vorrangigen Sach- und Stoffbezogenheit gehen die lit. Formen vom mehr sachl. Reisebericht und der mehr gefühlshaltigen Reisebeschreibung zum stärker fiktiven

Reiseroman ineinander über. Als Bericht von fremden Ländern und Völkern wie von gefährl. Unternehmungen erwecken alle dichter. Formen der R. stets die Neugier breiter Kreise und sind eine der verbreitetsten und ältesten Literaturgattungen. Am Anfang steht die *Odyssee* HOMERS als dichter. Einheit von Reise und Abenteuer; es folgen die griech. Reisebeschreibungen von SKYLAX aus Karyanda, der im Auftrag des Perserkönigs DAREIOS rd. 516 v. Chr. die pers.-arab. Küste von Indien bis Suez erforschte (der unter seinem Namen überlieferte *Periplus* ist jedoch e. Kompilation des 4. Jh.) und PYTHEAS von Massilia, dessen Bericht über seine Reise bis zu den Shetland- und Orkney-Inseln, dem sagenhaften ›Thule‹, um 325 v. Chr. *(Peri Okeanu)* im Altertum zu Unrecht angezweifelt wurde. Beide Werke sind nicht erhalten, ebenso die der →Periegeten bis auf PAUSANIAS *Periegesis tes Hellados* (170 n. Chr.). Im weiteren Sinne gehört auch XENOPHONS *Anabasis* vom Zug der Zehntausend (um 380) hierher. LUKIAN aber parodiert in seinen *Wahren Geschichten* (Mitte 2. Jh. n. Chr.) die Aufschneidereien zeitgenöss. R., und die spätgriech.-sophist. R. (z. B. HELIODORS *Aithiopika*, Ende 3. Jh.) verbindet erot. und phantast. Elemente, die später bes. auf ma. und Barockroman mit stark exot. Einschlag wirken und fabelreiches oriental. Milieu vorziehen. Im MA. sind es bes. die Spielmannsdichtungen und Romane: *Ruodlieb, Alexanderlied, Herzog Ernst, Fortunatus* u. a. Auf den Bericht Marco POLOS über seine Reise in die Mongolei 1271–1295 (1301, dt. Ende 14. Jh.) von durchaus glaubwürdiger Sachlichkeit und die R. des Arabers IBN BATTUTA (14. Jh.) folgt der phantast. *Reisebericht des englischen*

Ritters Mandeville des franz. Lütticher Arztes Jean de BOURGOIGNE (Mitte 14. Jh.), der ernsthafte Angaben aus eigenen Anschauungen und älteren Reiseberichten mit der dem MA. vertrauten Wunderwelt von Fabeltieren und -menschen mengt. Zahlr. Pilgerberichte (→Pilgerliteratur) schließen sich an: Hans SCHILTBERGER 1429, die *Pilgerreise* e. Grafen von KATZENELLENBOGEN und eine *Seereise von Venedig bis Beirut*, beide 1434, die *Jerusalemfahrt des Herzogs Friedrich von Österreich*, später Kaiser Friedrich III. (1436, Verserzählung), der *Geographische Traktat* des Eberhart GROSS (1436), das *Raisbuch* des Hans TUCHER (1482) und B. von BREIJDENBACHS *Peregrinationes* (1486). Größere Bedeutung erhält die R. erst im Zeitalter der Entdeckungen als Erweiterung des geograph. Gesichtskreises um 1500, doch verbindet sich auch hier schnell der Wirklichkeitsgehalt mit abenteuerl. Motiven, z. B. im span. →Schelmenroman und den moralerzieher. Romanen WICKRAMS. Gleichzeitig führt die Entdeckung neuer Länder zur Verlegung utop. →Staatsromane in ferne Zonen: Th. MORUS *Utopia* 1516, T. CAMPANELLA *Città del Sole* 1623, MONTESQUIEUS *Lettres persanes* 1721, oder zur pädagog. R.: FÉNELON, BARTHÉLEMY. CYRANO DE BERGERACS *Histoire comique des états et empires du soleil* (1662) aber leitet über zur verwandten Gattung der ›voyages imaginaires‹, der Phantasiereisen zu Sonne und Mond, die bereits GRIMMELSHAUSENS *Reisebeschreibung nach der oberen Mondwelt* eingeführt hatte und die satirisch in SWIFTS *Gulliver* (1726) und VOLTAIRES *Micromégas* (1751) fortlebt. Nachdem CERVANTES im *Don Quijote* (1605) die Ausläufer der →Amadis- und Ritterabenteuerromane parodiert hat, entsteht im Gesellschaftsroman des Barock die Vorliebe für ›curieuse Reisen‹ mit didakt. Einflechtung des Zeitwissens (E. W. HAPPEL), die von Chr. WEISE in seinen Romanen verspottet und in Chr. REUTERS *Schelmuffsky* (1696) parodiert wird. Die kom. Seite bildet STRANITZKYS *Lustige Reisebeschreibung aus Salzburg in verschiedene Länder* (1717) aus, die erot. betont der Rokoko-Reiseroman (HAPPEL, HUNOLD, SCHNABEL, *Der im Irrgarten der Liebe herumtaumelnde Kavalier* 1738). Daneben läuft die volkstüml. R. weiter im →Avanturierroman und in der →Robinsonade, die in Dtl. durch GRIMMELSHAUSENS *Continuatio des Simplizissimus* (1669) eingeleitet wird und seit DEFOES *Robinson Crusoe* (1719) ungeheure Nachfolge erreicht, da er gleichzeitig das Bedürfnis nach Abenteuern und Einfachheit der Sitten erfüllt; DEFOES *Captain Singleton* (1720), SMOLLETTS *Roderick Random* (1748) und *Peregrine Pickle* dagegen begründen den Seeroman. Vereinzelt nur erscheinen dagegen relig. und allegor. Züge seit John BUNYANS *The Pilgrim's Progress* (1668–1684), in Dtl. JUNG-STILLINGS *Heimweh* (1794). Authent. R. geben F. NICOLAI, H. P. STURZ und K. P. MORITZ. Größten Erfolg hat die von England ausgehende Form der empfindsamen R. Nach Vorbild von L. STERNES *Sentimental journey through France and Italy* (1768) auf Grund e. wirkl. Reise entstehen die russ. R. RADIŠČEVS und KARAMZINS, in Dtl. JACOBIS *Winterreise* und *Sommerreise* (1769 f.), HERMES' mehr aufklärerische *Sophiens Reise von Memel nach Sachsen* (1769 ff.), in starker Abhängigkeit von STERNE SCHUMMELS *Empfindsame Reise durch Deutschland* (1770–1772), künstle-

risch überragt von THÜMMELS *Reise in die mittäglichen Provinzen von Frankreich* (1791 bis 1805) und SEUMES *Spaziergang nach Syrakus* (1803); hier ist Stimmung und Reflexion, empfindsame Seelenhaltung wesentlich, dabei zugleich ein leicht iron. Unterton, der später nach dem köstl. Humor von KNIGGES *Reise nach Braunschweig* (1792) in Parodie (MUSÄUS' Parodie von LAVATERS Reiseberichten: *Physiognomische Reisen*, 1778 f.) und Satire übergeht (VOLTAIRES *Contes philosophiques: Candide* 1759, *Histoire de voyage de Scarmentado* 1756, *La Princesse de Babylone* 1768 nach Vorbild der staatsphilos. Erziehungsromane von FÉNELON, RAMSAY und TERRASSON). Die Form der →Reisebriefe findet Ausprägung in den *Letters from the East* (1763) der Lady MONTAGU und der tagebuchähnl. Form von GOETHES *Italienischer Reise* (1786). Mehr wiss. bedeutsam sind die Berichte der drei großen Weltreisenden der Zeit: J. Georg FORSTERS *Reise um die Welt* (1777, Bericht von COOKS Weltumseglung) und *Ansichten vom Niederrhein* (1791–94), A. v. HUMBOLDTS Amerikareise (1811 ff.) und CHAMISSOS *Reise um die Welt* (1821 bzw. 1836). Rousseauischer Kulturpessimismus der Stürmer und Dränger zeigt sich in KLINGERS *Faust* (1791), *Raphael de Aquilas* (1793) u.a. Während der Lügen-Reiseroman nur in den →Münchhauseniaden vertreten ist, schafft JEAN PAUL in e. Reihe von Erzählungen den idyll., humorist. Reiseroman. Die Erzähllit. der Romantik spiegelt in zahlr. Werken Reiselust und -abenteuer (EICHENDORFF *Taugenichts*, franz. CHATEAUBRIAND, LAMARTINE, GAUTIER, NERVAL); in der weitverbreiteten und einflußreichen R. des Fürsten PÜCKLER-MUSKAU dagegen dringt der blasierte

Ton des müden Weltenbummlers durch, und die umfangreiche R. HEINES und des Jungen Dtl. zeigt bei feuilletonist. Plauderei doch die aktuelle Tendenz. SEALSFIELD leitet zur abenteuerlich→exot. Lit. zurück und findet Nachfolge in GERSTÄCKER, MÜGGE, RUPPIUS und RETCLIFFE, von Jules VERNE und Karl MAY als →Jugendlit. ausgestaltet. Echte Reiseerlebnisse schildern wiederum J. Ph. FALLMERAYERS *Fragmente aus dem Orient* (1845), F. GREGOROVIUS' *Wanderjahre in Italien* (1856–77), Th. FONTANES *Wanderungen durch die Mark Brandenburg* (1862ff.), G. HAUPTMANNS *Griechischer Frühling* (1907), KEYSERLINGS *Spektrum Europas*, W. KOEPPEN, ANDERSCH, BÖLL, HAGELSTANGE, PIONTEK; lit. Reiseführer schrieben bes. K. EDSCHMID und E. PETERICH. Bedeutendste Vertreter der jüngeren engl. R. sind R. L. STEVENSON, R. KIPLING, J. CONRAD, S. MAUGHAM, E. M. FORSTER, G. GREENE, D. H. LAWRENCE, A. HUXLEY, E. WAUGH und L. DURRELL, der amerikan. Mark TWAIN und J. KEROUAC, der französ. P. LOTI, P. CLAUDEL, A. GIDE, A. MALRAUX, J. COCTEAU und B. CENDRARS.

A. Schneider, D. Entw. d. Seeromans i. Engl., Diss. Lpz. 1901; J. Brech, Heine u. d. jgdt. R., Diss. Mchn. 1922; B. Doerk, Reiseroman u. -nov. i. Dtl., Diss. Münster 1925; W. Rehm, D. Reiseroman, 1928; RL; E. G. Cox, *A Reference Guide to the Lit. of Travel*, III Seattle 1948–52; H. Plischke, V. Cooper bis K. May, 1951; H. Lepszy, D. Reiseberichte d. MA. u. d. Ref., Diss. Hbg. 1953; P. B. Gove, *The imaginary voyage in prose fiction*, Lond. 1961; P. G. Adams, *Travelers and travel liars 1660 to 1800*, Berkeley 1962; M. Link, D. Reisebericht als lit. Kunstform v. Goethe bis Heine, Diss. Köln 1963; J. W. Stoye, *Engl. travellers abroad*, N.Y. ²1967; R. W. Ray, *The engl. traveller 1660–1732*, Lincoln ²1967; R. Moritz, Unters. z. dtspr. Reisebeschreibgn. d. 14.–16. Jh., Diss. Mchn. 1970; H.-J. Possin, Reisen u. Lit., 1972; R. Allerdissen, D. Reise als Zuflucht, 1975; R. Trousson, *Voyages au pays de nulle part*, Brüssel 1975; Reise u. Utopie, hg. H. J. Piechotta 1976; W. E. Stewart, D. Reisebeschreibg. u. ihre Theorie i. Dtl. d. 18. Jh., 1978; H. Härtl, Entw. u. Trad. d. sozialist. R. (Erworbene Trad., hg. G. Hartung 1977); M. Frank, D. unendl. Fahrt, 1979; R.-R. Wuthenow, D. erfahrene Welt, 1980; T. M. Hammond, *American paradise*, 1980; Reisen u. Reisebeschreibgn. i. 18. u. 19. Jh., hg. B. I. Krasnobaev 1980; L. Braswell, *The visionary voyage*, Mosaic 14, 1981; P. Fussell, *Abroad*, N.Y. 1982; Reiseberichte als Quellen europ. Kulturgesch., hg. A. Maczak 1982; H. Günther, Reiseprosa i. d. Ggwlit. d. DDR, DaF 19, 1982 Sonderh.; R. Omasreiter, *Travels through the Brit. Isles*, 1982; P. G. Adams, *Travel lit. and the evolution of the novel*, Lexington 1983; C. Mulvey, *Anglo-amer. landscapes*, Cambr. 1983; Der curieuse Passagier, 1983; B. Panzer, D. Reisebeschreibg. als Gattg. d. philanthrop. Jugendlit., 1983; Reise u. soz. Realität a. Ende d. 18. Jh., hg. W. Griep 1983; U. Ebel, D. skandinav. Reisebeschr., Neohelicon 11, 1984; H. Wiegand, Hodoeporica, 1984; R.-R. Wuthenow, D. Bild u. d. Spiegel, 1984; S. Oswald, Italienbilder, 1985; J. P. Strelka, D. lit. Reisebericht, PoE, 1985; Reisen i. 18. Jh., hg. W. Griep 1986; F. Wolfzettel, *Ce désir de vagabondage cosmopolite*, 1986; C. Mulvey, *Anglo-Amer. landscapes*, Cambr. 1987; H. Schlösser, Reiseformen d. Geschriebenen, 1987; D. Reisebericht, hg. P. J. Brenner 1988.

Reiseroman, -schilderung →Reiseliteratur

Reißer, abwertende Bz. für Werke der breiteren Unterhaltungslit., die durch Anwendung unkünstler. Mittel (Kitsch, Spannung, Schwarz-Weiß-Malerei, Sentimentalität) das Interesse weiter Leserkreise zu erregen und der Geschmackslage e. nicht gerade lit. wertenden Publikums zu entsprechen suchen; ebenso für entsprechende Bühnenstücke.

Reizianum, nach dem dt. Gelehrten J. W. REIZ (1733–90) benannter antiker Kurzvers, akephal. 2. Pherekreateus: ⏓⏓–⏑⏑–⏑–⏓ häufig bei PINDAR und im griech. Drama, oder akephal. choriamb. Dimeter:

∪∪ − ∪ − −, gekürzt als Klausel: ⌣̲ − ∪ − − charakteristisch
für die Plautinischen Cantica und
als versus reizianus mit vorangehendem jamb. Dimeter verbunden:
⌣̲ − ∪ − | ⌣̲ − ∪ −‖ ∪ −
∪ − ∪.

Rejet (franz. = Rückwurf, Über-
trag), Bz. der franz. Prosodie für e.
kurzen Satzschluß (1–2 Wörter),
der beim →Enjambement die folgende Verszeile beginnt.

Religiöse Dichtung →Biblisches
Drama, →Deutschordensdichtung,
→Geistliche Dichtung, →Geistli-
ches Drama, →Geistliche Epik,
→Gesangbuch, →Jesuitendrama,
→Kirchenlied, →Legende, →Mes-
siade, →Mysterienspiel, →Oster-
spiel, →Osterlied, →Passionslied,
→Passionsspiel, →Pfingstlied,
→Renouveau catholique.

Remate, in span. Lyrik e. Kurzstro-
phe als Abschluß e. Gedichts, bes. e.
Canción, als e. Art Widmung oder
Geleit, entspricht dem franz. →En-
voi und wiederholt meist die letzten
Reime der vorangehenden Strophe.

Reminiszenz (lat. *reminisci* = sich
erinnern), im Ggs. zum bewußten
→Plagiat, zu →Zitat, →Parodie,
→Anspielung oder der erstrebten
→Imitation eine Stelle in e. Schriftwerk oder e. Rede, die an e. anderes, fremdes Werk anklingt und vermutlich vom Verfasser unabsichtlich, erinnerungsmäßig übernommen wurde.

Remittende (lat. *remittenda* = Zu-
rückzusendendes), ein nicht ver-
kauftes Druckwerk (Buch), das vom
Buchhändler an den Verleger zu-
rückgesandt wird, weil es 1. mit
Rückgaberecht geliefert wurde und
unverkäuflich war, oder 2. der Verlag die Rückgabe e. fest gelieferten

Exemplars gestattet hat, oder 3. das
Exemplar ein sog. ›Mängelexem-
plar‹ ist, das offensichtl. oder verborgene Schäden aufweist. Die Bz.
R. besagt also nichts über den äußeren Befund des Werkes, das (bei 1.
und 2.) völlig neuwertig sein kann.

Renaissance (franz. = Wiedergeburt, ital. *rinascimento, rinascità*),
allg. Wiedergeburt, jedes Wiederaufleben vergangener Kulturer-
scheinungen (z.B. →keltische R.),
insbes. der Antike, so zuerst in der
→karolingischen R.; im engeren
Sinne die große gemeineurop. Kulturepoche an der Wende vom MA.
zur Neuzeit, rd. 1350–1600, abendländ. Erneuerungsbewegung mit individualist. Persönlichkeitsideal als
Überwindung des theozentr. ma.
Weltbildes. Die Wurzeln lagen nicht
in gelehrter Forschung, sondern e.
allg. Sehnsucht nach geistiger Erneuerung, Wiedergeburt des diesseitigen Menschen, die schon bei DAN-
TE und PETRARCA ausgeprägt ist,
und e. umfassenden Belebung aller
Künste. Erst später, unterstützt bes.
durch die bei der türk. Eroberung
Konstantinopels (1453) nach Italien
geflohenen Gelehrten, erfolgt die
Hinwendung zur Antike als dem
großen, nachahmenswerten Vorbild, die ihren lit. Niederschlag fand
im →Humanismus in neulat. und
volkssprachl. Dichtung in Italien
(BOCCACCIO, PULCI, BOIARDO,
ARIOST, TASSO, SANNAZARO, POLI-
ZIANO, MACHIAVELLI, CASTIGLIO-
NE, ARETINO, POGGIO u.a.), Spa-
nien (GARCILASO, MONTEMAYOR),
Portugal (CAMÕES), Frankreich
(MARGUERITE DE NAVARRE, RABE-
LAIS, MAROT, MONTAIGNE, →Pléja-
de) und z.T. England (MORE,
WYATT, SPENSER, SIDNEY, BACON,
SHAKESPEARE); in Dtl. dagegen wird
die erste kurze Entwicklung des Hu-
manismus durch den Einbruch der

→Reformation abgebogen, und ihr Wiedereinsatz um 1600 weist bereits starke barocke Züge auf, so daß die Anwendung des Begriffs R. für die dt. Literaturgeschichte problematisch und nur für die roman. Litt., wenngleich mit national unterschiedl. Zeitansatz, gerechtfertigt ist.

G. Voigt, D. Wiederbelebg. d. klass. Altertums, 1859, ¹⁴1960; J. A. Spingarn, A hist. of lit. criticism in the r., N.Y. 1899, ³1963; P. Monnier, Le quattrocento, Paris II 1901, ²1912; L. Einstein, The Ital. R. i. Engl., N.Y. 1902; L. Lee, The French R. i. Engl., Oxf. 1910; H. Morf, Gesch. d. franz. Lit. i. Zeitalter d. R., ²1914; E. Sichel, The R., Oxf. 1914; A. Sainati, La lirica latina del R., Pisa 1919; H. de Chamard, Les origines de la poésie franc. de la R., Paris 1921; W. Rehm, D. Werden d. R.-Bildes i. d. dt. Dichtg., 1923; H. Hatzfeld, D. franz. R.lyrik, 1924; F. Neubert, D. roman. Litt. v. d. R. bis z. Franz. Revolution, 1924; J. Plattard, La r. des lettres, Paris 1925; G. Müller, D. dt. Dichtg. v. d. R. bis z. Ausg. d. Barock, 1927; C. H. Haskins, R. of the 12.century, 1927; W. Stammler, V. d. Mystik z. Barock, 1927, ²1950; J. Wolff, D. R. i. d. engl. Lit., 1928; D. Murarasu, La poésie franc. de la R., Paris 1928; P. Aronstein, D. engl. R.drama, 1929; E. Eckardt, D. engl. Drama i. Zeitalter d. Reformat. u. d. Hoch-R., 1928; ders., D. engl. Drama d. Spät-R., 1929; ders., Stud. z. dt. Bühnenstil d. R., 1931; H. W. Eppelsheimer, D. Probl. d. R., DVJ 11, 1933; J. Huizinga, D. Problem d. R. (in: Parerga, 1934); H. Schaller, D. R., 1935; F. Formigari, Letteratura del quatrocento, Mail. 1940; G. C. Sellery, The R., Madison 1950; E. M. W. Tillyard, The Engl. R., Baltimore 1952; H. Baron, The Crisis of the early ital. r., Princeton II 1955; E. M. Nugent, The thought and culture of the Engl. R., Cambr. 1956; E. Anagnine, Il concetto di rinascita attraverso il Medio Evo, Mail. 1958; A. Tilley, The Lit. of the French R., N.Y. II ²1959; R. J. Clements, The Peregrine Muse, Chapel Hill 1959; K. H. Dannenfeldt, The R., Boston 1959; J. A. Symonds, The revival of learning, 1960; D. C. Allen, Image and meaning, Baltimore 1960; M. T. Herrick, Italian comedy in the R., Urbana 1960; ders., Italian tragedy in the R., Urbana 1964; The R., hg. T. Helton, Madison 1961; D. Hay, The Italian R., Cambr. 1961; D. Bush, The R. and Engl. Humanism, Toronto 1962; L. W. Spitz, The religious r. of the German Humanists, Cambr./Mass. 1963; E. W. Taylor, Nature and art in R.lit., Cambr./Mass. 1964; V. H. H. Green, R. and reformation, Lond. ²1964; J. A. Mazzeo, R. and revolution, N.Y. 1965; D. Bush, Prefaces to R. lit., Cambr./Mass. 1965; H. Gumbel, Dt. Sonder-R. i. dt. Prosa, ²1965; H. Jantz, German R. lit., MLN 81, 1966; F. M. Schweitzer, Dict. of the R., N.Y. 1967; R. Ergang, The r., Lond. 1967; The French R. and its heritage, Fs. A. Boase, Lond. 1968; H. O. Burger, R., Humanismus, Reformation, 1969; Z. Begriff u. Problem d. R., hg. A. Buck 1969; H. Rupprich, D. dt. Lit. v. späten MA. bis z. Barock I 1970 (De Boor/Newald, Gesch. d. dt. Lit. 4, 1); A. Weiss, The r. discovery of class. antiquity, N.Y. 1970; R. u. Barock, hg. A. Buck II 1972 (Neues Hb. d. Lit.wiss. 9–10); H. Geulen, Erzählkunst d. frühen Neuzeit, 1975; L. Borinski, C. Uhlig, Lit. d. R., 1976; R.lit. u. frühbürgerl. Revolution, hg. R. Weimann 1976; Realismus i. d. R., hg. R. Weimann 1977; W. Rüdiger, D. Welt d. R., 1977; The R. and Reformation in Germany, hg. G. Hoffmeister 1978; The continental r., hg. W. A. Coupe, Hassocks 1978; W. J. Kennedy, Rhetorical norms in r. lit., New Haven 1978; A. Heller, D. Mensch d. R., 1982; D. Quint, Origin and originality in r. lit., New Haven 1983; R. eloquence, hg. J. J. Murphy, Berkeley 1983; C. Trinkaus, The scope of r. humanism, Ann Arbor 1983; R.-Reformation, hg. A. Buck 1984; D. Norbrook, Poetry and politics in the Engl. r., Lond. 1984; A. v. Cossart, Franz. R., 1984; J. v. Stackelberg, Franz. Lit., R. u. Barock, 1984; M. Bregoli Russo, R. Italian theatre, Florenz 1984; K. Stierle, R. (Epochenschwellen, hg. R. Herzog 1987); P. Burke, D. R. i. Italien, 1988.

Renga, japan. Kettengedicht, aus der poet. Wechselrede hervorgegangene japan. Gedichtform des 13.–16. Jh., die Ober- und Unterstrophe des →Tanka auf versch. Personen verteilt, an die Unterstrophe e. neue Oberstrophe anfügt und so kettenartige R.s von 50–100, ja bis zu 1000 Gliedern erreicht. Auch scherzhaften Inhalts als ›Haikai no r.‹ oder ›Renku‹, Ursprungsform des →Haiku.

E. Miner, Japanese linked poetry, Princeton 1978.

Renku →Renga

Renouveau catholique (franz. = kathol. Erneuerung), Neukatholizismus, gesamteurop. Gegenbewegung zur nicht relig.-christl. gebundenen mod. Dichtung seit der Jahrhundertwende aus christl.-kathol. Glaubenshaltung; unterschiedlich in ihren nationalen und lit. Ausformungen (vom Priesterroman und Glaubensdrama bis zu avantgardist. Formen), doch einheitlich in ihrer Betonung des relig. Ordnungsgedankens und eth. Engagements. Keine feste Schule, sondern getragen von führenden Dichtern kathol. Glaubens und bes. Konvertiten in allen westeurop. Ländern: in Frankreich L. BLOY, Ch. PÉGUY, P. CLAUDEL, F. JAMMES, G. BERNANOS, F. MAURIAC, H. de MONTHERLANT, Luc ESTANG, G. MARCEL, P. HUYSMANS, J. MARITAIN, R. BAZIN, H. BORDEAUX, H. GHÉON, P. BOURGET, J. GREEN, P. A. LESORT, M. JOUHANDEAU, J. CAYROL, P. EMMANUEL; in England T. S. ELIOT, G. GREENE, G. K. CHESTERTON, B. MARSHALL, E. WAUGH; in Norwegen E. UNDSET; in Dtl. E. v. HANDEL-MAZZETTI, G. v. LE FORT, E. LANGGÄSSER, W. BERGENGRUEN, St. ANDRES, A. DÖBLIN, F. WERFEL, R. SCHNEIDER, E. SCHAPER, H. BÖLL u.a.m.

C. Calvet, Le R. c. dans la lit. contemp., ²1931; Die kathol. Leistung i. d. Weltlit. d. Ggw., 1934; E. M. Fraser, Renouveau réligieux, 1934; H. Weinert, Dichtg. aus d. Glauben, ²1948; T. Rall, Dt. kathol. Schrifttum heute, 1936; J. Schomerus-Wagner, Dt. kathol. Dichter d. Ggw., 1950; W. Grenzmann, Dichtg. u. Glaube, 1950, ⁶1968; ders., Weltdichtg. d. Ggw., 1958, ⁴1964; S. Stolpe, D. christl. Phalanx, 1950, J. L. Prevost, Le roman cathol., 1958; G. Truc, Hist. de la lit. cathol. contemp., Paris 1961; L.-A. Maugendre, La renaissance cath. au début du XXe siècle, Paris II 1963 f.; R. Griffiths, The reactionary revolution, N.Y. 1966; K.-H. Bloching, D. Autoren d. lit. R. C. Frankreichs, 1966; L. Guissard, Lit. et pensée chrétienne, Paris 1969.

Repertoire (franz. =) Gesamtheit der auf dem →Spielplan befindlichen oder überhaupt einstudierten, zur Aufführung vorbereiteten und jederzeit spielbaren Stücke e. Bühne bzw. Rollen eines Schauspielers.

Repertorium (v. lat. reperire = wiederfinden, ausfindig machen), 1. Sachverzeichnis, →Register. – 2. wiss. Sammelwerk (Kompendium) als method.-übersichtl. Zusammenfassung e. bestimmten, meist geschichtlich oder systematisch geordneten Stoffes für Nachschlagezwecke (z.B. das Schrifttum e. bestimmten Zeit, Richtung oder e. Kreises, Zss. u.ä.) mit Titeln, kurzen Inhaltsangaben und Charakteristiken. – 3. Zss. mit Inhaltsangaben und Rezensionen neuer wiss. Werke e. Fachgebietes.

Replik (franz. replique), Erwiderung, Entgegnung im dramat. Dialog wie in Wirklichkeit, im engeren Sinn e. solche, bei der sich der Angegriffene des gegner. Materials bedient und es zu seiner Rechtfertigung und der Abfertigung des Gegners umdreht.

Report (engl. =) Bericht, dokumentierter schriftl. Untersuchungsbericht, →Dokumentation.

Reportage (franz. =) Berichterstattung für Zeitung, Fernsehen oder Rundfunk als journalist. Gebrauchsform, als Augenzeugenbericht vor Ort aus der unmittelbaren Situation und Atmosphäre heraus, gekennzeichnet durch Nähe zur objektiven und dokumentarisch nachprüfbaren Wirklichkeit und leidenschaftslos sachl. Schilderung des Details im Idealfall ohne einseitige Tendenz, allenfalls aus der Perspektive des Berichters, in der Praxis jedoch vielfach ein persönl. engagiertes Exercitium in Parteilichkeit auch in Auswahl und Ausschnitten der authent. Dokumente und Interviews. Neben der durch Agitation und Sensationalismus gefährdeten journalist. R. und der reinen Bild-R. steht die mehr lit. R. mit Nähe zum Feuilleton bzw. Feature. Als tagesgebundene Sachdarstellung rasch vergessen und nur in seltenen Fällen (J. ROTH, E. E. KISCH, H. KRÜGER, A. ANDERSCH, G. WALLRAFF, E. RUNGE) von größerem lit. Wert.

E. E. Kisch, D. R., NDL 2, 1954; D. Schlenstedt, D. R. b. E. E. Kisch, 1959; R. Kunze, D. R., 1960; J. Villain, D. Kunst d. R., 1965; K. Seehafer, D. Rundfunk-R., Diss. Lpz. 1967; R. Neubert, Zu einigen Entwicklungsproblemen d. lit. R., Diss. Lpz. 1972; Lit. als Praxis?, hg. R. Hübner, E. Schütz 1976; E. Schütz, Kritik d. lit. R., 1977; Ch. Siegel, D. R., 1978; K. R. Scherpe, Erzwungener Alltag (Nachkriegslit. i. Westdtl., hg. J. Hermand 1982); V. Hertling, Quer durch, 1982; M. Geisler, D. lit. R. i. Dtl., 1982; K. D. Beekman, De r., Diss. Utrecht 1984.

Reportageroman →Tatsachenroman

Reprint (engl. = Neudruck), unveränderter Neudruck, →Nachdruck (2) e. Druckwerks, für das Satz und Druckplatten nicht mehr vorhanden sind, insbes. wiss. und lit. Bücher und Zss., auf photomechan. Wege anhand eines Exemplars der Originalausgabe. Das Verfahren, früher vorwiegend für bibliophile Faksimileausgaben angewandt, wird in jüngster Zeit von Antiquariaten, alteingeführten Verlagen und speziellen R.-Verlagen in reichem Umfang, wenn auch für meist niedrige und teure Auflagen angewandt, um den Bedarf der Bibliotheken zu decken, den das normale Antiquariat nicht befriedigen konnte. Als R. erscheinen vor allem gesuchte Text- und Gesamtausgaben der Lit., wiss. Standardwerke, Bibliographien und Nachschlagewerke sowie Zss. und Publikationsserien.

Reprise (franz. =) Wiederaufnahme e. älteren, längere Zeit nicht gespielten Stückes in den Spielplan e. Bühne; Prüfstein für die Bühnenfestigkeit älterer Dramen.

Requiem (nach dem Introitus der Totenmesse ›R. aeternam dona eis‹), Totenmesse, in der Musik deren Vertonung, in der Lit. eine Dichtung, die sich Geist und Form der Totenmesse anpaßt (I. GOLL, *R. für die Gefallenen von Europa*, 1917); vgl. →Totenklage.

Requisiten (lat. *requisita* = Verlangtes), alle zur Bühnenaufführung e. Schauspiels erforderl. →Ausstattungsgegenstände mit Ausnahme von Kostümen und Dekoration (Kulissen), z.B. Briefe, Gläser usw.
H.-G. Schwarz, D. stumme Zeichen, 1974.

Résistance (franz. = Widerstand), Bz. der franz. Widerstandsbewegung während der dt. Besetzung Frankreichs im 2. Weltkrieg, deren oft unter Decknamen erschienene Lit. mit dem Streben zur sittlich-nationalen Erneuerung das franz. Geistesleben stark beeinflußt hat (CAMUS, SARTRE, BEAUVOIR, ARAGON, VERCORS, ÉLUARD, CAYROL). Erst in weiterem Sinne die franz. Nachkriegslit., soweit sie rückschauend die R. zum Stoff nimmt (VAILLAND, GARY, ROUSSET, CLAVEL u.a.).

A. Paoluzzi, *La lett. della resistenza*, Florenz 1956; W. Mauro, *La resistenza nella lett. franc.*, Rom 1961; L. Conti, *La resistenza in Italia*, Mail. 1961; H. Michel, *Les courants de la pensée de la R.*, Paris 1962; Lit. d. R. u. Kollaboration i. Frkr., hg. K. Kohut III 1982.

Responsion (lat. *responsio* = Antwort, Entgegnung), Entsprechung der Formen und Motive zwischen symmetr. Abschnitten im Vers- oder Strophenbau. Abschnitten im Vers- oder Strophenbau, als Binnen-R. innerhalb e. Verses, auch in Erzählkapiteln oder Akten e. Dramas. →Polyschematismus.

Responsorium (lat. *responsum* = Antwort), gottesdienstl. Wechselgesang zwischen Geistlichem und Gemeinde bzw. Solist und Chor.

Restaurationszeit (lat. *restauratio* = Wiederherstellung, sc. der vorrevolutionären und vornapoleonischen Zustände), als Epochenbz. der dt. Lit. = →Biedermeier; in Frankreich die Periode nach dem Sturz NAPOLEONS und der Wiedereinsetzung der Bourbonen April 1814 bis zur Julirevolution von 1830 (mit Ausnahme der ›100 Tage‹ März–Juli 1815); in England →Restoration.
Z. Lit. d. R.epoche, hg. J. Hermand 1970; H. Denkler, R. u. Revolution, 1973; Begriffsbestimmg. d. lit. Biedermeier, hg. E. Neubuhr 1974; R. u. Revolution, hg. N. Altenhofer 1985.

Restebuchhandel →Antiquariat

Restoration (engl. = Wiederherstellung, sc. der Monarchie), in engl. Geschichte und Lit. die Epoche der wiederhergestellten Monarchie unter den STUARTS nach dem Ende des Commonwealth, 1660 – rd. 1700, lit. vertreten durch DRYDEN, CONGREVE, ETHEREGE, FARQUHAR, LOCKE, OTWAY, PEPYS, VANBRUGH und WYCHERLEY und die →Comedy of manners.
B. Dobrée, *R. Comedy*, Oxf. 1924; *R. Theatre*, Lond. 1965; J. H. Wilson, *A. preface to R.drama*, New Haven 1965; K. M. Lynch, *The social mode of R. comedy*, N.Y. 1965; K. M. P. Burton, *R.lit.*, Lond. ²1965; *R. Drama*, hg. J. Loftis, Oxf. 1966; *R. Dramatists*, hg. E. Miner, 1967; M. Brunkhorst, Drama u. Theater d. R.zeit, 1985; E. Burns, *R. comedy*, Lond. 1986.

Resümee (franz. =) knappe, zusammenfassende Übersicht e. (vorangegangenen) ausführl. Darstellung.

Retardation (lat. *retardatio* = Verzögerung), Verzögerung im Entwicklungsgang der dramat. Handlung, die noch einmal e. andere Lösung des Konflikts möglich erscheinen läßt und durch Eröffnung scheinbarer Auswege spannungssteigernd wirkt; meist im vorletzten (4.) Akt als retardierendes Moment im Ggs. zum →erregenden Moment des Beginns (z. B. LESSINGS *Minna von Barnhelm*), wenn nach dem Höhepunkt das Interesse an der Handlung, deren notwendiges Ziel sichtbar wird, nachläßt. Ähnlich erscheint die R. auch in Ballade (*Die Bürgschaft* SCHILLERS), z. T. Novelle (KLEISTS *Die Marquise von O.*), Detektivroman und stets im Epos (*Odyssee*). Zur theoret. Besinnung vgl. GOETHE-SCHILLER-Briefwechsel 19.–26. 4. 1797. G. FREYTAG bezeichnet als ›Moment der letzten Spannung‹ die letzte vorübergehende Sichtentziehung des Handlungsziels vor der Katastrophe.

Retardierendes Moment →Retardation

Retroensa, Retroencha (provenzal.), Retrouange (altfranz.), Retrouenge, Rotrouenge (franz., Etymologie ungeklärt), Liedform mit Kehrreim bei den provenzal. Troubadours und altfranz. Trouvères des 12. Jh., wohl Tanz- und Gesellschaftslied, dessen Kehrreim die Gesellschaft wiederholt.
F. Gennrich, D. altfranz. Rotrouenge, 1925; P. Bec, Note sur la r. médiévale (Fs. K. T. Gossen, 1976).

Retrograde (lat. *retro* = zurück, *gradus* = Schritt) →Palindrom

Reuterlied, urspr. Abart des →Landsknechtsliedes, im 16. Jh. Bz. für →Volkslied allg.
RL¹.

Reverdie (franz. = Wiedergrünen), in altfranz. Lyrik ein Lied, bes. Tanzlied, das den Frühling, den Mai, das Wiedererwachen der Natur, das Grünen und Blühen, den Gesang der Vögel (bes. der Nachtigall) und die Empfindung des Dichters besingt; später zunehmend allegorisch eingekleidet.

Review (engl.), 1. = →Revue (1), 2. = →Rezension (2).

Revolutionsdichtung, themat. Sondertyp der →politischen Dichtung zur verbalen Unterstützung oder Ermutigung polit. Umwälzungen, neben Aufrufen, Polemiken, Streitschriften, Pamphleten, Proklamationen (›Hess. Landbote‹) u.ä. zielgerichteter Tageslit. bes. lyr. Formen: bei der Franz. Revolution die *Marseillaise* von C. J. ROUGET DE LISLE, bei der dt. Revolution von 1848 FREILIGRATH, HERWEGH, HOFFMANN VON FALLERSLEBEN, bei der russ. Revolution von 1917 BLOK, ESENIN, MAJAKOVSKIJ u.a. Epik und Dramatik gestalten Revolutionsthemen meist im nachhinein als histor. Roman oder histor. Drama, so BÜCHNERS *Dantons Tod* 1835 und zahlr. Robespierre-Dramen, oder erarbeiten an zeitgenöss. oder histor. Stoffen Tendenzen zu sozialrevolutionärer Agitation, so Stücke von E. TOLLER, F. WOLF, B. BRECHT, P. HACKS, P. WEISS u.a. →Bauernkriegsdichtung, →Jakobiner, →Agitprop, →politisches Theater.

J. Rühle, Lit. u. Revolution, 1960; T. v. Vegesack, D. Macht u. d. Phantasie, 1979; Lit. d. Franz. Revolution, hg. H. Krauß 1988.

Revue (franz. = Überschau, Musterung), 1. in weiteren Abständen erscheinende, doch ebenfalls aktuelle Ereignisse behandelnde Zss. in Frankreich, England (›Review‹), Dtl. (›Rundschau‹), Rußland und USA, dort zum heutigen →Magazin geworden. – 2. Unterhaltungstheater aus zahlr. einzeln aneinandergereihten, thematisch nur locker zusammenhängenden bildhaften Szenen mit großem Ausstattungsprunk, oft satir. oder karikierenden Inhalts. Als Vorform könnten schon die aneinandergereihten Monologe der Meistersingerzeit, Vorform des Fastnachtsspiels, gelten; die eigtl. Ausbildung erfolgt Ende des 19. Jh. in Paris, wo im ›Chat noir‹, ›Moulin rouge‹, ›Folies Bergère‹ und anderen →Kabaretts gegen Jahresende Possen und →Ausstattungsstücke mit Anspielungen auf Zeitereignisse, Personen und unliebsame Zustände des vergangenen Jahres in zufälliger, zusammenhangloser Folge aufgeführt wurden (Jahres-R.). Diese Form wird Anfang des 20. Jh. in ganz Europa beliebt. Das Berliner Metropoltheater verbindet sie seit 1898 zu großen Ausstattungsstücken, die mit riesigem Aufwand an Kostümen und Dekorationen, Lichteffekten und Bühnenmaschinerie in lockerer Bildfolge Musik, Schlager, Tanz, Parodien auf Zeitereignisse und possenhafte Sketches aneinanderreihen (Nummernprogramm), eine Form, die in anderen R.- und Großstadttheatern Europas, bes. Englands (Music-Hall) und Amerikas (›Ziegfeld Follies‹, 1907) übernommen und zu oft geistlosen, durch e. themat. Rahmen oder e. banale Handlung lose zusammengehaltenen Shows mit Musik, Gesang, Ballett, Artistik, Girls und Nuditäten als Selbstzweck umgeformt wird. Der Reihungstechnik und Bz. R. bedient sich seit rd. 1920 auch das polit.-agitator. Theater (E. PISCATOR, J. LITTLEWOOD, Bread and Puppet Theatre).

RL¹; E. Baral, *R.*, N.Y. 1962; W. Haakke, D. Zs.typ R. (Börsenblatt f. d. dt. Buchhandel 26, 1970); R. Mander u.a., *R.*, Lond. 1971; F. P. Kothes, D. theatral. R., 1977; R. Kloos, T. Reuter, Körperbilder, 1980; W. Jansen, Glanzr.n d. 20er Jahre, 1987.

Rewriting (engl. = Umschreiben),

engl. Bz. für das in Presse und Verlag z. T. übliche Umstilisieren e. vorhandenen, zu anspruchsvollen Texts auf die Bedürfnisse und Erwartungen e. weniger anspruchsvollen Leserkreises, Transkodierung auf e. einfacheres Sprachniveau mit dem Ziel der Kürze, Klarheit und Lesbarkeit: Vermeidung schwieriger, ausgefallener Wörter und Fachbegriffe, kurze Sätze (Regel: unter 14 Wörtern), z. B. in Roman-Digests.

Reyen oder **Reyhen** (nhd. ›Reigen‹), im barocken Trauerspiel die dem antiken →Chor nachgebildeten Chöre am Aktschluß als Füllung der Aktpause. Sie sind die Ruhepausen der grüblerisch-ernsten Handlung und müssen sich organisch mit dem strengen, düsteren Inhalt der gelehrten Dramen verbinden, um die erstrebte Katharsis zu erreichen. Meist in Alexandrinern, häufig auch in trochäischen oder jamb. Versen gehalten, geben sie e. Deutung der Handlung, dienen z. T. auch als Trauerklage, sind jedoch im allg. mehr Intermezzi, Ornamente, lockerer mit der Handlung selbst verbunden als der antike Chor, und werden stellenweise durch Zwischenspiele ersetzt. Nach Vorbild des humanist. Schuldramas (Sixt Birck *Susanna* 1532, Paul Rebhuhn *Susanna* 1535) erscheinen sie bes. beim Niederländer Vondel und bei Gryphius, später bei Lohenstein, Haugwitz, Hallmann u. a.

H. Steinberg, D. R. i. d. Trauerspielen d. Gryphius, Diss. Gött. 1914; E. Beheim-Schwarzbach, Dramenformen d. Barocks, Diss. Jena 1931.

Rezension (lat. *recensio* = Musterung), 1. bei der →kritischen Neuherausgabe e. alten (bes. antiken) Schriftwerkes nach Durchsicht allen erreichbaren Hss.-Materials die Feststellung dessen, was als überliefert gelten muß und darf, und das Verfahren der Auswahl der glaubwürdigsten Lesarten aus der Überlieferung als Grundlage des neuherzustellenden Textes; dann auch diese kritische Ausgabe selbst. →Textkritik und →Emendation. – 2. kritische Beurteilung und Besprechung einer Schrift oder Theateraufführung (vgl. →Kritik) durch e. Rezensenten in e. Zeitung oder Zs. anhand e. →Besprechungsstückes.

Rezensionsexemplar   →Besprechungsstück

Rezeption (lat. *receptio* = Aufnahme), die Aufnahme und Wirkung e. Textes, e. Autors oder e. lit. Strömung beim einzelnen Leser, bei sozial, histor. oder altersmäßig bestimmten Lesergruppen, der Leserschaft allg. im Inland und im Ausland (letzteres traditionell Forschungsgegenstand der →vergleichenden Literaturwissenschaft) und deren Varianten und Variable. Die R., verstanden als das Gesamt der Interaktionen zwischen (Autor)/ Text und Leser/(Gesellschaft) bei der kommunikativen Aneignung von Lit., ein komplexes Phänomen mit vielen Komponenten, ist Gegenstand des trotz vieler Vorgänger relativ jungen lit.wiss. Forschungszweiges der (theoret.) Rezeptionsästhetik, in histor. Perspektive der Rezeptionsgeschichte oder allg. der empirischen Rezeptionsforschung, die, von Leserforschung und Literatursoziologie ausgehend, die gesellschaftl. Bedingtheiten und Gegebenheiten des R.prozesses erforscht: von wem, wann, warum und wie ein lit. Werk aufgenommen/gelesen wurde. Rezeptionsästhetik analysiert die Voraussetzungen, durch die (spontane oder reaktive) R. bestimmt wird (impliziter, intendierter oder realer Leser, Erwartungshorizont des Lesers, R.vorgaben des Autors, die die R. des Lesers steuern sollen, Vorverständnis der Gattung), vergleicht sie mit den Intentionen des Autors (z.B. Diskrepanz von Autorenabsicht und Leserverständnis), erforscht die Mechanismen des Literaturbetriebs und der Literaturvermittlung als Steuerung der Kommunikation zwischen Autor, Leser und Gesellschaft und rekonstruiert als Rezeptionsgeschichte in der Summe aller mögl. historisch-sozial variablen Lesungen, Deutungen und Umdeutungen die Wirkungsgeschichte des Textes mit ihren Schwankungen durch Geschmackswandel (letzteres mangels ausreichender Quellen allenfalls für die letzten Jahrhunderte möglich). Die Rezeptionsästhetik sieht in der R. die eigentliche Konkretisation des nach Sinn und Bedeutung essentiell offenen Textes, dessen Wirkung von Erwartung, Verständnis, Bildung und Geschmack des Rezipienten abhängt, die wiederum je nach Normen, Regeln und Praktiken der Gesellschaft divergieren. Sie relativiert damit soz. und histor. das Textverständnis des einzelnen, auch wiss., Lesers, muß sich jedoch zur Wertfrage sowohl auf der Produzenten- als auf der Konsumentenseite neutral verhalten, da reiche R. noch keinen ästhet. Wert begründet. →Leser, →Literatursoziologie.

H. R. Jauß, Lit.gesch. als Provokation, 1967, ²1970; K. R. Mandelkow, Probleme d. Wirkungsgesch., JIG 2, 1970; H. Turk, Lit. u. Praxis (Fragen d. Germanistik, 1971); M. Durzak, Plädoyer f. e. R.ästh. (Akzente 18, 1971); W. Bauer u.a., Text u. R., 1972; Historizität i. Sprach- u. Lit.wiss., 1972; Gesellsch., Lit., Lesen, hg. M. Naumann, 1973, ³1976; H. Turk, Wirkungsästhetik, SchillerJb. 17, 1973; R. Weimann, R.ästh. u. d. Krise d. Lit.gesch., WB 19, 1973; Neue Ansichten e. künftigen Germanistik, hg. J. Kolbe 1973; R.-Interpretation, Amsterdam 1974; G. K. Lehmann, D. Theorie d. lit. R., WB 20, 1974; P. U. Hohendahl u.a., LiLi 4, 1974; Sozialgesch. u. Wirkungsästh., hg. ders. 1974; Literar. R., hg. H. Heuermann 1975; R.ästh., hg. R. Warning 1975, ²1979; K. Stierle, Was heißt R. b. fiktionalen Texten (Poetica 7, 1975); Lit. u. Leser, hg. G. Grimm 1975; H. Turk, Wirkungsästhetik, 1976; W. Iser, D. Akt d. Lesens, 1976; H. Link, R.forschung, 1976, ²1980; M. Naumann, D. Dilemma d. R.ästh. (Poetica 8, 1976); N. Groeben, R.forschg. als empir. Lit.-wiss., 1977, ²1980; B. Zimmermann, Lit.-R. i. histor. Prozeß, 1977; G. Grimm, R.geschichte, 1977; W. Faulstich, Domänen d. R.forschg., 1977; P. Bürger, Probleme d. R.forschg. (Poetica 9, 1977); Text, Leser, Bedeutg., hg. H. Grabes 1977; R.gesch. oder Wirkungsästhetik, hg. H.-D. Weber 1978; J. Stückrath, Histor. R.forschg., 1978; J. Hoogeveen, Funktionalist. R.theorie, Leiden 1978; W. Solms, R.ästh. (Lit.wiss. heute, hg. F. Nemec 1979); *Literary communication and r.*, hg. Z. Konstantinović 1980; W. Reese, Lit. R., 1980; J. E. Müller, Lit.-wiss. R.theorien u. empir. R.forschg., 1981; R.pragmatik, hg. G. Köpf 1981; R. Schober, Abbild, Sinnbild, Wertg., 1982; H. Heuermann, Werkstruktur u. R.verhalten, 1982; ders., Fremdsprach. u. muttersprach. R., 1983; M. Naumann, Blickpunkt Leser, 1984; *La r. de l'œuvre lit.*, Paris 1984; R. Holub, *R.theory*, Lond. 1984; W. Beilfuß, D. lit. R.prozeß, 1987; R.forschg. zw. Hermeneutik u. Empirik, hg. E. Ibsch, Amsterd. 1987; H. R. Jauß, D. Theorie d. R., 1988; U. Rautenberg u.a., D. R. ma. dt. Dichtg., Bibliogr. 1988.

Reziproke Verse (lat. *reciprocus* = zurückgehend) →Palindrom

Rezitation (lat. *recitatio* =) kunstvoller Vortrag von Dichtungen durch den Dichter selbst oder e. Rezitator; bereits in der Antike als Mittel der Verbreitung von Schriften gepflegt, das gleichzeitig die Wirkung des Werkes auf die Zuhörer und deren Vorbehalte feststellt.

F. Trojan, D. Kunst d. R., 1954.

Rezitativ (ital. *recitativo*), in Oper und Oratorium der in den dramat. oder erzählenden Zwischenpartien übl. Sprechgesang ohne feste Takt und Rhythmus, von Cembalo oder Orchester nur schwach begleitet, in dem das musikal. Element zugunsten des dichter. Textes zurücktritt, sich dem natürl. Tonfall und Sprechakzent weitgehend anpaßt und der in den Ensemblesätzen und →Arien durch die Musik verdeckten Handlung Raum gibt. Man unterscheidet R. secco, gesangähnlich zu kurzen Akkorden gesprochen, und R. accompagnato (obligato, strumentale) mit ausgeführter Instrumentalbegleitung. R.vortrag war bereits z.T. in den →Cantica der antiken Komödie üblich und entwickelt schon in der Frühzeit der Oper e. eigenen Stil.

P. Mies, D. instrumentale R., 1968.

Rhapsoden (griech. *rhapsodoi*, v. *rhaptein* = zusammennähen, *ode* = Gesang, d.h. diejenigen, welche die Gesänge zusammenfügen), wandernde Rezitatoren im klass. Griechenland. Während zu HOMERS Zeit noch →Aöden als Dichter-Sänger zur Phorminx (Laute) die Heldenlieder bei Hofe sangen, vollzog sich gleichzeitig mit der eigenen Ausbildung der Lyrik der Übergang zum rezitierenden Vortrag der R., die als wandernde berufsmäßige Vortragskünstler mit dem Stab (rhabdos) als Wahrzeichen ihrer Würde und e. Lorbeerzweig oder Kranz in der Hand an Fürstenhöfen und Festversammlungen eigene, später meist fremde (bes. HOMERS, dann Homeriden genannt) ep. Dichtungen öffentlich vortrugen und so die Kenntnis der großen Epen an breite Volksschichten vermittelten. Athen u.a. Städte richteten später an den Panathenäen Wettkämpfe der R. ein; unter PEISISTRATOS verlangte man von ihnen die ungekürzte Wiedergabe nur der echten Homerverse in richtiger Reihenfolge und ließ meist mehrere R. einander abwechseln. Zur Zeit XENOPHONS schon wurden sie teils wegen ihres handwerksmäßigen, pathetisch deklamierenden Vortrags ohne Verständnis für den tieferen Gehalt des Vorgetragenen verspottet (PLATON, *Ion*), traten jedoch als Einleitung zu Feiern, Gastmählern u.a. Festlichkeiten, aus deren Mittelpunkt sie die Festreden verdrängt hatten, noch bis in nachchristl. Zeit auf. Ihr Vortrag war teils auswendig gelernt, teils Auswahl und Zusammenfügung einzelner Lieder und Abschnitte mit vielen eigenen Interpolationen, teils Stegreifdichtung mit Hilfe e. festen, herkömml. Schatzes von vorgeprägten Formeln, Versen und typ. Beschreibungen, die dem Vortragenden Ruhepausen und Bedenkzeit für die Formung der folgenden Worte gaben (›Streckverse‹) und sich an passender Stelle in großem Umfang wiederholten. Ihr Verdienst ist bes. die Vermittlung und – wenngleich stark interpolierte – Erhaltung der homerischen Epen bis zu ihrer schriftl. Fixierung. – In altgerman. Dichtung entspricht dem R. der →Skop, im MA. der →Spielmann. Im 19. Jh. versteht man unter R. die großen Rezitatoren (→Rezitation), die eigene Dichtungen vortragen, wie W. JORDAN, TÜRSCHMANN, WÜLLNER.

T. W. Allen, *Homer*, Oxf. 1924; M. Nilsson, D. homer. Dichter (Antike 14, 1938); A. B. Lord, *The singer of tales*, N.Y. ²1965.

Rhapsodie, von e. →Rhapsoden vorgetragene erzählende Dichtung, bes. Bruchstücke derselben (daher rhapsodisch = bruchstückartig, fragmentarisch), dann überhaupt e. formal völlig freies, freirhythm. Gedicht als leidenschaftl., begeisterter Erguß einer erregten, erschütterten Seele (LENZ, SCHUBART). Gedichte und Prosastücke des Irrationalismus (Sturm und Drang und Romantik) erscheinen z.T. nicht mit logischkausalgesetzlichem Aufbau, sondern rhapsodisch als scheinbar unzusammenhängende, in Wirklich-

keit jedoch durch gedankl. Assoziationen und ihre Herkunft aus gleicher Empfindungs- und Phantasie-
welt verbundene Visionen, als
Phantasien über e. Thema, das un-
zusammenhängend eingekreist, um-
sponnen wird, so z.B. HAMANNS
Aesthetica in nuce (›R. in kabbalist.
Prose‹), HERDERS *Shakespeare*-Auf-
satz, GOETHES *Von deutscher Baukunst*, WACKENRODERS *Herzensergießungen*, NIETZSCHES *Zarathustra*. Im weiteren Sinn ist rhapsod.
Stil dann das dynam., wirkungsbedachte und mitreißende Sprechen
aus der Erregung und Ergriffenheit
des Augenblicks der Erkenntnis, der
Offenbarung mit allen Kennzeichen
der Unmittelbarkeit und Subjektivität: asyndet. Reihungen von Substantiva und Adjektiva, eruptive
Sprachfülle mit Ausrufen, Anrufen,
Fragen und Doppelungen, Synonymen, Parenthesen und Steigerungen.

W. Jordan, D. Kunstgesetz Homers u. d.
Rhapsodik, 1869; W. Salmen, Gesch. d.
R., 1966.

Rhapsodisch →Rhapsodie

Rhẹsis (griech. = Rede), im griech.
Drama die längeren, mehr ep.
Sprechpartien der Schauspieler im
Ggs. zur →Stichomythie und zum
Chorlied.

H. F. Johansen, *General Reflection in
Tragic R.*, Koph. 1959.

Rhẹtor (griech. =) Redner

Rhetọrik (griech. *rhetorike techne*
=) Redekunst, Theorie und Technik
der öffentlichen →Rede als auf
Überzeugung zielende Kommunikation und effektvolle Sprachgestaltung der Prosa (im Unterschied zur
→Poetik für die Dichtung) mit dem
Ziele der überzeugenden Darstellung eines Standpunkts und der
wirksamen, emotionellen Meinungsbeeinflussung, ›Überredung‹.
Als mündliche Stilistik gibt sie Re-

geln und Mittel zur wohlgeordne-
ten, wohlklingenden sprachl. Ausformung der Gedanken und Erkenntnisse, stellt nicht nur die natürl. sprachl. Verhaltensweisen,
sondern auch künstliche Schmuckformen in den Dienst ihrer Zwecke
und übt, indem sie die Sprache derart aus sich heraus in Bewegung
setzt, zu allen Zeiten e. starken Einfluß auf die Dichtung aus, in positiver wie in negativer Hinsicht. – Ihre
außerordentl. Bedeutung im öffentl.
Leben des Altertums als polit. Rede
bei Volksversammlungen zur Beeinflussung der Massen und Gewinnung der Wähler (genus deliberati-
vum), als Gerichtsrede (genus iudi-
ciale) zur eigenen Verteidigung und
Beeinflussung der Richter bei der
Behandlung von Streitfällen oder als
→epideiktische Festrede (genus de-
monstrativum) führt zur Entwicklung e. lehrbaren Theorie der Beredsamkeit und macht sie zu e. selbstverständl. Bestandteil in der Bildung
des freien antiken Menschen, den
man sich durch Rhetorenschulen
oder häufige eigene Übung aneigne-
te. Das umfangreiche antike Schrifttum über R., beginnend mit der verlorenen Schrift der Sizilianer KORAX
und TEISIAS (5. Jh.) über die forensi-
sche (d.h. Gerichts-) Rede und der
epideiktischen R. des GORGIAS von
Leontinoi (Betonung kunstvollen
Ausducks in →gorgianischen Figuren und der Überredungskunst im
Appell an das Gefühl), reicht von
PLATON (Kritik der Scheinbeweise,
Forderung nach Wahrheit und philos. Durchdringung der Rede), ISO-
KRATES (Kunstformung), ARISTOTE-
LES (Beweisführung, Stiluntersuchung), THEOPHRAST (drei →Stilar-
ten), den Stoikern, HERMAGORAS
(starre Schul-R.), CICERO, dem anonymen Autor der *R. ad Heren-
nium* bis zu QUINTILIANS *Institutio
oratoria* (95 n.Chr.), deren Wir-

kung weit ins MA. hineinreicht; es
folgen schließlich APOLLODOROS
von Pergamon, THEODOROS von
Gadara, HERMOGENES, die Schrift
Über das Erhabene und zahlr. andere spätantike Rhetoriker. Neben
den drei Stilarten und drei Redegat-
tungen unterscheidet die antike
Theorie, die gleichzeitig stets prakt.
Anweisung sein sollte, fünf grundlegende Hauptvorgänge der R.: 1. die
Sammlung passender Gedanken
(Topoi) zum Thema und das Finden
von Beweisgründen (inventio), 2.
Anordnung und Gliederung des gesammelten Materials (dispositio), 3.
sprachl. Formulierung und stilist.
Ausgestaltung (elocutio), 4. Aneignung der Rede durch Auswendiglernen (memoria), 5. Kunst der gesten-
reichen Deklamation (pronuntiatio)
beim Vortrag (actio) selbst. Äußere
Formkennzeichen der rhetor. Kunstprosa sind Vermeidung des Hiat,
Verwendung rhythm. Satzschlüsse
(→Klauseln) und →rhetorischer Figuren. Während die Einwirkung der
R. auf die Lit. überhaupt erst zur
Entstehung des Prosastils führte,
zeitigte ihr Überhandnehmen in der
Spätantike auch ungünstigere Wirkungen, indem die Überschätzung
der äußeren wohlklingenden Form
und des effektvollen Aufbaus zu e.
bloßen Schönrederei führte, die z. T.
selbst in geschichtl. Darstellungen
bedenkenlos die Wahrheit des Inhalts der Schönheit der Form opfer-
te, in stilist. Virtuosenstücken, über-
steigertem Pathos und auffälligen
gesuchten Wendungen schwelgte,
wie sie in den Schulübungen (decla-
mationes) an Hand fingierter →sua-
soriae (anratender) oder controver-
siae (Gerichtsreden) zur Kaiserzeit
gelehrt wurden, wo die Schüler e.
gestelltes Thema in effektvoller und
überraschend neuartiger Weise zu
beleuchten hatten. Diese Kunst, aus
e. gegebenen Situation heraus reden

zu müssen, führte in der Lit. zu den
zahlreichen fingierten oder gefälsch-
ten Reden und Briefen bekannter
Persönlichkeiten, deren Verfasserschaft z. T. heute noch umstritten ist.
Im MA. zählt die R. zu den Sieben
Freien Künsten (→Artes liberales)
und bleibt als solche unerläßl. Bildungsideal für Geistliche und Gelehrte überhaupt (wie noch heute
für den Prediger). NOTKER schreibt
e. R. für Klosterschulen, und ihre
Stillehre befruchtet die höf. dt.
Dichtung, ohne sie einzuengen, so
als schmückende Hülle der gewählten Rede im frühhöf. Roman wie in
GOTTFRIEDS →geblümtem Stil; negative Auswirkungen zeigt sie erst
späterhin. Besondere Bedeutung erlangt die R. wiederum in der lat.
Dichtung des →Humanismus, im
Barock und selbst bis in die Aufklärung hinein (Lehrbücher von J. M.
MEYFART 1634, J. A. FABRICIUS
1724, F. A. HALLBAUER 1725, J. C.
GOTTSCHED 1736, R. ERNESTI
1750). Solange die Dichtung nicht
zum individuellen Ausdruck subjektiven Erlebens wurde, bediente sie
sich der R. mit ihren vorgegebenen
Formen und oft auch vorgegebenen
Gedanken, wie sie gewählter Gegenstand und erwünschte Gattung
vorschreiben, denn letztlich sind
auch diese − freilich typisierte und
genormte − Grundverhaltensweisen
des menschl. Redens und Denkens.
Mit dem Verlangen nach Originalität, Subjektivität, Individualität und
Wahrheit verblaßt ihre Verbindlichkeit im 18. Jh.; in der polit. Rede,
Publizistik und Werbung lebt sie im
20. Jh. wieder auf.

R. Volkmann, R. d. Griechen u. Römer,
[2]1885, [3]1963 (Auszug im Hdb. d. klass.
Altertumswiss., [3]1901); F. Blass, D. att.
Beredsamkeit, III 1887; W. Wackernagel,
Poetik, R., Stilistik, [3]1906; A. Damasch-
ke, Gesch. d. Redekunst, 1921; D. L.
Clark, *R. and poetry in the Renaiss.*,
N.Y. 1922; E. Norden, Antike Kunstpro-

sa, ²1923; C. S. Baldwin, *Ancient R. and Poetic*, 1924; ders., *Medieval R. and Poetic*, 1928; W. Rhys Roberts, *Greek R. and Lit. Criticism*, 1928; Ch. Winkler, *Elemente d. Rede, Gesch. ihrer Theorie 1750–1850*, 1931; W. Kroll, R., 1937; E. R. Curtius, Dichtg. u. R. i. MA., DVJ 1938; L. Rambaud, *L'eloquence franc.*, Lyon II 1947; M. Dessoir, Die Rede als Kunst, ²1948; L. Arbusow, *Colores rhetorici*, 1948, ²1963; E. R. Curtius, Europ. Lit. u. lat. MA., 1949, ⁸1973; H. Gauger, D. Kunst d. polit. Rede i. Engl., 1952; D. L. Clark, *R. in Greco-Roman education*, N.Y. 1957; L. Reiners, D. Kunst d. Rede u. d. Gesprächs, 1957, ⁵1968; T. Madia, *Storia del'eloquenza*, Mail. 1960; H. Lausberg, Hdb. d. lit. R., II 1960, ²1973; E. Jungmann, D. polit. R. i. d. engl. Renaiss., 1960; R. F. Howes, *Historical Studies of R. and Rhetoricians*, N.Y. 1961; G. A. Kennedy, *A hist. of r.*, Princeton III 1962–83; U. Stötzer, Dt. Redekunst i. 17. u. 18. Jh., 1962; M. Joseph, *R. in Shakespeare's time*, N.Y. 1962; A. D. Leeman, *Orationis ratio*, Amsterd. 1963; H. Lausberg, Elemente d. lit. R., 1963, ⁶1979; R. Whately, *Elements of R.*, Carbondale 1963; M.-L. Linn, Stud. z. dt. R. u. Stilistik d. 19. Jh., 1964; J. W. Cleary u. a., *R. and public address*, Bibliogr., Madison 1964; G. Klaus, D. Macht d. Wortes, 1964, ⁶1972; H. M. Davidson, *Audience, words, and art*, Ohio 1965; E. P. J. Corbett, *Class. R. for the mod. student*, N.Y. 1965; E. Black, *Rhetorical criticism*, Lond. 1965; *The province of r.*, hg. J. Schwartz u.a. N.Y. 1965; *Readings in r.*, hg. L. Crocker, P. A. Springfield 1965; T. Pelster, D. polit. Rede i. Westen u. Osten Dtl.s, 1966; G. Storz, Unsere Begriffe v. R. u. v. Rhetorischen, DU 18, 1966; H. Lausberg, R. u. Dichtg., ebda.; R. Hildebrandt-Günther, Antike R. u. dt. lit. Theorie i. 17. Jh., 1966; H. Caplan, *Of eloquence*, Ithaca 1967; M. L. Clarke, D. R. b. d. Römern, 1968; L. Fischer, Gebundene Rede, 1968; K. Dockhorn, Macht u. Wirkg. d. R., 1968; J. E. Seigel, *R. and philosophy in renaissance humanism*, Princeton 1968; C. Vasoli, *La dialettica e la r. dell' umanesimo*, Mail. 1968; L. Sonnino, *A handbook of 16th cent. r.*, Lond. 1968; H. Lemmermann, Lehrb. d. R., ²1968; Chr. Perelman, *La nouvelle r.*, Paris 1969; H. Geißner, Rede i. d. Öffentlichkeit, 1969; J. Dyck, Ticht-Kunst, ²1969; H. D. Zimmermann, D. polit. Rede, 1969; W. Jens, Von dt. Rede, 1969, ³1983; E. Grassi, Macht des Bildes, 1970; B. W. Vickers, *Class. r. in Engl. poetry*, N.Y. 1970; W. Barner, Barock-R., 1970; P. Dixon, *R.*, Lond. 1971; RL; H. F. Plett, Einf. i. d. rhetor. Textanalyse, 1971, ⁴1979; O. Nass, Staatsberedsamkeit, 1972; H. Geißner, R., 1973; E. Ok-

kel, R. i. Dt.unterr., 1974; R. i. d. Schule, hg. J. Dyck 1974; R., Beitr. z. ihrer Gesch. i. Dtl., hg. H. Schanze 1974; H. Schlüter, Grundkurs d. R., 1974, ⁴1977; W. Eisenhut, Einf. i. d. antike R., 1974, ³1982; B. Stolt, Wortkampf, 1974; J. Martin, Antike R., 1974; J. Dubois u.a., Allg. R., 1974; J. Kopperschmidt, Allg. R., ²1976; G. Ueding, Einf. i. d. R., 1976; R., hg. H. F. Plett 1977; *Medieval eloquence*, hg. J. J. Murphy, Berkeley 1978; W. J. Kennedy, *Rhet. norms in Renaiss. lit.*, New Haven 1978; V. Sinemus, Poetik u. R. i. frühmod. dt. Staat, 1978; J.-M. Pastré, *R. et adaption dans les œuvres allem. de MA.*, Paris 1979; *L'âge de l' eloquence*, Genf 1980; G. A. Kennedy, *Class. r. and its christian and secular traditions*, Lond. 1980; P. Valesio, *Novantiquo*, Bloomington 1980; Ch. Perelman, D. Reich d. R., 1980; R., hg. J. J. 1980ff.; Perspektiven d. R., hg. W. Haubrichs 1981; H. Krämer, R., 1982; U. Möller, Rhet. Überlieferg. u. Dichtgstheorie i. früh. 18. Jh., 1983; M. Fuhrmann, R. u. öffentl. Rede, 1983; *Renaiss. eloquence*, hg. J. J. Murphy, Berkeley 1983; R. Jamison, J. Dyck, R., Topik, Argumentation, Bibliogr. 1983; E. C. Lutz, Rhetorica divina, 1984; M. Fuhrmann, D. antike R., 1984; H. F. Plett, Engl. R. u. Poetik 1479–1660, Bibliogr. 1985; G. Ueding, R. d. Schreibens, 1985, ²1986; ders. u. B. Steinbrink, Grundriß d. R., 1986; B. Bauer, Jesuit. ars rhetorica, 1986; M. Cahn, D. Kunst d. Überlistg., 1986; O. A. Baumhauer, D. sophist. R., 1986; G. Braungart, Hofberedsamkeit, 1988; A. J. Woodman, *Rh. in dass. historiography*, Lond. 1988.

Rhétoriqueurs (franz. = Redner), franz. Dichtergruppe z.T. aus Hofbeamten am Hof von Burgund (›Burgundische Dichterschule‹), später in Paris im 15./16. Jh., ahmte in handwerksmäßig gekünstelten Formen didakt.-moralischer und mytholog. Dichtung mit Allegorien, komplizierten Strophen-, Reim- und Klangspielen und rhetor. Figuren in ihren Chroniken und histor. Epen den lat. Stil nach und legte ihre Werke den →Meistersang und den →Rederijkers verwandte Auffassung von der Lernbarkeit der Dichtung in Poetiken (arts de rhétorique) fest. Vorbereiter der lit. Renaissance in Frankreich. Wichtigste: A. CHARTIER, G. CHASTELLAIN, J. BOUCHET, G. de

CRÉTIN, J. LEMAIRE DE BELGES, J.
MOLINET, J. MAROT u. a.
H. Liebrecht, *Les Chambres de Rhétorique*, Brüssel 1948; P. Zumthor, *Le masque et la lumière*, Paris 1978.

Rhetorische Figuren, in Stilistik
und Rhetorik alle beabsichtigt oder
unbeabsichtigt   vom   normalen
Sprachgebrauch abweichenden oder
mit ihm übereinstimmenden, jedoch
ihn zu bes. Zwecken hervorheben-
den Formungen des Sprachmaterials, die auf Erhöhung der Rede,
Hervorhebung einzelner Teile der
Schmuck der Aussage abzielen und
aus natürl. sprachl. Verhaltensweisen durch ihre Abgrenzung, Benennung und Pflege in der →Rhetorik
zu abgezogenen und vorgeprägten
Ausdrucksschemata gewisser Denk-
vorgänge geworden sind. Man unterscheidet 1. Wortfiguren, die sich
entweder als bildhaft-metaphor.
→Tropen auf die Wortbedeutung,
als grammat. Figuren auf grammat.
Unregelmäßigkeiten, als Klangfiguren auf den Lauteffekt oder als Stil-
oder Satzfiguren auf die Stellung der
Wörter im Satz beziehen und 2.
Sinn- oder Gedankenfiguren, die Inhalt, Formung und Gliederung der
Gedanken ohne direkte Bezugnahme auf den Wortlaut betreffen und
bei Abänderung der Wortstellung
unbeeinflußt bleiben.
H. Lausberg, Hdb. d. lit. Rhetorik, 1960,
²1973; ders., Elemente d. lit. Rhetorik,
1963, ⁶1972; R. J. Fogelin, *Figuratively
speaking*, Lond. 1988. →Rhetorik,
→Stil.

Rhetorische Frage, in Rede, Predigt, Invektive, Diatribe u. ä. e. Frage des Redners, auf die keine Antwort erwartet wird, da sie in Wirklichkeit nur e. Aussage oder Aufforderung enthält, die zur größeren
Eindringlichkeit und Belebung des
Vortrags, des bitteren Tones wegen
oder, um die Zuhörer zum Nachdenken anzuregen, in Frageform ge-

kleidet wird und dadurch Bewegung
in den Tonfall bringt: ›Sind wir
nicht Männer?‹ (= Wir sind doch
Männer!), ›Bin ich etwa dein
Knecht?‹ (= Ich bin doch nicht dein
Knecht!), oft mit Nähe zum Ausruf:
›Wer zählt die Völker, nennt die Namen, die gastlich hier zusammenkamen?‹ (SCHILLER). E. der am häufigsten verwendeten rhetor. Gedankenfiguren zum Ausdruck von Un-
willen, Verwunderung, Gehässig-
keit oder Mitleid in antiker Rhetorik, bes. meisterhaft bei DEMOSTHE-
NES *(Kranzrede)*, CICERO *(Catilina-
rische Rede* I) u. a., in den paränet.
und apologet. Stellen der *Paulusbriefe*, in der patrist. Lit. und Predigt (bes. ARNOBIUS), in ma. Rhetorik, bei WOLFRAM VON ESCHEN-
BACH und GOTTFRIED VON STRASS-
BURG zur Kennzeichnung innerer
Anteilnahme des Dichters am ep.
Geschehen u. a. m.
J. Schwitalla, Textl. u. kommunikative
Funktionen r. F.n, ZGL 12, 1984; J. Mei-
bauer, R. F.n, 1986. →Rhetorik, →Stil.

Rhintonica, nach RHINTON von
Tarent Bz. für die →Phlyakenposse.

Rhopalikos (griech. *rhopalon* =
Keule) = →Keulenvers

Rhyme royal (engl. = königl.
Reim), auch Chaucerstrophe, siebenzeilige Strophe von jamb. Fünfhebern (heroic verses) in der Reimfolge ababbcc, bei CHAUCER *(Troilus and Criseyde*, z. T. *Canterbury
Tales)*, SHAKESPEARE *(The Rape of
Lucrece)* u. a.; herrschende Strophe
der engl. Epik und Lehrdichtung im
15. und frühen 16. Jh. (WYATT,
DRAYTON), dann durch die →Spen-
serstanza abgelöst. Spätere Varianten, z. T. mit Alexandriner-Schluß-
zeile und abweichender Reimfolge,
bei DONNE und MILTON (ababccc),
CHATTERTON, BROWNING (abab
cca), THOMSON (ababccb), MORRIS
und MASEFIELD.

Rhythmische Dichtung (mlat. *rhythmus* = →Reim), Bz. für die ma. (lat. und dt.) Dichtungen, deren Verse ›rhythmice‹ d.h. nach dem Wortakzent, der Silbenschwere, also →akzentuierend-silbenzählend gebaut und meist gereimt sind, im Ggs. zur ›metrice‹ gebauten →quantitierenden lat. Dichtung des MA. (›carmina metrica‹). So nennt sich das ahd. *Ludwigslied* ›rhythmus teutonicus‹. Die r. D. der roman. Litt. alterniert mit Tonsilben. Nicht zu verwechseln mit →Freien Rhythmen.

A. Heusler, Dt. Versgesch. II, ²1956; RL¹.

Rhythmische Prosa, Sammelbz. für rhetor.-poet. Prosa von besonders starker rhythm. Ausprägung (→Rhythmus), dadurch von alltägl. Umgangssprachduktus wie regelmäßiger metr. Durchformung abgehoben. →Prosagedicht, →Prosarhythmus, →Klausel, →Kunstprosa.

Rhythmischer Satzschluß → Klausel

Rhythmizomenon (griech. = das zu Ordnende, zu Rhythmisierende), Bz. der antiken Metrik für die kunstlose Sprache, die in der Dichtung durch die Gliederung nach festen rhythm. Prinzipien in e. Gleichmaß gebracht, rhythmisiert werden muß. Die Bz. legt das Mißverständnis nahe, die rhythm. Gliederung sei dem sprachl. ›Substrat‹ urspr. wesensfremd, während in Wirklichkeit nur die regelmäßige Folge der Zeit- oder Betonungseinheiten den Unterschied zum freien rhythm. Fluß der Prosa ausmacht.

Rhythmus (griech. *rhythmos* von *rhein* = fließen), harmon. Gliederung e. lebendigen Bewegungsablaufs in der Zeit zu sinnlich faßbaren, ähnlich wiederkehrenden Tei-

len, doch im Ggs. zum exakt-gleichförmigen, rational zähl- und meßbaren Takt nicht ständige Wiederholung des Gleichen. R. ist ein Urbedürfnis des ordnenden Menschen und als Grundlage der meisten natürl. Lebensvorgänge auch in der Kunst (Musik, Tanz, Dichtung) oft Keimzelle der Inspiration. In der Dichtung unterscheidet man vom normalen Sprach-R. den gesteigerten →Prosarhythmus der →Kunstprosa und bes. den Vers-R.: im Unterschied zum vorgegebenen und gesetzmäßig gleichbleibenden metr. Schema die ständig wechselnde, für jeden Vers individuell gestaltete und beseelte innere Spannungs- und Schwingungsform, zu der das Metrum nur den äußeren Rahmen, den Kanevas, bildet, der ihn trägt und von ihm überlagert erst lebendig wird. ›Metrum ist das Außen zum Rhythmus als dem Innen‹ (J. PFEIFFER). Ein Gedicht, das bei völlig korrektem metr. Bau keinen tragenden R. aufweist oder durch gleichwertiges Skandieren aller Hebungen nicht nach ihm gelesen wird, wirkt eintönig. Für viele Dichter gab e. konzipierter R. den Anstoß zum Schaffen, und →Freie Rhythmen zeigen gar kein metr. Schema, sondern beruhen allein auf dem R. Im Metrum als abstraktem Organisationsschema ist die regelmäßige Abfolge der Hebungen und Senkungen bzw. Längen und Kürzen vorab festgelegt, abziehbares und übertragbares Schema, und erst in dessen sprachl. Erfüllung aus dem Schwung der lebendig eingeordneten Rede entsteht der R., mitbewirkt vom gedankl. Gehalt, bes. der Wiederkehr und Gliederung der Haupttonstellen (Akzente) vom Tempo, den Pausen und der Tonabstufung in betonte und unbetonte bzw. lange und kurze Teile durch Nachdruck oder Dauer. Seine sprachl. Einheiten sind →Periode, →Kolon und →Komma. Dem irrationalen und individuellen Wesen des R. widerstrebt e. Typisierung bis ins einzelne, doch lassen sich als Grundformen der Bewegung unterscheiden: steigend – fallend, plätschernd – wellig – wogend, hüpfend – tänzelnd – gemessen schreitend – gehämmert, spannend – lösend, drängend – verweilend u. a. m. (Die Terminologie, aus anderen Bewegungsformen übertragen, überschneidet sich teilweise.) – Die Frage nach dem Wesen und damit der Definition des R. ist seit ältester Zeit viel diskutiert. PLATON *(Politeia)* verbindet ihn mit der Orchestrik (d. h. chor. Kunst: Vereinigung von Wort, Musik und Bewegung) und erkennt seine erzieher. Kraft, möchte jedoch gewisse R.en ausschließen. Nach ARISTOTELES tritt er als dichterisch geordnete Form zum vorher ungeformten Stoff und bildet e. Eigenschaft des gesungenen oder gesprochenen Wortes. Sein Schüler ARISTOXENOS erkennt die Bindung des R. an die Zeit als wesentlich (›nach festem Zeitmaß geregelte und abgeteilte Bewegung‹), unterscheidet idealen vom realen R. und wirkt mit diesen Einsichten bis in die Gegenwart. Von der Architektur her faßt VITRUV den R. als Maßverhältnis von Zeit und Raum und bahnt damit den metaphor. Gebrauch des R.-Begriffs in der bildenden Kunst an. Das Frühma. versteht unter ›rhythmi‹ akzentuierende Dichtung schlechthin (→rhythmische Dichtung). Im Barock entwickelt I. Voss die Lehre des ARISTOXENOS *(De poematum cantu et viribus rhythmi,* 1673). Im 18. und selbst 19. Jh. setzt man lange R. mit Takt oder Metrum weitgehend gleich. In der Literaturwissenschaft des 20. Jh. bemühte man sich bisher vergeblich um die Klärung dieses grundlegenden Begriffs, wobei seine Verwendung im verschiedensten Sinne zu großer Verwirrung geführt hat.

E. Graf, R. u. Metrum, 1891; E. Meumann, Unters. z. Psychologie u. Ästhet. d. R. (Philos. Stud. 9, 1894); F. Saran, D. R. d. franz. Verses, 1904; ders., Dt. Verslehre, 1907; P. F. van Draat, R. in Engl. prose, 1910, n. 1967; E. Sievers, Rhythm.-melod. Stud., 1912; B. Koch, D. R., 1921; K. Bücher, Arbeit u. R., ⁶1924; E. Sonnenschein, *What is r.?,* 1925; A. Heusler, Dt. Versgesch. I, 1925, ²1956; R. Blümel, D. rhythm. Arten (Fs. E. Sievers, 1925); K. Kauffmann, Dt. Metrik, ²1925; J. H. Scott, *Rhythmic Verse,* Iowa 1925; P. Servien, *Essay sur les r.s toniques du français,* Paris 1925; R. Hönigswald, V. Problem d. R., 1926; E. Tetzel, R. u. Vortrag, 1926; E. Norden, Logos u. R., 1928; RL; P. Servien, *Les R.s,* Paris 1930; R. Blümel, D. nhd. R., 1930; A. W. de Groot, D. R. (Neophil. 17, 1932); A. Verwey, R. u. Metrum, 1934; W. Schurig, D. Prinzip d. Abstufg. i. franz. Vers, 1934; K. Wagner, Metrik, Rhythmik, Metrik (Fs. O. Behaghel, 1934); E. Vandvik, R. u. Metrum, Akzent u. Iktus, Oslo 1937; C. Cetti, *Il ritmo in poesia,* Como 1938; W. Kayser, D. R. i. dt. Gedichten (Dichtg. u. Volkstum, 1939); H. Leeb, V. Wesen d. R., 1941; J. A. Richards, *R. and Metre* (in: *Principles of Lit. Criticism,* Lond. ³1944); L. Klages, V. Wesen d. R., ²1944; RL; T. Georgiades, D. griech. R., 1949; F. G. Jünger, R. u. Sprache i. dt. Gedicht, ²1966; G. Storz, R. u. Sprache, DU 2, 1952; H. Benesch, Probleme d. R., Diss. Jena 1953; G. Storz, Sprache u. Dichtg., 1957; F. Mayer, Schöpferische Sprache u. R., 1959; F. Lockemann, D. R. d. dt. Verses, 1960; B. Kippenberg, D. R. i. Minnesang, 1962; H. Enders, Stil u. R., 1962; R. Bräuer, Tonbewegung u. Erscheinungsform d. sprachl. R., 1964; U. Müller, D. R., 1966; J. Schmidt, D. R. d. franz. Verses, 1968; H. Schultz, V. R. d. mod. Lyrik, 1970; W. Seidel, Üb. d. R.theorie d. Neuzeit, 1975; U. Pretzel, Akzent u. R. (ders., Kl. Schrr., 1979); H. Meschonnic, *Critique du r.,* Paris 1982; A. Schneider, *Intonation, accentuation et r.* 1982.

Riciniata (lat. *ricinium* = Kopf- und Schultertuch) = →Mimus

Rima, Mz. Rimur (isländ. = Reim), alliterierende oder gereimte, stets gesungene isländ. Balladen des MA. um histor., ritterlich-heroische oder märchenhaft-myth. Stoffe, z. T.

nach Vorbild der dän. Folkeviser und franz. Romanzen. Je 30–80 vierzeilige Strophen aus Vierhebern oder Vier- und Dreihebern im Wechsel und mit Kreuzreim, meist durch e. Liebesklage eingeleitet. Unter Einfluß lat. Hymnik seit Ende des 14. Jh. entstanden, im 19. Jh. neubelebt und als populärste, eigenständig isländ. Gattung als Tanzlieder bis in die Gegenwart gesungen.

Rima equivoca (ital.), Reime, deren Wortmaterial nach Aussprache wie Schriftbild identisch ist, doch e. versch. Sinn ergibt. Beliebt bei GUITTONE, dem frühen DANTE und den Rhétoriqueurs.

Rime couée (franz., v. lat. *rhythmus caudatus* = geschweifter Reim), ein Verspaar oder eine Strophe mit →Coda (2), d.h. mit einer meist kürzeren, manchmal auch längeren Schlußzeile, die entweder reimlos ist oder mit einer späteren Zeile reimt, etwa in der Form aab ccb oder aab bbc ccd usw. Vom Mittellatein aus in roman. und german. Dichtung des MA. verbreitet.

Rime enchaînée (franz. = verketteter Reim), franz. Gedichtform, bei der der folgende Zeilenanfang jeweils das Schlußwort der vorigen Zeile wörtlich oder als Homonym (rime annexée, wenn nur die letzte Silbe, rime fratrisée beim ganzen Wort) oder auch nur den Sinn des Schlußwortes wieder aufnimmt, z.B. MAROT: ›Dieu des amants, de mort me garde; / Me gardant donne-moi bonheur; / Et me le donnant...‹

Rime riche (franz. =) →reicher Reim, jedoch auch bei dem in franz. Metrik nicht als fehlerhaft betrachteten Gleichklang des Konsonanten vor der letzten Hebung: →rührender Reim.

Rimur →Rima

Rinascimento (ital. =) →Renaissance

Ringelgedicht →Rondeau

Ringerzählung, Typ des Volksmärchens, der sich (ähnlich dem Schema von SCHNITZLERS *Reigen*) kreisförmig in sich schließt, indem etwa eine Reihe von Tieren einander anklagt, bis eine Klage auch das erste klagende Tier trifft und der Ring sich schließt.
M. Lüthi, Volksmärchen u. Volkssage, 1961.

Ringkomposition, jede Aufbauform in Lyrik (Th. STORM, *Die Nachtigall*), Epik oder Dramatik (A. SCHNITZLER, *Der Reigen*), deren Ende in den Anfang mündet.
W. A. A. van Otterlo, Unters. üb. Begr., Anwendg. u. Entstehg. d. griech. R., 1944.

Rischi (altind.-sanskr. = Weise), altind. Sänger und Dichter der relig. Hymnen und Heldenepen der Veden, u.a. der myth. Dichter VYĀSA (*Mahâbhârata*).

Risorgimento (ital. = Wiedererstehung), ital. Bewegung zum nationalen Wiederaufstieg und der polit. Einigung Italiens 1815 bis 1870, an deren Freiheitskampf die ital. Romantik (MANZONI, PELLICO) großen Anteil hatte. Sie wendete sich ebenfalls gegen den Klassizismus. Ihr bedeutendster Vertreter ist der polit. Schriftsteller und Republikaner G. MAZZINI, ihre meist bes. patriot. Autoren F. GUERRAZZI, G. GIUSTI, G. BERCHET u.a., ihr lit. Hauptwerk S. PELLICOS *Meine Gefängnisse* (1832).
C. Curcio, *L'eredità del R.,* Florenz 1930; C. Spellanzon, *Storia del r.,* V 1933–50; M. Sticco, *La poesia religiosa del R.,* Mail. ²1945; L. Salvatorelli, *Pensiero e azione del r.,* Turin ³1950; M. Montanari, D. geist. Grundlagen d. R.,

1963; D. M. Smith, *Il r.*, Bari 1968; S. J. Woolf, *The Italian r.*, Lond. 1969.

Rispẹtto (ital. = Ehrfurcht, sc. vor der Dame), kurze, volkstüml. ital. Gedichtform versch. Inhalts, meist Liebeslied in acht Endecasillabi, von denen die ersten vier Kreuzreim, die letzten vier Paarreim tragen, also mit dem Reimschema abab cc dd, seltener abab ab cc. Parallelform zum →Strambotto oder abgeleitet aus der →Oktave. Bes. in toskan. Dichtung des 14. Jh., von dort über ganz Italien verbreitet, auch bei Poliziano, Lorenzo de' Medici, L. Giustiniani, G. Carducci, G. Pascoli u.a.

M. Barbi, *Poesia popolare italiana*, Florenz 1939.

Ritornẹll (ital. *ritornello* zu *ritorno* = Wiederkehr), aus der ital. Volksdichtung stammende und früh in zahlr. Volksliedern beliebte Gedichtform aus beliebig vielen dreizeiligen Strophen mit versch. Metrum (in Kunstdichtung bevorzugt Endecasillabo), deren 1. und 3. Vers miteinander reimen oder assonieren, während die 2. reimlos bleibt oder assoniert: axa, seltener aax oder xaa. Die 1. Zeile ist entweder gleichlang mit der 3. oder meist bedeutend kürzer (oft nur ein Wort) und enthält dann e. kurzen Ausruf oder e. Frage (Blumen-R.): ›Dunkle Zypressen! / Die Welt ist gar zu lustig – / Es wird doch alles vergessen.‹ (Th. Storm). In dt. Lit. als Übersetzung oder eigene Schöpfung bes. bei Rückert, W. Müller, P. Heyse und Th. Storm. →Stornello, →Terzine.

H. Schuchardt, R. u. Terzine, 1875.

Ritterballade, stoffbestimmter Typ der Volksballade und →Ballade mit Stoffen aus dem Rittertum, z.B. bei Schiller, Uhland u.a.

Ritterdichtung, 1. allg. Dichtung, die Ideale des Rittertums darstellt: →höfische Dichtung, bes. →höfisches Epos und →Minnesang. – 2. spätere, stofflich in der Ritterwelt angesiedelte Dichtung: →Ritterdrama, →Ritterroman, →Ritter- und Räuberroman.

Ritterdrama, allg. jedes Drama mit e. Ritter als Hauptfigur, z.B. Kleists *Käthchen von Heilbronn*, V. Hugos *Burgraves*, insbes. im Gefolge von Goethes *Götz* (1773) zu Ende des 18. Jh. entstandene epigonenhafte patriot. Schauspiele um Stoffe aus dem ma. Ritterleben, die den Ritter im Sinne des Sturm und Drang zur Idealfigur erheben oder das Rittertum romantisch verklären, so Klingers *Otto* (1775), Törrings *Agnes Bernauerin* (1780), Babos *Otto von Wittelsbach* (1782), Uhlands *Ernst, Herzog von Schwaben* (1817).

O. Brahm, D. dt. R. d. 18. Jh., 1880.

Ritterorden →Deutschordensdichtung

Ritterroman, 1. irreführende Bz. für →höfischer Roman. – 2. stoffbestimmte Form des europ. Prosaromans vom ausgehenden MA. bis ins 17. Jh., entstanden als Prosaauflösung und wildwuchernde Fortbildung des →höfischen Romans und der →chansons de geste und angesiedelt in e. frei fabulierten, im Grunde unhöf., von Riesen, Zwergen und Ungeheuern bevölkerten phantast. Zauberwelt, in der sich der ebenfalls vom Zauber beschützte Held zugunsten seiner Dame hervortut. In der Mischung von Abenteuer, Phantastik, Exotik, Sentimentalität und galanter Erotik wenig tiefgründige Unterhaltungslit., die in höf. wie bürgerl. Kreisen als Identifikationsmuster breites Publikum fand: in Spanien die ›libros de caballerías‹ wie die *Crónica de Turpin*

(um 1140), die *Historia de Carlo-
magno* (1525) u.a. Werke aus der
Karlssage und den Empörergesten,
El caballero Cifar (1512) und der
→Amadis-Roman, von europ. Verbreitung und Nachahmung, ebenso
die Palmerin-Romane (*Palmerín de
Oliva*, 1511, *Palmerín de Inglater-
ra*, 1547 u.a.); in Portugal bes. Romane mit Stoffen aus der Matière de
Bretagne um Artus, Gral und Lancelot; in Frankreich Prosa-Lancelot,
Adaptierung des Amadis und reiche
Nachblüte in den preziösen Romanen des 17. Jh.: GOMBERVILLE, *Po-
lexandre*, LA CALPRENÈDE, *Cléo-
pâtre*, SCUDÉRY, *Le Grand Cyrus*
u.a.; in Italien erst Bearbeitungen
der chansons de geste und höf. Romane durch Andrea da BARBERINO
(*Aspramonte*, *Reali di Francia*),
dann als Ausnahmeerscheinung
Übergang in wildwuchernde Versepik: L. PULCI, *Il morgante*, M.
BOIARDO, *Orlando innamorato*, L.
ARIOSTO, *Orlando furioso* aus der
Rolandsage sowie T. TASSO *La Gerusalemme liberata*, schließlich preziöse Romane von MARINI, LORE-
DANO, BIONDI u.a.; in Dtl. nach
den →Volksbüchern WICKRAMS
Ritter Galmy und dt. Amadis-Bear-
beitungen Übergang in den →hero-
isch-galanten Roman und Ende 18.
Jh. den trivialen →Ritter- und Räu-
berroman; Wiederbelebung aus
dem histor. Interesse der Romantik
u.a. bei FOUQUÉ. Die Endstufe des
R. bilden die Parodien: T. FOLEN-
GO, *Orlandino*, N. FORTEGUERRI,
Ricciardetto und bes. CERVANTES
Don Quixote (1605–15).

H. Thomas, *Span. and Portuguese romances of chivalry*, Cambr. 1920; O.
Dubsky, *Essai sur l' évolution du genre
chevaleresque*, Prag 1932; R. L. Kilgour,
The decline of chivalry, Cambr., Mass.
1937, n. 1966; G. Doutrepont, *Les mises
en prose des épopées et des romans che-
valeresques*, Paris 1939.

Ritter- und →Räuberroman, im
ausgehenden 18. Jh. weitverbreitete
Form des →Trivial- und →Unter-
haltungsromans. KLOPSTOCK, HER-
DER und BODMER brachten die
Rückwendung zum MA., WIELAND
bereitete stilistisch vor, und GOE-
THES *Götz* gab durch seinen Erfolg
den Anstoß für die Folge der R. u.
R., in denen sich Lüsternheit, Wun-
dersucht und Intrigen als spannungserregende Mittel um die Taten
e. ›großen Kerls‹ häufen. Den Anfang macht, richtungweisend in
Ethos und Stil, L. WÄCHTERS *Män-
nerschwur und Weibertreue* (1785,
später in *Sagen der Vorzeit*, 7 Bde.
1787–98); es folgen F. C. SCHLEN-
KERTS *Friedrich mit der gebissenen
Wange* (4 Bde. 1785–88) und, wesentlich höherstehend, Benedikte
NAUBERTS →historische Romane
(*Emma* 1785 u.a.). Den →Räuber-
roman voll Freiheitspathos, verbunden mit Haß gegen die herkömmlichen Ordnungen, bes die ›Pfaffen‹,
und derber Erotik, entwickelt C. G.
CRAMER (*Erasmus Schleicher*
1789–91, *Dt. Alcibiades, Paul
Ysop*, bes. *Hasper a Spada* 1792),
den Geisterroman mit Betonung un-
heimlicher, lüsterner und sadist. Züge C. SPIESS.

J. W. Appell, D. Ritter-, Räuber- u.
Schauerromantik, 1859, n. 1967; C.
Müller-Fraureuth, D. R. u. R.e, 1894, n.
1965; Ch. Touaillon, D. dt. Frauenro-
man, 1919, n. 1979; M. Thalmann, D.
Trivialroman d. 18. Jh., 1923; RL; A. G.
Murphy, *Banditry, chivalry and terror in
German fiction 1790–1830*, Diss. Chica-
go 1936; M. Beaujean, D. Trivialroman i.
d. 2. Hälfte d. 18. Jh., 1964, ²1970; G.
Anrich, Räuber, Bürger, Edelmann, 1975.

Robāi →Rubāi

Robinsonade (nach DEFOES *Robinson*), Sondertyp des →Abenteu-
erromans, gekennzeichnet durch
das Motiv des exilartigen Aufent-
halts in inselhafter Abgeschlossen-
heit, später mit versch. Tendenzen
gepaart. Das Motiv erscheint in der

Weltlit. schon weit vor DEFOE, so im oriental. Roman und in dt. Lit. Ansätze bei *Kudrun* (1220) und in WICKRAMS Roman *Von guten und bösen Nachbarn* (1556), dann bes. seit den großen Entdeckungsreisen zu Beginn der Neuzeit, teils im Anschluß an Seefahrerberichte, episodenhaft in Barockromanen: W. H. v. HOHBERGS *Habspurgischer Ottobert* 1664 und bes. E. W. HAPPELS Reiseromane. Als erste eigtl. R. erscheint 1668 die engl. Satire H. NEVILLES *The Isle of Pines*, als erste dt. die *Continuatio* (6. Buch) von GRIMMELSHAUSENS *Simplicissimus* (1669), freiwillige Weltabkehr (trotz Möglichkeit zur Rückkehr) als Flucht vor dem ›politen‹ Zeitalter. Die Blütezeit der R. beginnt jedoch erst mit D. DEFOES *Robinson Crusoe* (1719) nach den Berichten und Erlebnissen des Matrosen A. Selkirk. In der realist. Darstellung, wie der auf e. einsamen Insel Gestrandete sich einzurichten beginnt und e. neues Leben aufbaut, wiederholt sich, in erzieher. Tendenz verkürzt, der gesamte Kulturgang der Menschheit, doch ist ihm die Insel nur vorübergehendes Exil. Der ungeheure Erfolg des Buches brachte bald Übersetzungen und Nachahmungen in allen Kultursprachen der Erde: dt. 1720, 1721 *Holländischer Robinson*, 1722 *Teutscher Robinson oder Bernhard Creutz, Sächsischer Robinson*, 1723 franz., 1724 schwed., amerikan. Robinson usw., 1726 *Joris Pines* nach NEVILLE u. ä. Die erste bedeutende und selbst wiederum nachfolgereiche dt. R. ist J. G. SCHNABELS *Insel Felsenburg* (anonym 1731 ff.), wichtig wegen ihrer Seelenschilderung im Zeichen der Empfindsamkeit und als soziale und staatsrechtliche →Utopie: Abkehr von der ränkesüchtigen Hofwelt z. Zt. Ludwigs XIV. zu e. idyll. patriarchal. und naturnahen Welt der

Humanität. Die große Beliebtheit des Werkes beweist e. Neuausgabe noch 1828 (durch TIECK). Die weitere Entwicklung der R. geht in drei Richtungen: 1. zum utopischen →Staatsroman, 2. zum bloßen →Abenteuerroman, in den auch der →Avanturierroman mündet, und 3. zum belehrenden Erziehungsroman für die Jugend, im Sinne der Aufklärung mit rein utilitarist. Charakter: J. H. CAMPES Umformung *Robinson der Jüngere* (1779–80) erlebte binnen kurzem 120 Auflagen und Übersetzungen in 25 Sprachen. Die R. J. K. WEZELS (1779/80) und der künstlerisch wertvollere *Schweizerische Robinson* des Pfarrers J. D. Wyss erreichen nicht solche Verbreitung; von 1822 bis 1848 folgen noch zahlr. andere politisch oder weltanschaulich abgewandelte R.n bis zum liberalen *Neuen Robinson* von G. H. v. SCHUBERT (1848). Als erste selbständige neue Version des Motivs, die den geänderten Verhältnissen des 19. Jh. Rechnung trägt, erscheint 1841 F. MARRYATS *Masterman Ready* (dt. *Steuermann Rüstig*, 1843), der ebenfalls in den Bestand der Jugendlit. eingeht, dann folgen die naturwiss. →Reiseromane von Jules VERNE (*L'île mystérieuse* 1874, *L'école des Robinsons* 1882, *Deux ans de vacances* 1888), im 20. Jh. wieder als kulturkrit.-utop. R. (N. JACQUES' *Piraths Insel* 1917, A. PETZOLDS *Sevarinde* 1923, E. REINACHERS *Robinson* 1919) oder ironisch in G. HAUPTMANNS *Insel der großen Mutter* 1924.

H. Hettner, Robinson u. d. R.n, 1854; H. F. Wagner, Robinson i. Österr., 1886; A. Kippenberg, Robinson i. Dtl. bis z. ›Insel Felsenburg‹, 1892; H. Ullrich, Robinson u. R., Bibliogr., 1898, n. 1977; W. H. Stavermann, *Rob. Crusoe in Nederland*, Diss. Groningen 1907; L. Brandl, Vor-Defoesche R.n, GRM 5, 1913; L. Polak, Vor-Defoesche R.n i. d. Niederlanden, GRM 6, 1914; F. Brüggemann, Utopie u. R., 1914, n. 1978; W. E. Mann, *Rob.*

Crusoe en France, Paris 1916; H. Ullrich, 12 Jhre. Defoe-Forschg., GRM 12, 1919; H. Ullrich, Defoes Rob. Crusoe, d. Gesch. e. Weltbuchs, 1924; RL; W. de la Mare, *Desert islands and Rob. Crusoe,* Lond. 1930; O. Deneke, Rob. Crusoe in Dtl., 1934; J. H. Scholte, R. (Neophil. 35, 1951); T. v. Stockum, Robinson Crusoe, Vor-R.n u. R.n (in: Von F. Nicolai bis T. Mann, Groningen 1962); K. Reichert, Utopie u. Staatsroman, DVJ 39, 1965; C. Magris, *Le R.* (Fs. L. Vincenti, Turin 1965); H. Brunner, D. poet. Insel, 1967; E. Reckwitz, D. R., Amsterd. 1976; P. Zupancic, D. R. i. d. Jugendlit., Diss. Bochum 1976; E. Liebs, D. pädagog. Insel, 1977; J. Fohrmann, Abenteuer u. Bürgertum, 1981; J. Schlaeger, D. R. als frühbürgerl. Eutopia (Utopieforschg., hg. W. Voßkamp 2, 1982); K. Bartsch, D. R. i. 18. Jh., EdT, 1984; J. Blackwell, *An island of her own,* GQ 58, 1985.

Rodomontade (nach der Figur des großsprecherischen Sarazenenkönigs Rodomonte in ARIOSTS *Orlando Furioso*), großsprecherisches, ruhmrednerisches und leeres Geschwätz, Prahlerei.

Rokoko (v. franz. *rocaille* = Muschel als häufiger Zierat der Kunst im Stil Louis XV.), aus der bildenden Kunst entlehnte Bz. für den artistisch gesteigerten, nunmehr ganz diesseitsbezogenen und spielerisch heiter verharmlosten Spätstil zwischen Barock und Klassizismus, rd. 1740–80, der, in der Lit. rd. 1730–1780, der im Durchgang durch die →Aufklärung geläutert, zu e. Stilerscheinung (Zeitstil) innerhalb der Epoche der Aufklärung wird und seine Zweckbestimmung nicht im Gegenständlichen, sondern im Dekorativen, Kleinen, Naiven, Eleganten, Graziösen und Zierlichen sucht, im stilisierten Ausdruck der nicht unbedingt mehr tiefen und erhabenen Gefühle, einem freien ästhet. Spiel mit Scherz, Ironie, heiterem Lebensgenuß (Motive: Rosen, Wein, Natur, Liebe, Freundschaft, Geselligkeit) und e. durch Witz, Pointen und Ironie gebändigten, z. T. frivol tändelnden Sinnlichkeit:

eine heiter-galante Gesellschaftsdichtung im Umgangston der großen Welt, die den Ausgleich zwischen protestant. Bürger- und höf. Adelskultur sucht. Gegenüber der franz. höf.-galanten Lit. assimiliert sich die dt. R.-Dichtung dem Bildungsbürgertum. Ihre lyr. Formen sind →Hirtendichtung, →Idylle, →Graziendichtung und die lyr. Kleinkunst der poésie fugitive (HAGEDORN, GESSNER, GLEIM, UZ, GÖTZ, E. v. KLEIST, L. A. UNZER, H. W. v. GERSTENBERG, jg. GOETHE) und der Fabel (GELLERT, HAGEDORN, J. A. SCHLEGEL). Im Drama überwiegen kleine Komödie (jg. LESSING, J. E. SCHLEGEL, GOETHES *Mitschuldige*), Schäferspiel und Singspiel (C. F. WEISSE, WIELAND, jg. GOETHE), in der Epik das →komische Epos im Anschluß an POPE und VOLTAIRE (WIELAND, *Oberon*) und das zierliche Epyllion (ZACHARIAE, ROST, THÜMMEL, WIELAND), in der Prosa der kom.-iron. Roman nach FIELDING und STERNE (WIELAND, *Don Sylvio*). – In engl. und franz. Lit. hat sich die Bz. R. trotz entsprechender Stile (PRÉVOST, CRÉBILLON fils, VOLTAIRE, MARIVAUX, STERNE) nicht in gleichem Maße eingebürgert.

F. Neubert, Frz. R.-Probleme (Fs. P. A. Becker, 1922); V. Klemperer, D. Begriff d. R. (Jb. f. Philol. 1, 1925); E. Ermatinger, Barock u. R. i. dt. Dichtg., 1926, ³1972; R. Brie, Engl. R.-Epik, 1927; F. Schürr, Barock, Klassizism. u. R. i. d. frz. Lit., 1928; F. Rohrmann, Grundlagen u. Charakterzüge d. frz. R.-Lyrik, 1930; H. Heckel, Z. Begriff u. Wesen d. lit. R. i. Dtl. (Fs. T. Siebs, 1933, ²1977); V. Tornius, Dt. R., 1935; S. F. Kimball, *The creation of the R.*, Phil. 1943; H. Kind, D. R. u. s. Grenzen i. dt. kom. Epos d. 18. Jh., Diss. Halle 1945; H. Cysarz, Lit. R. (in: Welträtsel i. Wort, 1948); B. A. Sörensen, D. dt. R. u. d. Verserz., Euph. 48, 1954; A. Schönberger, D. Welt d. R., 1959; I. S. Stamm, *German lit. r.*, GR 36, 1961; A. Anger, Lit. R., 1962, ²1968; ders., Dt. R.-Dichtg. Forschgsber. 1963 (auch DVJ 36, 1962); R. Laufer, *Style rococo*, Paris 1963; R. H. Samuel, *R.*

(*Periods in German lit.*, hg. J. M. Ritchie,
Lond. 1966); Z. Libera, *La notion de r.*
(*Actes du V.e congrès de l'assoc. internat.
de lit. compar.*, Belgrad 1969); H. Dieckmann, Überlegg. z. Verwendg. v. R. als
Epochenbz. (in: Diderot u. d. Aufkl.,
1972); H. Hatzfeld, *R.*, N.Y. 1972; RL;
K. Bohnen, Lit.R., TeKo 1, 1973; A. Maler, D. Held i. Salon, 1973; A. Anger,
R.dicht. u. Anakreontik (Neues Hb. d.
Lit.wiss., 11, 1974); K. Richter, Gesel-
ligk. u. Gesellsch. i. Gedd. d. R., SchillerJb. 18, 1974; C. Perels, Stud. z. Aufnahme u. Kritik d. R.lyrik, 1974; T. Verweyen, Emanzipation d. Sinnlichk. i. R.,
GRM 25, 1975; P. Brady, *The present
state of studies on the r.*, CL 27, 1975;
ders., *Toward autonomy and metonymy*,
YCGL 25, 1976; R. M. Ilgner, *The romant. chivalrous epic*, 1979; P. Brady, *R.
style in Europ. poetry* (Synthesis 7,
1980); J. Weisgerber, *Formes r.*, RLC 55,
1981; Y. Carbonnel, *La poésie r. est-elle
r.?* (Cahiers d' études germ. 6, 1982); P.
Brady, *R. style versus enlightenment novel*, Genf 1984; G. Poe, *The r. and 18.
cent. French lit.*, 1987. →Anakreontik.

Rolle, 1. Buchrolle, →Papyrus. 2.
Einzelpart des Schauspielers innerhalb e. Stückes, benannt nach dem
früher auf Papierrollen ausgeschrie-
benen Text, den er zum Studium
erhielt. Nach der Bedeutung staffelt
man Haupt- und →Nebenrollen. Im
18. Jh. und bis ins 19. Jh. unterschied man fest umgrenzte Rollen-
fächer, die sich aus den Typen und
Charaktermasken der ital. →Com-
media dell'arte ableiteten, so in Italien Pantalone, Dottore, Capitano,
Scaramuccio, Lelio, Octavio, Isabel-
la, Leonore, Scapino, Arlecchino
und Colombina, in Frankreich dazu
Marinette und Pierrot (Mezzetin);
in Dtl. entsprach dem die Aufteilung in →Anstandsrollen (Bonvivant), tragische oder polternde Väter, Mantel- (d.h. kom. Charakter-)
R.n, z.B. kom. Alte, Bediente und
Episoden-R.n, als männl. Haupt-R.
Erster Liebhaber; als weibl. R.n
Liebhaberinnen, edle Mütter, Agne-
sen und Soubretten, beide später zu
→Naiven zusammengefaßt, u.a.m.
Während noch BRANDES 1779 erklärte, mit 16 R.nfächern für

SHAKESPEARE oder GOETHES *Götz*
auszukommen, tritt schon unter
EKHOF, DALBERG, GOETHE und im
Wiener Burgtheater das R.nmono-
pol nicht mehr hervor und wird seit
der Vorherrschaft der Regie immer
unwesentlicher, da die Wirkungs-
breite allein von der Wandlungsfähigkeit der Künstlerpersönlichkeit
abhängt. Heute dienen die R.nfä-
cher z.T. noch aus prakt. Gründen
bei Theateragenturen und Vertrags-
abschlüssen mittlerer Kräfte der
Eignungsbegrenzung. Vgl. →Ver-
fremdung.

B. Diebold, D. R.-fach i. dt. Theaterbetrieb d. 18. Jh., 1913; F. Gregor, D.
Schauspieler, 1919; H. Doerry, D. R.-
fach i. dt. Theaterbetrieb d. 19. Jh., 1926;
RL[1].

Rollenfach →Rolle (2)

Rollengedicht, -lied, lyr. Form, in
der der Dichter die Empfindungen
und Gedanken e. typ. Gestalt (Liebhaber, Wanderer, Soldat, Schäfer
u.ä.) als monolog. Ichaussprache
zum Ausdruck bringt, also seine eigenen oder nachempfundenen Gefühle e. bestimmten Figur in den
Mund legt, die meist durch die
Überschrift bezeichnet wird (z.B.
GOETHE, *Schäfers Klagelied*, BREN-
TANO, *Der Spinnerin Lied*, UH-
LAND, *Des Knaben Berglied*) oder
unbezeichnet aus dem Inhalt erschließbar ist. Das R. braucht nicht
Selbstaussprache der Dichterseele
zu sein, und die Nichtbeachtung der
gewählten Rolle bei der Deutung
hat zu Mißdeutungen und damit
falschen Vorstellungen von Dichtern und ganzen Epochen geführt
(z.B. Minnesang). Schon die antike
Lyrik kennt R.e in der →Hirten-
dichtung, der Elegie, dem alexandrin. R. *Des Mädchens Klage* und
den →*Heroiden* OVIDS; in der ma.
geistl. Dichtung sind die →Sünden-
klagen und →Marienklagen bewußt
R.e, ebenso ist der →Minnesang

vom KÜRENBERGER und REINMAR bis zu WALTHERS *Unter der Linden* nur als R. verständlich, ein Großteil der Volkslieder sind R., und auch die neuere Dichtung vom Petrarkismus zur Anakreontik und von der Romantik bis zur Gegenwart (RILKE, *Lied des Bettlers;* WEDEKIND, *Der Tantenmörder*) greift häufig auf diese Form der Objektivierung zurück.

W. Becker, D. R. als Ausdrucksform d. romant. Lyrik, Diss. Lpz. 1950.

Rollenprosa, entsprechend dem →Rollengedicht ein Prosatext, dessen Perspektive ausschließl. auf e. psycholog./soziol. definierte Figur begrenzt ist.

Roman (*romanz* urspr. im Frankreich des 12. Jh. jeder Text in der Volkssprache, der ›lingua romana‹ im Ggs. zum gelehrten Schrifttum in der ›lingua latina‹, im 13. Jh. volkssprach. Erzählung in Prosa oder Versen und seit Ausgang des 13. Jh. nur das Prosaschrifttum; in dieser Bedeutung dt. seit dem 17. Jh.), ep. Großform in →Prosa;, e. der am spätesten entwickelten Gattungen, seit 19. Jh. jedoch nicht nur die verbreitetste der erzählenden Dichtung, sondern auch der Lit. schlechthin. Der Unterschied zum →Epos, von dem der R. abstammt, liegt tiefer als in der bloßen Unterscheidung von Prosa- und Versform der Sprache, die ihn jedoch als wesentl. Merkmal mitbedingt. Wie das Epos bringt der R. e. umfassend angelegten und weitausgesponnenen Zusammenhang zur Darstellung und unterscheidet sich dadurch von der Novelle u. a. ep. Kleinformen, aber während das Epos e. breites Totalbild der Welt, der Zeit und der Gesellschaft in bunter Handlungsfülle, doch ohne kausal geschlossenen Geschehensaufbau entfaltet und seinen typenhaften Hel-

den innerhalb des auf typ. Ziele und feste Ordnungen ausgerichteten Lebensideals keinen Spielraum zu individueller Persönlichkeits- und Charakterentwicklung läßt, richtet der R. den Blick auf die einmalig geprägte Einzelpersönlichkeit oder e. Gruppe von Individuen mit ihren Sonderschicksalen in e. wesentlich differenzierteren Welt, in der nach Verlust der alten Ordnungen und Geborgenheiten die Problematik, Zwiespältigkeit, Gefahr und die ständigen Entscheidungsfragen des Daseins an sie herantreten und die ewige Diskrepanz von Ideal und Wirklichkeit, innerer und äußerer Welt, bewußt machen. Dabei bildet nicht die Gegensätzlichkeit der Welt an sich, am Einzelfall aufgerollt, das Hauptthema wie im Drama, sondern das in das Weltgeschehen eingebettete Schicksal spielt sich in ständig erneuter Auseinandersetzung mit den äußeren Formen und Mächten ab, ist ständige individuelle Reaktion auf die Welteindrücke und -einflüsse und damit ständige eigene Schicksalsgestaltung. Bei aller Gebundenheit an die Außenwelt bestimmen letztlich nicht äußere Taten, sondern innere Entwicklungen den Gang des R. und führen in der Gegenwart bis zu seiner ›Entfabelung‹, d. h. dem Verzicht auf äußere Handlung und der Beschränkung auf subtile Seelenanalyse als Beitrag zur Selbstvergewisserung des Menschen. Der zeitlosen Öffentlichkeit der Gestalten im Epos steht die zeit- und raumgebundene, subjektiv-individualist. Intimität der aus dem geordneten Glaubenshorizont losgelösten, einsamen, über die Welt und sich selbst reflektierenden Persönlichkeiten im R. gegenüber; diese aber findet nicht in der Ordnung der gebundenen Rede, sondern allein in der freigestalteten Prosa gemäßen Ausdruck, und nur

die Übergangszeit, in der die Prosa
noch nicht als Kunstmittel erschlossen war, kennt ›Vers-R.‹ als romanhafte Erzählungen in Versform. Der
Übergang zur Prosa und die Preisgabe des Versrhythmus bedeutete
zweifelsohne e. Verlust an Formkraft, erhabener Distanz und ›ur-
sprünglichem poetischem Weltzu-
stand‹ (HEGEL), jedoch e. Bereicherung an Realistik und persönl. Wärme, wie sie in e. sagen- und mythen-
losen Zeit – die daher auch kein
großes Epos schafft – und in e. Zeit
des Lesepublikums, das privat und
persönlich aufnehmen und ange-
sprochen sein will, nicht ausbleiben
kann. Die Einbuße an dichter. Wert-
haltigkeit in der Form sucht der R.
häufig durch bes. ›poetische‹ Stoffe
auszugleichen: Liebende, Künstler,
Ritter und Räuber, für gewisse Kreise auch Adlige und Millionäre, waren von jeher seine bevorzugten Gestalten; von bestimmendem Einfluß
ist hierbei der Publikumsgeschmack, der auf der anderen Seite
wiederum zeitweise e. reales, möglichst beglaubigtes Geschehen verlangt und damit zum undichter. Tat-
sachen-R. drängt.
Die geringe Formstrenge, die unterschiedl. Zielsetzungen und Lesererwartungen, Themen und Stoffe,
Stilarten und Erzählstrukturen bedingen die außerordentl. Vielfalt
der R.lit. als der am weitesten ge-
faßten Gattung und machen e. befriedigende Aufteilung in einzelne
Arten ebenso unmöglich, wie sie sie
erfordern. Jede Gliederung muß daher zumal bei der ständigen Entwicklung neuer Formen willkürlich
erscheinen. Aufteilungsmöglich-
keiten bestehen: 1. nach der von der
Verfasserpersönlichkeit bestimmten
Eigenart der Aussageweise: empfindsamer, →humorist., satir., idealist., realist., didakt., relig., phantast., →Tendenz-R. usw., 2. nach

der Form: →Ich-, →Brief-, →Tage-
buch-, Dialog-, →Rahmen-, →chro-
nikal. R. usw., 3. nach dem Thema
und Milieu (Personal), vom rein
Stofflichen bis zum geistigen Gehalt: →Abenteuer-, →Ritter- und
→Räuber-, →Entwicklungs-, →Bil-
dungs-, →Erziehungs-, →Künstler-,
→Maler-, →Staats-, →Kriminal-,
→Reise-, →Zeit-, →Gesellschafts-,
→historischer, →Heimat-, →Dorf-,
→Bauern-, polit., →sozialer, →psy-
cholog., →Familien-, See-R., →Ro-
binsonade u. a. m., 4. nach den
formbaren Substanzschichten wie
die von W. KAYSER versuchte Einteilung in Geschehnis-, Figuren- und
Raum-R., 5. nach den Erzählsituationen wie F. K. STANZELS →aukto-
rialer, →personaler R. und →Ich-
R., 6. nach dem Leserkreis, z. B.
→Frauen-R., 7. nach den künstler.
Rangunterschieden: →Bestseller,
→Reißer, →Trivial- oder →Unter-
haltungs-R. und künstlerisch hoch-
stehender R. In jedem Einzelfall überschneiden sich jedoch
diese Einteilungen vielfältig, da es
keine eindimensionale Gliederung
gibt.
Die Theorie des R. wird bis ins 18.
Jh. überschattet von der des Epos
als der höchsten Dichtungsgattung;
sie begünstigt durch das Fehlen normativer Regeln die Formenvielfalt
und wechselt mit den Auffassungen
der versch. Epochen. Sie beginnt im
16. Jh. bei den Italienern GIRALDI
und PIGNA und wird in Frankreich
von CYRANO DE BERGERAC (*Lettre
contre un liseur de r.s*, 1663) und
BOILEAU (*Dialogue des héros de r.s*,
1664) fortgesetzt. Erst der franz. Bischof P. D. HUET verweist in e.
Traité de l'origine des r.s (1670) auf
den sittenhaften Charakter des
R. und seine Bedeutung für das Geistesleben und beeinflußt die europ.
Poetik bis zu GOTTSCHED. Die dt.
Barockpoetik erwähnt den R. teils

überhaupt nicht (OPITZ, *Poeterey*), teils nur im Hinblick auf das Epos oder verurteilt ihn aus moral. Gründen (G. HEIDEGGER 1698). Die Befreiung von dieser Bevormundung setzt in Dtl. erst ein, nachdem mit WIELANDS *Agathon* der erste philos. bedeutsame Entwicklungsroman hervortrat. Nunmehr fordern MENDELSSOHN (1761 in den *Literaturbriefen*), J. A. SCHLEGEL (für GELLERTS *Schwedische Gräfin* eintretend) und bes. BLANCKENBURG in der ersten großen dt. Theorie des R. (*Versuch über den R.*, 1774) seine Anerkennung als vollgültige Dichtgattung, und zwar als Nachfolger des Epos, der nicht mehr den Menschen typenhaft als Bürger der Staatsgemeinschaft, sondern als Individuum behandeln soll. In der Forderung nach Freihaltung des R. von ausländ. Einfluß folgen ABBT, JUNG-STILLING, HERMES, J. C. WEZEL und J. H. MERCK (im *Teutschen Merkur*). GOETHE bemüht sich anfangs im Verein mit HERDER um die Formgesetze des R., stellt ihn in *Wilhelm Meisters Lehrjahren* als Darstellung von Gesinnungen und Begebenheiten den Charakteren und Taten des Dramas gegenüber und erörtert im Briefwechsel mit SCHILLER das Wesen der Epik allg. am homerischen Beispiel. In der Romantik definiert F. SCHLEGEL den R. als ›mehr oder weniger verhülltes Selbstbekenntnis des Verfassers, den Ertrag seiner Erfahrungen, die Quintessenz seiner Eigentümlichkeit‹ (*Brief über den R., Athenäum* III). NOVALIS entwickelt seine Anschauung im Ggs. zu GOETHES *Wilhelm Meister*, und JEAN PAUL unterscheidet in der *Vorschule der Ästhetik*, nach Nationen geordnet, ep. und dramat. R. HEGEL definiert ihn aus der soz. Umschichtung als ›bürgerl. Epopöe‹. Im Ggs. zum zeitlosen Entwicklungs- und Bildungs-R.

des Idealismus erscheint dem Jungen Dtl. der ins Tagesgeschehen einwirkende Zeit- und Sittenroman des zeitlichen Nebeneinanders als angemessene Kunstform. Von DICKENS, SCOTT und ELIOT ausgehend, untersucht O. LUDWIG im Realismus den psycholog. Grundzug des R. und definiert als seinen Gegenstand den Menschen unter dem Einfluß histor. Mächte. Die wichtigste R.-Theorie des Realismus aber folgt erst nach den großen R.en; SPIELHAGENS *Beiträge zur Theorie und Technik des R.* (1883) gipfeln in der seinerzeit vielbeachteten und heißumkämpften Forderung, die Person des Erzählers müsse, selbst in der Ich-Form, völlig hinter dem objektiven Bericht zurücktreten, e. These, die W. SCHERER skeptisch, W. HART schroff ablehnt. Der Naturalismus (ZOLA, H. HART, M. G. CONRAD) erstrebt den wirklichkeitsschildernden Experimental-R. nach naturwiss. Methoden und weist ihm neue Aufgabenbereiche und Stoffe zu. J. SCHLAF leitet von hier aus zum Religiösen, H. BAHR zum Romantischen über. J. WASSERMANN stellt im Zusammenhang mit der vertieften Seelenanalyse des psychoanalyt. R. e. zunehmende ›Entfabelung‹ fest (s.o.) und tritt für die Kunst des Ungesagten ein. Th. MANN verteidigt den R. 1910 nochmals als echte und vollwertige Kunstgattung gegenüber e. ihn aus der Poesie verdrängenden Poetik und entwickelt im *Versuch über das Theater* e. R.-Typologie (internat. Zivilisations-R., Bildungs-R., volkstüml. und mythosnaher R.), G. LUKÁCS schließlich in seiner *Theorie des R.* drei gemeineurop. Ausformungen: abstrakt-idealistische R., Desillusions-R. und die Synthese beider. Die literaturwiss. Analyse der Form R. weitet sich im 20. Jh. zur Erzählforschung allg. (→Epik).

Geschichte: Im Osten erfolgt die Ausformung relativ spät: in China und Japan (→Monogatari) seit dem 13. Jh. als histor., phantast. oder bürgerl. R.; in Indien als breit verschachtelte Erzählsammlungen; in Arabien nach alten Vorformen seit dem MA. mit sagenhaften, ritterl., relig. oder histor. Stoffen, neuerdings auch modernen europ. Problemen; in Persien überwiegt das Epos. Die oriental. Formen stehen in keiner Beziehung zur europ. R.form und werden erst ab 19. Jh. von ihr beeinflußt. Die abendländ. Entwicklung beginnt in Griechenland, wo bereits im 6. Jh. v.Chr. die Prosa der →Logographen im 2. Jh. v.Chr. die Novelle (Milesische Geschichten) vorausgegangen waren; romanhafte Elemente erschienen in der *Odyssee*, in XENOPHONS *Kyrupädie* (4. Jh. v.Chr.), in den *Persika* der KTESIAS (4. Jh. v.Chr.) und dem aus der Geschichtsschreibung erwachsenen *Alexanderroman* (um 200 v.Chr.). Den Anfang machen sodann zwei histor. R.e: im 1. Jh. v.Chr. das fragmentarisch erhaltene Volksbuch von *Ninos und Semiramis* und im 1./2. Jh. n.Chr. CHARITONS *Chaireas und Kallirrhoe*. Beide wie auch der →Reiseroman des ANTONIUS DIOGENES *Wunder jenseits Thule* aus dem 1. Jh., den LUKIAN in *Wahre Geschichte* verspottet, enthalten bereits episodisch das Liebesmotiv, das in der Blütezeit des spätgriech. Romans im 2./3. Jh. n.Chr. ständig mit dem Abenteuermotiv verknüpft erscheint: stets wird hier e. Liebespaar getrennt und nach e. Reihe langer, oft höchst gefährl. Abenteuer in Fremde und Sklaverei, welche die gegenseitige Treue bestätigen, wieder vereinigt. Charakter- und Milieuschilderung werden nicht erstrebt. Die Verfasser dieser R.e heißen Erotiker; die wichtigsten sind

IAMBLICHOS' *Babyloniaka* um 170/180, XENOPHON von Ephesus *Antheia und Habrokomes* im 2./3. Jh., LONGOS' bukolischer (Hirten-)R. *Daphnis und Chloe* im 3. Jh., HELIODORS *Aithiopika* in der 2. Hälfte des 3. Jh. und ACHILLEUS TATIOS' *Leukippe und Kleitophon* Ende 3. Jh. Die Wirkung dieser Werke auf Form und Inhalt der späteren R.e war überaus stark, und noch das 18. Jh. definiert den R. als ›verliebte Geschichte‹. Bedeutende R.e der röm. Lit. sind das *Satyrikon* des PETRONIUS und die *Metamorphosen* des APULEIUS, daneben als Volksbücher der *Troja-R.* von DARES und DICTYS und der *Apollonius-R.* Im MA. treten an die Stelle des R. das Heldenepos, höf. Epos und die Spielmannsdichtung als versep. Großformen. Im Spätma. und der Renaissance beginnt der Neuansatz mit der (zuerst franz.) Prosaauflösung der ma. Epen (z.B. Prosa-Lanzelot, um 1220) zum →höf. Roman, der Prosaübersetzung franz. Chansons de geste (ELISABETH VON NASSAU-SAARBRÜCKEN: *Hug Schapler, Loher und Maler, Sibille;* ELEONORE VON OESTERREICH: *Pontus und Sidonia*), mit den →Volksbüchern (*Eulenspiegel, Fortunatus, Schildbürger, Faustbuch* u.a.) und den ersten selbständigen Großromanen, den span. →Ritterromanen *(Amadis, Palmerin)*, nach franz. Vorbild von RABELAIS' *Gargantua et Pantagruel* satirisch bei FISCHART, bei J. WICKRAM bürgerlich-moralisch um das Aufstiegsproblem, in denen nunmehr erstmalig nicht nach Art der Renaissancenovelle die Geschehnisfülle, sondern die Einzelgestalt des Helden im Mittelpunkt steht. Im Barock wird sodann der span.-franz. →Amadis-R. Vorbild für den →heroisch-galanten R., der spätantike R. für den →Schäfer-R. SANNAZARO, P. SIDNEY, D'URFÉ

(Astrée), SCUDÉRY und LA CALPRE-
NÈDE sind die franz. Vorbilder, deren Schäfer- und Schlüsselromane
als Einkleidung zeitgenöss. Personen und Ereignisse in Italien und
Dtl. bei ZESEN – der in der *Adriati-
schen Rosemund* noch empfindsame Züge zeigt –, Herzog ANTON
ULRICH VON BRAUNSCHWEIG, LO-
HENSTEIN, ZIGLER und BUCHHOLTZ
reiche Nachfolge finden. Daneben
steht freilich als Nachfolge des
span. →Schelmenromans (*Lazarillo
de Tormes,* ALEMÁN, QUEVEDO) der
volksnah-realist. Zeitroman, teils
Parodie des großen R., teils soziale
Fragen aufwerfend: Ägidius ALBER-
TINUS, GRIMMELSHAUSENS *Simplizissimus,* Chr. REUTERS *Schelmuffsky,* J. BEER, nach span. Vorbild als
Traumsatire bei MOSCHEROSCH, B.
SCHUPP und GRIMMELSHAUSEN, in
Frankreich bei SCARRON und LESA-
GE, in Spanien als Hauptwerk des
frühen R. der *Don Quijote* (1605)
von CERVANTES. Chr. WEISES satir.-
didakt. R. leitet zur Aufklärung
über. Ihre wesentl. R.-Formen sind
die bürgerlich-moralisierende →Ro-
binsonade im Anschluß an DEFOE
(SCHNABELS *Insel Felsenburg*) mit
Ausweitung zu →Staatsroman und
→Utopie, der →empfindsame →Fa-
milienroman im Anschluß an den
→Briefroman von RICHARDSON
(GELLERT *Leben der schwedischen
Gräfin von G...,* HERMES *Sophiens Reise,* Sophie von LAROCHE
Geschichte des Frl. v. Sternheim, in
Frankreich DIDEROT) und die Anfänge des →humorist. R. und des
→psychologischen R. im Anschluß
an FIELDING, SMOLLETT, GOLD-
SMITH und STERNE, der weniger das
Geschehen selbst als die menschl.
Reaktionen darauf darstellt und aus
den bürgerl. Bezirken didaktisch-
moral. Nüchternheit zu freier Sub-
jektivität durchdringt: unter engl.
Einfluß stehen noch GELLERT, MU-

SÄUS *(Grandison der Zweite),* NI-
COLAI *(Leben des Sebaldus Nothanker)* und THÜMMEL *(Reise in die
mittäglichen Provinzen von Frankreich),* unter dem Einfluß von PRÉ-
VOSTS *Manon Lescaut,* MARIVAUX
und ROUSSEAUS *Novelle Héloïse* der
sentimentale Sturm- und Drang-R.
mit dem Streben nach natürl. Lebensgefühl. An dessen Spitze steht
GOETHES *Werther;* JUNG-STILLING
führt pietist. Züge ein, während
MILLER die Sentimentalität bis ins
Letzte steigert. Den schon bei LENZ,
JACOBI und KLINGER ausgeprägten
Subjektivismus der Geniezeit steigert HEINSES *Ardinghello* bis zum
›ästhetischen Immoralismus‹. Während der Trivial-R. der Zeit in
→Ritter-, →Räuber- und →Schau-
erromanen schwelgt, entsteht die
am stärksten zukunftweisende Form
nach ROUSSEAUS *Émile* im →Ent-
wicklungsroman und →Bildungsro-
man (WIELAND, *Agathon,* K. Ph.
MORITZ, *Anton Reiser,* GOETHE,
Wilhelm Meister) als eigendt. Form
und stärkster dt. Beitrag zum R. der
Weltlit. Die reiche R.lit. der Roman-
tik nimmt den Weg einerseits zum
Subjektivismus und der Idylle als
Ausweg aus der gewaltsamen Welt
(JEAN PAUL) oder als höchste Steige-
rung des Individualismus (SCHLE-
GEL, *Lucinde,* NOVALIS, *Heinrich
von Ofterdingen,* TIECK, *William
Lovell* u. a.), andererseits ins Dämo-
nische (HOFFMANN, *Elixiere des
Teufels*) und bevorzugt bes. den
→Künstlerroman. Mit W. SCOTT in
England, A. MANZONI in Italien, V.
HUGO in Frankreich und ARNIMS
Kronenwächtern in Dtl. beginnt
dann die für das 19. Jh. charakteri-
stische Reihe der →historischen
R.e, die sich von HAUFF, ALEXIS,
H. KURZ und v. SCHEFFEL mit dem
Höhepunkt in STIFTERS *Witiko* bis
zu C. F. MEYER und den →Profes-
soren-R.n fortsetzt. Aus Vorstufen

im Biedermeier und den tagesgebundenen →Zeit-R.n des Jungen Dtl. (Gutzkow, Laube, Kühne), das polit., kulturhistor. und soz. Probleme in e. R. der Wirklichkeit und des Nebeneinander lösen will, entwickelt sich seit 1830 der realist. →Gesellschaftsroman (Immermann, O. Ludwig, Reuter, L. v. François, Spielhagen, Raabe, Keller, Anzengruber, Ebner-Eschenbach, Stifter, Fontane; in Frankreich Balzac, Stendhal, Flaubert, in England Austen, Dickens, Thackeray, Brontës, G. Eliot, Meredith, Hardy). Als Sonderformen blühen der →Dorfroman (Auerbach, Gotthelf, H. Kurz, Rosegger, Ebner-Eschenbach), der →humoristische (F. Th. Vischer) und →exotische R. (Sealsfield, Gerstäcker, später J. Conrad). Der R. des →Naturalismus steht in Abhängigkeit von den großen ausländ. Vorbildern Zola, Dostoevskij und Tolstoj. Während sich jedoch die Nachahmungen des franz. Experimental-R. (M. G. Conrad, M. Kretzer, C. Alberti, K. Bleibtreu) nicht durchsetzen, erzielen G. Hauptmann, Sudermann, Polenz, Frenssen, C. Viebig, G. Reuter, H. Böhlau u. a. in Verbindung mit den R.en zur Heimatkunst als Ggs. zum →Großstadt-R. der Naturalisten große Erfolge und weite Nachfolge bei H. Voigt-Diederichs, T. Kröger, E. Zahn, K. F. Ginzkey, H. Löns, H. Stehr, L. Thoma u. a. Zu Beginn des 20. Jh. eröffnen Th. und H. Mann, R. Huch, I. Kurz, J. Roth, H. Hesse völlig neue Gestaltungsmöglichkeiten, die im Expressionismus (Sternheim, Edschmid, L. Frank, Döblin, Jahnn, Werfel, Kafka erweitert werden, bei Proust, Gide, J. Joyce, Dos Passos, V. Woolf, Musil, Broch, Doderer u. a. durch den simulta-

nen R. zu e. Formauflösung führen und unter Verzicht auf streng zeitl. Handlungsablauf durch e. Vielzahl von Einzelheiten aus Bewußtsein und Unterbewußtsein e. im Leser zusammenfließenden Gesamteindruck erstreben, so daß in der Gegenwart gerade der R. zu vielumstrittenen Gestaltungsfragen hinsichtlich der Erzählform (→innerer Monolog, →stream of consciousness), Perspektive und Zyklenbildung geführt hat. Neue Anregungen kommen dabei vom amerikan. R. (Hemingway, Faulkner, Wolfe) wie vom franz. Zyklen-R. (Duhamel, Martin du Gard) und vom →Nouveau r. Grundthema des dt. Nachkriegs-R. ist die Orientierung in e. verwandelten Welt (Böll, Koeppen, Nossack, Kasack, Andersch, Frisch, M. Walser, Grass, Johnson, S. Lenz, P. Handke). Einen bedeutenden Beitrag zum R. des 20. Jh. leisten bes. auch die kleineren europ. und die südamerikan. Literaturen. Neben gehaltl. Problemen bes. des →Engagements (→sozialist. Realismus) stehen weiterhin Formfragen und -experimente mit Struktur, Zeitgestaltung, Perspektive, Montage, Collage und Sprachspiel im Vordergrund.

L. Cholevius, D. bedeutendsten dt. R.e d. 17. Jh., 1886; E. Rohde, D. griech. R., 1876, n. 1960; F. Bobertag, Gesch. d. R. i. Dtl. bis z. Anfg. d. 18. Jh., II 1876 bis 1884; J. Wassermann, D. Kunst d. Erzählung, 1904; H. Keiter, T. Kellen, D. R., ⁴1912; W. Wurzbach, Gesch. d. franz. R. I, 1913; M. L. Wolff, Gesch. d. R.theorie, Diss. Mchn. 1915; G. Lukács, D. Theorie d. R., 1920, ⁴1961; Mielke-Homann, D. R. d. 19. u. 20. Jh., ⁵1920; P. Lubbock, The craft of fiction, Lond. 1921, ¹⁷1963; B. Savagnini, Le origini del romanzo greco, 1921; W. Dibelius, Engl. R.kunst, II ²1922; E. A. Baker, The hist. of the Engl. novel, X 1924–39, ²1929–50; A. Thibaudet, Le liseur des R.s, Paris 1925; M. Sommerfeld, R.theorie u. -typus d. dt. Aufklärg., DVJ 4, 1926; H. H. Borcherdt, Gesch. d. R. u. d. Novelle, I, 1926; K. Kerényi, D. griech.-orient.

R.lit., 1927, [2]1962; W. Rehm, Gesch. d. dt. R., 1927; K. Voßler, D. R. b. d. Romanen, 1927; E. Muir, The structure of the novel, Lond. 1928, [7]1957; J. W. Beach, The 20. cent. novel, 1932; RL; C. Lugowski, D. Form d. Individualität i. R., 1932, n. 1976; M. Braun, Griech. R. u. hellenist. Geschichtsschreibung, 1934; A. Hirsch, Bürgertum u. Barock i. dt. R., 1934, [3]1979; H. James, The art of the novel, Lond. 1935; W. Raleigh, The Engl. novel, Lond. 1935; R. Koskimies, Theorie d. R., Helsinki 1935, n. 1966; H. Hatcher, Creating the modern American novel, N.Y. 1935; A. H. Quinn, American fiction, N.Y. 1936; A. Schmidt, Z. Kunstform d. Ggw.-R., 1936; A. Thibaudet, Réflexions sur le r., Paris 1938; W. Krauss, Novela – Novelle – R., ZRP 60, 1939; A. Bettex, D. dt. R. v. heute, 1939; C. van Doren, The American novel 1789–1939, N.Y. [2]1940; A. Kazin, D. amerik. R., N.Y. 1942; R. Petsch, Wesen u. Formen d. Erzählkunst, 1943; W. C. Cross, The modern Engl. novel, Yale 1946; R. Liddell, A Treatise on the novel, Lond. 1947; A. Cowie, The rise of the American novel, N.Y. 1948; C. E. Magny, L'âge du r. américain, 1948; I. Simon, Formes du r. anglais, Paris 1949; A. Torres-Rioseco, La Novela en la América Hisp., Berkeley [4]1949; H. Boeschenstein, The German Novel 1939–44, Toronto 1949; E. M. Forster, Ansichten d. R., [2]1963; H. H. Borcherdt, D. R. d. Goethezt., 1950; H. Spiero, Gesch. d. dt. R., 1950; H. Gmelin, D. franz. Zyklen-R. d. Gegenw., 1950; H. Oppel, D. Kunst d. Erzählens i. engl. R. d. 19. Jh., 1950; F. J. Hoffman, The modern Engl. novel in America, Chic. 1951, [2]1963; F. Altheim, R. u. Dekadenz, 1951; F. Lion, D. franz. R. d. 19. Jh., 1952; D. Neill, A short hist. of the Engl. novel, Lond. 1952; G. Müller, Aufbauformen d. R. (Neophil., 1953); B. Rang, D. R., [2]1954; G. Weydt, R. Majut, in ›Aufriß‹; W. Kayser, Entstehg. u. Krise d. mod. R., 1955, [5]1968; H. R. Jauss, Zeit u. Erinnerung, 1955; F. Stanzel, D. typ. Erzählsituationen i. R., 1955; E. Lämmert, Bauformen d. Erzählens, 1955, [8]1983; W. E. Allen, The Engl. novel, N.Y. 1957; R. Pascal, The German Novel, Manch. 1956, [3]1965; R. Helm, D. antike R., [2]1956; G. Spagnoletti, Romanzieri ital. del nostro secolo, Turin 1957; S. Ullmann, Style in the French novel, Lond. 1957; E. G. Nora, La novela española contemp., Madrid 1958, III [2]1979; R. Chase, The American novel and its tradition, Lond. 1958; R. Fricker, D. mod. engl. R., 1958, [2]1966; D. Fernandez, Le roman italien, Paris 1958; R. Stang, The theory of the novel in Engl., Lond. 1959; F. Sengle, D. Romanbegriff i. d. 1. Hälfte d. 19. Jh. (Fs. F. R. Schröder, 1959); J. Goytisolo, Problemas de la novela, Barcelona 1959; A. Kettle, An introduction to the Engl. novel, Lond. II 1959, [5]1962; A. M. Springer, The American novel in Germany, 1960; W. Pabst, Lit. z. Theorie d. R., DVJ 34, 1960; G. Zeltner-Neukomm, D. Wagnis d. franz. Ggw.-R., 1960; J. McCormick, D. mod. amerik. R., 1960; K. A. Horst, D. Spektrum d. mod. R., 1960, [2]1964; H. M. Waidson, The German Novel, Lond. 1960; W. C. Booth, The rhetoric of fiction, Chicago 1961; D. Daiches, The novel and the mod. world, Cambr. [2]1961; J. M. S. Tompkins, The popular novel in Engl. 1770–1800, Lond. 1961; M. Boucher, Le r. allemand 1914–1933, Paris 1961; R. Church, The growth of the Engl. novel, Lond. [3]1961; J. Hassan, Radical innocence, Princeton 1961; P. Michelsen, L. Sterne u. d. dt. R. d. 18. Jh., 1962; H. Arntzen, D. mod. dt. R., 1962; R. Merkelbach, R. u. Mysterium i. d. Antike, 1962; M. Schlauch, Antecedents of the Engl. novel 1400–1600, Oxf. 1962; S. H. Eoff, The mod. Spanish novel, N.Y. 1962; W. Allen, The novel today, [2]1962; M. Turnell, The novel in France, 1962; O. Weinreich, D. griech. Liebesr., 1962; G. Krause, Tendenzen i. frz. R.schaffen d. 20. Jh., 1962; G. Bree, M. Guiton, The French novel from Gide to Camus, N.Y. 1962; E. K. Brown, Rhythm in the novel, Toronto 1963; G. May, Le dilemme du r. au 18. siècle, New Haven 1963; D. dt. R., hg. B. v. Wiese, II 1963; E. Drew, The novel, N.Y. 1963; W. Liepe, D. Entstehg. d. Prosa-R. i. Dtl. (in: Beiträge z. Lit.- u. Geistesgesch., 1963); P. West, The modern novel, Lond. 1963; L. Borinski, Meister d. mod. engl. R., 1963; H. Singer, D. dt. R. zw. Barock u. Rokoko, 1963; H. Pongs, Romanschaffen i. Umbruch d. Zeit, [4]1964; V. S. Pritchett, The living novel, N.Y. 1964; R.-M. Albérès, Gesch. d. mod. R., 1964; W. Ruben, Ind. R.e, III 1964–67; T. H. Uzzell, The technique of the novel, N.Y. [2]1964; L. A. Fiedler, Liebe, Sexualität und Tod, 1964; E. Wolff, D. engl. R. i. 18. Jh., 1964; M. Nadeau, Proteus. D. frz. R. seit d. Kriege, 1964; E. D. Becker, D. dt. R. um 1780, 1964; H. Gifford, The novel in Russia, Lond. 1964; W. Allen, Tradition and dream, Lond. 1964; F. K. Stanzel, Typ. Formen d. R., 1964, [10]1981; J. Pouillon, Temps et r., Paris 1964; J. Baumbach, The landscape of nightmare, N.Y. 1965; V. Mylne, The 18th cent. French novel, Manch. 1965; The Americ. novel, hg. W. Stegner 1965; W. Engler, D. frz. R. v. 1800 bis z. Gegenw., 1965; Romananfänge, hg. N. Miller 1965; J. Souvage, An introduction to the study of the novel, Gent 1965; D. mod. engl. R., hg. H. Oppel 1965, [2]1971; F. Alegrío, Hist. de la novela hispanoam., Mex. [3]1966; F. Trommler, R. u. Wirklichkeit, 1966; A. Friedman, *The turn of the novel*, Oxf. 1966; *The contemp. novel in German*, hg. R. R. Heitner, Austin 1967; W. Killy, R.e d. 19. Jh., ²1967; *The theory of the novel*, hg. P. Stevick, N.Y. 1967; I., Stevenson, *The Engl. novel*, Lond. ²1967; S. Pacíñci, *The mod. Ital. novel*, Carbondale 1967; H. Coulet, *Le r. jusqu' à la révolution*, Paris II ²1967; H. Peyre, *French novelists of today*, N.Y. ²1967; B. E. Perry, *The ancient romances*, Berkeley 1967; F. J. J. Buytendijk, Psychologie d. R., 1967; M. Spiegel, D. R. u. s. Publikum i. früheren 18. Jh., 1967; D. Kimpel, D. R. d. Aufklärg., 1967, ²1977; W. Welzig, D. dt. R. i. 20. Jh., 1967, ²1970; M. Raimond, *Le r. depuis la révolution*, Paris 1967, ³1969; P. Goetsch, D. R.konzeption i. Engl. 1880–1910, 1967; L. Borinski, D. engl. R. d. 18. Jh., 1968; D. mod. frz. R., hg. W. Papst 1968; N. Miller, D. empfindsame Erzähler, 1968; K.-I. Flessau, D. moral. R., 1968; O. Holl, D. R. als Funktion u. Überwindg. d. Zeit, 1968; H. Foltinek, Vorstufen z. viktorian. Realismus, 1968; M. v. Poser, D. abschweifende Erzähler, 1968; R. Baumgart, Aussichten d. R., 1968; Möglichkeiten d. mod. dt. R., hg. R. Geißler, ³1968; D. I. Grossvogel, *Limits of the novel*, Ithaca 1968; L. Pollmann, D. neue R. i. Frankr. u. Lat.am., 1968; D. dt.sprachige R. d. 20. Jh., II 1969; Z. Poetik d. R., hg. V. Klotz ²1969; G. Jäger, Empfinsamkeit u. R., 1969; J. Schönert, R. u. Satire i. 18. Jh., 1969; L. E. Kurth, D. 2. Wirklichkeit, Chapel Hill 1969; R. H. Thomas, W. v. d. Will, D. dt. R. u. d. Wohlstandsges., 1969; H. C. Hatfield, *Crisis and continuity in mod. German fiction*, Ithaca 1969; D. engl. R., hg. F. K. Stanzel II 1969; W. F. Greiner, Stud. z. Entstehg. d. engl. R.theorie, 1969; K. L. Klein, Vorformen d. R. i. d. engl. erz. Prosa d. 16. Jh., 1969; L. Pollmann, Aus d. Werkstatt d. R., 1969; K. Migner, Theorie d. mod. R., 1970; L. Goldmann, Soziologie d. mod. R., 1970, ²1984; Theorie u. Technik d. R. i. 19. Jh., hg. H. Steinecke 1970; H. Weinberg, *The new novel in America*, Ithaca 1970; J. v. Stackelberg, V. Rabelais bis Voltaire, 1970; L. Pollmann, D. frz. R. i. 20. Jh., 1970; R.theorie, hg. E. Lämmert u.a. II 1971–75, ²1984; K. Brautigam, R.betrachtg., 1971, ²1977; G. Jean, *Le r.*, Paris 1971; W. Hahl, Reflexion u. Erz., 1971; H. M. Waidson, *The mod. German novel*, Lond. ²1971; R. Heger, D. österr. R. d. 20. Jh., II 1971; T. Feilknecht, D. sozialist. Heimat (DDR-R.e), 1971; K. Otten, D. engl. R. v. 16. bis z. 19. Jh., 1971; K. Kerényi, D. antike R., 1971; M. Durzak, D. dt. R. d. Gegenw., 1971, ³1979; B. Hillebrand, Theorie d. R., II 1972, ²1980; Theorie u. Technik d. R. i. 20. Jh., hg. H. Steinecke 1972, ²1979; M. Robert, *R. des origines*

et origines du r., Paris 1972; RL; H. Emmel, Gesch. d. dt. R., III 1972–78; H. G. Rötzer, D. R. d. Barock, 1972; T. Ziolkowski, Strukturen d. mod. R.s, 1972; D. amerik. R., hg. H.-J. Lang 1972; K. H. Göller, Romance und Novel, 1972; W. Wehle, Franz, R. d. Ggw., 1972; R. Bourneuf, *L'univers du r.*, Paris 1972, ³1981; W. Voßkamp, R.theorie in Dtl., 1973; G. v. Graevenitz, D. Setzg. d. Subjekts, 1973; Zeitkrit. R.e d. 20. Jh., hg. H. Wagener 1973; D. engl. R. i. 19. Jh., hg. P. Goetsch u.a. 1973; *Il romanzo tedesco del novecento*, hg. G. Baioni, Turin 1973; Dt. R.theorien, hg. R. Grimm II ²1974; *The theory of the novel*, hg. J. Halperin, Lond. 1974; J. Schramke, Z. Theorie d. mod. R., 1974; V. Meid, D. dt. Barock-R., 1974; K. Batt, D. Exekution d. Erzählers, 1974; I. Watt, D. bürgerl. R., 1974; D. amerik. R. i. 19. u. 20. Jh., hg. E. Lohner 1974; H. Steinecke, R.theorie u. R.kritik i. Dtl., II 1975 f.; W. H. Schober, Erzähltechniken i. R.en, 1975; D. franz. R., hg. K. Heitmann II 1975; F. Wahrenburg, Funktionswandel d. R. u. ästhet. Norm, 1976; U. Herzog, D. dt. R. i. 17. Jh., 1976; D. dt. R. i. 20. Jh., hg. M. Brauneck II 1976; H. Reinhold, D. engl. R. d. 19. Jh., 1976; D. frz. R. i. 19. Jh., hg. W. Engler 1976; P. U. Hohendahl, D. europ. R. d. Empfindsamk., 1977; H.-J. Ruckhäberle, H. Widhammer, R. u. R.theorie d. dt. Realismus, 1977; D. Mehl, D. engl. R. bis z. Ende d. 18. Jh., 1977; M. Christadler, Amerik. R.e d. 19. Jh., 1977; R. Freeborn, *The rise of the Russian novel*, Cambr. 1977; E. Edler, D. Anfge. d. soz. R. u. d. soz. Nov. i. Dtl., 1977; D. dt. R., hg. W. Paulsen 1977; G. Brotherston, *The emergence of the Latin-Americ. novel*, Cambr. 1977; B. Einhorn, D. R. i. d. DDR, 1978; H. Reinhold, D. engl. R. i. 18. Jh., 1978; D. russ. R., hg. B. Zelinsky 1978; Z. Struktur d. R., hg. B. Hillebrand 1978; K. Meyer-Minnemann, D. span.-am. R. d. Fin de siècle, 1978; D. Scheunemann, R.krise, 1978; F. Röhse, Konflikt u. Versöhng., 1978; D. Behler, *The theory of the novel in early German romant.*, 1978; P. D. Tobin, *Time and the novel*, Princeton 1978; W. M. Bauer, Fiktion u. Polemik, 1978; I. Williams, *The idea of the novel in Europe*, Lond. 1979; G. Strauß, Aspekte d. Form R., 1979; F. K. Stanzel, Theorie d. Erzählens, 1979, ³1985; A. F. Bance, *The German novel 1945–60*, 1980; Z. R. i. d. DDR, hg. M. Silbermann 1980; H.-J. Ortheil, D. poet. Widerstand i. R., 1980; E. W. Knight, *The novel as structure and praxis*, Atlantic Highlands 1980; J. Fletcher, *Novel and reader*, Lond. 1980; W. Theile, Immanente Poetik d. R., 1980; R.e u. En. d. bürgerl. Realism., hg. H. Denkler 1980; DDR-R. u. Lit.ges., hg. J. Hoogeveen,

Amsterd. 1981; H. R. Klieneberger, *The novel in Engl. and Germany*, Lond. 1981; *Le genre du r.*, Paris 1981; R.e u. En. d. dt. Romantik, hg. P. M. Lützeler 1981; R. W. Weber, D. mod. R., 1981; R. Brandmeyer, Biedermeier-R., 1982; B. F. Kawin, *The mind of the novel*, Princeton 1982; D. Entwicklg. d. R., hg. Z. Konstantinović 1982; L. Pollmann, Gesch. d. lat.am. R., II 1982–84; W. Engler, Gesch. d. franz. R., 1982; E. A. Blackall, *The novels of the German romantics*, Ithaca 1983; E. Weber, Dt. Originalr.e zw. 1680 u. 1780, Bibliogr. 1983; D. Meindl, D. amerik. R. 1930–60, 1983; R.e u. En. zw. Romant. u. Realism., hg. P. M. Lützeler 1983; Dt. R.e d. 20. Jh., hg. ders. 1983; F. Link, Gesch. d. amer. Erzählkunst 1900–50, 1983; Hdb. d. dt. R., hg. H. Koopmann 1983; ders., D. klass.-mod. R. i. Dtl., 1983; J. Pinnels, *Style and structure in the novel*, 1983; W. Fleischer, Enttäuschg. u. Erinnerg., 1983; J. M. Bernstein, *The philos. of the novel*, Berkeley 1984; R.poetik i. Dtl., hg. H. Steinecke 1984; D. Tate, *The East German novel*, Bath 1984; R. Opitz, Krise d. R.?, 1984; U. Eisele, D. Struktur d. mod. dt. R., 1984; A. Maack, D. experimentelle engl. R. d. Ggw., 1984; D. zeitgenöss. amer. R., hg. G. Hoffmann II 1984; M. Eifler, D. subjektivist. R.form, 1985; G. Blamberger, Versuch üb. d. dt. Gegenw.-R., 1985; K. Otten, D. engl. R. v. Naturalism., 1986; D. span. R., hg. V. Roloff 1986; R. A. Berman, *The rise of the mod. German novel*, 1986; N. Holzberg, D. antike R., 1986; R. Gilmour, *The novel in the Victor. age*, Oxf. 1986; H. Steinecke, R.poetik, 1987; *The mod. German novel*, hg. K. Bullivant, Leamington Spa 1987; T. Hägg, Eros u. Psyche, 1987; D. F. Mahoney, D. R. d. Goethezt., 1988; M. McKeon, *The origins of the Engl. novel*, Lond. 1988; H.-J. Blanke, Ich u. Welt i. R. d. 19. Jh., 1988; G. Phelps, *A short guide to the world novel*, Lond. 1988. →Epik.

Roman à clef (franz. =) →Schlüsselroman

Romanbiographie →biographischer Roman

Romance (engl.), unscharfe engl. Bz. für den ›romant.‹ Liebes-, Ritter- und Abenteuerroman von den altgriech. erot. →Romanen über ma. Versromane, unhistor. Verserzählungen, Volksbücher und Ritterromane mit Stoffen aus Antike, Karls- und Artussage u. ä. bis zum mod. unrealist. Unterhaltungs- und Trivialroman um Liebeskonflikte mit Happy End.

R. Hoops, D. Begriff R. i. d. mengl. u. früh-neuengl. Lit., 1929; L. A. Loomis, *Ma. r. in Engl.*, ²1960; A. Johnston, *Enchanted ground*, Lond. ²1965; B. E. Perry, *The ancient r.s*, Berkeley 1967; D. Mehl, D. mengl. R.n d. 13./14. Jh., 1967; A. H. Billings, *A guide to the mengl. metrical r.s*, N.Y. ²1967; A. Scobie, *Aspects of the ancient r. and its heritage*, 1969; G. Beer, *The r.*, Lond. 1970; K. H. Göller, R. und Novel, 1972; P. A. Parker, *Inescapable r.*, Princeton 1978; *Studies in medieval Engl. r.s*, hg. D. S. Brewer, Lond. 1988.

Romancero (span. =) Slg. von →Romanzen, im Ggs. zum →Cancionero also nicht der Kunstlieder, sondern der ep.-lyr. Volkslieder aus Sage und Geschichte, erschien seit Mitte 16. Jh. mit dem erwachenen Interesse höf. Kreise an der vorher in Einblattdrucken verbreiteten Volksüberlieferung, so zuerst *Cancionero de romances* (1547/48 Antwerpen), *Silva de varios romances* 1550/51 u. a., am größten R.*general* 1600–1605 mit späteren Erweiterungen. Später erschienen auch Slgn. einzelner Dichter oder um einzelne Themen bzw. Helden unter ähnl. Titel. Die R.s wurden seit HERDER vielfach übersetzt, so von GEIBEL und HEYSE 1852 und SCHACK 1860.
Lit. →Romanze.

Romancier (frz. =) Romanschriftsteller

Roman courtois (franz. =) →höfisches Epos

Romanetto, kurzer Roman sensationell-bizarren Inhalts; nach NERUDA als Bz. auf bes. Werke des tschech. Erzählers J. ARBES angewandt.

Roman fleuve →Zyklenroman

Romanhefte →Groschenhefte, →Trivialliteratur

Roman noir (frz. schwarzer Roman) →Schauerroman

Romantik (›romantisch‹ urspr. zu Roman, also = romanhaft, phantastisch, abenteuerlich, über engl. *romantic,* von F. SCHLEGEL und NOVALIS zuerst als Bz. der neuen Kunst-, Welt- und Lebensanschauung umgedeutet), Epoche der europ. Lit., Kunst und Kultur 1790–rd. 1830, in Dtl. 1798–1830, letzte Entwicklungsstufe des →Idealismus und Blüte der sog. Dt. Bewegung, doch als Einheit derart Gegensätzliches umfassend und so vielseitig in sich gegliedert, daß e. einseitige Definition unmöglich und die geschichtl. Einordnung durch die Vielgesichtigkeit erschwert wird. Sie entsteht in Abkehr vom Rationalismus der Spätaufklärung ebenso wie von der idealist., in sich vollendeten Formenwelt der Klassik und deren Welterfassung. Die Abgrenzung gegen die Klassik bei allen Gemeinsamkeiten war weites Spekulationsfeld der geistesgesch. Lit.-wiss., ist aber im europ. Zusammenhang nur e. Problem der dt. Sonderentwicklung. Die theoretische Begründung der R. bringen die Vorlesungen der Brüder SCHLEGEL (A. W. SCHLEGEL, *Über schöne Kunst und Lit.,* 1802 bis 1805) und deren Zs. *Athenaeum* 1798–1800, bes. das 116. Athenaeum-Fragment F. SCHLEGELS: ›Die romantische Poesie ist eine progressive →Universalpoesie. Ihre Bestimmung ist nicht bloß, alle getrennten Gattungen der Poesie wieder zu vereinigen und die Poesie mit der Philosophie und Rhetorik in Berührung zu setzen. Sie soll auch Poesie und Prosa, Genialität und Kritik, Kunstpoesie und Naturpoesie bald vermischen, bald verschmelzen‹, und sie ›allein ist unendlich wie sie allein frei ist, und erkennt als erstes Gesetz an, daß die Willkür des Dichter kein Gesetz über sich leide.‹ Steigerung des schöpfer. Ich ins Universale, Unendliche, Elementare, Poetisierung des Lebens durch Vereinigung von Geist und Natur, Endlichkeit und Unendlichkeit, Vergangenheit und Gegenwart und deren Durchdringung mit dichter. Kräften in freischöpfer. Phantasie ist ihr Ziel; die poet. Lebensform ist wichtiger als die Form des Dichtwerks, das nach den obigen Zielsetzungen niemals vollkommen, stets nur verzehrende Sehnsucht und ewiges Streben sein kann (Symbol: →Blaue Blume). Daher fehlt vielen Werken der R. die strenge formale Konzeption; sie sind nach oben hin offene Formen, →Fragmente, Improvisationen, →Arabesken, bes. beliebt Aphorismen. Die spieler. Freiheit des Dichters und das Bewußtsein der unüberbrückbaren Kluft von Endlichem und Unendlichem erlauben dem Schöpfer, sich durch sog. romant. Ironie über seine eigene Kunst zu erheben, selbst die durch das Werk erzeugte Illusion wieder aufzuheben und die beengende Wirklichkeit durch die Willkür e. unendl. Geistes zu besiegen. Auch der Sprachstil dient der Illusionssteigerung durch Wortwahl und -form, Satzbau und Rhythmus, Archaismen und Chronikstil zur Darstellung vergangener Zeiten. Der Eindruck des Phantastischen wird erhöht durch Zerreißung des log. Satzzusammenhanges und Synästhesien. Während der Idealismus den weltanschaul. Ausgangspunkt bildet für das Streben ins Metaphysische, Religiöse (zahlr. Konversionen), das als irdisch Geschaffene als Symbol e. Jenseitigen auffaßt, ins All-Eine, den Kosmos, und für die Betonung von Gefühl und Phantasie, zeigen sich bald Ansätze zu realer Welt- und Lebensbetrachtung in der Wendung zum Volk (Erforschung der Volksdichtung und Wiederentdeckung volkstüml. Formen), zur Geschichte (bes. MA., Begründung der Geschichtswissenschaft und Philologie) und späterhin zur Politik.

Die Wurzeln der R. reichen bis in die Mystik, den Pietismus und die europ. →Empfindsamkeit zurück, die erstmalig den Durchbruch des gefühlsbestimmten Weltbildes bringen und die Kräfte des Gemüts in den Mittelpunkt von Leben und Dichtung stellen (→Préromantisme). Daneben stehen lit. Anregungen aus dem wiederentdeckten christl. MA. Direkte Vorstufen sind ROUSSEAU, der Sturm und Drang, HAMANNS relig. Haltung und HERDERS Rückbesinnung auf Volkstum und Geschichte. Schon die um 1790 einsetzende ›Gräkomanie‹ vertritt bei aller Goetheverehrung nicht mehr das apollin.-stat. Griechenbild WINCKELMANNS, sondern e. dionysisch-dynamisches. Gegen Ende des 18. Jh. hebt sich aus dieser Gegenbewegung zur Aufklärung e. selbständige geschlossene Geistesgemeinschaft heraus, die sog. ältere oder Früh-R. mit dem Mittelpunkt anfangs in Berlin (TIECK, WACKENRODER), später bes. im eigentl. Zentrum der Früh-R., Jena, wo inmitten der dt. Klassiker nicht nur die philos. Grundlegung durch FICHTE (*Wissenschaftslehre*, 1794), SCHELLING (*Ideen zu e. Philosophie der Natur*, 1797, *Über das Verhältnis der bildenden Künste zur Natur*, 1807), G. H. SCHUBERT und SCHLEIERMACHER (*Reden über die Religion*, 1799) erfolgt, sondern auch die Theorie der R. und die ersten dichter. Leistungen von Bedeutung entstehen: F. SCHLEGELS *Lucinde*, SCHLEGEL-TIECKS SHAKESPEARE-Übersetzung. Ihren dichter. Höhepunkt erreicht die Früh-R. in

den Werken TIECKS, WACKENRODERS *(Herzensergießungen)* und bes. NOVALIS' *(Heinrich von Ofterdingen, Hymnen an die Nacht)*. – Die Hoch-R. setzt an Stelle der weltbürgerl. Haltung die Wendung zum Christentum, zu Staat, Gesellschaft und Geschichte als übergreifenden Einheiten, zum Volkstümlichen und bes. zur Volksdichtung der Vergangenheit als Ausdruck e. ›Volksgeists‹, die sie durch Slg. der Volksbücher (GÖRRES), -märchen (GRIMM) und -lieder (ARNIM/BRENTANO, *Des Knaben Wunderhorn*, UHLAND) aufbewahrt und als geheimnisvolle Volkskräfte zum Aufbau e. neuen Kultur benutzen will, indem sie alte Formen und Anschauungen wieder belebt und dabei den Blick mit bes. Liebe auf e. idealisiertes MA. richtet (altdt. Restauration, Wiedererweckung des dt. Altertums). Auch die Dichtung schöpft nunmehr aus der Volksüberlieferung und Vergangenheit: Lyrik, Märchen, Ballade, chronikal. Erzählung. Ein einheitl. räuml. wie geistiges Zentrum hat die Hoch-R. jedoch nicht: Heidelberg ist seit 1805 der einzige bedeutende Kreis (GÖRRES, BRENTANO, ARNIM, EICHENDORFF) neben zahlr. unverbundenen Gruppen: Brüder BOISSERÉE, J. und W. GRIMM, Berlin mit CHAMISSO, FOUQUÉ, E. T. A. HOFFMANN, Z. WERNER und dem Salon von VARNHAGEN, die schwäb. R. nach 1810 (UHLAND, KERNER, SCHWAB, HAUFF) und die Spät-R. nach 1820 (MÖRIKE, LENAU).

Die Betrachtung der lit. Gattungen wird durch die bewußte Grenzverwischung erschwert. Hauptgattung der R. war der Roman, bes. der →Künstler- und Entwicklungs-R. nach dem Vorbild des selbst romantisch beeinflußten *Wilhelm Meister*, ferner HEINSES *Ardinghello* und der

Romane JEAN PAULS. Fast alle Romane der Früh-R. leben aus dem lit. Experiment und e. poet. Verrätselung der Struktur wie der Welt; sie blieben fragmentarisch wie so manche andere Dichtungen: das →Fragment wird zur Gattung. Dem Roman geben eingefügte Verseinlagen, Lieder, Gespräche, Briefe, Reflexionen, Episoden und Märchen e. z. T. lyr. Gestalt und zerbrechen die Form zu innerer Universalität. Wichtigste: NOVALIS' *Heinrich von Ofterdingen,* TIECKS *William Lovell, Franz Sternbald,* WACKENRODERS *Berglinger,* Dorothea SCHLEGELS *Florentin,* BRENTANOS *Godwi,* EICHENDORFFS *Ahnung und Gegenwart,* als histor. Roman ARNIMS *Kronenwächter.* Selbständige kürzere Erzählungen schrieb bes. TIECK, anfangs im Anschluß an Volksbücher und -märchen; die chronikal. Erzählung pflegte BRENTANO; ARNIMS Novellen schlossen sich Kleistscher Form an; häufiger sind dagegen (oft allegor.) Kunstmärchen und sog. ›Phantasiestücke‹ (Bz. E. T. A. HOFFMANNS), die nach freier Einbildungskraft mit den Ereignissen schalten und die Kausalgesetze aufheben (ARNIM, EICHENDORFF, HOFFMANN). Das große Drama und die Tragödie als streng architekton. Formen waren der formmischenden, sich selbst ironisierenden R. nicht erreichbar; wo sie erscheinen, sind es teils bloße ep. Lesedramen (TIECK, ARNIM, BRENTANO) oder →Schicksalstragödien (Z. WERNER, HOUWALD, MÜLLNER); dagegen gelang BRENTANO in *Ponce de Leon* und EICHENDORFF in den *Freiern* das unbeschwerte Lustspiel. Die Lyrik der R. erneuert sich seit Beginn des 19. Jh. aus dem Geist des Volksliedes; sie beruht bei aller Formbegabung letztlich auf dem Melodischen der Sprache (BRENTANO) und den volkstümlich schlichten, zarten

Tönen (EICHENDORFF, UHLAND), der Liedhaftigkeit schlechthin, die sie z. T. bis heute als reinste Ausformung der Gattung gelten lassen. Die Auseinandersetzung mit den anderen Kunstrichtungen der Zeit ruft e. Reihe scharfer →Literatursatiren hervor. E. reiche und bis heute vorbildl. Übersetzungslit. erschließt dank der einmaligen geistigen wie formalen Einfühlungsgabe und Offenheit bes. der Früh-R. für fremde Literaturen in Übersetzungen die großen Dichter der Weltlit.: CALDERÓN, DANTE, SHAKESPEARE (SCHLEGEL-TIECK) und CERVANTES (L. TIECK), doch auch die Kunstdichtung des MA. vom *Heliand* bis zum Minnesang wird von der romant. Germanistik zu neuem Leben erweckt, und die lit. →Kritik erlebt mit den Brüdern SCHLEGEL e. neuen Aufschwung. – Neben der Wirkung auf SCHILLER *(Jungfrau von Orleans),* GOETHE *(Faust II),* KLEIST *(Käthchen von Heilbronn)* und GRILLPARZER *(Der Traum ein Leben, Die Ahnfrau)* und der innerdt. Nachwirkung im →schwäbischen Dichterkreis, in der →Pseudoromantik des Dresdner Liederkreises, der Dichtung der →Befreiungskriege und dem Münchner Dichterkreis erstreckte sich die romant. Bewegung auch auf Frankreich (V. HUGO, CHATEAUBRIAND, CONSTANT, Mme de STAËL, SENANCOUR, NERVAL, VIGNY, MUSSET, LAMARTINE, G. SAND, C. NODIER), wo bes. E. T. A. HOFFMANN von großem Einfluß war, ferner auf Italien (PELLICO, FOSCOLO, LEOPARDI, MANZONI), Spanien (ESPRONCEDA, ZORILLA), Portugal (HERCULANO, Alm. GARRETT), Schweden (→Phosphoristen), Dänemark (OEHLENSCHLÄGER, H. C. ANDERSEN), Rußland (PUŠKIN, GOGOL', LERMONTOV), Polen (MICKIEWICZ, KRASINSKI, SŁOWACKI, POTOCKI) und bes. England (W. Scott, Burns, Blake, Byron, Percy, Shelley, Keats, Wordsworth, Southey, Coleridge).

R. Haym, D. r. Schule, 1870, n. 1977; O. Walzel, Dt. R., 1908, ⁵1923; K. Wendriner, D. r. Drama, 1909; H. Richter, Gesch. d. engl. R., 1911–16; E. Groos, D. ältere R. u. d. Theater, 1911; P. Scheidweiler, D. Roman d. R., 1916; A. Tumarkin, D. r. Weltanschaug., 1920; J. R. Kaim, D. r. Idee, 1921; M. Deutschbein, D. Wesen des Romant., 1921; J. Nadler, D. Berliner R., 1921; H. Levin, D. Hdlbger. R., 1922; F. Strich, Dt. Klassik u. R., 1922, ⁵1962; V. Klemperer, R. u. franz. R. (Fs. K. Voßler, 1922); G. Mehlis, D. dt. R., 1922; A. Stockmann, D. jüngere R., 1923; G. Stefansky, D. Wesen d. dt. R., 1923; P. v. Tieghem, Le mouvement r., Paris ²1923; H. A. Korff, Humanismus u. R., 1924; F. Strich, D. R. als europ. Bewegg. (Fs. H. Wölfflin, 1924); F. Schultz, D. u. Romantisch, DVJ 2, 1924; P. Kluckhohn, D. dt. R., 1924; C. Schmitt-Dorotic, Polit. R., 1925; K. Borries, D. R. u. d. Gesch., 1925; E. Seillière, Le r., Paris 1925; H. A. Beers, A Hist. of Engl. R., Lond. ²1926; H. Kindermann, R. u. Realismus, DVJ 4, 1926; R. Benz, Märchendichtg. d. R., ²1926; P. Hazard, R. italien et r. europeen, RLC 6, 1926; L. Reynaud, Le r., Paris 1926; J. Petersen, D. Wesensbestimmg. d. dt. R., 1926; J. Giraud, L'école r. franç., Paris 1927, ⁶1953; A. Farinelli, Il romanticismo nel mondo latino, Turin III 1927; M. Souriau, Hist. du r. en France, Paris II 1927–31; R. Ullmann, H. Gotthard, Gesch. d. Begriffs Romantisch 1927; R. de Smet, Le théatre r., Paris 1929; R.-Forschgn., hg. P. Kluckhohn 1929; E. Barkowsky, D. dt. R., 1929; W. Silz, Early German R., Cambr. 1929; RL; H. A. Korff, D. Wesen d. Romantischen (Zs. f. Dt.kunde, 1929); F. Gundolf, R.er, II 1929; J. Körner, D. Botschaft d. R. an Europa, 1929; H. Heiß, D. R. i. d. roman. Litt., 1930; H. Tronchon, R. et pré-r., Paris 1930; J. v. Farkas, D. ungar. R., 1931; P. Lassere, Le r. franç., Paris ²1931; R. Bray, Chronologie du r., Paris 1932, n. 1963; P. Moreau, Le r., Paris 1932, ²1957; D. Mornet, Le r. en France, Paris ³1933; E. Seillière, Sur la psychol. du r. allemand, Paris 1933; F. Schultz, Klassik u. R. d. Dt., 1934, ³1959; R. Ulshöfer, D. Theorie d. Dramas i. d. dt. R., 1935; R. B. Mowat, The r. age of Europe, Lond. 1937; R. Benz, D. dt. R., 1937, ⁵1956; F. Güttinger, D. romant. Komödie u. d. dt. Lustspiel, 1939; A. Cronia, Introduzione al romanticismo nelle letterature slave, Padua 1940; H. A. Korff, Geist d. Goethezt. III–IV,

1940–53, ⁶1964; R. Haller, D. R. i. d. Zeit d. Ùmkehr, 1941; P. Kluckhohn, D. Ideengut d. dt. R., 1941, ⁵1966; U. Bosco, Aspetti del r. ital., Rom 1942; G. Diaz-Plaja, Introd. al estudio del r. español, Madrid ²1942; A. Farinelli, Il romanticismo in Germania, Mail. ³1945; P. Reiff, D. Àsthet. d. dt. Früh-R., Urbana 1946; E. Ruprecht, D. Aufbruch d. r. Bewegg., 1948; F. L. Lucas, The decline and fall of the r. ideal, Cambr. ²1948; P. v. Tieghem, Le r. dans la lit. europ., Paris 1948, ²1969; hg. Th. Steinbüchel 1948; Chr. Flaskamp, D. dt. R., 1948; R. Bach, Dt. R., 1948; G. Charlier, Le mouvement romant. en Belgique, 1948; A. de Meeus, Le r., Paris 1948; G. Citanna, Il r. e la poesia ital., Bari 1949; R. Wellek, The concept of R. in lit. hist., CL 1, 1949; M. Bowra, The romantic imagination, Oxf. ²1961; G. Zamboni, D. ital. R., 1953; H. Friedrich, Wirkgn. d. R., 1954; W. Kohlschmidt, Form u. Innerlichkeit, 1955; A. J. George, The development of French R., N.Y. 1955; A. Gérard, L'idée romant. de la poésie en Angleterre, Paris 1955; R. Tymms, German romant. lit., Lond. 1955; P. Martino, L'époque r. en France, Paris 1955, ⁴1962; A. Lubos, D. schles. R., 1956; D. Čiževskij, On Romanticism in Slavic Lit., Haag 1957; M. Součkova, The Czech Romantics, Haag 1958; E. Carilla, El romanticismo en la América Hispánica, Madrid 1958, n. 1975; G. Peterli, Zerfall und Nachklang, 1958; L. Emery, L'âge r., Lyon II 1958; H. Oppel, The sacred River, 1959; C. A. E. Jensen, L'évolution du romantisme, Genf 1959; B. Tecchi, Romantici tedeschi, Mail. ²1965; G. Laini, Il romanticismo europeo, Florenz II 1959; E. C. Mason, Dt. u. engl. R., 1959, ³1970; I. Maione, Profili della Germania romantica, Neapel ²1960; H. H. Remak, West European romanticism (Compar. lit., hg. N. P. Stallknecht, Carbondale 1961, ²1973); P. Chiarini, Romanticismo e realismo nella lett. tedesca, Padua 1961; M. H. Abrams, Engl. R. Poets, N.Y. 1961; K. Kroeber, R. Narrative Art, Madison 1961; R. Ayrault, La genèse du romantisme allemand, Paris IV 1961–76; Romanticism, hg. R. F. Gleckner u. G. E. Enscoe, Englewood Cliffs 1962; J. G. Robertson, Studies in the genesis of r. theory, N.Y. 1962; G. Schneider, Stud. z. dt. R., 1962; M. Brion, L'Allemagne romantique, Paris II 1962–63, ³1984; L. Pesch, D. romant. Rebellion i. d. mod. Lit. u. Kunst, 1962; D. G. James, The r. comedy, Lond. ²1963; M. Puppo, Poetica e cultura del romanticismo, Rom ²1963; M. Thalmann, R. u. Manierismus, 1963; M. Praz, Liebe, Tod u. Teufel. D. schwarze R., 1963, ²1981; F. Lion, R. als dt. Schicksal, ²1963; L. Abercrombie, R., N.Y. ²1963;

G. Michaud, P. v. Tieghem, Le r., Paris 1963; R. reconsidered, hg. N. Frye, N.Y. 1963; A. Rodway, The r. conflict, Lond. 1963; F. Kermode, Romantic image, N.Y. ²1964; A. Müller, Kunstanschauung d. jüngeren R., ²1964; S. O. Simches, Le romantisme et le goût esthétique du 18. siècle, Paris 1964; R. Wellek, Konfrontationen, 1964; M. Fubini, R. ital., Bari ³1965; A. Thorlby, The r. movement, Lond. 1966; K. J. Heinisch, Dt. R., 1966; H. Reiss, Polit. Denken i. d. dt. R., 1966; Le romantisme allemand, hg. A. Béguin, Paris 1966; J. Droz, Le romantisme allemand et l'état, Paris 1966; L. A. Willoughby, The r. mouvement in Germany, ²1966; M. Thalmann, Zeichensprache d. R., 1967; D. dt. R., hg. H. Steffen 1967, ³1978; A. Henkel, Was ist eigtl. r.? (Fs. R. Alewyn, 1967;) Versdichtung d. engl. R., hg. T. A. Riese u. D. Riesner 1968; K. Weimar, Versuch üb. Voraussetzg. u. Entstehg. d. R., 1968; Begriffsbestimmg. d. R., hg. H. Prang, 1968, ²1972; N. Frye, A study of Engl. r., N.Y. 1968, ²1983; A. Gerard, Engl. r. poetry, Berkeley 1968; H. Remak u.a., CG 2, 1968; Il romanticismo, hg. V. Branca u.a., Budapest 1968; H. Graßl, Aufbruch zur R., 1968; F. Jost, Romantique (in: Essais de litt. compar. 2, 1968); P. van Tieghem, Le r. franç., Paris ⁹1969; D. Nachleben d. R. i. d. mod. Lit., hg. W. Paulsen 1969; G. Ruf, Wege d. Spät-R., 1969; L. R. Furst, R. in perspective, Lond. 1969; dies., R., Lond. 1969, ²1976; H. Mainusch, Romant. Ästhetik, 1969; R. Navas-Ruiz, El r. español, Salamanca 1970; M. Thalmann, R.er als Poetologen, 1970; The r. period in Germany, hg. S. Prawer, Lond. 1970; A. Nivelle, Frühromant. Dichtstheorie, 1970; H. G. Schenk, Geist d. europ. R., 1970; H. Peyre, Qu'est-ce que le r., Paris 1971; Dt. Dichter d. R., hg. B. v. Wiese 1971, ²1983; H. Hillmann, Bildlichkeit d. R., 1971; H. Meixner, Romant. Figuralismus, 1971; D. Arendt, D. poet. Nihilismus i. d. R., II 1972; K. K. Polheim, D. Poesiebegriff d. dt. R., 1972; A. Béguin, Traumwelt u. R., 1972; G. Storz, Klassik u. R., 1972; R. Immerwahr, Romantisch, 1972; E. A. Peers, Hist. del movimiento r. español, Madrid II 1972; ›Romantic‹ and its cognates, hg. H. Eichner, Toronto 1972; H. Bohler u.a., D. europ. R., 1972; J.-F. Angelloz, Le r. allemand, Paris 1973, ²1980; Romanticism, hg. D. Thorburn, Ithaca 1973; B. Zelinsky, Russ. R., 1974; W. Krömer, D. franz. R., 1975; A. Geraths, Epigonale R., 1975; H. Schanze, R. u. Aufklärg., ²1976; M. Thalmann, R. i. krit. Perspektive, 1976; M. H. Abrams, Spiegel u. Lampe, 1977; Zur Modernität d. R., hg. D. Bänsch 1977; G. Heinrich, Geschichtsphilos. Positionen d. dt. Früh-R., 1977; J. Raimond, Le r. anglais, Paris 1977; H. Schumacher, Narziß a. d. Quelle, 1977; E. Kleßmann, D. Welt d. R., 1977; European R., hg. I. Söter, Budap. 1977; R. i. Dtl., hg. R. Brinkmann 1978; H. Timm, D. heilige Revolution, 1978; G. Hoffmeister, Dt. u. europ. R., 1978; M. Raymond, R. et rêverie, Paris 1978; D. Behler, The theory of the novel in early German r., 1978; R. v. Tiedemann, Fabels Reich, 1978; G. T. Hughes, R. German lit., Lond. 1979; B. Anton, Romant. Parodieren, 1979; B. Boie, L'homme et ses simulacres, Paris 1979; Romant. Utopien, utop. R., hg. G. Dischner 1979; R., hg. E. Ribbat 1979; M. Brown, The shape of German r., Ithaca 1979; N. J. Berkowskij, D. R. i. Dtl., 1979; L. R. Furst, The contours of Europ. r., Lond. 1979; R.forschg. s. 1945, hg. K. Peter 1980; Romane u. Ern. d. dt. R., hg. P. M. Lützeler 1981; A. Menhennet, The romant. movement, Lond. 1981; C. Dédéyan, Le drame r. en Europe, Paris 1982; Europ. R., hg. K. v. R. Mandelkow u.a. III 1982–86; G. Busse, R., 1982; G. Schulz, D. dt. Lit. zw. Franz. Revol. u. Restauration, 1982; D. lit. Früh-R., hg. S. Vietta 1983; E. A. Blackall, The novels of the German romantics, Ithaca 1983; J. J. McGann, The romant. ideology, Chic. 1983; Problemi del r., hg. U. Cardinale, Mail. II 1983; T. Siebers, The romant. fantastic, Ithaca 1984; P. de Man, The rhetoric of r., N.Y. 1984; Aspekte d. R., hg. K. Bohnen 1984; The French romantics, hg. D. Charlton, Cambr. II 1984; Engl. and German r., hg. J. Pipkin 1985; E. Köhler, R., 1985; S. Curran, Poetic form and Brit. r., Oxf. 1986; H. Schlaffer, Klassik u. R., 1986; F. Claudon, The Concise Encycl. of r., Ware 1986; E. Ruprecht, Geist u. Denkart d. rom. Bewegg., 1986; D. Aktualität d. Früh-R., hg. E. Behler 1987; R., hg. V. Bohn 1987; Echoes and influences of German r., hg. M. S. Batts, 1987; G. Ueding, Klassik u. R., 1988; E. Behler, Stud. z. R., 1988; R. in national context, hg. R. Porter, Cambr. 1988; P. O'Flinn, How to study romantic poetry, Lond. 1988.

Romantische Ironie →Ironie

Romantitel →Titel

Romanze (span. *romance*), roman. Erzähllied als Gegenstück der german. →Ballade, volkstüml. ep. Preislied auf e. Glaubens- oder Freiheitshelden und dessen Taten, wunderbare Ereignisse oder Liebesgeschichten als kurze Verserzählung in gedrängter, sprunghafter, doch volksliedmäßig einfacher und unmittelbar gemüt- und phantasieerregender Darstellung des Geschehens, meist nicht zum Gesang bestimmt, daher verhältnismäßig breiter, stärker episch, heiterer und farbenprächtiger als die düster-ernste, geheimnisvolle Ballade und mit friedl. Lösung schließend. Die R. entstand im 14./15. Jh. in Spanien, zuerst als historische R., im 16./17. Jh. als vornehme Literaturgattung der Kunstdichtung mit neuen Typen: Ritter-R., moreske oder Mauren-R. zur Schilderung galanter Feste in maur. Kostüm, lyr., pastorale, burleske oder satir. R. Hauptdichter sind GÓNGORA, LOPE DE VEGA, QUEVEDO u. a., im 19. Jh. Duque de RIVAS und ZORILLA, portug. Almeida GARRETT, im 20. Jh. P. de AYALA, J. R. JIMÉNEZ, García Lorca und A. MACHADO. – Häufige Strophenform der altspan. R. ist der achthebige trochäische Vierzeiler mit Mittelzäsur und Assonanz (meist der geraden Zeilen), katalektisch oder akatalektisch (Nachbildung: PLATENS *Grab im Busento*), die neuere span. R. benutzt reimlose trochäische Vierheber. – In Dtl. führt GLEIM 1756 Namen und Gattung durch die Übersetzung e. R. MONCRIFS, *Marianne*, ein und erstrebt durch Einbürgerung der Form e. Veredelung des Bänkelsangs; ihm folgen LOEWEN und SCHIEBELER, doch gleitet sie durch die travestierende Behandlung mit angehängter Moral in volkserzieher. Sinne zur Moritat ab oder wird mit der Ballade gleichgesetzt. Erst HERDER erkennt und vermittelt ihren echten Geist und volksliedhaften Charakter in Übersetzungen und dichtet seinen *Cid* 1805 (nach e. franz. Prosaroman mit span. Quellen) als span. R.en-zyklus, lockere Einheit mit reimlosen vierhebigen Trochäen ohne Assonanz. Die Romantik übernimmt auch Assonanz und Trochäen als Regel und bringt die Blüte der dt. R.dichtung: die Brüder SCHLEGEL, welche die Form nach theoretisch erfassen, TIECK, FOUQUÉ, UHLAND, EICHENDORFF, am bedeutendsten BRENTANOS *R.n vom Rosenkranz* als dichter. Formung e. tiefrelig. Gehalts in kunstvollem Aufbau. Parodistisch verwenden die R.form IMMERMANN *(Tulifäntchen)* und HEINE *(Atta Troll* als kom. Epos, Parodie und Abschiedslied der Romantik, und z. T. *Romanzero).* – Franz. heißt ›romance‹ = Liebeslied im Ggs. zum ep. Volkslied der altfranz. Lit.: Lais bzw. Chanson; engl. →Romance = größere Rittergedichte und Romane, während ep. Volkslieder ›ballads‹ heißen. Auch der dt. Sprachgebrauch macht seit dem Sturm und Drang (BÜRGER, GOETHE, SCHILLER, UHLAND, noch FONTANE) nicht den wünschenswerten, doch nicht grundsätzlich abgrenzbaren Unterschied zwischen der gelösten, helleren, bes. in den roman. Ländern ausgeprägten R. und der nord. dunkleren Ballade und übernimmt die Bz. schließlich falsch für iron.-gesellschaftskrit. Erzähllieder des 20. Jh. (WEDEKIND, KLABUND, TUCHOLSKY, KÄSTNER, BRECHT), die dem Chanson und Bänkelsang nahestehen. →Romancero.

C. v. Klenze, D. kom. R. d. Dt. i. 18. Jh., Diss. Marb. 1891; M. Ohlischläger, D. span. R. i. Dtl., Diss. Freibg. 1926; L. Spitzer, Z. Kunstgestalt d. span. R., NS 34, 1926; RL; W. Storost, Gesch. d. altfranz. u. altprovenzal. R.-Strophe; 1930; L. Pfandl, Span. R., 1933; D. Bodmer, D. granadin. R.n i. d. europ. Lit., Diss. Zürich 1955; J. Müller, R. u. Ballade, GRM 40, 1959; G. Adolf-Altemberg, *Il r. tedesco,* Mail. 1959; M. E. Simmons, *A Bibliogr. of R., and related forms in Span. Lit.,* Bloomington 1963; R. Menéndez Pidal, *Romancero hispánico,* Madrid II 1953, ²1968; U. Böhmer, D. R. i. d. span. Dichtg. d. Gw., Diss. Bonn 1965; D. Catalán, *Siete siglos de romancero,* Madrid 1969; G. M. Bertini, *La r. spagnola in Italia,* Turin 1970; M. Staub, D. span. R. i. d. Dichtg. d. dt. Romantik, Diss.

Hbg. 1970; P. Bénichou, *Creación poetica en el romancero tradicional*, Madrid 1972; D. Catalán, *Por campos del romancero*, Madrid 1972; D. Goltschnigg, D. Entw. d. dt. Kunstballade (Jb. d. Wiener Goethe-Ver. 77, 1973); M. Alvar, *El romancero*, Madrid 1974; RL; E. Elschenbroich, D. R. i. d. Dichtgstheorie d. 18. Jh. u. d. Frühromantik, JFDH 1975; B. Brinkmann Scheihing, Span. R.n i. d. Übs., 1975; G. Giesemann, D. Strukturierg. d. russ. lit. R. i. 18. Jh., 1984; H.G. Reck, D. span. R. i. Wk. H. Heines, 1987.

Romanzero →Romancero

Romanzyklus →Zyklus

Rondeau (franz. *rond* = rund), Rundum, Ringelgedicht, Rundreim; franz. Gedichtform aus mindestens 8, meist 13 Zeilen zu 8–10 Silben mit nur zwei Reimen in Gruppen zu 5, 3 und 5 Zeilen. Die Anfangsworte der 1. Zeile kehren in der Mitte der 8. und am Schluß der 13. Zeile als ungereimter Refrain wieder und gliedern das einstrophige Gedicht in zwei oder drei Teile (Couplets). Aus e. zum Rundtanz gesungenen Lied Ende 15. Jh. als Abart des →Rondel durch Verkürzung des Refrains entstanden; in franz. Dichtung bei CHARLES D'ORLÉANS, VOITURE, CHAPELLE, später bei MUSSET, BANVILLE und ROLLINAT; in engl. Dichtung zum →Roundel umgeformt; in dt. Dichtung bei FISCHART, WECKHERLIN, ZESEN, N. GÖTZ, später HARTLEBEN.

P. Verrier, *Le r.* (Neuphil. Mitt., 1933); F. Gennrich, Dt. R., PBB 72, 1950; ders., D. altfrz. R. u. Virelai i. 12. u. 13. Jh., 1963; M Françon, *Sur la théorie du r. litt.* (Aquila 2, 1973).

Rondeau redoublé (franz. = gedoppeltes R.), franz. Gedichtform, komplizierte Abart des →Rondeau, bestehend aus sechs Vierzeilern auf insges. nur zwei Reime: die vier Zeilen des 1. Vierzeilers kehren in gleicher Folge jeweils als Schlußzeilen eines der folgenden Vierzeiler wie-

der, auf den letzten, ungebundenen Vierzeiler (Envoi) folgen als ungereimter Refrain die ersten Worte oder die erste Hälfte der Anfangszeile des 1. Vierzeilers. Reimfolge ABA'B' babA abaB babA' abaB' babaA. In franz. Lit. im 16. Jh. durch Th. SÉBILLET und C. MAROT eingeführt, später bei LAFONTAINE und BANVILLE, in England bei D. PARKER und L. UNTERMEYER.

Rondel (v. franz. *rond* = rund), franz. Gedichtform aus 13 bzw. 14 Zeilen mit nur zwei Reimen. Die ersten beiden Zeilen (seltener nur die 1.), die das Thema als geschlossenes Ganzes angeben, kehren in der Mitte als 7./8. und am Schluß in vorletzter und letzter Zeile als Refrain wieder, während die übrigen Verse das Thema abwandeln: ABba abAB abba A(B). In franz. Dichtung bei HARAUCOURT *(R. de l'adieu)* und bes. den Symbolisten (MALLARMÉ); in Portugal von Eugenio de CASTRO, in England von GOSSE, DOBSON, R. L. STEVENSON u.a. wieder aufgenommen. Vgl. →Rondeau, →Roundel.

Rondelet, feste Gedichtform in Gestalt einer einzigen Strophe von fünf Zeilen auf zwei Reime; nach der 2. und 5. Zeile wird als Refrain meist der 1. Teil der Anfangszeile eingeschoben. Reimfolge abR abbR.

Rotationsdruck →Buchdruck

Rotulus (mlat.), die Buchrolle aus →Pergament. Vgl. ›Papyrus

Rotrouenge →Retroensa

Roundel, von SWINBURNE (*A century of R.s,* 1883) aus dem franz. →Rondeau entwickelte engl. Gedichtform, in der aus den Anfangsworten bestehende Refrain als 4. und 11. (Schluß-)Zeile wiederkehrt und mit der 2. Zeile reimt: abaB bab abaB; von A. SYMONS aufgenommen.

Rubâi, auch Robâi' (pers. = Vierzeiler, Mz. Robâ'iyyāt), Gedichtform der pers. Gedankenlyrik: Vierzeiler mit dem Reimschema aaxa, durch epigrammat. Kürze bes. für Sinnsprüche und Spruchweisheit geeignet. Älteste neupers. Gedichtform, z.B. bei 'OMAR CHAYYÂM und ABÛ SA'ÎD, stets mit freier Silbenzahl und gelegentlich auch anderer Reimfolge (abab, abcb, abba); in dt. Lit. von RÜCKERT nachgeahmt.

Rückblende, engl. Flashback, vom Film übernommene Bz. für eine Zeitgestaltung in Epik und Dramatik, die von einer als Ausgangsposition genommenen Zeit her zurück in eine davor liegende Vergangenheit überwechselt, um Erinnerungen, Assoziationen usw. in das Hauptgeschehen einzubeziehen, bes. in →analyt. Drama und →analyt. Erzählung. Im Epos als Technik des Zeitebenenwechsels seit HOMER üblich.

Rügelied, einstrophiger Scheltspruch und mehrstrophiges Scheltlied der ma. Spielleute gegen e. geizigen oder sonstwie tadelnswerten Herren oder e. unliebsamen Konkurrenten, die das Ansehen des Angesungenen schädigen sollen. Seit Beginn des 13. Jh. für WALTHER, REIMAR DEN FIEDLER und viele spätere Spruchdichter belegt. Vgl. →Sirventes.
RL.

Rührender Reim, Gleichklang auch der Konsonanten vor der betonten Reimsilbe bei zwei bedeutungsverschiedenen Wörtern im Endreim: ›zeigen/ ... erzeigen‹. In mhd. Dichtung häufig; gilt im Dt.

seit OPITZ als unschön und fehlerhaft; im Franz. als →rime riche gesucht. Vgl. →identischer Reim.
C. v. Kraus, D. r. R. i. Mhd., ZDA 56, 1919.

Rührendes Lustspiel →Rührstück

Rührstück, Abart des →bürgerlichen Trauerspiels und der Tragikomödie in der Aufklärungszeit, die e. an sich trag. Vorwurf durch Vermeidung des schlimmen Ausgangs und e. schwer zu motivierendes Übermaß an Tugend, Edelmut und Entsagung versöhnlich endigt, durch mäßige Bestrafung des Schuldigen und reiche Belohnung des Unschuldigen ins Rührselige wendet und die Erschütterung der Zuschauer also durch erleichterte Heiterkeit ersetzen will. Ihre Entstehung ist bedingt durch den Aufstieg des Bürgertums, das im R. sich selbst verherrlicht, durch den Anschein höchster Sittlichkeit idealisiert, jedoch auch seine eigenen Lebensideale und prakt. Interessen darstellt. Moralischer Ernst und sittl. Verantwortung des bürgerl. Geistes erfreuen sich in dem vereinfachten Weltbild nach e. Schwebezustand zwischen trag. Erschütterung und gelöster Heiterkeit am obligaten Sieg der Tugend. Stoffl. Verbindungen bestehen zum engl. →Familienroman (RICHARDSON) und →Familienschauspiel wie zum bürgerl. Drama; gehaltlich wirkt die psycholog. Vertiefung der Dichtung durch den Pietismus herein. – Den Ansatz bringt in Frankreich um 1740 die von CHASSIRON als →comédie larmoyante verspottete Rührkomödie. In England beginnt schon früh im 18. Jh. die Parallelentwicklung der ›sentimental comedy‹ (STEELE, CIBBER u.a.); in Dtl. folgt das →weinerliche Lustspiel. Auch LESSING fordert in der *Theatralischen Bibliothek* von der Komödie nicht nur Heiterkeit, sondern auch Rührung, übernimmt in *Minna von Barnhelm* rührende Motive und gibt dem *Nathan* e. guten Ausgang durch edelmütige Versöhnung, die weithin Vorbild bleibt. Nach ihm jedoch sinkt das R. ab. H. L. WAGNER und F. L. SCHRÖDER schmelzen selbst die großen Tragödien der Weltlit. *(Othello, Hamlet, King Lear)* zum R. um, wie schon Chr. F. WEISSE mit seiner Umformung von *Romeo und Julia* u. a. R.en 1749–69 die Bühne beherrschte. Neue Blüte erlebt das R. in der theatersicheren Unterhaltungsdramatik der IFFLAND und bes. KOTZEBUE mit routinierten Reue-, Versöhnungs-, Wiedersehens- und Entsagungsszenen zärtlich weinender Mütter und polternd-gerührter Väter, denen KOTZEBUE mit großem Erfolg noch pikante Elemente beimengt. Allein 63 R.e entstanden 1781–1814, und trotz aller Angriffe (SCHILLER und GOETHE in den *Xenien* 332–414, TIECK im *Gestiefelten Kater* u. a.) übertrafen ihre Aufführungsziffern bei weitem die der Klassiker, und ähnlich lag die Entwicklung in den anderen europ. Ländern. Im 19. Jh. pflegt die Trivialdramatik der R. BENEDIX und bes. BIRCH-PFEIFFER das R. mit Erfolg fort, im Naturalismus übernimmt auch SUDERMANN Elemente des R., und im Volksstück und Familienfilm lebt das R. bis in die Gegenwart fort.

A. Eloesser, D. bürgerl. Drama, 1889; A. Stiehler, D. Ifflandsche R., 1898, n. 1978; K. Holl, Gesch. d. dt. Lustspiels, 1923; RL¹; H. Schlieter, Stud. z. Gesch. d. russ. R. 1758–1780, 1968; H. A. Glaser, D. bürgerl. R., 1969; M. Krause, D. Trivialdrama d. Goethezt., 1982. →bürgerliches Trauerspiel.

Ruinenpoesie, die romant. Landschaftsschilderung mit verfallenen Burgen, Schlössern, Herrensitzen u. ä. und die daran anknüpfenden Dichtungen (WORDSWORTH, VOLNEY, CHAMISSO, UHLAND). →Burgensagen.

R. Haferkorn, Gotik u. Ruine i. d. engl. Dichtg. d. 18. Jh., 1924; H. H. Stoldt, Gesch. d. R. i. d. Romantik, Diss. Kiel 1925; I. Kander, D. dt. R. d. 18. Jh., Diss. Hdlbg. 1933; R. Michéa, *La poésie des ruines au 18e siècle (Études italiennes* 16, 1935); W. Rehm, Europ. Romdichtg., 1939, ²1960; M. Holdt, *Ruiner i dansk Lit.,* Koph. 1956.

Rundfunkkantate →Funkkantate

Rundgesang, schon in der Antike und in der Volks- und Gesellschaftsdichtung aller Kulturvölker verbreitete Lieder mit →Kehrreim (z. B. →Rondeau, Rondel), deren Anfangs- oder Schlußverse der einzelnen Strophen bei geselligem Zusammensein vom Chor aufgenommen oder wiederholt werden.

Runen (altisl. *run* = Geheimnis, vgl. ›raunen‹), älteste gemeingerman. Schriftzeichen, entstanden sehr wahrscheinlich aus den lat. Kapitalbuchstaben unter Vermeidung aller runden und waagerechten, zum Einritzen auf Holz (auch Erz, Stein) nicht geeigneten Linien und im 3.–11. Jh. allg. gebraucht, jedoch nicht für fortlaufende größere Niederschriften verwendet, sondern nur zum Einritzen von Inschriften, Symbolen u. a. Zeichen, da die R. urspr. Symbole, Zaubermittel für kult. und prophet. Zwecke waren (Buchenstäbchen). Der Ertrag an dichter. Überlieferung ist daher gering. Wichtigster Fund ist der Eggjumstein aus Norwegen, e. Grabplatte mit über 200 Zeichen. Das älteste gemeingerman. R.-Alphabet bestand aus 24 Zeichen und heißt nach den ersten sechs ›futhark‹. Durch dialektbedingte Weglassungen und Neubildungen entstanden eigene Alphabete der versch. Stämme, so ab 8. Jh. das jüngere nord. Alphabet u. a. mit meist 16 Zeichen.

Wulfila legt bei der Erfindung der got. Schrift die R. mit unbedeutenden Veränderungen, Ergänzungen und Angleichungen an griech. Buchstaben zugrunde.

E. Sievers, R. u. R.inschriften, ²1901; G. Neckel, Einf. i. d. R.forschg., 1909; O. v. Friesen, *Runorna,* Stockh. 1933; W. Krause, Was man i. R. ritzte, 1935; ders., D. R.inschriften im älteren Futhark, 1966; K. Reichhardt, R.kunde, 1936; F. Altheim, E. Trautmann, V. Urspr. d. R., 1939; E. Weber, Kl. R.kunde, 1944; H. Arntz, Hdb. d. R.kunde, ²1944; ders., in ›Aufriß‹; ders., Bibliogr. d. R.-Kde., 1927; K. Spiesberger, R.magie, 1955; R. W. V. Elliott, *R.,* Manch. ²1963; S. Jansson, *The r. of Sweden,* Stockh. 1962; L. Musset, *Introduction à la runologie,* Paris 1965; K. Düwel, R.kunde, 1968, ²1983; W. Krause, R., 1970; H. Klingenberg, R.schrift, 1973; R. I. Page, *An introd. to Engl. r.s,* Lond. 1973; E. Moltke, *Runerne i Danmark,* Koph. 1976; O. Zeller, D. Urspr. d. Buchstabenschr. u. d. R.alphabet, 1977; M. Howard, *The runes,* Wellingborough 1978; *Internat. Sympos. on runes,* Ann Arbor 1981; U. Hunger, D. R.kunde i. 3. Reich, 1984; S. E. Flowers, *R.s and magic,* 1986.

Runenlied (finn. *Runo*), das ep.-lyr. alte finn. Volkslied aus dem 8.–15. Jh. in achtsilbigen trochäischen Versen (→Runovers): Zauber-, Ursprungs-, Jagd-, Hochzeits-, Klagelieder und Balladen; von Runensängern in mannigfaltigen Abwandlungen mit meist monotonen Melodien zur Kantele, einer Art Zither, vorgetragen. Insbes. das finn. *Kalevala* kompilierte E. Lönnrot 1849 aus R.n.

Runovers, vierfüßiger Trochäus der finn.-estn. *Kalevala-* und *Kalevipoeg*-Epik und der →Runenlieder mit Bindung durch Alliteration, Parallelismus und z.T. End- und Binnenreim und Zusammentreffen von Vers- und syntakt. Einheit.

Saalbühne, im Ggs. zum →Freilichttheater alle Formen der →Bühne im Gebäudeinneren, bes. →Guckkastenbühne und →Raumbühne.

Sachbuch (engl. *non-fiction*), eigtl. im Ggs. zur fiktiven schöngeistigen Lit. einerseits, dem wiss. oder professionellen Fachbuch andererseits, jedes allg.-verständliche Buch, das einen bestimmten Tatsachengehalt aus Natur- und Geisteswelt, insbes. kulturelle, polit., soz., histor. oder kulturgeschichtl. Probleme, in zugleich belehrender und unterhaltsamer Form übersichtlich, leichtverständlich und geschickt aufgemacht darstellen und die Ergebnisse der wiss. Forschung in kleiner Scheidemünze weiterreichen will. Das S., das sich heute angesichts des Unbehagens an der schönen Lit. zunehmender Beliebtheit bei weiten Kreisen erfreut, ist ein Nachfolger des ›populärwiss. Buches‹ des 19. Jh. und dient wie dieses nicht dem Spezialistentum, sondern zur Information e. breiten Laienpublikums unter Vermeidung der Fachsprache in sprachlich verständl. Form, doch mit wesentl. Unterschieden: 1. seine Verfasser sind vielfach nicht Fachwissenschaftler, sondern bewußt Nichtfachleute u. ä., die sich selbst erst das Gebiet aneignen, was der Darstellung e. gewisse Lebendigkeit und die Neugier des Außenseiters verleiht, 2. seine Abfassung erfolgt nicht in erster Linie im Interesse der Verbreitung wiss. Bildung, sondern mit dem Blick auf die geschickte Wirkung und Interesseweckung beim Publikum, 3. es gliedert seinen Stoff demzufolge nicht in Anlehnung an die wiss. Systematik, sondern versucht vornehmlich den Erwartungen des unvorgebildeten Publikums entgegenzukommen, 4. in Verfolgung mod.-aktueller Interessentrends entsteht es vielfach auf Verlegerinitiative, unter Zeitdruck und daher auf der Grundlage wenig sorgfältiger, mehr journalist. Recherchen und kann daher z. T. als Massenkonsumartikel oberflächl. Halbbildung in Verruf geraten. S.-Autoren sind u. a.: H. B. BÜRGEL, H. E. JACOB, W. KIAULEHN, R. JUNGK, C. W. CERAM, R. PÖRTNER, W. KELLER.

J. G. Leithäuser, D. S. (Welt u. Wort 2, 1961); ders., Glanz u. Elend des S. (Ekkart-Jb. 1962/63); O. Doderer, D. S., 1962; I. Auböck, D. lit. Elemente d. S., Diss. Wien 1963; P. Meyer-Dohm u.a., Aussichten u. Probleme d. S., 1965; Probleme d. S. f. d. Jugend, hg. R. Bamberger 1967; H. Frank, Physik als Roman?, WW 17, 1967; R. Pörtner, D. S. i. d. Lit. (Jb. d. Dt. Akad. f. Spr. u. Dichtg. 1968); W. R. Langenbucher, Z. Kritik d. S. (D. Buch i. d. dynam. Ges., Fs. W. Strauß 1970); D. Pforte, D. S.-Autor (Gebrauchslit., hg. L. Fischer u. a. 1976); D. dt.sprachige Sachlit., hg. R. Radler 1977; LiLi 10, 1980.

Sachlichkeit →Neue Sachlichkeit

Sachwörterbuch →Reallexikon

Sacra rappresentazione →Rappresentazione

Sächsische Komödie, nach ihrem vorwiegenden Auftreten in Sachsen, bes. Leipzig, Bz. der dt. Prosa-Typenkomödie der Aufklärung; entstanden aus der franz. Gesellschaftskomödie (P. DESTOUCHES) und GOTTSCHEDS Definition der →Komödie (*Crit. Dichtkunst,* 1730) unter dem Aspekt gesellschaftl. Nützlichkeit als ›Nachahmung einer lasterhaften Handlung, die durch ihr lächerliches Wesen den Zuschauer belustigen, aber auch zugleich erbauen kann‹. Sie gliedert sich in 1. die moralisierende satir. Typenkomödie (Verlachkomödie), die e. bestimmten Charaktertyp im Ggs. zur vernünftigen Umwelt als lasterhaft und lächerlich satirisiert, ihn oft durch e. Intrige zur Vernunft kommen läßt und dadurch

das Vergnügen der Zuschauer mit moral. Belehrung verbindet (L. A. GOTTSCHEDIN, A. G. UHLICH, T. J. QUISTORP, H. BORKENSTEIN, Ch. MYLIUS, der junge LESSING und z. T. J. E. SCHLEGEL), und 2. die rührende oder empfindsame Komödie (→weinerliches Lustspiel), die nicht auf Gelächter, sondern ergriffene Rührung des Publikums abzielt (Ch. F. GELLERT). Mischformen bei J. Chr. KRÜGER, Ch. F. WEISSE und LESSING verbinden die Bloßstellung der Schwächen und Laster bei Bühnenfiguren mit der Selbsterkenntnis des Zuschauers hinsichtl. ähnl. eigener Eigenschaften.

B. Aikin-Sneath, *Comedy in Germany,* N.Y. 1936; F. Friederici, D. dt. bürgerl. Lustsp. d. Frühaufklärg., 1957; W. Hinck, D. dt. Lustsp. d. 17. u. 18. Jh. u. d. ital. Komödie, 1965; G. Wicke, D. Struktur d. dt. Lustsp. d. Aufklärg., 1965; D. Brüggemann, D. S. K., 1970; H. Steinmetz, D. Kom. d. Aufklärg., ²1971.

Sämtliche Werke →Gesamtausgabe

Sänger, Sammelbz. für die Vortragenden ep. oder lyr. Dichtungen in früherer Zeit: Aöde, Rhapsode, →Barde, →Skop, →Skalde, →Spielmann, →Minstrel, →Menestrel, →Troubadour.

A. B. Lord, *The singer of tales,* Cambr./ Mass. 1960.

Saga (isländ. = Bericht, Erzählung, Mz. *sögur*), altisländ. Prosaerzählung, keine einheitl., festumrissene Gattung, sondern e. Reihe (meist anonymer) ep. Formen von Kurzgeschichte, Erzählung, Biographie und Chronik bis zum realist. Roman in knappem, realist.-sachl. →Sagastil ohne den Sprachschmuck der Lyrik und oft unvermittelt in Dialog übergehend. Entstanden und aufgezeichnet im 12.–14. Jh. als isländ. Gegenstücke zur westeurop. höf. Epik und z. T. unter deren Einfluß; obwohl meist anonym, nicht Volksdichtung, sondern bewußte lit. Leistung des isländ. Hochma. und meist nach Inhalten gruppiert: 1. Konunga s. (Königs-S.), älteste Gruppe, bis 1280, z.T. mit Verfassernamen (SNORRI, STURLUSON), histor. Schriften zur norweg.-dän. Königsgeschichte, z.T. nach schriftl. Augenzeugenberichten und evtl. mündl. Überlieferung. – 2. Íslendinga s. (Isländer-S.), 36 lit. bedeutende S.s mit meist fiktiven Stoffen aus der Landnahme-(Besiedelungs-)Zeit Islands 900–1050, entstanden um 1200, Familienromane und Romanbiographien, die früherer Forschung als Zeugnisse altgerman. Prosakunst galten und den S.-Begriff weitgehend prägten, z.B. *Njals s.*, *Egils s.* – 3. Biskupa s. (Bischofs-S.) mit Stoffen aus der Geschichte der isländ. Kirche, ihrer Bischöfe und Heiligen seit der Christianisierung um 1000. – 4. Fornaldar s. (Vorzeit-S.) mit Stoffen aus südgerman. und skandinav. Heldensage und Wikingerzeit, z.B. *Völsunga s.* nach dem Nibelungenstoff. – 5. Riddara s. (Ritter-S.), freie Prosaübersetzungen u. -bearbeitungen franz. und engl. höf. Epen (Tristan, Iwein, Parzival, Erec). – 6. Lygis. (Lügen-S.), Neuschöpfungen nach z.T. heim. Märchenstoffen. – 7. Übersetzungen (pseudo)histor. Erzählungen und Chroniken nach Weltchroniken, Troja- und Alexanderroman. – 8. hagiograph. Schriften mit Marien-, Apostel- und Heiligenlegenden. – 9. die *Thidrek-S.*, e. um 1250 in Bergen wohl nach Erzählungen hanseat. Kaufleute aufgezeichnete Kompilation dt. Heldendichtungen um Dietrich von Bern. – Im 20. Jh. bezeichnen sich größere Familien- und Sippengeschichten (GALSWORTHY, *Forsyte-S.*) oder stilist. Nachbildungsversuche der S.-Form (F. GRIESE, L. TÜGEL, H. GRIMM) als S. und schaffen damit e. neue Form

der →Epik, nach Vorbild GOTTHELFS und STIFTERS.

R. Heinzel, Beschreibg. d. isl. S., Wien 1880, n. 1977; Craigie, *The islandic s.*, Lond. 1913; A. Heusler, Anfänge d. isl. S., 1914; K. Liestøl, *The origin of the Islandic family S.*, Oslo 1930; A. Hruby, Technik d. isl. S., 1932; A. Heusler, Germanentum, 1934; K. May, D. Wiederaufleben d. S. (V. dt. Art i. Spr. u. Dichtg. IV, 1941); W. Baetke, Üb. d. Entstehg. d. Island-S., 1956; M. C. v. d. Toorn, D. S. als lit. Form (Acta Philol. Scandin. 24, 1959); ders., D. Publikum d. isl. S., WW 10, 1960; ders., Erzählsituation u. Perspektive i. d. S. (*Arkiv för nordisk filologi* 77, 1962); Th. M. Andersson, *The problem of Islandic s. origins*, New Haven 1964; P. Hallberg, D. isländ. S., 1965; L. Lönnroth, *Europ. sources of Icelandic s.writing*, Stockh. 1965; Th. M. Andersson, *The Islandic family S.*, Cambr./Mass. 1966; K. Schier, S.lit., 1970; G. Turville-Petre, S. (Kurzer Grundr. d. germ. Philol., hg. L. E. Schmitt, 2, 1971); D. Isländer-S., hg. W. Baetke 1974; P. M. Sørensen, *S. og samfund*, Koph. 1977; E. Mundal, *S. debatt*, Oslo 1977; R. Boyer, *Les s. islandais*, Paris 1978; K. v. See, Edda, S., Skaldendichtg., 1981; C. J. Clover, *The medieval s.*, Ithaca 1982.

Sagastil, die bes. Stilform der isländ. →Sagas: sachl.-realist. Darstellung in knapper, präziser, leicht gehobener natürl. Prosa ohne direkte Figurencharakteristik oder Erzählerkommentar, mit Konzentration auf handlungsmäßige Höhepunkte, die als Bericht oder Dialog gestaltet werden. Nachgeahmt in Familien- und Sippenromanen des frühen 20. Jh. (→Saga) als Alternative zum Psychologismus und in der NS-Zeit propagiert.

Lit. →Saga.

Sage, volksläufige, zunächst auf mündl. Überlieferung beruhende kurze Erzählung objektiv unwahrer, oft ins Übersinnlich-Wunderbare greifender, phantast. Ereignisse, die jedoch als Wahrheitsbericht gemeint sind, deutlich die mag.-myth.-numinosen Erscheinungen im Ggs. zum Märchen von der realen Welt trennen und den Glauben der Zuhörer ernsthaft voraussetzen. Zwar dichtete nicht das Volk selbst, doch die Verfasser bleiben unbekannt; die S. lebt in allen Völkern und Zeiten. Im Laufe der Zeit und im Zuge weiterer Verbreitung von Ort zu Ort und von Volk zu Volk erfolgt e. ständige Umgestaltung und Umdeutung im Geiste der Zeit und des Volkes. Man spricht von Wander-S.n mit bes. verbreiteten Motiven (Vampir-S., Kindeseinmauerung, Opferung e. Jungfrau, Vater-Sohn-Kampf u. a. m.). Zur S.welt gehören auch die Vermenschlichung der Pflanzen und Tiere, die sprechen können, ferner Elfen, Zwerge, Riesen, Menschen mit übernatürl. Kräften u. ä. Im Unterschied zum orts- und zeitlosen Märchen stellt sie e. höheren Realitätsanspruch und knüpft urspr. an e. wirklichen äußeren Anlaß an, den sie in freier Phantasie umgestaltet und ausschmückt, bleibt jedoch nicht an ihn gebunden: Um ins Menschenleben eingreifende seltsame und unerklärbare Naturereignisse (z. B. Witterungsvorgänge), die furchterregend oder segenbringend wirken, bilden sich →Natursagen, um grausame Geschehnisse aus dem Menschenleben im Zusammenhang mit Hexenglauben und Träumen Toten- oder Seelen-, Alpdruck- und Gespenster-S.n, um bestimmte Orte →Lokal- oder Wasser-S.; geschichtliche Ereignisse, Personen und Familien rufen Geschichts- oder Geschlechter-S.n hervor, bes. um Helden als →Helden S., die sich zu großen Sagenkreisen zusammenschließt (Karl d. Gr., Dietrich von Bern) und im →Heldenlied dichterisch geformt wird; das Walten heidn. Götter gestaltet der →Mythos; um Pflanzen-, Tier- und Ortsnamen bilden sich namendeutende oder aitiolog. S.n; als christl. Gegenstück mit religiös umgestaltetem Charakter erscheint

um Persönlichkeiten der Heils- und Glaubensgeschichte, Heilige usw. die →Legende (Teufel statt Riesen u. ä.). Die Erforschung der S., angeregt bes. durch J. und W. GRIMM, ist Aufgabe der Volkskunde, doch die S. ist nicht nur bedeutsames kulturhistorisches Dokument des Volksglaubens, sondern als Auseinandersetzung mit der erlebten Umwelt ebenfalls Dichtung und lieferte von jeher Stoffe und Motive für die Lit. Dabei ist die eigtl. S. stets sprachl.-stilist. einfach und tendenzlos, erst ihre dichter. individuelle Umgestaltung von der ep. Form in Tragödie oder Ballade zeigt Ansätze zur Deutung. Die Romantik, aber auch R. WAGNER, T. STORM, G. HAUPTMANN u. a. erstrebten selbst lit. Neuschöpfungen von S.n, und im Volke ist die S.bildung nicht nur für die Vergangenheit abgeschlossen, sondern nimmt noch bis in die Gegenwart auffällige und phantasieerregende Geschehnisse zum Anlaß e. ›Gerüchts‹. →Burgen-, →Kaiser-, →Räuber-S.

F. Panzer, Märchen, S. u. Dichtg., 1905; A. Heusler, Lied u. Epos i. german. S.ndichtg., 1905, ²1956; K. Wehrhan, D. S., 1908; O. Böckel, D. dt. Volks-S., ²1922; F. Ranke, S. (Dt. Volkskunde, hg. J. Meyer 1926); A. Jolles, Einfache Formen, 1929, ⁶1982; O. Brinkmann, D. Erzählen i. e. Dorfgemeinschaft, 1933; P. Böckmann, D. Welt d. S. b. d. Brüdern Grimm, GRM 23, 1935; F. Ranke, Volkssagenforschg., 1935 u. DVJ 19, 1941 (Lit.bericht); E. A. Philippson, Üb. d. Verh. v. S. u. Lit., PMLA 62, 1947; M. Lüthi, Märchen u. S., DVJ 25, 1951; H. Bausinger, S., DU 8, 1956; W. E. Peuckert, Hdwb. d. S., 1961 ff.; ders. in ›Aufriß‹; M. Lüthi, Volksmärchen u. Volkss., 1961, ¹1975; J. Schmidt, D. Volkserzähls., 1963; W.-E. Peuckert, S.n, 1965; S.n u. ihre Deutung, hg. W.-E. Peuckert 1965; R. Röhrich, S., 1966, ²1971; H. Moser, S.n u. Märchen i. d. dt. Romantik (D. dt. Romantik, hg. H. Steffen 1967); H. Bausinger, Formen d. Volkspoesie, 1968, ²1980; A. Bodensohn, Zwischen Glaube u. Verhängnis, 1969; Vergl. S.nforschg., hg. L. Petzoldt 1969; M. Lüthi, Volkslit. u. Hochlit., 1970; F. Ranke, Kleinere Schriften, 1971; L. Röhrich,

Probleme d. S.nforschg., hg. ders. 1973; ders., S. u. Märchen, 1976; K. Ranke, D. Welt d. einf. Formen, 1978; M. Psaar u.a., S. u. Sachbuch, 1980; F. R. Marx, D. S., FLE 1981; S., hg. H. G. Rötzer 1982.

Sagvers, Bz. von E. Sievers für einen von ihm angenommenen german. Sprech- (nicht Gesang-)vers von wechselnder Länge (1–9 Silben), der Stab- und Endreim entbehren konnte und rhythmisch freier war als diese beiden; im Grunde rhythm.-rhetor. Prosa; nach Sievers verwendet vermutlich in anord. Gesetzestexten, einigen →Sagas, allen ahd. Stabreim- und einigen frühmhd. Endreim-Dichtungen *(Wiener Genesis, Memento mori).*
E. Sievers, Metr. Stud. IV, 1918–19; ders., Dt. S.-Dichtgn. d. 9.–11. Jh., 1924.

Saibara (japan.), japan. Trink- und Festlieder heiteren Inhalts (Liebe, Satire, Anspielungen) und z. T. derben Tons in unregelmäßiger Form, meist in längeren Zeilenfolgen von abwechselnd sieben und fünf Silben.

Sainete (span. = Leckerbissen), im span. Barocktheater kurzes einaktiges Nach- oder Zwischenspiel mit Musik und Tanz, das später als die →Entremeses entstand, diese verdrängte und sich als derbrealist.-burleske Posse aus dem Alltagsleben mit viel Sprachwitz (→género chico) oder volkstüml. Schwank bis ins 20. Jh. im span. Theater erhalten hat. In Spanien zuerst von L. Quiñones de Benavente (17. Jh.), im 18./19. Jh. von Ramón de la Cruz, González Del Castillo, C. Arniches y Barrera und Alvarez Quintero gepflegt und seit 1854, durch Scribe auch in die franz. Lit. eingeführt.

Salondame, im Theater weibl. Rollenfach der eleganten Dame von Welt entsprechend dem →Bonvivant.

Salons, Erscheinungsform des lit. Gesellschaftslebens in Frankreich im 17./18. Jh., bes. z. Zt. Richelieus: regelmäßige gesellige Zusammenkünfte von Schriftstellern, Künstlern, Gelehrten, Politikern und Adligen an bestimmten Wochentagen in Privathäusern meist schöngeistig interessierter Damen: Catherine de Vivonne, Marquise de Rambouillet im Hôtel de Rambouillet 1613–50 (→Preziösität, Corneille, Malherbe, Chapelain, Vaugelas, J.-L. Balzac, Segrais, Mairet, Voiture); Duchesse du Maine in Sceaux (La Motte, Fontenelle, Voltaire, Chaulieu); Marquise de Sablé; Mme de Sévigné; Mme de Scudéry; Mme de la Fayette (Retz, Huet, Bossuet); im 18. Jh. Mme de Lambert 1710–35 (Fontenelle, Montesquieu, Marivaux, Bernardin de Sainte-Pierre, la Motte, Crébillon pére); Mme de Tencin 1726–49 (Marmontel, Helvétius, Fontenelle, Marivaux, Montesquieu, Prévost); Mme Geoffrin (→Enzyklopädisten, Marmontel, Grimm, Helvétius, d'Holbach, d'Alembert, Diderot); Mme du Deffant (Voltaire, Diderot, Montesquieu); Mlle de Lespinasse (d'Alembert); Mme d'Épinay (Rousseau, Fontenelle, Marmontelle, d'Alembert, Diderot); Mme Necker (Buffon, Marmontel, Diderot, Bernardin de Sainte-Pierre); Mme Récamier (Mme de Staël, Constant, Chateaubriand); Ninon de Lenclos (Scarron); Mme de Staël in Coppet; im 19. Jh. um G. Sand (Lammenais, Balzac, Dumas, Flaubert); Mme d'Agoult (Lammenais, Lamartine); Prinzessin Mathilde (Flaubert, Goncourts, Mérimée, Heredia, Sainte-Beuve, Renan); Ch. Nodier; Mme de Noailles (Barrès,

PROUST, JAMMES, LOTI, FRANCE, COLETTE, COCTEAU). Die S. vertreten zu ihrer Zeit die späteren →Dichterkreise und lit. →Gesellschaften, da der Hof noch nicht führendes Kulturzentrum ist. In der entstehenden geistigen Konkurrenz, dem Kult der bon mots und médisances, führen sie zum Bestreben nach pointiertem, raffiniertem Ausdruck interessanter Gedanken (*Maximes* LA ROCHEFOUCAULDS) und zur Selbstanalyse der Gesellschaft, der Empfindungen und Leidenschaften als Gesellschaftsspiel. Ihre erzieherische Bedeutung für die Ausbildung eines urteilsfähigen Kunstpublikums ist weitaus bedeutender als die oft belanglose dort entstandene Gelegenheitsdichtung. Dt. S. kannte z.B. Weimar um ANNA AMALIA, Jena um Caroline SCHLEGEL, Berlin z.Zt. von Romantik und Biedermeier (Rahel VARNHAGEN, Henriette HERZ), Wien um Caroline PICHLER, Weimar um Johanna SCHOPENHAUER.

L. Battignol, *Les grands s. du 17/18e siècle*, Paris 1928; H. Tasse, *Les s.s franç.*, Avignon 1939; ders., *Les s.s franç. du 19. siècle*, Montreal 1953; L. C. Keating, *Stud. in the lit. S. in France 1550–1615*, Cambr./Mass. 1941; R. Picard, *Les S. litt.*, Paris 1943; M. Glotz, *S. du 18e siècle*, Paris 1949; L. Rièse, *Les s. lit. parisiens*, Toulouse 1962; I. Drewitz, Berliner S., 1965, ²1979; M. Gougy-François, *Les grands s. féminins*, Paris 1965; I. Himburger-Krawehl, Marquisen, Literaten, Revolutionäre, 1970; J. v. Falke, D. frz. S., 1977; S. Grand, *Ces bonnes femmes du 18. s.*, Paris 1985; R. Baader, Dames de lettres, 1986.

Salonstück →Konversationsstück

Salut d'amour (franz. =) →Liebesgruß, Liebesbrief in Reimpaaren aus Achtsilbern (Name nach dem Einleitungsgruß); Gattung der provenzal., später franz. Troubadourlyrik seit dem 12. Jh. (RAIMBAUT D' ORANGE, ARNAUT DE MAREUIL).

P. Meyer, *Le S. d'a.*, Paris 1867.

Samavakâraka, ind. Dramengattung: dreiaktiges Spektakelstück nach einem mytholog. Stoff.

Samhitâs (altind.-sanskrit. = Sammlung), die uralten Texte der Hymnen und Sprüche z.T. ritueller Herkunft im altind. *Veda*.

Samisdat (russ. = Selbstverlag), die legale private Verbreitungsform aller Art von der Zensur verbotener oder zum Druck nicht freigegebener Schriften nonkonformist. Autoren in der Sowjetunion seit rd. 1960 durch Photokopie oder Abschreiben von Hand oder mit der Schreibmaschine, z.T. im Schneeball-System, erfaßt neben wiss., polit., gesellschaftstheoret. und -krit. Werken und der Untergrundz. *Chronik laufender Ereignisse* auch umfangreiche Werke der Untergrundlit. und unbequemer Schriftsteller wie O. MANDELŠTAM, B. PASTERNAK, A. SOLŽENICYN, A. ACHMATOVA, A. VOZNESENSKIJ, G. SEREBRJAKOVA, A. SINJAVSKIJ, J. DANIEL, A. u. E. GINZBURG, L. ČUKOVSKJA, V. E. MAKSIMOV, V. N. VOINOVIČ u.a. Viele S.-Schriften wurden im westl. Ausland ohne Copyright nachgedruckt und übersetzt. ›Tamisdat‹ heißt die gleichartige Verbreitung unterdrückter Publikationen aus dem Ausland bzw. der heiml. Re-Import im Ausland gedruckter S.-Lit.

C. Gerstenmaier, D. Stimme d. Stummen, 1971, ³1972; F. J. M. Feldbrugge, *S.*, Leiden 1975.

Sammelband, bibliographisch ein nur durch gemeinsamen Einband zusammengehaltener Mischband bibliographisch selbständiger Schriften. Vgl. →Sammelwerk.

Sammelhandschrift, Sammelcodex, die Überlieferungsform der Werke versch. antiker oder ma.

Dichter und Autoren etwa einer Gattung oder eines (z.B. medizin.) Sachgebiets in einer Handschrift für höf., patriz. Auftraggeber oder Klöster, z.B. des Minnesangs in →Liederhandschriften.

Sammelwerk, ein aus Verbindung thematisch verwandter, doch in sich abgeschlossener Beiträge mehrerer Autoren entstandenes Werk, insbes. Lexikon, Enzyklopädie, Handbuch, Aufsatzsammlung u.ä., für das das Urheberrecht dem Herausgeber oder Verleger zusteht.

San-ch'ü oder San k'iu (chines. = selbständiges Volkslied), chines. Lieder mit Zeilen von unregelmäßiger Länge, die im Drama der Yüan-Zeit stets zu Instrumentalbegleitung gesungen werden. S. wurden daher meist von Dramatikern geschrieben, daneben aber auch als selbständige Form von Lyrikern.

Saṇgam (dravid. = lit. Versammlung), in der altind. Tamil-Lit. eine halbmyth. Lit.-Akademie, die junge Dichter ermutigt und alle Gedichte nach ihrer Güte beurteilt haben soll, der Überlieferung nach in drei Perioden: 1. Periode (4400 Jahre) mit 549 Mitgliedern in einem untergegangenen Ort Madura, 2. Periode (3700 Jahre) ebenda, 3. Periode (1850 Jahre) im heutigen Madura. Während die 1. und 2. Periode völlig sagenhaft sind, wird das Vorhandensein einer dritten S. in der 2. Hälfte des 1. Jahrtausends v.Chr. und den ersten Jhh. n.Chr. durch einige Zeugnisse glaubhaft gemacht.

Sangspruch →Spruchdichtung

Sapphische Strophe und sapphischer Vers, nach der griech. Dichterin SAPPHO (um 600 v.Chr.) benannte vierzeilige Odenstrophe, bestehend aus drei sog. sapph. Elfsilbern (zwei trochäische Dipodien mit eingeschobenem Daktylus: $-\cup-\underline{\cup}\,|\,-\,|\,\cup\cup\,|\,-\cup-\underline{\cup}$) und nachfolgendem →Adonius ($-\cup\cup-\underline{\cup}$) als Schlußvers. Verwendet von ALKAIOS, SAPPHO, HORAZ (stets mit langer 4. Silbe und Zäsur nach der 5. oder 6. Silbe, z.B. ›Integer vitae scelerisque purus‹ u.ö., bei ihm zweithäufigstes Maß nach der alkäischen Strophe), dt. zuerst von M. MYLIUS 1517, J. CLAJUS 1578 und M. APELLES VON LÖWENSTERN, dann bes. von KLOPSTOCK (z.T. variiert mit der zweisilbigen Senkung im 1. Vers im 1. Takt, im 2. Vers im 2. Takt und im 3. Vers im 3. Takt, HÖLTY, RAMLER, HÖLDERLIN (*Unter den Alpen gesungen*), PLATEN (*Pyramide des Cestius, Los des Lyrikers, Aschermittwoch*), LENAU, R. A. SCHRÖDER, J. BOBROWSKI u.a., engl. von SIDNEY, COWPER, SOUTHEY, TENNYSON, SWINBURNE, E. POUND u.a. – Seltener ist die ebenfalls vierzeilige sog. 2. S. S., in der auf e. Aristophaneus (= 1. Pherekrateus: $-\cup\cup-\cup-$) in der 1. und 3. Zeile in der 2. und 4. Zeile jeweils e. größerer S. Vers (sapphicus maior, = 3. Glykoneus + 1. Pherekrateus: $-\cup--|-\cup\cup-|$
$-\cup\cup-|\cup-\underline{\cup}$) folgt, so nur HORAZ *Ode* I, 8.

E. Brocks, D. s. S. u. ihr Fortleben, Progr. Marienwerder 1890; H. Rüdiger, D. s. Versmaß i. d. dt. Lit., ZDP 58, 1933; P. Derks, D. s. Ode i. d. dt. Dichtg. d. 17. Jh., Diss. Münster 1970; R. Paulin, *Six s. odes* (Seminar 10, 1974); P. Stotz, Sonderformen d. s. Dichtg., 1982.

Śârdûla-vikrîdita (ind. = Tigersport), ind. ep. Versmaß in Strophen von vier Zeilen der Form:
$----\cup\cup-\cup-\cup\cup\cup-/--\cup--\cup^{\sqcup}$.

Sarkasmus (griech. *sarx* = Fleisch), ›ins Fleisch schneidender‹, beißender Hohn und Spott, höchster Grad bitterer →Ironie: ›Mit der Axt hab' ich ihm's Bad gesegnet‹ (SCHILLER, *Wilhelm Tell*); in der Antike als rhetor. Figur bes. bei DEMOSTHENES und CICERO meisterhaft gepflegt, in neuerer dt. Lit. bes. bei B. BRECHT und K. KRAUS.

Śastra →Shastra

Śataka →Shataka

Satanismus, Satanisten, ›Satanic school‹, Bz. R. SOUTHEYS (Vorwort zu *A Vision of Judgment,* 1821) für die engl. Romantiker BYRON, SHELLEY, KEATS und deren Nachahmer wegen ihrer Vorliebe für die Nachtseiten des Lebens, Grausamkeit, Gewalttätigkeit, Perversität und Sinnlichkeit. In Dtl. zeigen KLEIST und E. T. A. HOFFMANN, in Frankreich de SADE, V. HUGO, MUSSET, G. SAND, BAUDELAIRE, LAUTRÉAMONT, in Italien LEOPARDI und CARDUCCI u. a. ähnliche Züge.
M. Praz, Liebe, Tod u. Teufel, 1963, ²1982.

Satira Menippea →Menippea

Satire (lat. *satura,* sc. *lanx,* = 1. mit versch. Früchten gefüllte Opferschale, 2. Füllsel, von *satur* = satt, voll, oder von etrusk. *satir* = reden; die Verbindung mit griech. *satyros* ist unwahrscheinlich, die Schreibung ›Satyre‹ daher falsch), Spott- und Strafdichtung, lit. Verspottung von Mißständen, Unsitten, Anschauungen, Ereignissen, Personen (→Pasquill), Literaturwerken (→Literatursatire) usw. je nach den Zeitumständen, allg. mißbilligende Darstellung und Entlarvung des Kleinlichen, Schlechten, Ungesunden in Menschenleben und Gesellschaft und dessen Preisgabe an Verachtung, Entrüstung und Lächerlichkeit, in allen lit. Gattungen vom Gedicht, Epigramm (ältere Poetiken hielten die S. für e. ›langes Epigramm‹), Spruch, Dialog, Brief, Fabel, Schwank, Komödie, Fastnachtsspiel, Drama, Epos, Erzählung bis zum →satirischen Roman, meist mit didakt. Einschlag, und in allen Schärfegraden und Tonlagen je nach der Haltung des Verfassers: bissig, zornig, ernst, pathetisch, ironisch, komisch, heiter, liebenswürdig. Stets ruft die S. durch Anprangerung der Laster die Leser, deren Vertrautheit mit der Sachlage voraussetzend, zu Richtern auf, mißt nach e. bewußten Maßstab das menschl. Treiben und hofft, durch Aufdeckung der Schäden e. Besserung zu bewirken. Neben Tendenz und Engagement ist die S. jedoch auch oft Ausdruck e. auf Vernichtung des Objekts zielenden lit. Aggression, die den Entwurf e. positiven Gegenbildes ablehnt. SCHILLER, der in seiner Abhandlung *Über naive und sentimentalische Dichtung* die S. der Elegie gegenüberstellt, leitet sie aus dem Erlebnis der Diskrepanz zwischen Wesen und Erscheinung, Ideal und Wirklichkeit ab und unterscheidet strafende oder pathet. und scherzhafte S.: ›Die strafende erlangt poetische Freiheit, indem sie ins Erhabene übergeht; die lachende erhält poetischen Gehalt, indem sie ihren Gegenstand mit Schönheit behandelt.‹ QUINTILIANS vielzitierter Satz ›satura tota nostra est‹ (X, 1, 93, = die S. ist ganz unser; jedoch auch: in der S. sind wir allen überlegen) scheint die S. als speziell röm. Erfindung zu beanspruchen, allein es finden sich durchaus griech. Vorstufen: in der altgriech. →Jambendichtung, den Diatriben kynischer und stoischer Wanderprediger (KRATES, BION u. a.) über eth. Themen mit eingestreuten satir. Epigrammen, Fabeln, Scherzen, Parodien und fingierten Dialogen, in der älteren att. Komödie (EUPOLIS, KRATINOS,

ARISTOPHANES) mit zeitkrit. Einlagen in der →Parabase, in der philos. S. des MENIPPOS (250 v. Chr.; →Menippea), die später bei LUKIAN (2. Jh. n. Chr., →Totengespräche) und JULIAN (4. Jh.) Nachfolge fand, und in den →Sillen des TIMON (3. Jh.) sowie bei SOTADES. – In röm. Dichtung geht der Name S. auf ENNIUS zurück, der um 200 v. Chr. e. Slg. vermischter Gedichte zur Erheiterung und Belehrung ohne satir. Charakter wegen des versch. Inhalts und der versch. Metren den Titel S.n gab. Der eigtl. Begründer der S. im heutigen Sinne war LUCILIUS, dessen S.n (um 130 v. Chr.) das Zeitgeschehen mit persönl., temperamentvoll sprühendem Geist verfolgen und die vier zukunftsweisenden Charakteristika der S. entwickeln: Belehrung, Kritik, persönliche Note und unlit. Umgangssprache, hier in lockerer Hexameterform. Während VARRO die →Menippea als Mischung von Vers und Prosa aufnimmt und in der *Apocolocyntosis* des SENECA wie den S.n des PETRONIUS Nachfolge findet, setzt HORAZ in seinen *Sermones* die Hexameter-S. gegen allg.-menschl. Schwächen und Torheiten in kunstvoller, heiter und selbstironisch plaudernder Weise fort; erst bei PERSIUS (1. Jh. n. Chr.), der in dunklem, manieriertem Stil Zeitlaster im stoischen Sinne angreift, und in JUVENALS bitteren, energiegeladenen Sittenbildern bricht der ernste sittenrichterl. Ton durch. MARTIAL füllt das Epigramm zuerst mit satir. Gehalt. – Im dt. MA. erscheint die S. bes. oft in der Tierdichtung von der *Ecbasis captivi* (um 930) bis zum *Reinke de Vos* (1498); der Gegensatz von Kaiser und Papst spiegelt sich in der nationalen Spruchdichtung (WALTHER), der zwischen Bauern, Bürgern, Rittern und Geistlichkeit als Stände-S. bei HEINRICH

VON MELK, Heinrich WITTENWEILER, NEIDHART (→Dörperliche Dichtung) und bes. im →Fastnachtsspiel, Verspottung sowohl des Bauern als auch des gesellschaftl. Ritterethos durch e. selbstbewußtes Bürgertum. E. reiche Fülle von S.n bringen Humanismus und →Reformationslit. in →Flugschriften, Fabeln, →Dialogen (HUTTEN), fingierten Briefen *(Epistulae obscurorum virorum)*, →Fastnachtsspielen (N. MANUEL, P. GENGENBACH) oder →satirischen Romanen (FISCHARTS *Geschichtklitterung)* als Gestaltung des Gegensatzes zwischen Humanisten und Scholastikern, Gelehrten und Laien, Katholiken und Protestanten. Dabei erscheinen die Mißstände der Zeit entweder als Ausdruck menschl. Dummheit, die sich in der →Narrenlit. durch Selbstlob ad absurdum führt (BRANT, MURNER) oder als Auswirkungen des Teufels in der →Teufellit. (MUSCULUS). Die →Grobianische Dichtung dagegen nimmt allg. die Sittenverrohung zur Zielscheibe ihres Spottes (DEDEKIND). Im Barock verspottet die S. als →Alamode-Lit. die Fremdsucht und die höfisch anmaßende Prunkliebe des Bürgertums in Gedichten und Epigrammen (LOGAU, LAUREMBERG, CANITZ, SCHUPP), Predigten und Traktaten (ABRAHAM A SANCTA CLARA), satir. Romanen (Chr. REUTER) und Traumgesichten (MOSCHEROSCH *Gesichte Philanders von Sittewald* nach span. Vorbild von QUEVEDOS *Los sueños)*. Die Aufklärung karikiert allgemeinmenschliche Torheiten durch Witz, Spott und Ironie, doch ohne ätzende Schärfe, teils in ernst-moralisierender Lehrdichtung, bes. jedoch im Epigramm und stets getragen vom Glauben an e. Besserung (LÖWEN, HAGEDORN, RABENER, LESSING, bes. geistvoll LICHTENBERG, bitterer

LISCOW); STOLBERG, WIELAND *(Abderiten)* und FALK pflegen die →Literatursatire. Der Sturm und Drang benutzt bes. das Drama als Form seiner polit.-soz. S., ebenso GOETHE in seinen Literatursatiren *(Götter, Helden und Wieland, Pater Brey* u. a.) oder mit SCHILLER zusammen in den →*Xenien,* ferner in der sog. Universitäts-S. (Schülerszene im *Faust).* Die S. der Romantik (SCHLEGEL, TIECK, BRENTANO) ist fast ausschließlich →Literatur-S. oder Philister-S. (EICHENDORFF). Meister der humorist. S. im Roman wird JEAN PAUL. Das Junge Dtl. pflegt die polit.-soz. S. in Form des Reisebildes, bes. zynisch bei HEINES *Dtl., ein Wintermärchen.* Um die Jh.mitte gelangt im Anschluß an TIECK und PLATEN die dramat. S. zu erneuter Blüte bei GRABBE, PRUTZ, HAMERLING, BAUERNFELD, bes. aber NESTROY. Auch der Naturalismus (G. HAUPTMANN) und Expressionismus (WEDEKIND, STERNHEIM) sowie die Gegenwart (F. DÜRRENMATT, M. FRISCH, M. WALSER, H. QUALTINGER) bevorzugen die Komödie für satir. Darstellung; daneben entwickelt sich die Prosa-S. bei O. J. BIERBAUM, L. THOMA, G. MEYRINK, H. MANN, R. MUSIL, H. BÖLL, G. GRASS, M. WALSER u. a., die S. in Gedichtform bes. seit BUSCH, MORGENSTERN, KRAUS, KÄSTNER, E. ROTH, K. TUCHOLSKY, E. WEINERT, B. BRECHT, H. M. ENZENSBERGER, W. SCHNURRE u. a., und als Sonderformen der Darbietung entstehen polit.-satir. Witzblätter *(Kladderadatsch* 1848 ff., *Simplicissimus* 1896 ff. u. a.) und →Kabaretts. In der Gegenwart erscheint die S. in zweierlei Form: teils als begründeter Angriff auf herrschende Mißstände nach dem Maßstab e. hohen Menschheitsideals, teils as nihilist. Verspottung und Verachtung alles menschl. Strebens

im Guten wie im Bösen, vor deren radikaler Skepsis kein Wert besteht. Als Verzerrung des polit., geistigen und Volkslebens bleibt die S. stärker national gebunden als andere Dichtarten und reicht nur in den höchsten Ausformungen in die Weltlit. hinein, so in Italien mit ARIOST, ALEMANNI, ROSA, GOZZI, PARINI, ALFIERI und GIUSTO, in Spanien mit CERVANTES *(Don Quijote)* und QUEVEDO, in Frankreich mit RABELAIS, Th. de VIAU, SCARRON, BOILEAU, REGNIER, VOLTAIRE *(Candide),* CHÉNIER, COURIER, BÉRANGER und FLAUBERT *(Bouvard et Pécuchet),* in England als relig. S. mit SKELTON, MARSTON, DONNE, S. BUTLER *(Hudibras),* DRYDEN und DEFOE, als lit. S. mit POPE *(Dunciad)* und als soziale S. mit SWIFT *(Gulliver's Travels),* H. FIELDING *(Joseph Andrews),* GAY *(Beggar's Opera)* und W. M. THACKERAY, dann bes. G. B. SHAW, A. HUXLEY, G. ORWELL und E. WAUGH, in Polen KRASICKI, in Rußland GOGOL', GRIBOEDOV, SALTYKOV-ŠČEDRIN und ZOŠČENKO, in tschech. Lit. J. HAŠEK.

H. Schneegans, Gesch. d. grotesken S., 1894; K. F. Flögel, Gesch. d. kom. Lit., II 1914; M. Glass, Klass. u. romant. S., 1905; F. Blei, Dt. Lit.-Pasquille, IV 1907; H. Klamroth, Beitr. z. Entw.-gesch. d. Traum-S. i. 17. u. 18. Jh., Diss. Bonn 1912; G. A. Gerhard, *Satura* (Philologus 75, 1918); V. Cian, *La Satira,* Mail. 1923; H. Walker, *Engl. s. and satirists,* Lond. 1929, ²1965; A. H. Weston, *Lat. satiric writing after Juvenal,* 1925; N. Terzaghi, *Per la storia della satira,* Turin 1932; H. Max, S. i. d. franz. Publizistik, 1934; J. W. Duff, *Roman S.,* 1937; G. R. Hocke, Dt. S. d. 18. Jh., 1940; D. Worcester, *The art of s.,* Cambr./Mass. 1940, ²1961; V. Cian, *La s. ital.,* Mail. 1945; U. Knoche, D. röm. S., 1949, ³1971; E. V. Knox, *The mechanism of s.,* Lond. 1951; H. Rosenfeld, D. Entw. d. Stände-S. i. MA., ZDP 71, 1951; I. Jack, *Augustan s.,* Oxf. 1952, ²1966; A. W. Pannenborg, *Ecrivains satiriques,* Paris 1955; J. Peter, *Complaint and s. in early Engl. lit.,* 1956; J. Sutherland, *English S.,* Cambr. 1958, ²1961; RL; RE: *Satura;* G. Baum, Humor

u. S. i. d. bürgerl. Ästhetik, 1959; K. Wölfel, WW 10, 1960; A. Kernan, *The cancered Muse*, New Haven 1960; R. C. Elliott, *The Power of S.*, Princeton 1960; H. Arntzen, Satir. Stil, 1960, ²1970; G. Highet, *The anatomy of s.*, Princeton 1962; H. Schroeder, Russ. Vers-S. i. 18. Jh., 1962; G. D. Stephens u. C. A. Allen, *Theory of S.*, Belmont 1962; L. Feinberg, *The Satirist*, Ames 1963; K. Lazarowicz, Verkehrte Welt, 1963; M. Dietrich, D. theatral. S. als Anwalt d. Menschenrechte, MuK 9, 1963; P. Pörtner, D. S. i. expressionist. Theater, ebda.; C. A. van Rooy, *Stud. in class. s. and related lit. theory*, Leiden 1965; W. O. S. Sutherland, *The art of the satirist*, Austin 1965; S. J. Greenblatt, *Three mod. satirists*, New Haven 1965; A. B. Kernan, *The plot of s.*, New Haven 1965; J. Älter, *Les origines de la s. antibourgeois en France*, Genf II 1964–70; R. M. Kulli, D. Stände-S. i. d. dt. geistl. Schauspielen d. ausgeh. MA., 1966; H. Rogge, Fingierte Briefe als Mittel polit. S., 1966; U. Gaier, S., 1967; R. Paulson, *The fictions of s.*, Baltimore 1967; ders., *S. and the novel in 18th cent. Engl.*, New Haven 1967; L. Feinberg, *Introd. to s.*, Ames 1967; C. W. Previte-Orton, *Polit. s. in Engl. poetry*, N.Y. ²1968; W. E. Yuill, *Malice in wonderland*, Nottingh. 1968; J. Jacobs, Z. S. d. frühen Aufkl., GRM 18, 1968; F. J. Stopp, *Reformation s. in Germany* (*Oxf. Germ. Stud.* 3, 1968); M. Tronskaja, D. dt. Prosa-S. d. Aufklärg., 1969; H. D. Weinbrot, *The formal strain*, Chic. 1969; J. Heath-Stubs, *The verse s.*, Lond. 1969; K. Meyer-Minnemann, D. Tradition d. klass. S. i. Frankr., 1969; J. Schönert, Roman u. S. i. 18. Jh., 1969; E. A. u. L. D. Bloom, *The satiric mode of feeling* (*Criticism* 11, 1969); G. T. Wellmanns, Stud. z. dt. S. i. Ztalter d. Aufkl., Diss. Bonn 1969; M. Hodgart, D. S., 1969; A. Pollard, *S.*, Lond. 1970; D. röm. S., hg. D. Korzeniewski 1970; J. Brummack, Z. Begriff u. Theorie d. S., DVJ 45, 1971 Sonderh.; U. Karthaus, Humor, Ironie, S., DU 23, 1971; G. Hess, Dt.-lat. Narrenzunft, 1971; D. C. Powers, *Engl. formal s.*, Haag 1971; K. W. Hempfer, Tendenz u. Ästhetik, 1972; W. Freund, D. dt. Vers-S. i. Ztalter d. Barock, 1972; I. Hantsch, Bibliogr. z. Gattungspoetik: Theorie d. S. (Zs. f. frz. Sprache u. Lit. 82, 1972); J. Weisgerber, *S. and irony as means of communication*, CLS 10, 1973; R. A. Müller, Komik u. S., 1973; H. Arntzen, D. S.theorie d. Aufkl. (Neues Hb. d. Lit.wiss. 11, 1974); W. Voßkamp, Formen d. sat. Romans i. 18. Jh. (ebda.); I. Hantsch, Semiotik d. Erzählens, 1975; Satura, hg. B. Fabian 1975; J. H. Wilson, *Court s.s of the Restoration*, Ohio 1976; M. Coffey, *Roman s.*, Lond. 1976; D.

Tschiżewskij, S. oder Groteske (Poetik u. Hermeneutik 7, 1976); P. E. Carels, *The sat. treatise in 18th cent. Germany*, 1976; J. N. Schmidt, S.: Swift u. Pope, 1977; R. Homann, Erhabenes u. Satirisches, 1977; U. Kindermann, Satyra, 1978; J. Schönert, Sat. Aufklärg., 1978; M. Seidel, *Sat. inheritance*, Princeton 1979; J. Brummack, Sat. Dichtung, 1979; E. P. Korkowski, *Menippus and his imitators*, Ann Arbor 1980; R. Seibert, Sat. Empirie, 1981; P. Petro, *Modern s.*, Haag 1982; H. Castrop, D. varron. S. i. Engl. 1660–90, 1983; U. Naumann, Zw. Gelächter u. Tränen, 1983; J. W. Jaeger, Humor u. S. i. d. DDR, 1984; E. M. Chick, *Dances of Death*, Columbia 1984; J.-U. Peters, Russ. S. i. 20. Jh., 1984; G. Berger, D. kom.-sat. Roman u. s. Leser, 1984; A. G. Wood, *Lit. s. and theory*, N.Y. 1984; A. T. Allen, *S. and society in Wilhelm. Germany*, Lexington 1985; B. Majer, S. u. polit. Bedeutg., 1985; S. i. d. frühen Neuzt., hg. B. Bekker-Cantarino, Amsterd. 1985; L. Claßen, Sat. Erzählen i. 20. Jh., 1985; *Comic relations*, hg. P. Petr 1985; H.-P. Behr, D. span. S. i. 18. Jh., 1986; D. röm. S., hg. J. Adamietz 1986; H. D. Weinbrot, *18. cent. s.*, Cambr. 1988.

Satirischer Roman, Hauptform der Prosa- →Satire, in der Antike vorgeformt bei LUKIAN und PETRONIUS, im dt. MA. in Volksbüchern wie *Eulenspiegel* und *Lalenbuch (Schildbürger)*, in eigtl. Romanform jedoch erst sei RABELAIS *Gargantua und Pantagruel* (1532ff.) als Darstellung der Zeitlaster, in der dt. Bearbeitung durch FISCHART (*Geschichtsklitterung*, 1575) ins Grotesk-Komische übersteigert. Auch FISCHARTS eigene Schriften (*Jesuiterhütlein* u.a.) zeigen ihn als gewandten Satiriker. In Italien geben PULCI und FOLENGO, in Spanien CERVANTES (*Don Quijote*) gegen die Amadis- und Ritterromane vor und vereinigen Literatur- und Kultur-Satire. Die Form des dt. und span. →Schelmenromans eröffnet neue Gestaltungsmöglichkeiten und Perspektiven der satir. Zeitkritik, z.B. in GRIMMELSHAUSENS simplizianischen Schriften (*Das wunderbarliche Vogelnest* u.a.). Chr. WEI-

SES polit. Romane wiederum verspotten die Auswüchse des Abenteuer- und Schelmenromans. Dem Pasquill nähern sich HUNOLDS (MENANTES) s. R. (1705) und REUTERS *Schelmuffsky* (1696) auf Hamburger bzw. Leipziger Persönlichkeiten, letzteres gleichzeitig Satire der →Reiseromane. In England folgen SWIFTS polit. Satire *Gulliver's Travels* (1726) und FIELDING, SMOLLETT und L. STERNE mit s. R. auf RICHARDSON und die Empfindsamkeit, ähnlich in Frankreich LA BRUYÈRE, LESAGE und VOLTAIRE, in Dtl. MUSÄUS *Grandison der Zweite.* Glänzende Zeitsatiren liefert WIELAND in *Don Silvio von Rosalva* und den *Abderiten.* Humorist. Elemente mischt MÜLLER von Itzehoe (*Siegfried von Lindenberg* 1779) ein; SCHUMMELS *Spitzbart* karikiert die übertriebenen pädagog. Bestrebungen der Zeit; im Alter folgen KLINGER, BASEDOW und WETZEL, in der Spätaufklärung NICOLAIS *Sebaldus Nothanker* 1773, TIMMES *Der Empfindsame* 1781, CRAMERS polit. Satire *Erasmus Schleicher* und HIPPELS *Lebensläufe in aufsteigender Linie.* Während JEAN PAUL vom s. R. zum humoristischen übergeht, sind E. T. A. HOFFMANNS *Seltsame Leiden eines Theaterdirektors, Serapionsbrüder* u. *Kater Murr,* KERNERS *Reiseschatten* und die späteren Novellen von EICHENDORFF und TIECK treffende s. R.e der Romantik. Daneben entsteht e. ganze Reihe s. R.e gegen das Unterhaltungsschrifttum, voran HAUFFS →Parodie auf CLAUREN *Der Mann im Mond* (1826) und seine *Memoiren des Satan.* IMMERMANN trifft in *Epigonen* den Geist der Zeit und in *Münchhausen* die Verlogenheit der Gesellschaft. Der Zeitroman des Jungen Dtl. ist bewußt satirisch (LAUBE, MUNDT, GUTZKOW), ebenso HAMERLINGS *Homunculus.*

Im 20. Jh. folgen H. MANN, C. STERNHEIM, M. BROD, J. WINCKLER, R. HUCH, R. MUSIL, H. KASACK, H. BÖLL, G. GRASS, M. WALSER u. a.
Lit. →Satire.

Satura (lat. =) →Satire

Saturnier, *Versus saturnius* (= ›altital.‹ oder verächtlich: ›noch aus dem goldenen Zeitalter des Saturn stammend‹), ältester Vers der lat. und altital. Dichtung, in dem LIVIUS ANDRONICUS die *Odyssee* übersetzte, NAEVIUS den *Punischen Krieg,* M. APPIUS CLAUDIUS CAECUS seine Sprüche schrieb und die Grabinschriften der Scipionen bis 150 v. Chr. gehalten sind. Selbst als ENNIUS um 180 v. Chr. den griech. Hexameter durchsetzte und noch die *Odyssee* des LIVIUS ANDRONICUS daraufhin metrisch umgearbeitet wurde, hielt er sich in der Volksdichtung bis in CICEROS Zeit, von HORAZ als ›rusticus‹ und ›horridus‹ verspottet. Der S. ist e. Langvers und besteht ähnlich dem dt. Nibelungenvers aus zwei dreihebigen Kurzzeilen, die auch in anderen Dichtungen (Arvallieder) einzeln erscheinen, hier aber, durch e. Diärese (die sogar Hiat zuläßt) getrennt, nebeneinanderstehen, und von denen die 1. steigend, die 2. fallend ist: ⌣́⌣⌣́⌣⌣́⌣|⌣́⌣⌣́⌣⌣́, z. B. ›malum dabunt Metelli Naevio poetae‹. Durch mannigfache Variationsmöglichkeiten – Ausfall der 6., seltener der 3. Senkung, Senkungsverdoppelung durch zwei Kürzen – erhält er größere Beweglichkeit. Anfangs wohl akzentuierend gebaut, wurde er seit 240 v. Chr. unter Einfluß der griech. Metrik wohl auch quantitierend verwendet, doch ist sein Grundcharakter sehr umstritten, zumal die Senkungen bisweilen Längen, die Hebungen jedoch nie Kürzen sind.

L. Havet, *De saturnio*, Paris 1880; O. Keller, D. sat. Vers, Prag 1883–86; Thureysen, D. S., 1885; L. Müller, D. sat. Vers, 1885; F. Leo, D. sat. Vers, 1905; C. Zander, *Versus s.*, 1918; E. Fraenkel, *The Pedigree of the Sat. metre* (Eranos 49, 1951); G. B. Pighi, *Il verso S.* (*Rivista di filologia* 35, 1957); B. Luiselli, *Il verso s.*, Rom 1967.

Satyrspiel, heiter-schwankhaftes Nachspiel der klass. griech. Tragödien→Trilogie, als heiterer Kontrast (comic relief) dazu Abschlußstück der →Tetralogie, benannt nach dem Chor der Satyrn, wild-lüsternen Fruchtbarkeitsdämonen aus dem Gefolge des Dionysos, die mit Pferdeohren und -schwänzen, Ziegenfellschurz, Phallos und Maske verkleidet, um e. älteren Silen geschart neben den – übrigens nicht phallischen, sondern feierlich als Götter und Heroen kostümierten – Schauspielern des Stückes auf der Bühne in toller Ausgelassenheit ihre burlesken Späße, drolligen Lieder, grotesken, oft obszönen Gesten und schnellen, kom. Tänze (›Sikinnis‹, oft Parodien des pathet. Tanzes) auf der Bühne aufführten. Die Szene stellte dabei e. einsamen Wald, den Tummelplatz der Satyrn, dar, die von ihrem Herrn Dionysos getrennt worden sind und auf der Suche nach ihm ein Abenteuer bestehen. Nach Bestehen des Abenteuers, das meist einer Sagenepisode verbunden ist, setzen sie die Suche fort. Als Erfinder und erster Meister des S. gilt PRATINAS von Phleius (rd. 520 v.Chr.); gleichzeitig erscheinen die ersten S.e auf Vasenbildern. Das einzige erhaltene S. neben Papyrusfragmenten von SOPHOKLES' *Spürhunden* und AISCHYLOS' *Netzfischern* ist der *Kyklops* von EURIPIDES (Odysseus blendet den Polyphem), doch schrieb jeder Dichter zu e. trag. Trilogie e. stofflich (derselbe Mythos, travestiert) und formal (Sprache) verwandtes S., und

EURIPIDES' Versuch, das S. durch e. heiteres Stück ohne Satyrchor zu ersetzen *(Alkestis)*, blieb ohne Nachfolge. Zwar spielte man später nur insgesamt ein S. bei jedem Dichterwettkampf, und die Kostüme wurden obszön, doch das S. lebte noch bis in die röm. Zeit fort, wo HORAZ in der *Ars poetica* Regeln dafür gab. – ARISTOTELES' Vermutung, das S. sei e. rudimentäre Vorstufe der Tragödie, findet heute kaum noch Zustimmung. Vgl. auch NIETZSCHES berühmte Deutung in *Die Geburt der Tragödie aus dem Geiste der Musik*.

P. Guggisberg, D. S., Diss. Zürich 1947; F. Brommer, S., ²1959; I. Fischer, Typ. Motive i. S., Diss. Gött. 1959; D. F. Sutton, *The Greek satyr play*, 1980.

Satzakzent →Akzent

Satzbruch →Anakoluth

Satzgefüge →Periode, →Hypotaxe

Satzmelodie, die e. Satz eigentümliche, bes. von den Vokalen getragene Melodieführung. →Sprachmelodie. O. v. Essen, Grundz. d. hdt. Satzintonation, 1956.

Satzreim →Gliederreim

Satzschluß →Klausel

Satzspiegel, im Buchdruck das Format des vom Schriftsatz gefüllten Teils der Druckseite zwischen den freien Rändern (Stegen).

Satztitel, →Titel in Form e. ganzen oder unvollständigen Satzes, oft Zitats, z.B. *Wenn es Rosen sind, werden sie blühen* (K. EDSCHMID).

Satzzeichen →Interpunktion

Saudosismo (v. portugies. *saudade* = Sehnsucht, Heimweh), von Teixeira de PASCOAES eingeleitete Strömung der portugies. Lit. und insbes. der Lyrik im Zusammenhang mit der nationalen, kulturellen und polit. Renaissance Portugals um 1910, erstrebte eine innere geistige und moral. Erneuerung des portugies. Volkes und der Lit. durch stärkeres nationales Selbstbewußtsein und Bewußtwerden der ›saudade‹ als völk. Geistesart zugleich mit einer mystisch verklärten Rückbesinnung auf die große nationale Vergangenheit. Trotz raschem Abklingen in leeres Pathos und unrealist. Phantasiegebilde von starkem Einfluß auf die portugies. Lit. zu Anfang des 20. Jh. (A. LOPES VIEIRA, A. DUARTE, M. BEIRÃO, A. SARDINHA, M. da SILVA GAIO, A. CORREIRA DE OLIVEIRA).

Scapigliatura (ital. = →Bohème, Titel eines Romans von C. ARRIGHI, 1862), antiromant.-dekadente Strömung der ital. Lit. in den Jahren 1862 bis 1882, gerichtet gegen die idyll.-patriot. bürgerl. Lyrik der Spätromantik, den histor. Roman und das bürgerl. Lebensgefühl der Zeit. Betonte die grundlegende Einheit der Künste und forderte eine nähere Beziehung der Kunst zum Leben. Hauptvertreter der S. mit den Zentren in Mailand und Turin waren G. ROVANI, C. ARRIGHI, I. u. C. TARCHETTI, E. PRAGA, C. u. E. BOITO, S. FARINA, C. PISANI-DOSSI, A. GHISLANZONI, F. FONTANA, G. CAMERANA, R. SACCHETTI u. a., dazu auch Maler und Musiker.

P. Nardi, *La s.*, Bologna 1924, Mail. ²1968; G. Galeani, *Tre poeti della s.*, Sora 1937; P. Madini, *La s. milanese*, Mail, 1939; F. Gennarini, *La s. milanese*, Neapel 1961; J. Moestrup, *La s.*, Koph. 1966; G. Mariani, *Storia della s.*, Caltanissetta 1967; G. Catalano, *Momenti e tensioni della S.*, 1969; A. della Rocca, *Misticismo estetico e realismo storico nella S. milanese*, Neapel 1975.

Scapin, Scapino (frz. bzw. ital.), Typenfigur der →Commedia dell' arte: verschmitzter, intriganter Diener mit Schnurrbartmaske in Leibchen, Hose und weißem Hut mit grünem Besatz. Ähnl. →Brighella. Als Figur von MOLIÈRE aufgegriffen.

Scaramuz, ital. **Scaramuccia,** franz. **Scaramouche,** Typenfigur der →Commedia dell'arte, neue Aufschneiderfigur in schwarzer span. Tracht als Ablösung des →Capitano, um 1600 in Neapel von Tiberio FIORILLO geschaffen, nach 1640 auch in Paris populär.

R. Sabatini, *Scaramouche*, Mail. 1975.

Scenario →Szenar

Scenonym, →Pseudonym in Gestalt e. Schauspielernamens oder e. Dramenfigur, z.B. Hamlet (d. i. R. GENÉE).

Schachallegorie →Schachbuch

Schachbuch, Gattung der allegor. Lehrdichtung des MA., die das Schachspiel und s. Figuren als Allegorie auf soz. Verhältnisse und Eigenschaften und Pflichten der Stände nimmt. In Anlehnung an das lat. *Schachzabelbuch* des JACOBUS DE CESSOLIS (um 1275) bzw. dessen dt. Bearbeitung durch KONRAD VON AMMENHAUSEN entstand z.B. das *Schachgedicht* HEINRICHS VON BERINGEN, um 1330.

F. Holzner, D. dt. S., 1896; H. J. Kliewer, D. ma. Schachallegorie, Diss. Hdlbg. 1966.

Schachtelreim = →umarmender Reim

Schachtelung →Hypotaxe

Schachzabelbuch →Schachbuch

Schäferdichtung →Hirtendichtung

Schäfergedicht →Madrigal

Schäferroman, ep. Großform der →Hirtendichtung, oft zugleich als

→Schlüsselroman für eigene Seelenzustände oder ›Liebeshändel hoher Personen‹ (HARSDÖRFFER) entsprechend dem Gesellschaftsideal des Barock, also Liebesroman unter der Schäfermaske, dessen Enthüllung jedoch dem Eingeweihten leicht fiel. Der idyll. Charakter dieser Form des Prosaromans tritt meist in zahlr. Gedichteinlagen klar hervor. Der älteste Sch. stammt noch aus der Spätantike: LONGOS' *Daphnis und Chloe* (3. Jh. n. Chr.) blieb jedoch ohne Nachfolge. Der Neueinsatz in der ital. Renaissance ist zunächst durch Vorherrschen des Gedanklichen gekennzeichnet: BOCCACCIO, SANNAZAROS *Arcadia* (1502). In Spanien wird unter dem Einfluß des →*Amadisromans* der Anteil an Handlung verstärkt, so in MONTEMAYORS *Diana* (1559) mit Fortsetzungen von Alonso PÉREZ; nunmehr reißt die Entwicklungsfolge nicht mehr ab: in Spanien CERVANTES' *Galatea* (1585) und LOPE DE VEGAS *Arcadia* (1598), in England SIDNEYS *Arcadia* (1590), Abenteuerroman mit schäfer. Einlagen, in BARCLAYS *Argenis* (1621), heroischgalanter Schlüsselroman, in Frankreich Honoré D'URFÉS *Astrée* (1607–27). Die dt. Entwicklung beginnt erst, nachdem der ausländ. Sch. seinen Höhepunkt überschritten hat, zuerst mit Übersetzungen. OPITZ überträgt BARCLAYS *Argenis* 1626–31 und schreibt in mehr novellist. Form e. *Schäfferey Von der Nimfen Hercinie* (1630), in der er die sonst vorwiegende Erotik mehr in Abenteuerlichkeit abbiegt. Die Zahl der Nachahmer, meist als Gesellschaftsdichtung in Gesprächsform, ist Legion: HARSDÖRFFER, KLAJ, BIRKEN, FLEMING, ZESEN *(Adriatische Rosemund)*, NEUMARK, KUFSTEIN, OMEIS, GLÄSER, HALLMANN, RICHTER, RIST, SCHWIEGER, K. STIELER *(Verführte Schäferin Cynthie)* und unzählige anonyme Sch., von denen durchaus viele als autobiograph. Schlüsselroman oder Individualroman zu verstehen sind, z. B. *Die jüngst erbaute Schäferei*, 1632, *Zweier Schäfer neugepflanzter Liebesgarten, Gedoppelte Liebesflamme,* 1663 u. a. m. die z. T. bis ins 19. Jh. nachwirken. – Die geistige Grundeinstellung des Sch. läßt sich nicht im allg. erläutern; neben bloßem Kavalierswesen ohne tiefere Wertschätzung der Frau, das in der oft rhetorisch durchgebildeten ›Liebesbeschreibung‹ die Welt unter dem erot. Aspekt darstellt, steht die erzieher. Absicht, die Lebenslehre: die Vernunft führt aus der in die Gesellschaft eingeführten Macht der Liebe wieder zur Sitte, und schließlich verbirgt sich hinter der schäferl. Maskerade viel echte Sehnsucht nach e. einfachen und glückl. Leben in genügsamer Beschränkung, nach Emanzipation des Menschlichen.

L. Cholevius, D. bedeutendsten dt. Romane d. 17. Jh., 1866; H. Rennert, *The Span. pastoral romances,* 1912; A. Rauchfuß, D. franz. Hirtenroman, Diss. Lpz. 1912; E. Cohn, Gesellschaftsideale u. -roman d. 17. Jh., 1921; U. Schaumann, Z. Gesch. d. erzähl. Schäferdichtg. i. Dtl., Diss. Hdlbg. 1927; H. Meyer, D. dt. Sch. d. 17. Jh., Dorpat 1928, n. 1978; A. Hirsch, Bürgertum u. Barock i. dt. R., 1934, ²1957; RL; G. Heetfeld, Vergl. Stud. z. dt. u. franz. Sch., Diss. Mchn. 1954; J. B. Avalle-Arce, *La novela pastoril española,* Madrid 1959; G. Hoffmeister, D. span. Diana i. Dtl., 1972; ders., Antipetrarkismus i. dt. Sch. (Daphnis I, 1972); Schäferdichtg., hg. W. Voßkamp 1977; M. Bauer, Stud. z. dt. Sch. d. 17. Jh., Diss. Mchn. 1979; Utopieforschg. 2, hg. W. Voßkamp 1982; K. Garber, Formen pastoralen Erzählens (Internat. Arch. f. Soz.gesch. d. dt. Lit. 10, 1985). →Hirtendichtung, →Roman.

Schäferspiel →Hirtendichtung

Schallanalyse, Untersuchung des Klangs, der →Schallform der gesprochenen Rede oder e. nach schriftl. Aufzeichnung wieder in

Klang umgesetzten Dichtung, meist im Hinblick auf die Echtheit der Verfasserschaft, und zwar allg. 1. auf mechanisch-experimentelle Weise mit Apparaten, 2. auf akustische, vom Hörenden ausgehende Weise über Rhythmus und Sprechmelodie (RUTZ, SARAN), bes. aber 3. nach dem von E. SIEVERS ausgebildeten, vom Sprechenden ausgehenden motor. Weg. E. SIEVERS ging dabei von der Typenlehre des Gesanglehrers J. RUTZ aus, der feststellte, daß bei motorisch veranlagten Menschen der Vortrag von Gesangs- und Dichtwerken bes. Muskelbewegungen (Rutzsche Reaktionen) hervorruft, und daß einzelne Klangformen bei der richtigen Muskeleinstellung willkürlich herbeigeführt werden können. Diesen inneren Bewegungsvorgang, der bei der sprachl. Äußerung oder Reproduktion die Bewegungsorgane des Körpers anregt und in e. Zustand der Bewegungsbereitschaft versetzt, machte SIEVERS sich zunutze, um durch die zugeordneten Begleitkurven den Rhythmus und die Klangmerkmale der gesprochenen Sprache zu bestimmen, und folgerte daraus sechs Stimmtypen je nach der Körperspannung beim natürl. Sprechen mit Personalkurven, die als persönl. Konstante in allen sprachl. Äußerungen e. Menschen wiederkehren und daher zur Identifikation e. Textes benutzt werden könnten. Wie RUTZ bereits bemerkte, bereitet dem einen Typus die Reproduktion von Schöpfungen e. anderen Typus Schwierigkeiten; darauf beruhen nunmehr SIEVERS' ausgedehnte textkrit. Untersuchungen über Dichtwerke versch. Epochen und Sprachen (german., Bibel, SHAKESPEARE, GOETHE), die entweder eine einheitl. Verfasserschaft des Werkes feststellen oder aber vom Dichter übernommene Teile sowie Interpolationen, Änderungen und Überarbeitungsschichten von typenfremder Hand abzuheben versuchten. Da jedoch für derartige Arbeiten e. stark ausgeprägte motor. Veranlagung und außerordentl. Klangempfindlichkeit erforderlich ist, blieb die Anwendung der Sch. nur auf verhältnismäßig wenige Nachfolger beschränkt. Ihr Verdienst ist es vor allem, die Textkritik von den bloßen Fragen des Wortgebrauchs und der einseitigen Erörterung der Korruptelen vom Sinn her zur Berücksichtigung des Klangbildes geführt zu haben.

E. Sievers, Ziele u. Wege d. Sch. (Fs. W. Streitberg, 1924); F. Karg, D. Sch. (Idg. Jhrb. 10, 1926); G. Ipsen und F. Karg, Schallanalyt. Versuche, 1928; RL¹; G. Ungeheuer, D. Sch. v. Sievers (Zs. f. Mundartforschg. 31, 1964).

Schallform, Gesamtheit der hörbaren (Klang-)Eigenschaften in der gesprochenen (freien oder gebundenen) Rede, die auch im geschriebenen Wort immanent vorhanden ist und durch den Vortrag objektiviert wird: Rhythmus, Sprechmelodie, Artikulation, Klangart, Tempo, Sprachschmuck (Gleichklang: Stab- oder Endreim, Assonanz u. ä.). RL¹.

Schallnachahmung →Klangmalerei

Schaltsatz →Parenthese

Schamperlied (schampern = sich im Tanze hin- und herbewegen, frühnhd. schamper = zuchtlos), auch Tschamper-, Schlumperlied, landschaftliche, bes. obersächs. Bz. für beim Tanz gesungene Vierzeiler, →Schnadahüpfel und andere anzüglich-erotische Volksstrophen. RL¹.

Scharade (franz. *charade* v. altfranz. *charaie* = Zauberspruch), im 18. Jh. aus der Provence nach Dtl.

gelangte Form des Silbenrätsels, bei
dem das zu erratende Wort in mehrere, für sich selbständig sinnvolle
Silben zerlegt wird, deren Sinn wie
auch der des Ganzen durch Umschreibung oder pantomim. Darstellung in ›lebenden Bildern‹ und
kleinen dramat. Szenen (›Lebende
Sch.‹) angedeutet wird, z. B. ›Haus-
vogt-ei-platz‹.

Scharteke (ital. *scartata* = Ausschuß oder franz. *charte* = Urkunde), abwertige Bz. für e. altes Buch,
unbedeutendes Schriftwerk.

Schattenspiel,   Schattentheater,
Sonderform   des   →Puppenspiels
durch auf e. beleuchtete Leinwand
geworfene Umrißfiguren als Untermalung   von   Erzählungen   durch
Schwarz-Weiß-Illustration   oder
selbständige dramat. Gattung, die
infolge ihrer Neigung zu gemüthaf-
ter Kleinmalerei und typenhafter
Komik   und   Charakteristik   der
Genrekunst angehört. Die techn.
Voraussetzungen sind e. zentrale,
meist künstl. Lichtquelle und e.
durchscheinende Wand sowie zwei-
dimensionale Puppen aus Leder,
Pergament, Ölpapier oder Pappe,
deren Gliedmaßen z. T. mittels
Stöcken bewegt werden können und
deren feinere Ausgestaltung vom
einfachen Umriß im Profil bis zu e.
Nuancierung der Gesichtszüge und
Gewänder   durch   entsprechende
Aussparungen von Kultur zu Kultur
sich abwandeln. Die Stoffe der Sch.
stammen zumeist aus Volksüberlieferungen in Heldensage, Legende
und Mythologie, die z. T. durch die
Räsonneur-Rolle der kom. Figur gebrochen werden. Sie verbreitete sich
von   China   über   Indonesien
(→Wayang), Indien, Persien, Arabien und die Türkei (→Karagöz),
wo es heute noch überall gepflegt
wird, nach Italien, Frankreich und

von dort im 17. Jh. nach Dtl., zunächst als Jahrmarktsbelustigung,
von GOETHE im *Jahrmarktsfest von
Plundersweilern* zuerst ernst genommen und seit der Romantik als
Familienkunst kultiviert. Sch.e verfaßten C. BRENTANO, ARNIM *(Das
Loch)*, J. KERNER, bes. kunstvoll
MÖRIKE (*Der letzte König von Or-
plid* im *Maler Nolten*) und Graf
POCCI, der auch zahlreiche →Pup-
penspiele schrieb, doch sind die Versuche zu e. Wiederbelebung der
Form in Europa im allg. vergeblich
gewesen (A. v. BERNUS' Schwabin-
ger Sch.' 1908–12; K. WOLFSKEHL,
L. WEISMANTEL).

G. Jacob, D. türk. Sch., 1900; ders., Er-
wähngn. d. Sch. i. d. Weltlit., ³1906;
ders., Gesch. d. Sch., ²1925; ders., D.
chines. Sch., 1933; F. W. Fulda, Sch.,
1941; O. Höver, Javan. Sch., 1923; RL;
M. v. Boehn, Puppen u. -spiele, 1929; P.
Kahle, D. oriental. Sch.theater, III
1930–33; G. G. Ransone, *Puppets and
shadows*, 1931; M. Cordes, D. Technik
d. Sch., 1950; A. Blochmann, Sch.,
²1951; M. Bührmann, D. farb. Sch.,
1955; ders., Stud. üb. d. chines. Sch.,
1963; D. Bordat u. F. Boucrot, *Les théâtres d'ombres*, Paris 1956, ²1981; B.
Svern, *Shadow magic*, N.Y. 1959; W.
Hoenerbach, D. nordafrik. Sch., 1959;
O. Blackham, *Shadow Puppets*, Lond.
1960; L. Reiniger, *Shadow theatres*,
Lond. 1970; A. Sweeney, *Malay shadow
puppets*, Lond. 1972; J. Pimpaneau, *Des
poupées à l'ombre*, Paris 1978; G. Spitzing, D. indones. Sch., 1981; R. Straßer,
D. lit. Sch., 1983.

Schatzkammer   (zu   griech./lat.
→Thesaurus), im Barock beliebter
Titel für poet. Handbücher mit Blü-
tenlesen (→Florilegien) poet. Redewendungen,   Vorstellungen,   Ausdrücke, allegor. Figuren, Embleme
usw., nach Stichwörtern geordnet
zur Wiederverwendung. Wichtigste
von A. TSCHERNING, G. TREUER
1675 und J. MASEN 1654 (lat.).

Schaubild →lebende Bilder

Schaubühne →Theater

Schauburg,   Verdeutschungsvorschlag Ph. von ZESENS für →Theater, in Norddtl. und den Niederlanden verbreitet.

Schauerroman, bewußt auf Schauereffekte angelegter Roman, der sich durch Schauplatz (oft alte Schlösser und verwahrloste Einzelbauten mit Verliesen, unterirdischen Gängen, versteckten Wandtüren in wildromant. Landschaft), unheimliche Requisiten (Waffen, Kerzen, ausgestopfte Tiere, Totenschädel, Folter- und Schreckenskabinette), übersinnl. Phänomene und mysteriöse, übernatürliche oder erst später natürlich erklärbare Ereignisse mit raffiniertem Spannungsaufbau in sich steigernden Stufen des Schreckens bes. an die Phantasie der Leser wendet. Vielfach verbunden mit →Kriminal-, →Detektiv-, →Vampirroman oder →Gespenstergeschichte. In engl. Lit. zeigt der Sch. in der Gruppe der sog. ›Gothic Novels‹ des 18./19. Jh. eine kontinuierliche Entwicklung von H. WALPOLE (*The castle of Otranto,* 1764), C. REEVE (*The champion of virtue,* 1771), W. BECKFORD (*Vathek,* 1786), C. SMITH (*The old manor house,* 1793), W. GODWIN (*Caleb Williams,* 1794), A. RADCLIFFE (*The mysteries of Udolpho,* 1794), M. G. LEWIS (*Ambrosio, or the monk,* 1795), M. SHELLEY (*Frankenstein,* 1818) und C. R. MATURIN (*Melmoth the wanderer,* 1820), die den Schrecken im Sinne der Aufklärung entmythologisieren, über POE u. B. STOKER (*Dracula,* 1897) bis zur Horrorlit. der Gegenwart, die abgesunkene Motive weiter trivialisiert und die Handlung auf die bloßen Schreckensszenen reduziert. In dt. Lit. finden sich Ansätze zum künstlerischen Sch. etwa bei L. TIECK, H. ZSCHOKKE, E. T. A HOFFMANN, W. HAUFF, A. KUBIN, G. MEYRINK, H. H. EWERS, A. M.

FREY u. a., in franz. Lit. bei T. GAUTIER, E. SUE und G. de MAUPASSANT *(Le Horla).*

J. W. Appell, D. Ritter-, Räuber- u. Sch., 1859, n. 1968; W. A. Paterna, D. Übersinnl. i. d. engl. Romanen, 1915; F. Birkhead, *The Tale of Terror,* Lond. 1921; A. Killen, *Le roman terrifiant,* Paris 1923, n. 1984; E. Railo, *The Haunted Castle,* Lond. 1927, n. 1964; H. Garte, Kunstform Sch., Diss. Lpz. 1935; M. Summers, *The Gothic Quest,* Lond. 1938; ders., A. gothic bibliogr., Lond. 1941, n. 1964; D. P. Varma, *The Gothic Flame,* Lond. 1957, ²1966; M. Praz, Liebe, Tod u. Teufel, 1963, ²1981; G. Zacharias-Langhals, D. unheiml. Roman um 1800, Diss. Bonn 1967; M. Lévy, Le roman gothique anglais, Toulouse 1968; R. Kiely, *The romant. novel in Engl.,* Cambr./Mass. 1972; H. Conrad, D. lit. Angstgestaltg., 1974; J. Klein, D. got. Roman, 1975; I. Vetter, D. Erbe d. Schwarzen Romantik, Diss. Graz 1976; G. Kozielek, Geister- u. Gruselgeschn. i. d. neueren dt. Lit., GW 27, 1976; I. Schönert, Schauriges Behagen u. distanzierter Schrecken (Lit. i. d. soz. Bewegg., hg. A. Martino 1977); F. Lichius, Sch. u. Deismus, 1978; P. M. Duncker, *Images of evil,* Diss. Oxf. 1979; H. Dorner-Bachmann, Erzählstruktur u. Texttheorie, 1979; M. Hadley, *The undiscovered genre,* 1979; W. Trautwein, Erlesene Angst, 1980; A. B. Tracy, *Patterns of fear,* N.Y. 1980; D. Psychoanalyse u. d. Unheiml., hg. C. Kahane 1981; J. P. Schweighaeuser, *Le roman noir franç.,* Paris 1984; I. Weber, D. engl. Sch., 1984; J. B. Twitchell, *Dreadful pleasures,* N.Y. 1986; V. Sage, *Horror fiction in the protest. tradition,* Lond. 1986; C. Baldick, *In Frankenstein's shadow,* Oxf. 1987.

Schauerromantik →Schwarze Romantik, →Schauerroman

Schauspiel, 1. allg. seit N. MANUEL (16. Jh.) dt. Bz. für die Aufführung von Dramen vor Zuschauern, seit HARSDÖRFFER für das →Drama selbst als Oberbegriff für Trauer-, Lust- und Schäferspiel und im Ggs zu Singspiel bzw. Oper – 2. im engeren Sinne Zwischenform von Trauer- und Lustspiel, die unter Wahrung der ernsten Grundstimmung zur friedl. Überwindung des Konflikts durch rechtzeitige Besinnung des Helden und zum Sieg des Guten führt (→Lösungsdrama), der Form nach der Tragödie näherstehend, jedoch nicht die Höhe des Tragischen erreichend und durch die untrag. Entwicklung im ernsten, aber glücklichen – jedoch nie ausgesprochen komischen – Ausgang davon unterschieden und der Tragikomödie angenähert. Vorformen finden sich schon im griech. Drama, so etwa SOPHOKLES' *Philoktet*, EURIPIDES' *Helena* und *Iphigenie in Tauris* und, mehr lustspielhaft, bei SHAKESPEARE (*Cymbeline, Kaufmann von Venedig, Maß für Maß*). Da die →Ständeklausel bis ins 18. Jh. das Trauerspiel den hohen, das Lustspiel den unteren sozialen Schichten vorbehielt, war das mod. Sch., wie es zuerst bewußt in DIDEROTS ›genre sérieux‹ angestrebt wurde, bürgerl. Drama. Typische Sch.e, in denen das Tragische enthalten ist, doch überwunden wird, kennt die dt. Klassik: LESSINGS *Nathan*, GOETHES *Götz* und *Iphigenie*, SCHILLERS *Wilhelm Tell*, KLEISTS *Prinz von Homburg* und *Käthchen von Heilbronn*.

Schauspieler →Schauspielkunst

Schauspielführer, Zusammenstellungen von Inhaltsangaben der meistgespielten Dramen des zeitgenöss. Spielplans in literaturgeschichtl., chronolog. oder alphabet. Anordnung nach Autoren oder Werken zur Vorbereitung und Verständnishilfe für den Theaterbesucher. Sie geben in den besten Fällen auch Ansätze zur Interpretation. Wichtigste dt. Sch. sind:
R. Krauß, Mod. Schauspielbuch, 1934; J. Gregor, XIII 1953–86; Welttheater, hg. S. Melchinger ²1966; K. H. Berger u.a., III ⁵1975, II 1988; O. zur Nedden, K. Ruppel, ¹²1973; G. Hensel, Spielplan, II ⁴1986; S. Kienzle, ⁴1983.

Schauspielkunst, aus dem lebendigen Nachahmungs- und Spieltrieb des Menschen hervorgegangene re-produzierende Kunst, die durch darsteller. Wiedergabe den vom Autor geschaffenen – im einzelnen ausgearbeiteten oder für das Stegreifspiel in den Grundmotiven festgehaltenen – dramat. Text für die Zuschauer sinnlich faßbar und lebenswirksam gestaltet. Ihre Mittel sind neben der Sprache in allen Lautmöglichkeiten (bis zum Schrei) bes. →Mimik, →Gestik (→Gebärde) und in weiterem Sinne auch →Ausstattung (→Kostüme, →Masken, →Requisiten, →Dekoration); ihr Träger ist die Persönlichkeit des Schauspielers, der die ihm übertragene →Rolle aus eigenem Lebensgefühl schöpferisch nachempfindet und darstellerisch verwirklicht. Jedes echte dramat. Werk verlangt nach der Aufführung, denn in ihr erst entwickelt es eigenes Leben und vollendet sich. Bis ins MA. von der dramat. Technik, dem Schauplatz und der inneren Funktion des aufzuführenden Dramas abhängig, entwickelt sich die Sch. erst in der Neuzeit zu e. selbständigen Stil im Zusammenhang mit der Geisteskultur der jeweiligen Epoche, den sie meist modernisierend auch auf die überkommenen Werke überträgt, während die Versuche historisierender Epochen, die Darstellungsweise e. Dramas dem Zeitstil der jeweiligen Entstehungsepoche anzugleichen, die Fortentwicklung der Sch. nicht aufhalten können. Der griech. Sch. fehlte durch die →Masken mit dem für die großen Räume notwendigen, eingelassenen Schalltrichter die Möglichkeit zu individueller Mimik und Tongestaltung; ihrem Charakter als Kulthandlung gemäß blieb ihr Stil feierlich und getragen. Dem anfänglich einzigen Schauspieler fügte AISCHYLOS e. zweiten, SOPHOKLES um 468 e. dritten hinzu und gab damit erst die Möglichkeit zu wirksamer Kontrastierung der

Figuren. Auch AISCHYLOS verwendete daraufhin in späteren Dramen drei Schauspieler, die auch für mehrere Rollen eintraten – z.T. übernahm der Dichter selbst eine der Hauptrollen. Erst in der Spätzeit seit rd. 350 v. Chr. richtete sich das Interesse des Publikums außer auf Stoff und Dichtkunst auch auf die Sch., die Namen der Schauspieler erschienen auf den Didaskalien, und man richtete Wettkämpfe für Schauspieler ein. Die röm. Sch. kannte keine Beschränkung der Spielerzahl und anfangs auch keine Masken, die erst Ende des 2. Jh. v. Chr. nach griech. Vorbild und nur für die Tragödie eingeführt wurden; in der Komödie, dem Mimus und bes. dem Pantomimus entwickelt sich trotz des teils unedlen Gegenstandes die individuelle Mimik und damit die Sch. meist mit stehenden Rollentypen. Während das ma. →geistliche Drama, anfangs von Geistlichen in der Kirche, später von Laien und -bruderschaften (→Passionsbrüdern) auf der Simultanbühne des Marktplatzes gespielt, kaum Feinheiten der Gestik und Mimik kennt, entsteht in den Fastnachtsspielen und den →Stegreifspielen der →Spielleute e. Vorstufe des Schauspielerstandes, dessen Tradition sich bes. von Italien her in der Commedia dell'arte durch viele Jhh. fortsetzt. Die Meistersingerbühne hingegen beschränkt gemäß ihrer regelhaften Kunstübung die Gestik auf e. erlernbares System von wenigen und festgelegten →Gebärden, und das Schuldrama legt im Interesse der rhetor. Übung allein Wert auf deklamator. Vortrag. Die Entstehung e. neuen Sch. steht in engem Zusammenhang mit der Hebung des Theaterwesens durch die Dichter-Schauspieler MOLIÈRE und SHAKESPEARE. Ein echtes Berufsschauspielertum entstand erst im 17. Jh. mit den →Englischen Komödianten und den ihnen nachgebildeten dt. →Wandertruppen, die zwar das Theatralische in den Vordergund drängen, die lit. Werke im Streben nach Theatereffekten und Publikumswirkung willkürlich verändern und die →komische Person bedenklich stark in den Vordergrund stellen, die jedoch zugleich erstmalig die heute selbstverständl. Anverwandelung des Schauspielers an seine Rolle durchführen. Nach der Theaterreform GOTTSCHEDS und der NEUBERIN, die den Hanswurst nach dem Vorbild des franz. Sprechtheaters von der Bühne verbannt und den Schauspieler wieder zum Diener am Dichterwort macht, und nach LESSINGS grundlegenden theoret. Erörterungen in der *Hamburgischen Dramaturgie* entsteht dann in Hamburg (SHAKESPEARE-Aufführungen SCHRÖDERS im Sinne der Aufklärung), Mannheim (IFFLAND, SCHILLER-Aufführungen 1781–84) und später Berlin (IFFLAND) im Zusammenhang mit den Bestrebungen EKHOFS e. neuer, realist. Bühnenstil. Weimar dagegen pflegt einzig und nachfolgelos in seiner Zeit, unter der unkonzilianten Leitung GOETHES e. streng klassizist. und idealisierende Sch., die den Schauspieler an strenge Regeln bindet, das Zusammenspiel (→Ensemble) – im Ggs. zum Virtuosentum der anderen Bühnen – betont und durch idealisierende Gebärde und Sprache, teils selbst →Masken, Bühnendarstellung und -werk ins Zeitlos-Ewige zu erheben versucht. Für die weitere Entwicklung im 19. Jh. bes. bedeutsam ist die zunehmende Zahl stehender Bühnen auch in kleinen Städten, bes. aber der →Hoftheater als Pflegestätten der Sch., Wien (LAUBE), Berlin (DEVRIENT), München (DINGELSTEDT), Leipzig, Dresden, Paris u. a. m. Neue

Entwicklungsmöglichkeiten gegenüber diesen unter fürstl. Aufsicht bald konventionell erstarrenden Theaterbetrieben zeigten die Gastspielreisen der →Meininger und die wachsende Bedeutung der →Regie, die in den Händen ausgeprägter Persönlichkeiten (O. BRAHM, M. REINHARDT) Werk und Sch. weitgehend im Sinne e. perfekten Illusionismus beeinflußt. Während der bes. von O. BRAHM und seinem erstklassigen Ensemble in Berlin ausgeprägte Stil des Naturalismus den großen Werken IBSENS und der dt. Naturalisten, bes. HAUPTMANNS, e. kongeniale Bühnenverwirklichung bot, hat das Streben der Sch. im Expressionismus nach e. nicht naturalist., neuen Bühnenstil mit ekstat. Sprachgestaltung und expressiv-unnatürl. Gebärden kein bleibendes Ergebnis gezeigt. Für die mod. Sch. zeigten B. BRECHTS →Verfremdungseffekt, das amerikan. Understatement und der groteske Stil des absurden Dramas neue Wege, ohne angesichts der bunten Vielfalt des Spielplans, der neben traditioneller realist. Sch. auch die Ummontierung der Klassiker kennt, zu e. neuen, einheitl. Stil zu gelangen.

E. Devrient, Gesch. d. dt. Sch., V 1848–74, n. 1967; M. Martersteig, D. Schauspieler, 1900; J. Bab, D. Frau als Schauspielerin, 1915; H. Knoll, Theorie d. Sch. v. Lessing zu Goethe, 1916; F. Gregori, D. Schauspieler, 1919; F. Tschirn, D. Sch. d. dt. Berufsschauspieler i. 17. Jh., 1921; R. K. Goldschmidt, D. Schauspielerin, 1922; J. Bab, Schauspieler u. Sch., 1926; RL; H. W. Phillipp, Grammatik d. Sch., II 1948–51, ²1964; J. Mawer, The art of mime, Lond. ⁶1955; M. A. Franklin, Rehearsal: The principles and practice of acting for the stage, N.Y. ⁴1963; H. G. Marek, D. Schauspieler i. Lichte d. Soziologie, 1956f.; P. Chesnais, L'acteur, Paris 1957; Y. Lane, The psychology of the actor, N.Y. 1960; M. C. Bradbrook, The rise of the common player, Cambr./Mass. 1962; M. Herrmann, D. Entstehg. d. berufsmäß. Sch. i. Altert. u. i. d. Neuzeit, 1962; E. Duerr, The length and depth of acting, N.Y. 1962; Grundlagen d. Sch., II 1965; G. B. Wilson, A hist. of American acting, Bloomington 1966. →Bühne, →Inszenierung, →Regie, →Theater.

Scheinname →Pseudonym

Schelmenroman, auch pikarischer oder pikaresker Roman, Sonderart des →Abenteuerromans, in dessen Mitte die Figur des Picaro (= Schelm, ›Landstörzer‹) steht. Dieser erlangt häufig selbst keinen Eigenwert und ist nicht zur geschlossenen, einheitl. Individualität im Sinne des Entwicklungs- und Bildungsromans durchgestaltet, sondern seine mannigfaltigen Schicksale und Abenteuer als Umhergetriebener dunkler oder niederer Abkunft, Diener und Underdog, typ. Antiheld, der sich mit allen erlaubten und unerlaubten Mitteln, List und Betrug, Lügen und Schlichen, gerissen durchs Leben schlägt, dienen nur dazu, die vielfältigen dabei berührten Gesellschaftsschichten von der niedersten bis zur höchsten und ihre vorgebl. Ideale, Berufs- und Standesethik aus der Perspektive von unten her zu desillusionieren: Gesellschaftssatire verbunden mit abenteuerlich-schwankhaften Motiven. Typisch für den Sch. sind die Autobiographie-Fiktion, die additive Reihung e. Fülle realist. beschriebener Schauplätze, Figuren und Episoden als Darstellung e. vielfältigen, bunten Welt, ferner die Ich-Form und meist e. sozialkrit. Einstellung im Erzählerkommentar.

Ähnliche Formen kennt schon die chines. Lit. im Shui-hu chuan (Die Räuber vom Liang Schan-Moor) von SHI NAIAN, die röm. Lit. in APULEIUS' Goldenem Esel und die arab. Lit. in Form der →Makame, von der man Einflüsse abzuleiten versucht hat. Die Heimat des europ. Sch. ist Spanien in der 2. Hälfte des 16. Jh. Der früheste Sch. ist der

Lazarillo de Tormes (anonym 1554); es folgen der *Guzmán de Alfarache* (1599) von Mateo ALEMÁN, CERVANTES' Novelle *Rinconete y Cortadillo* in den *Novelas ejemplares* (1613), V. ESPINELS *Marcos de Obregón* (1618), QUEVEDOS *Historia de la vida del Buscón* (1626), GUEVARAS *El diablo cojuelo* (*Der hinkende Teufel*, 1641), *La garduña de Sevilla* von A. CASTILLO SOLORZANO (1634) und *La pícara Justina* von LÓPEZ DE ÚBEDA (1605). Die dt. Nachwirkung beginnt mit sehr rasch verbreiteten Übersetzungen: *Lazarillo* und CERVANTES von ULENHART 1617, *Guzmán* mit moralisch-asket. Erweiterung von Aegidius ALBERTINUS 1615 und Fortsetzungen von FREUDENHOLD, die *Pícara Justina* als *Landstörtzerin Justina Dietzin* 1620 und QUEVEDOS *Buscón* 1671. Während der eigtl. Sch. bald bei den Fortsetzern und Nachahmern durch christlichbürgerl. Ethik, die den Picaro zum Sünder stempelt, seinen wahren Charakter verliert oder in den reinen Abenteuerroman übergeht, ragen die künstler. Höhepunkte, in Frankreich der *Gil Blas* (1715–35) von LESAGE und in Dtl. GRIMMELSHAUSENS *Simplicissimus* und *Landstörtzerin Courasche*, J. BEER und F. REUTER (*Schelmuffsky*, 1696) darüber hinaus; in England vereinen sich Abenteuer- und Sch. im *Unfortunate Traveller* (1594) von T. NASHE, und Züge des Sch. zeigen DEFOES *Moll Flanders* (1722), FIELDINGS *Jonathan Wild* (1743) und SMOLLETTS *Roderick Random* (1748). Motive des Sch. und z.T. die Figur des Schelms leben fort bis in die Gegenwart (WINCKLER, *Der tolle Bomberg;* HAŠEK, *Schwejk;* GUARESCHI, *Don Camillo und Peppone;* A. V. THELEN, *Die Insel des zweiten Gesichts;* Th. Mann, *Felix Krull;* J. STEINBECK, *Die Schelme*

von *Tortilla Flat;* S. BELLOW, *The adventures of Augie March;* Th. WILDER, *Theophilus North;* G. GRASS, *Die Blechtrommel;* BÖLL, *Ansichten eines Clowns;* I. MORGNER, *Trobadora Beatrix*) als effektvolle Gesellschaftskritik aus der Sicht der Unterschicht. →Landstreicherroman.

A. Schultheiß, D. Sch. d. Spanier u. seine Nachbildng., 1893; F. W. Chandler, *Romances of Roguery*, N.Y. 1899, n. 1974; F. de Haan, *Outline of the Hist. of the Nov. Picar. in Spain*, N.Y. 1903; F. W. Chandler, *The lit. of Roguery*, N.Y. II 1907, n. 1974; H. Rausse, Z. Gesch. d. span. Sch. i. Dtl., 1908; F. W. Chandler, *The novela picaresca in Spain*, 1910; RL; M. Suárez, *La novela picaresca y el pícaro en lit. española*, Madrid 1928; M. Bataillon, *Le roman picaresque*, Paris 1931; V. Valbuena Prat, *La novela picaresca española*, Madrid 1945; W. Beck, D. Anfge. d. Sch. i. Dtl., 1957; A. del Monte, *Itinerario del romanzo picaresco spagnolo*, Florenz 1957; J. Striedter, D. Sch. i. Rußld., 1961; R. Alter, *Rogue's Progress*, Cambr./Mass. 1964; W. Schumann, Wiederkehr d. Schelme, PMLA 81, 1966; W. von der Will, Pikaro heute, 1967; A. A. Parker, *Lit. and the delinquent*, Edinb. 1967, ²1969; S. Miller, *The picaresque novel*, Cleveland 1967; B. Schleusner, D. neopikareske Roman, 1969; Picarische Welt, hg. H. Heidenreich 1969; M. Nerlich, Kunst, Politik u. Schelmerei, 1969; H. Bernart, D. dt. Sch. i. 20. Jh., Diss. Wien 1970; N. Schöll, D. pikar. Held (Tendenzen d. dt. Lit. s. 1945, hg. T. Koebner 1971); W. Seifert, D. pikar. Tradition i. dt. Roman d. Gegenw. (D. dt. Lit. d. Gegenw., hg. M. Durzak 1971); R. Diederichs, Strukturen d. Schelmischen i. mod. Roman, 1971; C. Guillén, *Lit. as system*, 1971; H. G. Rötzer, Picaro – Landstörtzer – Simplicius, 1972; J. L. Laurenti, *A bibliogr. of picaresque lit.*, N.Y. 1973, ²1980, Suppl. 1979; R. Schönhaar, Pikaro u. Eremit (Dialog, Fs. J. Kunz 1973); D. Arendt, D. Schelm als Widerspruch u. Selbstkritik d. Bürgertums, 1974; U. Wicks, *The nature of the picaresque narrative*, PMLA 89, 1974; A. Schöne, D. Hochstapler u. d. Blechtrommler, 1974; *Knaves and swindlers*, hg. C. J. Whitbourn, Lond. 1974; W. Riggan, *The reformed Picaro*, OL 30, 1975; F. Monteser, *The picaresque element in Western lit.*, Alabama 1975; R. Bjornson, *The picaresque novel in France, Engl., and Germany*, CL 29, 1977; R. Bjornson, *The picaresque hero in Europ. fiction*, Madison 1977; H. van Gorp, *In-*

leiding tot de pic. verhaalkunst, Groningen 1978; P. N. Dunn, *The Span. pic. novel,* Boston 1979; A. Blackburn, *The myth of the picaro,* Chapel Hill 1979; H. G. Rötzer, Novela pic. u. Sch. (Lit. u. Ges. i. dt. Barock, hg. C. Wiedemann 1979); H. van Gorp, *Traductions et évolution d'un genre,* PT 2, 1980; D. Souiller, *Le roman pic.,* Paris 1980; W. Riggan, *Picaros, madmen, naifs and clowns,* Norman 1981; G. Kurscheidt, D. Sch., FLE, 1981; H. G. Rötzer, D. Metamorphosen d. Pikaro, Daphnis 10, 1981; J. Jacobs, D. dt. Sch., 1983; U. H. Marckwort, D. dt. Sch. d. Ggw., 1984; R. Rico, *The Span. pic. novel,* Cambr. 1984; H. H. Read, *The reader in the pic. novel,* Lond. 1985; B. Ife, *Reading and fiction in Golden-Age Spain,* Cambr. 1985; D. mod. dt. Sch., hg. G. Hoffmeister, Amsterd. 1986; *Upstarts, wanderers or swindlers,* hg. G. Pellon, Amsterd. 1986; D. dt. Sch. i. europ. Kontext, hg. G. Hoffmeister, Amsterd. 1987; C. Guillén, *The anatomies of rognery,* N.Y. 1987.

Scheltlied, -spruch →Rügelied und →Sirventes

Schembartspiel →Schönbartspiel

Scherzgedicht →Nonsense-Verse, →Limerick, →Schüttelreim

Scherzspiel, barocke, z. T. noch übliche Übersetzung für Komödie.

Schicksalsdrama →Schicksalstragödie

Schicksalstragödie, im weiteren Sinne jede Tragödie, in der die Handlung durch den Konflikt der Persönlichkeit mit e. von außen hereinbrechenden Schicksal bestimmt wird u. d. unabwehrbare Schicksalhaftigkeit das individuelle Wollen erdrückt. Schon die antike Tragödie verehrt im Zusammenhang mit dem Mythos das Schicksal als relig. Macht (SOPHOKLES, *Oidipus*); in der span. Klassik prägt CALDERÓNS *Eifersucht das große Scheusal* e. ähnl. Schicksalsbegriff; in der dt. Klassik steht das starke Persönlichkeitsbewußtsein e. solchen Auffassung entgegen: der

Mensch überwindet aus innerer Freiheit das Schicksal (GOETHE, *Iphigenie,* SCHILLER, *Die Braut von Messina* am Schluß); er scheitert dagegen, wo er als freie geistige und sittl. Persönlichkeit in die Welt der Geschichte einzugreifen sucht (SCHILLER, *Wallenstein, Demetrius*). Erst in der Romantik entsteht die Vorstellung von e. dämon., unheiml. Schicksal und die fatalist. Auffassung der Geschehnisse als Erbfluch o. ä. zunächst in der Epik (TIECKS *Blonder Eckbert,* ARNIM, BRENTANOS *Romanzen vom Rosenkranz,* E. T. A. HOFFMANNS dämon. Erzählungen, bes. *Die Elixiere des Teufels* u. a.). Aus dieser Auffassung und in Übertreibung der aus SCHILLERS *Braut von Messina* sprechenden Schicksalsidee entsteht nun jene Reihe von Tragödien, für die GERVINUS die Bz. Sch. im engeren Sinn geprägt hat: Im geschlossenen Schicksalsraum rollt vor Augen der Zuschauer e. planvoll regelmäßig vorgefaßtes Schicksal ab, bricht, durch gewisse Ereignisse (Träume, Ahnungen, Gestirnstand, Orakel) vorausgedeutet und die Geschehnisse vorausbestimmend, vom Menschen unabwendbar herein und macht das Vorhandensein selbständiger Charaktere zwecklos. Bes. fünf Motive (Blutsünde, Unheilsprophezeiung, Familienfluch, Verwandtenmord, Heimkehr) gruppieren sich um die zu zerstörende Gemeinschaft und führen im Dienste des Schicksals durch unheilvolle Verkettung äußerer Umstände, meist in Verbindung mit Waffen (Dolch, Messer, Beil), Familienbildern u. ä. deren Untergang herbei: das außermenschliche, fast personifizierte Schicksal erscheint hier nicht mehr als Größe, sondern als schaurig-geheimnisvolles, doch kleinl. Verhängnis, das an bestimmte Orte und Zeiträume gebunden ist und sich unscheinbarer, fast lächerl. Mittel bedient, die mit dem Charakter des Helden in keinerlei Zusammenhang stehen: es ist selbst nicht mehr geglaubtes Walten e. Macht, sondern zur Stimmungsmacherei benutztes und theatralisch effektvolles Requisit, das nicht echte trag. Erschütterung und Katharsis, sondern nur Spannung und Nervenkitzel erregt und zum menschl. Selbstverständnis in keiner Weise beiträgt. – Den Anfang macht Z. WERNER mit *Der 24. Februar* (1810); A. MÜLLNER (*Der 29. Februar*, 1812; *Die Schuld*, 1813) und E. v. HOUWALD (*Die Heimkehr, Das Bild, Der Leuchtturm*, alle 1821) machen sie zur lit. Modegattung; HOUWALD prägte auch in den vierhebigen trochäischen Reimpaaren der *Heimkehr* das bes. Metrum der Gattung; die langlebigste und beliebteste Gestaltung gelang E. RAUPACH im Allerseelenstück *Der Müller und sein Kind* (1835). Auch das Gespensterstück des Wiener Volkstheaters, beruhend auf der Anschauung, die arme Seele könne erst Ruhe finden, nachdem durch e. bestimmtes Ereignis ihre Schuld gesühnt sei, gehört in diese Tradition (HENSLERS *Donauweibchen*). Selbst GRILLPARZER zollt ihr in seinem Erstling *Die Ahnfrau* e. freilich veredelten Tribut, wendet sich jedoch, ohne e. neue Gattung zu begründen, sofort davon ab, und O. LUDWIG übernimmt Züge des Sch. in *Der Erbförster* (1850). In Frankreich erscheint der Einfluß der Sch. bei DUCANGE, DINAUX, V. HUGO, C. DELAVIGNE, A. DUMAS u. a. mit dem histor. Drama vereint. Die Schwächen der Sch. riefen schon früh Parodien hervor, am gelungensten in JEITTELES-CASTELLIS *Schicksalsstrumpf* (1818) und PLATENS *Die verhängnisvolle Gabel* (1826).

J. M. Minor, D. Sch., 1883; J. Fath, D.

Schicksalsidee i. d. dt. Trag., Diss. Lpz. 1895; J. Minor, Z. Gesch. d. dt. Sch. (Grillparzer-Jb. 9, 1899); RL; M. Enzinger, D. dt. Sch'drama, 1922; R. Petry, Stud. z. Entstehgsgesch. d. dt. Sch., Diss. Marb. 1924; O. Görner, V. Memorabile z. Sch., 1931; U. Thiergard, Sch. als Schauerlit., Diss. Gött. 1957; M. Brøndsted, *Digtning og skæbne*, Koph. 1959; R. Werner, D. Sch. u. d. Theater d. Romantik, Diss. Mchn. 1963; Z. Škreb, D. dt. sog. Sch. (Grillparzer-Jb. 9, 1972); H. Kraft, D. Sch'drama, 1974.

Schillerstiftung, Dt., Verein zur Unterstützung bedürftiger Schriftsteller, am 10. Nov. 1859 gelegentlich des 100. Geburtstags SCHILLERS in Dresden gegr., ab 1890 Sitz in Weimar, später Berlin und Darmstadt. Generalsekretäre waren meist selbst Dichter, so GUTZKOW, KÜRNBERGER, GROSSE, Hans HOFFMANN, H. LILIENFEIN, L. FÜRNBERG u. a. Daneben seit 5. 5. 1905 die Schweizerische Sch. zur Förderung der Schweizer Lit.

R. Goehler, D. dt. Sch., II 1909; 50 Jahre Schweiz. Sch., 1955.

Schimpfspiel, Bz. des 16. Jh. für derbkom.-possenhafte Komödien aus dem Alltagsleben nach Art der holländ. Kluchten, so bei H. SACHS für e. Teil seiner Fastnachtsspiele, bei A. GRYPHIUS für *Peter Squentz*. →Scherzspiel.

Schlaflied →Wiegenlied

Schlager, das großstädt. ›Volkslied‹ der Gegenwart mit zündender Melodie und primitivem, oft sentimentalem oder heiter-witzigem Text in Strophen mit eingängigem Kehrreim und Titel; meist kurzlebige Massenerscheinungen ohne lit. Wert aus Operetten, Musicals, Revuen und Filmen oder aus der Schallplattenindustrie; Industrieprodukte und aus Teamarbeit hervorgegangene Gebrauchsgüter der mod. Wirtschaftsordnung, die nicht aus e. aktuellen Bedürfnis oder e. Aussagedrang heraus entstehen, sondern gezielt gemacht werden und das Bedürfnis nach sich und ihresgleichen erst durch Wunschprojektionen des möglichen Konsumenten wecken, mit bescheidenen musikal. und sprachl. Mitteln, aber geschickter Ausnutzung der Massenpsychologie auf die Anfälligkeit des breiten Publikums für Talmi und Klischees und die Sucht nach Überwindung des Alltags in rosaroten Träumen mit Identifikationsangeboten spekulieren. →Evergreen, →Schnulze, →Gassenhauer.

E. Haupt, Stil- u. sprachkundl. Unters. z. dt. Sch., Diss. Mchn. 1957; W. Haas, D. Sch.-Buch, 1957; S. Schmidt-Joos, Geschäfte m. Sch., 1960; F. Bachmann, Lied, Sch., Schnulze, 1961; H. C. Worbs, D. Sch., 1963; W. Berghan, In der Fremde (in: Triviallit., hg. G. Schmidt-Henkel 1964); R. Malamud, Z. Psychologie d. dt. Sch., Diss. Zürich 1964; H. Fischer, Volkslied, Sch., Evergreen, 1965; F. Bose, Volkslied, Sch., Folklore (Zs. f. Volkskunde 63, 1967); W. Killy, Gedanken üb. Sch.texte, NR 82, 1971; H. Bausinger (Hb. d. Volksliedes I, 1972); G. Großklaus, D. Lied als Ware (Lit. f. viele I, 1975); E. Stölting, Dt. Sch. u. engl. Popmusik i. Dtl., 1975; H. Bausinger, Anm. z. Frühgesch. d. Sch. (Zs. f. Volkskunde 71, 1975); G. Mahal, D. Wundertraum v. Liebesglück (ebda.); W. Mezger, Sch., 1975; D. Kayser, Sch., 1975, ²1976; B. Busse, D. dt. Sch., 1976; Triviallit., hg. A. Rucktäschel 1976; D. gr. Sch.-Buch, hg. M. Sperr 1978.

Schlagreim, Sonderform des →Binnenreims. →Reim zwischen zwei unmittelbar aufeinanderfolgenden Worten oder Silben innerhalb derselben Zeile: ›Sonne, Wonne...‹, im engeren Sinne nur zwischen zwei oder mehreren direkt nebeneinanderstehenden Hebungen; häufig in mhd. Dichtung und bes. im Barock. Sch. am Zeilenschluß bildet das →Echo, Sch. von Versende und folgendem Versanfang den →übergehenden Reim.

Schlagwort, 1. im polit. und kulturellen Leben häufige Wörter und Wendungen, Parolen und Wahlsprüche, die in prägnanter Form e. Gedankengang, meist e. subjektivgefühlsmäßige Beurteilung e. Problems mit Appellcharakter enthalten und für e. bestimmte Richtung kennzeichnend sind, z.B. ›Zurück zur Natur‹, ›Kampf ums Dasein‹, ›Volk ohne Raum‹ u.ä. Ihr Verfasser braucht im Ggs. zum →Geflügelten Wort oder →Zitat nicht lit. nachweisbar zu sein, doch sind sie meist das abgezogene Schema e. individuellen Gedankens, der bei Halbgebildeten als abgegriffene Münze oder unreflektierte akust. Leerformel kursiert, um e. bestimmte Vorstellung zu treffen, ohne daß man sich bemüht, die von ihnen dargestellte Materie, von der sie nur e. Teil, zwar meist den Kern, doch oft in entstellter Form, ausdrücken, genauer zu durchdringen. − 2. im Bibliothekswesen e. Stichwort meist aus dem (Unter-)Titel, das den Inhalt e. Druckwerks kurz umreißt und als Ordnungswort im Sch.-→Katalog Verwendung findet. − 3. fälschl. für das →Stichwort alphabet. Nachschlagewerke.

O. Ladendorf, Hist. Sch.-buch, 1906, n. 1968; P. Hoche, Z. Psychologie d. Sch. (Kunstwart 25, 1912); W. Bahner, Z. Charakter d. Sch. (Beitr. z. roman. Phil. 2, 1963); W. Wannemacher, Vivisektion d. Sch., 1969; Kl. Anatomie polit. Sch.e, hg. O. B. Roegele 1972; R. Freitag, Linguist. Unters. z. Wesen d. polit. Sch., Diss. Lpz. 1973; A. D. Nunn, Polit. Sch.e i. Dtl. s. 1945, 1974; W. Wülfing, Sch.e d. Jg. Dtl., 1982.

Schlesische Dichterschule, überholte Bz. für zwei von Schlesien ausgehende, doch auch anderwärts wirksame und zeitlich aufeinanderfolgende lit. Richtungen der dt. →Barocklit., deren schles. Vertreter meist Beamte bürgerl. Herkunft an Fürstenhöfen waren: 1. sch. D., von OPITZ ausgehend und maßvoll, teils klassizistisch in der Form unter holländ. Einfluß: DACH, TSCHERNING, CZEPKO, TITZ, FLEMING, LOGAU

u. a., dazwischen: GRYPHIUS, 2. sch. D. mit dem →Schwulststil des Spätbarock unter span.-ital. Einfluß: LOHENSTEIN und HOFMANNSWALDAU.

RL; H. Schöffler, Dt. Osten i. dt. Geist, 1940; A. Lubos, Gesch. d. Lit. Schlesiens I, 1960.

Schlesisches Kunstdrama, das barocke Trauerspiel aus dem Kreis der zweiten →Schlesischen Dichterschule rd. 1650–90 (GRYPHIUS, LOHENSTEIN, HALLMANN, HAUGWITZ), regelmäßiges fünfaktiges Alexandrinerdrama mit →Reyen im Zwischenakt, stark rhetor. Schuldrama, dessen Gesellschaftsbild dem des Absolutismus entspricht.

E. Lundig, D. s. K., Koph. 1940.

Schloka →Śloka

Schloßtheater, Theaterbauten in und an den Residenzen von Fürsten und Adligen für Amateuraufführungen der Adelskreise oder gelegentlich engagierte Schauspielertruppen. Urspüngl. ständisch gebunden, öffnen sie sich später auch Offizieren, Beamten usw. und werden schließlich z. T. durch allg. zugängliche →Hoftheater abgelöst. Vollständig erhaltene barockes Sch. in Drottningholm/Schweden (1766). Wichtigste dt. Sch. in München, Schwetzingen, Ludwigsburg, Celle, Gotha, Bayreuth und Erlangen.

H. A. Frenzel, Brandenburg-preuß. Sch., 1959; ders., Thüring. Sch., 1965.

Schlüsselliteratur →Schlüsselroman

Schlüsselroman (franz. *roman à clef*), e. Roman, in dem wirkl. Ereignisse, Zustände und Schicksale wirkl. Personen der Gegenwart oder Vergangenheit unter veränderten Namen und Umständen, in histor., allegor. Einkleidung oder anderer mehr oder minder leichter Verhül-lung dargestellt werden, so daß sie für den Wissenden wiedererkennbar sind bzw. durch e. Hinweis (›Schlüssel‹) auf die Wirklichkeitsbezüge dem adäquaten Verständnis der Tatsachen geöffnet werden können. Während jedoch unzählige Romane stofflich auf tatsächl. Geschehen und Einzelfällen ihrer Zeit beruhen, die von den Zeitgenossen z. T. wiedererkannt wurden (von GOETHES *Werther* über FONTANES *Effi Briest*, Th. MANNS *Buddenbrooks* und *Doktor Faustus* bis zu K. KLUGES *Herr Kortüm*), sind Sch.e nur solche, bei denen die Dekodierung des Realitätsbezugs Erzählziel ist, d. h. in denen die verkleideten Gestalten und Handlungen bewußt nach dem Willen des Autors durchschaut werden sollen, um die Anspielungen verständlich und damit den Inhalt überhaupt erst sinnvoll zu machen. – Erstes bedeutendes dt. Beispiel ist der *Teuerdank* MAXIMILIANS I. (1517). Zur ausgesprochenen lit. Modegattung wurde er im →Schäferroman und im heroisch-galanten Roman des Barock nach dem Vorbild von SANNAZAROS *Arcadia* (1495) und BARCLAYS *Argenis,* in Frankreich bei d'URFÉ *(Astrée),* GOMBERVILLE, LA CALPRENÈDE, Mme de SCUDÉRY, DESMARETS, LA BRUYÈRE, in Italien im Gefolge von BOCCACCIOS *Ameto,* in Dtl. mit OPITZ' *Nimfe Hercinie,* ZESENS *Adriatischer Rosemund,* LOHENSTEINS *Arminius,* Herzog ANTON ULRICHS *Aramena* und *Octavia* u. a. m. In neuerer Zeit respektiert er mehr das Privatleben der Bezugspersonen und dient bes. als Satire, die die allzumenschl. Seiten und Schwächen gewisser lit. und polit. Gruppen verkleidend enthüllt, so in England T. L. PEACOCKS *Nightmare Abbey,* in Frankreich MURGERS *Scènes de la vie de Bohème,* S. de BEAUVOIRS *Les mandarins de Pa-*

ris und R. Peyrefittes *Les clés de Saint Pierre,* in Dtl. Spielhagen, Bierbaum *(Stilpe, Prinz Kuckuck),* Wolzogen, E. Jünger *(Auf den Marmorklippen)* und zahlr. histor. u. a. Romane der Exilliteratur, z. B. K. Manns *Mephisto* in freier Anlehnung an G. Gründgens, neuerdings in England bei S. Maugham, A. Huxley *(Point Counter Point,* 1928) und die satir. Romane G. Orwells *(Animal Farm, 1984)* und S. Lenz *Deutschstunde* in Anlehnung an E. Nolde. Bekannteste Dramen der Schlüssellit. (›Schlüsselstücke‹) sind Zuckmayers *Des Teufels General* auf Udet, B. Brechts *Der aufhaltsame Aufstieg des Arturo Ui* auf Hitler, G. Grass' *Die Plebejer proben den Aufstand* auf B. Brecht, R. Hochhuths *Juristen,* nicht aber Werke des →Dokumentartheaters.

F. Drujon, *Les livres à clef,* Paris II 1888; K. Ullstein, D. Schutz d. Lebensbildes, 1933; RL; G. Schneider, D. Schlüssellit., III 1951–53; W. Amos, *The originals,* N.Y. 1986.

Schlüsselwörter, 1. in der gemischten, d. h. nicht rein durchgeführten →Allegorie Wörter, die in ihrer eigtl. Bedeutung stehen und die Deutung der Allegorie erleichtern. – 2. im lyr. Gedicht Wörter, die in die Tiefe des Singanzen verweisen, z. B. ›Ruh‹ und ›ruhen‹ in Goethes *Über allen Gipfeln.* – 3. Zentralbegriffe für e. lit. Epoche (z. B. Aufklärung: Vernunft, Natur), e. Autor, e. Schaffensphase oder ein Werk, e. Absatz.

Schlummerlied →Wiegenlied

Schlußrede →Epilog

Schlußrhythmus →Klausel

Schmähschrift, Text in Vers oder Prosa zur polit., gesellschaftl. oder lit. Vernichtung des oft stark persönlich Angegriffenen. Einzelformen sind →Invektive, →Libell, →Pamphlet, →Pasquill, →Satire. RL.

Schmiede →Kosmisten

Schmiere, in der →Theatersprache abwertende Bz. für e. künstlerisch minderwertiges Ensemble mit unecht-übertreibender Darstellungsart, bes. Provinz- und Wanderbühne.

Schmöker (v. niederdt. *smöken* = rauchen), altes, ›angerauchtes‹ Buch, heute meist mit dem Nebenklang des guten Unterhaltungs-, aber lit. Minderwerts.

Schmutzliteratur →Schundliteratur

Schmutztitel, auch Vorsatztitel, zum Schutze des Titelblattes (vor allem bei broschierten Exemplaren) diesem vorangestelltes, nur mit Verfassernamen und Kurztitel beschriftetes Blatt.

Schnadahüpfel, Schnaderhüpferl (aus ›Schnitterhüpfel‹ = Erntetanz-Bauernlied), bei den Alpenbewohnern (Österreich, Bayern, Schweiz) verbreiteter, lustig-derber Vierzeiler oft fordernden, neckenden oder erot.-satir. Inhalts, epigrammartiges, übermütiges Stegreifliedchen nach e. bestimmten, vielfach abgewandelten Melodie von einzelnen Sängern abwechselnd oder im Chor gesungen, oft Einleitung der Ländler-Tanzmusik beim Erntefest; in zahlr. Slgn. aufbewahrt, in Kunstdichtung von Seidl, Castelli, Kobell, Stieler u. a. nachgeahmt.

H. Grasberger, D. Natur d. Sch., 1896; J. Meier, Kunstlied u. Volkslied, 1906; C. Rotter, D. Sch.-rhythmus, 1912; RL; H. Derbel, D. S., Diss. Wien 1949; K. Beitl (Hb. d. Volksliedes I, 1973).

Schnitt →Zäsur

Schnulze, sentimentaler →Schlager von falscher Gefühlsbetontheit als Erlebnisersatz, für Massenkonsum zielstrebig produziert; auch für entsprechend rührselige Schauspiele, Filme, Lieder allg.

A. M. Rabenalt, D. S., 1959; F. Bachmann, Lied, Schlager, Schn., 1961.

Schnurre, kleine kom.-humorist. Erzählung, Posse, Schwank.

Schocker (v. engl. *shock* = Schreck) = →Schauerroman

Schönbartspiel (spätmhd. *schembart* = bärtige Maske), etymolog. falsche Bz. für →Maskenspiel noch bei GOETHE: *Jahrmarktsfest zu Plundersweilern.* Das Nürnberger Schembartlaufen ist e. Fastnachtsumzug bärtiger Masken im 15./16. Jh.

H. U. Roller, D. Nürnberger Schembartlauf, 1965.

Schöne Literatur, schöngeistiges Schrifttum →Belletristik und →Literatur

Schöne Seele, lit. Idealbild e. Charakters, in dem sich Vernunft und Sinnlichkeit, Affekte und Moral usw. die Waage halten, so daß ein harmon. (›schöner‹) Ausgleich entsteht. Nach Vorstufen bei PLATON (Kalokagathie) und PLOTIN bes. im 18. Jh. von SHAFTESBURY, in Dtl. von SCHILLER (Über Anmut und Würde, 1793) theoret. formuliert, lit. im Pietismus, dem Tugendideal der Empfindsamkeit (RICHARDSON, ROUSSEAU) und dt. bei WIELAND, GOETHE (*Bekenntnisse einer s. S., Lehrjahre* VI), J. G. und F. H. Jacobi gestaltet.

H. Schmeer, D. Begriff d. s. S., 1926, n. 1967; R. D. Miller, The beautiful soul, Harrogate 1981.

Schöpfungsmythen, myth. Ausgestaltungen der Vorstellungen von der Erschaffung der Welt (→Kos-

mogonie), der Götter (→Theogonie) und des Menschen aus e. vorgegebenen Urchaos durch e. ebenfalls vorgegebenen Urschöpfer, entsprechend dem bibl. Schöpfungsbericht. Sie bilden e. Großteil frühester myth. Überlieferung bes. im Alten Orient. Vgl. →Mythos.

Die Sch., hg. S. Sauneron u. a., 1966.

Scholiast →Scholien

Scholien (griech. *scholion* = kleiner Kommentar), kurze, stichwortartige, histor.-sachlich und sprachlich erläuternde oder textkrit. Anmerkungen zu Werken griech. und röm. Schriftsteller am seitlichen, oberen und unteren Rande der Hs.-seiten, vom eigtl. Text durch kleinere Schrift und zahlr. Abkürzungen unterschieden. Im Ggs. zu den →Glossen bringen sie nicht nur Worterklärungen, im Ggs. zum →Kommentar jedoch auch keine fortlaufende, selbständige Erläuterung. Sie entstammen meist den ausführl. Kommentaren der alexandrin. Philologen (ARISTOPHANES, ARISTARCH, ZENODOTOS u. a.) und bewahren einzig das oft wertvolle Gut aus deren verlorenen Werken. Von Schreibern und Grammatikern (Scholiasten) nach persönl. Bedürfnis dem Text hinzugefügt und von späteren Besitzern der Hss. oft durch beliebige eigene Zusätze oder solche aus anderen Quellen vermehrt, dienen sie der Interpretation bes. schwieriger, dunkler Textstellen, auf die sie durch Sternchen (→Notae) oder →Lemmata verweisen. Die ältesten Sch. erscheinen im 1. Jh. v. Chr. (DIDYMOS); CICERO gebraucht das Wort zuerst, PORPHYRION sammelt Sch. zu HORAZ, SERVIUS zu VERGIL. Spätere, nicht mehr eigenschöpferische Zeiten verwässerten oft den Gehalt, doch reicht die Tradition fort bis zu neuer Blüte bei den Byzantinern des 14./15. Jh. (EUSTA-

THIOS, TZETZES, MOSCHOPULOS, DEMETRIUS, TRIKLINIOS, THOMAS MAGISTER u. a.) und den Humanisten des 15./16. Jh. Schon früh wurden Sch. mehrerer Hss. zu e. fortlaufenden Sch.-Slg. vereinigt, die neben viel unnützen Trivialitäten oft wichtige Handhabe zur Texterklärung bieten und in Zitaten sonst verlorene Werke anführen. Erhalten sind wichtige Sch. zu HOMER, HESIOD, PINDAR, den Tragikern, ARISTOPHANES, APOLLONIOS, RHODIOS, LYKOPHRON, THEOKRIT, NIKANDER, PLATON, DEMOSTHENES; TERENZ, CICERO, HORAZ, VERGIL, OVID, PERSIUS, LUKAN, STATIUS und JUVENAL.

J. E. Sandys, *Hist. of Class. Scholarship I*, ²1906, n. 1958; RE.

Schreibervers, vom (Ab)schreiber ma. Hss. an den Schluß der Arbeit gesetzter Vers.

Schreibsprache →Schriftsprache

Schreibstoffe, Beschreibstoffe → Diptychon, →Papier, →Papyrus, →Pergament, →Ostraka, →Keilschrift, →Codex

Schrift, 1. lit.: nicht näher gattungsmäßig spezifizierter (Prosa) Text. – 2. graph.: bestimmte, sichtbare, geformte Zeichen zur Wiedergabe der gesprochenen Sprache, gegliedert nach Begriffen (→Ideogramm) oder Wörtern, Silben, Buchstabengruppen oder Einzellauten (→phonetische Sch., →Lautsch.). Die →Bilderschriften der um 3000 v. Chr. entwickelten ägypt. →Hieroglyphen und der →Keilschriften gehen erst später zu Buchstabenreihen über. Aus den Hieroglyphen entwickeln sich über die →hieratische Sch. die phöniz. und aramäische Sch., die sog. semit. Konsonantensch. mit 32 Zeichen. In der minoischen Kultur auf Kreta entstand zu Anfang des 2. Jahrtausends v. Chr. e. selbständige Sch., zunächst Bildersch., ab 1600 v. Chr. zur Linearsch. weiterentwickelt, jedoch, da die Sprache unbekannt ist, bis heute nur z. T. lesbar. Ableger dieser Sch. finden sich auch auf dem griech. Festland als Gefäßinschriften und bes. in e. 1939 entdeckten Archiv von 618 Tontäfelchen des 13. Jh. (Pylos/Messenien), das die Übertragung der Sch. durch den Handelsverkehr nach Messenien annehmen läßt, während Tiryns und Mykenä weniger Inschriften bieten. In Zypern, wohin die Sch. wohl im 11. Jh. durch arkad. Kolonisten gelangte, erhielt sie sich bis in hellenist. Zeit und wurde auch trotz geringer Eignung (Silbenschrift: jedes Zeichen = Konsonant + Vokal) auf griech. Texte angewandt. Im (12.?) 10. Jh. wurde – nach der Sage von KADMOS – die phöniz. Buchstabensch. (Konsonantensch.) in Griechenland eingeführt und setzte sich aufgrund ihrer großen Vorteile rasch durch. Man übernahm die meisten phöniz. Konsonantenzeichen mit geringen Abänderungen, fügte für fehlende Zeichen wohl kretische hinzu und bezeichnete mit den überflüssigen phöniz. Zeichen die Vokale (Lautsch. mit 24 Zeichen). Zwar kannte schon der Orient Vokalzeichen, doch stets innerhalb der Silbenschrift; erst die genaue Aufgliederung des Wortklanges bis in letzte Einheiten führte bei den Griechen zur Entstehung der Lautsch. und bedeutete damit e. ungeheure Vereinfachung gegenüber den schwierigen altoriental. Sch.systemen. Zeitl. und örtl. Unterschiede in der Übernahme führten zu Abweichungen in den Alphabeten der einzelnen griech. Stämme, die erst ausgeglichen wurden, als der Archon EUKLEIDES in Athen 403/2 v. Chr. die ion. Sch. als offi-

zielle Gesetzessch. durchsetzte und
ihr auch bei den anderen Stämmen
Anerkennung schuf. Ihre Zeichen
waren die bis heute übl. griech.
Großbuchstaben. Sie sind schon
früh als Inschriften belegt, bald
auch als Buchschrift, die in den ältesten in Ägypten gefundenen Papy-
ruszeugnissen noch den Inschriften
nahesteht und erst mit der Zeit flüs-
sigere Formen erreicht, während die
→Kursivschriften für den tägl. Gebrauch schwer entzifferbar sind.
Erst spät treten Akzente, Interpunktion und Worttrennung dazu, und
erst im 9. Jh. n. Chr. wird die →Ma-
juskel- durch die →Minuskel-Sch.
abgelöst. – Das griech. Alphabet ist
der Ausgangspunkt aller europ. Alphabete. Die Römer übernahmen es
in der westgriech. Form durch Vermittlung der Etrusker und paßten es
ihrer Sprache an, ließen überflüssige
Zeichen aus und unterschieden
neue; so hatte das griech. Gamma
für den Laut G, den die etrusk.
Sprache nicht kannte, bei ihr in der
Form C den Wert K erhalten; die
Römer besaßen den G-Laut und
verwendeten das Zeichen C anfangs
für K und G (vgl. die Abkürzung C.
= Gaius), um es später durch e.
Querstrich zu unterscheiden; Y und
Z erschienen nur in griech. Lehnwörtern. – Hinsichtlich der
Sch.richtung waren phöniz. und
griech. wie die ältesten lat. Inschriften →linksläufig; im 6. Jh. erscheint
im Griech. vereinzelt e. horizontale,
im 5. Jh. im Lat. e. vertikale →Bu-
strophedonschreibung; seither setzt
sich in beiden Sprachen mit vereinzelten Ausnahmen die rechtsläufige
Sch. durch (→Stoichedon). – Aus
der griech. Sch. gingen die Sch.
Wulfilas und die →Kyrillische
Sch., damit die russ., hervor, wohl
aus der lat. Sch. die altgerman.
→Runen, die jedoch später wieder
durch sie verdrängt wurden. Für die
abendländ. Sch. wird nur die lat.
bedeutsam. Sie wandelt sich von der
→Kapitale in die →Unziale zum hs.
Gebrauch und im 3./4. Jh. in die
→Minuskelsch., aus der sich die
heutigen Sch.-formen Westeuropas
ableiten. Aus den runden lat. Formen der karoling. Minuskel entsteht in dt. Klöstern des 12./13. Jh.
die gebrochene Sch. (→gotisch,
→Fraktur), die im dt. Buchdruck
übernommen wird und bis ins 20.
Jh. fortlebt, während die anderen
Länder schon früh zur runden
→Antiqua zurückkehren, die auch
in Nachbildung hs. Formen als
→Kursive geläufig wird. Diese drei
Grundformen kehren in den verschiedensten Typen der Druck-Sch.
wieder. →Initialen, →Miniaturen,
→Versalien und bes. →Paläogra-
phie.

W. Wattenbach, D. Sch.wesen i. MA.,
1871, ⁴1958; C. Faulmann, D. Buch d.
Sch., ²1880, n. 1986; H. Degering, D.
Sch., 1929, ⁴1964; H. Jensen, D. Sch.,
1935, ⁴1987; A. Schmitt, D. Erfindg. d.
Sch., 1938; K. Sethe, V. Bilde z. Buchsta-
ben, 1939, n. 1964; J. Tschichold, Gesch.
d. Sch. i. Bildern, 1941, ⁴1961; A. Petrau,
Sch. u. Sch.en i. Leben d. Völker, 1944; J.
G. Février, *Hist. de l'écriture*, Paris 1948,
²1959; A. C. Moorhouse, *The triumph of
the alphabet*, N.Y. 1953; J. Friedrich,
Entzifferg. verscholl. Sch.n u. Sprachen,
1954, ²1966; I. J. Gelb, V. d. Keilsch. z.
Alphabet, 1958; D. Diringer, *Writing*,
Lond. 1961; M. Cohen u. a., *L'écriture*,
Paris 1963; E. Doblhofer, Zeichen u.
Wunder, 1964; Ch. Higounet, *L'écriture*,
Paris 1964; W. Ekschmitt, D. Gedächtnis
d. Völker, 1964; E. Buchholz, Sch.gesch.
als Kulturgesch., 1965; K. Földes-Papp,
V. Felsbild z. Alphabet, 1966, ²1984; J.
Friedrich, Gesch. d. Sch., 1966; D. Al-
phabet, hg. G. Pohl 1968; D. Diringer,
The alphabet, Lond. II ³¹968; G. Barthel,
Weltgesch. d. Sch., 1972; E. D. Stiebner,
W. Leonhard, Bruckmanns Hb. d. Sch.,
1977; R. Claiborne, D. Erfindg. d. Sch.,
1978; A. Schmitt, Entstehg. u. Entw. v.
Sch.en, 1980; D. Jackson, Alphabet,
1981; W. Wimmel, D. Kultur holt uns
ein, 1982; H. Glück, Sch. u. Sch.lichkeit,
1986.

Schriftleiter →Redakteur

Schriftmundart, Mundart mit eigenentwickelter Lit. Die Anfänge aller Litt. sind stets mundartlich bis zur Ausbildung e. einheitl. →Schriftsprache; außerdem kann e. Sch. beherrschend werden in Zeiten staatl. Zersplitterung oder in e. vom geschlossenen Sprachgebiet abgetrennten Sprachinsel, für die die Mundart oft die einzige Form der Sprache ist. →Dialektdichtung.

Schriftsinn, zunächst die mit Hilfe der Hermeneutik zu erschließende Bedeutung e. Textes, sodann als ›Lehre vom mehrfachen S.‹ eine von den Kirchenvätern (ORIGENES, CASSIAN, HIERONYMUS) entwickelte hermeneut. Technik der Bibelexegese und Allegorese, die hinter dem Wortlaut stufenweise und je nach Sinnbezug und Rezipienten (einfache, fortgeschrittene, vollkommene Gläubige) weitere Bedeutungsebenen postuliert: 1. buchstäbl. Wort- oder Literalsinn (z.B. Jerusalem = Stadt), 2. allegor. Sinn des eigtl. Gemeinten (J. = Kirche Christi), 3. uneigtl. Sinn für die prakt. Moraldidoxe und christl. Unterweisung (J. = Menschenseele) und 4. Verweis auf die Eschatologie (J. = Himmelsstadt Gottes). Die Methode der Exegese nach dem vierfachen S. wurde auch auf antike heidn. und ma. Texte angewandt, denen damit e. christl. S. unterlegt wurde.

F. Ohly, V. geistl. Sinn d. Worts i. MA., ZDA 89, 1958; H.-J. Spitz, D. Metaphorik d. geistl. S., 1972.

Schriftsprache, Schreibsprache, die geschriebene bzw. gedruckte, d.h. im gesamten Schrifttum e. Sprachgemeinschaft niedergelegte bes. Sprache im Ggs. zur mündlich gesprochenen Sprache, doch ständig daraus bereichert. Sie ist trotz der Möglichkeit e. formalen Übereinstimmung durchaus zu unterscheiden von der Literatursprache im engeren Sinne oder Dichtersprache, die als e. nach Wortschatz, -stellung und Lautform stilisierte Kunstsprache nicht im alltägl. Schriftgebrauch, sondern nur in den dichter. Denkmälern e. Sprache erscheint, an bestimmte hochentwickelte Kulturformen gebunden ist, mit denen sie entsteht und wieder erlischt (edd. Heldendichtung mit →Kenning und →Heiti; mhd. →Dichtersprache in der höf. Dichtung mit Fremd- und Lehnwörtern, in der Heldendichtung mit Archaismen; barocker →Schwulst; Literatursprache der Klassik, des →Naturalismus und →Expressionismus usw.), und im Ggs. zur Sch. nie Umgangssprache werden kann. Der Sch. entspricht in mündl. Form die Umgangs- oder Verkehrs-(Gemein-)Sprache, der Literatursprache die Hochsprache; alle diese Formen sind gekennzeichnet durch das Streben zur Einheitssprache als genormtes, anerkanntes gemeinsames Verständigungsmittel der Sprachgemeinschaft durch Überwindung der landschaftl. und volkssprach. Bindung in Wortschatz, Laut- und Formenstand sowie Aussprache (→Bühnenaussprache) und nähern sich somit einander. Die Ausbildung e. einheitl. Sch. liegt im Interesse der Dichter, Gelehrten, versch. Vereinigungen (→Sprachgesellschaften), der Drucker (Druckersprache) und der innenpolit. Verwaltung (→Kanzleisprache) und wird von ihnen gefördert. Ansätze e. Literatursprache bieten die westgot. Kirchensprache WULFILAS und die mhd. →Dichtersprache; e. einheitl. Sch. erstrebt schon der Gelehrtenkreis um KARL D. GR., sodann im Spätma. die Hansa, deren mittelniederdt. Sch. auch für die Lit. wichtig wurde, die Gelehrten am Prager Hof Ende des 14. Jh. (JOHANNES VON NEUMARKT u.a.) und die Regeln der →Kanzlei- und Druckersprache, die e. feste Schreibüberlieferung festhalten, die im wesentlichen auf der ostmitteldt. Durchschnittssprache des thüring. – obersächs. – schles. Raumes beruht, wo durch den Ausgleich mundartl. Unterschiede zwischen den Siedlern aus versch. Stämmen e. gewisse Vereinheitlichung entstanden war. Das entscheidende Ereignis zur Verbreitung dieser Sch. war die Bibelübersetzung LUTHERS, die ebenfalls auf der ostmitteldt.-meißn. Sch. der kursächs. Kanzlei beruht und durch ihre sprachgestalterische Vollendung auch über andere Ansätze e. Sch. im südd.-österr. Raum den Sieg davontrug: LUTHER ist nicht Schöpfer, wohl aber Begründer der nhd. Sch. Für die weitere Entwicklung wurden bes. die Sprachbestrebungen des Barock maßgebend; ihre künstler. Vollendung als Literatursprache erreicht die nhd. Sch. in der Klassik und ist auch seither in fortdauernder lebendiger Umwandlung begriffen.

H. Paul, Gab es e. mhd. Sch.?, 1873; O. Behaghel, Z. Frage nach e. mhd. Sch., 1886; A. Socin, Sch. u. Dialekte i. Dt., 1888; F. Kluge, Üb. d. Entstehg. unserer Sch., 1894; O. Behaghel, Sch. u. Mundart, 1896; S. Singer, D. mhd. Sch. (Mitteil. d. Gesellsch. f. dt. Spr. i. Zürich 5, 1900); E. Gutjahr, D. Anfänge d. nhd. Sch. vor Luther, 1910; K. Burdach, V. MA. zur Reformation V, 1926; H. Naumann, Gesch. d. dt. Lit.sprache, 1926; RL¹: Lit.-Spr.; A. Bernt, D. Entstehg. unserer Sch. (V. MA. z. Reformation IX, hg. K. Burdach 1934); H. Frings u. Schmitt, D. Weg z. dt. Hochsprache (Jhrb. d. dt. Sprache II, 1942f.); A. E. Berger, Luther u. d. nhd. Sch. (Fs. A. Götze I, 1942); F. Maurer, Z. Frage d. Entstehg. unserer Sch., GRM 1951 f.; A. Schirokauer, D. Anteil d. Buchdrucks a. d. Bildg. des Gemeindt., DVJ 25, 1951; W. Henzen, Sch. u. Mundarten, ²1954; E. Auerbach, Lit.spr. u. Publikum i. d. lat. Spätantike u. i. MA., 1958; E. A. Blackall, D. Entwicklg. des Dt. z. Lit.spr. 1700–1775, 1966; L. E. Schmitt, Unters. z. Entstehg. u. Struktur d. nhd. Sch., 1966ff.; D. Nerius, Unters. z. Herausbildg. e. nat. Norm d. dt. Lit.spr. i. 18. Jh., 1967; W. Baumgart, V. d. Urspr. d. dt. Lit.spr. (Daphnis 5, 1976); Z. Ausbildg. d. Norm d. dt. Lit.spr., VI 1976–83; Z. Entstehg. d. nhd. Sch., hg. K.-P. Wegera 1986; H. Günther, Schriftl. Sprache, 1988.

Schriftsteller (im 17. Jh. der Verfertiger e. Schrift im Auftrag; vgl. Bitt , Briefsteller), im Unterschied zum →Dichter allg. jeder Verfasser (→Autor) lit. (meist Prosa-) Werke von ausgebildeten stilist. und gedankl. Fähigkeiten (→Talent), doch ohne das Erfordernis sprachkünstlerischer Gestaltungsgabe. Die Scheidung in Sch. als übergeordneten Sammelbegriff und Dichter als deren qualitative Spitze, heute z. T. mit Recht als romant. Mystizismus abgelehnt und allg. durch die wertneutrale Bz. Sch. ersetzt, bedeutet e. Werturteil und läßt sich in Einzelfällen z. T. nicht durchführen. Jeder Dichter ist zu e. Teil Sch. – nur wenige und meist ganz kurze Werke sind reine Dichtung und frei vom Einfluß der sch.ischen Seite, während jedes umfangreichere Werk von selbst sch.ische Begabung verlangt – doch nicht jedem Sch. eignet die Gabe des Dichterischen. Die wesentl. Voraussetzungen für die breite Entfaltung des Sch.tums vom 18. Jh. bis zur Gegenwart liegen im zunehmenden Bedarf an Lit., bes. seit dem Buchdruck und der Entwicklung des Zeitungs- und Zss.wesens, die oft als Unterhaltungslit. bewußt nicht Dichtung sein will und kann, und in dem seit dem 19. Jh. durchgesetzten Rechtsschutz des Sch. durch Anerkennung des geistigen Eigentums im →Urheberrecht, die den Sch. zu e. sicheren und lohnenden Beruf für entsprechende Begabungen machte. In der handwerkl.-professionellen Ausübung des Schreibens liegt e. wesentl. Unterschied zum Dichter; nicht ›Berufung‹, innere Nötigung führen zum Schaffen, sondern sprachl.-stilist. Fähigkeiten werden zum Mittel des

Lebensunterhalts als ›Freier Sch.‹ oder Nebenberuf ausgebaut und richten sich oft weniger nach eigenem Erleben und Fühlen als nach dem am meisten Erfolg versprechenden Zeitgeschmack (→Bestseller). Während es Dichter aus eigener Kraft ohne Ansehen des Ruhmes und materiellen Erfolges zu allen Zeiten gab, ist der →Literat oder ›Literaturproduzent‹ ein Produkt der Zivilisation und Gesellschaft.

W. Schäfer, D. S., 1910; E. Gürster, D. Sch. i. Kreuzfeuer d. Ideologien, 1962; H. J. Haferkorn, D. freie S., AGB 33, 1963; J. W. Saunders, The profession of Engl. letters, Lond. 1964; G. Linz, Lit.Prominenz i. d. BR., 1965; W. Rothe, Sch. u. totalitäre Welt, 1966; P. Sheavyn, The lit. profession in the Elizabethan age, Manch. ²1967; W. H. Bruford, D. Beruf d. Sch. (Wege d. Lit.soz., hg. H. N. Fügen 1968); K. Fohrbeck, A. J. Wiesand, D. Autorenreport, 1972; K. Schröter, D. Dichter d. Sch. (Akzente 20, 1973); E. Jandl, Z. Problematik d. freien Schr., NR 85, 1974; H. Wysling, Z. Situation d. Sch. i. d. Gegenw., 1974; H. J. Haferkorn, Z. Entstehg. d. bürgerl.-lit. Intelligenz, LuS 3, 1974; H. L. Arnold, Sch. i. d. Gesellsch. (Frankfurter Hefte 30, 1975); F. Kron, Sch. u. Sch.verbände, 1976; R. Engelsing, D. lit. Arbeiter I, 1976; H. J. Schrimpf, D. Sch. als öffentl. Person, 1977; H. G. Göpfert, V. Autor z. Leser, 1977; H. Schwenger, Lit.produktion, 1979; B. J. Warneken, Lit. Produktion, 1979; D. Autor, hg. H. Kreuzer 1981; D. Rolle d. Autors, hg. I. Scheider 1981; H. L. Müller, D. lit. Republik, 1982.

Schriftstellerlexikon →Literaturlexikon

Schriftstellerverbände, im Unterschied zu freundschaftl. →Dichterkreisen und polit.-ideolog. Kampfgruppen in erster Linie apolit. Berufsorganisationen von Autoren aller Gattungen und Richtungen als berufsständische Interessenvertretung mit den Zielen der Erhaltung der Meinungsfreiheit (gegen Zensur), der Verbesserung der wirtschaftl. Lage (Honorar, Bibliotheksgroschen, Schulbuchantiemen) und der Kranken- und Altersversorgung.

In Dtl. entstanden seit Mitte des 19. Jh. (›Leipziger Literatenverein‹ 1840, ›Allg. Dt. Sch.‹ 1878 und ›Dt. Schriftstellerverein‹ 1885, vereint zu ›Dt. Schriftstellerverband‹ 1887, ›Verband Dt. Journalisten- und Schriftstellervereine‹ 1895, ›Allgemeiner Schriftstellerverein‹ 1900, ›Schutzverband dt. Schriftsteller‹ 1909). Sie erreichten den Gipfelpunkt ihres Wirkens in der Weimarer Republik, vereinigten sich 1927 im ›Reichsverband des dt. Schrifttums‹, wurden nach 1933 in der ›Reichsschrifttumskammer‹ gleichgeschaltet und 1935 aufgelöst, nach 1945 auf regionaler Ebene neugegründet und bildeten als Dachorganisation die ›Bundesvereinigung der Dt. Sch.‹. Sie gingen 1969 im ›Verband Dt. Schriftsteller‹ auf, der sich 1974 als Berufsgruppe der Gewerkschaft IG Druck und Papier angliederte und mit ihr 1989 in der IG Medien aufging. Gewerkschaftsgegner organisierten 1973 den ›Freien dt. Autorenverband‹. Ähnliche Organisationen bestehen in der DDR, in Österreich und der Schweiz und fast allen Kulturstaaten. Internationale Sch. sind die ›Confédération internationale des societés d'auteurs et compositeurs‹ und der →PEN-Club.

F. Kron, Schriftsteller u. Sch.e, 1976; U. Bürgel-Goodwin, D. Reorganisation d. westdt. Sch., AGB 18, 1977; W. Stegers, D. Leipziger Literatenverein, AGB 19, 1978; E. Fischer, D. Schutzverband dt. Schr., AGB 21, 1980.

Schrifttum →Literatur

Schüttelreim, Abart des →Doppelreims, Reimspiel mit den Wortbedeutungen: Vertauschung der Anfangskonsonanten der zwei oder mehr reimenden Silben oder Worte e. Reimpaars (beim Quadrupelreim dann auch der Vokale) zu überraschendem neuen Sinn: ›Fink und Star‹ zu ›stink' und fahr!‹. Vorstufen bei Konrad von Würzburg, Ph. von Zesen, Abraham a Sancta Clara, F. Rückert. Berühmte Sch.e von F. Dülberg, W. Pinder, II. Goescii, E. Mühsam, Wendelin Überzwerch (= Karl Fuss), Benno Papentrigk (= A. Kippenberg), C. Palm-Nesselmanns (= Clemens Plassmann), W. Bergengruen, H. de Boor, E. Gürster. Die engl. Abart ›Spoonerism‹ beruft sich auf die berühmten (Prosa)Versprecher W. A. Spooners in Oxford: ›The queer old dean‹.

C. Plassmann, S.e, ²1957; F. R. Schröder, Z. Gesch. d. S., GRM 43, 1962; W. F. Braun, Z. ma. Vorgesch. d. S., GRM 44, 1963; M. Hanke, Die Sch.er, 1968; L. Selow, Schüttel-Poesie, 1976.

Schulaufsatz →Aufsatz

Schuldrama, in Schulen und z.T. Universitäten von den Schülern aufgeführte, eigens dafür verfaßte oder umgeformte →Dramen mit dem pädagog. Zweck, die aufführenden Schüler zu gewandter Handhabung der (zuerst: lat.) Sprache und Rhetorik, freiem Auftreten, Moral und Humanität zu erziehen. Sie wurden im 16./17. Jh. teils selbst in den Lehrplan aufgenommen. Den Anfang machen als Ablösung des ma. geistl. Dramas im 16. Jh. die Humanistenschulen, deren lat. sog. Humanistendramen Stoffe aus der *Bibel* (bes. Gleichnisse) und Moralitäten (z.B. *Jedermann*), aber auch – gerechtfertigt durch den erzieher. Zweck – solche aus antik-›heidnischer‹ Geschichte und Sage in der Gesprächstechnik des Plautus und Terenz, z.T. auch mit antikem Chor, gestalten. Wichtigste Vorbilder und Vertreter sind Reuchlin (*Henno* 1497), Gnaphaeus (*Acolastus* 1529, bis 1581: 39 Aufl.), Macropedius (*Hecastus* 1539 u.a.), Sapidus (*Lazarus* 1539) und L. Holonius. – Die Reformation stellt das Sch. auf Anregung Luthers und Melanchthons als Reformationsdrama in den Dienst der konfessionellen Auseinandersetzung beider Seiten, gibt ihm dadurch gehaltl. Vertiefung (abschreckende Darstellung der Laster soll die Tugend fördern), führt in vielen Fällen dt. Prologe. Zwischenspiele, Inhaltsangaben oder ganz die dt. Sprache – teils neben der lat. – ein und nähert es durch volkstüml. Züge dem Volksdrama, u.a. durch die Einführung des Knittelverses – nur Rebhuhn versucht metr. Neuerungen. Aus antiker Tradition wird die Akteinteilung eingeführt und aus Italien die dekorationslose →Badezellen- oder sog. Terenzbühne übernommen. Lat. Vertreter sind bes. Naogeorg (*Pammachius* 1538, *Mercator* 1540, *Humanus* 1543), Stymmelius (*Studentes* 1545), Schonäus und z.T. Frischlin, dt. bes. Sixt Birck (*Susanna* 1532), P. Rebhuhn (*Susanna* 1535), Th. Gart (*Joseph* 1540), H. Sturm, G. Rollenhagen, J. Greff, L. Culmans, J. Agricola, J. von Gennep, H. Knaust, F. Dedekind, B. Krüger und M. Rinckart. – Im Barock geht das kath. Sch. in die Prunkform des →Jesuitendramas über, das mit seinen pädagog. Absichten (Erziehung zum Weltmann und zur Gesellschaft) und in seinen glanzvoll ausgestatteten Sonderformen auch das ev. Sch. beeinflußt. Neben Jesuitenstücken, griech. und lat. Dramen (bes. in der Straßburger Akademie), Sch.en von Brülovius, Crusius und Hirzwigius, J. S. Mitternacht und Ch. Zeidler gelangten nun auch die Barocktragödien von Gryphius, Lohenstein und Hallmann zur Aufführung. Bald jedoch verbürgerlicht das Sch. Sein letzter dt. Vertreter am Beginn der Aufklärung, der Zittauer Schulrektor Chr. Weise, erstrebt in seinen Sch.en (*Masaniello* 1683 u.v.a.) Erziehung zu gewandtem Auftreten, Vernunft und Weltoffenheit, und die Ausläufer gehen an der Konkurrenz der Berufsschauspieler und höf. Kulissentheater zugrunde. Ähnlich, wenngleich von geringerer Bedeutung, ist die Entwicklung in England (N. UDALL), den Niederlanden u.a. – Obwohl das Sch. seinem Wesen nach keine Werke der Weltlit. hervorgebracht hat, übte es in Dtl. entscheidenden Einfluß auf die Entwicklung des Dramas durch Bearbeitung e. Fülle neuer Stoffe, die – im Ggs. zu den bekannten religiösen – Spannung erregten, durch die Gruppierung des Geschehens um einen Helden, Reduzierung der Darstellerzahl und Spieldauer von den tagelangen Massenaufgeboten der Passionsspiele auf antikes Maß, Einführung der Aktgliederung und Betonung des Wortes (Sprechdrama, im Ggs. zu Passionsspiel und Jesuitendrama).

E. Riedel, Sch. u. Theater, 1885; E. Schmidt, D. Bühnenverhältnisse d. dt. Sch. u. seine volkstüml. Ableger i. 16. Jh., 1903, n. 1977; W. Flemming, Gryphius u. d. Bühne, 1921; T. H. V. Motter, *The school drama in Engl.*, Lond. 1929, n. 1968; R. Stumpfl, D. Bühnenmöglichkeiten i. 16. Jh., ZDP 54/55, 1929 f.; RL; J. Maaßen, Drama und Theater d. Humanistenschulen i. Dtl., 1929; M. Kaiser, Mitternacht/Zeidler/Weise, 1972; H. Rupprich, D. dt. Lit. v. spät. MA. b. z. Barock 2, 1973; Dt. Barocklit. u. europ. Kultur, hg. M. Bircher 1977; K. Reichelt, D. prot. Sch. i. Schles. u. Thür., Daphnis 7, 1978; S. Giovanoli, Form u. Funktion d. Sch. i. 16. Jh., 1980; K. Zeller, Pädagogik u. Drama, 1980.

Schulerzählung, Schulroman, bestimmt durch Motive der Schüler- und Schulthematik (Erziehungsformen, Pubertät, Autorität, Generationskonflikt, Frühreife), schildert die Nöte der Jugendlichen, vorgeprägt in C. F. MEYERS *Leiden eines Knaben,* dann bes. seit dem Naturalismus beliebt: A. HOLZ *Der erste Schultag,* Th. MANN *Tonio Kröger,* H. MANN *Professor Unrat,* F. HUCH *Mao,* H. HESSE *Unterm Rad,* E. STRAUSS *Freund Hein,* R. MUSIL *Törless,* F. TORBERG *Der Schüler Gerber,* auch bei A. DÖBLIN, R. WALSER, E. KÄSTNER, Ö. v. HORVATH, in der Gegenwart H. BÖLL, H. BENDER, G. WOHMANN, W. SCHNURRE, G. GRASS (*Katz und Maus, Örtlich betäubt*).

J. R. Reed, *Old school ties,* N.Y. 1964; T. Bertschinger, D. Bild d. Schule i. d. dt. Lit. zw. 1890 u. 1914, 1969; H. Ries, Vor d. Sezession, Diss. Mchn. 1970; G. Sautermeister, D. klass. dt. Schulnovelle, II 1977; M. Gregor-Dellin, Dt. Schulzeit (in ders.: Im Zeitalter Kafkas, 1979); P. Cersowsky, D. Schule d. Unpolit., DD 15, 1984.

Schulprogramm →Programm (4)

Schundliteratur, im Ggs. zum bloß lit. wertlosen →Kitsch, der gewissen künstler. Mindestanforderungen in Geschmack, Technik und Stil nicht genügt, das obendrein noch moralisch minderwertige und anstößige Schrifttum, das durch e. entstelltes Weltbild die Leser schädigend beeinflußt und durch Art des Stoffes und Darstellungsweise die sexuellen, kriminellen u.a. niederen Instinkte weckt. Es stellt daher bes. in der Hand leicht beeinflußbarer Jugendlicher e. öffentl. Gefahr dar, der die meisten Staaten seit der Jh.wende durch Sondergesetze zum Schutz der Jugend vor →jugendgefährdenden Schriften zu begegnen versuchen (→Bundesprüfstelle). Die Zweckmäßigkeit solcher Verbote und die ihnen zuzubilligende Reichweite bleiben ebenso umstritten wie die präzise Definition des jurist. Begriffs Sch., da die angelegten Maßstäbe notwendig bis in e. gewissen Grade subjektiv sind. Die liberalere, großzügigere Haltung beruft sich auf die Erfolglosigkeit gesetzl. Unterdrückung, das Fehlen wiss. Untersuchungen zur psych. Wirkung von Sch. und auf die Tatsache, daß sich derartige Erzeugnisse schnell von selbst überleben; engherzig-moralist. Prüderie dagegen verlangt selbst die Einbeziehung echter Kunstwerke, für deren Wertgehalt im Unterschied zur Sch. den entsprechenden Kreisen die Empfindung fehle. Als wirksamere Gegenmaßnahmen gegen die Sch., zu der nicht nur die unterste Schicht der →Kriminal-, →Detektivromane und →erotischen Lit., sondern auch das direkt unzüchtige Schrifttum (→Pornographie) und verrohende, zu Gewalttätigkeit, Verbrechen und Rassenhaß aufreizende und den Krieg verherrlichende Schriften gehören, empfehlen sich vielmehr die künstler. Geschmackserziehung u. Förderung wertvoller Lit.

E. Schultze, D. Sch., 1909, ²1925; K. Ziegler, V. Recht u. Unrecht d. Unterhaltgs.- u. Sch. (D. Sammlung 2, 1947); H. Schmidt, D. Lektüre d. Flegeljahre, 1954; Schmutz u. Schund, 1955; H. Reinhardt, Schmutz u. Sch. i. Volksschulalter, 1957; E. Martin, D. Problem d. Sch., 1959; R. Schilling, Lit. Jugendschutz, 1959; U. Beer, Lit. u. Schund, 1963, ²1965; R. Schenda, D. Lesestoffe d. kleinen Leute, 1976.

Schutzfrist, die zeitliche Dauer des →Urheberrechtsschutzes, nach deren Ablauf das lit. Werk gemeinfrei wird: in der BR 70 Jahre nach dem Tod des Autors, genau: bis zur Vollendung des 70. Kalenderjahres nach dem Tod des Autors bzw. bei anonymen Werken, deren Verfasser nicht in späterer Auflage bekanntgemacht wird, 70 Jahre nach Abschluß des Erscheinungsjahres, in anderen Ländern meist 50 Jahre.

Schutzumschlag →Buchumschlag

Schwäbischer Dichterkreis, sch. Dichterbund, sch. Romantik, sch. Schule, zusammenfassende, doch ungenaue Bz. für die teils durch Freundschaft verbundenen württemberg. Spätromantiker, rd. 1810–50, Verfasser volksliedhafter oder bürgerl.-idyll. Lyrik, Romanzen und Balladen nach ma. und lokalen Stoffen und Sagen mit z.T. stark biedermeierl. Zügen: L. UHLAND, J. KERNER, G. SCHWAB, W. WAIBLINGER, G. PFIZER, K. MAYER, J. G. FISCHER, H. KURZ, L. BAUER, K. ZIMMERMANN, K. GEROK, in näherer Beziehung dazu auch HAUFF, LENAU und MÖRIKE.

A. Mayr, D. sch. Dichterbund, 1886; M. Laue, D. sch. D., 1890; H. O. Burger, Sch. Romantik, 1928; G. Storz, Sch. Romantik, 1967; RL.

Schwäbische Romantik →Schwäbischer Dichterkreis

Schwanengesang, letztes Werk e. Dichters vor seinem Tode oder e. Epoche vor deren Ausklang, nach der antiken, bei AESOP, AISCHYLOS, PLATON, CICERO u. a. belegten Vorstellungen, der Schwan singe bei seinem Tode melod. Klagelaute.

Schwank (mhd. *swanc* = schwingende Bewegung, daher = ›Streich‹), 1. dramat. Sch., leichte Lustspielart von unbeschwerter, gelöster Heiterkeit mit Wortwitz (Versprechern), Situations-, Typen- oder Charakterkomik und Nähe zur Farce und Burleske, doch nicht verspottend wie die Komödie, derb ausgelassen wie die Posse oder lit. anspruchsvoller im gütigen Humor wie das große Lustspiel. Unter Vermeidung jeder Daseinsproblematik, -kritik, Außerachtlassung der inneren und äußeren Wahrscheinlichkeit der locker geknüpften Handlung und der oft nur dürftig und typenhaft angedeuteten Figuren erstrebt er kein tiefwirkendes und nachhaltiges Kunsterlebnis, sondern allein harmlose Unterhaltung für ein anspruchsloses Kleinbürgertum in

Vorstadttheatern: R. BENEDIX, O. BLUMENTHAL, G. KADELBURG, F. u. P. SCHÖNTHAN, L. THOMA. Vgl. →Militärstück. – 2. ep. Sch., knappe, anekdotenhaft auf e. Pointe zugespitzte oder breiter novellistisch ausgeschmückte Erzählung e. lustigen, neckischen Einfalls, e. kom. Begebenheit (häufig Verspottung e. Dummen durch e. Gerissenen mit List, Witz oder Gewalt) in Vers oder Prosa, teils mit derbdrast. überzeichnetem bis obszönem Inhalt (→Zote), teils mit lehrhafter Tendenz. Die Themen entstammen oft dem Triebleben, Ehebrüchen u. a. Tabubereichen: betrogene Betrüger, getäuschte Ehemänner, ertappte Pfaffen u. ä. Seit dem 9./10. Jh. erscheinen in Frankreich und Dtl. lat. Sch. mit Motiven aus Antike oder Orient (*Bauer Unibos, Schneekind* u. a. Schwabenstreiche; *Fecunda ratis* von EGBERT VON LÜTTICH). Die Spielmannsdichtung kennt sie, und die Kreuzzüge bringen e. lebhaften Motivaustausch mit sich. Andere Quellen sind die Predigtmärlein (→Mären) und Exempla. Bes. scharfe Pointierung zeigt die franz. →Fablel, deren Motive im 13. Jh. in dt. kleinep. Sch.mären und vom STRICKER übernommen werden, der auch im *Pfaffen Amis* (Vers-Sch., um 1230) zuerst die später vielfach angewandte zykl. Gruppierung der Slg. um e. zentrale Figur, den sog. Sch.roman, einführt. Solche Sch.-figuren sind NEIDHART VON REUENTHAL, der Pfaffe vom Kalenberg, Markolf, Peter Leu und Eulenspiegel im 15. Jh. Seit dem 14./15. Jh. gleitet der Sch. zuerst ins Obszöne ab, in Frankreich mit Betonung des Pikanten, in Dtl. mit Streben nach psycholog. Begründung, Herausarbeitung kom. Charaktertypen (z. B. *Die böse Frau, Der Weinschwelg* u. a.) und z. T. Darstellung ständ. Gegensätze. Im 16. Jh. erscheinen

neben zahlr. Prosa-sch.en noch einmal Vers-sch.e mit biederem Humor bei H. ROSENPLÜT, H. FOLZ und H. SACHS, der stets an die Darstellung des Falschen die moral. Belehrung um das Bessere anhängt. Nach Vorbild der ital. Renaissancenovelle (BOCCACCIO, POGGIO) blüht auch in dt. Humanistenkreisen der lat. Prosa-Sch. in der geschliffenen Kunstform der →Fazetie. Nicht an Geist, wohl aber an Breitenwirkung werden sie übertroffen von den zahlr. nun folgenden derb-volkstüml. Prosa-Sch.slgn., teils in zykl. Form: *Lalebuch (Schildbürger)*, J. PAULI *Schimpf und Ernst* (1522), G. WICKRAMS *Rollwagenbüchlein* (1555), derber FREYS *Gartengesellschaft* (1556), M. MONTANUS *Wegkürzer* (1557), M. LINDENERS *Katzipori* und *Rastbüchlein* (1558), M. MONTANUS *Gartengesellschaft, 2. Teil* (1559 bis 1566), V. SCHUMANNS *Nachtbüchlein* (1559), am umfangreichsten H. W. KIRCHHOFS *Wendunmut* (1565–1603, 7 Bde.) u. a. Im 17. Jh. (GRIMMELSHAUSEN, ZINCGREF; Slgn. von J. L. TALITZ 1645, J. P. de MEMEL 1656, J. C. SUTER 1666) sinkt die Gattung ab und verstummt, um gegen Ende des 18. Jh. in den →Lügendichtungen des *Finkenritter* (zuerst 1560) und bes. den →Münchhauseniaden, bei G. A. BÜRGER, J. H. VOSS und J. P. HEBEL wieder aufzuleben. Seither ständige Bemühung um Erschließung und Erhaltung der heiterharmlosen Gattung in zahlr. Sch.-slgn. und neue Sch. in Mundart. Formale Differenzierungen wie Sch.märchen, -märe, -erzählung, -ballade und -roman bleiben beim Vorherrschen des stoffl. Interesses unscharf und unbefriedigend.

E. Schulz, D. engl. Sch.-bücher, 1912; H. Weisser, D. dt. Novelle im MA., 1926; RL; H. Gumbel, Z. dt. Sch.-lit. i. 17. Jh., ZDP 53, 1928; H. Kindermann, D. dt. Sch.-bücher d. 16. Jh., 1929; G. Kuttner,

Wesen u. Formen d. dt. Sch.-lit., 1936, n. 1967; H. Bausinger, Schildbürgergeschn., DU 13, 1961; H. Rupp, Sch. u. Sch.-dichtg. i. d. dt. Lit. d. MA. (ebda. 14, 1962); L. Schmidt, D. Volkserzählg., 1963; K. Hufeland, D. dt. Sch.dichtg. d. SpätMA., 1966; H. Bausinger, Bemerkgn. z. Sch. u. seinen Formtypen (Fabula 9, 1967); E. Strassner, Sch., 1968, ²1978; H. Bausinger, Formen der Volkspoesie, 1968, ²1982; F. Frosch-Freiburg, Sch.märchen u. Fabliaux, 1971; W.-K. Nawrath, Facetie u. Sch. (Fs. G. Bebermeyer, 1974); W. Deufert, Narr, Moral u. Gesellschaft, 1975; J. Suchomski, Delectatio u. utilitas, 1975; K. Roth, Ehebruchsch.e i. Liedform, 1977; K. Ranke, D. Welt d. einf. Formen, 1978; V. Klotz, Bürgerl. Lachtheater, 1980, ²1984; J. Hein, Sch., FLE, 1981; E. Moser-Rath, Lustige Gesellsch., 1984; W. Theiß, Sch., 1985; N. Neumann, V. Sch. z. Witz, 1986; W. Röcke, D. Freude am Bösen, 1987.

Schwarte (ursprüngl. = behaarte Haut), seit dem 17. Jh. abfällige Bz. für alte (in Schweinsleder gebundene) Bücher.

Schwarzer Humor, neue Bz. für e. durchaus traditionelle, humorlose Form des Scherzes mit absurdem Schrecken, grausiger Komik, makabrer Lächerlichkeit, düsterer Groteske oder krassem Zynismus, die sich nicht in die gütige Weltweisheit des →Humors auflöst, sondern aus Gruseln und Grauen durch Übersteigerung ins Groteske noch →Komik bewirkt. Aus dem distanziert hintergründigen verbalen Spiel mit Tabubereichen wie Verbrechen, Krankheit und Tod in zyn.-paradoxer Weise entsteht e. groteske Diskrepanz von Stoff und Behandlung, deren unangemessenes Verhältnis Schock und Komik zugleich auslöst. Beispiele bei SWIFT, de QUINCEY, POE, W. BUSCH, E. LEAR, A. JARRY, A. BIERCE, ARP, MROŽEK, IONESCO, R. DAHL, G. KREISLER, S. B. ELLIN u. a.

G. Henniger, Genealogie d. sch. H., NDH 13, 1966; The world of black h., hg. D. M. Davis, N.Y. 1967; R. Federmann, Und trieben mit Entsetzen Scherz, 1969;

L. H. Barnes, The dialectics of black humour, 1978; P. Nusser, Sch. H., 1986.

Schwarze Romantik, Schauerromantik, die irrationale Tendenz der →Romantik zum Unheimlich-Gespenstischen, Phantastisch-Abseitigen und Dämonisch-Grotesken, bes. in →Schauerroman und →Satanismus, dt. bei TIECK und HOFFMANN.

M. Praz, Liebe, Tod u. Teufel, 1963.

Schwebende Betonung, der vortragsmäßige Ausgleich einer →metrischen Drückung bzw. →Tonbeugung durch gleichbleibende Betonung der betroffenen Silben, so daß der Stärketon über beiden Silben gleichzeitig schwebt. Voraussetzung dafür ist die Betonungsfähigkeit der Senkung. Sch. B. kann Kunstmittel zur Hervorhebung e. Wortes oder zur Belebung des monotonen Versgangs sein.

Schweifreim, Form des →Reims, bei der innerhalb e. Gruppe von sechs Versen der 1. und 2. sowie 4. und 5. paarweise reimen, der 3. dagegen mit dem 6. reimt. Reimfolge a a b c c b; in der Variante a a b a a b, d. h. bei gleichem Hauptreim, auch Zwischenreim genannt. Bereits im Minnesang; häufig im Volkslied und engl. Lyrik.

Schweifsonett →Sonett

Schweizer, die, zusammenfassende Bz. für BODMER und BREITINGER im 18. Jh. als Gegner GOTTSCHEDS. ›Aufklärung.

Schwellied, Lied, dessen Schwellteil/Kehrreim in jeder Strophe um einen Bestandteil/Vers länger wird, z. B. ›Drunt auf der grünen Au‹.

Schwellvers, im german. →Alliterationsvers längere, silbenreichere Verse mit Innentakten und Auftakten bis zu 11 Silben (durch Aufspaltung der Silben in Achtel und Sechzehntel), meist in Gruppen von bis zu 10 Langzeilen, auch einzeln, als Abschluß e. Kette von Normalzeilen oder als Verbindung von e. gewöhnlichen und e. zum Sch. gesteigerten Kurzvers zu e. Langzeile; häufig im Satzinneren anfangend und endend. Spätform des →Alliterationsverses in der Gelehrtendichtung, aus altengl. Geistlichendichtung in die altsächsische (*Heliand* und *Genesis*) übertragen. Beliebtes Stilmittel zu schwungvoller Sprache, das jedoch die lebendige Gliederung der Zeile mit ihrer wuchtigen Zweigipfligkeit durch die endlose Silbenfülle erstickt und ihre natürl. Ausdruckskraft durch Schwächung des Tongewichts mindert.

Schwindeschema, Technik bes. der konkreten und visuellen Poesie, die e. Buchstabenreihe (Wort) der 1. Zeile in den folgenden durch Weglassung von jeweils Anfangs- und Endbuchstaben trichterförmig verkürzt, z. B. bei E. JANDL und F. MON.

Schwulst, seit dem 3. Drittel des 17. Jh. übliche, heute fragwürdig gewordene Bz. für den mit gesuchten Metaphern überladenen, gelehrt dunklen, gekünstelten Stil des Spätbarock oder →Manierismus rd. 1670–1720, in dem barocken Überschwang, sprachl. Spielfreude, rhetor. Schmuckformen und festl. Repräsentationssucht bis zur Unnatürlichkeit sich steigern. Erst die gegenwärtige Forschung vermeidet die seit 1730 abwertende Bz. und versucht, dem Phänomen in positiver Weise gerecht zu werden und es als Ausdruck e. antithet. diesseitsfrohen u. stoisch-heroischen Lebensgefühls zu verstehen. Die Bz. Sch. trifft dann nicht die selbständigen

Sprachschöpfungen im Bestreben, der Sprache e. festl. Glanz zu geben, sondern nur deren ausartende, unselbständige und innerlich unwahre Nachahmungen. Die nationalen Ausformungen sind in England der →Euphuismus, in Spanien der →Gongorismus oder Kultismus, in Italien der →Marinismus, in Frankreich die →Preziösität, in Dtl. bes. die Vertreter der sog. 2. →schlesischen Schule in Nachahmung von HOFMANNSWALDAU, LOHENSTEIN, ZIGLER, SCHIRMER u. a., Ansätze schon in FLEMINGS *Pastor fido*-Bearbeitung, bei den Pegnitzschäfern (→Nürnberger Dichterkreis) und GRYPHIUS, letzte Ausläufer noch bei BROCKES erkennbar. Das Streben der Aufklärung nach Schlichtheit und Klarheit der Sprache bekämpft und überwindet den Sch. (GOTTSCHED, WERNICKE in satirischen Epigrammen).

RL; H. Pliester, D. Worthäufung d. Barock, 1930; M. Windfuhr, D. barocke Bildlichkeit u. ihre Kritiker, 1966; P. Schwind, Sch.-Stil, 1977. →Barock, →Manierismus.

Science Fiction (engl.), naturwiss.-techn. Zukunftsroman (-erzählung), auf den möglichen oder phantast. Folgen des wiss.-techn. Fortschritts beruhende Zukunftsbilder und Spekulationen über die Überwindung von Raum und Zeit, neue Erfindungen und Entdeckungen in Weltraumabenteuern, Weltraumeroberungen, Weltraumkriegen, Invasionen außerird. Intelligenzen und Zeitreisen mit globalen Katastrophen und Vernichtungskriegen mit futurist. Waffen, mit biologisch entwickelten neuen Menschentypen (Superman, Roboter, Androide, Homunculi) in e. Welt der Denkmaschinen, der Computer und der totalen Kommunikation, seltener mit Entwürfen künftiger Gesellschaftsformen (dann besser ›speculative fiction‹ genannt), von der reinen Phantasiedichtung durch die wiss. mögliche oder wenigstens dem Leser plausibel gemachte Begründung der phantast. Elemente unterschieden (z. T. Vorwegnahme späterer Erfindungen). Im Ggs. zur reinen, unrealisierbaren Utopie menschl.-gesellschaftl. Art schildert die mehr naturwiss.-techn. interessierte S. F. eine in Zukunft denkbare, nach den Fortschritten von Wissenschaft und Technik mögliche Welt, appelliert an die Veränderungsphantasie und liefert positive oder negative Gedankenspiele, Planspiele, Modellvorstellungen und lit. Einübungen in die Zukunft und deren polit., soz., wirtschaftl. und bes. techn. Probleme. Nach Spuren schon in der Antike (HOMER, LUKIANS *Wahre Geschichten*), in der phantast. →Reiselit. (CYRANO DE BERGERAC) und bei den →Utopien und →Staatsromanen des 16.–18. Jh. (CAMPANELLA, ANDREAE, CYRANO DE BERGERAC, BACON, J. WILKINS, F. GODWIN, S. MERCIER, N. RÉTIF DE LA BRETONNE) bes. im 19. Jh. als dem Zeitalter der techn. Revolution ausgebildet, konstruiert S. F. eine Gegenwelt, die selbst weniger Beschreibungsziel als vielmehr phantast. Hintergrund abenteuerl. Handlungen mit Elementen des →Schauerromans ist. Sie schafft entweder fortschrittsgläubig märchenhafte Utopien der Technologie bei einem oft reaktionären, rassist.-faschistoiden Menschenbild oder Anti-Utopien als Fortdenken gegenwärtiger Fehlentwicklungen, selten dagegen Lösungen soz. Fragen (New Wave seit 1960). Ihre Hauptvertreter kommen aus dem angelsächs., dt. oder slaw. Bereich: J. Verne (*Voyages au centre de la terre*, 1864 u.a.), A. EYRAUD, K. LASSWITZ (*Auf zwei Planeten*, 1897), H. G. WELLS (*The time machine*, 1895), E. BELLAMY

(*Looking backward*), P. SCHEERBART (*Lesabéndio*), H. DOMINIK (*Das Erbe der Uraniden*), F. WERFEL (*Stern der Ungeborenen*), A. DÖBLIN (*Berge, Meere und Giganten*), E. SOUVESTRE, Conan DOYLE, R. L. STEVENSON, B. KELLERMANN (*Der Tunnel*), H. GERNSBACK (*Ralph 124 C 41 +*), W. O. STAPLEDON, A. MAUROIS, K. ČAPEK (*RUR*), A. TOLSTOJ (*Aëlita*), E. I. ZAMJATIN (*My*), C. S. LEWIS, F. HOYLE, G. ORWELL (*1984*), A. C. CLARKE (*Sands of Mars*), R. A. HEINLEIN (*The red planet*), W. GOLDING (*Lord of the flies*), J. WYNDHAM, R. BRADBURY (*Fahrenheit 451*), T. STURGEON (*Killdozer*), H. P. LOVECRAFT, J. W. CAMPBELL, I. ASIMOV, I. EFREMOV, U. LE GUIN, St. LEM, J. NESVADBA, F. POHL, M. LEINSTER, J. BLISH, A. BURGESS, B. W. ALDISS, M. MOORCOCK, H. W. FRANKE, J. G. BALLARD, R. SILVERBERG, K. VONNEGUT, M. CRICHTON, C. SIMAK, L. SPRAGUE DE CAMP, N. SPINRAD, P. K. DICK u.a. Bes. seit dem Erscheinen amerikan. S. F.-Magazine (zuerst 1926 H. GERNSBACKS *Amazing Stories*) zur Massen- und Schemalit. geworden, bildet sie in der Gegenwart einen verbreiteten Lesestoff, auch in →Comic strips (J.-C. FOREST, *Barbarella*, 1964) Filmen und Serienromanen (*Perry Rhodan*). Während jedoch nur die lit. anspruchsvolle S. F. über Sehnsüchte, Ängste und Hoffnungen der Massenmenschheit Aufschluß gibt und den menschl. Bezug beachtet, bleibt das Gros der S. F. Bestandteil einer eskapist. Triviallit. Sie verzichtet weitgehend auf Psychologisierung der Figuren, arbeitet mit klischeehafter Charakteristik, zeigt höchst selten echten Humor oder gelungene Satire und verwendet konventionelle Muster der Erzähltechnik und des Stils; sie ersetzt reale menschl.

Gegenwartsproblematik durch e. zu Scheinproblemen aufgeblähtes abenteuerhaft-reißerisches Surrogat, das von Nöten einer unbewältigten Gegenwart ablenkt und nur einen Phantasiehunger nach imaginären Machtwelten befriedigt; sie ist dann weniger lit. als soziales, psycholog. und polit. Problem.

J. O. Bailey, *Pilgrims through space and time*, N.Y. 1947, [2]1972; H, Nicholson, *Voyages to the moon*, N.Y. 1948; J. J. Bridenne, *La lit. franç. d'imagination scientif.*, Paris 1950; *Modern S. F.*, hg. R. Bretnor, N.Y. 1952; L. Sprague de Camp, *S. F. handbook*, N.Y. 1953; S. Moskowitz, *The Immortal storm*, Atlanta 1954; L. S. De Camp, *On writing s. f.*, N.Y. 1955; B. Davenport, *An inquiry into s. f.*, N.Y. 1956; M. Schwonke, V. Staatsroman z. S. F., 1957; P. Moore, *Science and fiction*, Lond. 1957; R. L. Green, *Into other worlds*, N.Y. 1958; B. Davenport, *The S. F. novel*, 1959; C. Kornbluth, *The S. F. novel*, Chic. 1959; D. H. Tuck, *A handbook of S. F.*, Hobart 1959; K. Amis, *New maps of hell*, N.Y. 1960; I. F. Clarke, *The tale of the future*, Lond. 1961; S. Moskowitz, *Explorers of the infinite*, Cleveland 1963; K. Krymanski, D. utop. Methode, 1963; L. A. Esbach, *Of worlds beyond*, Lond. 1964; U. Diederichs, Zeitgemäßes-Unzeitgemäßes (Trivialllit. hg. G. Schmidt-Henkel 1964); S. Moskowitz, *Seekers of tomorrow*, Cleveland 1965; H. B. Franklin, *Future perfect*, N.Y. 1966; D. F. Knight, *In search of wonder*, Chic. 1967; A. A. Allison, *S. F.*, Melbourne 1968; R. M. Philmus, *Into the unknown*, Berkeley 1969; M. Pehlke, N. Lingfeld, Roboter u. Gartenlaube, 1970; S. Moskowitz, *Under the moons of Mars*, N.Y. 1970; S. F., hg. F. Leiner, J. Gutsch II 1971f.; Neue S. F., hg. dies. 1975; V. Graaf, Homo futurus, 1971; L. Sprague de Camp, *3000 years of fantasy and s. f.*, N.Y. 1972; J. Hienger, Lit. Zukunftsphantastik, 1972; T. D. Clareson, *S. F. Criticism*, Bibliogr., Kent, Ohio 1972; P. Versins, *Encycl. de l'utopie*, Lausanne 1972, [2]1985; S. F., Theorie u. Gesch., hg. E. Barmeyer 1972; M. Nagl, S. F. i. Dtl., 1972; J. Gattégno, *La S. F.*, Paris [2]1973; B. W. Aldiss, *The billion year spree*, Lond. 1973; J. Sadoul, Hist. de la S. F. mod., Paris 1973; J. van Herp, *Panorama de la s. f.*, Paris 1973; D. Hasselblatt, Grüne Männchen vom Mars, 1974; Deformierte Zukunft, hg. R. Jehmlich, H. Lück 1974; D. Wessels, Welt i. Chaos, 1974; R. Bretnor, *S. F. today and tomorrow*, N.Y. 1974; D. H. Tuck, *The encycl. of S. F. and fantasy*, Chic. III

1974ff.; K.-P. Klein, Zukunft zw. Trauma u. Mythos, 1976; D. triviale Phantasie, hg. J. Weigand 1976; R. McKinney, *S. F. as futurology*, Lund 1976; I. u. G. Bogdanoff, *Clefs pour la s. f.*, Paris 1976; M. Schäfer, S. F. als Ideologiekritik, 1977; R. Scholes, E. Rabkin, *S. F.*, N.Y. 1977; RL; H. Lück, Fantastik, S. F., Utopie, 1978; H. Schröder, S. F. Lit. i. d. USA, 1978; *Explorations of the marvellous*, hg. P. Nicholls, N.Y. 1978; B. Goorden, *S. F.*, Brüssel 1978; P. Nichols, *S. F. Encycl.*, N.Y. 1979; D. Suvin, Poetik d. S. F., 1979; L. Del Rey, *The world of S. F.*, N.Y. 1980; H.-J. Alpers, Lexikon d. S. F. Lit., II 1980; R. Jehmlich, S. F., 1980; Flucht od. Neugier?, hg. K. Ermert 1980; P. Parrinder, *S. F.*, Lond. 1980; *The technological imagination*, hg. T. de Lauretis, N.Y. 1980; U. Suerbaum u.a., S. F., 1981; M. Nagl, S. F., 1981; M. Rose, *Alien encounters*, Cambr./Mass. 1981; *Survey of S. F. lit.*, hg. F. N. Magill, Englewood Cliffs 1982; H. J. Alpers, Reclams S. F. Führer, 1982; H. Heidtmann, Utop.-phantast. Lit. i. d. DDR, 1982; H. Kem, New wave, 1983; K. S. Guthke, D. Mythos d. Neuzt., 1983; W. B. Fischer, *The empire strikes out*, Bowling Green 1984; W. H. Schober, S. F., EdT, 1984; S. F. i. Osteuropa, hg. W. Kasack 1984; Aspekte d. S. F., hg. R.-D. Kluge 1985; B. Aldiss, *Trillion years spree*, N.Y. 1986; H.-J. Schulz, S. F., 1986; D. Wuckel, Illustr. Gesch. d. S. F., 1986; B. Puschmann-Nalenz, S. F. u. ihre Grenzbereiche, 1986.

Sciolti, versi sciolti (ital. *sciolto* = ungebunden), ungereimte Verse von gleicher Silbenzahl, meist Elfsilber (→Endecasillabi), seit 13. Jh. belegt, ab 16. Jh. im ital. Epos und Lehrgedicht als Ersatz des Hexameters und bes. seit dem 16. Jh. über Ariosts Komödien und Trissinos *Sofonisba* im ital. Drama, seit Alfieri Standardvers der Tragödie und klassizist. Lyrik bei Frugoni, Leopardi, Parini, Foscolo (*I sepolcri*), Manzoni, S. Benelli und Pascoli (*Poemi conviviali*), Vorbild des engl. Blankverses.

Scipionenkreis, philos. und lit. interessierter Kreis vornehmer Römer in der Mitte des 2. Jh. v. Chr. um die beiden Redner Publius Cornelius Scipio Aemilianus und Gaius Lae-

LIUS, die als Bewunderer der griech. Literatur deren formale Einflüsse auf die röm. stärkten und eine Vereinigung der griech. und röm. Kultur erstrebten. Zu ihnen gehörten der Geschichtsschreiber POLYBIOS und die Dichter LUCILIUS und TERENZ.

R. M. Brown, *Study on the Scipionic circle (Iowa Studies)*, 1934.

Scop →Skop

Scriblerus Club, 1713 in London gegr. engl. Schriftstellerclub, benannt nach e. fiktiven Münsteraner Antiquar Martinus Scriblerus, der im Ruf stand, fast alles gelesen, aber keine Meinung zu haben und dessen Prätention und Geschmacksfehler J. ARBUTHNOT 1741 verspottete. Mitglieder des S. waren POPE, SWIFT, GAY, CONGREVE, ARBUTHNOT, PARNELL und Lord BOLINGBROKE.

Scriptorium (lat. = Schreibstube), in ma. Klöstern der Raum, wo Mss. geschrieben und kopiert wurden, z. T. auch Leseraum. Ab 14./15. Jh. auch an Fürstenhöfen.

Scriptum →Skriptum

Scuola siciliana →Sizilianische Schule

Sdruccioli, *versi sdruccioli* (v. ital. = abschüssig), Gleitverse, d. h. Verse, die mit dem Ton auf der drittletzten Silbe enden; bei DANTE, ARIOST, MONTI, CARDUCCI u. a.

Secentismus (ital. *Secento* = 600, gemeint 1000+600 = 17. Jh.), ital. Kunst- u. Lit.-stil des 17. Jh., →Barock, →Manierismus, →Marinismus. Secentist: ital. Schriftsteller derselben Epoche.

Sedez (lat. *sedecim* = 16), Buch-→format des in 16 Blätter, = 32 Seiten gefalteten →Bogens.

Sedōka (japan.), Kehrverslied, japan. Gedichtform aus zwei zusammengefaßten →Kata-uta, also Sechszeiler mit 5, 7, 7/5, 7 und 7 Silben.

Seedichtung →Meeresdichtung

Seelendrama, Drama, dessen Handlung sich weniger in äußeren Geschehnissen als in innerseel. Bereichen und Konflikten abspielt, oft →Monodrama.

C. Steinweg, D. S., 1924; ders., Goethes S., 1912.

Seelenroman, Romantyp der Verinnerlichung, spiegelt statt äußerer Vorgänge und Zustände das innere Seelenleben und die Konflikte des Herzens, häufig in Ich-, Brief- oder Tagebuchform, z. B. Goethes *Werther.*

Seemannslieder →Shanties

Seeschule →Lake Poets

Segen →Zauberspruch, →Blutsegen

Seguidilla (span. = Fortsetzung), span. Strophenform volkstüml. Herkunft (Tanzlied) seit dem 15. Jh. in mehreren Varianten: 1. S. simple, vierzeilige Strophe mit wechselnd reimlosen 7-8-Silbern und assonierenden 5-6-Silbern; noch im 17. Jh. verfestigt und durch e. zusätzl. Dreizeiler erweitert zu: – 2. S. compuesta, siebenzeilige Strophe in zwei Teilen zu 4 und 3 Zeilen mit wechselnd 7- und 5-Silbern in der Abfolge 7, 5, 7, 5; 5, 7, 5 Silben und der Assonanz- (seltener Reim-) Bindung xaya bzb; beliebt im 18. Jh. – 3. S. gitana oder flamenca, fünfzeilige Strophe von 6, 6, 5, 6, 6 Silben, von denen 2. und 5. Zeile assonieren, 3. und 4. Zeile gelegentl. zu einer Zeile von 10–12 Silben zusammengefaßt werden. In Kunstdichtung bei LOPE DE VEGA und ESPRONCEDA.

F. Hanssen, *La s.* (*Anales de la Universidad de Chile* 125, 1909); D. C. Clarke, *The early s.* (*Hispanic Review* 12, 1944).

Sehtext, e. Sonderform der →visuellen Poesie bes. bei F. Kriwet, in der das visuelle Arrangement nicht notwendige Konsequenz der Aussage ist, sondern auf Rezeption im opt. Zeitalter zielt.

Sekond →Format

Sekundärliteratur (franz. *secondaire* = an 2. Stelle stehend), im Ggs. zum eigtl. lit. Text (→Primärliteratur) die Forschungslit., wiss. und krit. Werke über denselben, Interpretationen, Kommentare, Formuntersuchungen, Darstellungen über Dichter, Epochen usw., zusammengestellt in der →Bibliographie.

Sekundenstil, Bz. von A. von Hanstein (1900) für die wirklichkeitskopierende Technik des Naturalismus, die, gewissermaßen Vorwegnahme der Zeitlupe, die kleinsten Bewegungen, Gesten, Geräusche und Nuancierungen in minuziöser, objektiv-pointillist. Beachtung ihrer zeitl. Abfolge aufzeichnet und z.B. den Dialog des Dramas ständig durch die entsprechenden Regieanweisungen unterbricht; zuerst ausgeprägt in den Skizzen *Die Familie Selicke* (1890) von A. Holz und J. Schlaf. Auch als extremes Stilexperiment ähnl. in P. Weiss' *Der Schatten des Körpers des Kutschers* (1960).

Selbstbekenntnis →Bekenntnis

Selbstbiographie →Autobiographie

Selbstgespräch →Monolog

Selbstverlag, Veröffentlichung e. Werkes auf eigene Kosten durch den Autor selbst, meist für an e. bestimmten engen Personenkreis gerichtete und ›als →Manuskript gedruckte‹ Texte, die nicht in den Buchhandel gelangen. Versuche einzelner Autoren (Lessing, Klopstock) im S. scheiterten; länger hielten sich genossenschaftl. Autorenverlage (Dessauer Buchhandlung der Gelehrten 1781–84, Verlag der Autoren 1969) im Bestreben, den kommerziellen →Verlag zu umgehen.

Semanatorismus, nach der 1903 bis 1906 von N. Iorga herausgegebenen Zs. *Semanatorul* (›Der Sämann‹) Bz. für die von ihm vertretene Richtung in der rumän. Lit. im Hinblick auf eine bodenständig-nationale, bäuerl. Lit. im Ggs. zu den dekadent-symbolist. Einflüssen aus dem Westen.

Semiautobiographie (lat. *semis* = halb), →Autobiographie, deren Wahrheitsgehalt durch dichter. Züge umgestaltet wird, im Sinne von Goethes *Dichtung und Wahrheit.*

Semiotik, auch **Semiologie** (griech. *semeion* = Zeichen), allg. Zeichentheorie und Lehre von den sprachl. und nichtsprachl. Zeichen menschl. Kommunikation, fachübergreifende Disziplin der Linguistik, versteht die geschriebene und gesprochene Sprache als ein Zeichensystem, mit dessen Hilfe ein ›Sender‹ eine ›Nachricht‹ an einen ›Empfänger‹ weitergibt, der sie nach demselben Kode dekodiert. Die S. analysiert diese Zeichenkodes und -systeme, ihre Voraussetzungen, ihre kommunikativen Strukturen und ihre Funktion im Kommunikationsprozeß. Ihre Teildisziplinen sind 1. Semantik, Lehre von den Beziehungen zwischen den Zeichen(körpern) bzw. Zeichenfolgen und deren Bedeutung, d.h. der durch sie vermittelten Information über Gegenstände und

Erscheinungen der äußeren Welt; 2. Syntax, Lehre von den Beziehungen zwischen den einzelnen Zeichen-(körpern) und deren mögl. Verknüpfungen; 3. Pragmatik, Lehre von den Beziehungen und mögl. Kombinationen zwischen den Zeichen(körpern) und ihren Benutzern. Nach vereinzelten früheren Ansätzen wurde die S. um 1910 gleichzeitig von C. S. PEIRCE und F. de SAUSSURE entwickelt und vom →Strukturalismus als interdisziplinäre Kommunikationswissenschaft und System auf alle Kultur-, Gesellschafts- und Geisteswissenschaften, u. a. auch Kunst- und Literaturwissenschaft, Theater und Film, übertragen. Sie untersucht die Lit. als kommunikativen Prozeß mittels e. spezif. Systems von Zeichen als materielles Substrat von Bedeutungen, das als Anweisung an den Rezipienten zur Entschlüsselung vermittelt wird, und die Sonderart (Literalität) der Lit. als sekundäres semiot. System, dessen Zeichen zwar der natürl. Sprache entlehnt sind, aber nicht auf reale Objekte zurückverweisen und zudem von noch anderen (Gattungs-)systemen abhängig sind. Die als Überwindung der Einzeldisziplinen begrüßte Universalität der S. führte um 1960/70 zunächst zu e. Fülle von System- und Theoriebildungen mit divergierender Terminologie; eine breite prakt. Erprobung an Texten steht noch aus, und eine Analyse des lit. Erkenntniszuwachses im einzelnen wäre verfrüht.

J. Trabant, Z. Semiologie d. lit. Kunstwks., 1970; G. Wienold, S. u. Lit., 1972; U. Eco, Einf. i. d. S., 1972; *Essais de sémiologie poétique*, hg. A. J. Greimas, Paris 1972; J. C. Coquet, *Sémiotique litt.*, Paris 1973; A. Eschbach, Zeichen, Text, Bedeutg., 1974; R. Kloepfer, Poetik u. Linguistik, 1975; J. Trabant, Elemente d. S., 1976; M. Hardt, Poetik u. S., 1976; Zeichen, Text, Sinn, hg. K. Spinner 1977; M. Corti, *An introd. to lit.* *s.*, Bloomington 1978; G. Bentele u. a., S., 1978; M. Riffaterre, *S. of poetry*, Bloomington 1978; T. A. Sebeok, Theorie u. Gesch. d. S., 1979; R. Barthes, Elemente d. Semiologie, 1979; Lit.-S., hg. A. Eschbach II 1980; C. Segre, Literar. S., 1980; R. Fellinger, Probl e. S. d, Lit. (Lit.wiss., hg. V. Bohn 1980); W. A. Koch, Poetizität, 1981; H. Hafner, Prolegomena z. e. linguist.-lit.wiss. Zeichentheorie, 1982; P. Stockinger, S., 1983; *Hist. of S.*, hg. A. Eschbach, Amsterd. 1983; E. Arroyabe, S. u. Lit., 1984; W. Nöth, Hdb. d. S., 1985; D. Janik, Lit.-S. als Methode, 1985; A. Eschbach u. a., *Bibliogr. of s.*, Amsterd. II 1986; J. Deely, S., 1986; U. Eco, S., 1987; *The semiotic web 1987*, hg. T. A. Sebeok, Haag 1988.

Semiquinaria →Penthemimeres

Semirealismus (lat. *semis* = halb), = →Neue Sachlichkeit

Semiseptenaria →Hephthemimeres

Senar (lat. *senarius* = sechsgliedrig) →Trimeter

Sendbrief →Epistel

Sendespiel, im Rundfunk die funk. Übertragung e. Bühnenwerkes in wesentlich unverändertem Form im Ggs. zu dem nach den akust. Möglichkeiten umgearbeiteten →Hörspiel.

Sendschreiben →Epistel

Senhal (provenzal. = Kennzeichen), in provenzal. Trobadorlyrik des 12. Jh. Verschlüsselung oder versteckte Anspielung auf den Namen e. wirkl. Person (Addressatin, Dame, Gönner) meist in e. Redewendung der →Tornada; ab 13. Jh. manierierte Technik ohne Geheimhaltungsabsicht.

Senkung (urspr. Übersetzung des gegenteiligen griech. →*thesis*), in der akzentuierenden german. und dt. Dichtung Bz. für die druckschwache, unbetonte Silbe innerhalb e. Verses im Ggs. zur →Hebung. Ihre Anzahl ist, wo nicht durch e. strenges Versschema wie z.B. im Hexameter oder in den Odenstrophen gebunden, unterschiedlich; freigefüllte Verse wie der german. Alliterationsvers durch →Senkungsspaltung (→Schwellvers), der dt. Knittelvers und freie Rhythmen erreichen bis zu 4 Senkungssilben, meist jedoch ebenfalls nur 1–2; andererseits können auch zwei Hebungen bei S.sausfall direkt nebeneinanderstehen.

RL²: Hebung. →Metrik.

Senkungsspaltung, in ahd. und mhd. alternierender Versdichtung die Aufspaltung e. metr. vorgesehenen →Senkung in zwei kurze, unbetonte Silben, aus Versnot oder zwecks größerer Beweglichkeit des Rhythmus.

Senryū, nach ihrem Begründer Karai S. (18. Jh.) benannte japan. Gedichtform, Epigramm in der Form der kom. Haikai, mit einem Siebensilber zwischen zwei Fünfsilbern, jedoch mit zunehmender Tendenz zu gutmütiger, schlagfertiger Verspottung des Verkehrten und Gemeinen im Alltag und Menschenleben.

Sensationsroman, Sondertyp des Zeitromans seit der 2. Hälfte des 19. Jh., der zeitgenöss. Ereignisse der Weltpolitik oder aufsehenerregende Kriminalfälle und -prozesse mit angeblich sensationellen, doch fiktiven Enthüllungen (über Verschwörungen u.ä.) reißerisch darstellt. In Dtl. bes. Sir John RETCLIFFE (= H. GOEDSCHE). →Tatsachenroman.

W. Hughes, *The maniac in the cellar,* N.Y. 1980; V. Neuhaus, D. zeitgenöss. S. i. Dtl. 1855–78, 1980.

Sensationsstück →Melodrama (4)

Sentenz (lat. *sententia* = Meinung, Urteil, Gedanke), Sinnspruch, Denkspruch, knapp und treffend formulierte Erkenntnis, die aufgrund ihrer leichten Einprägsamkeit und Allgemeinverständlichkeit (im Unterschied zum →Aphorismus) aus dem Text- und Sinnzusammenhang e. lit. Werkes herausgelöst, vom persönl. Einzelfall verallgemeinert, normativ anwendbar wird und evtl. als →Zitat verwendet oder als →Geflügeltes Wort bzw. →Sprichwort in den Volksmund dringen kann. In der Lit. erscheinen S.en zunächst im Rahmen größerer Vers- oder Prosawerke (bes. Drama, Ballade, Gedankenlyrik), denen sie sich sprachl.-metr. anpassen und in denen sie e. feste Funktion im Kontext, z.T. an exponierter Stelle (Akt-, Monologschluß) haben. Nach Vorgang von APPIUS CLAUDIUS CAECUS, CATO d. Ä., VARRO, SALLUST, PUBLILIUS SYRUS u.a. erreicht die S. z.Z. der silbernen Latinität, bes. bei TACITUS, SENECA, LUKAN, JUVENAL und MARTIAL, ihre höchste Ausformung, zu der die lat. Sprache bes. geeignet erscheint. Ähnlich reich an S. sind die klass. Werke GOETHES und SCHILLERS, wo im konkreten Einzelfall das Allgemeingültige durchscheint. Berühmte Slgn. von PETRUS LOMBARDUS (*Sententiae,* 1148/52 der Kirchenväter) und ERASMUS (*Adagia,* 1500). Vgl. →Gnome, →Apophthegma, →Maxime, →Spruchdichtung.

P. Niemeyer, D. S. als poet. Ausdrucksform, 1934, n. 1967; P. Benrath, D. S. i. Drama v. Kleist, Büchner u. Brecht, 1976; Z. Škreb, D. S. als stilbildendes Element, JIG 13, 1981.

Sentimentale (frz.), im Theater weibl. →Rollenfach der romant.-empfindsamen Gefühlsseligkeit.

Sentimentalisch →Naive und sentimentalische Dichtung

Sentimentalismus →Empfindsamkeit

Separata (lat. = Getrenntes), →Sonderdrucke

Septem artes liberales →Artes liberales

Septenar (lat. *septenarius* = siebengliedrig), in lat. Metrik Bz. für katalekt. trochäischen (selten anapäst., bei Varro und Septimius Serenus) →Tetrameter, benannt nach der Zahl der vollständigen Versfüße (7½) im Ggs. zum →Oktonar; trochäische Grundform: $\underline{\vphantom{x}}\,\cup\,\underline{\vphantom{x}}\,\cup|$ $\underline{\vphantom{x}}\,\cup\,\underline{\vphantom{x}}\,\cup||\,\underline{\vphantom{x}}\,\cup\,\underline{\vphantom{x}}\,\cup\,\underline{\vphantom{x}}\,\cup\,\underline{\vphantom{x}}\,\cup\,\underline{\vphantom{x}}$, z.B. ›Aber hüte dich, zu fliegen, freier Flug ist dir versagt‹ *(Faust II)*. Neben der regelmäßigen Zäsur nach dem 4. Fuß erscheint häufig e. Nebenzäsur nach dem 2. Fuß; in röm. Dichtung sind alle Kürzen bis auf die letzte auch durch Längen ersetzbar. Verwendet im Dialog des röm. Dramas (→Diverbium), den Satiren des Lucilius und als trochäischer S. oder lat. ›verus quadratus‹ in der Volksdichtung der Kaiserzeit (als Ersatz des →Saturniers, z.B. in den Spottversen der →Triumphlieder), in spätlat. Kunstdichtung, z.B. *Pervigilium Veneris* (3./4. Jh.) und den frühchristl. Hymnen; in dt. Dichtung nachgebildet in A. W. Schlegels *Ion*, Goethes *Faust II*, Platens Literaturkomödien u.a.m.

Septett (v. lat. *septem* = sieben), siebenzeilige Strophe oder Gedicht, meist mit der Reimfolge ababbcc (→Rhyme royal). Vgl. →Seguidilla (2).

Sequenz (lat. *sequentia* = Folge), an die letzte Silbe des Halleluja im Graduale der Messe anknüpfender jubilierender Koloraturgesang (›Neumen‹) in freier Stimmführung, dem später als Gedächtnisstütze für die verwickelte Tonfolge e. prosamäßiger, taktfreier, unmetr. Text unterlegt wurde (daher roman. ›prose‹ = S.), der zunächst von der Melodie abhängig nur silbenzählend, nicht rhythmisch war und bes. mit Parallelismen und Wiederholungen gemäß der Melodie arbeitete; als Sonderform des →Tropus rezitativ. Teil des kath. Meßgesangs für den Gesamtchor (später Solostimmen) in Form der Gregorianischen Hymnen, meist aus mehreren Chorälen oder melod. Sätzen mit ähnl. Schlußkadenzen bestehend, von Mönchen gedichtet und im Klostergottesdienst bes. gepflegt. Die neue Forschung vermutet weltl. Vorbilder der S. Später entwickelt sich aus der zweigliedrigen Struktur die freiwechselnde Strophen-S. mit Doppelstrophen, die dieselbe Melodie mit jeweils zwei versch. Texten unterlegen, und nach Einführung von Reim und rhythm. Gliederung geht die Form aus der geistl. lat. in die weltl. und volkssprachl. Dichtung über und ergibt im dt. Minnesang den →Leich, der ebenfalls nur in der Vertonung lebt. Die Ausbildung der S. ist zuerst in Frankreich bezeugt; in Dtl. übernimmt Notker der Stammler (9. Jh.) als erster die Form (›Vater der S.‹) und ist durch eigene (z.T. erhaltene) S.en (Pfingst-S. u.a.) und wohl auch durch Erfindung neuer Melodien für die Fortentwicklung von größtem Einfluß – wie überhaupt sein Kloster St. Gallen –, denn erst mit der gleichzeitigen Neuschöpfung von Ton und Wort, nicht mit der Anpassung der Worte an e. gegebenes Tongefüge, wird die S. zur selbständigen Kunstform. Andere S.en stammen von Wipo, dem Hofkaplan Konrads II. (Oster-S.) und Ekkehart I. (10. Jh.). Die spätere S.-dichtung entwickelt unter dem Einfluß der regelmäßigen lat. Hym-

nendichtung die trochäische Lang-
zeile in versch. Strophenformen.
Das Konzil von Trient 1545–63 un-
ter Papst Pius V. schränkte die Zahl
der S. im kath. Gottesdienst und
Missale Romanum auf vier ein: *Vic-
timae paschali laudes* (Oster-S., 12.
Jh.), *Veni sancte spiritus* (Pfingst-
S.), *Lauda Sion salvatorem* (Fron-
leichnams-S. von THOMAS VON
AQUINO und *Dies Irae* (Totenamt-
S. von THOMAS VON CELANO, 13.
Jh.). Dazu trat 1727 das *Stabat ma-
ter* (Marien-S. von JACOPONE DA
TODI, 13. Jh.). Das 2. vatikan. Kon-
zil 1970 beließ nur die Oster- und
Pfingst-S. im röm. Meßbuch. Auch
LUTHERS Kirchenlied ›Gelobet seist
du, Jesu Christ‹ liegt e. lat. S. zu-
grunde.

K. Bartsch, D. lat. S.n d. MA., 1868, n.
1968; J. Werner, Notkers S.n, 1901; P. v.
Winterfeld, Rhythmen- u. S.-stud., ZDA
45 u. 47, 1901–04; C. A. Moberg, Üb. d.
schwed. S., 1927; H. Spanke, Aus d. Vorgesch. u. Frühgesch. d. S., ZDA 71, 1934;
L. Kunz, Rhythmik u. formaler Aufbau d.
frühen S. (ebd. 79, 1942); W. v. Steinen,
Notker d. Dichter, II 1948; G. Reichert,
Strukturprobleme d. ält. S., DVJ 23,
1949; L. Kunz, D. Textgestalt d. S., DVJ
28, 1954); H. Thomas, D. altdt. Strophenbau (Fs. H. Pyritz, 1955); B. Stäblein, Z.
Frühgesch. d. S. (Archiv f. Musikwiss. 18,
1961); P. Dronke, *The beginnings of s.*,
PBB 87, 1965; J. Wall, *The lyric impulse
of the s.* (Medium Aevum 45, 1976); H.
Spanke, Stud. z. S., Lai u. Leich, 1977.

Serapionsbrüder, nach E. T. A.
HOFFMANNS Novellenslg. Bz. e. im
Februar 1921 gegr. Gruppe junger
sowjet. Schriftsteller in Petrograd,
die die Reinerhaltung der Dichtung
von ideolog. und polit. Tendenzen
und die Besinnung auf die eigentl.
Aufgaben der Kunst erstrebten;
größter und bedeutendster der nonkonformist. Dichterkreise der Sowjetlit.: E. I. ZAMJATIN, K. FEDIN,
I. IVANOV, V. KAVERIN, N. NIKI-
TIN, N. TICHONOV, M. ZOŠČENKO,
M. SLONIMSKIJ, V. ŠKLOVSKIJ, L.
LUNC u. a. Die S. wurden nach we-

nigen Jahren unter dem Schutz von
M. GOR'KIJ von der dogmat. offiziellen Kulturpolitik erdrückt.

D. S. von Petrograd, hg. G. Drohla 1963;
H. Orlanoff, *The theory and practice of
the S.*, 1966; D. S. von Petrograd, hg. K.-
H. Kasper 1987.

Serbischer Trochäus →Trochäus

Serena, Serenade, Abendlied der
provenzal. Troubadours, wiederholt meist am Ende jeder Strophe
das Wort ›sera‹ (provenzal. =
Abend) als Zeit der ersehnten Zusammenkunft mit der Geliebten; als
Ggs. zur →Alba von GUIRAUT RI-
QUIER (13. Jh.) erfunden.

Serial (engl. =) →Serie (2)

Serie (lat. *series* = Reihe), 1. im
Buchwesen ein in regelmäßiger Folge fortgesetztes Reihen- oder Sammelwerk, im weiteren Sinne alle
Zss. und Periodika. – 2. in Rundfunk und Fernsehen e. Sendereihe,
die in regelmäßiger Folge Aspekte
desselben Themas beleuchtet oder
als dramat. S. Episoden mit denselben Figuren aus demselben Milieu
darstellt, auf die die Empfänger-
schaft sich einstellt, vgl. →Soap
opera. – 3. beim Theater heißt Serienspiel die Aufführung desselben
Stückes durch dasselbe Ensemble
Abend für Abend.

Sermo (lat., urspr. = Rede), als lit.
Gattung der röm. Lit. das Gespräch,
der Vortrag oder die Rede überhaupt, dann insbes. e. Versdichtung
im Stil der Umgangssprache wie die
→Satiren des HORAZ entsprechend
der griech. →Diatribe; späterhin
allg. die christl. →Predigt, so heute
noch dt. Sermon = langatmige
Strafpredigt.

Sermocinatio = →Ethopoeie

Serranilla, span. Volkslied, insbes.
Liebeslied zwischen Ritter und Bau-

ernmädchen, meist in kurzen Versen, bes. der →Arte mayor, oder in Achtsilbern, dann *serrana* gen., Blütezeit im SpätMA., so beim ARCIPRESTE DE HIIA und beim Marqués de SANTILLANA, später Juan DEL ENCINA, portug. Gil VICENTE.

Serventese (ital.), inhaltlich ital. Entsprechung der provenzal. →Sirventes, doch in anderen Formen: im 13. Jh. Reimpaarstrophen, im 13./14. Jh. meist Strophen aus 3 Versen mit gleichem Reim (Vorform der Terzine) und kürzerer Coda von 3–7 Silben, die den Reim der folgenden Strophe angibt (S. candata); Reimfolge aaab bbbc usw.; im 14./15. Jh. auch schwierigere Formen.

Serventois →Sirventes

Sesternio →Lage

Sestine (v. ital. *sesto* = der sechste), 1. allg. sechszeilige Strophe, 2. Gedichtform aus sechs ungeteilten Strophen zu je sechs Zeilen mit e. dreizeiligen Schlußstrophe, meist in jamb. 10- oder 11-Silbern (→Endecasillabi) ohne Reim, dafür mit streng festgelegter, kunstvoller Ordnung der Schlußworte der Zeilen, die in jeder der sechs Strophen in anderer Reihenfolge wiederkehren. In der einfachen Form wiederholt die Anfangszeile der 2.–6. Strophe jeweils das Schlußwort der letzten Zeile der vorigen. Numeriert man die Schlußwörter der 1. Strophe mit den Zahlen 1 2 3 4 5 6, so ergibt sich für die 2. Strophe die Schlußwortfolge 6 1 2 3 4 5, 3. Strophe: 5 6 1 2 3 4, 4. Strophe: 4 5 6 1 2 3, 5. Strophe: 3 4 5 6 1 2, 6. Strophe 2 3 4 5 6 1. In der schwierigeren Form werden die Schlußwörter der vorigen Strophe in der folgenden abwechselnd von unten und oben genommen: 1. Str.: 1 2 3 4 5 6, 2. Str.: 6 1 5 2 4 3, 3. Str.: 3 6 4 1 2 5, 4.

Str.: 5 3 2 6 1 4, 5. Str.: 4 5 1 3 6 2, 6. Str.: 2 4 6 5 3 1. Die dreizeilige Schlußstrophe (Tornada, Envoi, ›Geleit‹) enthält die Schlußworte in der Reihenfolge der 1. Strophe in der Mitte und am Schluß der Zeilen. – Als Erfindung des Provenzalen ARNAUT DANIEL (12. Jh.) erscheint die S. zuerst bei den provenzal. Troubadours, dann in ital. (DANTE, PETRARCA, Gaspara STAMPA) span. und portug. (CAMÕES, B. RIBEIRO) Lyrik in der Renaissance, in Frankreich im 16. Jh. bei Pontus de TYARD, in der ital. Lyrik des 16. Jh. auch als Doppel-S. mit 12 Schlußworten; in barocker Hirtendichtung (SANNAZARO, MONTEMAYOR, SPENSER, SIDNEY); dt. zuerst im Barock bei OPITZ, WECKHERLIN und GRYPHIUS, z.T. mit Alexandrinern, dann in der Romantik in PETRARCA-Übersetzungen, bei Z. WERNER im Drama, bei RÜCKERT (z.B. ›Wenn durch die Lüfte…‹), EICHENDORFF und UHLAND; im 19. Jh. bei GRAMONT, KIPLING und SWINBURNE, im 20. Jh. bei R. BORCHARDT, E. POUND, T. S. ELIOT und W. H. AUDEN.

F. de Gramont, *Sextines, précédées de l'histoire de la s.,* 1872; F. J. A. Davidson, *The origin of the s.,* MLN 25, 1910; A. Jeanroy, *La s. doppia (Romania* 42, 1912); RL; K. Voßler, Dichtungsformen d. Romanen, 1951; J. Riesz, D. S., 1971. →Metrik.

Sevdalinka (serb., v. türk. *sevdâh* = Liebender), kunstvolle serb. Liebeslieder, in Bosnien und der Herzegowina unter Einfluß türk. Lyrik entstanden, mit oriental. Geist und türk. Wörtern versetzt, nach Rhythmus und Melodie orientalisch-asymmetr. Bau, häufiger Taktwechsel, freie Melismen. Inhaltlich Verbindung mit erotisch-sinnl. Leidenschaft mit stark-sinnl. Schilderung, sentimental schmachtender Sehnsucht mit verzweifelter Wehmut; unbefangene Darstellung der Liebe.

W. Eschker, Unters. z. Improvisation u. Tradierg. d. S., 1971.

Sexain (franz. =) →Sextett

Sext →Format

Sextett (v. lat. *sex* = sechs), allg. Strophe oder Gedicht von sechs Zeilen Umfang; übliche Reimfolge ababcc. Auch zusammenfassende Bz. für die beiden Terzette des →Sonetts.

Sextilla, span. Strophenform von sechs Achtsilbern oder kürzeren Versen mit der Reimfolge abbaab, ababba, abab, abbaba oder ab aabb; beliebt im 13./14. Jh. (ARCIPRESTE DE HITA, *Libro de buen amor*).

Sezessionismus = →Jugendstil

Shakespearebühne, die von SHAKESPEARE benützte sog. ›Dreifelderbühne‹ des engl. Elisabethan. Theaters, bestehend aus e. Vorderbühne für die großen Szenen, die als Geviert in den Zuschauerraum vorspringt und von drei Seiten Einblick gestattet, aus e. überdachten, guckkastenähnl. Hinterbühne (sie wurde erst bei den Englischen Komödianten durch e. Zwischenvorhang abgetrennt, hinter dem während des Spiels auf der Vorderbühne umgebaut werden konnte) und aus der (selten benutzten) balkonartigen →Oberbühne. Die Sh. gelangte durch die →Englischen Komödianten nach Dtl. und wurde hier von den Wanderbühnen übernommen, jedoch später durch die Guckkastenbühne abgelöst. Im 19. Jh. erstrebten schon TIECK und IMMERMANN e. Erneuerung der alten Form, mit dauerndem Erfolg jedoch erst GENÉE, dessen Idee K. v. PERFALL aufgriff und sich mit seiner Sh. 1889 in München, erneuert durch K. LAUTENSCHLÄGER und J. SAVITS,

programmatisch gegen den Historismus und Realismus der zeitgenöss. Theaterdekoration wandte. Von E. KILIAN 1909 im Münchner Hoftheater vervollkommnet und später durch →Drehbühne u. ä. Einrichtungen erweitert, fand sie seither in Dtl. und England wiederholt Verwendung.

J. Q. Adams, *Sh. Playhouses*, 1917; E. K. Chambers, *The Elisabethan Stage*, Oxf. IV 1923, n. 1965; RL; W. W. Greg, *Dramatic Documents from the Elisabethan Playhouse*, Lond. 1931; M. C. Bradbrook, *Elizabethan stage conditions*, Hamden 1932; H. Durian, J. Savits u. d. Münchner S. 1937; A. M. Nagler, *Shakespeare's Stage*, New Haven 1958; L. B. Wright, *Sh's theatre*, Wash. 1958; G. E. Bentley, *Sh. and his theatre*, Lincoln 1964; C. W. Hodges, *Sh's theatre*, Lond. 1964; H. Nüssel, Rekonstruktionen d. Sh.-B. auf d. dt. Theater, Diss. Köln 1967; A. Gurr, *The Sh.ian stage*, Cambr. 1970, ²1981; T. J. King, *Sh.ian staging*, Cambr./Mass. 1971; Sh.-Hb., hg. I. Schabert 1972.

Shanty (engl., v. franz. *chanter* = singen), Seemannslied, Matrosen- →Arbeitslied mit rauhen, kaum artikulierten Versen oft im Dialekt, zur rhythmischen Koordinierung der Arbeitsvorgänge auf Segelschiffen im Wechsel von Vorsänger (Sh.-man) und Chor gesungen, bes. in engl. und amerikan. Volksdichtung des 19. Jh. verbreitet.

S. Hugill, *Shanties and sailors' songs*, Lond. 1968; Shanties, hg. H. Strobach ²1970.

Sharebon (japan. = Vergnügungsbücher), japan. humorist.-satir. Sittenschilderungen aus dem Freudenviertel und Kurtisanengeschichten im Umfang von 30–40 Blättern, von leidenschaftsloser, spieler. Eleganz, problemloser Oberflächlichkeit, doch guter Detailschilderung, im ausgehenden 18. Jh. (1760–1791) insbes. von SANTŌ KYŌDEN vertreten, wegen ihrer Nähe zur Pornographie von der Regierung mehrfach (so 1771 und zuletzt 1791) verboten.

Shastra (sanskrit. = Vorschrift, Regel), ind. Vorschriften- und Lehrbücher urspr. für alle Gebiete (Recht, Sitte, Moral, Politik) mit Ausnahme des relig. Rituals, späterhin nur die Gesetzbücher, oft in metr. Form.

Shataka (sanskrit. = Zenturie, Hundert), in ind. Lit. längere erot., relig., didakt. oder beschreibende Gedichte über ein bestimmtes Thema in annähernd 100 Einzelstrophen, die später auch in anderer Reihenfolge von versch. Verfassern in Anthologien zusammengefaßt wurden.

Shi (japan.), Sammelbz. für freiere Gedichtformen der japan. Lyrik (im Ggs. etwa zu →Tanka und →Haiku), die mod. westl. Einflüssen offenstehen und z. T. anstelle der herkömml. Silbenzählung freie Rhythmen verwenden, z. B. bei Fuyuhiko KITAGAWA. Vgl. →Shintaishi.

Shingeki (japan. = Neues Theater), das mod. japan. Theater unabhängig von der nationalen Tradition und im Anschluß an westl. Vorbilder, das seit 1900 von mehreren Dramatikerverbänden angestrebt wurde.

Shintaishi (japan. = Gedichte in neuer Form), japan. Lyrik in freier Form als Nachahmung westl. Vorbilder, wie sie in den letzten Jahrzehnten des 19. Jh. als Ggs. zu den traditionellen Formen aufkamen und seit 1882 in mehreren Anthologien verbreitet wurden.

Shloka →Śloka

Short story (engl. = kurze Geschichte), die engl.-amerikan., weniger formal und umfangmäßig festgelegte Form der →Kurzgeschichte. Als Kurzform der Epik, entstanden um 1820 aus den Bedürfnissen des aufblühenden Zeitungs- und Zss.wesens (Almanache und Magazine) und des mod. Menschen, der für längere Lektüre im Alltagsgetriebe keine Zeit erübrigt, bezeichnet sie nicht jede kürzere Erzählung schlechthin, sondern eine Form zwischen Kurzroman, Novelle, Anekdote und Sketch und nähert sich heute in starkem Maße der europ. Novelle. Ihre spezif. Kennzeichen bei allem Wandel der Aussageweisen sind präzise Kürze, einheitl. Geschlossenheit, rasche und flüssige, effektbewußte Diktion, geradliniger Handlungsverlauf meist um eine Hauptfigur, typisierte Figuren, Streben nach Beglaubigung des Geschilderten als Realität und das Durchscheinen des Ungesagten, Unsagbaren durch den flüchtigen Augenblick, die Situation oder das Ereignis, die zur Essenz des Lebens werden. Nach der ersten Ausprägung in W. IRVINGS *Sketch Book* (1819/20) und K. PAULDINGS *Tales of the good woman* (1836) erreicht sie in E. A. POES *Tales of the Grotesque and Arabesque* (1840) weltlit. Höhe und in dessen HAWTHORNE-Rezension von 1842 theoret. Begründung; sie muß in einem Zuge gelesen werden können, um ihre ganze künstler. Wirkung zu entfalten, muß von e. einzigartigen, dominierenden Effekt ausgehen, das Alltägliche im Ungewöhnlichen erhellen und muß sachl. Schilderung mit dichter. Atmosphäre zu e. Einheit verbinden. Die Entwicklung führt von frühen, romantisch beeinflußten s. s. mit linearem Handlungsverlauf und Pointe zu realist. und naturalist. Wirklichkeitskunst und über den psycholog. Realismus in Figuren und Situationen um die Jh.wende zum manierierten Stil der →lost generation. Jüngere Entwicklungen zeigen im hartrealist. wie im atmosphär. Stil größere Feinheit der Form und der

Anspielungen, öffnen die s. s. um 1920 dem Phantastischen und Surrealen und nach 1960 vielseitigen Experimenten. Wichtigste Autoren von s. s. sind ferner in den USA N. HAWTHORNE, Bret HARTE, H. MELVILLE, Mark TWAIN, A. BIERCE, W. D. HOWELL, H. JAMES, O. HENRY, St. CRANE, S. ANDERSON, Jack LONDON, W. CATHER, W. C. WILLIAMS, C. P. AIKEN, D. PARKER, J. THURBER, F. S. FITZGERALD, J. O'HARA, E. HEMINGWAY, W. FAULKNER, E. CALDWELL, Th. WOLFE, K. A. PORTER, W. STEGNER, E. WELTY, W. GOYEN, L. TRILLING, W. SAROYAN, C. McCULLERS, T. CAPOTE, F. O'CONNOR, J. UPDIKE, J. D. SALINGER, B. MALAMUD, J. BALDWIN, J. PURDY, J. BARTH u. a., in England R. L. STEVENSON, R. KIPLING, J. CONRAD, H. G. WELLS, W. S. MAUGHAM, E. M. FORSTER, J. JOYCE, V. WOOLF, D. H. LAWRENCE, G. GREENE, A. HUXLEY, K. MANSFIELD, D. THOMAS, R. DAHL, P. G. WOODHOUSE, E. BOWEN, L. O'FLAHERTY, K. AMIS, A. SILLITOE, D. LESSING u. a. Nachahmung fand die s. s. bes. in den Commonwealth-Literaturen, Rußland und Italien (C. PAVESE, A. MORAVIA, B. TECCHI) mit dichterisch bedeutsamen Werken, während die breite Produktion der Unterhaltungs-s. s. den Markt beherrscht.

J. B. Matthews, *Philosophy of the s. s.*, N.Y. ¹1931; H. S. Canby, *The s. s. in Engl.*, ²1935; C. Grabo, *The art of s. s.*, N.Y. 1914; G. Clark, *A Manual of the s. s. art*, N.Y. 1922; A. C. Ward, *Aspects of the modern s. s.*, Lond. 1924; F. Newman, *The s. s.'s mutations*, 1924; S. Beach, *S. S. Technique*, Boston 1929; F. L. Pattee, *The development of the Americ. S. S.*, 1932; E. A. Cross, *A Book of the S. S.*, 1934; N. B. Fagin, *America through the s. s.*, 1936; K. P. Kempton, *The s. s.*, Cambr. 1947; H. E. Bates, *The Modern S. S.*, 1950; S. O'Faolain, *The s. s.*, N.Y. 1951, ³1970; R. B. West, *The s. s. in America*, Chic. 1952, ²1968; O. Scherer-Virski, *The Mod. Polish S. S.*, Haag 1955; A. H. Jaffé u. V. I. Scott, *Studies in the s. s.*, ²1960; A. M. Wright, *The American s. s. in the twenties*, Chic. 1961, ³1968; D. R. Ross, *The American s. s.*, Minneapolis 1961; F. O'Connor, *The Lonely Voice*, Cleveland 1963; W. Peden, *The Americ. s. s.*, Boston 1964; T. O. Beachcroft, *The modest art*, Oxf. 1968; B. Scheer-Schätzler, *S. s. and mod. novel*, OL 25, 1970; H. G. Hönig, *Stud. z. engl. s. s. a. Ende d. 19. Jh.*, 1971; F. L. Ingram, *Representative s. s. cycles of the 20th cent.*, Haag 1971; D. amerik. s. s., hg. H. Bungert 1972; D. amerik. Kurzgesch., hg. K. H. Göller, G. Hoffmann 1972; D. engl. Kurzgesch., hg. dies. 1973; P. Freese, D. amerik. Kurzgesch. nach 1945, 1974; Die s. s., hg. A. Weber u. a. 1975; D. amerik. s. s. d. Gegenw., hg. P. Freese 1976; A. Weber, W. F. Greiner, Theorie d. s. s., 1977; I. Reid, *The s. s.*, Lond. 1977; K. Lubbers, Typologie d. s. s., 1978; G. Stilz, D. angloind. S. S., 1981; G. Ahrends, D. am. Kurzgesch., 1980; W. Allen, *The s. s. in English*, Oxf. 1981; H. Bonheim, *The narrative modes*, Cambr. 1982; V. Shaw, *The s. s.*, Lond. 1983; *The Russ. s. s.*, hg. R. Grübel, Amsterd. 1984; H. Quadflieg, D. S. S. der Nineties, 1988. →Kurzgeschichte.

Sideronym (lat. *sidera* = Sterne, griech. *onoma* = Name), von e. Sternnamen oder astronom. Begriff abgeleitetes →Pseudonym.

Siebengestirn →Pleias, →Plejade

Sieben Freie Künste →Artes liberales

Sigle (lat. *sigillum* = kleine Figur), feststehende Abkürzung (→Abbreviatur) für Wörter, Namen oder Silben durch Buchstaben bzw. Zeichen (z. B.: §), so im →Lesarten- →Apparat kritischer Ausgaben die Abkürzungen für die versch. Hss. bzw. Drucke als Herkunftsbezeichnung der Lesarten.

Siglo de oro (span. =) ›Goldenes Zeitalter‹ der span. Lit.: 16./17. Jh., Renaissance und Barock umfassend: →Schelmenroman, Lyrik von GÓNGORA und QUEVEDO, Romane von CERVANTES und GUEVARA, Dramen von Lope de VEGA, TIRSO DE MOLINA, CALDERÓN u. a.

Signatur (v. lat. *signare* = bezeichnen), 1. Namenszug als Unterschrift; daher ›signiertes Exemplar‹ ein vom Verfasser selbst mit seinem Namenszug versehenes Exemplar, z. T. von bibliophilem Wert. – 2. im Buchdruck die auf der 1. Seite jedes Bogens links unten zusammen mit der Norm, d. h. dem Kurztitel des Werkes, unterhalb des Satzspiegels angegebene Ziffer des Druckbogens (Prime); sie wird auf der 3. Seite desselben Bogens mit e. Sternchen wiederholt (Sekunde) und dient dem Buchbinder zur Überprüfung lagernder Bogenbestände und der richtigen Bogenfolge. Bis ins 18. Jh. herrschten anstelle der Zahlen als S. die Buchstaben A–Z, weiter ggf. AA–ZZ oder aa–zz. Heute werden S. und Norm zumeist mit den Flattermarken auf den Rückenfalz des Bogens gedruckt, um das Schriftbild nicht zu stören. – 3. im Bibliothekswesen die Buchstabenkonstellation und/oder Nummer, unter der ein Buch in die Bestände (Lesesaal, Magazin) eingeordnet ist.

Signet →Druckerzeichen

Signiertes Exemplar →Signatur (1)

Śikharini (ind. = edle Dame), Strophenform der ind. Epik, vierzeilige Strophen der Form
◡‒‒‒‒/ ◡◡◡◡‒‒◡◡◡⌣.

Silbenlänge →Quantität

Silbenmaß, Bz. aus der antiken →quantitierenden Dichtung, fälschlich auf die →akzentuierende Metrik der german. Sprachen übertragen, die statt der →Quantitäten (→Länge und →Kürze) den →Akzent (→Hebung und →Senkung) zur Grundlage hat. →Metrum und →Prosodie.

Silbenrätsel →Scharade

Silbenreim, der gewöhnliche Reim, meist Endreim, im Ggs. zum Stabreim.

Silbenschrift →Schrift mit Schriftzeichen nicht für einzelne Laute oder ganze Wörter, sondern für Silben. Oft Mischformen, z. B. die japan. Schrift (rd. 80 Zeichen).

Silbensumme, die Anzahl der in e. Vers vorhandenen Silben, variiert in german. Dichtung je nach der Senkungsfüllung, im antiken Vers je nach Auflösung der Längen und Zusammenziehung der Kürzen, so z. B. im Hexameter zwischen 13 und 17. Wichtig in →alternierender Dichtung.

Silbenzählung, im Unterschied zur →quantitierenden, →akzentuierenden und streng →alternierenden Dichtung e. Versstruktur, die lediglich die Silbenzahl im Vers (Acht-, Zehn-, Zwölfsilber) festlegt. Nach Schwund des Sinns für Quantitäten schon in der rhythm.-akzentuierenden mlat. Hymnen- und Vagantendichtung, dann bestimmend für den frühen roman., bes. franz. Vers, zunehmend in alternierender Form. In dt. Lit. im Meistersang, im Kirchenlied bis 16. Jh. und im strengen Knittelvers, wo sie bei schemat. Anwendung starr wirkt und häufig zu →Tonbeugung führt. Daher als dem german. Sprachakzent nicht gerecht werdend von M. OPITZ abgelehnt. Lit. →Metrik.

Silberne Latinität, die auf die →goldene Latinität folgende Epoche der röm. Lit. und Sprache von 17 n. Chr. bis zum Tode TRAJANS 117 n. Chr., gekennzeichnet durch e. zunehmende Rhetorisierung der Lit., die meist als Kunstprosa erscheint und, bedingt durch den Despotismus der Kaiserzeit, gesuchte Dunkelheit des Ausdrucks neben geistreicher Schärfe und Künstelei. In Prosa erscheinen bes. philos. und histor. Werke (Seneca; Velleius Paterculus, Valerius Maximus, Curtius Rufus, Tacitus), daneben Rhetorik (Quintilian) und Fachwissenschaften (Plinius), in der Dichtung, die von der augusteischen Blütezeit überschattet wird, steht neben epigonaler Epik (Lukan, Silius Italicus, Valerius Flaccus, Statius) ein starker Zug zur Zeitkritik in Satire (Persius, Juvenal, Petronius), Epigramm (Martial) und Fabel (Phaedrus). Für sich stehen die Tragödien Senecas.

W. C. Summers, *The silver age of Latin lit.*, 1920; J. W. u. A. M. Duff, *A lit. history of Rome in the silver age*, Lond. ³1964.

Sillen (griech. *sillos* = schielend, boshaft), in Hexametern verfaßte Spott- und Hohngedichte der altgriech. Lit. von den Sillographen (= S.schreibern) Xenophanes von Kolophon (6. Jh. v. Chr.) als Satire gegen die homer. Göttervorstellung und Timon von Phleius (3. Jh. v. Chr.) gegen die philos. Systeme gerichtet und allg. in der philos. Dichtung des Hellenismus beliebt.

Sillographi Graeci, hg. K. Wachsmuth ²1885.

Sillybos →Papyrus

Silva, 1. span. unstroph. Gedichtform (ital. Herkunft?) von beliebiger, oft beträchtl. Länge aus 11- und 7silbigen Zeilen in unregelmäßiger Folge mit Kreuzreim, z. B. bei Lope de Vega und Góngora. Die ›s. arromanzada‹ hat in allen geraden Zeilen die gleiche Assonanz. – 2. →Silvae.

Silvae (lat. = Wälder), entweder nach der Verschiedenartigkeit der in e. Wald nebeneinanderstehenden Bäume oder in der Bedeutung von Wald = Holz als Rohmaterial, was

sich auf flüchtige Formung und Komposition beziehen würde, in lat. Lit. Bz. für e. Slg. vermischter, nach Form und Inhalt bunt gemengter kürzerer Gedichte (→Leimon-Lit. und →Satire), so bes. bei Statius (1. Jh. n. Chr.), in der Renaissance bei Poliziano und Spagnoli. Noch Opitz empfiehlt S. als Titel für gemischte geistl. und weltl. Gedichte, Ch. Gryphius veröffentlicht *Poet. Wälder* (1698) und Herder (1769) und später H. Ch. Buch (1972) schreiben *Krit. Wälder*. – Die Einzahl ›Silva‹ bezeichnet e. aus dem Stegreif geschaffenes Gelegenheitsgedicht.

W. Adam, Poet. u. krit. Wälder, 1988.

Simodie →Hilarodie

Simpliziade, im Anschluß an den Verkaufserfolg von Grimmelshausens *Simplicissimus* (1668) im 17. Jh. verbreiteter Sondertyp des Schelmen- und Abenteuerromans, meist mit ›Simplicius‹ im Titel, in der e. einfältiger Mensch in das eitle Welttreiben eingeführt wird und es als sinnlos erkennt: J. Beer, D. Speer u. a.

H. Rausse, S.n (Zs. f. Bücherfreunde, N. F. 4, 1912).

Simultanbühne (lat. *simul* = zugleich), die →Bühnenform des MA. (z. B. für Passionsspiele u. a. geistliche Dramen), bei der alle für den Ablauf der Handlung erforderl. Schauplätze (loca) gleichzeitig auf demselben Podium und vollständig sichtbar – nicht abgekürzt – nebeneinander aufgebaut sind (häufig stehen die Kulissen auf e. langen Bühnenstreifen) und die Schauspieler, die während des ganzen Spiels ohne Szenenwechsel auf der Bühne bleiben, je nach den Erfordernissen der Handlung von einem zum anderen gehen. Meist dient der Marktplatz vor der Kirche in seiner ganzen Ausdehnung als Spielfeld, und die Häuser bilden zugleich Dekoration und bevorzugte Zuschauerplätze, doch wird der Bildraum des Hintergrundes für das bloße Vordergrundspiel räumlich nicht aktiviert, nur der Durchblick ins Hausinnere bedarf e. Dekoration im engeren Sinne der Illusion. – Eine ähnliche Technik verfolgt die angeschnittene Hauswand auf der Guckkastenbühne, etwa in NESTROYS *Zu ebener Erde und erster Stock* und F. BRUCKNERS *Die Verbrecher*, aber auch die moderne Bühne, wenn der gerade wesentliche Schauplatz durch Scheinwerfer hervorgehoben wird. Vgl. →Sukzessivbühne.

K. Hörner, Möglichkeiten u. Grenzen d. S'dramatik, 1986.

Simultantechnik (v. lat. *simul* = zugleich), die lit. Technik zur Erfassung der Gleichzeitigkeit versch. räumlich disparater Ereignisse in der naturgemäß auf zeitl. Nacheinander festgelegten Dichtung mit dem Ziel, die Vielheit versch. Erscheinungen, die Mehrschichtigkeit der Wirklichkeit, die Heterogenität gleichzeitiger Ereignisse, die Diskrepanz der Lebensanschauungen, Strebungen und Wünsche in versch. Milieu und versch. Situationen im Querschnitt zu veranschulichen und durch deren Widersprüchlichkeit zu schockieren. Im mod. Großstadtroman seit J. JOYCE dienen bei DÖBLIN *(Berlin Alexanderplatz)*, DOS PASSOS *(Manhattan Transfer)* und SARTRE *(Les chemins de la liberté)* eingefügte Zeitungsausschnitte, Radiosendungen, Ausrufer, Slogans, Werbesprüche usw. als →Montage oder →Collage zur Kenntlichmachung der Simultaneität und Komplexität des Daseins. W. KOEPPEN *(Tauben im Gras)* und H. BÖLL *(Billard um halb zehn)* setzen gleichzeitige Szenen hart und abrupt nacheinander. →Zeit.

A. J. Bisanz, Linearität versus Simultaneität (Erzählforschung, hg. W. Haubrichs I, 1976); S. Grubačić, Simultane Welt (Erzählg. u. Erzählforschg. i. 20. Jh., hg. R. Kloepfer 1981).

Singschule →Meistersang

Singspiel, kleines heiteres Bühnenstück des Musiktheaters mit gesprochenem Dialog, Gesang und Musikeinlagen, bewegte Zwischenform von →Oper und Lustspiel und Vorform der heutigen →Operette. Frühformen finden sich im →Mimus, den plautin. →Cantica, der ma. dialogisierten →Pastorelle und →Chantefable, bei den Engl. Komödianten, J. AYRER, ANTON ULRICH von Braunschweig und Ch. WEISE. Das eigtl. S. entsteht zunächst in der ›opera buffa‹ als Ggs. zur ›opera seria‹ der Venetianer und Neapolitaner in der Nachfolge von PERGOLESIS *La serva padrona* (1733) als schlicht-naive und witzigere Form ohne Da-capo-Arien, sondern mit liedmäßigen Einlagen, Duetten und Terzetten und bes. wirkungsvollem vielstimmigem Finale. Die Themen beruhen meist auf dem Gegensatz von Stadt und Land und heben dadurch die Volkstümlichkeit des S. Die Aufführung von PERGOLESIS S. in Paris 1752 erregte e. Gegenströmung gegen die routiniert erstarrte, pathet. Gesellschaftsoper LULLYS; ROUSSEAUS erfolgreiches S. *Le devin du village* (1753) und seine diesbezügl. Theorien entfachten den Streit der Buffonisten und Antibuffonisten um die ›opéra bouffon‹. Es folgen C. S. FAVART, DUNIS *Ninette à la cour* (1754), ferner d'AUVERGNE, PHILIDOR, MONSIGNY, GRÉTRY, GOSSEC, in Wien GLUCK. In England entsteht als Satire gegen die Händeloper die sog. →Ballad opera (Liederoper) mit John GAYS *The Beggar's opera* (1728; Musik von PEPUSCH), die in zahlr. Umformun-

gen in Berlin (*Der Teufel ist los*
1747), Wien (*Die verwandelten
Weiber*) und Leipzig (WEISSE und
HILLER, 1766) fortlebt und die
eigtl., seither fast ununterbrochene
Entwicklung des S. einleitet, die
durch das ganze 19. Jh. neben der
Operette bis in die Gegenwart
reicht. Da das S. sich an breite Kreise wendet und deren Lebensgefühl
gegenüber der aristokrat. Gesellschaft abgrenzt und obendrein nicht
durch Sänger, sondern Schauspieler
aufgeführt wird, ist in ihm der Anteil des gesprochenen Dialogs und
damit der Textdichtung groß und
relativ wichtig. In Leipzig entstehen
zahlr. S.e aus der Zusammenarbeit
des Dichters Chr. WEISSE und des
Komponisten J. A. HILLER (*Lottchen am Hof, Lottchen auf dem
Lande, Die Liebe auf dem Lande,
Der Erntekranz, Die Jagd* u.a.).
GOETHE fand an ihnen Gefallen
und verfaßte selbst, anfangs unter
franz., später ital. Einfluß, mehrere
S.e, bes.: *Erwin und Elmire* (1775),
Claudine von Villa Bella (1776), *Li-
la* (1776), *Jery und Bätely* (1779),
Die Fischerin (1772), *Scherz, List
und Rache* (1784, Musik von Chr.
KAYSER) u. a. Er erkennt im Streben
nach dem ›Einfachen und Beschränkten‹ das Wesen der Gattung
und sucht selbst der *Zauberflöte* e.
Fortsetzung zu geben. Gleichzeitig
entstehen die S.e WIELANDS mit der
Musik von SCHWEITZER (*Alceste*
1772, *Rosamunde, Die Wahl des
Herkules* 1773) und seine Theorie
im *Versuch über das dt. S.*, ferner
die S.e F. W. GOTTERS mit Musik
von BENDA und die von Ch. G.
NEEFE, dem Schüler HILLERS und
Lehrer BEETHOVENS. In Wien fördert Joseph II. das S. und läßt für
das Burgtheater als ›National-S.‹ die
Bergknappen (1778) von I. UM-
LAUFF verfassen. Aus dieser Tradition erwächst als deren künstler.

Höhe MOZART mit *Bastien und Bastienne* und *Die Entführung aus
dem Serail*, während *Die Zauberflöte* (Text von SCHIKANEDER) durch
die pathetischen Elemente über das
S. hinausragt. Leichtere S.e pflegt
DITTERS VON DITTERSDORF (*Doktor und Apotheker*), volkstüml. Töne mit weitverbreiteten Volksliedern trifft Wenzel MÜLLER. In der
Romantik folgen L. TIECK, E. T. A.
HOFFMANN und C. BRENTANO und
das →Liederspiel. In der sog. Spieloper nimmt LORTZING die Pflege
des S. wieder auf, das in der Gegenwart bes. im slaw. Raum fortlebt.

H. M. Schletterer, D. dt. S., 1863, n.
1975; J. Bolte, D. S.e d. engl. Komödianten, 1893, n. 1977; RL; A. Calmus, D. 1.
dt. S.e, 1908, n. 1973; K. Wesseler, Unters. z. Darstellg. d. S. auf d. Bühne d. 18.
Jh., Diss. Köln 1955; A. R. Neumann,
*The changing concept of the S. in the 18.
cent.* (Fs. J. T. Krumpelmann, *Studies in
German lit.*, Baton Rouge 1963); E. M.
Batley, *The inception of 18. cent.
Southern Germany*, GLL 19, 1966; H.-A.
Koch, D. dt. S., 1974; N. Miller, D. Erbe
d. Zauberflöte (Dichtg. u. Musik, hg. G.
Schnitzler 1979); R. Schusky, D. dt. S. i.
18. Jh., 1980; D. dt. S. i. 18. Jh., 1981; S.
Kohler, D. S. als dram. Formtypus (Goe-
the i. Kontext, hg. W. Wittkowski 1984);
E. F. Timpe, *The Austrian S. and the
German S.*, MAL 17, 1984. →Oper.

Singvers, im Ggs. zum →Sprech-
vers der gesungene Vers, in den Ge-
sangspartien des antiken Dramas
nicht in stichischer, sondern stroph.
Anordnung.

Sinnbild, dt. Ersatzwort für
→Emblem und →Symbol

Sinnespel (niederländ. *zinnespel* =
Sinnspiel), niederländ. Form der
→Moralität im 15./16. Jh., in der
allegor. Figuren über relig. oder moral. Fragen diskutieren und e. Lehrsatz (*sin*) illustrieren. Von den →Re-
derijkers verfaßt und zur Fastnacht
auf Wagenbühnen inszeniert. Meisterwerk der Gattung ist das Jeder-
mann-Stück *Elckerlijc*, um 1495.

Sinnfiguren →rhetorische Figuren (Gedankenfiguren)

Sinngedicht, seit Ph. von ZESEN 1649 Ersatzwort für →Epigramm

Sinnkonstruktion →Constructio kata synesin

Sinnspruch, urspr. Lemma oder Motto e. →Emblems, dann allg. jede allgemeinverbindl. knappe Lebensregel oder Lebensweisheit, meist in Versform, →Devise, →Epigramm, →Gnome, →Sentenz, →Maxime.

Sirima →Kanzone

Sirventes (altprovenzal. *sirvent* = Diener), urspr. ›Dienstlied‹, d.h. im Dienste e. Herren verfaßtes Gedicht, also Spielmanns-Auftragsdichtung, dann verbreitete Gattung der provenzal. Troubadours in freier oder Kanzonenform als Rüge-, Spott- und Scheltlied auf allg. gesellschaftl.-moral. (PEIRE CARDINAL, GUIRAUT DE BORNELH, MARCABRU) oder polit. Zustände (BERTRAN DE BORN) oder auf einzelne Personen bzw. Personengruppen (Adel, Priester). Als Streitgedicht oder satir. Singspruch Gelegenheitsdichtung mit Blütezeit im 12./13. Jh., doch mehr durch Heftigkeit des Angriffs als durch Energiegeladenheit ausgezeichnet. Im weiteren Sinne umfaßt die Gattung alle Formen der Spruchdichtung, die nicht der Minnelyrik angehören, so dehnt sich die Bz. im 13. Jh. auf moralisierende Reimpaargedichte und im 14. Jh. auf Kanzonen zum Marienlob aus. Nach dem einflußreichen provenzal. Vorbild entstehen bei den nordfranz. Trouvères die ähnlichen Serventois, in Italien die →Serventese. Während die Form urspr. frei war, gilt S. seit dem 13. Jh. als Bz. für Dichtungen in 3–5zeiligen, in-haltlich verbundenen Strophen; e. Abart mit vierzeiligen Strophen, deren drei erste elfsilbig sind und untereinander reimen, während die fünfsilbige Schlußzeile mit der folgenden Strophe reimt, bildet evtl. e. Vorstufe zu DANTES Terzinen.

W. Nickel, S. u. Spruchdichtg., 1907; J. Storost, Urspr. u. Entwicklung d. altprov. S., 1931; E. Winkler, D. altprov. S., 1941; D. Rieger, Gattungen u. Gattungsbezeichnungen der Troubadourlyrik, 1976.

Sittenkomödie →Sittenstück

Sittenroman, Sondertyp des realist. →Zeitromans, schildert oder karikiert die zeitgenöss. Moralzustände, meist in Szenen aus dem Alltagsleben (›Sittenbilder‹): BALZAC, FLAUBERT, ZOLA; später eingegrenzt auf Bevorzugung erot. Motive (→erotische Literatur).

C. E. Morgan, *The rise of the novel of manners,* 1911, N.Y. ²1963.

Sittenstück (franz. *comédie de mœurs,* engl. *comedy of manners*), Drama (meist Komödie), das stofflich vom Alltagsleben der Gegenwart oder bes. Epochen und bes. von den sittl. Verhältnissen e. Zeit oder e. Standes ausgeht und sie in effektsicherer, spannungsvoller Bühnentechnik mit stark moralisierender Tendenz in ihren Schwächen und soz. Schäden geißelt: Ehe- und Ehebruchs-, Generations-Probleme, Neureichentum, Modetorheiten, Geldgier, überholter Standesdünkel und moral. Verkommenheit jeder Art bis hinab zur Halbwelt sind Angriffspunkte dieser →Thesenstücke, in denen der Autor oft in der Figur des Räsoneurs seine Auffassung verkörpert. Vorstufen der Gesellschaftskritik im Drama finden sich schon in der antiken Komödie (MENANDER, PLAUTUS, TERENZ), im ma. Fastnachtsspiel, in der Barockkomödie (GRYPHIUS, *Horribilicribri-*

fax), der Typenkomödie MOLIÈRES (*Les précieuses ridicules,* 1658), der ›comédie larmoyante‹ DIDEROTS, der engl. →Comedy of manners des 17./18. Jh., dem dt. bürgerl. Drama (Chr. WEISSE, LESSING), im Sturm- und Drang-Drama, den Rührstükken von KOTZEBUE, IFFLAND, SCHRÖDER u.a., im 19. Jh. in den Dramen BAUERNFELDS und bes. den Tendenzdramen des Jungen Dtl. Der Begriff S. erscheint jedoch zuerst in Frankreich um Mitte des 19. Jh. A. DUMAS fils (*Le demimonde,* 1855), AUGIER, SARDOU und BECQUE sind hier die größten Vertreter der ›comédie des mœurs‹, die nunmehr als →Konversationsstück und →Boulevardkomödie von Frankreich aus den Weg in andere Länder findet: in Dtl. zuerst bei LAUBE, dann P. LINDAU, R. VOSS, PHILIPPI, LUBLINER u.a., bes. aber nach dem Vorgang der skandinav. Länder (IBSEN, STRINDBERG) der dt. Naturalismus (G. HAUPTMANN, SUDERMANN, HARTLEBEN) und der gesellschaftskrit. Expressionismus (C. STERNHEIM, G. KAISER), oft mit Übergang zum Problem- oder Charakterdrama und, nachdem schon DUMAS aus den bürgerl. Kreisen in das Halbwelt-Milieu vorgestoßen war, nunmehr unter Einbeziehung des Proletariats im sozialen Drama. In England ist neben O. WILDE, S. MAUGHAM und J. B. PRIESTLEY bes. G. B. SHAW Hauptvertreter der S., in Frankreich neuerdings GIRAUDOUX, in Amerika Th. WILDER und O'NEILL.

H. Bulthaupt, Dumas, Sardou..., 1887; J. J. Weiss, *Le théâtre et les mœurs,* Paris o. J.; RL; L. Allard, *La comédie des mœurs en France au 19. siècle,* N.Y. 1923. →Drama.

Situation, Sonderform des →Motivs, das nicht vom Charakter der Figur(en), sondern von deren augenblicklicher Lage bzw. Konstellation zueinander, unabhängig von individuellen Eigenarten, bestimmt wird: der Mann zwischen zwei Frauen, der Heimkehrer, die verlassene Geliebte, der betrogene Gatte, Abschied, Wiedersehen u. a. m. Die S. ist oft stimmungsmäßig indifferent und kann als Tragik oder Komik (→Situationskomik) gesehen werden. Sie erscheint in Epik und Dramatik vielfach als Abfolge von Umständen und zwischenmenschl. Beziehungen, denen sich e. Figur gegenübersieht, wie auch als mehr stat. Zustand. In der Lyrik, wo e. seel. Lage zum Inhalt des Gedichts werden kann, z. B. im →Rollenlied, →Paraklausityron, →Propemptikon.

G. Polti, *Les 36 s.s dramatiques,* Paris ²1912; É. Souriau, *Les 200 000 s.s dramatiques,* Paris 1950; G. Mounin, *La notion de s.* (*Les temps mod.* 246, 1966); R. Grimm, Ergänzendes z. Begriff d. S., JFDH, 1968; R. Grimm, D. Kimpel, S.n (Lit. u. Geistesgesch., Fs. H. O. Burger, 1968).

Situations→komik entsteht im Ggs. zur Charakterkomik nicht aus vorgegebener Charakteranlage und -eigenart der dargestellten Figuren und im Ggs. zur Wortkomik nicht aus e. witzigen Wortplänkelei und Schlagfertigkeit, sondern aus e. kom. Situation, in die ganz normale →Figuren durch e. merkwürdige und Heiterkeit erregende Verkettung von Umständen geraten. In der Situationskomödie erscheint die S. von langer Hand vorbereitet, um nicht willkürlich und unnatürlich zu wirken, und ist stets subjektiv. Ihre Wirkung beruht darauf, daß der Zuschauer als Außenstehender im Ggs. zu den Personen des Stückes in ihre Voraussetzungen eingeweiht ist und den Unwert der vermeintlich wertvollen Situation durchschaut. Hauptmotiv der S. ist die Wiederholung in versch. Formen und Stärkegraden von der bloßen Doppelsituation der Verdopplungen (Zwillinge) und Verwechslungen bis zur effektsicheren Steigerung und Überlagerung (z. B. bei PLAUTUS, TERENZ, SHAKESPEARE, MOLIÈRE, SCRIBE, LABICHE, ANZENGRUBER, G. HAUPTMANN, L. THOMA, G. KAISER) und zum raffinierten Doppelspiel, das dieselbe Situation in zweierlei Licht erscheinen läßt (KLEIST, *Der zerbrochene Krug, Amphitryon,* G. HAUPTMANN, *Der Biberpelz*). Von der Übersteigerung der S. ins Unglaubhafte leben →Burleske, →Posse und →Farce.

K. Holl, Gesch. d. dt. Lustspiels, 1923; RL. →Komik, →Komödie.

Situationskomödie →Situationskomik

Situationslied, in altgerman. (edd.) Dichtung im Ggs. zum →Ereignislied e. Heldenlied, das keine fortschreitende Handlung, sondern nur e. stat. Situation darstellt, z. B. Gudrun an der Leiche Sigurds u. ä.

Siziliane, aus Sizilien stammende, dort →Strambotto gen. Sonderform der →Stanze im 13.–15. Jh.: achtzeilige Strophe aus Endecasillabi, im Dt. fünffüßige Jamben mit männl. und weibl. Ausgang wechselnd, jedoch statt der drei Reimklänge der Stanze auf nur zwei Reimklänge, da auch das letzte Verspaar das vorangegangene Reimschema fortsetzt; Reimfolge abababab (doppelter Kreuzreim). Verwendung bes. in südital. Volksdichtung, in dt. Lit. von RÜCKERT (›Ich saß am Meer‹ u. a.) eingeführt und bei LILIENCRON nachgebildet.

Sizilianische Schule, Sammelbz. DANTES *(De vulg. eloq.)* für den auch Magna Curia genannten frühitalien. Dichterkreis des 13. Jh. am Hof FRIEDRICHS II. und MANFREDS in Palermo, dessen 30 Mitglieder,

Hofbeamte und Juristen, aus den versch. Teilen Italiens, meist aus dem Süden, stammten und als erste die ital. Sprache als Literatursprache benützten. Die lit. Bedeutung der S. S., die sich nach 50jährigem Bestehen mit dem Zerfall der Staufermacht in Italien ab 1250 in die Toskana und nach Bologna zurückzog, beruht ausschließlich auf ihrer erstmaligen lit. Verwendung der (dialektisch gefärbten) ital. Volkssprache, nicht ihrer von der franz.-provenzal. Troubadourdichtung übernommenen Thematik und Formkunst (bes. Kanzone, Erfindung des →Sonetts). Hauptvertreter sind neben dem Kaiser und seinem Sohn ENZIO ferner PIER DELLA VIGNA, JACOPO DA LENTINO, GUIDO DELLE COLONNE, RUGGIERO D'AMICI, JACOPO MOSTACCI, GIACOMINO PUGLIESE, RINALDO D'AQUINO und CIELO D'ALCAMA.

A. Gaspary, D. S. Dichterschule, 1878; G. A. Cesareo, *Le origini della poesia lirica,* Palermo ²1924; V. de Bartholomaeis, *Primordi della lirica d'arte in Italia,* 1943; A. Willemsen, Kaiser Friedrich II. u. sein Dichterkreis, 1947; B. Panvini, *La scuola poetica siciliana,* Florenz 1957; A. Fiorini, *Metri e termi della scuola sic.,* Neapel 1969; E. Pasquini u. a., *Le origini della scuola siciliana,* Bari 1975.

Sjair, 1. malaiische Versform: Vierzeiler aus Vierhebern und viermals gleichem Reim (aaaa). – 2. längere Gedichte beliebigen Inhalts, die durch Aneinanderreihung mehrerer S.-Strophen entstehen.

Skalden (altnord. *skáld*), altnord. höf. Dichter der Wikingerzeit am norweg. Königshof und im Gefolge der Fürsten, die sie auch auf Kriegszügen begleiteten, jedoch kein Berufsstand, sondern eine in den Familien erbliche Kunst, die im 9./10. Jh. von norweg. S., im 11.–13. Jh. von isländ. S. gepflegt wurde. Hauptformen der S.-dichtung als streng traditioneller, äußerst formbewußter

Kunstdichtung waren kunstvolle →Preislieder (→Drápa) auf Fürsten und Gönner, deren Kriegstaten, Ahnenpreis, Nachruhm und Freigebigkeit, ab 1000 auch auf Heilige, und Stegreifdichtungen: Spott-, Streit- und Liebesdichtungen, die in kurzer Zeit zu formvollendeten Liedgebäuden wurden; die Poetik der S.dichtung, niedergelegt in der *Jüngeren Edda* des S. Snorri Sturluson, verlangt bes. künstl. Strophenmaße (vorwiegend →Dróttkvaett), ferner →Málaháttr, →Kviðuháttr, →Hrynhent), Bindung durch Stab-, Binnen- und z.T. Endreim und gesteigerten, wählerischen sprachl. Ausdruck (→Kenning und →Heiti) mit extremer Freiheit der Wortfolge zur Verschachtelung und Verrätselung. Werke der rd. 250 namentl. bekannten S. überliefern die Königs- und Skalden-→Sagas, bes. die *Heimskringla* des Snorri Sturluson. – Als ältester S. gilt der myth. Starkadh der Alte, andere bedeutende sind im 9. Jh. Bragi Boddason, Thjodolfr, Thorbjörn, im 10. Jh. Egill Skallagrimsson, Kormakr Ögmundarson, Eyvind Finnsson, Gunnlaug, im 11. Jh. Sigvatr Thordarson, Hallfred Ottarsson, im 12. Jh. Einar Skulason. Nach der Blüte im 11. Jh. veräußerlicht die S.dichtung und weicht den →Sagas.

R. Meissner, *S.poesie*, 1904; F. Jónsson, *Den norsk-isl. Skjaldesprog*, Koph. 1908; ders., *Den norsk-isl. Skjaldedigtning*, ebda. IV 1908–15; K. Reichardt, Stud. z. d. S. d. 9.–10. Jh., 1927; G. Koller, D. Beruf d. S., 1939; J. de Vries, Altnord. Lit.-gesch., II 1941f., ²1964f.; L. M. Hollander, *A bibliogr. of skaldic studies*, Koph. 1958; W. Lange, Christl. S.-dichtg., 1958; H. Lie, *Natur og unatur i skaldekunsten*, Oslo 1958; P. Hallberg, *Den fornisländska poesien*, Stockh. 1962; K. v. See, Skop u. S., GRM 14, 1964; L. M. Hollander, *The s.*, Ann Arbor 1968; H. Kuhn, Kl. Schr. I, 1969; G. Kreutzer, D. Dichtgeschte d. S., 1974, ²1977; E. O. G. Turville-Petre, *Scaldic Poetry*, Oxf. 1976; K. v. See, S.dichtg., 1980; ders., Edda, Saga, S.dichtg., 1981; H. Engster, Poesie e. Achsenzeit, 1983; T. Krömmelbein, Skald. Metaphorik, 1983.

Skamander, poln. Literaturkreis nach dem 1. Weltkrieg, vereinigte trotz politisch tendenziösen Ursprungs avantgardist. Schriftsteller (›Skamandriten‹) der versch. Richtungen: J. Tuwim, Y. Lechoń, A. Słonimski, K. Wierzyński, J. Iwaskiewicz u. a. um die *Zs. Skamander* (1920–28, 1935–39). Die Gruppe förderte das improvisierende Dichten, leicht zugängl. klassizist. Versformen, die neue Durchgeistung des Lebens und die Suche nach einem poet. Sinn hinter der bloßen Realität: insbes. Großstadtlyrik mit Spracheinbrüchen aus Jargon und Fachsprache.

J. Stradecki, *W kręgu Skamandra*, Warschau 1977.

Skamandriten →Skamander

Skandieren →Skansion

Skansion (lat. *scandere* = besteigen, -treten), Bestimmung des Versmaßes e. Dichtung, danach: skandieren = Verse mit genauer Takteinteilung und Betonung der Hebungen ohne Rücksicht auf den Sinn hersagen.

Skaramuz →Scaramuz

Skaz (russ., v. *skazat* = erzählen), Gattung der russ. Erzählkunst: →Rahmenerzählung als gerahmter (fiktiver) Augenzeugenbericht, der dazu dient, in der Binnenerzählung die Ablösung der verbindl. russ. Literatursprache zugunsten der lebendigen Volks- und Umgangssprache mit exakten Mundartformen, Provinzialismen, Volksetymologien, individuellen Besonderheiten usw. zu rechtfertigen, und die Erzählung durch das Prisma volkstüml. Erzählperspektive und e. angemessenen Sprachwelt bricht. Von N. Go-

GOL' gepflegt, von LESKOV in fast allen seinen Novellen zu bes. Höhe entwickelt und bei A. REMIZOV, I. E. BABEL, B. PIL'NJIK, E. ZAMJATIN und M. ZOŠČENKO fortgeführt.

J. R. Titunik, D. Probl. d. S. (Erzähl-forschg., hg. W. Haubrichs II, 1977).

Skazon (griech. *skazein* = hinken, Mz. Skazonten) →Choliambus

Skene →Szene

Skenographie (griech. *skene* = Bühne, *graphein* = schreiben), Bemalung der Rückwand im antiken Theater, allg. Kulissenmalerei: →Bühnenbild.

Sketch (engl. = Skizze), 1. dramat.-iron. Bühnenspiel von wenigen Minuten Dauer, das die Handlungsmöglichkeiten nicht voll ausnutzt, sondern sie nur im Umriß ›skizziert‹, um ihre Ergebnisse in e. wirkungsvollen, scharf zugespitzten und überraschenden, teils makabren Pointe – oft Anspielung auf aktuelle Ereignisse oder Zustände – gipfeln zu lassen; in Amerika zuerst um 1900 entwickelt, in Dtl. bes. von K. VALENTIN, und heute meist in Kabaretts u. ä. beliebt. – 2. in engl.-amerikan. Lit. kurze, rasch ausgeführte Prosa→skizze aus dem Alltag, z. B. bei DICKENS.

Skizze (ital. *schizzo* = Spritzer), in Malerei wie Lit. flüchtig hingeworfene Aufzeichnung ›in groben Zügen‹ als Entwurf für e. weiter auszuführendes größeres Werk; auch kleine Erzählung, jedoch bewußt fragmentarisch und nicht ausgeformt im Ggs. zur gerundeten →Kurzgeschichte. Als Wirklichkeitsausschnitt im Naturalismus, als feuilletonist. Eindrucksschilderung im Impressionismus beliebt (ALTENBERG, LILIENCRON).

I. Spahmann, D. S. i. d. dt. Lit. d. 19. Jh., Diss. Tüb. 1956; T. Richter, Üb. d. S.

(Kunst u. Lit. 9, 1961); G. Seifert, Sinn u. Gestalt d. lit. S., 1961.

Sklavenprolog, aus der ältesten griech. Komödie fortlebendes dramatur. Mittel der Exposition: im Gespräch der Sklaven, seit dem Rokoko der Vertrauten oder Domestiken, stellen sich, oft possenhaft ausgestaltet, Milieu und Lage des Helden dar. Der S. dient der Einstimmung, Spannungserregung und Vorbereitung der Handlung. Gleichzeitig bietet die Verwendung niederer Personen bessere Ausbildungsmöglichkeiten für das Komisch-Drastische in der Komödie. Beispiele: ARISTOPHANES *Wespen, Ritter, Frieden,* PLAUTUS *Mostellaria;* Nachwirkung bis zu LESSINGS *Minna von Barnhelm* und HOF-MANNSTHALS *Der Schwierige.*

Skolion (griech. *skolios* = krumm, gebogen), bes. in Athen im 7.–5. Jh. v. Chr. gepflegtes griech. Tischlied, bei Festen und Symposien zum Wein unter Lyrabegleitung von den Gästen in beliebiger Reihenfolge (daher der Name) vorgetragen. Meist handelt es sich um ernste, heitere oder satir. Vierzeiler in lyr. Maßen, neben e. Reihe bekannter S. bes. geistreiche Stegreifdichtungen über Heimat, Liebe und Wein, Götteranrufungen, Wahlsprüche und sprichwörtl. oder iron. Lebensweisheiten sowie Preislieder auf Helden und Tyrannenmörder (bes. beliebt Harmodios und Aristogeiton in Athen). Als Erfinder der Gattung gilt TERPANDER (7. Jh. v. Chr.); auch manche Trinklieder von ALKAIOS, ANAKREON und SAPPHO sind S., PINDAR schuf später wohl chorische S. als Lobgesänge. E. att. Slg. von 25 S. aus dem 6./5. Jh. ist bei ATHENAIOS (Buch 15) erhalten. Die S. ANAKREONS und der pseudoanakreont. Slg. wurden schon von OPITZ und WECKHERLIN, dann bes. in der dt.

→Anakreontik und der franz. Poésie fugitive nachgebildet.

A. G. Engelbrecht, *De scoliorum poesi,* 1882; R. Reitzenstein, Epigramm u. S., 1893; U. v. Wilamowitz, D. att. S.-Slg. (in: Aristoteles u. Athen 2, 1893); RE; C. M. Bowra, *Greek lyric Poetry,* Oxf. 1936, ²1961; B. A. van Groningen, *Pindare au banquet,* Leiden 1960.

Skop (westgerm. *scop*), bis ins Frühma. Bz. für den westgerman. Hofsänger und -dichter der Helden- und Preislieder an den Fürstenhöfen, evtl. daneben auch für den Spielmann.

W. Wissmann, S. (Sitzgsber. d. Dt. Akad. d. Wiss. z. Berl.), 1935; K. v. See, S. u. Skald, GRM 14, 1964; E. Werlich, D. westgerman. S., Diss. Münster 1964 (u. ZDP 86, 1967).

Skribent (v. lat. *scribere* = schreiben), allg. Schreiber, abschätzig für →Schriftsteller.

Skript(um) (lat. *scriptum* = Geschriebenes), Schriftstück, Nachschrift, im Film: →Drehbuch.

Slang (engl.), Soziolekt der Unterschicht, familiär-nachlässige, willkürliche und zu Neuerungen neigende Ausdrucksweise, die als ›gewöhnliche‹ Umgangssprache nicht der Schriftsprache angehört, jedoch in moderner Lit. e. große Rolle spielt.

K. Thielke, S. u. Umgangssprache i. d. engl. Prosa d. Ggw., 1938; E. Partridge, S. today and yesterday, Lond. ⁴1954.

Slapstick-Komödie (v. engl. *slapstick* = Narrenpritsche), Komödie, deren Witz ähnlich dem des kom. Stummfilms auf naiver Freude an e. beliebigen Anhäufung grotesker visueller Gags wie dem unvermeidl. Tortenwerfen beruht.

Slawophile, romant. geistig-lit. Bewegung in Rußland um Mitte des 19. Jh. um Aksakov, Chomjakov und die Brüder Kireevskij, die an e. vielfach mißverstandenes, idealisier-

tes altruss. Volkstum, das auf Orthodoxie, Autokratie und Nationalismus beruhte, anknüpfte, im Ggs. zu den →Westlern die Europäisierung verwarf und theoretisch einen kulturellen Panslawismus vertrat. Wichtigstes Ergebnis war das Studium der russ. Geschichte und die Slg. der Volksüberlieferung.

N. V. Riasanovsky, Rußld. u. d. Westen, 1954; P. K. Christoff, *An introduction to 19. cent. Russ. S.ism,* Haag II 1961–72.

Slogan (engl., v. gael. *sluaghghairm* = Schlachtruf) →Schlagwort in Werbung und Politik.

Śloka, Schloka (sanskrit. = Ruf, Schall), das Hauptversmaß der altind.-sanskrit. Epik überhaupt, bestehend aus zwei Verszeilen zu je zwei Gliedern (Pâda) zu je acht Silben mit nur zum Teil festgelegter Quantität, Schema einer Verszeile (halber S.): ◡◡◡◡/ ◡−−◡/ /◡◡◡◡/ ◡−◡◡. Das Langzeilenpaar ist auch syntakt. Einheit. Der S., nach der Legende von Vālmīki erfunden, ist wohl aus dem Veden-Versmaß →Anastubh hervorgegangen. Verwendung in *Mahâbhârata* und bes. *Rânâyama.*

P. Horsch, D. ved. Gatha- u. S.-Lit., 1966.

Smeraldina →Commedia dell'arte

Soap opera (engl. = ›Seifenoper‹, nach den eingeblendeten Werbespots für Waschmittel), das Fortsetzungs-, Hör- oder Fernsehspiel im Tages- und frühen Abendprogramm von Rundfunk und Fernsehen, problemlos heitere oder sentimentale Familien-→Serien aus dem Alltagsleben des unteren Mittelstandes, der Ärzte, Detektive, Polizisten oder der Massenmedien selbst in Episodenform mit stereotypen Figuren.

Soccus (lat. =) niedriger Schuh, Sandale, Fußbekleidung der Schauspieler in der antiken Komödie im Ggs. zum →Kothurn der Tragödie.

Soffitten (ital. *soffitta* v. lat. *figere* = heften), die vom Schnürboden herabhängenden Teile der →Bühnen→dekoration, die das Bühnenbild nach oben abschließenden Leinwandbahnen mit Darstellung des Himmels oder der Zimmerdecke.

Sokratische Ironie →Ironie

Soldatenlied, von Soldaten auf dem Marsch oder bei anderen Gelegenheiten gesungenes patriot.-ideolog., heiteres oder meist sentimentales Lied, häufig durch →Nachgesang (Strophen und Kehrreime, auch Teile anderer Lieder) ohne Rücksicht auf den Sinnzusammenhang erweitert; teils Volkslieder, teils Kunstlieder (z.B. UHLANDS *Ich hatt' einen Kameraden,* KÖRNERS *Lützows wilde Jagd* u.a.) und Umdichtungen ausländischer S.er. →Befreiungskriege, →Kriegs- und →Weltkriegsdichtung, →Landsknechtslied.

F. v. Oppeln-Bronikowski, Dt. Kriegs- u. S., 1911; G. Witkowski, D. alte dt. Kriegsgesang, 1915; J. Meier, D. dt. S., 1916; A. Kutscher, D. richtige S., 1917; RL; M. Hausmann, Kunstdichtg. u. Volksdichtg. i. d. S., Diss. Mchn. 1922; W. Kohlschmidt, D. dt. S., 1936; ders., Selbstgefühl und Todesschicksal i. Lied d. Soldaten, 1940; W. Elbers, D. S. als publizist. Erscheing., Diss. Münster 1963; V. Karbusicky, D. Instrumentalisierg. d. Menschen i. S. (Zs. f. Volkskde. 67, 1971); H. Lixfeld (Hb. d. Volksliedes I, 1973); R. Olt, Krieg u. Sprache, II 1980f.

Soldatenstück →Militärstück

Soledades, andalus. **Soleares** (= Einsamkeiten), beliebteste Form des span.-andalus. Volksliedes von stark individualist., melanchol. Stimmung; später beliebter Titel lyr. Sammlungen von GÓNGORA bis ALTOLAGUIRRE.

K. Voßler, Poesie der Einsamkeit in Spanien, 1940, ²1950; B. Ciplijauskaite, *La*

soledad y la poesía española contemp., Madrid 1962.

Soliloquium (lat. *solus* = allein, *loqui* = sprechen), Selbstgespräch ohne eigtl. Adressaten, Form der Bekenntnislit., z.B. Titel e. Werkes AUGUSTINS. Zu unterscheiden vom fiktiven Selbstgespräch im dramat. →Monolog und im ep. →inneren Monolog. Soliloquist = Verfasser von S.

Solözismus (griech. *soloikismus,* nach dem angeblich fehlerhaften Griech. der Einwohner von Soloi in Kilikien), allg. Sprachschnitzer, Abweichung vom herkömml. Sprachgebrauch als grober Verstoß gegen Wort-, Formgebrauch und Syntax durch Vertauschung der Kasus, Numerus, Geschlechter, Zeiten, Personen und Modi beim Nomen und Verb, Veränderung und Auslassung der Präpositionen u.ä., z.B. dt.: ›nach der Schule gehen‹, nur vereinzelt als rhetor. Figur oder parodistisch erlaubt, meist verbreitet im allg. Sprachverfall der spätlat. und spätgriech. Volkssprache. →Barbarismus, →Metaplasmus.

Soloszene (lat. *solus* = allein), durch e. einzelnen Schauspieler (bzw. Sänger) vorgetragene Monolog- (bzw. in der Oper Arien-) →Szene, bes. im →Melo- und →Monodrama als Virtuosenstücke, die einzelne Schauspieler abendfüllend bestreiten; später S. für Komiker.

Sonder(ab)druck, Separatum, in e. festgesetzten Anzahl von meist 10 bis 25 (gegen Rechnung auch mehr) Exemplaren hergestellter und dem Verfasser zum persönl. Gebrauch zustehender Abdruck e. Zss.-Artikels oder e. Beitrags zu e. Sammelwerk.

Sonett (ital. *sonetto* = Tönchen,

kleiner Tonsatz, v. *sonare* = tönen), die bekannteste, wichtigste und am weitesten verbreitete der aus dem Ital. stammenden Gedichtformen, von strengem Aufbau (ähnlich der Meistersangstrophe), bestehend aus 14 meist elfsilbigen Versen (ital. Endecasillabi, franz. Alexandriner, dt. fünffüßige Jamben, doch auch viele andere Versarten), die in zwei deutlich abgesetzte Teile zerfallen: der erste (›Aufgesang‹, fronte) besteht aus zwei vierzeiligen ›Quartetten‹ (Quartinen, Quatrains) mit nur zwei Reimen in umschlingender Stellung: abba abba, der zweite (›Abgesang‹, coda, sirima) aus zwei dreizeiligen ›Terzetten‹ oder ›Terzinen‹, die urspr. ebenfalls nur zwei Reime in der Stellung cdc dcd zulassen, doch schon früh vielfach variieren; cdc cdc; cdd cdc, seit 14. Jh. selbst drei Reime zulassen: cde cde; ccd eed; cde edc; cde dce; cde ced, nur in franz. und dt. Dichtung findet sich die Verwendung von vier Reimen auch in den Quartetten: ab ba cddc efg efg. Abarten sind zahlreich, so das ›engl. S.‹ oder Spenser S. aus drei in sich kreuzweise reimenden, dialekt. Quartetten mit abschließend zusammenfassendem Reimpaar: abab cdcd efef gg, und das sonetto intrecciato des Italieners B. BALDI, in dem die drei Anfangssilben der einzelnen Verszeilen untereinander und mit dem Versende reimen; ebenso zahlr. Erweiterungen, wie das geschwänzte oder Schweif-S. (sonetto colla→coda, caudato) mit Anhängung von e. einzelnen, auf den Schlußvers des letzten Terzetts reimenden Elfsilber (sonetto ritornellato), von e. miteinander auf neuen Reim ausgehenden Elfsilberpaar oder seit dem 14. Jh. einem bzw. seit dem 16. Jh. beliebig vielen Terzetten aus e. auf den letzten Vers reimenden Siebensilber mit e. anschließenden, miteinander neu

reimenden Elfsilberpaar (dt. z. B. bei A. W. SCHLEGEL), schließlich das sonetto doppio, das nach jedem ungeraden Vers der Quartette und jedem geraden der Terzette e. Siebensilber einschiebt (Reimfolge: aabb ba aabbba cddc cddc), das sonetto rinterzato mit e. Siebensilber nach jeder 1. Zeile der Terzette und das sonetto raddopiato mit je 4 Quartetten und Terzetten. G. M. HOPKINS entwickelte das →curtal sonnet. In neuerer Zeit entsteht aus dem Streben nach zykl. Reihung der urspr. als einstrophige Einzelform gedachten S.e, wie sie schon bei PETRARCA keimhaft vorhanden und bei RONSARD, SHAKESPEARE, SIDNEY, GRYPHIUS, RÜCKERT, PLATEN, WORDSWORTH, E. BARRETT-BROWNING, G. BRITTING und RILKE als Sonettzyklus vorliegt, die strenge Form des ›S.enkranzes‹ aus 15 S.en, von denen das 2. bis 14. jeweils die Schlußzeile des vorigen als Anfangszeile wiederholen und die Anfangszeile des 1. die Schlußzeile des 14. bildet; das abschließende 15. oder ›Meister-S.‹ vereinigt alle 14 Anfangszeilen in der Reihenfolge des Vorkommens (z. B. bei WEINHEBER). Durch die ihm eigene Struktur, die klare Symmetrie der Einzelteile und den tekton. Aufbau ist die Ausdrucksform des S. im Grundzug festgelegt, und nur weniger tekton. Epochen wie das 16./17. Jh. und der Symbolismus gleichen den inneren Aufbau nur schwach der strophisch-metr. Gliederung an; die schwebende Empfindung wird durch die Formprägung zum entscheidenden Gedanken geläutert, e. klarer Bauwille weist jedem Teil seine Funktion für das Ganze zu: die Quartette dienen der Exposition in der Aufzählung von Gleichartigem oder dialekt. Darstellung der Gegensätze in These und Antithese, die in den Terzetten zu reinem Ebenmaß vereinigt, konzentriert und zum mächtig entscheidenden Schlußausklang geführt werden. Dabei reicht die Variation des Zwiespaltes von der intellektuellen Epigrammatik der Pointe bis zur Summe der persönl. Tragik, Leidenschaft und Sehnsucht, deren treibende Bewegung in der formalen Gebundenheit aufgefangen, gebändigt, geläutert und vergeistigt wird. Der Ursprung des S. liegt z.T. im Dunkeln; man vermutet provenzal., selbst arabische Einflüsse, doch ist es wohl im 13. Jh. in der →Sizilianischen Schule aus Verbindung e. →Strambottos von acht mit e. von sechs Versen entstanden. Als Erfinder gelten JACOPO DA LENTINO oder PETRUS DE VINEA, der Kanzler FRIEDRICHS II., und schon im 13. Jh. wurde es wohl von provenzal. schreibenden Italienern nachgebildet. Seine eigtl. lit. Wirksamkeit beginnt in Italien mit den ersten Meistern des S., DANTE *(Vita nuova)* und PETRARCA *(Canzoniere,* 327 Laura-S.e), GUINICELLI und CAVALCANTI. Mit der Verbreitung des Petrarkismus entsteht in Italien e. Vielzahl von S.en, u. a. von Serafino DALL'AQUILA, BEMBO, BOIARDO, LORENZO DE'MEDICI, G. BRUNO, MICHELANGELO, CASTIGLIONE, TASSO, MARINO, Vittoria COLONNA, Gaspara STAMPA, später FOSCOLO und CARDUCCI; in Spanien folgen BOSCÁN, GARCILASO DE LA VEGA, MENDOZA und Lope de VEGA (in Dramen); in Portugal Sá de MIRANDA, A FERREIRA und bes. CAMÕES *(Rimas);* in Frankreich eingeführt im 16. Jh. durch C. MAROT und die Pléiade, ferner DESPORTES, MALHERBE, D'AUBIGNÉ, L. LABÉ, VOITURE, BENSERADE, DESBARREAUX, im 19. Jh. GAUTIER, BAUDELAIRE, HEREDIA, VERLAINE, MALLARMÉ, RIMBAUD, im 20. Jh. DESNOS, JOUVE, QUENEAU; in England

durch WYATT, als ›engl. S.‹ bei SURREY, SIDNEY *(Astrophel and Stella),* DRAYTON, SPENSER *(Amoretti),* SHAKESPEARE in hoher Kunstform, später als ital. S. bei DONNE, MILTON, WORDSWORTH, KEATS, SHELLEY, E. BARRETT-BROWNING *(Sonnets from the Portuguese),* D. G. ROSSETTI *(The house of life),* W. H. AUDEN, D. THOMAS, P. LARKIN u. a. In Dtl. erscheint es zuerst bei C. WIRSING 1556, dann FISCHART, SCHEDE und WECKHERLIN und wird durch OPITZ als Alexandriner-S. nach franz. Vorbild lit. Modeform des 17. Jh., der sich auch FLEMING und bes. GRYPHIUS anschließen, doch in sehr freier und dem Formalen durch beliebige Veränderungen in Reimstellung und Versmaß nicht gerecht werdender Gestalt zum Ausdruck eigener Ekstase, und, wo ihm nicht ein großer religiöser (GRYPHIUS, GREIFFENBERG) oder patriotischer (FLEMING) Inhalt gegeben wird, zum spieler. ›Klinggedicht‹ herabsinkend. In der Aufklärung gerät es daher in Mißkredit und Vergessenheit; erst die Anakreontiker und BÜRGER holen die Form wieder hervor, auch GOETHE bedient sich nach langer Ablehnung und zur Entrüstung von J. H. Voss der strengen Form bes. 1807/08, in der Romantik folgen, streng nach dem ital. Vorbild, in fünffüßigen Jamben mit weiblichem Ausgang, A. W. SCHLEGEL *(D. S. u.a.),* der auch die Formtheorie erörtert, RÜKKERT, PLATEN *(S.e aus Venedig),* W. v. HUMBOLDT, EICHENDORFF, UHLAND, CHAMISSO, KÖRNER, HEINE, LENAU, IMMERMANN, späterhin GRILLPARZER, HEBBEL, MÖRIKE, KELLER, GEIBEL, HERWEGH, ZEDLITZ, GRÜN, HAMERLING, STRACHWITZ, LEUTHOLD, P. HEYSE, J. BURCKHARDT, im 20. Jh. Stefan GEORGE, RILKE *(S.e an Orpheus),* HEYM, WERFEL, DÄUBLER, L. RU-

BINER *(Kriminals.e)*, R. A. SCHRÖ-
DER, SCHAUKAL, TRAKL, WEINHE-
BER, R. SCHNEIDER, HAGELSTANGE,
A. HAUSHOFER *(Moabiter S.e)*, R.
BECHER, R. KIRSCH u. a.

H. Welti, Gesch. d. S. i. d. dt. Dichtg.,
1884; K. Lentzner, Üb. d. S. i. d. engl.
Dichtg., 1886; D. Ferrari, *La storia del s.*
ital., 1887; L. Biadene, *Morfologia del s.*
nei secoli XIII e XIV, 1895; A. Foresti,
Nuove osservazioni intorno all' origine e
alle varietà metriche del s. nei secoli XIII
e XIV, 1895; H. Vaganay, *Le s. en Italie*
et en France au 16e siècle, Lyon 1903, n.
N.Y. 1961; T. Fröberg, Beitr. z. Gesch. u.
Charakteristik d. dt. S. i. 19. Jh., 1904; T.
W. H. Crosland, *The Engl. S.*, 1917; A.
Schaeffer, Üb. d. S. (in: Dichter u.
Dichtg., 1923); W. F. Schirmer, D. S. i. d.
engl. Lit. (Anglia 49, 1925); G. L. Sterner,
The s. in Amer. lit., 1930; H. Mitlacher,
Moderne S.gestaltg., 1932; E. Hamer,
The Engl. s., 1936; L. C. John, *The Elisa-*
bethan s.sequences, 1938, ²1964; RL; G.
Wilker-Huersch, Gehalt u. Form i. dt. S.,
Diss. Bonn 1952; W. Mönch, D. S.,
1955; E. C. Wittlinger, D. Satzführg. i. dt.
S., Diss. Tüb. 1956; J. W. Lever, *The*
Elisabethan love s., Lond. ²1966; D. dt.
S., hg. J.-U. Fechner 1969; H.-J. Schlütter,
Goethes S.e, 1969; T. Ziolkowski, Form
als Protest (Exil u. inn. Emigration, hg. R.
Grimm 1972); J. Fuller, *The s.*, Lond.
1972; J. Leighton, Dt. S.-theorie i. 17. Jh.
(Europ. Tradition u. dt. Lit.barock, hg.
G. Hoffmeister 1973); ders., D. barocke
S. als Gelegenheitsged. (Dt. Barocklit. u.
europ. Kultur, hg. M. Bircher 1977); F.
Kimmich, *S.s before Opitz*, GQ 49,
1976; C. Scott, *The limits of the s.*, RLC
50, 1976; W. E. Yates, *On s.s on s.s*, GLL
30, 1976/77; M. Szyrocki, D. dt. Barock-
s. (*Kwartalnik neofil.* 23, 1976); H. J.
Schlütter u. a., D. S., 1979; C. Jungrich-
ter, Ideologie u. Tradition. Stud. z. NS-
S.dichtg., 1979; D. Mettler, D. S., FLE,
1981; W. Yates, *Tradition in the German*
s., 1981; P. Oppenheimer, *The origin of*
the s., CL 34, 1982; H. S. Donow, *The s.*
in Engl. and America, Westport 1982; A.
Behrmann, Variationen e. Form, DVJ 59,
1985; D. Schindelbeck, D. Veränderg. d.
S.struktur, 1988.

Sonettenkranz →Sonett

Sonettzyklus →Sonett

Song (engl. = Lied), allg. Gesang,
Lied, bes. Folksong und Schlager
oder →Chanson bzw. →Couplet
kabarettist.-satir., lehrhaft polit.,
aktuellen oder tendenziösen Inhalts
als selbständiges Kehrreimlied nach
volkstüml.-eingängiger Melodie
oder z. B. in B. BRECHTS *Dreigro-*
schenoper (1928), als balladeske,
halb parodist. →Moritat oder polit.
→Protestsong.

R.-U. Kaiser, D. S.-Buch 1968; Lechzend
nach Tyrannenblut, hg. H. D. Zimmermann 1972.

Sophisma (griech. =) Trugschluß
durch falschen Syllogismus, dann
allg. jede Schlußfolgerung, die einen
verkappten Denkfehler enthält und
dadurch zu überraschenden und
verblüffenden Resultaten kommt.
In der ma. Scholastik begründeten
die S. als dialekt. Übungsaufgabe
eine eigenständige Literaturgattung.

M. Grabmann, D. S.-lit. d. 12. u. 13. Jh.,
1940.

Sortes (lat. *sors* = Los), Form der
relig. Spruchdichtung der Römer:
Losorakel, auf Stäbchen geschriebene weissagende Sprüche, meist Gemeinplätze in formelhafter Prosa,
anapäst. Hexametern oder trochäischen Septenaren, die von e. Knaben gemischt und gezogen wurden.

F. Ritschl, D. lat. s. (Opusc. 4, 1878).

Sortiment →Buchhandel

Sotadeus, nach dem griech. Dichter SOTADES von Maroneia (3. Jh.
v. Chr.) benannter, von ihm erfun-
dener Vers: katalekt. Tetrameter
des →Ionikus a maiore: $--\cup\cup|$
$--\cup\cup|$ $--\cup\cup-\underline{\smile}$, auch mit Ersatz des 1.-3. Metrums durch e.
Ditrochäus; der Vers galt wegen seiner aufgelösten Rhythmen als
weichlich. In griech. →Kinädenpoe-
sie, Komödie, Mimus und Satire,
lat. bei ENNIUS, ACCIUS und VAR-
RO, gelegentl. auch bei PETRONIUS
und MARTIAL verwendet.

Sotadische Literatur →Kinäden-
poesie

Sotie →Sottie

Sotternie, nach der franz. →Sottie
Bz. für die holländ. →Kluchten, die
jedoch im Ggs. zur Sottie nicht vor,
sondern nach dem Schauspiel aufgeführt wurden.

Sottie (franz. *sotie* v. *sot* = Narr),
nach der Hauptfigur des Narren benanntes satir.-possenhaftes franz.
Bühnenstück in einfachen Versen
(Achtsilber mit Paarreim) aus der
Zeit um 1440–1560, ähnlich dem
dt. Fastnachtsspiel in volkstüml.
Umgangssprache mit Anspielungen,
Wortspielen, Derbheiten und Mißverständnissen als Vorspiel (Parade)
polit.-satir. Inhalts vor einer größeren Aufführung (Moralität, Mysterienspiel), meist ohne Handlung
und im Ggs. zur Farce nur getragen
von den Narrenrollen (prince des
sots, mère des sots) im zweifarbigen
Narrenkostüm, die auch bei Liebhaberaufführungen der →Basoche
oder der →Enfants sans souci meist
e. Berufsschauspieler übertragen
wurden. Die wichtigsten der rd. 20
erhaltenen S.s stammen von Pierre
GRINGOIRE, André de la VIGNE und
Jean BOUCHET und richten sich gegen lokale, polit., soz. und bes.
kirchliche Mißstände aus der reaktionären Sicht der Unterschicht. Als
ausländ. Nachbildungen entstehen
die holländ. →sotternie‹ und die
engl. ›sotelty‹. Die Wiederverwendung der Bz. auf Werke A. GIDES
(*Le Prométhée mal enchaîné*) bezeichnet deren satir. Charakter.
L. C. Porter, *La farce et la s.* (Zs. f.
roman. Philol. 75, 1959); B. Goth, Unters. z. Gattungsgesch. d. S., 1967; I.
Nelson, *La s. sans souci*, Paris 1977; H.
Arden, *Fools' play*, Cambr. 1980.

Soubrette (franz. v. provenzal. *soubreto* = affektiert), kom. weibl.
Rollenfach in Komödie, Oper und
Operette: Vertraute oder Dienerin
der weibl. Hauptfigur, die durch

Kühnheit des Charakters und Intrigengeist die Handlung ins Rollen
bringt, z.B. die spitzbübische Zofe
bei MOLIÈRE, MARIVAUX, BEAU
MARCHAIS.
Y. Morand, *La conquete de la liberté,*
Paris 1981.

Souffleur (franz. = Einflüsterer),
Einhelfer, meist wegen der höheren
Stimme weibl. ›Souffleuse‹, die beim
Theater meist in der Mitte des vorderen Bühnenrandes im S.-kasten
sitzt und durch leises Vorsprechen
der Rollen nach e. Textbuch die
Schauspieler vor dem Steckenbleiben (›Hänger‹) bewahrt.

Soulas, Lieder heiteren Inhalts in
der provenzal. Dichtung.

Soziale Dichtung, unscharfe Sammelbz. für e. Teilbereich der →polit.
Dichtung, nämlich jede Art gesellschaftsbewußter und sozialkrit. engagierter Dichtung. Der Begriff ist
irreführend, insofern er die Existenz
des Gegenteils (unsoz. Dichtung)
impliziert, die es chemisch rein gar
nicht gibt; unscharf, insofern ein
Vorwiegen des soz. Elements voraussetzt, das subjektivem Ermessen
weiten Spielraum läßt, und verwaschen, insofern er bestenfalls im engeren Sinne eine mittlere histor.
Phase der bürgerl. Dichtung meint,
die vom Auftauchen der ›soz. Frage‹
durch die Industrialisierung und
den 4. Stand im frühen 19. Jh. bis
zur Entfaltung aggressiver sozialagitator. Parteidichtung und sozialist.
Klassenlit. im frühen 20. Jh. reicht:
also eine bürgerl. Dichtung der Mittelschicht, die mit Kritik auf die
Oberschicht, mit Mitleid auf die
Unterschicht blickt.
Die Gestaltungsmöglichkeiten der s.
D. umfassen prinzipiell alle Grundeinstellungen (kom., trag., satir.,
iron., eleg., pathet. usw.) und alle
Gattungen. Die soz. Lyrik bevor-

zugt Lied, Ballade, Chanson und Song. Der soz. Roman unterscheidet sich vielfach nur in Nuancen der Einstellung vom →Zeitroman und →Gesellschaftsroman. Das soz. Drama ist kaum näher definierbar, da die niederen Schichten zu allen Zeiten zunächst in der Komödie erscheinen und nach Aufweichung der →Ständeklausel im →bürgerl. Trauerspiel. Als soz. Drama im engeren Sinne können wiederum nur die engagierte gesellschaftskrit. Anklagedramatik des 19. Jh. und insbes. das Mitleidsdrama des Naturalismus gelten, das schließlich ins ideolog. sozialist. Drama mündet.

Im weitesten Sinne und histor. betrachtet reicht die gesellschaftskrit. Dichtung um die sozial Entrechteten und Mißachteten, die Verfemten und Dirnen vom ägypt. *Maneroslied,* der att. Komödie und der röm. Satire über die ma. Dichtung der Fahrenden (Mimen und Vaganten, Spielleute und Goliarden), bes. ausgeprägt dt. beim Archipoeta, franz. bei François Villon (15. Jh.), den Neidhart- und Landsknechtsliedern und dem Bänkelsang und über die zahlr. Pseudo-Moritaten von dem durch einen Vornehmen verführten einfachen Mädchen bei Gleim, Löwen, Hahn, Bürger *(Des Pfarrers Tochter von Taubenhain),* die Volks- und Kunstballaden (Schillers *Kindermörderin,* Goethes *Vor Gericht)* bis zu den modernen bei O. Wilde *(Ballad of Reading Gaol,* 1898) und den Bänkelsängerballaden der Wedekind, E. Kästner und B. Brecht. Dieser weitverbreiteten Form der s. D., die in allen Litt. teils ironisch, teils in erbittert satir. Ton die Verständnislosigkeit der soz. Vorurteile gegen menschl. Schwächen und Unzulänglichkeiten anprangert, stellt sich als zweite Form die s. D. gegenüber, die bewußt in die Klassenkämpfe zwischen Arm und Reich, Unterdrückten und Unterdrückern eingreift. Auch sie hat zahlr. Vorformen in der Dichtung, die sich gegen die Standesschranken von Bürgertum und Adel richtet: im MA. der *Meier Helmbrecht,* die Dichtung der Bauernkriege, der →Schelmenroman und der realist. Barockroman (Scarrons *Roman comique,* 1651–57), die →Robinsonaden, in der Aufklärung das →bürgerliche Trauerspiel und die Dramen des Sturm und Drang (Lenz, *Soldaten,* H. L. Wagner, Schiller, Goethe). Ihre eigentliche Ausbildung erhält die s. D. nach starken Anregungen durch die Franz. Revolution erst im 19. Jh. mit dem Aufkommen des 4. Standes der Proletarier, im Zuge der Entwicklung von Wirtschaft und Industrie. Die standeseth. Probleme treten dabei vor dem rein äußerlichen wirtschaftl. Problem als Grundfragen der Existenz zurück, und e. bitterernster, anklagender und kämpferisch harter Ton herrscht vor, obwohl noch nicht die Arbeiter selbst, sondern einsichtige Kreise des Bürgertums Träger dieser Dichtung sind. In Frankreich gehen die revolutionäre Lyrik Bérangers und das Theater Beaumarchais' voran; es folgen der realist. Gesellschaftsroman und das soz. Lied Verlaine *(Charleroi),* in England bei Th. Hood *(Song of the Shirt,* 1849) und im Roman bei Dickens; in Dtl. Büchner, Heine *(Wanderratten),* Herwegh und Freiligrath und die Romane von E. Willkomm und R. Prutz. Nach dem Ausbleiben e. Lösung und der Verschärfung der Gegensätze gegen Ende des Jh. wird der Ton aggressiver und z. T. revolutionär gegenüber der bisherigen Gesellschaftsordnung und dem sie stützenden Staat, so bes. im Naturalismus: Ibsens Gesellschaftsdramen, G. Haupt-

MANNS SOZ. Mitgefühl, die Lyrik der Anklage und des Mitleids bei A. HOLZ, HENCKELL, HART, DEHMEL, WILDGANS, J. H. MACKAY, die Romane des späteren SPIELHAGEN und M. KRETZERS wie überhaupt der →Zeit- und →Gesellschaftsroman nach Vorbild von ZOLAS roman expérimental, in Rußland GOGOL', TOLSTOJ, DOSTOEVSKIJ und GORKIJ. Stets ist der polit. Sozialismus dieser ›Armeleutepoesie‹ getragen von dem Willen zur Änderung der Zustände in e. menschenwürdigeres Dasein, das – so glaubt man – den Menschen selbst ändern würde. Erst in der weiteren Entwicklung differenziert sich die Fragestellung; es entsteht die →Arbeiterdichtung im engeren Sinne. Die s. D. des Expressionismus ist stark politisch ausgerichtet, betont jedoch auch die relig.-ideellen Seiten und wirkt einerseits durch ihr ekstat. Menschheitspathos, das neben der soz. Anklage allerdings utop. Forderungen aufleuchten läßt, so in der Lyrik bei HEYM und STADLER, im Drama bei E. TOLLER, G. KAISER, F. v. UNRUH, andererseits im sog. Aktivismus durch den Appell an die Vernunft, Gerechtigkeit, Güte und Menschenliebe, die sie jedoch selbst nicht ausübt, sondern deren Fehlen sie ironisch und satirisch in bitterster Weise verspottet (H. MANN, K. STERNHEIM, B. BRECHT). Nach starkem soz. Engagement der Lit. der →Neuen Sachlichkeit (H. FALLADA, A. DÖBLIN) und dem Pseudo-Sozialismus der NS-Zeit stellt sich die Gegenwartslit. mit verfeinerten Verfahren und feinerem Sensorium den neuen soz. Problemen (GRASS, WALSER, BÖLL), soweit sie sie nicht nur zur polit. Agitation benutzt. In England erreichen soz. Roman und soz. Drama ihren Höhepunkt bei SHAW und GALSWORTHY; in Rußland entwickelt sich e.

soz. Lehrdramatik im Sinne des →sozialistischen Realismus. →Politische und →Großstadtdichtung.

A. Ehrhardt, *Le roman social*, 1905; B. Manns, D. Proletariat u. d. Arbeiterfrage i. dt. Drama, Diss. Berl. 1913; J. Dresch, *Le roman social en Allemagne*, 1913; B. Diebold, Anarchie i. Drama, 1921; K. Stockmeyer, Soz. Probleme i. Drama d. Sturm u. Drang, 1922; S. Liptzin, *Lyric Pioneers of modern Germany*, N.Y. 1928; RL; H. Lehmann, D. soz. Gedanke i. d. dt. Dichtg., 1928, ²1930; J. Hundt, D. Proletariat u. d. soz. Frage i. Spiegel d. naturalist. Dichtg., Diss. Bln. 1933; W. Paulsen, Expressionismus u. Aktivismus, 1934; M. L. Cazamian, *Le roman social en Angleterre*, 1935; L. W. Kahn, *Soc. ideals in Germ. lit. 1770–1830*, N.Y. 1938; E. Dosenheimer, D. dt. soz. Drama, 1949, ²1967; P. P. Sagave, *Recherches sur le roman social en Allemagne*, Aix 1960; R. Williams, *Culture and society 1780–1950*, Lond. 1960; E. Edler, E. Dronke u. d. Anfge. d. dt. soz. R., Euph. 56, 1962; R. H. Walker, *The poet and the gilded age*, Phil. 1962; F. García Pavón, *El teatro social en España*, Madrid 1962; M. Millgate, *American soc. fiction*, Edinb. 1964; C. W. Ghurye, *The movement toward a new soc. and polit. consciousness in postwar German prose*, Bern 1971; K. Gafert, D. soz. Frage i. Lit. u. Kunst d. 19. Jh., 1973; H. Kals, D. soz. Frage i. d. Romantik, 1974; Naturalismus, hg. H. Scheuer 1974; E. McInnes, *German social drama*, 1976; E. Edler, D. Anfge. d. soz. Romans u. d. soz. Nov. i. Dtl., 1977; D. engl. soz. Roman i. 19. Jh., hg. K. Gross 1977; W. G. Urlaub, D. spätviktorian. Sozialroman, 1977; H. Adler, Soz. Romane i. Vormärz, 1980; D. franz. Sozialroman d. 19. Jh., hg. F. Wolfzettel 1981; M. Halter, Sklaven d. Arbeit, 1983; H. Adler, Lit. u. Sozialkritik, ZDP 102, 1983.

Sozialer Roman →soziale Dichtung

Soziales Drama →soziale Dichtung

Sozialistischer Realismus (Bz. von M. GRONSKIJ, 1932), die einheitl. Kunst- und Literaturtheorie der sozialistisch-kommunist. Länder, die seit ihrer Proklamation durch M. GORKIJ und deren Annahme auf dem 1. Sowjet. Schriftstellerkongreß 1934 zur maßgebl. und obligator. Doktrin für das lit. Schaffen in der Sowjetunion und nach 1945 auch den anderen sozialist. Staaten geworden ist. In der russ. Lit. löst der s. R. den sog. ›kritischen Realismus‹ (d.h. bürgerl. Realismus) in der sozialen Dichtung des 19. Jh. ab, da durch die neue Sozialordnung der Kritik an bestehenden Zuständen keine Angriffsfläche mehr geboten sei. Die offizielle Definition des Kongresses ist vage genug, um je nach der polit. Situation e. Vielzahl von Interpretationen und wechselnden Kommentierungen zwischen Norm und Orientierungsleitlinie Raum zu lassen ›Der s. R. als die Grundmethode der sowjetischen Literatur und Literaturkritik fordert vom Künstler e. wahrheitsgetreue, historisch-konkrete Darstellung der Wirklichkeit in ihrer revolutionären Entwicklung‹, d.h. unter dem Blickwinkel ihrer Veränderlichkeit durch das Weltbild des Kommunismus. (Ein zweiter Satz, der dem s. R. die Aufgabe der ideolog. Umerziehung übertrug, wurde 1954 wieder gestrichen.) Die wesentl. Forderungen sind: 1. Lebensechtheit (Wirklichkeit) und ›Volksverbundenheit‹, d.h. Vereinfachung bis zur bewußten Banalität im Interesse breiter Wirkung, daher Vermeidung von Experimenten, Individualismus, relig. Mystizismus, sexueller Themen und bes. jeden →Formalismus (→Narodnost). – 2. Darstellung des soz. Kampfes um den Fortschritt und Beinhaltung sozialer Ideen (→Idejnost) in jeder gewählten, auch histor. Zeit sowie Übereinstimmung mit der Weltanschauung des Kommunismus, Parteilichkeit (→Partijnost), also bewußte →Tendenz und Einschränkung in der Themenwahl. – 3. Gehalt an soz. Optimismus und Hoffnung auf e. bessere Zukunft (→Perspektive, 3). – 4. der →positive Held und die Darstellung des sog. ›Typischen‹,

womit nicht das Bezeichnende der Wirklichkeit, sondern die nachahmenswerte, im Sinne des Marxismus-Leninismus idealisierte Ausnahmeerscheinung, ›wie sie sein soll‹, gemeint ist, auch wenn diese völlig untypisch ist. – Der s. R. ist mithin keine ästhet. Theorie, sondern e. Zweckbestimmung der Lit. als polit.-ideolog. Beeinflussungsmittel, ihre Festlegung auf den Klassen- und Parteistandpunkt und die Einschränkung der Freiheit und Vielfalt künstler. Aussagemöglichkeiten und Ausdrucksformen. Die Gefahren des s. R., die z.T. von seinen Trägern selbst bekannt werden, liegen im Schematismus, der Eintönigkeit der Lit. durch Ausschaltung aller anderen Richtungen und Techniken, der Konfliktlosigkeit im Drama, in stereotyper Schwarz-Weiß-Zeichnung, Neigung zur ideolog. Sentimentalität und reportagehaft oberflächlicher, photograph. Wirklichkeitswiedergabe. ›Diese russ. Kunsttheorie behauptet nicht mehr und nicht weniger, als daß alles, was in uns, im abendländ. Menschen, an Innenleben vorhanden ist, also unsere Krisen, Tragödien, unsere Spaltung, unsere Reize und unser Genuß, das sei rein kapitalistische Verfallserscheinung, kapitalistischer Trick.‹ (G. Benn).

L. I. Timofejew, Üb. d. s. R., 1953; H. Fast, *The naked God*, N.Y. 1957; J. Rühle, D. gefesselte Theater, 1957; J. Rudolph, Probleme d. Realismus in uns. Lit., 1958; G. Lukács, Wider d. mißverstandenen Realismus, 1958; P. Demetz, Marx, Engels u. d. Dichter, 1959; Z. Folejewski, *Socialist realism in Western lit. criticism* (*Comparative Lit.*, Chapel Hill 1959); G. Rost, H. Schulze, D. s. R., Bibliogr. 1960; J. Rühle, Lit. u. Revolution, 1960; J. Chiari, *Realism and Imagination*, Lond. 1960; A. Tertz, *On s. r.*, 1961; L. v. Balluseck, Dichter i. Dienst, ²1963; W. Iwanow, D. s. R., 1965; E. Pracht, S. R. u. ästhet. Maßstäbe, ZDP 14, 1966; ders., Zu aktuellen Grundfragen d. s. R. i. d. DDR, DNL 14, 1966; G. Mehnert, Aktuelle Probleme d. s. R.,

1968; S. R. i. Dtl., hg. E. Schubbe, 1968; Marxismus u. Lit., hg. F. J. Raddatz III 1969; S. R., hg. E. Pracht, W. Neubert 1970; H. Koch, Stichworte z. s. R., WB 16, 1970; E. Simons, Üb. d. s. R. (ebda.); E. Pracht, S. R. als kunstler. Methode (ebda. 17, 1971); F. Rothe, S. R. i. d. DDR-Lit. (Poesie u. Politik, hg. W. Kuttenkeuler 1973); R.-D. Kluge, V. krit. z. s. R., 1973; E. Pracht, Abbild u. Methode, 1974; D. Fortschritt i. d. Kunst u. d. s. R., hg. K. Jarmatz, I. Beyer 1974; Z. Theorie d. s. R., hg. H. Koch 1974; S. R'konzeptionen, hg. H.-J. Schmitt u.a. 1974; E. Pracht u.a., Einf. i. d. s. R., 1975; Realismustheorien, hg. R. Grimm, J. Hermand 1975; D. F. Markov, Z. Genesis d. s. R., 1975; W. Neubert, Realer Sozialismus – s. R. (Ansichten, hg. K. Walther 1976); E. Mozejko, D. s. R., 1977; Internat. Lit. d. s. R., hg. G. Dimow 1978; D. s. R. i. d. Lit., hg. H. Jünger 1979; RL; H. Günther, D. Verstaatlichg. d. Lit., 1984; *European s. r.,* hg. D. Tate, M. Scriven, Lond. 1988.

Spaltvers, Versspielerei, bei der die jeweils ersten Teile der Zeilen e. Gedichts und deren jeweils letzte Teile, untereinander gelesen, ein in sich schlüssiges Ganzes oft gegenteiligen Sinnes ergeben. Beispiele bei Jean MOLINET, VOLTAIRE, TIRSO DE MOLINA, dt. bei ZESEN und MENANTES.

A. Liede, Dichtg. als Spiel II, 1963.

Spannung, dichterisches Kunstmittel, soll Neugier und Interesse des Lesers oder Hörers am Stoff erregen und wacherhalten. Sie wird, wo sie nicht von vornherein dem Stoff anhaftet, durch →Vorausdeutungen (Ahnungen, Träume, Weissagungen, Flüche u.ä.) oder kalkulierte Irreführung des Lesers verstärkt oder durch e. bes. Mißverhältnis zwischen Sein und Schein (Komik, trag. Ironie) in der Schwebe gehalten. Ihr dient auch z.T. die kunstvolle Technik der →Kapitel- und →Aktschlüsse, die ungelöste Fragen aufwerfen und ihre Beantwortung hinausschieben, oder die →Retardation. In der Dichtung dient die S. jedoch lediglich als Mittel; zum Selbstzweck wird sie in der Triviallit.

K. Bühler, D. ästhet. Bedeutg. d. S., ZfÄ 3, 1908; J. G. Bomhoff, Üb. S. i. d. Lit. (Dichter u. Leser, hg. F. van Ingen 1972).

Spatialismus (zu lat. *spatium* = Zwischenraum), Richtung der experimentellen →visuellen Poesie, betrachtet die Sprache nicht als Ideenvehikel, sondern als Materie und potentielle Energie wie den Raum und verwandelt sie in Schreibmaschinengedichten durch typograph. Anordnung der Einzelwörter auf der Fläche in visuelle Konstellationen: in Italien L. FONTANO, in Frankreich P. GARNIER.

P. Garnier, S. et poésie concrète, Paris 1968.

Speculum →Spiegel

Spektakelstück (lat. *spectaculum* = Schauspiel), ältere Bz. für →Ausstattungsstück oder für die →Ritterdramen.

Spell oder spel, german., ahd. und mhd. Bz. für e. dichter. Erzählung, Sage oder Fabel, die das Lehrhafte, Stoffliche in den Vordergrund stellt, so beim →Zauberspruch der vorangehende Teil, der als Art myth. →Exempels berichtet, wie die angerufenen übernatürl. Mächte oder Dämonen schon einmal die Heilswirkung erreicht, die Krankheit oder das Übel ausgetrieben haben, und an den sich die eigentl. Zauberformel anschließt. Das Wort lebt mhd. in →Bispel fort.

Spenserstanza (engl. *Spenserian Stanza*), Spenserstrophe, Abart der →Stanze unter Nachbildung der franz. Balladenstrophe, bestehend aus acht fünftaktigen Versen (jamb. Pentameter) mit dem Reimschema abab bcbc und anschließendem Sechstakter (Alexandriner) mit dem Reim c als stark betontem Abschluß. Männl. und weibl. Reime sind möglich. Die S. kam mit E.

SPENSERS *Fairie Queene* (1590) in England auf und wurde von J. THOMSON *(Castle of Indolence)*, BURNS, SCOTT, BYRON *(Childe Harold)*, KEATS *(Eve of St. Agnes)* und SHELLEY *(Adonais)* vielfach übernommen, in Dtl. dagegen nur in Übersetzungen.

H. Reschke, D. S. i. 19. Jh., 1918.

Sperrung →Hyperbaton

Sphragis (griech. = Siegel), autobiograph. Vorstellung des Dichters am Schluß e. Gedichtslg. mit Angabe von Namen, Heimat und evtl. Entstehungsanlaß der Gedichte, wie sie in griech. Lit. bei versch. Liedgattungen von alters her Brauch war und z. T. auch in röm. Lit. Eingang fand, so bei VERGIL am Schluß der *Georgica*, HORAZ *Carmen* III, 30, PROPERZ I, 22.

Spiegel, bzw. lat. Speculum, im MA. Bz. und Titel für versch. lit. Kompositionen und Kompilationen jurist. *(Sachsen-S., Schwaben-S.)* oder moraldidakt.-erbaul. u. theolog. Art (Heils-S., Sünden-S., z. B. *Speculum humanae salvationis*) in Prosa, ebenso Enzyklopädien (VINCENT VON BEAUVAIS, *Speculum majus*, 13. Jh.), auch im 16. Jh. beliebte Form des lit. Panoramas mit guckkastenartigen Einzelszenen ohne feste Komposition und Verbindung, die teils auf Harmonie, Analogie, teils auf Kontrast beruht, so *Speculum vitae humanae* von FERDINAND II. von Tirol, *Speculum mundi* von RINGWALT, auch für lehrhafte und satir. Dichtungen und Standeslehren wie →Fürsten-S., Ritter-S. (BOPPE) u. ä.

H. Grabes, Speculum, mirror u. looking glass, 1973.

Spiel, 1. nach der Tätigkeit des Schauspielers deren Ergebnis: Schauspiel, Lust-, Trauer-, Sing-,

Passionsspiel usw., bes. das →geistliche Drama des MA. – 2. artist. S. als Grundbegriff der kunstschöpferischen Tätigkeit, beruhend auf der ästhet. Autonomie der Kunst; Begriff bei SCHILLER, NOVALIS, HEINE, SARTRE u. a., erweitert zum Element des rein Spielerischen im S. mit Sprache, Form, Bild usw. in der Nonsense-Dichtung.

A. Liede, Dichtg. als Spiel, II 1963; I. Kowatzki, D. Begriff d. S. als ästhet. Phänomen, 1973; W. Williams-Krapp, Überlieferg. u. Gattg., 1980.

Spiel im Spiel, in e. Bühnenstück eingefügte und ihm funktional integrierte Bühnenaufführung, Schachtelung des Bühnenraums zu versch. Zwecken (Wahrheitssuche, doppelte Ebene, Lehrbeispiel, Illusionsironie), z. B. bei SHAKESPEARE *(Hamlet, Sommernachtstraum)*, danach GRYPHIUS *(Peter Squentz)*, im span. Drama (Lope de VEGA), bei TIECK *(Der gestiefelte Kater)*, PIRANDELLO *(Sechs Personen suchen einen Autor)*, BRECHT *(Kaukas. Kreidekreis)*, J. GENET, P. WEISS, J. SOBOL u. a., bes. kunstvoll in der illusionist. Verschränkung SCHNITZLERS *Der grüne Kakadu.*

E. Proebster, Theater im Theater, Diss. Mchn. 1955; R. J. Nelson, *Play within a play,* New Haven 1958; C. Liver, Theater im Theater, Diss. Bern 1964; J. Voigt, D. S. i. S., Diss. Gött. 1964; J. H. Kokott, D. Theater auf d. Theater im Drama d. Neuzeit, Diss. Köln 1968; W. Pache, Pirandellos Urenkel (Sprachkunst 4, 1973); R. Grimm, *The play within a play in revolut. theatre* (Mosaic 9, 1975); M. Schmeling, D. S. i. S., 1977; G. Forestier, Le théâtre dans le théâtre sur la scène franç. au 17e siècle, Genf 1981; R. C. Maure, D. Theater im Theater, Diss. Bern 1981.

Spielleiter = Regisseur (→Regie)

Spielleute, Spielmann →Spielmannsdichtung, →Rhapsode, →Vagant, →Goliarde, →Menestrel, →Minstrels, →Jongleur, →Skop.

Spielmannsdichtung, in ihrer An-

wendbarkeit umstrittene Bz. romant. Herkunft für e. Reihe anonymer Dichtungen des dt. MA. Der
›spileman‹, auch →Vagant, →Fah-
render, →Goliarde, in England
→Minstrel, in Frankreich →Mene-
strel oder →Jongleur (Joculator) ist
seit dem 9. und bes. im 12./13. Jh.
Nachfolger des älteren und ehrwür-
digen →Skop einerseits und des
→Mimus, Gauklers, Possenreißers,
Sängers und Musikers andererseits.
Aus dem verachteten und wegen an-
fechtbaren Lebenswandels aus der
relig. und staatl. Gemeinschaft aus-
geschlossenen, recht- und ehrlosen
Stand entwickelt er sich im 12. Jh.
z. T. zum beliebten und gern gesehenen weltl. Träger der zeitgenöss.
Dichtung. Seine Bedeutung, häufig
angezweifelt und abgelehnt, gehört
zu den umstrittensten Problemen
der ma. Literaturgeschichte, und
man hat z. T. mit Recht die Ausschaltung des irreführenden Begriffs
für Leute versch. Art und Bildung
(vom Gaukler-Akrobaten bis zum
lit. gebildeten, Schrift und Fremdsprachen beherrschenden Dichter
der Buchepen) gefordert (H. de
Boor). Anfangs nur Vortragender,
Vermittler und Verbreiter fremder
Stoffe, schreitet er später, als auch
Geistliche, →Vaganten, Studenten
und ritterl. Sänger aus Not zum
Broterwerb ihm zugesellen, wohl
auch zur eigenschöpferischen Tätigkeit fort, obwohl ihm gerade die
Fähigkeit zur Abfassung von Buch-
dichtungen häufig abgesprochen
wird. Seine Stoffe nimmt er aus dem
Erbe der mündlich überlieferten
Heldenlieder ebenso wie der franz.
und spätantiken (griech. und lat.)
Quellen und der zeitgenöss. Ge-
schichte und formt sie in seinen bes.
Stil um, der gekennzeichnet ist
durch e. reichen Vorrat an Formeln
und zugespitzten Wendungen für
Eingänge, Überleitungen und

Schlüsse, schlagwortartig stereoty-
pen Kampfschilderungen und über-
haupt typisierenden Wendungen für
wiederkehrende Situationen und
Motive, dazu bildhafte Knappheit
und lebendiger Dialog, ungezügelte
Phantasie mit fabelhaften Übertreibungen, Einführung märchenhafter
Züge neben der ständig wiederkehrenden Beteuerung der reinen
Wahrheit und selbst Erwähnung
fingierter ›authentischer‹ Quellen,
Anrufe an den Zuhörer, Lob der
Freigebigen und Betonung der
Wichtigkeit der Spielleute, ihrer
Schlauheit und Gewandtheit. Seine
Kunst ist, soweit sie bei vorausgesetzter Befähigung Eigenes hervorbringt, anfangs mündlich: e. kecke,
bunte und wortgewandte Stegreifkunst, die mit dem Lied die Lage
günstig zu treffen weiß und durch
bes. Spielmannswitz, die mhd.
→Ironie, das Interesse der Hörer
erregt und wirkungsvoller Unterhaltung dient, doch fehlt es ihm gegenüber dem höf. Epos an der Kultur
und begriffl. Feinheit der Sprache,
gegenüber dem Heldenepos an
Würde und Wucht. Neben Spruchdichtung, Gelegenheits- und Stegreifdichtung, Zeitliedern, Lob- und
Scheltreden, Anekdotischem u.a.
lit. Kleinkunst pflegt man Balladen,
relig. und didakt. Lyrik (→Gesangs-
spruch). Höchst fragwürdig dagegen und jüngst zumeist abgestritten
ist die Autorschaft der Spielleute für
die anonymen sog. ›Spielmannsepen‹, polit.-dynast. Versromane um
Brautwerbungen und Legendenepen
des 12. Jh., wohl eher Auftragswer-
ke gebildeter Kleriker für weltl. Fürsten: *König Rother, Herzog Ernst,
Orendel, Salman und Morolf, Oswald,* evtl. auch *Dukus Horant.* Sie
sind dem Heldenepos und dem höf.
Epos, dem sie teils voran, teils in
anderen Volkskreisen nebenherge-
hen, formal wie inhaltlich unterle-

gen, knüpfen wohl an ältere Tradition an und verbinden die lockende Wunderwelt und Abenteuerfreudigkeit des in den Kreuzzügen erschlossenen Orients mit versch. schriftl. und mündl. Quellen sowie geschichtl. Motiven zu gefahrvollabenteuerlichen und listigen Brautfahrt-Epen, die sich deutlich durch die stellenweise Hohlheit der Form von den höf. Epen wie durch die Frömmelei (Vorliebe für geistl. Motive und Heidenhetze) von der Geistlichendichtung unterscheiden.

H. Tardel, Unters. z. mhd. S., Diss. Rostock, 1894; A. Brandl, Spielmannsverhältnisse in frühmittelengl. Zeit (Berl. Sitzgs. ber. 41, 1910); P. Kluckhohn, Ministerialität u. Ritterdichtg., ZDA 52, 1910; H. J. Moser, D. Musikgenossenschaften i. dt. MA., 1910; E. Faral, Les jongleurs en France au MA., 1910; S. Reinicke, Üb. d. Träger der sog. S., Diss. Ffm. 1923; R. Menéndez Pidal, Poesía juglaresca, Madrid 1924, ⁶1957; H. Naumann, Versuch e. Einschränkg. d. romant. Begriffs Spielmann, DVJ 2, 1924; H. Brinkmann, D. Vaganten, Neophil. 9, 1925; RL; B. Spittler, Problemgeschichtl. z. Vorstellg. v. dicht. Spielmann, 1928; J. Klapper, D. soz. Stellg. d. Spielmanns (Zs. f. Volkskde. 2, 1930); H. Steinger, Fahrende Dichter i. dt. MA., DVJ 8, 1930; Th. Frings, D. Entstehg. d. dt. S.epen (Zs. f. dt. Geisteswiss. 2, 1939); P. Wareman, S., Amsterdam 1951; J. Bahr, D. Spielmann i. d. Lit.wiss. d. 19. Jh., ZDP 73, 1954; W. Thoss, Unters. z. Stil d. S., Diss. Mchn. 1954; W. Salmen, D. fahrende Musiker i. europ. MA., 1960; W. J. Schröder, Spielmannsepik, 1962, ²1967; M. Curschmann, Spielmannsepik, 1968; R. Bräuer, D. Probl. d. Spielmännischen, 1969; ders., Lit.soz. u. ep. Struktur d. dt. S.- u. Heldendichtg., 1970; S.epik, hg. W. J. Schröder 1977; RL; A. Schreier-Hornung, Spielleute, Fahrende, Außenseiter, 1981; H. Kästner, Harfe u. Schwert, 1981; W. Hartung, D. Spielleute, 1982; W. Salmen, D. Spielmann i. MA., 1983.

Spielmannsepos →Spielmannsdichtung

Spieloper, im Ggs. zum →Musikdrama mehr lyr. →Oper mit Nähe zum →Singspiel.

Spielplan, Zusammenstellung der im Laufe eines oder mehrerer Jahre von e. Bühne gespielten oder zu spielenden Stücke (Neueinstudierungen der Klassiker, Wiederaufnahmen, Ur- und Erstaufführungen), wird bei den meisten größeren Bühnen zu Anfang jeder Spielzeit aufgestellt. S.-zusammenstellungen für einzelne Bühnen oder ganze Epochen geben Aufschluß über Niveau und Profil derselben, Rezeption der Dramen und Publikumsgeschmack. Wochenweise Ankündigung des S. auf gedruckten →Theaterzetteln ersetzt im 19. Jh. die noch im 18. Jh. übl. Bekanntgabe der nächsten Vorstellung durch den Regisseur am Ende der Vorstellung. Vgl. →Repertoire.

RL¹.

Spionageroman →Agentenroman

Spirituals, Negro S. (engl., v. lat. spiritualis = geistlich), geistl. Volkslieder der Negersklaven in den Südstaaten der USA, entstanden seit Ende des 18. Jh. aus alten engl. Hymnen und franz. Volksliedern mit Umgestaltung durch afrikan. Rhythmen und melod. Duktus; urspr. einstimmig zu rhythm. Begleitung, dann mehrstimmig und chorisch.

N. White, American Negro Folk Songs, 1928; D. Buch d. S. u. Gospel Songs, hg. H. Lilje u.a. 1961; L. Zenetti, Peitsche u. Psalm, 1963; T. Lehmann, Negro S., 1965; Ch. Dixon, Wesen u. Wandel geistl. Volkslieder, 1968.

Spondeiazon, auch Holospondeus, die seltene, doch nicht völlig gemiedene Form des antiken →Hexameters, die nur aus →Spondeen besteht; meist jedoch Bz. für versus →spondiacus.

Spondeus (nach der Verwendung bei der sponde, griech. = Trankopfer u. a. feierl. Zeremonien), vierzeitiger antiker Versfuß aus zwei Längen; – –, gilt als Daktylus oder Anapäst mit Zusammenziehung der

Kürzen und kann unter gewissen Bedingungen für diese Füße eintreten (so z. B. in den ersten vier Füßen des →Hexameters, seltener im 5.: →Spondiacus, vgl. →Spondeiazon), jedoch auch z. T. für Jamben und Trochäen verwendet. Seine Nachbildung in akzentuierender Dichtung bereitet Schwierigkeiten, sobald man den Quantitäten gerecht werden will, da selbst Worte mit zwei langen Silben (›Weltschmerz‹) durch die Betonung eher dem Trochäus ($\stackrel{\perp}{}\smile$) ähneln. Andererseits versuchten Voss und seine Schule, den S. in antikisierenden Versen durch zwei gleichschwere Silben oder e. lange mit folgender betonter Silbe ($-\stackrel{\perp}{}$) wiederzugeben und in diesen ›falschen S.‹ Tonbeugung einzuführen (›Spondeenkrankheit‹, A. HEUSLER), um dem Betonungsschema halbwegs gerecht zu werden. Ihre Auffassung fand noch bei SCHILLER, A. W. SCHLEGEL und z. T. GOETHE Nachfolge.

A. Heusler, Dt. u. antiker Vers, 1917; F. Saran, D. Quantitätsregeln der Griech. u. Römer (Fs. W. Streitberg, 1924); RL¹.

Spondiacus (lat. *versus s.* = spondeischer Vers), →Hexameter mit →Spondeus statt des regelmäßigen Daktylus im 5. Fuß, erhält dadurch den Charakter des Schwerfälligen, Verzögernden, doch zugleich des Feierlich-Getragenen, betont Heraushebenden und hemmt die schwebende Erwartung; bei HOMER selten (z. B. *Odyssee* 9, 366), mit bewußtem Kunsteffekt dagegen angewandt bei den Alexandrinern (KALLIMACHOS jeder 11., ARATOS jeder 6. Vers) und den röm. Neoterikern (CATULL, z. B. 64, 78–80), meist mit e. viersilbigen, aus lauter Längen bestehenden Wort.

Spoonerism →Schüttelreim

Sportroman, Roman aus dem Sportlermilieu, der im günstigsten Fall auch das sportl. Geschehen zum Thema e. künstler. Aussage nimmt; wegen Aktualität und visuellem Reiz dieses Geschehens selten selbst in engl. Lit., z. B. bei G. B. SHAW (*Cashel Byron's profession*, 1885), B. MALAMUD (*The natural*, 1952), A. SILLITOE (*The loneliness of the long-distance runner*, 1959), D. STOREY (*This sporting life*, 1960), B. GLANVILLE (*The rise of Gerry Logan*, 1964); in dt. Lit. bei K. EDSCHMID (*Sport um Gagaly*, 1928), F. TORBERG (*Die Mannschaft*, 1935), S. LENZ (*Brot und Spiele*, 1959), R. HAGELSTANGE (*Römisches Olympia*, 1961), U. JOHNSON (*Das dritte Buch über Achim*, 1961) u. a.

E. Brunnsteiner, Dichtg. u. Sport, 1965; E. Mornin, *Taking games seriously*, GR 51, 1976.

Spottgedicht, als Gegenstück zum →Lobgedicht jede lyr. Form, die nicht rühmt, erhebt, sondern tadelt, rügt, demaskiert, sich über das Schlechte entrüstet und es der Verachtung, dem Spott preisgibt; histor. ausgeprägt bes. in →Jambendichtung, →Rügelied und →Sirventes, in der Volksdichtung als →Spottlied.

Spottlied, volkstüml. Lied zur Verspottung des Andersartigen, Schlechten, Gebrechen usw., insbes. an kollektive Gruppen (Nachbarorte, -stämme, -völker, andere Stände, Glaubensgemeinschaften usw.) gerichtet.

O. Böckel, Psychologie d. Volksdichtg., ²1913; D. J. Ward (Hb. d. Volksliedes I, 1973).

Spottschrift →Satire, →Streitschrift, →Pasquill

Sprache, sei es als geistige Form der Welterfassung, eigenschöpferische geistige Kraft oder als bloßes zwischenmenschl. Verständigungsmittel zur Gedankenwiedergabe, bildet in gesprochener wie geschriebener Form den eigentl. Rohstoff der Dichtung, insofern sie Sprachkunst ist. Sprachforschung ist daher ebenso wichtig für die Erkenntnis von Wesen und geistigem Entwicklungsgang e. Volkes in der Sprachgeschichte wie für die Erfassung des Wortkunstwerks im einzelnen. Während der alltägl. Sprachgebrauch zur knappen und eindeutig klaren Übermittlung begriffl. Aussagen dient, seine Entwicklung daher vom prakt. Nutzen bestimmt wird, beginnt die →Dichtung als Kunst dort, wo die sprachl. Erscheinung nicht mehr bloß als Gegenwert, Zeichen e. Begriffs gesetzt wird. Freilich arbeitet die Dichtung mit demselben Wort- und Begriffsmaterial, allein ihr ist die S. nicht mehr nur Mittel, sondern zugleich Zweck: erst in der sinnl. Wirkung des Wortes und seiner Verbindung von innerem und äußerem Sinn wird ihre S. fähig, den Gehalt wiederzugeben, nachzugestalten. In der Verbindung von gedankl. Vorgang und dessen Aussage mit den ästhet.-künstler. Werten der S. liegt ihre Ausdrucksform, die insofern gebundener ist an e. Vorhandenes als das Reich der Töne oder die abstrakte Kunst. Die S. wird Sprachkunst durch Aktivierung innerer Gefühlswerte der Worte und Laute, der Bilder und Figuren, durch ihre Formung im Rhythmus, Reim, Assonanz, Alliteration usw. innerhalb des gedanklich gebundenen Rahmens; e. vom Sinngehalt abstrahierte, lediglich der wohltönenden Klangspielerei ergebene Wortkunst bleibt im experimentellen Ansatz stecken. Jedoch Dichtung als Organ des menschl. Selbst- und Weltverständnisses wird auch nicht dort zur Kunst, wo der begriffl. Gehalt ab-

ziehbar in e. ästhet. Form ›eingekleidet‹ wird, sondern entsteht aus dem unlösbaren Ineinander der begriffl. und der gefühlsansprechenden, sinnl. Werte der S., die tiefer als die abstrahierende Mitteilungsrede der Wissenschaft und Philosophie die Welt erfassen, weil in ihnen neben dem Geistigen das unmittelbar Sinnenfällige von innen heraus einwirkt und den Eindruck vertieft: Dichtung macht aus dem anonymen Gemeinschaftswerk S. ein individuelles Kunstwerk, sie vereinigt die in der S. angelegten, in der Mitteilungsrede jedoch verblaßten Wirkungsmöglichkeiten der S. und erhält allein ihre Vollkraft. →Schriftsprache.

K. Voßler, S. als Schöpfung u. Entwicklg., 1905; E. Cassirer, D. S., 1923; O. Funke, D. innere S.form, 1924; K. Voßler, Geist u. Kultur i. d. S., 1925; O. Jespersen, D. S., 1925; H. Ammann, D. menschl. Rede, II 1925–28, n. 1962; L. Weismantel, D. Geist d. S., 1927; W. Wundt, D. S. (Völkerpsychologie I u. II, ⁴1928); O. Behaghel, Gesch. d. dt. S., ⁵1928; C. K. Ogden u. I. A. Richards, *The meaning of meaning*, N.Y. 1936; A. Bach, Gesch. d. dt. S., 1938, ⁸1967; W. M. Urban, *Language and Reality*, Lond. 1939; E. Fenz, Laut, Wort, S. u. ihre Deutg., 1940; L. Lavelle, *La parole et l'écriture*, 1942; F. Strich, Dichtung u. S. (D. Dichter u. d. Zeit, 1947); H. Maeder, Versuch üb. d. Zus.-hang v. S.gesch. u. Geistesgesch., 1945; H. Hatzfeld, *The language of the poet* (*Stud. Phil.* 43, 1946); G. Storz, Umgang m. d. S., 1948; L. Weisgerber, V. d. Kräften d. dt. S., IV 1949f., ³1962; ders., D. Menschheitsgesetz d. S., 1951, ²1964; W. Schneider, Ehrfurcht vor d. dt. Wort, ⁴1950; H. Moser, Dt. S.gesch., 1959, ⁶1969; E. Heintel, H. Mainer, A. Schirokauer u. A. Langen in ›Aufriß‹, 1952; B. Snell, D. Aufbau d. S., 1959, ⁵1961; M. Aschenbrenner, Gestalt u. Leben d. S., 1952; H. H. Holz, S. u. Welt, 1953; W. Elton, *Aesthetics and language*, 1954; W. J. Entwistle, *Aspects of language*, Lond. 1954; H. Arens, S.wiss., ²1968; L. Bloomfield, *Language*, ⁹1967; F. Bodmer, D. S.n d. Welt, ³1964; R. M. Tscherpel, D. Funktion d. S. i. d. dichter. Form, DVJ 29, 1955; H. Strehle, V. Geheimn. d. S., 1956; T. Rutt, V. Wesen d. S., 1957; M. A. Pei, *The story of language*, 1966; W. Porzig, D. Wunder d. S., 1957, ⁵1971; G. Storz, S. u. Dichtg., 1957; P. Hartmann,

D. S. als Form, 'sGravenhage 1959; C. Schick, *Il linguaggio*, Turin 1960; R. Jakobson u. M. Halle, Grundlagen d. S., 1960; E. Sapir, D. S., 1961; H. F. Wendt, S.n, 1961; A. Juret, *Les idées et les mots*, Paris 1961; G. Gerber, D. S. als Kunst, II ³1961; W. K. Brown u. S. P. Olmsted, *Language and lit.*, N.Y. ²1962; E. Rossi, D. Entstehg. d. S. u. d. menschl. Geistes, 1962; M. Pei, *Voices of man*, N.Y. 1962; H. Brinkmann, D. dt. S., 1962, ²1969; W. Nowottny, *The language poets use*, Lond. 1962; A. Martinet, Grundzüge d. allg. Sprachwiss., 1963, ²1967; H. Eggers, Dt. S.gesch., IV 1963–77, II ²1986; G. Frey, S.-Ausdruck d. Bewußtseins, 1964; F. Tschirch, Gesch. d. dt. S., II 1966–68, ³1983 ff.; F. de Saussure, Grundfragen d. allg. S.wiss., ²1967; *Le langage*, hg. A. Martinet, Paris 1968; L. Hjelmslev, D. S., 1968; W. L. Chafe, *Meaning and structure of language*, Chic. 1970; R. Fowler, *The lang. of lit.*, Lond. 1971; J. Lyons, Einf. i. d. mod. Linguistik, 1971; P. v. Polenz, Gesch. d. dt. S., ⁸1972, ⁹1978; Linguistik, e. Hb., hg. A. Martinet 1973; Grundzüge d. S.- u. Lit.-wiss., hg. H. L. Arnold 2, 1974; G. Storz, Sprachanalyse ohne S., 1975; J. T. Waterman, *A hist. of the German lang.*, ²1976; S. Sonderegger, Grundzüge dt. S.gesch., 1979 ff.; K.-O. Appel, D. Idee d. S., ³1980; R. Bergmann u.a., Einf. i. d. dt. S.wiss., 1981; H. Moser u.a., Gesch. d. dt. S., III 1981 ff.; W. P. Lehmann, *Language*, N.Y. 1983; E. v. Savigny, Z. Begriff d. S., 1983; J. Lyons, D. S., 1983; S.gesch., hg. W. Besch II 1984 f.; M. Wandruszka, D. Leben d. S.n, 1984; C. J. Wells, *German*, Oxf. 1985; R. E. Keller, D. dt. S., 1986; H. J. Störig, Abenteuer S., 1987.

Sprachgesellschaften, im Barock Vereinigungen von Fürsten, Adligen, Hofbeamten, Gelehrten und Dichtern zur Pflege, Reinerhaltung und Förderung der Muttersprache und damit verbunden der Poetik, verstanden als Besinnung über die Gattungsgesetze, Zwecke und Mittel dichter. Produktion. In ihnen gibt sich die führende Adelsschicht e. neue Form unter Einbeziehung der Bildungsinteressen; sie weitet sich von der Aristokratie auch auf die bürgerl. Literaten aus, und ihre Absichten beschränken sich nicht auf Sprachreinigung – die später of in Deutschtümelei ausartet – Ver-einheitlichung der Rechtschreibung, Förderung von Übersetzungen ausländ. Lit. und Slg. des geduldeten Wortschatzes in Wörterbüchern, sondern greifen weiter aus mit dem Ziel, e. neue Kulturwelt und Bildungsgemeinde zu schaffen; Tugendhaltung und Sprachpflege werden als Ausdruck humanistischer Gesinnung aufgefaßt. Der Einfluß der S. ist maßgebend für die Ausbildung der humanist. Barock-Rhetorik des 17. Jh. und damit für die Dichtung, die nach Auffassung der Zeit mehr auf Schmuck und Eleganz der Rede als auf gedanklich-dichter. Schöpferkraft beruhen soll. – In Frankreich gehen die Bestrebungen der →Pléiade seit 1548 voran und führen schließlich zur Gründung der →Académie Française. Vorbild für die dt. Gründungen wird Italien, wo neben zahlr. rein schäferl. Akademien seit dem 15. Jh. bes. die 1582 in Florenz gegr. ›Accademia della crusca‹ (= Kleie-Akademie, die in der Sprache den Weizen von der Spreu säubern will) hervorragt und 1612 e. *Vocabulario degli Accademici della Crusca* herausgibt. Fürst LUDWIG VON ANHALT-KÖTHEN, während seines Italienaufenthalts 1600 Mitglied dieser Akademie geworden, überträgt deren Vorbild auf die dt. Verhältnisse und gründet 1617 in Weimar die wichtigste dt. S., die ›Fruchtbringende Gesellschaft‹ oder, nach dem Palmbaum im Wappen, ›Palmenorden‹ genannt mit der Devise ›Alles zu Nutze‹, deren über 500 Mitglieder, führende Männer aus der Lit. der Zeit, e. bes. Emblem, eine Devise und zum Ausgleich der Standesunterschiede e. Gesellschaftsnamen führen. So heißt Fürst LUDWIG ›der Nährende‹, OPITZ ›der Gekrönte‹, MOSCHEROSCH ›der Träumende‹, ZESEN ›der Unsterbliche‹, LOGAU ›der

Verkleinernde‹, ferner RIST, HARS-
DÖRFFER, SCHOTTEL u.a.m. Nach
diesem bis 1680 bestehenden Vorbild folgen andere Gründungen:
1633 die ›Aufrichtige Tannengesellschaft‹ in Straßburg (ROMPLER,
MOSCHEROSCH, SCHNEUBER), 1643
die ›Teutschgesinnte Genossenschaft‹ in Hamburg (gegr. von ZE-
SEN, rd. 200 Mitglieder: HARS-
DÖRFFER, KLAJ, MOSCHEROSCH,
BIRKEN, Joost van den VONDEL),
1644 der →›Nürnberger Dichterkreis der ›Pegnitzschäfer‹ oder ›Löb-
licher Hirten- und Blumenorden an
der Pegnitz‹ (HARSDÖRFFER, KLAJ,
BIRKEN), 1658 der von RIST in Lübeck gegr. ›Elbschwanenorden‹ und
als letzte die ›Poetische Gesellschaft‹, 1697 von MENCKE in Leipzig gegründet, seit 1726 von GOTT-
SCHED geführt und in die →›Deutsche Gesellschaft‹ umgebildet. Die
literaturgeschichtl. Bedeutung der S.
liegt in der Pflege e. gesellschaftl.
Hochsprache und Kultur und im
Kampf gegen Verrohung der Sprache einerseits und Überfremdung in
→Alamode-Dichtung und Preziö-
sentum andererseits. Gegenbewe-
gungen blieben nicht aus, so die
›Académie des vrais amants‹ in Köthen zur Pflege franz. Sprache, Kultur und bes. Hirtendichtung und der
›Ordre de la palme d'or‹ einerseits,
die Verspottung von übertriebenem
Purismus der S. bei B. SCHUPP,
GRIMMELSHAUSEN, Chr. WEISSE
und Chr. WERNICKE andererseits.

H. Schultz, D. Bestrebungen d. S. d. 17.
Jh., 1888, n. 1975; E. Wülker, D. Ver-
dienste d. ›Fruchtbr. Ges.‹ um d. dt. Spra-
che, 1888; K. Dissel, Ph. v. Zesen u. d. d.
Dt.gesinnte Genossenschaft, Progr. Hbg.
1890; ders., D. sprachreinigenden Be-
strebgn. i. 17. Jh., 1895; F. Zöllner, Ein-
richtg. u. Verfassg. d. Fruchtbr. Ges.,
1898; O. Denk, Fürst Ludw. v. Anhalt-
Köthen u. d. 1. dt. Sprachverein, 1917;
O. Schulz, D. S. d. 17. Jh., 1924; RL; K.
F. Otto, D. S. d. 17. Jh., 1972; F. v.
Ingen, D. S. d. 17. Jh. (Daphnis I, 1972);
Ch. Stoll, S. i. Dtl. d. 17. Jh., 1973; W. E.

Schäfer, Straßb. u. d. Tannenges. (Daphnis 5, 1976); S.n, Sozietäten, Dichter-
gruppen, hg. M. Bircher u.a. 1978; H.
Engels, D. S. d. 17. Jh., 1983; Fruchtbr.
Ges., hg. C. Conermann III 1985.

Sprachkunstwerk →Dichtung

Sprachmelodie, die ›Melodie‹ der
gesprochenen Sprache, bes. der
dichterischen in Vers und Prosa, beruhend auf Tonbewegung und Tonfall, Höhe, Tiefe und Klangfarbe
der Vokale, Silben, Wörter usw.; im
Ggs. zu Rhythmus und Akzent, die
auch in e. farblosen Schallmasse
auftreten könnten, e. weitere, lebendige Gliederung der Sprache durch
melod. Stimmführung, die Stim-
mungswerte schafft. Ihre Grundlage
bildet z.T. die für jede Sprache unterschiedl. Satzmelodie, doch erfordert jeder Einzelfall erneute Analyse
und individuelle Bestimmung.

E. Sievers, Z. Rhythmik u. Melodik d.
nhd. Sprechverses, 1894; ders., Üb.
Sprachmelodisches i. d. dt. Dichtg.,
1901; ders., Rhythmisch-melod. Studien,
1912; ders., Wege u. Ziele d. Schallanalyse, 1924; F. Saran, Verslehre, 1907; K.
Luick, Üb. Sprachmelodisches i. d. dt. u.
engl. Dichtg., GRM 2, 1910; J. Tenner,
Üb. Versmelodie, ZfÄ 8, 1913; W. E.
Peters, D. Auffassg. d. S., 1924; RL; J.
Stenzel, Sinn, Bedeutung, Begriff, Definition (Jahrb. f. Philol. I, 1925), sep. 1958;
R. Peacock, Probleme des Musikalischen
i. d. Spr. (Fs. F. Strich, 1952); M. H.
Kaulhausen, Dur u. Moll, WW 4, 1953.

Sprachmengerei →Makkaronische
Dichtung

Sprachreinigung →Purismus

Sprachrhythmus →Rhythmus

Sprachspiel →Wortspiel

Sprachwerk, jurist. Bz. des Urheberrechts für jedes Werk aus geschriebener oder gesprochener
Sprache in Lit., Wiss. usw.

Sprechchor, 1. Sprechergruppe
(und deren Text) im traditionellen
Drama, →Chor, – 2. oft stereophon

in Chor und Gegenchor oder Chor und Einzelsprecher gegliederte, unisono oder gruppenweise z.T. versetzt gesprochene Sprechtexte im Hörspiel und Drama, deren rhythmisch-melod. Stimme, obwohl auf einfachen, oft pathet. Stil und kurze Kola angelegt, zum ästhet. Reiz der Aufführung beiträgt; ausgebildet im →Arbeitertheater, verwendet im Drama des Expressionismus (TOLLER, BRONNEN) und der 60er Jahre (HANDKE), als selbständige dramat. Gattung in den 20er Jahren (B. SCHÖNLANK) und NS-Lit. – 3. das kunstlos-primitive Gruppensprechen polit. Schlagworte bei der Agitation.

I. Gentges, D. S.-Buch, 1929; F. K. Roedemeyer, V. Wesen d. S., ²1931; G. Schuhmacher, D. musikal. Verwendg. d. S. i. 20. Jh. (Sprechen u. Sprache, 1969).

Sprechende Namen →Namengebung

Sprechgedicht, Bz. von E. JANDL für solche seiner Gedichte, die im Unterschied zum →Lautgedicht den Wortcharakter betonen, jedoch zur vollen Wirkung des akust. Vortrags bedürfen.

Sprechkunst   →Deklamation, →Rezitation

Sprechspruch →Spruchdichtung

Sprechstück, Bz. P. HANDKES für seine orts- und handlungslosen, nur auf Rhythmik und sprachl. Orchestrierung aufbauenden Bühnentexte *Publikumsbeschimpfung, Selbstbezichtigung* und *Weissagung* (alle 1966).

Sprechtakt →Komma

Sprechvers, im Ggs. zum →Singvers oder Gesangvers der gesprochene, nicht für den Gesang bestimmte Vers, der jedoch rhythmisch von jenem nicht unterschie-

den ist. So herrscht in OTFRIEDS Evangelienharmonie wohl der S., während *Petrus-, Georgslied* und *De Heinrico* gesungen wurden. In der antiken Komödie bildet der jamb. Trimeter bzw. Senar den S. im →Diverbium; in dt. Dichtung sind Alliterations-, Sag-, Knittel-, Blankvers u.a. ausgesprochene S.e. RL.

Spreizstellung →Hyperbaton

Sprichwort (Proverb), im Volksmund verbreiteter, volkstümlich und leicht faßlich formulierter (im Ggs. zur →Redensart syntakt. abgeschlossener) Spruch von kurzer, geschlossener, oft durch Rhythmus, Alliteration oder Reim gebundener und über die Alltagssprache erhobener Form zum Ausdruck e. allg. anerkannten Lebenslehre, -weisheit und -erfahrung e. Sittenlehre in bildstarkem sprachl. Gleichnis, das die Schärfe direkter Aussage mildert und den sinnl. Einzelfall dem gegenständl. Denken einfügt. Die lehrhafte Tendenz tritt gelegentl. direkt imperativisch in Vorschrift und Warnung auf, meist jedoch verschleiert, indem das Ergebnis der einmaligen prakt. Erfahrungen bei der ›Wiederkehr des Gleichen‹ nach Berücksichtigung verlangt oder die Nichtbeachtung iron. festgestellt wird. Im Ggs. zu →Aphorismus, →Sentenz und →Epigramm als stark intellektuellen, vergeistigten und persönlichkeitsgebundenen Sinnsprüchen in hoher Kunstform bewahrt das S. die im Volke lebenden oder von ihm adaptierten Erfahrungen und Werthaltungen wiederverwendbar als Wert von Generation zu Generation überliefert auf und ist kennzeichnend für Denkweise, Wesen und Kultur des betreffenden Volkes oder der Entstehungsepoche, wenngleich die romantische Anschauung vom schöpferischen Volksgeist und vom

S. als Kollektivprodukt des Volkes heute derjenigen e. ins Anonyme abgesunkenen individuellen Schöpfung Platz macht. Die Allgemeingültigkeit solcher Erfahrungen führt zu Parallelbildungen und Übernahmen in andere Sprachen. Diese Wandlungen und Wanderungen sowie die Frage nach den eigentlichen Quellen bilden die Ansatzpunkte mod. wiss. S.forschung, die dabei oft wertvolle Einzelbelege für die kulturellen Gemeinsamkeiten versch. Völker liefert. Lit. Verwendung findet das S. mit didakt. oder satir. Absicht in allen Formen, die sich an weitere Volkskreise wenden: schon die griech. Sophisten benutzen es als beliebten Redeschmuck, bes. aber im Spätma. (FREIDANK) und in der →Reformationslit. tritt es in Lehrdichtung, Schwank, Fastnachtsspiel und Satire (LUTHER, SACHS, MURNER, *Till Eulenspiegel* 1519, PAULIS *Schimpf und Ernst* 1519, ROLLENHAGENS *Froschmeuseler* 1595) auf. CERVANTES' *Don Quijote*, EICHENDORFFS *Taugenichts*, die dt. Dorfgeschichte (GOTTHELF, AUERBACH, ANZENGRUBER), im 20. Jh. bes. DÖBLIN, BRECHT und GRASS machen lit. Gebrauch davon, und mod. Rhetorik in Politik, Wirtschaft und Journalismus benutzt abgewandelte oder umgedrehte S.er. – Ferner entstehen schon früh zahlr. S.-slgn., anfangs mehr aus lehrhaftem Interesse an der enthaltenen Lebensweisheit, später aus Freude an den bildkräftigen Prägungen. Die griech. S.er, gekennzeichnet durch angenehmen Witz, scharfe Beobachtungsgabe und moral. Haltung, in Vers (→Parömiakos) oder Prosa, wurden gesammelt von den sog. Parömiographen. Schriften darüber und Slgn. finden sich zuerst für philos. Zwecke bei ARISTOTELES, seinem Schüler KLEARCHOS, dem Stoiker CHRYSIPPOS und THEOPHRAST, in alexandrin. Zeit für lit. Zwecke bei DEMON, ARISTOPHANES VON BYZANZ, ARISTIDES von Milet, DIDYMOS und LUKILLOS von Tarrha. Die späteren, teils auf den obigen fußenden Slgn. von ZENOBIOS, SELEUKOS und e. Anonymus sind heute im *Corpus Paroemiographorum* vereinigt. Im MA. entstehen neue lat. Slgn., bes. lat. Auswahlen für die Klosterschulen, die aus antiker und christl. (*Bibel*, Patristik) Überlieferung schöpfen, jedoch auch auf einheim. Volksgut zurückgreifen und e. lat. überliefern, so WIPO, OTLOH, HENRICUS und EGBERT von Lüttich *(Fecunda ratis)*, dt. in NOTKERS *Logik*. Im Humanismus folgen S.-Slgn. aus den griech.-lat. Klassikern mit Kommentar, so ERASMUS' *Adagia* (1500), BEBELS *Proverbia* (1508) u. a., gleichzeitig die ersten bewußten dt.: J. AGRICOLA 1529–48, Seb. FRANCK 1541 (7000 S.), Ch. EGENOLFF 1548; im Barock als riesige Stoffslgn. mit bis über 20000 S.: E. EYRING 1601, C. LEHMANN 1630. Die neueren Slgn., u.a. von W. KÖRTE 1837, J. EISELEIN 1840, SIMROCK 1846, WÄCHTER 1888, BINDER 1874, LIPPERHEIDE 1907 fußen auf diesen Beständen und erweitern sie durch neu umlaufendes oder schriftlich fixiertes Gut. Für die Forschung wichtig wurde M. SAILERS *Weisheit auf der Gasse* (1810) und die bisher umfangreichste Slg. (250000 S.) von K. F. W. WANDER, *Dt. S.lexikon*, V 1867–76. Über v. REINSBERG-DÜRINGSFELDS *S.er der german. und roman. Sprachen vergleichend zusammengestellt* (II 1872–1875) hinaus geht die Slg. von S. SINGER, die die S.er des dt. MA. in die europ. Entwicklung einordnet.

J. Meier, S. (in Pauls Grundriß II, I); O. Crusius, Paroemiographica (Sitzgs.ber. d. Münch. Akad.) 1910; M. Förster, D. elisabethan. S., 1918; F. Seiler, D. dt. S.

(Grundr. d. dt. Volkskde. II, 1918); ders.,
Dt. S.-kunde, 1922, n. 1967; A. Jolles,
Einfache Formen, 1929, ⁶1982; RL; A.
Taylor, The Proverb, Cambr., Mass.
1931, n. 1962; Proverb Lit., Bibliogr. hg.
W. Bonser, Lond. 1930; E. Herg, Dt. S. i.
Spiegel fremder Sprachen, 1933; W.
Gottschalk, D. bildhaften S.er d. Roma-
nen, III 1935–38; The Oxford Dictio-
nary of Engl. proverbs, Oxf. 1935, ²1948;
E. Littmann, Morgenländ. Spruchweis-
heit, 1937; S. Singer, S. d. MA., III
1944–47; I. Klimenko, D. russ. S., 1946;
M. Hain, S. u. Volkssprache, 1951; O. E.
Moll, S.-Bibliographie, 1958; M. Hain,
D. S., DU 15, 1963; H. Bausinger, For-
men d. Volkspoesie, 1968, ²1980; B. J.
Whiting, Proverbs in the earlier Engl.
drama, N.Y. ²1969; H. Breitkreuz, The
study of proverbs (Fabula 14, 1973); L.
Röhrich, Lexikon d. sprichwörtl. Redens-
arten, II 1973, ⁵1978; W. Mieder, D. S. i.
uns. Zeit, 1975; ders., D. S. i. d. dt.
Prosalit. d. 19. Jh., 1976; G. Peukes, Un-
ters. z. S. im Dt., 1977; L. Röhrich, W.
Mieder, S., 1977; W. Mieder, Proverbs in
lit., Bibliogr. 1978; Ergebnisse d.
S.forschg., hg. ders. 1978; ders., Mod. dt.
S.gedichte (Fabula 21, 1980); Z. Kanyó,
S.er, 1981; W. Mieder, Internat. proverb
scholarship, Bibliogr. N.Y. 1982; ders.,
Dt. S.er i. Lit., Politik, Presse u. Werbg.,
1983; ders., S.er unterm Hakenkreuz
(Mutterspr. 93, 1983); H. u. A. Beyer,
S.erlexikon, 1984, ⁴1988; Dt. S.er-
forschg. d. 19. Jh., hg. W. Mieder 1984;
ders., S., Redensart, Zitat, 1985.

Spruch, allg. Sammelbz. für die
kurzbündige urteilhafte Aussage e.
Erkenntnis oder Weisheit in einem
Satz in gebundener Rede und eingängiger Form. Historisch von altoriental. Weisheitslit. (Sprüche Salomons) und altnord. Spruchdichtung bis zu den S.en GOETHES und
BRECHTS reichend, bietet der S. als
Oberbegriff aller gnom. Dichtung
eine Vielfalt im einzelnen zu unter-
scheidender Formen wie Denk-,
Sinn-, Wahl- und Zauber-S., Sprichwort, Gnome, Devise, Priamel,
Apophthegma, Aphorismus, Epigramm, Sentenz, Maxime u. a.
→Spruchdichtung.
    Lit. →Spruchdichtung.

Spruchdichtung, von K. SIMROCK,
dem Herausgeber WALTHERS VON
DER VOGELWEIDE (1833), einge-

führte Bz. für bestimmte Formen
der mhd. Dichtung, in der jedoch
zwei grundverschiedene Dichtungsgattungen durcheinandergeworfen
werden: 1. der gesprochene ›Sprechspruch‹ – nur er hieß mhd. ›spruch‹
– sentenziös-didakt. Inhalts in vierhebigen Reimpaaren (Sprechver-
sen), unkomponiert, ohne Stro-
pheneinteilung und zum mündl.
Vortrag durch Rezitatoren oder das
Publikum selbst bestimmt, später
auch zur schriftl. Verbreitung. Seine
lehrhafte, meist direkt moralisierende Grundhaltung findet sich schon
seit dem 12. Jh.; Hauptvertreter
sind FREIDANK (Bescheidenheit, um
1230), später der TEICHNER und
SUCHENWIRT im 14. Jh. (Reimreden: →Bispel, →Priamel, Fabel, Parabel, Sinnsprüche u. ä., selbst längere pointierte Versnovellen lehrhaften Charakters), im 15. Jh. H.
ROSENPLÜT und H. FOLZ; letzte
Ausläufer sind die →Reimsprecher
und →Wappendichter. – 2. der gesungene sog. lyrische oder ›Sangspruch‹, strophisch und mit fließenden Grenzen zum Lied und trotz
seiner schlichteren Form der Minnelyrik angenähert. Der Inhalt ist teils
persönlich-okkasionell (Biographi-
sches, Streitigkeiten mit den Kunst-
genossen, Bitten an die Gönner),
teils politisch (Stellungnahme im
Parteikampf), relig., bes. aber allg.
lehrhaft-moralisch (Lebensweisheiten, Minnedidaktik u. ä.). Nach
schlichteren Vorformen der unter
dem falschen Namen des sog. ›älteren SPERVOGEL‹ überlieferten, wohl
HERGER zuzuschreibenden S. führt
WALTHER die Gattung zu voller
Kunsthöhe und großem Formen-
reichtum, meist 6–12 achthebige alternierende Verse mit komplizierter
Reimkunst: sein leidenschaftl. Temperament bezieht alle großen Fragen der Zeit in die Form ein und
nimmt zu ihnen Stellung: vom

Zwist zwischen Kaiser und Papst über die eth. Haltung der Jugend bis zu den eigenen Lebenssorgen. Sein Vorbild findet bei den Fahrenden und bürgerl. Spruchdichtern reiche Nachfolge in versch. Gestalt, so beim echten SPERVOGEL, politisch bei Bruder WERNHER und REINMAR VON ZWETER. Spätere Jhh. verlängern die anfangs fast sprichwörtlich knappe Form, die S. wird weitschweifiger, redseliger, gelehrter und belehrender, gleichzeitig verkünstelt beim MARNER und bei FRAUENLOB. Die S. lebt in der Neuzeit fort bei GOETHE, RÜCKERT, GEORGE u. a.

RL; A. Jolles, Einfache Formen, 1929, ⁶1982; R. Petsch, S. d. Volkes, 1938; L. Wolff, Minnesang u. S. (V. dt. Art i. Spr. u. Dichtg. 2, 1941); W. Preisendanz, D. Spruchform in d. Lyrik d. alten Goethe u. ihre Vorgesch., 1952; A. Schmidt, D. polit. S. (WolframJb. 3, 1954); H. Moser, Lied u. Spruch i. d. hochma. dt. Dichtg., WW, 3. Sonderh. 1963; E. Rattunde, *Li proverbes au vilain*, 1966; K. Ruh, Mhd. S. als gattungsgesch. Problem, DVJ 42, 1968; Mhd. S., hg. H. Moser 1972; B. Wachinger, Sängerkrieg, 1973; U. Müller, Unters. z. polit. Lyrik d. dt. MA., 1974; K. Franz, Stud. z. Soziol. d. Spruchdichters i. Dtl. i. 13. Jh., 1974; K. v. See, Probleme altnord. S., ZDA 104, 1975; H. Brunner, D. alten Meister, 1975; RL²; B. Sowinski, D. Spruch, FLE; C. Petzsch, Mhd. Spruch, DVJ 60, 1986.

Spruchpredigt, im Ggs. zur einen ganzen Schriftabschnitt auslegenden →Homilie die auf Ausdeutung e. einzelnen Bibelverses beschränkte →Predigt, z. B. bei BERTHOLD VON REGENSBURG.

Spruchton (altnord. →Ljōðahāttr = Zauberliedweise), in altgerman. Dichtung spruchartige oder dialogische Redeweise in der Spruch- und Merkdichtung, Scheltszenen, Redeliedern u. ä.

Sprung Rhythm (engl.), Bz. von G. M. HOPKINS für den natürl. Sprachrhythmus der gesprochenen Sprache oder der schriftl. Prosa,

z. B. auch von Kinderreimen, in dem Hebungen nicht in gleichmäßiger Periodizität (z. B. →Jambenfluß) aufeinander folgen, sondern in unregelmäßigen Abständen von etwa 0–3 Senkungen unterbrochen werden, so daß jeder Fuß mit einer Hebung beginnt und 1–4 Silben umfaßt (Schema: x́; x́x; x́xx; x́xxx) und diese Formen in beliebiger Folge stehen; entspricht etwa der metr. Gestaltung des ahd. Alliterationsverses.

Spukgeschichte →Gespenstergeschichte

Sragdhara (ind. = Mädchen mit Girlande), ind. ep. Versmaß in Strophen zu vier Zeilen von der Form ‒ ‒ ‒ ‒ ◡ ‒ ‒ / ◡ ◡ ◡ ◡ ◡ ◡ ‒ / ‒ ◡ ‒ ‒ ◡ ‒ ◡̆.

Staatsbibliothek →Nationalbibliothek

Staatsroman, utop. Roman, der staatl. (polit., soz., wirtschaftl.) Leben in Romanform gestaltet, im Ggs. zu den tatsächl. zeitgenöss. Gegebenheiten jedoch als positives (oder negatives) Kontrastbild mit erzieher. und theoret. Absicht das Idealbild e. Staates entwirft und dieses fiktional als bereits verwirklicht vorführt; daher Hauptform der →Utopie und, soweit die Romanform es zuläßt, lange mit dieser als identisch betrachtet, bis die Utopie über Form und Gehalt hinausgriff und zum auch theoret. und philos. bestimmten Oberbegriff wurde. In der Praxis ist eine säuberl. Scheidung von S. und Utopie illusorisch, da auch umgreifendere Utopien und Zukunftsromane die Staats- und Sozialstruktur ihrer Fiktion gestalten, so daß der S. allenfalls e. Utopie mit polit. Schwerpunkt darstellt. Der S. steht in der Tradition des →Fürstenspiegels, wenn er auf der Basis des

Vorhandenen idealisierend weiterdenkt, er nähert sich der →Satire, wenn er die Schwächen der histor.-gesellschaftl. Wirklichkeit übersteigernd und verzerrend in seine Fiktion überträgt (Anti-Utopie), und er ist reine Utopie, wenn er im geograph. Nirgendwo einer exot., fernen, subterranen oder planetar. Gegend oder in einer unerreichbaren Zukunft seinen Idealstaat ansiedelt. Vorwiegend als Reise- und Abenteuerroman gestaltet, führt er durch Augenzeugenberichte, Briefe und Tagebücher in die fiktive Idealwelt ein und setzt sie teils durch direkte Reflexionen oder ausgesparte Vergleiche in Bezug zur zeitgenöss. Wirklichkeit. Nach den großen utop. Entwürfen von Th. Morus, T. Campanella und F. Bacon, Idealisierungen im heroisch-galanten Roman des Barock (Anton Ulrich, Zigler, Lohenstein, Buchholtz) und abenteuerhaften Konstruktionen der frühen →Robinsonaden wird er zu e. der Hauptgattungen der europ. Aufklärung als rationale Idealgestaltung bürgerl. Emanzipation unter dem Absolutismus (Montesquieu, Defoe, Schnabel, Loën, Marmontel, Haller, Wieland, Stolberg). Im mehr realist. 19. Jh. anfangs abgewertet, wendet er sich der soz. Problematik zu (Cabet, Bellamy, Hertzka) und wird nach den negativen Erfahrungen des 20. Jh. vorwiegend zur Anti-Utopie, dem pessimist. Zukunftsroman (Wells, Huxley, Orwell), meist mit stärkerer Einbeziehung wiss.-technischer Möglichkeiten in der →Science Fiction.

Lit. →Utopie.

Stab, im →Alliterationsvers die den Stabreim tragende Silbe.

Staberl, eigtl. Chrysostomus S., →komische Person des Wiener Volkstheaters, von A. Bäuerle (*Die Bürger in Wien,* 1813) als Nachfolger des Hanswurst und Kasperl geschaffener pfiffiger Parapluiemacher, der bis 1850 in zahlr. Wiener Lokalpossen (Staberliaden) wiederkehrte.

Stabreim →Alliteration

Stabreimvers, Stabvers →Alliterationsvers

Stachelreim, frühere Bz. für e. satir. →Epigramm.

Stadtchronik →Chronik

Stadttheater, von e. Stadt durch e. →Intendanten verwaltete und meist finanziell unterstützte städt. Bühne. S. entstanden neben den →Hoftheatern erst im 19. Jh. und wurden anfangs zum Nachteil der künstler. Höhe oft an Privatunternehmer überlassen. Kleine und mittlere S., oft mit drei Sparten (Schauspiel/ Oper/Kammerspiel) sind oft Erprobungsstätten dramat. und schauspieler. Begabungen.

Städte- und Landschaftsgedicht, im 14.–17. Jh. in Dtl. und Frankreich, im 15./16. Jh. in Italien übl. Gattung: Lobsprüche auf bestimmte Städte als Fortsetzung prosaischer Städtebeschreibungen seit Anfang des 14. Jh., bes. bei den Humanisten beliebt, da von den betreffenden Stadtvätern meist gebührend honoriert (Eobanus Hessus, H. v. d. Busche u. a.).

RL, IV; P. G. Schmidt, Ma. u. humanist. Städtelob (D. Rezeption d. Antike, hg. A. Buck 1981).

Ständebuch, illustrierte Darstellung der menschl. Stände und Berufe, zuerst in Jost Ammanns Holzschnitten von 1568 mit Versen von H. Sachs erhalten, später bei Ch. Weigel 1698 und Abraham a

SANCTA CLARAS *Etwas für alle,* 1717.

Ständeklausel, in der Poetik der Renaissance und des Barock aus ihrer absolutist. Haltung aufgestellte Forderung, die das Trauerspiel nur für die Schicksale von Königen, Fürsten und anderen hohen Standespersonen vorbehält, während bürgerl. Figuren nur – und natürlich in Zeichnung ihrer Schwächen – zum Gegenstand der Komödie gemacht werden dürfen, da ihnen die Erhabenheit der Lebensform fehle, die für die Tragödie Voraussetzung schien, und ihr Leben der Größe und Wichtigkeit entbehre (→Fallhöhe). Die zuerst von ARISTOTELES und HORAZ *(Ars poetica)* formulierte S. entspricht den Gepflogenheiten des antiken Dramas. Sie ist noch zu GOTTSCHEDS Zeit Regel, freilich stellenweise durchbrochen (GRYPHIUS, *Cardenio und Celinde*). Erst e. langer und harter Kampf des aufstrebenden Bürgertums um das →bürgerliche Trauerspiel überwindet sie und gestattet auch im Trauerspiel die Gestaltung bürgerl. Schicksale in würdiger Form.

Ständelied, an bestimmte Stände und Berufe gebundenes, ihr Standesethos und ihre Lebens- und Berufsauffassung z.T. in typ. Situationen ausdrückendes Volkslied oder volkstüml. Lied, z.B. →Bergmanns-, Bauern-, →Handwerker-, Jäger-, Nachtwächter-, →Soldaten-, →Landsknechts- und →Studentenlied.

Ständesatire →Satire

Stammbuch, auch Album amicorum, als Erinnerungsblätter der Liebe und Freundschaft seit der Reformation unter Gelehrten, dann Adligen, Fürsten, seit dem Gefühlskult der Empfindsamkeit in bürgerl. Kreisen des 18./19. Jh. weitverbreitet, geht vermutlich auf die seit dem 15. Jh. belegten ›libri gentilitii‹ (genealog. Slgn.) des Adels zurück und fand bes. bei der student. Jugend mit Eintragung befreundeter Kommilitonen und Lehrer breite Aufnahme. Mit dem sozialen Absinken steigt ihr Prestigewert als Dokumentation hoher Kontaktpersonen und damit als soz. Selbstbestätigung.

R. Keil, D. dt. S. d. 16.–19. Jh., 1893; A. Fiedler, V. S. z. Poesiealbum, 1960; G. Angermann, S.er u. Poesiealben als Spiegel ihrer Zeit, 1971; S.er als kulturhist. Quellen, hg. J.-U. Fechner 1981; W. Klose, Corpus Alborum Amicorum, 1988.

Stammesdichtung, von der stammestümlichen →Literaturgeschichte (SAUER, NADLER) geprägte, unscharfe Bz. für →Heimatdichtung mit der implizierten Auffassung, in ihr kämen die seel. Wesenszüge der dt. Stämme zum Ausdruck. Die Bz. ist heute überholt bzw. durch →Regionalismus ersetzt.

Stammsilbenreim, im Ggs. zu dem noch bei OTFRIED herrschenden Endsilbenreim, der nur die (oft unbetonte) Endsilbe erfaßt, der seit dem Frühmhd. eindringende →Reim von der letzten Hebung (Stammsilbe) an, wie er durch das Tonloswerden der urspr. vollvokal. Endungssilben erforderlich wurde.

Stanze (ital. *stanza* = Wohnung, Zimmer, ›Reimgebäude‹), Strophe allg., bes.: Ottaverime oder Oktave, ital. Strophenform aus acht jamb. Elfsilbern (→Endecasillabi mit weibl. Versschluß), im Dt. meist jamb. Fünftaktern mit abwechselnd männl. und weibl. Versschluß (in der klassischen Form 1., 3., 5., 7. und 8. stets weiblich) oder ähnl. Versen, deren erste sechs alternierend, die beiden letzten paarig reimen: ababab/cc, seltener symmetrisch: aabccbdd. Der starke Einschnitt nach den ersten sechs Zeilen – ähnlich dem Sonett – macht das abschließende Reimpaar bes. geeignet für e. krönenden, zusammenfassenden Abschluß, so etwa in e. Beschreibung der Übergang in Handlung, in der Erzählung Zusammenfassung der Gedankens zur Sentenz. Abarten sind häufig, so →Nonarime, →Siziliane, →Spenser-S. Die S. ist in den roman. Sprachen die bevorzugte – in der Hochrenaissance selbst obligate – Form für das Epos, obwohl sie als Strophe zu isolierter Schilderung verleitet und nur bei subjektiver, ironisch-lyr. Distanz gegenüber den Stoffen voll zur Geltung kommt, während ihre lyrischromant. Form für gegenständlich-objektive ep. Themen wie etwa Tassos *Befreites Jerusalem* weniger geeignet erscheint. Zuerst im 13. Jh. in relig. und volkstüm. Dichtung auftauchend, wird sie von Boccaccio aufgegriffen, künstlerisch ausgeformt und in mehreren umfangreicheren Gedichten eingeführt *(Teseide, Filostrato, Ninfale Fiesolano)*, erscheint bes. in den Epen Boiardos, Pulcis, Ariosts *(Rasender Roland)* und Tassos *(Befreites Jerusalem)*, im 15. Jh. auch in Drama und Lyrik, in Portugal bei Camões *Lusiaden*, in Spanien bei Lope de Vega und Góngora, in England bei Wyatt, Spenser, Drayton, Shelley, Keats und in Byrons *Don Juan*. In Dtl. tritt sie zuerst bei Dietrich von dem Werder in der Übersetzung von Tassos *Befreitem Jerusalem* (1626) auf, dann bes. meisterhaft bei Gries in den Übertragungen der Italiener. Späterhin entfaltet sie auch in Dtl. starkes Eigenleben, ohne sich jedoch fest einzubürgern: Heinse, Goethe *(Zueignung zu Faust)*, Schiller (Übersetzung der *Aeneis*), A. W. Schlegel, Rückert und Platen verwen-

den sie, auch Schulzes *Bezauberte Rose* und Linggs *Völkerwanderung;* freiere Umgestaltung findet sie in Blumauers *Aeneis*-Travestie und Wielands *Oberon* (Reimschemata ababcdcd, ababcddc, ab abccdd, aabbcddc), im 20. Jh. bei Liliencron *(Pogg Fred)* und Rilke.

M. Gluth, D. Entwicklg. d. dt. S. v. 17. Jh. bis zu Beginn d. 19. Jh., 1922; G. Bünte, Z. Verskunst d. dt. S., 1928; RL; W. Kayser, Goethes Dichtgn. i. S., Euph. 54, 1960. →Metrik.

Starina (russ. *star* = alt), volkstüml. Bz. für →Byline.

Stasimon (griech. *stasimon melos* =) ›Standlied‹, in der griech. Tragödie die von dem in der Orchestra stehenden Chor zwischen den Schauspielerszenen (Epeisodia) bei leerer Bühne gesungenen Lieder im Ggs. zu →Parodos und →Exodos, urspr. Ausdruck der Reflexion oder der durch die Handlung erregten Seelenbewegung, später durch Agathon (um 400 v. Chr.) in ›embolima‹, rein musikal. Chor-Zwischenspiele ohne Bezug zur Handlung, umgestaltet und als Akttrennung aufgefaßt. Sie wurden meist vom ungeteilten Chor gesungen, seltener von einander antwortenden Halbchören oder von einzelnen Choreuten, und weisen bei starker Variation in der Anwendung der Metra häufig epod. Kompositionen auf, d. h. auf zwei gleiche Strophen folgte e. Abgesang.
W. Kranz, S., 1933.

Statarische Lektüre (lat. *statarius* = im Stehen geschehend), im Ggs. zur →kursorischen Lektüre die durch ausführliche Erklärung und Besprechung des Textes unterbrochene Lektüre.

Stationenstück, im Ggs. zum aristotel. Aktstück als der übl. Form des Dramas das →epische Theater der offenen Form, das keinen kunstvollen Aufbau e. sich chronolog. entfaltenden Handlung (Einarbeitung von Exposition usw.), sondern nur die lockere Reihung von z. T. recht selbständigen, Zustände beschreibenden Einzelszenen um e. Zentralfigur kennt. Vorgebildet im ma. →geistlichen Drama auf der →Simultanbühne als e. vordramat. Frühform, im Fastnachtsspiel, Schuldrama, z. T. SHAKESPEARES Königsdramen, sodann bei LENZ (*Hofmeister*), BÜCHNER, GRABBE (*Napoleon*), STRINDBERG (*Nach Damaskus, Traumspiel*), WEDEKIND und im Expressionismus (SORGE, TOLLER, KAISER, HASENCLEVER), bei W. BORCHERT sowie in der BRECHT-Nachfolge bis zur Gegenwart.

H. Vriesen, D. Stationentechnik im neueren dt. Drama, Diss. Kiel 1934; P. Stefanek, Z. Dramaturgie d. S.dramas (Beitr. z. Poetik d. Dramas, hg. W. Keller 1976).

Statisches Gedicht, beim →Dadaismus Bz. für e. Gedichtform, die aus unbewegtem Zustand heraus die Gleichzeitigkeit der Vorgänge in widersprechender Fülle festhält und unvermittelt nebeneinanderstellt: Ausdruck für die Absurdität und Widersprüchlichkeit des Lebens in seiner Totalität. Bei G. BENN Bz. für das ›reine‹ Gedicht als Idealform seiner Lyrik im Ggs. zu Tendenzgedicht, Song usw. Verfestigung des Gültig-Bleibenden zumal in der Wortformung (vom Intellekt geprägter Substantiv-Stil) als ›Versuch der Kunst, innerhalb des allg. Verfalls der Inhalte sich selber als Inhalt zu erleben und aus diesem Erlebnis e. neuen Stil zu bilden.‹

H. Steinhagen, D. s. G. v. G. Benn, 1969.

Statist (lat. *stare* = stehen), Darsteller stummer Bühnen- oder Filmrollen (→Komparse), der nur dazustehen oder vorgeschriebene Bewegungen auszuführen hat. Deren Gesamtheit: Statisterie.

Staufische Klassik, urspr. Bz. W. PINDERS für die Epoche der dt. Bildhauerkunst um 1200; dann in Anlehnung an die Bz. ›Weimarer Klassik‹ auf die Blütezeit der mhd. höf. Dichtung um 1200 mit HARTMANN, WOLFRAM, GOTTFRIED, REINMAR, HEINRICH VON MORUNGEN und WALTHER übertragen.

Zeit d. Staufer, 1977; Stauferzeit, hg. R. Krohn 1978; L. Mackensen, Stauferzeit, 1979.

Steadyseller (engl. =) ein stetig sich gut verkaufendes Buch von langanhaltendem Erfolg im Ggs. zum meist kurzlebigen →Bestseller.

Stegreif (= Steigbügel, nach dem Bild des Reiters, der etwas erledigt, ohne abzusitzen), auch Improvisation, Extempore, künstlerische Leistungen aus dem S., d. h. ohne Vorbereitung spontan aus der Eingebung des Augenblicks heraus entstanden, setzen die Begabung zu sofortiger künstler. Gestaltung im Augenblick der schöpfer. Konzeption voraus, die bei allen Völkern vorhanden, doch bei den südeurop. bes. ausgeprägt ist. Als vorlit. Anfänge der Wortkunst bleiben sie mit zunehmender Kultur auf gewisse abgegrenzte Gebiete beschränkt. S.-dichtungen kennen schon die Antike im →Skolion u. a., die →Skaldendichtung und die →Spielmannsdichtung, dann bes. die Renaissance und bis heute fortlebend vereinzelte Volksdichtungen wie die →Schnadahüpfel. S.-spiel, in dem der Schauspieler sich nicht an den Text hält, sondern während der Vorstellung im Anschluß an einen vorliegenden Stoff selbst frei erfindet, beschränkt sich meist auf kom. und possenhafte Stücke. Es wurde bes. gepflegt im →Mimus, in der röm.

→Atellane und dann in der ital. →Commedia dell'arte, die im Ggs. zu der von Gelehrten verfaßten Commedia erudita kein vollständig durchgearbeitetes Textbuch kennt, sondern nur e. →Szenarium (→Kanevas), das Handlung und Szenenabfolge im Grundriß festlegt, während der Dialog variabel und dem Geist wie der Improvisationskunst der Schauspieler innerhalb der feststehenden Typen überlassen bleibt, wobei die ›lazzi‹ des Arlecchino über Unebenheiten und Verlegenheiten hinweghelfen. In Dtl. fand das S.-spiel wohl schon in den kom. Szenen der geistl. Spiele des MA. (bes. der Krämerszene des →Osterspiels) Eingang und wurde nach Vorbild der Italiener in die Komödie, das Spiel der →Engl. Komödianten und selbst die →Haupt- und Staatsaktionen übertragen. GOTTSCHEDS Theaterreform im 18. Jh. verbannte mit dem Hanswurst den Träger des S.-spiels und schränkte die mit dem S.-spiel einreißende Verwilderung des Theaterwesens ein, unterdrückte jedoch, indem sie den Schauspieler streng vom Dichterwort abhängig machte, viele lebendige und volkstüml. Züge. Auch in Österreich, wo das Wiener Volkstheater lit. Komödien in S.-Komödien umformte, wurde das S.-spiel durch Erlaß vom 11. 2. 1752 aus Zensurgründen verboten; und auch heute ist Improvisieren und Extemporieren auf der Bühne außer im →Happening ungebräuchlich.

RL; O. Rommel, D. Altwiener Volkskomödie, 1952.

Stegreifkomödie →Stegreif

Steigerung →Klimax

Stellungsfiguren →rhetorische Figuren (Satzfiguren)

Steigende Handlung →Handlung, →Drama

Stemma (griech. = Stammbaum), stammbaumartige graph. Übersicht über die Abhängigkeits- und Verwandtschaftsverhältnisse der einzelnen Hss. in der Überlieferung lit. Denkmäler als Rekonstruktion der →Textgeschichte.

Sterbebüchlein, lat. Ars moriendi (= Sterbekunst), verbreitete Gattung der volkstüml. →Erbauungslit. im SpätMA., die rechtes Sterben lehrt. Zunächst als lat. Handreichung (J. GERSON, 1408) für Geistliche u. Sterbehelfer, dann bes. in Dtl. und Frankreich oft illustrierte volkssprach. S. für Laien: Beichtformeln und Sündenaufzählung mit Trostverkündigung für Sterbende von Th. PEUTNER 1434, M. LUTHER 1519 u. v. a.

F. Falk, D. dt. S., 1890, n. 1969; R. Rudolf, Ars moriendi, 1957; ders., D. Ars moriendi-Lit. d. MA., JIG 3, 1971; J. Reiffenstein u.a., Dt.spr. S. d. 15. Jh. (Germanist. Stud., 1969).

Sthala-Purânas →Purânas

Stichisch = →monostichisch

Stichometrie (griech. *stichos* = Zeile, *metron* = Maß), 1. in der Antike, die für bibliograph. Zwekke, als Schutz gegen Interpolationen und als Grundlage der Berechnung des Schreiberlohnes vorgenommene Bestimmung des Umfangs e. Schriftwerkes (auch Prosawerkes) nach dem Maßstab e. Hexameterzeile zu id. 16 Silben oder 36 Buchstaben, die jedoch nicht der tatsächl. Zeilenlänge entsprach, sondern nur als Berechnungsmaß diente. Die Verszahl wurde am Schluß der Papyrusrolle notiert. – 2. Form der →Antithese im Dialog (bes. des Dramas), wenn Behauptung und Entgegnung im Ggs. zueinander stehen: ›An Büchern fehlts, den Geist zu unterhalten‹ – ›Die Bibel ließ man ihr, das Herz zu bessern‹ (SCHILLER, *Maria Stuart* I, 1).

F. Ritschl, *De s. veterum,* 1840.

Stichomythie (griech. *stichos* = Zeile, *mythos* = Rede), ›Zeilenrede‹, die schnelle, zeilenweise zwischen den versch. Figuren wechselnde Rede und Gegenrede im längeren Dialog des Versdramas, indem auf jede der sich unterredenden Personen e. einzelner Vers, später bei Distichomythie e. Doppelvers, bei Hemistichomythie e. halber Vers entfällt; dient zu schärfster Gegenüberstellung im Drama und erscheint bes. in lebhaftem Gespräch, erregtem Wortwechsel, geistiger Auseinandersetzung u. ä., häufig in scharfer und zur Sentenz neigender Redeweise oder als Wiederaufnahme e. gegnerischen Wortes (→Anaklasis 2). Im antiken Drama bes. bei EURIPIDES oft und kunstvoll ausgebildet, in röm. Lit. bei SENECA; in dt. Dichtung als →Stichreim im Dialog des höf. Epos (HARTMANNS *Iwein*) und des geistl. Dramas, dann bes. seit dem Barock (bes. LOHENSTEIN) bewußt verwendet nach Vorbild SENECAS, dann in der Klassik bei GOETHE und SCHILLER (z. B. *Braut von Messina* I, 5 und III, 1) nach griech. Vorbild, auch späterhin meist in antikisierender Absicht, doch dient im Dt. auch die Aufteilung der Zeile (→Antilabe) der Lebhaftigkeit des Dialogs.

A. Gross, D. S. i. d. griech. Tragödie u. Komödie, 1905; J. L. Hancock, *Studies in s.,* 1917; E. Oberbeck, D. S. i. dt. Drama, Diss. Gött. 1919; RL; J. L. Myres, *The structure of s. in Greek tragedy,* 1950; W. Jens, D. S. i. d. früh. griech. Tragödie, 1955; E.-R. Schwinge, D. Verwendg. d. S. i. d. Dramen d. Euripides, 1968; B. Seidensticker, D. S. (D. Bauformen d. griech. Trag., hg. W. Jens 1971).

Stichos (griech. = Reihe), im Prosatext = Zeile, im Gedicht = Vers der Abschrift, deren Zahl in Papyrusrollen oder alten Hss. oft am Ende vermerkt wurde, um Einschübe zu vermeiden. →Stichometrie. Vgl. →monostichisch, →distichisch.

Stichreim, häufige Form der →Reimbrechung im Drama des 15./16. Jh., in der zwei durch Reim verbundene Verse auf zwei versch. Figuren verteilt werden. →Stichomythie.

M. Herrmann, S. u. Dreireim, 1897.

Stichwort, 1. im Theater letztes Wort e. Schauspielers, das dem Partner das Zeichen zum Auftreten oder im Dialog zum Einsatz seiner eigenen Rede gibt und daher neben seiner Rolle von ihm gekannt werden muß. Auch für Beleuchter, Inspizient und gegebenenfalls Kapellmeister ist das S. wichtig. – 2. in der Lexikographie das im Druck hervorgehobene, im nachfolgenden Artikel zu erläuternde Wort. – 3. im Bibliothekswesen Hauptsinnwort e. Werktitels, meist, doch nicht immer identisch mit →Schlagwort (2), welches nicht im Titel zu stehen braucht.

Stigmonym (v. griech. *stigma* = Punkt, *onoma* = Name), heißt e. →anonym erschienene Schrift, die anstelle des Verfassernamens Punkte führt (›von ...‹). Vgl. →Asteronym.

Stil (lat. *stilus* = Schreibgriffel, Schreibweise), im weiteren Sinne die charakteristische, einheitl. Ausdrucks- und Gestaltungsweise bei der sprachl. Prägung e. lit. Werkes überhaupt, in der sich ästhet. Ziel und Gestaltungskraft des Autors in der kontinuierl. Auswahl aus den sprachl. Möglichkeiten und der bewußt gesteuerten Abweichung von normhaften Sprachregeln dokumentieren, bedingt durch die Art des Kommunikationsprozesses, das individuelle Künstlertum des Autors (→Individual-S.), seine Standes- und Volkszugehörigkeit (National-S.), seine Heimatgegend oder Stammesherkunft (Regional-S.), die Geschmacksrichtung der Zeit (Zeit- oder →Epochen-S.), Vorbilder, die verwendete Form und deren Gesetze (Gattungsstil), den angesprochenen Leser/Rezipienten und den zugrundegelegten Stoff, die im S. zu e. aus der inneren Haltung, Weltanschauung und Formgefühl erwachsenen Einheit, der ›inneren Form‹, zusammengefügt werden oder anderenfalls bei Widersprüchen zu S.-brüchen oder S.-losigkeit führen. Auch die Betrachtung des S. im engeren Sinne als kunstmäßige Formung der Sprachkräfte, wesentl. Kennzeichen der Sprachkunst, hat außer den obigen zwei wesentl. Faktoren des S. zu unterscheiden: den Zweck des Werkes als bestimmend für die Darstellungsweise und den eigenen Gestaltungstrieb aus Gemüt und Haltung des Autors als persönl. Anteil am Werk. S.-betrachtung ist e. Kernpunkt der Literaturwissenschaft, insofern sie zu den sprachschöpferischen und sprachformenden Grundelementen der Dichtung vorstößt und sie als deren eigentl. Träger erweist (→Stilistik). Neben die früher einzig beachtete Anwendung der rhetor. Figuren als vermeintl. Schmuckmittel der Dichtung, mit deren Aufzeigen sich die ältere Stilistik begnügte, ohne die individuelle Unverwechselbarkeit des S. zu beachten, treten in neuerer Zeit alle Elemente der sprachl. Gestaltung in den Blickpunkt: die grammatischen (Satzbau, Wortschatz, Aussageweise: Nominal-, Verbals., Hypotaxe, Parataxe), die rein klanglichen (→Rhythmus, →Sprachmelodie, →Klangmalerei und →Klangsymbolik) und bes. die umgreifenden

Formen der Sprachdynamik und Bildhaftigkeit in Allegorie, Symbol, Bild, Ausruf usw. als tiefgreifende Kennzeichen der Stilkraft. Die moderne Erkenntnis von der Wichtigkeit des S. für das Sprachkunstwerk und die Kunst allg. dringt erst im 18. Jh. durch; kennzeichnend wird BUFFONS →›Le style est l'homme même‹ 1753. WINCKELMANNS *Geschichte der Kunst des Altertums* 1764 unterscheidet zuerst vier Stilepochen der griech. Kunst; GOETHES Aufsatz von 1788 trennt ›Einfache Nachahmung der Natur, Manier, Stil‹; SCHILLER folgt im Brief an KÖRNER vom 28. 2. 1793 dieser Abgrenzung und den drei Schönheitsstufen SHAFTESBURYS. Seit der Romantik setzt dann die bewußte stilgeschichtl. Forschung ein, die auch von der Kunstgeschichte übernommen wird und zu Fragen nach histor. Konstanten der S.epochen in allen Künsten und nach den Gründen des S.wandels führt. Nachdem die psycholog. Literaturwiss. den S. als ›Ausdruck‹ von etwas erforschte, sieht mod. Literaturwiss. im S. die wesentl. ästhet. Komponente des lit. Werkes und seiner Wirkung, ohne indessen zu objektiven S.kategorien zu gelangen, die vielleicht eher von e. wiss.-statist. Linguistik zu erwarten sind. →Stilarten, →Stilistik.

W. Wackernagel, Poetik, Rhetorik, Stilistik, 1873, ³1906; Th. A. Meyer, D. S.-gesetz d. Poesie, 1901, n. 1971; C. Bally, *Précis de stylistique*, Genf 1905; R. M. Meyer, Dt. Stilistik, 1906, ²1913; G. Lanson, *L'art de la prose*, Paris 1908; E. Utitz, Was ist S., 1911; E. Elster, Prinzipien d. Lit.wiss. II. Stilistik, 1911; J. Volkelt, D. Begriff d. S., ZfÄ 1913; E. Castle, Z. Entwicklungsgesch. d. Wortbegriffs S., GRM 6, 1914; F. Strich, D. lyr. S. i. 17. Jh. (Fs. G. Muncker, 1916); L. Spitzer, Aufsätze z. roman. Syntax u. Stilistik, 1918, n. 1967; R. W. Wallach, Üb. Anwendg. u. Bedeutg. d. Wortes S., Diss. Würzb. 1919; H. Nohl, S. u. Weltanschauung, 1920; C. Bally, *Traité de stylistique française*, Paris 1921, ³1951; F. Strohmeyer, D. S. d. franz. Sprache,

²1924; O. Walzel, Gehalt u. Gestalt, 1925; E. Hoffmann-Krayer, Gesch. d. dt. S. i. Einzelbildern, 1925; W. Schneider, Kl. dt. S.-kunde, 1925; E. Ermatinger, Zeit-S. u. Persönlichkeits-S., DVJ 4, 1926; L. Spitzer, Stilstudien, II 1928, ²1961; H. Read, *Engl. Prose Style*, Lond. 1928; H. Ammann, D. menschl. Rede, II 1928; B. Dobrée, *Modern Prose Style*, Lond. 1928; E. Winkler, Grundlegg. d. Stilistik, 1929; H. Hatzfeld, Romanist. S.-forschg., GRM 17, 1929, u. 19, 1931; RL; H. Pongs, Z. Methode d. S.forschg., GRM 17, 1929; W. P. Ker, *Form and Style in Poetry*, Lond. 1929; K. Schultze-Jahde, Ausdruckswert u. S.-begriff, 1930; J. Nadler, D. Problem d. S.-gesch. (Philos. d. Lit.-wiss., hg. E. Ermatinger, 1930); W. Schneider, D. Ausdruckswerte dt. Sprache, 1931, ²1968; L. Spitzer, Roman. S.- u. Lit.-studien, III 1931; H. Brinkmann, Grundfragen d. S.-gesch., ZfD 47, 1932; M. Deutschbein, Neuengl. Stilistik, 1932; F. Kainz, Höhere Wirkungsgestalten d. sprachl. Ausdrucks im Dt., ZfÄ 1934; W. Kramer, *Inleiding tot de stilistiek*, Groningen 1935; J. M. Murry, *The problem of style*, Lond. ¹⁰1960; Z. Lempicki, *Le problème d. style*, Warschau 1937; Th. Spoerri, D. stilkrit. Methode (in: D. Formwerdg. d. Menschen 1938); J. van Dam, Lit.gesch. als S.-gesch., Neophil. 22, 1938; J. Petersen, D. Wiss. v. d. Dichtg. I, 1939; E. Falqui, *Ricerchi di stile*, Florenz 1939; R. Pipping, *Sprak och stil*, Stockholm 1940; A. Alonso, *The stylistic interpretation of lit. texts*, MLN 57, 1942; F. J. Snijman, *Lit. stijl met die oog op stilonderzoek*, Assen 1945; L. Reiners, Stilkunst, 1945 u.ö.; E. L. Kerkhoff, *Het begrip stijl*, Groningen 1946; C. F. P. Stutterheim, *Stijlleer*, Den Haag 1947; M. Cressot, *Le style et ses techniques*, Paris 1947, ²1959; W. Kramer, *Inleiding tot de stilistische interpretatie van literaire kunst*, Groningen 1947; A. Kutscher, Stilkunde d. dt. Dichtg., 1949–51; G. Devoto, *Studi di stilistica*, Florenz II 1950–62; H. Seidler, Sprache u. Gemüt, 1952; ders., Allg. Stilistik, 1953, ²1963; P. Guiraud, *La stylistique*, Paris 1954, ⁷1972; F. L. Lucas, *Style*, Lond. ³1956; W. Kayser, D. S'begriff d. Lit.wiss. (in: D. Vortragsreise, 1958); W. Strunk, *The elements of style*, 1959; H. Morier, *La psychol. des styles*, Genf 1959; *Style in language*, hg. T. A. Sebeok, Cambr., Mass. 1960; D. Faul8elt, G. Kühn, Stilist. Mittel u. Möglichkeiten d. dt. Sprache, 1961; A. Malblanc, *Stylistique comparée du franç. et de l'allemand*, Paris 1961; E. L. Kerkhoff, Kl. dt. Stilistik, 1963; L. Spitzer, *Linguistics and lit. hist.*, N.Y. 1962; E. Staiger, Stilwandel, 1963; H. Viebrock, D. S. i. d. Krise, 1963; L. T. Milic, *Style and stylistics*, Bibliogr., N.Y.

1967; R. Adolph, *The rise of mod. prose style*, N.Y. 1968; G. Hough, *Style and stylistics*, Lond. 1969; B. Gray, *Style*, Haag 1969; D. Dupriez, *L'étude des styles*, Paris 1969; P. Guiraud, *Essais de stilistique*, Paris 1969; H. Seidler, D. Begriff d. Sprach-S. i. d. Lit.wiss. (Sprachkunst 1, 1970); P. Cassirer, *Deskriptiv stilistik*, Stockh. 1970; P. Hallberg, *Litterär teori och stilistik*, Göteborg 1970; *Patterns of lit.style*, hg. J. Strelka, Lond. 1971; *Literary style*, hg. S. Chatman, Lond. 1971; S. Ullmann, Sprache u. S., 1972; Einf. i. d. Methodik d. S.unters., hg. G. Michel 1972; Y. le Hir, *Styles*, Paris 1972; B. Sowinski, Dt. Stilistik, 1973; M. Riffaterre, Strukturale Stilistik, 1973; N. E. Enkvist, *Linguistic stylistics*, Haag 1973; W. Sanders, Linguist. S'theorie, 1973; R. Chapman, *Linguistics and lit.*, Lond. 1973; Linguistik u. S., hg. J. Spencer 1973; G. W. Turner, *Stylistics*, Harmondsworth 1973; B. Asmuth u.a., Stilistik, 1974, ³1978; B. Spillner, Linguistik u. Lit.wiss., 1974; E. Frey, S. u. Leser, 1975; W. Fleischer u.a., Stilistik d. dt. Gegenwartssprache, 1975, ³1979; M. W. Bloomfield, *Stylistics and the theory of lit.*, NLH 7, 1976; W. Beutin, Sprachkritik, S'kritik, 1976; H. Seiffert, S. heute, 1977; J. Anderegg, Lit.wiss. S'theorie, 1977; H. Viebrock, Theorie u. Praxis d. S'analyse, 1977; W. Sanders, Linguist. Stilistik, 1977; B. Sandig, Stilistik, 1978; W. Strube, Z. Struktur d. S'interpretation, DVJ 53, 1979; E. Frey, Text u. S'rezeption, 1980; W. G. Müller, Topik d. S'begriffs, 1981; P. Por, Epochen-S., 1982; Stilistik, hg. B. Sandig I, 1983; Methoden d. S'analyse, hg. B. Spillner 1984; B. Sandig, Stilistik d. dt. Sprache, 1986; W. Sanders, Gutes Dt., 1986; R. Heinz, S. als geisteswiss. Kategorie, 1986; S., hg. H. U. Gumbrecht 1986; H.-M. Gauger, D. Autor u. sein S., 1988.

Stilarten, aus der antiken Rhetorik (THEOPHRAST?, CICERO, QUINTILIAN) stammendes und in die ältere Literaturkritik und -geschichte übernommenes Einteilungsschema nach dem Gesamtton und Stil e. Rede bzw. e. Dichtung. Man unterscheidet drei S. (genera dicendi): 1. leichter Stil (genus tenue, subtile oder humile), einfach und schmucklos als Nachahmung der gewöhnl. Umgangssprache zum Zwecke der bloßen Mitteilung oder Belehrung (docere), 2. mittlerer Stil (genus medium, mediocre oder floridum) mit reicherer Verwendung der Schmuckmittel (rhetor. Figuren) und dem Ziel e. gefälligen, doch durchsichtigen Ausdrucksweise zum Zwecke angenehmer Unterhaltung über die Mitteilungs- und Belehrungstendenz hinaus (delectare), 3. erhabener, schwerer Stil (genus sublime oder grande), anspruchsvoll und mit allen Mitteln des Redeschmucks versehen zum Zweck der leidenschaftl. Erregung und Gemütserschütterung (movere), nur bei erhabenen Stoffen gestattet und später oft absichtlich dunkel und in Schwulst (genus tumidum) ausartend. In den ma. Poetiken werden die drei S. später auf die drei festen Gesellschaftsklassen der Hirten, Bauern und Krieger bezogen – entsprechend den charakterist. Eigenarten von VERGILS *Bucolica, Georgica* und *Aeneis* – und die jeweils entsprechenden Handlungen, Requisiten, Namen, Schauplätze, Tiere und Pflanzen, Gerät usw. werden in der ›rota Vergilii‹ (= Rad des VERGIL) von JOHANNES DE GARLANDIA beigeordnet, so daß die Wahl der S. durch die soz. Stufung des Stoffes bestimmt ist. Dagegen wurde häufig Mischung der S. empfohlen. Daraus entwickelt sich später die Lehre vom Ornatus facilis und Ornatus difficilis (= leichter und schwerer Schmuck), die die Dreigliedrigkeit der S. zugunsten e. Zweiteilung aufhebt. Sie wirkt bis ins 18. Jh. nach in der →Ständeklausel.

F. Quadlbauer, D. antike Theorie d. genera dicendi i. lat. MA., 1962. →Rhetrik.

Stilblüte, unschön, komisch oder lächerlich wirkende stilist. Formulierung e. Gedankens oder Tatbestandes, die durch Denkfehler, Wortwahl, Weglassung, falsche Anknüpfung oder Wortstellung vom beabsichtigten Sinn abweicht; am häufigsten in Form der →Katachrese (2).

B. Sandig, S.n als Mittel d. Erforschg. stilist. Kompetenz, JIG 13, 1981.

Stilbruch, Durchbrechung e. Stilebene durch mangelnde Übereinstimmung der innerhalb e. geschlossenen Ganzen verwendeten Stilmittel, etwa Verwendung von Wörtern und Wendungen aus e. anderen Stilebene, im weiteren Sinn auch ungerechtfertigter Wechsel der Perspektive, unmotivierter Stimmungsumschlag, gefühlsmäßig einander widersprechende Aussagen oder Formen, z.B. stroph. Gliederung bei sprudelnder Rede usw. Fehlende Einheitlichkeit der Aussageweise läßt – selbst bei gelungenen und wertvollen Einzelzügen – e. bleibendes ästhet. Erlebnis des Werks als Sprachkunstwerk nicht aufkommen, doch bleibt die Möglichkeit nicht ausgeschlossen, daß der S. etwa in Travestie, Parodie oder Satire als bewußtes Mittel Verwendung finden kann; der Wert des wirkl. Kunstwerks liegt in seiner Einheit und Geschlossenheit.

T. Bourke, S. als Stilmittel, 1980.

Stilbühne, Typ des Bühnenbildes, der unter Vermeidung aller realist.-naturalist. Illusionsmittel wie Kulissen u. ä. nur Vorhänge, Stufen, Säulen, Rundhorizont, Beleuchtungseffekte und andeutende, stilisierte Schauplätze benutzt. Von E. G. CRAIG und A. APPIA und bes. im Expressionismus beliebt.

Stilfiguren →rhetorische Figuren

Stilgeschichte, 1. Darstellung der Stilentwicklung (evtl. aller Künste) nach Epochen. – 2. Forschungsrichtung der →Literaturwissenschaft im frühen 20. Jh. (bes. L. SPITZER, O. WALZEL, F. STRICH), untersucht den Wandel des →Stils und die Stilzüge der einzelnen Epochen sowie deren Bedingtheit in allen Formen der Schrift- und Literatursprache.

E. Staiger, Stilwandel, 1963; G. Schmidt-Henkel, Mythos u. Dichtg., 1967; G. Kluge, S. als Geistesgesch. (Neophil. 61, 1977). →Stil.

Stilisierung, die Unterstellung von Naturformen unter Weglassung des Zufällig-Nebensächlichen unter e. vorgeprägte und streng in ihrer Eigenart bestimmte künstler. Form häufig ornamentaler Art (→Jugendstil), sodann die Adaptierung e. Textentwurfs an e. dem Anlaß entsprechendes vorgegebenes Stilmuster, bes. die Hoch-S. durch erlesene Wortwahl, formelhafte Sprache, symmetr. Bau u. ä. in klassizist. Stil (PLATEN, GEORGE). Vgl. →Rewriting.

Stilistik, 1. normative und deduktive ›Stillehre‹, die prakt. Regeln und Richtlinien setzende Lehre vom guten (Prosa-)Schreibstil, den Arten und Formen des richtigen und vorbildlichen schriftsprachl. Ausdrucks – im Ggs. zur Rhetorik als Lehre von der mündl. Rede – auf die sprachl. Darstellungskunst angewandte Sprachwissenschaft und Ästhetik. Sie ist deutlich zu trennen von der: 2. allg. S. oder Stiltheorie als Wissenschaft vom Sprachstil schlechthin, die die Formung des Sprachmaterials durch den →Stil untersucht. Ihre Methode ist sowohl deduktiv als induktiv und geht von psycholog., linguist. wie ästhet. Begriffen aus, hat jedoch noch kein einheitliches Kategoriensystem entwickelt. Als Bindeglied zwischen Sprach- und Literaturwissenschaft baut sie auf grammat. Kategorien auf und strebt bes. nach Erfassung der dichterischen ›hohen Wirkungsgestalten‹. – 3. histor.-deskriptive S. oder Stilanalyse als Teil der Literaturgeschichte untersucht an Hand bereits vorliegender Musterbeispiele den Stil e. Sprache, e. Epoche, e. Werkes oder Dichters systematisch in seinen Stilmitteln, Ausdruckswerten und ästhet. Wirkungen, im Ggs. zur Grammatik jedoch ästhetisch wertend und im Ggs. zur Poetik auch das Zweckschrifttum erfassend. In der Literaturwiss. tritt die S. als Hilfswiss. die Nachfolge der Rhetorik an, die bis ins 18. Jh. für Stilfragen verbindlich war, deren normative Prinzipien und Kategorien seit dem Durchbruch des Individualismus und Geniekults dem Streben nach individuell-subjektivem Ausdruck nicht mehr adäquat waren. Sie wird als poet. S. Ausgangsbasis der werkimmanenten Interpretation, als linguist. S. Hilfswiss. des Strukturalismus und als funktionale S. der Literatursoziologie und Rezeptionsästhetik.
Lit. →Stil.

Stilnovismo →Dolce stil nuovo

Stilreim oder Gleichformreim, Reimbindung von Formen derselben Wortklasse (Verb + Verb, Substantiv + Substantiv usw.) untereinander: meiden/scheiden, Not/Tod.

Stimmungsbild, kürzere Prosaskizze, die mit den Mitteln der Sprache und bei vorgegebener oder echter Gleichzeitigkeit ein gemüthaftes Erlebnis und dessen Anlaß (angeschaute Natur, Landschaft, später auch menschl. Umwelt) ineins wiedergibt und dabei weniger auf das faktisch Vorgefundene als auf dessen Stimmungselemente und deren Verhältnis zur seel. Situation des Aufnehmenden abhebt. Selbständige Prosaform oder Bestandteil von Romanen, Reisebeschreibungen u. ä. Vgl. →Genrebild.
B. Lecke, Das S., 1967.

Stimmungslyrik →Lyrik

Stock (niederl.), die regelmäßig am Ende jeder Strophe in ident. Form wiederkehrende Schlußzeile (gelegentlich auch 2, 1½ oder ½ Zeile) der Refraingedichte (refrein) der →Rederijkers; gibt Thema und Grundgedanken des Gedichts an.

A. Bourget, *De s. van het refrein* (*Tijdschrift voor Levende Talen*, 1946).

Stockpuppe, Figur des →Puppenspiels und →Schattenspiels, die von unten her mittels e. am Rumpf befestigten Stockes geführt wird, während ein Führungsstab am rechten Arm Gestik ermöglicht.

Stoff, im Ggs. zu Problem oder Idee nicht der geistige Gehalt und im Ggs. zu →Thema und →Motiv nicht die allg. thematische Vorstellung e. Dichtung, sondern rein der sachl. Vorwurf, die →Fabel (1) als erzählbarer ›Inhalt‹, in dem die geistige Haltung durch die →Form zur Darstellung gelangt und das Motiv seine einmalige, an bestimmte, namentlich benannte Personen, Ort und Zeit und Begleitumstände gebundene Ausprägung erhält. S. im eigtl. Sinne kennen nur die Handlung gestaltenden, pragmat. Gattungen, also Epik und Drama, nicht Lyrik. In vielen Fällen (z. B. Drama, Epos, histor. Roman, Sage) geht er nicht auf erlebte Wirklichkeit oder eigene Erfindung des Autors, sondern auf e. außerhalb des Werkes bestehende, mündlich oder lit. überlieferte →Quelle zurück, die vom Dichter um des zugrundeliegenden →Motivs willen aufgegriffen wurde, jedoch keineswegs mangelnde Originalität und Phantasie des Dichters dokumentiert, da erst in der Gestaltung und künstler. Durchdringung des S. die eigtl. dichter. Leistung liegt. Gewisse Stoffe aus Geschichte (z. B. Caesar, Demetrius, Napoleon, Jungfrau von Orleans) und bes. aus der griech. Mythologie (z. B. Iphigenie, Orest, Amphitryon) leben daher in ständig erneuten Gestaltungen durch die Jahrtausende.

Ihre Erforschung ist Aufgabe der →Stoffgeschichte.

J. Körner, Erlebnis, Motiv, S. (Fs. O. Walzel, 1924); J. Wiegand, Gesch. d. dt. Dichtung, ²1928; RL; R. Petsch, Erlebnis, Motiv, S. (in: Dt. Lit.wiss., 1940); E. Frenzel, S.e d. Weltlit., 1961, ⁷1988; dies., Stoff-, Motiv- u. Symbolforschg., 1963, ⁴1978; dies., Stoff- u. Motivgesch., 1966, ²1974; dies., Motive u. S.e (Die Lit., hg. G. Böing 1973); R. Trousson, *Un problème de lit. comparée: les études de thèmes*, Paris 1965; G. P. Knapp, S., Motiv, Idee (Grundzüge d. Lit.- u. Sprachwiss., hg. H. L. Arnold I, 1973); F. Jost, Grundbegriffe d. Thematologie (Theorie u. Kritik, Fs. G. Loose, 1974); A. J. Bisanz, S., Thema, Motiv (Neophil. 59, 1975); RL²; H. S. u. I. Daemmrich, Wiederholte Spiegelungen, 1978; E. Frenzel, V. Inhalt d. Lit., 1980; Elemente d. Lit., Fs. E. Frenzel II 1980; R. Trousson, *Thèmes et mythes*, Brüssel 1981; S. Elkhadem, *The York companion of themes and motifs of world lit.*, Fredericton 1981; T. Ziolkowsky, *Varieties of lit. thematics*, Princeton 1983; Ep. S.e d. MA., hg. V. Mertens 1984; H. Vinçon, Spuren d. Wortes, Bibl. S.e i. d. Lit., 1988. →Stoffgeschichte.

Stoffdrama, e. Drama, das zum richtigen Verständnis der dargestellten Vorgänge die Kenntnis des zugrundeliegenden histor., lit. oder myth. →Stoffes voraussetzt, wie z. T. die griech. Tragödien und deren Neubearbeitungen.

Stoffgeschichte, seit dem Positivismus entstandene und zunächst um 1920–30 ausgebildete Blickrichtung der →vergleichenden Literaturgeschichte, die im Ggs. zur →Quellenforschung weniger die Herkunft als die versch. Wandlungen und Bearbeitungen e. →Stoffes oder Motivs bei e. oder versch. Völkern im Laufe der literaturgeschichtl. Entwicklung verfolgt, anfangs lediglich aufzählend, beschreibend und vergleichend, seit P. MERKERS und G. LÜDTKES Forschungen aus geisteswiss. Blickrichtung, die in der Umgestaltung und Akzentsetzung desselben Stoffes bei versch. Dichtern oder in versch. Epochen e. Kennzeichen für die Weltanschauung, Ethik, Kunstauffassung und Problemstellung der versch. Zeiten bzw. Persönlichkeiten erkennt. Bei der Bedeutung des Stoffes in der Dichtung und der primär außerdichterischen Fragestellung solcher stoffgeschichtl. Forschung ist die S. heute insbes. dort interessant und aufschlußreich, wo es ihr nicht mehr um das bloße Materialsammeln und Aufzählungen von Wanderungen und Wandlungen der Stoffe als Selbstzweck ankommt, sondern wo sie die fakt. Vorarbeiten zu vertieften literaturhistor. und poetolog. Erkenntnissen verwertet: die lit. Eigenbewegung der Stoffe und Motive mit Assimilationen und Affinitäten, Sproßmotiven und Umkehrungen belegt die inhärente Dynamik des Stoffes als Denkanstoß; Beliebtheit und Verbreitung der Stoffe nicht nur in der hohen Lit., sondern auch in der Triviallit. ermöglichen geistesgeschichtl. Durchblicke, ihre vielfältige Behandlung bei versch. Autoren ist aufschlußreich für das Maß an Individualität und Eigenwilligkeit, mit der der einzelne eine Stofftradition umgestaltet, sie mit neuen Aussagen befrachtet und neue Aspekte herausarbeitet, und das Vorwiegen einzelner Gattungen bei bestimmten Stoffen ermöglicht e. tiefere Erkenntnis dichter. Gestaltungsmöglichkeiten und stoffimmanenter Formlösungen, die für die Poetik nutzbar zu machen sind.

E. Sauer, Bemerkungen z. Versuch e. S., Euph. 26, 1925; ders., D. Verwertung stoffgesch. Methoden i. d. Lit.forschg., Euph. 29, 1928; P. Merker, G. Lüdtke, Stoff- u. Motivgesch. i. d. dt. Lit., 1929ff.; RL; E. Frenzel in ›Aufriß‹; F. Baldensperger, W. P. Friedrich, *Bibliogr. of comparative lit.*, Chapel Hill 1950; E. Heinzel, Lex. hist. Ereignisse u. Personen i. Kunst, Lit. u. Musik, 1956; F. A. Schmitt, Stoff- u. Motivgesch. d. dt. Lit., ³1976 (Bibliogr.); E. Heinzel, Lex. d. Kulturgesch. i. Lit., Kunst u. Musik, 1962; E. Frenzel, Stoffe d. Weltlit., 1961, ⁷1988; M. Beller, V. d. S. z. Thematologie (Arcadia 5, 1970); H. Levin, *Thematics and criticism* (in: *Grounds for comparison,* Cambr./Mass. 1972); M. Beller, Toposforschg. contra S. (Toposforschg., hg. P. Jehn 1972); A. J. Bisanz, Zw. S. u. Thematologie, DVJ 47, 1973; O. Höfler, S. (Fs. B. Horacek 1974); W. Theile, S. u. Poetik (Arcadia 10, 1975); J. Schulze, Gesch. od. Systematik (ebda.); M. Beller, Thematologie (Vgl. Lit.wiss., hg. M. Schmeling 1981). →Stoff.

Stoichedon (griech. = reihenweise), blockhafte Anordnungsweise des Schriftsatzes, bei der die Buchstaben in waagerechten Zeilen, aber untereinander ›auf Vordermann‹ (wie beim Schachbrett) stehen, bes. auf griech. Inschriften der klassischen Zeit zu ornamentaler Wirkung.

R. P. Austin, *The S. style in Greek inscriptions,* Oxf. 1938.

Stollen, 1. die zwei gleichgebauten und nach derselben Methode gesungenen Teile des →Aufgesangs in der dreiteiligen sog. →Meistersangstrophe, auch S. und Gegen-S. oder mit den Fachausdrücken des Meistersangs Gesätz und Gebäude genannt. Sie sind stets beide zusammen länger, einzeln kürzer als der folgende →Abgesang. – 2. Bz. W. GRIMMS für die Stäbe in der Vorderreihe (Anvers) des →Alliterationsverses.

Stollenstrophe = →Meistersangstrophe

Stornello (v. provenzal. *estorn* = Kontrast), kurzes, z. T. improvisiertes ital. Volkslied, bes. seit 17. Jh. unter den Bauern der Toskana und Mittelitaliens abwechselnd gesungen. Urspr. in Form eines gereimten Zweizeilers oder aus einem Quinar oder Septenar, der eine Blume anruft, mit nachfolgenden zwei Endecasillabi, von denen der 2. auf den Blumennamen reimt: aBA. Der Inhalt hat mit der Blume oft wenig zu tun: Liebe, Haß, Hoffnung, Freude,

Heimatliebe u. a. Von den Kunstdichtern schrieb besonders DALL'
ONGARO S. in freien Formen.

M. Barbi, *Poesia popolare italiana*, Florenz 1939.

Story, 1. →Short story. – 2. Inhaltsangabe e. lit. Werkes im Sinne von
Handlung, →Fabel (1), →Plot.

Stotras (ind.), relig. Hymnen auf
die Gottheiten des Hinduismus oder
Buddha als Lobpreis und Zeichen
der Demut, von altind. Zeit bis in
die Gegenwart verbreitet.

Strambotto (v. ital. *strambo* =
wunderlich, *otto* = acht), e. der ältesten ital. Gedichtformen, Einzelstrophe der volkstüml. Tanz- u. Liebeslyrik von acht oder (in der Toskana) sechs Elfsilbern (Endecasillabi) mit Kreuzreim (→Siziliane: ab
ab ab ab), regional auch anderen
Reimfolgen (toskan. →Rispetto: ab
ab cc dd oder ab ab ab cc; in der
Romagna S. romagnolo: aa bb cc
dd); ab 14. Jh. in der Volksdichtung, im 15. Jh. in die satir. oder
erot. Kunstdichtung übernommen
(POLIZIANO, CARDUCCI u.a.), Vorform von Madrigal, Sonett und
Stanze.

T. Ortolani, *Studio riassuntivo sullo s.*,
Feltre 1898; G. d'Aronco, *Guida biblio-
grafica allo studio dello s.*, Modena
1951; R. M. Ruggiera, *Protostoria dello
s. romanzo* (*Studi di filologia ital.* II,
1953).

Strapaese (ital. = quer durchs
Land), ital. Lit.- und Kunstrichtung
rd. 1926–32 um die Zss. *Il Selvag-
gio* und *L'Italiano*, setzt der mod.
Großstadtdichtung (stracittà) um
die Zs. *Il Novecento* einen auf
volkstüml. Traditionen aufbauenden Regionalismus entgegen.

Straßentheater, im weitesten Sinne
jedes Theaterspiel auf der Straße (so
schon THESPIS in Athen, geistl. Spiele des MA., Fastnachtszüge, russ.

→Agitprop nach 1920), im engeren
Sinne 1968 aus der antiautoritären
Bewegung und außerparlamentar.
Opposition entstandene, an Arbeitertheater und Agitprop angelehnte
Aufführungen polit. radikaler
Gruppen auf improvisierten Spiel-
stätten an Plätzen und Straßen mit
selbstverfaßten drast. kabarett-
oder revuehaften Szenen, aktuellen
Montagen, Sketches und Songs. Sie
erstreben nicht Kunst, sondern ge-
meinverständl. Agitation: Propagierung konkreter polit. Ziele, sozialkrit. Bewußtseinsbildung der Massen, spontane sozialist. Solidarisie-
rungskampagnen, konkrete polit.
Aktionen zur Veränderung der Gesellschaft. S. ist keine Alternative
zur Institution Theater, sondern
Fortsetzung der polit. Aufklärungs-
arbeit mit anderen, auch z. T. unter-
haltsamen Mitteln, die nur der Anregung von Diskussionen u. Aktionen dienen.

S., hg. A. Hüfner 1970; B. Büscher, *Wirk-
lichkeitstheater*, S., *Freies Theater*, 1987.

Strategy (engl. = Taktik), die Art
der techn. Gestaltung von Vers und
Strophe, Klang, Bild und Rhythmus
usw. im Gedicht zur Erreichung
höchster Aussagekraft aus den Stil-
werten der einzelnen Schichten.

Stream of consciousness (engl. =
Bewußtseinsstrom, Bz. von W. JA-
MES 1888), von E. DUJARDIN (*Les
lauriers sont coupés,* 1887) entwik-
kelte mod. Erzähltechnik insbes. im
→Roman, die e. unvermittelte oder
assoziative Folge von Bildern und
Gedanken anstelle der geordneten,
kontinuierl. Erzählhandlung setzt
und die sog. ›Handlung‹
ganz aufhebt oder sie in dem Bewußtseinsstrom der Hauptperson
ablaufen läßt, der nach dem psycholog. Gesetz der freien Assoziation
auf jede äußere Einwirkung sofort

mit e. Fülle simultan erregter Vorstellungsverknüpfungen und Erinnerungen, Gedanken, Stimmungen, Eindrücken, Empfindungen und Ressentiments reagiert. Der s.o.c. ist die Fortentwicklung des noch vollbewußten, syntaktisch ausformulierten →inneren Monologs auf e. tieferen Bewußtseinsebene ohne Handlungsstütze, Raum- und Zeitgefühl und ohne Kontrolle der Bewußtseinsvorgänge, die daher z.T. den Eindruck der Auflösung der Syntax in e. amorphen, sprunghaften Gedankenfilm mit Satzsplittern, Halbsätzen, Ellipsen u. ä. geben, so daß die Vorstellung e. ungeordneten Stroms entsteht. Er erscheint teils in einzelnen Passagen e. Romans, teils durchgängig im Roman des Bewußtseinsstroms bei J. JOYCE *(Ulysses)*, V. WOOLF, D. RICHARDSON, W. FAULKNER *(The Sound and the Fury)*, A. DÖBLIN, H. BROCH *(Der Tod des Vergil)*, W. KOEPPEN u. a.

L. E. Bowling, *What is the s.o.c.-technique?* PMLA 65, 1950; R. Humphrey, *S.o.c. in the mod. novel*, Berkeley 1955, ³1962; M. Friedman, *S. of c.*, New Haven 1955; D. Stephan, D. Roman d. Bewußtseinsstroms u. s. Spielarten, DU 14, 1962; S. K. Kumar, *Bergson and the s. o. c. novel*, N.Y. 1962; G. Uellenberg, Bewußtseinsstrom, innerer Monolog u. Rollenprosa (Tendenzen d. dt. Lit. seit 1945, hg. T. Koebner 1971); D. Cohn, *Transparent minds*, Princeton 1978.

Streckvers, 1. = →Schwellvers, 2. →Rhapsoden, 3. →Polymeter

Streit →Literaturfehde

Streitgedicht, Dialoggedicht, in dem zwei (oft allegor.) Figuren oder Abstraktionen in Rede und Gegenrede über Wert und Unwert des betreffenden Gegenstandes streiten und seine Vorzüge und Nachteile gegeneinander abwägen oder eigene Vorzüge und Schwächen des Gegners im Rangstreit herausstellen; als →Synkrisis schon in der Antike (THEOKRIT, VERGIL) und Schola-

stik; ähnl. in pers. und arab. Lit.; bes. wichtig und beliebt in der roman., altnord., altengl. Dichtung des MA., von dorther und wohl unter Einfluß der mlat. allegor. Streitgespräche (zwischen Sommer und Winter u. ä.) auch in die dt. Vagantendichtung gelangt, bes. als Bloßstellung der Mißwirtschaft im Geistlichenstand, der Simonie und Geldsucht des Papsttums, später von der Minnedichtung übernommen, in der provenzal. Dichtung als →Tenzone, franz. als →Débat, ital. als →Contrasto, in Dtl. als poet. Streitgespräch bes. seit dem 13. Jh. zwischen Wasser und Wein, Leib und Seele (WALTHER VON METZ), Liebe und Schönheit (BRENNENBERG) u. a. Personifikationen auch bei WALTHER, teils jedoch auch wirklicher Gestalten wie Kay und Gawan (beim TUGENDHAFTEN SCHREIBER) oder einzelner Spielleute (beim TALER) u. ä., später wieder vornehmlich allegorisch wie Frau Ehre und Frau Schande (KELYN), Frau Minne und Frau Welt (FRAUENLOB) usw. Meistersang und Volkslied verwenden derartige Themen, dichterisch und geistig am bedeutendsten JOHANNES' VON TEPL Streitgespräch in Prosa vom *Ackermann aus Böhmen* (um 1400). Als erweiterte Form können die Sängerkriege wie der erhaltene *Wartburgkrieg* gelten. In der →Reformationslit. folgt e. Fülle meist prosaischer →Flugschriften um weltanschaul., polit. und relig. Probleme in →Dialogform (HUTTENS Streitgespräche) und bes. in der →Narrenlit., noch im 17. Jh. spieler. Streitgespräche und die relig. →Streitschriften von ANGELUS SILESIUS u. a.

H. Knobloch, Die S. i. Prov. u. Altfrz., 1886; H. Jantzen, Gesch. d. dt. S. i. MA., 1896, n. 1977; H. Walther, D. S. i. d. lat. Lit. d. MA. 1920, n. 1984; RL; E. Köhler, Z. Gesch. d. altprov. S., Diss. Lpz. 1950; ders., Z. Entstehg. d. altprov. S., ZRP 75,

1959; E. Wagner, D. arab. Rangstreit-
dichtg., 1962; I. Kasten, Stud. z. Thematik u. Form d. mhd. S., Diss. Hbg. 1973;
dies., Geteiltez spil, Euph. 74, 1980.

Streitgespräch →Streitgedicht,
→Synkrisis

Streitschrift, allg. Kampfschrift
zum schriftl. Austrag von Mei-
nungsverschiedenheiten in weltanschaul., relig., polit., eth., wiss., kulturellen u. a. Fragen in aggressiver
Prosaform und vielfach direkter Anrede des Adressaten; vgl. einzeln
→Flugschrift, →Libell, →Pamphlet,
→Pasquill, →Satire, →Streitge-
dicht, →Literaturfehde.
L. Rohner, D. lit. S., 1987.

Strömung, Richtung, Bewegung,
Trend: unscharfe metaphor. Bzz. für
gewisse zielgerichtete gemeinsame
oder verwandte Entwicklungen und
Tendenzen, ästhet., method., stilist.,
formale oder auch ideolog.-soz.-po-
lit. Bestrebungen von Gruppen oder
einzeln verstreuten, unter anderem
Aspekt divergenten, nicht zur Kon-
solidierung in Dichterkreisen oder
sog. Schulen gelangter Autoren un-
ter- und innerhalb e. Epoche, die in
der Grundrichtung meist mit dieser
übereinstimmen, nur sich auf bestimmte Aspekte oder Aussageweisen spezialisieren oder auch bedingt
e. Gegen-S. bilden können. Die Vagheit der Bz. erklärt sich aus der ein-
gestandenen Unmöglichkeit, den
vieldimensionalen, lebendigen Prozeß der Literaturentwicklung in e.
festes, systemat. und homogenes
Koordinatensystem zu pressen. Formale S.en des 20. Jh. von internationaler Breite wären z.B. Bewußtseinsroman, absurdes Theater, Dokumentarlit., visuelle Poesie u. a.
V. M. Žirmunskij, D. lit. S.n (Komparatistik, hg. H. Rüdiger 1973).

Strophe (griech. = Wendung),
urspr. Wendung des Chors zum Altar beim Tanz und das dazu gesungene Lied, dem bei der entgegengesetzten Bewegung die ebenfalls gesungene und getanzte, gleichgebaute →Antistrophe entsprach. Auf
beide Teile folgte die metrisch abweichende →Epodos. Der Begriff
aus der griech. Chorlyrik wurde in
der Renaissance, dt. im 17. Jh. als
Bz. für das frühere →Lied oder das
›Gesätz‹ des Meistersangs eingeführt: Verbindung mehrerer Verszeilen von gleichem oder versch.
Bau zu e. regelmäßig wiederkehrenden, in sich geschlossenen, höheren
metr. Einheit (System) durch Metrum, Reim, Versart und -zahl (die
Bz. ›Vers‹ für S. wie im Kirchenlied
ist falsch) als Gliederung e. Dichtung, bes. in der Lyrik und z.T. im
Epos, urspr. bedingt durch die Anpassung an dieselbe Melodie beim
sangbaren Lied und von versch.
Kompliziertheit je nach der Zahl
der streng festgelegten Merkmale.
Die Antike bezeichnet die S.-Arten
entweder nach der Anzahl der enthaltenen Verse (→Distichon, →Tri-
stichon, →Tetrastichon entsprechend dem dt. Zweizeiler, Dreizeiler, Vierzeiler) oder, bes. bei komplizierteren metr. Gebilden, nach dem
Erfinder (Alkäische, Archilochische,
Asklepiadeische, Hipponakteische,
Sapphische S. usw.). Die einzelnen
Metra als Unterteilung heißen
→Kola, e. S. aus gleichen Metra
Monokolon, aus zwei versch. Dikolon, aus drei versch. Trikolon usw.
Mehrere Kola bilden →Perioden,
die in der höchsten Ordnung der S.
oder des Systems zusammengefaßt
werden; S.-gruppen (→Perikopen 1)
wie im ind. *Rigveda* sind in der
europ. Dichtung ungebräuchlich.
Die altgerman. alliterierende Dichtung läßt wie auch die Homerischen
Epen keine stroph. Gliederung erkennen. Frühchristl. lat. Dichtung
benutzt die vierzeilige Hymnen-S.

anfangs quantitierend, dann rhythm., ab 9./10. Jh. mit Reim wie später im Volks- und Kirchenlied. Erst mit der Einführung des Endreims als strophenbildendes Prinzip neben dem Metrum entsteht e. größere Zahl und Variabilität der S.-form, indem aus der einfachen Folge der Reimpaare (aabb) durch Überkreuzung (abab), Umarmung (ab ba), Verschränkung (abcabc), Verkettung (aba bcb) u.ä. klanglich zusammengehörige und teils durch Kehrreim abgeschlossene Gruppen entstehen, so im mhd. Heldenepos (das höf. Epos benutzt Reimpaare) die Nibelungen-, Hildebrands-, Titurel-, Neidhart-, Kudrun-, Walther-, Morolf-, Rabenschlacht-, Tirol-S., Berner Ton u.a.m., oft umstrittener Herkunft, in der Strophenkunst des Minnesangs und Meistersangs die sog. →Meistersang-S. aus Aufgesang und Abgesang, die S. der provenzal. Troubadours, der ungleiche, durchkomponierte S.bau des Leich usw. Während das 16./17. Jh. häufig die in der Renaissance wiederbelebten antiken Odenstrophen benutzt, beginnt gleichzeitig die Aufnahme der roman. S.formen, die bis heute zu den gebräuchlichsten gehören: Stanze, Terzine, Sonett, Sestine, Siziliane, Ritornell, Rondeau, Rondel, Triolett, Madrigal, Kanzone, Glosse, Quatrain, auch aus oriental. Lit. Ghasel und Rubâi. Daneben erhält das Volkslied, das einst auch mannigfache und komplizierte S.-form kannte (→Chevy-Chase-S. u.a.), meist den schlichten, gefühlsbetonten Vierzeiler, wie er bes. in der Lieddichtung der Romantik wieder Verwendung fand. Die Formenvielfalt des protestant. Kirchenliedes ist in ihrem Einfluß auf die S.-bildung im 17./18. Jh. noch kaum untersucht. Neben der Wiederaufnahme und Abwandlung alter Formen geht die Neubildung von S.n aus eigenem rhythm. und klangl. Empfinden des Dichters. Doch reizen immer wieder die festgeprägten traditionellen Schemata zu strenger erneuter Erfüllung ihrer Formgesetze. →strophische Komposition.

R. M. Meyer, Grundlagen d. mhd. S.baus, 1886; K. Bretschneider, D. S. (Zs. f. dt. Unterr. 32); G. Pohl, D. S.bau i. dt. Volkslied, 1921; RL; E. F. Kossmann, D. 7zeilige S., 1923; W. Bücheler, Franz. Einflüsse a. d. S.bau b. dt. Minnesängern, Diss. Bonn 1930; J. Wiegand, D. Technik d. gleichlaufenden S.n i. d. dt. Lyrik, ZDA 73, 1936; H. Meyer, V. Leben d. S. i. neuerer dt. Lyrik, DVJ 25, 1951; H. Thomas, D. altdt. S.bau (Fs. H. Pyritz, 1955); B. Dolif, Einfache S.formen, Diss. Hbg. 1968; K. Plenio, Bausteine z. altdt. Strophik, 1971; F. Schlawe, D. dt. S.formen, 1972; A. H. Touber, Dt. S.formen d. MA., 1974; S. Ranawake, Höf. S.kunst, 1976; E. Häublein, The stanza, Lond. 1978; RL; H. J. Frank, Hb. d. dt. S.formen, 1980. →Metrik.

Strophensprung, Form des →Enjambements, wobei der Satz nicht mit dem Strophenende abschließt, sondern in die nächste Strophe hinübergreift.

Strophische Komposition, die strophische Gliederung einer Dichtung. Sie gestattet versch. Möglichkeiten der Responsion dieser gleich oder unterschiedlich gebauten Glieder untereinander. Die gewöhnlichste Form ist die monostrophische, d.h. die Aneinanderreihung gleicher Strophengebilde in beliebiger Anzahl; Variation tritt erst ein beim Zusammenschluß zu zwei- oder mehrmals wiederholten Strophengruppen (→Perikopen), deren Strophen entweder alle gleich (Strophe + Antistrophe: a + a), alle verschieden (a + b + c) sind oder Entsprechungen zeigen: dyadisch: a a' b b', triadisch: a a' a'' b b' b'', prosodisch: a b b', mesodisch: a b a', epodisch a a' b und palinodisch: a b b' a'.

Struktur (lat. *structura* = Zusammenfügung, Bau), aus der Naturwiss. und Psychologie entlehnter Begriff, dessen verschiedenartige und individuell willkurl. Verwendung in der Lit.wiss. oft mehr Verwirrung als Klarheit gebracht hat. Nachdem die Nachbarbegriffe →Aufbau (Komposition, äußere Form) und →Stil (innere Form) bedeutungsmäßig festgelegt sind und beide zus. als →Form dem →Inhalt gegenübergestellt werden, sollte der Begriff S. ausschließl. auf das Zusammenwirken aller dieser Elemente in der einzelnen Dichtung begrenzt werden, das durch Verzahnung, Verschränkung und Spannung über die Summe der einzelnen Komponenten hinaus ein Mehr, nämlich die gegenseitige Durchdringung und Zuordnung der Teile zu einem geschlossenen, in sich gerundeten Ganzen, im Sinn des →Strukturalismus erfaßt.

K. Hamburger, Z. S.-Problem d. ep. u. dramat. Dichtg., DVJ 25, 1951; W. Emrich, D. S. d. mod. Dichtg., WW 1952/53; H. Friedrich, D. S. d. mod. Lyrik, 1956; *Sens et usage du terme structure,* hg. R. Bastide, Paris 1962; H. Meyer, Üb. d. Begriff S. i. d. Dichtg., NDH 10, 1963; I. Strohschneider-Kohrs, Lit. S. u. geschichtl. Wandel, 1971; R. Weimann, Lit. S. u. Lit.gesch. (in: Lit.gesch. u. Mythol., 1971); D. Wunderlich, Terminologie d. S.begriffs (Lit.wiss. u. Linguistik, hg. J. Ihwe I 1972); J. M. Lotman, Vorlesgn. z. e. strukturalen Poetik, 1972; ders., D. S. lit. Texte, 1972; F. Martinez-Bonati, D. log. S. d. Dichtg., DVJ 47, 1973; H. v. Einem u.a., D. S.begriff i. d. Geisteswiss., 1973; D. mod. S'begriff, hg. H. Naumann 1973; *Literary theory and s.,* Fs. W. K. Wimsatt, New Haven 1973; W. Ruttkowski, Schicht, S., Gattg., GQ 47, 1974. →Strukturalismus.

Strukturalismus, interdisziplinäre Forschungsrichtung (nicht Methode oder Ideologie) zahlr. Fachdisziplinen der 60/70er Jahre, die die Totalität der Erscheinungen in simultanen Querschnitten synchron zu erfassen sucht und von der Voraussetzung ausgeht, daß jede Erscheinung innerhalb e. Systems nicht isoliert für sich steht, sondern von allen anderen Erscheinungen innerhalb desselben Systems mitbedingt ist und von dorther ihre Bedeutung erhält. Die Gesamtheit der Abhängigkeiten und Wechselbezüge, die allem immanente →Struktur, ist mehr als die mechan. Summe der einzelnen Komponenten und schafft neue Qualitäten. Dieses System synchron. Interdependenzen will der S. als Wechselspiel der Kräfte analysieren, indem er in der Rekonstruktion e. Objekts oder Tatbestandes gleichzeitig die Regeln aufzeigt, nach denen es funktioniert. Der S. nahm seinen Anfang von F. de SAUSSURE (1916) und dem russ. Formalismus in der Linguistik um 1928 (R. JAKOBSON), wurde fortentwickelt in der sog. ›Prager Schule‹ (J. MUKAŘOVSKÝ), nach 1960 in Frankreich auf andere Disziplinen wie Philosophie, Ethnologie, Anthropologie, Psychoanalyse und Soziologie ausgeweitet (C. LÉVI-STRAUSS, J. LACAN, M. FOUCAULT, L. GOLDMANN, L. ALTHUSSER, J. DERRIDA) und hier (R. BARTHES, T. TODOROV, A. J. GREIMAS, C. BREMOND) wie auch in der Sowjetunion (B. A. USPENSKIJ), bes. der sog. ›Dorpater Schule‹ (J. M. LOTMAN) auch auf die Lit.wiss. angewandt. In der Lit.wiss. beeinflußt der S. allg. die wiss. Stilistik und die Analyse der Struktur lit. Texte nach positivist.-quantifizierenden Methoden. Infolge seines synchron. Aspekts historisch-geschichtsfeindlich, vermeidet der S. genetisch-histor. Fragestellungen, und auf dem Gebiet der textimmanenten Interpretation spielen für ihn histor. Aspekte ebensowenig eine Rolle wie ästhet. Wertfragen oder die Berücksichtigung der subjektiven Schöpferindividualität, so daß er sich zur Ge-

samtinterpretation mit anderen lit.-
wiss. Methoden verbindet.

S., hg. J. Ehrmann, New Haven 1966; J.
M. Auzias, *Clefs pour le s.*, Paris 1968,
³1971; U. Jaeggi, Ordnung u. Chaos,
1968; B. Allemann, S. i. d. Lit.wiss. (Ansichten e. künft. Germanistik, hg. J. Kolbe, ²1969); M. Corvez, *Les structuralistes*, Paris 1969; G. Schiwy, D. franz. S.,
1969, ⁶1984; K. Chvatik, S. u. Avantgarde, 1970; S., hg. M. Lane, Lond. 1970; J.
M. Broekman, S., 1971; G. Schiwy, Neue
Aspekte d. S., 1971, ²1973; P. Jameson,
The prisonhouse of language, Princeton
1972; M. Bierwisch, S. (Lit.wiss. u. Linguistik, hg. J. Ihwe I, 1971), sep. 1972; S.
i. d. Lit.wiss., hg. H. Blumensath 1972; S.
als interpretatives Verfahren, hg. H. Gallas 1972; W. Krauss, Poetik u. S. (in:
Werk u. Wort, 1972); J. M. Lotman, D.
Struktur lit. Texte, 1972, ²1981; J. M.
Lotman, Vorlesgn. z. e. strukturalen Poetik, 1972; A. Niel, *L'analyse structurale
des textes*, Paris 1973; S., hg. D. Robey,
Oxf. 1973; Einf. i. d. S., hg. F. Wahl
1973, ²1981; R. Boudon, S., 1973; J.
Piaget, D. S., 1973; T. Ebenter, S. u.
Transformationismus, 1973; H. Gallas,
S. i. d. Lit.wiss. (Grundzüge d. Lit.- u.
Sprachwiss., hg. H. L. Arnold I, 1973); F.
Schalk, S. u. Lit.gesch. (H. v. Einem u. a.,
D. Strukturbegriff i. d. Geisteswiss.,
1973); G. Schiwy, S. u. Zeichensysteme,
1973; H. Günther, Struktur als Prozeß,
1973; S., hg. W. D. Hund 1973; R. Scholes, *S. in lit.*, New Haven 1974; J. Culler,
Structuralist poetics, Ithaca 1975; P. Pettit, *The concept of s.*, Dublin 1975; L.
Fietz, Funktionaler S., 1976; W. Falk,
Vom S. z. Potentialismus, 1976; J. Mukařovský, Stud. z. strukturalist. Ästhetik u.
Poetik, 1976; Beschreibungsmethoden d.
amerik. S., hg. E. Bense u. a. 1976; E.
Strohmaier, Theorie d. S., 1977; M. Titzmann, Strukturale Textanalyse, 1977; T.
Hawkes, *S. and semiotics*, Lond. 1977;
W.-D. Stempel, Gestalt, Ganzheit, Struktur, 1978; RL; D. Hymes, *American s.*,
Haag 1981; G. Strickland, *S. or criticism?*, Cambr. 1981; L. Fietz, S., 1982;
K. Füssel, Zeichen u. Strukturen, 1983;
M. Frank, Was ist Neo-S., 1984; J. Sturrock, S., Lond. 1986; G. Schiwy, Post-S.
u. Neue Philosophen, 1987; J. Albrecht,
Europ. S., 1988. →Struktur.

Studentenbühne, Ensemble (z. T.
wechselnder) student. Laienschauspieler an Universitäten, vielfach im
Anschluß an theaterwiss. Institute
oder Seminare. Sie wollen einmal in
theatergeschichtl. Rekonstruktion
älterer Bühnenwerke im Stil der
Entstehungszeit aufführen, zum anderen mit neuen dramat. Aussageweisen und deren Darstellungsmöglichkeiten experimentieren und bevorzugen aus techn. Gründen zumeist Einakter. In Orten ohne festes
Theater und bes. an amerikan.
Universitäten erfüllen sie z. T. die
soziale Funktion e. stehenden Theaters. Vgl. →Schuldrama, →Straßentheater.

Studentenlied, Gattung des →Ständeliedes zum Gruppengesang, die
im →Kommersbuch zusammengefaßten geselligen Lieder der Studenten, bes. der Burschenschaften; sie
umfassen neben Natur- und Wanderliedern und polit.-patriot. Dichtungen bes. →Kneip- und Liebeslieder, Bummel-, Schmaus- und Würfellieder sowie Spottlieder auf die
›Philister‹ und gaben zu allen Zeiten
lebendigen Einblick in Leben und
Treiben sowie geistig-weltanschaul.
Haltung der Studentenschaft. Ihre
Anfänge liegen in der lat. oder dt.-
lat. →Vagantendichtung des MA.
(*Carmina Burana*, ARCHIPOETA:
›Meum est propositum in taberna
mori‹). Der anfangs oft in seiner
zügellosen Lebensfreude derbe Charakter erfährt im 18. Jh. nach Vorgang des Haller Magisters C. W.
KINDLEBEN (1. gedruckte Slg. 1781)
e. Veredelung und Vergeistigung,
ohne an sprühender Lebensfreude
einzubüßen. Neben einigen bis heute fortlebenden älteren S.n wie ›Ça
ça geschmauset‹, ›Was kommt dort
von der Höh‹, ›Krambambuli‹ und
an der Spitze (freilich verändert)
›Gaudeamus igitur‹ entstehen laufend neue Dichtungen bis ins 20.
Jh., zu denen auch die Großen der
Lit. ihren Beitrag nicht versagen:
Kaspar STIELER, Joh. Chr. GÜNTHER, LESSING, CLAUDIUS, HÖLTY,
BÜRGER, SCHUBART, GOETHE,
ARNDT, SCHENKENDORF, KÖRNER,

Rückert, Kerner, Novalis, Eichendorff, W. Hoffmann von Fallersleben, W. Müller, Heine, Geibel, Eichrodt, Baumbach, bes. Scheffel u.a.m.

R. Keil, Dt. S. d. 17./18. Jh., 1861; A. Kopp, Dt. Volks- u. S. i. vorklass. Zt., 1899; K. H. Prahl, D. dt. S., 1900; RL; F. Harzmann, *In dulci jubilo*, 1924; ders., Burschenschaftl. Dichtg., 1930; H. Hellwig, D. dt. Student u. d. dt. S. bis Ende d. 18. Jh., 1955; B. Rieger, Poetae studiosi, 1970.

Studententheater   →Studentenbühne

Studie (lat.), Skizze, Entwurf, Vorarbeit z. e. größeren Werk.

Studiobühne (ital. = Arbeitszimmer, Werkstatt), Versuchsbühne oder Werkstatttheater zur Erprobung neuer, avantgardist. Bühnenwerke meist vor e. kleineren oder ausgesuchten Publikum; auch e. aus der Vereinigung der für e. bestimmte Aufführung benötigten Schauspieler und Hilfskräfte entstandenes Theaterunternehmen.

Stück (zu franz. *pièce*), soviel wie Theaterstück, →Drama (vgl. →Sprechstück). ›Stückeschreiber‹ (Brecht) unpathet.-preziös für Dramatiker.

Stummes Spiel →Dumb show, auch allg. die Mimik und Gestik der stummen Personen auf der Bühne. RL¹.

Stumpfer Reim   →männlicher Reim

Stumpfer Versschluß →Kadenz

Stundenbuch →Livre d'heures

Sturmkreis, expressionist. Berliner Künstler- und bes. Dichterkreis um die Zs. *Der Sturm* (1910f. wöchentl., 1916–32 monatl.), hg. H. Walden und August Stramm, der

unter Einfluß des ital. Futurismus nach äußerster Intensität der Sprachgebärde, Auflösung der Syntax zugunsten des blockartig hingesetzten, ausdrucksstarken Einzelwortes strebt (W. Klemm, K. Heynicke, K. Schwitters, L. Schreyer, z.T. E. Lasker-Schüler, A. Döblin). Sein bei aller Radikalität der Sprachzertrümmerung hohes künstler. Ethos, das um letzte Konzentration des Wortes kämpft, unterscheidet ihn vom →Dadaismus. Der 1919 polit. engagierten Zs. angegliedert waren 1910 e. Galerie, 1914 e. Verlag, 1916 e. Rezitationsprogramm, 1917–21 die Sturm-Bühne von H. Walden u. L. Schreyer.

W. Rittich, Kunsttheorie u. lyr. Wortkunst i. ›S.‹, Diss. Greifsw. 1933; L. Schreyer, Das war ›Der Sturm‹ (in A. Döblin: Minotaurus, 1953); N. Walden, D. Sturm, 1954; R. Brinkmann, Z. Wortkunst d. S. (Fs. H. Kunisch, 1961); E. Terray, Z. Kunstauffassg. d. Blner. S. (Philologica 18, 1966); W. Voermanek, Unters. z. Kunsttheorie d. S., Diss. Bln. 1970; E. Philipp, Dadaismus, 1980; G. Brühl, H. Walden u. ›D. Sturm‹, 1983; M. S. Jones, D. Sturm, Columbia 1984.

Sturm und Drang, nach M. Klingers Drama *Der Wirrwarr* (1776), dem der Winterthurer Genieapostel Ch. Kaufmann den Titel *S. u. D.* gab, Bz. für die Epoche der dt. Lit. etwa von 1767 (Herders *Fragmente*) bis 1785 (Einsatz der Klassik), auch Geniezeit oder zeitgenössisch Genieperiode genannt nach der Verherrlichung der ›Originalgenies‹ als Urbild des höheren Menschen und Künstlers (Prometheus-Symbol), des wahren Schöpfers der Kunst (Young, *Conjectures on Original Composition,* 1759, R. Wood, *Essay on the Original Genius,* 1769). Der S. u. D. erwächst als Reaktion gegen die verstandesmäßige, regelgläubige Haltung der Aufklärung und ihre künstler., weltanschaul. und soz. Auswirkungen: Überwindung der Vernunftherrschaft und Entfesselung des Gefühlsüberschwangs, der Phantasie und der Gemütskräfte als neuer dichterischer Grundhaltung, Einsatz des dt. Idealismus: ›Fülle des Herzens‹ und Freiheit des Gefühls, Ahnung und Trieb bezeichnen das neue Lebensgefühl dieser bürgerlich-jugendl. Erneuerungsbewegung, deren Vorstufen bereits im dt. Pietismus, in der aus England übergreifenden Empfindsamkeit, in ROUSSEAUS Naturverkündigung und der seherisch verinnerlichten Gefühlshaltung KLOPSTOCKS zutage treten. Das eigenwillige Persönlichkeitsideal der jungen Generation – ihre Vertreter stehen im 20.–30. Lebensjahr – wendet sich gegen Autorität und Tradition sowohl im polit. Leben, wo ihm freilich kaum Wirkung beschieden war, als auch in der geistigen und dichter. Welt; in Überschätzung des eigenen Könnens, der Kraft bloßer ›genialer‹ Originalität verachtet es die überkommenen Regeln als Krücken für den Kranken, die das gesunde →Genie von sich wirft (YOUNG), und bricht sie – vermeintlich berechtigt – durch die Stärke der Leidenschaft, die ihm allein als Wert erscheint und das Charakteristische, Ursprüngliche über das Schöne stellt. Der Erfolg sind Auswüchse durch Mißachtung der äußeren Form und viele unerfüllte Versprechungen, innerlich Unreifes, weil nicht in der Form Gebändigtes und Überwundenes, doch auch die großen und bleibenden Werke echter Persönlichkeitsaussprache und Erlebnisdichtung. E. neues, innig umfassendes und sich einfühlendes Verhältnis zur Natur, die im Ggs. zur Aufklärung wieder vergöttlicht wird, vereint sich mit der trag. Grundauffassung vom Genie, das als Naturverkörperung im Konflikt mit den Mächten des Zwanges, der

Kultur und der Gesellschaft, zum Untergang bestimmt ist: Kulturpessimismus und Naturoptimismus. Das Streben richtet sich daher auf e. natürliche, gesunde Gesellschaftsordnung, beschränkt sich jedoch, da ihm polit. Auswirkung versagt ist, auf theoret. und lit. Tatendrang. Die Hauptform der Dichtung ist das Drama. Theoret. Bemühungen von LENZ (*Anmerkungen über das Theater,* 1774) und SCHILLER (*Die Schaubühne als moralische Anstalt betrachtet,* 1784) gehen auf Erweiterung der Wirkungsmöglichkeiten und Aufgabenbereiche des Theaters aus, das über den künstler. Selbstzweck hinaus gleichzeitig Offenbarung sein will und bes. deutlich durch soz. Anklage e. Änderung der herrschenden sittl. und gesellschaftl. Zustände erstreben soll. Hauptthema ist daher der Konflikt des Naturgenies mit den Schranken der bestehenden Weltordnung, die den Handelnden als Aufrührer, Verbrecher erscheinen läßt, sei es im Kampf um polit. Freiheit (SCHILLER: *Fiesko, Kabale und Liebe*), um Freiheit des einzelnen in der Gesellschaft (GOETHE: *Götz,* SCHILLER: *Die Räuber,* KLINGER: *Die Zwillinge,* LEISEWITZ: *Julius von Tarent*), um Aufhebung der Standesschranken und das Recht auf Liebe (SCHILLER: *Kabale und Liebe,* LENZ: *Soldaten,* WAGNER: *Die Kindermörderin*), selbst um die Freiheit der Leidenschaft (GOETHE: *Stella, Clavigo,* KLINGER: *Das leidende Weib*), sei es um die Freiheit des Glaubens (GOETHE: *Faust*) und e. sittl. Weltordnung (SCHILLER: *Die Räuber*). Formales Vorbild wurde statt des franz. Dramas nunmehr SHAKESPEARE, den sie in leidenschaftlich-hymn. Manifesten zum Anwalt ihrer Sache anrufen (HERDER: *Shakespeare,* GOETHE: *Zum Schäkespears Tag*) und dem sie, allein auf WIELANDS Prosa-Übersetzung beruhend, meist in Prosaform, seltener Knittelvers oder Freien Rhythmen, nacheifern. Dabei geht jedoch die Vernachlässigung der dramat. Technik und der Einheiten bis zum beliebig häufigen Schauplatzwechsel (›Fetzenszenen‹) aus eigenem Gefühlsüberschwang oft über den Grad bühnenmäßiger Wirksamkeit hinaus; der Handlungsablauf geschieht in e. Reihung ›symbolischer Zufälle‹, Episoden und häufig Massenszenen, und die exaltierte, ungebändigte, doch gefühls- und ausdrucksstarke Sprache voll Ausrufe, halber Sätze und forcierter Kraftausdrücke neigt zum Derbrealistisch-Volkstümlichen, geht aber auch durch die Künstlichkeit solcher verkrampft naturalist. Versuche zum Teil (KLINGER) zur Manier über. Neben Tragödie und Schauspiel steht e. Reihe übermütiger Farcen und Satiren (GOETHE, LENZ, WAGNER). – Die Lyrik bricht zur persönl. Gefühls- und Erlebnisdichtung durch; ihr ›poetischer Gehalt ist Gehalt des eigenen Lebens‹ (GOETHE). Kunstvollere metr.stroph. Gebilde treten zurück gegenüber schlichten, oft selbst unregelmäßigen, doch innerlich erfüllten und vom Gehalt her organisch gewachsenen. Ihre Hauptform ist das in Rhythmus und Sprache individuell gestaltete Lied, häufig (GOETHE, CLAUDIUS, BÜRGER, HÖLTY, VOSS, Maler MÜLLER, LENZ) unter dem Einfluß des Volksliedes, das von England her (MACPHERSONS Ossian, PERCYS Reliques) bes. durch HERDER zur Geltung gebracht wird. Auch in der Form der Hymne und Ode (GOETHE, SCHILLER, SCHUBART) überwiegt das echte gefühlshaltige Moment die rationale theoret. Besinnung. Als urspr. und kraftvolle Form der Volksdichtung wird die Ballade, im 18. Jh. nur zu paro

dist. Zwecken benutzt, über den Bänkelsang gehoben und als Erzähllied e. numinosen, mag. Begebenheit erneut gepflegt (BÜRGER, GOETHE). – Den geringsten Anteil an der Dichtung des S. u. D. hat die Epik, deren objektive Weltdarstellung sich nicht mit den Gefühlskräften verbinden konnte. Auch der Roman wird zum subjektiven Ausdruck innerer Leidenschaft (GOETHES Werther) bis zum ›ästhetischen Immoralismus‹ (HEINSES Ardinghello) oder eigenen Erlebens in Autobiographie und Entwicklungsroman (JUNG-STILLING, F. H. JACOBI, U. BRÄKER, K. P. MORITZ); die Idylle (Maler MÜLLER) geht den Weg zu kraftvoller Volkstümlichkeit.
Die Entwicklung der Bewegung vollzieht sich in drei Stufen: 1. die Vorbereitungsstufe, der noch KANTS Träume e. Geistersehers (Erkenntnis der Grenzen menschl. Vernunft), LESSINGS Forderung e. dynam. Menschenbildes im Drama, e. neuen leidenschaftl. Bewegtheit statt der Statik der Aufklärung und e. inneren Handlung angehören – beides Zeugnisse für die Überwindung des reinen Rationalismus. Im Norden weist GERSTENBERG in den Schleswigschen Literaturbriefen auf Gefühlshaltung und Volksdichtung hin und tritt für SHAKESPEARE ein, wenngleich sein Ugolino 1768 bei aller Leidenschaftlichkeit noch nicht die Überwindung der Vernunftherrschaft und der Regel von den Einheiten bringt, sondern sie von innen her zu erfüllen strebt. HAMANNS myst. Irrationalismus in seiner Forderung nach Ganzheit des geistigen Schöpfertums und der Erkenntnis des Unergründlichen, die dem Optimismus der Aufklärung entgegensteht, wie LAVATERS pietist. Seelenerkundung bereiten e. neues Lebensgefühl vor, dem SCHUBART und LENZ folgen. 2. die Befreiungs-

stufe, in der HERDERS Vorstellung e. organ. Entwicklung der Völker die überlieferten rationalen und relig. Bindungen löst und den bedeutenden Einfluß des Genies auf diese Entwicklung darlegt. In seinem Kampf um Überwindung der lat. Bildungstradition durch e. heim. Kunst und Dichtung erneuert er Gedankengut von ROUSSEAU, HAMANN und der engl. Ästhetik und führt zu e. neuen Bewertung der Dichtung *(Fragmente, Wälder, Ossian, Shakespeare, Ursprung der Sprache)*. Das folgenreichste Ereignis für die dt. Lit. war sein Zusammentreffen mit GOETHE in Straßburg 1770/71, das seinen Niederschlag fand in den Blättern *Von dt. Art und Kunst* 1773; es bringt den eigentl. Durchbruch des S. u. D., die Überwindung von Anakreontik und Rokoko in GOETHES volksliedhafter Liebeslyrik wie der gefühlsbefreienden Stimmungsdichtung des →Göttinger Hains. Den Höhepunkt bringt die Zeit 1773–1784, von GOETHES *Götz* bis zu SCHILLERS *Kabale und Liebe,* in der die Hauptwerke des S. u. D. entstehen. 3. die Klärungsstufe führt nach dem raschen Abklingen des jugendl. Enthusiasmus zur Läuterung des Gefühlsüberschwangs, soweit er nicht zum Unterhaltungsschrifttum absinkt, entweder in der Objektivierung durch den Ausgleich zwischen Phantasie und Verstand in der Harmonie der Klassik (GOETHE, SCHILLER), die im Durchgang durch den S. u. D. lebensvolle Züge erhält und vor der Gefahr e. trockenen Klassizismus bewahrt bleibt, oder in der Subjektivierung des Irrationalen zur Willkür der Weltgestaltung in der Romantik (HERDER, LENZ), die jedoch im Ggs. zum S. u. D. nicht vom Gefühl, sondern vom Geist ausgeht und die Entfaltung des dt. Idealismus abschließt. Die Bedeu-

tung des S. u. D. liegt weniger in seinen bleibenden Leistungen, zu denen immerhin die wichtigsten Jugendwerke GOETHES und SCHILLERS zählen, als in den zahlr. Anregungen, geistigen Tendenzen und Erkenntnissen vom Wesen der Dichtung, die von allen revolutionären Epochen der Literaturgeschichte – Romantik, Naturalismus, Expressionismus – wieder aufgegriffen wurden und bis heute lebendig sind. Die anschaulichste Schilderung des S. u. D. gibt GOETHE in *Dichtung und Wahrheit* (7., 10., 13./14. Buch).

G. Keckeis, Dramaturg. Probleme i. S. u. D., 1907, n. 1974; J. Zorn, D. Motive d. S. u. D.-Dramatiker, Diss. Bonn 1909; H. Schnorf, S. u. D. i. d. Schweiz, 1914; J. Ernst, D. Geniebegriff d. Stürmer u. Dränger, Diss. Zürich 1916; C. Stockmeyer, Soz. Probleme i. Drama d. S. u. D., 1922, n. 1974; H. A. Korff, Geist d. Goethezt. I, 1923, ⁹1974; P. van Tieghem, *Le préromantisme,* Paris 1924–27; H. Kindermann, D. Entw. d. S. u. D.-Bewegg., 1925; A. Köster, D. allg. Tendenzen d. Geniebewegg. (in: D. Lit. d. Aufklärg., 1925); R. Unger, Hamann u. d. Aufklärg., II 1925; H. Kindermann, Durchbruch d. Seele, 1928; H. A. Korff, D. Dichtg. v. S. u. D. i. Zusammenhang d. Geistesgesch., 1928, n. 1972; E. Jenisch, D. Entfaltg. d. Subjektivismus, 1929; S. Melchinger, Dramaturgie d. S. u. D., 1929; RL; H. Röhl, S. u. D., ²1931; F. Beißner, Stud. z. Sprache d. S. u. D., GRM 22, 1934; H. Dreyer, Entstehg. d. Subjektivismus, Diss. Tüb. 1935; H. Werner, Rel. Problematik i. Schrifttum d. S. u. D., Diss. Marb. 1937; E. A. Runge, *Primitivism and related ideas in S. u. D.,* Baltimore 1946; F. J. Schneider, D. dt. Dichtg. d. Geniezeit, 1952; H. B. Garland, *Storm and Stress,* Lond. 1952; P. Grappin, *La théorie du génie dans le préclassicisme allem.,* Paris 1952; K. Guthke, Engl. Vorromantik u. dt. S. u. D., 1958; E. A. Blackall, *The language of S. u. D.* (Stil- u. Formprobleme in d. Lit., 1959); R. Pascal, D. S. u. D., 1963, ²1977; G. Mattenklott, Melancholie i. d. Dramatik d. S. u. D., 1968, ²1985; K. Hammer, D. Dramentheorie d. S. u. D., Diss. Halle 1967; M. O. Kistler, *Drama of the Storm and Stress,* N.Y. 1969; F. Martini, D. Poetik d. Dramas i. S. u. D. (Dt. Dramentheorie, hg. R. Grimm 1971); E. McInnes, *The S. u. D. and the development of social drama,* DVJ 46,

1972; M. Mann, S. u. D. Drama, 1974; R. Quabius, Generationsverhältnisse i. S. u. D., 1976; G. Kaiser, Aufkl., Empfindsamk., S. u. D., 1976, ³1979; S. u. D., hg. W. Hinck 1978; A. Huyssen, Drama d. S. u. D., 1980; S. u. D., hg. M. Waelter 1985; L. Vaughan, *The hist. constellation of the S. u. D.*, 1985; M. Stoljar, *Poetry and song in the late 18. cent. Germany*, Lond. 1985; E. McInnes, ›Ein ungeheures Theater‹, 1987.

Stuttgarter Schule bzw. Gruppe, lockerer Verband meist Stuttgarter Autoren, Künstler, Typographen um Max BENSE; Vertreter der experimentellen Dichtung, konkreten und visuellen Poesie: R. DÖHL, H. HEISSENBÜTTEL, L. HARIG u. a.

Style indirect libre →Erlebte Rede

Suasorie (lat. *oratio suasoria* = anratende Rede, griech. Symbuleutikos), in der antiken →Rhetorik e. Rede auf der Volksversammlung o. ä., die in der gegebenen Situation e. bestimmte Handlungsweise empfiehlt. In der Kaiserzeit wurden derartige Reden an den Rhetorenschulen als Übung aus vorgegebenen fingierten Situationen heraus oder an histor. Persönlichkeiten gehalten (bei SENECA d. Ä. überliefert). Indem sie die Phantasie des Redenden anregten, schreibt man ihnen e. Einfluß auf die Ausbildung des antiken Romans zu.
J. Klek, *Symbuleutici hist.* (Rhet. Stud. 8, 1919). →Rhetorik.

Subliteratur (lat. *sub* = unter), 1. →Trivialliteratur, 2. →Untergrundliteratur (4).

Subskription (lat. *subscriptio* = Unterschrift), 1. im Buch- und Verlagswesen die vor Herstellung bzw. Drucklegung e. Werkes eingegangene Verpflichtung zum Bezug desselben bei Erscheinen. Bes. bei kostspieligen Werken mit beschränktem Interessentenkreis (wiss. u. a. Lieferungswerke) angewandtes Verfahren, das den Absatz der hergestellten Exemplare sichern soll. Der S.spreis liegt als Anreiz meist unter dem späteren Ladenpreis. Die Praxis der S. beginnt im 15. Jh. und blüht bes. im 17./18. Jh.; die z. T. beigehefteten Listen der Subskribenten sind für die Literatursoziologie und histor. Leserforschung interessant. – 2. im antiken Buchwesen die am Schluß e. Papyrusrolle (die nach Benutzung wohl nicht zurückgerollt wurde) oder e. Codex angehängte Bemerkung über Inhalt, Titel und Verfasser des Werkes, später auch z. T. Zahl der →Stichoi, Name des Schreibers und gegebenenfalls Korrektors mit Ort und Datum entsprechend dem →Kolophon bei frühen Drucken.
O. Jahn, D. S. i. d. Hss. d. röm. Klassiker (Sitzgsber. d. Sächs. Akad. d. Wiss. 1851).

Substantivischer Stil →Nominalstil

Sündenklage, Form der geistl. Dichtung des MA., als dichter. Erweiterung der →Beichtformel entstanden und später frei nachgeformt, meist als Rollendichtung der Geistlichen selbst für ihre Beichtkinder, die nach Anrufung Gottes in einer möglichst umfassenden Bußformel die teils lyrisch gehaltenen, leidenschaftl. Selbstanschuldigungen des reuigen Sünders zu e. allgemeingültigen Gebet der Reue und Bitte um Vergebung vereinen. Wichtigste im 12. Jh. *Rheinauer, Millstatter, Vorauer S.* Vgl. →Beichtformel.
RL².

Süßer neuer Stil →Dolce stil nuovo

Sufismus →Mystik

Suihitsu →Zuihitsu

Sujet (franz. = Gegenstand), unscharfe Bz. für Grundeinfall, Handlungsschema, Plot, Fabel, Thema oder →Stoff e. lit. Werkes.

E. Volke, D. Begriffe Fabel u. S. i. d. mod. Lit.wiss., Poetica 9, 1977.

Sukzessivbühne, Sukzessionsbühne (v. lat. *successio* = Nachfolge), im Ggs. zur →Simultanbühne die heute übliche Bühnenform, bei der nicht alle Schauplätze nebeneinander gegenwärtig sind, sondern nacheinander auf derselben Bühne durch Dekorationswechsel abfolgen.

Summa (lat. = Gesamtheit, Summe), im MA. Bz. für mehr oder weniger vollständige oder auch kurze und systemat.-übersichtl. Zusammenstellung e. umfangreichen wiss. Stoffgebietes (Logik, Philosophie, Recht, Medizin u. a.), bes. der theolog. Lehrmeinungen: PETRUS LOMBARDUS, ALBERTUS MAGNUS, THOMAS VON AQUINO und zahlr. bes. franz. Theologen und Philosophen (Summisten).

Summarium (lat. =) kurze Inhaltsangabe e. Schrift nach Hauptpunkten; auch Titel e. Glossenslg. (*S. Heinrici*, 11./12. Jh.).

Sung (chines.), die relig. Hymnen, Opfer- und Tempelgesänge des *Shih-ching*.

Supplement (lat. *supplementum* = Ergänzung), Nachtragsband e. mehrbändigen Werkes, auch Beiheft einer Zeitschrift.

Surrealismus (franz. *surréalisme* = Überwirklichkeitskunst, Bz. von G. APOLLINAIRE im Untertitel zu *Les mamelles de Tirésias, drame surréaliste,* 1917, geprägt), avantgardist.-antibürgerl. Strömung der mod. Kunst und Lit. bes. in Frankreich um 1919–1944, strebt wie der →Symbolismus und bes. der Dadaismus, von dem er z. T. beeinflußt wird (BRETON) nach Überwindung des Einfach-Realen, des Logisch-Rationalen und der traditionellen Vorstellungswelt durch Bewußtseinserweiterung, Gestaltung von Visionen, Halluzinationen, triebgelenkten Assoziationen, Unbewußtem und Traumhaftem im Sinne von FREUDS Psychoanalyse unter Ausschaltung des ordnenden Intellekts, so daß die bildkräftigen Objektivationen, meist Kombinationen gegenständl. Formelemente in paradoxer Zusammenstellung, nicht als Auswirkung e. freispielenden Phantasie, sondern e. ›psychischen Mechanismus‹ erscheinen sollen, der den Menschen beherrscht und dessen Vorstellungen als Sinnbild überwirklicher, hinter der scheinbaren Realität stehender Bezüge in ihrer Traumlogik keinen Widerspruch zwischen Traum und Wirklichkeit kennen, das Wunderbare und Alltägliche integrieren. Das geistigkünstler. Schaffen wird daher unter Umgehung der Vernunftkontrolle in Rausch und Ekstase der Leitung des Unterbewußten überlassen, das allein zu der hintergründigen Realität vorzustoßen und verdrängte Erfahrungen zu transkribieren vermag (→écriture automatique). Den Höhepunkt erreicht die Strömung um 1925, doch bleiben auch dann ihre künstler. Versuche meist beim Experiment stehen; 1928/29 spaltete sich die Bewegung ohne Aufgabe ihrer Prinzipien in versch. linke polit. Richtungen, die sich in der Résistance 1940/44 wieder vereinten; seit 1940 machen sich Zerfallstendenzen breit, die den S. zur lit. Mode und Manier machen und seine schöpfer. Entwicklung zum Abschluß bringen. Lit. Hauptvertreter sind A. BRETON (*Manifeste du surréalisme* 1924 und 1930), L. ARAGON, A. ARTAUD, A. CÉSAIRE, J. GRACQ, M. LEIRIS, P. ELUARD, Ph.

SOUPAULT, R. CHAR, P. REVERDY, R. VITRAC, R. DESNOS, J. PRÉVERT, P. NAVILLE, G. BATAILLE und R. QUENEAU. Surrealist. Gruppen bildeten sich in Belgien, Spanien/Portugal, Rumänien, Tschechoslowakei und USA. In dt. Lit. findet keine Gruppenbildung statt, doch finden sich Elemente des S. z.T. bei A. DÖBLIN, H. HESSE, F. KAFKA, H. KASACK, A. KUBIN, H. H. JAHNN, E. KREUDER, C. EINSTEIN, H. E. NOSSACK, H. ARP, P. CELAN u.a. Wirkungen auf mod. Roman, →absurdes Theater und Film (R. CLAIR, J. COCTEAU), in Spanien auf →Creacionismo und →Ultraismo.

M. Raymond, *De Baudelaire au s.*, Paris 1933, ²1947; D. Gascoyne, *A short survey of S.*, 1935; J. Levy, S., N.Y. 1936; H. Read, *S.*, Lond. 1936, n. 1971; E. Alker, Dt. S. (Helicon 3, 1940); G. E. Lemaître, *From Cubism to S.*, 1941, n. 1967; C. Bo, *Bilancio del s.*, Padua 1944; J. Larrea, *El s. entre viejo y nuevo mundo*, Mexiko 1946; A. Balakian, *Lit. origins of s.*, N.Y. 1947, ²1966; A. H. Barr, *Fantastic Art, Dada, S.*, N.Y. 1947; D. Wyß, *D. S.*, 1949; R. Vincenti, *Il s.*, Mail. 1950; P. Ch. Berger, *Bilanz d. S.*, 1951; G. Paffrath, *S. i. dt. Sprachgebiet*, Diss. Bonn 1953; F. Alquié, *Philos. du S.*, Paris 1955, ²1973; A. Balakian, *S.*, N.Y. 1959, ²1969; W. Fowlie, *Age of S.*, Bloomington ²1960; Y. Duplessis, D. S., 1960; M. Jean, Gesch. d. S., 1961; J.-L. Bédouin, *Vingt ans de s.*, Paris 1961; M. Nadeau, Gesch. d. S., 1962; V. Crastre, *Le drame du s.*, Paris 1963; J. H. Matthews, *Introduction to s.*, Pennsylvania 1965; P. Waldberg, D. S., 1965; J. H. Matthews, *S. and the novel*, Ann Arbor 1966; ders., *40 years of s.* (Compar. Lit. Stud. 3, 1966); H. Béhar, *Étude sur le théâtre Dada et surr.*, Paris 1967; P. Ilie, *The surr. mode in Span. lit.*, Ann Arbor 1968; H. S. Gershman, *The surr. revolution in France*, Ann Arbor II 1968; K. A. Ott, D. wiss. Urspr. d. Futurismus u. S. (Poetica 2, 1968); J. H. Matthews, *Surr. poetry in France*, N.Y. 1969; K. H. Bohrer, D. gefährdete Phantasie, 1970; B. Lecherbonnier, *Le s.*, Paris 1971; R. Bréchon, *Le s.*, Paris 1971; G. Steinwachs, Mythologie d. S., 1971; P. Bürger, D. franz. S., 1971; P. C. Ray, *The surr. movement in Engl.*, Ithaca 1971; E. W. E. Bigsby, *Dada and s.*, Lond. 1972; J. Pierre, Kl. Lex. d. S., 1972; Als d. Surrealisten noch recht hatten, hg. G. Metken 1976; W. S. Rubin, Dada u. S., 1972; P. Audouin, *Les surrealistes*, Paris 1974; J. H. Matthews, *Towards the poetics of s.*, Syracuse 1976; S. Fauchereau, *Expressionisme, dada, s.*, Paris II 1976; H. T. Siepe, D. Leser d. S., 1977; C. B. Morris, *S. and Spain*, Cambr. 1979; RL²; S., hg. P. Bürger 1982; L. Fontanella, *Il s. ital.*, Rom 1983; J. Pierre, *L'univers surr.*, Paris 1983; J. Chénieux-Gandron, *Le s.*, Paris 1984; G. de Cortanze, *Le s.*, Paris 1985; C. Abastado, *Introd. au s.*, Paris ²1986; F. Toussaint, *Le s. belge*, Brüssel 1986; J. H. Matthews, *Languages of s.*, Columbia 1986; H. K. Weiss, *Archetypal images in surr. prose*, N.Y. 1988.

Sûtras (ind. = Leitfäden), die altind. Lehrtexte und Lehrbücher bes. innerhalb des *Veda,* ordnen die Ritualvorschriften und stellen sie in aphoristisch knapper metr. Form und lapidarem Stil zum leichteren Auswendiglernen zusammen. Sie umfassen neben dem Opferritual auch Lautlehre, Grammatik, Etymologie, Metrik, Astronomie.

Syllaba anceps →Anceps

Syllabischer Versbau →Silbenzählung, →alternierende Dichtung

Syllabotonischer Versbau, das metrische System der russ. Dichtung seit rund 1735, nachdem der →tonische Versbau der altruss. Dichtung durch den syllabischen (silbenzählenden) Versbau der poln. Metrik verdrängt worden war, von TREDJAKOVSKIJ und LOMONOSOV nach dt. Vorbildern eingeführt und bis heute gültig als regelmäßiger Wechsel betonter und unbetonter Silben entsprechend etwa der nhd. Metrik, doch mit der Ausnahme, daß nicht jede metr. Hebung auch eine sprachl. Hebung zu sein braucht (da das Russ. keine Nebenhebung kennt). Aus dem Widerspiel metrisch erforderlicher und sprachlich fehlender Hebung und deren wechselnder Verteilung in der Versfolge ergibt sich die hohe Variationsbreite und große Flexibilität des russ. Verses.

Syllepse (griech. *syllepsis* = Zusammenfassung), →rhetorische Figur der Worteinsparung, Sonderform der Ellipse: einmalige Setzung e. Satzteils (bes. des Prädikats), das mehreren Kola oder Wörtern in versch. grammat. Formen (nach Genus, Numerus und Kasus) oder in versch. Sinn angehört und in den ausgelassenen Fällen sinngemäß in modifizierter Form zu ergänzen ist; meist als rein grammat. Form im Ggs. zum semant. →Zeugma (auch semantisches S. genannt), so auch die Wortbedeutung nur zu einem der bezogenen Kola paßt. Beispiele weniger in antiker Rhetorik als Dichtung; dt. (oft scherzhaft) nachgeahmt: ›Der Angeklagte schlug erst drei Fensterscheiben und dann den Weg zum Bahnhof ein‹ (semantisch); ›Ihr sucht euren Vorteil, wir (suchen) den unsrigen‹. Als S. wird auch gelegentlich die →Constructio kata synesin bezeichnet.

Symbol (griech. *symbolon* = Wahrzeichen, Merkmal), urspr. in Griechenland Erkennungszeichen in Form eines in zwei Hälften gebrochenen Gegenstandes, den sich Vertragspartner, Gastfreunde und Eheleute vor e. Trennung teilten und bei späterem Zusammentreffen zur Wiedererkennung zusammenpaßten (griech. *symballein* = zusammenhalten), dann jeder auf etwas Höheres verweisende Vorgang oder Gegenstand, bes. traditionelle S.e und Zeremonien relig. Gemeinschaften, die nur den Eingeweihten verständlich sind (z.B. Fahne, christl. Kreuz und Abendmahl), oft auch künstler. Zeichen, →Emblem allg. In der Dichtung e. sinnlich gegebenes und faßbares, bildkräftiges Zeichen, das über sich selbst als Offenbarung veranschaulichend und verdeutlichend auf e. höheren, abstrakten Bereich verweist, im Ggs. zur rationalen, willkürlich gesetzten →Allegorie ›Sinnbild‹ von bes. eindringlicher Gefühlswirkung, künstler. Kraft und weitgespanntem Bezugskreis, das in der Gestaltung des Einzelnen, Besonderen e. nicht ausgesprochenes Allgemeines durchscheinen und ahnen läßt und als andeutender Ersatz für e. geheimnisvolles, undarstellbares und hinter der sinnlichen Erscheinungswelt liegendes Vorstellungsgebilde im →Bild dessen weiten seel. Gehalt zu erschließen sucht, der im Bild enthalten, jedoch von ihm selbst verschieden ist. Nach GOETHE verwandelt ›die Symbolik die Erscheinung in Idee, die Idee in Bild, und so, daß die Idee immer unendlich wirksam und unerreichbar bleibt und, selbst in allen Sprachen ausgesprochen, doch unaussprechlich bliebe‹, und die symbol. Darstellung ist ›eigentlich die Natur der Poesie, sie spricht ein Besonderes aus, ohne ans Allgemeine zu denken und darauf hinzuweisen. Wer nun dieses Besondere lebendig faßt, erhält zugleich das Allgemeine mit, ohne es gewahr zu werden, oder erst spät‹. Doch trifft diese Deutung nur für die symbol. Weltschau GOETHES und der dt. Klassik zu, in der das Besondere und Allg. zusammenfallen und alles Vergängliche nur e. Gleichnis ist (›Alles, was geschieht, ist S., und indem es sich vollkommen selbst darstellt, deutet es auf das Übrige.‹ – ›Alles ist ja nur symbolisch zu nehmen und überall steckt noch etwas anderes dahinter.‹ GOETHE) Die gehaltl. Funktionen des S. wechseln mit dem Gestaltungsziel der Epochen: im MA. als Heilswahrheit und göttl. Weltordnung, im Sturm und Drang als Kraft, in der Klassik als Tiefe, in der Romantik als Unsagbares, im →Symbolismus, der das S. zum bewußten Gestaltungsziel erhebt, als Ichaussprache der einsamen Seele, geheimnisvollen Lebensgefühls und persönl. Erlebens. Ebenso ändert sich die Bezugsweite des S. von der eindeutigen Beziehung auf das Glaubensgeschehen im MA. über die vieldeutige Tiefe und Unendlichkeit im dt. Idealismus bis zur Unverbindlichkeit des Bedeutungsbezugs im Symbolismus. Träger des S. können einzelne Figuren (z. B. Odysseus, Sirenen, HAUPTMANNS ›Pippa‹) oder Gegenstände sein (→Dingsymbol, z. B. die Axt in C. F. MEYERS *Jürg Jenatsch*), die durch das Auftreten an hervorgehobener Stelle oder leitmotivartige Wiederholung bedeutsam werden, doch auch die Sprache selbst in ihrer Bildkraft, die auf höhere Zusammenhänge verweist. Stilwerte des S. sind daher bildhafte Verdichtung des Gehalts, Vertiefung des Gemütseindrucks, über den tatsächlichen Vorgang hinausweisende innere Bedeutsamkeit und dadurch innere Einheit und Architektonik des Werkes: Ganzheitscharakter.

M. Schlesinger, Gesch. d. S., 1912, n. 1967; E. Cassirer, Philos. d. symbol. Formen, III 1923–29, ³1958; F. Strich, S. u. Wortkunst, ZfÄ 1927; H. Pongs, D. Bild i. d. Dichtg., IV 1927–73, ²1960ff.; W. Müri, *Symbolon*, Progr. Bern 1931; E. Fiser, *Le s. lit.*, Paris 1941; L. Beriger, D. S.-begriff als Grundlage e. Poetik (Helicon 5, 1942); K. Voßler, Symbolische Denkart u. Dichtg. i. MA. u. heute (in: Aus roman. Welt 4, 1942); W. Emrich, D. Symbolik von Faust II, 1943, ³1964; F. Strich, D. S. i. d. Dichtg. (in: D. Dichter u. d. Zeit, 1947); H. Friedmann, Wissenschaft u. S., 1948; W. Emrich, D. Problem d. S.-interpretation, DVJ 26, 1952; ders., S.-interpretation u. Mythendeutg., Euph. 47, 1953; H. v. Beit, S.ik d. Märchens, 1952, ⁵1975; E. Ruprecht, D. S.ik i. d. neuen dt. Dichtg. (Stud. generalis 6, 1953); W. Y. Tindall, *The lit. s.*, Bloomington 1955, ³1962; B. v. Wiese, Bild-s. i. d. dt. Novelle (*Publ. Engl. Goethe Soc.* 24, 1955); A. Seiffert, Funktion u. Hypertrophie d. Sinnbildes, 1957; H. G. Jantsch, Stud. z. S.-ischen i. frühmhd. Lit., 1959; K. Hanneborg, *S.analyse*, Oslo 1959; *Metapher and s.*, hg. L. C. Knights, B. Cottle, Lond. 1960; H. Musurillo, *S. and Myth in Ancient Poetry*, N.Y. 1961; *Truth, myth and s.*, hg. T. J. J. Altizer, N.Y. 1962; J. Strelka, Dichtg. u. S. (Wort i. d. Zeit 8, 1962); W. Vordtriede, D. Entstehg. d. S. i. d. Dichtg. (Dt. Rundschau 88, 1962); R. N. Maier, D. Symbolische d. Gedichts, WW 4, 1962; E. Ortigues, *Le discours et le s.*, Paris 1962; K. Raine, D. S. i. d. Dichtg. (Antaios 5, 1963); B. A. Sørensen, S. u. S.ismus i. d. ästhet. Theorien d. 18. Jh. u. d. dt. Romantik, Koph. 1963; E. Frenzel, Stoff-, Motiv- u. S.forschg., 1963, ⁴1978; J. Kleinstück, Mythos u. S. i. engl. Dichtg., 1964; M. Lurker, Bibliogr. z. S'kunde, III 1964–68; D. Starr, Üb. d. Begriff d. S. i. d. dt. Klassik u. Romantik, 1964; *Literary symbolism*, hg. M. Rehder, Austin 1965; O. Stumpfe, D. S'sprache d. Märchens, 1965, ⁴1978; J. Strelka (Hg.), *Perspectives in lit. s.'ism* (*Yearbook of Compar. Crit.* 1, 1968); K. Burke, *Language as symbolic action*, Berkeley ²1968; C. Hayes, *S. and allegory*, GR 44, 1969; P. de Man, Allegorie u. S. i. d. europ. Frühromantik (Typologia litt., Fs. M. Wehrli 1969); A. Fletcher, *Allegory*, Ithaca 1970; C. Hayes, *S. and correlative* (Sprachkunst 1, 1970); C. Chadwick, *S'ism*, Lond. 1971; Allegorie u. S., hg. B. A. Sørensen 1972; T. Todorov, *Introd. à la symbolique* (Poétique 3, 1972); A. Closs, D. S'begriff i. d. Lit.wiss. (Bibliogr. z. Symbolik, Ikonographie u. Mythol. 7, 1974); D. Sperber, Üb. Symbolik, 1975; J. Link, Z. Struktur d. lit. S., 1975; A. de Vries, *Dictionary of s.s and imagery*, Amsterd. ²1976; T. Todorov, *Théories du s.*, Paris 1977; H. Pongs, S. als Mitte, 1978; J. Link, Z. Struktur d. S.s i. d. Sprache d. Journalismus, 1978; M. Titzmann, Strukturwandel d. philos. Ästhetik, 1978; M. Lurker, Wb. d. Symbolik, 1979, ⁴1988; V. Elgar, *The interpretation of s.s in lit.*, PTL 4, 1979; G. Niklewski, Versuch üb. S. u. Allegorie, 1979; RL²; *Simbolo, metafora, allegoria*, Padua 1980; H. Seidler, Überleggn. z. S'begriff (Sprachkunst 11, 1980); Beitrr. z. S., S'begriff u. S'forschg., hg. M. Lurker 1982; B. A. Sørensen, S. u. Allegorie, OL 37, 1982; G. Kurz, Metapher, Allegorie, S., 1982, ²1988; H. Adams, *Philos. of the lit. symbolic*, Tallahassee 1983; D. de Chapeaurouge, Einf. i. d. Gesch. d. christl. S.e, 1984; Welt d. S.e, hg. G. Benedetti 1987.

Symbolik, 1. Symbolhaltigkeit, Sinnbildgehalt durch Verwendung ausdrucksstarker →Symbole. – 2. Lehre von der Bedeutung, Herkunft und Wandlung der Symbole.

Symbolismus, von Frankreich, bes.

dem Kreis um MALLARMÉ, ausgehende und um 1870–1920 in allen europ. Litt. verbreitete Strömung, die, von der dt. Romantik, E. A. POE, den →Präraffaeliten um ROSSETTI und R. WAGNER vorbereitet, im Ggs. zum Realismus und seiner Übersteigerung im Naturalismus auf Wirklichkeitswiedergabe in objektiver Beschreibung verzichtet und die Dichtung aus jeder Verbindung mit Gesellschaft und Kultur der Zeit, mit Zwecken (Belehrung, Deklamation) und Anlässen (Gefühls- und Empfindungsaussprache) herauslöst zu e. über dem Leben stehenden →poésie pure (MALLARMÉ), der Vollendung des →L'art pour l'art-Prinzips aus e. idealen Schönheitsdrang, der im Mittel der Kunst Verwirklichung sucht. Die Dichtung weist über das bloße Gegenständlich-Gegebene hinaus auf die dahinterliegenden Ideen, die, selbst mit den Sinnen nicht faßbar, unendlich und geheimnisvoll, im eigenwillig gewählten und oft gewaltsam beschworenen →Symbol künstler. Ausdruck von starker seel. Leuchtkraft finden: die suggestive Kraft des Wortes verwandelt die Wirklichkeit in reines Sein. Die Sprache des S. strebt nach äußerster Musikalität; sie will ›der Musik wieder abgewinnen, was die (früheren realist.) Dichter an sie verloren hatten‹ und vertieft durch die Besinnung auf die eigentl. sprachl. Mittel der Dichtung wie Reim, Rhythmus, Melodie, Klangsymbolik, selbst im Wortschatz (bes. Synästhesien) und Satzbau die sprachkünstler. Durchgestaltung bis zu e. magisch-myst. Ästhetizismus, der sich an e. erlesenen Kreis wendet und später →dekadent überspitzt wird, doch bes. in den roman. Ländern zu e. Erneuerung hoher Verskunst führt. Die für jede Symbolkunst grundlegende Vorstellung vom hintergründigen

Zusammenhang alles Seienden (BAUDELAIRE *Correspondances*) versucht, dem Einzelwort seine mag. Wirkung abzugewinnen; dabei ist bes. e. Ineinanderfließen der Bilder und Überlagerung der versch. Metapherschichten kennzeichnend. Das Streben nach letzter, sinnbildl. Konzentration des Wortes und das Bewußtsein e. kunstvollen eigenschöpferischen Tätigkeit führt z.T. zu preziöser Dunkelheit des gewählten Ausdrucks. Die Hauptformen des S. sind, entsprechend seiner verfeinerten Wortkunst, die Lyrik, teils in Freien Versen, das Prosagedicht und das lyr. Drama. In gewisser Hinsicht kann der S. in den roman. Ländern als die verspätete und ein wenig gewaltsame Nachholung der dt. romant. Epoche verstanden werden. Die Bz. S., urspr. geprägt von e. kurzlebigen lit. Strömung in Frankreich, deren Manifest J. MORÉAS am 18. 9. 1886 im *Figaro* verkündete, wird heute ausgedehnt auf die Vorläufer und Parallelen dieser Bewegung in ganz Europa: in Frankreich BAUDELAIRE, MALLARMÉ, VERLAINE – von denen die meisten Anregungen ausgehen – RIMBAUD, LAFORGUE, J. H. HUYSMANS, A. SAMAIN, H. de RÉGNIER, G. RODENBACH, F. VIÉLÉ-GRIFFIN, F. JAMMES und der franz. schreibenden Belgier M. MAETERLINCK, J.-K. HUYSMANS und E. VERHAEREN mit Einfluß auf VALÉRY, GIDE und CLAUDEL; in Dtl., wo der S. sich z.T. mit der →Neuromantik trifft, der →GEORGE-Kreis, RILKE, HOFMANNSTHAL, auch DEHMEL, R. HUCH, E. HARDT, E. STUCKEN, A. SCHAEFFER, C. SPITTELER, H. HESSE und vereinzelt G. HAUPTMANN (*Und Pippa tanzt*), die jedoch alle späterhin den S. überwinden, in Skandinavien der späte IBSEN und z.T. STRINDBERG, ferner S. OBSTFELDER, S. CLAUSSEN, J. JØRGEN-

SEN, in Holland VERWEY, BOUTENS, LEOPOLD, in England SWINBURNE, O. WILDE, DOWSON, SYMONS, ELIOT und YEATS mit der Zs. *Yellow Book,* in den USA der →Imagismus, in Italien anfangs d'ANNUNZIO, in Spanien J. R. JIMÉNEZ, in Spanisch-Amerika R. DARÍO, in Portugal E. de CASTRO und M. de SÁ-CARNEIRO, in Rußland MEREŽKOVSKIJ, SOLOGUB, W. SOLOVEV, V. BRJUSOV, K. BALMONT, A. BELYJ, Z. HIPPIUS, V. IVANOV und A. BLOK, in Rumänien MINULESCU, in Polen WYSPIAŃSKI, PRZBYSZEWSKI, ROLICZ und der Kreis des →Jungen Polen, in der Tschechoslowakei A. SOVA, O. BŘEZINA; ungar. E. ADY.

A. Symons, *The symbolist movement in lit.,* Lond. ³1919; A. Barre, *Le s.,* II 1911; C. Becker, D. Werdegang u. d. Bilanz d. frz. S., GRM 5, 1913; É. Raynaud, *La mêlée symboliste,* Paris II 1918–21; E. Winkler, *Der Weg z.* S. in der franz. Lyrik, (Fs. K. Voßler, 1922); H. Hatzfeld, D. franz. S., 1923; A. Poizat, *Les s.,* 1924; P. Martino, *Parnasse et s.,* Paris 1925, ¹¹1964; H. Bremond, *La poésie pure,* Paris 1926; J. Charpentier, *Le s.,* 1927; M. Raymond, *De Baudelaire au surréalisme,* Paris 1933, ²1947; E. Caillet, *S. et âmes primitives,* Paris 1936; G. Kahn, *Les origines du s.,* Paris 1936; M. G. Rudler, *Parnassiens, symbolistes et décadents,* Paris 1938; S. Johansen, *Le S.,* Koph. 1945; E. L. Stahl, *The genesis of symb. theories in Germany,* MLR 41, 1946; H. Clouard, *Hist. de la litt. du s. à nos jours,* Paris 1947; G. Michaud, *Le message poétique du s.,* Paris III 1947, n. 1961; C. M. Bowra, D. Erbe d. S., 1948; A. G. Lehmann, *The symbolist aesthetic in France,* Oxf. 1950, ²1968; K. C. Cornell, *The symbolist movement,* Hamden 1951, ²1970; O. A. Maslenikov, *The Frenzied Poets,* Berkeley 1952; Ch. N. Feidelson, *S. and American lit.,* Chic. 1953, ²1959; P. Wheelwright, *The burning fountain,* Bloomington 1954, ²1968; D. Valeri, *Il s. francese,* Padua 1954; M. Got, *Théâtre et s.,* Paris 1955; H. Levin, *S. and fiction,* Charlottesville 1956; C. P. Mountford, *Art, myth and s.,* Melbourne 1956; H. Friedrich, D. Struktur d. mod. Lyrik, 1956 u.ö.; J. Chiari, *S. from Poe to Mallarmé,* Lond. 1957; A. M. Schmidt, *La lit. symboliste,* Paris ²1957; J. Holthusen, Stud. z. Ästhet. u. Poetik d. russ. S., 1957; H. Henel, Erlebnisdichtg. u. S., DVJ 32, 1958; G. Donchin, *The influence of*

French s. on Russ. poetry, Haag 1957; A. Whitehead, *S.,* 1958; W. Kayser, D. europ. S. (in: D. Vortragsreise, 1958); J. Senior, *The way down and out,* Ithaca 1959; *S. in Religion and Lit.,* hg. R. May, N.Y. 1960; M. Beebe, *Literary s.,* Belmont 1960; N. Richard, *À l'aube du s.,* Paris 1961; J. W. Beach, *Obsessive Images,* Minneapolis 1961; D. Hirst, *Hidden riches,* Lond. 1963; B. Boeschenstein, Wirkgn. d. frz. S. auf d. dt. Lyrik d. Jh.wende, Euph. 58, 1964; A. P. Bertocci, *From s. to Baudelaire,* Carbondale 1964; *Lit. s.,* hg. R. Rehder, Austin 1965; B. Weinberg, *The limits of s.,* Chic. 1966; A. Balakian, *The symb. movement,* N.Y. 1967, ²1977; R. Hamann, J. Hermand, Stilkunst um 1900, 1967; J. R. Lawler, *The language of French s.,* Princeton 1969; A. Mercier, *Les sources ésotériques et occultes de la poésie s.,* Paris II 1969–74; J. West, *Russian s.,* Lond. 1970; M. Gsteiger, Franz. Symbolisten i. d. dt. Lit. d. Jh.wende, 1971; W. Perl, D. österr. S. (*Duitse Kroniek* 23, 1971); C. Chadwick, *S.,* Lond. 1971; R. Wellek, D. Wort u. d. Begriff S. i. d. Lit.gesch. (in: Grenzziehungen, 1972); G. Marie, *Le théâtre symb.,* Paris 1973; P. Jullian, D. S., 1974; J. Theisen, D. Théâtre symb., 1974; H. Peyre, *Qu'est-ce que le s.?,* Paris 1974; D. A. Anderson, *S., a bibliogr.,* N.Y. 1975; H. Peyre, *La lit. symb.,* Paris 1976; *Fin de siècle,* hg. R. Bauer 1977; G. Bernardelli, *Simbolismo francese,* Mail. 1978; J. Neubauer, S. u. symbol. Logik, 1978; R. L. Delevoy, D. S., 1979; J. Åler, S. als Neuromantik (Duitse Kroniek 30, 1979); V. Stephan, Stud. z. Drama d. russ. S., 1980; P. Hoffmann, Z. Begriff d. lit. S. (Fs. R. Brinkmann, 1981); P. Gorceix, *Le s. en Belgique,* 1982; *The symb. movement,* hg. A. Balakian, Budapest 1982; *Drama and s.,* hg. J. Redmond, Cambr. 1982; P. Hoffmann, S. I, 1987; L. Hönnighausen, *The symb. tradition in Engl. lit.,* Lond. 1988.

Symbuleutikos →Suasorie

Symmetrie (griech. *symmetria* =) Ebenmaß, als gleichmäßige Ausbildung der Einzelteile e. Werkes wichtiges und ästhetisch bedeutsames Aufbau- und Formelement der Dichtung, z.B. im Aufbau e. Dramas, eines Gedichts, im Reim, im →Palindrom usw.

Symploke (griech. = Verflechtung), →rhetorische Figur, Verbindung von →Anapher und →Epiphora:

Wiederholung des gleichen Wortes jeweils am Anfang und (eines anderen) jeweils am Ende mehrerer paralleler Wortgruppen oder Sätze, häufig mehrere mit dem gleichen Fragepronomen beginnende, aufeinanderfolgende Fragen, die stets dieselbe Antwort erhalten.

Symposion (griech. = Zusammentrinken), im antiken Griechenland e. Mahlzeit mit anschließendem Trinkgelage und geselliger Unterhaltung (→Skolion, →Rätsel), z.T. auch ernsthafte Reden der Teilnehmer zu e. gemeinsam gestellten Thema. Seit PLATONS und XENOPHONS S. entsteht daraus e. neue lit. Form in Dialogen zur Erörterung e. Themas; sie findet Nachahmung bei PLUTARCH, ATHENAIOS *(Deipnosophistai)*, MACROBIUS *(Saturnalia)*, MARTIANUS CAPELLA, METHODIOS u.a., karikierend-parodistisch bei LUKIAN und PETRONIUS. Heute z.T. auch Bz. für wiss. Tagungen von begrenzter Teilnehmerzahl zu fachl. oder interdisziplinärer Aussprache und die daraus hervorgehenden Sammelbände mit Referaten und Diskussionsprotokollen.

F. Ullrich, Entst. u. Entwicklung d. Lit.-gattung d. S., 1908f.; J. Martin, S., Gesch. e. lit. Form, 1931, n. 1968.

Synärese (griech. *synhairesis* = Zusammennehmen) →Synizese

Synästhesie (griech. *synaisthesis* = Zugleichempfinden), Doppelempfinden oder sekundäres Empfinden, Verschmelzung verschiedenartiger (Geruchs-, Gesichts-, Gehörs- und Tast-)Empfindungen, indem die Reizung des einen Sinnesorgans nicht nur eine ihm eigene Empfindung, sondern auch e. Erregung und Mitempfindung e. anderen Sinnesgebietes hervorruft, daher Zuordnung von Farben und Tönen oder Bewegungsempfindungen u.ä. Sin-

neseindrücke: Farbenhören, Klängesehen und deren sprachl. Ausdruck, schon in der Alltagssprache (knallrot, schreiendes Grün, helle und dunkle Töne, warme Farben u.ä.). Die Anfänge gehen von der Musiktheorie aus: A. KIRCHER (1601–80) baute e. Augenorgel, der Jesuitenpater Louis B. CASTEL 1734 e. clavessin oculaire (Augenklavier). In der Dichtung kann S. im Ausdruck auf tatsächl. Veranlagung zu Doppelempfinden zurückgeführt werden und ist dann psychologisch begründet oder bildet lediglich e. Form des metaphor. Ausdrucks, der das Außergewöhnliche der Empfindung durch willkürl. Verknüpfung von Vorstellungsgebieten wiedergibt. Als Stilzug findet sie sich schon in der Antike, z.B. bei VERGIL: ›ater odor‹, im Barock, häufig bes. in der Romantik (BRENTANO: ›Keine freudige Farbe mehr spricht‹, ›Golden wehn die Töne nieder‹, ›Durch die Nacht, die mich umfangen, blickt zu mir der Töne Licht‹) und im franz. Symbolismus (sog. ›audition colorée‹ bei BAUDELAIRE *Correspondances*, RIMBAUD *Voyelles*, MALLARMÉ *Apparition*), dt. bei WEINHEBER. Weitgehende theoret. Erörterungen und Schlußfolgerungen bei R. GHIL, *Traité du verbe*, 1886 (›instrumentation verbale‹) und E. JÜNGER, *Lob der Vokale*, 1934. Stilwert der S. ist die stark sinnl. Erfassung des Gegenständlichen.

W. Laures, Les s., 1908; E. v. Siebold, S. i. d. Dichtg. d. 19. Jh. (Engl. Stud. 53, 1919); G. Anschütz, D. Farbe-Ton-Problem, 1929; A. Wellek, D. Doppelempfinden i. d. Geistesgesch., ZfA 1929; ders., in DVJ 9, 1931 und 14, 1936; S. Johansen, Le symbolisme, Koph. 1945; G. O'Malley, Literary S. (Journal of Aesthetics 15, 1957); L. Schrader, Sinne und Sinnesverknüpfungen, 1969; V. Segalen, Les s.s et l'école symboliste, Paris 1981.

Synalöphe (griech. *synaloiphe* = Verschmelzung), in röm. und roman. Dichtersprache Vorstufe der →Elision beim Zusammenstoß von Auslaut- und Anlautvokal (Hiat) in gebundener Rede (Kunstprosa, Gedicht): der auslautende unbetonte Vokal verliert seinen selbständigen Wert als Silbengipfel und wird mit dem Vokal der folgenden Silbe zu einem metr. einsilbig gewerteten Diphthong zusammengezogen, doch dem Anlautvokal kurz vorgeschlagen, bis er in der →Elision vollständig verstummt. Der Vorgang tritt in lat. Dichtung auch ein, wenn auf den unbetonten Vokal der Endsilbe ein M folgt oder dem Anlautvokal ein H vorangeht: ›multum ille‹ ›multuille‹, nur vor ›es‹ und ›est‹ bleibt die Endsilbe erhalten, und das Anlaut-e schwindet: ›album est‹ lies ›albumst‹. Ggs.: →Aphärese, entsprechender Vorgang im Wortinnern: →Synizese. Vgl. →Krasis.

Synaphie (griech. *synapheia* = Zusammenfügung), ›Fugung‹, in der Metrik der bruchlose Übergang eines Verses in den folgenden ohne fühlbaren Einschnitt und die daraus folgende Verbindung der beiden Verse zu e. höheren metr., z.T. auch syntakt. Einheit als Glieder e. Periode. Sie entsteht aus der Beziehung der vorangehenden Kadenz zum Auftakt bzw. Auftaktlosigkeit der folgenden Zeile: Bei voller oder klingender Kadenz mit folgendem Auftakt läuft der rhythm. Wechsel zwischen Stark und Schwach aus dem Versinneren ohne Unterbrechung (Kluft oder Stauung) über die Versgrenze hin: ›Ich vertrage als ich vertruoc / und als ich iemer wil vertragen‹ (WALTHER), ebenso bei weiblich voller Kadenz mit fehlendem Auftakt der folgenden Zeile: ›Frouwe 'n lât iuch niht verdriezen / mîner rede, ob si gefüege si‹ (WALTHER). Ggs.: →Asynaphisch.

Syndetische Reihung (griech. *syndetos* = zusammengebunden) →Polysyndeton, Ggs.: →Asyndeton.

Synekdoche (griech. = Mitverstehen, Mitaufnehmen e. Ausdrucks durch e. anderen), →rhetorische Figur, Trope ähnlich der →Metonymie: Wahl des engeren Begriffs statt des umfassenden oder umgekehrt, so daß der Unterschied zwischen eigentlich gemeintem und synekdochisch bezeichnetem Begriff nicht im Begriffsinhalt, sondern innerhalb desselben Feldes im Begriffsumfang (Vereinzelung und Zusammenfassung) besteht. So setzt man statt der Gesamtvorstellung das Einzelmerkmal, statt des Ganzen den Teil (→Pars pro toto), statt des Vielfachen das Einfache, statt der Mehrzahl die Einzahl (Singularis pro plurali), statt der Gattung die Art, statt der Art e. Exemplar, statt des Vorhergehenden das Folgende, statt e. großen Zahl e. bestimmte Zahl (lat. *sescenti*, 600 = sehr viele) und umgekehrt, z.B. ›Edel sei der Mensch‹ (GOETHE). Häufig in Dichtung und Rhetorik zur Vermeidung der Wiederholung als Wechsel des Ausdrucks.

Synesis (griech. = Verstand, Sinn) →Constructio kata synesin

Syngramma (griech. = Zusammengeschriebenes) wiss., bes. histor. oder philolog. Erläuterungsschriften von geschlossener Gestalt der Darstellung im Ggs. etwa zum Kommentar.

Synizese (griech. *synizesis* = Zusammensitzen, Zusammenfallen), auch Synärese, in antiker Metrik die Verschmelzung zweier aufeinanderfolgender, doch versch. Silben zugehöriger Vokale (bes. im Wortinneren) zu e. diphtongischen Silbe mit Rücksicht auf bequemere Versge-

staltung (Verszwang), z.B. Protei
statt Protëi. Bei Verschmelzung über
Wortgrenzen hinweg. →Synalöphe.

Synkope (griech. = Zusammen-
schlagen, Verkürzung), 1. grammatisch: Ausstoß e. kurzen, unbetonten Vokals oder e. unbetonten Mit-
telsilbe eines drei- oder mehrsilbi-
gen Wortes (in antiker Prosodie vor
bzw. nach L oder R erlaubt), Form
des →Metaplasmus: andre statt andere, ewger statt ewiger; →Apoko-
pe, – 2. Metrisch: Unterdrückung e.
Senkung zwischen zwei Hebungen
im Verssystem, z.B. bei AISCHYLOS
statt des jamb. Trimeters: ‿ –
(‿) –|(‿) – ‿ –| ‿ – (‿) –|.

Synkrisis (griech. = Vergleichung),
in griech. und spätantiker Lit. das
Streitgespräch zwischen Personen,
die bestimmte Prinzipien vertreten
bzw. den entsprechenden Personifikationen, um den Vorrang des einen
vor dem anderen, entweder in der
ausführlicheren Form direkter Rede
(Streitrede), die die eigenen Vorzüge
herausstreicht, die Schwächen des
Gegners tadelt, oder in der meist
abgekürzten Form indirekter Vergleichung durch entsprechende
Erörterungen des Autors. Beispiele
sind der *Agon Homeru kai Hesio-
du*, ÄSOPS Fabel vom Streit zwischen Winter und Frühling, der viel-
behandelte Stoff von Herakles am
Scheidewege (PRODIKOS, *Horen*),
die S. zwischen AISCHYLOS und EU-
RIPIDES in den *Fröschen* des ARI-
STOPHANES, die Lebensbeschreibun-
gen PLUTARCHS, SALLUSTS Vergleich
von CATO und CAESAR (*Catil.* 53 f.)
sowie später zahlr. scherzhafte S.
(z.B. MELEAGROS VON GADARA).
Für das Nachwirken der Gattung
zeugen die *Psychomachie* des PRU-
DENTIUS, JOHANNES' VON TEPL
Ackermann aus Böhmen sowie die
Dialoge HUTTENS und zahlr.
→Streitgedichte.

O. Hense, S., 1893; F. Focke, S. (Hermes
58, 1923).

Synonyme (griech. *synonymos* =
gleichnamig), sinnverwandte Wörter meist versch. etymolog. Herkunft, deren Bedeutung sich weitgehend, doch nie ganz deckt, da es in
der Natur der Sprache liegt, daß sie
keine eigentl. S., sondern nur bedeu-
tungsverwandte Wörter besitzt, die
jeweils geringere oder größere Unterschiede im Begriffskern, Sprachniveau (Register) oder Gefühlsgehalt (Konnotation) aufweisen und
im sprachl. Feld unterschiedl. Positionen einnehmen, z.B. ›horchen,
lauschen, hören‹. In der Sprachkunst dienen S. der →Paraphrase,
der Vermeidung von Wiederholungen (Abwechslung im Ausdruck)
und der Bekräftigung, Verstärkung
der Aussage durch S.häufung, indem sie den umfassenden Begriff in
den einzelnen Inhalten verdeutlichend aufzählen, seine Grenzen ab-
schreiten, um Mißverständnisse zu
verhüten. Anstelle des präzisen,
knappen Ausdrucks bedeutet die
Setzung von S. stärkere Fülle und
Anschaulichkeit der Vorstellung, indem jedes Wort neue Gefühlsgehalte weckt und das Ringen um den
richtigen sprachl. Ausdruck des inneren Bildes veranschaulicht, das
mehrmals nach demselben Begriff
zielt. Negativ dagegen wirkt die bloße virtuose Anhäufung von S. zur
Aufschwellung und schwülstigen
Erweiterung des Gesagten (→Pleo-
nasmus, →Tautologie). Synonyme
Doppelformeln, oft alliterierende
oder Reimformeln wie Haus und
Hof, Leib und Leben kennt schon
die Umgangssprache, dann bes. die
formelhafte Sakral- und Gebets-
sprache und die Rhetorik. Als betontes Stilmittel erscheinen sie z.T.
schon in lat. Lit. (→Hendiadyoin),
bes. aber, von der Renaissancepoetik als Schmuckmittel empfohlen,

im 16./17. Jh., wo sog. S.-Schatzkammern den Dichtern das nötige Material lieferten. Auch die →asyndetische Reihung der S. kennt im Barock keine Schranken. In jedem Einzelfall bleibt es e. genauen Stilanalyse überlassen, zu untersuchen, wieweit sich in der Synonymie e. rhetor. Haltung verbirgt, wieweit die Glieder selbständig oder verschmolzen sind und welche sprachgestaltenden Kräfte am Werk sind.

J. A. Eberhard, S.isches Hdb. d. dt. Sprache, ⁷1910; C. D. Buck, *A Dictionary of Selected S. in the Principal Indo-European Languages*, Chic. 1949; R. B. Farrell, *Dict. of German S.s*, Cambr. 1953, ³1977; H. Wehrle, Dt. Wortschatz, ¹¹1955; Vergleichendes S.wb., hg. P. Grebe 1964; Duden-Wb. sinnverwandter Wörter, 1972; H.-M. Gauger, Z. Probl. d. S., 1972; S.-Wb., hg. H. Görner, G. Kempcke 1973; K. Peltzer, D. treffende Wort, ¹⁴1973; R. Harris, *S.y and linguist. analysis*, Oxf. 1973; M. Schirn, Identität u. S.ie, 1975; Knaurs Lex. d. sinnverwandten Wörter, 1982; H. u. E. Bulitta, Wörterb. d. S.e u. Antonyme, 1983.

Synopsis (griech. = Zusammenschau, Übersicht), 1., auch Perioche: gedrucktes Programmheft mit Inhaltsangabe beim →Jesuitendrama. – 2. im Ggs. zur →Evangelienharmonie e. vergleichende Nebeneinanderstellung der drei (bzw. vier) Evangelientexte zum Zweck der Übersicht über gleich oder ähnlich lautende Textstellen (MATTHÄUS, MARKUS, LUKAS: Synoptiker), dann allg. vergleichende Textübersicht zur Aussonderung inhaltsgleicher Abschnitte. – 3. allg. jede übersichtl. (tabellar.) Zusammenstellung von Fakten, Daten, Inhalten, →Resümee.

E. P. Sanders, *The tendencies of the synoptic tradition*, Lond. 1969; R. Bultmann, Gesch. d. synopt. Tradition, ⁸1970.

Syntagma (griech. = Zusammenordnung), 1. veraltete Bz. für e. Zusammenstellung versch. Abhandlungen oder Aufsätze über e. be-

stimmten Gegenstand zu e. Sammelwerk: →Reader. – 2. in der Linguistik e. phonet. als Sprechtakt realisierbare, grammat.-log. zusammenhängende Wortgruppe innerhalb e. Satzes, z.B. Subjekt-, Prädikatgruppe.

Synthese (griech. *synthesis* = Zusammensetzung), 1. im lit. Schaffen schöpferische Vereinigung vielfältiger und teils gegensätzlicher Erscheinungen zu e. einheitlichen und in sich ausgeglichenen, geschlossenen Ganzen. Ggs.: →Analyse. – 2. als Methode der →geistesgeschichtl. →Literaturwissenschaft W. DILTHEYS die ganzheitl. Erfassung des Werkes und seiner Struktur sowie das Inbezugsetzen von Einzelwerken aller Künste im Hinblick auf Gemeinsamkeiten.

System (griech. *systema* = Zusammensetzung), 1. in der Verslehre Vereinigung zweier oder mehrerer →Perioden gleicher oder versch. Länge und Bauart zu e. größeren Ganzen, das, in regelmäßiger Folge wiederholt, zur →Strophe wird. – 2. Kernbegriff des →Strukturalismus.

Systole (griech. = Zusammenziehung), Form des →Metaplasmus, Kürzung langer Vokale oder Diphthonge aus Verszwang in der antiken Metrik, z.B. VERGIL, *Aeneis* I, 41: unīus. Ggs.: →Diastole.

Syzygie (griech. *syzygia* = Zusammenjochung), in antiker Metrik die Verbindung von zwei einzelnen (jamb., trochäischen oder anapäst.) Versfüßen zu e. →Dipodie als höherer metr. Einheit.

Szenar(ium) (zu →Szene), auch ital. Scenario, 1. im Stegreifspiel e. überblickhafte Szenenskizze mit dem in Akte und Szenen eingeteilten

äußeren Handlungsablauf als Hilfsmittel und Anhaltspunkt für die Improvisation der Schauspieler; bei der →Commedia dell'arte hinter der Bühne angeschlagen, auch →Kanevas gen. – 2. im Theater Schauplatzentwurf und -beschreibung, ein Übersichtsplan für den Inspizienten, Regisseur und das techn. Personal, der die Anordnung und evtl. Verwandlung der Dekorationen, Versetzstücke, Requisiten, Möbel usw. auf der Bühne festlegt und Geräusche, Beleuchtungsveränderungen, Auftritte, Vorhangfallen u. ä. verzeichnet. S.ien sind schon seit dem MA. gebräuchlich und z. T. erhalten; heute meist e. mit leeren Blättern durchschossenes Exemplar des Textbuchs. – 3. Rohentwurf e. Dramas nach Schauplätzen, Figuren, Akten und Szenen mit nur z. T. ausgeführtem Dialog. – 4. im Film, auch Scenario oder Treatment gen., halblit. Roh- →Drehbuch mit Ausarbeitung der Szenenfolge und Dialog, aber nur angedeuteten szen./techn. Hinweisen, Zwischenstufe von Exposé und Drehbuch.
W. Passow, D. gedruckte S. i. Dtl. (Kl. Schrr. d. Ges. f. Theatergesch. 25, 1972).

Szene (griech. *skene*), im altgriech. →Theater e. urspr. hölzernes, ab 4. Jh. v. Chr. steinernes Gebäude im Hintergrund der Orchestra als Bühnenrückwand an der von den amphitheatralischen Kreisbögen freigelassenen Seite, vor der die Schauspieler auftraten und die, später mit zwei vorspringenden Seitenflügeln (Paraskenien) versehen, den jeweilig erforderl. Hintergrund (Palast, Tempel, Altar, Felswand) darstellte und gleichzeitig im Inneren die notwendigen Bühnen- und Ankleideräume enthielt. Reich ausgestattete mehrgeschossige Schaufassaden *(scaenae frons)* mit Stadttor- oder Palastarchitektur und drei Toren

sind vom röm. Theater z. T. erhalten. Noch heute ist S. z. T. Bz. für den äußeren Schauplatz der Handlung: →Bühnenbild, →Szenerie und daher in älteren Stücken, bei SHAKESPEARE und SCHILLER z. T. Bz. für die an versch. Orten spielenden Teile des Aufzugs, meist jedoch bezeichnet S. den →Auftritt selbst als kleinste Aufbaueinheit im Drama (Film, Hörspiel), Unterabteilung des Akts, bedingt und meist äußerlich begrenzt durch das Auftreten e. neuen oder das Abtreten e. bisher anwesenden Figur – daher stets gleichbleibende Personenzahl während der S. – Doch bleibt sie keine rein techn. Begrenzung (als solche für die Proben und die Spielleitung ebenfalls wichtig), sondern stellt e. innerlich geschlossenes Stück dramat. Lebens dar, da mit dem Kommen und Gehen der Personen meist e. Wendung der Handlung verbunden ist. Mitunter erfolgt die S.-einteilung auch unabhängig von der Zahl der Figuren auf der Bühne und ohne Rücksicht auf die Zu- und Abgänge nach dem Gesichtspunkt e. innerlich geschlossenen Handlungsabschnittes von versch. Stärke, der im Aufbau des Ganzen vorantreibende, retardierende oder verinnerlichende Funktionen haben kann; meist jedoch zieht man aus theaterprakt. Gründen das rein äußere Einteilungsschema vor. Während einige Dramatiker (GRILLPARZER, HAUPTMANN) keine S.-einteilung durchführen und damit ganz anderen Aufbauprinzipien folgen, verzichten andere auf die tekton. Akteinteilung und reihen nur Einzelszenen als Bilderfolge von den Stationen des äußeren oder inneren Lebensweges des Helden aneinander (→Stationenstück, WEDEKIND, Expressionismus). Tektonisches Aufbaustreben dagegen zeigt sich in Geschlossenheit und Bildstärke der einzelnen S., die jedoch nie aus dem Zusammenhang des geschlossenen Dramenvorgangs herausfallen darf (Musterbeispiele: Streit der Königinnen in *Maria Stuart* III, 4; Apfelschuß-S. im *Wilhelm Tell* III, 3). Man unterscheidet mit fließenden Übergängen Spiel-S. mit bewegter, sichtbarer äußerer Handlung und Rede-S. als geistige Auseinandersetzung; mehrere, um e. Person oder e. Örtlichkeit gelagerte S.n können zu S.ngruppen zusammengefaßt werden, deren nächsthöhere Einheit der →Akt bildet. – Im Ma. Drama als Einteilungsschema noch unbekannt, wird die S. wie auch der Akt von der Renaissancepoetik nach dem Vorbild der Dramen SENECAS eingeführt. Im früheren Drama vor Einführung des Aktvorhangs und durch Einfluß BOILEAUS bis in die Mitte des 18. Jh., als der Zwischenvorhang schon längst bekannt war, mußten die Einzel-S.n durch →Monologe und Füllgespräche verbunden werden (liaison des scènes), da die Bühne vor Aktschluß nie leer sein durfte. – Neuere Forschung versucht den Begriff ›S.‹ oder →Tableau in ähnl. Sinn auch für e. bewegte, in zeitlichem Nacheinander verlaufende und in sich geschlossene Aufbaueinheit der Epik zu verwenden, die e. entscheidenden Wendepunkt unter Zurückdrängung von Bericht und Beschreibung in Dialog (FONTANE, Th. MANN, *Buddenbrooks*) oder indirekter Rede (KLEIST, *Die Marquise von O***) gestaltet, so daß Erzählzeit und erzählte Zeit fast zusammenfallen.

P. Timpre, D. Entwicklg. d. S.-begriffs i. lat. u. dt. Drama d. 16. Jh., Diss. Greifswald 1920; RL: Auftritt; E. Scheuer, Akt u. S. in d. offenen Form d. Dramas, 1929; R. Petsch, V. d. S. zum Akt, DVJ 11, 1933; J. Ewen, D. ep. S., WW 33, 1983.

Szenenanweisung, szenische Bemerkungen →Bühnenanweisung

Szenerie →Bühnenbild, →Dekoration (Straßen-, Landschaftsbild u. ä.).

Tabellae (lat. =) Täfelchen, die zur Aufnahme von Tinte geweißt oder mit e. Wachsschicht überzogen wurden, in die mit dem Griffel (stilus) die Schrift eingedrückt wurde. Zwei derartig beschriebene Holztäfelchen wurden zusammengebunden, gegebenenfalls versiegelt und dienten im antiken Rom als Brief, mehrere mit Riemen verbunden bildeten e. →Codex. Vgl. →Diptychon.

Tabernaria (lat. *tabernae* = Handwerkerbuden), →Fabula t., nach den niedrigen Handwerkerkreisen, in denen sie spielte, Bz. für die →Togata.

Tableau (franz. = Bild), 1. malerisch gruppiertes Bühnenbild, bes. effektvolle Figurengruppierung bei Akt- oder Dramenschluß, z.B. KLEISTS *Prinz Friedrich von Homburg.* – 2. ähnlich dem →Bild und der →Szene Aufbaueinheit der Epik, doch bewegter, figurenreicher als das Bild und von öffentlicherem Charakter mit Neigung zu Symbolhaftigkeit und Pose; episch beschriebene Szene mit Dialog, die als visuelle Einheit im Gedächtnis haftet, z.B. bei FLAUBERT, FONTANE, Th. MANN.

R. Koskimies, Theorie d. Romans, Helsinki 1935; R. Brinkmann, Der angehaltene Moment, DVJ 53, 1979.

Tableaux vivants (franz. =) →Lebende Bilder

Tabu (polynes. = unberührbar), aus abergläub. Gründen zu Vermeidendes, in Sprache und Lit. z.B. ein durch →Periphrase (→Euphemismus) umgangenes Wort, z. B. die Bz. für ›Teufel‹.

I. Riedel, T. i. Märchen, 1985.

Tạbula (lat.) = →Tabellae

Tabulatur (lat. *tabula* = Tafel), das Regelbuch, ab etwa 1560 auch Lehrbuch des →Meistersangs mit Vorschriften für zu vermeidende Reimarten, Vers- und Strophenbau, inhaltl. (bes. theolog.) Normen, sprachl. Verständlichkeit und gute Vortragspraxis. Sie bildete die Grundlage der Beurteilung durch die →Merker beim Vortrag e. Meisterlieds auf der →Singschule, war oft selbst in Form e. Meisterlieds (›Schulkunst‹) versifiziert. Älteste bezeugte T. 1494 in Straßburg.

B. Taylor, D. Beitrag d. H. Sachs z. Entwicklung d. T. (Nürnberger Forschgn. 19, 1976); ders., Z. Straßburger T. von 1494, ZDA 105, 1976; ders., *Prolegomena to a history of the t.*, AUMLA 54, 1980.

Tạchtigers (niederländ. = Achtziger), individualist. Gruppe der niederländ. Lit. in den Jahren 1880–1900 um die Zs. *De Nieuwe Gids* (1885 ff.), erstrebte e. größere Spontaneität und Farbigkeit der Dichtung und den ›individuellsten Ausdruck für individuellste Gefühle‹ (KLOOS). Vertreter u. a. J. PERK, W. KLOOS, A. VERWEY, F. van EEDEN, L. van DEYSSEL und H. GORTER.

F. Coenen, *Stud. van de T. Beweging*, Middelburg 1924; J. A. Rispens, *Richtingen en figuren*, Kampen 1938.

Tafellied →Gesellschaftslied

Tafelspiel, Gattung niederländ. Schauspiele im 15.–18. Jh. (HOOFT u. a.), urspr. an Festtagen wie Fastnachtsdienstag, Epiphanias, Hochzeiten u. ä. als Unterhaltung zur Tafel gespielt.

J. J. Mak, *De Rederijkers*, 1944.

Tagebuch, für tägliche bzw. regelmäßige Aufzeichnungen aus dem eigenen Leben und Schaffen und z. T. auch dem polit., kulturellen, wiss. usw. Zeitgeschehen bestimmte Form der nicht kunstmäßigen Prosa von monolog. Charakter (Selbsterforschung, Betrachtung, Beschreibung), doch mit dem Reiz der Unmittelbarkeit, der Subjektivität, der Unausgewogenheit und Aufeinanderbezogenheit, die das Leben als Phänomen zu erfassen sucht und die Widersprüche in der Person des Verfassers überwindet. Die Formen schwanken von hingeworfenen Kurznotizen nur als Gedächtnisstütze oder Rohmaterial e. geplanten Autobiographie über anekdot. Betrachtung der Zeit und das Ereignis-T. über kürzere Zeitspannen (Kriegs-, Reise-T.) bis zur essayist. Meinungs- und Gewissenserforschung. Vielfach sollen Chiffren Unbefugten die Lektüre erschweren. Das Schriftsteller-T. gibt oft Aufschluß über lit. Pläne, Werkgenese, Lektüre u. ä. Nach vereinzelten Vorformen seit der Renaissance wird das T. zur beliebten Form seit 17. und bes. 18. Jh. (Pietismus, Empfindsamkeit) und steigt seither trotz aller Tagesgebundenheit zu e. bedeutenden lit. Form auf: HERDER, LAVATER, GOETHE, EICHENDORFF, GRILLPARZER, PLATEN, E. T. A. HOFFMANN, HEBBEL, KAFKA, KLEPPER, Th. MANN, R. MUSIL, J. ROTH, A. SCHNITZLER, R. SCHNEIDER, L. RINSER, E. CANETTI, J. R. BECHER, P. HANDKE, z. T. bewußt im Hinblick auf e. spätere Veröffentlichung hin stilisiert wie bei H. CAROSSA, E. JÜNGER, E. KÄSTNER, F. HARTLAUB, Th. HAECKER, K. MANN, O. LOERKE, M. FRISCH, franz. bes. MONTAIGNE, B. CONSTANT, CHATEAUBRIAND, STENDHAL, Ch. BAUDELAIRE, H. F. AMIEL, E. de GONCOURT, A. GIDE, J. COCTEAU, J. GREEN, H. de MON-

THERLANT, A. CAMUS u. a., engl. J. EVELYN, H. FIELDING, SWIFT, J. BOSWELL, S. JOHNSON, S. PEPYS, BYRON, P. B. SHELLEY, G. ELIOT, S. BUTLER, K. MANSFIELD, A. BENNETT, S. MAUGHAM, D. H. LAWRENCE, A. NIN u. a., ferner L. TOLSTOJ, KIERKEGAARD, STRINDBERG, C. PAVESE, Anne FRANK u. a. Neben die literarhistor. wichtigen treten T.er von histor. oder kulturhistor. Bedeutsamkeit, als künstl. Form schließlich das fingierte T. (z. B. in DEFOES *Robinson Crusoe*, S. RICHARDSONS *Pamela*, GOETHES Wahlverwandtschaften, GOGLOS T. *eines Wahnsinnigen*) und damit der Tagebuchroman, eine Sonderform des Ich-Romans ähnlich dem →Briefroman, z. B. DEFOES *Journal of the plague year*, 1722, SWIFTS *Journal to Stella*, 1766, W. RAABE, *Chronik der Sperlingsgasse*, 1857, R. M. RILKE, *Aufzeichnungen des Malte Laurids Brigge*, 1910, V. LARBAUD, *A. O. Barnabooth*, 1913, G. BERNANOS' *Journal d'un curé de campagne*, 1935, M. FRISCH, *Stiller*, 1954, ähnl. G. GRASS, *T. einer Schnecke*, 1972 u. a. →Journal.

R. M. Meyer, Z. Entwicklgs.gesch. d. Tagebuchs (in: Gestalten u. Probleme, 1905); W. Matthews, *British Diaries*, Berkeley 1950; ders., *Canadian Diaries*, 1950 (Bibliogr.); W. Schmeisser, Stud. üb. d. vorromant. u. romant. T., Diss. Freib. 1952; M. Leleu, *Les journaux intimes*, Paris 1952; A. Gräser, D. lit. T., 1955; R. H. Kurzrock, D. T. als lit. Form, Diss. Bln. 1955; W. Grenzmann, WW 9, 1959; G. R. Hocke, D. europ. T. 1963, ²1978; A. Giraud, *Le journal intime*, Paris 1963; M. L. Kaschnitz, D. T. d. Schriftstellers, 1965; D. T. u. d. mod. Autor, hg. U. Schultz 1965, ²1982; K. G. Just, D. T. als lit. Form (in: Übergänge, 1966); P. Boerner, T., 1969; P. Brang, Üb. T'fiktion i. d. russ. Lit. (Typologia litt., Fs. M. Wehrli 1969); M. L. Kaschnitz, D. T. (in: Zwischen Immer u. Nie, 1971); P. Boerner, E. Miner, YCGL 21, 1972; E. Henning, Analekten z. Gesch. d. Diaristik (Archiv f. Kulturgesch. 56, 1974); R. A. Fothergill, *Private Chronicles*, Lond. 1974; G. Prince, *The diary novel*, Neophil. 59, 1975; H. Rüdiger, Versuch üb. d. T. als lit. Form (Jb. d. Dt. Akad. f. Spr. u. Dichtg., 1975); M. Jurgensen, Diar. Formfiktionen i. d. zeitgen. dt. Lit. (Rezeption d. dt. Gegenw.lit. i. Ausl., 1976); ders., D. T. i. d. zeitgen. dt. Lit. (Universitas 32, 1977); B. Didier, *Le journal intime*, Paris 1976; M. Jurgensen, D. fiktionale Ich, 1979; G. Baumann, D. T. (in: Sprache u. Selbstbegegng., 1981); H. P. Abbott, *Diary fiction*, OL 37, 1982; ders., *Diary fiction*, Ithaca 1984; M. Buchholz, D. Anfge. d. T.schreibg., 1983; J. Rousset, *Pour une poétique du journal intime* (Fs. R. Wellek, 1984); C. Vogelgesang, D. T., PoE, 1985; L. Martens, *The diary novel*, Cambr. 1985; R. Görner, D. T., 1986; T. Field, *Form and function in the diary novel*, Basingstoke 1988.

Tagebuchroman →Tagebuch

Tagelied, in Thema und Aufbau eigene Gattung des europ. →Minnesangs, schildert als fiktives Erlebnis Abschied und Trennung zweier Liebender nach e. unerlaubten Liebesnacht im Morgengrauen, an dessen Anbruch der Ostwind, die Vogelstimme, bes. häufig das Horn oder der warnende Ruf des (eingeweihten) Wächters von der Zinne gemahnt (›Wächterlied‹). Diese Einleitung, darauf Wechselrede der Liebenden, die der Tag auseinanderreißt, oder auch aller drei Beteiligten, einschl. des Wächters, Liebkosungen und Liebesbeteuerungen, zärtlichschmerzl. Abschied und Klage der verlassenen Frau bilden den Gegenstand der meist dreistrophigen Lieder, die aus der Spannung zwischen einem stark sinnl. Element und der ständigen Gefahr der Entdeckung leben und die Ursituation in mannigfacher, schillernder Abänderung balladesk darstellen. Obwohl seine Voraussetzungen der eigentl. Minnehaltung widersprechen, findet es im Minnesang bes. Beliebtheit. Die Gattung beginnt evtl. durch arabischen Einfluß – die lat. Dichtung kennt sie nicht – mit der provenzal. Alba (franz. Aube, Aubade z. B. von GIRAUT DE BORNELH), wo sie meist mit dem Ausruf ›alba‹ (Morgendämmerung) im Refrain erscheint, der im Dt. fehlt. In Dtl. wurde sie früh, zuerst wohl um 1170 von DIETMAR VON AIST, nachgeahmt. Bedeutende T.er stammen von HEINRICH VON MORUNGEN, WALTHER und dramatisch-leidenschaftlich von WOLFRAM, dem ›Klassiker des T.‹, OTTO VON BOTENLAUBEN, ULRICH VON LICHTENSTEIN, ULRICH VON WINTERSTETTEN, im Spätma. von HADLAUB und OSWALD VON WOLKENSTEIN, auch zu parodist. Wirkung als T. von Knecht und Magd ins Bäurische herabgezogen bei STEINMAR und Ausgangspunkt für Volkslieder (→Kiltlied) und geistliche Kontrafakturen (geistl. T.) bis ins 17. Jh. (NICOLAI, ›Wachet auf‹).

W. de Gruyter, D. dt. T., Diss. Lpz. 1887; G. Schlaeger, Stud. üb. d. T., 1895; RL; T. Kochs, D. geistl. T., 1927; F. Nicklas, Unters. üb. Stil. u. Gesch. d. dt. T., 1929, n. 1967; H. Ohling, D. dt. T., 1938; N. Mayer-Rosa, Stud. z. dt. T., Diss. Tüb. 1938; E. Scheunemann, F. Ranke, Texte z. Gesch. d. T., 1947; A. T. Hatto, D. T. i. d. Weltlit., DVJ 36, 1962; Eos, hg. A. T. Hatto, Haag 1965; N. R. Wolf, T'variationen i. späten provenzal. u. dt. Minnesang, ZDP 87, 1968 Sonderh.; D. Rieger, Z. Stellg. d. T. i. d. Trobadourlyrik, ZRP 87, 1971; U. Müller, Ovid Amores, alba, T., DVJ 45, 1971; W. Mohr, Spiegelungen d. T. (Mediaevalia litt., Fs. H. de Boor 1971); J. Saville, The medieval erotic alba, N.Y. 1972; G. Rösch, Kiltlied u. T. (Hb. d. Volksliedes 1, 1973); U. Knoop, D. mhd. T., 1976; Owe do tagte ez, hg. R. Hausner 1979; A. Wolf, Variation u. Integration, 1979; W. Hoffmann, T'kritik u. T'parodie, GRM 35, 1985; G. Rohrbach, Stud. z. Erforschg. d. mhd. T., 1986.

Taklīd →Taqlīd

Takt (lat. *tactus* = Berührung), in der Metrik Gliederungseinheit des Rhythmus, Unterteilung des Verses in akzentuierender Dichtung, bestehend aus dem guten oder schweren T.-teil, d.h. der Hebung (T.-gipfel) und dem folgenden schlechten oder leichten T.-teil, d.h. einer oder mehreren Senkungen bis zur nächsten Hebung. Der T. ist als metr. Einheit nicht identisch mit dem Kolon als Sinneinheit; meist überschneiden sich beide Gliederungen, und die zur Begrenzung des T. eingeführten T.-striche bedeuten keine Pausen. Nach der Anzahl der zu e. Takt gehörigen Silben (T.-füllung) unterscheidet man als hauptsächliche T.-geschlechter: 2-teiliger T. (Kurz-T.) aus 2/4: x́ x, 3-teiliger T. aus ³/₄: x́ x x oder schwerer 3-teiliger T. aus ³/₂: ⊿ – – und 4-teiliger T. aus ⁴/₄: x́ x x x oder als →Dipodie (Lang-T.) mit e. Nebenhebung auf der 3. Silbe: x́ x x̀ x. Nach der Zahl der in e. Vers enthaltenen T.e bezeichnet man den Vers als Zwei-, Drei-, Viertakter usw. (gleichbedeutend mit Zweiheber usw.). Über Definition und damit Wesen des T. herrscht keine Einstimmigkeit. Bedenken gegen die von R. WESTPHAL, F. SARAN, A. HEUSLER vertretene T.metrik treffen die Übertragung des abstrakt regelmäßigen musikal. T.rhythmus auf die mit Sinngipfeln arbeitende Sprache.

F. Saran, D. Rhythmus d. franz. Verses, 1904; ders., Dt. Verslehre, 1907; A. Heusler, Dt. Versgesch., III 1925–1929, ²1956; L. Gminder, D. einsilbige T. i. d. nhd. Dichtg., 1929; RL.

Taktmetrik →Takt

Talẹnt (lat. *talentum* v. griech. *talanton*, Gewichts- und Geldeinheit, ›das Zugewogene‹), natürl. Anlage, e. bestimmte angeborene ungewöhnl. Begabung, die durch Übung und Pflege ausgebildet werden kann, jedoch weniger ursprünglich und tiefverwurzelt als die schöpfer. Ursprünglichkeit des →Genies, stärker den Tageserscheinungen, dem Zeitgeschmack und der Nützlichkeit verhaftet als dieses. Wo das Genie aus innerer, unentrinnbarer Notwendigkeit schaffen muß und, wenn ihm das T. versagt ist, um

Beherrschung der äußeren Form ringt, bleibt dem bloßen T. die Entschlußfreiheit und die vorgegebene geistige Befähigung zur Meisterung des Formalen bis zur Virtuosität; wo das Genie auf sich selbst gestellt den einsamen, vom Schicksal vorgeschriebenen Weg gehen muß, neue Bereiche des Menschlichen in die Gestaltung einbezieht und dadurch gegen die übl. Durchschnittsanforderungen der Masse auftritt, bleibt das T., frei von der menschl. Belastung des Genies, im Bereich des Herkömmlichen und erringt sich innerhalb von bereits beschrittenen Bahnen oder innerhalb e. bes. Gattung die Anerkennung seiner Begabung. Sein Werk freilich bleibt dem Zeitlichen verhaftet und verblaßt im Wandel der Geschmacksrichtung.

K. Scheffler, Lebensbild d. T., 1948; G. Révész, T. u. Genie, 1952; The discovery of t., hg. D. Wolfle, New Haven 1969.

Tamāshā, erot. Tanzdrama der ind. Marâthî-Lit. im 18. Jh. mit Gesang, Musik und Vortrag teils drast. Liebesgedichte durch Jünglinge in Frauenkleidern.

Tamisdat →Samisdat

Tanka (japan. = Kurzgedicht) oder Uta, japan. Gedichtform, die aus e. Oberstrophe zu drei Zeilen (5, 7, 5 Silben) und e. Unterstrophe zu zwei Zeilen (je 7 Silben) besteht, also insgesamt 31 Silben bindet. Im Aufbau dem Sonett ähnlich, objektiviert sie seel. Antithetik (Liebe, Klage, Glück, Trauer) im Naturbild und schließt mit befreiender Pointe. Auch in Variationen ohne Erweiterung der Grundform oder Aneinanderreihung mehrerer T. zu Langgedichten. Klass. Form der japan. Lyrik seit rd. 7. Jh., gesammelt im Manyôshû (8. Jh.), weitere Blüte im 10.–13. Jh. und bis heute beliebt. Oberstrophe selbständig verwendet in →Haikai und →Hokku.

R. H. Brower, E. Miner, *Japanese court poetry*, 1961; K. May, Erneuerg. d. T.-Poesie i. d. Meiji-Zeit, 1975.

Tannengesellschaft →Sprachgesellschaften

Tantieme (franz. = der sovielte Teil), Anteil e. Bühnenautors am Reingewinn von →Aufführungen seiner Stücke, meist e. bestimmter Prozentsatz (seit Mitte des 19. Jh. 10%) der Bruttoeinnahme, in der BR. auch bis 70 Jahre nach dem Tod des Autors an seine Erben entrichtet. Vgl. →Honorar.

Tantras (ind. = Bücher), auch Shakti – →Âgamas, ind. Texte mag.-myst. Inhalts, Ritualvorschriften, Zauberformeln eines Geheimkults, Beschreibung heiliger Silben, mag. Amulette, Zeichen u.ä., im 5.–19. Jh. aus e. vom Volksglauben inspirierten myst. Wissenschaft und insbes. dem Shakti-Kult hervorgegangen und in Versform meist als Dialoge zwischen dem Gott Shiva und seiner Gattin Durgâ gestaltet.

A. Avalon, *Tantric Texts*, Lond. XI 1913 ff.; ders., *Principles of Tantra*, Lond. II 1914–16, Madras ²1960; C. Chakravarti, T., Kalkutta 1963; T. Goudriaan, S. Gupta, T., 1981.

Tantris, javan. Versdichtungen in Form der →Kidungs als Bearbeitungen ind. Fabellit. und -motive in Rahmenform.

Tanz →Ballett

Tanzballade →Ballade

Tanzlied oder Tanzleich, Gattung des Spätma., teils mit e. getragen erzählenden Teil, auf den die getanzten Strophen folgten, teils durchweg als Kehrreimlied oder unstrophisch im →Leich. Die Verwendung zum Tanz ist im Einzelfall oft nicht erweislich. Texte bes. beim TANNHÄUSER, NEIDHART VON REUENTHAL, ULRICH VON LICHTEN-

STEIN, ULRICH VON WINTERSTETTEN, dem TALER, EBERHARD VON SAX, HUGO VON MONTFORT und OSWALD VON WOLKENSTEIN. Vgl. →Ballade, →Dansa, →Rondeau, →Virelai, →Villancico.

E. Sievers, Z. Klangstruktur d. mhd. Tanzdichtg., PBB 56, 1932; I. Dentz, D. dichter. Gestaltg. d. Tanzes i. d. dt. Lyrik, Diss. Bonn 1953; R. Stephan, Lied, Tropus u. Tanz i. MA., ZDA 87, 1956; RL².

Tao-shu, im chines. Drama der Yüan-Zeit (13.–14. Jh.) eine Gruppe von Liedern und Arien mit Melodien in derselben Tonart und auf denselben Reim; Tonart und Reim wechselten erst von Aufzug zu Aufzug.

Tapeinosis (griech. = Schwächung), →rhetorische Figur der Abschwächung, vermindert die Wichtigkeit der Sache durch die Leichtigkeit der sie bezeichnenden Wörter; auch als Stilfehler die Wahl e. zu schwachen und niedrigen Ausdrucks.

Taqlīd, volkstüml. Form des mod. pers. Theaters: primitiv belustigende, kom. Possen mit harmlosen Stoffen aus dem Alltagsleben (Demaskierung von Heuchlern und Weintrinkern) z. T. unter Mitwirkung der Zuschauer und mit Tanz und Gesang; Männer in Frauenrollen.

Tartaglia (ital. = Stotterer), Typenfigur der →Commedia dell'arte, im 17. Jh. dickbäuchiger, stotternder, tölpelhafter Diener mit weißer Halskrause und oft Brille; im 18. Jh. anmaßender, wirrköpfiger Akademiker: Notar, Richter, Apotheker.

Taschenbuch, 1. seit Ende des 18. Jh. auftretende Form des →Almanachs, die im Ggs. zum →Musenalmanach auch dichter. oder belehrende Prosastücke, Reisebeschreibungen und Informationen neben der Lyrik brachte und zeitweise diesen verdrängte. Die T.er sind häufig nach Themenkreis (Mode, Theater, Dichtung, Geschichte u.ä.), Landschaften und Ständen spezialisiert und wenden sich meist an die Damenwelt *(Aurora, Urania);* bei e. nicht bes. hohen lit. Niveau finden sie in vielen Ausgaben und Jahresbänden weite Verbreitung. Den Ausgangspunkt bildet das *T. für das Wiener Theater* 1777, dann e. *Wiener T. zum Nutzen und Vergnügen* 1785–87 und LICHTENBERGS *Göttinger Taschenkalender* 1778 ff. In GÖSCHENS *Historischem Kalender für Damen* veröffentlichte SCHILLER 1789 seine *Geschichte des 30-jährigen Krieges,* in VIEWEGS *T.* (1789–1803) GOETHE *Hermann und Dorothea,* in BECKERS *T. zum geselligen Vergnügen* (1791–1814) SCHILLER einige Beiträge und in der Wiener *Aglaia* GRILLPARZER zahlr. Dichtungen. Im 19. Jh. durch Kulturzss. und Magazine abgelöst.

H. Köhring, Bibliogr. d. Almanache, Kalender u. T. f. d. Zeit 1750–1860, 1929; M. Lanckorońska, A. Rühmann, Gesch. d. dt. T. u. Almanache a. d. klass.-romant. Zeit, 1954; R. Schröder, Z. Struktur d. T. i. Biedermeier, GRM 41, 1960; F. Marwinski, Almanache, T.er, T'kalender, 1967. →Almanach, →Musenalmanach.

2. nach engl. und amerikan. Vorbild seit 1950 erstmals in Dtl. verbreiteter Buchtyp des billigen, kleinformatigen, flexiblen, in hoher Auflage in Rotationsdruck hergestellten und im Lumbeckverfahren klebegehefteten Verbrauchsbuchs von reihenmäßig normiertem, oft buntem Äußeren, vorwiegend für Unterhaltungs-, Sachlit. und mod. Dichtung, aber auch vor und neben dem →Paperback für weit verbreitbare wiss. Werke und Lexika sowie Klassikerausgaben: Durchbrechen der Exklusivität der lit. Elite zugunsten rasch

verschleißbarer Billigware; Zeichen der Industrialisierung von Buchverlag und -vertrieb z.T. mit eigenen Massenvertriebsformen; nach rasanter Aufwärtsentwicklung durch Preisanreiz und Nachholbedarf in den ersten Nachkriegsjahren nunmehr als legitimer, ausgeglichener Zweig des mod. Buchwesens eingependelt, wobei Überangebot und Konkurrenz zu kleineren Auflagen und Preiserhöhungen führen.

H. G. Göpfert, Bemerkungen z. T. (in: D. dt. Buchhandel i. uns. Zeit, 1961); R. Hauri, D. T., 1961; R. Escarpit, D. Revolution d. Buches, 1967; K. Ziermann, Romane v. Fließband, 1969.

Tasnif, pers. Lieder und Romanzen meist satir. Inhalts um histor. und aktuelle Stoffe.

Tatsachenbericht, lit. Gebrauchsform: vorurteilslose Darstellung e. Sachverhalts oder Ereignisses anhand nachprüfbarer Fakten, Aussagen, Protokolle u.a. dokumentar. Material ohne meinungsbildenden, subjektiven Kommentar des Verfassers, der durch objektive Information zur eigenen Meinungsbildung des Lesers anregen will. Formen sind →Reportage und →Dokumentarliteratur, während die Bz. T. durch Mißbrauch in der Sensationspresse suspekt geworden ist. →Bericht.

Tatsachenroman, allg. jeder Roman, der auf Tatsachen beruht, so Biographie, Kriminalfall, Skandalchronik, Gesellschaftsbild, Wissenschaftsgeschichte (P. de KRUIF, *Microbe hunters*, H. WENDT, *Ich suchte Adam*, CERAM, *Götter, Gräber und Gelehrte*, J. THORWALD, *Das Jahrhundert der Chirurgen* u.ä.), im weiteren Sinn auch die auf histor. Fachwissen und Tatsachen beruhenden →Professorenromane. Der T. beruht auf geschicktem Arrangement verbürgter Details in e.

menschl. Prozeß, einer Verkleidung von Fakten in ep. Zusammenhang mit emotionaler Überhöhung und Mythisierung, und nähert sich in Grenzfällen, bei denen die vermeintlich dargestellte Wirklichkeit auf die standardisierten Klischees, Typen und Traumbilder der Gesellschaft zusammenschrumpft, bedenklich dem →Trivialroman, da seine dynamisierenden Vereinfachungen nicht der psycholog. oder soz. Differenzierung, sondern der Trivialisierung der Ereignisse dienen und seine Stoffwahl die Publikumsvorstellungen hinsichtlich Fortschritt und Erfolgsmechanik einkalkuliert. →Sensationsroman.

W. Meier, D. Heimat d. Fakten (in: Triviallit., hg. G. Schmidt-Henkel, 1964); B. Engelmann, Was ist e. T. (Kontext I, 1976).

Taufgelöbnis, bei der Taufe gesprochenes formelhaftes Glaubensbekenntnis mit Absage an Heidentum und Teufel, oft gegliedert in Fragen des Priesters und Antworten des Täuflings. T.e gehören zu den ältesten erhaltenen dt. Sprachdenkmälern (vier T. aus dem 8./9. Jh.).

G. Baesecke, D. ahd. T. (in: Kleinere Schriften z. ahd. Spr. u. Lit., 1966); ders., D. ahd. u. altsächs. T. (ebda.).

Tautazismus (griech. *tauta* = dasselbe), Häufung gleicher oder ähnl. Laute zu e. häßl. Klangbild: ›Jetztzeit‹. Stilfehler oder Sprachspiel (›Rokokokokotte‹).

Tautogramm (griech. *tautos* = derselbe, *gramma* = Buchstabe), e. ›pangrammat.‹ Vers oder Gedicht, dessen Wörter alle mit demselben Buchstaben beginnen, z.B. ENNIUS ›(O) Tite, tute, Tati, tibi tanta tyranne tulisti‹; nicht immer gleichbedeutend mit →Alliteration, wo nicht Wortanfang, sondern betonte (Stamm-)Silben denselben Laut haben müssen. Manierist. Sprachspie-

lerei mit Neigung zur Buchstaben-
symbolik in Spätantike, MA. (Huc-
BALD, *Ecloga de calvis*, 9. Jh.), Manierismus und Barock, vereinzelt im
20. Jh. (W. ABISH, *Alphabetical Af-
ricea*, 1974).

Tautologie (griech. *tauto* = dasselbe, *logos* = Rede), stilistische Doppelaussage: Bezeichnung desselben
Begriffs, Gedankens oder Sachverhalts durch dasselbe oder bes. mehrere gleichbedeutende Worte
(→Synonyme) zum Zweck stärkerer
Eindringlichkeit (›nackt und bloß,
einzig und allein, immer und ewig,
voll und ganz‹), während der eingliedrige →Pleonasmus nur Überflüssiges, weil Selbstverständliches,
hinzufügt; doch übersieht der heutige Sprachgebrauch oft den Unterschied beider Formen. Die entsprechende positive Figur heißt →Ep-
analepse. Vgl. →Hendiadyoin.

T. Vennemann, *T.s and contradictions*
(Fs. H. M. Heinrichs, 1978).

Tauwetter, nach I. EHRENBURGS
Roman *T.* (1954) Bz. für die Literaturepoche in den sozialist. Ländern
im Jahrzehnt nach STALINS Tod, rd.
1954–1964, gekennzeichnet durch
kulturelle u. geist. Liberalisierungs-
tendenzen, e. scheinbare Lockerung
der streng antiwestl. Haltung,
scharfe Kritik an der stagnierenden
offiziellen Sowjetlit. und größere
Freiheiten auch in der Neuorientierung an westl. Lit.

G. Gibian, *Interval of Freedom*, Minneapolis 1960; H. v. Ssachno, D. Aufstand d.
Person, 1965; T. F. Rogers, *Superfluous
Men and the Post-Stalin Thaw*, Haag
1972.

Ta'ziyeh (arab. = Mitleid), alljährlich aufgeführte pers. Mysterien- u.
Passionsspiele um Leben und Leiden
der Familie MOHAMMEDS und besonders seiner Enkel HASAN und
HUSAIN in Versform mit e. Prediger
und e. Knabenchor; Aufbau in

40–50 Szenen; Frauenrollen von
Männern gespielt. Entstanden im
18. Jh. aus den jährl. Trauerfeiern
zum trag. Tod HUSAINS (10. Okt.
680) über Prozessionen, Leidens-
darstellungen, Trauerpredigten und
nacherlebende Darstellung.

Technik, literarische (griech. *techne* = Kunst), die dichter. Gestal-
tungskunst im Sinn der handwerkl.,
erlernbaren Seite der Kunst, die zwischen Konzeption und endgültiger
sprachl. Formulierung liegt, die äußere, formale Erfüllung, bes. hinsichtlich der Formen und Gattungsgesetze und der für e. Gattung übl.
Kunstgriffe und Formeln: Glättung
des Ausdrucks und der Darstellung,
Anpassung des Stoffes an die Gegebenheiten der Gattung usw. Man
spricht von ep., dramat., lyr. Lust-
spiel-, Novellen-T., Vers- und Stro-
phen-T. usw., die bes. in der älteren
Lit.wiss. e. eigenes Forschungsgebiet darstellte. Sie kann allein auf
Routine und Talent des Schriftstellers beruhen, überkommene Formen
mit neuen Stoffen geschickt aufzu-
füllen, oder aber zu e. originalen
Erfindung des eigentl. Kunstverstandes führen, der zur Neuschöpfung und Weiterbildung e. Kunstform fortschreitet.

Technopägnion (griech. *technopai-
gnion*) →Bilderlyrik

Teichoskopie (griech. *teichoskopia*
=) ›Mauerschau‹, urspr. Bz. e. Szene
von HOMERS *Ilias* 3, 145 ff., in der
Helena dem Priamos und anderen
trojan. Greisen die griech. Helden
schildert; Mittel der Dramentechnik
zur Einbeziehung von auf der Bühne
nicht oder schwer darstellbaren Ereignissen (Schlachten, Seeschlachten, Schiffsuntergängen u. ä.) in das
Bühnengeschehen, indem e. auf erhöhter Warte im Bühnenraum

(Turm, Mauer, Hügel) stehender Beobachter den Spielern und damit dem Publikum die außerhalb ihrer Sichtweite – für die Phantasie im Hintergrund – sich abspielenden Vorgänge berichtet und damit zu innerer Anschauung und Wirkung bringt. Während die T. gleichzeitige Geschehnisse synchron in wirksamer Spannung in die Bühnenstimmung hereinholt, dient der →Botenbericht zur Einbeziehung bereits vergangener Geschehnisse. Nach Vorgang des antiken Dramas und bes. nach Vorbild von SHAKESPEARES *Julius Caesar* V, 3 findet sich T. häufig im klass. dt. Drama: GOETHE *Götz* III, SCHILLER, *Wilhelm Tell* IV, 1, *Jungfrau von Orleans* V, 11, KLEIST, *Prinz von Homburg* II, 2, *Penthesilea* (mehrmals) u. a.

Tektonik (griech. *tektonike techne* = Baukunst), geschlossener, regelmäßiger, symmetr. Aufbau e. Kunstwerks als Zeichen e. strengen Formwillens im Ggs. zur →atektonischen, →offenen Form, zeigt sich in der Dichtung z.B. im kunstvollen Aufbau der Akte im Drama, der Kapitel in der Epik, der erfüllten Strophenform im Gedicht usw. Kennzeichen der T. oder der geschlossenen Form sind z.B. die Wahrung der drei →Einheiten, eine chronolog., geradlinige kausale und übersichtl. Handlungsfolge ohne Abschweifungen, geringe Figurenzahl, die Verknüpfung der einzelnen Teile (im Drama Szenen) zu e. höheren Ganzen, ein organ. Aufbau mit e. individuellen Konflikt, einheitl. Perspektive und ausgewogene Harmonie und Funktionalität der Teile. Spezifisch tekton. Formen sind Novelle und Sonett. T. herrscht bes. in klass. und klassizist. Epochen.

Telari (v. lat. *telaro, telaio* = Rah-

men) oder Periakten, Vorstufe der →Kulissen als Bühnendekoration: drei bis fünf an beiden Seiten der Bühne hinter dem Portal der Schauwand aufgestellte, um die Längsachse drehbare Prismen, deren Flächen mit Stoffbahnen überzogen waren, die mit dem Hintergrund korrespondierend Landschafts- oder Palastteile darstellten. Sie wurden bei Szenenwechsel einfach herumgedreht und ermöglichten in Verbindung mit dem durch Auseinanderschieben veränderlichen Schlußprospekt schnellen Schauplatzwechsel. Schon in der Antike üblich, wurden sie im 16. Jh. durch J. BAROZZI DA VIGNILA wieder aufgenommen. J. FURTTENBACH (1591–1667) baute in Ulm e. solche T.-Bühne 1641 und beschrieb sie im *Mannhaften Kunstspiegel* (1663). N. SABBATINI verwendete neben ungleichseitigen dreieckigen T. zur Verkleinerung der Bühne auch viereckige T. Den Nachteil, daß sie mit einer Bespannung nur für drei bzw. vier Bühnenbilder verwendbar waren, versuchte man später durch übergelegte neue Stücke auszugleichen, die dann wieder aufgerollt wurden. Um 1620 vollzog sich damit der Übergang zur selbständig aufgestellten Kulisse.

Telegrammstil, Ausdrucksform äußerster Kürze, fast stichwortartige Konzentration auf das unbedingt Notwendige bei Fortfall aller Füllwörter zu hekt.-erregtem Stil. Häufig im Drama des Sturm und Drang und des Expressionismus (G. KAISER, *Gas I*, →Sturmkreis).

Telesilleion, nach der griech. Dichterin TELESILLA (5. Jh. v.Chr.) benannter antiker lyr. Vers: am Anfang um eine Silbe verkürzter (akephaler) 2. Glykoneus: $\smile\smile\smile$| $\smile\smile\smile$, häufig in griech. Prozessionsliedern und mit Ausfall der letzten Kürze im Periodenschluß.

Telestichon (griech. *telos* = Ende, *stichos* = Vers), e. Wort, Name oder Satz, der aus den Endbuchstaben (-wörtern) der Verse (Strophen) e. Gedichts, von oben nach unten gelesen, gebildet wird; Ggs.: →Akrostichon, mit diesem vereinigt zum →Akroteleuton. →Mesostichon.

Teliambe (griech. *telos* = Ende), →Hexameter, dessen letzter Fuß e. Jambus oder Pyrrhichius ist.

Telonisnym (griech. *telos* = Ende, *onoma* = Name), Form des →Pseudonyms, die nur die letzten Buchstaben des echten Verfassernamens angibt, z. B. Lenau für Strehlenau; oft als Mitarbeitersigle in Zeitungen.

Tel Quel (franz. = so wie), Gruppe franz. Autoren, Kritiker und Linguisten um die von Ph. Sollers begründete gleichnamige Zs. (1960–82), einflußreich im Nouveau Roman, in psychoanalyt. Literaturkritik, Strukturalismus und Semiotik: bes. R. Barthes, J. Derrida, J. Ricardou, J. Thibaudeau, J. Kristeva, J.-P. Faye u. a.; nahestehend F. Ponge, H. Michaux.

Tendenzdichtung (v. lat. *tendere* = nach etwas streben), im weitesten Sinn alle Dichtung, die nicht im ›elfenbeinernen Turm‹ isoliert dem Ästhetizismus des →l'art pour l'art huldigt, sondern auf die großen Fragen und tiefen Anliegen der Menschheit e. häufig subjektive Antwort gibt und gewisse Ideen, Anschauungen und Bekenntnisse ihres Schöpfers verkörpert (z. B. Toleranzidee in Lessings *Nathan,* Humanitätsidee in Goethes *Iphigenie,* freiheitl. Tendenz in Schillers *Räubern,* patriot. in Kleists *Hermannsschlacht*). Allein der unauf-

dringl. Charakter der Tendenz und die Höhe künstler. Gestaltung wie die umfassende und in die Tiefe des Menschlichen greifende Idee scheiden die →engagierte Literatur von der reinen T., in der die polit.-soziale, relig., sittl. oder ideolog. werbende Absicht und das Streben nach Meinungsbeeinflussung und Änderung herrschender Zustände die eigentl. künstler. Werte überwiegen oder gar die nach außen hin scheinbar künstler. Gestaltung gänzlich als Mittel in den Dienst e. propagandist. Zweckes stellen und auf eigentl. Kunstwirkung verzichten. Zum Wesen der T. im engeren Sinne gehören Bindung an e. problemat. Situation, Anklage mißliebiger Zustände und Propagierung e. gefundenen Lösungsweges. Schwierigkeiten bereitet allein die lit.-ästhet. Wertung der T., da nicht die Tendenz selbst, sondern nur die künstler. Gestaltung Grundlage dafür sein kann. Die von der dt. Klassik und dem 19. Jh. ausgehende, noch in J. Volkelts *System der Ästhetik* (1905) vertretene Anschauung, die der Dichtung und Kunst grundsätzlich jedes Recht auf Stellungnahme und Einflußnahme auf die Erscheinungen des öffentl. und sittl. Lebens abspricht, muß in anderen Zeiten bei aller Kunsthöhe zu e. schalen, unfruchtbaren und selbstzufriedenen Ästhetizismus führen. Grundsätzlich bedeutet Tendenzhaltigkeit keine Herabminderung des künstler. Ranges. Eine stark zeitgebundene Tendenz verzichtet freilich bewußt auf überzeitl. Wirkung – obwohl e. ursprünglich vorhandene und von den Zeitgenossen wohl gespürte Tendenz für spätere Generationen unerkannt bleiben kann oder übersehen wird (z. B. Swifts *Gulliver's Travels*). Doch erst die mangelnde Beherrschung der künstler. Formmittel, betonte Einseitigkeit der Stellungnahme und Überwiegen der Bekehrungsabsichten in e. bloß theoret., tendenziösen Vorwurf über die künstler. Werte führt zur T. im engeren Sinne, die mit der Dichtung nur noch Namen und äußere Form gemeinsam hat, in Wirklichkeit aber außerkünstler. Zwecke verfolgt, die Bildkraft der Sprache zur Übermittlung rational faßbarer Gedanken mißbraucht und die hervorgerufene Gegenständlichkeit als bloße Einkleidung, leichter eingängige Ausschmückung vorgefaßter Ziele mit dem angemaßten Anspruch auf künstler. Wert benutzt, während ihre eigentl. Aufgabe nicht auf dichter. Gebiet, sondern im direkten Eingriff in die Wirklichkeit und deren Umgestaltung liegt. Gehalt und Gestalt, in jeder echten Dichtung unlösbare Einheit, sind bei ihr nur zweckgerichtet locker aufeinander bezogen und zeigen dadurch den ästhet. Unwert der reinen T. Klarste und deutlichste Form der T. ist die →Satire, die ihre Wirkung in negativer Richtung erstrebt; andere wesentl. Gattungen sind die →politische Dichtung, der →Zeitroman und das Tendenz- oder →Thesenstück. Die Grenze zur rein didakt. oder →Lehrdichtung, die mehr objektive Gehalte belehrend ausspricht, Wissen vermittelt, ist fließend. Hauptzeiten der T. sind →Reformation und →Junges Deutschland. Vgl. →Agitprop, →politische Dichtung, →Partijnost, →sozialistischer Realismus.

R.I.; F. Holl, D. polit. u. relig. Tendenzdrama d. 16. Jh. i. Frankr., 1903; J. Mander, *The Writer and Commitment*, Lond. 1961; C. M. Bowra, *Poetry and politics*, Cambr. 1966.

Tenor (lat. = Fortgang, ›Faden‹), erste →Fassung, Wortlaut und Grundton e. Schriftstückes.

Tenso (provenzal. =) →Tenzone

Tenzone (provenzal. *tenso* v. lat. *contentio* = Streit, franz. *tenson*), →Streitgedicht und -gesang der provenzal. Troubadours bes. des 12. Jh. als dramat. Streitgespräch zwischen zwei oder mehreren (dann ›tornejamen‹ genannt) Sprechern, die in jeweils gleichgebauten, geschlossenen Strophen (Sirventes, Coblas), Distichen, auch Einzelzeilen, abwechselnd ihre entgegengesetzte Meinung über e. aufgeworfene Frage (meist aus dem Bereich der Minne oder des höf. Lebens) teils improvisiert, teils nach schriftl. Festlegung vortragen. Der Streit kann fingiert oder durch echte dialekt. Zusammenarbeit zweier Dichter enstanden sein. Die Streitfrage blieb häufig unentschieden, und die Form diente z. T. zur Austragung persönl. Rivalitäten in satir. Angriffen. Beliebte Sonderform ist das ›Joc partit‹, franz. Jeu parti, auch Partimen, in dessen erster Strophe der Dichter zwei sich gegenseitig ausschließende Fälle zur Wahl stellt. In der 2. Strophe entscheidet sich der Gefragte für einen der beiden, der Dichter verteidigt in der 3. den anderen usw. in (meist 6) alternierenden Strophen, wobei jeder seine Behauptung erneut und oft witzig zu stützen hat. Den Schluß bilden oft zwei kürzere Schlußstrophen (›tornadas‹, ›envois‹) mit dem Urteil e. oder zweier Schiedsrichter, doch nicht die Art der Lösung, sondern das geistreiche Argumentieren in der Liebeskasuistik bestimmt den Wert der T. In Dtl. nur vereinzelt nachgeahmt, etwa zwischen FRAUENLOB und REGENBOGEN; in Italien als →Contrasto, →Debat.

H. Stiefel, D. ital. T., 1914; F. Fiset, D. altfranz. Jeu-Parti, 1926; S. Santangelo, *Le tenzoni poetiche nella lett. ital.*, Genf 1928; D. J. Jones, *La tenson provençale*, Diss. Paris 1934; E. Köhler, Z. Gesch. d. altprovenzal. Streitged., Diss. Lpz. 1950; ders., Z. Entsteh. d. altprov. Streitged.,

ZRP 15, 1959; ders., D. Frauendienst d. Trobadors, GRM 41, 1960; ders., Trobadorlyrik u. höf. Roman, 1962; K. Voßler, Dichtgsformen d. Romanen, 1951; S. Neumeister, D. Spiel mit d. höf. Liebe, 1968. →Streitgedicht.

Tercet (franz.), dreizeilige franz. Strophe in Nachbildung ital. →Terzinen, anfangs ohne Strophensprung. Im 16. Jh. bei BAÏF, JODELLE und DESPORTES, im 19. Jh. bei GAUTIER und BANVILLE, im 20. Jh. bei ARAGON und ELUARD.

Terenz-Bühne, die sog. →Badezellenbühne im Schultheater des 16. Jh.

Terminologie (lat. *terminus* = Begriff, griech. *logos* = Lehre), Fachsprache, Gesamtheit der in e. bestimmten Fachgebiet (e. Wissenschaft, Kunst, Handwerk u. ä.) angewandten Fachausdrücke (→terminus technicus) für besondere Begriffe und Erscheinungen, auch die Erklärung und →Definition derselben und die Lehre davon. →Nomenklatur.
E. Wüster, Einf. i. d. allg. T.lehre, II 1979; RL²; Wissenschaftssprache, hg. T. Bungarten 1981; Z. T. d. Lit.wiss., hg. C. Wagenknecht 1988.

Terminus a quo oder **terminus post quem** (lat. = der Zeitpunkt, von dem an...) und

Terminus ante quem (lat. = der Zeitpunkt, vor dem...), die aus inhaltlichen u. a. Indizien unter Zuhilfenahme anderer Ereignisse ermittelten Zeitpunkte, zwischen denen e. Werk entstanden sein muß. →Datierung.

Terminus technicus (lat. *terminus* = urspr.: Grenzstein, ›Grenzbestimmung‹, lat. *technicus* = kunstgemäß fachmännisch; Mz.: *termini technici*), Fachausdruck e. Wissenschaft oder Kunst, meist Fremdwörter, Bedeutungslehnwörter oder Wörter

der eigenen Sprache, die als t. t. eine bes., meist verengte Definition verlangen.

Ternaire (franz. =) Dreizeiler, Strophe oder Gedicht aus drei Verszeilen; bei gleichem Reim (aaa) von A. BRIZEUX (1803–55) entwickelt. Vgl. →Tercet, Terzett, Terzine.

Ternio →Lage

Terpsichore (griech. = die Tanzfreudige), →Muse des Tanzes, der Kitharamusik und später der (Chor-) Lyrik.

Tertium comparationis (lat. = das Dritte des Vergleichs), der Punkt, in dem zwei verglichene Gegenstände oder Sachverhalte, etwa →Metapher und Gemeintes, übereinstimmen. →Vergleich.

Terzarima →Terzine

Terzett (ital.), allg. dreizeilige Strophe, z. B. →Terzine, →Tercet, insbes. die beiden dreizeiligen Schlußstrophen des →Sonetts.

Terzine, Terzarima (ital. *terzo* = der Dritte), ital. Strophenform aus drei jamb. Elfsilbern (ital. klingende →Endecasillabi, dt. akatalekt. und hyperkatalekt. fünffüßige Jamben in regelmäßigem oder freierem Wechsel, franz. der vers commun), von denen die 1. und 3. miteinander und die 2. bei mehreren Strophen jeweils mit dem 1. und 3. der folgenden Strophe durch sog. →äußeren Reim gebunden ist. An die letzte Strophe wird als Abschluß e. Schlußzeile mit dem Mittelreim der letzten T. angehängt, so daß kein freier Reim übrigbleibt: aba bcb cdc... xyx yzy. Der Kettenreim bricht die innere Geschlossenheit der Einzelstrophen und fügt sie zu e. durch Reim verzahnten Reihe dreizeiliger Perioden oft mit Strophen-

sprung aneinander. Die ununterbrochene und bis ins Unendliche fort-
setzbare Reimverkettung begünstigt
inhaltlich eine durchgängige Verknüpfung weltweiter Ideen, wirkt
jedoch auch in kleineren lyr. Stükken, bes. – wegen der versteckten,
ungewöhnl. Regel der Reimfolge –
für mysteriöse Themen. Die Dreizahl der Zeilen begünstigt e. Aufbau
nach dem Schema von Thesis, Antithesis und Synthesis, wobei letztere
wiederum Ausgangspunkt neuer
Entfaltung wird und den Vorgang
wiederholt, doch bietet die Erfüllung der Form Raum für individuelle Abwandlungen. Von DANTE in
der *Divina Commedia* eingeführt –
evtl. nach e. Abart der →Sirventes,
den Sirventes concatenato –, von
BOCCACCIO *(Amorosa visione)* und
PETRARCA *(I Trionfi)* gepflegt, im
15. Jh. z. T. als ital. Ersatz des Distichons in Hirten-, Heroiden-, Ele-
giendichtung, Epistel und Satire verbreitet, später in der Lyrik (LEO-
PARDI, CARDUCCI, PASCOLI), wurde
die T. im Zeichen der Wiederentdeckung DANTES bes. von den dt.
Romantikern zuerst in Übersetzungen, dann in eigenen Dichtungen
gepflegt: F. und A. W. SCHLEGEL,
TIECK, A. v. CHAMISSO *(Salas y Gomez)*, RÜCKERT, PLATEN, nach an-
fängl. Ablehnung auch GOETHE
(Anfang von *Faust II*, Gedicht *Bei
Betrachtung von Schillers Schädel*),
später HERWEGH, HEYSE, St. GE-
ORGE, HOFMANNSTHAL *(T.n über
die Vergänglichkeit)*, R. BOR-
CHARDT, T. DÄUBLER, J. WEINHE-
BER u. a. In engl. Lit. von CHAUCER,
WYATT, BYRON, SHELLEY *(Ode to
the west wind)*, BROWNING, W. H.
AUDEN und A. MACLEISH, in franz.
Lit. von JODELLE, GAUTIER als
→Tercet aufgegriffen. – T. heißen
auch die →Terzette des Sonetts; der
Einzelstrophe der T. ähnelt das
→Ritornell.

H. Schuchardt, Ritornell u. T., 1875; RL;
K. Voßler, Dichtungsformen d. Romanen,
1951; R. Bernheim, D. T. i. d. dt. Dichtg.,
Diss. Bern 1954; W. T. Elwert, Ital. Metrik, 1968.

Testament (lat. = Vereinbarung,
Anordnung), über die Bedeutung als
›letzter Wille‹ und AT und NT der
Bibel hinaus auch lit. Form im Sinne
von Vermächtnis, letzter Auftrag,
Ermahnung an die Nachwelt; so
bes. im polit. und lit. T.; freier Titel
für grundsätzl. philos. oder allegor.
Schriften, spöttisch bei F. VILLON
als Bilanz und Hinterlassenschaft e.
Lebens.

U. Bach, D. T. als lit. Form, 1977.

Testimonia (lat. = Zeugnisse), Zitate aus antiken Autoren bei anderen Schriftstellern, Grammatikern
oder Philosophen, meist Sentenzen,
auffällige Redefiguren u. ä., wichtig
für die Rekonstruktion verlorener
Werke oder Überprüfung der Zuverlässigkeit jüngerer Überlieferung, wenn wörtlich zitiert.

Tetralogie (griech. *tetra* = vier, *logos* = Rede), Folge von vier zu e.
Einheit zusammengefaßten oder inhaltlich zusammengehörigen Werken, meist Dramen. In Altgriechenland die Verbindung von drei Tragödien (→Trilogie) mit einem Satyrspiel, bei EURIPIDES auch e. anderen
ernsten Stück, seltener e. vierten
Tragödie, zu e. Aufführung bei den
dramat. Wettspielen an den Dionysien u. ä. Der bei AISCHYLOS noch
starke innerl. Zusammenhang der
Teile lockert sich später: bei SO-
PHOKLES stammen sie noch aus
demselben Mythos und stehen später fast unabhängig nebeneinander.
Um Mitte des 4. Jh. v. Chr. (341?)
entfällt das Satyrspiel. Neuere T.n
sind z. B. WAGNERS *Ring der Nibelungen,* eher eine Trilogie mit Vorspiel, G. HAUPTMANNS *Atriden-T.
(Iphigenie in Delphi, Iphigenie in*

Aulis, Agamemnons Tod, Elektra) und in der Epik Th. MANNS *Joseph und seine Brüder.*

P. Wiesmann, D. Problem d. trag. T., Diss. Zürich 1929.

Tetrameter (griech. *tetra* = vier, *metron* = Maß), in antiker Metrik jeder aus vier Metra, d.h. vier jambischen, trochäischen oder anapästischen Dipodien bzw. vier Kretikern, Bacchien u.ä. bestehender Vers (→Oktonar); ohne nähere Bz. meist für den katalekt. trochäischen T. oder →Septenar gebraucht, mit Zäsur nach der 2. Dipodie, syllaba anceps am Schluß der ersten drei Dipodien und häufig Ersatz der Trochäen durch Tribrachys, selbst Anapäst (mit Betonung auf der 1. Silbe) im 2., 4. und 6. Fuß. In der griech. Komödie und Tragödie urspr. als Metrum des Dialogs, bes. in erregten Szenen verwendet, später dort mehr durch den Trimeter verdrängt; Nachahmungen in dt. Dichtung gereimt bei OPITZ, GRYPHIUS, LOGAU, gereimt oder reimlos bei GOETHE (Helenaszene in *Faust*), A. W. SCHLEGEL, PLATEN (Parabasen der Literaturkomödien, *Grab am Busento*), RÜCKERT, W. MÜLLER, A. GRÜN, FREILIGRATH u.a.

Tetrapodie (griech. *tetra* = vier, *pus* = Fuß), vierfüßige Verszeile, bei Jamben und Trochäen gleichbedeutend mit →Dimeter.

Tetrastichon (griech. *tetra* = vier, *stichon* = Vers), →Strophe von vier Versen: →Vierzeiler.

Teufelliteratur, Teufelbücher, meint nicht alle Lit. mit dem Teufelsmotiv, sondern speziell e. bes. in der 2. Hälfte des 16. Jh. und vornehmlich unter den fränk. Protestanten verbreitete Form der Rügedichtung in Prosa, die Mißstände

und menschl. Torheiten nicht wie die Narrenliteratur als Narrheiten, sondern als Auswirkungen des Teufels oder besser einer Fülle arbeitsteiliger Branchenteufel auffaßt und die Laster allegor. in Dämonen- und Teufelsgestalt verkörpert, um abzuschrecken. Diese Darstellung entspricht dem Teufelsbild weiter Volkskreise. Das MA. kennt noch keine selbständige T.; nur die Reimpaardichtung *Des Teufels Netz* (um 1414–20) schildert die Teufelsknechte als personifizierte Sünden. Das *Theatrum Diabolorum* (1569) des Frankfurter Verlegers FEYERABEND legt e. umfassende Sammlung aller mögl. Mode-, Geiz-, Wucher-, Hoffart, Faul-, Sabbath-, Tanz-, Heiligen-, Weiber-, Pfarrteufel usw. vor, in denen ihre Torheiten charakterisiert und jeweils als Wurzel allen anderen Übels angeprangert werden. Ein Traktat mit Ratschlägen zur Vermeidung der Laster und der dafür angedrohten schweren Strafen schließt jede Darstellung. Auch LUTHER und die Reformation benutzen die T. im relig. Kampf. Am verbreitetsten und beliebtesten sind sog. Teufelbücher über Fluch-, Ehe-, Sauf-, Spiel- u.a. Teufel von CHRYSÄUS, WESTPHAL, SPANGENBERG und bes. MUSCULUS, dessen *Hosenteufel* noch zu Ende des 17. Jh. in Neuauflagen fortlebt. Im Barock entsteht e. neue T. gegen den Modeteufel (→Alamode-Lit.).

M. Dreyer, D. Teufel i. d. dt. Dichtg. d. MA., Diss. Rostock 1884; M. Osborn, D. T. d. 16. Jh., 1893, ²1964; RL IV; M. J. Rudwin, *The Devil in Legend and Lit.*, Chic. 1931, ²1970; U. Müller, D. Gestalt Luzifers i. d. Dichtg. v. Barock bis z. Romantik, 1940; H. Grimm, D. dt. Teufelbücher d. 16. Jh., AGB 2, 1960; B. Ohse, D. T. zw. Brant u. Luther, Diss. Bln. 1961; Teufelsbücher, hg. R. Stambaugh V 1970–80; G. Mahal, Mephistos Metamorphosen, 1972, ²1982; K. L. Roos, *The devil in 16th cent. German lit.*, 1972; RL²; E. Osterkamp, Lucifer, 1979.

Text (lat. *textus* = Gewebe), allg.

ein Objekt aus Sprache, kohärente, durch Verweise verkettete Abfolge sprachl. Einheiten (Sätze), die e. gemeinsame Bezugssphäre haben. Wertneutrale Bz. für die Basis der Literaturwissenschaft und der Linguistik. Im engeren Sinn der genaue Wortlaut e. Werkes oder dessen Teile, auch der inhaltliche Hauptteil e. Schrift im Ggs. zu Kommentar, Übersetzung, Anmerkungen, Registern, Illustrationen und sonstigen Beigaben, der Wortgehalt e. Liedes, Singspiels oder e. Oper im Ggs. zur Melodie und die e. Predigt zugrundeliegende Bibelstelle. – Im heutigen Literatenjargon gleichbedeutend mit ›Werk‹.

E. Leibfried, Krit. Wiss. v. T., 1970; T.e u. Varianten, hg. G. Martens, H. Zeller 1971; P. H. Neumann, T. u. Gedicht, GRM 23, 1973; J. Gidion, Z. Erweiterung d. T.begriffs, DVJ 49, 1975; A. Höger, D. Schrifttext, Koph. 1975; RL²; T. u. Applikation, hg. M. Fuhrmann 1981; R. Thieberger, Z. Problematisierg. d. Begriffs T., GL 3/4, 1981.

Textanalyse →Analyse

Textarten →Textsorten

Textausgabe, Ausgabe, die nur den Text e. Werkes ohne Einleitung, Anmerkungen, Kommentar oder textkrit. Anhang enthält.

Textbuch, 1. = →Libretto. – 2. seit dem 17. Jh. übl. Abdruck der bei der gesangl. Aufführung meist unverständl. Text e. Oper, bei Spielopern nur der Arien und Lieder, zum Mitlesen für die Zuschauer.

Textgeschichte, die Rekonstruktion der primären T., d.h. der Entstehung und Veränderung (→Fassungen) e. Werkes oder der sekundären T., d.h. der →Überlieferung e. lit. Textes aus Abweichungen und Verwandtschaften der einzelnen Überlieferungszweige, denen die erhaltenen Handschriften entstam-

men; Voraussetzung der →Textkritik. Vgl. →Stemma.

Textgrammatik, andere Bz. für →Textlinguistik

Textimmanent →werkimmanent

Textklassen →Textsorten

Textklassifikation →Textsorten, →Typologie

Textkritik, philolog. Methode zur Überprüfung in ihrer Authentizität nicht gesicherter bzw. fragwürdiger Texte, umfaßt alle Vorgänge, die bei der Sichtung und Untersuchung e. überlieferten Textes zum Zwecke e. →kritischen Ausgabe erfolgen müssen. Ihre Aufgabe ist es, die nicht erhaltene Urform e. (antiken, ma.) Textes aus der erhaltenen hs. Überlieferung nach philolog.-method. Grundsätzen und krit. Urteil möglichst wortgetreu zu erschließen. Die Schwierigkeit des Verfahrens, das wohl kaum je zu e. definitiven und allg. anerkannten Lösung führt, erklärt sich aus den zahlr. Unbekannten, mit denen es arbeiten muß: Schreibfehler der Kopisten aus Unachtsamkeit, Flüchtigkeit und mangelndem Verständnis e. Stelle, Lesefehler durch Fehlen von Worttrennung und Interpunktion in der Antike, bewußte Änderungen in Lautstand und Orthographie je nach der Mundart des Schreibers oder des Bestellers, Veränderungen im Wortlaut durch Ersetzung unverständl. oder veralteter Wörter zwecks leichterer Verständlichkeit, Kürzungen, Erweiterungen durch Einschub unechter Zeilen (→Interpolationen) und Glossen, versehentl. Auslassung durch Überspringen von Zeilen (bes. zwischen zwei gleichen Wörtern) oder ganzer (evtl. in der Vorlage entfernter) Seiten,

beim Diktieren mangelnde Aufmerksamkeit oder Hörfehler u. a. m.
•Da für die antiken Werke fast gar keine und für die dt. ma. Werke in seltenen Ausnahmefällen (OTFRIEDS Evangelienharmonie und einige Werke des Spätma.) Originalhss. oder authent. Texte vorliegen und selbst die erhaltenen Abschriften bei antiken Werken oft um ein Jahrtausend, bei ma. Texten um viele Jahrzehnte oder Jhh. vom Original entfernt sind, werden derartige Fehler im Zuge mehrfachen Abschreibens nicht nur übernommen und vermehrt, sondern auch, wo sie Unverständliches ergeben, nach Auffassung des Schreibers ›verbessert‹. Aus derart veränderten Überlieferungen, z. T. noch durch Lücken, Textverlust und Unlesbarkeit (→Palimpsest) erschwert, erfolgt die Rekonstruktion des vom Autor geformten Originaltexts durch die T. in drei Hauptstufen:

1. →Rezension: Sammlung und krit. Sichtung aller bestehenden Zeugnisse (Texte, Auszüge, Zitate, Testimonia, bei antiken Texten auch frühe Übersetzungen) zur Feststellung all dessen, was als überliefert zu gelten hat, und zur Ausschaltung (→Athethese) von →Interpolationen. An sie schließt sich aus dem Vergleich von Wortlaut und Orthographie (Kollation) die Einstufung der einzelnen Zeugnisse nach ihrer Stellung in der →Textgeschichte (Filiation) an, die über den Wert der in ihnen enthaltenen →Lesarten entscheidet. Die Textgeschichte ist aus dem vorliegenden Befund zu rekonstruieren. Zur Ermittlung des Verwandtschaftsgrades zweier oder mehrerer Hss. dienen die ›Leitfehler‹, kennzeichnende Irrtümer, die entweder trennend (separativ) die Unabhängigkeit zweier Hss. voneinander zeigen oder verbindend (konjunktiv), d. h. in beiden Hss. vorkommend, die Verwandtschaft, gemeinsamen Ursprung aus derselben Vorlage oder (bei verschlechterten Fehlern der zweiten Hs. im Verhältnis zur ersten) die Abhängigkeit der zweiten Hs. als Abschrift von der ersten Hs. bezeugen. Die verlorene, doch erschlossene Ausgangsform aller erreichbaren Hss. heißt →Archetypus, e. davon abgeleitete Hs., die erneut e. Ausgangspunkt späterer Überlieferungszweige bildet, heißt Hyparchetypus, e. evtl. erhaltener gemeinsamer Ausgangspunkt aller übrigen Überlieferungen heißt ›testis unicus‹ (= einziger Zeuge) und ist in diesem Sonderfall tatsächlich →optimus codex, →Leithandschrift. Die Einordnung von Hss. mit kontaminiertem, d. h. aus mehreren Quellen zusammengestelltem Text in die Überlieferungszweige ist stark erschwert. Das Ergebnis ist textgeschichtl. Forschung bietet im günstigsten Fall e. klar gegliedertes →Stemma, d. h. e. schemat. (graph.) Darstellung des Überlieferungswegs und der einzelnen Zweige vom Original oder dem Archetypus bis zu den erhaltenen Zeugnissen.

2. Examination, d. h. krit. Prüfung und Wertung des als überliefert festgestellten Textbestandes im Hinblick auf seine Echtheit, und zwar a) Selektion: Auswahl der →Lesarten – falls mehrere vorhanden – nach ihrem Wert, bei gebundener Rede ihrer Anpassung an das Metrum und die →Klauseln, ihrer Glaubwürdigkeit nach dem Sprachgebrauch des Verfassers und nach dem Wahrscheinlichkeitsgrad, daß die andere(n) Lesart(en) aus der ursprünglichen durch Verschreibung o. ä. hervorgegangen sein können, d. h. nach dem Grundsatz der ›lectio difficilior‹ (= schwierigere Lesart), die in den meisten Fällen als original anzusehen ist und infolge ihrer Schwierigkeit zur Fehlerquelle wur-

de. Dabei kann die Verschreibung mit Hilfe der Paläographie aus den Schreibgewohnheiten der Zeit zwischen Archetypus und Hs. glaubwürdig gemacht werden. b) Lokalisierung der →Korruptelen und unklärbarer Stellen (→Crux). 3. Konjektur bzw. Emendation: auf Vermutung des Herausgebers beruhende Veränderung des überlieferten Textbestandes und seine möglichst weitgehende Annäherung an den vermutl. Originalwortlaut über die Unzulänglichkeiten der Überlieferung hinaus durch a) Ergänzung von Lücken und Unlesbarkeiten, b) möglichst einleuchtende →Konjekturen für offensichtl. (sprachl., inhaltl. oder metr.) Korruptelen aller Hss. Diese können als Verschreibung aus den Schreibgewohnheiten der Zeit zwischen Original und Archetypus erklärt werden, c) Vorschläge für evtl. weitere Konjekturen an Textstellen, die sprachlich, metrisch und inhaltlich keinen Anstoß bieten, doch stilistisch bei geringfügiger Veränderung eher der Ausdrucksweise des Verfassers entsprechen würden. In der Tat erweisen die neueren Papyrusfunde aus älterer Zeit z. T. die Richtigkeit solcher nur von stilist. Feingefühl getragenen, ansonsten unbegründeten Konjekturen, zeigen jedoch ebenso, daß die Überlieferung der antiken Klassiker verhältnismäßig viel besser ist, als konjekturfreudige Editoren des 18./19. Jh. vermeinten. Die T. wurde zuerst in der klass. Philologie an griech. und lat. Autoren ausgebildet, so schon bei den alexandrin. Philologen um das 3. Jh. v.Chr. (ZENODOTUS, ARISTOPHANES von Byzanz, ARISTARCHOS) und bei den Byzantinern des 13. Jh. (EUSTATHIUS). Als Begründer und Meister der modernen T. gelten die Engländer R. BENTLEY (1662–1742) und H. PORSON (1759–

1808) sowie die Dt. REISKE, F. A. WOLF (1759–1824), G. HERMANN (1772–1848) und I. BEKKER (1785–1871), der die Hss. zuerst nach Familien ordnete, jedoch dem nicht immer zutreffenden Grundsatz des →optimus codex huldigte und die älteste Hs. stets für die beste hielt (während oft jüngere Hss. Lesarten einer noch älteren, verlorenen enthalten können). K. LACHMANN (1793–1851) ging darüber hinaus und zog zuerst bei seiner Lukrezausgabe aus dem vorhandenen Material Schlüsse auf den verlorenen Archetypus bis zur Festlegung von dessen Seiten- und Zeilenzahl. Er übertrug auch zuerst die Grundsätze der für antike Werke bewährten T. auf die Verhältnisse des dt. MA., ohne die Verschiedenheit der Problemlage zu berücksichtigen, die darin besteht, daß die griech. und lat. Texte in einer grammatisch, lautlich und orthographisch mehr oder weniger normierten Schriftsprache entstanden, die in der Entstehungszeit der erhaltenen Hss. bereits fast tot war und e. festen Maßstab für Abweichungen bietet, während in mhd. Zeit e. geregelte Schriftsprache nicht bestand und die Hss. – wenngleich dem Original zeitlich bedeutend näher – nicht nur die versch. Sprachformen und Ausdrucksweisen der Dichter, sondern auch die mundartl. Tönung durch die jeweiligen Schreiber aufweisen und e. allgültige Rekonstruktion des Originals meist unmöglich machen, da die von LACHMANN verfochtene und in seinen Ausgaben durchgeführte mhd. Einheitsorthographie auf Grundlage des Alemannischen in Wirklichkeit nie bestand und auch der Sprachforschung falsche Verhältnisse vortäuschte. Heutige Ausgaben mhd. Texte begnügen sich daher meist mit dem Abdruck der dem Original am nächsten stehen-

den Hs. unter Verbesserung aller offensichtl. Abschreibfehler.
Wesentlich einfacher liegen die Verhältnisse für die T. bei gedruckten Werken, da diese meist kurz nach Fertigstellung des Werkes und häufig unter Aufsicht des Verfassers erscheinen, obwohl auch hier drukkersprachl. Veränderungen, Druckfehler und bei häufigem Nachdruck mundartl. Veränderungen, späterhin Modernisierungen auftreten können. Die heutige Stellung des Verfassers als eigener Herausgeber garantiert e. authent. Text, dessen Drucklegung von ihm überwacht wird. Als Grundlage →kritischer Ausgabe neuerer Schriftsteller gilt meist die →Ausgabe letzter Hand, seltener die →editio princeps. Die Lesarten evtl. erhaltener hs. Entwürfe, späterer Abschriften aus der Hand des Verfassers sowie aller späteren hs. oder bis zum Tode des Autors mit dessen →Autorisation im Druck erscheinenden Umformungen und Änderungen werden als Abweichungen im kritischen →Apparat in zeitl. Abfolge angeführt; nur bei stark veränderten Doppel- und Mehrfach- →Fassungen empfiehlt sich der Übersichtlichkeit halber ein Paralleldruck. T. als verantwortungsbewußte Bemühung um das echte Dichterwort, als innerster Kern der Philologie, bietet mit dem gesicherten Wortlaut die Grundlage für jede weitere wiss. oder ästhet. Bemühung um einen Text.

R. C. Jebb, *Textual criticism* (in: *A Companion to Greek studies*, hg. L. Whibley, ²1906); L. Havet, *Manuel de critique verbale appliquée aux textes Latins*, Paris 1911; T. Birt, Kritik u. Hermeneutik (Hb. d. Altertumswiss. I, 3, 1913); F. W. Hall, *Companion to Classical Texts*, Lond. 1913, n. 1968; R. Sabbadini, *Storia e critica di testi latini*, Catania 1914; O. Stählin, Editionstechnik, 1914; A. C. Clark, *The descent of manuscripts*, 1918; H. Kantorowicz, Einführung i. d. T.,

1921; J. P. Postgate, *Textual criticism* (in: *A Companion to Latin studies*, hg. J. E. Sandys, ³1921); G. Witkowski, T. u. Editionstechnik neuerer Schriftwerke, 1924; H. Quentin, *Essais de critique textuelle*, 1926; W. W. Greg, *The calculus of variants*, 1927; E. Waldberg, Prinzipien u. Method. f. d. Hrsg. alter Texte nach versch. Hss., ZfdPh 51, 1931; P. Maas, T. (in: Gercke-Norden, Einf. i. d. Altertumswiss. I, 2, ³1927), erw. einz. ¹1960; P. Collomp, *La critique des textes*, 1931; G. Pasquali, *Storia della tradizione e critica del testo*, Florenz 1934, ²1952; M. Barbi, *La nuova filologia e l'edizione dei nostri scrittori*, Florenz 1938; A. Dain, *Les manuscrits*, Paris 1949, ²1964; J. Kirchner, Germanist. Hss.praxis, 1950, ²1967; F. Stroh, T. (in: Hb. d. german. Philol., 1952); RL²: Edition; M. Windfuhr, D. neugermanist. Edition, DVJ 31, 1957; F. Bowers, *Textual and lit. criticism*, Lond. 1959; V. A. Dearing, *Manual of textual analysis*, Berkeley 1959; H. W. Seiffert, Stud. z. Kritik u. Edition dt. Texte, 1961; H. Hunger u.a., Gesch. d. Textüberlieferung, II 1961–64; M. Bévenot, *The tradition of manuscripts*, 1961; K. Stackmann, Ma. Texte als Aufgabe (Fs. J. Trier, 1964); F. Bowers, *Bibliogr. and textual criticism*, Oxf. 1964; Probleme ma. Überlieferg. u. T., hg. P. F. Ganz 1968; J. Froger, *La critique des textes et son automation*, Paris 1968; D. S. Avalle, *Introd. alla critica del testo*, Turin 1970; J. Willis, *Latin textual criticism*, Urbana 1970; Texte u. Varianten, hg. G. Martens 1971; R. Laufer, *Introduction à la textologie*, Paris 1972; H. Boetius, T. u. Editionstechnik (Grundzüge d. Lit.- u. Sprachwiss., hg. H. L. Arnold I, 1973); M. L. West, *Textual criticism and editorial technique*, 1973; H. Kraft, Z. Geschichtlichkeit lit. Texte, 1973; M. Lutz-Hensel, Prinzipien d. ersten textkrit. Editionen mhd. Dichtg., 1975; H. J. Kreutzer, Überlieferung u. Edition, 1976; K. Kanzog, Variante u. Textentscheidg., SchillerJb. 22, 1978; D. Sulzer, T. (Erkenntnis d. Lit., hg. D. Harth 1982); K. Maurer, T. u. Interpretation, Poetica 16, 1984; *La critica del testo*, Rom 1985. →Editionstechnik.

Textlinguistik, Disziplin der Linguistik, beschäftigt sich nicht mit den einzelnen Aspekten des Sprachsystems wie Phonologie, Semantik und Syntax mit dem Satz als größter Einheit, sondern greift auf übersatzmäßige Formen, also geformte →Texte versch. →Textsorten, aus und untersucht deren sprachl. Organisation in größeren Zusammenhängen nach syntakt., semant., phonolog. und lexikal. Regeln, nach den Konstituenten und Regeln größerer sprachl. Einheiten (Zusammenhang, Wiederholung, Vor- und Rückverweise, Fortgang) und im Hinblick auf konstante Merkmale von Texten hinsichtlich Thema und Intention. Sie unterscheidet nach sprachl. Kategorien versch. Rede- und Texttypen wie narrativ (erzählend), expositorisch (darlegend) und performativ (handlungstiftend) und →Textsorten, definiert sprachl.-soz. Niveaus von Texten und versucht, Kategorien für den Textcharakter (Textualität) zu entwickeln. In der Lit.wissenschaft kann sie grundlegende sprachl. Vorgaben zur Interpretation liefern, diese jedoch nicht ersetzen.

Beitrr. z. T., hg. W. D. Stempel 1971; K. Brinker, Aufg. u. Methoden d. T., WW 21, 1971; W. Dressler, Einf. i. d. T., 1972, ²1974; T. A. van Dijk, Some aspects of textgrammars, Haag 1972; Papiere z. T., hg. J. Ihwe u.a. 1972 ff.; H. Petöfi u.a., Studies in textgrammars, Dordrecht 1973; W. Kallmeyer u.a., Lektürekolleg z. T., 1974, ³1980; G. Martens, T. u. T'ästhetik, STZ 53, 1975; H. Weinrich, Sprache i. Texten, 1976; O. Beisbart, T. u. ihre Didaktik, 1976; H. Rieser, T'grammatik, 1977; Textgrammat. Konzepte u. Empirie, hg. J. Wirrer 1977; T. Silman, Probl. d. T., 1977; T., hg. W. Dressler 1978; E. Güttgemanns, Einf. i. d. Linguistik f. Textwissenschaftler I, 1978; Current trends in t., hg. W. Dressler 1978; Text vs sentence, hg. J. S. Petöfi II 1979; R.-A. de Beaugrande u.a., Einf. i. d. T., 1980; H. Kalverkämper, Orientierg. z. T., 1981; B. Sowinski, T., 1983; K. Brinker, Linguist. T'analyse, 1985.

Textologie, von B. V. Tomaševskij 1928 geprägte Bz. als Oberbegriff für alle im engeren Sinn philologischen Arbeitsmethoden zur Textsicherung: bes. →Textkritik und →Editionstechnik unter Einschluß von →Textgeschichte und →Überlieferung(sgeschichte); gleichbedeutend mit Textphilologie.

Textphilologie = →Textologie

Textrezeption →Rezeption

Textsorten, Textarten, Textklassen, Untersuchungsfeld der Text-→typologie als linguist. orientierter Disziplin der Lit.wissenschaft: Kategorien zur Klassifizierung und Beurteilung aller Arten geformter →Texte nach funktionalen, sozialen u.a. Kriterien. Sie versucht z.T., die in der Poetik verankerten traditionellen →Gattungen für poet.-fiktionale Texte aufzuweichen und durch andere Bzz. zu ersetzen, leistet der Wesentliches zur genaueren T.-Beschreibung außerlit., sach- und fachbezogener T. wie Bericht, Reportage, Reklametext, Wahlrede, Zeugnis, Gespräch, Witz, auch für wiss. und jurist. Texte.

E. Gülich, W. Raible, T., 1972; E. Werlich, Typologie d. Texte, 1975, ²1979; T.-lehre – Gattgsgesch., hg. W. Hinck 1977; K. Zimmermann, Erkundungen z. Texttypologie, 1978; B. Marfurt, T.n u. Interaktionsmuster, WW 28, 1978; T.n u. lit. Gattgn., hg. C. O. Conrady 1983; L. Gobyn, T., Brüssel 1984.

Textsoziologie = →Literatursoziologie

Texttheorie, Textwissenschaft, 1. in der mod. Linguistik e. übergreifende und z.T. interdisziplinäre Wissenschaftsrichtung, die sich mit allen Arten geschriebener, gedruckter, gesprochener bzw. auf Tonträgern konservierter →Texte befaßt und die sprachl. Kommunikation als partnerbezogenes, intentionales und informatives Handeln erfaßt, das sich in ›kommunikativen Handlungsspielen‹ vollzieht. Im lit. Bereich entspricht ihr die →Literaturwissenschaft. – 2. speziell von M. Bense und der →Stuttgarter Gruppe im Rahmen der Informationsästhetik betriebene Methode(n) der Textanalyse und der (bes. experimentellen) Textherstellung, mit

Wirkung auf die →Experimente in →konkreter Poesie. – 3. svw. →Textlinguistik.

M. Bense, Theorie d. Texte, 1962; H. Isenberg, T., 1971; I. Kerkhoff, Angewandte T'wiss., 1973; D. Breuer, Einf. i. d. pragmat. T., 1974; J. S. Schmidt, T., 1974, ²1976; T. u. Pragmatik, hg. M. Rüttenauer 1974, ²1978; A. Bernáth u.a., T. u. Interpretation, 1975; W. Kummer, Grundlagen d. T., 1975; A. Höger, D. Schrifttext, Koph. 1975; H. F. Plett, T'wiss. u. T'analyse, 1975, ²1979; Sprechen, Handeln, Interaktion, hg. R. Meyer-Hermann 1978; T., T'repräsentation, hg. C. Biasci 1978; Grundfragen d. T'wiss., hg. W. Frier, Amsterd. 1979; Empir. T'wiss., hg. H. Bergenholtz 1979; P.-L. Völzing, Text u. Handlg., 1979; T. A. van Dijk, T'wiss., 1980; M. Scherner, Sprache als Text, 1984.

Textualität →Textlinguistik

Texttypologie →Typologie, →Textsorten

Textwissenschaft →Texttheorie

Thaddädl (zu Thadeus), →komische Person des Wiener Volkstheaters, tölpelhafter, dummdreister Lehrling. Im →Kasperletheater oft Partner des Kasperl.

Thalia, griech. Thaleia (= die Blühende), →Muse der Komödie und der ländl. Dichtung, heute Symbol der Schauspielkunst allg. und Beschützerin des Theaters; Attribute: kom. Maske und gekrümmter Hirtenstab; auch e. der →Grazien.

Theater (griech. *theatron* = Schauplatz, von *theasthai* = schauen), 1. jede schaubare künstler. Darstellung äußerer oder innerer Vorgänge mit Hilfe von Figuren (→Puppenspiel, →Schattenspiel) oder durch Menschen selbst, als freies →Stegreifspiel im Sinne des Mimus, auch ohne Worte (→Pantomime, →lebende Bilder, Tanz-T.) oder als echte Umsetzung des lit. →Dramas oder →Musik-T.s in schaubare, sinnenfällige Handlung. – 2. der Gesamtbereich aller Einrichtungen, die mit der Schauspielkunst zusammenhängen und der Aufführung e. Spiels vor Zuschauern dienen: menschl. Leistungen in →Schauspielkunst, Mimik, Gestik, evtl. Musik, Gesang, Tanz, →Regie und Organisation (→Intendant, →Dramaturg), die techn. Hilfsmittel, auch Architektur, Plastik, Malerei und Technik: Theaterbau, →Bühne, →Bühnenbild, →Dekoration, → Kulissen, →Kostüme, →Masken, Beleuchtung, →Theatermaschinen und im weiteren Sinne auch →Publikum, →Kritik, →Zensur und Mäzenatentum von Seiten der Städte (in Antike und MA., in der Gegenwart die →Stadttheater), der Kirche (im MA.), der Höfe (→Hoftheater seit der Renaissance), der Zünfte (im Meistersang), Schulen (→Schultheater), Universitäten (→Studentenbühne), Orden (→Jesuitentheater) und seit dem Ende des 19. Jh. bühnenerhaltende T.gemeinden (→Volksbühnen u.ä.) neben den (wie schon die Wanderbühnen) auf sich selbst gestellten Privat-T. – 3. im engsten Sinne der T.bau. Seine Eigenart ist z.T. mitbestimmend für die Formen des Dramas in den versch. Epochen und Ländern und Kenntnis seiner geschichtlich entwickelten Formen daher Voraussetzung für das Verständnis ihrer dramat. Dichtungen. Das griech. T., gegen Ende des 6. Jh. urspr. für die Dithyrambenchöre an den Dionysien entwickelt, war e. unüberdachtes (Freilicht-)T. Es bestand aus der kreisförmigen →Orchestra, dem Aufenthaltsort und Spielplatz des Chors mit e. Altar als Zeichen der relig. Herkunft in der Mitte, auf dessen Stufen wohl die Flötenspieler Platz fanden, ferner aus den um die Orchestra hufeisenförmig (d.h. etwas voller als im Halbkreis) stufenweise ansteigenden Sitzreihen der

Zuschauer, die von radial von oben nach unten verlaufenden schmalen Gängen, im großen T. auch horizontalen Umgängen, durchschnitten wurden. Die unterste Sitzreihe wurde mit Rückenlehne versehen oder aus einzelnen Armsesseln gebildet, die für hohe Beamte und Priester reserviert waren. Aus bautechn. Gründen wurde dieser Zuschauerraum (theatron) möglichst an natürl. Hänge angelehnt, aus dem Fels gehauen, in Täler eingefügt oder freistehend ganz aus Stein oder Marmor aufgeführt, nachdem eines der früher üblichen Holzgerüste um 500/497 v.Chr. bei e. dramat. Wettkampf infolge allzugroßer Belastung zusammengebrochen war. (Das erste feste griech. T. war das Dionysios-T. am Südosthang der Akropolis von Athen, zuerst Anfang des 5. Jh. errichtet, um 330 v.Chr. erneuert und mit Statuen der drei großen Tragiker u.a. geschmückt, für rd. 27 000 Zuschauer, auch für Volksversammlungen, Staatsfeierlichkeiten u.ä. verwendet.) Dem Zuschauerraum frontal gegenüber im Hintergrund der Orchestra an ihre offenen Seite lag die →Szene, das Bühnenhaus, dessen Inneres die notwendigen Bühnen- und Umkleideräume enthielt, dessen Rückwand den jeweils erforderlichen Hintergrund bildete und aus deren (3 oder 5) ins T. führenden Türen die Schauspieler auf die Orchestra heraustraten und zu ebener Erde spielten. Im Laufe des hellenist. Zeit wurde die urspr. hölzerne Skene aus Stein aufgeführt und der Schauspielplatz davor erhöht bis zur richtigen, aus akust. Gründen überdachten Bühne. An beiden Seiten derselben, vor den anstoßenden Zuschauerreihen, lagen die Seiteneingänge (Parodoi), durch der Chor in die Orchestra einzog. Auch Kulissen (Schlußprospekt, später →Periak-

ten) und →Theatermaschinen wurden verwendet; e. Vorhang dagegen war unbekannt. – Das röm. T. hat diesen Gesamteindruck weitgehend beibehalten, doch die griech. Maße bes. in den →Amphitheatern stark überschritten. Der nunmehr genau halbkreisförmige Zuschauerraum (Cavea) war z.T. überdacht; die Orchestra, durch Wegfall des Chors, der – falls überhaupt – auch auf der Bühne auftrat, zum Halbkreis verkleinert, erhielt Prunksessel für Senatoren, Priester, Beamte u.ä.; in der 1. Reihe saßen Angehörige des Ritterstandes, die Bühne selbst wurde im Verhältnis zur griech. verbreitert und bes. vertieft. Nachdem der Versuch des Zensors M. Aemilius Lepidus 179 v.Chr. zum Bau e. T. nicht zu Ende geführt wurde und der des Zensors Cassius Longinus 154 v.Chr. am Einspruch des Scipio Nasica scheiterte, löste erst 55 v.Chr. das erste in dieser Form erbaute feste Stein-T. des Pompejus auf dem Marsfeld für bis zu 40 000 Zuschauer, die bis dahin übl. provisor. Holzgerüste für Bühne und Zuschauerraum ab, auf denen noch die Stücke des Plautus, Terenz, Ennius und Pacuvius gespielt worden waren und die nach den Spieltagen wieder abgebrochen wurden und viel Unbequemlichkeiten – z.T. nicht einmal Sitzplätze – boten. Im Jahre 13 v.Chr. folgten ebenfalls auf dem Marsfeld die beiden steinernen T.-bauten von Cornelius Balbus und Augustus (für seinen Schwiegersohn Marcellus) und in der späteren Kaiserzeit T.-bauten selbst in den kleinen Provinzstädten. Bühnendekoration künstler. Art gab es seit 99 v.Chr. – Die →geistlichen Dramen des MA. (Passionsspiele u.ä.) kannten keinen T.-bau, sondern spielten ursprünglich in der Kirche, dann auf der →Simultanbühne auf dem Markt, dessen Häuser gleichzeitig als Dekoration und bevorzugte Zuschauerplätze dienten, oder auf →Wagenbühnen. Auch die umgestalteten Gasthaussäle der →Passionsbrüder, die →Badezellenbühne in den Schulsälen für Schuldramen und die einfachen Schaugerüste für Fastnachtsspiele und Meistersinger bildeten nur provisor. Lösungen des T.raum-Problems. Der moderne T.-bau beginnt im 16. Jh. bei den Architekten der ital. Renaissance (PALLADIOS Teatro Olimpico in Vicenza). In England entwickelt sich die → Shakespeare-Bühne, die durch die Wandertruppen auch auf die ersten stehenden T. in Dtl. übertragen wird, doch setzt sich auch hier, bes. in den höf. T.-bauten, der länglich-rechteckige oder gerundete, zweiteilige Saalbau aus Bühnenhaus und Zuschauerhaus mit reiner →Guckkastenbühne und stärker ausgeprägter ständ. Gliederung der Zuschauerreihen durch: Verteilung der Zuschauer entsprechend ihrer sozialen Stellung auf versch. Ränge bzw. einzeln abgetrennte Logen (Logen-T.), Abtrennung des Bühnenraums vom Zuschauerraum durch versch. Haupt- und Neben-→vorhänge, Ausstattung der Bühne durch →Kulissen nach der Seite, →Prospekt nach hinten, →Soffitten nach oben, →Versetzstücke usw., →Theatermaschinen für Flüge, Versenkungen u. ä., Souffleurkasten am vorderen Bühnenrand und evtl. Orchestergraben vor oder unter der Bühne sowie e. Reihe sonstiger Gesellschafts- und Verwaltungsräumlichkeiten (Garderoben, Proberäume, Werkstätten). Neuere Bestrebungen gehen einerseits auf stärkere Heranziehung technischer Mittel, wie →Drehbühne und Beleuchtungseffekte, andererseits bes. auf e. stärkere Verbindung von Bühne und Publikum durch e. in den Zuschau-

erraum vorspringende, der → Shakespearebühne ähnl. →Raumbühne und Überwindung der Künstlichkeit im →Freilicht-, →Natur- und →Straßen-T.

E. K. Chambers, *The ma. stage*, Oxf. II 1903; H. A. Rennert, *The Span. stage in the time of Lope de Vega*, 1909, n. 1963; V. Inamana, *Il teatro antico greco e romano*, Mail. 1910; E. P. Horrwitz, *Indian th.*, 1912; M. Herrmann, Forschg. z. T.-gesch. d. MA. u. d. Renaiss., 1914; M. Bieber, Denkmäler d. T. i. Altertum, 1920; N. Díaz de Escovar, *Historia del teatro español*, Barcelona 1924; M. Martersteig, D. dt. T. i. 19. Jh., ²1924; W. Stammler, Dt. T.-gesch., 1925; O. Navarre, *Le t. grec*, Paris 1925; P. Zucker, *The Chinese T.*, Boston 1926; A. Nicoll, *The Development of the T.*, Lond. 1927, ⁵1966; Gregor-Fülop-Miller, D. russ. T., 1927; S. Nestriepke, D. T. i. Wandel d. Zeiten, 1928; G. Cohen, *Le t. franç. au m. a.*, 1928; O. Eberle, T.-gesch. der inneren Schweiz, 1929; RL; E. Fiechter, Antike griech. T.-bauten, VII 1930–36; Gregor-Fülop-Miller, D. amerik. T., 1931; N. Gourfinkel, *Le T. russe contemporain*, Paris 1931; L. Dubech, *Hist. générale ill. du t.*, Paris V 1931–34; J. S. Kennard, *The Ital. th.*, II 1932; J. Gregor, Weltgesch. d. T., 1933; P. A. Markov, *The Soviet Theatre*, Lond. 1934; R. K. Yainik, *The Indian T.*, N.Y. 1934; H. H. Borcherdt, D. europ. T. i. MA. u. i. d. Renaiss., 1935, ¹1969; B. Moretti, *Teatri*, Maild. 1936; R. C. Flickinger, *The Greek T. and its Drama*, Chicago ⁴1936; L. Torelli, *Il teatro contemporaneo ital.*, Maild. 1936; J. Anderson, *The American T.*, 1937; M. Piper, D. jap. T., 1937; F. Ege, D. T. d. nord. Länder, Amsterdam 1938; A. Delpit, *Le t. contemporain*, Northampton 1938; M. Apollonio, *Storia del teatro ital.*, 1938; N. Ewreinoff, *Le t. en Russie soviét.*, Paris 1938; S. d' Amico, *Storia del teatro drammatico*, Maild. IV ²1950–1958; H. Tintelnot, Barock-T. u. barocke Kunst, 1939; M. Bieber, *The Hist. of the Greek and Roman T.*, Princeton 1939, ²1960; G. Freedley, J. A. Reeves, *A Hist. of the T.*, N.Y. 1941, ²1968; J. Gregor, D. span. Welt-T., ²1943; A. v. Gyseghen, *The soviet Russia*, Lond. 1943; E. Müller, Schweizer T.-gesch., 1944; E. L. Stahl, Shakespeare u. d. dt. T., 1947; ders., D. engl. T. i. 19. Jh., 1914; W. Talmon-Gros, D. mod. franz. T., 1947; J. Gregor, Gesch. d. österr. T., 1948; H. Kindermann, T.-gesch. d. Goethezeit, 1948; B. Sobell, *The New T. Handbook*, 1943, ³1964; M. Muñoz, *Hist. del teatro dramático en España*, Madrid 1948; W. Unruh, ABC

d. T.technik, 1950; Bulle-Wirsing, Szenenbilder z. griechischen T. d. 5. Jh. v.Chr., 1950; C. Niessen, Hdb. d. T.-wiss., 1950ff.; W. H. Bruford, Th., drama and audience in Goethe's Germany, Lond. 1950, ²1957; R. Stamm, Gesch. d. engl. T., 1951; The Oxford Companion to the T., 1951, ⁴1967; B. V. Vareneke, Hist. of the Russian T., N.Y. 1951; G. Hughes, A Hist. of the American T. 1700 to 1950, N.Y. 1951; S. Cheney, The T., N.Y. 1952; A. M. Nagler, A source book in theatrical hist., N.Y. 1952; A. Pickard-Cambridge, The Dramatic Festivals of Athens, Oxf. 1953; W. Kosch, Dt. T.-Lex., III 1953ff.; G. Altmann u.a., The pictorial, Berkeley 1953; J. Gassner, The t. in our times, N.Y. ³1960; Enciclopedia dello spettacolo, Rom XI 1954–66; O. Eberle, Cenalora (T. d. Urvölker), 1954; E. Werner, T.-gebäude, 1954; M. Beare, The Roman Stage, Oxf. ²1955, ⁴1968; K. MacGowan u. W. Melnitz, The Living Stage, Englewood Cliffs 1955; A. Valbuena Prat, Historia del teatro español, Barcelona 1956; T. B. L. Webster, Greek T. Production, Lond. 1956; S. Melchinger, T. d. Gegenw., 1956; Kürschners Biogr. T.-Handbuch, 1956; A. C. Scott, The Classical T. of China, Lond. 1957; N. A. Gorchakov, The t. in Soviet Russia, N.Y. 1957; H. Kindermann, T.-gesch. Europas, X 1957–74, ²1966ff.; T. E. Lawrenson, The French stage in the 17th cent., Manchester 1957; L. Moussignac, Le th., Paris 1957; J. M. Landau, Stud. in the Arab. th. and cinema, Phil. 1958; El Teatro, Enciclopedia del arte escénico, Barcelona 1958; F. Bowers, The Japanese Theatre, N.Y. 1959; J. Chiari, The Contemporary French T., Lond. 1959; P. Arnott, An Introduction to the Greek T., Lond. 1959, ²1963; B. Hewitt, Th. U.S.A., N.Y. 1959; G. Wickham, Early Engl. Stages, Lond. III 1959–72; R. Alewyn, K. Sälze, D. große Welt-T., 1959; S. Young, The T., Lond. 1959; V. Pandolfi, Il teatro drammatico, 1959; H. Knudsen, Dt. T.-Gesch., 1959, ²1970; R. Pignarre, Gesch. d. T., 1960; W. L. Wiley, The early public T. in France, Cambr./Mass. 1960; F. Bowers, T. in the East, N.Y. 1960; G. Baty, E. Chavance, Breve storia del t., Mail. ²1960; F. M. Whiting, Introduction to the T., N.Y. 1961, ³1969; P. D. Arnott, Greek scenic conventions, Oxf. 1962; A. Nicoll, The th. and dramatic theory, Lond. 1962; A. Lewis, The contemp. th., N.Y. 1962; A. H. Borcherdt, Gesch. d. dt. T., in ›Aufriß‹, 1962; V. M. Roberts, On stage, a hist. of the t., N.Y. 1962; V. Arpe, Bildgesch. d. T., 1962; G. Schöne, 1000 Jahre dt. T., 1962; H. Hunt, The Live T., Oxf. 1962; R. Corrigan, T. in the 20. cent., N.Y. 1962; M. Beigbeder, Le théâtre en France

depuis la libération, Paris 1962; T. B. L. Webster, Griech. Bühnenaltertümer, 1963; S. Obraszow, T. in China, 1963; W. F. Michael, Frühformen d. dt. Bühne, 1963; A. Neppi Modona, Gli edifici teatrali greci e romani, Florenz 1963; The German th. today, hg. L. R. Shaw, Austin 1963; M. Slonim, Russian th., Lond. 1963; O. G. Brockett, The th., N.Y. 1964, ²1969; A. Sturm, Th.gesch. Oberösterreichs i. 16. u. 17. Jh., 1964; L. Stegnano Picchio, Storia del teatro portoghese, Rom 1964; K. Hartmann, Die poln. T. nach d. 2. Weltkrieg, 1964; W. Mönch, D. franz. T. i. 20. Jh., 1965; O. Fencl, D. T. i. d. Tschechoslowakei, 1965; Histoire des spectacles, Paris 1965; H. Taubman, The making of Americ. th., N.Y. 1965; H. F. Rankin, The th. in colonial America, Chapel Hill 1965; N. Hölzl, Th.gesch. d. östl. Tirol, II 1966f.; D. Atlantisbuch d. T., hg. M. Hürlimann 1966; R. Southern, D. 7 Zeitalter d. T., 1966; M. Baur-Heinhold, T. d. Barock, 1966; F. Vogl, T. i. Ungarn 1945–1965, 1966; Fernöstl. T., hg. H. Kindermann 1966; M. Carlson, The theatre of the French Revolution, Ithaca 1966; R. Bauer, La réalité – royaume de Dieu, 1966; J. R. Brandon, Theatre in Southeast Asia, Cambr./Mass. 1967; G. Rowell, The Victorian th., Lond. 1967, ²1980; N. D. Shergold, A hist. of the Span. stage, Oxf. 1967; The mod. Americ. th., hg. A. B. Kernan, Englewood Cliffs 1967; J. Guicharnaud, Mod. French th., New Haven ²1967; D. Cheshire, Th., Bibliogr. Lond. 1967; L. C. Pronko, Th. East and West, Berkeley 1967; J. R. Taylor, Penguin Dict. of the th., Harmondsworth 1967; G. Graubner, T.-bau, 1968; M. Berthold, Weltgesch. d. T., 1968; The 17th cent. stage, hg. G. E. Bentley, Chic. 1968; J. Poggi, Th. in America, Ithaca 1968; F. Fuhrich, Th.gesch. Oberösterreichs i. 18. Jh., 1968; W. Flemming, Goethe u. d. Th. s. Zeit, 1968; V. Arpe, D. schwed. Th., Stockh. 1969; D. C. Mullin, The development of the playhouse, Berkeley 1969; F. Michael, Gesch. d. dt. Th., ²1969; K. Gröning, W. Kließ, Friedrichs Th.lexikon, 1969; A. Yates, Th. of the world, Lond. 1969; P. Hartnoll, D. Th., 1970; D. Blum, A pictorial hist. of the Americ. th., N.Y. ³1970; B. Gascoigne, Illustr. Weltgesch. d. Th., 1971; H. Schubert, Mod. Th.bau, 1971; 1h. i. d. Zeitwende (DDR), II 1972; E. Simon, D. antike Th., 1972; J. Prudhoe, The th. of Goethe and Schiller, Oxf. 1973; G. Wickham, The medieval stage, Lond. 1974, ³1987; C. Molinari, Th., 1975; M. Patterson, German. th. today, Lond. 1976; H. Daiber, Dt. Th. seit 1945, 1976; A. M. Nagler, The medieval religious stage, 1976; H.-J. Müller, D. span. Th. i. 17. Jh., 1977;

Th.lexikon, hg. C. Trilse u. a. 1977, ²1978; J. West, *Th. in Australia*, Sydney 1978; H.-D. Blume, Einf. i. d. antike Th.wesen, 1978; O. G. Schindler, T.literatur. Bibliogr. ⁶1978; W. Tydemann, *The t. in the m.a.*, Cambr. 1978; H. A. Frenzel, Gesch. d. T. 1470–1840, 1979; C. W. Thomsen, D. engl. T. d. Ggw., 1980; RL²; W. Lange, T. i. Dtl. nach 1945, 1980; H. Haider-Pregler, D. sittl. Bürgers Abendschule, 1980; S. Maurer-Schmoock, Dt. T. i. 18. Jh., 1982; F. Hadamowsky, Bücherkunde dtspr. T.lit., II 1982–86; B. Drewniak, D. T. im NS-Staat, 1983; H. Rischbieter, T.lexikon 1983; J. Hösle, D. ital. T. v. d. Renaiss. bis z. Gegenreformation, 1984; *The t. in the m.a.*, hg. H. Braet, Leiden 1985; H. Doll, G. Erken, T., 1985; D. span. T., hg. K. Poertl 1985; G. Wickham, *A hist. of the t.*, Oxf. 1985; T.lexikon, hg. M. Brauneck 1986; W. Tydeman, *Engl. medieval t.*, Lond. 1986; U.-T. Lesle, D. niederdt. T., 1986; M. Brauneck, T. i. 20. Jh., 1986; T.wesen u. dramat. Lit., hg. G. Holtus 1987; V. C. Richel, *The German stage 1767–1890*, Lond. 1988; *A radical stage*, hg. W. G. Sebald 1988; *The Cambridge guide to world th.*, Cambr. 1988. →Theaterwissenschaft.

Theater auf dem Theater →Spiel im Spiel

Theaterbau →Theater

Theater der Grausamkeit, Bz. von A. Artaud (1932) für e. theatral. Darstellungsstil, der im Ggs. zum konventionellen Konsumtheater die mag.-myst., rituellen, gest. Elemente des illusionären Schau-Spiels betont und in e. unlit., absoluten Totaltheater mit Rhythmen, Schreien, Masken und Aktionen in Verbindung mit Licht, Farbe und Musik die Trennung von Darsteller und Zuschauer aufheben, dem Zuschauer durch solche Grausamkeit e. ›ästhet. Schock‹ versetzen, sein Unterbewußtsein freisetzen und ihn durch Aussetzen an die Existenzerfahrung ändern will. Das T. d. G. kommt damit auf direktem Weg der antiken →Katharsis nahe. Artauds eigene Regie nach Vorbild der Dramen A. Jarrys beeinflußte das mod. →absurde Drama (Genet, Ionesco,

Weiss, Beckett) und viele mod. Regisseure. →Guignol.

T. Hocke, Artaud u. Weiss, 1978; F. Tonelli, *L'esthétique de la cruauté*, Paris 1979; P. Brunel, *Théâtre et cruauté*, Paris 1983.

Theaterdichter →Bühnendichter

Theaterkostüm →Kostüm

Theaterkritik, die krit. Auseinandersetzung mit e. Bühnenaufführung in Zeitungen, Zss. u. a. Medien. Sie unterscheidet sich von der lit. →Kritik insofern, als sie nicht nur lit. Maßstäbe anzulegen und das Stück auf seinen ästhet., dramat. und dramaturg. Wert und seine geistige Aussage hin zu prüfen hat, sondern daß sie neben dem Bühnenwerk auch den Wert der Aufführung zu beurteilen hat: Angemessenheit der szen. Realisierung, der Besetzung, des Bühnenbildes, der Regie und der Leistung der einzelnen Darsteller in bezug auf den vorgegebenen Text, Harmonie und Einheitlichkeit der Aufführung überhaupt, schließlich ihre Ortung und Wertung am Maßstab des mod. Welttheaters. Die T. stellt das öffentl. Echo auf e. Aufführung dar, sie mißt das einzelne Theaterereignis an den zeitgenöss. Strömungen, kann bestenfalls vorzeitig die Veränderungen des mod. Theaters erkennen und diese der Bühne selbst und dem Publikum bewußt machen, neuen Strömungen zum Durchbruch verhelfen, darf jedoch nie unkritisch als alleinige Grundlage der Meinungsbildung genommen werden, sondern allenfalls zu e. tieferen Verständnis des Gesehenen führen. Angesichts der subjektiven Sicht, die jede Aufführung e. Bühnenwerks verkörpert, stellt sie nur wiederum e. zweite subjektive Sicht als Regulativ dar. Für die Vergangenheit ist die T. vielfach das einzige (auch für die Theatergeschichte wichtige) Zeugnis zur Rekonstruktion e. Inszenierung. Sie bewahrt den flüchtigen Eindruck des Bühnenerlebnisses für die Nichtbeteiligten auf und sollte daher aus genügender Distanz vom Erlebnis selbst verfaßt sein (vgl. dagegen →Nachtkritik). Ihre anhand zeitgenöss. Maßstäbe begründete Wertung bildet gleichzeitig e. Spiegel für die Selbstkritik des Theaters und e. Anregung für Inszenierungen und Spielplangestaltung anderer Bühnen wie auch der Massenmedien, nachdem ihr direkter Einfluß auf die Besucherzahlen angesichts im voraus ausabonnierter Häuser wesentlich eingeschränkt ist. – Die eigtl. T., nicht als Dramenkritik wie bei DIDEROT und MERCIER in Frankreich, ADDISON und STEELE in England, GOTTSCHED und EKHOF in Dtl., sondern als Kritik der theatral. Verwirklichung und ihrer Mittel beginnt mit LESSINGS *Hamburgischer Dramaturgie* (1767–69) und entwickelt sich mit dem Aufblühen der Zeitungen im 19. Jh. Wichtige dt. Theaterkritiker sind L. TIECK, K. GUTZKOW, L. BÖRNE, M. G. SAPHIR, H. LAUBE, K. FRENZEL, T. FONTANE, J. HART, A. KERR, J. BAB, P. SCHLENTHER, A. POLGAR, S. JACOBSOHN, H. IHERING, K. H. RUPPEL, P. FECHTER, F. LUFT, W. KARSCH, S. MELCHINGER, A. SCHULZE-VELLINGHAUSEN, H. KARASEK, J. KAISER u. a.

F. Michael, D. Anfge d. T. i. Dtl., 1918; G. Scheuffler, Probleme d. T., Diss. Jena 1933; H. Knudsen, T., 1928; K. Kersting, Wirkende Kräfte i. d. T. d. ausgeh. 18. Jh., 1937; A. Schwerdt, T. u. Zeitg. 1750–1850, 1938; W. Schwarzlose, Methoden d. dt. T., Diss. Mchn. 1951; S. Melchinger, Keine Maßstäbe?, 1959; I. Pflüger, T. i. d. Weimarer Rep., 1981; W. Hinck, T. als Opposition (in: Germanistik als Lit.kritik, 1983); H. Heckmann-French, Z. T. d. Frühaufklärg., WB 37, 1985.

Theaterlied, →Couplet, scherz-

haft-volkstümliche lyr. Gesangseinlage in Possen und Volksstücken, schon in der Stegreifkomödie beliebt und zumeist von der kom. Person vorgetragen, bei RAIMUND und NESTROY zu hoher Kunst entwickelt.

H. Zeman, D. T. z. Z. J. Haydns (J. Haydn u. d. Lit. s. Zt., hg. ders. 1976).

Theatermaschinen, mechan. Vorrichtungen für Bühneneffekte, fanden z. T. schon in der Antike Verwendung: →Ekkyklema und Flugvorrichtungen für fliegende Göttererscheinungen (→deus ex machina), dann bes. seit dem Jesuitendrama und Barocktheater unter dem Bühnenboden zur Bewegung der Kulissen, Festwagen, Schiffe, auch Wettereffekte und Wasserspiele, durchbrochener Fußboden für Versenkungen, Bewegung der Soffitten u. a. m. Das mod. Theater macht von perfektionierter Bühnentechnik weniger Gebrauch.

Theaterrede, bes. im 18. Jh. beliebte Form des →Prologs bei besonderen Anlässen: Ansprache zur Begrüßung der Zuschauer in Versen.

Theaterroman, stofflich in der Welt des Theaters angesiedelter Roman, der vielfach auch zum Sprachrohr für des Autors Ansichten von der Bühnenkunst wird und die Idealvorstellungen seiner Zeit spiegelt, z. B. K. Ph. MORITZ' *Anton Reiser,* GOETHES *Wilhelm Meister,* H. MANNS *Die kleine Stadt,* E. FERBERS *Show Boat* u. a.

R Selbmann, Theater im Roman, 1981.

Theatersprache, Bühnenjargon der Schauspieler, z. B. Ausdrücke wie →›Schmiere‹ und ›schwimmen‹. – Vgl. dagegen →Bühnenaussprache.

RL; U. Rohr, D. Theaterjargon, 1952.

Theatersatire →Satire

Theaterverlag →Bühnenvertrieb

Theaterwissenschaft, seit Anfang des 20. Jh. bes. von M. HERRMANN begründete Wissenschaft, die einerseits das Wesen des Phänomens Theater und alle Gebiete der kunstmäßigen Bühnendarstellung und Aufführungstechnik (Schauspielkunst, Bühnenbild, Kostüm, Inszenierung, Regie usw.) als Wiedergabe der dramat. Dichtung nach ihrem Wert, ihrer Bedeutung und ihren Grenzen hin untersucht und andererseits als Theatergeschichte die früheren Zustände des Theaters hinsichtlich Theaterbau, Bühne, Dekoration, Spieltechnik usw. zu rekonstruieren sucht und dabei häufig von der Form der überlieferten Bühnendichtungen als einzigem Zeugnis ausgehen muß. Auch soziolog. Untersuchungen hinsichtlich der ständ. Zusammensetzung des Publikums, Mäzenatentums, der bühnentragenden Gesellschaften, der Rolle der →Theaterkritik usw. werden angestellt. Die Th. weitet sich zur Medienwiss. unter Einschluß von Film, Funk, Fernsehen. Theaterwiss. Institute und Seminare an dt. Universitäten dienen der theoret. und wiss. Ausbildung von Regisseuren, Dramaturgen, Intendanten u. a. Theaterfachleuten.

H. Knudsen, D. Studium d. T., 1926; RL; A. Kutscher, Grundriß d. T., II 1932–36, ²1949; C. Niessen, Hdb. d. T., 1950ff.; H. H. Borcherdt in ›Aufriß‹, H. Knudsen, T., 1950; H. A. Frenzel, T. (Universitas litterarum, 1954); D. Diederichsen, T. u. Lit.-wiss., Euph. 60, 1966; H. Knudsen, Methodik d. T., 1970; D. Steinbeck, Einl. i. d. Theorie u. Systematik d. T., 1970; J. Klünder, T. als Medienwiss., 1971; T. i. dtspr. Raum, hg. H. Klier 1981.

Theaterzensur →Zensur

Theaterzettel, Blätter mit sachlichen Angaben über Inhalt und Form e. Bühnenaufführung, verdrängen die im ma. geistl. Drama und Fastnachtsspiel übl. Art der Ankündigung (Personenverzeichnis, Inhalt usw.) durch den Prologsprecher (Praecursor) oder Nennung des Verfassers in der Schlußzeile beim Fastnachtsspiel. Der erste geschriebene dt. T. stammt von e. 1466 in Hamburg aufgeführten Passionsspiel, der erste gedruckte von e. Rostocker Aufführung 1520 enthält e. Inhalts-, Orts- und Zeitangabe (Tag und Stunde) der Aufführung. Die T. des Barock preisen schwülstig die bevorstehenden Schaugenüsse, bes. Dekorationskünste, Beleuchtungseffekte und Maschinenkünste an; die →Synopsen des Jesuitendramas geben dt. Inhaltsangaben des lat. Spiels. Erst seit Mitte des 18. Jh. verschwinden die Inhaltsangaben; der T. enthält nunmehr Titel, Gattung, Verfasser des Stückes, evtl. Bearbeiter, Orts- und Zeitangaben, Personenverzeichnis und erstmalig die Namen der Darsteller; Nennung des Regisseurs wird erst in der 2. Hälfte des 19. Jh. üblich, ebenso erst seit dem 19. Jh. die wochenweise Ankündigung des →Spielplans anstelle mündl. Mitteilung am Ende der Aufführung. Daneben finden sich schon früh Mitteilungen des Prinzipals, der Mäzenaten, seit Ende des 19. Jh. auch Reklame und – seit der Volksbühnenbewegung – Erläuterungen zum tieferen Verständnis sowie z. T. lit. Aufsätze, die den T. seit 1894 zum Programmheft anschwellen lassen und gegebenenfalls zu Theaterzss. erweitert werden.

C. Hagemann, Gesch. d. T., Diss. Hdlbg. 1901; G. Weisstein, Gesch. d. T. (in Spemanns Gold. Buch d. Theaters, 1912); RL; J. R. Haensel, Gesch. d. T., Diss. Bln. 1959; H. Kressin, D. Entw. d. Theaterprogrammheftes i. Dtl., Diss. Bln. 1968; E. Pies, Kl. Chronik d. T., 1973; T., hg. R. Eder 1980.

Theatrum mundi (lat. =) →Welttheater

Thema (griech. = das Gesetzte),

Grund- und Leitgedanke e. Werkes; in e. Abhandlung zu behandelnder Gegenstand. Der in der Sachlit. übliche Begriff hat in die dt. Terminologie der →Stoffgeschichte, die nur zwischen →Stoff und →Motiv unterscheidet, im Ggs. zur engl./franz. noch keinen Eingang gefunden. Er bietet sich an für Motive von solcher Abstraktheit, daß sie keinen Handlungskern bergen: Toleranz, Humanität, Ehre, Schuld, Freiheit, Identität, Gnade u. ä.
Lit. →Motiv, →Stoff.

Thematologiem, engl.-franz. Terminus für dt. →Stoffgeschichte, das unübersetzbar ist, bzw. das gesamte Forschungsgebiet der Stoff- und Motivgeschichte.

Theodizee (franz. *theodicée* v. griech. theos = Gott, *dike* = Recht), Rechtfertigung Gottes hinsichtlich der von ihm zugelassenen Übel und Unzulänglichkeiten in der Welt als Versuch, deren Vorhandensein mit dem Glauben an Vollkommenheit, Güte und Allmacht Gottes zu vereinen; meist von Theologen und Philosophen (Stoiker, EPIKUR, LEIBNIZ) in theoret. Form unternommen, doch auch e. Grundthema der dt. Dichtung seit dem 18. Jh.
R. Wegener, D. Probl. d. T. i. d. Philos. u. Lit. d. 18. Jh., 1909; O. Lempp, D. Probl. d. T. i. d. Philos. u. Lit. d. 18. Jh., 1910, n. 1976; H. Lindau, D. T.-Problem i. 18. Jh., 1911; F. Billicsich, D. Problem d. T. i. philos. Denken d. Abendldes. I, 1936; W. Totok, D. Probl. d. T. i. d. Gedankenlyrik d. Aufkl., Diss. Marb. 1949; B. v. Wiese, D. dt. Tragödie v. Lessing bis Hebbel, 1918, ¹⁰1983; R. Saez, T. in baroque lit., N.Y. 1984.

Theogonie (griech. *theogonia* =) Götterentstehung, auch Mythos oder Lehre vom Ursprung und Werden der Götter, z.B. HESIODS T.

Theologeion (griech.), der Ort für Göttererscheinungen im altgriech. Theater: e. geheime Öffnung im Dach des Szenenhauses, von der aus der Gott sprach.

Thesaurus (lat. v. griech. *thesauros* = Schatz), Wort- oder Wissensschatz (vgl. →Schatzkammer), Bz. für e. umfassendes →Wörterbuch als Sammelwerk aller Wörter e. Sprache mit Erklärung, Redewendungen und wichtigen Belegstellen, z.B. der T. *linguae latinae* 1894 ff., hg. von fünf dt. →Akademien.

These, Thesis (franz. *thèse* v. griech. *thesis*), im Engl. und Franz. die wiss. Abhandlung zur Erlangung des Magister- bzw. Doktorgrades, →Dissertation.

Thesei →Positionslänge

Thesenroman (franz. *roman à thèse*), Roman, der e. bestimmte vorgefaßte These über ideolog., relig., soz. oder polit. Problemen vertritt und diese illustriert, z.B. H. B. STOWES *Uncle Tom's cabin.* Form der →engagierten Lit.
S. Suleiman, *Ideological dissent* (Neophilol. 60, 1976).

Thesenstück (griech. *thesis* = Behauptung, Satz), stark tendenziöse Abart des sozialkrit. →Sittenstücks, dessen abstrakt konstruierte Handlung, meist zwischen funktionell typisierten Figuren, nur den Vorwand zu Diskussionen um ideolog., polit., soz. oder moral. Thesen bietet, wobei das Thema (Problem) scharf formuliert hervortritt und die propagierte Lösung meist in der Schlußszene mit deutlicher Unterstreichung verkündet wird: Dramen von DUMAS, BRIEUX, SARTRE, IBSEN, SHAW, dt. SUDERMANN *(Ehre),* ANZENGRUBER *(Das vierte Gebot)* u.a. →Lehrstück, →Problemdrama, →Tendenzdichtung, →engagierte Lit.

Thesis (griech. = Setzen), in griech.

Metrik urspr. der durch Senken der taktierenden Hand oder Auftreten des Fußes bezeichnete gute Taktteil (Länge) im Ggs. zur →Arsis. Da der antike quantitierende Vers jedoch nicht durch Starktöne gegliedert war, ergeben sich früh Unklarheiten und Verwechslungen der Begriffe. Die röm. Grammatiker verstehen T. als ›Senkung der Stimme‹ und bezeichnen damit den unbetonten, leichten Taktteil: die Kürze; in diesem Sinne führten R. BENTLEY und G. HERMANN den Begriff in die mod. Metrik ein, und Tradition hat den falschen Gebrauch sanktioniert, so daß T. für die unbetonte Silbe, die dt. →Senkung steht – entgegen dem urspr. griech. Wortsinn. Zur Vermeidung von Mißverständnissen empfiehlt sich jedoch die Beschränkung der Bz. ›T.‹ auf antike und ›Senkung‹ auf neuere Metrik.

Thespiskarren, scherzhafte Bz. für Wanderbühnen nach dem halb sagenhaften Griechen THESPIS, der als erster Dichter und Schauspieler 534 beim ersten staatl. Agon an den Dionysien in Athen auftrat und siegte. Anlaß zur Bz. gab die irrtüml. Auffassung des HORAZ (*Ars poetica* 275 ff.), THESPIS habe sich zur Darstellung e. Karrens als erhöhter Bühne bedient, mit dem er und seine Gehilfen später als Wanderschauspieler im Lande herumzogen. Diesem Irrtum liegt wahrscheinlich e. Verwechslung zugrunde zwischen der frühgriech. Tragödie und den Spottversen der vom Wagen herab die Leute neckenden Festzugsteilnehmer beim Komos.

E. Tièche, *Thespis,* 1933.

Thingspiel, kultisch-nationales Massentheater – Weihespiel der NS-Zeit, das uneingestanden aus den →Sprechchören der Arbeiterbewegung entwickelt und als angebl. Neuschöpfung der NS-Lit. staatlich

gefördert wurde; heroisch-pathet. Verherrlichung des Volksgemeinschafts- und Schicksalsgedankens für die eigens dazu erbauten Thingstätten/Freilichttheater. Texte von R. EURINGER, E. W. MÖLLER, K. HEYNICKE. Die T.-bewegung wurde 1937 mangels Zuspruchs guter Autoren und der Zuschauer wie mangels erheblicher künstler. Leistungen wieder eingestellt.

W. Braumüller, Freilicht- u. T., 1935; I. Pitsch, D. Theater als polit.-publizist. Führungsmittel i. 3. Reich, Diss. Münster 1952; H. Brenner, Kunstpolitik des NS, 1963; J. Wulf, Theater u. Film i. 3. Reich, 1964; U.-K. Ketelsen, Heroisches Theater, 1968; E. Menz, Sprechchor u. Aufmarsch (D. dt. Lit. i. 3. Reich, hg. H. Denkler 1976); H. Eichberg u.a., Massenspiele, NS-T., Arbeiterweihespiel u. olymp. Zeremoniell, 1977; ders., *The Nazi T.* (*New German critique* 11, 1977); L. Hernø, D. T., TeKo 8, 1980; R. Stommer, T'platz u. Sprechchor, ebda.; W. Kloss, Die nat.soz. T.e, Diss. Wien 1982.

Threnodie, Threnos (griech. = Klage), allg. Bz. für das schwermütige Klage- und Trauerlied, Totenklage im altgriech. Lit., die zur Flötenbegleitung bei Leichenbegängnissen und -mahlen zum Gedächtnis e. Toten gesungen wurde (während das →Epikedeion urspr. vor dem Leichnam vorgetragen wurde und der →Kommos die ekstat. rituelle Klage bezeichnet). Älteste Belege sind die Klagelieder in der *Ilias* als Wechselgesänge zwischen e. Einzelsänger und dem in den Klageruf einstimmenden Chor, z.B. *Ilias* 24, 725–75 die Klage um Hektor. In gleicher Form erscheint die T. in der Tragödie als Totenklage, während die chor. Threnoi der klass. Lyriker, fragmentarisch erhalten von SIMONIDES und PINDAR, nicht den Wechsel zwischen Chor und Einzelsänger kennen. – →Nänie.

E. Reiner, D. rituelle Totenklage d. Griech., 1938.

Thriller (engl. *to thrill* = erzittern

lassen), nicht gattungsbezogener Typ für Unterhaltungs- und bes. →Triviallit. (Roman, Erzählung, Drama, Film, Hörspiel usw.), die durch vordergründige, reißer, Spannungseffekte auf Schauer und Nervenkitzel der Leser abzielt; bes. →Schauer-, →Kriminal-, →Agentenroman, →Horrorlit. und →Gespenstergeschichte.

R. Harper, *The world of the th.*, Cleveland 1959, ²1969; J. Palmer, *T.s,* Lond. 1978; G. Seeßlen, Kino d. Angst, 1980.

Thula (isländ.), altnord. Form der Merkversdichtung, die in kurzen Verszeilen Aussagen, Formeln oder katalogartig Namen und Wörter aufreiht.

W. H. Vogt, D. Th., 1942.

Tierdichtung, Sammelbz. für lit. Werke meist ep. Art, in denen Tiere die Hauptrolle spielen. Die T. legt auf Grund e. mythennahen Phantasie den Tieren, bes. ungezähmten, menschl. Charaktereigenschaften, Empfindungen und Sprache bei, ohne ihnen die tier. Erscheinungsform zu nehmen, und stellt sie als entscheidende Figuren in den Mittelpunkt e. Dichtung, deren z.T. verhüllter und unausgesprochener Bezug auf menschl. Verhältnisse unverkennbar ist. Bes. typ., primitive Eigenschaften wie Stolz, List, Habgier u.ä. erscheinen in fester, konventionalisierter Verbindung mit bestimmten Tieren (Löwe, Fuchs, Wolf) als Spiegelbild menschl. Charaktere. Die Arten der T. wandeln sich zeitbedingt. Grundformen sind die Tier→fabel, deren Vergleich der moral. Belehrung dient und e. Nutzanwendung enthält, und die Tiergeschichte, oft zum Tierepos erweitert, zur satir. Verspottung menschl. Schwächen, Laster, Torheiten und gesellschaftlich-staatl. Zustände. T. entsteht bei fast allen Völkern in der Frühzeit aus dem natürl. Umgang mit der nachbarl. Tierwelt, so bes. als Tiermärchen, z.B. von dankbaren Tieren oder als aitiolog. Tiersage, die Erschaffung u. Eigenart der Tiere erklärt. Ihre eigtl. lit. Entwicklung ist weitgehend von satir., reflektierenden oder didakt. Absichten bestimmt, so in den Tierfabeln Indiens, Ägyptens oder der Griechen seit ARCHILOCHOS und AESOP, dem sagenhaften Fabelerzähler des Altertums, fortentwickelt lat. von PHAEDRUS und im MA. von GREGOR VON TOURS u.a., bes. in lat. Sprache bei den Franken und Germanen seit dem 8. Jh.: Fabel vom Hirschherzen, von der Wahl des Löwen zum König der Tiere, der Heilung des Löwen (vermittelt durch PAULUS DIACONUS), vom Hahn im Rachen des Löwen (ALKUIN) u.a.m. sowie im kom. Tierepos seit der pseudohomer. *Batrachomyomachia* (= *Froschmäusekrieg*). Vorbild der ma. Tierbücher (→Bestiarien) wurde der hellenist. *Physiologus,* e. um das 2. Jh. in Alexandria oder Syrien entstandenes allegor. Werk, das z.T. sagenhafte Tiere und ihre seltsamen Eigenschaften auf die Leitbegriffe des Christentums umdeutet. Es wurde ins Lat. übertragen, erweitert und durch Übersetzung in viele Nationalsprachen (dt. um 1070) im Abendland verbreitet. Erstes satir. Tierepos in Dtl. ist die *Ecbasis cuiusdam captivi* e. lothring. Mönchs im Kloster St. Aper in Toul um 1045, die in lat. leonin. Hexametern die Bekehrung e. schlechten Klosterschülers schildert und dabei e. Fülle versteckter Anspielungen (›per tropologiam‹) auf Personen der Umgebung anbringt; eingeflochten ist die aesop. Fabel von der Heilung des Löwen. Nach mündl. Fortentwicklung folgt 1148 der *Ysengrimus* des flandr. Magisters NIVARDUS aus Gent, lat. Distichenepos als Zusammenfassung mehrerer Erzählungen um den vom Unglück verfolgten Wolf. In Frankreich tritt an dessen Stelle seit dem 12. Jh. der Fuchs und anstelle der lat. die Volkssprache: im Lauf des 13. Jh. entsteht durch Aneinanderreihung immer neuer Abenteuerzweige (›branches‹) der Fuchsdichtung der *Roman de Renart*. E. der ältesten dieser ›branches‹ gab wohl das Vorbild ab für das 1. dt. Tierepos, den *Reinhart Fuchs* (um 1180) von HEINRICH DEM GLICHEZAERE, Satire des Hoflebens mit seiner Bevorzugung der Treulosen. Um 1250 entsteht ebenfalls nach franz. Vorbild der niederländ. *Reinaert de Vos*, der nach mehrmaligen niederländ. Bearbeitungen (1375 *Reynaerds Historie*, 1480 durch HINREK VAN ALKMAR) 1498 in niederdt. Fassung *(Reinke de Vos)* in Lübeck gedruckt wird. Von dessen zahlr. hochdt. Übersetzungen und Volksbuch-Bearbeitungen (erste 1544) bildet GOTTSCHEDS Übertragung in Prosa von 1752 die Quelle für GOETHES *Reineke Fuchs* (1794), Erneuerung des ›unheiligen‹ Stoffes im Hexameter-Epos mit Zeitanspielungen. (Die zahlr. und weitverästelten Überlieferungen der Fuchsdichtung führten J. GRIMM in der Einleitung zum *Reinhart Fuchs* 1834 zu der – heute aufgegebenen – Hypothese e. Ur-Tiersage um Fuchs und Wolf, von der nur noch die Ausläufer vorlägen.) Daneben blüht die Tierfabel, in mhd. Spruchdichtung bei HERGER strophisch, beim STRICKER in Reimpaaren fortgeführt, bes. als satir. Mittel in den Kämpfen der Reformationszeit: bei Erasmus ALBERUS und Burkart WALDIS, oder auch zum Tierepos erweitert: ROLLENHAGENS *Froschmeuseler* (Knittelvers-Nachahmung der *Batrachomyomachia*), FISCHARTS *Flöhhatz* und SPANGENBERGS *Ganß-König*. Letzte große Höhe erlebte die Tier-

fabel in Frankreich bei LAFONTAINE, in Dtl. in der lehrfreudigen Aufklärung bei GLEIM, LICHTWER, PFEFFEL, MEYER VON KNONAU und GELLERT bis zum jungen LESSING und HERDER. Neue Formen der T. bringt das 19./20. Jh. Die Satire tritt zurück (noch E. T. A. HOFFMANNS *Kater Murr*, HEINES *Atta Troll*, BAUERNFELDS *Republik der Tiere*, GJELLERUPS *Das heiligste Tier*, 1920; R. HAARHAUS und G. ORWELL, *Animal Farm* 1945). Erstmalig erscheint das Tier in seiner selbständigen Bedeutung bei Vermenschlichung ohne satir. Absicht in den Tiermärchen (BRENTANO, *Gockel und Hinkel*, 1816), bei Einfühlungsversuch in die Tierseele, anfangs um die letzte Jh.-wende bestimmt vom Mitleid mit der Tierwelt (SCHÖNAICH-CAROLATH *Der Heiland der Tiere*, V. WIDMANNS *Maikäferkomödie* 1897, WERFEL *Der Heilige und die Tiere* 1905 u.a., in Frankreich F. JAMMES *Hasenroman* 1902), bei der Gestaltung des Verhältnisses von Mensch und Tier durch die unmittelbare Beziehung beider Lebenskreise: Tiergeschichte im engeren Sinne (REUTER *Hanne Nüte*, v. SCHEFFEL *Der Trompeter von Säkkingen*, H. SEIDEL, v. SAAR, v. EBNER-ESCHENBACH, *Krambambuli*, Th. MANN *Herr und Hund* 1920, BONSELS *Mario und die Tiere* 1919), daneben seit der Jh.wende bes. die unsentimental-sachl., doch auch dichter. Darstellungen der Tierwelt aus sich heraus oft ohne satir. Seitenblick auf den Menschen, Ergebnis fast wiss. Beobachtung: MAETERLINCK *Leben der Bienen, Leben der Termiten, Leben der Ameisen*, GAGERN, H. LÖNS *Mümmelmann* 1909, *Aus Wald und Heide* 1909, *Aus Forst und Flur* 1916, F. SCHNACK, WENTER *Laikan* und *Situnga*, BONSELS *Die Biene Maja*

1912 und *Himmelsvolk* 1915, KY-
BER, SCHAUWECKER, F. SALTEN
(Bambi), H. H. EWERS, SCHEIBEL-
REITER, FOREL, B. BERG, K. v. HO-
HENLOCHER *(Wenn Tiere reden,*
1950) u.a., in England bes. R. KIP-
LING, *Dschungelbuch* 1894f., J.
LONDON *The call of the wild* 1903,
White fang = Wolfsblut 1907, E.T.
SETON, B. POTTER und V. WOOLFS
Flush, in Dänemark Svend FLEU-
RON, in Norwegen M. FÖNHUS
Jaampa der Silberfuchs 1929. Als
nicht selbstwertige poet. Chiffre
steht das Tier bei MELVILLE *(Moby
Dick),* F. KAFKA *(Die Verwand-
lung)* und G. GRASS *(Katz und
Maus, Hundejahre, Der Butt).*

J. Nover, D. Tiersage, 1893; C. W. Peter,
D. Tierwelt i. Lichte d. Dichtg., 1901; H.
Gotzes, D. Tiersage, 1907; E. Martin, Z.
Gesch. d. Tiersage i. MA., 1908; E.
Winkler, D. Kunstprobl. d. T. (Fs. Ph. A.
Becker, 1922); W. Suchier, Tierepik u.
Volksüberlieferg., Archiv 143, 1922; B.
Schulz, Vgl. Stud. z. dt. Tierepos, Diss.
Jena 1922; J. Zeuck, D. mod. T., Diss.
Gießen 1924; W. Kühlhorn, T. (Zs. f.
Dt.kunde, 1924); K. Schulz, Tier-Er-
zählgn. (Bibliogr.), 1926; RL; K. Kampf,
D. Tier i. d. dt. Volkssage d. Gegenw.,
Diss. Ffm. 1932; E. Franke, Gestaltungen
d. T., Diss. Bonn 1934; H. v. Kieseritzky,
Engl. T., Diss. Bln. 1935; H. Nell, D.
gestaltenden Kräfte i. d. neuer. dt. T.,
Diss. Mchn. 1937; W. Ross, D. Ecbasis
captivi u. d. Anfge. d. ma. T., GRM 35,
1954; A. L. Sells, *Animal poetry in
French and Engl. lit.,* Bloomington 1955;
E. Brunner-Traut, Altägypt. T'gesch. u.
Fabel, 1959; H. R. Jauß, Unters. z. ma.
T., 1959; M. Bindschedler, Tierdar-
stellgn. i. d. dt. Dichtg. d. MA. (Schweizer
Monatshefte 47, 1967); F. Harkort, Tier-
volkerzgn., Fabula 9, 1967; W. Lehne-
mann, T. u. Dt.unterr., DU 20, 1968; G.
Schmidtke, Geistl. T'interpretation i. d.
dt.spr. Lit. d. MA., 1968; M. Wehrli, V.
Sinn d. ma. T'epos (Mittellat. Dichtg., hg.
K. Langosch, 1969); D. Tier i. d. Dichtg.,
hg. U. Schwab 1970; F. Klingender, *Ani-
mals in art and thought to the end of the
MA.,* Lond. 1971; R. Gerlach, D. Tier i.
d. dt. Lyrik seit 1900 (Welt u. Wort 26,
1971); C. Cosentino, Tierbilder i. d. Ly-
rik d. Expressionismus, 1972; F. X.
Braun, D. Tier i. d. mod. Dichtg. u. Kritik
(Michigan Germanic Stud. 1, 1975);
Aspects of the ma. animal epic, hg. E.
Rombauts u.a., Löwen 1975; H. Egge-

brecht, D. Bürger i. Zoo (Gebrauchslit.,
hg. K. Fischer u.a. 1976); H. Schumacher, D. armen Stiefgeschwister d. Menschen, 1977; W. Lehnemann, Motivglei-
che Tierromane, 1978; ders., Motivtradi-
tion i. mod. Tiererz. (Fs. E. Ter-Nedden,
1978); *Medievalia 78: Epopée animale,
fable et fabliau,* Liege 1978; F. P. Knapp,
D. lat. Tierepos, 1979; *Third internat.
beast epic, fable et fabliau Colloq.,* 1981;
J. M. Zialkowski, *Medieval Lat. beast
poetry,* Diss. Cambr. 1982; *Epopée animale, fable, fabliau,* hg. G. Bianciotto,
Paris 1984; F. P. Knapp, Tierepik (Ep.
Stoffe d. MA., hg. V. Mertens 1984).

Tierfabel →Fabel

Tirade (franz. v. *tirer* = ziehen), 1.
= →Laisse. – 2. Wortschwall, -er-
guß, hochtrabende Phrase und Gemeinplatz. – 3. die im Drama z.T.
an gelegentlich auftauchende Ideen
wie Pflicht, Ehre, Vaterlandsliebe,
Freiheit, Frieden, Menschlichkeit
usw. anschließenden rhetor. Erörterungen, die oft durch ihre Langat-
migkeit den Fortgang der Handlung
stören und die Bühnensituation
sprengen. Sie wurden als rhetor.
Glanzleistungen, in sich abgeschlossene Gedankenlyrik und applaus-
versprechende Schaustellungen der
Sprachgewalt, bes. in der *tragédie
classique* gern eingebaut, sind jedoch nur dann gerechtfertigt, wenn
sie dem Charakter und der Situation
der Figuren entsprechen (z.B. bei
CORNEILLE).

Tiradenreim →Reimhäufung

Tirolstrophe, Abart der →Morolf-
strophe aus sieben Vierhebern mit
voller (nur der 6. meist klingender)
Kadenz und der Reimstellung a a b
b c x c. Verwendet im Fragment
Tirol und Fridebrant (13. Jh.).

Tischgesellschaft   →Christlich-
Deutsche Tischgesellschaft

Tischgespräche →Gespräch

Tischlied →Gesellschaftslied

Tischzuchten, Gattung der didakt. Anstandslit. des 12.–16. Jh., Slg. von Anweisungen für gutes Benehmen bei Tisch in lat. oder dt. Prosa oder meist Versform, teils in größeren Lehrgedichten über gesellschaftl. Anstandsregeln enthalten (z.B. in THOMASINS VON ZERKLAERE *Welschem Gast* 471–526), teils als Einzelwerke, so zuerst die *Disciplina clericalis* des PETRUS ALFONSI im 12. Jh., das lat. Lehrgedicht *Facetus* (12. Jh.) in gereimten Hexametern, das in zahlr. Sprüchen von Tischsitten handelt, ebenso der ausführlichere *Phagifacetus;* beide von S. BRANT mit Erweiterungen ins Dt. übersetzt. Die T. wenden sich anfangs an höf. Kreise, deren Normen später vom Bürgertum adoptiert werden. Die 1. selbständige dt. T. (Mitte 13. Jh.) geht unter dem Namen des TANNHÄUSER. Seit dem 13. Jh. folgen die →Hofzuchten, zu Ausgang des MA. auch bürgerliche. Die ständ. Herkunft der Werke ist an der vertretenen geistl., ritterl. oder bürgerl. Lebenskultur ablesbar. Im Spätma. folgen in Frankreich, Holland und Dtl. auch Kinderzuchtlehren. Ironisch-satir. Wendungen erhalten die T. seit dem 15. Jh. durch den sog. →Grobianismus. Die Wichtigkeit und weite Verbreitung der T. in fast allen Litt. Westeuropas (dt., lat., franz., ital., holländ., engl.) erklärt sich aus der Schwierigkeit damals herrschender Eßgewohnheiten vom gemeinsamen Teller ohne Besteck.

M. Geyer, Altdt. T., Progr. Altenburg 1882; P. Merker, D. T.-Lit. d. 12.–16. Jh. (Mitt. d. dt. Gesellsch. Lpz. 11, 1913 ff.); RL; B. Zaehli, Knigges Umgang m. Menschen u. s. Vorläufer, 1933; Th. P. Thornton, Höfische T.n, 1957; ders., Grobianische T.n, 1957; J. G. Neuer, *The hist. development of T.-lit. in Germany,* Diss. Los Angeles 1970; RL²; A. Winkler, Selbständige dt. T., Diss. Marb. 1982; A. Veijalainen, Fest u. T. i. d. dt. höf. Lit. d. MA., Diss. Innsbr. 1983.

Titel (lat. *titulus* = Auf- oder Inschrift), die durch →T.-schutz gegen unerlaubte Wiederverwendung, Mißbrauch, Nachahmung oder verwechselbare Bz. gesicherte Benennung e. Buches, e. Schrift, e. →Kapitels, e. Gedichts usw., z.T. aus bis zu drei Teilen bestehend: Haupt-, Unter- und evtl. Ober-T. (e. Reihe). Feststehende und vom Verfasser gewählte T. sind in der Antike und z.T. noch im MA. nicht üblich (1. dt. bezeugter T.: THOMASINS *Der welsche Gast*); für Gedichte werden sie erst im Humanismus Brauch. Erst im Laufe der Tradition und aus Gründen der kürzeren Bz. bürgern sich feststehende Benennungen für die Werke ein, teils nach dem Inhalt, teils nach der Form, oder man greift bei titellos überlieferten Werken willkürlich das Anfangswort (z.B. *Abrogans*) oder den ersten im Text erscheinenden Eigennamen (z.B. WOLFRAMS *Titurel*) als T. heraus, der oft verwirrend und in keiner Weise kennzeichnend ist. Andere, später entdeckte Werke erhalten den Titel vom ersten Herausgeber (z.B. *Carmina Burana* von SCHMELLER). Der Barock bevorzugt den Inhalt umreißende ›sprechende Titel‹ (Chr. REUTER, *Schellmuffskys Warhafftig Curiöse und sehr gefährliche Reisebeschreibung Zu Wasser und Lande*) und →Doppeltitel. Bei mod. Literaturwerken sind die Funktionen des Titels als knappe und treffende Bz. des Werkes zu beachten: er soll erster Hinweis auf Inhalt, Form, Stil und Bedeutung des Werkes sein, bereits etwas von seinem Wesen vermitteln, sich gut zitieren lassen, ästhetisch befriedigen und durch rhythm. Tonfall einprägsam sein. Als erste Brücke zum Käufer/Leser bietet er Leseanreize und setzt die Rezeptionsbedingungen. Konventionelle T. sind Einzelwort-T.: *Moral,* Zweiwort-T.: *Abendliche*

Häuser, Namen: *Madame Bovary,* Eigenschaften: *Der Untertan,* Themen: *Education sentimentale;* modisch sind Zitat-T.: *The power and the glory,* Frage T.: *Aimez-vous Brahms?* und Drillingsformeln mit steigender Silbenzahl und Alliteration: *Götter, Gräber und Gelehrte.* Andere Funktionen hat die Überschrift bei Gedichten: sie dient der Einstimmung in das Werk selbst, bezeichnet oft allein den Gegenstand des lyr. Sprechens *(Verborgenheit, Schwüle),* beim →Rollenlied den Sprecher *(Chor der Toten),* bei mehr rhetor. Haltung das Thema *(Würde der Frauen),* gibt die Anrede der lyrisch angesprochenen Person oder Sache *(An den Mond),* ein allg. Gerichtetsein *(Vermächtnis, Abschied),* schildert die räuml. oder zeitl. Ausgangssituation *(Auf dem See, Septembermorgen),* oft in Verbindung mit der Gattungsbezeichnung *(Abendlied, Berglied)* oder verzichtet schließlich auf eigene Aussage und greift die Anfangsworte des Gedichts selbst auf *(Sprich aus der Ferne...):* kennzeichnend für e. Grundhaltung, die jede objektive Gegenständlichkeit und äußere Themasetzung und die damit verbundene Distanz ausschaltet zugunsten des nur aus sich heraus sprechenden Kunstwerks. Moderner Intellektualismus dagegen gefällt sich in sprachl. Abstrakta *(Figuration, Konstellation* u.a.).

M. Schneider, Dt. Titelbuch, 1927, ³1965 m. Nachtrag v. H.-J. Ahnert 1966; E. Schröder, Echte, rechte, schlechte T. i. d. altdt. Lit.gesch. (Imprimatur 3, 1938); E. Nachmanson, D. griech. Buch-T., Göteborg 1941, ²1969; P. Lehmann, Ma. Bücher-T., II 1948–53; J. Kuhnen, D. Gedicht-Überschrift, Diss. Ffm. 1953; H. J. Wilke, D. Gedicht-Überschrift, Diss. Ffm. 1955; W. Bergengruen, Titulus, 1960; R. Mühlenweg, Stud. z. dt. Roman-T. 1750–1914, Diss. Wien 1960; F. Valancogne, *Le titre de roman,* Paris 1963; H. Volkmann, D. dt. Roman-T. 1470 bis 1770, AGB 57, 1967; W. Barton, Denn sie wollen gelesen sein, 1968; H. Elema,

D. dt. Buch-T. (Dichter u. Leser, hg. F. v. Ingen 1972); W. Mieder, Buch-T. als Schlagzeile (Sprachspiegel 32, 1976); G. Lohse, Einiges üb. ma. dt. Buch-T. (Fs. J. Wieder 1977); H. Levin, *The t. as a lit. genre,* MLR 72, 1977; P. Bekes, Poetologie d. T., Poetica II, 1979; H. J. Wulff u.a., Z. Textsemiotik d. T.s, 1979; ders., Z. Gesch. d. Buch-T., Neohelicon 8, 1981; RL²; W. Barton, D. Zweck heiligt d. Mittel, 1984; P. Hellwig, Titulus, ZGL 12, 1984; D. Rolle, T. u. Überschrift (Gutenberg-Jb. 61, 1986); A. Rothe, D. lit. T., 1986.

Titelauflage, neue →Ausgabe e. Werkes, der lediglich e. neues Titelblatt (oder Titelbogen) mit veränderter Jahreszahl vorgesetzt ist.

Titelaufnahme, im Bibliothekswesen die genaue beschreibende Erfassung e. Schriftwerks nach Verfasser, Titel, Verlagsort, Verlag, Erscheinungsjahr, Umfang usw.

Die T. f. d. Kataloge d. allg. bildenden Bibliotheken, 1963; G. Rusch, Einf. i. d. T., 1967, ²1969.

Titelblatt, am Beginn des Buches, evtl. mit vorgeschaltetem Schmutztitel, enthält Haupttitel (→Titel), evtl. Untertitel, Verfasser, evtl. Herausgeber, Auflage, Verlag, Verlagsort und evtl. Erscheinungsjahr, auf der Rückseite techn. und urheberund verlagsrechtl. Angaben. Seit 1500 ständig in Leipzig eingeführt, ist das T. Grundlage der bibliograph. →Titelaufnahme, da der Titel auf Umschlag und Buchrücken verkürzt erscheinen kann, und seinerseits Teil der →Titelei.

A. Estermann u.a., Dt. Lit. i. T.ern, 1978; R. Hirsch, *The printed word,* Lond. 1978.

Titelbuch, Hilfsmittel zum Nachweis von Verfassern solcher Werke, von denen nur Titel, nicht Autor bekannt ist; erfaßt alphabetisch die wichtigsten Titel, z.T. auch Gedichtüberschriften, e.T.; für Dtl.: M. Schneider, Dt. T., ³1965 und H.-J. Ahnert, Dt. T. 2, 1966 (Nachtrag 1915–65).

Titelei, im Buchwesen die dem eigtl. Text vorangehenden, z. T. getrennt paginierten Seiten, z. B. mit Schmutztitel, Titelblatt, Widmung, Inhalts-, Illustrations-, Mitarbeiter-, Abkürzungsverzeichnis, Geleitwort, Vorwort u. ä.

Titelfigur, -gestalt, diejenige Figur e. lit. Werkes, deren Name den Titel abgibt; im Drama vgl. →Titelrolle.

Titelgeschichte, bei e. Sammelband von Erzählungen diejenige, die der Sammlung den Namen gab; in der Presse →Cover story.

Titelrolle, im Drama die mit dem Titel identische →Rolle des Stückes, z. B. Minna in *Minna von Barnhelm;* nicht immer gleich der Hauptrolle (z. B. KLEIST *Amphitryon,* HEBBEL *Maria Magdalene*).

Titelschutz, der wettbewerbsrechtliche – bei unterscheidungskräftigen Titeln – oder urheberrechtliche – bei eigentüml. Geistesschöpfung – Schutz eines Titels vor unbefugter Wiederverwendung und Mißbrauch. Der T. entsteht in diesen Fällen bei der ersten öffentl. Bekanntgabe e. Titels und erlischt im Ggs. zum Urheberrecht nicht nach Ablauf der Schutzfrist, sondern erst, wenn das Werk außer Verkehr kommt.

Titlonym (griech. *titlos* = Aufschrift, *onoma* = Name), →Pseudonym, das statt des Autorennamens eine Berufsbezeichnung angibt: ›von einem Schauspieler‹ oder ein anderes Werk desselben nennt: ›vom Verfasser des . . .‹.

Titurelstrophe, überaus kunstvolle (einzige) Strophenform des mhd. höf. Epos in WOLFRAMS *Titurel*-Fragmenten, bestehend aus vier paarweise gereimten Versen mit stets klingender Kadenz, von denen der 1. acht, der 2. und 4. zehn und der 3. sechs Hebungen umfaßt und alle außer der 3. e. Zäsur nach der 4. Hebung haben. Senkungsausfall ist häufig. Im sog. *Jüngeren Titurel* ALBRECHTS VON SCHARFENBERG reimen auch die Zäsuren des 1. Verspaares, so daß sieben Zeilen mit der Reimfolge ababcxc entstehen, von denen die 1., 3. und 6. vierhebig klingend, seltener voll, die 2. stets vierhebig klingend und die 4., 5. und 7. sechshebig klingend sind. Letztere Form auch in HADAMARS *Jagd* und U. FUETRERS *Buch der Abenteuer.*

L. Pohnert, Kritik u. Metrik v. Wolframs Titurel, 1908; RL; W. Wolf, Z. Verskunst d. Jg. T. (Fs. F. R. Schröder, 1959).

Tmesis (griech. = Zerschneidung), Form des →Metaplasmus, Trennung e. zusammengesetzten Wortes in seine Bestandteile durch ein oder mehrere dazwischengesetzte Wörter, urspr. e. grammat. Möglichkeit aus der Zeit, als die Zusammensetzungen noch als auflösbar empfunden wurden (wie dt.: entgegenkommen: kam entgegen); nachdem die Komposita in der Alltagssprache zu einheitlichen, festen Wortkörpern verschmolzen waren, blieb die T. seit HOMER in griech. und – unter deren Einfluß – auch in lat. Lit. e. traditionelles Stilmittel der poet. Technik (in guter Prosa freilich selten und höchstens noch als Abspaltung der Präposition) und wurde erst im klass. Lat. ziemlich überwunden. Beispiele bei VERGIL: ›super unus eram‹ statt ›unus supereram‹ (*Aen.* II, 567), ›septem subiecta trioni‹ statt ›subiecta septentrioni‹ (*Georg.* III, 381); bei der gewaltsamen Übernahme griech. Formen und Techniken in die lat. Sprache entstanden anfangs halsbrecherische T. wie ›saxo cere comminuit

brum‹ statt ›saxo cerebrum comminuit‹ (ENNIUS).

F. Amory, T. (*Arkiv för nordisk filologi*
94, 1979).

Togata oder →Fabula t., nach der
Toga, der röm. Alltagstracht, benannte Form der röm. Komödie,
die, entsprechend der →Praetexta in
der Tragödie, Vorwürfe aus dem
röm. Alltagsleben in röm. Kostüm
gestaltete – im Ggs. zur →Palliata.
Die Stücke sind teils freie Nachdichtungen, nicht mehr Übersetzungen,
der griech., teils eigene. Später umfaßte die Bz. alle Komödien aus dem
heim. Leben, auch wenn sie ohne
Toga gespielt wurden, und damit
auch die →Trabeata und →Taber-
naria. Hauptvertreter sind in der 2.
Hälfte des 2. Jh. v. Chr. TITINIUS,
ATTA und bes. AFRANIUS.

Ton, mhd. *dôn,* die Gesangsmelo-
die, Singweise, in den stroph. mhd.
Dichtungen des →Minne- und
→Meistersangs und auch der
→Spruchdichtung (Sangspruch), die
zum Lied bzw. Spruch gehörte und
meist vom Dichter selbst komponiert wurde, dann allg. für die
rhythm.-metr.-melod. Einheit von
Strophenform und Melodie. Der
Reichtum an Formen und Melodien
ist für das an wiederkehrende Formen gewöhnte Ohr kaum faßlich:
ständig wurden neue Strophenformen und bes. neue Melodien erfunden, die Übernahme von bereits gebrauchten Tönen e. anderen war im
Minnesang der mhd. Blütezeit nicht
statthaft; e. solcher Plagiator wurde
als ›doenediep‹ verpönt; nur in parodist. Weise, bei Streitigkeiten (etwa zwischen WALTHER und REIN-
MAR) und in bewußter Beziehung
auf e. bekanntes Lied wurde dessen
Form wiederholt; auch eigene Formen brauchte der Dichter ungern
mehrmals. Im →Meistersang dagegen dichtete man anfangs nur in den

12 Tönen der Meister und erfand
erst seit Hans FOLZ neue Töne, die
man mit den seltsamsten Namen belegte. Die Colmarer Liederhs. bietet
reiches Quellenmaterial; aus der
Zeit bis 1300 sind dagegen nur rd.
200 Töne (u. a. WALTHERS und
NEIDHARTS) erhalten. →Kontrafak-
tur. Über T. als T.stelle →Akzent,
→Hebung.

RL; R. Gennrich, Grundr. e. Formenlehre
d. ma. Liedes, 1932.

Tonbeugung, Diskrepanz von Metrik und Sprachakzent bei mangelndem Einklang zwischen natürlichem
Tonfall der Sprache und Forderungen des Versmaßes; führt entweder
zur Vergewaltigung des Prosa-
sprachflusses oder zur Durchbrechung des metrischen Rahmens.
Beispiel: ›Nacht muß es sein, wo
Friedlands Sterne strahlen‹ (SCHIL-
LER). Sie kann beim Vortrag durch
→schwebende Betonung ausgeglichen werden oder bleibt →metri-
sche Drückung.

Tonischer Versbau (griech. *tonos*
= Akzent), die Versform der altruss.
Lyrik, bes. des russ. Volksliedes, mit
einer festen Anzahl von Hebungen
je Zeile und freier Zahl der Senkungen dem ahd. Alliterationsvers ähnlich; läßt die Zeilenlänge oft variieren, strebt im großen und ganzen
aber doch zu einem ausgeglichenen
Rhythmus. Im 17. Jh. kurzfristig
durch den von Polen übernommenen syllabischen Vers mit fester Silbenzahl und Zäsur verdrängt, um
1735 durch den →syllabotonischen
Versbau abgelöst.

B. O. Unbegaun, *Russ. versification,* Oxf.
1956.

Tonkehrreim →Kehrreim

Tonmalerei →Klangmalerei

Topik (griech. *topike techne* zu
→Topos), 1. Lehre von den Gemeinplätzen, →Topos. – 2. in der

griech. Rhetorik Lehre von den allg. Gesichtspunkten bei der Erörterung e. Themas, bes. der systemat. Darlegung allg. anerkannter Lehrsätze und Begriffe durch Analogie, Induktion u. ä. Beweise.

Topographie (griech. *topos* = Ort, *graphein* = schreiben), anschauliche Orts- und Landschafts-→beschreibung. →Periegese, →Städte- und Landschaftsgedichte.

R. A. Aubin, *Topographic Poetry in 18th century Engl.*, 1936.

Topos (griech. = Ort), 1. allg.: →Gemeinplatz. – 2. →Topik (2), in der antiken →Rhetorik Teil der ›inventio‹: die Kunst, in konkreten Situationen allg. anerkannte Gesichtspunkte als Beweisgründe für die eigenen Interessen zu finden. – 3. E. neue Bedeutung erlangt der Begriff durch E. R. Curtius: Topoi sind ›feste Clichés oder Denk- und Ausdrucksschemata‹, vorgeprägte Formeln, Phrasen, Wendungen, Zitate, stereotype Bilder, Embleme, tradierte Motive, techn. Anordnungs- und Darbietungsweisen für bestimmte Aufgaben und Anforderungen in typ. Situationen (z. B. Abschied, Lob, Trost), die aus der klass., spätantiken und ma. lat. Rhetorik an die mittel- und neulat. wie volkssprachl. Litt. vermittelt wurden und bis ins 18. Jh., bes. aber in der Renaissance, die neue Quellen erschließt, und im Barock als Arsenal, Schatzkammer, Fundus abrufbar auf die Gestaltung der Dichtungen einwirken. Urspr. individuell geprägte, unmittelbare Stilschöpfungen, werden sie später zu erlernbaren, abgezogenen Formeln, die, zeitlos und unveränderlich, an geeigneter Stelle zur Ausschmückung e. Textes wiederverwendet werden können (z. B. der →locus amoenus, das ›Buch der Natur‹, das ›Welttheater‹, die →captatio benevolen-

tiae, die →Anrufung der Musen, das ›Goldene Zeitalter‹, das ›Staatsschiff‹ u. a.). Die Erkenntnis vom lit. Ursprung und der lit. Tradition solcher festgefügter, oft für versch. Literaturgattungen typ. Wendungen berichtigt die romantisierende Anschauung von der Dichtung früherer Epochen als unmittelbarer, originaler Gefühls- und Seelenaussprache und ist Voraussetzung für die richtige Interpretation von Dichtungen jener Epochen, deren Topoi dann nicht als schöpfer. Eigenprägung des Dichters, sondern aus ihrer Tradition im lit. Leben heraus als verfügbare Versatzstücke begriffen werden müssen. Kennzeichnend für den individuellen Stilwillen und die ästhet. Absichten des betreffenden Autors bleibt weiterhin die Art und Weise ihrer Verwendung innerhalb des Werkes, die Gestaltung des Zusammenhangs, Einschmelzung in den eigenen Stil, innere Sinngebung der überlieferten Form, eigenmächtige Umgestaltung, Kürzung, Erweiterung usw. Dabei schließt die lit. Herkunft der Topoi ihre Anfüllung mit eigenem Gefühlsgehalt und erstrebter Gemütswirkung im Einzelfall keineswegs aus; nur im ganzen gesehen zeigt sie die Einheit der abendländ. Stiltradition von der Antike bis zum Durchbruch e. eigenwertigen Ausdruckshaltung im 18. Jh.

E. R. Curtius, Europ. Lit. u. lat. MA., 1948, ¹⁰1984; O. Pöggeler, Dichtigstheorie u. T.forschg. (Jhrb. f. Ästhetik 5, 1960); W. Veit, T.-forschg., DVJ 37, 1963; B. Emrich, Topik u. Topoi, DU 18, 1966; M. L. Baeumer, D. zeitgesch. Funktion d. lit. T. (Dichtg., Spr., Ges., hg. V. Lange u. a. 1971); T.forschg., hg. P. Jehn 1972; T.forschg., hg. M. L. Baeumer 1973; F. G. Sieveke, Topik i. Dienst poet. Erfindg., JIG 8, 1976; L. Bornscheuer, Bemerkgn. z. T.forschg. (Mittellat. Jb. 11, 1976); ders., Topik, 1976; W. G. Müller, Topik d. Stilbegriffs, 1981; T., hg. D. Breuer 1981; RL²; N. J. Green-Pedersen, *The tradition of the topics in the M.A.*, 1984.

Tornada (provenzal. = Rückkehr), allg. →Kehrreim, bes. das ›Geleit‹ bei →Kanzone, Sirventese, Ballade und Romanze: Teilwiederholung der Melodie und Gedichtabschluß mit Widmung, Gruß an Hörer oder Adressaten, evtl. mit →Senhal, Namensnennung des Verfassers, Empfehlung des Gedichts oder poetischmusikal. Ausklang, Abgesang mit Zusammenfassung der Hauptgedanken. →Envoi.

U. Mölk, *Deux remarques sur la t.* (Metrica 3, 1982).

Tornejamen →Tenzone

Torso (ital.), Ausdruck aus der bildenden Kunst, auf die Lit. übertragen: →Fragment.

Tote Literatur, bemerkenswerte Bz. der Bibliothekswiss. für inhaltl. veraltetes, daher oft gesondert magaziniertes Schrifttum in wiss. Bibliotheken.

Totenbuch, im Ägypten des Mittleren und Neuen Reiches den Verstorbenen beigegebene Formeltexte und Jenseitsführer, die zur Auferstehung verhelfen sollen; auf den Sarg oder die Wände der Grabkammern geschrieben, seit dem Neuen Reich auf Papyrusrollen und in e. vereinheitlichten Reihenfolge, die in zahlr. Exemplaren erhalten ist; enthält Götterhymnen, Beschwörungen von Göttern und Geistern und Selbstbekenntnisse der Toten, daß sie keine der 42 Todsünden begangen haben. Relig. Zeugnisse, beruhend auf dem Glauben der Ägypter an e. Auferstehung der Toten ähnlich der des Gottes Osiris. – Das sog. *Tibetanische T.,* das vom Lama während des Totenrituals dem Verstorbenen ins Ohr geflüstert wird, beschreibt den Weg des Verstorbenen bis zur Wiedergeburt.

K. Sethe, D. Totenlit. d. alten Ägypter,

1931; P. Poucha, D. tibet. T. (*Archiv orientální* 20, Prag 1952); E. Hornung, D. T. d. Ägypter, 1979.

Totengespräche, fingierte →Gespräche (meist in Prosa) meist berühmter Persönlichkeiten im Reich der Toten, Gattung meist der satir. Dichtung, in der Antike im Anschluß an HOMERS *Odyssee* (XI) und VERGILS *Aeneis* (VI) durch LUKIAN (um 165 n.Chr.) begründet, geprägt von grimmiger Ironie und Resignation in der Erkenntnis ird. Eitelkeiten, zu Anfang der Aufklärung als verschlüsselte Zeitkritik oder allg. Menschheitskritik in Frankreich nachgeahmt in den *Dialogues des morts* von BOILEAU (*Satires,* 1666), FONTENELLE (1683) und bes. FÉNELON (1712, nicht satirisch, sondern didaktisch für die Erziehung der franz. Prinzen), auch VAUVENARGUES und M. JOLY (*Dialogues aux enfers,* 1864). In Leipzig gab D. FASSMANN 1718–40 e. Monatsschrift *Gespräche im Reiche der Toten* heraus. Nach Vorbild VOLTAIRES (1765) bedient sich FRIEDRICH II. der T., um polit. Gegner zum Schweigen zu bringen. Die eigtl. dichterische Entwicklung der T. in Dtl. nach Vorstufen bei H. SACHS und HUTTEN beginnt mit Übersetzungen LUKIANS durch GOTTSCHED und WIELAND, FONTENELLES durch GOTTSCHED. BODMER (1722) und J. E. SCHLEGEL (1741) schreiben T., WIELAND folgt mit eigenen Schöpfungen aus dem Geist heiterer Weltironie: *Gespräche in Elysium, Göttergespräche, Peregrinus Proteus,* GOETHE mit *Götter, Helden und Wieland,* GRILLPARZER mit den *T.,* F. MAUTHNER mit T. (1906). Nicht im didaktisch-satir. Sinn der Aufklärung, sondern zur Klärung zeitloser Grundbegriffe des Lebens im imaginären Gespräch verwendet im 20. Jh. P. ERNST die Gattung in den

Erdachten Gesprächen, ähnl. P. VALÉRY (1923) und G. SANTAYANA (1925). BRECHT benutzt die Form im *Verhör des Lukullus,* W. JENS in *Die Götter sind sterblich* (1959).

J. Rentsch, D. T. i. d. Lit., Progr. Plauen 1895; RL; J. S. Egilsrud, *Le dialogue des morts,* Paris 1934; F. M. Keener, *Engl. dialogues of the dead,* Lond. 1973; J. Rutledge, *The dialogue of the dead in 18th cent. Germany,* 1974; RL².

Totenklage, allg. lyr. Form der Trauer um e. Verstorbenen, oft in Verbindung mit dessen Lob und Trost für die Hinterbliebenen, urspr. vorlit. Kultlied, oft Teil älterer Epik *(Gilgamesch, Ilias, Beowulf, Nibelungen-Klage).* Als Einzelformen erscheinen in der Antike →Epikedeion, →Nänie, →Threnodie, →Kommos, →Elegie, bei den Germanen →Totenlied, lat./roman. →Planctus, →Planh, →Complainte, engl. →Dirge. T. in Prosa sind die →Leichenreden, →Epitaph, →Laudatio funebris, →Elogium, →Nekrolog.

R. Leicher, D. T. i. d. dt. Epik, 1927, n. 1977; M. Neumann, D. T. i. d. erzähl. dt. Dichtg. d. 13. Jh., Diss. Münster 1936.

Totenlied, frühgerman. kult. Trauer- und Klagegesänge bei (bes. fürstl.) Leichenbegängnissen als Verbindung von Klage und Preislied, geprägt vom Schauer des Todes, sind im Wortlaut infolge ihrer mündl. Form als Gelegenheitsdichtung nicht erhalten, doch bei mehreren Gelegenheiten bezeugt (Bestattung Attilas, Beowulfs, des Westgotenkönigs Theoderich, der vor Rom gefallenen Ostgoten u. a.). E. andere Gruppe bilden die balladenartigen Totenbeschwörungen der *Edda* (Angantyrs durch Hervör, Helgis durch Sigrun), beruhend auf der mag. Bindung zwischen Lebenden und Toten, die auch in der sog. totenmag. →Ballade das Motiv abgibt.

RL; A. Heusler, Altgerman. Dichtg., ²1943; H. Husenbeth, T. (Hb. d. Volksliedes I, 1973). →Totenklage.

Totenrede →Leichenrede

Totensage, weitverbreiteter Sagentyp vom Wiedergänger, der bis zur Sühnung seines Verbrechens oder seiner unentdeckten gewaltsamen Ermordung im Grabe keine Ruhe findet, typisch vertreten in der Lit. im Lenoren- oder Don Juan-Stoff und im →Vampirroman.

A. Gühring, D. Tod i. d. Volkssage, Diss. Tüb. 1957; L. Röhrich, Sage, ²1971.

Totentanz, bildl. Darstellung der Allgewalt des Todes über die Menschen in allegor. Gruppen, von Vers-Unterschriften (Klagen, Warnungen, Mahnungen zur Buße und Askese) begleitet. Ziel dieser oft grotesk grausigen Schreckbilder in kraß naturalist. Ausführung ist e. drast. Memento mori, das die Lebensgestaltung des ma. Menschen hinlenken will zu Verachtung des ird. Strebens, moral. Besinnung und sinnvoller Lebensführung, die jederzeit die Endlichkeit des Irdischen und den Tod vor Augen hat. Die geschichtl. Entwicklung zeigt zwei Arten des T.: urspr., an den Volksglauben vom nächtl. Tanz der Toten auf dem Friedhof (vgl. GOETHES *Der T.)* anknüpfend, Tanz und Wechselgespräche von je e. Toten und e. Lebenden, später unter Einfluß der Mystik, aus der das Motiv stammt, der – nach antikem Vorbild – personifizierte Tod selbst, der die Lebenden allen Alters und Geschlechts, oft nach Ständen geordnet vom Papst und Kaiser bis zum greisen Bettler, als Spielmann zum Tanz auffordert, der in roman. Zeit meist e. feierlich geschrittener Reigen, in got. Zeit e. Springtanz ist. Voran gehen in Frankreich die *Vers de la mort* (um 1195) von HÉLINAND, der *Dit de trois morts et de* *trois vifs* (um 1280) von BAUDOIN DE CONDÉ und der *Danse de macabré* (1376) von Jehan LE FEVRE sowie die span. *Danza de muerte* 1400. Die ältesten Darstellungen, hervorgegangen aus dem ›Danse macabre‹ am Gedächtnisfest der Makkabäer in Paris, finden sich bes. seit den Pestjahren 1348 und 1439 in Frankreich als Szenenbilder auf Friedhofsmauern (Kloster der Saints-Innocents in Paris 1424), Kirchenwänden, Bildwerken und Skulpturen (Amiens, Angers, Dijon, Rouen, La Chaise-Dieu u.a.). Von dort gelangen sie, von Geistlichen in Auftrag gegeben und durch Blockbücher mit Holzschnittfolgen und Versen verbreitet (Oberdt. T. von 1350 in lat. Hexametern), nach England und Dtl. und erreichen hier ihre Höhe ab 1430, häufig zugleich als Ständesatire (Ulmer T. 1440, Basel 1440, Lübeck 1463, Berner T. von N. MANUEL 1516–19). Seit HOLBEINS T. von 1526 dringt die Darstellung des Tänzers Tod als Skelett und die soz. Idee (Gleichheit aller vor dem Tod) endgültig durch: in 48 Holzschnitten trifft der Tod Vertreter aller Stände vom höchsten bis zum niedersten (späterer Text von BECHSTEIN 1831). Spätere Künstler des T. sind M. SCHWIND, A. RETHEL (1848), POCCI, BÖCKLIN, MASEREEL, KUBIN, HAP GRIESHABER. – Der ma. T. war nie zur Aufführung gedacht; erst wesentlich spätere und mod. Zeiten stellten aus den Begleitversen oder eigenen Schöpfungen dichter. T.spiele zusammen (G. HAASS-BERKOW 1917, M. GÜMBEL-SEILING 1923, E. REINACHER 1924, M. HAUSMANN, *Der dunkle Reigen*, 1951).

W. Fehse, D. Urspr. d. T., 1907; A. Dürrwächter, T.-Forschg., 1914; W. Stammler, D. T.e d. MA., 1922; ders., D. T.e, 1922; ders., Dt. T.e, 1925; ders., D. T. Entstehg. u. Deutg., 1948; RL; G. Buch-

heit, D. T., 1926; P. S. Kozaky, Gesch. d. T., 1936; P. L. Kurtz, *The dance of death*, N.Y. 1934, n. 1975; E. Breede, Stud. z. d. lat. u. dt.-sprach. T.-Texten d. 13./14. Jh., 1937; H. Stegmeier, *The dance of the death*, Chic. 1939; J. M. Clark, *The dance of death*, Glasgow 1950; D. Th. Enklaar, *De Dodendans*, Amsterd. 1950; H. Rosenfeld, D. ma. T., 1954, ³1974; H. F. Massmann, Lit. d. T., ²1963; S. Cosacchi, Makabertanz, 1965; A. Jørgensen, D. T. (Annali, Sez. Germ. 14, 1971); J. Saugnieux, *Les danses mac.*, Paris 1972; F. Maierhöfer, Mod. T.e (Stimmen d. Zt. 192, 1974; R. Hammerstein, Tanz u. Musik d. Todes, 1980; RL²; E. Koller, T., 1980; ders., D. Entw. d. T.-Tradition i. 20. Jh. (Fs. E. Thurnher, 1982); H. Rosenfeld, D. ma. T. u. s. Rezeption i. 19. u. 20. Jh. (Mittelalterrezeption 2, hg. J. Kühnel 1982); D. tanzende Tod, hg. G. Kaiser 1983; U. Pörksen, D. T. d. Spät-MA. u. s. Wiederaufleben (Mittelalterrezeption, hg. P. Wapnewski 1986); J. Fest, D. tanzende Tod, 1986.

Tournéetheater, mod. Nachfolgeform der →Wanderbühne: für e. bestimmte Inszenierung individuell zusammengestellte, erstklassige Ensembles mit attraktiven Namen, die mit e. bestimmten, in langer Probenarbeit bis zur Perfektion ausgefeilten und optimal besetzten Stück auf Tournee gehen und vorwiegend theaterferne Orte in transportablen Kulissen bespielen.

Trabeata, oder →Fabula t., nach der *trabea*, der Tracht der röm. Ritter, benannte Abart der →Togata: röm. Komödie aus dem Leben der höheren Mittelklasse, von C. MELISSUS, dem Freigelassenen des MAECENAS, erfunden, doch äußerst kurzlebig.

Traductionym (lat. *traductio* = Übersetzung, griech. *onoma* = Name), →Pseudonym, das durch Übersetzung des Verfassernamens in e. Fremdsprache entsteht, so z.B. viele Humanistennamen als Gräzisierung oder Latinisierung (Schwarzerd = MELANCHTHON, Rusticocampius = BAUERNFELD, Corvinus = RAABE).

Tragédie classique (franz.), die klassizistische franz. →Tragödie der CORNEILLE und RACINE.

Tragelaph (griech. *tragelaphos* = Bockshirsch), Fabeltier aus mehreren Eigenschaften anderer Tiere, dann übertragen: uneinheitl. lit. Werk ohne deutl. Gattungszugehörigkeit.

Tragik (griech. *tragike techne* = Kunst der Tragödie), Grundbegriff nicht nur für die →Tragödie, sondern für das menschl. Dasein schlechthin: der unausweichliche, schicksalshafte Untergang e. Wertvollen im Zusammenstoß oder Widerstreit mit anderen erhabenen Werten oder übermächtigen Gewalten, der die beteiligte(n) Person(en) notwendig in Leid und Vernichtung führt, der sie sich, über sich selbst hinausragend, um des Erhabenen willen unter Ausschlagung der Kompromißmöglichkeiten opfern, während die Werte selbst als Ideen bestehen bleiben. Der trag. Gegenstand erweckt bei Außenstehenden nicht nur Mitleid und Trauer durch das Maß des Leidens, sondern zugleich – durch die Heldenhaftigkeit seines erfolglosen Kampfes gegen das Verhängnis, die dabei entfalteten Seelenkräfte und die Unerbittlichkeit seines Geschicks, das aus höheren Gesetzen, nicht aber aus der bloßen Laune e. Zufalls entspringen muß – Bewunderung, Ehrfurcht u. a. erhabene Gefühle und führt dadurch zur Seelenerschütterung. Voraussetzung der trag. Wirkung ist die Charaktergröße des Helden, da bei e. absolut schlechten Charakter das Verhängnis als wohlverdiente Strafe erscheinen würde. Man unterscheidet wie bei der Komik objektive oder Schicksals-T., in der das Leiden nicht aus den Personen selbst erwächst, sondern von außen her an sie herantritt und ihre inneren Kräfte zur Entfaltung bringt (z. B. SOPHOKLES *Ödipus*, verflacht in der →Schicksalstragödie) und subjektive oder Charakter-T., in der die Veranlassung des Leidens in den Eigenschaften der Personen selbst liegt (SHAKESPEARE, *King Lear*); meist erscheinen beide Formen verbunden, wobei die eine überwiegt. Das Wesen der T. bildet seit ARISTOTELES e. Gegenstand der theoret. Erörterung sowohl in Poetik und Literaturwissenschaft als in Philosophie und Ästhetik. Problemstellung und Beantwortung variieren nach der Zeitauffassung. ARISTOTELES bestimmt die T. von ihrer Wirkung her, die er als →Katharsis bezeichnet. Im MA. fehlt die Problemstellung ebenso wie die Tragödie; im 16./17. Jh. wird sie im Anschluß an die antike Poetik der Tragödie fortgeführt, die →Ständeklausel aufgestellt, die nur erhabenen Personen wahre T. zugesteht (→Fallhöhe) und die Katharsis-Theorie weiter ausgebaut zur Abstumpfungstheorie: des Erlebnis der T. in der Tragödie härtet das Gemüt gegen eigene Leiden ab. Im 18. Jh. stellt der Berliner Kreis um LESSING und MENDELSSOHN dagegen die Besserungstheorie auf: Umwandlung der Leidenschaften in ›tugendhafte Fertigkeiten‹, und erweitert die Möglichkeiten der T. im →bürgerlichen Trauerspiel auf den Gesamtkreis des Menschlichen, da nur Wesensgleichheit von trag. Helden und Aufnehmendem die Totalerschütterung hervorruft. SCHILLER erörtert in den Aufsätzen *Über den Grund des Vergnügens an tragischen Gegenständen* und *Über die tragische Kunst* (beide 1792) das Wesen der T. und ihre Anwendung in der Tragödie; er erkennt sie im Widerstand der trag. Charaktere gegen das übermächtige Schicksal, der zum

Erhabenen hinleitet. GOETHE erfaßt die T. durch die →Katharsis als innere Reinigung des Helden durch das Leiden, doch wandelt sich seine Anschauung im Laufe des Lebens. Ebenfalls auf dem Boden des Idealismus steht die bündige Theorie der T. von HEGEL (*Ästhetik* 3, 3: Das Prinzip der Tragödie): die sittl. Weltordnung, durch den einseitigen Eingriff des trag. Charakters in den Widerstreit gleichberechtigter Werte gestört, wird durch die ›ewige Gerechtigkeit‹ im Untergang des Helden wiederhergestellt. Ähnlich, doch tiefer und unlösbar ist die Gegensätzlichkeit bei HEBBEL (→Pantragismus), wenn das ›Individuum im Kampf zwischen seinem persönlichen und dem allg. Weltwillen‹ dem letzteren unterliegt, da es mit jeder Regung des Ich, an sich Voraussetzung der persönl. Existenz, e. widerstrebende, auf Herstellung des Gleichgewichts berechnete Reaktion auslöst: Individualisation als T. In der Neuklassik nimmt P. ERNST die Theorien HEBBELS und des Idealismus wieder auf; von den anderen Dichtern beteiligen sich bes. E. BACMEISTER und K. LANGENBECK an der Deutung der T. Die neueren Theorien der T. lösen sich von der idealist. Begründung, kommen meist von der mod. Philosophie her und fassen die T. als allg. Wertevernichtung und Verhängnis des Menschen, dabei ›wesentliches Element im Universum selbst‹ (M. SCHELER) oder ›Vielfalt der Spannungen im Zeitdasein der Erscheinung‹ (K. JASPERS); in dieser Definition gehen sie daher mehr in die ep., weltweite T. über. In Verbindung mit der Poetik wird das historisch verwirklichte Verhältnis von T. und Tragödie als Auffassung des Tragischen in der dichter. Gestaltung untersucht, andererseits der Begriff auch auf die Epik (Roman und Novelle) zu über-

tragen versucht. Neue Deutungen stammen von E. STAIGER (›Das Tragische ereignet sich, wenn das, worum es in e. letzten allumfassenden Sinne geht, worauf e. menschliches Dasein ankommt, zerbricht‹) und B. v. WIESE, der ihr Wesen in Antinomien erkennt, also ›nur auf paradoxe, d.h. rein logisch betrachtet widerspruchsvolle Weise‹ erfaßbaren →Konflikten: Freiheit und Notwendigkeit, Leid und Trost, Sinn und Sinnlosigkeit, menschl. Selbstbehauptung und gottgewollte Zernichtung.

J. Volkelt, Ästhetik d. Tragischen, 1879, ⁴1923; T. Lipps, D. Streit um d. Tragödie, 1891; P. Ernst, D. Weg z. Form, 1906; G. Lukács, Metaphysik d. Tragödie, 1910; W. Reiß, Theorie d. Tragischen i. 17. Jh. i. Dtl. u. Frkr., Diss. Bern 1910; L. Ziegler, Z. Metaphysik d. Tragischen, 1911; M. Scheler, Zum Phänomen d. Tragischen (in: Abhdlgn. u. Aufs. I, 1915); G. D. Fricke, D. Problematik d. Tragischen i. Drama Schillers, JFDH 1930; J. Geffcken, D. Begriff d. Tragischen i. d. Antike, 1930; J. Bahnsen, D. Tragische als Weltgesetz, 1931; J. Körner, T. u. Tragödie (Preuß. Jb. 225, 1931); O. Walzel, V. Wesen d. Tragischen, Euph. 34, 1933; B. Linkenbach, D. Prinzip d. Tragischen, Diss. Bonn 1933; M. de Unamuno, Das trag. Lebensgefühl, 1933; Chr. Janentzky, Üb. T., Komik u. Humor, JFDH 1936–1940; E. Bacmeister, Tragödie ohne Schuld und Sühne, 1940; E. Brendle, D. T. i. dt. Drama v. Naturalism. b. z. Gegenw., Diss. Tüb. 1940; F. Büchler, D. Tragische, 1942; E. Busch, D. Idee d. Tragischen i. d. dt. Klassik, 1942; Ch. Janentzky, T. u. Tragödie (Blätter f. dt. Philos., 1942f.); W. Rasch, T. u. Tragödie, DVJ 21, 1943; A. Weber, D. Tragische u. d. Gesch., 1943, ²1959; H. Bogner, D. trag. Gegensatz, 1947; Th. Spoerri, D. Problem d. Tragischen (Trivium 5, 1947); J. Sellmair, D. Mensch i. d. T., ⁴1948; H. J. Baden, D. Tragische, ²1948; W. Mogk, D. Problematik d. Tragischen i. 19. Jh., Diss. Kiel 1951; K. Ziegler, Wandlgn. d. Tragischen (Hebbel-Jb., 1951); K. Jaspers, Üb. d. Tragische, ²1954; E. H. Falk, *Renunciation as a tragic focus*, Minneapolis 1954; Ch. Hartl, D. Tragische zw. Sein u. Schein, 1955; W. Grenzmann, Üb. d. Tragische (Fs. F. J. Schneider, 1956); H. J. Müller, *The spirit of tragedy*, N.Y. 1956; *Tragic themes in Western lit.*, hg. C. Brooks, New Haven 1959, ²1977; J. Borew, Üb.

d. Tragische, 1960; P. Szondi, Versuch
üb. d. Tragische, 1961; H. J. Heering,
Tragiek, 's Gravenhage 1961; C. I.
Glicksburg, *The tragic vision in 20. cent.
lit.*, Carbondale 1963; H. Flügel, Konturen d. Tragischen, 1965; J.-M. Domenach, *Le retour du tragique*, Paris 1967;
F. Forster, Stud. z. Wesen v. Komik, T. u.
Humor, Diss. Wien 1967; D. Mack, Ansichten z. Tragischen u. z. Tragödie,
1969; T. u. Tragödie, hg. V. Sander
1971; M. Krüger, Wandlgn. d. Tragischen, 1973; R. Galle, Tragödie u. Aufklärg., 1976; M. Müller, Philos. Reflexion auf d. Phänomen d. Tragischen, LJb.
19, 1978. →Tragödie.

Tragikomödie, Drama als Verbindung von Tragik und Komik im
gleichen Stoff nicht zu e. lockeren
Nebeneinander, sondern zu inniger
Durchdringung beider Elemente
und Motive zur ›wechselseitigen Erhellung‹, indem trag. Zusammenhänge mit kom. Motiven zu eindruckssteigernder Kontrastwirkung
verbunden werden (humoristische
Tragik, z. B. bei SHAKESPEARE) oder
indem kom. Sachverhalte in trag.
Beleuchtung erscheinen, die Zwiespältigkeit der Welt offenbaren und
die Komik auf e. höhere Stufe heben, in der aus dem Spott e. trag.
Unterton hervorklingt (tragisch gebrochener Humor, z. B. bei MOLIÈRE). Neben dieser objektiven T.
mit dem Aufeinandertreffen der Gegensätze zwischen den Menschen
bzw. ihren Handlungen steht die
subjektive T., die den Ggs. von trag.
Pathos und Komik ins Innere des
Einzelmenschen verlegt. Die wirkliche Synthese der beiden gegensätzl.
Elemente, die sich nicht wie in der
Parodie auf Form und Inhalt verteilen und e. kom. Auseinanderklaffen
hervorrufen dürfen, vielmehr beides
gemeinsam durchdringen und einheitlich gestalten müssen, ist infolge
ihrer Schwierigkeit in der Literaturgeschichte nur in seltenen Fällen
restlos geglückt. Die Bz. entstand im
Zusammenhang mit den Vorstellungen von der Ständeklausel: PLAUTUS

prägt sie – nicht als eigene Gattungsbz., sondern mehr als Scherz –
für seinen *Amphitruo* und rechtfertigt sie (Vers 50–63) aus dem Nebeneinander der Götter und Könige
aus der Tragödie mit den Sklaven
aus der Komödie in demselben
Stück, das zugleich e. Mischform
von Burleskem und Tragischem ergibt. Die Renaissancepoetiker (SCALIGER u. a.) verweisen zur Begründung auf ARISTOTELES (*Poetik* 13)
und bestimmen die T. vom rein
Stofflichen her als ernstes Spiel mit
heiterem Ausgang. In Italien folgt
GUARINI mit dem *Pastor fido* und e.
Reihe polemisch-theoret. Abhandlungen (*Compendio della poesia
tragicomica*, 1599), in denen er die
T. als harmon. Vereinigung von
Strenge und Würde der Tragödie
mit Behaglichkeit und Scherz der
Komödie darstellt, in Spanien CERVANTES und Lope de VEGA, der in
Arte nuevo de hacer comedias die
Gattung aus dem Zusammentreffen
hoher und niederer Personen ableitet. In Frankreich bezeichnet T. im
17. Jh. alle ernsten Dramen mit hohen Personen, die nicht mit deren
Tod enden (so nennt CORNEILLE
seinen *Cid* und *Nicomède* anfangs
T.); die Höhe aber erreicht die Gattung dort neben GARNIER (*Bradamante*, 1582), SCUDÉRY, ROTROU
und HARDY mit MOLIÈRE (*Misanthrope, Tartuffe*), wie in England
bei SHAKESPEARE (*Troilus und Cressida*, 1609), PEELE, GREENE, BEAUMONT, FLETCHER, MASSINGER,
DEKKER und HEYWOOD. Die erste
dt. T. nach mehreren lat. Humanisten-T.n ist die *Tragicomoedia von
Sant Pauls Bekehrung* von V.
BOLTZ (1546). Im 16. Jh. verwendet
man die Bz. uneinheitlich auf die
verschiedensten dt. und lat. Stücke
des Schuldramas, der engl. Komödianten und der Wanderbühnen.
Von OPITZ über GRYPHIUS bis

GOTTSCHED wird die Mischung von Komik und Tragik abgelehnt; das Jesuitendrama (BIDERMANNS *Cenodoxus*), J. AYRER, Herzog HEINRICH JULIUS von Braunschweig und später Chr. WEISE streben nach der Form, ohne sie voll zu erreichen. LESSING definiert die T. (*Hamburgische Dramaturgie* 55) noch als ›Vorstellung e. wichtigen Handlung unter vornehmen Personen, die e. vergnügten Ausgang hat‹, erkennt neben diesem äußeren doch auch ihr inneres Wesen, wenn er ihre größte Ausformung in der Gestaltung e. Begebenheit sieht, in der ›der Ernst das Lachen, die Traurigkeit die Freude oder umgekehrt so unmittelbar erzeugt, daß uns die Abstraktion des einen oder des anderen unmöglich fällt‹. Er selbst kommt dem Ideal in *Minna von Barnhelm* recht nahe, während in anderen Dramen der Zeit das rührende Moment das tragische überwiegt und zum Rührstück führt. Im Sturm und Drang steht das soz. Drama von LENZ (*Der Hofmeister, Soldaten, Der neue Menoza*) der T. nahe, unter den Romantikern TIECKS *Ritter Blaubart* und bes. KLEISTS *Amphitryon;* im 19. Jh. folgen BÜCHNER, der die Komik nach Vorbild SHAKESPEARES als Steigerung der Tragik benutzt, und GRABBE, der die eigene Gespaltenheit wiedergibt, bes. aber HEBBEL mit dem *Trauerspiel in Sizilien,* der in der Vorrede auch die Form theoretisch erörtert: sie ›ergibt sich überall, wo ein trag. Geschick in untrag. Form auftritt, wo auf der e. Seite wohl der kämpfende und untergehende Mensch, auf der anderen jedoch nicht die berechtigte sittl. Macht, sondern e. Sumpf von faulen Verhältnissen vorhanden ist, der Tausende von Opfern hinunterwürgt, ohne e. einziges zu verdienen‹. Der Naturalismus kommt zur

T. aus der Erkenntnis von der Doppeldeutigkeit des Menschen, in dem Großes und Niedriges, Erhabenes und Lächerliches nebeneinander bestehen; so zuerst in IBSENS *Wildente,* dann G. HAUPTMANN (*Der rote Hahn, Kollege Crampton, Peter Brauer, Die Ratten),* ferner SCHNITZLER, in expressiver Form F. WEDEKIND (*Der Marquis von Keith),* STERNHEIM (*Bürger Schippel)* und G. KAISER (*Kanzlist Krehler).* Die neue Entwicklung der T. von ČECHOV über PIRANDELLO wird bes. von England und Amerika bestimmt: SHAW, SYNGE, O'NEILL, PRIESTLEY und Th. WILDER (*Our Town,* 1938). Im zeitkrit. Volksstück (HORVÁTH) und im grotesken Parabelstück der Gegenwart (BORCHERT, FRISCH, *Herr Biedermann,* DÜRRENMATT, *Der Besuch der alten Dame,* ANOUILH, IONESCO, BECKETT, PINTER, ALBEE, STOPPARD, BEHAN, T. BERNHARD) sind Komik und Tragik gleichermaßen aufgehoben. Seine mod. Theorie der T. entwickelt F. DÜRRENMATT in *Theaterprobleme* (1955).

H. C. Lancaster, *The French T.,* 1907; F. H. Ristine, *Engl. T.,* 1910; K. Holl, Gesch. d. dt. Lustspiels, 1923; RL IV; M. T. Herrick, *Tragicomedy,* Urbana 1955, ²1962; K. S. Guthke, Gesch. u. Poetik d. dt. T., 1961; ders. in Neophil. 43, 1959, ZDP 80, 1961 u. Jb. f. Ästhetik 6, 1961; J. L. Styan, *The Dark Comedy,* Cambr. 1962, ²1968; K. S. Guthke, D. mod. T., 1968; G. Melzer, D. Phänomen d. Tragikomischen, 1976; R. Guichemerre, *La T.,* Paris 1981; RL²; P. Zahn, D. T., FLE, 1981; D. L. Hirst, *Tragicomedy,* Lond. 1984; P. Hernadi, *Interpreting events,* Ithaca 1985; R. Dutton, *An introduction to mod. t.,* Brighton 1986; *Renaissance t.,* hg. N. Klein Maguire, N.Y. 1987.

Tragische Ironie →Ironie

Tragisches →Tragik

Tragöde, tragischer Schauspieler

Tragödie (griech. *tragodia* = Bocksgesang, entweder ›Gesang der

Böcke‹ mit trag. Chören in Bocksmasken oder ›Gesang um den Bock‹ als Preis oder Opfer), im wesentlichen, gleichbedeutend mit →Trauerspiel, neben der Komödie zweite Hauptgattung und höchster Gipfelpunkt des Dramas; dichter. Gestaltung der →Tragik als Darstellung eines ungelöst bleibenden trag. →Konflikts mit der sittl. Weltordnung, mit e. von außen herantretenden Schicksal usw., der das Geschehen zum äußeren oder inneren Zusammenbruch führt, doch nicht unbedingt im Tod des Helden, sondern in seinem Unterliegen vor dem Ausweglosen gipfelt (GOETHE, Torquato Tasso, GRILLPARZER, Medea). Dem Aufbau nach streng zu unterscheiden sind →analytisches und →Zieldrama. Das Grunderlebnis der Tragik, wesensgemäß mit der Stimmung der Erhabenheit (→Pathos) verbunden, und seine formalen künstler. Ausgestaltungen wechseln mit den Epochen und lösen sich aus dem relig. Ursprung, doch stets stellt die T. letzte Seinsfragen der Menschheit um Freiheit und Notwendigkeit, Charakter und Schicksal, Schuld und Sühne, Ich und Welt, Mensch und Gott.

Als Kunstform wurde die T. von den Griechen entwickelt. Das hier geschaffene Urbild trag. Welt- und Daseinserfassung lebt durch Jahrtausende. Die att. T. ist ›ein in sich abgeschlossenes Stück der Heldensage, poetisch bearbeitet in erhabenem Stile für die Darstellung durch e. att. Bürgerchor und 2–3 Schauspieler und bestimmt, als Teil des öffentl. Gottesdienstes im Heiligtum des Dionysos aufgeführt zu werden‹ (v. WILAMOWITZ). ARISTOTELES definiert sie als ›→Mimesis einer in sich geschlossenen Handlung, würdig bedeutenden Inhalts, von bestimmtem Umfang, in künstlerisch geformter Sprache, deren Kunstmittel in jedem besonderen Teil der T. verschieden sind, vorgeführt von gegenwärtig handelnden Personen und nicht durch erzählenden Bericht, durch Erweckung von Jammer und Schrecken die Läuterung solcher Affekte erzielend‹ (→Katharsis) und scheidet sechs aufbauende Bestandteile: Fabel mit seinserhellender Erklärung, Charaktere, Reflexion, Diktion, Gesangskomposition und szen. Apparat. Der vielumstrittene Ursprung liegt wohl in den →Dithyramben des griech. →Chors oder ähnl. Vorführungen auf dem Peloponnes (ARION in Korinth 600 v.Chr., ebenso in Sikyon), denen THESPIS 534 v.Chr. bei den städt. →Dionysien in Athen e. Schauspieler (→Hypokrites, Antworter, →Protagonist) gegenüberstellte und dadurch der Kultfeier dramat. Leben gab. Mit der Einführung e. zweiten Schauspielers (→Deuteragonist) durch AISCHYLOS war die Möglichkeit reicherer Handlungsentwicklung gegeben, die noch seit SOPHOKLES durch einen dritten Spieler (→Tritagonist) erweitert wurde. Die Schauspieler trugen →Masken und →Kothurn, spielten bei Bedarf mehrere Rollen im Stück, wurden vom Staat bezahlt und dem Dichter gestellt. Als Vorwürfe dienten zunächst wohl relig. Stoffe des Dionysos-Mythos, später der Heldensage mit Eingang psycholog. Momente und Ausprägung e. Tendenz zur Deutung: Der Mensch mehr leidend als handelnd im aussichtslosen Kampf gegen das allgewaltige Schicksal. Zeitgeschichtl. Stoffe (PHRYNICHOS' Phönissen, Eroberung Milets, AISCHYLOS Perser) fanden keinen Anklang; reine Phantasiestoffe erscheinen nur bei AGATHON; das antike Empfinden für Tragik duldet keine Erfindung. Festspieltage waren die →Lenäen und bes. die →Dionysien, an denen drei Dichter mit jeweils einer →Tetralogie in den Wettkampf traten, der durch Volksstimme, später durch e. gewählten Kreis von (fünf?) Richtern entschieden wurde. Seit 449 trugen neben den Dichtern auch die →Protagonisten einen Wettstreit aus, und zwar um die beste schauspieler. Leistung (→Agon). Organisator der Spiele war der Magistrat, Kostträger die reichen Bürger als →Choregen. – In der voll ausgebildeten Form (etwa *Sieben gegen Theben* des AISCHYLOS, 467 v.Chr.) bestand die griech. T. aus dem →Prolog eines Schauspielers, der →Parodos des von den Seiten einziehenden Chors, den →Epeisodia oder Akten als Schauspielerszenen, bei EURIPIDES belebt durch Monodien der Schauspieler, →Amoibaia und →Kommoi, durch die →Stasima des Chors voneinander getrennt, und aus der abschließenden →Exodos des ausziehenden Chors. Der Verbindung von lyr. und dramat. Elementen entsprach e. Vielzahl von metr. Formen: für die gesungene Chorlyrik meist in stroph. Kompositionen (Strophe, Antistrophe, evtl. Epodos), für den Sprechvers meist der jamb. →Trimeter. Als Elemente des dramat. Aufbaus dienten →Hamartia, →Peripetie, →Anagnorisis und →Katastrophe. Von den zahlr. Werken der drei großen Tragiker AISCHYLOS (90 T.n), SOPHOKLES (123) und EURIPIDES (92) ist nur e. Teil vollständig erhalten; von den übrigen Dichtern sind meist nur Fragmente und Titel, oft auch bloß der Name überliefert. Vor AISCHYLOS wirkten PHRYNICHOS, PRATINAS und CHOIRILOS von Athen, neben SOPHOKLES ION von Chios, AGATHON, KRITIAS und EUPHORION (Sohn des AISCHYLOS), als Erbe des SOPHOKLES sein Sohn IOPHON und sein Enkel SOPHOKLES,

im 4. Jh. schließlich noch ASTYDAMAS und THEODEKTES sowie die →Pleias. Mit dem Todesjahr des SOPHOKLES und EURIPIDES, 406 v.Chr. klang die um 490 einsetzende Blütezeit der griech. T. aus. Seit Ende des 3. Jh. taucht kein bedeutender Tragiker mehr auf, und für die Aufführungen griff man auf die Stücke der drei Klassiker zurück. Die röm. T. entstand durch Übernahme griech. Stoffe und Motive mit LIVIUS ANDRONICUS 240 v.Chr. und blieb in ständiger Abhängigkeit vom griech. Vorbild (nur daß der Chor auf der Bühne stand und in die Handlung eingriff); die Fabula →Praetexta mit röm. Stoffen wurde nur vereinzelt neben den griech. T.n von den wichtigsten Tragikern der republikan. Zeit gepflegt (NAEVIUS, ENNIUS, PACUVIUS und ACCIUS), von deren Werken nur Fragmente erhalten sind. Auch die T.n der augusteischen Zeit, des Redners CAESAR und des ASINIUS POLLIO, AUGUSTUS' *Aias*, OVIDS *Medea* und der *Thyestes* des VARIUS RUFUS sind verloren, erhalten allein der rhetor. T.n SENECAS (1. Jh. n.Chr.). Die röm. T. war nicht wie in Griechenland e. kultische Feier; das gemeinsame Band der im Glauben geeinten Zuschauermenge fehlte; moral., polit. und didakt. Stoffe wie rhetor. Redeprunk standen im Vordergrund; zu genialen Begabungen wie den griech. kam es nicht.

Das MA. kennt aus dem einheitl. christl. Glaubenshorizont heraus keine Tragik und damit keine T., da e. absolut trag. Geschehen nach dem göttl. Heilsplan ausgeschlossen ist und selbst der ird. Untergang nach der Erlösungsbotschaft nur Eingang in e. besseres Jenseits bedeutet und nur traurig stimmt, doch nicht tragisch ist, denn ›wirkliche T. kann nur dort erlebt werden, wo jenseitige Mächte in unserem Bewußtsein so sehr erstarken, daß sie eine menschl. Seele zu zerstören vermögen‹ (K. VOSSLER). Man hat daher mit e. gewissen Recht die abendländ. Fortentwicklung der T. unter dem Christentum als ›Trauerspiel‹ der griech. als der eigtl. T. gegenübergestellt, ohne daß jedoch der Gegensatz für alle späteren Erscheinungen zutreffend wäre, denn schon die Weltzuwendung seit der Renaissance eröffnet neue Erlebnismöglichkeiten des Tragischen. Doch noch die dt. T. des Barock ist in diesem Sinne ›Trauerspiel‹, in dem sich der Held aus ird. Schuld durch die stoische Überwindung des Diesseits im Tod für den Glauben befreit und noch im Untergang aus dem Unterlegenen zum Triumphierenden, zum Glaubenshelden, wird (→Märtyrer- und →Tyrannendrama bei GRYPHIUS, HALLMANN, HAUGWITZ, LOHENSTEIN). Für die Weltlit. bedeutender freilich werden die großen T.n der span. Hochrenaissance (Lope de VEGA) und des span. Barock (CALDERÓN), in denen die Fragwürdigkeit des Irdischen hervortritt, und die T.n SHAKESPEARES, die mit ihrer Weltfülle in der Auseinandersetzung menschl. Leidenschaften und Vollendung in der menschl. Größe und Möglichkeiten, aber auch Grenzen des Menschen in der Polarität des Daseins zeigen und in den Leidenschaften den Ursprung des Verderbens sehen. Strengste formale Zucht und Vollendung in der Beschränkung dagegen kennzeichnen die Alexandriner-T. des franz. Klassizismus, die tragédie classique (CORNEILLE, RACINE). Unterdrückung und Überwindung der Leidenschaften, selbst der Tragik, durch die Vernunft – die im Absolutismus mit der Staatsraison gleichgestellt wird – Zügelung des Temperaments in stoischer Haltung entsprechen hier auch der äußeren Form, die

dem griech. (SOPHOKLES, EURIPIDES) bes. dem röm. (SENECA) Drama und den Forderungen des ARISTOTELES durch Wahrung der drei →Einheiten und Einhaltung der →Ständeklausel nahe zu kommen vermeint und damit e. eigenes Kunstwerk schafft, das innerhalb der gesetzten Grenzen durch Verbannung der theaterhaften Aktion und Vertiefung der psycholog. Durchführung zu jener kristallklaren Form wird, um deren formale Übertragung auf die dt. T. GOTTSCHED kämpfte. Sein bloßer Formalismus, nur im Hinblick auf die schwülstig-formlosen Entartungen der zeitgenöss. dt. T. verständlich und auf späterer Stufe bald aufgegeben, hat dennoch das Verdienst, die Entwicklung des klass. Sprechdramas angebahnt zu haben. LESSING, der auch den Blankvers als Maß der dt. klass. T. einführt, fordert dagegen statt der Vernunftkonstruktion der tragédie classique die Darstellung des ganzen, fühlenden Menschen im Sinne SHAKESPEARES, der nunmehr zum großen Vorbild der dt. T. wird; er widerspricht der franz. Deutung des ARISTOTELES und setzt das →bürgerliche Trauerspiel durch, da Tragik in seinem Sinn als Widerstreit zwischen sittl. Gewissen und Anforderungen der Umwelt in allen Ständen möglich ist. Mit LESSING beginnt die große Zeit der dt. T., die bei zunehmender Säkularisierung von der relig. Welterfahrung bis zum Anfang des Nihilismus führt, über SCHILLER, GOETHE, KLEIST, GRILLPARZER, BÜCHNER, GRABBE bis HEBBEL reicht und erst nach ihm Auflösungserscheinungen zeigt. Die Vielfalt ihrer Ausformungen, von denen jede der Vergangenheit verbunden bleibt und dennoch in neue Bereiche trag. Welterfassung vorstößt, läßt sich nicht auf e. gemeinsame Formel bringen, sondern variiert von Dichter zu Dichter und von Werk zu Werk. Namen wie IBSEN, STRINDBERG, ČECHOV, G. HAUPTMANN, GORKIJ, SHAW, PIRANDELLO, T. S. ELIOT, O'NEILL, T. WILLIAMS, A. MILLER, CLAUDEL, GARCÍA LORCA, SARTRE und ANOUILH stehen hier nur beispielhaft für e. Entwicklung, in der sich die T. zunehmend aus dem soz. Bereich löst und durchscheinend wird für die Sinnlosigkeit und Fragwürdigkeit der Existenz schlechthin. Erst im grotesken und absurden Drama der Moderne werden Tragik und Komik zur →Tragikomödie gegeneinander aufgehoben.

A. E. Haigh, *The Tragic Drama of the Greeks*, 1896; L. Campbell, *Tragic Drama*, 1904; F. Neri, *La t. ital. del cinquecento*, Florenz 1904; K. Steinweg, *Stud. z. Entwicklgs.gesch. d. T.*, VII 1905–25; U. v. Wilamowitz, Einl. i. d. att. T., 1907; E. Petersen, D. att. T. als Bild- u. Bühnenkunst, 1915; K. Heinemann, D. trag. Gestalten d. Griechen i. d. Weltlit., 1920, ²1968; L. Marcuse, D. Welt d. T., 1923, n. 1985; U. v. Wilamowitz, D. griech. T., 1923; E. Kalinka, D. Urform d. att. T. u. Komödie, 1924; A. W. Pickard-Cambridge, *Dithyramb, T. and Comedy*, 1927; W. Benjamin, Ursprung d. dt. Trauerspiels, 1928 u.ö.; J. Clivio, Lessing u. d. Problem d. T., 1928; E. Eckhardt, D. engl. Dr. i. Zeitalter d. Reformation u. d. Hochrenaissance, 1928; ders., D. engl. Drama d. Spätrenaissance, 1929; B. Dobrée, *Restoration T.*, Oxf. 1929; E. Howald, D. griech. T., 1930; M. Pohlenz, D. griech. T., 1930, ²1954; G. Norwood, *Greek T.*, Lond. 1931, ⁴1953; R. Petsch, Z. Gesch. u. Wesen d. T., Euph. 32, 1931; A. W. Pickard-Cambridge, *The dramat. festivals of Athens*, Oxf. 1933; W. Rehm, Röm.-franz. Barockheroismus u. seine Umgestaltg. i. Dtl., GRM 1934; R. Petsch, 3 Haupttypen d. Dramas, DVJ 12, 1934; C. C. Green, *Neoclassic theory of t. in Engl. during the 18th cent.*, 1934; W. Deubel, D. Weg z. T., 1935; A. Perger, D. Wandlg. d. dramat. Auffassg., 1936; W. Farnham, *The ma. heritage of Elisabethan t.*, Oxf. 1936, n. 1956; A. Lesky, D. griech. T., 1938, ⁴1968; H. D. F. Kitto, *Greek T.*, Lond. 1939, ⁴1968; M. Kommerell, Lessing u. Aristoteles, 1940, ⁵1984; E. Bacmeister, D. dt. Typus d. T., 1943; A. Pfeiffer, Ursprung u. Gestalt d. Dramas, 1943; A. Spitzbarth, Unters. z. Spieltechnik d. griech. T., 1946; M. E. Prior, *The language of t.*, Bloomington 1947, ²1966; L. Benninghoff, A. Kreuzweg d. T., 1948; B. v. Wiese, D. dt. T. v. Lessing bis Hebbel, 1948, ⁹1983; L. Ebel, D. ital. Kultur u. d. Geist d. T., 1948; H. C. Lancaster, *French t. in the time of Louis XV*, Baltimore II 1950; G. Nebel, Weltangst u. Götterzorn, 1951; A. Bonnard, *La t. et l'homme*, Neuenburg 1951; W. Clemen, D. T. vor Shakesp., 1955; M. Untersteiner, *Le origini della t. e del tragico*, Turin 1955; H. J. Muller, *The spirit of t.*, N.Y. 1956; T. R. Henn, *The harvest of t.*, Lond. 1956, ³1966; A. Lesky, D. trag. Dichtg. d. Hellenen, 1956, ³1972; W. C. McCollom, *Tragedy*, N.Y. 1957; O. Mann, Poetik d. T., 1958; F. L. Lucas, *Tragedy*, N.Y. 1958, ³1966; L. Lockert, *Stud. in French class. t.*, N.Y. 1958; R. Lattimore, *The Poetry of Greek t.*, Baltimore 1958; H. Heckmann, Elemente d. barocken Trauerspiels, 1958; R. B. Sewall, *The Vision of T.*, New Haven 1959; A. Closs, Formprobl. u. Möglichk. z. Gestaltg. d. T. d. Ggw. (Stil- u. Formprobleme, 1959); D. D. Raphael, *The paradox of T.*, Lond. 1960; E. Olson, *T. and the theory of drama*, Detroit 1961; M. C. Bradbrook, *Themes and conventions of Elizabethan t.*, Lond. ³1961; O. Mandel, *A definition of t.*, N.Y. 1961, ²1982; G. Steiner, D. Tod d. T., 1962; K. v. Fritz, Antike u. mod. T., 1962; H. Patzer, D. Anfänge d. griech. T., 1962; H.-B. Harder, Stud. z. Gesch. d. russ. klassizist. T., 1962; R. Y. Hathorn, *Tragedy, Myth and Mystery*, Bloomington 1962; J. Jones, *On Aristotle and Greek tragedy*, Oxf. 1962; *Le théâtre tragique*, hg. J. Jacquot, Paris 1962; I. Ribner, *Jacobean t.*, Lond. 1962; A. C. Schlesinger, *Boundaries of Dionysus*, Cambr./Mass. 1963; C. I. Glicksberg, *The tragic vision in 20. cent. lit.*, Carbondale 1963; R. R. Heitner, *German t. in the age of enlightenment*, Berkeley 1963; T. B. Tomlinson, *A study of Elizabethan and Jacobean t.*, Lond. 1964; R. Lattimore, *Story patterns in Greek t.*, Ann Arbor 1964; L. Aylen, *Greek t. and the mod. world*, Lond. 1964; A. Thorndike, *T.*, N.Y. 1965; *T., vision and form*, hg. R. W. Corrigan, S. Franc. 1965; M. T. Herrick, *The Ital. t. in the renaiss.*, Urbana 1965; H. A. Myers, *T.*, Ithaca 1965; G. P. Else, *The origin and early form of Greek t.*, Cambr./Mass. 1965; R. Williams, *Modern t.*, Lond. 1966, ²1979; J.-M. Domenach, *Le retour du tragique*, Paris 1967; W. H. Friedrich, Vorbild u. Neugestaltg., 1967; F. Zaic, D. Verst. i. d. engl. Vorromantik, 1968; A. Kuchinke-Bach, Stilfragen d. Dramas, 1968; W. Kerr, *T. and comedy*, N.Y. 1968; R. B. Heilman, *T.*

and melodrama, Seattle 1968; G. Brereton, *Principles of t.*, Lond. 1968; N. J. Calarco, *Tragic being*, Minneapolis 1968; D. Krook, *Elements of t.*, New Haven 1969; C. Leech, *T.*, Lond. 1969; J. de Romilly, *La t. grecque*, Paris 1970; Bauformen d. griech. T., hg. W. Jens 1971; Tragik u. T., hg. V. Sander 1971; D. E. R. George, Dt. T'theorien v. MA. bis Lessing, 1972; H. Sandig, Unbehagen an d. T. (Klassiker heute, hg. ders. 1972); M. Krüger, Wandlgn. d. Tragischen, 1973; B. Vickers, *Towards Greek t.*, Lond. 1973; D. Stone, *French humanist t.*, Manch. 1974; S. Melchinger, D. Theater d. T., 1974; J. Kott, Gott-Essen, 1975; R. Galle, T. u. Aufklärg., 1976; E. Figes, *T. and social evolution*, Lond. 1976; R. Meyer, D. dt. Trauerspiel d. 18. Jh., Bibliogr. 1977; J. Thomas, Stud. z. e. Poetik d. klass. franz. T., 1977; I. Omesco, *La métamorphose de la t.*, Paris 1978; A. Schwarz, *From Büchner to Beckett*, Athens 1978; O. Taplin, *Greek t. in action*, Lond. 1978; S. Melchinger, D. Welt als T., II 1979f.; M. Brunkhorst, Tradition u. Transformation, 1979; W. Kaufmann, T. u. Philos., 1980; C. J. Gossip, *An introd. to French class. t.*, Lond. 1981; K. S. Misra, *Mod. t.s and Aristotle's theory*, N.Y. 1981; H. Pillau, D. fortgedachte Dissonanz. Hegels T.theorie u. Schillers T., 1981; J. Söring, T., 1982; J. M. Walton, *The Greek sense of theatre: t. reviewed*, Lond. 1984; R. Breuer, Handlgsstrukturen d. T., OL 40, 1985; B. Zimmermann, D. griech. T., 1986; H. A. Mason, *The tragic plane*, Oxf. 1986; J. N. Cox, *In the shadows of romance*, Columbus 1987; H. Wagner, Ästhetik d. T., 1987; M. Heath, *The poetics of Greek t.*, Lond. 1987; G.-M. Schulz, Tugend, Gewalt u. Tod, 1988; C. Meier, D. polit. Kunst d. griech. T., 1988; R. Breuer, Trag. Handlungsstrukturen, 1988. →Drama, →Tragik, →bürgerliches Trauerspiel.

Traité (frz. =) →Traktat

Traktat (lat. *tractatus* = Abhandlung), Form der Zweckprosa/Gebrauchslit., Abhandlung über e. philos., geist., kulturelles, relig., soz., polit., moral. oder (natur)wiss. Problem, monolog.-systemat. Darlegung e. Sachverhalts in didakt.-dogmat. Absicht ohne den ästhet. Anspruch des Essays. Anders als engl. ›tract‹, franz. ›traité‹ im Dt. gelegentlich abschätzig bes. für

moral.-relig. Erbauungslit. (›Traktätchen‹). RL².

Tramelogödie (aus griech. →*tragodia* und *melos* = Lied), Zwitter zwischen Tragödie und Oper.

Translation (lat. *translatio* =) Übertragung, →Übersetzung in e. andere Sprache; so hießen im 15. Jh. Übersetzungen aus dem Lat. oder Ital. ›Translatzen‹ oder ›Teutschungen‹ (Niklas von WYLE 1478).

Transzendentalisten, idealist. Gruppe amerikan. Romantiker in New England (bes. Concord/Mass.) um 1835–1860 (Blütezeit 1835–1845), bes. der Kreis um EMERSON, THOREAU und die Zs. *The Dial* (1840–1844), die unter Einfluß des dt. Idealismus (KANT, FICHTE, SCHELLING), engl. Romantik (COLERIDGE), PLATONS und oriental. Lit. in Schrift und Tat gegen die Herrschaft des konventionellen Rationalismus im öffentl. Leben rebellierten, jede Dogmatik zugunsten der freien individuellen Gewissensentscheidung ablehnten und bes. der amerikan. Kunst und Lit. neue, vitalere Formen gaben. Mitglieder der vorwiegend relig.-soz. Bewegung waren M. FULLER, T. PARKER, O. BROWNSON, G. RIPLEY, B. ALCOTT, W. E. CHANNING, J. VERY, E. P. PEABODY u. a.

O. B. Frothingham, *T. in New England*, N.Y. 1876, n. 1959; H. G. Goddard, *Stud. in New England Transcendentalism*, N.Y. 1908, n. 1960; G. F. Wicher, *The T. revolt*, Boston 1949; *The Transcendentalists*, hg. P. Miller, Cambr./Mass. 1950; *T. and its legacy*, hg. M. Simon, T. Parsons, Ann Arbor 1967; The Transcendentalists, hg. J. Myerson, N.Y. 1984.

Trauerlied →Totenklage

Trauerrede →Leichenrede

Trauerspiel, seit dem 17. Jh. (ZESEN 1641) dt. Ersatzwort für →Tragödie; im engeren Sinn für deren christl. Form, die nicht trag., sondern nur traurige Ereignisse darstellt (→Tragödie). Vgl. →Bürgerliches T.

Traumallegorie, seit der Antike (Scipios Traum in CICEROS *De re publica*) und bes. in der Visionslit. des MA. beliebte poet. Einkleidung für moraldidakt.-philos. Themen, →Utopien und Idealschilderungen als Traumvisionen des über der Lektüre eingeschlafenen Dichters in e. phantast.-allegor. Gartenlandschaft mit allegor. Figuren, so im *Rosenroman*, bei CHAUCER *(Parlement of Fouls)*, LANGLAND *(Piers Plowman)* u. a. m.

Traumbuch, schriftl. Hilfsmittel zur Deutung von Träumen, bes. vermeintl. verschlüsselter und unverständl. Trauminhalte, seit 2. Jt. v. Chr. für Ägypten belegt, umfangreichstes erhaltenes die *Oneirokritika* des ARTEMIDOROS von Ephesus (2. Jh. n. Chr.) mit starker Wirkung auf das ganze MA., dt. von W. H. RIVIUS (16. Jh.), und das mlat. *Somniale Danielis.*

F. Fuchs, V. d. Zukunftsschau z. Seelenspiegel, 1987.

Traumdichtung, Dichtung, in der Träume e. Zentralmotiv bilden. Das Motiv des Traumes als e. Gegenwelt der Wirklichkeit reicht, meist als →Traumallegorie, in Antike und MA. zurück und lebt als Motiv von träumenden Bauern (SHAKESPEARE, *Der Widerspenstigen Zähmung,* fortwirkend bis L. HOLBERG, *Jeppe vom Berg,* und G. HAUPTMANN, *Schluck und Jau)* und vom Leben ein Traum (CALDERÓN, Nachwirkung bis GRILLPARZER und HOFMANNSTHAL) oder satirisch in den *Sueños* von QUEVEDO und MOSCHEROSCHS *Gesichten* in Renaissance und Barock fort. Nach der Abwertung des Traums durch die Aufklärung erkannten erstmals Vorromantik (HAMANN, HERDER) und Romantik (JEAN PAUL, HOFFMANN, TIECK, NOVALIS, EICHENDORFF) die Bedeutung des Traums als Ausdruck e. subjektiven Welt des Halbbewußten (›Träumereien‹, ROUSSEAU) oder e. surrealist. Überwelt des Unbewußten und der freischaltenden Phantasie (J. POTOCKI, *Die Handschrift von Saragossa;* HEINE), z. T. mit Einfluß auf die Realität (KLEIST, *Prinz Friedrich von Homburg,* NESTROY, *Lumpazivagabundus);* seither und zumal seit Symbolismus und →Surrealismus reißt die T. nicht mehr ab: POE, DICKENS, NERVAL, ČECHOV, DOSTOEVSKIJ, *Onkelchens Traum,* STRINDBERG, *Traumspiel,* SCHNITZLER, *Traumnovelle,* BEER-HOFMANN, HAUPTMANN, HAMSUN, KAFKA, E. RICE, *Dreaming girl,* G. EICH, *Träume* u. a. m. Als Nebenmotiv kann der Traum, zumal im Drama, der →Vorausdeutung dienen oder Einkleidung e. →Vision sein. Vgl. →Traumbuch.

M. Arnold, D. Verwendg. d. Traummotivs i. d. engl. Dichtg. v. Chaucer bis Shakespeare, Diss. Kiel 1912; J. Struve, D. Traummotiv i. engl. Drama d. 17. Jh., Diss. Kiel 1913; W. Schmitz, Traum u. Vision i. d. erz. Dichtg. d. dt. MA., 1934; R. Stern, D. Traum i. mod. Drama, Diss. Wien 1950; W. Schäfer, D. Traum b. d. Dichtern d. 19. Jh., Diss. Tüb. 1952; G. Bachelard, *La poétique de la rêverie,* Paris 1960; M. Kiessig, Dichter erzählen ihre Träume, 1964; J. Bousquet, *Les thèmes du rêve dans la lit. romantique,* Paris 1964; W. Naumann, Traum u. Tradition i. d. dt. Lyrik, 1967; H. Schmitthenner, Blume d. Nacht, 1968; M. Weidhorn, *Dreams in 17. cent. Engl. lit.,* 1970; H. Petriconi, Metamorphosen d. Träume, 1971; A. Béguin, Traumwelt d. Romantik, 1972; H. J. Kamphausen, Traum u. Vision i. d. lat. Poesie d. Karolingerzt., 1975; I. Schuster-Schirmer, Traumbilder von 1770–1900, Diss. Bonn 1975; K. Speckenbach, Von den troimen (Fs. M.-L. Dittrich, 1976); A. C. Spearing, *Ma. dream-poetry,* Cambr. 1976; S. R. Fischer, *The dream in mhd. epic,* 1978;

Y. Charbonnel, *Le rêve rococo* (*Cahiers d'études germ.* 7, 1983); E. Lenk, D. unbewußte Ges., 1983; A. M. Haas, Traum u. -vision i. d. dt. Mystik (Spätma. geistl. Lit. I, 1983); S. R. Fischer, *Dreambooks and the interpretation of ma. lit. dreams* (Archiv f. Kulturgesch. 65, 1983); M. Mansuy, *Pour une étude comparée de la rêverie*, RLC 58, 1984; Traum u. Träumen, hg. T. Wagner-Simon, 1984.

Travestie (ital. *travestire* = verkleiden), ähnlich der →Parodie satir. Verspottung e. ernsten Dichtung, doch im Ggs. zu dieser durch Beibehaltung des Inhalts und dessen Wiedergabe in e. anderen, unpassenden und durch die Diskrepanz zwischen Form und Inhalt lächerlich wirkenden (meist niederen) Stillage und Gestalt. Sie ist als karikierendes Sprachspiel in allen Gattungen (Epik, Drama, Lyrik) möglich, wirkt jedoch erst bei Kenntnis des Originals und bevorzugt daher antike oder allg. bekannte Stoffe und Werke (GOETHES und SCHILLERS Balladen, VERGILS *Aeneis* durch G. LALLI 1633, P. SCARRON 1648, A. FURETIÈRE 1649, Ch. COTTON 1664, A. BLUMAUER 1783, T.n von HEBBEL, MEYERBEER und WAGNER durch NESTROY, MORGENSTERNS HORAZ-T.). Meist harmloser und weniger aggressiv als die Parodie, dient sie mehr der bloßen Erheiterung und greift weniger in die lit. Meinungskämpfe ein.

A. Jolles, D. Lit. T.n (Blätter f. dt. Philol. 6, 1923); F. Görschen, D. Vergil-T.n i. Frkr., Diss. Lpz. 1937; A. Dumfart, D. Horaz-T. d. 19. Jh., Diss. Wien 1945; W. Hempel, Parodie, T., Pastiche, GRM 15, 1965; U. Weisstein, *Parody, travesty, and burlesque* (*Actes du IVe Congrès de l'Assoc. Intern. de Lit. Comp.*, Haag 1966); C. Craig, *C. M. Wieland as the originator of the mod. t. in German lit.*, Chapel Hill 1970; W. Karrer, Parodie, T., Pastiche, 1977. →Parodie.

Trecento (ital. = 300, gemeint: 1300), die ital. Kultur- und Literaturepoche des 14. Jh.

Triade (griech. *trias* = Dreizahl), in griech. Dichtung System aus drei Strophen, deren erste beide (Strophe und Antistrophe) von gleichem metr. Bau sind, während die dritte (Epode) abweicht oder bei Wiederholung mehrerer T.n hintereinander unter sich korrespondiert. Diese Art der →strophischen Komposition wurde von STESICHOROS eingeführt und, da sie die Monotonie ständig gleicher Strophenfolgen vermied, von PINDAR und SIMONIDES übernommen. In der Neuzeit bei C. CELTIS, P. RONSARD, A. GRYPHIUS. Ähnliche Form in Dt.: →Meistersangstrophe.

Tribrachys (griech. *tria* = drei, *brachys* = kurz), antiker Versfuß aus drei Kürzen: ⏑⏑⏑ als Auflösung des Jambus (in der Form ⏑⏑⏑) oder des Trochäus (⏑⏑⏑).

Triglotte (griech. *tria* = drei, *glotta* = Zunge), Werk in drei Sprachen, →Polyglotte.

Trikolon (griech. *tria* = drei), aus drei aneinandergefügten Kola (→Kolon) bestehendes Satzgefüge; allg. im rhetor. Sprechen und bes. im Barock beliebte Ausdrucksform (z. B.: ›Zur Demuth ist er gezeugt, zur Sanftmut geneugt, zur Geduld erzielet‹, ZESEN). Als syntakt. Form ausgebildetere Art der oft bloß verbalen Dreigliedrigkeit.

Trilogie (griech. *trilogia* von *tria* = drei, *logos* = Rede), allg. e. aus drei meist motivlich oder stofflich zusammenhängenden, doch einzeln verständl. Teilen bestehendes Werk (→Zyklus); so urspr. die zusammengehörige Folge von drei Tragödien aus demselben Mythenkreis, durch e. entspannendes →Satyrspiel oder e. ernstes Stück zur →Tetralogie erweitert, mit deren Aufführung in unmittelbarer Aufeinanderfolge am gleichen Tage die altgriech. Tragiker des 5. Jh. bei den Dionysien in den Wettkampf traten. In den älteren T.n wie der einzig vollständig erhaltenen antiken, der *Oresteia* des AISCHYLOS (deren Satyrspiel *Proteus* ebenfalls verloren ging), ist der stoffl. Zusammenhang noch eng und für das Verständnis wesentlich. Bei SOPHOKLES und bes. EURIPIDES wurden die Stücke, wenn auch z.T. durch die Herkunft aus demselben Mythos verbunden, durch die straffe Konzentration der Handlung stofflich wie formal zu selbständigen Einzeldramen und sprengten den früher einheitl. Gesamteindruck des Festes; die Dreizahl wurde aus Tradition beibehalten. – Auch das neuere Drama kennt die T. in ähnl. Formen: teils als bloße Auflockerung von Dramenstoffen allzugroßer Länge in drei unselbständige Teile, meist e. Vorspiel und zwei Dramen (Typ: SCHILLERS *Wallenstein*), teils als Verbindung selbständig angelegter Stücke (Dramenreihen) mit gehaltl. Zusammenhang zu e. Ganzen (Typ: KLOPSTOCKS →Bardiete). Andere bedeutende T. sind Maler MÜLLERS *Adonis*-T., GOETHES 1799 geplante, doch nur im 1. Teil *(Die natürliche Tochter)* ausgeführte T. um die Franz. Revolution, GRILLPARZERS *Goldenes Vlies,* FOUQUÉS *Held des Nordens,* RAUPACHS *Cromwell,* IMMERMANNS *Alexis,* HEBBELS *Nibelungen,* Richard WAGNERS *Ring des Nibelungen* (T. mit Vorspiel), ferner bei R. BEER-HOFFMANN, F. LIENHARD, E. KÖNIG, C. und G. HAUPTMANN, G. KAISER, *Gas,* C. STERNHEIM, *Maske*-T., F. WERFEL, F. v. UNRUH und M. SPERR *(Bayer. T.);* im Ausland BEAUMARCHAIS, SWINBURNES *Mary Stuart,* STRINDBERG, R. ROLLAND, O'NEILL, A. WESKER u.a. – Seltener und erst in neuerer Zeit üblich wird die T. in der Epik, bes. im Roman; auch hier sind alle Stu-

fen des Zusammenhangs von der lockeren themat. Verknüpfung (Typ: RAABES sog. Stuttgarter T.: *Hungerpastor, Abu Telfan, Schüdderump*) bis zur einheitl. Durchgestaltung (Typ: KOLBENHEYERS *Paracelsus*-T.) vertreten, so bei H. LAUBE, A. MÜLLER-GUTENBRUNN, B. STUCKEN, J. SCHLAF, H. MANN *(Die Göttinnen, Kaiserreich),* H. STEHR *(Heiligenhof*-T., *Maechler*-T.), P. DÖRFLER *(Apollonia*-T., *Allgäu*-T.), H. BROCH *(Schlafwandler*-T.), G. GRASS *(Danziger T.)* u.a., im Ausland H. SIENKIEWICZ, R. ROLLAND *(Jean Christophe),* Th. DREISER, DOS PASSOS *(U.S.A.),* W. FAULKNER *(Snopes*-T.), J. CARY. Als lyr. T.n von einheitl. Stimmungsgehalt seien GOETHES *T. der Leidenschaft* und WEINHEBERS *Heroische T.* (in *Adel und Untergang)* erwähnt.

RL; D. Böttger, Unters. z. Dramaturgie d. T., Diss. Wien 1963; H. Steinmetz, D. T., 1968.

Trimeter (griech. *tria* = drei, *metron* = Maß), allg. jeder antike Vers aus drei →Metra; ohne nähere Bz. bes. der akatalekt. jamb. T. aus drei jamb. Metra oder Dipodien = sechs jamb. Füßen (daher lat. →*senarius* = sechsgliedrig genannt) mit Zäsur meist nach der 5. (→Penthemimeres), seltener 7. Silbe (→Hephthemimeres), die den Vers stets in zwei ungleiche Hälften teilt. Grundform: ⏑‒⏑‒|⏑‒‒⏑‒|⏑‒⏑‒: ›Nicht mitzuhassen, mitzulieben bin ich da‹ (SOPHOKLES, *Antigone).* Die Variationsmöglichkeiten sind verschieden: der griech. T. gestattet irrationale Länge am Anfang jeder Dipodie (1., 3., 5. Fuß), Auflösung der Längen in zwei Kürzen überall außer im 6. Fuß, Daktylen als aufgelöste Spondeen im 1. und 3. Fuß und mit gewissen Beschränkungen selbst Anapäste, bes. im 1. Fuß (in der Komödie überall außer dem 6. Fuß). Endet die Zeile mit e. dreisilbigen

Wort in Form des Kretikus (—◡—), so muß die Silbe davor zur Vermeidung des Spondeus kurz oder an das folgende bzw. vorhergehende Wort als einsilbiges Wort angelehnt sein (Lex Porson). Der röm. Senar gestattet Spondeen und Daktylen in allen Füßen außer dem 6., Auflösung aller Längen in Kürzen (wobei jedoch nicht vier nebeneinanderstehen dürfen), den Anapäst auch (im Ggs. zum griech.) in geteilter Form und löst somit die dipod. Gliederung zur monopodischen auf. Durch rhythm. Umkehrung des Schlusses entsteht der →Choliambus. Grundanderen Bau bei gleicher Jambenzahl hat der spätere →Alexandriner. – Der T. wurde zuerst von ARCHILOCHOS (7. Jh. v. Chr.) und den anderen Jambendichtern verwendet und wurde bes. wichtig als hauptsächl. Sprechvers im griech. Drama (Tragödie, Komödie, Satyrspiel), gekennzeichnet durch feierl. Breite und Statik bei reicher Variationsmöglichkeit. Durch LIVIUS ANDRONICUS wurde er in der für die lat. Sprache angemessenen Form des Senars auf die röm. Tragödie (SENECA) und Komödie übertragen, später jedoch in der Lyrik (CATULL, HORAZ, *Epoden*) an die griech. Form angeglichen. Später verwandten ihn u. a. PHAEDRUS in den Fabeln und AMBROSIUS in den Hymnen. – In dt. Dichtung erscheint er als reimloser sechshebiger Vers mit dipod. Gliederung (Hauptton auf 2., 4., 6. Hebung) und stets männl. Versschluß zuerst in Übersetzungen aus dem Griech. und Lat. (J. E. SCHLEGEL, WIELAND), in Eigendichtungen dagegen selten, und wird meist durch den der Sprache angemesseneren fünfhebigen Blankvers verdrängt. Beispiele finden sich bei GOETHE im Helenaakt des *Faust II* und *Pandora*, bei SCHILLER in den Montgomery-Szenen der *Jung-*

frau von Orleans (II, 6–8) und der Rede Don Cesars in der *Braut von Messina* (IV, 8), bei PLATEN in den Literaturkomödien, in MÖRIKES Gedichten *(Auf eine Lampe)* und SPITTELERS Versepen. Sonderform: →Choliambus.

H. Paulussen, Rhythmik u. Technik d. 6füß. Jambus i. Dtl. u. Engl., 1913; F. Lang, Platens T., 1924; J. Descroix, *Le t. iambique*, Paris 1931; RL; M. Boghardt, D. jamb. T. i. Drama d. Goethezt., 1973; S. L. Schein, *The jamb. t.*, Lond. 1979.

Trinklied, gesungene Zecherlyrik, läßt sich unterscheiden einmal nach allg. Preis des Trinkens, des Rausches bzw. des (Weingottes) Bakchus und zum anderen nach den angesungenen Getränken in Weinlieder (bes. um Rheinwein, Burgunder, Muskateller), Bierlieder (bes. im 17. und 19. Jh.) und Punschlieder (bes. im 18. Jh., seit LÖWEN 1757 vornehmlich in Freimaurerkreisen und auch von SCHILLER gepflegt) – Branntweinlieder sind selten –, die im →Kommersbuch gesammelt werden. Die Ursprünge reichen bis in die Symposien der Antike (griech. →Skolion, röm. bes. HORAZ, TIBULL). Den Neueinsatz bringt die ma. →Vagantenpoesie *(Carmina burana;* bes. ARCHIPOETA: ›Meum est propositum in taberna mori‹). Im 15. Jh. folgen volksmäßige T.er, im 16. Jh. als Begleiterscheinung der übl. Völlereien derb-üppige T.er; im 18. Jh. verbindet das →anakreont. T. Wein und Liebe (schwed. C. M. BELLMAN). SCHILLERS und GOETHES T. *(Westöstlicher Diwan)* und einzelne von LESSING, VOSS, CLAUDIUS und W. MÜLLER bilden den Abschluß der breiten Entwicklung; seit dem 19. Jh. bleibt das T. meist auf das →Studentenlied (K. SIMROCK, R. BAUMBACH, V. VON SCHEFFEL) beschränkt und bevorzugt Formen wie →Rundgesang und →Quodlibet.

M. Friedländer, D. dt. Lied i. 18. Jh., II 1902; M. Steidel, D. Zecher- u. Schlemmerlieder i. dt. Volkslied bis z. 30jähr. Krieg, Diss. Karlsruhe 1914; RL; H. Linnerz, D. T. i. d. dt. Dichtg., Diss. Köln 1953; H. Ritte, D. T. i. Dtl. u. Schweden, 1973; E. Grunewald, D. Zecher- u. Schlemmerlit. d. dt. SpätMA., Diss. Köln 1976.

Triolett (franz. *triolet* v. ital. *trio* = drei), einstrophige, epigrammartige franz. Gedichtform ähnlich dem →Rondel aus acht achtsilbigen jamb. oder trochäischen Versen mit nur zwei Reimklängen; der 1. Vers kehrt (im Dt. evtl. mit geringer Abwandlung) als 4., die den Hauptgedanken enthaltenden beiden Anfangsverse als Schlußverse (7. und 8.) wieder. Der Name erklärt sich aus der dreifachen Wiederholung der 1. Zeile. Reimfolge ist A B a A a b A B, seltener A B b A a b A B. Die Kunst des T. besteht darin, die vorgeschriebenen Wiederholungen natürlich und notwendig erscheinen zu lassen und ihnen möglicherweise noch e. Sinnvariante abzugewinnen. In Frankreich seit dem 13. Jh. (ADENET-LE-ROI, DESCHAMPS, FROISSART) gepflegt, dann bei VOITURE, LAFONTAINE, DAUDET, BANVILLE u.a., in England von A. DOBSON, R. BRIDGES, W. E. HENLEY u.a., in Dtl. bes. in Anakreontik, Goethezeit und Romantik häufiger verwendet: HAGEDORN *(Der erste May)*, GOETHE, A. W. SCHLEGEL, RÜCKERT, PLATEN, CHAMISSO und GEIBEL.

Gaudin, *Du Rondeau, du T., du Sonnet*, Paris 1870; RL →Metrik.

Trionfi (ital. = Triumphzüge), 1. didakt. Gedichte bes. der Renaissance zur Beschreibung fiktiver allegor. Triumphzüge meist in Terzinen in der Nachfolge von DANTES Triumphzug der Beatrice (*Divina Commedia,* Purgatorio 29, 43 ff.), so von BOCCACCIO *L'amorosa visione* 1342f., PETRARCA *T.* 1352, G. GUBBIO und M. A. SABELLICO,

von weiter Wirkung auch in der Bildkunst. – 2. festliche Umzüge zu bes. Gelegenheiten an den Fürstenhöfen der Renaissance, die in Anknüpfung an die militär. Triumphzüge der Antike szen. Repräsentation der Macht und Selbsteinschätzung wurden: Schasuprunk an Kostümen, Wagen (in Hafenstädten: Schiffen), Kunstbauten (Triumphbogen, Tempel), Ballett, Musik und Theater, oft nach ausgeklügelten allegor. Bilderprogrammen und vielfach in Illustrationen festgehalten. Urspr. von reichen Zünften und dem Adel finanziert, werden sie im Barock an die Schlösser und mit szen. Darbietungen in die Prunksäle verlegt und bilden die Wurzeln der →Festspiele und des Theaters. Künstler. Entwürfe, Freskenzyklen und Holzschnittserien u.a. von Mantegna, Dürer, Altdorfer und Rubens erhalten.

W. Weisbach, T., 1919.

Triplett = →Terzett

Triplikation (lat. *triplicatio* = Verdreifachung), dreifache Wiederholung e. Wortes oder Satzes.

Tripodie (griech. *tria* = drei, *pus* = Fuß), rhythm. Reihe (Kolon) aus Verbindung von drei Versfüßen, deren eine Hebung den Haupton erhält und dadurch die Einheit bildet: x́ x / x̀ x / x̀ x; →Dipodie.

Triptychon →Diptychon

Tristichon (griech. *tria* = drei, *stichos* = Vers), Versgruppe, →Strophe oder Gedicht aus drei Zeilen. →Terzine, →Terzett.

Tristien (lat. *tristia* = Trauriges), Trauergedichte in Elegieform; urspr. Titel der von OVID in der Verbannung verfaßten Gedichte.

Tristubh, häufigste Strophenform

der ind. *Veden,* bestehend aus vier Elfsilbern, meist mit je einer Zäsur häufig nach der 4. oder 5. Silbe, in jamb. Gang und mit der gleichbleibenden Schlußkadenz jeder Zeile in der Form ‿‿⌣̲.

Tritagonist (griech. *tritagonistes*) der – von Sophokles eingeführte – dritte Schauspieler in der griech. →Tragödie; mehr für untergeordnete Rollen.

Trithemimeres (griech. *tritos* = 3., *hemi* = halb, *meros* = Teil) →Hephthemimeres

Triumphlieder, aus dem frohlockenden Ruf ›io triumphe‹ beim Einzug siegreicher Feldherrn im alten Rom entstanden, teils als Weihgedichte, teils als volkstüml. Lieder zur Verherrlichung des Feldherrn, doch auch als neckende und satir. Spottgedichte der Soldaten in trochäischen →Septenaren.

Trivellino, franz. Trivelin, Typenfigur der →Commedia dell'arte: intriganter Diener.

Trivialität (lat. *trivium* = Dreiweg, Wegkreuzung; danach das, was auf der Straße zu finden ist:) allg. bekannter →Gemeinplatz, abgedroschene Redewendung, Plattheit.

Trivialliteratur (franz. *trivial* zu lat. *trivium* = Dreiweg), früher gleichbedeutend mit →Unterhaltungsliteratur gebraucht, meint jetzt zusehends die 3. und unterste Niveaustufe der Lit. überhaupt (Hochlit./Dichtung – Unterhaltungslit. – T.), die sich als ›massenhaft verbreitete Lit.‹ nach lit. Wert (→Wertung), Herstellungs- und Verbreitungsmethoden sowie Leserkreis von den beiden anderen unterscheidet: stets pseudonyme, oft im Team serienmäßig oder arbeitsteilig nach Ver-

lagsplan (Schema, Inhaltsskizze) verfaßte, ästhetisch wertlose Massenlesestoffe, die oft als Groschenhefte bzw. Heftromane oder Taschenbücher am Kiosk oder im Zeitschriftenhandel vertrieben, von den dominierenden Geschmacksträgern aber diskriminiert werden und durch leichte Lesbarkeit, eingehende Handlung und Happy-End dem unbedarften Leser eine heile, unproblemat.-eskapist. Wunschtraumwelt von Glück, Liebe und Reichtum vorgaukeln. T. umgreift alle Gattungen von der Lyrik (Schlager, Schnulze, Album- und Stammbuchvers, Moritat) über das triviale Volks-, Boulevard-, Revue- und Straßentheater und den Film bis zu →Trivialromanen, Illustrierten-, Fortsetzungs-, Leihbuch-, Fotoromanen und Comics. Kennzeichnend sind schematische, klischeehafte Handlung, die nach vielen Schein-Konflikten und -Problemen zwangsweise zum märchenhaft glückl. Ende führt, typisierte, schablonenhafte Figuren in Schwarz-Weiß-Zeichnung, deren Ständeordnung vielfach eine heile Welt vorspiegelt, versatzstückartige Handhabung der oft ›romant.‹ Schauplatz-Kulissen in Fertigbauweise und der vagen Prestige-Milieus (Adel, Reiche, Ärzte, Unterwelt), meist vor einem undefinierbaren histor- und geistigen Hintergrund, schließlich e. allgemeinverständliche, doch oft geschraubte und emotional überschwengl. Sprache voller stereotyper Bilder und Wendungen, mit klischeehaftem Slang im Kriminalroman. – Die T. dieser Art ist eine Erscheinung der Massenlit. des 20. Jh. Ihre Vorläufer waren die Abenteuer-, Ritter- und Räuber- oder Schauerromane des 18. Jh., der exot. Abenteuerroman und der franz. Feuilletonroman des 19. Jh., die durchweg noch der →Unterhaltungslit. zuzurechnen sind. Erst die primitiven Kolportage- bzw. Dienstmädchen- und Hintertreppenromane des ausgehenden 19. Jh. und die sie seit rd. 1910 ablösenden ›Groschenromane‹ der Massenlit. leiten zur heutigen ›I. über, die sich durch ihre Erscheinungsform selbst als unterhalb der minimalen Toleranzgrenze der jeweiligen lit. Geschmacksträger liegend definiert. Das Interesse jüngerer Forschung versch. Disziplinen in den 60/70er Jahren an der T. beruht dementsprechend weniger auf den wenig ergiebigen ästhet.-lit. Problemen – obwohl mod. Strömungen wie Pop-Art die Grenzen zwischen Kunst und Nichtkunst verwischt haben – als auf ihrer gesellschaftl. Aussage. Die Soziologie identifiziert Leserkreise, soziale Leitbilder, ungestillte Bedürfnisse und kollektive Massenträume, ihren Einfluß auf die Geschmacksbildung und lit. Geschmackswandel sowie von der T. geförderte Konservierung etablierter Herrschaftsstrukturen und -normen und entlarvt die T. als regressive Konformlit. Die Publizistik untersucht Produktions- und Distributionswege der T. als soziale Kommunikation auf lit. Weg, die Volkskunde beobachtet T. als Ergänzung und Ablösung mündl.-volkstüml. Traditionen und entdeckt darin Niederschläge neuer Alltagsmythen. Die Pädagogik benutzt die Kenntnis der T. für die Erziehung zur guten Lit., erforscht die negativen Einflüsse auf die Jugend und prüft Aspekte der ›Schundlit. im Hinblick auf den Jugendschutz.

W. Nutz, D. T'roman, 1962, ²1966; H. Bausinger, Schwierigkeiten b. d. Unters. v. T., WW 13, 1963; M. Beaujean, D. T'roman i. d. 2. H. d. 18. Jh., 1964, ²1969; T., hg. G. Schmidt-Henkel 1964; H. F. Foltin, D. minderwertige Prosalit., DVJ 39, 1965; H. Kreuzer, T. als Forschungsproblem, DVJ 41, 1967; Stud. z. T., hg. O. Burger 1968, ²1976; H. Bausinger, Z. Kontinuität u. Geschichtlich. trivialer Lit. (Fs. K. Ziegler, 1968); K. Ziermann, Romane v. Fließband, 1969; A. Adler, Möblierte Erziehg., Stud. z. päd. T. d. 19. Jh., 1970; *Entretiens sur la paralittérature*, hg. N. Arnaud, Paris 1970; R. Schenda, Volk ohne Buch, 1970, ³1988; T. Koebner, Z. Wertungsproblem i. d. T'roman Forschg, (Fs. H. Motekat, 1970); J. Schulte-Sasse, D. Kritik a. d. T. seit d. Aufklärg., 1971; D. Bayer, D. triviale Familien- u. Liebesroman i. 20. Jh., 1971; J. Bark, T., STZ 41, 1972; E. Munch-Petersen, T. and mass reading, OL 27, 1972; H. D. Zimmermann, D. Vorurteil üb. d. T. (Akzente 19, 1972); M. Dahrendorf u.a., STZ 44, 1972; Das Triviale in Lit., Musik u. bild. Kunst, hg. H. de la Motte-Haber 1972; P. Domagalski, T. (D. Lit., hg. G. Böing, 1973); G. Waldmann, Theorie u. Didaktik d. T., 1973, ²1977; P. Nusser, Romane f. d. Unterschicht, 1973, ⁹1981; G. Ueding, Glanzvolles Elend, 1973; Ch. Bürger, Textanalyse als Ideologiekritik, 1973; H. Melzer, T., 1974; L. Brodbeck, Roman als Ware, 1974; W. Schemme, T. u. lit. Wertung, 1975; Lit. für viele (= LiLi, Beiheft 1–2, 1975 f.); U. Bücker, Vorarbeiten z. e. Ideologiekritik d. T. (Zs. f. Volkskunde 71, 1975); *Problèmes de la paralittérature*, Saarbr. 1975; A. Höger, Z. Erforschg. v. T'texten, TeKo 3, 1975; F. Ruloff-Häny, Liebe u. Geld, 1976; P. Wesollek, Jerry Cotton, 1976; R. Schenda, D. Lesestoffe d. kleinen Leute, 1976; Didaktik d. T., hg. P. Nusser 1976; T., hg. A. Rucktäschel; P. Bekes, Kommunikative Texttheorie, 1976; T., hg. A. Klein 1977; Z. Skreb, U. Bauer, Gattungen d. T., 1977; U. Fritzen-Wolf, Trivialisierg. d. Erzählens, 1977; H.-J. Althof, T., AfB 22, 1978; H. Geyer-Ryan, T. i. 3. Reich, LuS 10, 1978; dies., T. u. Lit.politik i. 3. Reich, STZ 1978; H. Stadler, D. Heftroman, Diss. Salzb. 1979; *Letteratura di massa*, hg. G. Petronio, Rom 1979; *T.?*, Triest 1979; H. D. Zimmermann, Schemalit., 1979, ²1982 u. d. T.·; H. Plaul, Bibliogr. dtspr. Veröff. üb. Unterh.- u. T., 1980; G. Fetzer, Wertungsprobleme i. d. T'forschg., 1980; W. Nutz, T. seit 1965 (D. Lit. i. d. BRD, hg. P. M. Lützeler 1980); RL²; G. Haefner, D. engl. T'roman i. 20. Jh., 1981; P. Domagalski, T., 1981; R. Hippe, T., 1981; B. Gentikow, Spannungs- u. Unterh.lit, d. DDR, TeKo 10, 1982; M. Krause, D. Trivialdrama d. Goethezt., 1982; H. Plaul, Illustr. Gesch. d. T., 1983; Erfahrung u. Ideologie, hg. J. Schutte 1983; D. Wellershoff, V. d. Moral erwischt, 1983; H. Geyer-Ryan, D. andere Roman, 1983; D. Homberger u.a., Triviale Lit., 1984; A. M. Mallinckrodt, D. kleine Massenmedium, 1984; Erzählgattgn. d. T., hg. Z. Skreb 1984; F. B. Brévart, Spätma. T., Archiv 224, 1987.

Trivialroman, im engeren Sinn und im heutigen unscharfen Sprachgebrauch sinngemäß eigtl. nur die unterste Form der erzählenden Lit. unterhalb der →Unterhaltungslit.: der serienmäßig und grundsätzlich pseudonym von vertraglich bestellten Autoren verfaßte Roman in Heft- oder Buchform, der außerhalb des Buchhandels entweder im Kiosk oder ausschließlich für den Bedarf privater Leihbüchereien gedruckt und verbreitet wird, bei dieser quasi industriellen Fabrikation den bekannten Wünschen der Konsumenten Rechnung trägt und nach vorgefertigtem üblichem Schema in typisierender Schwarzweißzeichnung und gemäß einem bestimmten Maß an Zumutbarem bei strenger Wahrung der Tabus seine Stoffe abhandelt: →Liebes-, →Frauen-, →Heimat-, →Berg-, →Arzt-, →Sitten-, Wildwest-, Kriminal- und Abenteuerroman.

Lit. →Triviallit.

Trivium →Artes liberales

Trobador →Troubadour

Trobar clus (provenzal. = verschlossenes Dichten), in der Dichtungstheorie der altprovenzal. Troubadours der absichtlich dunkle, hermet. und esoter. Stil, der e. Erkenntnis, um sie nur Eingeweihten zugänglich zu machen, bewußt durch Wortwahl, Syntax und Ornatus verrätselt, z.B. bei PEIRE D'AUVERGNE und MARCABRU, im Unterschied zu →trobar leu und →trobar ric. Dt. im →geblümten Stil.

U. Mölk, T. c., 1968.

Trobar leu (provenzal. = leichtes Dichten), der leichtverständliche, eingängige Stil der Troubadourlyrik im Ggs. zum →trobar clus, u.a. bei GUIRAUT DE BORNELH.

Trobar ric (provenzal. = reiches

Dichten), der ›reiche‹ Stil der Troubadourlyrik mit virtuosen, z.T. gesuchten Wort- und Reimspielen und Verskünsten; Abart des →trobar clus, doch ohne den esoter. Anspruch, z.B. bei ARNAUT DANIEL.

Trochäus (griech. *trochaios* = laufend), auch Choreus, dreizeitiger antiker Versfuß mit fallendem Rhythmus im Ggs. zum →Jambus, bestehend aus e. langen (bzw. betonten) und e. nachfolgenden kurzen (unbetonten) Silbe: $\perp \cup$ (z.B. ›einzig‹), in antiker Metrik auch mit Auflösung der Länge zum →Tribrachys ($\cup \cup \cup$). Kennzeichnend für die trochäischen Verse sind meist e. schneller, eilender Gang, Lebhaftigkeit und Beweglichkeit. Ein trochäisches →Metrum besteht aus zwei Füßen (Dipodie: $- \cup - \cup$). Wichtigste Anwendungsformen in antiker Dichtung sind der dreifüßige →Ithyphallikos, das vierfüßige →Lekythion und bes. der katalekt. →Tetrameter oder →Septenar. In dt. Dichtung erscheint der vierhebige T. als sog. ›anakreontischer Vers‹ reimlos im 18. Jh. bei Uz, GÖTZ, GLEIM und als ›span. T.‹ als Wiedergabe des assonierenden Achtsilbers der span. Romanzen seit HERDERS *Cid* (›Rückwärts, rückwärts, Don Rodrigo‹) u.a. Übertragungen teils assonierend, teils reimlos bei den Romantikern, bei HEINE *(Atta Troll)* und v. SCHEFFEL *(Der Trompeter von Säckingen),* mit Endreim in SCHILLERS Gedichten *(An die Freude* u.a., zwischen männl. und weibl. Ausgang wechselnd), ferner nach Vorbild des klass. span. Dramas (CALDERÓN, Lope de VEGA) bes. bei GRILLPARZER *(Die Ahnfrau, Der Traum e. Leben,* z.T. *Die Jüdin von Toledo)* und im romant. Schicksalsdrama. Der fünffüßige T., nach seiner zäsur- und reimlosen Verwendung in serb. Volksdichtung

›serb. T.‹ genannt, erscheint bei HERDER, BÜRGER, GOETHE *(Klag-gesang, Die Braut von Korinth)*, RÜCKERT, PLATEN *(Abassiden)*, GEIBEL, C. F. MEYER, G. KELLER, v. LILIENCRON, A. MIEGEL *(Herzog Samo)* u. a.

Troparion, in der byzantin. Dichtung kurzes, akzentuierend gebautes kirchl. Lied, sprachlich eng an die Bibelsprache angeschlossen und seit dem 5. Jh. n. Chr. zwischen die Lesungen und Gebete des Gottesdienstes eingeschaltet; älteste Zeugnisse des rhythm. griech. Kirchenliedes.

Trope, auch Tropus (griech. *tropos* = Wendung), in der Stilistik und Rhetorik e. uneigentl., bildl. Ausdruck, d. h. jede Form der Rede, die das Gemeinte nicht direkt und sachlich durch das eigentl. Wort ausspricht, sondern im Streben nach Ausschmückung, Veranschaulichung und Verlebendigung des Gesagten durch e. Anderes, Naheliegendes, e. ›übertragenen‹ Ausdruck wiedergibt, dabei das Geistige versinnlicht und das Sinnliche vergeistigt und die beiden versch. Gehaltssphären zu wechselseitiger Erhellung verschmilzt. Als Vertauschung einzelner Vorstellungen und Begriffe in der Wortbedeutung im Sinngehalt des Satzes unterscheiden sie sich von den →rhetor. Figuren im engeren Sinne, bei denen es um die Gestaltung der gesamten Ausdrucksweise und um die Stellung der Wörter im Satz geht. Schon in früher hellenist. Zeit erfolgt mit der theoret. Untersuchung des urspr. sprachl. Vorgangs e. Konventionalisierung der T.n, die aus der anfängl. Einheit gelöst, zu Kunstmitteln der Stilistik und Rhetorik erhoben, rational erfaßt und nach gewissen umfassenden Gesichtspunkten katego-

risiert werden. Die wichtigsten sind demnach: →Allegorie, →Antonomasie, →Emphase, →Euphemismus, →Hyperbel, →Ironie, →Katachrese, →Litotes, →Metalepse, →Metapher, →Metonymie, →Periphrase, →Personifikation, →Rätsel, →Sarkasmus und →Synekdoche.

G. Gerber, D. Sprache als Kunst, II 1871 ff.; P. Gross, D. T. u. Figuren, 1888; R. M. Meyer, Dt. Stilistik, ³1913; O. Dornseiff, 2 Arten d. Ausdrucksverstärkung (Fs. J. Wackernagel 1923); ders., D. dt. Wortschatz, 1933; H. Lausberg, Hb. d. lit. Rhetorik, II 1960; W. Lang, T.n u. Figuren, DU 18, 1966; U. Krewitt, Metapher u. trop. Rede i. d. Auffassg. d. MA., 1971; W. Berg, Uneigentl. Sprechen, 1978; G. Geil, Z. Typologie d. T.n (Fs. H. M. Heinrichs, 1978). →Rhetorik, →Stilistik.

Tropus (griech. *tropos* = Wendung), im gregorian. Kirchengesang urspr. Texterweiterung, die mehreren, anfangs zu einer Silbe gehörigen Tönen unterlegt wird, dann selbständige, vorangestellte, eingeschaltete oder angehängte schmükkende und erweiternde Einlagen in die Liturgie, meist freiere, wirksam musikalisch komponierte Prosatexte, wie sie nach Vorgang von Byzanz im 9. Jh. von TUOTILO in St. Gallen ausgebildet wurden. Das Konzil von Trient (1545–63) bannte die zunehmende Überwucherung der Liturgie durch Verbot des T. Aus e. Sonderform des T. entsteht die →Sequenz; aus anderen dialog. Wechselchören wie dem Oster-T. *Quem quaeritis?* geht später das ma. →geistliche Drama hervor. – Zum rhetor. T. →Trope.

R. Stephan, Lied, T. u. Tanz i. MA., ZDA 87, 1956; *Research on t.*, hg. G. Iversen, Stockh. 1983; N. van Deusen, The musical t., Rhetorica 3, 1985; G. Iversen, T.n als liturg. Poesie (Zus.hänge, Einflüsse, Wirkgn., hg. J. O. Fichte 1986).

Trostbuch, Trostgedicht, Trostschrift →Consolatio, →Erbauungsliteratur

Troubadour (provenzal. *trobador* = Erfinder, sc. neuer Weisen, v. *trobar* = finden), die provenzal. Minnesänger und -dichter meist ritterl. oder geistl. Standes im 11.–14. Jh., bes. 1150–70 in Südfrankreich, im Ggs. zu den berufsmäßigen Sängern niederen Standes, den →Jongleurs, die z.T. im Dienst der T.s auch deren Dichtungen vortrugen. Die T.dichtung war nicht Liebeslyrik im eigentl. Sinne, sondern e. aristokrat. Gesellschaftskunst mit erot. Thematik in drei versch. Stilebenen (→Trobar clus, leu, ric). Der T. erfand für seine Minnelieder Text und Ton urspr. zum eigenen Vortrag. Seine Hauptformen waren z.T. →Alba, →Pastorelle, →Sestine, Jeu parti und →Tenzone, bes. aber →Kanzone und →Sirventes, die als Minnelied bzw. Versicherung ritterl. Dienstbarkeit und Ergebenheit zu Ehren der Frau vor der höf. Gesellschaft gesungen wurden. Selbst wohl aus Einflüssen der Araber in Spanien und lat./mlat. Liebeslyrik entstanden, die e. ähnl. Frauenkult eingeführt hatten und Motivverwandtschaft aufweisen, verbreitet sich die Kunst der T. bes. seit den Wirren der Albigenserkriege auch nach Nordfrankreich (→Trouvères), Norditalien (→Dolce stil nuovo) und Dtl. und wird hier zum Vorbild für den →Minnesang. Erster T. war Herzog GUILHEM IX. VON AQUITANIEN, später bes. berühmte BERNARD DE VENTADOUR, BERTRAND DE BORN, ARNAUT DANIEL, JAUFRÉ RUDEL, MARCABRU, PEIRE VIDAL u. a. m., darunter auch Nichtadlige als berufsmäßige T.s Ende des 13. Jh. geht die T.kunst an das Bürgertum über, ähnl. dem dt. →Meistersang. Überlieferung der Texte von 460 T.s in rd. 100 Hss. mit 264 Melodien.

F. Diez, Leben u. Wke. d. T., 1829, ³1965; H. J. Chaytor, The T.s, London 1912; J. Anglade, Les T., Paris ²1922; A. Pillet, Bibliogr. der T., 1933; A. Jeanroy, La poesie lyrique des t., Toulouse II 1934; R. Nelli, L'érotique des t., Paris 1945; A. R. Nykl, Hispano-arab. poetry and its relations, N.Y. 1946; K. Voßler, D. Dichtg. d. T. (in: Aus d. roman. Welt, 1948); P. Belperron, La joie d'amour, Paris 1948; Th. Frings, Minnesänger u. T., 1949; J. Lafitte-Houssat, T., 1950; F. Gennrich, T., Trouvères, Minne- u. Meistergesang, 1951; E. Hoepffner, Les t., Paris 1955; H. Davenson, Les t., Paris 1961; M. Valency, In praise of love, N.Y. 1961; E. Köhler, Trobadorlyrik u. höf. Roman, 1962; J. Boutière u.a., Biogr. des t., Paris 1964; R. Briffault, The T., Bloomington 1965; Die T., hg. H. G. Tuchel 1966; R. Nelli u.a., Les t., Brügge II 1966; D. provenzal. Minnesang, hg. R. Baehr 1967; H.-I. Marrou, Les t., Paris 1971; L. M. Paterson, T.s and eloquence, Oxf. 1974; M. de Riquer, Los trovadores, Barcelona III 1975; R. Nelli, T.s et trouvères, Paris 1979; J. Gruber, D. Dialektik des Trobar, 1983; U. Mölk, T'lyrik, 1984. →Minnesang.

Trouvère (franz. = Erfinder, v. *trouver* = finden), die nordfranz. Minnesänger und -dichter meist ritterl. Standes im 12. bis 14. Jh., die Formen, Stoffe und Motive der provenzal. →Troubadours in altfranz. Sprache übernahmen und oft im Dienste e. bestimmten Herrn standen, so CHRESTIEN DE TROYES, THIBAUT DE CHAMPAGNE, BLONDEL DE NESLE, JEAN BODEL, CHÂTELAIN DE COUCY, CONON DE BÉTHUNE, HUGUE DE BERCÉ, ADAM DE LA HALE u.a., im weiteren Sinne auch der nordfranz. →Jongleurs und Verfasser der →Chansons de geste.

Lit. →Minnesang, →Troubadours.

Trümmerliteratur, die dt. Lit. der frühen Nachkriegszeit nach 1945 in ihrem Bestreben, nach der ›Stunde Null‹ auf den Trümmern Dtls. einen neuen Anfang zu finden; vertreten bes. in der →Gruppe 47.

G. Zürcher, T'lyrik, 1977; H. Zongjian, T. und Wundenlit., Arcadia 22, 1987.

Truffaldino (ital. *truffa* = Betrug), Typenfigur der →Commedia dell' arte: derb-witziger, gutmütiger Diener.

Trunkenheitsliteratur →Trinklied

Tsa-chü (chines. = gemischtes Theater), die opernähnl. chines. Dramen der Yüan-Zeit (13./14. Jh.) in meist vier Akten mit Gesangseinlagen (→San-ch'ü).

Tschastuschka →Častuška

Türkenliteratur, die polit. Dichtung aus der Zeit der Türkenkriege des 16./17. Jh., neben bayr.-österr. Volksschauspielen bes. weltl.-militär. und geistl.-antiheidn. Türkenlieder von oft erhebl. Länge auf Flugblättern als Aufruf zum Kampf gegen den Glaubensfeind; bekanntestes *Prinz Eugen.*
S. Hock, Österr. T.lieder, Euph. 11, 1904; RL; B. Kamil, D. Türken i. d. dt. Lit., Diss. Kiel 1935; T. Thon, D. Türken vor Wien, Diss. Wien 1947; B. Dontschewa, D. Türke i. Spiegelbild d. dt. Lit., Diss. Mchn. 1949; S. Özyurt, D. Türkenlieder u. d. Türkenbild i. d. dt. Volksüberlieferg., 1972; C. Göllner, Turcica 3, Bukarest 1978; B. M. Buchmann, T'bilder, 1983.

Tukankreis, 1930 gegr. Münchner Dichterkreis in Gauting mit rd. 500 Mitgliedern unter Leitung von R. SCHMITT-SULZTHAL; veranstaltet insbes. Dichterlesungen.
R. Schmitt-Sulzthal, Dichter u. e. großer Schnabel, 1955; Tukan, d. Musenvogel, hg. R. Schmitt-Sulzthal 1960.

Tunnel über der Spree, von M. G. SAPHIR 1827 nach Vorbild der Wiener ›Ludlamshöhle‹ gegr. Kreis Berliner Dichter und Literaturfreunde mit strengem Reglement (keine polit. Debatten, Decknamen gegen Standesunterschiede), allsonntägl. obligator. Zusammenkünften; Blütezeit um 1840–60; bestand bis 1897. Mitglieder waren meist junge Autoren, aber auch lit. ambitionierte Maler, Studenten, Kaufleute, Ärzte, Offiziere und Adlige, die zur

Aufnahme je e. Mitglieds als einführenden Bürgen bedurften: SCHERENBERG, STRACHWITZ, FONTANE, GEIBEL, HEYSE, MENZEL, KUGLER, DAHN, STORM, H. SEIDEL.
RL; F. Behrend, D. T. ü. d. S., 1919; ders., Gesch. d. T. ü. d. S., 1938; E. Kohler, D. Balladendichtg. i. Berliner T. ü. d. S., 1940, n. 1969; J. Krueger, Neues v. T. ü. d. S. (Marginalien 7, 1960); ders., D. T. ü. d. S. u. sein Einfl. auf T. Fontane (Fontane-Bll. 4, 1978).

Turnierdichtung →Heroldsdichtung

Type, Typus (griech. *typos* = Schlag, Gestalt), bestimmte überindividuell unveränderl. Figur mit feststehenden Merkmalen, die bes. im Drama in ihrer Art nach Alter, Beruf und Stand festgelegt ist und in den verschiedensten Stücken in gleicher Weise in gleicher Funktion wiederkehrt. T.n dienen der Verspottung der in ihnen verkörperten und karikierten menschl. Schwächen in der →Typenkomödie (→Atellane, →Commedia dell'arte) und in der →Charakterkomödie. Im ernsten Drama dagegen bezweckt die typisierende Darstellung durch den Verzicht auf Individualität ihrer Figuren und Einmaligkeit ihrer Ereignisse die Veranschaulichung des Allgemeingültigen, Menschlichen und neigt somit zur Idealisierung. Sie bezeichnet ihre Figuren bewußt durch Standes- oder Berufszugehörigkeit (der Sohn, der Soldat) als stellvertretend für e. bestimmte Klasse oder Volksschicht: bes. ausgeprägt in der →Sächsischen Komödie, in der dt. Klassik (GOETHES *Natürliche Tochter*) und als Ideenträger im Expressionismus (G. KAISER, v. UNRUH).

Typenkomödie, ältester Komödientyp mit fließenden Übergängen zur →Charakterkomödie, da auch diese dazu neigt, karikierend zu typisieren; gestaltet nicht vollrunde, einmalige und komplexe Charaktere, sondern karikierend überzeichnete →Typen, die auf einen Wesenszug abheben und als Typen vielfach wiederverwendbar sind, Traditionen bilden. Typen wie der Geizige, der Schwadroneur, der Parasit leben daher vom antiken Mimus über die Atellane, die röm. Komödie und die Commedia dell'arte bis ins 18. Jh. und in der Boulevardkomödie bis ins 20. Jh. fort.

Typisches →sozialistischer Realismus

Typographie (griech. =) 1. →Buchdruck, heute bes. 2. Buchkunst als die ästhetisch ansprechende Gestaltung des Satz- und Schriftbildes im Druckwerk.

Typologie (griech. *typos* = Muster, *logos* = Lehre), in der Textlinguistik die Lehre von den →Textsorten als phänomenolog. Klassifikation unter linguist. Aspekt nach typ. Formen, Stoffen und Aussageweisen; soll vermeintl. die lit. Gattungspoetik ersetzen.
Lit. →Textsorten.

Typoskript (griech.-lat. Kunstwort), das mit Schreibmaschine geschriebene →Manuskript.

Typus →Type

Tyrannendrama, bes. im Barock beliebte Dramenform, zeigt, stets ausgehend von der Gestalt des Herodes und seiner Vermessenheit, den Mißbrauch der Macht durch entschlußunfähige Tyrannen, der auf dem Mißverhältnis von Herrschermacht und Herrschervermögen beruht. Es berührt sich in den hauptsächl. Ausformungen meist mit dem →Märtyrerdrama (GRYPHIUS, LOHENSTEIN, HALLMANN).

Tz'u (chines. = Lied), gesungene

chines. Gedichte in gebundener Sprache, klass. chines. Lieder; entstanden im 7.–8. Jh., Blütezeit im 10.–12. Jh.
Kang'i Sun Chang, The evolution of the Chinese t. poetry, Princeton 1979.

Tz'u-fu →Fu

Überbrettl, von E. v. WOLZOGEN 1900 wohl in Analogie zu NIETZSCHES ›Übermensch‹ aus ›Brettl‹ (= Bühne der Bänkelsänger) gebildete Bz. für →Kabarett und Name s. eigenen ›Bunten Theaters‹ in Berlin 1901–03.
H. Schwerte, Ü., GRM 34, 1953; E. König, D. Ü., Diss. Kiel 1956; H.-P. Bayerdörfer, Ü. u. Überdrama (Lit. u. Theater i. Wilhelmin. Ztalter, hg. ders. 1978).

Übergehender Reim, auch überschlagender Reim, Sonderform des →Schlagreims: Reimbindung von Versende mit dem Anfangswort des unmittelbar folgenden Verses.

Überlieferung, in der →Textkritik der gesamte in Autographen, Hss., Drucken, Exzerpten, Zitaten, →Testimonia u.a. Zeugnissen erhaltene überkommene Textbestand mit allen Lesarten im Ggs. zu den →Konjekturen. Man unterscheidet mündl. Ü. im Gedächtnis (Volksdichtung), authent. Ü. in Autographen, autorisierte Ü. bes. in Drucken mit Zustimmung des Autors und unautorisierte Ü. in Testimonia, Abschriften (z.B. Liebhaberabschriften, späteren Hss.), Nach- und Raubdrucken, von denen jede ihre typ. Fehlerquellen hat. Die Geschichte der Ü. als der Weg der Aufzeichnung und Erhaltung unseres heutigen Textbestandes an älterer Lit. durch Kopisten, Bibliotheken (in der Antike Tempel-, Hof- und private, im MA.

bes. Kloster-, in der Neuzeit Hof-, Kloster-, National- und Universitätsbibliotheken und Literaturarchive), ferner durch private Sammler und Mäzene, aber auch durch Zufälle ist zugleich ein wesentl. Teil der abendländ. Geistesgesch. Ihre Rekonstruktion für e. Einzelwerk ergibt die →Textgeschichte.

R. R. Bolgar, *The classical heritage*, Cambr. 1958; H. Hunger u.a., Gesch. d. Text-Ü., II 1961–63; Probleme ma. Ü. u. Textkritik, hg. P. F. Ganz u.a. 1968; H.-J. Koppitz, Stud. z. Tradierg. d. weltl. mhd. Epik, 1980; L. D. Reynolds, N. G. Wilson, *D'Homère à Erasme*, Paris 1984.

Überschlagender Reim, 1. →Kreuzreim, 2. →verschränkter Reim, 3. →übergehender Reim.

Überschneidung →Enjambement

Überschrift →Titel, →Kapitel

Übersetzung, die schriftl. Übertragung e. Textes aus e. Sprache in e. andere (im Unterschied zum mündl. Dolmetschen und zur film. Synchronisation), heute bei →urheberrechtlich geschützten Werken nur nach vertragl. Vereinbarung mit dem Verfasser oder Rechtsinhaber (Agent, Verlag) des zu übersetzenden Werkes gestattet, wobei die Ü. selbst wiederum Urheberrecht genießt. Die Übertragung kann aus e. fremden lebenden (franz., engl.) o. toten (altgriech., lat.) Sprache, e. nicht allg. verständl. Mundart (plattdt.) oder e. früheren Entwicklungsstufe der eigenen Sprache (ahd., mhd.) erfolgen und dient der Erschließung und Anverwandlung gleichzeitiger fremder Lit.- und Kulturbereiche und somit dem – freilich z.T. einseitigen – lit. Austausch der Völker ebenso wie der Neubelebung vergangener Epochen, deren lit. Erbe nach dem Gesetz der Wahlverwandtschaft immer wieder erneut in mod. Sprachgestus zugänglich gemacht werden soll. Ü. ist e. der

wichtigsten Formen der lit. →Rezeption und zugleich wieder Ausgangspunkt der Rezeption in fremden Sprachen. Die Ü.sliteratur als Gesamt der in e. Sprache übertragenen fremdsprachl. Werke hat zu allen Zeiten und in allen Literaturen vermittelnd und zugleich anregend, befruchtend gewirkt und in vielen Fällen erst zur Ausbildung e. eigenen Schrifttums den Anstoß gegeben: Rezeption der griech. Lit. durch die Römer, der lat.-christl. durch die Germanen, der roman. Formen und Dichtarten im mhd. Minnesang und höf. Epos, der Antike seit der Renaissance und in allen Zeiten, später bes. durch Voss, HÖLDERLIN, MÖRIKE, R. A. SCHRÖDER, der franz. und ital. Vorbilder im Barock, der franz. tragédie classique in der Aufklärung, der Volksdichtungen aller Sprachen seit HERDER, der span. Klassik und SHAKESPEARES in der Romantik, bes. durch SCHLEGEL und TIECK, der oriental. Lit. durch RÜCKERT, der franz., skandinav. und russ. Lit. im Naturalismus, des franz. Symbolismus, DANTES und SHAKESPEARES durch den George-Kreis, schließlich in der Gegenwart die nahezu gleichzeitige dt. Rezeption aller bedeutenden zeitgenöss. Autoren der Weltlit., die der im 18./19. Jh. geübten Praxis der Ü. aus zweiter Hand (über engl., franz. Ü.en) e. Ende bereitet. Durch ihre streng an das Vorbild gebundenen Grenzen trägt die Ü. stets viel zur Ausbildung und inneren Durchdringung der eigenen Literatursprache bei, denn gerade in der starken Abhängigkeit vom Original beim Übersetzen wird man sich mehr als sonst der Eigenart, der Grenzen und der Möglichkeiten der eigenen Sprache bewußt: LUTHERS →Bibelübersetzung steht am Anfang der nhd. →Schriftsprache. Die Ü.s-literatur bildet darüber hinaus

nach Stoff und Form e. organ. Bestandteil innerhalb der Nationalliteratur und erweitert deren Horizont
zur Weltliteratur: Dichter wie Ho-
MER, SHAKESPEARE und viele andere
sind durch sie Eigengut des dt. Volkes geworden und vermitteln, stets
auch mit der Lit. ihrer Originalsprache verbunden, den tiefsten Eindruck von der geistigen Einheit der
abendländ. Kultur. Innerhalb Europas war es der dt. Lit. nicht nur
durch ihre geograph. Vermittlerla-
ge, sondern auch durch die Vielheit
der Interessen vergönnt, in bes. reichem Maße gelungene Ü.n hervor-
zubringen. Die Formen der Ü., an-
gefangen mit →Glossen und einfachen →Interlinearversionen, wandeln sich mit jeder neuen Stilepoche
auch hinsichtlich der Abhängigkeit
vom Original. Je nach Art des Textes wird mehr auf die unbedingte
Sinngleichheit und klare Wiedergabe der Satzinhalte oder auf ästhet.
Werte und Wohlklang geachtet; in
jedem Fall muß die Ü. dem Charakter der Zielsprache gerecht werden
und darf nicht die Eigenheiten
fremdsprachl. Ausdrucksweise gewaltsam übertragen. Damit ergeben
sich bes. für die Ü. dichter. Werke
gewisse nicht zu überschreitende
Grenzen: ganz abgesehen davon,
daß keine noch so gelungene Ü. die
im Wortbild und -klang mitschwingenden Gefühlsgehalte des Originals getreu wiederzugeben vermag,
bleibt es ihr oft ebenso versagt, die
stilist. Feinheiten des Dichters ohne
Gewaltsamkeit genau zu übertragen, die Sprachmelodie und den
Rhythmus nachzubilden und gleichzeitig den Sinn zu wahren. Bei gebundener Rede tritt dazu noch die
Schwierigkeit sinnentsprechender
Reime und die Übertragung des
Versmaßes, das aus Gründen der
abweichenden Sprachstruktur nicht
immer beibehalten werden kann

und oft durch e. eigenes, der Zielsprache angemessenes oder angenä-
hertes ersetzt werden muß und dann
ebenfalls nicht den Eindruck des
Originals vermittelt. Dialekt- und
Jargonformen, altertümelnde Stilformen und Wortspiele finden oft
kein gleichwertiges Pendant. Bühnentexte müssen darüber hinaus
›sprechbar‹ sein, vertonte Texte die
Melodieführung berücksichtigen.
Schließlich dringt bei jeder größeren
Persönlichkeit als Übersetzer der Individualstil, e. eigene Atmosphäre
und die eigene Auffassung des Werkes durch. Jede lit. Ü. wird daher
ihren Platz zwischen zwei Extremen
suchen: zwischen der nur sinngemäßen wörtl. Ü., die im Interesse dieses
Zieles die Prosa vorziehen müßte
und letztlich doch sowohl in ihrem
Verhältnis zum Original wie zur
Zielsprache unbefriedigend bleibt,
und der freieren, sinnwahrenden
›Übertragung‹, die vom Wesen des
Textes her die kongeniale Nachschöpfung versucht und dabei Abweichungen in Einzelheiten zugunsten der gerundeten und ästhet. Gestalt des Ganzen in Kauf nimmt.
Den höchsten Schwierigkeitsgrad
erreicht die sowohl den Sinn wie die
poet. Form wahrende →Nachdich-
tung.

F. Gundolf, Shakespeare u. d. dt. Geist,
1911; W. Fränzel, Gesch. d. Übersetzens
i. 18. Jh., 1914; F. R. Amos, *Early theories of translation*, N.Y. 1920; RL; F. O.
Matthiessen, *Translation an Elizabethan
art*, Lond. 1931, ²1965; P. Heck,
Ü.sprobl. i. früh. MA., 1931, n. 1977; E.
S. Bates, *Mod. translation*, Lond. 1936;
ders., *Intertraffic*, Lond. 1943; *Index
translationum*, Paris 1948ff.; H. J. C.
Grierson, *Verse translation*, 1949; H.
Fromm, Bibliogr. d. dt. Ü.en a. d. Franz.,
1950ff.; H. Rüdiger, Ü. als Stilprobl.
(Geistige Welt 4, 1951); E. Betti, Probleme d. Ü. u. d. nachbildenden Auslegg.,
DVJ 27, 1953; W. Benjamin, D. Aufgabe
d. Übersetzers (Schriften I, 1955); J. Ortega y Gasset, Glanz u. Elend d. Ü.,
²1957; E. Cary, *La traduction dans le
monde mod.*, Genf 1956; Th. H. Savory,

The art of translation, Lond. 1957, ²1968; F. Saran, D. Ü. a. d. Mhd., ⁶1975; R. A. Knox, *On engl. translation*, Oxf. 1957; H. Rüdiger, Üb. d. Übersetzen v. Dichtg. (Akzente 3, 1958); E. Meyer-Genast, Franz. u. dt. Ü.skunst (Forschgsprobl. d. vgl. Litgesch. 2, 1958); J. Wirl, Grundsätzliches z. Problematik d. Dolmetschens u. d. Ü., 1958; R. A. Brower, *On translation*, Cambr./Mass. 1958; A. D. Booth, *Aspects of translation*, Lond. 1958; O. Braun, Beitr. z. Theorie d. Ü., 1959; W. Widmer, Fug und Unfug d. Ü., 1959; H. Frenz, *The art of translation* (*Comparative Lit.*, hg. N. P. Stallknecht, Carbondale 1961); W. Schadewaldt, Hellas u. Hesperien, 1960, ²1970; *The Craft and Context of Translation*, hg. W. Arrowsmith, Austin 1961; D. Kunst d. Ü., hg. C. Podewils 1963; H. J. Störig, D. Problem d. Ü., 1963; F. Güttinger, Zielsprache, 1963; L. Gara u.a., *Translation and translators*, Lond. 1963; E. A. Nida, *Towards a science of translating*, Atlantic Highlands 1964; Übersetzen, hg. R. Italiaander 1965; H. Friedrich, Z. Frage d. Übersetzungskunst, 1965; F. Kemp, Kunst u. Vergnügen d. Ü., 1965; L. Kardos, Fragen d. lit. Übs., Budapest 1965; H. Gipper, Sprachl. u. geist. Metamorphosen b. Gedicht-Ü., 1966; P. Selver, *The art of translating poetry*, Lond. 1966; W. Sdun, Probleme u. Theorien d. Übersetzens i. Dtl., 1967; R. Kloepfer, D. Theorie d. lit. Ü., 1967; G. Mounin, D. Ü., 1967; H. Knufmann, D. dt. Ü.wesen d. 18. Jh., AGB 9, 1967; T. Huber, Stud. z. Theorie d. Übersetzens i. Zeitalter d. dt. Aufkl., 1968; Grundfragen d. Ü.wiss., hg. A. Neubert 1968; E. A. Nida u.a., *The theory and practice of transl.*, Leiden 1969; J. Levý, D. Lit. Ü., 1969; R. R. Wuthenow, D. fremde Kunstwerk, 1969; A. Huyssen, D. frühromant. Konzeption v. Ü. u. Aneignung, 1969; K.-R. Bausch u.a., *The science of translation*, Bibliogr. II 1970–72; *The nature of translation*, hg. J. S. Holmes, Haag 1970; A. Senger, Dt. Ü.theorie i. 18. Jh., 1971; B. Raffel, *The forked tongue*, Haag 1971; K. Reiß, Möglichkeiten u. Grenzen d. Ü.kritik, 1971; W. Koller, Grundprobleme d. Ü.theorie, 1972; J.-R. Ladmiral, *La traduction*, Paris 1972; J. v. Stackelberg, Lit. Rezeptionsformen, 1972; L. L. Albertsen, *Litteraer oversaettelse*, Koph. 1972; J. Albrecht, Linguistik u. Ü., 1973; H. van Hoof, Internat. Bibliogr. d. Ü., 1973; L. Forster, Dichten i. fremden Sprachen, 1973; K. Wais, Ü. u. Nachdichtg. (Komparatistik, hg. H. Rüdiger 1973); R. M. Adams, *Proteus*, N.Y. 1973; Übersetzen u. Dolmetschen, hg. V. Kapp 1974; *The name and nature of transl. studies*, hg. J. S. Holmes, Amst. 1975; T. R. Steiner, *Engl. transl. theory*, Assen 1975; *Translation*, hg. R. W. Brislin, N.Y. 1976; L. L.

Albertsen, Lit. Ü. (Rezeption d. dt. Gegenw.lit. i. Ausl., 1976); K. Maurer, D. lit. Ü. (Poetica 8, 1976); R. Kirsch, D. Wort u. s. Strahlg., 1976; A. Lefevere, *Translating lit.*, Assen 1977; A. Bruns, Ü. als Rezeption, 1977; W. Wilss, Ü.wiss., 1977; J. v. Stackelberg, Weltlit. i. dt. Ü., 1978; H. J. Diller u.a., Linguist. Probl. d. Ü., 1978; *Lit. and transl.*, hg. J. S. Holmes, Löwen 1978; *Theory and practice of transl.*, hg. L. Grähs 1978; R. A. de Beaugrande, *Factors in a theory of poetic transl.*, Assen 1978; K. Honolka, Opern-Ü., 1978; J.-R. Ladmiral, *Traduire*, Paris 1979; W. Koller, Einf. i. d. Ü.wiss., 1979, ²1983; S. Bassnett-McGuire, *Transl. Studies*, Lond. 1980; G. Toury, *In search of a theory of transl.*, Tel Aviv 1980; D. Stein, Theoret. Grundlagen d. Ü.wiss., 1980; F. Paepcke u.a., Textverstehen u. Übersetzen, 1981; E. Koppen, D. lit. Ü. (Vergleich. Lit.wiss., hg. M. Schmeling 1981); G. Steiner, Nach Babel, 1981; R. Zimmer, Probl. d. Ü. formbetonter Sprache, 1981; Ü.wiss., hg. W. Wilss 1981; R. Stolze, Grundlagen d. Text-Ü., 1982, ²1985; B. Haas, Dramen-Ü., 1982; H. G. König u.a., Strategie d. Ü., 1982; P. Newmark, *Approaches to transl.*, Oxf. 1982; Weltlit., hg. R. Tgahrt, Kat. 1982; RL²; F. Apel, Sprachbewegg., 1982; ders., Lit. Ü., 1983; Sprachkunst u. Ü., hg. H.-A. Koch 1983; G. Bärnthaler, Übersetzen i. dt. SpätMA., 1983; A. Berman, *L'épreuve de l'étranger*, Paris 1984; D. Selskovitch u.a., *Interpréter pour traduire*, Paris 1984; Theorie d. Übersetzens, hg. W. Wilss u.a. 1984; K. Reiss u.a., Grundlegg. e. allg. Translationstheorie, 1984; J. v. Stackelberg, Ü.en aus 2. Hand, 1984; U. Kreuter, Ü. u. Lit.kritik, 1985; *The manipulation of lit.*, hg. T. Hermans, Lond. 1985; W. Wilss, Kognition u. Übersetzen, 1988; D. lit. Ü., hg. B. Schultze, H. Kittel, II 1984

Übertreibung →Hyperbel

Ultraismo (zu lat. *ultra* = darüber hinaus), avantgardist. span.-hispanoamerikan. Literaturbewegung rd. 1919 bis 1923 mit dem Bestreben, die Lyrik von Logik und Sentimentalität zu befreien und rein auf der Bildwirkung mod. Metaphern aufzubauen; ging 1924 im Surrealismus auf. Hauptvertreter ist der Spanier G. de TORRE, daneben G. DIEGO, J. LARREA, R. CANSINOS-ASSÉNS, in Südamerika J. TORRES BODET, V. HUIDOBRO, C. VALLEJO und J. L. BORGES. →Modernismo, →Creacionismo.

M. de la Peña, *El U. en España,* Avila 1925; G. Videla, *El u.,* Madrid 1963, [2]1971.

Umarmender oder **umschließender Reim,** Reimverbindung, bei der e. Reimpaar von e. anderen umschlossen wird: abba cddc.

Umfang, die rein längenmäßige Ausdehnung e. Literaturwerks; als Festsetzung der äußeren Form konstitutives Element der Gesamtgestalt.
F. Sengle, Der U. als ein Problem der Dichtgswiss., 1957.

Umgangssprache →Schriftsprache

Umschlag →Buchumschlag

Umschließender Reim →umarmender Reim

Umschreibung →Periphrase

Umstellung →Inversion

Unanimismus (lat. *una* = eins, *anima* = Seele), nach J. ROMAINS Gedichtslg. *La vie unanime* (1908) Bz. für e. philos.-ästhet. und lit. Richtung Anfang des 20. Jh., die die Verflochtenheit des Einzelmenschen mit der Gruppe, dem Kollektivbewußtsein und deren Leben und Wesen als geschlossene Einheit, Gruppenseele als Teiloffenbarung e. Allseele zu erfassen sucht; außer bei J. ROMAINS Anklänge bei R. ARCOS, J. CHENNEVIÈRE, G. DUHAMEL, L. DURTAIN, Ch. VILDRAC, P.-J. JOUVE, A. SPIRE.
F. Weiß, D. unanimist. Bewußtsein b. J. Romains, Diss. Wien 1957; A. Cuisenier, *J. Romains,* Paris III 1935–54, [2]1969; P. J. Norrish, *The Drama of the Group,* Cambridge 1958; L. Spitzer, Stilstud., II [2]1961.

Unbekannter Autor →anonym

Underground →Untergrund-Lit.

Understatement (engl. = Unter-

treibung), Form der →Ironie ähnlich der →Litotes und →Meiosis, bewußter Verzicht auf verfügbare Stilmittel und Ersetzung des gemeinten und erwarteten bes. gefühlsstarken, pathet. Ausdrucks durch e. weniger gewichtigen; bes. in mod. Schauspielkunst e. von STANISLAVSKIJ und REINHARDT eingeführte, von deren amerikan. beeinflußten Nachfolgern oft übertrieben angewandte Darstellungsart, die auf der Diskrepanz von Empfindungen und Ausdruck (Gebärde) des Menschen beruht: Verschleierung der augenblickl. starken Empfindung durch ganz andersartige Redeweise oder nebensächl. Beschäftigungen: ›Du Aas‹ statt ›Ich liebe dich‹ bei HEMINGWAY; Handschuhanziehen, Fensterscheibenwischen, Buchblättern, Taschentuchfalten u.ä. in FAULKNERS *Requiem für eine Nonne.*
R. Haferkorn, Üb. d. engl. U. (Fs. H. M. Flasdieck, 1960).

Unechter Text, im philolog. Sinn, in der Textkritik, e. Textgestaltung, die im Ggs. zum →authentischen Text nicht auf den Verfasser direkt zurückgeht, sondern von dem Herausgeber, e. Korrektor oder späteren Überarbeiter geändert ist.

Uneigentlicher Ausdruck →Trope

Ungebundene Rede →Prosa

Unikum (lat. *unicus* = einzig, -artig), einzig erhaltenes Exemplar e. (früher in mehreren Stücken vorhandenen) Buches, e. Schrift, auch für Münzen, Holzschnitte u.ä.

Universalpoesie, absolute oder progressive, von NOVALIS und bes. F. SCHLEGEL im 116. Athenäumfragment (→Romantik) entwickelte romant. Begriff e. universalen Kunst und Dichtung, Ergebnis der dichter. Einbildungskraft, die als die Wirklichkeit transzendierendes Erkenntnisvermögen auch die unsichtbare Welt zu erfassen vermag und sukzessiv alle Lebenssphären durchdringen soll.

University Wits, Sammelbz. für eine Gruppe einflußreicher, akadem. gebildeter engl. Dramatiker der elisabethan. Zeit, die um 1580 aus Oxford und Cambridge nach London übersiedelten und an antike und ital. Dramenformen anknüpften: J. Lyly, G. Pelle, R. Greene, Th. Lodge, Ch. Marlowe, Th. Kyd, Th. Nashe.

Unmittelbarkeit, im Ggs. zur →Distanz die unverhüllte und unreflektierte Wiedergabe der eigenen Gefühle in ganzer seel. Wärme: →Ausdruck.
E. Voege, Mittelbark. u. U. i. d. Lyrik, 1932, ²1968.

Unreiner Reim, auch Halbreim gen., im Ggs. zum →reinen Reim Reimverbindung mit mangelnder, nur angenäherter Gleichheit der Konsonanten (›Haus – schaust‹ bei Heine) und bes. der Vokale (nach Lautung und Länge) in den reimenden Silben (See – Höh, kühn – hin u. a. in Schillers *Taucher*). Sie sind oft mundartlich bedingt und können durch mundartl. Aussprache wieder ausgeglichen werden. Die Reimreinheit des Minnesangs mit Rücksicht auf dialektreine Reime ist seither weder angestrebt noch erreicht worden; auch Goethe reimt ›Ach neige / Du Schmerzensreiche‹ (*Faust* 3587 f.) u. ä. auf gut frankfurtisch. Vgl. →Augenreim.

Unsinnspoesie →Nonsense-Verse

Unterbrochener Reim, regelmäßiger Wechsel reimloser, d.h. nicht aufeinander reimender Verse (Waisen) mit Versen eines Reimpaars, Drei- oder Vierreims: Reimfolge a b

c b (d b e b ...), z.B. Uhland *Bertran de Born.* Häufig in Volkslied und Volksballade.

Untergrund-Literatur, unscharfe Sammel-Bz. für völlig verschiedenartige lit. Erscheinungen, deren Gemeinsames nur in ihrer Nichtbeachtung von seiten der offiziellen Geschmacksträger besteht: 1. die aus polit. oder ideolog. Gründen unterdrückte, verbotene Lit. in totalitären Staaten und unter Fremdherrschaft stehenden Gebieten, z.B. die franz. →Resistance-Lit. – 2. zwar nicht verbotene, doch von der staatl. Zensur nicht zum Druck freigegebene mißliebige bzw. abweichler. Lit. in totalitären Staaten, die z.T. heimlich und illegal vervielfältigt und verbreitet wird, z.B. →Samisdat in der Sowjetunion. – 3. die →Triviallit. der sozialen Unterschicht. – 4. die Lit. der Subkulturen oder radikalen Gegenkulturen seit rd. 1960 (Kommunen, radikaler Pazifismus, Anarchismus u.a.), die die bestehenden bürgerl. Normen ablehnen, ihre Tabus und Wertmaßstäbe negieren und sich durch provokativ-aggressive Untergrundzeitungen, -zeitschriften, Flugblätter, →Protestsongs, Drogenlit., Pornographie in Kleinstverlagen und →Straßentheater im Vulgärjargon eine lit. Öffentlichkeit außerhalb der kommerziellen Vertriebswege schaffen, deren meist intermediäre Experimente jedoch mit dem Verdikt des Unreif-Dilettantischen belegt und vom offiziellen Kulturbetrieb ignoriert werden. Sie können z.T. später Beachtung und lit. Anerkennung finden und münden später vielfach in e. kommerziell betriebene Subkultur-Industrie. Z.B. →Beatniks, Hippies, Anarchisten, Provos, →Pop-Art u.a.
R. Darnton, Literaten im Untergrund, 1985.

Unterhaltungsliteratur, als Wertbz. nach dem Dreischichtenmodell lit. Qualität die mittlere Ebene, mit fließenden Übergängen Zwischenstufe zwischen hoher Dichtung oder Kunstlit., die allein nach ästhet. Maßstäben zu messen ist, und →Trivialliteratur als e. lit. wertlosen, nur soziologisch interessanten Phänomen, das den Boden der Wirklichkeit oder auch nur der Möglichkeit zugunsten e. verlogenen Traumwelt weit hinter sich läßt: bewußt auf Unterhaltung, Ablenkung, Zerstreuung, Lesevergnügen zielende Lit. von geringem, aber durchaus vorhandenem lit., geistigen und künstler. Anspruch, die jedoch nicht in erster Linie dichter. Seinserhellung oder ästhet. Theorien verkörpern, sondern dem Lesegeschmack und den Fragen des breiteren Lesepublikums gerecht werden will. Sie bevorzugt zwar leichte Identifikationsmodelle, exot. Kulissen und typenhafte Figuren, geht dabei aber e. gewissen Maß an Wirklichkeitsnähe und echter – psycholog., erot., sozialer, polit.-weltanschaul. oder relig. – Problematik nicht aus dem Weg, sucht geradezu bewußt e. allgemein interessierendes, aktuelles Thema, das sie auf mittlerer Ebene vielen Lesern zugänglich und einsichtig macht, und kennt dementsprechend nicht immer das Happy-End des →Trivialromans, sondern z.T. auch unglückl. oder trag. Ausgänge. Die U. entsteht überall dort, wo die Esoterik der gehobenen Dichtung und ihre anspruchsvolle Kunsttheorie die breite Schicht der Durchschnittsleser von der zeitgenöss. Lit. ausschließen: in der Lücke zwischen dem Lesebedürfnis der Masse und der anspruchsvollen Kunstlit. siedelt sich die U. an. Sie verzichtet auf sprachl., stilist. und darstellerische Experimente und Extravaganzen zugunsten e. umgangssprach. Allgemeinverständlichkeit und e. vielfach an vergangenen Epochen geschulten mittleren Breitenlage von handwerkl. Sauberkeit und mündet bei der Deutung des Daseins zumeist in herkömmliche bürgerl. Vorstellungen. Die Abgrenzung der U. von Dichtung einerseits und Triviallit. andererseits erfordert im Einzelfall e. genaue Analyse der inhaltl., strukturellen und stilist. Elemente und von deren Integration im Werkganzen und muß viele Zwischenstufen und Wertschattierungen, z.T. bei ein und demselben Autor, berücksichtigen. – Die Wurzeln der U. liegen um Mitte des 18. Jh. im Lesebedürfnis des aufstrebenden Bürgertums, das Anteil am lit. Leben seiner Zeit nehmen wollte, ohne letztlich die ihrer Zeit vorauseilende ästhet. Theorie zu verarbeiten, und gleichzeitig von der Lit. ein höheres Maß an Unterhaltung durch Spannung und Abenteuer erwartete, als die Kunstlit. es bot. Typ. Autoren der dt. U. sind seither Ch. F. GELLERT, S. von LA ROCHE, J. G. SCHUMMEL, M. THÜMMEL, J. K. WEZEL, Th. G. von HIPPEL, A. LAFONTAINE, B. von KOTZEBUE, L. WÄCHTER, B. NAUBERT, Ch. A. VULPIUS, CRAMER, SPIESS, ZSCHOKKE, CLAUREN, GERSTÄCKER, GANGHOFER, R. HERZOG, A. GÜNTHER, H. COURTHS-MAHLER, E. MARLITT, K. MAY, J. KNITTEL, R. C. MUSCHLER, V. BAUM, H. G. KONSALIK, H. H. KIRST, W. HEINRICH, J. M. SIMMEL u.a. Während im dt. Bereich vielfach e. tiefe Kluft U. und Dichtung trennt, hat sich in der engl., amerikan. und franz. Lit. ein starker, z.T. auch ästhet. befriedigender Mittelbau bilden können (DUMAS, DEEPING, MITCHELL, DU MAURIER, PAGNOL u.a.). Hauptformen der U. sind naturgemäß der Unterhaltungsroman, daneben Erzählungen, Kurzgeschichten und Feuilletons in Zeitungen und Zss., während Zeitungsroman und →Illustriertenroman zusehends zur Triviallit. absinken. Muster erfolgr. U. ist der →Bestseller. Auf dramat. Gebiet entspricht der U. das leichte Unterhaltungslustspiel, das →Boulevardstück.

M. Thalmann, D. Trivialrom. d. 18. Jh., 1923; R. Bauer, D. hist. Trivialrom. i. Dtl. i. ausgeh. 18. Jh., Diss. Mchn. 1930; I. Hermanns, Beitr. z. Typologie d. U., 1951; M. Dalziel, *Popular fiction 100 years ago*, Lond. 1957; J. M. S. Tompkins, *The popular novel in Engl. 1770–1800*, Lond. 1962; M. Beaujean, Der Trivialrom. i. d. 2. Hälfte d. 18. Jh., 1964, ²1970; M. Greiner, D. Entstehg. d. mod. U., 1964; W. R. Langenbucher, D. aktuelle U'roman, 1964, ²1974; H. F. Foltin, D. minderwertige Prosalit., DVJ 39, 1965; K.-I. Flessau, D. moral. Roman, 1968; G. Sichelschmidt, Liebe, Mord u. Abenteuer, 1969; A. Klein, D. Krise d. U'romans i. 19. Jh., 1969; M. Thalmann, D. Romantik d. Trivialen, 1970; F. Winterscheidt, Dt. U. d. Jahre 1850–60, 1970; H. F. Foltin, D. U. d. DDR, 1970; W. R. Langenbucher, Unterhaltung als Märchen u. als Politik (Tendenzen d. dt. Lit. s. 1945, hg. T. Koebner 1971); A. Klein, U. u. Trivaillit. (Grundzüge d. Lit.- u. Sprachwiss., hg. H. L. Arnold I, 1973); Ch. Bürger, Textanalyse als Ideologiekritik, 1973; Zeitgenöss. U., hg. dies. 1974; M. Kienzle, D. Erfolgsroman, 1975; U., hg. J. Hienger 1976; H.-J. Neuschäfer, Populärromane i. 19. Jh., 1977; R. Schenda, Volk ohne Buch, 1977, ³1988; B. Schultze, Stud. z. polit. Verständnis mod. engl. U'romane, 1977; N. Honsza, Mod. U., Breslau 1978; H. D. Zimmermann, Schema-Lit., 1979; H. Plaul, Bibliogr. dtspr. Veröffentlichgn. üb. U.- u. Triviallit., 1980; Ch. Bürger, Textanalyse als Ideologiekritik 1980; M. Jurgensen, D. dt. U'roman d. Ggw. (Dt. Ggw.lit., hg. M. Durzak 1981); P. Nusser, Entwurf e. Theorie d. U., STZ 81, 1982; T. M. Scheerer, Stud. z. sentiment. U'roman i. Spanien, 1983; B. Zimmermann, U'roman u. populärwiss. Lit. (Tendenzen d. dt. Ggw.lit., hg. T. Koebner ²1984); Angst vor Unterhaltg.?, hg. H. Heckmann 1986; R. Albrecht, D. Bedürfnis n. echten Geschn., 1987. →Trivialliteratur.

Untertitel →Titel, der entweder als genauere Inhaltsbestimmung gegenüber dem kurzen Haupttitel oder bei mehrbändigen (wiss.) Werken neben dem Titel des Gesamtwerkes als Bandtitel e. betreffenden Einzelbandes dient.

Untertreibung →Understatement

Unverbundenheit →Asyndeton

Unzialen (lat. *unciales* von *uncia* = Zoll: ein Zoll hohe Buchstaben), antike (lat. und griech.) Schriftart in Großbuchstaben (→Majuskeln), von der ähnlichen →Kapitale durch rundere Formen unterschieden und diese seit dem 5. Jh. n.Chr. ablösend. In ihr sind rd. 400 Hss. und Hss.reste aus der lat. Lit. erhalten. Später bezeichnen U. die im Ggs. zu den →Initialen nicht verzierten, an Größe zwei oder mehr Zeilen umspannenden Großbuchstaben am Buch- und Kapitelanfang.

Unzüchtige Schriften →Pornographie, →Obszönität

Upanischaden (sanskrit. *upanishad* = Geheimlehre), Geheimlehren der ind. Philosophie und Theologie innerhalb des *Veda*: pantheist.-myth. Prosatraktate, z.T. mit eingestreuten Versen (im 1. Teil, der 2. ganz in Versen, der 3. Prosa), die in dichter. Form philos. Streben um die Erfassung des Allgeists, seine Erhabenheit und seine geheimnisvolle Einheit mit dem menschl. Ich darstellen. Ihre Entstehungszeit reicht vom 9. Jh. v.Chr. bis in die frühe nachchristl. Zeit. Aus e. pers. Übertragung von 50 der 100 U. (1659) durch A. H. ANQUETIL-DUPERRON 1801 ins Lat. übersetzt und von starkem Einfluß auf SCHOPENHAUER.

W. Ruben, D. Philos. d. U., 1947.

Upapurânas →Purânas

Upendravajra, ind. Versmaß, Variante des →Indravajra mit kurzer (statt langer) Anfangssilbe.

Urania →Musen

Uraufführung (seit 1902 dt. für franz. →*première*), die allererste Aufführung e. vorher noch nie gespielten dramat. (auch musikal. oder Film-) Werks, meist in der Originalsprache, im Unterschied zur →Erstaufführung bei nachfolgenden anderen Bühnen. Im Fall von Übersetzungen heißt gelegentlich fälschlich auch die erste Aufführung in der Übersetzersprache U. Ferner unterscheidet man als evtl. der U. vorangehende Publikationsform die Urlesung, bei Hör- und Fernsehspielen dagegen Ursendung und szen. U. Zur Förderung des zeitgenöss. Dramas mußte in der Weimarer Republik zeitweise jede Bühne mindestens eine U. im Jahr auf den →Spielplan setzen. Vor Regelung des Urheberrechts erschien e. evtl. Buchausgabe des Dramas erst nach der U., seither oft am Tag der U.

Urausgabe, die erste Druckausgabe e. lit. Werks überhaupt; braucht nicht im Buchhandel erschienen zu sein. Heute gleichbedeutend mit →Erstausgabe.

Urbild, seit dem 17. Jh. dt. Lehnübersetzung für →Archetypus (2) und →Modell.

Urfassung, die erste (vollständige oder fragmentarische) →Fassung e. Werkes, gedruckt (→Urausgabe) oder hsl., im Unterschied zu späteren Bearbeitungen (Fassungen) und Redaktionen.

Urform, in der Stoff- und Motivgeschichte die erste, ursprüngl. Form e. Werkes, z.B. als Anekdote, Erzählung, Lied. Sie kann durch die →Textkritik erschlossen werden. Vgl. →Urlied.

Urheberrecht, das alleinige Verfü-gungs- (Veröffentlichungs-, Verbreitungs-, Vervielfältigungs-)Recht des Urhebers über seine eigentüml. geistige Schöpfung (dichter. oder wiss. Lit., Tonwerk, bildende Kunst und Photographie) und die Befugnis, fremden Nachdruck, Nachbildung u.ä. mit Rechtsschutz zu untersagen bzw. das Werknutzungsrecht zur Vervielfältigung, Verbreitung, Verfilmung, Dramatisierung, Rundfunksendung, →Aufführung, →Übersetzung, auch Mikrokopie, Aufnahme auf Tonträger u.ä. zu übertragen. Genehmigungsfrei ist das bloße →Zitat mit →Quellenangabe. Schriftl. Erzeugnisse ohne lit. Charakter wie Familienanzeigen, Verhandlungs- und Sitzungsprotokolle, Gesetze, amtl. Schriften, z.T. auch journalist. Nachrichten fallen nicht unter das U., können jedoch durch e. ausdrückl. Nachdrucksverbot ähnl. Schutz erhalten. Übersetzung oder Bearbeitung begründen ein neues U. für Übersetzer oder Bearbeiter, das jedoch als abhängiges U. bei geschützten Werken nur mit Zustimmung des U.inhabers des Originalwerks ausgeübt werden kann. Das U. entsteht mit der Konkretisierung des schutzfähigen Gedankenguts in Vortrag, Niederschrift, Stegreifspiel, Abbildung usw. und erlischt in der BR. seit 1965 grundsätzlich 70 (im Ausland meist 50) Jahre nach dem Tod des Urhebers (→Schutzfrist); es kann auf andere Personen (z.B. Verleger) übertragen werden oder geht nach dem Tode des Urhebers auf dessen Erben über. – Die Zeit vor der Erfindung des Buchdrucks kennt e. U. weder dem Sinne noch der Form nach. Erste Vorstufen sind die landesherrl. →Privilegien für Verleger. Den Begriff des geistigen Eigentums prägt erst das 18. Jh. England geht mit dem →Copyright von 1709 voran, Frankreich folgt 1793, Preußen

1794 mit stillschweigender Anerkennung des U., doch erst seit 1837 baut die Gesetzgebung des Dt. Bundes in mehreren Bundesbeschlüssen seine Festlegung aus, 1870 erfolgt e. allg. Regelung, im 20. Jh. schließlich das *Gesetz betreffend das U. an Werken der Lit. und Tonkunst* vom 19. 6. 1901, revidiert 22. 5. 1910, ergänzt 13. 12. 1934, Neufassung vom 9. 9. 1965 durch den Dt. Bundestag als *Gesetz über U. und verwandte Schutzrechte*, ergänzt 1. 7. 1985, das österr. U. vom 9. 4. 1936, Schweizer U. vom 17. 12. 1922, U. der DDR vom 13. 9. 1965; ferner auf internationaler Basis die →Berner Konvention und die Übereinkunft von Montevideo (11. 1. 1889) sowie das Genfer →Welt-U.-Abkommen vom 6. 9. 1952.

K. Dziatzko, Autor- u. Verlagsrecht i. Altert. (Rhein. Museum 49, 1894); S. P. Ladas, *Internat. protection of lit. and artistic property*, N.Y. 1938; R. R. Shaw, *Lit. property in the U.S.*, 1950; E. Ulmer, U.- u. Verlagsrecht, 1951, ³1980; R. Voigtländer u.a., U., ⁴1952; K. Runge, U. und Verlagsrecht, 1953; H. L. Pinner, *World Copyright*, Leiden V 1953ff.; H. Siegwart, D. urheberrechtl. Schutz d. wiss. Werke, 1954; K. Haertel, G. Schneider, Taschenb. d. U., 1955, ²1967; G. Roeber, U. od. geist. Eigentum, 1956; H. G. Hauffe, D. Künstler u. s. Recht, 1956; W. Bappert, E. Wagner, Internat. U., 1956; L. Gieseke, D. geschichtl. Entw. d. dt. U., 1957; M. Rintelen, U., 1958; L. Delp, Kl. Praktikum f. U. u. Verlagsrecht, 1958, ²1966; H. Hubmann, U. u. Verlagsrecht, 1959, ⁶1987; Quellen d. U., hg. P. Möhring 1967ff.; W. Bappert, Wege z. U., 1962; D. U.-Reform, hg. M. Löffler 1963; M.-C. Dock, *Étude sur le droit d'auteur*, Paris 1963; F. Fromm, W. Nordemann, U., Kommentar, 1966, ⁷1988; M. Kummer, D. urheberrechtl. schützbare Werk, 1968, E. Schulze, Kommentar z. dt. U., 1968ff.; O. F. v. Gamm, Urheberrechtsgesetz, Kommentar, 1968; P. Recht, *Le droit d'auteur*, Gembloux 1969; P. Möhring, K. Nicolini, U.gesetz, 1970; B. Samson, U., 1973; A. Dietz, D. U. i. d. europ. Gemeinschaft, 1977; M. Vogel, Dt. U.- u. Verlagsrechtsgesch., AGB 19, 1978; H. Bosse, Autorschaft ist Werkherrschaft, 1981; U., Kommentar hg. G. Schricker 1987; K. E. Wenzel, U. f. d. Praxis, 1987. →Copyright.

Urkunde, schriftl. Erklärung als Zeugnis (Bekundung) rechtl. Vorgänge meist in formelhafter jurist. Stilisierung, unterschieden in öffentl. U.n (Verträge, Friedensschlüsse, Rechtsabkommen, Stadtrechte u.a.) und Privat-U.n. U.n sind oft frühe Zeugnisse e. Sprache und e. Formelstils (→Kanzleistil); dt. U.n seit rd. 1240 erhalten.

H. Bresslau, Hb. d. U.lehre, II 1889, ⁴1968f.; A. v. Brandt, D. Werkzeug d. Historikers, ⁷1973; RL².

Urlesung →Uraufführung

Urlied, im Ggs. zum →Neulied die erstmalige Gestaltung e. Stoffes zum →Heldenlied. Es läßt sich z.T. aus späteren Formen an Hand der Gemeinsamkeiten erschließen.

Urschrift, in der Textkritik die vom Autor selbst geschriebene oder nach e. Schreiberhs. von ihm selbst korrigierte und redigierte erste Fassung (Urfassung) e. Textes im Ggs. zur Abschrift durch fremde Hand. →Autograph.

Ursendung →Uraufführung

Ursprungssagen →aitiologisch

Urtext, der ursprüngliche, echte, →authentische Wortlaut e. →Textes im Ggs. zum →unechten, bearbeiteten, übersetzten oder sonstwie umgestalteten; bei mehreren →Fassungen die älteste und vermutl. ursprüngliche.

Usus scribendi (lat. = Schreibbrauch), von J. J. GRIESBACH 1796 formuliertes Prinzip der →Textkritik, das Stil und Ausdrucksweise des Autors an fragl. Stellen für die Ermittlung der richtigen Lesart oder eventuelle Konjekturen heranzieht; erfordert bes. feines Stil- und Sprachgefühl.

Uta →Tanka

Uta-awase (japan. = Gedichtvergleich), im höf. Japan bes. des 9./10. Jh. Dichterwettstreit zweier Gruppen mit vorbereiteten oder Stegreif-Kurzgedichten (Uta, →Tanka) nach vorgegebenen Themen.

Utopie (griech. *u* = nicht, *topos* = Ort: ›Nirgendheim‹), nach dem Titel von Th. MORUS' →Staatsroman *Utopia* (1516) gebildete Bz. für e. nur in gedankl. Konstruktion in e. imaginierten, räumlich oder zeitlich entfernten Welt erreichbaren, praktisch nicht zu verwirklichenden Idealzustand von Menschheit, Staat und Gesellschaft, im Unterschied zum allg. phantast. Zukunftsroman der wiss.-techn. →Science Fiction, der abschreckenden negativen Zukunftsvision der sog. Mätopie, Dystopie oder →Anti-U. und der Darstellung e. nicht im imaginierten Nirgendwo, sondern in e. anderen, gleichzeitigen, fernen (außerird., planetar., innerterrestr.) Sozialwesen als verwirklicht fingierten sog. ›Allotopie‹ (›Anderswo‹). Doch gilt U. heute zugleich als Oberbegriff aller dieser oft miteinander verschmolzenen Typen. Literar. Hauptformen und teils nur notdürftige fiktive Einkleidung der philos. U. sind der utop. Roman und der inhaltl.-themat. begrenzte →Staatsroman. Beide Typen erscheinen als Raum-U. und/oder Zeit-U., oft integriert. Sie gestalten menschl. und staatl. (polit., soz., wirtschaftl.) Leben in Romanform, in den seltensten Fällen als Selbstzweck, meist mit der erzieher. und theoret. Absicht, das nach Ansicht des Autors für seine Zeit ideale Bild des Sozialwesens (als Gegenbild der Wirklichkeit) als verwirklicht vorzuführen, und zwar entweder auf histor.-polit. Grundlage als Idealisierung e. bestehenden oder in der Vergangenheit vorhandenen Sozialwesens oder als Verwirklichung fordernde Zukunftsvision. Die erstere Form läßt trotz der Verlegung in ferne Länder und Zeiten die Gegenwartsbezüge deutlich erkennen, ohne mögl. Konflikte mit den herrschenden Mächten heraufzubeschwören, und bleibt stärker der Wirklichkeit verhaftet, aus der sie lernt; als Sonderform entwickelt sie den →Fürstenspiegel. Phantastischer und ungebundener an die realen Möglichkeiten, als allzu unbesorgtes Wunschbild e. menschl. Gesellschaft der Zukunft erscheint die reine idealist. U.; wenngleich auch sie weltanschaulich begründet und den geistesgeschichtl. Strömungen ihrer Epoche verhaftet bleibt und sie widerspiegelt, neigt sie häufiger zur Satire durch Übersteigerung der ungesunden herrschenden Zustände, und nur in ihrer ernsten Art gestaltet sie das ideale Ziel e. festgefügten, vernunftmäßig begründeten und auf der Vernunft als alleinigem Grundsatz beruhenden Sozialordnung, deren Höchstes das Glück des Menschen ist, dem auch der Staat nur zu dienen hat. Beide Formen der U. erscheinen bes. in Zeiten innenpolit. Umwälzungen, an der Wende zweier Epochen; sie versuchen, das bewährte Alte beizubehalten und die neuen Erfordernisse zu berücksichtigen. Schon in der Antike erscheinen beide ausgeprägt in XENOPHONS *Kyrupaideia* als prakt. Fürstenspiegel einerseits und in PLATONS utop. *Politeia* und den *Nomoi* sowie dem *Kritias* (Atlantis!) andererseits. Daneben entfaltet schon die Antike Fluchtwelten in Arkadien, Elysium und e. regressive U. im Topos vom Goldenen Zeitalter, ebenso das Christentum in seiner Paradiesvorstellung, in AUGUSTINUS' Gottesstaat, R. LLULS christl. U. *Blanquerna* (um 1280) u. a. chiliast. Sozialutopien. Die eigtl. abendländ.

Nachfolge PLATONS beginnt mit zunehmender Diesseitigkeit in der Renaissance, wiederum in beiden Gestalten: MACHIAVELLIS *Il Principe* (1513) und Th. MORUS' Vereinigung aristokrat. und kommunist. Züge in *Utopia* (1516). Gegen die radikal-kommunist. Tendenzen in Th. CAMPANELLAS *Civitas solis* (1623) stellt – aus Kenntnis des Manuskripts – der württemberg. protestant. Geistliche J. V. ANDREAE das Ideal e. christl. Gemeinwesens in *Reipublicae Christianopolitanae descriptio* (1619), das GRIMMELSHAUSEN im *Simplicissimus* (V, 19) verwendet. Es folgen in England F. BACONS *Nova Atlantis* (1627), S. GOTTS *Nova Solyma* (1648), G. WINSTANLEYS *The law of freedom in a platform* (1649), J. HARRINGTONS *Oceana* (1656) und B. MANDEVILLES *Fable of the bees* (1714), in Frankreich bes. Reise-U.n: CYRANO DE BERGERACS *L'autre monde* (1648) und *Histoire comique* (1662), D. VEIRAS' *Histoire des Sévarambes* (1672), MORELLYS *Naufrage des îles flottantes* (1753), L.-S. MERCIERS *L'an 2440* (1770), RETIF DE LA BRETONNES *La découverte australe* (1784) und FOIGNYS *Jaques Sadeur*, als Satire des Polizeistaates der anonyme *Ophirische Staat* (1699), schließlich LINOLD-SCHÜTZENS *Land der Zufriedenheit* (1723) und in Dänemark L. HOLBERGS *Nils Klims Reise* (1741). Gegenüber diesen meist negativ-krit. U.n entsteht aus der Verbindung mit der →Robinsonade (DEFOE, SWIFT) als positive Sicht, auf die Familie als Keimzelle zurückgeführt, SCHNABELS *Insel Felsenburg* (1731 ff.). Das absolutistische 18. Jh. pflegt als utop. Fluchtwelt die Hirtendichtung u. nach Vorgang von J. BARCLAYS *Argenis* (1621, dt. von OPITZ 1626) den Staatsroman und Fürstenspiegel in Form des →Schlüsselromans: FÉ-

NELON *Télémaque* (1698), RAMSAY *Les voyages de Cyrus* (1727), TERRASSON *Séthos* (1732) und MARMONTEL *Bélisaire* (1776) in Frankreich, Willem van HAREN *Friso* in den Niederlanden und J. G. H. von JUSTI *Psammitichius* (1759) in Dtl. E. Sondertyp der U. schafft die imaginäre Dichter- und Gelehrtenrepublik e. Führungselite (G. SAAVEDRA FAJARDO, JUSTI, KLOPSTOCK). Die bedeutendsten Staatsromane des 18. Jh. stammen von HALLER, der die idealen Staatsformen an histor. Beispielen erläutert: im *Usong* (1771) die Despotie als unumschränkte Monarchie, im *Alfred, König der Angelsachsen* (1773) die gemäßigte Monarchie und in *Fabius und Cato* (1774) die aristokratisch bestimmte Demokratie. WIELANDS *Goldener Spiegel* (1772) dagegen verficht mit bes. Hinblick auf JOSEPH II. den aufgeklärten, volksfreundl. Absolutismus. Neue U. entstehen unter Einfluß ROUSSEAUS bei ZACHARIAE (*Tahiti*, 1777), F. L. v. STOLBERG (*Die Insel*, 1788) und HEINSE (*Ardinghello* 1787), der den Genuß von Schönheit und Freiheit in der Anarchie vertritt, im 19. Jh. in Frankreich als streng sozialist.-technolog. Zukunftsbilder bei C. FOURIER (*Le nouveau monde industriel ou societaire*, 1829), E. CABET (*Voyage en Icarie* 1840) und später bei J. VERNE. Warnbilder e. technokrat. Zukunft dagegen geben E. SOUVESTRE (*Le monde tel qu'il sera*, 1846), E. BULWER-LYTTON (*The coming race*, 1871), BELLAMY (*Looking Backward 2000–1887*, 1888), W. MORRIS (*A dream of John Bull*, 1888, *News from Nowhere* 1891), Th. HERTZKA (*Eine Reise nach Freiland* 1890) und B. v. SUTTNER (*Das Maschinenzeitalter*, 1889). Als extremer Individualist führt S. BUTLER in *Erewhon* (= nowhere) 1872 die zeitgenöss. Zivilisation ad absurdum. H. G. Wells (*When the sleeper awakes* 1898, *A modern Utopia* 1905) vertritt ebenfalls die Freiheit vom Zwang; B. Shaws Utopien verherrlichen, z.T. an Nietzsches *Zarathustra* anklingend, den Übermenschen. E. neue Fülle von U.n entsteht in der Zeit nach dem 1. Weltkrieg, oft als Reaktion auf den trüger. Fortschrittsglauben aus tiefster Skepsis und Verzweiflung an der Realisierbarkeit e. annehmbaren menschl. Sozialwesens und unter geschickter Ausnutzung der wachsenden Machtfülle des Menschen durch die Vervollkommnung der Technik und des Transportwesens (→Science fiction); die Frage nach der zukünftigen Entwicklung bleibt z.T. unbeantwortet, z.T. durch bitter höhnische Zerrbilder u. Schreckensvisionen e. vollindustrialisierten, technokrat., totalitären Massenstaates in der sog. →Anti-U. entschieden: Ratlosigkeit steht am Ende. Auf M. Brods satir. kommunist. U. *Das große Wagnis* (1919), die die Unfähigkeit des egoist. Menschen zu idealer Staatsbildung darlegt, und E. I. Zamjatins *My* (1920) folgen Sternheims *Europa* (1920), Petzolds *Sevarinde* (1923), Döblins *Berge, Meere und Giganten* (1924), ironisierend G. Hauptmanns *Insel der großen Mutter* (1924), ferner F. Wredes *Politeia* (1926), Huxleys *Brave New World* (1932), *Ape and essence* (1949) und *Island* (1962), C. V. Gheorghius *La vingt-cinquième heure,* H. Gohdes (= F. Heers) *Der achte Tag,* vom humanistischen Bildungsideal her durchgeistigt in Hesses *Glasperlenspiel,* als Kampf der Stände in E. Jüngers *Heliopolis,* als bittere Satire auf den autoritären Staat in G. Orwells *1984* oder *Animal farm* (1945), ferner W. Goldings *Lord of the flies* (1954), Werfels *Stern des Ungebo-* renen (1946), W. Jens' *Nein. Die Welt der Angeklagten* (1950), S. Lems *Der futurologische Kongreß* (1972) und E. Jüngers *Eumeswil* (1977). Neue U.n spielen nach e. Atomkrieg (A. Schmidt, J. Rehn, C. Amery) oder schildern feminist.-ökolog. Idyllen alternativer Lebensformen (Le Guin, Russ, Skinner, Callenbach).

F. Kleinwächter, D. Staatsroman, 1891, n. 1967; A. v. Kirchheim, Schlaraffia politica, 1892; E. H. Schmitt, D. Idealstaat, 1904; A. Voigt, D. soz. U.n, 1906, ²1912; J. Prys, D. Staatsroman d. 16. u. 17. Jh., 1913, n. 1973; F. Brüggemann, U. u. Robinsonade, 1914, n. 1978; R. Blüher, Mod. U.n, 1920; L. Mumford, *The story of u.s,* Lond. 1923, ²1962; J. Hertzler, *The history of utopian thought,* Lond. 1923; RL; K. Mannheim, Ideologie u. U., 1929, ⁵1969; G. Quabbe, D. letzte Reich, Wandel u. Wesen d. U., 1933; A. Le Flamanc, *Les u.s prérévolutionaires et la philos. du 18e siècle,* Paris 1934; H. Freyer, D. polit. Insel, 1936; W. D. Müller, D. Gesch. d. Utopiaromane, Diss. Münster 1938; H. K. Donner, *Introd. to u.,* Toronto 1946; V. L. Parrington, *American dreams,* N.Y. 1947, ²1964; E. Bloch, Freiheit u. Ordnung, 1947; R. Ruyer, *L'u. et les u.s,* Paris 1950; H. R. Patch, *The other world,* 1950; M. L. Berneri, *Journey through U.,* Lond. 1950; M. Buber, Pfade i. U., 1950; G. Eliesener, Z. Begriff d. U., Diss. Ffm. 1950; A. L. Morton, *The Engl. u.,* 1952; R. Falke, Versuch e. Bibliogr. d. U.n (Roman. Jb. 6, 1953); G. H. Huntemann, Utop. Menschenbild u. utop. Bewußtsein i. 19. u. 20. Jh., Diss. Erl. 1953; R. Gerber, *Utopian Fantasy,* Lond. 1955; M. Schwonke, V. Staatsroman z. science fiction, 1957; L. Borinski, G. Krause, D. U. i. d. mod. engl. Lit., NS, Beih. 2, 1958; H. Bingenheimer, Transgalaxis, Katalog d. utop. Lit., 1959; R. de Maria, *From Bulwer-Lytton to G. Orwell,* Ann Arbor 1959; H. Schulte-Herbrüggen, U. u. Anti-U., 1960; G. Duveau, *Sociologie de l'u.,* Paris 1961; C. Walsh, *From Utopia to nightmare,* Westport 1962, ²1975; H.-J. Krysmanski, D. utop. Methode, 1963; J. Lameere u.a., *L'u. à la Renaissance,* Paris 1963; W. Krauss, Geist u. Widergeist d. U.n (in: Perspektiven u. Probleme, 1965); K. Tuzinski, D. Individuum i. d. engl. devolutionist. U., 1965; N. Eurich, *Science in Utopia,* Cambr./Mass. 1967; U., hg. A. Neusüß 1968, ²1972; J. C. Garrett, *Utopias in lit.,* Christchurch 1968; P. U. Hohendahl, Z. Erzählproblem d. utop. Romans i. 18. Jh. (Gestaltgesch. u. Ge-

sellschaftsgesch., hg. H. Kreuzer 1969);
Wunschtraum u. Experiment, hg. F. E.
Manuel, Boston 1970; R. C. Elliott, *The
shape of utopia,* Chic. 1970; H.-U. Seeber, Wandlgn. d. Form i. d. lit. U., 1970;
J. Servier, D. Traum v. d. großen Harmonie, 1971; H. Swoboda, Utopia, 1972; A.
Cioranescu, *L'avenir du passé,* Paris
1972; D. utop. Roman, hg. R. Villgrad-
ter, F. Krey 1973; L. Marin, *Utopiques,*
Paris 1973; R. Heiss, U. u. Revolution,
1973; H. G. Soeffner, D. geplante Mythus, 1974; W. Biesterfeld, D. lit. U.,
1974, ²1982; Dt. utop. Denken i. 20. Jh.,
hg. R. Grimm, J. Hermand 1974; M.
Freschi, *L'utopia nel settecento tedesco,*
Neapel 1974; D. Phantasie an d. Macht,
hg. N. Born 1975; B. Garceix, *L. u. en
Allemagne au 16e et au début du 17e
siècles,* EG 30, 1975; R. Trousson, *Voyages au Pays de nulle part,* Brüssel 1975,
²1980; Reise u. U., hg. H. J. Piechotta
1976; K. Grob, Ursprung u. U., 1976; D.
Naumann, Politik u. Moral, Stud. z. U. d.
dt. Aufkl., 1977; B. Neumann, U. u. Mimesis, 1977; H. Lück, Fantastik, Science
Fiction, U., 1977; Lit. ist U., hg. G. Ueding 1978; M. Winter, Compendium uto-
piarum, Bibliogr., 1978; P. Baczko, *Lumières et u.,* Paris 1978; F. E. u. F. P.
Manuel, *Utop. thought in the west.
world,* Cambr./Mass. 1979; Romant. U.
– utop. Romantik, hg. G. Dischner 1979;
H. Wiegmann, U. als Kategorie d. Ästhetik, 1980; RL²: Staatsroman; J. C. Davis,
Utopia and the ideal society, Cambr.
1981; G. Bersier, Wunschbild u. Wirklichk., 1981; J. Hermand, Orte. Irgend-
wo, 1981; W. Erzgräber, U. u. Anti-U. i.
d. engl. Lit., 1981, ²1985; L. Stockinger,
Ficta Respublica, 1981; W. v. Koppen-
fels, Mundus alter et idem, Poetica 13,
1981; Ch. Enzensberger, D. Grenzen d.
lit. U., Akzente 28, 1981; A. Manguel, V.
Atlantis bis Utopia, 1981; Lit. U.-Ent-
würfe, hg. H. Gnüg 1982; U.-forschg.,
hg. W. Voßkamp III 1982, ²1985; K.
Siebenhaar, Klänge aus Utopia, 1982; H.
Heidtmann, Utop.-phantast. Lit. i. d.
DDR, 1982; Lit. U.n, hg. K. L. Berghahn
1983, ²1986; H. Gnüg, D. utop. Roman,
1983; W. H. Rey, Dtl. u. d. Revolution,
1983; D. U. i. d. angloam. Lit., hg. H.
Heuermann 1984; H. Greven-Borde, *Formes du roman utop. en Grande-Bretagne
1918–70,* Paris 1984; N. N. Bloch, Bibliogr. d. utop. u. phantast. Lit., 1984;
Bibliogr. Lex. d. utop.-phant. Lit., hg. J.
Körber 1984ff.; K. H. Börner, Auf d.
Suche nach d. ird. Paradies, 1984; D.
Krusche, U. u. Allotopie, Jb. DaF 11,
1985; H. Franke, D. polit.-militär. Zukunftsroman i. Dtl. 1904–14, 1985; U.,
hg. A. Neusüß 1986; N. Miller, U. u.
längeres Gedankenspiel, STZ 97, 1986;
A. Pieper, D. philos. Begriff d. U., LJb 27,

1986; P. Kuon, Utop. Entwurf u. fiktionale Vermittlg., 1986; Verantwortg. u.
U., hg. W. Wittkowski 1987; *Between
dream and nature,* hg. D. Baker-Smith,
Amsterd. 1987; B. Schmidt, Kritik d. reinen U., 1987; R. Günther, R. Müller, D.
Goldene Zeitalter, 1988.

Utopischer Roman →Utopie

Ut pictura poesis

(lat.:) ›Wie e.
Bild (sei) das Gedicht‹, der die Feinheiten dichter. Wirkung beschreibende Satz des HORAZ (*Ars poetica*
361) wurde seit der Renaissance als
programmat. Aussage über die Gemeinsamkeiten von Lit. und Kunst
und als Forderung nach e. beschreibenden, ›malenden Dichtkunst‹
mißverstanden, bis LESSING diese
durch die Grenzziehung von Dichtung und Bildkunst im →*Laokoon*
abtat und der Dichtung ihr eigentl.
Wesen als Wortkunst zeigte.

J. H. Hagstrom, *The Sister Arts,* Chicago
1958; N. R. Schweizer, *The u. p. p. con-
troversy,* Bern 1972; H. C. Buch, U. p. p.,
1972; Dichtg. u. Malerei, hg. J. Dyck
1974; J.-P. Guillerm, Les peintures invi-
sibles, Lille II 1982; H. Markiewicz, U. p.
p., NLH 18, 1986.

Vacanas,

kurze Prosa-Aussprüche
zur Formulierung von Einsichten
und Lebensweisheiten in der ind.-
kanares. Lit.

Vacat

(lat. = es ist leer, fehlt), Text-
lücke, V.-Seite = unbedruckte oder
Leerseite.

Vademekum

(lat. *vade mecum* =
geh mit mir), allg. Taschenbuch,
Ratgeber, Wegweiser, Leitfaden
meist prakt., aber auch religiösen,
künstler. u.ä. Gehalts in Kleinformat zum Bei-sich-tragen; vielfach
Buchtitel, so von LESSING scherzhaft verwendet im *V. für Herrn Pastor S. G. Lange* (1754).

Vagabundenroman →Landstreicherroman

Vagantendichtung (v. lat. *vagari* = umherschweifen), die vorwiegend anonyme weltl. mittellat. Lyrik und Spruchdichtung der fahrenden Scholaren (Kleriker, Studenten, →Fahrende) des 12./13. Jh., bes. in Dtl., Frankreich (dort →Goliarden genannt) und England, doch in ganz Europa verbreitet. Kennzeichnend ist der volkstüml. Ton ohne alle Stilisierung, die persönl. Haltung, Ursprünglichkeit, Wirklichkeits- und Naturnähe, Weltlust, sinnenhafte Lebens- und Genußfreude. Hauptthemen sind Spiel, Wein (→Trinklied) und Liebe, jedoch weniger zur Dame als zum einfachen Dorfmädchen, unverbildet in Reiz und Hingabe, daneben auch Spott- und Streitgedichte, polit. Parodien und scharfe Kritik der Autoritäten, bes. des Klerus. Die Gelehrsamkeit der Verfasser führt zu e. starken Vertrautheit mit der Antike: Vorbilder nach Form und Inhalt sind die röm. Elegiker, VERGIL, HORAZ und bes. OVID; Bilder und selbst Mythologie der Antike werden zur Verdeutlichung aufgeboten; doch über jedem Vorbild steht als eigentlich prägender Faktor der V. das Leben selbst; erste Töne e. Erlebnisdichtung dringen durch. Wichtigste Slgn. sind in England die *Cambridger Liederhs.* (um 1045), in Dtl. die *Carmina Burana* aus dem Kloster Benediktbeuren (Anfang 13. Jh.), die Lieder von dt., engl. und franz. Verfassern, auch z.T. dt. Liebeslieder, solche mit dt. Einsprengseln, Lieder in Mischsprache und bes. die lat. Verse des sog. ARCHIPOETA aus dem Kreise um BARBAROSSA und seinem Kanzler REINALD VON DASSEL enthalten *(Meum est propositum in taberna mori)*. In Frankreich gipfelt die V. in den balladesken Liedern von François VILLON. Die V. geht nur z.T. ins dt. Volkslied über und lebt bes. in den →Studentenliedern fort; ihre Bedeutung für die Entstehung des Minnesangs ist gering.

N. Spiegel, D. Grundlagen d. V., 1908; H. Süssmilch, D. lat. V.poesie d. 12. u. 13. Jh. als Kulturerscheing., 1917, n. 1972; H. Brinkmann, Gesch. d. lat. Liebesdichtg. i. MA., 1925; ders., Neophilol. 9, 1925; H. Waddell, *The Wandering Scholars*, Lond. 1927, n. 1961; H. Steinger, Fahrende Dichter i. dt. MA., DVJ 8, 1930; O. Dobiache-Rojdestvenskj, *Les poésies des goliards*, Paris 1931; F. J. E. Raby, *A hist. of secular Lat. poetres in the m.a.*, Oxf. II ²1957; P. Lehmann, D. lat. V. (Mittellat. Dichtg., hg. K. Langosch 1969); H. Naumann, Gab es e. V.? (D. altsprach. Unterr. 12, 1969).

Vagantenstrophe →Vagantenzeile

Vagantenzeile, aus der ma. lat. Vagantendichtung stammende siebenhebige rhythm. Langzeile des mhd. Sprechverses (lat. 7 Trochäen) mit Diärese nach der 4. Hebung:

$$\cup\,\underline{\,\cup}\,\cup\,\underline{\,\cup}\,\cup\,\underline{\,\cup}\,\|\,\underline{\,\cup}\,\cup\,\underline{\,\cup}\,\cup\,\underline{\,\cup}\,\cup$$

(›Meum est propositum in taberna mori‹). Vier Langzeilen mit Paarreim ergeben die Vagantenstrophe. Dt. im *Himilrîche.*

Vaidarbhastil, in der ind. Poetik der einfachere klare, anmutige Stil mit kurzen, weniger geschachtelten Sätzen im Ggs. zum →Gauda.

Vampirroman, stoffbestimmter später Sondertyp des →Schauerromans um die Gestalt e. Vampirs, dem Volksglauben der Balkanvölker nach e. ›untoten‹ Toten, der nachts aus dem Grab steigt und teils in Tiergestalt (Fledermaus) Lebenden das Blut aussaugt; Reaktion auf e. übersteigerten Fortschrittsglauben und e. keimfreien Rationalismus, dem übersinnl. Erfahrungen gegenübergestellt werden, insbes. in der Verbindung von mystifiziertem Rachegedanken und Todesangst mit erot. Substraten (Vampirbiß als Ersatz sexueller Vereinigung). Wichtigste Beispiele sind J. W. POLIDORIS Erzählung *The Vampyre* (1819), C. SPINDLERS *Der Vampyr und seine Braut* (1826), J. S. LE FANUS *Carmilla* (1872) und B. STOKERS *Dracula*, die im Zuge e. skurrilen Atavismus in den 50/60er Jahren dieses Jahrhunderts wieder ausgegraben, gefeiert und in Lit. (H. C. ARTMANN, *dracula, dracula*, 1966) und Film erneuert wurden. Das Motiv des Vampirismus findet sich in der höheren Lit. bes. in balladenhaften Dichtungen, so GOETHES *Braut von Korinth*, BAUDELAIRES *Verwandlungen des Vampirs*, TURGENEVS *Gespenster*, A. K. TOLSTOJS *Vampir* u. a.

S. Hock, D. Vampyrsagen u. ihre Verwertg. i. d. dt. Lit., 1900, n. 1977; M. Praz, Liebe, Tod u. Teufel, 1963; D. Sturm u. K. Völker, Von denen Vampiren u. Menschensaugern, 1968, ²1971; A. Schröder, Vampirismus, 1973; W. Freund, D. entzauberte Vampir (Rezeptionspragmatik, hg. G. Köpf 1981); P. Barber, *Vampires, burial, and death*, Lond. 1988.

Vamshasta, ind. Metrum gleich →Indravamsha, nur mit kurzer Anfangssilbe.

Vaqueira, kurzes Schäfergedicht erot. oder beschreibenden Inhalts und wohl provenzal. Herkunft in span. und galic. Lit.

Vâr, kurzes moraldidakt. Gedicht einfachen Stils in der ind. Pañjâbî-Lit., meist in Form von Fabel und Parabel.

Varia (lat. –) Verschiedenes; Werke versch. Inhalts.

Variante (lat. *varia lectio* v. *varius* = verschieden), = →Lesart.

Variation (lat. *variatio* =) ›Abwandlung‹, der Ausdruck desselben Gedankens in versch. sprachl. Form (Synonym, Periphrase), zurückleh-

nende Wiederaufnahme e. soeben bereits genügend gekennzeichneten und verlassenen Vorstellung als ganzer Satz (Satz-V., z. B. bei →Parallelismus) oder als einzelnes Wort (Wort-V.), oft unter Durchbrechung des syntakt. Zusammenhangs und Verschränkung der Satzglieder, zur starken, pathet. Hervorhebung ihrer Wichtigkeit, z. B. im *Hildebrandslied:* ›Nun soll mich (das) traute Kind mit dem Schwert schlagen, / treffen mit seiner Klinge.‹ Typisches und wichtigstes Stilmittel der altgerman. und altsächs.-angelsächs. stabreimenden Heldendichtung wie der jüngeren nord. Lieddichtung, wo anstelle des natürl. Ausdrucks durch Synonyme künstliche wie →Kenning und →Heiti treten und die V. zum →Hakenstil beiträgt, indem die 1. Kurzzeile einer Langzeile den Gedanken der zweiten Kurzzeile der vorangehenden abwandelt. Die angelsächs. Epik übernimmt die V. von der westgerm. Heldendichtung; die später übermäßige Verwendung der V. ohne inneres Bedürfnis als grundlose Aufbauschung etwa im *Heliand* leitet den Verfall der Form ein. →Amplifikation.

W. Paetzel, D. V. i. d. altgerm. Alliterationspoesie, 1913; RL; H. Müller, D. V. i. d. altgerm., ahd. u. mhd. Dichtg., 1939.

Varieté (franz. = Vielfalt), Theater für artist. Darbietungen wie Akrobatik, Tanz, Musik, kleine →Revuen u. ä., doch im Ggs. zum →Kabarett ohne lit.-künstler. Bestrebungen.

A. Möller-Bruck, D. V., 1902.

Variorum editio (lat., eigtl. *editio cum notis variorum scriptorum* = Ausgabe mit Anmerkungen versch. Autoren), Ausgabe des (Gesamt)werks meist klass. Autoren mit textkrit. u. erläuternden Anmerkungen der vorangehenden Kommentatoren und Herausgeber, z.T. auch Lesarten. Bes. die Elzevir-Ausgaben griech. und lat. Klassiker im 17. Jh. durch HEINSIUS, GRONOVIUS u.a.

Vasantatilakâ (ind. = Frühlingsornament), ind. Strophenform aus vier Vierzehnsilbern der Form ⏑⏑–⏑–⏑⏑⏑–⏑⏑–⏑–⏓.

Vaterländische Dichtung →patriotische Dichtung

Vates (lat. = priesterl. Seher), von VARRO (1. Jh. v. Chr.) aufgegriffene röm. Bz. für den Dichter als (göttlich) inspirierten, prophet.-visionären Sänger und ›Seher‹ von priesterl. Haltung. Angewendet auf VERGIL und HORAZ, in der Neuzeit anwendbar auf KLOPSTOCK, HÖLDERLIN, BAUDELAIRE, RIMBAUD und S. GEORGE.

W. Muschg, Trag. Lit.gesch., 1948, ⁴1969; G. Bays, *The Orphic vision*, Lincoln 1963.

Vaudeville (franz.), wohl entstellt aus Val de Vire, dem Tal der Vire in der Normandie, wo der Volksdichter Olivier BASSELIN um 1400 den nach seiner Heimat benannten Gassenhauer und Volkslieder dichtete und bei Festen und Trinkgelagen als Stimmungsausdruck des Volkes vortrug. Seine Lieder lebten bis Ende des 16. Jh. im Volksmund fort; die Bz. V. wurde im 16./17. Jh. auch auf Nachahmungen u.ä. populäre, satir. Trinklieder und aus e. bes. Anlaß entstandene, z.T. derberot. Spottlieder mit leichter, populärer Melodie ausgedehnt, wie sie bes. im 17. Jh. blühten und ab 1640 als Liedeinlagen im Volkstheater und der Comédie italienne Eingang fanden. Noch BOILEAU versteht V. in diesem Sinne. Im 18. Jh. geht die Bz. über auf e. kleines burleskes oder anekdotenhaftes Theaterstück, e. Art zeitkrit.-satir. Singspiels, dessen Dialog wegen des Monopols der Comédie Française für das Sprechtheater z.T. ebenfalls gesungen wurde, mit ähnlichen heiter spottenden Liedeinlagen, leichtfertigen Gassenhauern zu Musikbegleitung nach bekannten, volkstüml. Melodien, die im Ggs. zu den Couplets der Operette urspr. mitten in der Vorstellung vom Publikum mitgesungen wurden. Sie entstanden in Paris zu Beginn des 18. Jh. und werden je nach der mehr kom. oder mehr possenhaften Färbung in Drame-V., Comédie-V. und Folie-V. unterschieden. Wichtigste V.-Theater in Paris waren das Théâtre de la Foire, du Palais Royal, de Cluny und Déjazet, wichtigste Dichter im 18. Jh. FUZELIER, DORNEVAL, PIRON und LESAGE. Diese Form wurde um 1765 durch die Entwicklung der opéra comique verdrängt, die die volkstüml. Liedeinlagen durch neu komponierte ersetzte, aber als Sprechtheater mit musikal. Einlagen im 19. Jh. in Frankreich neu belebt durch E. SCRIBE, der in seiner Antrittsrede vor der Académie Française 1836 ihre Berechtigung nachwies und zusammen mit DELAVIGNE, DUPLIN, DELESTRE-POIRSON, DESAUGIERS, SAINTIVE und LEGOUVÉ zahlr. neue V.s schrieb. Mitte 19. Jh. wandelt sich das groteske und derbdrast. V. zum →Boulevardstück durch DURUT, MEILHAC, LAUZANNE, M. MICHEL, DUMANOIR, CHIVOT, HALÉVY und bes. FEYDEAU und LABICHE. In dt. Lit. entwickeln NESTROY und HOLTEI ähnl. Formen. Heute bezeichnet V. allg. e. leichte, anspruchslose Gesangsposse, in England und Amerika seit 1865 e. unterhaltendes Musiktheater mit Tanz, Gesang, Akrobatik und humorist. Dialogen (Music-Hall, →Varieté).

D. Gilbert, *American V.*, N.Y. 1940; B. Sobel, *A pictorial hist. of v.*, N.Y. 1961; A. F. McLean, *American v. as ritual*,

Lexington 1965; C. u. L. Samuels, *Once upon a stage*, N.Y. 1974; L. Matthes, V., 1983; H. Gidel, Le v., Paris 1986.

Verbalstil, Sprachstil, der im Ggs. zum →Nominalstil der Wiss., Politik und Presse verbale Konstruktionen (Zeitwörter) bevorzugt und dadurch leichtere Verständlichkeit, Anschaulichkeit und Phrasenlosigkeit erstrebt; bes. in früherer, volkstüml., affektbetonter Sprache und Mundart.

Verband deutscher Schriftsteller →Schriftstellerverband

Verblümte Redeweise, Sprachstil, der e. nicht unmittelbar ausgedrückten Gedanken aus dem Sinn des Satzes als →Anspielung indirekt hervorgehen läßt.

Verbotene Bücher →Zensur, →Index librorum prohibitorum

Verdeutschung →Übersetzung

Vereine, literarische, Sammelbz. für lit. Organisationen und Verbände aller Art. Sie teilen sich bei z.T. fließenden Grenzen in zwei grundsätzl. unterschiedl. Gruppen auf: 1. Vereinigungen von Autoren selbst von lockerer freundschaftl. bis zunehmend strafferer Organisation bei Standesvertretungen mit wirtschaftl. Interessen: →Dichterkreis, →Dichterschule, →Sprachgesellschaft, →Deutsche Gesellschaften, →Dichterakademie, →Akademie, →Schriftstellerverband. 2. vorwiegend repetive Leser- und Verehrerorganisationen wie →Lesegesellschaften, Lesergemeinden e. Autors und allg. lit. →Gesellschaften und solche zur Pflege e. bestimmten Autors und dessen Werkes.
RL².

Verfasser →Autor; unbekannter V. →anonym.

Verfilmung, die →Bearbeitung (→Adaption) e. lit. Werks (Drama, Roman, Erzählung, Epos u. ä.) und dessen Inszenierung für den →Film. Sie bedingt meist einige, je nach Ambition und Sachlage oberfläch. oder tiefergreifende Umformungen und Verzerrungen der Vorlage bei der Übertragung in e. anderes, eigengesetzl. Ausdrucksmedium und beim Zuschnitt auf e. breiteres Publikum, die fast überall zu e. Zerstörung wesentl. Züge und Strukturen des (zumal ep.) Werkes führt und allenfalls durch hervorragende Schauspieler- und Regieleistungen ausgeglichen werden kann, dann aber das Vorstellungsvermögen des Lesers auf Figuren und Umwelt der einmalig verwirklichten Darstellung eingrenzt.
G. Bluetone, *Novels into film*, Berkeley 1961; H.-E. Schauer, Grundprobleme d. Adaption lit. Prosa durch d. Spielfilm, Diss. Bln. 1965; A. Estermann, D. V. lit. Werke, 1965; G. Wagner, *The novel and the cinema*, Rutherford 1975. →Film.

Verfremdung, im Prinzip jede bewußte künstl. Distanzierung zwischen realer Alltagswelt bzw. -sprache und der künstler.-poet. fiktiven Welt und deren Sprache durch Ironie, Komik, Groteske, Satire u. ä.; dann spezieller die Veränderung des Gewöhnlichen ins Ungewöhnliche, des Vertrauten ins Unvertraute, als solche Kennzeichen jeder unrealist., stark stilisierenden Kunst vom Manierismus über Symbolismus, Expressionismus und Surrealismus zum russ. Formalismus (›ostranenie‹), der sie als charakterist. Methode der Kunst erkennt, ferner im absurden und grotesken Theater, im fernöstl. Theater und im Puppentheater; schließlich insbes. (V. effekt) ideologisch motiviert, die im Zusammenhang mit dem →epischen Theater von B. BRECHT geforderte Distanz des Schauspielers zu der von ihm nicht gespielten, sondern ›gezeigten‹ Rolle und des Zuschauers gegenüber den dramat. Vorgängen, im Ggs. zur →Identifikation des illusionist. Theaters: der Schauspieler soll seine Rolle mehr mit e. ›Gestus des Zeigens‹ gestischrational demonstrieren und erläutern als verkörpern, der Zuschauer sich nicht durch →Einfühlung gefühlsmäßig binden, sondern kritisch urteilen, Vertrautes als fremd und damit erneut durchdenkbar und veränderbar betrachten. In diesem Sinn greift die V. auch auf Dramenbau (Bilderreihe statt organ., psycholog. motivierter Handlung, Parabel statt Illusion; Vor- und Nachspiele, Kommentare, Songs, Ad spectatores), Handlung (exot. Schauplätze), Sprache (Stilbrüche, Zitate), Bühnenbild (Verzicht auf Atmosphäre, sichtbare Bühnentechnik, Projektionen, Transparente), Regie, Ausstattung, Musik und Choreographie über. Sie wird bei jüngeren Dramatikern in der BRECHT-Nachfolge gelegentlich zur Manier.

G. Debiel, D. Prinzip d. V. i. d. Sprachgestaltg. B. B.s, Diss. Bonn 1960; R. Grimm, V., RLC 35, 1961; H. E. Holthusen, Dramaturgie d. V. (Merkur 15, 1961); E. Bloch, V.en, I 1962; H. Helmers, V. als poet. Kategorie, DU 20, 1968; G. Fankhauser, V. vor u. b. Brecht, 1971; E. Nündel, D. Prinzip d. V. i. d. Dichtg., DU 23, 1971; Ch. Koerner, D. Verfahren d. V. i. Brechts früher Lyrik (Brecht heute 3, 1973); A. A. Hansen-Löve, D. russ. Formalismus, 1978; T. Ungvári, The origins of the theory of V. (Neohelicon 7, 1979); RL²; C. Subik, Einverständnis, V. u. Produktivität, 1982; V. i. d. Lit., hg. H. Helmes 1984; B. Ekmann, Einfühlg. u. V. i. aristotel. Drama, TeKo 13, 1985. →Episches Theater.

Verfremdungseffekt →Verfremdung

Vergleich, Stilmittel zur Erhöhung der Anschaulichkeit und Bedeutungsverdichtung und -erweiterung e. gemeinsamen Grundgehalts der verknüpften Bereiche, die sich im →tertium comparationis begegnen müssen. Charakteristisch für den V. ist das Nebeneinander der Werte in einfacher Grundvorstellung und sinnl. Bildlichkeit, →Bild und Gegenbild in e. ›so – wie‹, ferner der Knappheit der Skizzierung im Ggs. zum breiter ausgeführten →Gleichnis und der →Parabel. Der V. kann sich beziehen auf Zustände, Eigenschaften (finster wie die Nacht) oder auf Vorgänge, Handlungen (sie weinte wie e. Kind). Er wird durch häufige Wiederholung zur Formel, ohne V.-Partikel (›wie‹) zur →Metapher. Stilwert und Funktion, Eigenmächtigkeit und Assoziationskraft bleiben in jedem Einzelfall und Kontext erneut zu bestimmen. Hauptvorkommen in Lyrik und bes. Epik, seltener im Drama.

D. V., hg. R. Grossmann 1955; H. Teidge, Formen u. Funktionen d. V., Diss. Greifsw., 1974; F. P. Knapp, Similitudo, 1975; ders., Z. log. u. grammat. Struktur d. bildhaften V.s (Amsterd. Beitrr. z. ält. Germanistik 14, 1979).

Vergleichende Literaturwissenschaft oder Komparatistik, lit.wiss. Methode und Forschungsrichtung, greift über die nationalen Schranken der lit. Entwicklung hinaus auf die →Weltlit. aus, erfaßt alle übernationalen u. internationalen lit. Phänomene, die sich aus der Beschränkung auf e. einzelne Nationallit. heraus nicht klären lassen, und untersucht das hist./diachron. und regional/synchron. Austauschverhältnis und geschichtl. Zusammenwirken der versch. Nationallitt. in drei versch. Hauptarbeitsbereichen, von denen der folgende stets den vorhergehenden voraussetzt: 1. Vergleich einzelner Dichtungen, Dichter, Epochen und lit. Strömungen im übernationalen Rahmen oder gar der versch. Nationallitt.

nach ihren Gemeinsamkeiten und Unterschieden, Darstellung e. einzelnen lit. Erscheinung hinsichtlich ihres Einflusses und ihrer versch. Auswirkungen auf mehrere Litt. mit Erklärung bzw. Begründung der Unterschiede. 2. Betrachtung der Strukturentfaltung der Weltlit., der übernationalen lit. Wechselbeziehungen, Wanderungen lit. Strömungen (Minnesang, Humanismus), der Schwerpunktsverlagerung des künstler. Gewichts von e. Volk auf das andere im Wechsel der versch. Epochen, damit verbunden ständigen Wechsels sowohl der Einflußaufnahmen als auch der neuausstrahlenden Wirkungen im übernationalen lit. Verkehr. 3. Darstellung einzelner Nationalliteraturen in ihrer ständigen Auseinandersetzung mit der Weltlit. Dazu treten Untersuchungen zur Stoff- und Motivwanderung und Toposforschung, Imageforschung (nationale Vorurteile und Klischeevorstellungen von anderen Nationen in der Lit.), Erforschung äußerer Abhängigkeiten und Einflüsse e. Dichters, seiner Wirkung in andere Litt., bes. bei großen Autoren wie HOMER, VERGIL, MOLIÈRE, SHAKESPEARE usw. die Einwirkung auf die Gesamtentwicklung e. Nationallit. und typ. Formen der Rezeption und Umgestaltung/Anverwandlung (Nachleben der Antike, der *Bibel*), ferner die vergleichende Betrachtung der versch. Ausprägungen und Entwicklungen e. einzelnen Gattung (z.B. Elegie, europ. Schelmenroman), e. Epochalstils (barocker →Schwulst) oder e. Kunstform (z.B. Hexameter, Sonett) und deren übernationale Berührung: vergleichende Literaturmorphologie, und schließlich als angrenzende Forschungsbereiche die vergleichende Literatursoziologie, die an sozialen Parallelen versch. Zeiten und Völ-

ker gewisse phänomenolog. Gesetzlichkeiten abliest (H. M. POSNETT, *Comparative Lit.*, 1886; LETOURNEAU, *Evolution litt.*), und die vergleichende Geschichte der lit. Kritik, der Publikumswirkung und der Geschmacksbildung versch. Zeiten und Völker. Neuere Forschungsaspekte sind Theorie und Geschichte der lit. →Übersetzung als Brücke der Literaturen, die Vermittlerrolle einzelner Individuen oder ganzer Gruppen (Emigranten) und – umstritten – die sog. ›wechselseitige Erhellung der Künste‹, d.h. das Verhältnis der Lit. zu den anderen Künsten. Ungelöstes und wohl unlösbares Hauptproblem der historisch vorgehenden vergleichenden Lit.geschichte bleiben →Epochen- und Periodisierungsfragen im gesamteurop. Bereich angesichts nationaler Varianten und Phasenverschiebungen (Klassik, Romantik). – Die v. L. geht aus von LESSING, WIELAND, GOETHES Begriff der →Weltliteratur und der universalist. Literaturbetrachtung HERDERS und der kosmopolit. Romantik (Mme de STAËL, F. SCHLEGEL) und wurde in Dtl. zuerst von W. MENZEL zu Beginn des 19. Jh. gefordert; ihre wiss. Begründung erfährt sie in Frankreich bei NOEL und LAPLACE (*Cours de litt. comparée* 1816 ff.), POUGENS und BENLOEW; in Dtl. folgen diesen Bestrebungen Moritz CARRIÈRE (*Grundzüge und Winke zur v. L. des Dramas* 1845) und BERNAYS; um die Jh.wende entstehen die ersten Zss. für v. L., 1900 tagt in Paris der erste Kongreß für v. L.

L. P. Betz, Studien zur v. L., 1902; ders., *La lit. comparée*, ²1904; F. Baldensperger, *Litt. comparée* (*Revue de litt. comp.* I, 1921); J. Petersen, Nationale u. v. L., DVJ 6, 1928; RL; F. Strich, Weltlit. u. v. L. (Philos. d. Lit.wiss., hg. E. Ermatinger, 1930); P. v. Tieghem, *La lit. comparée*, Paris 1931, ⁴1951; F. Baldensperger, W. P. Friederich, *Bibliogr. of comp. litt.*, Chapel Hill 1950; M. F. Guyard, *La lit.*

comparée, Paris 1951, ⁵1969; K. Wais, Forschgsprobl. d. v. L., II 1951–58; W. Höllerer, Method. u. Probl. d. v. L., GRM 33, 1951/52; H. Motekat, V. L. (ebda.); W. P. Friederich, Outline of comparative lit., Chapel Hill 1954; Comparative lit., hg. W. P. Friederich, Chapel Hill 1959; R. Wellek, D. Krise d. v. L., WW 9, 1959; Comparative lit., hg. N. P. Stallknecht u. H. Frenz, Carbondale 1961, ²1973; Studies in comparative lit., hg. W. F. McNeir, Baton Rouge 1962; C. de Deugd, De eenheid van het comparatisme, Utrecht 1962; H. Rüdiger, Nationallit. u. europ. Lit. (Schweizer Monatshefte 42, 1962); W. Krauss, Probl. d. v. L., 1963; R. Etiemble, Comparaison n'est pas raison, Paris 1963; F. Jost, Essais de lit. comp., Fribourg II 1964–68; W. B. Fleischmann, D. Arbeitsgebiet d. V. L. (Arcadia 1, 1966); H. Levin, Refractions, N.Y. 1966; R. Wellek, Begriff u. Idee d. v. L. (Arcadia 2, 1967); U. Weisstein, Einführg. i. d. v. L., 1968; J. Brandt Corstius, Introd. to the compar. stud. of lit., N.Y. 1968; H. Levin, Comparing the lit., YCGL 17, 1968; Comparatists at work, hg. S. G. Nichols u.a., Lond. 1968; S. Jeune, Litt. générale et litt.comp., Paris 1968; H. Hatzfeld, Comp.lit. as a necessary method (The disciplines of criticism, hg. P. Demetz u.a., New Haven 1968); Aktuelle Probleme d. vergl. Lit.forschg., hg. G. Ziegengeist 1968; W. Veit, Method. Probleme d. v. L. (Australasian Univ. Lang. and Lit. Assoc., Proceeds. 12, 1969); A. Dima, Principii de lit. comp., Bukarest 1969; H. Gifford, Comp. lit., Lond. 1969; Comp. lit., hg. A. O. Aldridge, Urbana 1969; P. Friederich, The challenge of comp. lit., Chapel Hill 1970; H. M. Block, Nouvelles tendances en litt. comp., Paris 1970; C. Pichois, A.-M. Rousseau, V. L., 1971; Z. Theorie d. v. L., hg. H. Rüdiger 1971; R. Wellek, Grenzziehungen, 1972; F. Jost, Litt. comp. et litt. universelle, OL 27, 1972; Beitr. z. v. L., Fs. K. Wais, hg. J. Hösle 1972; H. Levin, Grounds for comparison, Cambr./Mass. 1972; D. Durišin, Vergl. Lit.forschg., 1972, ²1976; H. Seidler, Was ist v. L., 1973; R. Bauer, D. Fall d. v. L. (Kontinuität-Diskontinuität i. d. Geisteswiss., hg. H. Trümpy 1973); V. L., hg. H. N. Fügen 1973; Komparatistik, hg. H. Rüdiger 1973; S. S. Prawer, Compar. lit. studies, Lond. 1973; Comp. lit. The early years, hg. H. J. Schulz, Chapel Hill 1973; F. Jost, Introd. to compar. lit., Indianapolis 1974; The place of comp. lit. in interdisciplinary studies, YCGL 24, 1975; A. Kappler, D. lit. Vergleich, 1976; H. Dyserinck, Komparatistik, 1978, ²1981; R. J. Clements, Comp. lit. as an academic discipline, N.Y. 1978; Comp. lit. today, hg. E. Kushner 1979; S. Schröder, Dt. Komparatistik i. Wilhelmin.

Ztalter, 1979; T. Bleicher, Lit. comparison in class. antiquity, YCGL 28, 1979; ders., Grenzüberschreitende Lit. als komparatist. Gegenstand, Neohelicon 7, 1980; Vergl. Lit.forschg. i. d. sozialist. Ländern, hg. G. R. Kaiser 1980; ders., Einf. i. d. v. L., 1980; A. Mariano, Repenser la lit. comp. (Synthesis 7, 1980); V. L., hg. M. Schmeling 1981; M. S. Tischer, Nat. Images als Gegenstand d. v. L., 1981; Komparatistik, Fs. Z. Konstantinović 1981; U. Weisstein, V. L., Bericht 1981; RL²; S. Schröder, Komparatistik u. Ideengesch., 1982; R. Rosenberg, Nat. od. v. L.?, WB 28, 1982; Wege z. Komparatistik, Fs. H. Rüdiger 1983; P. Brunel u.a., Qu'est-ce que la lit. comp.?, Paris 1983; J. T. Leerssen, Komparatistik i. Großbrit., 1984; U. Weisstein, Komparatistik (Fs. R. Wellek, 1984); C. Guillén, Entro lo uno y lo diverso, Barcelona 1985; H. Dyserinck u.a., Internat. Bibliogr. z. Gesch. u. Theorie d. Komparatistik, 1985; M. Roth, D. Selbstverständnis d. Komparatistik, 1987; The comparative perspective on lit., hg. C. Koelb u.a., Ithaca 1988.

Verinnerlichung, der psych. Vorgang der Internalisierung, d.h. der Hereinnahme von Außenwelterfahrungen und -erlebnissen in die seel. Innenwelt, →Innerlichkeit, nicht primäre Introspektion oder Introvertiertheit, sondern das Erleben der Außenwelt, ihrer Probleme und Konflikte im Inneren. V. ist die spezif. Arbeits- und Wirkungsweise der Stimmungslyrik, die E. Staiger auch als ›Erinnerung‹ bezeichnet.

E. Staiger, Grundbegriffe der Poetik, 1946 u.ö.

Verismus (ital. verismo v. lat. verus = wahr), radikaler Wirklichkeits- und Wahrheitsfanatismus in Lit., bildender Kunst und Schauspielkunst, der sich in e. bis zum äußersten getriebenen Naturalismus der ungeschminkten, unreflektierten Darstellung menschl. Leiden u. Leidenschaften äußert und durch Schock u. Häßlichkeit die soz. Anklage des Inhumanen bewirkt. In Italien Bz. für die ital. Spielart des →Naturalismus rd. 1870–1910 mit den Hauptvertretern L. Capuana, F. de Roberto, M. Serao, G. De-

LEDDA und G. VERGA. Er weicht in entscheidenden Punkten, bes. Milieu- und Vererbungslehre, von der franz. Theorie des Naturalismus ab und schildert auch nicht die Verelendung der Arbeiter durch die zunehmende Industrialisierung, sondern die unerträgl. soz. Lage der süditalien. Kleinbauern mit Lokalkolorit und Dialektwendungen. Nachleben im →Neorealismus.

P. Arrighi, *Le v. dans la prose narrative ital.*, Paris 1937; W. A. Vetterli, Gesch. d. ital. Lit. d. 19. Jh., 1950; F. Ulivi, *La letteratura verista*, Turin 1972; V. Spinazzola, *Verismo e positivismo*, Mail. 1977; H. Meter, Figur u. Erzählauffassg. i. verist. Roman, 1986.

Verkleidete Literatur, Texte, die den Verfasser verschleiern (→Anonym, →Pseudonym) oder Druckort, Verlag oder Erscheinungsjahr falsch angeben u. a. Mystifikationen betreiben; in weiterem Sinne auch die →Schlüsselliteratur.

Verkleinerung →Meiosis, →Understatement

Verlag, Vertriebsunternehmen im →Buchhandel, das Planung, redaktionelle Betreuung, Herstellung, Vervielfältigung, Auslieferung und Großhandel von Büchern (auch Zss., Zeitungen, Musikalien und Kunstblätter) übernimmt, für das der Verleger vom Verfasser oder e. anderen V. (Lizenzausgabe, Übersetzungsrecht ausländ. Autoren) nach Maßgabe des Urheberrechts durch V.-svertrag das V.-srecht, d. h. Recht und Verpflichtung zur Vervielfältigung und Verbreitung des Werks für dauernd, beschränkte Zeit oder e. bestimmte →Auflagehöhe, gegen →Honorar bei vorauszusehendem Gewinn oder im gegenteiligen Falle gegen Druckkostenzuschuß (Selbstkostenverleger) erworben hat und das geschäftl. Risiko übernimmt. Die Herstellung erfolgt zumeist durch Auftragserteilung an andere Betriebe des herstellenden Buchhandels (Papierfabriken, Druckereien, graph. Kunstanstalten, Buchbindereien). Der Vertrieb der fertiggestellten Werke erfolgt über den Zwischenhandel und/oder den Sortimentsbuchhandel, in seltensten Fällen unmittelbar an Einzelkäufer und dann ebenfalls nur zum Ladenpreis, der vom V. festgesetzt wird. Bei Kauf oder nur teilweise erfolgtem Absatz des Werkes oder bei Veräußerung des Auflagerestes als Makulatur erlischt das V.-srecht. Findet e. Autor keinen V. oder will er sich dessen evtl. Verdienst einbehalten, so kann er bei Übernahme der entsprechenden finanziellen, geschäftl. und techn. Angelegenheiten sein Werk im →Selbst-V. erscheinen lassen. Mit der Ausweitung des Buchhandels hat sich auch im V., von einigen Allround-Großverlagen abgesehen, e. Spezialisierung in schöngeistige, wiss., theolog., techn. bzw. Fachverlage, Schulbuch-, Kunst-, Musik- u. a. Verlage ergeben, während der Konkurrenzkampf z. T. zu Zusammenschlüssen mehrerer V.e führt. Die Aufgabe des V. erschöpft sich jedoch nicht allein in der wirtschaftl. Funktion, sondern reicht weiter: infolge seiner maßgebenden Stellung im Buchhandel übt er e. bestimmenden Einfluß auf die lit. Produktion und auf das geistige Niveau des Leserpublikums aus durch Ablehnung lit. oder wiss. wertloser oder schädl. Werke (Schundlit.), Vorschläge zu Änderungen eingereichter Manuskripte im Hinblick auf die Publikumswirkung oder den vom Autor intendierten, aber nicht erreichten Effekt, Anregung zur Abfassung wertvoller Werke an geeignete Autoren (auch Sammelwerke zahlr. Autoren), Herstellung preiswerter Ausgaben guter Lit., Neudrucke älterer Werke,

Übersetzungen hervorragender ausländ. Schriftsteller, Slg. mündl. Überlieferung usw. Das Verlagsgesicht wird trotz allem weitgehend von den persönl. Interessen des Verlegers oder seines →Lektors bestimmt. In diesem Sinne nehmen viele bedeutende Verleger ihren Platz in der Literaturgeschichte ein; ihre Geschichte bildet deren notwendige Ergänzung. Vgl. →Bühnenvertrieb.

RL; S. Unwin, D. wahre Gesicht d. V.sbuchhandels, 1927, ³1965; F. Mumby, *Publishing and bookselling*, Lond. 1930, ⁶1982; W. Olbrich, Einf. i. d. V.kunde, 1932, ³1955; F. Uhlig, D. V.-Lehrling, 1936, n. 1980; A. Spemann, Berufsgeheimnisse u. Binsenwahrheiten, 1938, ⁴1951; V.kunde, hg. K. Dietze, H. Schulte 1952; *What happens in book publishing*, hg. C. B. Grannis, N.Y. 1957, ²1967; Dokumentation dtspr. V.e, hg. C. Vinz, G. Olzog 1962–86; V.kunde i. Einzeldarstellgn., hg. J. Ferring 1965, ³1979; C. Bingley, *Book publishing practice*, Lond. 1966; T. Kleberg, Buchhandel u. V.wesen i.d. Antike, 1967; P. Unwiss, D. Berufsbild d. V.sbuchhändlers, 1968; R. Mundhenke, D. V.skaufmann, 1977, ⁴1986; J. Benzing, D. dt. Verleger d. 16. u. 17. Jh., AGB 18, 1977; Buch- u. V.wesen i. 18. u. 19. Jh., hg. H. G. Göpfert 1977; ders., V. Autor z. Leser, 1977; S. Unseld, D. Autor u. sein Verleger, 1977; M. Shell, *The economy of lit.*, Baltimore 1978; U. Stiehl, D. V.-buchhändler, 1980, ²1985; RL²; H. H. Röhring, Wie e. Buch entsteht, 1983; *Books*, hg. L. A. Coser, Chic. 1985; M. G. Hall, Österr. V.sgesch. 1918–38, II 1985. →Buchhandel.

Verlagsalmanach →Almanach

Verlagslektor →Lektor

Verlagsort →Druckort

Verlagsrecht, das dem →Verlag vom Urheber (Autor) eingeräumte Nutzungsrecht an seinem urheberrechtl. geschützten Werk, das sich je nach den Vereinbarungen des Verlagsvertrags auf die Nutzung durch Vervielfältigung und Verbreitung oder auch auf die →Nebenrechte bezieht. Dabei können die gesetzlichen Vorschriften des z.Z. in der BR noch gültigen Gesetzes über das V. vom 19. 6. 1901 (z.T. bereits verändert durch das neue →Urheberrecht) individuell abgeändert oder ergänzt werden und erhalten für die vertragschließenden Partner und deren Rechtsnachfolger Verbindlichkeit.

Lit. →Urheberrecht.

Verlagssignet →Druckerzeichen

Verlagsvertrag →Verlag, →Verlagsrecht, →Urheberrecht

Verleger →Verlag

Verlegerzeichen →Druckerzeichen

Verlorene Generation →Lost generation

Veröffentlichung, 1. jede Art gedruckt in der Öffentlichkeit erscheinenden Textes vom Buch bis zum Beitrag zu Periodika (Publikation), – 2. das Zugänglichmachen e. Schriftwerks für die Öffentlichkeit, resultiert als Pflicht des Verlages zur Vervielfältigung und Verbreitung aus dem →Verlagsrecht.

Verramschen, im Verlagsbuchhandel das Abstoßen nachweislich unverkäufl. Bücher an das moderne →Antiquariat zu e. Bruchteil des Nettopreises. Da der Autor durch das V. leicht materielle und immaterielle Verluste (Schmälerung des Honorars bzw. der Schriftstellerehre) erleidet, ist ihm vor dem V. Gelegenheit zum Rückkauf des Auflagenrests zum niedrigsten Buchhändlernettopreis oder zum Preisangebot des Großantiquariats zu geben. Beim V. erlischt der Verlagsvertrag.

Verriß, niederschmetternde, denkbar negative →Kritik e. Werkes in e. →Rezension.

Vers (lat. *versus* = Umwendung, bes. des Pfluges, daher: Furche, Reihe, seit dem 17. Jh. dt. als Ersatz des mhd. *rîm* = →Reim; griech. →*stichos*), metrisch gegliederte und durch den →Rhythmus zur in sich geschlossenen Einheit durchgeformte Wortreihe als auch zeitl., durch e. Pause am V.-ende gekennzeichnete Ordnungseinheit innerhalb des Gedichts, die nach korrespondierender, regelmäßiger Wiederholung mit gleichen charakterist. Merkmalen verlangt: die einzelne, gleich- oder andersartig wiederholte Zeile der gebundenen Rede. Die in der Umgangssprache z. T. übl. Verwendung von V. = →Strophe, also e. bestimmte Abfolge von Versen, ist ungenau und falsch; sie erklärt sich aus dem Gebrauch der Kirchensprache, wo V. oder Versikel (v. lat. *versiculus* = Verslein) seit LUTHER den Absatz e. Kapitels in den bibl. Schriften (urspr. seit der Benediktinerregel der poet. *Psalmen,* dann auch der Prosateile) bezeichnet, da diese bei Versifizierung jeweils eine Strophe ergaben. Als nur klanglich (metrisch-rhythmisch), nicht inhaltlich geformter Teil der gebundenen Rede braucht der V. keine Rücksicht auf Gliederung und Sinn des Satzes zu nehmen, der auch von einem V. auf den folgenden übergehen kann. Man spricht in diesem Fall von V.-brechung oder V.-sprung, →Enjambement, beim Zusammenfall von V.- und Satzschluß von →Zeilenstil. Das V.-maß ist nur das mechan.-abstrakte Schema, das erst die Sprache mit lebendigem Rhythmus erfüllt, und aus dem Zusammenstoß beider in immer unterschiedl. Variationen ergibt sich die innere Spannung des V. oder V.rhythmus. Andererseits kann das Streben nach genauer Erfüllung des Metrums zu gesuchten Formulierungen führen: V.-zwang (→Reimzwang). Der einzelne V. wurde vom Dichter urspr. als rhythm. Erlebnis konzipiert, als Ganzheit, nicht als Zusammengesetztes, und ist stets im Einzelfall nach seinem Kunstwert zu bestimmen; erst wiederholter Gebrauch, z. B. in der 2. oder 3. Zeile bzw. Strophe, schafft V.-typen, doch erst später wurde er künstlich in seine Elemente zerlegt und besteht nach der Lehre der antiken Metrik aus mehreren gleichen oder ungleichen, nach ihrer Quantität gemessenen V.-füßen (→Metrum 2) wie Jambus, Trochäus, Daktylus, Anapäst, Spondeus usw., deren Art das V.-maß oder →Metrum (1) bestimmt und nach deren Anzahl der V. als Monometer, Dimeter, Trimeter, Tetrameter, Pentameter oder Hexameter bezeichnet wird. Nach der dt. Metrik umfaßt er e. Reihe von meist alternierenden Hebungen und Senkungen und wird nach der Silbenzahl als Dreisilber, Viersilber usw. bezeichnet. Nach der Taktlehre umfaßt er e. Reihe von →Takten mit je einer →Hebung, deren Zahl gleichbleibend oder wechselnd ist und ebenfalls der Bz. Dreitakter (besser: Dreiheber), Viertakter usw. zugrundeliegt (s. auch →Kurz- und →Langvers). Die andersartige Gliederung beruht auf dem Unterschied des V.-baus nach →akzentuierender, →alternierender und →quantierender Dichtung. Im V.-anfang ist →Auftakt möglich, im V.-inneren Gliederung durch Binnenpausen wie →Zäsur oder →Diärese, die nicht mit der Taktgrenze zusammenzufallen brauchen und den V. in z. T. ungleiche Abschnitte (→Kolon) zerlegen. Hinsichtlich des V.-schlusses, d. h. der Gestalt des letzten Fußes oder Taktes, unterscheidet man in antiker Dichtung →akatalektische, →katalektische, →brachykatalektische und →hyperkatalektische V.e, in dt. Dichtung volle, klingende und stumpfe (oder männliche und weibliche) →Kadenz. Die V.-bindung besteht allein in der rhythm. Gliederung der Sprache durch Wiederkehr der hervorgehobenen (betonten oder langen) Silben in annähernd gleichen Abständen, in harmon. Verteilung und Abstimmung der hervorgehobenen Silben (Haupt- und Nebenhebungen) und in der Korrespondenz der rhythm. Reihen (→Kolon), die sie von der gewöhnl. Sprache der →Prosa oder ungebundenen Rede unterscheiden; als V.-schmuck oder V.-verzierung können ferner End→reim, →Assonanz oder →Alliteration hinzutreten, die jedoch nicht unbedingt zum Wesen des V. gehören. Von Wortfüllung und Sinngehalt abhängig ist die ständig variierende V.-melodie (→Sprachmelodie). Die Verbindung mehrerer Verse zur nächsthöheren Einheit der →Strophe erfolgt in antiker Dichtung durch bes. rhythm. Gliederung, in reimender Dichtung daneben meist durch den Reim; die einfachste Form bildet hierbei das V.-paar oder →Reimpaar als Verbindung von zwei V.en durch Endreim; die komplizierteren Strophen weisen große Mannigfaltigkeit auf. – In der Lyrik ist der V. auch in →Freien Rhythmen und →Freien Versen selbstverständliche Voraussetzung (vgl. aber →Prosalyrik), doch auch die anderen Gattungen können als V.-dichtungen von erhöhter Sprachgebung und stimmungssteigernder Kraft erscheinen; in der Epik das V.-epos, die →V.-novelle und die →V.-erzählung (V.-schwank, -fabel, -legende usw.), im Drama das →V.-drama, das nach der seit dem 19. Jh. herrschenden Prosaform in der Gegenwart erneuert wird; selbst in Prosa (Roman, Erzählung) erscheinen schon seit dem 17. Jh. und bes. in der Romantik (TIECK, BRENTANO, EICHENDORFF, bes. im Märchen) V.-einlagen, die den ganzen Stimmungsgehalt einzelner Szenen selbständig zum Ausdruck bringen. Über V.-lehre, -kunst, -geschichte und -wissenschaft →Metrik.

Lit. →Metrik, →Rhythmus.

Versalien, nach ihrer Verwendung bei Versanfängen Bz. für die großen Anfangsbuchstaben oder →Majuskeln im Ggs. zu den →Minuskeln.

Versandbuchhandel →Buchhandel

Versatzstücke, in der Bühnen→dekoration die außer den vom Schnürboden herabgelassenen Hängestükken (Kulissen und Soffitten) zur Ausstattung des Schauplatzes verwendeten bewegl. Dekorationsteile wie Bäume, Felsen, Treppen, Geländer, Brunnen, Möbel u. ä.

Versausgang →Kadenz

Vers blancs (franz. = weiße Verse), franz. Bz. für 1. reimlose Verse, 2. →Blankvers.

Versbrechung = →Enjambement; vgl. auch →Reimbrechung.

Verschleifung, Bz. K. LACHMANNS für die metr. Erscheinung bei der Füllung eines Metrums mit kurzer Starktonsilbe, die nicht mehr als eine More einnehmen darf; Silbengruppen von der Qualität $\smile\smile$ geben daher auf zwei Moren verteilt x́ $\smile$ $\smile$, Silbengruppen von der Qualität $\smile$ $\smile$ aber $\smile$ x. (V. auf Hebung bzw. in Senkung).

Verschränkter Reim, die Reimstellung dreier (oder mehr) voneinander durchkreuzter Reime: abc abc oder abc bac; erweiterter →Kreuzreim; dt. seit 12. Jh.

Vers commun (franz. = gewöhnlicher Vers), gereimter jamb. (alternierender) Zehnsilber mit männl. oder Elfsilber mit weibl. Ausgang und anfangs fester Zäsur nach der 4. Silbe (2. Hebung), dadurch auf die Dauer etwas monoton: ›So laß den Leib, in dem du bist gefangen‹ (OPITZ); in Frankreich im 12./13. Jh. neben dem →Alexandriner beliebtester Vers in Heldenepos und höf. Lyrik, im 16./17. Jh. durch den Alexandriner verdrängt, verwandt dem ital. →Endecasillabo; in Dtl. von OPITZ empfohlen und im Frühbarock viel verwendet, im 18. Jh. ebenfalls vom Alexandriner verdrängt, später freier fortgeführt im →Blankvers.

Vers de Société (franz. = Gesellschaftsverse), leichte, graziöse →Gesellschaftslieder und Gedichte, die in witzig-satirisch-eleganter Form Themen aus dem Leben und den Belangen der oberen Gesellschaft behandeln, oft in Form von Villanelle, Rondeau u. ä.

Versdrama, seit Eindringen der Prosaform in die dramat. Dichtung im 18. und bes. 19. Jh. Bz. für die betont in metrisch gebundener Sprache geschriebenen Dramen, die nach der Überwindung des naturalist. Milieudramas im 20. Jh. im Zuge e. Intensivierung und Poetisierung des Ausdrucks wieder größeren Aufschwung nahmen, z.B. bei d'ANNUNZIO, MAETERLINCK, HOFMANNSTHAL, G. HAUPTMANN, WERFEL, YEATS, AUDEN, ELIOT, CUMMINGS, POUND, FRY, MACLEISH.

P. Thouless, *Modern Poetic Drama,* Oxf. 1934; R. Peacock, *The Poet in the Theatre,* Lond. 1946; D. Donoghue, *The Third Voice,* Princeton 1959, ²1966; A. P. Hinchliffe, *Mod. poetic drama,* Lond. 1977; R. Eichler, *Poetic drama,* 1977; G. Leeming, *Poetic drama,* Lond. 1988.

Verseinlage →Vers

Versenkung, Theatermaschinerie unterhalb der Bühne, mit deren Hilfe Personen oder Gegenstände durch e. Ausschnitt des Bühnenbodens verschwinden oder auftauchen können.

Versepos, Versepik →Epos

Verserzählung, poet. Erzählung, im weiteren Sinn allg. Sammelbz. für alle Formen kürzerer ep. Versdichtung im Unterschied zum →Versepos bzw. →Epos, die ihren poet. Kunstanspruch auch in mod. Zeit durch die Versform im Ggs. zur vulgär empfundenen Prosa dokumentieren, so das antike →Epyllion, das altgerman. →Heldenlied, die ma. und mod. →Versnovelle als aufbaumäßige Sonderform der V., ferner →Märe, →Fabliaux und →Lais sowie Verslegenden, Balladen, Romanzen und ballad. Erzählgedichte des SpätMA., V.en von H. SACHS, Fabel (LA FONTAINE, GELLERT, RAMLER) und Idylle (VOSS, GOETHE) des 18. Jh., Kleinepik des Rokoko (GELLERT, GLEIM) und die moral. und kom. V.en WIELANDS, bes. *Oberon.* Im engeren Sinn e. gattungsmäßig nicht genauer einzugrenzende poet. Symboldichtung in Versen bes. zur Zeit der Romantik und vorwiegend in England (SCOTT, CRABBE, WORDSWORTH, SHELLEY, SOUTHEY, KEATS, BYRON, fortwirkend bei MACAULEY, TENNYSON, BROWNING, M. ARNOLD, MORRIS und SWINBURNE) mit Wirkung auf das russ. romant. ›Poem‹ (PUŠKIN, LERMONTOV) und ähnl. Formen in Frankreich (MUSSET, HUGO, LAMARTINE), Portugal (ALMEIDA GARRETT) und Ungarn (PETÖFI) sowie die dt. →Versnovelle des Biedermeier und 19. Jh.

W. Kurz, Formen d. Versepik i. Biedermeier, Diss. Tüb. 1955; H. Fischer, D.

romant. V. i. Engl., 1964; E. Högemann-Ledwohn, Stud. z. Gesch. d. russ. V. i. d. 2. H. d. 19. Jh., 1973; RL²; Die Märe, hg. K.-H. Schirmer 1983.

Verset (franz. = Bibelvers), langer reimloser, rhythm. →Freier Vers, dessen expirator. Einheit die Dauer e. Atemzuges darstellt; von P. CLAUDEL benutzt und auch theoretisch begründet, ferner bei ARAGON, PÉGUY, SAINT-JOHN PERSE.

Versetzstücke →Versatzstücke

Versfüllung, die Verteilung des Silbenmaterials auf den metr. Rahmen mit gebundener oder ungebundener Silbenzahl, fester oder freier Senkungszahl.

Versfuß →Metrum

Versgeschichte →Metrik

Versifex (lat. = Versemacher), Reimeschmied

Versifikation (lat. *versus* = Vers, *facere* = machen), 1. Versbildung, Versemachen. – 2. die Lehre davon: Metrik und Prosodie. – 3. Umformung von Prosa in Verse.

Versikel →Vers

Versi liberi (ital. = freie Verse), in Italien im 18. Jh. Bz. der ungereimten Blankverse, versi →sciolti, im 19. Jh. nach Vorbild der franz. ›vers libres‹ der gereimten oder ungereimten ›Freien Verse, z.B. bei E. THONEZ, G. D'ANNUNZIO, D. GNOLI.

Version (lat. *versio* = Wendung), 1. →Lesart, Variante, 2. →Fassung e. Textes, 3. andere sprachl. Formulierung desselben Sachverhalts, 4. →Übersetzung, z.B. →Interlinearversion.

Versi sciolti →Sciolti

Verskunst, Verslehre →Metrik

Vers libérés (franz. = befreite Verse), von P. VERLAINE propagierte Form des prosodisch (hinsichtl. Hiat, Zäsur, Reim und stummem ›e‹) freier behandelten Verses mit vorzugsweise ungerader Silbenzahl; erstrebt musikal. Ausdruckssteigerung.

Vers libres →Freie Verse

Versmaß →Metrum

Vers mêlés (franz. = gemischte Verse) = →Freie Verse (1).

Versnovelle, Novelle in Versform bzw. →Verserzählung mehr novellist. Aufbaus. Zunächst im MA., das für dichter. Werke nur die Versform kennt, alle kleineren ep. Werke von novellist. Inhalt von HARTMANNS VON AUE *Armen Heinrich* bis zu WERNHERS *Meier Helmbrecht* und dem STRICKER, von der franz.-provenzal. V. bis zu CHAUCER. Nach Einbürgerung der Prosaform für die Erzählkunst zur selbständigen Gattung geworden: kleinep. Erzählform von bewußt gepflegter Verskunst etwa im Klassizismus (LA FONTAINE, SCHILLER, VOSS, LANGBEIN) und Rokoko (WIELAND), in der idyllenhaften V. der Anakreontik (HAGEDORN, GELLERT) und im Biedermeier (IMMERMANN, LENAU, DROSTE, MÖRIKE, E. SCHULZE) sowie bei HEINE, dann im 19. Jh. bevorzugte kleinep. Form aller Gegenströmungen des Realismus z.B. bei HEYSE, SCHEFFEL, ROQUETTE, SCHÖNAICH-CAROLATH, LILIENCRON, SPITTELER u.a.; an der Grenze zum Versepos C. F. MEYERS *Huttens letzte Tage* (1871).
A. Fresenius, D. Verserz. d. 18. Jh., Euph. 28, 1921; H. Weisser, D. dt. Nov. im MA., 1926; E. Müller, D. altprovenzal. V., 1930; E. Stutz, Frühe dt. Novellenkunst, Diss. Hdlbg. 1950; H. Lang, Z. Entw. d. mhd. V., Diss. Mchn. 1951; K.-H. Schirmer, Stil- u. Motivunters. z. mhd. V., 1968. →Verserzählung.

Verso (lat.), im Ggs. zu →Recto die Rückseite e. Blattes in ma. Handschriften.

Verso piano (ital. = glatter, ebener Vers), in ital. Metrik der ubl. fünfhebige Vers mit weibl. Versschluß, bes. →Endecasillabo.

Verso sdrucciolo →Sdruccioli

Verso tronco (ital. = abgebrochener Vers), in ital. Metrik ein Vers mit männl. Versschluß, meist e. um die letzte Senkung gekürzter →Endecasillabo.

Versroman →Roman, bes. →höfisches Epos.

Verssatire →Satire

Versschluß →Kadenz

Verssprung = →Enjambement

Versuch →Essay

Versus →Vers

Versus leonini →Leoninische Verse

Versus memoriales (lat. =) Gedächtnisverse, →Denkverse.

Versus politicus →politischer Vers

Versus quadratus →Septenar

Versus rapportati (lat. = zurückgetragene, d.h. rückbezogene Verse), e. aus der Spätantike stammende, im provenzal. MA., lat. Renaissancelyrik und dann im Barock bes. beliebte Gattung sprachspieler. Gedichte mit mehreren asyndetischen, verschränkten Aufzählungen, in denen die meist in der Dreizahl vorhandenen Nomina, Verba, Adjektive, adverbiellen Bestimmungen usw. erst durch Auflösung der Verskombination in ihrer Zugehörigkeit zueinander erkannt werden

können, während die hörbare Satzgestalt zu falscher Vorstellung verführt (›Verführungsgedicht‹), zurücktritt und erst für das Auge abgewickelt werden muß: ›Die Sonn', der Pfeil, der Wind, verbrennt, verwundt, weht hin / mit Feuer, Schärfe, Sturm, mein' Augen, Herze, Sinn‹ (OPITZ) ist aufzulösen: Die Sonn' verbrennt mit Feuer mein' Augen usw.
H. Zeman, D. v. r. i. d. dt. Lit. d. 16. u. 17. Jh. (Arcadia 9, 1974).

Versus rhopalici (griech. *rhopalon* = Keule) →Keulenverse

Versus saturnius →Saturnier

Versus spondiacus →Spondiacus

Verszwang →Vers, →Reimzwang

Vertonung →Lied, →Ballade

Vertrauter →Confident

Verwandlungsstück →Ausstattungsstück

Verwertungsgesellschaften, Organisationen zur Wahrnehmung individuell schwer erfaßbarer schriftsteller. Nutzungs- und Nebenrechte, z.B. aus Tonbandaufnahmen und -wiedergaben, Bibliotheksabgaben, Schulbuchhonoraren u.ä., z.B. die V. Wort (gegr. 1958 in München).

Verwicklung →Epitasis

Verwünschungsliteratur →Arai, →Dirae

Victorianer, Victorians, Sammelbz. für die engl. Dichter und Schriftsteller während der Regierungszeit der Königin VICTORIA (1837–1901).

Vida (provenzal. = Leben) →Vita, insbes. (oft sagenhafter) Prosa-Lebenslauf e. Troubadours in den

Sammelhss. und Liedersammlungen.

Vidûshaka, die kom. Person im ind. Drama: dickbäuchiger, buckliger, kahlköpfiger, gefräßiger, furchtsam-prahlerischer und tölpelhafter Brahmane, doch verläßl. Freund und Retter des Helden.

J. Huizinga, *De V.,* Groningen 1897; G. K. Bhat, *The V.,* Ahmedabad 1959; F. B. J. Kuiper, *Varuna and V.,* Amsterd. 1979.

Vielgestaltigkeit des Versmaßes, die Möglichkeit der Anwendung versch. Versmaße auf e. Vers.

Vierheber, Vers mit vier Hebungen bzw. Takten, entweder alternierend oder mit freier Senkungsfüllung, mit oder ohne Auftakt und z.T. festgelegter Kadenz, geläufigster Grundvers der akzentuierenden Volks- und Kunstdichtung.

Vierte Wand, im Theater die durch das Bühnenportal offene, imaginäre Wand der Bühne zum Zuschauerraum; sollte im Naturalismus wie e. V. W. behandelt werden: kein Spielen ins Publikum, z.T. mit dem Rücken zum Publikum.

Vierzeiler, vierzeilige isometr. (meist Vierheber) oder heterometr. (meist Vier- und Dreiheber), meist gereimte Strophe mit umarmeden (abba), Paar- (aabb) oder Kreuzreim (abab) oder als Langzeilenpaar mit Waisenanvers (xaya) in beliebiger Verwendung von männl. oder weibl. Reim, meist als eigenes Gedicht in Volksdichtung, Schnadahüpfel, Spruch, Rätsel u..ä., doch auch als Strophe im Epos (→Nibelungenstrophe), im Kirchen- und →Volkslied (→Chevy-Chase-Strophe), ferner in volkstüml. Lyrik bei GOETHE, z.B. im *Erlkönig,* EICHENDORFF, UHLAND, HEINE u.a.m. – →Rubâi, →Quatrain, →Quartett, →Glosse (2).

Vignette (franz. = Weinranke), 1. nach der urspr., seit dem 15. Jh., verwendeten Form Bz. für Buchverzierungen durch kleine ornamentale oder allegor. Bildchen u.ä. Illustrationen am Anfang (Titelseite) und Ende e. Buches, nach einzelnen Abschnitten oder bei den Anfangsbuchstaben, beliebt im 17.–19. Jh. – 2. übertragen auf die Lit.: bes. gelungener, kunstfertiger, präziser kurzer Prosatext oder in sich geschlossene kurze Beschreibung innerhalb e. größeren Kontexts.

Villancico (v. span. *villano* = dörflich), Form des span. Volkslieds mit einem 2–4 Verse umfassenden Kehrreim (Estribillo) am Anfang, der nach jeder Strophe und am Schluß (als Vuelta oder Tornada) wiederholt wird, und mehreren das Thema variierenden Strophen meist von 4–6 Versen zu je – innerhalb desselben V. wechselnd – 4–12 Silben, doch meist Achtsilbern. Ab Ende 15. Jh. in die Kunstdichtung übernommen (Juan DEL ENCINA, Lope de VEGA). Auch mehrteilige Form des span. Kirchenlieds, bei dem ein mehrchöriger Chorsatz (Estribillo) einen oder mehrere Sologesänge (Coplas) einschließt. Häufige Verwendung im Auto sacramental und in Weihnachtsliedern.

V. Ripollés, *El v. y la cantata del siglo XVIII,* Barcelona 1935; M. P. Saint-Amour, *A Study of the V. up to Lope de Vega,* Wash., 1940, n. 1969; P. Le Gentil, *Le virelai et le v.,* Paris 1954; A. Sánchez Romeralo, *El v.,* Madrid 1969.

Villanelle (v. lat. *villanus* = ländlich), urspr. ital. Hirten- und Bauernlied als einfaches, homophones Gesangstück im Ggs. zum höf. Madrigal. Im 15. Jh. ist nur der ländl. Inhalt kennzeichnend, die Strophenzahl und -form schwankend, meist vier Strophen zu acht Zeilen (meist Sieben- oder Elfsilber,

Reimfolge ab ab ab cc), von denen die letzte oder die beiden letzten ab 16. Jh. als Kehrreim wiederholt erscheinen. In dieser Form in Frankreich seit dem 16. Jh. in die Hirtendichtung eingeführt: Grévin, d'Urfé, Du Bellay, Desportes, von Jean Passerat zur festen Form durchgestaltet, die Richelet durchsetzt: fünf dreizeilige Strophen nach dem Reimschema aba, die abwechselnd als Refrain die 1. oder 3. Zeile des 1. Terzetts in der Schlußzeile wiederholen und mit e. vierzeiligen Strophe schließen, die beide Kehrreimzeilen als Schlußzeilen enthält: AbA' abA abA' abA abA' abAA'. Seit J. Regnart 1574 in dt. Dichtung; in Frankreich noch bei Leconte de Lisle, in England bei A. Lang, O. Wilde, W. E. Henley, E. A. Robinson, W. H. Auden und Dylan Thomas.

H. Engel, Madrigal u. V. (Neuphilol. Zs. 3, 1932); W. Scheer, D. Frühgesch. d. ital. V., Diss. Köln 1936; B. M. Galanti, Le v., Florenz 1954.

Villanęsca (v. span. *villano* = dörflich), allg. span. Bauernlied des MA., dann insbes. Tanzlied volkstüml. Inhalts mit Kehrreim nach jeder Strophe.

Villọtta, kurzes ital. Volks- und Tanzlied im Stil des →Strambotto oder in vierzeiligen Achtsilber-Strophen mit Kreuzreim. Vorwiegend musikal. Form für 3–4 Stimmen, wohl zu Anfang des 14. Jh. aus der →Frottola entstanden und im 15.–16. Jh. hauptsächlich in Venetien, aber auch Neapel verbreitet. Als lyrische Kunstform u. a. von S. Ferrari gepflegt.

K. Somborn, D. venezian. Volkslied, 1901.

Virelại (nach dem Lautkehrreim e. Tanzliedes in Assoziation zu *lai*), aus dem volkstüml. Tanzlied entwickelte franz. Gedichtform in Stro-

phen mit kunstvoll angeordnetem Refrain und insgesamt meist nur zwei Reimklängen. Beginnt mit e. Refrain aus 2–4, später einer Zeile, dann (meist drei) vierzeilige Strophen, die mit der Melodie des Refrains ausklingen und diesen oder e. Teil davon anschließen lassen (Schema: AB ccab A[B], bei 4zeil. Refrain und 8zeil. Strophe: ABBA cd cd abba ABBA). Seit dem 13. Jh. (Guillaume de Machaut, J. Froissart, Christine de Pisan) und bes. im 15. und 17. Jh. (Deschamps u. a.) beliebt, je nach Kunstfertigkeit strenger oder lockerer komponiert, zeitweilig auch chanson baladée genannt.

E. Heldt, Frz. V.s a. d. 15. Jh., 1916; M. Francon, On the nature of the v. (Symposium 9, 1955); P. Le Gentil, Le v. et le villancico, 1954; F. Gennrich, D. altfrz. Rondeau u. V. i. 12. u. 13. Jh., 1963.

Vịsa (altnord., Mz. *visur*), die Halbzeile im altnord. Alliterationsvers der *Edda*.

Vision (lat. *visio* = Anblick, Erscheinung), im psycholog. Sinne Halluzination, durch psych. Krisen und Konflikte ausgelöste Angst- und Wunschprojektion; im künstler. Sinne geistige Schau, Vorstellung, inneres Gesicht von nicht existenten Bildern oder Vorgängen, das im Dichter auftaucht und den Ausgangspunkt des späteren künstler. Gebildes darstellt, das selbst wiederum nie ganz an die V. heranreicht und sie vollkommen ausdrückt, jedoch manchem Kunstwerk zugrundeliegt und sich im Aufnehmenden wiederherzustellen trachtet, wenn auch meist in verwandelter, dem Empfinden des Lesers anverwandter Form. – Daneben erscheint die V. neben der →Traumdichtung als beliebte konkret-allegor. Einkleidungsform e. Dichtung bes. im MA.: von den V.en Otlohs, Gottschalks, Thurkills,

TNUGDALS und OWEINS über DAN-
TES *Divina Commedia,* den *Piers
the Plowman's Vision* von W.
LANGLAND (um 1330) und die V.en
der dt. Frauenmystik (HILDEGARD
VON BINGEN, MECHTHILD VON
MAGDEBURG, HADEWIJCH u.a.),
BUNYAN und MILTON bis zu den
Traumgesichten von GUEVARA,
MOSCHEROSCH u.a.m.

M. Voigt, Beitr. z. V.-lit. i. MA., 1924, n.
1967; W. Schmitz, Traum u. V. i. d. erz.
Dichtg. d. dt. MA., 1934; J. Benziger,
Images of Eternity, Carbondale 1962; P.
M. Spacks, *The poetry of v.,* Cambr./
Mass. 1966; H. J. Kamphausen, Traum
u. V. i. d. lat. Poesie d. Karolingerzeit,
1975; P. Dinzelbacher, D. V.n d. MA.
(Zs. f. Rel.- u. Geistesgesch. 30, 1978);
ders., V. u. V.slit. i. MA., 1981; S. Ringler, Viten u. Offenbargslit. i. Frauenklöstern, 1980; M. Aubrun, *Caractères et
portée rel. et soc. des v.s (Cahiers de
civilis. médiévale* 23, 1980); L. Braswell,
The visionary voyage (Mosaic 14, 1981);
F. S. Smith, *Secular and sacred v.aries in
the late M.A.,* N.Y. 1984; R. M. Torrance, *Ideal and spleen,* N.Y. 1987; H. Rök-
kelein, Otloh, Gottschalk, Tnugdal,
1987.

Visuelle Poesie, Sprachwerk, bei
dem Textinhalt und visuelles Text-
bild zusammenwirken, dessen Effekt nicht auf dem Sinn und Klang,
sondern auf der opt., graph.-typo-
graph. Wirkung beruht. Vorgeprägt
in barocker →Bilderlyrik und typograph. Experimenten bei G. APOL-
LINAIRE *(Calligrammes),* St. MAL-
LARMÉ *(Un coup de dés),* im ital.
Futurismus (F. T. MARINETTI) und
im Dadaismus (R. HAUSMANN), bei
K. SCHWITTERS und Ch. MORGEN-
STERN *(Fisches Nachtgesang),* entsteht in den 60/70er Jahren des 20.
Jh. in Nähe zur →konkreten Poesie
das visuelle ›Simultangedicht‹, dessen Wirkung sich nicht im sukzessi-
ven Lesevorgang des Textes erschließt, sondern im räuml. Sehbild,
der ›Textur‹, der ›Konfiguration‹,
dem Gewebe von Buchstaben, Wörtern und Wortgruppen zugleich da
ist, wenn auch teils bewußt unles-

bar: intelligente, reizvolle Spielerei-
en mit Wörtern und Buchstaben als
bildner. Material, mehr Graphik als
Lit. Hauptvertreter: F. KRIWET, H.
HEISSENBÜTTEL, E. GOMRINGER, F.
MON, O. WIENER, R. DÖHL, T.
ULRICHS, D. ROT, D. SPOERRI, C.
BREMER, H. GAPPMAYR und die
→Wiener Gruppe (G. RÜHM, F.
ACHLEITNER), im Ausland J. KO-
LÁR, U. CARRÀ, C. BELLOLI, E.
BRAGA u.a.

H. Heissenbüttel, Üb. Lit., 1966, ²1970;
H. Gappmayr, Theorie vis. Dichtg. (An-
stöße 17, 1970); S. J. Schmidt, V. P. u.
konkrete Dichtg. (ebda.); A. Massin,
Buchstabenbilder u. Bildalphabete, 1971;
P. Weiermair, Z. Gesch. d. v. P. (Konkrete
Dichtg., hg. S. J. Schmidt 1972); K. P.
Dencker, Textbilder, 1972; U. Ernst, D.
Entw. d. opt. Poesie, GRM 26, 1976; C.
A. Taylor, *The poetics of seeing,* N.Y.
1984; W. Bohn, *The aesthetics of v. p.,*
Cambr. 1986; J. Adler u.a., Text als Fi-
gur, 1987; D. Scott, *Poetry and the v. arts
in 19. cent. France,* Cambr. 1987.

Vita (lat. = Leben, Mz. dt. Viten),
Lebensbeschreibung, bes. bekannter
Persönlichkeiten aus Geschichte,
Dichtung, Kunst und Philosophie
aufgrund e. festen, bes. von ARI-
STOXENOS (4. Jh. v.Chr.) ausgebil-
deten Gliederungsschemas nach Tu-
genden u.a. Titel der antiken →Bio-
graphien (C. NEPOS, PLUTARCH,
SUETON u.a.); als Gattung bis aufs
MA. (EINHARD, *V. Caroli Magni*)
und die Neuzeit (VASARI, Künstler-
V.) nachwirkend. Bei Heiligen- u.
Märtyrer-V. Nähe zur →Legende.

W. Brüggemann, Unters. z. V.-Lit. d. Karolingerzeit, Diss. Münst. 1957; S. Ringler, Viten- u. Offenbarungslit. i. Frauenklöstern d. MA., 1980. →Biographie.

Vithis, humorist. Einakter der ind.
Lit. für 2–3 Schauspieler mit vorwiegend erot. Inhalt.

Vocalis ante vocalem corripitur,
bes. in griech. Hexameterdichtung
gültiges Gesetz, nach dem in der
Wortfuge auslautender Langvokal
oder Diphthong gekürzt wird, wenn

das folgende Wort vokalisch anlautet. →Hiat.

Völkisch-nationale Literatur
→Nationalsozialismus

Vokabular(ium) (lat. *vocabulum* = Benennung), →Wörterbuch, -verzeichnis, z.B. der *Vocabularius St. Galli* (um 775).

Vokalischer Halbreim →Doppelreim

Vokalspiel, in endreimender Dichtung der Ausgang aller Strophen auf denselben Vokal oder jeder Strophe auf e. anderen (1.: a, 2.: e, 3.: i usw.), z.B. WALTHER VON DER VOGELWEIDE, 75, 25 ff.

Vokalverschleifung →Synizese

Volksausgabe, durch sparsamere Ausstattung (Papier, Einband) und bes. hohe Auflage gegenüber e. früheren Auflage verbilligte Ausgabe e. schon erschienenen Werkes, im allg. mit ungekürztem Text.

Volksballade, die im 13./15. Jh. als endreimende Weiterbildung der german. Heldenlieder neben dem Heldenepos und mit Einwirkung auf diese (*Kudrun* – V. von der Meererin) entstandenen kurzen stroph. Erzähllieder meist um sagenhafte oder histor. Persönlichkeiten. Ihre Stoffe entstammen neben dem Heldenlied (*Jüngeres Hildebrandslied* aus dem älteren) und dem nachwalthersehen Minnesang auch der Volkssage, dem Volksmärchen, histor. Ereignissen und novellist. Erzählgut, doch stets mit phantasievoller Lockerung des Geschehens, Fortstreben von der Orts-, Zeit- und Personenfestlegung, das Hauptmotiv z.T. durch Nebenmotive erweitert und schließlich in die Ausgangssituation mündend. Die V. lebt nicht mehr von der Gestalt des Helden selbst, von Ehre und trag. Schicksalskampf, sondern zeigt gänzlich unheld., fast bürgerlich-familienhafte und z.T. rührende Haltung: Liebe und Leidenschaft dienen der Spannung des Geschehens, das die Neugier der Hörer reizte und später zur Unterhaltungslit. absank. Typ. Motive sind Abschied (*Tannhäuser*), Wiedersehen (*Moringer, Liebesprobe*), Losbitten e. Gefangenen (*Schloß in Österreich, Herr von Falkenstein*), Tod des Geliebten (*Bremberger*), Treue und Untreue (*Frau von Weißenburg, Falsche Liebe*), Verbrechen und Blutrache, seltener myth. Vorstellungen (*Wassermann*). Die V. entwickelt sich trotz ihrer Herkunft aus höheren Schichten nur auf nichtlit. Wege weiter. Formale Kennzeichen sind sprunghafte, verkürzende Erzählweise, wirkungsvolles Halbdunkel des Stils, häufige Verwendung des Dialogs, typisierende Menschenschilderung, formelhafte Gebärden und ständige Wiederholungen bis zur Wiederaufnahme ganzer Verse. Die V. ist keine Gemeinschaftsdichtung primitiver Art; die Verfasser sind anonyme Fahrende und Spielleute, kein Kollektiv; der Anteil des Volkes ist die mündl. Überlieferung und Veränderung, das ›Zersingen‹ zum typ. V.-Stil durch Verstärkung vorhandener Züge in niederen Schichten, die seit dem 13. Jh. die anfangs ritterl. Kreise als Publikum überwiegen. Die Volksüberlieferung verkümmert in der Zeit vom Humanismus zur Aufklärung, bis in England PERCY, in Dtl. HERDER, GOETHE und die Romantiker zur Slg. der V.n schreiten; noch rd. 250 V.n sind erhalten. →Ballade, →Folkeviser.

F. B. Gummere, *The popular ballad*, N.Y. 1907, ²1959; H. Schneider, Ursprung u. Alter d. dt. V. (Fs. G. Ehrismann, 1925);

RL; Chr. Richter, D. Fortleben d. ritterl. Kultur i. d. dt. V., Diss. Bonn 1942; G. H. Gerould, *The ballad of tradition,* N.Y. ²1957; M. Engelke, Strukturen dt. V.n, Diss. Hbg. 1961; L. Vargyas, *Research into the ma. hist. of folk ballad,* Budapest 1967; D. Buchan, *The ballad and the folk,* Lond. 1972; E. Seemann, D. europ. V. (Hb. d. Volksliedes I, 1973); H. Rosenfeld, Heldenballade (ebda.); Probleme d. V.-forschung, hg. E. Pflüger-Bouillon 1975; O. Holzapfel, *The European medieval ballad,* Odense 1978; ders., *Het Balladeske,* ebd. 1980; RL². →Ballade, →Volkslied.

Volksbuch, von J. GÖRRES 1807 geprägte Bz. für die frühnhd. Prosa-Auflösungen und -nacherzählungen ep. Dichtungen versch. Herkunft in Buchform im 15./16. Jh., in denen die Romantik den Ausdruck e. Volksgeistes zu erkennen glaubte – in Wirklichkeit entstammen sie einzelnen, selbst z. T. bekannten Verfassern (Rittern, Bürgern, bes. Gelehrten und anfangs auch Frauen), waren urspr. nach Ausstattung wie Formgebung durchaus für die adlige und bürgerl. Oberschicht bestimmt und sanken erst um Mitte des 16. Jh. mit Einsetzen der billigen, anonymen Massenproduktion, zunehmender Vernachlässigung des Druckes und der Illustration sowie inhaltl. Veränderungen in immer neuen Wandlungen als Konzessionen an den tieferen Geschmack breiter Leserschichten aus der hohen Stufe der Dichtung und Bildung zum eigtl. V. (Befriedigung des Stoffhungers) für die Unterschichten ab, nachdem das Interesse der höheren Kreise sich den Amadisromanen zugewandt hatte. Die Entwicklung der V.er wurde begünstigt durch den Aufschwung der soeben erfundenen Buchdruckerkunst und damit die Ablösung des Hörerpublikums durch e. selbständiges Lesepublikum, wie es sich zuerst in Frankreich entwickelte; die Verbreitung, im 15./16. Jh. rd. 75 Titel in rd. 750 Ausgaben, dauert fort bis in das 19.

Jh., im 18. Jh. um *Münchhausen* u. ä. vermehrt. Ihre Stoffe meist geschichtl., naturkundl. und bes. erzählender Art entnahmen die V.er verschiedensten Quellen: 1. den mhd. höf. Epen: *Tristan* 1484 nach EILHART VON OBERGE, *Wilhelm von Österreich, Wigalois* 1493, *Herzog Ernst* 1493, 2. dem dt. Heldenepos: *Der Gehörnte Siegfried* 1528, 3. den franz. höf. Epen und Chansons de geste, die schon dort z. T. als Prosaromane aufgelöst vorlagen: die V.-Übersetzungen der Gräfin ELISABETH VON NASSAU-SAARBRÜCKEN (*Herpin, Loher und Maller, Hug Schapler* 1430–40) und der ELEONORE VON ÖSTERREICH (*Pontus und Sidonia* 1456), ferner *Fierabras, Kaiser Octavianus* 1535, *Flor und Blancheflor* 1500, *Olivier und Artus, Die Haimonskinder* 1604, *Valentin und Orso, Lanzelot* u. a., 4. den roman. Liebesromanen und Novellen: THÜRING VON RINGOLTINGENS *Melusine* 1456, Veit WARBECKS *Die schöne Magelone* 1527, *Griseldis* 1436, *Genoveva* 1640, 5. den lat. Heiligenlegenden: *Gregorius,* 6. der antiken Überlieferung: Hans MAIRS von Nördlingen *Buch von Troia* 1392, HARTLIEBS *Alexander* 1444, *Sieben Weise Meister* 1470, 7. reinen Abenteuerromanen: *Apollonius* 1461, *Fortunatus* 1508, 8. →Tierdichtungen: *Reineke Fuchs,* 9. zeitgenöss. oder historisch bezeugten Persönlichkeiten wie *Till Eulenspiegel* 1515 als Mittelpunkt e. nahezu biograph. Ansammlung volksläufiger Narren- und Schwankgeschichten, *Dr. Faust* 1587 als Vereinigung der umlaufenden Magiergeschichten mit alten Sagenmotiven und das *Lalebuch* 1597 als Konzentration der mündlich überlieferten Narrenweisheiten und Schildbürgerstreiche auf e. Gemeinde. Nur in diesen letzten Fällen erscheint die Bz. V. nahezu gerechtfertigt, da es sich in der Tat um erste lit. Zusammenfassung vorher nur unlit., mündlich verbreiteter und versprengter Teile erzählenden Volksguts, nicht um ›abgesunkenes Kulturgut‹ handelt, während in den anderen Fällen die lit. Wertschätzung sehr umstritten ist. Die neuere Hochschätzung beginnt mit der Wendung zur Volksdichtung im Sturm und Drang, wird zur lit. Mode in der Romantik, die sie durch wiss. Untersuchung (GÖRRES, *Die teutschen V.er*, 1807), Dramatisierung (TIECK u. a.) und erneuernde Nacherzählung (SCHWAB, SIMROCK) für die Lit. zurückerobert. Die literaturgeschichtl. Bedeutung der V.er beruht ähnlich den verwandten Schwankslgn. in der Verbreitung erzählender Prosa und damit der Wegbereitung für die Entwicklung des →Romans.

R. Benz, D. dt. V.er, 1913, u. d. T. Gesch. u. Ästhetik d. dt. V., ²1924; P. Heitz u. F. J. Ritter, Versuch e. Zusammenstellung d. dt. V.er d. 15. u. 16. Jh., Straßb. 1924; L. Mackensen, D. dt. V.er, 1927; RL; W. E. Peuckert, D. Ausgg. d. MA. u. d. V. (Zs. f. dt. Unterr. 50, 1936); C. Kruyskamp, *Nederlandsche Volksboeken*, 1942; S. B. Puknat, *The V.*, JEGP 47, 1948; F. Weber, Weltbild u. Geisteshaltg. d. dt. V., Diss. Mchn. 1948; E. Schauhuber, D. V. d. 15. u. 16. Jh., Diss. Wien 1948; W. Heise, D. dt. Volksromane, Diss. Gött. 1952; H. Beyer, D. dt. V.er u. ihre Lesepubl., Diss. Ffm. 1961; F. Delbono, *Il V. tedesco*, Arona 1961; J. Szövérffy, D. V., DU 14, 1964; H. Melzer, Trivialisierungstendenzen i. V., 1972; W. Raitz, Z. Soziogenese d. bürgerl. Romans, 1973; H. J. Kreutzer, D. Mythos v. V., 1977; A. Schmitt, D. dt. V.er, Diss. Bln. 1978; G. Bollenbeck, D. V. als Projektionsformel (MA.-Rezeption, hg. J. Kühnel 1979); RI²; F. Schröder, Z. Gesch. d. V.-Begriffs, Euph. 78, 1984; H. Aust, Z. Stil d. V.er, ebda.; J.-D. Müller, V./Prosaroman i. 15./16. Jh. (Internat. Arch. f. Sozgesch. d. dt. Lit., Sonderh. 1, 1985); J. van Clere, *A genre in crisis*, GQ 59, 1986.

Volksbüchereien, öffentliche (städt. oder gemeindliche) →Bibliothek zur Vermittlung wertvoller Lit. als Grundlage und Hilfsmittel der

Erwachsenenbildung; je nach Größenordnung und soz. Voraussetzungen von der Dorfbücherei über die Kleinstadtbücherei mit Ausleihe ohne Lesesaal unter fachbibliothekar. Leitung (Spezialausbildung mit Diplomprüfung) bis zur Kreishaupt- oder (in größeren Städten) Einheitsbücherei mit Lesesaal, gesonderter Jugend- und evtl. Musikbücherei und größerem Buchbestand an schöngeistigem, fachlich-berufl., orts- und heimatgeschichtl. und allgemeinverständlichem wiss. Schrifttum. Die staatl. Unterstützung kleinerer V. erfolgt durch die in allen westdt. Ländern errichteten Landes-V.-Stellen; Zusammenschluß im Dt. Bücherei-Verband.

H. Hugelmann, D. V., 1952; D. öffentl. Bibliothek, hg. F. Rakowski 1968; W. Thauer u. a., Gesch. d. öffentl. Bibliothek i. Dtl., 1978.

Volksbühne, Zuschauerorganisation auf Vereinsbasis ohne eigene geschäftl. Interessen, die allein der Aufgabe dient, breiten Volkskreisen, bes. Arbeiterkreisen, durch verbilligte Preise gute Theatervorstellungen zugänglich zu machen — urspr. am Sonntagnachmittag. Ein Ausschuß bestimmt den Spielplan und verlost die Plätze. Die erste dt. V. wurde nach dem Vorbild e. ähnl. Organisation in Paris 1890 auf Drängen von Bruno WILLE, BÖLSCHE u. a. aus der Bewegung des Naturalismus und aufsteigenden Sozialismus als ›Freie V.‹ in Berlin gegr. und erlebte am 19. 10. 1890 ihre Eröffnungsvorstellung mit IBSENS *Stützen der Gesellschaft*, spätere Aufführungen brachten bes. G. HAUPTMANN, STRINDBERG, HEBBEL und SHAKESPEARE, doch geriet die ›Freie V.‹ bald in parteipolit. sozialist. Strömungen, was 1892 WILLE, HARTLEBEN, WOLZOGEN, JACOBOWSKY, ETTLINGER u. a. zur Neugründung e. ›Neuen freien V.‹ veranlaßte, die sich noch besser entwickelte, 1910 schon 37 000 Mitglieder zählte und, da die urspr. vorgesehenen Nachmittagsvorstellungen für die große Zahl nicht mehr ausreichten und die Theater für Abendvorstellungen gemietet werden mußten, am 30. 12. 1914 e. eigenes Theatergebäude, die V., eröffnete, die im Kriege z. T. von MAX REINHARDT, seit 1918 von F. KAYSSLER u. a. m. betreut wurde. 1919 Zusammenschluß beider Verbände und Gründung e. christl. Gegenorganisation im ›Bühnenvolksbund‹. Ähnliche V.-Vereine entstanden in fast allen Theaterstädten, teils auch Theatergemeinden, die geeignete Vorstellungen aus dem laufenden Spielplan zu verbilligtem Abonnement erhalten, und schlossen sich 1920 zum Verband der dt. V.-Vereine zusammen. Nach heftigen Auseinandersetzungen um das radikal polit. Theater E. PISCATORS wurde die V. 1933 aufgehoben, 1945 neugegründet, seit 1963 mit eigenem Theater in West-Berlin (Leitung 1963–66 E. PISCATOR). →Freie Bühne.

J. Bab, Wesen u. Weg d. V.-bewegg., 1920; A. Brodbeck, Hdb. d. dt. V.-bewegg., 1930; RL; S. Nestriepke, D. Theaterorganisation d. Zukunft, 1921; ders., Gesch. d. dt. V., 1930; ders., Neues Beginnen, 1956; W. Oschilewski, Freie V. Bln., 1965; A. Schwerd, Zw. Soz.demokr. u. Kommunismus, Z. Gesch. d. V., 1975; H. Braulich, D. V., 1976; C. Davies, Theatre for the people, Manch. 1977.

Volksdichtung, Sammelbz. für alle Formen der anonymen sog. ›Volkspoesie‹ als Ggs. zur individuellen Kunstdichtung (daher auch ›Naturpoesie‹ gen.). Die Bz. beruht auf der im Sturm und Drang entstandenen und bes. in der Romantik (HERDER, GRIMM, UHLAND) entwickelten und verbreiteten Vorstellung vom dichtenden Volksgeist, der sich in →Volksballade, -buch, -epos, -lied, -märchen, -sage usw. verkörpere,

die anonym im Volke verbreitet sind und daher von ihm selbst ausgegangen seien. Diese romantisierende, idealist. Auffassung ist, obwohl sie mit stärkster Kraft und tiefdringenden Anregungen in weiteste Kreise gewirkt hat, heute von der Wissenschaft überwunden. Das Volk als Kollektiv hat sich nirgends in mus. Dingen als eigenschöpferisch erwiesen, die Masse nie e. Vers bilden, e. Gedanken entwickeln und ein Kunstwerk nach bewußtem Plan entwerfen und ausführen können. Jede Dichtung, ob groß oder klein, ist Schöpfung eines Autors. Wenn dieser aus den im Volke lebenden Sagen und Vorstellungen schöpfte, sie an e. gleichgestimmte Gemeinschaft von Hörern wiedergab und sich in seinem Dichten mit dem Fühlen und Denken des Volkes als e. kollektiven Bewußtseinsform selbst zutiefst eins fühlte, konnte ihm zwar wohl Begriff und Forderung nach individueller Genialität fernliegen, und er konnte seine Individualität ganz hinter dem volkstüml. Inhalt seiner Dichtung zurücktreten lassen, Herz und Sinn des Volkes, den Geist der ›Volkheit‹ (GOETHE), seine Zeit und die Lebensart seines Volkes in seiner Dichtung ohne persönl. Note widerspiegeln und damit zum ›Volksdichter‹ werden, sein Name konnte auf dem Wege der mündl. Überlieferung verlorengehen oder nie genannt sein, und doch war der bewußte persönl. Schöpfer stets vorhanden, sei es, daß er direkt für das Volk und aus dem Volke schaffte, oder daß seine urspr. Kunstdichtungen vom Volke aufgenommen, verändert und nachgeahmt wurden. Der Anteil des Volkes – d. h. stets der Vielzahl einzelner – an der V. beschränkt sich daher auf die mündl. Weitergabe und, infolge der Schriftlosigkeit und Anonymität der Werke, oft selbst unabsichtl. Veränderung der Form und Umgestaltung ohne Rücksicht auf die eigtl. Absichten des Schöpfers, Zusätze aus anderen Werken, die den Kern überwuchern, das Werk anschwellen lassen usw., schlechtweg das ›Zersingen‹ der urspr. Form, die heute nur noch in seltenen Einzelfällen vorhanden ist oder aus Vergleichen und Gemeinsamkeiten versch. Überlieferungszweige annähernd erschlossen werden kann, wobei sich oft nur der stoffl. Kern mit einiger Sicherheit erkennen läßt. Die einzelnen Stationen und Träger der Überlieferung sowie Ausmaß, Art und Stellen der Veränderung lassen sich infolge der ausschließlich mündl. Überlieferungsweise – seltene Aufzeichnungen aus dem Gedächtnis oder beim Vortrag, die kaum den reinen Wortlaut bilden können, ausgenommen – ebensowenig feststellen. Ihre eigtl. schriftl. Fixierung erfolgte vielfach erst mit dem Erwachen des literarhistor. Interesses an ihnen seit dem Sturm und Drang und der Romantik. Gemeinsame Kennzeichen der V. sind demnach e. die Allgemeinheit ansprechender Gehalt und e. kunstlose, oft ungeschickte und uneinheitl. Form, Unpersönlichkeit der Darstellung mit Vorliebe für typisierende Gestaltung der Figuren und Ereignisse, dabei starke Unmittelbarkeit der Wirkung und Offenheit für künstler. Erlebnisse. Ihre wesentl. Formen sind Sprichwort, Spruch, Rätsel, Witz, Zauber- und Segensspruch, Kindervers, Märchen, Sage, Legende, Schwank, Anekdote, Schauspiel und Lied. Im Unterschied zu V. bezeichnet ›Volksliteratur‹ oft das individuell für das Volk verfaßte →Volksschrifttum.

F. H. Weddingen, Gesch. d. dt. V., 1884; O. Böckel, Psychologie d. V., ²1913; F. Ernst, D. Entdeckg. d. V. i. 18. Jh. (Forschungsprobl. d. vgl. Lit.-gesch. 2, 1958); L. Bødker, Folkliterature, Koph. 1965; H. Bausinger, Formen d. ›Volkspoesie‹, 1968, ²1980; M. Lüthi, Volkslit. u. Hochlit., 1970; Weltlit. u. Volkslit., hg. A. Schaefer 1972; Dt. V., hg. H. Strobach 1979; Europ. Volkslit., Fs. F. Karlinger, 1980; M. Windfuhr, Herders Konzept v. Volkslit. (Jb. DaF 6, 1980); Gesch. d. dt. V., hg. H. Strobach 1981.

Volksepos, aus der romant. Vorstellung vom dichtenden Volksgeist (→Volksdichtung) entstandene Bz. für das →Heldenepos, in England *Beowulf,* in Dtl. bes. das *Nibelungenlied,* in griech. Lit. für die Epen HOMERS, die man nach der →Liedertheorie aus e. Anzahl älterer Heldenlieder zusammengefügt dachte und daher das Volk als urspr. Schöpfer dieser Epen betrachtete. Seit der Widerlegung dieser Anschauungen ist die Bz. nur noch insofern berechtigt, als die im Heldenepos durch e. individuellen Verfasser geformten Stoffe vor dieser ersten lit. Aufzeichnung im Ggs. zu denen des höf. Epos schon e. lange Entwicklung in der Volksüberlieferung durchgemacht hatten. Seit der lit. Fixierung erlebten sie jedoch keine vom Volk bestimmten Wandlungen mehr. →Heldenepos, →Nationalepos.

RL¹. →Epos.

Volkserzählung, Sammelbz. für alle mündlich im Volke umlaufenden ep. Formen der →Volksdichtung, bes. →Märchen, →Sage, →Legende und →Schwank.

S. Thompson, The Folktale, N.Y. ²1960; L. Schmidt, D. V., 1963; W. Kosack, D. Gattgsbegriff V. (Fabula 12, 1971); M. Hain, D. V., DVJ 45, 1971, Sonderh.; V. u. Reformation, hg. W. Brückner 1974.

Volksfestspiele, volkstüml. Aufführungen relig., nationalen oder lokalpatriot.-histor. Inhalts in eigenen Festspielhäusern oder auf Freilichtbühnen durch Amateurdarsteller aus dem Volke, z.B. das Meraner Hoferspiel, das Altdorfer Tellspiel u.a.m. Im weiteren Sinne V.

waren auch die →geistlichen Dramen des MA.
Lit. →Volksschauspiel.

Volkskomödie →Volksstück

Volkslied (Ausdruck von HERDER, der im Anschluß an PERCYS *Reliques of Ancient Engl. Poetry* aus dem engl. ›popular song‹ im Ossian-Aufsatz 1771 zuerst ›Populärlied‹ und 1773 ›V.‹ bildet), jedes einfache, strophisch gegliederte und stets gereimte Lied, das, mit e. gleichzeitig entstandenen, einfachen Melodie untrennbar verbunden, im Volk mündlich überliefert wurde, im Volksbewußtsein lebt, das Fühlen jedes einzelnen Gliedes dieser Gemeinschaft verkörpert und daher als Allgemeinbesitz empfunden wird, zumal der Verfasser zumeist nicht bekannt ist. Im Unterschied dazu bezeichnet man Kunstlieder namentlich bekannter Verfasser, die den Stil des V. nachahmen, als ›volkstümliche Lieder‹ (z. B. GOETHES *Heidenröslein,* HEINES *Lorelei*). Für HERDER, der selbst V.er sammelte, auch GOETHE in Straßburg dazu anhielt und 1778/79 die erste V.-Slg. veröffentlicht (*V.er,* ab 2. Aufl. 1807 als *Stimmen der Völker in Liedern,* gesamteurop.), ist dabei nicht Herkunft aus dem Volke und anonyme Verbreitung im Volksmund bei der Zuordnung entscheidend, sondern allein der unmittelbare ›wahre Ausdruck der Empfindung und der ganzen Seele‹, so daß er auch GOETHES *Heidenröslein* und *Fischer* in die Slg. aufnehmen kann. Erst die Romantik glaubt gemäß ihrer Volksgeist-Theorie, in dem V. wie in der →Volksdichtung überhaupt die unmittelbare Schöpfung e. dichtenden Volksseele zu erkennen, und betrachtet das Volk selbst als Verfasser. In diesem Sinne entsteht ARNIMS und BRENTANOS Slg. dt. V.er

Des Knaben Wunderhorn (III 1806–08). UHLAND, der in den *Alten hoch- und niederdt. V.ern* (II 1844/45) die erste wiss. Slg. mit Anmerkungen vorlegt, spricht in seiner Abhandlung vom V. vom ›Übergewicht des Gemeinsamen über die Anrechte des einzelnen‹. Die mod. Auffassung wird begründet durch A. v. KELLER, der in seiner Einleitung zu den *V.ern aus der Bretagne* die Herkunft vieler V.er aus urspr. Kunstliedern nachweist und den Prozeß des ›Zersingens‹ verfolgt, und von J. MEIER: trotz der anonymen Überlieferung ist das V. durchweg individuelle Schöpfung e. einzelnen, wenngleich Unbekannten, oft aus der Bildungsschicht und z. T. abgesunkenes Kunstlied, jedenfalls nie vom Volke selbst gedichtet; schon die häufige Ich-Form und die Neigung zum Rollenlied, Herkunft aus e. persönl. Situation oder e. Altersgruppe (Bursche, Mädchen) und bestimmten Berufsschicht (Student, Bergmann, Seemann, Landsknecht, Soldat, Wandergeselle) lassen auf e. persönl. Verfasser schließen. Doch die zu bildkräftigem Ausdruck gebrachten geistl. und weltl. allgemeinmenschl. Gehalte, typ. Empfindungen und wiederkehrenden Situationen und Grunderlebnisbereiche (Schmerz, Sehnsucht, Tod, Freude, Abschied, Kampf, Liebesleid und -glück, Wanderlust, Tanz, Essen und Trinken, Rätsel), die in gewissen Ständen, Berufen oder Volksschichten leicht nachempfunden werden, sowie die volkstüml. Schlichtheit des Textes und der Form (meist 4zeilige ›V.-Strophe‹ aus nur Vierhebern, nur Dreihebern mit wechselnd männl. und weibl. Ausgang oder wechselnd 3- und 4-Hebern) in Verbindung mit der leicht einprägsamen Melodie gestatten die Übernahme durch das Volk und längere mündl. Überlieferung im Volksmund. Diese und nicht der Ursprung aus dem Volk sind das entscheidende Merkmal des V.: der urspr. Dichter verliert damit die Kontrolle über seine Schöpfung; sie gilt als herrenloses Gut und wird im Zuge der mündl. Weitergabe und im Laufe der Zeit ›zersungen‹, d. h. der Empfindungswelt und dem Stil des Volkes angepaßt: bearbeitet, umgestaltet, durch neue Strophen, evtl. aus anderen Liedern, erweitert, ihrer ursprünglichen individuellen Züge und persönl. Eigenart entkleidet; evtl. Unklarheiten im Inhalt, die nicht für den Dichter, wohl aber für die Masse vorhanden sind oder durch den Zersingungsprozeß entstehen, werden beseitigt, überflüssige und dunkle Strophen ausgelassen, nach Inhalt oder Melodie verwandte Lieder werden verschmolzen, altertüml. Sprachgebung z. T. modernisiert u. a. m., so daß der Text dauernd neuer Veränderung ausgesetzt ist und nur die Melodie unverändert meist als fester Kern des V. ihren individuellen Charakter wahrt. Formale Kennzeichen des V. sind daher Mangel an Formfeinheit in Ausdruck, Reim und Rhythmus, freiere Versfüllung, Überdeutlichkeit und schwerfällige Breite des Stils neben aphorist. Kürze und Sprunghaftigkeit, wie sie schon HERDER beobachtet, Vorliebe für typisierende Darstellung und Formelhaftigkeit, häufige Verwendung direkter Rede ohne Überleitung, doch auch stets die phantasieerregende Kraft und Ursprünglichkeit der Empfindung selbst im Wechsel, Bildstärke in Belebung von Abstraktem und Beseelung aller körperlichgeistigen Erscheinungen wie der vertrauten Natur. Sondergruppen nach dem Inhalt sind →Ständelieder, →Kinderlieder, →Brauchtumslieder (Hochzeit, Tod), Festtagslieder (Weihnachten, Ostern), Tages-

und Jahreszeitenlieder (Morgen, Frühling), →Handwerks- und →Arbeitslieder, →Spottlieder und →geistliche Lieder, in ep. Form →Volksballade und →historisches Lied.

Aus der Blütezeit des älteren V., der ma. Stadtkultur im 14./16. Jh., sind mangels zeitgenöss. Aufzeichnungen nur geringe Reste erhalten (in den →Liederbüchern); ältere Spuren zeigen sich z. T. in den Spielmannsliedern und dem Minnesang; die häufige Bekämpfung durch die Geistlichen läßt auf weite Verbreitung schließen. In unlit. Bereichen, fern von schulmäßiger Pflege, leben diese V.er auch im 17. und 18. Jh. fort und nehmen dauernd neue Kunstdichtungen auf (z. B. *Anke von Tharau* aus dem →Königsberger Dichterkreis), werden jedoch von der gelehrten und z. T. fremdtümelnden Kunstdichtung als kunstlose – da nicht nach den Gesetzen der Metrik gemessene – ›gemeine Liedlein‹ verachtet. Zur Slg. dieser alten V.er kam es erst wieder im Sturm und Drang und der Romantik nach dem Vorbild von Th. PERCYS *Reliques of Ancient Engl. Poetry* 1765 und nach den Appellen von BÜRGER und HERDER. Das neue V. aus der Zeit von 1770–1850 dagegen ist von diesem wesentlich unterschieden als reines Kunstlied namhafter Dichter (CLAUDIUS, HÖLTY, BÜRGER, GOETHE, ARNIM, BRENTANO, UHLAND, EICHENDORFF, W. MÜLLER, HEINE, MÖRIKE u. a.), das in Form und Inhalt an die Einfachheit des V.-tons anlehnt und dieses nachahmend zur volksläufigen Buchdichtung, zum sog. ›volkstüml. Lied‹ wird. Die dt. Jugendbewegung zu Anfang des 20. Jh. erneut in der Liedgemeinschaft altes V.-gut.

R. v. LILIENCRON, Dt. Leben i. V. um 1530, 1885, n. 1966; J. FIERSOT, *Hist. de la chanson populaire en France*, Paris 1889;

H. Lohre, V. Percy z. Wunderhorn, 1902;
J. Meier, V. (Pauls Grundriß d. germ.
Philol. 2, 1, ²1909); ders., Kunstlieder i.
Volksmunde, 1906, n. 1976; ders., V.-
Studien, 1917; G. Winter, D. dt. V.,
1906; G. Graber, D. Sprunghafte i. dt. V.,
1908; O. Schell, D. V., 1908; O. Böckel,
Hdb. d. V., 1908, n. 1967; A. Daur, D.
alte dt. V., 1909; J. Sahr, D. dt. V.,
³1912; P. Levy, Gesch. d. Begriffs V.,
1911; E. Wechssler, Begriff u. Wesen d.
V., 1913; H. Wentzel, Symbolik i. dt. V.,
Diss. Marb. 1916; A. Götze, V. dt. V.,
1921; G. Pohl, D. Strophenbau i. dt. V.,
1921; H. Mersmann, D. dt. V., 1922; J.
W. Bruinier, D. dt. V., ⁷1927; F. Arnold,
D. dt. V., ⁴1927; O. v. Greyerz, D. V. d.
dt. Schweiz, 1927; R. Dessauer, D. Zersingen, 1928; A. Götze, D. dt. V., 1929;
F. Marx, Röm. V.er (Rhein. Museum 78,
1929); RL; C. Brouwer, D. V., Diss. Groningen 1930; J. Müller-Blattau, D. dt. V.,
1932, u. d. T. Dt. V.er, 1959; J. v. Puli-
kowski, Gesch. d. Begriffs V., 1933; M.
Ittenbach, D. symbol. Spr. d. dt. V., DVJ
16, 1938; W. Danckert, D. europ. V.,
1939, ²1970; E. Seemann, W. Wiora, D.
V. in ›Aufriß‹, 1952; P. Coirault, Formation de nos chansons folkloriques, Paris
IV 1963; J.-A. Bizet, La poésie populaire
en Allemagne, Paris 1959; C. J. Sharp,
Engl. folk song, Lond. ⁴1959; R. M.
Lawless, Folksingers and folksongs in
America, N.Y. 1960; H. Fischer, V.,
Schlager, Evergreen, 1965; A. L. Lloyd,
Folk Song in Engl., Lond. 1965; W. Danckert, D. V. i. Abendld., 1966; W. Suppan, V., 1966, ²1978; E. Klusen, V.,
1969; L. Schmidt, Volksgesang u. V.,
1970; M. v. Albrecht, Goethe u. d. V.,
1972; Hb. d. V., hg. R. W. Brednich, II
1973–75; W. Danckert, Symbol, Metapher, Allegorie i. Lied d. Völker, IV
1976–78; S. Hirsch, D. V. i. späten MA.,
1978; H. Strobach, Herders V.begriff (Jb.
f. Volksk. u. Kulturgesch. 21, 1978);
ders., Dt. V. i. Gesch. u. Gegenw., 1980;
D. Mettler, D. V., FLE, 1981; RL².

Volksliedstrophe →Volkslied

Volksliteratur, unscharfe Bz. für
(meist) 1. →Volksschrifttum oder 2.
→Volksdichtung.

Volksmärchen →Märchen

Volkspoesie →Volksdichtung

Volksrätsel →Rätsel

Volkssage →Sage

Volkssänger, bes. in Wien bis ins

19. Jh. verbreitete Wirtshaus- und
Straßensänger, die zu Musikbegleitung (Harfe) Gassenhauer und Moritaten vortrugen, am bekanntesten
der ›liebe Augustin‹, mit ernsten
Darbietungen der ›Evangelimann‹.

F. Schlögl, Wiener Skizzen, 1946; L.
Schmidt, D. Volkslied i. alten Wien,
1947. →Volkslied.

Volksschauspiel, Sammelbz. für al-
le Arten volkstüml. Schauspiele der
Laienspielergruppen (im Ggs. zum
→Volksstück) seit dem MA. vom
Brauchspiel und Maskenwesen über
→Bauerntheater, →Fastnachtsspiel,
→Volksfestspiele, →geistliches Dra-
ma und seine Arten, Zunft- und
Vereinstheater bis zu den volkstüml.
→Laienspielen aus Geschichte und
Sage.

L. Schmidt, D. dt. V., 1962; ders. in
›Aufriß‹, ²1962; D. M. Bevington, From
Mankind to Marlowe, Lond. 1962; Tiro-
ler V., hg. E. Kühebacher 1976; K. K.
Polheim, D. relig. V. (Vestigia 1, 1979);
RL².

Volksschriftsteller, 1. Verfasser
von →Volksschrifttum, – 2. Idealvorstellung e. volkstüml. Schriftstellers, dessen populäre Werke ohne
Qualitätsabstriche den Wünschen
und Gefühlen e. breiten Publikums
entgegenkommen und Leser in allen
Schichten der einfachen wie der gebildeten Bevölkerung finden, z. B. J.
P. HEBEL, B. AUERBACH.

Volksschrifttum, volkstüml.
Schriften schöngeistigen oder populärwiss. Inhalts. Zur Unterhaltung
und Belehrung weitester Volkskreise: im 15./16. Jh. die →Volksbü-
cher, seit dem 17. Jh. bes. die →Ka-
lender, im 18. Jh. die Schriften der
Philanthropinisten (SALZMANN,
CAMPE, PESTALOZZI), unter den realist. Volksschriftstellern des 19. Jh.
bes. J. GOTTHELF, ferner bes. die
→Dialektdichtung und in neuerer
Zeit bes. das populärwiss. Schrift-

tum über naturwiss. Fragen in Büchern und Zss. E. Sonderform bildet die →Jugendlit. Das V. liefert neben der eigtl. Dichtung und Unterhaltungslit. e. Hauptbestandteil der →Volksbüchereien.

K. Müller-Salget, Erzählungen f. d. Volk, 1984.

Volksstück, im Ggs. zum bäuerlichen oder laienhaften →Volksschauspiel e. Gattung von Bühnenstücken für städt. Volkstheater (im Ggs. zum Hof- oder bürgerl. Stadttheater, z. B. Ohnsorg-Theater, Löwinger Bühne) und Vorstadtbühnen mit e. aus dem Volksleben entnommenen Handlung in volkstümlich schlichter, leichtverständl. Form, die oft durch Einlagen von Musik, Gesang und Tanz sowie Anwendung von Effekten, Sentimentalitäten u. ä. niederen Elementen dem Geschmack des Großstadtpublikums entgegenkommt, ohne den oft ernsten und z. T. selbst trag. Grundton zu verlieren, und oft komödiantisch virtuose Rollen bietet. Reichste Entfaltung finden sie in Hamburg, Berlin und bes. Wien, meist mit Übergang in das →Lokalstück. STRANITZKYS Wiener V. geht aus dem Erbe des Barockdramas hervor und ist als kom. Stregreifstück noch von der Commedia dell'arte beeinflußt. Über PREHAUSERS Burleske reicht der Weg – nach der lit. Verfestigung durch Ph. HAFNER, J. A. GLEICH und A. BÄUERLE im 18. Jh. – zum Zauberstück und der gemüthaften Tragikomik RAIMUNDS (mit Einfluß auf GRILLPARZER) und über zahlr. Zwischenglieder zu NESTROYS scharfer Satire und volkstüml. Parodie und Travestie, während aus dem Charakterlustspiel →Lokalstück und →Sittenstück entstehen. ANZENGRUBERS realist. V. führt wie vordem schon RAIMUND in die bäuerl. Umwelt und nunmehr auch in soz. Problematik, wie sie HAWEL

fortsetzt. Berliner V. ist die Lokalposse von A. GLASSBRENNER, L. ANGELY, D. KALISCH u. a., Darmstädter V. E. NIEBERGALL. Während das bayr. V. (THOMA) und niederdt. V. (A. HINRICHS) mehr bäuerl. Situationsromantik zuneigen, kann das psycholog. Bauernstück der Alpenländer (SCHÖNHERR) nur noch in weitestem Sinn als V. bezeichnet werden. Neuansätze e. negativen V. in krit.-emanzipator. Absicht finden sich im vitalen V. der Weimarer Zeit (ZUCKMAYER, HORVÁTH, FLEISSER, BRECHT) und im Anschluß daran im krit.-realist. V. seit 1965: FASSBINDER, KROETZ, SPERR, BAUER, DEICHSEL, TURRINI, KUSZ. In Frankreich stehen M. PAGNOL, in Italien E. DE FILIPPO dem V. nahe, in der DDR H. BAIERL. →Lokalstück.

M. Enzinger, D. Entwicklg. d. Wiener Theaters v. 16. z. 19. Jh., II 1918f.; S. Hock, V. Raimund bis Anzengruber (Grillparzer-Jb. 15); J. Nadler, D. österr. V., 1921; G. J. Nathan, *The popular theatre*, N.Y. 1923, n. 1971; RL; O. Rommel, D. großen Figuren d. Altwiener Volkskomödie, 1946; ders., D. Altwiener Volkskomödie, 1952; J. Arp, Stud. z. Problemen d. niederdt. Volkskomödie, 1961; M. Dietrich, Jupiter in Wien, 1967; E. Rotermund, Z. Erneuerg. d. V. i. d. Weim. Rep. (Fs. J. Dünninger, 1970); G. Lee, *Quest for a public*, Cambr./Mass. 1970; D. österr. V., 1971; Theater u. Gesellsch. D. V. i. 19. u. 20. Jh., hg. J. Hein 1973; R.-U. Traitler, Antike Mythol. u. antiker Mimus i. Wiener Volkstheater, II 1973; H. Kurzenberger, Horváths V.e, 1974; E. J. May, Wiener Volkskomödie u. Vormärz, 1975; W. Kässens u. a., Fortschritt i. Realismus? (Basis 6, 1976); U. Profitlich, Heute sind alle guten Stücke V.e, ZDP 97, 1978, Sonderh.; H. Poser, Komödie als V., Neophil. 62, 1978; J.-C. François, De Ö. v. Horváth à P. Turrini, Austriaca 5, 1979; G. Müller, D. V. v. Raimund bis Kroetz, 1979; I. Schiffermüller, D. Erneuerg. d. V. i. d. 60er Jahren, Diss. Innsbr. 1980; J. Hein, D. V., FLE 1981; Volk, V., Volkstheater, hg. J.-M. Valentin, JIG 15, 1986; T. Bügner, Annähergen an d. Wirklichkeit, 1986.

Volksszene →Massenszene

Volkstheater, 1. Sammelbz. für volkstüml. Bühnentexte wie →Volksstück, →Volksschauspiel, →Lokalstück, →Bauerntheater u. ä. – 2. unprofessionelle volkstüml. Theaterpraxis, insbes. →Laienspiel. – 3. festes professionelles Theaterunternehmen, das sich im Unterschied zum →Hoftheater, National-, Bürger- und Ständetheater nicht nur an die kulturelle Elite oder die Oberklassen, sondern an alle Schichten unter des. Berücksichtigung des breiten Publikums wendet und diese durch e. populären Spielplan und attraktive schauspieler. Leistungen z. T. auch erreicht. Eine genauere ständ. Aufgliederung und Differenzierung der Publikumsschichten erfolgt bei dem ohnehin geringen Theaterangebot erst im 18. und bes. 19. Jh. durch die Vorstadttheater der europ. Großstädte Paris, London, Venedig, Berlin und bes. Wien, wo das →Volksstück breitere Entfaltung und eigene Traditionen findet.

D. Mayer u. a., *Western popular theatre,* Lond. 1977; E. A. Warner, *The Russian folk theatre,* Haag 1977; J. Hein, D. Wiener V., 1978; D. Bradby u. a., *People's theatre,* Lond. 1978; Avantgardetheater u. V., hg. K. Schoell 1982; G. Moser, D. V., 1983; *Viennese popular theatre,* hg. W. E. Yates, Exeter 1985; P. Mertz, Wo die Väter herrschten, 1985; D. österr. V. i. europ. Zus.hang, hg. J.-M. Valentin 1988.

Volkstümler →Narodniki

Volkstümliches Lied →Volkslied

Volksverbundenheit →Narodnost

Volkswartbund, dem kathol. Deutschen Caritasverband angeschlossener Verein in Köln zur Bekämpfung von Schmutz- und →Schundliteratur, der durch Indizierungsvorschläge →jugendgefährdender Schriften bei der →Bundesprüfstelle neben der Wahrnehmung verständl. Inter-

essen gegenüber obszönem und pornograph. Schrifttum seine Rolle als Moralwächter infolge fehlender lit. Maßstäbe in einer Weise übersteigert, die auch ernsthafte und wertvolle Lit. wiederholt Verkaufsbeschränkungen unterwirft.

Voller Versschluß →Kadenz

Vollreim, 1. →Stammsilbenreim, – 2. →reiner Reim.

Volta (ital.), in der →Kanzone Untergliederung der →Sirima.

Volumen (lat. = Schriftrolle, Mz. Volumina), urspr. die antike →Papyrusrolle, dann übertragen auf den Einzelband e. mehrbändigen Schriftwerks, abgekürzt: vol. Vgl. →Wälzer.

Vorabdruck, teilweise oder vollständige Veröffentlichung e. lit. Werkes in e. Zeitung oder Zs. vor Erscheinen der Buchausgabe. Seine Datierung ist wichtig für den Beginn lit. Rezeption und Breitenwirkung.

Vorausdeutung, e. wichtiger Stilzug der ep. (z. T. auch dramat. und film.) Technik: die andeutende Vorwegnahme e. erst später – am Ende des Buches oder Kapitels – eintretenden Ereignisses. Sie entsteht als Figuren-V. auf der Ebene der fiktiven Welt durch Träume, Ahnungen u. ä. der Figuren oder als Erzähler-V. auf der Erzähler-Ebene aus der Überschau des allwissenden Erzählers über den ausgebreiteten Stoff. Sie bedeutet in keiner Weise e. Spannungsverminderung – ausgenommen den Detektivroman – da die in der Epik wirkenden Spannungen nicht rein stoffl., sondern auch in hohem Grade darsteller. Art sind und das Interesse an der Fortentwicklung durch gelegentliche V.en eher gesteigert wird (berühmtestes

Beispiel: Kleists *Marquise von O...*), zumal die stets nur teilweise V. den Weg der Entwicklung höchstens ahnen läßt. Wichtiger ist die Funktion der V. in der Architektonik der Dichtung selbst: sie schafft beim Leser das Gefühl für die geschlossene Einheit und wechselseitige Durchdrungenheit der in sich ruhenden dargestellten Welt, in der alle Einzelteile ihre Bedeutsamkeit und Beziehungen zum Ganzen haben, und dient nicht zuletzt der →Beglaubigung des Erzählten. Vgl. →Präfiguration, →analytische Erzählung.

E. Gerlötei, D. V. i. d. Dichtg. (Helicon 2, 1939); G. Loescher, Gestalt u. Funktion d. V. i. d. isländ. Sagalit., Diss. 1956; E. Lämmert, Bauformen d. Erzählens, 1955, ⁷1980; H. Burger, V. u. Erzählstruktur in ma. Texten (Fs. M. Wehrli, 1969); I. Reiffenstein, D. Erzähler-V. i. d. frühmhd. Dichtg. (Fs. H. Eggers, 1972); G. Michielsen, *The preparation of the future*, 1978.

Vorbild →Quelle, →Modell

Vordatierung →Erscheinungsjahr

Vordergrundshandlung, im Drama das eigtl. abrollende stoffl. Geschehen. Nach seiner Funktion für das Ganze unterscheidet R. Petsch drei Formen des Dramas: die bloße V. in Farcen, Fastnachtsspielen u. ä., das klass. Drama, bei dem die V. ständig auf einen ideellen Hintergrund verweist, und das romant. Drama, bei dem die V. unselbständig und der Hintergrund der eigtl. Kern des Stückes ist.

R. Petsch, 3 Haupttypen des Dramas, DVJ 12, 1934.

Vorgang →Handlung

Vorgeschichte, Vorfabel, im →Drama der vor Einsatz der Bühnenhandlung liegende Teil der Geschehnisse. Soweit er für das Verständnis des Ganzen notwendig ist, wird er in der →Exposition dargelegt oder in die Handlung integriert. →analytisches Drama.

W. Schultheis, Dramatisierung v. V., Assen 1971.

Vorhang, Abschluß der Bühne gegen den Zuschauerraum, erscheint schon in der röm. Antike als das bei Spielbeginn in e. Bühnengraben herabgelassene Aulaeum, dann im europ. Theater erstmalig im 16./17. Jh. bei der ital. Opernbühne zur Verbergung des Szenenwechsels, vorher in der Shakespeare-Bühne nur als Mittel-V. und in der Hans-Sachs-Bühne nur als Hintergrundabschluß. Die Guckkastenbühne der Englischen Komödianten und der Wandertruppen übernimmt ihn als Vorder-V., doch wird seine Anwendung bei →Aktschluß noch im 18. Jh. nicht allg. üblich: Lessing, der junge Schiller u. a. schließen die Akte bis auf den Schlußakt bei leerer Bühne, damit zum Szenenwechsel lediglich die Prospektvorhänge benutzt werden. Seit Anfang des 19. Jh. wird sein Gebrauch allg., seit Mitte des 19. Jh. auch der Zwischenakt-V. Insofern wird das techn. Mittel des V. nicht unwesentlich für die Gestaltung der dramat. Bühnendichtung, bes. bestimmt sein Fehlen auf der Bühne des franz. Klassizismus das Festhalten an den →Einheiten und am Gesetz der nie leerstehenden Bühne durch ›liaison des scènes‹. – Das moderne Theater kennt e. Vielzahl von Haupt- und Nebenvorhängen, die teils nach oben, teils zur Seite aufgezogen werden, sowie den Eisernen V., der das Übergreifen e. evtl. Bühnenbrandes auf den Zuschauerraum verhindern soll.

G. Witkowski, V. u. Aktschluß (Bühne u. Welt 8, 1905); RL; M. Radke-Stegh, D. Theater-V., 1978.

Vorlage →Quelle

Vormärz, unscharfe Sammelbz. für

die progressiv-oppositionelle bis revolutionäre polit. Lit. der Jahrzehnte vor der dt. Märzrevolution von 1848; die zeitl. Abgrenzung des Einsatzes schwankt zwischen 1815, 1830 und 1840; als lit. Epochenbz. von der sozialist. Literaturgeschichtsschreibung eingeführt, jedoch wegen des einseitig polit., unlit. Aspekts problematisch und im Hinblick auf größere Zusammenhänge daher meist wesensgemäßer im Zusammenhang mit →Biedermeier und →Jungem Deutschland zu betrachten, dem die wesentl. Autoren in Pro oder Contra angehören.

E. Kunze, Beitr. z. dt. Lit. d. V., Diss. Bresl. 1938; W. Dietze, Junges Dtl. u. dt. Klassik, 1957, ⁴1981; H. Rieder, Wiener V., 1959; D. dt. V., hg. J. Hermand 1967; H.-W. Jäger, Polit. Metaphorik i. Jakobinismus u. i. V., 1971; P. Stein, V. als lit.gesch. Epochenbz., WW 22, 1972; W. W. Behrens u.a., D. lit. V., 1973; H. Denkler, Restauration u. Revolution, 1973; P. Stein, Epochenproblem V., 1974; G. Farese, *Poesia e rivoluzione in Germania 1830–50,* Bari 1974; Demokrat.-revolut. Lit. i. Dtl., V., hg. G. Mattenklott u.a. 1974; R. Rosenberg, Lit.-verhältnisse i. dt. V., 1975, ²1976; E. J. May, Wiener Volkskomödie u. V., 1975; H.-P. Reissner, Lit. unter d. Zensur, 1975; V. u. Revolution, hg. H. Fenske 1976; Streitpunkt V., hg. H. Bock u.a. 1977; K.-H. Götze, Grundpositionen d. Lit.gesch.schreibg. i. V., 1980; H. Adler, Soz. Romane i. V., 1980; W. Labuhn, Lit. u. Öffentlichk. i. V., 1980; H. Seidler, Österr. V. u. Goethezt., 1982; V., hg. H. Schnedl-Bubeniček 1983; RL².

Vorpostler (Napostovcy), Mitglieder der Ende 1922 gegr. russ. Schriftstellergruppe ›Oktober‹ (Oktjabr), Kommunisten mit dem Streben nach e. einheitl. und ideologisch reinen proletar. Lit., Verdrängung der bürgerl. Tradition und Unterdrückung aller Nonkonformisten; löste den →Proletkult ab: A. I. BEZYMENSKIJ, J. N. LIBEDINSKIJ, S. A. RODOV, G. LELEVIČ u.a. um die Zss. *Na postu (Auf Posten,* Juni 1923) und *Oktjabr* (1924); gründe-

te 1925 die VAPP (Allruss. Vereinigung proletar. Schriftsteller), später RAPP (Russ. Vereinigung proletar. Schriftsteller), die seit 1929 die Sowjetlit. kontrolliert und in den Fünfjahresplan einordnet.

Vorrede →Vorwort, →Prolog

Vorromantik →Préromantisme

Vorspann →Prolog, →Vorspiel

Vorspiel, einem größeren Drama vorangehendes kurzes, meist einaktiges Schauspiel, auch Szene oder kürzere Szenenfolge, die mit jenem oft nur in losem Zusammenhang steht und oft zeitlich weit vor ihm zurückliegt, doch in Problemlage und Thematik des Hauptdramas einführt, evtl. Vorgeschichte aufrollt, Milieu und Zeitumstände beschreibt, den Rahmen der Haupthandlung und deren Bedingungen absteckt und daher für das Verständnis desselben unentbehrlich ist: SCHILLER *Wallensteins Lager,* HEBBEL *Der gehörnte Siegfried,* WAGNER *Rheingold;* ähnl. die V.e zu GOETHES *Faust* und BRECHTS *Der kaukasische Kreidekreis.* →Exposition, →Prolog, →Lever de rideau.
RL².

Vorspruch →Prolog, →Präambel

Vorstadttheater →Volksstück

Vorstellung →Aufführung

Vortizismus (*vorticism,* zu lat./ engl. *vortex* = Wirbel, Strudel), dem Kubismus und dem ital. Futurismus nahestehende, kurzlebige Richtung der englisch-amerikan. Lit. um die von Wyndham LEWIS 1914–15 in zwei Nummern hg. Zs. *Blast,* in der einige Frühwerke von T. S. ELIOT und E. POUND erschienen. Von dem Kritiker T. E. HULME beeinflußte Gegenströmung gegen die herrschende neuromant. Gefühlslyrik und die klassizist. Naturnachahmungslehre der Zeit mit Streben nach einem kühlen, intellektuellen Stil, in dem dynam. und stat. Prinzip sich paradox zum energiegeladenen, autonomen Kunstwerk als Feier der Maschinenwelt verbinden. Extremes Übergangsstadium der beteiligten Autoren zum →Imagismus. Hauptwerk des V. ist W. Lewis' Roman *Tarr* (1918).

W. C. Wees, *V. and the Engl. Avant-Garde*, Manch. 1972; U. Weisstein, *V. (Expressionism*, hg. ders. Paris 1973); S. Kappeler, *D. V.*, 1986.

Vortrag →Rezitation (→Deklamation)

Vorwort, einem Werk vorangestellte kurze und persönlicher gehaltene Vorbemerkung des Autors selbst (›Vorrede‹), z. T. auch e. anderen Autors (›Geleitwort‹) oder Herausgebers über Sinn, Aufgabe, Ziele, Methode, Anlage und Entstehung desselben, Rechtfertigung des Verfassers und Erwiderung früherer Kritiken u. ä. für den Benutzer Wissenswertes. Teil der Autorenstrategie zur Leserlenkung, Korrektur des Erwartungshorizonts, Beteiligungsangebot und Einstimmung auf die ästhet. Erfahrung, gelegentl. auch →Manifest e. neuen Richtung. Seit den antiken Historikern (Herodot, Thukydides, Plutarch, Livius) verbreitet. Berühmte Beispiele sind die langen V.e G. B. Shaws zu seinen Dramen.

H. Rieslahl, *Dichter u. Publikum*, Diss. Ffm. 1934; K. Schottenloher, *D. Widmungsvorrede i. Buch d. 16. Jh.*, 1953; H. Ehrenzeller, *Stud. z. Romanvorrede*, 1955; R. Kopp, *D. Präfatio i. lat. Schrifttum d. Ref.*, Diss. Mchn. 1958; U. Busch, *V. u. Nachwort* (Neue Slg. 1, 1961); H. J. Ansorge, *Art u. Funktion d. Vorrede i. Roman*, Diss. Würzb. 1969; C. Träger, *V.-Gesch.* (in: *Stud. z. Realismustheorie*, 1972); S.-A. Jørgensen, *Warum u. z. welch. Ende schreibt man e. Vorrede*,

TeKo 4, 1976; An den Leser, hg. G. F. Hering 1978; P. Küpper, *Autor ad lectorem* (Fs. R. Gruenter, 1978); U. Heyden, *Zielgruppen d. Romans*, 1986.

Vorwurf →Fabel (1)

Vox nihili (lat. = Stimme des Nichts, engl. *ghostword* = Geisterwort), aus bloßen Schreibfehlern oder Irrtümern der Kopisten oder Herausgeber entstandene, sinnlose Wörter.

Vyâyoga, in der ind. Dramatik ein Einakter vom Kampf zwischen Göttern und Fürsten, jedoch nicht um eine Frau (→Ihâmriga).

Wächterlied →Tagelied

Wägende Dichtung →akzentuierende Dichtung

Wälder →Silvae

Wälzer, scherzhafte Lehnübersetzung des lat. →volumen (v. *volvere* = wälzen) als Bz. für e. unhandliches Buch.

Wagenbühne, auch Prozessionsbühne, Bühnenform des spätma. geistl. Dramas, insbes. Passions- und →Fronleichnamsspiel bes. in England und Spanien seit 13. Jh.: die einzelnen Stationen des Spiels werden in geschlossenen Szenen mit den entsprechenden Dekorationen auf einzelne, von den Zünften u. Gilden oft reich ausgestatteten fahrbare Wagen *(pageant, carro)* montiert, deren Spielfläche gegebenenfalls durch danebengestellte weitere Wagen oder e. festes Podest vergrößert werden konnte. In der Reihenfolge des Spielzusammenhangs fuhren die Wagen vor die Publikumsansammlungen an vereinbarten Stel-

len, spielten die Szene ab und machten darauf dem nächstfolgenden
Wagen mit der nächsten Szene
Platz. Die W. ermöglichte durch öf-
teres Spielen derselben Szene vor
versch. Publikum e. größere Zu-
schauerzahl als die feststehende
→Simultanbühne, setzt jedoch voraus, daß alle Szenen in etwa gleichlang sind und dieselbe Rolle in den
versch. Szenen von versch. Darstellern geboten wird. In der Renaissance tragen prunkvolle Wagen allegor. Schaubilder der höf. Festzüge
(→Trionfi). Mit der modernen W.
(→Bühne) hat die W. nur die Zeitersparnis der Umbauten gemein. Vgl.
→Pageants, →Thespiskarren.
Lit. →Theater.

Wahlspruch →Devise

Wahrheit. W. und Unwahrheit betreffen Tatsachenfeststellungen,
nicht Kunstwerke; das Kunstwerk
basiert auf ästhet. Werten, nicht auf
Tatsachenfeststellungen, und in ästhet. Hinsicht ist die Frage nach der
W. an sich irrelevant. Für die lit.-
wiss. Forschung ergeben sich jedoch
drei Aspekte der W. in einem lit.
Werk: 1. persönliche W. als Übereinstimmung mit der ernsthaften
Überzeugung des Autors (bzw. mit
der Meinung des Lesers), 2. äußere
W. als Übereinstimmung mit der
Realität des Lebens entsprechend
der Nachahmungstheorie, 3. innere
W. des Werkes in sich, d.h. die Einheit, Einheitlichkeit und Integration
der Bestandteile des Werkes zu einem großen, in sich geschlossenen
Ganzen jenseits aller äußeren W.

E. Lachmann, W. i. d. Dichtg. (Zeitwende 25, 1954); W. Kramp, D. W. d.
Dichtg., NDH 7, 1954; N. Hartmann, D.
W.-anspruch d. Dichtg. (in: Philos.
Gespr., 1954); H. E. Holthusen, D. Schöne u. d. Wahre, 1958; W. Kayser, D. W.
d. Dichter, 1959; E. Pracht, Probleme d.
künstler. Widerspiegelung (Dt. Zs. f. Philos. 8, 1960); J. Pfeiffer, D. dichter. Wirklichkeit, 1962; E. Zinn, W. in Philol. u.

Dichtg. (D. Wiss. u. d. W., hg. K. Ulmer
1966); H. Perls, D. Komödie d. W.,
1967; D. Rasmussen, *Poetry and truth,*
Haag 1974; R. Skelton, *Poetic truth,*
Lond. 1978; T. Verweyen, Dichtg. u. W.,
1979; K. Hamburger, W. u. ästhet. W.,
1979; U. Charpa, Künstler. u. wiss. W.,
Poetica 13, 1981; M. Robert, *Livre de
lectures 2: La verité poétique,* Paris 1981;
K.-H. Volkmann-Schluck, V. d. W. d.
Dichtg., Amsterd. 1984; M. Franz, W. i.
d. Kunst, 1984.

Waise, aus der Sprache der Meistersinger übernommene Bz. für e.
reimlose Zeile innerhalb gereimter
Verse, bes. innerhalb e. Reimpaars.
Reimen die W.n der einzelnen Strophen e. Gedichts untereinander, so
heißen sie →Körner. Die W. findet
sich schon in mhd. Lyrik und Minnesang seit dem KÜRENBERGER z.B.
in WALTHERS *Under der linden*
(›tandaradei‹), im Epos in der
→Morolfstrophe, später im Kirchenlied (z.B. LUTHERS *Aus tiefer
Not,* Schlußvers) und im →Ritor-
nell.

Wajang →Wayang

Waka (jap. = Gedicht), urspr. Bz.
aller Formen der japan. Lyrik im
Unterschied zur chines. Lyrik, dann
speziell für deren Hauptform
→Tanka.

Waltherstrophe, nach ihrer Verwendung im Gedicht von *Walther
und Hildegund* benannte Abart der
→Nibelungenstrophe, bei der der
Anvers der 4. Langzeile aus e.
Sechstakter (statt Viertakter) besteht.

Wanderbühne, zunächst in England (→Englische Komödianten)
und Italien (→Commedia dell'arte),
später auch in Frankreich aufkommende wandernde Schauspielertruppen, die über das Heimatland
hinaus auch in den übrigen Ländern
des Kontinents, bes. Frankreich und
Dtl., auftraten. Trotz der reißeri-

schen Stücke und der Primitivität ihrer Spielweise, die mit grellen Effekten, drast. Gestik, überlautem Pathos, virtuosen Schaustellungen und dem Übergewicht der →komischen Person alles dem komödiantischen Element der Bühnenwirksamkeit unterordnete, bleiben sie für die Entwicklung der Schauspielkunst wichtig nicht nur durch ihre kulturverbindende Funktion, sondern auch als Anfänge des Berufsschauspielertums, das (seit VELTEN) auch Frauenrollen von Frauen und nicht mehr von Jünglingen darstellen läßt. Das Repertoire ist im Anfang wesentlich von engl. und holländ. Einflüssen bestimmt, späterhin auch auf das Drama des franz. Klassizismus ausgedehnt. Die dt. W. beginnt nach engl. Vorbild im 17. Jh. mit Magister VELTEN (1640–92). Von hier aus führte die eine Linie direkt zur W. der NEUBERIN, der EKHOF und ACKERMANN (von dem später wiederum SCHRÖDER ausgeht) angehörten, die andere Linie zu SCHÖNEMANN und weiter zu KOCH, DÖBBELIN und Abel SEYLER, der wiederum im Mannheimer, Hamburger, Weimarer und Gothaer Theater tätig war. Im 18. Jh. werden die W. durch →Hoftheater und →Nationaltheater abgelöst. Im 20. Jh. e. Bühne, die von e. festen Sitz aus (→Landesbühne) die umliegenden Orte ohne feste Bühne bespielt oder als →Tourneetheater mit e. einzigen Inszenierung reist.

C. Heine, D. Schauspiel d. dt. W. vor Gottsched, 1889; F. Tschirn, D. Schauspielkunst d. dt. Berufsschauspieler i. 17. Jh., Diss. Bresl. 1921; RL; S. Rosenfeld, Strolling players, N.Y. 1939, ²1969; A. Baesecke, D. engl. u. dt. W.n, 1940; RL².

Wanderlied, besingt die Wanderlust, zuerst als Landsknechts- und Handwerksburschen-Lied,   seit Sturm und Drang (GOETHE) und bes. Romantik (KERNER, UHLAND,

EICHENDORFF, auch im *Taugenichts*) als beliebtes lyr. Motiv, auch im 19. Jh. (W. MÜLLER, SCHEFFEL, HOFFMANN v. FALLERSLEBEN, BAUMBACH). Sie fanden neuen Aufschwung in der Jugendbewegung des Wandervogel.

F. Spicker, Dt. Wander-, Vagabunden- und Vagantenlyrik 1910–33, 1976.

Wandermotiv, ein →Motiv (3), das in mehreren Nationalliteraturen, Epochen und Werken wiederholt auftaucht und nachweislich oder vermutlich übernommen wurde.

Wandersage →Sage

Wappendichtung →Heroldsdichtung

Waschzettel, den Besprechungsexemplaren vom Verlag beigelegter Zettel mit Inhaltsangabe, Charakteristik des Buches, des Autors und sonstigem wissenswertem Material für den Rezensenten. Sein urspr. Zweck war nicht, dem Kritiker die eigene Meinungsbildung zu ersparen. Oft auch fälschlich für →Klappentext.

Wasf, arab. Gedichtform, virtuoses Kleingedicht, das einen Gegenstand mit glänzenden Stilwendungen knapp umschreibt.

Wayang (javan. = Schatten), Sammelbz. für alle auf Java und Bali übl. dramat. Spiele, vorwiegend →Schattenspiele, bes. 1. W.-*kulit* (*kulit* = Leder) oder W.-*purwa* (= erster) mit flachen, stark stilisierten Puppen aus buntem Pergament in durchbrochener Arbeit, die durch kleine Stäbe an den Händen bewegt werden. Schattenspiel mit Gamelan-Musikbegleitung, bereits vor 1000 n.Chr. beliebt und verbreitet und bis heute lebendig, mag.-myst. Zeremoniell einer irrealen, vom Ahnenkult bestimmten Welt mit relig.

Bedeutung. Stoffe aus dem *Ramayā-na* und *Mahābhārata* vom Kampf der Götter mit Hilfe der Menschen gegen die Dämonen. Die Vorstellungen der →Lakons durch den →Dalang dauern meist von 19.30 bis 6 Uhr morgens; die Männer sitzen beim Spieler hinter, die Frauen vor der Vorführwand. – 2. W.-*wong* (= Mensch) mit lebenden, unmaskierten, sprechenden Menschen als Darstellern. – 3. W.-*topeng* mit maskierten, stummen Personen. – 4. W.-*gedog* mit Lederpuppen, doch Stoffen aus islam.-javan. Geschichte. – 5. W.-*krutjil* oder W.-*klitik* mit flachen Holzpuppen mit bewegl. Lederarmen, auch für Tages-Aufführungen; Stoffe aus javan. Geschichte. – 6. W.-*golèk* (= rund) mit vollplast. Holzpuppen mit drehbaren Köpfen und Armen für Tag- und Nachtaufführungen mit Stoffen aus islam.-arab. Geschichte. – 7. W.-*bèbèr* ohne Puppen mit einem zum Vortrag des Dalang abgerollten Bilderstreifen, heute ausgestorben.

L. Serrurier, *De w. poerwa*, Leiden II 1896; J. Kats, *Het javaanse toneel*, 1923; P. A. A. Mangkoenagara, *De W. koelit*, 1933; B. M. Goslings, *De w.*, Amsterd. 1938; R. L. Mellema, *W. Puppets*, Amsterd. 1954; M. Bührmann, D. farb. Schattenspiel, 1955; H. Ulbricht, W.*purwa*, Lond. 1969; A. Sweeney, *Malay shadow puppets*, Lond. 1972; J. Kats, *W. poerwa*, 1973; C. B. Pink-Wilpert, D. indones. Schattentheater, 1976; G. Spitzing, D. indones. Schattenspiel, 1981.

Wechsel, spezif. Sonderform des Liedes im mhd. →Minnesang, doppelseitiges Rollenlied durch Wechsel von je einer (oder weiterer) Frauen- und Männerstrophe, die nicht dialogisch aufeinander bezogen sind, also nicht miteinander reden, sondern monologisch übereinander redend ihre Gefühle ausdrücken, z. T. auch einen Dritten (Boten o. ä.) anreden. Seit Mitte 12. Jh. bei vielen Minnesängern verbreitet, z. T. auch als Tagelied-W., später als Dialog-

lied zum →Wechselgesang übergehend.

A. Angermann, D. W. i. d. mhd. Lyrik, Diss. Marb. 1910.

Wechselgesang, dialog. Form des Gesangs in Frage und Antwort oder in versch. Variationen zum gleichen Thema, am kunstvollsten, wenn die Antwort in gleicher Strophenform und unter Benutzung der gleichen Reime und Reimfolge erfolgt; schon im griech. Drama als →Amoibaia, bes. häufig dann in der Volksdichtung: im dialog. →Volkslied, im →Rätsel, beim Eintritt neuangekommener Handwerksburschen, als Trutzstrophen zwischen Burschen und Mädchen e. Dorfes oder als Hänsellied zwischen Burschen zweier Ortschaften, als Streitgespräch zwischen Sommer und Winter, Seele und Leib u. ä., im Weihnachtslied als W. von Maria und Josef, Engeln und Hirten, bes. aber im Liebeslied vom schlichten Volkslied über den Minnesang (→Tagelied, →Wechsel von Männer- und Frauenstrophen schon beim KÜRENBERGER und DIETMAR VON AIST) und das dialog. Hirten- und Gesellschaftslied bis zu GOETHES Hatem und Suleika im *Westöstlichen Diwan* und der breiten Entfaltung des lyr. W. in der Romantik. Im 19. und 20. Jh. (DROSTE, MÖRIKE; GEORGE, RILKE, HOFMANNSTHAL) tritt das dialog. Element zusehends zurück.

RL; A. Langen, Dialogisches Spiel, 1966.

Wechselreim = →Kreuzreim

Wechselseitige Erhellung der Künste, von O. WALZEL 1917 geprägtes Schlagwort für die interdisziplinäre vergleichende Betrachtung der Künste und insbes. die Wechselbeziehungen von Lit. zu bildender Kunst und Musik, die für die Wesenserkenntnis der einzelnen Kunst ebenso aufschlußreich sein kann wie für Gemeinsamkeiten der Künste in den einzelnen Kulturepochen. Ihre Erforschung gilt, soweit sie von der Lit. ausgeht, als Arbeitsgebiet der →vergleichenden Literaturwissenschaft. Für die Symbiose der Künste spricht die Existenz von →Doppelbegabungen (→Malerdichter) ebenso wie die Idee des →Gesamtkunstwerks, für ihre geschichtl. Parallelität die aus der bildenden Kunst entlehnten lit. →Epochenbezeichnungen wie Barock, Manierismus, Rokoko, Impressionismus und Jugendstil. Gemeinsame Terminologie von Lit.-wiss. und Kunstwissenschaft spiegelt sich in Begriffen wie Bild, Symbol, Allegorie, Emblem, Groteske und Arabeske, die Kombination von Lit. und Kunst in Bilderlyrik, Gemäldegedicht, Comics und visueller Poesie, ihre Abgrenzung dagegen im →Laokoon-Problem und →ut pictura poesis. Die Anregung vieler Literaturwerke durch Bildwerke und umgekehrt (z.B. →Illustration) fällt in das Gebiet der →Stoffgeschichte. Musik und Lit. haben Begriffe wie Takt, Leitmotiv, Kadenz, Rhythmus, Klang und Melodie (→Sprachmelodie) gemein; ihre Vereinigung finden sie in der Vertonung und bes. der →Oper (→Libretto) und dem Gesamtkunstwerk. Wechselbeziehungen bestehen auch zu Theater, Ballett und Film. Auf stoffl. Ebene dienen Formen wie Künstlerroman, Künstlerdrama, Malerroman und Theaterroman der w. E. d. K.

O. Walzel, W. E. d. K., 1917; ders., Gehalt u. Gestalt, 1923, n. 1957; A. Coeuroy, *Musique et litt.*, Paris 1923; F. Medicus, D. Probl. e. vergl. Gesch. d. Künste (Philos. d. Lit.wiss., hg. E. Ermatinger 1930); P. Maury, *Arts et litt. comparés*, Paris 1934; K. Vossler, Üb. gegenseit. E. d. K. (Fs.-H. Wölfflin, 1935); K. Wais, Symbiose d. Künste, 1937; R. Wellek, *The parallelism between lit. and the arts* (*Engl. Inst. Annual*, 1942); C. S. Brown, *Music and lit.*, Athens 1948; T. Munro, *The arts and their interrelations*, N.Y.

1951; H. Hatzfeld, *Lit. through art*, N.Y. 1952; *Les langues et les litt. mod. dans leurs relations avec les beaux-arts*, hg. C. Pellegrini, Florenz 1955; J. H. Hagstrum, *The sister arts*, Chic. 1958; W. Stammler, Wort u. Bild, 1962; H. P. H. Teesing, *Lit. and the other arts*, YCGL 12, 1963; J. Hermand, Lit.wiss. u. Kunstwiss., 1965, ²1971; *Relations of lit. study*, hg. J. Thorpe, N.Y. 1967; Bildende Kunst u. Lit., hg. W. Rasch 1970; Wechselwirkung d. Künste, 1970; M. Praz, *Mnemosyne*, Princeton 1970; G. Schweikle, Versuche w. E. ma. Dichtg. u. Kunst (Fs. K. H. Halbach, 1972); U. Weisstein, Zur w. E. d. K. (Komparatistik, hg. H. Rüdiger 1973); M. Friedrich, Text u. Ton, 1973; V. Dietsch, Z. w. E. d. K., Universatia 36, 1981; M. Meisel, *Realizations*, Princeton 1983; Lit. u. Musik, hg. S. P. Scher 1984; W. S. Heckscher, *Art and lit.*, 1985; R. Rosenberg, W. E. (Stil, hg. H. U. Gumbrecht 1986); D. Scott, *Pictorial poetics*, Cambr. 1988. →vergleichende Literaturwissenschaft.

Weiblicher Reim, zweisilbiger Reim mit dem Akzent auf der vorletzten Silbe, während die letzte neben- oder unbetont ist: sagen – klagen; Ggs.: →männlicher Reim.

Weiblicher Versschluß →Kadenz

Weihepigramm →Epigramm

Weihnachtslied, brauchmäßig an die Weihnachtszeit gebundenes Lied, meist in Form von Krippen- oder Hirtenlied. W.er sind seit dem 11./12. Jh. bezeugt und werden seit 14.–16. Jh., meist aus lat. Hymnen verdeutscht oder als Mischpoesie, erhalten *(In dulci jubilo)*; international verbreitete sich V. J. MOHRS *Stille Nacht* (1818). Vgl. →Carol, →Noël.

W. Thomas, K. Ameln, D. W., 1932; H. Walcha, Dt. W., ⁶1953; M. Rößler, Da Christus geboren war, 1981; H.-B. Schönborn, D. W. i. ev. Gesangbuchern d. 18. Jh. (Jb. f. Liturgik u. Hymnol. 26, 1982).

Weihnachtsspiel, Christgeburtspiel, Form des →geistlichen Dramas im MA., hervorgegangen aus dem Tropus und szen. Darstellungen der liturg. Weihnachtsfeiern, die vom 4. bis 12. Jh. bezeugt sind, und etwas jünger als das Osterspiel, doch ähnl. zum Zyklus erweitert. Den Kern bildet im 10. Jh. das →Krippenspiel am Altar um Maria, Joseph und das Christuskind (z. T. bis heute fortlebend); seit dem 11. Jh. schließen sich →Hirtenspiele an, später auch →Dreikönigsspiele und, an die in diesen bereits auftauchende Gestalt des Herodes anknüpfend, Spiele vom bethlehemit. Kindermord mit der Flucht nach Ägypten und der Klage der Mütter. Schließlich wird wie im lat. *Benediktbeurer* (13. Jh.) und dt. *St. Galler W.* (Ende 13. Jh.) e. →Prophetenspiel vorangestellt. Bedeutendstes das *Hess. W.* (Friedberg, um 1500), wiederbelebt als →Volksschauspiel das *Oberuferer W.* (2. H. 16. Jh.). Nachleben bei M. MELL (*Wiener Kripperl von 1919*, 1921).

W. Köppen, Beitr. z. Gesch. d. dt. W., 1893; V. Teuber, D. Entw. d. W., Progr. Komotau 1898; F. Vogt, W. d. schles. Volkes, 1901; A. Jungbauer, D. W. e d. Böhmerwaldes, 1911; M. Böhme, D. lat. W., 1917; H. Heckel, D. dt. W., 1922; A. Müller, D. sächs. W.e, 1930; G. Bencker, D. dt. W., Diss. Greifsw. 1933; L. Schmidt, Formprobleme d. dt. W., 1938; C. Musumarra, *La sacra rappresentazione della natività nella tradiz. ital.*, Florenz 1957; K. E. Fürst, Oberuferer u.a. süddt. W.e d. 16. u. 17. Jh., 1981. →geistliches Drama.

Weimarer Klassik, im Unterschied bes. zur mhd. Klassik die dt. →Klassik um 1800.

Weimarer Republik, die polit. Epoche der dt. Geschichte 1918–1933, gliedert sich literaturgeschichtlich in den späten →Expressionismus und die →Neue Sachlichkeit und stellt sich als Einheit nur für die von Stilepochen unberührte polit.-revolutionäre Tendenzdichtung sozialist. Observanz dar.

D. sog. 20er Jahre, hg. R. Grimm, J. Hermand 1970; P. Gay, Republik d. Au-

ßenseiter, 1970; L. Köhn, Überwindg. d. Historismus, DVJ 48, 1974; D. dt. Lit. i. d. W. R., hg. W. Rothe 1974; W. Laqueur, Weimar, 1976; W. Fähnders, Proletar.-revol. Lit. d. W. R., 1977; Theater d. W. R., Kat. hg. G. Erkens 1977; J. Hermand, F. Trommler, D. Kultur d. W. R., 1978; D. lit. Leben i. d. W. R., hg. K. Bullivant 1978; J. Willett, Explosion d. Mitte, 1981; *Weimar Germany*, hg. A. F. Bance, Edinb. 1982; W. R., hg. A. Kaes 1983; *Weimar*, hg. G. Raulet, Paris 1984; *The Weimar dilemma*, hg. A. Phelan, Manch. 1985; K. Petersen, Lit. u. Justiz i. d. W. R., 1988.

Weinerliches Lustspiel (Bz. von G. E. LESSING), die dt. Form der →Comédie larmoyante mit ähnl. Zielsetzung, doch meist ins →Rührstück übergehend. Begründer und theoret. Verfechter ist in Dtl. GELLERT mit der Abhandlung *Pro comoedia commovente* 1751, die LESSING zusammen mit ihrer Ausgangsschrift (CHASSIRONS *Réflexions sur le Comique-larmoyant*, 1749) ins Dt. übersetzt und 1754 in der *Theatralischen Bibliothek* abdruckt, und mit seinen Stücken *Die Betschwester* (1745), *Das Los in der Lotterie* (1746) und *Die zärtlichen Schwestern* (1747). Es folgen J. Chr. KRÜGER, J. E. SCHLEGEL und bes. Chr. F. WEISSE (*Amalia*, 1765). Züge des w. L. finden sich auch in LESSINGS *Miß Sara Sampson* und *Minna von Barnhelm* (I, 5–6: die Dame in Trauer)

H. Friederici, D. dt. bürgerl. Lustsp. d. Frühaufkl., 1957; G. Wicke, D. Struktur d. dt. Lustsp. d. Aufkl., 1965; H. Steinmetz, D. Komödie d. Aufkl., 1966, ³1978.

Weinlied →Trinklied

Weise →Ton

Weisheitslehre, charakteristische Literaturform der altägypt. Didaktik seit rd. 2750 v. Chr.: Lebenslehren und -erkenntnisse, die z. T. in Dialogform einem Sohn oder Jünger vermittelt werden; moral., relig. und prakt. Unterweisung zum richtigen Benehmen und erfolgreichen Leben.

H. Brunner, D. Weisheitslit., in Hdb. d. Orientalistik I: Ägyptologie, 2.: Lit., 1952. →Weisheitsliteratur.

Weisheitsliteratur, altoriental. Literaturgattung der sog. gnomischen Lit. der Spruchweisheit und →Weisheitslehre in Sumer, Babylon und Ägypten, am bekanntesten die W. innerhalb des *A.T. (Hiob, Sprüche, Prediger)* und der →Apokryphen *(Buch der Weisheit, Jesus Sirach).*

H. H. Schmid, Wesen u. Gesch. d. Weisheit, 1966; J. D. Wood, Wisdom lit., Lond. 1967; H. D. Preuß, Einf. i. d. alttestamentl. W., 1987.

Weissagung →Prophetie

Weistum, e. von Schöffen u. a. Rechtskollegien gegebene abstrakte Erklärung (Urteil) über e. Fall des ungeschriebenen Gewohnheitsrechtes; für Kultur- und Rechtsgeschichte bedeutsam.

J. Grimm, Dt. W.er, VII 1840–78; D. Werkmüller, Üb. Aufkommen und Verbreitg. d. W.er, 1972.

Wellentechnik, Form des Aufbaus bes. bei romant.-symbolist. Dramen nicht nach äußerer Handlung, sondern nach der inneren Erlebniskurve.

Wellerismus, auch Sagwort, Sag-(te)sprichwort, Beispiel(sprich-)wort, nach der Figur Samuel Weller in DICKENS' *Pickwick Papers* Bz. für ein →Sprichwort, dem durch Hinzufügung e. Sprechers und e. ep. Element der Situationsbeschreibung e. iron.-groteske Wendung zu Mißdeutung oder Sprichwortparodie bes. abgedroschener Gemeinplätze gegeben wird: ›Ein schöner Tag, wollen wir nicht fischen gehen? sagte der Angler zum Wurm.‹ (BRECHT, *Kaukas. Kreidekreis*). Bes. in Antike, Humanismus und 19./20. Jh. beliebt.

S. Neumann, Aspekte d. W.-Forschg. (Proverbium 6, 1966).

Well-made play, engl. für franz. →Pièce bien faite

Weltchronik, im MA., bes. 13. Jh., beliebte und verbreitete Form der →Chronik als Darstellung der gesamten lit. erreichbaren Weltgeschichte meist nach der bibl. Urgeschichte und Kompilation versch. Quellen. Lat. W. von ISIDOR VON SEVILLA, BEDA VENERABILIS, FRUTOLF, REGINO VON PRÜM, OTTO VON FREISING, VINZENZ VON BEAUVAIS, H. SCHEDEL u. a., dt. in Prosa die *Sächsische W.* vermutlich von EIKE VON REPGOW um 1230, in Versform RUDOLFS VON EMS W. um 1252, JANS ENIKELS W. (2. H. 13. Jh.), die *Thüring.-W.* und die W. HEINRICHS VON MÜNCHEN (14. Jh.).

H. Menhardt, Z. W.-Lit., PBB 61, 1937; W. Kaegi, Chronica mundi, 1954; A. v. d. Brincken, Stud. z. lat. W., 1957; K. H. Krüger, D. Universalchroniken, Turnhout 1976; M. Haeusler, D. Ende d. Gesch. i. d. ma. W'tik, 1980.

Weltgerichtsspiel, Form des →geistlichen Dramas im MA., Spiel vom Jüngsten Gericht als Fortsetzung und Abschluß der ird. Heilsgeschichte, zu der das Passionsspiel angeschwollen war: Zornesworte Christi an die unwiderruflich Verdammten, deren ständig erneutes Flehen und die vergebl. Fürsprache Marias im Ggs. zum jubelnden Einzug der Apostel und Frommen in den Himmel; oft satirisch abgeschlossen durch e. →Antichristspiel. Das Motiv erscheint schon im *Eisenacher Zehnjungfrauenspiel* von 1322, sodann in e. Schweizer W. um 1350, dessen Bearbeitung im *Rheinauer W.* von 1467 vorliegt, in e. *Kopenhagener W.,* und lebt bis ins 16./17. Jh. hinein fort, auch im franz., engl. und ital. Raum.

R. Klee, D. mhd. Spiel v. Jüngsten Tage,
Diss. Marbg. 1906; K. Reuschel, Unters.
z. d. dt. Weltgerichtsdichtungen, Diss.
Lpz. 1895; ders., D. dt. W. d. MA. u. d.
Reformationszeit (Teutonia 4, 1906).

Weltkriegsdichtung, diejenigen lit.
Zeugnisse, in denen das Erlebnis der
beiden großen Weltkriege des 20.
Jh. und die unerbittl. Wirklichkeit
der mod. Materialschlacht, die
kaum einem Idealismus Raum gibt,
dichter. Gestaltung gefunden hat
und die die innere Haltung der
Kämpfenden spiegeln. Die W. umfaßt alle Stimmen von der mutvol-
len Bejahung des Geschehens über
die heroische Ergebenheit und die
betrübte Klage bis zur erbitterten
Ablehnung und Anklage des Völ-
kermordens, nur daß im Verhältnis
zur früheren →Kriegsdichtung die
positiven Stimmen vor vornherein
in der Minderheit bleiben, die Haß-
und Zorngesänge bald verstummen
oder nur künstlich am Leben gehalten werden und der Überschwang
jugendl. Begeisterung, wo er überhaupt ausbricht, bald in tiefsten Pessimismus und Abscheu vor dem
Chaos umschlägt, in dem nicht
mehr der Mensch im offenen Kampf
Mann gegen Mann, sondern nur
noch das tote Material der Massen-
vernichtungsmittel die Entscheidung herbeiführt. Gerade mit der
Vertiefung dieses menschl. Erlebens
steigt der dichter. Wert der W., die
nicht mehr in stolzen Kampf- und
Schlachtgesängen gipfelt, sondern
in der Besinnung auf das eigentlich
Menschliche. Die ablehnende Haltung vieler W.en bedingte, daß sie
meist erst nach den Kriegen veröffentlicht werden durften. Im Erlebnis des Kampfes erwachen viele bisher unbekannte Begabungen, während die führenden Dichter oft mit
wenigen Werken im Hintergrund
bleiben. Über die bleibenden Werte
aber wird erst die Zeit entscheiden,

wenn nicht mehr das bloße Interesse
am Tatsachenstoff und der Gegen-
wartsgestaltung, sondern die dichter. Kraft allein diejenigen Werke
bestimmt, die über den Tag hinaus
wirken und nach Gehalt wie Gestalt
zum Selbstverständnis des Menschen beitragen. – Die Lyrik des 1.
Weltkrieges wird weitgehend von
den →Arbeiterdichtern (BRÖGER,
PETZOLD, LERSCH, BARTHEL) getragen und bestimmt weiterhin die expressionist. Lyrik (STADLER, WER-
FEL). Die Kriegsdramen wie SCHIK-
KELES *Hans im Schnakenloch,* GOE-
RINGS *Seeschlacht* und UNRUHS *Geschlecht* bleiben ohne nennenswerte
Nachfolge. Die ep. W. begann mit
UNRUHS *Vor der Entscheidung* und
Opfergang sowie E. JÜNGERS *In
Stahlgewittern* und W. FLEX' *Wanderer zwischen beiden Welten.* 1924
folgt H. CAROSSAS *Rumänisches
Tagebuch;* die eigtl. Hauptmasse
der Romane aber beginnt erst im
Abstand von rd. 10 Jahren nach
Kriegsende; voran gehen A. ZWEIGS
Streit um den Sergeanten Grischa
1927 und REMARQUES *Im Westen
nichts Neues* 1929. Aus der unübersehbaren Fülle der Romane, von denen ein nicht geringer Teil als angebl. Augenzeugen- und Erlebnisbe-
richte die Konjunktur journalistisch
ausnutzte, seien hier nur erwähnt L.
RENNS *Krieg,* DWINGERS *Dt. Passions,* B. BREHMS habsburg. Trilogie, B. von MECHOWS *Abenteuer,* J.
M. WEHNERS *Sieben vor Verdun,*
ferner Romane und Novellen von
E. WIECHERT, ALVERDES, BINDING,
BEUMELBURG, ZILLICH, MARWITZ,
EURINGER, SANDER u. v. a. Aus der
franz. W. ragen bes. BARBUSSE (*Le
feu*), RAYNAL, DORGELÈS, GIONO
(*Le grand troupeau*), CÉLINE und
MONTHERLANT hervor, aus der
engl. LAWRENCES *The Seven Pillars
of Wisdom,* FORESTERS *The General,* ALDINGTONS *Death of a Hero,*

Werke von R. GRAVES, S. SASSOON, F. MANNING, R. ALDINGTON, R. BROOKE, E. BLUNDEN, W. OWEN und SHERIFFS Drama *Journey's End*, in Amerika bes. DOS PASSOS *Three Soldiers*, W. FAULKNERS *A Fable* und HEMINGWAYS *A Farewell to Arms*. − Die W. des 2. Weltkrieges entzieht sich noch stärker objektiver Überschau und ist noch ständig im Wachsen begriffen; auch hier entstehen die bedeutendsten Werke bezeichnenderweise aus den Reihen der Widerstandsbewegung. Große Aufmerksamkeit erregten z.B. REMARQUES *Arc de Triomphe*, PLIVIERS *Stalingrad* und *Moskau*, Gerd GAISERS *Die sterbende Jagd*, Peter BAMMS *Unsichtbare Flagge*, DWINGERS *Wenn die Dämme brechen*, E. JÜNGERS *Gärten und Straßen, Strahlungen*, ferner Werke von F. HARTLAUB, A. ANDERSCH, H. BÖLL, L. FRANK, J. RAUSCH, W. WARSINSKY, H. W. RICHTER, W. KOLBENHOFF, G. LEDIG, A. KLUGE, L. BUCHHEIM *(Das Boot)*, auch H. H. KIRST und H. G. KONSALIK und die Dramen CSOKORS, H. KIPPHARDTS *(Der Hund des Generals)*, ZUCKMAYERS *(Des Teufels General)* und W. BORCHERTS *(Draußen vor der Tür)*, in Amerika bes. N. MAILERS *The Naked and the Dead*, J. JONES, H. WOUK und I. SHAW, in Italien C. MALAPARTE und in Frankreich St. EXUPÉRY, A. MALRAUX, F. MAURIAC, VERCORS, ARAGON und ELUARD, in Rußland K. SIMONOV und V. NEKRASOV.

H. Cysarz, Z Geistesgesch. d. W., 1930, ²1973; H. Weyand, D. engl. Kriegsroman, 1933; E. Jirgal, D. Wiederkehr des W. i. d. Lit., 1933; E. Volkmann, Dt. Dichtg. i. W., 1934; H. Grimrath, D. Weltkrieg i. franz. Roman, 1935; M. Günther, Engl. Kriegsromane, 1936; H. Hoffmann, Mensch u. Volk i. Kriegserlebnis, 1937, u. ö. 1967; G. Lutz, Europas Kriegserlebnis (Dichtg. u. Volkstum 39, 1938); H. Pongs, W'u. Dichtg., ebda.; H. S. Schlötermann, D. dt. W'drama, 1944; J. Angée, *L'image du combattant dans le roman de guerre*, Diss. Paris 1955; J. Paar, Beitr. z. geist. Auseinandersetzg. m. d. 2. Weltkrieg i. dt. Drama, Diss. Wien 1960; M. Bowra, *Poetry and the first World War*, Oxf. 1961; J. H. Johnston, *Engl. Poetry of the first World War*, Princeton 1964; A. Whitehouse, *Epics and legends of World War I*, N.Y. 1964; U. Steuerwald, D. amerik. W'roman 1919–39, 1965; S. R. Cooperman, *World war I and the American Novel*, Baltimore 1967; J. J. Waldmeir, *Americ. novels of the 2. world war*, Haag 1969, ²1971; U. Wandrey, D. Motiv d. Krieges i. d. express. Lyrik, 1972; E. Bentley, *Theatre of war*, Lond. 1972; S. H. Damian, *The war novel in German lit.* 1945–65, Diss. Hobart 1973; K. F. Geiger, Kriegsromanhefte i. d. BRD, 1974; J. Stallworthy, *Poets of the first world war*, Lond. 1974; W. J. Schwarz, *War and the mind of Germany*, 1975; K. Vondung, Gesch. als Weltgericht (Lit. f. viele 2, 1976); K. Prümm, D. Erbe d. Front (D. dt. Lit. i. 3. Reich, hg. H. Denkler 1976); E. Koester, Lit. u. W'ideologie, 1977; W. Falk, D. kollektive Traum v. Krieg, 1977; Gegenw.dichtg. u. 3. Reich, hg. H. Wagener 1977; M. Gollbach, D. Wiederkehr d. W. i. d. Lit., 1978; K.-P. Philippi, Volk d. Zorns, 1979; B. Bergonzi, *Heroes' twilight*, Lond. 1980; *The 1. world war in German narrative prose*, Fs. G. W. Field, Toronto 1980; Kriegserlebnis, hg. K. Vondung 1980; R. Olt, Krieg u. Sprache, II 1980f.; J. Pfeifer, D. dt. Kriegsroman 1945–60, 1981; E. Momber, 's ist Krieg, 1981; H. Korte, D. Krieg i. d. Lyrik d. Expressionismus, 1981; D. Dichter u. d. Krieg, hg. T. Anz 1982; R. N. Stromberg, *Redemption by war*, Lawrence 1982; M. P. A. Travers, *German novels of the 1. world war*, 1982; F. J. Harris, *Encounters with darkness*, N.Y. 1983, ²1985; M. Stickelberger-Eder, Aufbruch 1914, 1983; *The 2. world war in fiction*, hg. H. Klein, Lond. 1984; W. Amberger, Männer, Krieger, Abenteurer, 1984; Ansichten v. Krieg, hg. B. Hüppauf 1984; L. M. Shires, *Brit. poetry of the 2. world war*, Lond. 1985; H. Bornebusch, Gegen-Erinnerung, 1985; P. Bridgwater, *The German poets of the 1. world war*, Beckenham 1985; H.-H. Müller, D. Krieg u. d. Schriftsteller, 1986; *The 2. world war in lit.*, hg. I. Higgins, Edinb. 1986; K. Bangert u.a., D. Darstellg. d. 2. Weltkr. i. engl. Roman, 1987; C. v. Raumer, *Khakiclad civilians*, 1987; F. K. Stanzel, Engl. u. dt. Kriegsdichtg. 1914–18, Sprachkunst 18, 1987. →Kriegsdichtung.

Weltliteratur, als Begriff von GOETHE geprägt: ›Ich sehe immer mehr, daß die Poesie e. Gemeingut der

Menschheit ist, und daß sie überall und zu allen Zeiten in Hunderten und aber Hunderten von Menschen hervortritt... Nationalliteratur will jetzt nicht viel besagen, die Epoche der W. ist an der Zeit, und jeder muß jetzt dazu wirken, diese Epoche zu beschleunigen‹ (zu ECKERMANN 31. I. 1827). Der Begriff ist bei GOETHE nicht genauer definiert, so daß sich im Laufe der Zeit versch. Bedeutungen entwickeln: 1. rein quantitativ die Gesamtheit aller (National-)Literaturen der Erde zu allen Zeiten als rein summar. Begriff ohne Rücksicht auf Einheitlichkeit und innere Zusammengehörigkeit. 2. qualitativ e. ständig wachsender Kanon der größten dichter. Leistungen aller Literaturen, deren Wesen national wie allgemeinmenschlich ist, doch nie den völk. Gehalt zugunsten blasser Internationalität verleugnet, und die, über ihre Länder und Zeiten hinaus wirkende Geltung behaltend, zum Gemeingut aller Kulturvölker geworden sind. 3. kommunikativ der lebendige geistige Verkehr zwischen den versch. Literaturen und ihr Zusammenwirken im Laufe der Entwicklung (Forschungsgegenstand der →vergleichenden Literaturwissenschaft). Diese Bedeutung kommt der Auffassung GOETHES am nächsten, der durch den lebhaften Austausch der Dichtungen und Bildungswerte im persönl. Verkehr oder in →Übersetzungen e. gegenseitige Fühlungnahme, besseres Kennenlernen und gegenseitiges Verständnis der Nationen untereinander und damit wechselseitige Achtung und Duldung erstrebte: ›Denn daraus nur kann endlich die allgemeine W. entspringen, daß die Nationen die Verhältnisse aller gegen alle kennenlernen, und so wird es nicht fehlen, daß jede in der anderen etwas Annehmliches und etwas Widerwärtiges, etwas

Nachahmenswertes und etwas zu Meidendes antreffen wird. Auch dieses wird zu der immer mehr umgreifenden Gewerks- und Handelstätigkeit auf das Wirksamste beitragen: denn aus uns unbekannten übereinstimmenden Gesinnungen entsteht ein schnelleres, entschiedenes Zutrauen. Dagegen wenn wir mit entschieden anders denkenden Personen im gemeinen Leben zu verkehren haben, werden wir einerseits vorsichtiger, andererseits aber duldender und nachsichtiger zu sein uns veranlaßt finden.‹ Damit verbunden ist die Erkenntnis, daß über den trennenden nationalen Eigenarten jeder Lit. bei den hervorragendsten Dichtern überall e. allgemein Menschliches aufleuchte, an dem weiterzubauen sei, damit das wahrhaft Große nicht Eigentum e. einzigen Nation bleibe, sondern im edlen Wettbewerb der Nationen zum Allgemeingut der Menschheit werde: ›Der Dichter wird als Mensch und Bürger sein Vaterland lieben, aber das Vaterland seiner poetischen Kräfte und seines poetischen Wirkens ist das Gute, Edle und Schöne, das an keine bes. Provinz und an kein bes. Land gebunden ist, und das er ergreift und bildet, wo er es findet.‹ Das Ideal e. solchen W. sieht GOETHE verwirklicht in der Antike, die in allen abendländ. Nationen nicht erst seit der Renaissance, sondern schon in der christl. W. des MA. als Grundlage der gemeinsamen Kultur aufgenommen wird; doch auch Formen wie die german. Heldendichtung, der Minnesang, das ma. geistl. Drama und Strömungen wie Renaissance und Humanismus erfassen die Gesamtheit der abendländ. Völker, und auch seit dem Aufblühen der volkssprachl. Dichtung nimmt die gegenseitige Befruchtung der einzelnen Literaturen bis in die Gegenwart ständig zu.

E. Beil, Z. Entwicklg. d. Begriffs W., Diss.
Lpz. 1915; K. Voßler, Nationallit. u. W.
(Zeitwende 4, 1928); F. Strich, Goethes
Idee e. W. (Dichtg. u. Zivilisation, 1928);
ders., W. u. vgl. Lit.wiss. (in: Philos. d.
Lit.wiss., hg. E. Ermatinger 1930); Th.
Frühm, Gedanken üb. Goethes W., 1932;
M. Dietrich, V. Sinn d. W., 1946; M.
Bodmer, E. Bibliothek d. W., 1947; F.
Strich, Goethe u. d. W., 1947, ²1957; J.
Müller, D. völkerverbind. Aufg. d. W.,
1948; H. W. Eppelsheimer, W. (Imprima-
tur 10, 1951); J. Reményi, The Meaning
of World Lit. (Journal of Aesthetics 9,
1951); F. Michael, W., 1952; ›W.‹, Fs. f.
F. Strich, 1952; M. Bodmer, Variationen
zum Thema W., 1956; H. Bender, M.
Metzer, Z. Gesch. d. Begriffs W. (Saecu-
lum 9, 1958); H. Schneider, W. u. Natio-
nallit. i. MA. (in: Kl. Schr., 1962); J.
Krehayn, Z. Begriff W. als lit.wiss. Kategorie (Philologica Pragensia 9, 1966); R.
Étiemble, Faut-il reviser la notion de W.?
(Actes du IVe congr. de l'assoc. internat.
de litt. comparée, 1966); A. Berczik, Z.
Entw. d. Begriffs W. (Acta Germanica et
Romanica 2, 1967); H. J. Schrimpf, Goe-
thes Begriff d. W., 1968; W. v. Einsiedel,
D. W. u. ihre Provinzen (Merkur 22,
1968); V. Lange, Nationallit. u. W. (Goethe Jb. 33, 1971); M. Naumann u. R. M.
Samarin (ebda.); W. u. Volkslit., hg. A.
Schaefer 1972; R. Exner, W. u. Provinz-
lit., NDH 23, 1976; F. Jost, L'hist. lit. de
la W. (Cahiers roumains d'études lit. 4,
1976); Z. Konstantinović, W., 1979; P. J.
Brenner, W. (Goethe Jb. 98, 1981); RL²;
H. Steinmetz, W., Arcadia 20, 1985. –
Darstellungen der ›Gesch. d. W.‹ u.a.
von: O. Hauser II 1910; K. Busse II
1910–1913; A. Bartels 1912–13; O. Walzel (Hg.) ›Hdb. d. Lit.-wiss.‹, 1923 ff.; J.
Hart 1925; A. Baumgärtner, V ²1925; J.
Scherr ¹¹1926; J. Macy, Lond. 1927; Kla-
bund 1929; H. M. u. N. K. Chadwick,
Lond. III, 1932–40; W. Oehlke, 1932 u.
1939; F. M. Ford, ²1941; F. de Backer,
Utrecht III 1943 ff.; Bustamante, Madrid
1946; G. Prampolini, Turin VII ²1948 f.;
P. Wiegler, ⁶1949; J. Drinkwater, Lond.
³1963; F. W. v. Heerikhuizen, Leiden II
1951–56; E. v. Tunk III 1954; R. Lava-
lette ²1954; E. Laaths ⁸1968; R. Queneau
(Hg.) Paris III 1955 f.; J. M. Cohen,
Lond. 1956; Bonniers allmänna Lit.hist.,
Stockh. VI 1959 f.; C. Pellegrini (Hg.) VI
Mail. 1960; H. W. Eppelsheimer (Hdb.
d. W.) ³1960; M. de Riquer u. J. M.
Valverde, Barcelona III 1957–59; D. An-
dreae u. E. N. Tigerstedt, Stockh. 1961;
P. Gioan (Hg.), Paris III 1961; F. Bull,
Koph. 1961; A. Burgio, Mail. II 1963;
W. v. Einsiedel (Hg.), D. Litt. d. Welt,
1964; H. W. Eppelsheimer I 1970; F. J.
Billeskov Jansen (Hg.), Stockh. XII
1971–74; Neues Hb. d. Lit.wiss.,
1972 ff.; G. v. Wilpert, I. Ivask (Hg.)

Mod. W., 1972; M. Seymour-Smith,
Lond. 1973; G. Richter (Hg.) 1978; Propyläen Gesch. d. Lit., VI 1981–88. →Li-
teraturlexikon.

Weltlohn, im MA. beliebtes Thema
von der Falschheit und Undankbar-
keit der verführerischen Welt, häufig personifiziert als ›Frau Welt‹, das
zur Verachtung des Irdischen und
Besinnung auf das Jenseits führen
will: In den Predigtmärlein (→Ex-
empla) der Reden und Predigten,
den Traktaten der Mystiker, allego-
risierenden und moralisierenden
Prosaschriften, satir. und didakt.
Dichtung (HEINRICH VON MELK),
Verslegenden und Einzelgedichten
(WALTHERS Abschied von der Welt).

A. Closs, W., 1934.

Weltschmerzdichtung →Pessimis-
mus

Welttheater, lat. ›theatrum mundi‹,
1. die Vorstellung vom Welttreiben
und Menschenleben als e. großen,
vorüberziehenden Schauspiel, in
dem jeder seine ihm auferlegte Rolle
zu spielen hat, bis der Tod sie ihm
abnimmt, traditioneller Topos,
›theozentrisches Gleichnis‹ (CUR-
TIUS) der europ. Lit. seit PLATON,
SENECA, AUGUSTIN, JOHANNES VON
SALISBURY (Policraticus 1159), LU-
THER u. RONSARD, das bes. im Barock (CALDERÓNS Großes W.,
SHAKESPEARE, CERVANTES, GRA-
CIÁN) vielfältig aufgenommen wird.
Von dort wiederum sind H. v. HOF-
MANNSTHALS Salzburger großes W.
(1922) und Kleines W. (1897) beeinflußt. Aus der Allegorie zum
Symbol verdichtet erscheint das
Theatermotiv bei GOETHE in Wil-
helm Meisters Lehrjahre VII, 3. – 2.
Ferner bz. W. analog zu →Weltlit.
die Summe oder den Spitzenkanon
der dramat. Lit. und die Wechsel-
wirkungen im internat. Theaterwesen.

F. J. Warnke, The world as theatre (Fs. E.

Mertner 1969); P. Rusterholz, Theatrum vitae humanae, 1970; *Life as theater*, hg. D. Brisset, C. Edgley 1975, ²1989; B. Greiner, W. als Montage, 1977; H. D. Pearce, *A phenomenol. approach to the t.m. metaphor*, PMLA 95, 1980; M. Karnick, Rollenspiel u. W., 1980; Theatrum mundi, hg. F. Link 1981; L. G. Christian, *Theatrum mundi*, N.Y. 1987.

Welturheberrechtsabkommen, am 16. 9. 1955 in Kraft getretene Vereinbarung zum internationalen Schutz des →Urheberrechts von Angehörigen der Unterzeichnerstaaten und solchen Werken, die erstmals in diesen veröffentlicht wurden. Der Schutz (mindestens 25 Jahre) entspricht der nationalen →Schutzfrist, oder, falls diese kürzer ist, der des Ursprungslandes. Das W. erlangte bes. Bedeutung durch seine Ratifizierung seitens der USA und (1973) der Sowjetunion. Für Unterzeichnerstaaten der →Berner Konvention genießen deren wesentlich weiter greifende Vorschriften den Vorrang. Lit. →Urheberrecht.

Wendepunkt →Peripetie

Werbungssage →Brautwerbungssage

Werkimmanent, auch textimmanent, e. Methode der →Interpretation, die als Reaktion auf Historismus, Biographismus des 19. Jh., Psychologismus und Geistesgeschichte des 20. Jh. sich ausschließlich auf das zu analysierende Einzelwerk konzentriert, es aus ihm selbst heraus nach seinen eigenen Gesetzen zu verstehen sucht, ihr Untersuchungs- und Beweismaterial nur in ihm findet und zu seinem tieferen Verständnis als Kunstwerk beiträgt. Über das Einzelwerk hinausgehende histor., literaturgeschichtl., biograph., soziolog., weltanschaulichpolit. und stofflich-motiv. Fragen und Traditionen treten dabei ganz in den Hintergrund. Methode des

russ. Formalismus, des amerikan. New Criticism, der dt. Dichtungswissenschaft.

M. Gsteiger, Werkimmanenz u. Historiographie (Arcadia 8, 1973); A. P. Foulkes, Z. Problematik d. w. Interpretationsmethode (Rezeption d. dt. Gegenw.lit. i. Ausl., hg. D. Papenfuß 1976).

Werkkreis Literatur der Arbeitswelt, auch ›Werkkreis 70‹ gen., März 1970 in Köln gegr., polit. radikale ›praxisbezogene‹ Spaltgruppe der →Gruppe 61 aus dem Bereich der →Arbeiterdichtung, sieht seine Aufgaben weniger in der Lösung lit.-ästhet. Probleme als in der Artikulation von Mißständen in der Arbeitswelt, Dokumentation des Milieus in gewerkschaftl. Sinne und polit. Emanzipation mit dem Ziel ›mit lit. Mitteln zur Veränderung der Gesellschaft mit sozialist. Zielsetzung beizutragen‹. Der gewerkschaftl. unterstützte W. L. d. A. unterhält in zahlr. Industrieorten ›Werkstätten‹ zur Diskussion und kollektiven Gestaltung von Texten sowie e. eigene Publikationsserie. Bekanntere Autoren sind G. WALLRAFF, E. RUNGE, E. SCHÖFER.

H.-W. Jäger, Beschreiben, um zu verändern, JIG 3, 1971; P. Kühne, Arbeiterklasse u. Lit., 1972; Arbeiterlit. i. d. BR., hg. H. L. Arnold 1975; F. Schonauer, D. Sackgasse d. W'lit., NDH 22, 1975; R. Safranski, W'lit. u. Arbeiterbewegg. (Lit. als Praxis, hg. R. Hübner 1976); P. Fischbach u.a., Für e. Lit. d. Arbeiterklasse (D. dt. Roman i. 20. Jh., hg. M. Brauneck 2, 1976); J. Alberts, Arbeiteröffentlichkeit u. Lit., 1977; G. Wölke, Arbeiterlit., 1977; W. Deuber, Realismus d. Arbeiterlit., 1978; Hb. z. dt. Arbeiterlit., hg. H. L. Arnold 1977; 10 Jahre W. L. d. A., hg. P. Fischbach 1979; H. Hensel, W., 1980; U. Grossmaas, Arbeiterlit. als Beitr. z. Ges.veränderg., 1983. →Arbeiterdichtung.

Werkleute auf Haus Nyland →Nyland-Kreis

Werkstattheater, auf Probebühnen oder Studios größerer Theater veranstaltete Dramenaufführung zur Erprobung neuer Formen und Stile in engem Publikumskontakt und ohne Anspruch auf letzte techn. und darsteller. Perfektion, oft mit anschließender Diskussion.

Werktreue, oft polem. Schlagwort der (dramat.) Aufführungspraxis, das statisch eine einzige richtige, vom Autor intendierte Deutung und Interpretation postuliert und mod. Experimente mit Aktualisierungen ›gegen den Strich‹ und Regietheater zurückweist.

Wertung, die Beurteilung der ästhet. Qualität und des künstler. Ranges e. lit. Werkes, ist über das Tagesurteil der →Kritik hinaus e. der wichtigsten und zugleich problematischsten Aufgaben der Literaturwissenschaft, seit sie sich von der bloßen Historie gelöst hat, mit Hilfe der Interpretation die künstler. Werte e. Werkes erschließen und diese dann in Relationen zu anderen erkannten Werten setzen will. Jede literaturwiss. Arbeit setzt im Grunde e. W. voraus, wobei sie sich allerdings vielfach bei der traditionellen, durch die Überlieferung sanktionierten Rangordnung beruhigt oder mit vorgefaßten Meinungen arbeitet. W. ist stets relativ sowohl in bezug auf das zu Wertende, das nicht für sich, sondern im Umkreis vergleichbarer Werte gemessen werden muß, als auch in bezug auf den Wertenden, der zunächst stets dazu neigen wird, sein subjektives Werturteil, den →Geschmack, zum (wenn auch verschleierten) Maßstab des Urteils zu nehmen. Eine um so dringlichere Aufgabe der Literaturwissenschaft muß es sein, objektive Wertmaßstäbe zu ermitteln und bereitzustellen, wenn ihre W. den Anspruch auf Allgemeingültigkeit erheben soll. Sie kann jedoch kein schlüssiges System aufstellen, sondern nur einzelne Kriterien aufzäh-

len, deren Einstufung für die Gesamtwertung je nach dem Standpunkt des Betrachters verschiedenartig ausfallen wird, und sie muß die Fähigkeit zum Werterleben voraussetzen. Als solche Aspekte könnten gelten: 1. die ästhet. Stimmigkeit des Werkes, d.h. die Übereinstimmung der versch. Stilzüge und sprachl. Aspekte, nicht unbedingt im Sinne e. harmonist. Poetik, sondern ebenso im Sinne e. bewußten Multivalenz der Züge, die sich ebenso zu e. echten Ausdrucksganzen integrieren können, 2. die gattungsmäßige Schlüssigkeit, d.h. nicht die normative Regelerfüllung, sondern die Konsequenz von Aussagewollen und Formwahl in aller mögl. Breite individueller Abwandlung des Gattungsstils, 3. die innere Wahrheit, d.h. die Echtheit der künstler. Aussage gegenüber der bloß angelernten, aufgesetzten mod. Attitüde oder der unwahrscheinl. Scheinwelt wunschtraumbefriedigender Unterhaltungslit. mit ihren klischeehaften Typen, Gemeinplätzen und gesuchten Künstlichkeiten, 4. die Originalität des Geschaffenen, die das Werk dank seines Eigenwertes über den Durchschnitt hinaushebt, was andererseits aber nicht e. Kult des gewollt Atypischen führen darf, 5. die Geschichtlichkeit des Werkes, d.h. sein Standort innerhalb seiner literaturgeschichtl. Umwelt und deren ästhet. Auffassungen, deren Berücksichtigung vom Wertenden e. umfassende lit. Bildung voraussetzt, aber gleichzeitig den ebenso zeitbedingten Standpunkt des Betrachters in Rechnung ziehen sollte, 6. die inhaltl. Bedeutsamkeit des – formal bewältigten – Stoffes und der Aussage, d.h. deren Gewichtigkeit für das menschl. Selbstverständnis. Dabei dürfen evtl. moral., polit. oder relig. Ansichten oder Tendenzen nicht vom außerlit. Aspekt der Ethik, Politik oder Religion, für den die Literaturwissenschaft nicht zuständig ist, sondern nur im Maß ihrer Durchgestaltung berücksichtigt werden, und Ernst oder Pessimismus wären nicht von vornherein höherwertig zu veranschlagen als Komik und echter Humor. Eine absolute Wertskala und Rangordnung lit. Werke ist angesichts der Eigenwertigkeit jedes Kunstwerks, das seine Gesetze in sich selbst trägt, nicht möglich, doch kann die Besinnung auf die Problematik der übl. W. wenigstens zu e. Bewußtseinsklärung über anwendbare und nicht anwendbare Gesichtspunkte führen. Sie sollte darüber hinaus die bisherige grobmaschige Wertaufgliederung des Schrifttums in →Dichtung, →Unterhaltungsliteratur und →Trivialliteratur (→Kitsch, →Schundliteratur) stärker differenzieren und innerhalb der Dichtung selbst Rangstufen sichtbar machen.

L. Beriger, D. lit. W., 1938; W. Kayser, Lit. W. u. Interpretation, DU 4, 1952; H. Wutz, Z. Theorie d. lit. W., 1957; W. Ross, Z. Frage d. W. v. Gedd., WW 9, 1959; H. Haeckel, Üb. Verstehen u. Werten v. Dichtg., ZDP 79, 1960; W. Emrich, Z. Probl. d. lit. W., 1961; B. Schulz, Probleme lit. W. i. pädagog. Sicht, WW 13, 1963; H. Markiewicz, *Evaluation in the study of lit.* (in: *Poetics*, Warschau 1963); H. J. Skorna, Z. Probl. d. lit. W. (Pädag. Rundschau 18, 1964); W. Emrich, W. u. Rangordnung lit. Werke, STZ 3, 1964; auch in: Geist u. Widergeist, 1965; M. Wehrli, Wert u. Unwert i. d. Dichtg., 1965; F. Lockemann, Lit.wiss. u. lit. W., 1965; W. Müller-Seidel, Probleme d. lit. W., 1965, ³1981; L. Beriger u.a., OL 21, 1966; Wertendes Lesen, hg. K. Moritz, ²1967; K. Gerth, Ästhet. u. ontolog. W., DU 19, 1967; T. Krömer, W. i. marxist. Lit.betrachtg., ebda.; E. Lundig, D. Wagnis d. Wertens, ebda.; R. Ingarden, Erlebnis, Kunstwerk u. W., 1969; H. Seidler, Beitr. z. methodolog. Grundlegg. d. Lit.wiss., 1969; W. Müller-Seidel, W. u. Wiss. i. Umgang m. Lit., DU 21, 1969; *Problems of lit. evaluation,* hg. J. Strelka (*Yearbook of compar. criticism* 2, 1969); T. Koebner, Z. W'probl. i. d. Trivialroman-Forschg. (Fs. H. Motekat, 1970); H.-E. Hass, D. Probl. d. lit. W., 1970; J. Thaier, D. Probl. d. lit. W., Diss. Salzb. 1971; U. Krause, Ästhet. W. als Aggregation, LiLi 1, 1971; J. Schulte-Sasse, Lit. W., 1971, ²1976; P. Bürger, Z. ästhet. W. ma. Dichtg., DVJ 45, 1971; R. Schober, Z. Probl. d. lit. W., WB 19, 1973; H. Meyer, *Observations on lit. values* (Fs. N. Fuerst, 1973); B. Lindner, Probleme d. lit. W. (Grundzüge d. Lit.- u. Sprachwiss., hg. H. L. Arnold 1, 1973); M. Maren-Grisebach, Theorie u. Praxis lit. W., 1974; C. L. Hart Nibbrig, Ja und Nein, 1974; D. W. Fokkema, *The probl. of generalization and the procedure of lit. evaluation* (Neophil. 58, 1974); W. Schemme, Triviallit. u. lit. W., 1975; Theorie, Lit., Praxis, hg. R. Brütting u.a. 1975; L. Pikulik, D. Zeitgemäße als Kategorie l. W., WW 25, 1975; R. Löffler, Lit.ästh. Modell u. W., 1975; J. Wermke, Lit. W. u. ästh. Kommunikation, 1975; Lit. W. u. W'didaktik, hg. G. Pilz u.a. 1976; R. Peacock, D. Probl. d. persönl. Geschmacks i. d. lit.hist. W. (Fs. V. Santoli, Rom 1976); Lit. W., hg. N. Mecklenburg 1977; F. Nemec, Lit.kritik i. d. Lit.wiss. (Lit.krit.-Medienkrit., hg. J. Drews 1977); J. Drews, Lit.kritik u. lit. W. (Protokolle 1, 1978); J. Strelka, Werk, Werkverständnis, W., 1978; R. T. Segers, *The evaluation of lit. texts,* Lisse 1978; Lit.kritik u. lit. W., hg. P. Gebhardt 1980; G. Fetzer, W.probleme i. d. Triviallit.forschg., 1980; R. Schober u.a., W., WB 26, 1980; *Axia. Davis symposium on lit. evaluation,* hg. K. Menges 1981; N. Groeben, *The empir. study of lit. and lit. evaluation,* Poetics 10, 1981; R. Schober, Abbild, Sinnbild, W., 1982; W. Kurzawa, Analyt. Aspekte d. lit. W., 1982; Beschreiben, Interpretieren, Werten, hg. B. Lenz 1982; Z. Dichotomisierg. v. hoher u. niederer Lit., hg. C. Bürger 1982; RL²; M. Krieger, *The lit. privilege of evaluation* (Fs. R. Wellek, 1984); J. Asher, Z. Qualitätsbestimmg. mhd. Lit., ZDP 104, 1985; M. Schrader, Theorie u. Praxis lit. W., 1987; J. Stenzel, Lit.gesch. als W'gesch., GRM 37, 1987; M. Kienecker, Prinzipien lit. W., 1988; F. Kermode, *History and value,* Oxf. 1988.

Western, Abenteuerroman aus dem nordamerikan. ›Wilden Westen‹ z.Z. der Landerschließung um Pioniere, Goldsucher, Outlaws, Cowboys, Rothäute, Grenzer usw., als Mythos e. romantisch-abenteuerl. Vergangenheit in den USA und von dort in Westeuropa weit verbreitet. Einfach in Sprache und Aufbau mit stereotypen Situationen, schwarz-

weiß gezeichneten Figuren, wenigen
Requisiten und Schauplätzen (Prai-
rie, Saloon); Verherrlichung der
Einzelleistung mit der Identifika-
tionsfigur des eth. autonomen Hel-
den. Nur mit wenigen Werken in
den Bereich der bedeutsamen Lit.
vorstoßend: COOPERS *Leder-
strumpf*, O. WISTERS *The Virgi-
nian*, Werke von Bert HARTE, Mark
TWAIN, E. Z. C. JUDSON, A.
ADAMS, A. H. LEWIS, A. G. GUTH-
RIE, W. STEGNER, W. v. TILBURG,
Z. GREY, M. BRAND, E. HAYCOX,
G. F. UNGER, dt. Nachahmungen
bei SEALSFIELD, MÖLLHAUSEN, K.
MAY. Ab 1900 Trivialisierung und
Kommerzialisierung in W.-Shows,
-Filmen, -Serien.

R. Röder, Üb. d. Wildwest-Roman (Welt
u. Wort 7, 1952); H. Frenzel, D. Lit. d.
W. (Merkur 16, 1962); H. Piwitt, Atavis-
mus u. Utopie d. ganzen Menschen, STZ
I, 1962; J.-L. Rieupeyrout, D. W., 1963
(üb. Film); E. Fussell, *Frontier*, Princeton
1965; K. L. Steckmesser, *The W.hero in
hist. and legend*, Norman 1965, ²1967; J.
K. Folsom, *The Americ. W. novel*, New
Haven 1966; R. Bellour u.a., *Le w.*, Paris
1966; E. L. Tinker, *The horsemen of the
Americans*, Austin 1967; J.-U. Davids, D.
Wildwest-Romanheft i. d. BR., 1969 u.
EdT, 1984; K. H. Göller, Fiktion u. Wirk-
lichk. i. Wildwest-Roman, LWU 6, 1973;
R. Beissel, V. Atala bis Winnetou, 1978;
J. Hembus, W.-Gesch., 1979. →Triviallite-
ratur.

Westler, russ. Geistesströmung des
19. Jh. seit 1840, die unter Einfluß
des dt. Idealismus und der Romantik im Ggs. zu den →Slawophilen
den Anschluß Rußlands an westeu-
rop. Kultur, Regierungsform und
Gesellschaft erstrebte und e. utop.
Sozialismus zuneigte. Die Bewegung
fand lit. Niederschlag in TURGENEVS
Rauch, bei BELINSKIJ, HERZEN,
DRUŽININ, OGAREV und PO-
LONSKIJ.

Wetterregel →Bauernregeln

Wetterspruch →Monatsreim

Whodunit (engl., von *who has
done it?* = wer hat es getan?), engl.
Bz. für →Kriminal- und bes. →De-
tektivroman.

Widerruf →Palinodie

Widerstandsliteratur, allg. die europ. Literaturen im Widerstand gegen den Faschismus und die dt. militär. Besetzung der Jahre
1922–1945, teils Untergrundlit.,
teils getarnte Lit., in Frankreich
→Resistance, in Dtl. z.T. auch die
sog. →innere Emigration.

W. Brekle, Schriftsteller i. antifaschist.
Widerstand, 1985; Europ. Lit. gegen den
Faschismus, hg. T. Bremer 1986.

Widmung →Dedikation

Widmungsgedicht, Gelegenheitsdichtung zur Bucheinführung. Zu
unterscheiden sind zwei Arten: 1.
Lobeshymnen auf den Dichter und
das vorliegende Werk aus der Feder
seiner Freunde, wie sie von den Humanisten in Form des Widmungs-
briefes geschaffen und bes. im Barock fast jedem Werk vorangestellt
wurden, 2. W.e des Dichters selbst
als Begleitverse an den Leser oder
Widmungen im Sinne von ›Zueig-
nungen‹ an e. bestimmte Gruppe,
Freunde, verehrenswerte Vorbilder,
e. geliebte Frau und bes. Gönner
und mächtige Herren als Mäzenaten – häufig als Dank für erwiesene
Wohltaten oder mit versteckter
Hoffnung auf materielle Unterstützung. →Vorwort, →Prolog, →De-
dikation. 3. gelegentl. auch Bz. für
Gelegenheitsgedichte ›an Personen‹
(›An X.Y.‹) oder solche, die neben e.
Überschrift e. Widmung (›An X.Y.‹,
›Für X.Y.‹, ›Dem…‹) tragen.
RL².

Widuschaka →Vidûshaka

Wiederholung 1. e. Einzelwortes
oder Ausdrucks: →Anapher, →Epi-

phora, →Symploke, →Diaphora (→Anaklasis, →Antistasis), →Epanalepse, →Anadiplose, →Epiploke, →Klimax, →Kyklos, →Polyptoton, z. e. Gedankens: →Variation, 3. als Erzählstruktur →epische W.

D. Fehling, D. Wiederholungsfiguren u. ihr Gebrauch b. d. Griechen vor Gorgias, 1968; H. Brinkmann, W., WW 33, 1983; M. Frédéric, *La répétition,* 1984.

Wiegendruck →Inkunabel

Wiegenlied, meist stark klangmalendes, oft mundartl. und durch den Rhythmus der Schaukelbewegung bestimmtes Volkslied, als Schlummerlied vermutlich e. der ältesten poet. Formen; dt. zuerst bei GOTTFRIED VON NEIFEN, später bei GELLERT, WEISSE, RAMLER, VOSS, CLAUDIUS, HERDER, CHAMISSO, STORM, DEHMEL u. a.; als geistl. W. auch Gattung des →Weihnachtsliedes.

W. Wechsler, D. dt. W., 1930; E. Meier, Stil- u. Klangstud. z. W., Diss. Greifsw. 1932; B. Jöckel, D. Erlebnisgehalt d. W. (Berliner Hefte 3, 1948); K. v. Hohenlocher, W. u. Tierfabel, 1952; R. Andreas-Friedrich, W., 1953; E. Gerstner-Hirzel (Hb. d. Volksliedes I, 1973); dies., D. volkstüml. dt. W., 1984.

Wiener Gruppe, Freundeskreis experimenteller österr. Schriftsteller in Wien rd. 1952–64: F. ACHLEITNER, H. C. ARTMANN (bis 1957), K. BAYER, G. RÜHM und O. WIENER, hervorgegangen aus dem 1946 gegr. ›art-club‹ um P. v. GÜTERSLOH und zusammengehalten durch die gemeinsame Front gegen die konventionelle Erstarrung des lit. Establishments. Beeinflußt von der artist. Sprachbehandlung in Barocklit., Surrealismus, Dadaismus, durch A. STRAMM, G. STEIN, WITTGENSTEIN u. a., entwickelte sie in enger lit. Zusammenarbeit ein progressives, avantgardist. und bewußt auf Provokation zielendes lit. Konzept, das durch ständige Erfindung neuer Formen der Gefahr der Gewöhnung

und Wiederholung zu entgehen sucht: konkrete, akust. und visuelle Poesie, Textmontagen, Dialektgedichte, Seh- und Hörtexte, Chansons, Kabarettszenen mit Nähe zum Happening, erschienen z. T. in avantgardist. Zss. und Almanachen. Gemeinsam ist die Vorliebe für Groteskes, Makabres und Possenhaftes; die Arbeitsmethode der Montage ergab zahlr. Gemeinschaftsarbeiten.

D. W. G., hg. G. Rühm 1967, ³1985; B. Sorg, Abgesänge (Sprachkunst 7, 1976); R. Bauer, D. Dichter d. W. G. u. d. surrealist. Erbe (Jb. d. Grillparzer-Ges. 12, 1976); G. Rühm, Zur W. G. (V. Kahlschlag z. movens, hg. J. Drews 1980); H. Watts, D. W. G. (Österr. Gegenw., hg. W. Paulsen 1980); A. Doppler, D. lit. Verfahrensweisen d. W. G. (Thematisierg. d. Sprache, hg. M. Klein 1982).

Wiener Moderne →Jung-Wien

Wiener Volkstheater →Volksstück, Volkstheater

Wilamowitzianus, Bz. von P. Maas nach U. v. Wilamowitz für e. äol. Vers. der Form ◡◡◡◡◡— —◡, vermutl. Variante des Glykoneus in der griech. Tragödie und bei KORINNA.

Wildwest-Roman →Western

Winileod (ahd. *wini* = Freund, Geselle, Geliebter) in den ahd. Glossen und in e. Kapitulare (= Erlaß) KARLS DES GROSSEN, der den Nonnen das Aufschreiben und Absenden solcher W.os untersagt, überlieferte Bz. für e. ahd. weltl. Volkslied-Gattung, vermutlich Liebes- oder Freundschaftslied.

F. Jostes, W., ZDA 49, 1908; W. Uhl, W., 1908; RL; G. Baesecke, W. (Fs. A. Leitzmann, 1937); P. B. Wessels, W., Neophil. 40, 1956.

Winkelrahmenbühne →Bühnenbild

Winsbekenstrophe →Morolfstrophe

Wirklichkeit, Realität. Dichterische W. im Ggs. zur außerdichterischen ist diejenige W., die erst durch die Sprache der Dichtung beschworen, geschaffen wird und Gestalt gewinnt. Sie braucht nicht mit der äußeren W. in Natur und Geschichte übereinzustimmen, nicht einmal auf sie zu verweisen, sie darf nicht an der Realität gemessen werden, sondern muß nur in sich stimmig sein. Die Dichtung schafft ihre eigene W. und deren eigene Gesetze. Da jedoch zumindest die pragmat. Gattungen ihre Stoffe und ihr Anschauungsmaterial im wesentlichen aus der Erfahrungswelt und damit der außerdichter. W. beziehen, ist das Verhältnis zu dieser bestimmend für viele Stilepochen: Abklatsch der W. (Naturalismus), freie Wiedergabe der W. (Realismus), Idealisierung der W. (Idealismus), Poetisierung der W. (Romantik), freies Schalten mit Elementen der W. (Surrealismus). Vgl. →Mimesis.

H. Nohl, D. ästhet. W., 1935, ³1961; F. O. Nolte, *Art and Reality,* Lancaster 1942; E. Auerbach, Mimesis, 1946, ⁵1971; K. Hamburger, D. Logik d. Dichtg., 1957, ³1968; Wort u. W., hg. Bayr. Akad. 1960; J. Pfeiffer, D. dichter. W., 1962; W. Killy, W. u. Kunstcharakter, 1963; J. Kleinstück, W. u. Realität, 1971; T. Fries, D. W. d. Lit., 1975; A. Horn, Literar. Modalität, 1981; E. Kleinschmidt, D. W. d. Lit., DVJ 56, 1982; M. Bell, *The sentiment of reality,* Lond. 1983.

Wirkung, Wirkungsgeschichte →Rezeption

Wirkungsästhetik, Forschungsaspekt der Literatur- und Kunstwiss., der die intendierte Wirkung des Kunstwerks bzw. Textes aus den in ihm enthaltenen Wirkungssignalen erschließt, die e. Wirkungssteuerung beabsichtigen, oder sie mit den in den poetolog. Schriften der Zeit bzw. des Autors vergleicht, die wirkungsästhet. Aspekte (wie →Katharsis, Rührung, →Verfremdung) betonen. →Rezeption.

W. Iser, D. Appellstruktur d. Texte, ²1971; Sozialgesch. u. W., hg. P. U. Hohendahl, 1974; M. Naumann, Z. Probl. d. W. i. d. Lit.theorie, 1975; H. Turk, Theorie u. Interpretation d. lit. Wirkung, 1976; Funktion u. Wirkg., hg. D. Sommer 1978; Rezeptionsgesch. od. W., hg. H.-D. Weber 1978; Probleme d. Kunstwirkg., hg. ders. 1979; G. Lerchner, Sprachform u. Dichtg., 1984.

Wirtschaften, höf. Maskenfeste des frühen 18. Jh., bei denen die vornehme Gesellschaft in volkstüml. Verkleidung erschien und vom Fürstenpaar als Wirtsleuten bedient wurde; Texte zu solchen →Maskenspielen schrieben u. a. die Dresdener Hofdichter J. v. Besser und J. U. v. König.

Witz (zu ›wissen‹) bedeutet noch bis ins 18. Jh. ›Verstand, Klugheit‹, in der Goethezeit ›Geist, Esprit‹, heute auch ›Schlauheit, Findigkeit‹ (vgl.: ›Mutterwitz‹) und die Äußerung dieser rein verstandes-, nie gefühlsmäßigen Fähigkeit zur Gestaltung scherzhafter Einfälle in sprachlich prägnanter Form. Die feste Formprägung des W. als →Einfache Form aus mündl. Überlieferung mit Spannungssteigerung und -lösung in obligator. Pointe erweist sich bes. beim Nacherzählen, wo es auf die genaue Wiederherstellung der sprachl. Fassung ankommt, ohne die der W. wirkungslos bleibt (daher das Unvermögen, W.e richtig zu erzählen, bei Menschen mit geringem Formempfinden, denen die komplizierte, hintergründige Konstruktion verschlossen bleibt). Wesentlich ist die treffende Formulierung der →Pointe, in der sich die bewußt konzentrierte und gesteigerte Spannung des W. durch e. unerwartetes, plötzl. Umschlagen vom Erwartungshorizont in e. unvermutete Richtung löst, die Aufmerksamkeit des Aufnehmenden an entscheidender Stelle umgewendet, auf ein ganz anderes, weitabliegendes Gebiet übertragen wird und der versteckte Vorstellungszusammenhang, das tertium comparationis, plötzlich zutage tritt. Auf dieser Diskrepanz zwischen Erwartung und Ergebnis beruht die eigtl. Wirkung des W. Auf den Schock des Hiatus und das Durchschauen der sprachl. Umfunktionierungstechnik reagiert der Hörer mit spannungslösendem Lachen, das zugleich unbewußt gestaute Emotionen, Schadenfreude, lustbetonte Aggressionen, erot./soz./polit. Frustrationen freisetzt. Sind Ergebnis und Erwartung bereits in Übereinstimmung gebracht – etwa bei mehrmaligem Hören desselben W. – so bleibt die Wirkung aus. Diese Umwendung kann in der zugrundeliegenden Situation erfolgen und ergibt dann →Situationskomik, sie kann im engeren Sinne als bloßer Gedanke erscheinen (Gedanken-W.) oder innerhalb der rein sprachl. Sphäre auf Doppeldeutigkeit (→Amphibolie), gleichem bzw. ähnl. Klang (→Homonymie, →Paronomasie) der Worte beruhen (→Wortspiel). Der W. der →Zote beruht auf der unerwarteten Aufhebung moral. Tabuzone, der Wertnormen und der Befangenheit, der des →schwarzen Humors auf der Umkehrung der Pietät, der polit. W. auf der Überwindung staatl. Drucks als Ventilfunktion und der pointenlose absurde oder surrealist. W. auf der Irreführung der erwartungsvollen Logik überhaupt. Indem der W. die im Alltagsgebrauch monoton und nüchtern wirkenden Worte oder Klänge in ihrer Vieldeutigkeit aufsucht und aktiviert, gibt er ihnen neuen Sinn und schöpferische Funktion. Im Interesse der für die Wirkung nötigen Kürze bedient sich der W. bei der Vorgeschichte vielfach bereits typisierter Figuren, Stände, Stämme oder Nationen (Professoren-, Schotten-, Irren-, Bobby-W.). Inhaltlich verwandt mit dem W. scheinen →Anekdote und →Epigramm; durch die verstandeskalte Schärfe und seinen oft satir. Charakter unterscheidet er sich vom gefühlsmäßigen und gutmütigen →Humor, sein Wirkungselement ist die →Komik. →Kalauer.

K. Fischer, Üb. d. W., 1871, ²1889; S. Freud, D. W. u. seine Beziehgn. z. Unbewußten, 1905 u.ö.; E. Wechssler, Üb. d. W., 1914; M. A. Grant, *Theories of the laughable*, 1924; A. Jolles, Einfache Formen, 1929, ⁶1982; J. Kröner, D. W. (Preuß. Jhrb. 239, 1935); P. Böckmann, D. Formprinzip d. W. i. d. Frühzeit d. dt. Aufklärg. (in: Formgeschichte, 1949); W. Königswarter, D. W. als Waffe, ⁴1955; K. Ranke, Schwank u. W. (Fs. W.-E. Peukkert, 1955); H. Schöffler, Kl. Geographie d. dt. W., 1956, ⁸1970; S. Landmann, D. jüd. W., 1960 u.ö.; W. Schmidt-Hidding, Humor u. W., 1963; W. R. Schweizer, D. W., 1964; M. Dor, H. Federmann, D. groteske W., 1968; H. Bausinger, Formen d. Volkspoesie, 1968; G. Legman, D. unanständige W., 1970; W. Preisendanz, Üb. d. W., 1970; A. Wellek, W., Lyrik, Sprache, 1970; H. Bergson, D. Lachen, 1974; U. H. Peters, Irre u. Psychiater, 1974; M. Grotjahn, V. Sinn d. Lachens, 1974; H. Reger, D. W. als Textkategorie (Mutterspr. 85, 1975); W. Sanders, Wortspiel u. W. (Fs. J. Trier, 1975); W. Höllerer, Z. Semiologie d. W., STZ 57, 1976; L. Röhrich, D. W., 1977; B. Marfurt, Textsorte W., 1977; W. Ulrich, Semant. Turbulenzen (Dt. Sprache im Kontrast, hg. U. Engel 1977); K. Bohnen, D. W. als lit. Integrationsform (in: Blickpunkte, Koph. 1978); W.: ZfVK 74, 1978; M. Böhler, D. verborgene Tendenz d. W., DVJ 55, 1981; A. Kertész, Grundprobleme e. Theorie d. W. (Simple forms, hg. Z. Kanyó, Szeged 1982); J. A. Flieger, *The purloined punchline*, MLN 98, 1983; RL²; E. Moser-Rath, Lustige Gesellsch., 1984; H. Lixfeld, W. u. soz. Wirklichk., Fabula 25, 1984; N. Neumann, V. Schwank z. W., 1986; J. Weber, Münchhausen od. d. Metaphysik d. W., 1987. →Komik.

Witzblatt, stark illustrierte Zs. mit Karikaturen, humorvoll-witzigen Beiträgen usw., teils nur humorig (Münchner *Fliegende Blätter*), teils politisch *(Kladderadatsch)* oder sozialsatirisch *(Simplicissimus)* und karikierend.

Ch. Gehring, D. Entw. d. W. i. Dtl., 1927.

Wochenschriften →Moralische Wochenschriften

Wörterbuch, Lexikon, Nachschlagewerk in Form e. alphabet. Zusammenstellung aller, möglichst vieler oder nach e. bes. Gesichtspunkt ausgewählter Wörter e. Sprache zu versch. Zwecken: Fremdsprachen-W. für Übersetzungen, das dem einheim. Wort den fremdsprachl. Ausdruck oder umgekehrt hinzufügt und bei größeren W.ern u. U. die genauere Bedeutung noch mit Belegstellen für die Anwendung erklärt (→Thesaurus), Dichter-W., das den gesamten Wortschatz e. Dichters mit Belegstellen zusammenstellt, um seinen Wortgebrauch zu erschließen (→Konkordanz); ferner etymolog. W., →Idiotikon, →Fremd-W., →Synonymen- und Antonymen-W., →Glossar. Nicht sprach-, sondern sachbezogen sind →Sach-W. und alphabet. →Enzyklopädie oder →Konversationslexikon.

›Dt. W.‹ v. J. u. W. Grimm, XXXII 1854–1961; H. Paul, ⁶1968, Trübner VIII ²1939–57; Duden VI 1976–81; Brockhaus-Wahrig VI 1980–84. – R. L. Collison, *Dictionaries of foreign languages,* N.Y. 1955; W. Zaunmüller, Bibliogr. Hdb. d. Sprachwörterbücher, 1958; G. Zischka, Index lexicorum, 1959; P. Kühn, Dt. W.er, Bibliogr. 1978; RL².

Workshop →Werkstatttheater

Wortfiguren →rhetorische Figuren

Worthäufung, →asyndetische oder →polysyndetische Aufzählung gleichbedeutender (→synonymer) oder bedeutungsähnl. Wörter, Begriffe oder Unterbegriffe (→Akkumulation), →Wiederholungen usw. Aus der Renaissance übernommenes und auch schon in der Prosa der

Reformationszeit beliebtes Stilmittel, das dann bes. im Barock (WECKHERLIN, OPITZ, ZESEN, P. GERHARDT, Q. KUHLMANN, bes. GRYPHIUS u. a.), bei den Petrarkisten und Euphuisten letzte Steigerung erreicht, meist in Form des →Asyndetons: entstanden aus dem affektbetonten Ausdrucksdrang e. emphat., expressiven Rhetorik, in der die Aufgeschlossenheit gegenüber der Welt und die Freude an ihrer Vielfalt bis zu ganzen Wortlisten gesteigert wird. In anderem Sinne, als Aufzeigen der Fragwürdigkeit sprachl. Benennung, erscheint die W. bei G. GRASS.

H. Pliester, D. W. i. Barock, 1930.

Wortkehrreim →Kehrreim

Wortkunst →Dichtung

Wortschatz, der gesamte Wortbestand e. Sprache, auch e. Epoche oder e. Autors, die in ihrer Eingrenzung und stellenweisen Erweiterung des W. Aufschlüsse über geistesgeschichtl. Ausrichtungen geben.

H. Wehrle, D. dt. W., 1881, ¹⁴1968; F. Dornseiff, D. dt. W. nach Sachgruppen, 1933, ⁷1970.

Wortspiel, geistvolle Ausnutzung sprachl. Vieldeutigkeit zu witzigen Effekten. Zu unterscheiden sind zwei Arten: die eine beruht auf der Doppeldeutigkeit e. Ausdrucks allg. (→Amphibolie), die andere allein auf dem gleichen oder ähnlichen Klang (→Homonyme) zweier oder mehrerer Wörter, die witzig gegeneinandergestellt oder angeglichen (→Paronomasie) werden, meist in antithet. Form, wobei hinter dem gewohnten Sinn die gemeinte Bedeutung geistreich hindurchscheint und der alltägl. Klang in überraschend neuer Bedeutung erscheint. Infolge der engen Bindung an die sprachl. Gegebenheiten und Vorstellungsinhalte ist das W. fast nie in e. andere Sprache übersetzbar (Schwierigkeiten bes. bei SHAKE-SPEARE- und JOYCE-Übertragungen). Wie der →Witz überhaupt erscheint das W. stets nur in Zeiten starker Verstandeskultur und bes. in →Aphorismus, →Rätsel und →Satire; der bloßen Gefühlsdichtung ist es meist fremd, wo nicht gar unerwünscht. – In der Antike gibt ARISTOTELES (in erhaltenen Auszügen) schon die Scheidung von Wort- und Sachwitz und erläutert deren Möglichkeiten. In der mhd. höf. Dichtung verwendet WOLFRAM ausgesprochen witzige, GOTTFRIED mehr geistreiche Klangspiele. Für die neuere Lit. wird das aus den polem. Schriften der Humanisten entwickelte W. maßgebend; in England erscheint es bes. häufig im Renaissancedrama (SHAKESPEARE), in Dtl. bes. bei FISCHART (›Jesuiter – Jesuwider‹), im Barock (ABRAHAM A SANCTA CLARA, LOGAU), später bei SCHILLER und GOETHE in den *Xenien,* bei SCHILLER ferner bes. in der Kapuzinerpredigt in *Wallensteins Lager* (›Und das römische Reich – daß Gott erbarm! Soll jetzt heißen römisch Arm.‹). Hochschätzung erfährt es ebenfalls bei JEAN PAUL und in der Romantik (BRENTANO, bes. HEINE), späterhin satirisch bei NIETZSCHE und allg. bei Satirikern und Komikern wie C. MORGENSTERN, K. KRAUS, E. KÄSTNER, FARKAS, W. SCHAEFFERS, W. FINCK, J. PRÉVERT, R. QUENEAU, E. IONESCO u.a. →Bonmot, →Calembourg, →Kalauer, →Schüttelreim.

G. Gerber, D. Sprache als Kunst, 1885; L. Wurth, D. W. b. Shakespeare, 1895; P. Nelle, D. W. i. engl. Drama d. 16. Jh. vor Shakespeare, Diss. Halle 1900; E. Eckhardt, Üb. W., GRM 1, 1909; RL; E. Kredel, Stud. z. Gesch. d. W. i. Franz., 1923; F. H. Mautner, D. W., DVJ 9, 1931; J. Klaufer, D. W., ZfÄ 30, 1936; J. T. Shipley, *Playing with words,* N.Y. 1960; Ch. J. Wagenknecht, D. W. b. K.

Kraus, 1965, ²1975; R. Boyer, *Mots et jeux de mots* (Studia Neophilologica 40, 1968); A. Schöne, Engl. W. u. Sprachscherze, 1968; F. J. Hausmann, Stud. z. Linguistik d. W., 1974; W. Sanders, W. u. Witz (Fs. J. Trier, 1975); H. Weis, Spiel m. Wörtern, 1976; P. Hutchinson, *Games authors play,* Lond. 1983; W. Böttger, W.e (Sprachpflege 33, 1984); J. Culler, *On puns,* Lond. 1988.

Würfeltext, Produkt der →aleatorischen Dichtung: Text, dessen Wortlaut nach Auswahl und Reihenfolge der Wörter teilweise oder vollständig mit Hilfe von Würfeln und damit vom Zufall bestimmt wird, z.B. bei F. KRIWET (1959); Sprachspiel im Rahmen der →konkreten Poesie.

Wunderbücher →Mirakel

Wundsegen →Blutsegen

Xenien (griech. *xenion* = Gastgeschenk), bei MARTIAL (1. Jh. n.Chr.) Bz. für harmlose Distichen als Begleitverse zu Gast- und Küchengeschenken, wie er sie im 13. Buch seiner Epigramme zusammenfaßte. GOETHE schlug die Bz. als iron.-satir. Titel für e. Reihe gemeinsam mit SCHILLER verfaßter epigrammat. Distichen vor, die Angriffe lit. Gegner gegen ihre Zs. *Die Horen* abwehren sollten. Die Slg. dieser X. wuchs jedoch auf insges. 926 Distichen zu e. allg. Strafgericht, zur Abrechnung mit allen lit. Gegnern, und zu e. satir. Musterung des gesamten lit. Lebens der Zeit an, von der e. Teil 1796 in SCHILLERS *Musenalmanach auf das Jahr* 1797 erschien und infolge ihrer polem. Schärfe und bissigen Kritik zahlr. Anti-X. hervorrief. Die Scheidung der X. nach der Verfasserschaft von GOETHE oder SCHILLER ist kaum möglich; zahlreiche weitere, in den Nachlässen gefundene unveröffentlichte X. wurden zuerst 1893 durch E. SCHMIDT und B. SUPHAN herausgegeben. E. Reihe harmloser Reimsprüche der Lebensweisheit sammelte GOETHE 1827 unter dem Titel *Zahme X.* IMMERMANN übernahm die Bz. X. für seine Angriffe gegen zeitgenöss. Schriftsteller, die 1827 im Anhang zu HEINES *Reisebildern* erschienen. X. schrieben ferner GRILLPARZER, HEBBEL und J. BOBROWSKI (1977).

G. Thiemann, Schiller u. Goethe i. d. X., Diss. Mchn. 1909; F. Meyer, X., II 1939; R. Adler, Schiller u. Goethe i. Xenienkampf, 1958; K. Klinger, D. X'krieg, LK 167, 1982.

Ya (chines. = elegant), die 111 höf. Lieder des chines. *Shihching.*

Yaju, ind. Opferformeln, Sprüche und Strophen zur Begleitung der rituellen Opfer in Prosa oder Versform, zusammengefaßt in *Yajurveda.*

Yasht, altiran. Hymnen an die Gottheiten des Zoroastrismus, von denen 21 im *Awesta* enthalten sind.

Yâtrâs, Volksschauspiele der Marâthî- und Bengali-Lit. Indiens, Melodramen mit Stoffen aus Krishna-, Râma- u.a. Legenden mit kom. Zwischenspielen ähnlich den ma. Mysterienspielen, mit nur männl. Darstellern, seit dem 17. Jh. verbreitet.

Nisikanta Chattopadhyaya, *The Y.,* Lond. 1882; Guha Thakurta, *The Bengali Drama,* Lond. 1930.

Ying-hi, das chines. →Schattenspiel.

Yomihon (japan. = Buch zur Lektüre), japan. moral., erzieherische und histor. Romane, bei denen im Ggs. zu den →Kusazōshi, deren Nachfolge die Y. im 18. Jh. antreten, die Illustration dem Text untergeordnet ist. Hauptvertreter: UEDA AKINARI, SANTŌ KYŌDEN und BAKIN.

Yüeh-fu (eigtl. Bz. der Musikbehörde für das Sammeln von Volksliedern), chines. balladeskes Volkslied zu Musikbegleitung in 4–7silbigen, meist 5silbigen Versen aus der Han-Zeit (2. Jh. n.Chr.), später auch volkstüml. Kunstlied, z.B. von TS'AO CHIH.

Zadjal →Zéjel

Zäsur (lat. *caesura* = Schnitt), in antiker Metrik Bz. für den durch e. Wortende bisweilen in Verbindung mit einem Sinnabsatz an bestimmter Stelle innerhalb e. Verses erfolgten erforderter (feste Z.) oder erlaubter (freie Z.) Einschnitt, wodurch der Versfuß oder Takt auf zwei Wörter verteilt wird, e. kleine, rhythmisch unmerkl. Pause für den Vortrag bietet und oft die Eintönigkeit völlig gleicher Verszeilen beseitigt oder durch Wechsel von steigendem und fallendem Rhythmus und versch. Auslaut innerhalb der Glieder größere Mannigfaltigkeit hervorruft; in dt. Metrik e. mehr syntakt. als rhythm. Einschnitt innerhalb e. längeren, meist mehr als vierhebigen Versgefüges durch e. Wort- oder Sinn-Ende, das die ganze Verszeile in zwei oder mehr Teile (Kola) gliedert. Fällt das Wortende mit dem Ende des Versfußes zusammen, so heißt die Z.→Diärese (2); die Z. nach e. Hebung heißt männlich oder stumpf, nach e. Senkung weiblich oder klingend. Hauptsächliche Z.en sind: im →Trimeter wie im →Hexameter bes. die →Penthemimeres (nach 5. Halbfuß), seltener die →Hephthemimeres (nach 7. Halbfuß) verbunden mit Trithemimeres, im Hexameter dazu noch →Kata triton trochaion und die sog. →bukolische Diärese zwischen 4. und 5. Fuß. Der Alexandriner hat e. feste Z. (Diärese) nach der 6. Silbe, der Pentameter nach der 3. Hebung (auch →Inzision genannt), der →vers commun nach der 4. Silbe. Die Anwendung der Z. im Dt. folgt aus Gründen unterschiedl. Sprachstruktur nicht immer dem antiken Vorbild: Klopstock verwandte e. sonst ungebräuchl. Hexameter-Z. nach dem 4. Trochäus, Voss, A. W. Schlegel und W. v. Humboldt verwendeten im Hexameter nur Penthemimeres und Hephthemimeres, Goethe dazu noch die bukolische Diärese, Platen im Trimeter die Z. nach der 3. oder 4. Senkung. A. W. de Groot, Wesen u. Gesetze d. Z., Leiden 1935. →Metrik.

Zäsurreim, Reimbindung des durch →Zäsur entstandenen 1. Versabschnitts (der nicht Versmitte zu sein braucht), 1. mit dem Versende, Sonderform des →Inreims, z.B. im →leoninischen Hexameter, 2. mit e. Zäsurabschnitt desselben Verses, Sonderform des →Binnenreims, 3. mit e. Zäsurabschnitt des folgenden/vorhergehenden Verses, vgl. →Mittelreim.

Zaǧal, Zajal →Zéjel

Zahlensymbolik, die spekulativ-allegor. Verwendung der Symbolzahlen 3, 4, 7 und 9 findet sich über rein inhaltl. Anspielungen hinaus auch in der Lit. als Aufbau- und Gliederungsprinzip z.B. in der Zahl der Teile bzw. Bücher e. Werkes, der

Kapitel, Strophen, Verse u.ä. bis ins 18. Jh. und dann wiederum, als lit. Realisierung der Dodekaphonie, in Th. Manns *Doktor Faustus.* RL².

Zạnni, Zạni (Sg. Zanne, Zane, wohl von lombard.-venezian. Zan als Kurzform für Giovanni), die Typenfiguren des Dieners in der →Commedia dell'arte, e. der ältesten Komödientypen übh. Man unterscheidet den verschlagenen 1. Z. oder →Brighella, auch Scappino, und den tölpelhaften 2. Z. oder →Arlecchino, auch →Pulcinella, Truffaldino u.a. Beide Typen sind Ziel der Bauernsatire und sprechen venezian., bergamask., neapolitan. u.a. Dialekt. Der 1. Z. ist bes. für die listige Intrigenkomödie Gozzis, der 2. Z. für burleske Handlungskomik von Bedeutung. Beide Typen leben im europ. Volkstheater und der Komödie Molières fort. Lit. →Commedia dell'arte.

Zarzuẹla, span. und portug. Bz. für die nationale Form des leichten Musiktheaters: lyr. Drama in zwei (später auch drei oder vier) Akten mit Musik, gesprochenem Dialog, Solo- und Chor-Gesang und Tanz um e. bewegte Handlung ähnlich Operette oder Singspiel; nach e. gleichnamigen Lustschloß Philipps IV. in El Prado, wo seit 1629 solche Spiele veranstaltet wurden. Erste Blütezeit in der 2. Hälfte des 17. Jh. (Calderón, *El jardín de Falerina, El laurel de Apolo;* Bances Cándamo, A. Zamora, R. de la Cruz u.a.); nach Verdrängung durch die ital. Oper im 18. Jh. Erneuerung als mehraktige ›grande z.‹ als stark folklorist. Unterhaltungsstück im 19. Jh. und als →género chico um die Jh.wende; seither in e. wenig interessanten Pflege des überlieferten Repertoires erstarrt. E. Cotalero y Mori, *Hist. de la Z.,* Ma-

drid 1934; M. Muñoz, *Hist. de la Z.,*
Madrid 1946; R. Mindlin, Die Z., 1965.

Zauberlied →Zauberspruch

Zauberliteratur, Gebrauchslit. für
mag. Rituale, aus der Antike in Gestalt von Gebeten, Fluchtexten,
Praktiken und bes. Liebeszauber auf
Papyri erhalten. Sie entstammt
durchweg dem Aberglauben des
spätantiken Synkretismus im 3. Jh.
n. Chr.; Zaubersprüche aus der altröm. Zeit überlieferten VARRO und
PLINIUS, während die Schriftsteller
der röm. Klassik im 1. Jh. v. Chr.
den Zauber nur als lit. Motiv benutzen, ohne daran zu glauben (HO-
RAZ, *Epode* 5: Marterung e. Knaben durch e. Hexe, *Satire* II, 1:
Spott über das Zauberverbot). Die
erhaltene Apologie des wegen Zauberei angeklagten APULEIUS gibt interessante Aufschlüsse über die
Zauberpraktiken des 2. Jh. n. Chr.
PHILOSTRATOS beschrieb im 3. Jh.
n. Chr. das Leben des Zauberers
APOLLONIUS VON TYANA, und unter
den Neuplatonikern ragt IAMBLI-
CHOS mit e. Werk *Über die ägypt.
Mysterien* hervor. Das MA. kennt
seit dem 11. Jh. Zauberbücher, die
aus der Kenntnis der richtigen Namen, Siglen und Bilder der Dämonen deren Beherrschung ableiten
und sie für alle erwünschten Ereignisse einsetzen. Die Renaissance erfaßt Okkultismus und Magie als
Wissenschaft (AGRIPPA VON NET-
TESHEIM, *De occulta philosophia,*
JOHANNES TRITHEMIUS, *Stegano-
graphia*). Die frühesten heute noch
bekannten volkstüml. Zauberbücher, die fast durchweg e. falsche
frühere Datierung angeben, stammen aus dem 16., die meisten aus
dem 19. Jh. (*Clavicula Salomonis,
Romanusbüchlein, Sechstes und sie-
bentes Buch Mosis* u. a.), andere wie
das Buch *Jezira* sammeln volkstüml.
Heilsegen, Verwünschungsformeln

und Zaubersprüche. Zauberei als
lit. Motiv findet sich seit Circe in
HOMERS *Odyssee* allg. verbreitet, so
SOPHOKLES *Trachinierinnen,* THEO-
KRIT *Pharmakeutriai,* LUKAN (6,
420ff.) und die Faustsage; bes. häufig im →Märchen. Über german. Z.
→Zauberspruch.
A. Dieterich, Abraxas, 1891; A. Jacoby,
D. Zauberbücher v. MA. bis z. Neuzeit
(Mitt. d. schles. Ges. f. Volkskunde 31,
1931); A. Spamer, D. Romanusbüchlein,
1958; K.-P. Wanderer, Gedruckter Aberglaube, Diss. Ffm. 1975; W. Scherf, Lex.
d. Z'märchen, 1982.

Zaubermärchen →Märchen

Zauberoper →Zauberstück

Zauberposse →Zauberstück

Zauberspruch, Form der german.
Gebrauchsdichtung: urspr. heidn.
Beschwörungsformeln, die nach der
Christianisierung im Volksmund
verborgen oder mit christl. Vorzeichen versehen weiterlebten und
noch z. T. zur Aufzeichnung gelangten. Je nach ihrem Inhalt als Scha-
den- oder Abwehrzauber verwendet
und meist von e. sinnvollen Handlung (Gebärde, Handbewegung, lin-
dernde Handreichung) begleitet,
dienten sie der Dämonenabwehr
und -verfluchung oder der Heranziehung von Segen und hilfreichen
Mächten durch Ausrufung ihrer
Namen, beruhend auf dem Glauben
an die geheime, magisch beschwörende Macht des fehlerfrei gesprochenen bzw. gesungenen Wortes,
die Krankheiten und Wunden heilt,
Fesseln löst, Wetter herbeizieht oder
ablenkt, gute Ernte gibt usw. Der
Form nach unterscheidet man den
eingliedrigen Z., der nur die Zauberformel (galstar oder galdar) enthält, vom zweigliedrigen Z., der ihr
noch e. erzählenden Eingang
(→Spell) vorausschickt, in dem von
e. analogen Fall der Heilung usw.

berichtet wird. Stilistisch kennzeichnend ist häufige Dreigliedrigkeit des Ausdrucks. Wichtigste erhaltene ahd. Beispiele sind die *Merseburger Z.e*, e. *Wurmsegen, Wiener Hundesegen, Lorscher Bienensegen, Straßburger Blutsegen* u.a., die zu den frühesten Denkmälern dt. Dichtung gehören und z.T. altind. Gegenstücke im *Rigveda* besitzen, was auf e. gemeinsame urindogerman. Abstammung schließen läßt. Spätere dt. Z.e sind christianisiert und endreimend; von bes. Bedeutung auch die angelsächs. und finn. Z.e. Vgl. →Blutsegen.

M. Müller, Üb. d. Stilform d. altgerman. Z. bis 1300, Diss. Kiel 1901; O. Ebermann, Blut- u. Wundsegen, 1903; F. Hälsig, D. Z. b. d. Germanen, Diss. Lpz. 1910; Lindquist, *Galdrar*, Göteb. 1923; RL; E. Fehrle, Zauber u. Segen, 1926; A. Mulot, Altdt. Z., ZfD 33, 1933; F. Genzmer, German. Z.e, GRM 32, 1950; I. Bacon, Versuch e. Klassifizierung d. altdt. Z., MLN 67, 1952; A. Schirokauer, Form u. Formel einiger altdt. Z., ZDP 73, 1954; I. Hampp, Beschwörung, Segen, Gebet, 1961; dies., V. Wesen d. Zaubers i. Z., DU 13, 1961; G. Eis, Altdt. Z.e, 1964; G. Sandmann, Stud. z. altengl. Z.n, 1975; M. Geier, D. mag. Kraft d. Poesie, DVJ 56, 1982; RL².

Zauberstück, Form des →Volksstücks, in der personifizierte übernatürl. Mächte aus der volkstüml. Mythologie (Geister, Feen, Zauberer, Naturdämonen u.a.) mit viel Theatermaschinenzauber fördernd oder hindernd und verwirrend in die menschl. Verhältnisse eingreifen, Liebesaffären klären und die Besserung e. Menschen bewirken (→Besserungsstück). In ihnen verbinden sich kom.-realist. und phantast.-allegor. Wesenszüge auf e. eigentüml. spielfreudige Weise. Z. in ähnl. Sinn ist schon SHAKESPEARES *Midsummernight's Dream*. Seine eigtl. Blüte erlebt das Z. auf den Wiener Vorstadtbühnen im späten 18. und frühen 19. Jh., rd. 1780–1845. Vorbilder sind hier einerseits das traditionelle kathol. Barockdrama, andererseits die Commedia dell'arte, GOZZIS Märchendramen und die Dramatisierungen franz. Feenmärchen (→Féerie), angeregt durch PERRAULTS *Contes de ma mère l'Oye* zu Anfang des 17. Jh. (Z. des Théâtre Italien in Paris, LESAGES Vaudevilles im Théâtre de la Foire und bes. MARIVAUX und LEGRAND, ab 1750 auch die Opéra comique). Das Wiener Z. beginnt mit der Maschinenkomödie des Schauspieler-Dichters J. v. KURZ-BERNARDON. Es entfaltet sich in drei versch., zeitlich einander ablösenden Gattungen: 1. als Zauberburleske bei Ph. HAFNER, 2. als Zauberoper, ebenfalls unter dem Einfluß franz. Feenmärchen, arab. Märchen aus *1001 Nacht* (GALLANDS Übersetzung) und WIELANDS *Dschinnistan*, bes. im Leopoldstädter Theater und dem Theater an der Wien: HENSLER, PERINET, in höchster Stufe SCHIKANEDERS *Zauberflöte* durch MOZARTS Musik, später auch als Geisterstück, 3. als Zauber-→posse, Verbindung von Märchen-, Zauber- und Geistermotiven mit derb-biederen lokalen, sentimentalen, kom. und z.T. parodist. Elementen. Sie erreicht nach den grotesken Allegorien von GLEICH, BÄUERLE und MEISL Kunstvollendung als höchste Form des Volksstücks überhaupt durch F. RAIMUND (*Der Bauer als Millionär, Der Alpenkönig und der Menschenfeind, Der Verschwender* u.a.), später satirisch umgewandt bei NESTROY (*Lumpazivagabundus*) und bleibt nicht ohne Einfluß auf das hohe Drama GRILLPARZERS u.a.

RL¹; O. Rommel, D. Altwiener Volkskomödie, 1952; W. Zitzenbacher, Hanswurst u. d. Feenwelt, 1965; E. J. May, Wiener Volkskomödie u. Vormärz, 1975; K. Eibl, V. Feenzauber z. Diskursfigur (Aurora 39, 1979); R. Bauer, *Baroque tardif* (Austriaca 8, 1982). →Volksstück, →Lustspiel.

Zecherliteratur →Trinklied

Zehnsilber →Vers commun, →Chanson de geste

Zeichensetzung →Interpunktion

Zeichentheorie →Semiotik

Zeilensprung →Enjambement

Zeilenstil, im Ggs. zum →Hakenstil diejenige Form der german. Langzeilendichtung, in der die stärkeren syntakt. Einschnitte oder Satzschlüsse mit dem Ende der Langzeile zusammenfallen, so daß diese in sich geschlossen sind und der Sinn selten über e. Langzeilenpaar hinausgreift. Meist bei den kleineren Denkmälern angewandt, streckenweise auch *Hildebrandslied* und *Muspilli.* Der Ausdruck wird auch auf die mod. Versdichtung übertragen, wenn sie die Sinneinheit der Einzelzeile erstrebt und →Enjambement meidet.
Lit. →Hakenstil, →Metrik.

Zeit, wesentl. Strukturelement der Dichtung. Infolge der Bindung der Literatur an die Sprache als e. zeitl. Kontinuum gewinnt die Z., ihr Erlebnis und ihre Gestaltung grundlegende Bedeutung für die Literatur zumal in den pragmat. Gattungen Drama und insbes. Erzählkunst. Die Besinnung auf den Z.begriff als tragendes Gerüst der Epik, bereits seit LESSINGS *Laokoon,* FIELDING und STERNE einsetzend, gewinnt im 20. Jh. erhöhte Bedeutung und wird teils sogar zum eigentl. Gestaltungselement. Während das Drama im Idealfall szen. Verwirklichung auf der Gleichzeitigkeit von Geschehen, Wort und Erlebnis beruht und nur durch zeitl. Sprünge voraus oder zurück durch die Z. strukturiert werden kann, ergeben sich für die Erzählkunst, deren Ereignisse nur in

der Sprache entstehen, versch. Möglichkeiten. Zu unterscheiden sind zunächst →Erzählzeit als Dauer des Erzählens (bzw. Lesens) und erzählte Z. als Dauer des erzählten Vorgangs. Beide können in etwa zusammenfallen wie bei der Technik des →stream of consciousness (J. JOYCE, *Ulysses*), so daß die Lektüre e. Buches dieselbe Z. beansprucht wie der Verlauf der Handlung, oder sie können auseinandertreten wie beim herkömml. Roman, der durch die Konzentration auf Kernszenen, Zeitraffung und Zeitsprünge meist e. größere erzählte Z. in e. kleinere Erzählzeit einfängt, z.B. im Entwicklungsroman, oder umgekehrt bei der →Simultantechnik, die infolge des notwendigen sprachl. Nacheinanders mehrerer gleichzeitiger Ereignisse die Erzählzeit oft über die erzählte Z. dehnt (DOS PASSOS, *Manhattan Transfer*). Weitere Gestaltungsmöglichkeiten ergeben sich aus der Zeitschichtung mit versch. Zeitebenen, vorwiegend der Rückblende des Erinnerns in e. Gegenwart in e. zurückliegende Z., die episodenhaft aufscheinen oder zum zentralen Gestaltungsprinzip werden kann (M. PROUST, *Auf der Suche nach der verlorenen Zeit*), aber auch durch die →Vorausdeutung des allwissenden Erzählers auf e. außerhalb der augenblickl. Erzählsituation liegende, spätere Z. Der zeitl. Abstand e. fingierten Erzählers zum erzählten Vorgang kann durch zwischengeschaltete bewußtseinsverändernde Ereignisse zum Strukturelement werden (Th. MANN, *Doktor Faustus*). Auch bei einschichtigem Zeitverlauf kann die Z. durch Raffung und Dehnung der Schilderung je nach der Dichte des Erlebens dynamisiert, nicht mehr als mechan. Z., sondern als erlebte Z. gestaltet werden. Schließlich kann die Durchbrechung der Chronologie, das beliebige Schalten mit versch. Zeitstufen, deren Verhältnis zueinander gar nicht einmal einsichtig und schlüssig zu sein braucht, zu e. vielfältig gebrochenen Z. führen, die in der letzten Konsequenz völlig aufgehobener Chronologie praktisch ihre zeitl. Dimension verliert und zum seel. Raum des Bewußtseins wird: Z. nicht mehr als äußere Erstreckung, sondern als Innenraum der Figuren für die ihnen verfügbaren und damit jederzeitl. Erlebnisse.

E. Staiger, D. Z. als Einbildungskraft d. Dichters, 1939, ²1953; J. Poullon, *Temps et roman*, 1946; A. A. Mendilow, *Time and the novel*, 1952; H. Meyerhoff, *Time in lit.*, Berkeley 1955, ²1960; E. Lämmert, Bauformen d. Erzählens, 1955, ⁷1980; K. Hamburger, D. Logik d. Dichtg., 1957, ²1968; H. Seidler, Dichter, Welt u. ep. Z.gestaltg., DVJ 29, 1958; O. Holl, D. Roman als Funktion u. Überwindg. d. Z., 1968; G. Müller, Morpholog. Poetik, 1968; P. Pütz, Z. i. Drama, 1970, ²1977; H. Salinger, *Time in the lyric* (Fs. F. E. Coenen, Chapel Hill 1970); M. Anderle, D. Z. i. Gedicht, GQ 44, 1971; L. Stenborg, D. Z. als strukturelles Element i. lit. Werk, Uppsala 1975; Z.gestaltg. i. d. Erzählkunst, hg. A. Ritter 1978; W. K. Stewart, *Time structure in drama*, Amsterd. 1978; P. D. Tobin, *Time and the novel*, Princeton 1978; G. Birrell, *The boundless present*, Chapel Hill 1979; J. Anderegg, Z'lichkeit u. Kunstcharakter, Sprachkunst 11, 1980; I. Singendonk-Heublein, D. Auffassg. d. Z. i. sprachl. Darstellg., 1980; K. H. Bohrer, Plötzlichkeit, 1981; K. Röttgers, D. kommunikative Text u. d. Z'struktur v. Geschn., 1982; H. A. Dry, *The movement of narrative time* (Journal of lit. semantics 12, 1983); Augenblick u. Z'punkt, hg. C. W. Thomsen 1984; W. W. Holdheim, *The hermeneutic mode*, Ithaca 1984; R. Lock, *Time in medieval lit.*, N.Y. 1984; P. Ricoeur, Z. u. Erzählg., 1988. →Epik

Zeitgedicht, Zeitlied, als Form der →politischen Dichtung Gedicht um aktuelle politisch-soziale Probleme der jeweiligen Gegenwart in konservativer oder progressiver Sicht, hervorgegangen aus dem Gefühl verantwortlicher Zeitgenossenschaft und der Sprecherrolle des Autors, bei publizist. Absicht oft →Tendenzdichtung: GLEIM, HEINE, HERWEGH, PRUTZ, BRECHT u. a.

J. Wilke, Das Z., 1974.

Zeitroman (Bz. 1809 von BRENTANO für ARNIMS *Gräfin Dolores* geprägt), erweiterte Form des →Gesellschaftsromans, die jedoch über die Darstellung allein der Gesellschaft oder e. ihrer Schichten hinausgreift und ein nicht nur gesellschaftlich, sondern auch geistig und kulturell, politisch und ökonomisch stimmiges Panorama ihrer Zeit geben will. Da er stets sozialpolitisch →engagiert ist, nähert er sich oft der →Tendenzdichtung und schafft bleibende Werke erst dort, wo die Objektivität des gezeichneten Bildes ihm Fortleben als histor. Roman sichert und das aktualist. Streben den dichter. Formkräften untergeordnet wird. Der Z. unterscheidet sich durch seine querschnitthafte Simultantechnik des Nebeneinander von Zeittypen (statt des chronolog. Nacheinanders e. zentrierten Erzählhandlung) auch vom zeitgeschichtl. Roman als aktueller Sondertyp des histor. Romans. Der Z. ist e. Produkt des 19. Jh.; sein Begründer in Dtl. ist IMMERMANN mit den *Epigonen* (1836); bes. Pflege findet er im →Jungen Dtl., bei GUTZKOW, LAUBE, WILLKOMM, MUNDT, WEERTH, später bei FONTANE, FREYTAG und SPIELHAGEN, im 20. Jh. etwa Th. MANNS *Zauberberg,* F. WERFELS *Barbara,* R. MUSILS *Mann ohne Eigenschaften,* G. GRASS' *Blechtrommel,* z.T. H. BÖLL und M. WALSER.

P. Hasubek, D. Z., ZDP 87, 1968; J. Worthmann, Probleme d. Z., 1974; W. Jeske, D. Z.- u. Ges.roman, FLE 1981; R. Hillman, Z., 1983.

Zeitschrift, periodisch, d. h. in mehr oder weniger regelmäßigen Zeitabständen, jedoch – im Ggs. zur

→Zeitung – nicht täglich, sondern meist von einer Woche aufwärts erscheinende Druckschrift, deren Aufgabe daher weniger in der Übermittlung von aktuellen Tagesnachrichten als in deren krit. Auswahl und Betrachtung, ferner in der Veröffentlichung lit. (Lit.-Zss.), bildlicher (Kunst-Zss.) bzw. photographischer Werke (illustrierte Zss.) besteht. Soweit sie sich nicht wie die bloßen Unterhaltungs-Zss. oder →Magazine an die Masse wenden, bleibt ihr Inhalt meist auf e. bestimmtes Sondergebiet beschränkt, für das sie Anregungen vermitteln und e. geistigen Erfahrungs- und Gedankenaustausch herbeiführen. Demnach unterscheidet man neben allg. Kulturzss. polit., wiss. (z.T. bibliographische), künstlerische, wirtschaftl., sportl., berufliche, weltanschauliche, belletrist., humorist. (Witzblätter), techn. u.a. Fach-Zss., auch Spezial-Zss. für gewisse Liebhabereien. Der Unterschied von Z. und Tageszeitung erscheint erst in neuerer Zeit; in den Anfängen besteht keine Trennung. Die erste wiss. Universal-Z. war das Pariser *Journal des savants* (1665 ff.), in Dtl. die lat. *Acta Eruditorum* (1682–1782), die erste dt.sprachige Z. Thomasius' *Monatsgespräche* (1688f.). Erst im 18. Jh. erreicht die Z. mit den →Moralischen Wochenschriften, Frauen- und Unterhaltungs-Zss. breitere Kreise, im 19. Jh. erfolgt die weitere Differenzierung nach Themenkreisen (Familien-, Kinder-, Jugend-, Mode-, Theater-, Standes-, Berufs-, Partei Z. u.ä.), ab 1843 erscheint die *Illustrierte Z.* Literarische Zss. unterscheiden sich bei fließenden Übergängen in 1. →Literaturzss. als literaturwiss. Fachorgane: 1a. fachwiss. Berichts-, Rezensions- und Referatenorgane und 1b. Fachzss. der Literaturwissenschaft und Philologie mit wiss.

Forschungsbeiträgen und z.T. ausgewählten Rezensionen, sowie 2. lit. Zss. im engeren Sinne mit lit. Originalbeiträgen in Erstdrucken, allg. Essays über lit. Fragen, z.T. auch mit weiterem Horizont als sog. Kulturzss. Sie sind ein wichtiger Faktor des lit. Lebens und z.T. Sprachrohr neuer Richtungen mit lit. Manifesten. Sie beginnen in Dtl. mit Gottscheds *Beyträgen zur critischen Historie der Deutschen Sprache, Poesie und Beredsamkeit,* dem *Göttingischen Gelehrten Anzeiger* (1759) und den Unternehmen F. Nicolais: *(Neue) Bibliothek der schönen Wissenschaften und der freyen Künste* (1757–1806), *(Neue) Allgemeine Deutsche Bibliothek* (1765–1805) und Boies *Deutsches Museum* (1776–91). Seither hat jede lit. Epoche ihre lit. Zss: Klassik Wielands *Teutscher Merkur* (1773–1810), *Allg. Lit.-Zeitung* (1785–1849), Schillers *Horen* (1795–97), Goethes *Propyläen* (1798–1800); Romantik Schlegels *Athenaeum* (1798–1800); Realismus Prutz' *Deutsches Museum* (1851–67), J. Rodenbergs *Deutsche Rundschau* (1874–1942, 1945–64); Naturalismus *Die Freie Bühne* (1890, ab 1894 *Neue dt. Rundschau,* ab 1904 *Neue Rundschau*), Conrads *Die Gesellschaft* (1895–1902) und Hardens *Die Zukunft* (1892–1922); Jahrhundertwende *Pan* (1895–1899), *Die Insel* (1899–1902) und *Die Jugend* (1896–1940), daneben konservativ Avenarius' *Der Kunstwart* (1887–1937); kathol. *Hochland* (1903–41), satir. Kraus' *Die Fackel* (1899–1936); Expressionismus Waldens *Der Sturm* (1910–32), Pfemferts *Die Aktion* (1911–32), *Die Weißen Blätter* (1913–20) und z.T. *Der Brenner* (1910–34); Weimarer Zeit Ossietzkys *Die Weltbühne* (1918, zuvor 1905 als *Die*

Schaubühne); Exil *Neue dt. Blätter* (1933–35), *Die Sammlung* (1933–35), *Das Wort* (1936–39), *Maß und Wert* (1937–40); Nachkriegszeit *Die Gegenwart* (1945–58), *Der Ruf* (1946–49), *Akzente* (1954 ff.), *Texte und Zeichen* (1955–57), *Die Horen* (1955 ff.), *Wort in der Zeit/Literatur und Kritik* (1955 ff.), *Manuskripte* (1960 ff.), *Text und Kritik* (1963 ff.), *Kursbuch* (1965 ff.), *Tintenfisch* (1968 ff.), *Kürbiskern, Protokolle* u. a. m.; DDR *Sinn und Form* (1949 ff.) und *Neue dt. Literatur* (1953 ff.), doch geht die Tendenz zum Jahrbuch.

W. Hill, D. dt. Theaterzss. d. 18. Jh., 1903, n. 1979; H. H. Houben, Zss. d. Romantik, 1904, n. 1969; J. Bobeth, D. Zss. d. Romantik, 1911, n. 1970; C. Diesch, Bibliogr. d. germanist. Zss., 1927, n. 1970; J. Kirchner, D. Grundlagen d. dt. Zss.-wesens, 1928–31; ders., D. dt. Zss.-wesen, 1942, II ²1958–62; E. H. Lehmann, Einf. i. d. Zss.-kunde, 1936; E. Lorenz, D. Entw. d. dt. Z.-wesens, 1937; E. A. Kirchstein, D. Familien-Z., 1937; R. F. Schäffling, D. repräsentativen Z.en, Diss. Mchn. 1949; K. d'Ester in ›Aufriß‹, 1956; D. dt. Z. d. Ggw., hg. W. Hagemann 1957; W. Haacke, D. Z., 1961; F. Schlawe, Literarische Z.n 1885–1933, II 1961 f., ²1965–73; H.-M. Kirchner, D. Z. am Markt, 1963; H. Pross, Lit. u. Politik, 1963; J. Kirchner, Bibliogr. d. Z. d. dt. Sprachgebiets bis 1900, IV 1966–89; W. Haacke, D. polit. Z., 1968; S. Obenaus, D. dt. allg. krit. Zss. i. d. 1. Hälfte d. 19. Jh., 1973; P. Raabe, D. Z. als Medium d. Aufklärung (Wolffenbütteler Stud. z. Aufkl. 1, 1974); J. K. King, Lit. Zss. 1945–70, 1974; P. Hocks, P. Schmidt, Lit. u. polit. Zss. 1789–1830, 1975; H. Bohrmann, P. Schneider, Zss.-forschg., 1975; A. Estermann, D. dt. Lit.-zss. 1815–1850, X 1977–81; J. Wilke, Lit. Zss. d. 18. Jh., II 1978; P. Hocks, P. Schmidt, Index z. dt. Zss. d. Jhre 1773–1830, III 1979; W. Marckwardt, D. Illustrierten d. Weimarer Zt., 1982; *L'Allemagne des lumières*, hg. P. Grappin, Paris 1982; E. Behler, D. Zss. d. Brüder Schlegel, 1983; RL²; S. Obenaus, Lit. u. polit. Zss. 1830–48, 1986; dies., Lit. u. polit. Zss. 1848–80, 1987; A. Estermann, D. dt. Lit.-Zss. 1850–80, V 1988 ff.; E. Weber, Österr. Kulturzss. d. Nachkriegszt. 1945–50, 1988. →Zeitung, →Journalismus.

Zeitstil →Epochalstil

Zeitstück, Drama um aktuelle Probleme und polit.-soz. Zustände der Gegenwart, oft mit Neigung zum polit. Agitationstheater. Mod. Dramentyp der Neuen Sachlichkeit, der durch Konfrontation des Publikums mit den (aufbereiteten) Fakten zu seiner Bewußtseinsänderung und Abstellung der Mißstände führen will: F. BRUCKNER, P. M. LAMPEL, F. WOLF, E. MÜHSAM, E. TOLLER, G. WEISENBORN, bes. B. BRECHT, in der 2. Nachkriegszeit W. BORCHERT, C. ZUCKMAYER, L. AHLSEN, R. HOCHHUTH, T. DORST, C. GEISSLER; Vorläufer des →Dokumentarstücks.

N. Jaron, D. demokrat. Zeittheater d. späten 20er Jahre, 1981.

Zeittafeln zur dt. oder Weltlit. veranschaulichen die Gleichzeitigkeit des Erscheinens versch. Werke und versch. Strömungen in den großen Literaturen:

P. v. Tieghem, *Repertoire chronologique des litt. modernes*, Paris 1937; A. Spemann, Vgl. Z. d. Weltlit., 1951; K. H. Halbach, Vgl. Z. z. dt. Litgesch., 1952; *Tableau synchronique*, in *Hist. des litt.*, hg. R. Queneau, Paris 1955 ff.; *Annals of Engl. Lit. 1475–1950*, Oxf. ²1960; H. A. u. E. Frenzel, Daten dt. Dichtg., ⁴1968.

Zeitung (v. mittelniederdt. *tiding* = mündl. Bericht über e. Ereignis, Nachricht, ›Kunde‹, in welchem Sinn Z. auch noch bei SCHILLER und GOETHE gebraucht wird; moderne Bedeutung erst Anfang des 17. Jh.), im Ggs. zur →Zeitschrift e. in kurzen, regelmäßigen Zeitabständen (mehrmals am Tage, täglich, zweitägig usw. bis wöchentlich) erscheinende Druckschrift, die sich an e. breite Leserschaft wendet und sie über die wichtigsten Tagesereignisse und -fragen bes. polit., wirtschaftl. und kultureller Art unterrichtet und diese Nachrichten durch krit. Auswertung und Betrachtungen ergänzt, die jedoch stets in enger Beziehung zu aktuellen Problemen stehen. Durch tägl. Erscheinen und weiteste Verbreitung gewinnt sie ungeheuren Einfluß auf die öffentl. Meinung und bildet damit e. entscheidenden Faktor des mod. öffentl. Lebens. Über die reine Nachrichtenvermittlung hinaus sorgt sie durch das →Feuilleton für die lit. Unterhaltung des Leserkreises, macht durch →Rezensionen auf lit. Neuerscheinungen aufmerksam und beeinflußt durch Markt- und Börsenberichte wie Anzeigen weitgehend das Wirtschaftsleben.

L. Salomon, Gesch. d. dt. Z.swesens, III 1900–06; J. J. David, D. Z., 1906; A. Koch, D. Entstehg. d. modernen Z., GRM 2, 1910; H. Diez, D. Z.swesen, 1910; K. Bücher, D. Z.swesen, 1912; K. Schottenloher, Flugbl. u. Z., 1922, n. II 1985; E. Dovifat, D. Z.en, 1925; K. d'Ester, D. Z.swesen, 1928; O. Groth, D. Z., IV 1928–30; K. Bömer, Bibliogr. Hdb. d. Z.swiss., 1929; E. Dovifat, Z.swiss., II 1931; G. Traub, Grundbegriffe d. Z.swesens, 1933; H. Fischer, D. ältesten Z.en, 1936; E. Dovifat, Z.slehre, 1937, ⁵1967; A. M. Lee, The Daily Newspaper in America, N.Y. 1937; W. Heide, E. H. Lehmann, Hb. d. Z.swiss., 1940; K. d'Ester, D. Presse u. ihre Leute i. Spiegel d. Dichtg., 1941; H. A. Münster, Gesch. d. dt. Presse, 1942; K. d'Ester in ›Aufriß‹; O. Groth, D. Gesch. d. dt. Z.swiss., 1948; W. Hagemann, D. Z. als Organismus, 1950; J. März, D. mod. Z., 1951; H. Herd, The March of Journalism, Lond. 1952; F. F. Bond, Introduction to Journalism, N.Y. 1954; E. Emery u. H. L. Smith, The Press and America, Englewood Cliffs 1954; F. Williams, The Press and the Public, Lond. 1955; H. A. Münster, D. mod. Presse, 1955; Ch. Ledré, Hist. de la presse, Paris 1958; U. De Volder, Soziologie d. Z., 1959; O. Groth, D. unerkannte Kulturmacht, VII 1960f.; A. H. Taylor, The British Press, Lond. 1961; The Press and the Public, hg. D. L. B. Hamlin, Toronto 1962; R Voyenne, La presse dans la societé contemporaine, Paris 1962; J. Tebbel, The Compact Hist. of the American Newspaper, N.Y. 1963; N. González-Ruiz, El periodismo, Madrid ³o.J.; K. Kosyk, Dt. Presse i. 19. Jh., 1966; H. Schuster, L. Sillner, D. Z., 1968; J. Noll, D. dt. Tagespresse, 1971; K. Kosyk, Dt. Presse 1914–45, 1972; H. D. Fischer, Dt. Z.n d. 17.–20. Jh., 1972; K. Williams, The Engl. newspaper, Lond. 1977; A. Smith, The newspaper, Lond. 1979; H. G. Puttwies, Urspr. d. dt. Presse, 1981; RL². →Journalismus, →Presse, →Publizistik.

Zeitungslied, gedruckte Neuigkeitsberichte in Versform, meist in siebenzeiligen Strophen und derben Illustrationen, die im 15./16. Jh. von Zeitungssängern öffentlich vorgetragen und anschließend verkauft wurden. Sie wandten sich bes. an die untersten Schichten des Publikums, dem sie neben den ›Wundernachrichten‹ über Kometen, Mißgeburten, Hexerei, Unglücksfälle und Verbrechen (mit genauer Orts-, Zeit- und Personenangabe) auch die nötigen Gefühlsreize des Grauens boten, von e. relig.-moral. Deckmantel verhüllt. Die Vortragsweise geht später in den →Bänkelsang über; die im Volk teils nachgesungenen Lieder bildeten wie die →historischen Lieder e. Vorstufe für die spätere Erneuerung der Volks→balladen.

R. W. Brednich, D. Liedpublizistik i. Flugbl. d. 15.–17. Jh., II 1974f.

Zeitungsroman, als fortlaufender Abdruck in e. Zeitung oder Zs. publizierter Roman mitunter der billigsten Unterhaltungslit., der als →Fortsetzungs- oder →Feuilletonroman in gleichgroßen Folgen erscheint und z.T. auch im Spannungsaufbau darauf Rücksicht nimmt.

F. Weber, D. dt. Z. d. 20. Jh., 1933; R. Hackmann, D. Anfge. d. Romans i. d. Zeitg., Diss. Bln. 1938.

Zéjel (span. =) Tanzlied, von Mucáddam ben Muáfa el Cabri (840–920) erfundene span.-arab. Gedichtform ähnlich dem Rondeau, besteht aus Refrain, einreimigen dreizeiligen Textstrophen (mudanza) und e. Schlüsselvers (vuelta), der Textstrophe und wiederholten Refrain verbindet. Reimfolge: ABcccA dddA usw. (vgl. →Muwaššaha).

Bes. gepflegt bei IBN QUZMĀN (12. Jh.).

R. Menéndez Pidal, *Poesía árabe y poesía europea*, Madrid 1941; K. Voßler, Dichtgsformen d. Romanen, 1951.

Zensur (lat. *censura* = strenge Prüfung, Beurteilung, im röm. Staat das Amt des Sittenrichters, Zensors), behördl., d.h. staatl. oder kirchl. Überwachung der Lit. durch Kontrolle von Druckschriften, Aufführungen, Filmen u.a. Veröffentlichungen aller Art vor ihrer Herausgabe bzw. Aufführung (Vor-Z.) bzw. danach (Nach-Z.) im Hinblick auf ihre sittl., künstler. oder auch weltanschaul.-polit. Eignung, von deren Prüfungsergebnis die Veröffentlichungs- bzw. Aufführungsgenehmigung abhängt. Je nach Schärfe der Handhabung kann die Z. von der rein künstler. Lenkung (Schutz vor unsittl. Schriften) zur bewußten Begünstigung e. weltanschaul., polit. oder wiss. Richtung und bis zur strengen Unterdrückung der Gegenmeinung führen. Die jeweilig herrschende Macht hat selten auf diese Möglichkeit zur Lenkung der öffentl. Meinung verzichtet. In Rom war die Z. Aufgabe der Zensoren, die in erster Linie gegen sittl. Verstöße (dabei aus übertriebener Strenge gegen das Eindringen griech. Bühnenspiele) vorgingen und bes. persönl. Spottl. und Kritik an Personen des Staatslebens verfolgten (Verbannung des NAEVIUS). In der Kaiserzeit stellte AUGUSTUS die Z. in den Dienst der sittl. Erneuerung des Römertums, die er auch durch positive Anregungen in der Lit. zu fördern suchte. Die ma. Kirche übt e. Sitten- und Lehren-Z. aus; kurz nach Einführung des Buchdrucks, 1479, beginnt die kirchl. Buch-Z. E. Bulle von 1501 gibt den Bischöfen das Recht zum Verbot gottloser und ketzerischer Schriften. Die kirchl. Z. wird er-gänzt durch die 1529 allg. eingeführte weltl. Z., die nunmehr auch Angabe des Druckers, Druckorts und später auch Autors verlangt, die Drucker vereidigt und die Einfuhr unterdrückter Schriften verbietet. Als Mittelpunkt entsteht 1569 das kaiserl. Bücherkommissariat in Frankfurt a.M. E. strenge fürstl. Z. bes. der Presse verhindert die freie Meinungsäußerung; geringe Lockerungen im Gefolge des amerikan. Unabhängigkeitskrieges, der Franz. Revolution und der Befreiungskriege wurden in der Reaktionszeit durch die Karlsbader Beschlüsse (1819) durch e. starke Verschärfung rückgängig gemacht, bes. streng war die Metternichzeit in Österreich (GRILLPARZERS *König Ottokar* lag zwei Jahre auf der Z.) sowie die Verfolgung des →Jungen Dtl. Erleichterung und teilweisen Wegfall der Z. brachte erst das Jahr 1848, doch um die Jh.wende wurden noch CONRADIS *Adam Mensch*, HAUPTMANNS *Weber*, SCHNITZLERS *Reigen*, E. TOLLERS *Masse Mensch* u.a. verboten. Die Weimarer Verfassung beschränkte die Z. Zur Buch-, Presse- und Theater-Z. traten später Film- und Rundfunk-Z., die im Dritten Reich unter rass.-polit. Gesichtspunkten verschärft wurden. In der BR. herrscht nach Art. 5 des Grundgesetzes keine Z.; dagegen verhindern ›freiwillige Selbstkontrollen‹ wie die Filmprüfungskommission u.ä. Auswüchse und negative Einflüsse durch verbindl. Entscheidungen; gesetzliche Eingriffe sind nur gegen →Pornographie und →Schundliteratur zum →Jugendschutz durch die →Bundesprüfstelle, bei Verbreitung →unzüchtiger Schriften und bei Angriffen gegen die persönl. Ehre gemäß dem Strafgesetzbuch statthaft. In Frankreich wurde die Z. 1881 aufgehoben, in England die Bücher-Z.

1694, die Theater-Z. erst 1968. Z. der kath. Kirche →Index. →Pressefreiheit, →Bücherverbrennung.

G. H. Putnam, *The censorship of the church*, N.Y. II 1906; F. Fowell u.a., *Censorship in Engl.*, Lond. 1913, n. 1969; H. Houben, Verbot. Lit., II 1924–28, ²1965; ders., Polizei u. Z., 1926, u. d. T. Der ewige Zensor, n. 1978; RL; W. K. Gotwald, *Ecclesiastical Censure at the end of the 15. cent.*, Baltimore 1927; G. Armitage, *Banned in England*, 1932; A. Bachmann, *Censorship in France 1715–1750*, N.Y. 1932; P. Blanshard, *The right to read*, Boston 1955, ²1956; J. Marx, D. österr. Z. i. Vormärz, 1956; A. L. Haight, Verbotene Bücher, 1957; D. Fellmann, *The censorship of books*, Madison 1957; D. de Jong, *Het vrije Boek in onvrije tijd*, Leiden 1958 (Bibliogr.); *First freedom*, hg. R. B. Downs, Chic. 1960; L. Gil, *Censura en el mundo antiguo*, Madrid o.J.; Lord Radcliffe, *Censors*, Cambr. 1961; J. C. N. Paul u. M. L. Schwartz, *Federal Censorship*, N.Y. 1961; *Literary Censorship*, hg. K. u. E. Widmer, Belmont 1961; H. C. Gardiner, *Catholic viewpoint on censorship*, N.Y. 1961; *Versions of censorship*, hg. J. MacCormick u. M. McInnes, N.Y. 1962; H. Lackmann, D. kirchl. Bücher-Z., 1962; H. Swayze, *Political Control of Lit. in the USSR, 1946–1959*, Cambr./Mass. 1962; A. Craig, *The banned books of England and other countries*, Lond. 1962; M. L. Ernst, A. U. Schwartz, *Censorship*, Lond. 1964; L. Gabriel-Robinet, *La censure*, Paris 1965; D. Grenzen lit. Freiheit, hg. D. Zimmer 1966; F. Schneider, Pressefreiheit u. polit. Öffentlichk., 1966; R. Findlater, *Banned*, Lond. 1966; U. Otto, D. lit. Z. als Problem d. Soziologie d. Politik, 1968; N. Herrmann-Mascard, *La censure des livres à Paris 1750–1789*, 1968; *Censorship landmarks*, hg. E. de Grazia, N.Y. 1969; D. Thomas, *A longtime burning*, Lond. 1969; C. H. Rolph, *Books in the dock*, Lond. 1969; G. Klingenstein, Staatsverwaltg. u. kirchl. Autorität i. 18. Jh., 1970; D. Aichner, D. Indizierg. ›schädl. u. unerwünschten Schrifttums‹ i. 3. Reich, 1971; K. Tober, Pegasus i. Joch, AG 6, 1971; H. Sauter, Bücherverbote einst u. jetzt, 1972; D. Bécaut, *Livres condamnés*, Paris 1972; G. Schulz, Naturalismus u. Z. (Naturalismus, hg. H. Scheuer 1974); H.-P. Reissner, Lit. unter d. Z., 1975; K. Fuchs, Bürgerl. Räsonnement u. Staatsräson, 1975; M. Kramer, D. Z. i. Hamburg 1819–48, 1975; A. Huth, Pressfreyheit od. Censur, 1976; H. Védrine, *Censure et pouvoir*, Amsterd. 1976; L. Bodi, Tauwetter i. Wien, 1977; H. Wagner, D. Z. i. d. Habsb. Monarchie 1750–1810 (Buch-

u. Verlagswesen i. 18. u. 19. Jh., hg. H. G. Göpfert 1977); F. Hadamowsky, Ein Jh. Lit.- u. Theater-Z. i. Österr. (D. österr. Lit., hg. H. Zeman 1979); B. Zeller, Z. u. Liberalität i. Ztalter d. Restauration, 1979; Mut z. Meinung, hg. I. Drewitz 1980; J. R. Stephens, *The censorship of Engl. drama 1824–1910*, Cambr. 1980; Z. i. d. BRD, hg. M. Kienzle 1980, ²1981; W. Speyer, Büchervernichtg. u. Z. d. Geistes, 1981; M. Meyer, Theater-Z. i. Mchn. 1900–1918, 1982; D. Breuer, Gesch. d. lit. Z. i. Dtl., 1982; E. Ziegler, Z'gesetzgebg. u. Z'praxis i. Dtl. 1819–48 (Buchhandel u. Lit., hg. R. Wittmann 1982); E. Ziegler, Lit. Z. i. Dtl. 1819–48, 1983; RL²; Verboten!, hg. J.-C. Hauschild 1985; G. D. Stark u.a., *The censorship of lit. naturalism (Central Europ. History 18, 1985); Kanon u. Z., hg. A. u. J. Assmann 1987; Unmoralisch an sich, hg. G. Göpfert 1988.

Zento →Cento

Zerdehnung, 1. epische Z. bei Homer: Zerteilung e. einsilbig gewordenen Lautes in seine ältere zweisilbige Form aus metr. Gründen. – 2. in dt. Metrik der Ersatz von Versen mit zweisilbigen Takten durch solche mit einsilbigen Takten an bestimmten Strophenstellen, die entsprechend gelängt werden. Beispiele: C. F. Meyer *Der römische Brunnen* (Schlußzeile), Goethe *Das Veilchen* (6. Zeile).

Zersingen →Volksdichtung und →Volkslied

Zeugma (griech. = Zusammengefügtes, Joch), 1. syntaktisches Z. →Syllepse, 2. →rhetor. Figur der Worteinsparung: die Beziehung e. Satzteils auf mehrere andere Wörter, Satzteile oder Sätze, bes. Sonderform der →Syllepse: Verbindung mehrerer gleichgeordneter Wörter (bes. Hauptwörter) mit e. anderen, ihnen syntaktisch übergeordneten (Verb, Adjektiv), das seiner genauen Bedeutung und seinem üblichen Wortsinn nach nur zu einem der Hauptwörter, jedenfalls nicht zu allen in gleicher Weise paßt. Das

übergeordnete Verb bezieht sich
dann in versch. Bedeutung auf die
untergeordneten Satzteile (semant.
→Syllepse): gleichzeitig im eigentl.
und übertragenen Sinn: ›Er hob den
Blick und e. Bein gen Himmel‹
(STERNE) oder als Hilfs- und zugleich Vollverb: ›Als Viktor zu Jo-
achime kam, hatte sie Kopfschmer-
zen und Putzjungfern bei sich‹ (JEAN
PAUL). Neben dem unbeabsichtig-
ten Gebrauch aus Bequemlichkeit
steht der beabsichtigte, der die aus
der schillernden Wortbedeutung
hervorgehenden Spannungen bewußt als Stilwerte zu überraschender und kom. Wirkung verwendet
(→Konzetti).

Zieldrama, im Ggs. zur folgernden
Fabel des →analytischen Dramas,
bei dem die Katastrophe vorangegangen und jede weitere Etappe e.
Folge davon ist, das Drama, das in
strengem Aufbau auf e. an das Ende
verlegte Katastrophe hinzielt.

Zimmertheater, in der Nachkriegszeit z.T. aus Raumnot entstandene
mod. Kleinstform der →Kammer-
spiele in dt. Großstädten, die durch
Intimität und Intensität bes. Anforderungen an die Stücke wie die
Schauspieler stellt. Oft für Experi-
mentierbühnen.

Zinnespel →Sinnespel

Zitat (lat. *citare* = nennen, namentl. anführen), zu Erläuterung,
Beweis oder Bestätigung der eigenen
Auffassung wörtlich oder sinngemäß angeführte Stelle (Satz, Vers)
aus e. Schriftwerk oder wörtlich
wiederholte mündl. Äußerung, die
der Zitierende infolge ihrer treffenden Formulierung nicht mit eigenen
Worten wiedergeben will, die er als
fremde Meinung feststellt oder mit
der er sich so wenig identifiziert,
daß er sie betont als Z. abrückt; im

Schriftsatz meist durch Anführungszeichen oder Kurisve kenntlich gemacht und erforderlichenfalls mit
→Quellenangabe versehen. Aus
häufig und bes. mündlich verwandten kurzen Z.en bekannter Dichtungen entstehen beim Übergang in den
allg. lebendigen Gebrauch in der
Umgangssprache sprichwortartig
verwandte sog. →geflügelte Worte,
die im Bildungsbürgertum wilhelmin. Zeit noch die literatursoziolog.
Funktion hatten, den Bürger mit der
lit. Tradition zu verbinden und ihn
durch den Nachweis seiner
Z.kenntnis als gebildet darzustellen.
Innerhalb der Erzähllit. selbst hat
sich das Z. z.B. bei RABELAIS, CER-
VANTES, STERNE, WIELAND, E. T.
A. HOFFMANN, IMMERMANN, FON-
TANE, RAABE, Th. MANN und A.
SCHMIDT je nach der Art der heran-
gezogenen Z.-Quellen und der Zi-
tierweise zu einem kunstvollen spielerischen ep. Stilmittel von Montagen und Collagen entwickelt, das
allerdings beim Leser die Kenntnis
der Z.splitter, humorist. Entstellun-
gen und Anspielungen voraussetzt.
Selbst-z.e e Autors (KLEIST, Th.
MANN) eröffnen Wechselbeziehungen der Werke. Vgl. →Cento,
→Motto, →Testimonia.

E. Staiger, Entstellte Z. (Trivium 3,
1946); F. Panzer, V. ma. Zitieren; 1950;
H. Meyer, D. Z. i. d. Erzählkunst, 1961,
²1967; M. Durzak, Z. u. Montage i. dt.
Roman d. Ggw. (D. dt. Lit. d. Ggw., hg.
ders. 1971); K. Riha, Cross-reading u.
cross-talking, 1971; K. Adel, D. Z. i. d.
Lyrik, LK, 1972; L. Mackensen, Z.e,
1973; R. Beyer, Unters. z. Z.gebrauch i.
d. dt. Lyrik nach 1945, Diss. Gött. 1975;
V. Klotz, Z. u. Montage i. neuerer Lit. u.
Kunst, STZ 60, 1976; P. H. Neumann,
D. Eigene u. d. Fremde (Fs. U. Fülleborn,
1982); W. Röll, Z. Zitieren als Kunstmit-
tel i. d. ält. dt. Lyrik, PBB 105, 1983; U.
Brandes, Z. u. Montage i. d. neueren
DDR-Prosa, 1984; B. Cronin, The cita-
tion process, Lond. 1984; RL²; W. Mie-
der, Sprichwort, Redensart, Z., 1985. –
Zitaten-Lexika u. Hdbb. von: J. Bartlett,
N.Y. 1855; G. Büchmann 1864; A. H.
Fried 1888; W. Kayser 1899; Sonnen-

schein, Lond. X 1901–11; F. v. Lipperheide 1907; R. Zoozmann 1910; G. Fumagalli, Mail. 1921; P. Friedrich 1934; B. Stevenson, N.Y. 1934; G. Kühnel 1938; K. L. Roberts, N.Y. 1938; *Oxford dictionary of quotations*, Oxf. 1941; W. A. Krüger 1945; C. Goicoecha, Barcelona 1952; E. Genest, Paris 1954; K. Peltzer 1957; P. Dupré, Paris 1959; A. Grunow IV 1961–65; E. Puntsch 1965; F. N. Magill, N.Y. II 1965–69; B. Evans, N.Y. 1968; M. Schiff 1968; E. R. Hauschka 1968; L. Schmidt 1971; G. Hellwig 1974; J. H. Kirchberger 1977; V. Bottcher 1981; U. Eichelberger 1981; R. v. Normann, D. treffende Vers, 1981 u. spätere Auflagen.

Zitattitel →Titel

Zornige junge Männer *(Angry young men)*, nach dem Charakter ihrer Hauptfiguren und in Anlehnung an Osbornes *Blick zurück im Zorn* und Leslie Pauls Autobiographie (1951) Sammelbz. für die Generation engl. Schriftsteller, bes. Dramatiker, die nach dem 2. Weltkrieg mit sozial- und zeitkrit., hartrealist., thematisch neuartigen und explosiven Stücken der Verbitterung und des Protestes gegen die enge und genügsame bürgerl. Alltagswelt erfolgreich an die Öffentlichkeit trat, deren Anstoß jedoch seit 1962/63 nur noch in wenigen Epigonen fortwirkt. Hauptvertreter sind meist junge Intellektuelle aus kleinen Verhältnissen, die nach Abschluß des Studiums vergeblich nach sozialer Verantwortung strebten: Osborne, Pinter, Wesker, Sh. Delaney, J. Arden, E. Bond, K. Amis, J. Braine, J. Wain, A. Sillitoe, A. Jellicoe u.a.

K. Allsop, *The angry decade*, Lond. 1958, [2]1964; R. Weimann, D. Lit. d. angry young men (Zs. f. Anglistik u. Amerikanistik 1, 1959); C. Gneuss, D. z. j. M. (Anstöße, 1962); J. R. Taylor, Zorniges Theater, 1965; W.-D. Weise, D. Neuen engl. Dramatiker i. ihrem Verh. z. Brecht, 1969; I. Kreuzer, Entfremdg. u. Anpassg., 1972.

Zote (v. franz. →*sottie* oder dt. Zotten), scherzhafte Erzählung schlüpfrigen Inhalts, unanständiger →Witz.

Zueignung →Dedikation und →Widmungsgedicht

Zufall, nicht vorhersehbar und zwingend, sondern unbegründbar und willkürlich eintretendes Ereignis, als solches im Hinblick auf die Glaubwürdigkeit und Wahrscheinlichkeit der Handlung in der Lit. nur mit Zurückhaltung verwendbar, zumal in trag. Dichtungen als Verstoß gegen die Stringenz der Tragik; in der Novelle unter dem Aspekt des Unerhört-Neuartigen durchaus möglich, in der ohnehin nicht auf Glaubhaftigkeit angelegten heiteren Komödie und Satire im Überfluß anzutreffen. Wertneutral, kann der Z. ebenso Zeichen e. als chaotisch-absurd empfundenen Welt wie allgegenwärtiger göttl. Lenkung sein. Beispiele: Voltaires *Candide*, Kleists Novellen, Eichendorffs *Taugenichts*. →aleatorische Dichtung.

W. v. Scholz, D. Z. u. d. Schicksal, 1935, [3]1959; E. Nef, D. Z. i. d. Erzählkunst, 1970; E. Köhler, D. lit. Z., 1973; U. Profitlich, D. Z. als Probl. d. Dramaturgie (Fs. W. Emrich, 1975); K.-D. Müller, D. Z. i. Roman, GRM 28, 1978.

Zug, kleine, meist unselbständige stoffl. Einheit in der Lit., nach Bedeutung und Funktion dem →Motiv untergeordnet und dieses stimmungsmäßig ausschmückend; bei traditioneller Verwendung zum →Topos erstarrend.

Zuihitsu (japan. = Pinselaufzeichnungen); japan. Prosagattung: ohne Rücksicht auf die Komposition unverbunden und beliebig je nach Eingebung und Umständen aneinandergereihte Einfälle, Geschichten, Notizen über Beobachtungen, Eindrücke und Gedanken u.a. Vorbild und Hauptwerk der Gattung ist das

Kopfkissenbuch (Makura-no-sōshi) der SEI SHŌNAGON (10. Jh.). Die unkonventionelle Formlosigkeit der Gattung, allein durch Persönlichkeit und Sensibilität des Autors zusammengehalten, veranlaßte ihre weite Beliebtheit bis ins 20. Jh.

Zukunftsroman   →Utopie, →Staatsroman,   →Anti-Utopie, →Science Fiction

Zuschauer →Publikum

Zustandsdrama →Milieudrama

Zwanzigerjahre →Weimarer Republik, →Neue Sachlichkeit

Zweckdichtung,   Zweckform, Zweckliteratur,   Zweckprosa →Gebrauchsliteratur,   →Tendenzdichtung

Zweiakter, die relativ seltene Form des Dramas in zwei →Akten, meist für kürzere allegor. Spiele (B. WALDIS, *Der verlorene Sohn,* G. HAUPTMANN, *Hanneles Himmelfahrt*), häufiger in RAIMUNDS Zauberstücken, bei GIRAUDOUX und ELIOT.

D. Steffen, D. Z. i. zeitgen. engl. Dr., 1983.

Zweideutigkeit des Ausdrucks →Amphibolie

Zweipersonenstück, Drama mit nur zwei (handelnden, redenden) Figuren, →Duodrama.

Zweisilbige →weibliche Reime

Zweizeiler →Distichon

Zwillingsformel, kurzes, meist antithetisches oder tautolog. Begriffspaar wie ›Himmel und Hölle, Jung und Alt, Weg und Steg‹, auch durch →Alliteration oder als →Reimformel gebunden, bei ungleichsilbigen Wörtern nach steigender Silbenzahl

geordnet (›Leib und Leben‹), so auch bei den selteneren Drillingsformeln (›Feld, Wald und Wiese‹). Z. entstammen meist der alten Rechtssprache.

R. Matzinger-Pfister, Paarformel, Synonymik u. zweisprach. Wortpaar, 1972.

Zwischenakt, eigentlich die Pause zwischen den Akten e. Dramas. Sie wurde in volkstümlicheren Aufführungen durch Einlage selbständiger kom. Szenen,   →Zwischenspiele, Pantomime oder Tanz ausgefüllt, häufig auch durch nicht eigens für diesen Zweck geschriebene Musik (Stücke aus anderen Opern und Konzerten), die das Publikum während des Dekorationswechsels ablenken sollten. Die Verwendung der Z.-musik reicht vom Barock bis zu Beginn des 20. Jh. Mit den Möglichkeiten schnelleren Schauplatzwechsels (Drehbühne u. ä.) seit rd. 1850 wird sie aufgegeben.

F. Mirauer, Bühnen- u. Z.-Musik d. dt. Theaters i. d. klass. Zt., Diss. Erlangen 1923.

Zwischenreim →Schweifreim

Zwischenspiel, kleines, dramat. Spiel als kom. Einlage zur Ausfüllung der →Zwischenakte e. Dramas, um die Zuschauer während des Kostüm- und Szenenwechsels zu erheitern und den Darstellern e. Ruhepause zu verschaffen. Die im Laufe der Zeit und bei den versch. Völkern ausgeprägten Formen sind äußerst mannigfach, ebenso der Zusammenhang der Z.e untereinander von bloßer Schauszenenreihung bis zur selbständigen dramat. Kontrasthandlung mit der Loslösung vom Hauptspiel. Das griech. Drama kannte musikal. Z. oder →Stasima, das röm. Mimus und Pantomimus, das geistl. Drama und Jesuitendrama Farcen und Possen. Das Z. des neueren Dramas entwickelt sich im 15.–17. Jh. aus vier äußerst versch.

Quellen: 1. den Chören des neuauflebenden antiken Dramas, 2. den span. →Entremeses und →Sainetes, engl. →Interludes, franz. →Farcen, 3. dem Volkslied: z.T. bei SHAKESPEARE, bes. aber in Italien, wo aus den zwischen den Akten gesungenen Volksliedern das Singballett und damit die parodist.-satir. Gattung des →Intermezzo als ›comic relief‹ hervorging, die sich auf dem Kontinent und bes. in Wien verbreitete und später zur Opera buffa umgebildet und losgelöst wurde, 4. aus den volkstüml. burlesken Possenspielen und Rüpelspielen die Stegreifscherze (Lazzi, Jets, Jigs) der Hanswürste und Clowns, in England auch als →Dumb show. Schließlich ging man seit 1630 von Frankreich aus wieder zur Zwischenaktsmusik über, die sich wie auch das Z. überhaupt in Dtl. am längsten erhielt.

F. Hammes, D. Z. i. dt. Drama, 1911, n. 1977; RL².

Zwitterdruck →Doppeldruck

Zwölf alte Meister →Meistersang

Zyklenroman, franz. *roman fleuve,* Romanzyklus aus einzelnen, selbständigen Romanen, die sich stofflich und gehaltlich nach dem Prinzip des →Zyklus um denselben Problemkreis bewegen: BALZACS *Comédie humaine,* ZOLAS *Rougon-Macquart,* A. FRANCES *Histoire contemporaine,* R. ROLLANDS *Jean Christophe,* M. PROUSTS *Á la recherche du temps perdu,* MARTIN DU GARDS *Les Thibault,* G. DUHAMELS *Chronique des Pasquier,* J. ROMAINS' *Les hommes de bonne volonté* u.a., in England J. GALSWORTHYS *Forsythe Saga* und als bes. kunstvolle Form perspektiv. Versetzung L. DURRELLS *Alexandria Quartet.*

H. Gmelin, D. frz. Z. d. Ggw., 1950.

Zykliker →Kykliker

Zyklus (griech. *kyklos* = Kreis), als werkübergreifende lit. Kompositionsform e. inhaltlich und formal in sich geschlossene Reihe zusammengehöriger Werke: Gedichte, Novellen, Romane, Sagen, Dramen, Vorträge u.ä. (auch Gemälde, Graphiken), die durch starken Bauwillen nicht vereinzelt und selbständig bleiben, sondern über ihre Eigenständigkeit hinaus sich zu e. gerundeten Ganzen zusammenfassen lassen, durch das sie wiederum e. neue Funktion als Teile erhalten. Die Geschlossenheit des echten Z. beruht nicht nur auf der Aneinanderreihung von Ähnlichem und rundender Rückkehr zum Ausgangspunkt, sondern auf dem inneren Bestreben, alles nach dem Prinzip der Variation in immer neuen Anläufen um das gleiche Thema als e. ungenannten, doch stets im Auge behaltenen Mittelpunkt kreisen zu lassen, der in keinem Teil vollständig anwesend ist, doch alle insgeheim miteinander verknüpft. Lyr. Z.en sind SHAKESPEARES Sonette, GOETHES *Röm. Elegien,* NOVALIS' *Hymnen an die Nacht,* E. BARRETT-BROWNING, RILKES *Duineser Elegien* und *Sonette an Orpheus,* GEORGES *Teppich des Lebens* u.a. Erzähler. Z.en sind stets Rahmenerzählungen wie GOETHES *Unterhaltungen dt. Ausgewanderten* und KELLERS *Sinngedicht* oder →Zyklenromane. Die Großformen der Versepik zeigen nur lose themat. Bindung im sog. Ep. Z. der ›Kykliker, den Artus- und Dietrichepen; im Drama ist engere Z.bildung selten: SCHNITZLERS *Anatol* und *Reigen,* sonst →Trilogie, →Tetralogie. Vgl. →Sonett(zyklus).

J. Müller, D. zykl. Prinzip i. d. Lyrik, GRM 20, 1932; H. M. Mustard, *The Lyric cycle in German Lit.,* N.Y. 1946; H.-J. Schrimpf, D. Prinzip d. Z. b. Goe-

the, Diss. Hdlbg. 1955; W. Hartinger, D.
Z. i. d. Lyrik, Diss. Lpz. 1969; F. L.
Ingram, *Representative short story cycles
of the 20. cent.*, Haag 1971; E. Meuthen,
Bogengebete, 1983; RL²; C. Gerhard, D.
Erbe d. großen Form, 1986.

Zynismus (nach der altgriech. Philosophenschule der Kyniker um
Diogenes), auf radikaler Skepsis
und verletzender Scheinüberlegen-
heit beruhende, schärfste Form des
bissigen Spottes gegenüber den von
anderen vertretenen Werten und
Wahrheiten mit rücksichtslos her-
absetzender, bloßstellender Absicht,
lit. bes. in der →Satire (Menippos,
Varro, Petronius, Lukian,
Swift, Grabbe, K. Kraus, H.
Mann, K. Tucholsky).

H. Niehues-Probsting, D. Kynismus d.
Diogenes u. d. Begriff d. Z., 1979, ²1988;
P. Sloterdijk, Kritik d. zyn. Vernunft,
1982.